Inde du Nord

Sarina Singh
Lindsay Brown, Mark Elliott, Paul Harding, Abigail Hole
Patrick Horton, Kate James, Daniel McCrohan

TADJIKISTAN
DOUCHANBE
LADAKH (p. 298)
Au programme, spiritualité et culture bouddhiques et treks inoubliables dans des paysages himalayens d'une beauté saisissante
AFGHANISTAN
CHAÎNE DU GRAND HIMALAYA
K2 (8 611 m)
Indus
AMRITSAR (p. 266)
Sérénité et splendeur de l'étincelant Temple d'or, le lieu le plus saint des sikhs
KABOUL
ISLAMABAD
Kargil
Srinagar
JAMMU-ET-CACHEMIRE
Leh
Padum
Kishtwar
LADAKH
ZANSKAR
Jammu
McLeod Ganj
Dalhousie
PAKISTAN
Pathankot
Manali
Dharamsala
Kullu
Amritsar
HIMACHAL PRADESH
Attari
UDAIPUR (p. 209)
Une cité de conte de fées dont l'extravagant Lake Palace est entouré de collines ocre
Firozpur
Ludhiana
Shimla
UTTARAKHAND
Nanda Devi (7 816 m)
PUNJAB
Chandigarh
Dehra Dun
Haridwar
Bathinda
Corbett Tiger Reserve
Almora
JAISALMER (p. 237)
Son fort majestueux surgit du désert tel un château de sable géant, à découvrir à dos de chameau
HARYANA
Nainital
Hansi
Gange
DELHI
Bareilly
Churu
Bikaner
Désert du Thar
UTTAR PRADESH
Mathura
Nagaur
Agra
Lucknow
Jaisalmer
Pushkar
Jaipur
Keoladeo Ghana National Park
Kanpur
RAJASTHAN
Ajmer
Jodhpur
Gwalior
Yamuna
Barmer
Ranthambhore National Park
Shivpuri
Bundi
Jhansi
Allahabad
Kota
Mount Abu
Chittorgarh
Satna
Khajuraho
Udaipur
Great Rann of Kutch
GUJARAT
Kalni
Sagar
Bhuj
Little Rann Wildlife Sanctuary
Ratlam
Ujjain
Sanchi
Jabalpur
Gandhinagar
Bhopal
Ahmedabad (Amdavad)
Dewas
Indore
Dindor
Jamnagar
Dwarka
Rajkot
Vadodara (Baroda)
Mandu
MADHYA PRADESH
Kanha National Park
Bhavnagar
Khandwa
Seoni
Porbandar
Junagadh
Palitana
Sasan Gir Wildlife Sanctuary
Surat
Nagpur
Dhule
Jalgaon
Amraoti
Diu
Akola
20°N
Côte de Porbandar
Daman
Dahanu
Manmad
Ajanta
CHHATTIS
Golfe de Cambay
Nasik
Aurangabad
MUMBAI (BOMBAY)
Kalyan
Parbhani
Nanded
MER D'OMAN
Nizamabad
Godavari
Pune
MAHARASHTRA
Mahabaleshwar
Warangal

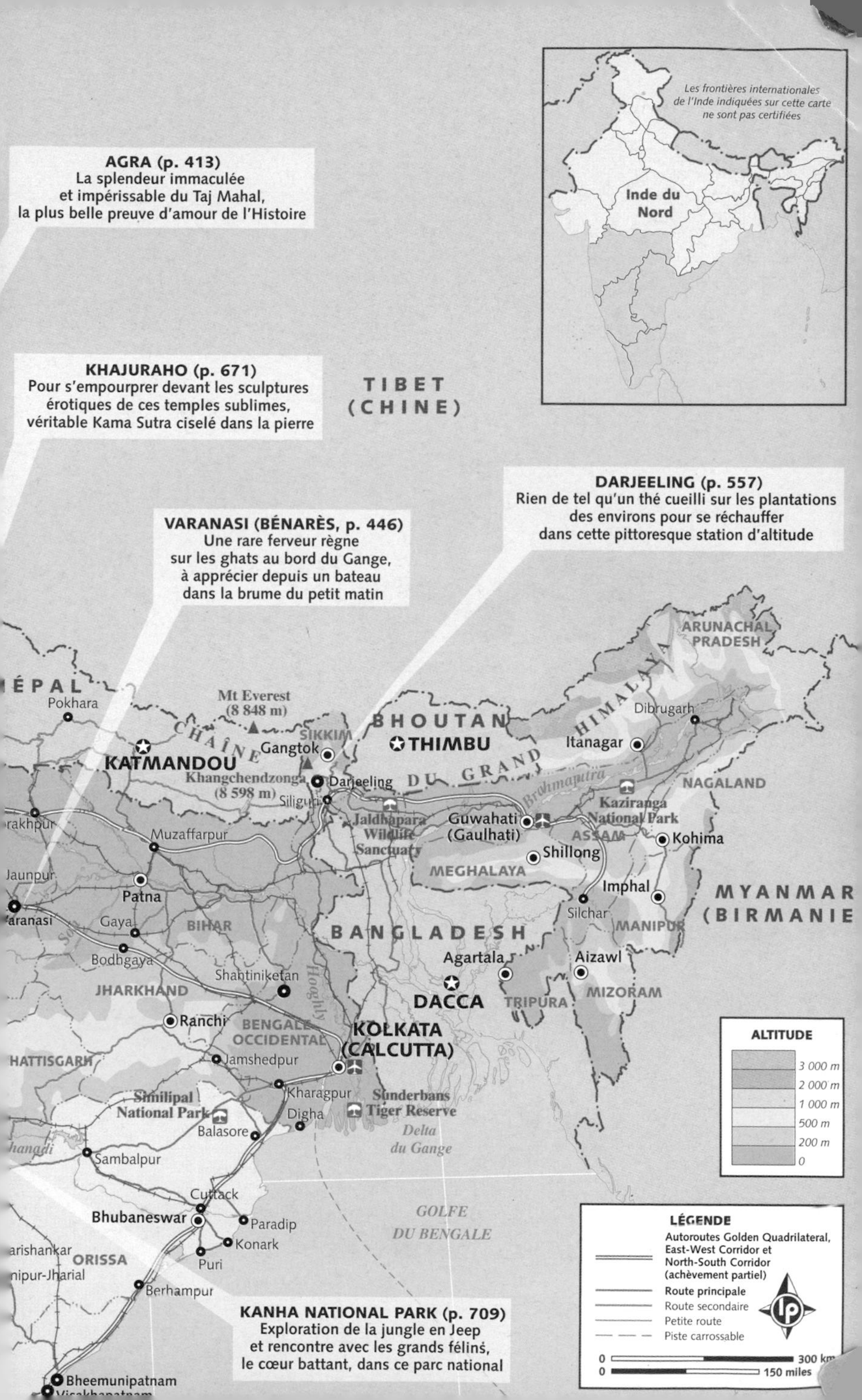

Les frontières internationales de l'Inde indiquées sur cette carte ne sont pas certifiées

Inde du Nord

AGRA (p. 413)
La splendeur immaculée et impérissable du Taj Mahal, la plus belle preuve d'amour de l'Histoire

KHAJURAHO (p. 671)
Pour s'empourprer devant les sculptures érotiques de ces temples sublimes, véritable Kama Sutra ciselé dans la pierre

DARJEELING (p. 557)
Rien de tel qu'un thé cueilli sur les plantations des environs pour se réchauffer dans cette pittoresque station d'altitude

VARANASI (BÉNARÈS, p. 446)
Une rare ferveur règne sur les ghats au bord du Gange, à apprécier depuis un bateau dans la brume du petit matin

KANHA NATIONAL PARK (p. 709)
Exploration de la jungle en Jeep et rencontre avec les grands félins, le cœur battant, dans ce parc national

TIBET (CHINE)

ÉPAL
Pokhara
Mt Everest (8 848 m)
CHAÎNE DU GRAND HIMALAYA
KATMANDOU
SIKKIM
Gangtok
Khangchendzonga (8 598 m)
Darjeeling
Siliguri
BHOUTAN
THIMBU
ARUNACHAL PRADESH
Dibrugarh
Itanagar
Brahmapoutre
NAGALAND
Kaziranga National Park
Guwahati (Gaulhati)
ASSAM
Kohima
Jaldhapara Wildlife Sanctuary
Shillong
MEGHALAYA
Imphal
Silchar
MANIPUR
MYANMAR (BIRMANIE)
rakhpur
Muzaffarpur
Jaunpur
Patna
aranasi
Gaya
BIHAR
Son
Bodhgaya
Shantiniketan
Hooghly
BANGLADESH
Agartala
Aizawl
DACCA
TRIPURA
MIZORAM
JHARKHAND
Ranchi
BENGALE OCCIDENTAL
KOLKATA (CALCUTTA)
HATTISGARH
Jamshedpur
Kharagpur
Sunderbans Tiger Reserve
Similipal National Park
Balasore
Digha
Delta du Gange
hanadi
Sambalpur
Cuttack
Bhubaneswar
Paradip
Konark
GOLFE DU BENGALE
arishankar
ORISSA
Puri
nipur-Jharial
Berhampur
Bheemunipatnam
Visakhapatnam

ALTITUDE
3 000 m
2 000 m
1 000 m
500 m
200 m
0

LÉGENDE
Autoroutes Golden Quadrilateral, East-West Corridor et North-South Corridor (achèvement partiel)
Route principale
Route secondaire
Petite route
Piste carrossable

0 — 300 km
0 — 150 miles

À ne pas manquer

Tour à tour enthousiasmante et épuisante, l'Inde du Nord séduit d'innombrables visiteurs avec son mélange d'effervescence et de sérénité, de modernité et de traditions millénaires. Elle offre une incroyable diversité d'expériences, de découvertes et de sensations. Des voyageurs et des collaborateurs de Lonely Planet vous dévoilent ici leurs plus beaux moments en Inde du Nord.

CHR

1 HYMNE À L'AMOUR

Le guide a bien raison : le Taj Mahal (p. 418) est un chef-d'œuvre qu'on ne présente plus. Un monument à l'amour d'une élégante beauté qui révèle aussi la mégalomanie de son constructeur, une incarnation parfaite de l'être humain.

coeurdelion, voyageur

DARJEELING, VISAGE TRANQUILLE DE L'INDE

La station climatique de Darjeeling (p. 557) est idéale pour se détendre, à l'abri de la chaleur, en contemplant l'Himalaya.

Cheryn, contributeur à Lonely Planet

2

LINDSAY BROWN

KAMA SUTRA

Des images érotiques millénaires ornent les temples hindous remarquablement préservés de la ville de Khajuraho (p. 671). Nombre de ces scènes défient les lois de la gravité et de l'anatomie, et on y découvre que les chevaux ont toujours été… appréciés.

sunphlower, voyageur

3

ANDERS BLOMQVIST

CHRIS M

4

FORT DE JAISALMER

Ce fort du XIIe siècle (p. 239) est un dédale de ruelles taillées dans le grès, qui serpentent entre le palais, les temples et des centaines de *haveli* (résidences traditionnelles richement décorées) d'une apparente simplicité. Un quart des habitants de la ville vit ici, entre les remparts jalonnés de 99 bastions.

anpl, voyageur

TONY V

5

À LA RENCONTRE DES ÉLÉPHANTS SAUVAGES, UTTARAKHAND

Je restai sans voix à la vue de ces quatre éléphants. Depuis près de 5 000 ans, le destin de ces majestueux pachydermes est lié à celui des habitants du sous-continent, entre labeur et spiritualité, entre vie quotidienne et sacrée.

Stéphanie Noble, voyageur

LA PAISIBLE LEH

Perchée sur les hauteurs du Ladakh, Leh (p. 301) est une célèbre ville marchande de la route de la Soie méridionale, où le commerce reste prospère. Masques tibétains, chapeaux et boîtes du Cachemire s'y vendent à petits prix, mais surtout, ne manquez pas les boutiques de perles en lapis-lazuli et en ambre.

dreno, voyageur

6

KAREN TRIST

EN BARQUE SUR LE GANGE

Près des escaliers de Varanasi (p. 446), louez un bateau et rejoignez le milieu du fleuve pour observer les pèlerins entrer dans l'eau en priant. Laissez-vous séduire par l'hindouisme et bercer par les battements du cœur de l'Inde.

raviashish, voyageur

7

PAUL BEINSSEN

LINDSAY

8 MERVEILLEUX SIKKIM

Voici un lieu qui restera à jamais gravé dans votre mémoire. Entouré par les imposants sommets enneigés de l'Himalaya, on peut voir à l'aube le Khangchendzonga (p. 561), deuxième plus haut sommet de la chaîne himalayenne. Les rayons du soleil confèrent alors une teinte dorée aux pics coiffés de neige. Un endroit où dame nature révèle toute sa splendeur !

sharadab, voyageur

DALLA

9 SAFARI À DOS DE CHAMEAU

Faites une excursion de deux jours à dos de chameau dans le désert du Thar, au Rajasthan (p. 159), pour voir des gazelles, dormir sur une dune, cuire des *chapati* sur un feu et rencontrer ces habitants du désert qui parviennent à faire pousser des pastèques et du blé dans le sable.

cheryn, voyageuse

VOYAGES EN TRAIN EN INDE DU NORD

Visiter l'Inde sans faire un voyage en train (p. 815), c'est comme goûter sa cuisine en enlevant les épices ! Paysages et rencontres y sont uniques et inoubliables.

Émilie Esnaud, voyageuse

11

NIC BOTHMA

10

RICHARD I'ANSON

FATEHPUR SIKRI

Une des grandes cités perdues de l'Inde (p. 185), à proximité du Taj Mahal. Essayez d'échapper aux guides pour explorer les ruelles de cette magnifique ville fantôme fortifiée, lorsqu'elle rougeoie sous le soleil de la fin de l'après-midi.

anpl, voyageur

12

MARK HONAN

UN AUTRE MONDE À CHANDIGARH

Le Nek Chand Fantasy Rock Garden (p. 257) ouvre les portes d'un monde fabuleux. Ce parc de 20 ha, aux faux airs de "monde perdu", est peuplé d'habitants étranges, faits de toutes sortes de pierres et de matériaux de récupération.

James Bainbridge, auteur

RICHARD I

13 LES RUES DE KOLKATA

Kolkata (Calcutta, p. 509) : des enfants qui jouent, des hommes qui se baignent, des femmes qui lavent le linge… le cours de la vie. Manger du riz, vendre des bananes, balayer la poussière… la vivacité des couleurs. Taxis et voitures qui klaxonnent, rikshaw-wallah qui courent… harmonie et chaos se côtoient.

raviashish, voyageur

ANTHONY

14 LE TEMPLE D'OR D'AMRITSAR

Pour les sikhs, une visite au Temple d'or (p. 268) est l'équivalent du pèlerinage à La Mecque pour les Musulmans. Les reflets scintillants du sanctuaire, mêlés au chant des oiseaux, créent une atmosphère paisible d'une rare beauté. Pour découvrir pleinement ce lieu, dormez dans les dortoirs communs avec d'autres pèlerins.

charliewalker, voyageur

VUE DU PLUS HAUT MINARET

Du sommet de la Jama Masjid (p. 128), dans Old Delhi, on a l'impression d'embrasser du regard l'Inde entière, comme si toute la nation s'étendait à vos pieds. Observez attentivement la vie ordinaire s'écouler dans les rues et laissez-vous imprégner d'humilité.

raviashish, voyageur

15

ANDERS BLOMQVIST

MARIAGES COLORÉS

Derrière la misère de l'Inde se cache une société dynamique, qui rayonne de couleurs et de vitalité. On s'en aperçoit surtout à l'occasion des mariages. Durant la réception nuptiale, les rituels et les coutumes s'effacent derrière un festin monumental. Gâtez votre palais avec un vaste choix d'offrandes divines, puis tourmentez votre estomac en mangeant encore et encore.

aboyabroad, voyageur

16

PAUL BEINSSEN

GARRY

17 MCLEOD GANJ

C'est certain, en entendant le nom de Dharamsala (p. 382), vous penserez au dalaï-lama, mais il existe aussi un groupe dynamique de yogis dans cette petite ville bigarrée. Inspirez l'air pur et doux, la tête appuyée sur le sol, dans le soleil matinal, depuis un balcon donnant sur les montagnes.

horseanddog, voyageur

PATRIC

18 FAIRE LES BOUTIQUES AU CACHEMIRE

Prenez des airs de princesse arabe, allongée dans un *shikara* (bateau en forme de gondole), protégée du soleil par un dais coloré, une jambe plongeant au milieu des feuilles de lotus du lac Dal (p. 287), alors que vous rejoignez le marché pour quelques courses.

wavertree, voyageuse

Sommaire

COUPS DE CŒUR ♡

Afin de faciliter le repérage de nos adresses et sites préférés, nous les signalons par un picto.

CONTRIBUTIONS

Christopher Kremmer est l'auteur de quatre livres (pas encore traduits en français) imprégnés d'histoire et de culture sur fond de conflits dans l'Asie moderne. Son best-seller *Inhaling the Mahatma* est un voyage au cœur de l'identité indienne et *Bamboo Palace,* une enquête inédite à la recherche de la famille royale du Laos, disparue. Son magnifique portrait de l'Afghanistan, *The Carpet Wars,* suit des tisserands et vendeurs de tapis dans la tourmente de la guerre et de l'intégrisme. Il travaille actuellement sur un roman situé en Australie. Christopher est l'auteur de l'encadré *Inde* du chapitre *Culture*.

David Lukas vit aux abords du parc national de Yosemite où il étudie la nature et écrit à son sujet. Il a contribué aux chapitres *Environnement* de 28 guides Lonely Planet et est l'auteur du récent ouvrage *A Year of Watching Wildlife*. Quand il n'écrit pas sur les plantes et les animaux, David organise des circuits de découverte de la nature. Il est l'auteur du chapitre *Environnement*.

Luc Paris, docteur en médecine du service de Parasitologie-Mycologie de l'hôpital de la Pitié-Salpêtrière, à Paris, a contribué à la rédaction du chapitre *Santé*.

LES AUTEURS LONELY PLANET

Lonely Planet réalise ses guides en toute indépendance et n'accepte aucune publicité. Tous les établissements et prestataires mentionnés dans l'ouvrage le sont sur la foi du seul jugement des auteurs, qui ne bénéficient d'aucune rétribution ou réduction de prix en échange de leurs commentaires.

Sillonnant le pays en profondeur, les auteurs de Lonely Planet savent sortir des sentiers battus sans omettre les lieux incontournables. Ils visitent en personne des milliers d'hôtels, restaurants, bars, café, monuments et musées, dont ils s'appliquent à faire un compte-rendu précis.

Destination Inde du Nord

Déroutant ! Aucun mot ne rend plus fidèlement compte du caractère énigmatique de l'Inde, pays multidimensionnel par excellence. Des sommets enneigés aux plages ensoleillées, des temples paisibles aux fêtes animées, ou des villages archaïques aux mégapoles bouillonnantes : les contrastes sautent aux yeux. Que vous l'aimiez ou que vous la détestiez – la plupart des visiteurs oscillent entre les deux –, l'Inde vous remuera au plus profond de votre être. Où que vous alliez, quoi que vous fassiez, c'est un endroit que vous n'oublierez jamais.

L'Inde du Nord, très différente de celle du Sud, offre aux voyageurs un mélange, aussi stupéfiant que remarquable, de choses à voir ou à faire. Ceux que fascine le sacré répondront à l'appel de quantité de sites saints et de rencontres spirituelles. Les passionnés d'histoire découvriront des joyaux cachés pratiquement à chaque coin de rue, depuis les vestiges de l'Empire britannique, encerclés de marchés aux épices, aux puissantes forteresses délabrées dominant des ravins. Les amoureux de la nature et les amateurs de sensations fortes partiront en safari à la recherche des derniers grands félins, tandis que les plus calmes iront marcher en forêt et se purifieront l'esprit en respirant simplement un air riche en parfums de fleurs. Et n'oublions pas la cuisine ! Des savoureux *rasgulla* (boulettes de fromage frais aromatisées à l'eau de rose) aux curries relevés, les gastronomes amateurs succomberont à un assortiment de spécialités savoureuses.

Il faut s'attendre ici à l'inattendu. Votre voyage en Inde du Nord sera exactement ce que vous en ferez. Ce lieu ensorcelant n'est pas de ceux que l'on parcourt en spectateur. Il sollicite tous les sens, leur offrant une expérience vivifiante, indéfinissable parce que unique pour chaque voyageur. Pour beaucoup de visiteurs, c'est justement ce qui rend le voyage dans ce pays si enrichissant et si ensorcelant. Au bout du compte, il s'agit avant tout de plonger dans l'inconnu et de céder à l'imprévu : rien ne peut vous préparer à l'Inde véritable car sa véritable essence, son âme insaisissable, reste nimbée de mystère.

QUELQUES CHIFFRES

Population : 1,027 milliard d'habitants (recensement de 2001)

Taux de chômage : 7,2% (2008)

Revenu annuel moyen : 977 $US

Taux de croissance démographique : 1,6%

Taux d'alphabétisation : 65,38% (en 2001)

Familles vivant dans une seule pièce : 42%

Proportion d'Indiens dans la population mondiale : 16,9%

Coût moyen d'un mariage dans une grande ville : 12 500 $US

Espérance de vie : 66 ans (femmes) et 63 ans (hommes)

Proportion de femmes par rapport aux hommes : 933 pour 1 000 (en 2001)

Mise en route

Rien ne saurait véritablement préparer le voyageur à l'Inde. Ce pays extraordinaire a la capacité d'être simultanément source d'inspiration, de frustrations, de passions et de stupéfaction. C'est peut-être d'ailleurs ce qui le résume le mieux. L'Inde dans son ensemble, et l'Inde du Nord en particulier, est un des lieux les plus complexes de la planète, et probablement celui où le voyageur fera les rencontres les plus diverses. Certaines s'avéreront difficiles à vivre, notamment pour celui qui fait son premier voyage dans le sous-continent. La pauvreté est révoltante, la bureaucratie parfois exaspérante et la densité humaine transforme occasionnellement une démarche mineure en une lutte épuisante. Même les voyageurs les plus aguerris ont un jour ou l'autre l'impression de perdre leurs repères, mais c'est tout cela qui fait de cette partie du monde une destination exceptionnelle. Si vous venez pour la première fois, donnez-vous quelques jours pour vous acclimater à la formidable symphonie visuelle, auditive, gustative et olfactive que compose ce pays.

N'attendez pas d'être parti pour vous enthousiasmer et commencer à préparer votre voyage. La lecture d'ouvrages sur la culture indienne vous rendra plus à même d'apprécier ce que vous verrez, les traditions dont vous serez témoin. Vos conversations avec les Indiens n'en seront que plus intéressantes. Prévoyez quelques semaines avant le départ pour régler les formalités administratives et médicales.

Inutile de préparer un itinéraire trop chargé, la remarquable richesse de l'Inde du Nord faisant de la conception d'un itinéraire un véritable cauchemar pour ceux qui veulent trop en faire. Les distances à parcourir étant considérables et l'énergie nécessaire énorme, mieux vaut être raisonnable. Prévoyez une certaine souplesse, car tout ne marche pas toujours comme on le souhaiterait en Inde. Il est commun de connaître des retards, dans les transports par exemple. Être flexible vous permettra une certaine spontanéité, qu'il s'agisse de passer une après-midi à discuter samsara avec un *pujari* (prêtre) à qui vous aviez simplement demandé votre chemin après vous être perdu dans un bazar, ou d'abandonner vos projets pour vous joindre à un petit groupe de bénévoles dont vous aurez entendu parler en allant acheter des tickets de bus à Delhi. Quoi qu'il en soit, votre séjour en Inde ne sera que plus agréable si vous vous donnez le temps… de prendre le temps.

QUAND PARTIR

Le climat doit être le facteur déterminant. N'oubliez pas que sur le plan climatique aussi, l'extrême Nord diffère des étendues désertiques.

L'Inde connaît trois saisons : une chaude, une humide et une fraîche, dont la durée varie selon les régions. Globalement, l'hiver (de novembre à février) est la meilleure période pour visiter le pays, à quelques exceptions régionales près (voir les encadrés *En bref*, au début de chaque chapitre régional). Si vous voyagez pendant l'été et la mousson, la région de l'Himalaya au Nord offre une fraîcheur bienvenue ; c'est par exemple le moment parfait pour envisager l'itinéraire "L'Inde himalayenne" (voir p. 35).

Pour de plus amples informations sur le climat, voir p. 784.

Les dates de certaines fêtes ou manifestations pourront également vous influencer (voir p. 27 et les encadrés *Fêtes et festivals* dans les chapitres régionaux).

Saison chaude

Dans les plaines du Nord, la chaleur commence à s'élever vers février, pour devenir difficilement supportable en avril-mai et intolérable en juin. En

EXPÉRIENCES INDIENNES

L'Inde a bien plus à offrir que les visites classiques :

- Activités – de la randonnée à la méditation (voir p. 101)
- Cours – du sitar à l'alignement des chakras (voir p. 785)
- Fêtes et festivals – des plus déjantés aux plus spirituels (voir p. 27)
- Achats – De tout, partout, tout le temps (voir p. 770) !
- Bénévolat – Des cours de langue dans les écoles au ramassage de déchets dans les campagnes en passant par les soins aux animaux blessés (voir p. 780)

Inde centrale, des températures de 40°C, voire davantage, sont courantes. Vers la fin mai arrivent les premiers signes de la mousson : forte humidité, orages brefs et intenses, violentes tempêtes, tornades de poussière qui assombrissent le ciel. Pendant cette saison, mieux vaut quitter les plaines pour la fraîcheur des collines. C'est le moment idéal pour se rendre dans les stations de l'Himalaya, alors très fréquentées.

Saison humide

La mousson n'arrive pas d'un seul coup. Après une période d'avertissement, la pluie avance graduellement, remonte du sud vers le nord et recouvre l'ensemble du pays (sauf le Ladakh) début juillet. La mousson n'apporte pas vraiment la fraîcheur. Les premières semaines, un temps chaud, sec et poussiéreux cède la place à un temps chaud et humide, où l'on patauge dans la boue. Il ne pleut pas toute la journée, mais tous les jours, et à seaux. Après la pluie vient le soleil, qui transforme l'humidité en vapeur, si bien que l'on se croirait dans un hammam – ce qui est assez fatigant.

Saison fraîche

Aux alentours du mois d'octobre, la mousson s'achève dans la majeure partie du pays, ouvrant la saison touristique. Il est alors trop tard pour visiter le Ladakh (voir p. 298). En général, les températures ne sont ni trop chaudes ni trop fraîches, même si l'humidité persiste en octobre dans certaines régions. À Delhi et dans les autres villes du Nord, les nuits sont froides en décembre et en janvier. À l'extrême Nord, la température devient glaciale.

COÛT DE LA VIE

Côté finances, l'Inde du Nord fait le bonheur des Occidentaux. Les hébergements vont des plus simples abris aux véritables palais que sont les hôtels de luxe, et les établissements de catégorie intermédiaire sont souvent remarquables sans pour autant être ruineux. Des plus petites échoppes aux plus grands restaurants, on mange excellemment sans dépenser des fortunes. En outre, on se déplace également pour des sommes modiques, grâce à un réseau public de transports en commun couvrant toute la région.

Voyager en Inde du Nord n'est pas très onéreux et tout ce dont le voyageur a besoin – hébergement, nourriture et transport – est disponible dans différentes catégories de prix. Les prix n'étant pas les mêmes partout, le meilleur moyen d'établir un budget pour votre voyage est de consulter les chapitres régionaux. Comme toujours, tout est plus cher qu'ailleurs dans les grandes villes et les principales destinations touristiques.

N'OUBLIEZ PAS...

- Le visa requis (p. 790) et une assurance (p. 780)
- Les vaccinations nécessaires (p. 821) et un stock de médicaments appropriés
- Une ceinture où conserver passeport, billets d'avion et argent (p. 778)
- Des vêtements dissimulant le corps (pour les femmes *et* les hommes), en particulier pour la visite des sites sacrés
- Un cadenas et une chaîne pour fermer les placards des chambres d'hôtel et attacher les bagages dans les trains
- De la crème solaire, un baume à lèvres et des lunettes de soleil
- Une petite torche pour les ruelles obscures et les coupures de courant
- Des bouchons d'oreilles, pour la nuit et les longs trajets en bus ou en train
- Un spray antimoustique (une moustiquaire peut être utile)
- Des tongs pour les salles de bains
- Une bonde pour la douche ou la baignoire (rares en dehors des hôtels de luxe)
- Un récipient pour l'eau – en utilisant des pastilles ou des filtres pour purifier l'eau (voir p. 823), vous contribuerez à lutter contre la prolifération des déchets plastiques
- Un sac à viande – si les draps des hôtels (surtout les moins chers) vous semblent douteux et pour les nuits en train
- Des tampons hygiéniques – les serviettes sont un produit courant, pas les tampons
- De vous attendre à l'inattendu – l'Inde récompense ceux qui se laissent porter par le courant

L'entrée des sites est généralement plus élevée pour les étrangers que pour les Indiens. Les prix sont souvent indiqués en dollars américains mais payables en roupies. Un droit est parfois demandé pour l'utilisation d'un appareil photo ou d'une caméra.

Les tarifs des hôtels varient généralement en fonction de la situation et de la saison et grimpent en période de fête. Il est impossible de donner le coût moyen d'une chambre, en raison des variations régionales – pour plus d'informations, reportez-vous p. 791 et aux rubriques *Où se loger* des chapitres régionaux. Si vous en avez les moyens, certains hôtels de luxe figurent parmi les plus beaux du monde. Prévoyez au moins 200 $US la nuit, sans le moindre service en chambre. Cherchez d'éventuelles réductions sur Internet.

Difficile d'établir un budget avec tout ça. Au Rajasthan, par exemple, il est possible de ne pas dépasser 20-25 $US par jour si vous vous contentez des hôtels les moins chers et de repas simples, si vous voyagez en bus et sélectionnez soigneusement les sites à visiter. Si vous souhaitez aller dans les hôtels de catégorie moyenne, dîner dans des restaurants un peu plus élégants, visiter de nombreux monuments et voyager en auto-rickshaw et en taxi, mieux vaut prévoir 40-65 $US/jour.

On mange pour trois fois rien dans les petits snacks indiens, où le repas revient à 40 Rs. Il coûte à peine le double dans un bon restaurant de catégorie moyenne. Dans les restaurants plus raffinés, les plats principaux coûtent généralement de 150 à 350 Rs, auxquels il faut ajouter les accompagnements, comme le riz, et (souvent) une taxe de 10 à 12,5%.

Pour les longs trajets, il existe plusieurs types de bus et différentes classes dans les trains. Évidemment, le confort et la vitesse ont un prix – les tarifs spécifiques sont indiqués dans les chapitres régionaux et p. 803. Depuis quelques années, les vols intérieurs sont devenus meilleurs marché grâce

QUELQUES PRIX

Dentifrice (100g) : 28 Rs

Sac à bandoulière en toile : à partir de 50 Rs

Douzaine de bananes : 25 Rs

Petit Ganesh en cuivre : à partir de 50 Rs

Encens au bois de santal (15 bâtons) : à partir de 20 Rs

TOP 10

Afghanistan
Pakistan
Delhi
Népal
Bhoutan
Bangladesh
INDE DU NORD
Myanmar (Birmanie)
Thaï

L'INDE DANS LA LITTÉRATURE

Quantité de romans font découvrir, de l'intérieur, différents aspects de ce pays aux multiples facettes. Vous trouverez d'autres suggestions p. 25 et 74.

1. *Quatre Chapitres* de Rabindranath Tagore (Zulma), écrit en 1934
2. *Kim* de Rudyard Kipling (Folio), 1901
3. *Les Enfants de minuit* de Salman Rushdie (LGF), 1980
4. *Le Dieu des petits riens* d'Arundhati Roy (Folio), 1995
5. *L'Équilibre du monde* de Rohinton Mistry (LGF), 1995
6. *Le Jeûne et le Festin* d'Anita Desai (Gallimard), 1999
7. *Les après-midi d'un fonctionnaire très déjanté* de Chatterjee Upamanyu (Robert Laffont), 2000
8. *Le Palais des miroirs* d'Amitav Ghosh (Points), 2000
9. *Le Couvre-Lit bleu* de Raj Kamal Jha (Gallimard), 2000
10. *La Perte en héritage* de Kiran Desai (Éditions des Deux Terres), 2006

L'INDE AU CINÉMA

Quel meilleur moyen d'attendre le départ sans trop s'impatienter que de regarder des films sur l'Inde ? Si vous souhaitez voir des productions de Bollywood, sachez que certaines épiceries indiennes en vendent. À défaut, des médiathèques en comptent dans leur catalogue. Les films sont le plus souvent en langue indienne et sous-titrés en anglais. Pour en savoir plus sur le cinéma indien, voir p. 73.

1. *Le Fleuve* de Jean Renoir (1951)
2. *Le Salon de musique* de Satyajit Ray (1958)
3. *Le Tigre du Bengale* (1959) et *Le Tombeau hindou* (1960) de Fritz Lang
4. *India song* de Marguerite Duras (1974)
5. *Gandhi* de Richard Attenborough (1982)
6. *La Route des Indes* de David Lean (1984)
7. *Le Mahabharata* de Peter Brooke (1990)
8. *Fire* (1995), *Earth* (1998) et *Water* (2006) de Deepa Mehta
9. *Lagaan* d'Ashutosh Gowariker (2001)
10. *Slumdog Millionaire* de Danny Boyle (2008)

DES FÊTES ET FESTIVALS INOUBLIABLES

Petite ou grande, il y a toujours une fête quelque part en Inde. Pour plus de détails, reportez-vous p. 27 et aux encadrés *Fêtes et festivals*, au début de chaque chapitre régional.

- **1** Kumbh Mela (pour les dates voir p. 372)
- **2** Festival de danse (février-mars) ; Madhya Pradesh (p. 661)
- **2** Rath Yatra (fête du Char ; juin-juillet) ; Kolkata (Calcutta ; p. 511)
- **4** Holi (fête des Couleurs ; février-mars) ; dans tout le nord du pays (p. 27)
- **5** Janmashtami (anniversaire de la naissance de Krishna ; août-septembre) ; surtout à Mathura, Uttar Pradesh (p. 413)
- **6** Dussehra ou Durga Puja (fête hindouiste ; septembre-octobre) ; principalement à Kolkata (p. 511)
- **7** Diwali (fête hindouiste ; octobre-novembre) ; dans tout le Nord (p. 27)
- **8** Foire aux chameaux de Pushkar (octobre-novembre) ; Rajasthan (p. 161)
- **9** Sonepur Mela (fête hindouiste ; novembre-décembre) ; Bihar (p. 580)
- **10** Harballah Sangeet Sammelan (festival de musique classique ; décembre) ; Punjab (p. 255)

à l'ouverture du marché à la concurrence et aux offres sur Internet (voir p. 809). Les transports en commun urbains sont économiques (reportez-vous p. 818). Certains voyageurs préfèrent louer une voiture avec chauffeur, un choix peu onéreux à plusieurs (voir p. 820).

LIVRES À EMPORTER

Si l'Inde fascine les voyageurs, elle a logiquement inspiré nombre d'écrivains, qui l'ont utilisée non seulement en toile de fond, mais aussi, très souvent, comme un personnage à part entière de leurs œuvres.

Ainsi, Pierre Loti, après l'échec de son pèlerinage en Terre sainte, décida-t-il d'aller étudier l'hindouisme dans le sous-continent. C'est ce voyage à travers l'Inde du début du XXe siècle qu'il décrit dans *L'Inde sans les Anglais* (Kailash), publié pour la première fois en 1903.

Dans *L'Odeur de l'Inde* (Gallimard), écrit en 1962, Pier Paolo Pasolini livre moins un récit qu'une suite de sensations et d'émotions relatives à son voyage en Inde en 1961 et à sa confrontation avec une misère extrême.

Sentiment indien de Dominique Fernandez (Grasset, 2005) offre une vision plus récente du pays. Dans cet ouvrage, l'auteur met en perspective son expérience de l'Inde entre 1984 et 2004 avec celle de Pier Paolo Pasolini.

Le Vice-Consul (Gallimard) de Marguerite Duras, publié en 1963, décrit la vie des diplomates de l'ambassade de France à Calcutta, dont l'existence est bien plus troublée par l'arrivée du vice-consul de Lahore que par la pauvreté extrême des Indiens. La mousson et son impact sur les Occidentaux y sont décrits de façon saisissante.

Le roman historique de Gita Mehta, *La Maharani* (LGF, 1990), narre la destinée d'une femme indienne de la fin du XIXe siècle à l'Indépendance. Dans *Le Serpent et l'échelle. Au cœur de l'Inde éternelle* (Albin Michel, 1997), l'écrivain utilise son expérience personnelle pour dresser un portrait très complet de l'Inde moderne, sans compromission.

Fasciné par la sorcellerie depuis toujours, Tahir Shah a voyagé à travers l'Inde pour apprendre l'art de l'illusion avec un maître magicien. *L'Apprenti sorcier* (LGF, 2003) est l'extraordinaire récit de ce périple.

L'Âge de Kali. À la rencontre du sous-continent, de William Dalrymple (Noir sur Blanc, 2004), est une compilation de souvenirs glanés dans le sous-continent par un grand écrivain voyageur, sur une dizaine d'années.

L'Inde rendrait-elle fou ? Dans *Fous de l'Inde* (Payot, 2000), Régis Airault raconte le syndrome indien qui touche bien des Occidentaux.

Plus léger, *Vacances indiennes* de William Sutcliffe (10/18, 2005) raconte l'histoire de Dave s'initiant aux voyages en compagnie de la petite amie de son meilleur ami pour tenter de la séduire. Le roman dresse un portrait divertissant et assez réaliste du monde des voyageurs à petit budget en Inde.

Citons aussi les derniers ouvrages de Salman Rushdie, *Shalimar le clown* (Pocket, 2007), dans lequel le Cachemire est à la fois décor et acteur du roman, et *L'Enchanteresse de Florence* (Plon, 2008) qui se déroule à Fatehpur Sikri (dans l'Uttar Pradesh) durant le règne d'Akbar. Ces romans seront de merveilleux compagnons durant votre découverte de ces régions.

Pourquoi ne pas télécharger sur votre lecteur MP3 des extraits d'œuvres d'écrivains qui parlent de l'Inde, que vous écouterez au milieu de splendides paysages. Outre *L'Inde sans les Anglais*, le CD *Voyager en Inde avec* (Livre qui parle, 2008) comprend des textes de Marguerite Yourcenar et Nicolas Bouvier.

Enfin, indispensable pour mieux communiquer sur place : le guide de conversation français/hindi, ourdou et bengali publié par Lonely Planet, qui vous aidera à réserver une chambre, lire un menu ou faire connaissance, et vous permettra d'acquérir rapidement quelques rudiments de ces trois langues. Il comprend un minidictionnaire et un lexique culinaire.

SITES INTERNET

Aujourd'hui l'Inde (www.aujourdhuilinde.com). Site d'information en français pour suivre l'actualité indienne. Alimenté par des journalistes francophones vivant sur place, il apporte un regard frais sur l'Inde.

Inde en ligne (www.inde-en-ligne.com). Un très bon site généraliste qui aborde tous les sujets et propose une sélection de liens intéressants.

India-fr (www.india-fr.com). Un site consacré à l'Inde, à son histoire et à ses monuments, complété par un forum.

Inde en livres (www.indeenlivres.com). Biographies d'auteurs, bibliographies thématiques, adresses de librairies spécialisées. De quoi remplir les rayons de votre bibliothèque avant et après votre voyage.

Sangha Productions (www.sangha-productions.com). Le site d'un couple français amoureux de l'Inde qui a concrétisé sa passion sous la forme de documentaires régulièrement diffusés à la TV. Nombreux extraits et belles photos.

Events in India (www.eventsinindia.com). Ce site anglophone pratique recense les événements se déroulant dans les principales villes indiennes.

Embassy of India - Paris (www.amb-inde.fr/). Site officiel de l'ambassade de l'Inde en France.

indeaparis.com (www.indeaparis.com). Un carnet d'adresses, des informations pratiques, un forum et des rubriques culturelles. Pour être à Paris comme en Inde et préparer votre voyage.

France India (www.franceindia.net). Le site du festival qui se déroule chaque année à Aubervilliers, dans la banlieue parisienne.

Lonely Planet (www.lonelyplanet.fr). Une présentation synthétique de l'Inde dans la rubrique *Destinations*, le forum pour poser toutes vos questions sur le pays, et une newsletter pour vous tenir informé de l'actualité du voyage.

Sikkim 596

États du Nord-Est 621

Madhya Pradesh et Chhattisgarh 659

Gujarat 717

Carnet pratique 770

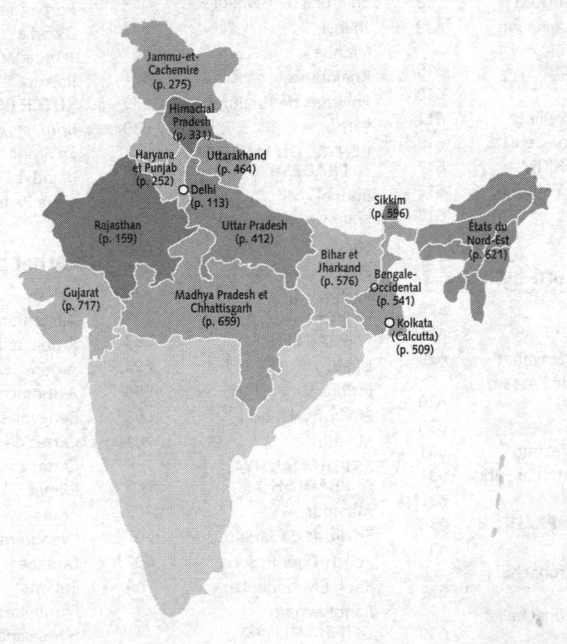
Jammu-et-Cachemire (p. 275)
Himachal Pradesh (p. 331)
Haryana et Punjab (p. 252)
Uttarakhand (p. 464)
Delhi (p. 113)
Sikkim (p. 596)
Rajasthan (p. 159)
Uttar Pradesh (p. 412)
États du Nord-Est (p. 621)
Bihar et Jharkand (p. 576)
Bengale-Occidental (p. 541)
Gujarat (p. 717)
Madhya Pradesh et Chhattisgarh (p. 659)
Kolkata (Calcutta) (p. 509)

Les auteurs

SARINA SINGH

Auteur-coordinatrice, Haryana et Punjab

Après des études de commerce à Melbourne, Sarina prend un aller simple pour l'Inde où elle effectue un stage au sein de la chaîne hôtelière Sheraton avant de devenir journaliste indépendante et correspondante de presse. Quatre ans plus tard, de retour en Australie, elle reprend ses études de journalisme en 3e cycle et écrit et réalise un documentaire. Elle a contribué à 30 guides Lonely Planet, est l'auteur de *Polo in India*, et a également rédigé de nombreux articles pour diverses publications internationales telles que le *National Geographic Traveler*. Pour cet ouvrage, Sarina a fait appel à Christopher Kremmer et a rédigé les chapitres *Destination Inde du Nord*, *Mise en route*, *Calendrier des fêtes*, *Histoire*, *Culture et société*, *Cuisine indienne*, *Activités*, *Carnet pratique*, *Transports*, *Glossaire*, ainsi que les sections couleur *Délices d'Inde du Nord* et *Fêtes indiennes*.

LINDSAY BROWN

Rajasthan, Gujarat

Lindsay a commencé à travailler pour Lonely Planet après un doctorat en génétique évolutionniste, un premier travail en tant que rédacteur scientifique et un séjour dans le sous-continent indien. Ancien responsable éditorial des guides *Outdoor Activity*, il a notamment participé aux guides *Inde du Sud*, *Népal*, *Bhutan*, *Rajasthan Delhi & Agra* et *Pakistan & the Karakoram Highway*. Dès que possible, Lindsay retourne en Inde pour écrire et pratiquer le trekking et la photographie.

MARK ELLIOTT

Kolkata (Calcutta), Jammu-et-Cachemire

Suite à un premier voyage marquant en 1984, Mark est retourné plusieurs fois en Inde. Pour cette édition, il a exploré la métropole méconnue de Kolkata, s'est laissé séduire par la spiritualité profonde mais légère du Ladakh et a réussi à éviter émeutes, *hartal* et couvre-feux au Cachemire. Après des semaines de blocus et d'instabilité politique, Mark a enfin pu emprunter la route de Srinagar à Jammu, peu après sa réouverture. Quand il ne voyage pas pour rédiger des guides, Mark mène une vie paisible dans un quartier résidentiel, en compagnie de sa femme Danielle, une Belge rencontrée sur un marché aux chameaux turkmène.

PAUL HARDING

Himachal Pradesh, Uttarakhand

Paul retourne régulièrement en Inde depuis son premier voyage à Delhi, il y a plus de dix ans. Écrivain-voyageur et photographe, il a arpenté le pays de Kanyakumari à l'Himalaya, dormi dans des palais comme dans des taudis et consommé quantité de bière Kingfisher. Pour ce guide, il a exploré les merveilleux États himalayens d'Himachal Pradesh et d'Uttarakhand, parcouru des routes de montagne à vous donner des sueurs froides, joué au golf près de Shimla et pas assez randonné à son goût. Paul a écrit pour de nombreux magazines et participé à des guides Lonely Planet dont *Inde du Sud*, *Goa* et *Istanbul to Kathmandu*. Il vit à Melbourne, en Australie, non loin de la plage.

ABIGAIL HOLE — Delhi

Abigail Hole a parcouru l'Inde du Nord il y a une quinzaine d'années (Delhi, Manali, le Cachemire et le Punjab) avant de passer l'été au Rajasthan. Depuis, elle y retourne au moins tous les deux ans. Abigail a écrit des articles sur l'Inde pour différents magazines et journaux et c'est sa troisième participation au Lonely Planet *Inde du Nord*. Elle a rédigé la première édition du guide *Rajasthan, Delhi & Agra* et n'attend qu'une chose : trouver une excuse pour repartir à la rencontre de Delhi, ses rues, ses boutiques, ses jardins moghols et la saveur de ses *Dilli-ki-chaat*.

PATRICK HORTON — Bihar et Jharkhand, Sikkim, États du Nord-Est

Patrick, auteur et photographe, est né avec des fourmis dans les jambes. Il a sillonné son Royaume-Uni natal de long en large avant de parcourir le monde pour s'arrêter à Melbourne. Ses voyages l'ont mené dans des coins de la planète qui ne sont pas sur tous les passeports, comme la Corée du Nord, l'Érythrée, le Kosovo, le Timor oriental, la Serbie, Tonga, Cuba, ou encore l'Himalaya à moto. Mais c'est en Inde, son "deuxième pays", qu'il revient toujours. Grâce à ses recherches et à la découverte des joyaux du Nord-Est, du Sikkim, du Bihar et du Jharkhand, il a enfin réalisé son vieux rêve de visiter chaque État du sous-continent.

KATE JAMES — Bengale-Occidental

Originaire de Melbourne, Kate a grandi à Ooty (dans le Tamil Nadu), où ses parents enseignaient dans une école internationale. Pendant huit ans, sa famille a passé ses vacances à sillonner le sous-continent, la toute première édition du Lonely Planet *India* sous le bras. Parmi les souvenirs mémorables : ce Noël de 1980 avec une tribu à la frontière de l'Andhra Pradesh et de l'Orissa. Son travail de journaliste en Australie a mené Kate à un poste éditorial au siège de Lonely Planet, puis à une carrière d'auteur et de secrétaire d'édition free-lance. Elle a écrit *Women of the Gobi* et ceci est sa première contribution à un guide Lonely Planet en tant qu'auteur.

DANIEL MCCROHAN — Uttar Pradesh, Madhya Pradesh et Chhattisgarh

La découverte de l'Inde, à la fin de ses études, sans aucune expérience préalable du voyage, laissa Daniel sans voix. "Un désordre indescriptible" est l'expression qui lui vint alors à l'esprit. Quinze ans et de nombreux séjours en Inde plus tard, il prend toujours autant de plaisir à tenter de trouver un sens à ce chaos. Daniel a visité près de la moitié des États du sous-continent. Sa découverte du Chhattisgarh et de ses ethnies fut une première et un moment marquant, mais le vrai temps fort de ce voyage a été de voir un tigre pour la première fois, après quatorze tentatives infructueuses.

Calendrier des fêtes

La plupart des fêtes suivent les calendriers lunaires indien et tibétain ou le calendrier islamique, qui avance de 11 jours chaque année (12 jours les années bissextiles). Ainsi leurs dates changent tous les ans ; renseignez-vous auprès des offices du tourisme. Nous citons ici les fêtes majeures, classées selon le calendrier lunaire indien ; pour des informations sur les fêtes régionales, reportez-vous aux encadrés correspondants dans les chapitres régionaux.

CHAITRA (MARS-AVRIL)

MAHAVIR JAYANTI

Cette fête jaïne commémore la naissance de Mahavira, le fondateur du jaïnisme.

RAMANAVAMI

Les hindous célèbrent l'anniversaire de Rama par des processions, de la musique et des festins, ainsi que des lectures et des représentations du *Ramayana*.

PÂQUES

Fête chrétienne rappelant la crucifixion et la résurrection du Christ.

VAISAKHA (AVRIL-JUIN)

BUDDHA JAYANTI

Célébration de la naissance, de l'Éveil et de l'accès du Bouddha au nirvana ; cette fête peut avoir lieu en avril, en mai ou début juin.

JYAISTHA (MAI-JUIN)

Seules des fêtes régionales ont lieu durant cette période ; voir les encadrés dans *chapitres régionaux*.

ASAGHA (JUIN-JUILLET)

RATH YATRA (FÊTE DES CHARS)

Des effigies du seigneur Jagannath (Vishnu maître de l'Univers) sont promenées dans les rues sur des chars tirés par des hommes. La procession de Puri, dans l'Orissa, est particulièrement spectaculaire.

SRAVANA (JUILLET-AOÛT)

NAAG PANCHAMI

Une fête hindoue dédiée à Ananta, le serpent sur les anneaux duquel Vishnu se reposait entre deux univers. Les serpents sont vénérés car ils protégeraient des inondations de la mousson et des mauvais esprits.

RAKSHA BANDHAN (NARIAL PURNIMA)

Lors de la pleine lune, les filles attachent des amulettes (*rakhi*) aux poignets de leurs frères ou de leurs amis proches pour les protéger au cours de l'année à venir. Les frères offrent des cadeaux à leurs sœurs. Certains prient aussi Varuna, la divinité védique de la mer.

RAMADAN (RAMAZAN)

Trente jours de jeûne de l'aube au crépuscule marquent le neuvième mois du calendrier islamique. Il débutera le 12 août 2010, le 1er août 2011 et le 20 juillet 2012.

BHADRA (AOÛT-SEPTEMBRE)

FÊTE DE L'INDÉPENDANCE — 15 août

Ce jour férié marque l'anniversaire de l'indépendance de l'Inde en 1947. Des célébrations patriotiques ont lieu dans tout le pays.

DRUKPA TESHI

Une fête bouddhique qui commémore le premier enseignement de Siddharta Gautama.

GANESH CHATURTHI

Les hindous célèbrent joyeusement l'anniversaire du dieu à tête d'éléphant, particulièrement festif à Mumbai (Bombay). Des effigies en argile de Ganesh sont promenées dans les rues avant d'être immergées en grande pompe dans une rivière, un bassin ou dans l'océan.

JANMASTAMI

Les hindous fêtent l'anniversaire de Krishna, notamment à Mathura (p. 431), le lieu de naissance du dieu.

SHRAVAN PURNIMA

Lors de ce jour de jeûne, les hindous des castes supérieures remplacent le fil sacré qu'ils portent en travers du torse, sur l'épaule gauche.

PATETI

Les parsis célèbrent le Nouvel An zoroastrien, particulièrement festif à Mumbai (Bombay).

ASVINA (SEPTEMBRE-OCTOBRE)

NAVRATI

La fête hindoue des Neuf Nuits, qui précède Dussehra, célèbre toutes les incarnations de la déesse

Durga. Elle s'accompagne de danses particulières et de cérémonies en l'honneur des déesses Lakshmi et Saraswati. Les festivités sont particulièrement ferventes dans le Gujarat et le Maharashtra.

DUSSEHRA

Une fête vishnouite qui célèbre la victoire du dieu hindou Rama sur le roi-démon Ravana et le triomphe du bien sur le mal. La fête est particulièrement importante à Kullu (p. 355) et à Mysore, où l'on brûle rituellement des effigies de Ravana et de ses affidés.

DURGA PUJA

Le triomphe du bien sur le mal grâce à la victoire de la déesse Durga sur Mahishasura, le démon à tête de buffle. Les festivités se déroulent aux mêmes dates que Dussehra, notamment à Kolkata (voir p. 511), où des milliers d'effigies de la déesse sont portées en procession puis immergées dans les rivières ou les bassins.

GANDHI JAYANTI — 2 octobre

Ce jour férié est la commémoration solennelle de l'anniversaire de Mohandas Gandhi, avec des prières publiques sur le site de sa crémation (Raj Ghat) à Delhi (voir p. 119).

ID AL-FITR

Les musulmans célèbrent la fin du ramadan par trois jours de réjouissances, trente jours après le début du jeûne.

KARTIKA (OCTOBRE-NOVEMBRE)

DIWALI (DEEVAPALI)

Pendant cette "fête des lumières", qui débute le 15e jour de Kartika et dure cinq jours, des lampes à huile et des feux de Bengale illuminent le chemin de Rama revenant d'exil. À cette occasion, les hindous échangent des cadeaux.

GOVARDHANA PUJA

Fête vishnouite célébrée dans tout le pays par les fidèles de Krishna, elle rappelle que le dieu souleva le mont Govardhan pour protéger les humains du déluge.

ID AL-ADHA

Les musulmans commémorent le sacrifice d'Abraham, prêt à immoler son fils pour Dieu. La fête aura lieu le 16 novembre 2010, le 6 novembre 2011 et le 26 octobre 2012.

AGHAN (NOVEMBRE-DÉCEMBRE)

NANAK JAYANTI

L'anniversaire de Guru Nanak, le fondateur du sikhisme, est célébré par des prières et des processions.

MUHARRAM

Les musulmans chiites commémorent le martyre de l'imam Hussein, le petit-fils de Mahomet. Les prochaines célébrations auront lieu vers le 7 décembre 2010, le 26 novembre 2011 et le 15 novembre 2012.

PAUSA (DÉCEMBRE-JANVIER)

NOËL — 25 décembre

Fête chrétienne célébrant la naissance de Jésus.

MAGHA (JANVIER-FÉVRIER)

FÊTE DE LA RÉPUBLIQUE — 26 janvier

Ce jour férié commémore la création de la République de l'Inde en 1950 ; les manifestations les plus spectaculaires ont lieu à Delhi, avec un impressionnant défilé militaire le long de Rajpath et la cérémonie de la Retraite trois jours plus tard.

PONGAL

Cette fête tamoule célèbre la fin des moissons. Dans le Sud, les familles préparent des marmites de *pongal* (préparation à base de riz, de sucre, de dhal et de lait), symbole de prospérité et d'abondance, dont ils nourrissent ensuite des vaches ornées de peintures décoratives.

VASANT PANCHAMI

En l'honneur de Saraswati, la déesse du Savoir, les hindous s'habillent en jaune et disposent des livres, des instruments de musique et d'autres objets liés aux arts et à la connaissance devant les effigies de la déesse afin d'attirer sa bénédiction.

LOSAR

Le Nouvel An tibétain est fêté dans tout le pays par les adeptes du bouddhisme tantrique, particulièrement dans l'Himachal Pradesh, le Sikkim, le Ladakh et le Zanskar. Les dates varient selon les régions.

PHALGUNA (FÉVRIER-MARS)

ID-MILAD-UN-NABI

Fête musulmane célébrant la naissance du prophète Mahomet qui tombera le 15 février 2011 et le 4 février 2012.

HOLI

C'est l'une des fêtes hindoues les plus exubérantes d'Inde du Nord. On célèbre l'arrivée du printemps en jetant de l'eau et du *gulal* (poudre) colorés sur tous les passants. La nuit précédente, des feux de joie symbolisent la disparition de la démone Holika.

SHIVARATRI

Cette journée de jeûne rappelle le *tandava* (danse cosmique) de Shiva. Les processions aux temples sont suivies de psalmodies de mantras et d'onctions de lingams (symboles phalliques de Shiva).

Itinéraires

LES GRANDS CLASSIQUES

AU-DELÀ DU TRIANGLE D'OR

Dix jours

Le circuit du "triangle d'or" (Delhi-Agra-Jaipur-Delhi) est un grand classique relativement rapide, mais ce parcours permet de pénétrer plus avant dans le Rajasthan.

Le premier jour, commencez par la visite du **tombeau de Humayun** (p. 129), avant d'assister au son et lumière du **Red Fort** (p. 125).

Le lendemain, départ en train pour **Agra** (p. 413), où vous admirerez l'étincelant **Taj Mahal** (p. 418) puis le **fort d'Agra** (p. 421). Le troisième jour, balade dans la cité fantôme de **Fatehpur Sikri** (p. 429).

Le quatrième jour, retour à Delhi où vous prendrez un vol pour **Udaipur** (p. 209). Au bord d'un lac, cette ville du Rajasthan est parfaite pour deux jours de détente à la découverte de ses bazars. Admirez le coucher du soleil depuis le **palais de la Mousson** (p. 214), puis prenez le train pour découvrir le *dargah* d'**Ajmer** (p. 188). Consacrez un à deux jours à **Pushkar** (p. 191), haut lieu de pèlerinage, avant de regagner Delhi.

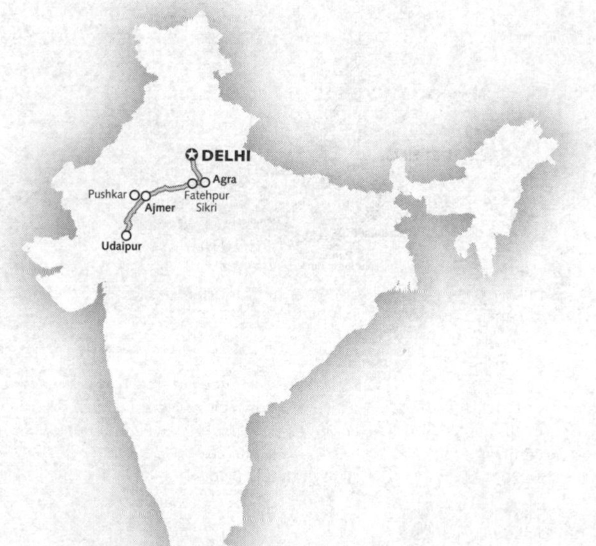

Le célèbre circuit du "triangle d'or" (Delhi-Agra-Jaipur-Delhi) revu et enrichi. Après un passage par Delhi et Agra, ce périple permet de découvrir de grands sites du Rajasthan, dont la ville blanche d'Udaipur et les hauts lieux de pèlerinage que sont Ajmer et Pushkar, sur la route du retour.

TAJ, TEMPLES ET TIGRES

Une semaine

Bien que sommaire pour ce vaste pays, l'itinéraire suivant vous donnera un aperçu de sa richesse. Pour éviter toute perte de temps, organisez vos déplacements en train à l'avance, auprès de l'International Tourist Bureau (p. 153) de la gare de New Delhi.

Le premier jour, visite de la **vieille ville** de Delhi (p. 123), haute en couleur, puis dîner dans un grand restaurant de **Connaught Place** (p. 131). Le lendemain à l'aube, départ en train pour **Agra** (p. 413) et le célèbre **Taj Mahal** (p. 418).

Le troisième jour, envolez-vous vers **Khajuraho** (p. 671) et ses fameux **temples** (p. 673) aux sculptures érotiques, avant de poursuivre le quatrième jour par une "traque" au tigre à dos d'éléphant dans le **Panna National Park** (p. 679). Le cinquième jour, rejoignez en avion **Varanasi** (Bénarès, p. 446), où vous explorerez à pied les **ghats** (p. 447) au bord du Gange, avant une balade sur le fleuve le lendemain matin (p. 451).

En fin de journée, prenez un vol pour Delhi puis un train pour **Amritsar** (p. 266), où le jour suivant sera consacré au **Temple d'or** (p. 268), site le plus sacré de la religion sikhe. Puis retour sur Delhi.

Cette visite éclair des grands sites autour de Delhi vous donnera un aperçu des temples, des safaris tigres, des rives sacrées du Gange et du Taj Mahal. Les nombreux trajets, en train ou en avion, vous permettront de découvrir certains des plus hauts lieux de l'Inde.

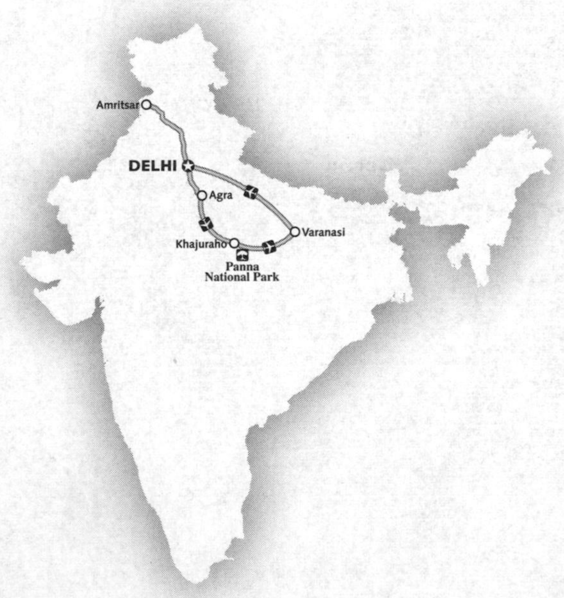

PÉRIPLE AU RAJASTHAN

Deux semaines

Ce circuit très prisé, qui commence et s'achève à Delhi, explore un État aux trésors variés.

Consacrez la première journée à Delhi, avec la visite du **tombeau de Humayun** (p. 129), puis le spectacle de son et lumière au **Red Fort** (p. 125).

Le lendemain, rejoignez en train **Jaipur** (p. 162) et sa **vieille ville** (p. 163). Consacrez le jour suivant au grandiose fort d'**Amber** (p. 176) et aux **bazars** (p. 163) de Jaipur.

Le quatrième jour, direction **Ajmer** (p. 188) et son extraordinaire **dargah** (p. 188). Rejoignez la ville sacrée de **Pushkar** (p. 191), où vous passerez quelques jours à vous détendre et à découvrir les **temples** (p. 191) au bord du lac. Le septième jour, poursuivez jusqu'à **Udaipur** (p. 209), où vous pourrez prendre votre temps et savourez un repas merveilleux au palais du **lac** (p. 212).

Le neuvième jour, empruntez un taxi pour **Kumbalgarh** (p. 221) et découvrez le temple de **Ranakpur** (p. 221) sur le chemin de **Jodhpur** (p. 227), ville bleue couronnée par la **citadelle de Mehrangarh** (p. 228).

Le onzième jour, traversez le désert, en bus ou en train, pour accéder à la grandiose citadelle de **Jaisalmer** (p. 237) et faire un **safari à dos de chameau** dans les dunes (voir encadré, p. 242). Enfin, le treizième jour, regagnez Delhi pour visiter la **Jama Masjid** (p. 128) et les **bazars** (voir encadré, p. 150), et faire quelques **achats** (p. 148).

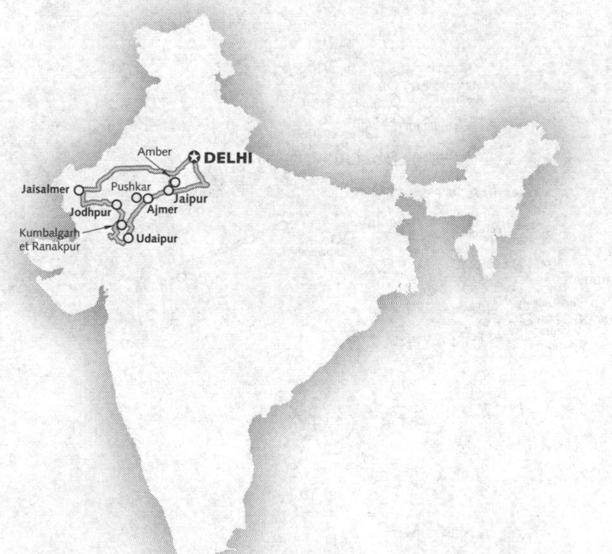

Cet itinéraire commence à Delhi, puis parcourt les principaux sites du Rajasthan : ses villes aux teintes roses, bleues, blanches ou dorées, ses citadelles grandioses et ses temples charmants. Le circuit s'achève par un safari en chameau dans le désert, avant une journée d'exploration de Delhi.

MERVEILLES DU NORD DE L'INDE

Deux mois

Il convient de visiter Leh, dernière étape de ce périple de Kolkata (Calcutta) à Delhi, entre mai et octobre, quand la route est praticable.

Consacrez quelques jours aux merveilles architecturales et aux **restaurants** (p. 531) de **Kolkata** (p. 509), avant de mettre le cap sur **Bodhgaya** (p. 586), ville de l'éveil du Bouddha, au nord-ouest. Rejoignez ensuite **Varanasi** (p. 446), l'une des cités les plus saintes de l'Inde, puis **Khajuraho** (p. 671) et ses célèbres temples aux sculptures érotiques. Poursuivez vers **Orchha** (p. 667), d'où vous redescendrez à **Mandu**, au sud-ouest (p. 701), en faisant halte à **Sanchi** (p. 686). De Mandu, continuez jusqu'à **Vadodara** (Baroda ; p. 731), dans le Gujarat. Prenez alors la direction du sud-est, où de somptueux **temples jaïns** font la renommée de **Palitana** (p. 740). Au programme de votre séjour dans le Gujarat : **Diu** (p. 742), le **Sasan Gir Wildlife Sanctuary**, royaume des lions (p. 749), **Junagadh** (p. 751), **Bhuj** (p. 763) et enfin la très animée **Ahmedabad** (p. 719). Vous entrerez au Rajasthan par **Udaipur** (p. 209) et en ressortirez à **Jaipur** (p. 162). Après Jaipur, ne manquez pas **Agra** et le **Taj Mahal** (p. 418) via **Fatehpur Sikri** (p. 429). Prévoyez ensuite quelques jours à **Delhi** (p. 113), pour en découvrir les principaux **monuments** (p. 123), les **restaurants** (p. 141) et les **boutiques** (p. 148) avant de monter vous rafraîchir à **Mussoorie** (p. 472), sans négliger la **Corbett Tiger Reserve** (p. 494). Continuez votre périple vers le nord-ouest jusqu'à **Amritsar** (p. 266), dont vous admirerez le sublime **Temple d'or** (p. 268), en vous arrêtant à **Chandigarh** (p. 254). Imprégnez-vous du pittoresque de l'Himachal Pradesh à **Dharamsala** (p. 382) puis à **McLeod Ganj** (p. 383), résidence du dalaï-lama, avant d'aller taquiner les hauteurs de l'Himalaya à **Leh** (p. 301). Redescendez enfin à Delhi par **Manali** (p. 358) et **Shimla** (p. 335).

De Kolkata à Delhi, ce fabuleux itinéraire vous fera découvrir les merveilles du Bihar, de l'Uttar Pradesh, du Madhya Pradesh, du Gujarat, du Rajasthan, de l'Uttarakhand, du Punjab, de l'Himachal Pradesh et du Ladakh.

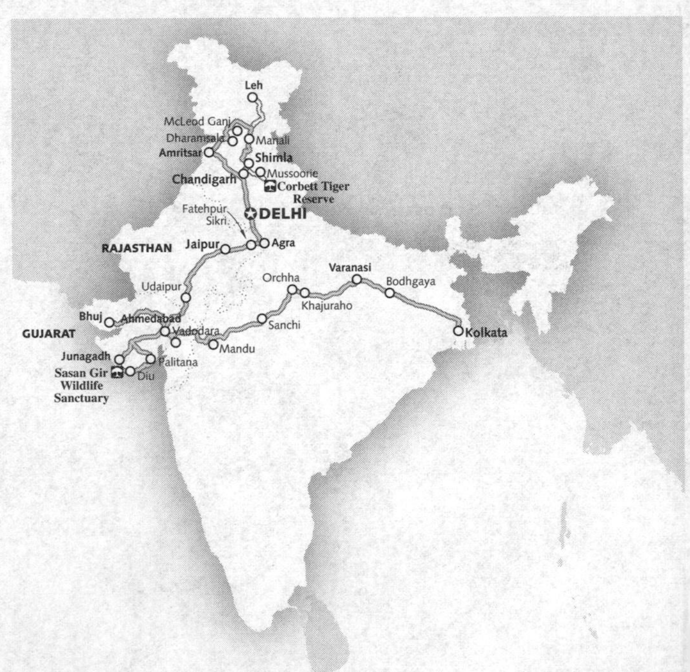

HORS DES SENTIERS BATTUS

LE SIKKIM ET LES ÉTATS DU NORD-EST **Un mois**

Les montagnes du Sikkim et les villages traditionnels des États du Nord-Est reçoivent peu de visiteurs. Des permis sont nécessaires. Organisez-vous à l'avance (p. 568 et p. 598) et renseignez-vous au sujet de la sécurité (voir l'encadré p. 623).

Demandez un permis pour le Sikkim à **Siliguri** (p. 550) ou à **Darjeeling** (voir l'encadré p. 568), paradis des amateurs de **thé** (p. 551), puis rejoignez **Gangtok** (p. 600) et les **monastères bouddhistes** (p. 588) alentour.

Dirigez-vous ensuite vers **Namchi** (p. 607) – pour les statues géantes de Shiva et de Padmasambhava –, puis vers **Pelling** (p. 610) – pour le **Pemayangtse Gompa** (p. 612) et les chutes de Khangchendzonga. Envisagez un trek d'une semaine de **Yuksom** (p. 614) au **Goecha La** (p. 616), avant de sortir du Sikkim par **Tashiding** (p. 617) et de gagner Siliguri pour aller vers l'Assam.

À **Guwahati** (p. 625), procurez-vous les permis pour l'Arunachal Pradesh, le Nagaland, le Mizoram et le Manipur. À défaut, allez voir les rhinocéros et autres espèces rares des parcs de **Manas** (p. 630) et de **Kaziranga** (p. 631), puis faites un détour par **Shillong** (p. 652) et les chutes de **Cherrapunjee** (p. 656). D'**Agartala** (p. 648), cap sur le **Bangladesh** (voir l'encadré p. 651).

Avec les permis requis, direction l'Arunachal Pradesh, terre des monastères bouddhistes de **Tawang** (p. 640) et des villages ethniques de la région de **Ziro** (p. 637). Un permis pour le Nagaland donne accès à **Kohima** (p. 641) et aux bourgades autour de **Mon** (p. 644). Les permis pour le Manipur sont rares ; peut-être découvrirez-vous la culture mizo dans le Mizoram, à **Aizawl** (p. 646).

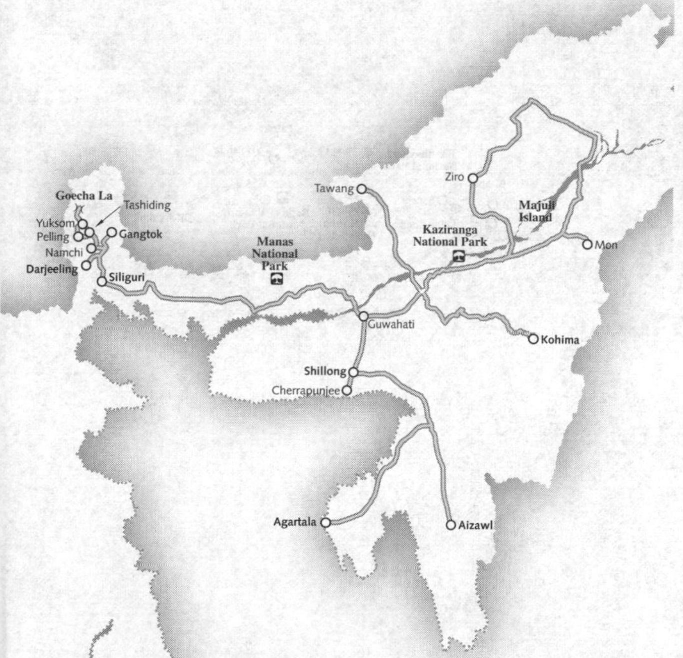

Ce voyage hors des sentiers battus vous entraîne à travers les grandioses collines du Sikkim bouddhiste et dans les régions peu visitées du Nord-Est, avec la possibilité, si vous obtenez les permis demandés, de vous enfoncer dans les régions du Nagaland, du Mizoram et de l'Arunachal Pradesh.

À LA RENCONTRE DES ETHNIES DU CENTRE Huit à dix semaines

Les plaines orientales offrent une profusion de sites méconnus et une fascinante introduction à la vie des populations locales (voir p. 103 pour plus d'informations). Des problèmes de sécurité peuvent se poser au Bihar (voir p. 578).

Commencez par **Kolkata** (Calcutta ; p. 509), capitale culturelle du Bengale, avant de mettre le cap sur le nord et **Ranchi** (p. 593), porte d'accès au **Betla (Palamau) National Park** (p. 594). Après le parc, rejoignez Ranchi puis **Gaya** (p. 585) pour aller à **Bodhgaya** (p. 586), berceau du bouddhisme. Continuez vers le nord, en passant par les ruines bouddhiques de **Nalanda** (p. 592), jusqu'à **Patna** (p. 579), capitale du Bihar et paradis des amateurs d'**art ethnique** (p. 583) mithila.

Prenez la direction du Madhya Pradesh via **Varanasi** (Bénarès ; p. 446) et faites un crochet vers le sud : le **Bandhavgarh National Park** (p. 711), où vivent tigres et léopards, puis **Jabalpur** (p. 705), où les **gorges de la Narmada** (p. 707) se descendent en bateau. Pour accroître vos chances d'apercevoir des tigres, prévoyez un second détour par le **Kanha National Park** (p. 709).

Partez ensuite vers **Bhopal** (p. 680), plus à l'ouest, point de départ des excursions aux ruines bouddhiques de **Sanchi** (p. 686), admirablement préservées, et aux abris sous roche de **Bhimbetka** (p. 686), ornés de peintures préhistoriques.

Poussez vers le sud-est jusqu'à **Indore** (p. 696), pour découvrir les ruines mogholes et afghanes de **Mandu** (p. 701), les temples hindous d'**Ujjain** (p. 693) et l'île sacrée d'**Omkareshwar** (p. 698). D'Indore, traversez enfin l'État pour rejoindre **Jagdalpur** (p. 714) et explorer les régions habitées par les ethnies du Bastar. De là, regagnez la côte pour remonter vers Kolkata.

Au départ de Kolkata, cette boucle permet la découverte des sites peu visités du Bihar, du Jharkhand, du Madhya Pradesh et du Chhattisgarh. Temples, ruines, rencontres avec les minorités ethniques et parcs nationaux figurent au programme.

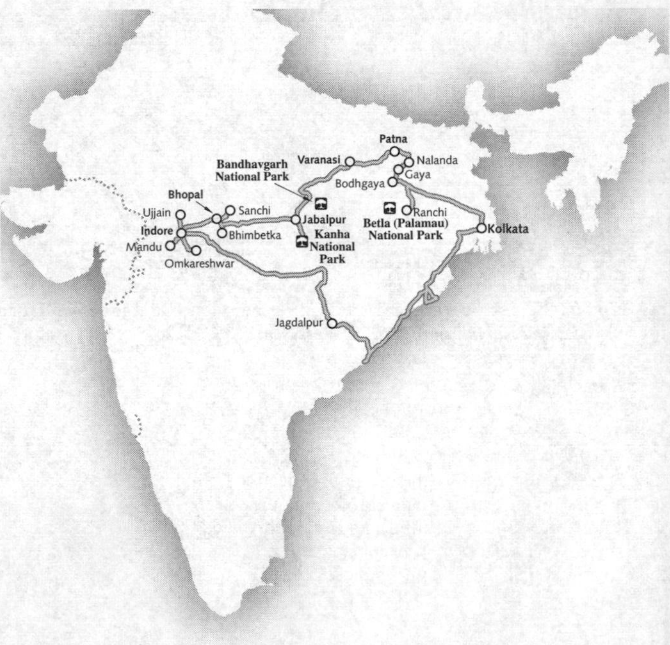

CIRCUITS THÉMATIQUES

LE PÈLERINAGE DU LOTUS

Ce circuit est un pèlerinage bouddhique au fil des sites sacrés du Bihar et de l'Uttar Pradesh, où vécut le Bouddha. Lumbini (Népal), son lieu de naissance, en constitue un prolongement logique depuis **Sunauli** (p. 463).

Partez de **Bodhgaya** (p. 586), le plus sacré des sites bouddhiques. Le **Mahabodhi Temple** (p. 588) y marque le lieu où le prince Siddhartha Gautama parvint à l'Éveil et devint le Bouddha il y a plus de 2 500 ans. Cultivez la paix intérieure lors d'un **cours de méditation** (p. 588), puis partez pour **Rajgir** (p. 591), où le sage prôna la Voie du Milieu. Continuez ensuite vers le nord jusqu'aux ruines de **Nalanda** (p. 592), ancien centre d'études bouddhiques.

Vous admirerez à **Patna** (p. 579) les sculptures du **Patna Museum** (p. 581). De là, un crochet mène à **Vaishali** (p. 584), où le Bouddha délivra son dernier sermon, et à **Kesariya** (p. 584) où, peu avant sa mort, il transmit son bol de mendiant à ses disciples et entama son dernier voyage vers Lumbini. Il s'éteignit près de la frontière, à **Kushinagar** (p. 461). En chemin, visitez **Sarnath** (p. 459), où il prêcha pour la première fois la Voie du Milieu.

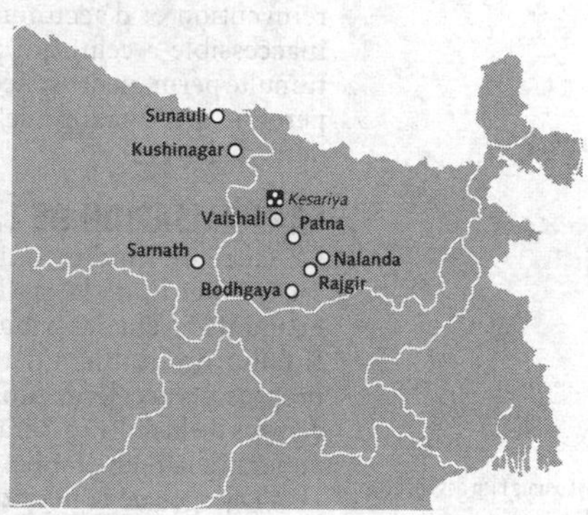

L'INDE HIMALAYENNE

Selon la situation politique (voir l'encadré p. 281), ce périple débutera à **Srinagar** (p. 285), au Cachemire, ou à **Manali** (p. 358), dans l'Himachal Pradesh. De nombreux cols ne sont ouverts que de juillet à octobre. Vous devrez aussi tenir compte du risque de mal des montagnes (p. 824).

Si les conditions le permettent, séjournez sur un *houseboat* à **Srinagar** (p. 290), avant d'aller dans les montagnes. Une route chaotique mène à **Kargil** (p. 294), porte d'accès au **Zanskar** (p. 295). En bus ou en Jeep, enfoncez-vous vers le sud, via **Rangdum** (p. 295), jusqu'à la vallée de **Padum** (p. 296), émaillée de monastères. Regagnez Kargil pour prendre la route de l'est en direction du **Ladakh** (p. 298). Faites halte à **Lamayuru** (p. 323), **Alchi** (p. 321) et **Basgo** (p. 320), dont les monastères recèlent de belles peintures et sculptures.

Arrivé à **Leh** (p. 301), prenez votre temps. Envisagez un **stage de méditation** (p. 306) et visitez **palais**, *gompa* et stupas. Puis, partez dans la **vallée de la Nubra** (p. 324) et explorez la vallée de l'Indus, en bus ou à moto, pour admirer les monastères de **Stok** (p. 318), **Thiksey** (p. 327) et **Hemis** (p. 328).

Puis, cap vers le sud. Ralliez **Keylong** (p. 405) par de périlleux cols de montagne. Visitez les **gompa** (p. 406), avant de parcourir en bus les déserts menant à **Kaza** (p. 407). Muni du permis requis, poursuivez vers l'est jusqu'à **Dhankar** (p. 409) et **Tabo** (p. 410), riches de vestiges bouddhiques.

Un permis en poche, traversez les paysages de montagne menant à **Rekong Peo** (p. 347). Après un détour vers le nord et le village de **Kalpa** (p. 348), achevez ce périple à **Shimla** (p. 335).

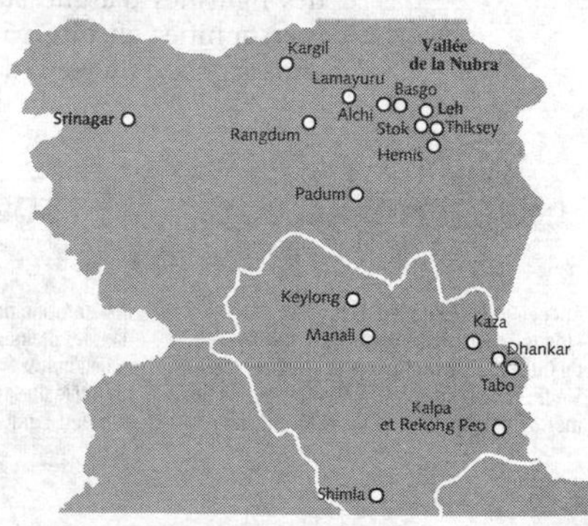

Histoire

L'histoire indienne s'inscrit dans les grandes épopées de l'humanité. Durant des millénaires, les civilisations du sous-continent ont connu des invasions, vu naître des religions et souffert d'innombrables cataclysmes. Envers et contre tout, le pays est demeuré, pour citer son premier Premier ministre, Jawaharlal Nehru, "un amalgame de contradictions liées par des fils solides et invisibles". L'Inde s'apparente à un incessant processus de réinvention et d'accumulation à jamais inachevé, qui toujours demeure inaccessible à celui qui prétend en cerner l'essence. Et pourtant, de ce tumulte permanent est née une nation moderne, palpitante et plurielle, aussi pérenne que dynamique et chaque jour plus apte à relever les nombreux défis de l'avenir.

LA CIVILISATION DE LA VALLÉE DE L'INDUS

La vallée de l'Indus, qui enjambe l'actuelle frontière indo-pakistanaise, est le berceau de la civilisation du sous-continent indien. Ses premiers habitants furent des tribus nomades qui pratiquaient la culture et l'élevage. Il fallut des milliers d'années pour qu'émerge une culture urbaine. Le processus s'accéléra autour de 3500 av. J.-C. et, en 2500 av. J.-C., quelques centres de la culture harappa, laquelle prospéra pendant près de mille ans, étaient déjà bien établis.

Comme bien des époques de l'histoire indienne, la civilisation d'harappa conserve une grande partie de son mystère – son écriture n'a pas encore été déchiffrée.

À l'apogée de la période Harappa, les grandes villes étaient Moenjodaro et Harappa, au Pakistan, et Lothal (p. 729), près d'Ahmedabad. Le tracé en damier des rues de Lothal évoque la splendeur de cette civilisation. Les cités harappa possédaient souvent une acropole séparée, dont l'implantation laisse entrevoir une fonction religieuse ; l'immense réservoir de Moenjodaro pourrait également avoir été utilisé pour des bains rituels. Les grandes villes harappa étaient remarquables par leur taille. Selon des estimations, la population de Moenjodaro aurait atteint au moins 50 000 individus.

Au milieu du troisième millénaire av. J.-C., la culture de la vallée de l'Indus était sans nul doute l'égale des autres grandes civilisations émergentes de l'époque. Les Harappa, inventeurs d'un système de poids et mesures, commerçaient avec les Mésopotamiens. Leurs figurines en terre cuite ou en bronze dénotent une grande sensibilité artistique. Divers vestiges ont été mis au jour – dont des chars à bœufs miniatures et des bijoux – qui sont les plus anciens témoignages de l'existence d'une culture indienne originale. Bien des éléments de la culture harappa furent par la suite assimilés par l'hindouisme : des figurines d'argile suggèrent l'existence d'un culte de la déesse mère (personnifiée ensuite par Kali) et d'un dieu masculin à trois visages assis dans la pose d'un yogi (dans lequel on peut voir le Shiva historique) entouré

CHRONOLOGIE

2600-1700 av. J.-C.

Apogée de la civilisation de la vallée de l'Indus, couvrant une partie du Rajasthan, du Gujarat et de la province pakistanaise de Sindh. La population est concentrée autour de métropoles comme Harappa et Moenjodaro.

1500 av. J.-C.

Implantation de la civilisation indo-aryenne dans les plaines fertiles du bassin du Gange et de l'Indus. Son langage est une forme primitive du sanskrit dont découleront plusieurs langues indiennes, dont l'hindi.

1000 av. J.-C.

Naissance de la cité d'Indraprastha, proche de l'actuelle Delhi. Des fouilles archéologiques sur le site (actuel Purana Quila) continuent de livrer des informations sur cette ancienne capitale.

de quatre animaux. Des piliers de pierre noire (associés au culte phallique de Shiva) et des statuettes d'animaux (notamment le taureau à bosse, qui devint Nandi, la monture de Shiva) ont aussi été découverts.

LES PREMIÈRES INVASIONS ET L'ESSOR DES RELIGIONS

La civilisation harappa commença à décliner au IIe millénaire av. J.-C. Certains chercheurs attribuent la chute de l'Empire à une période de sécheresse ou à des inondations qui auraient été fatales à cette culture basée sur le travail de la terre.

Une autre théorie, contestée mais persistante, voit dans la fin des Harappa la conséquence d'une invasion aryenne – et ce, malgré la rareté des preuves archéologiques et des écrits historiques permettant de l'étayer. En réaction, d'autres historiens, de sensibilité nationaliste, affirment que les Aryens (du terme sanskrit signifiant "noble") furent en fait les premiers habitants de l'Inde et que la théorie de l'invasion est l'invention de conquérants étrangers désireux de justifier leur présence. Pour d'autres encore, l'arrivée des Aryens ne fut non pas la résultante d'une conquête, mais plutôt l'aboutissement d'une migration lente qui submergea pacifiquement la culture harappa.

Selon les tenants de la théorie de l'invasion, des tribus aryennes originaires d'Afghanistan et d'Asie centrale commencèrent leur progression dans le nord-ouest de l'Inde vers 1500 av. J.-C. Malgré leur supériorité militaire, elles n'avancèrent que lentement, combattant diverses tribus au fur et à mesure de leur pénétration dans la plaine du Gange. Elles finirent néanmoins par prendre le contrôle du nord de l'Inde jusqu'aux monts Vindhya, repoussant les populations dravidiennes vers le sud.

Une Histoire de l'Inde : les Indiens face à leur passé, d'Éric Paul Meyer (Albin Michel, 2007), est une synthèse chronologique de l'histoire du sous-continent, des premiers lieux de peuplement de l'Indus à la formation de l'Union indienne.

Les textes sacrés de l'hindouisme, les Veda (voir p. 66), et le système des castes datent de cette période de transition (1500-1200 av. J.-C.).

Au cours de leur progression dans la plaine gangétique, vers la fin du VIIe siècle av. J.-C., les tribus aryennes se fondirent dans les seize grands royaumes, qui se groupèrent pour former quatre États. Issue de l'un d'eux, la dynastie Nanda, qui prit le pouvoir en 364 av. J.-C., étendit sa domination sur d'immenses territoires du nord de l'Inde.

Pendant cette période, le centre du pays échappa de peu à deux autres invasions venues de l'ouest qui auraient pu modifier le cours de l'histoire indienne. La première fut conduite par le roi perse Darius Ier (521-486 av. J.-C.), qui annexa le Punjab et le Sind (régions aujourd'hui coupées par la frontière indo-pakistanaise). Plus tard, en 326 av. J.-C., les troupes d'Alexandre le Grand avancèrent jusqu'au sous-continent, mais refusèrent de traverser le fleuve Beas, dans l'Himachal Pradesh. L'empereur fit demi-tour sans avoir exercé son pouvoir jusqu'en Inde.

Vers 500 av. J.-C., deux grandes religions indiennes virent le jour : le bouddhisme (p. 69) et le jaïnisme (p. 69). Toutes deux remirent en cause les Veda et condamnèrent le système des castes. Contrairement aux

563-483 av. J.-C.

Vie de Siddhartha Gautama (fondateur du bouddhisme) qui atteint l'Illumination sous un arbre de l'Éveil à Bodhgaya (Bihar) devenant ainsi le Bouddha (l'Éveillé).

326 av. J.-C.

Invasion de l'Inde par Alexandre le Grand. Sa victoire sur le roi Porus, au Punjab, lui permet de pénétrer dans le pays mais une rébellion au sein de son armée l'empêche de franchir le fleuve Beas dans l'Himachal Pradesh.

321-185 av. J.-C.

Empire pan-indien maurya, fondé par Chandragupta Maurya, avec Pataliputra (actuelle Patna) pour capitale. Pendant son règne, Ashoka fait du bouddhisme la religion d'État.

LE DÉCOUPAGE DU MONDE À L'ARYENNE

Si certains historiens défendent des thèses contradictoires quant aux origines de la présence aryenne dans le nord de l'Inde, la plupart s'accordent à reconnaître aux royaumes aryens qui en découlèrent l'une des manières de délimiter le territoire les plus curieuses de toute l'histoire. Dans le très formel rituel de l'*asvamedha* (sacrifice du cheval), un cheval était lâché en liberté et un groupe de soldats le suivait. Dès que le cheval rencontrait un obstacle, le roi ordonnait de conquérir le territoire concerné. Au bout d'une période définie, l'ensemble des terres parcourues par le cheval devenait propriété du roi, et le malheureux animal, que le territoire fût grand ou petit, était alors sacrifié. Ce système devait être efficace car des siècles plus tard, des dynasties comme celle des Chalukya de Badami l'utilisaient encore pour conforter la suprématie de leur souverain sur l'ensemble de ses terres.

bouddhistes, les jaïns ne renièrent toutefois jamais leur héritage hindou et leur foi ne se propagea pas au-delà de l'Inde.

Pour régner sur ses terres, l'empereur Ashoka s'appuyait sur une armée permanente d'environ 9 000 éléphants accompagnés de 30 000 cavaliers et de 600 000 fantassins.

L'EMPIRE MAURYA ET L'EMPEREUR ASHOKA

Si la culture harappa fut le berceau de la civilisation indienne, la fondation du premier grand empire indien revient à Chandragupta Maurya. Vainqueur des Nanda, celui-ci s'empara du pouvoir en 321 av. J.-C. et ne tarda pas à étendre son empire jusqu'à la vallée de l'Indus.

Depuis sa capitale Pataliputra (actuelle Patna, p. 579), l'Empire maurya incorpora presque tout le nord de l'Inde et descendit au sud jusqu'au Karnataka. Les Maurya consolidèrent leur pouvoir en mettant en place une administration qui s'appuyait sur les gouvernements locaux et sur un ordre social rigide, le système des castes.

L'Empire connut son apogée sous Ashoka (voir encadré p. 39) qui, fort d'un pouvoir immense, parvint à préserver l'intégrité de son territoire. Après sa mort, en 232 av. J.-C., personne ne fut capable de maintenir l'unité d'un ensemble aussi disparate. L'Empire maurya se désintégra rapidement et finit par s'effondrer en 184 av. J.-C.

Selon Megasthenes, ambassadeur grec à la cour maurya, Pataliputra avait une circonférence de 33,8 km, ce qui en faisait la plus grande ville de l'époque.

Les empires ultérieurs, qui ne connurent pas la stabilité des Maurya, furent de moindre importance sur le plan historique. Les Sunga (184-70 av. J.-C.), les Kanva (72-30 av. J.-C.), les Shaka (à partir de 130 av. J.-C.) et les Kushana (Ier siècle av. J.-C. à la fin du Ier siècle – et jusqu'au IIIe siècle sous une forme amoindrie) régnèrent tour à tour. Les Kushana parvinrent à asseoir brièvement leur autorité sur d'immenses territoires du nord de l'Inde et en Asie centrale.

Cette succession de dynasties coïncida avec une longue période de développement. Le commerce avec l'Empire romain, par voies terrestre et maritime depuis les ports du Sud, prit un essor considérable au Ier siècle. Les échanges avec la Chine devinrent également significatifs.

319-510	500-600	610
Âge d'or de la dynastie Gupta, deuxième grand empire de l'Inde après les Maurya. Vague de création artistique et littéraire.	Émergence des Rajput au Rajasthan. Issus de trois peuples principaux d'origine soi-disant céleste, ils constituent 36 clans distincts qui se dispersèrent dans la région pour protéger leur propre royaume.	Fondation de l'islam par le prophète Mahomet. Il enjoint les habitants de La Mecque à adopter cette nouvelle religion s les ordres de Dieu et rencontre un vif succè

UN EMPEREUR ÉCLAIRÉ

Hormis les Moghols, puis les Britanniques plusieurs siècles plus tard, aucun pouvoir n'a jamais assis sa domination sur un territoire indien plus vaste que celui des Maurya. Il n'est donc guère étonnant que l'Empire maurya ait donné à l'Inde l'une de ses plus importantes figures historiques.

Le règne de l'empereur Ashoka marqua une période où les arts, et notamment la sculpture, furent particulièrement florissants. Les préceptes gravés dans la pierre, dont Ashoka se servait à la fois pour instruire son peuple et marquer les frontières de son immense territoire, lui valurent une réputation de souverain philosophe. Certains, comme les édits d'Ashoka de Junagadh, au Gujarat (p. 752), rappellent les grands principes moraux qui étaient alors en vigueur.

Le règne d'Ashoka correspondit également à l'apogée du bouddhisme. Après avoir embrassé cette religion en 262 av. J.-C., l'empereur en fit la religion d'État, ce qui porta un coup sévère à l'influence spirituelle et sociale de l'hindouisme. Les hauts lieux de l'Inde bouddhiste d'Ashoka sont Sarnath (p. 459), dans l'Uttar Pradesh – où le Bouddha prononça son premier sermon présentant "l'Octuple Sentier", voir p. 69 – et Sanchi (p. 686), au Madhya Pradesh – où l'empereur fit construire des stupas. Ashoka, qui dépêcha des missionnaires à l'étranger, est vénéré au Sri Lanka pour avoir envoyé sa fille et son fils propager la foi bouddhiste dans l'île.

L'influence immense que cet empereur du IIIe siècle av. J.-C. exerce toujours sur l'Inde s'illustre notamment dans le fait que son étendard, qui surmontait de nombreux piliers, est devenu le sceau de l'Inde moderne (quatre lions assis dos-à-dos sur un abaque orné d'une frise et de l'inscription "La vérité seule triomphe") et son emblème national, destiné à réaffirmer l'engagement antique pour la paix et la bonne volonté.

L'ÂGE D'OR DES GUPTA

Si les empires qui vinrent après les Maurya réussirent à s'adjuger de vastes portions du territoire indien, leur contrôle sur les royaumes qui s'y trouvaient était purement formel. Dans tout le sous-continent, le pouvoir était de fait entre les mains des chefs de tribus et des petits rois locaux.

En 319, Chandragupta Ier, le troisième roi de la tribu encore méconnue des Gupta, se retrouva par hasard propulsé sur le devant de la scène à la suite de son mariage avec la fille du monarque de la tribu des Licchavi, l'une des plus puissantes du Nord. L'Empire gupta s'étendit rapidement et atteignit son apogée sous Chandragupta II (375-413). Le moine chinois Faxian (ou Fa Hsien), qui voyagea en Inde à cette époque, décrivit un peuple "riche et satisfait", dirigé par des rois éclairés et justes.

Les concepts du zéro et de l'infini auraient été inventés par d'éminents mathématiciens indiens durant le règne des Gupta.

La poésie, la littérature et les arts s'épanouirent ; des œuvres de toute beauté furent réalisées à Ajanta, Ellora, Sanchi (p. 686) et Sarnath (p. 459). L'hindouisme s'imposa comme religion dominante vers la fin de l'empire des Gupta. Son renouveau éclipsa le jaïnisme mais aussi le bouddhisme, dont le déclin fut particulièrement marqué. Privé du soutien d'Ashoka, ce dernier ne redeviendrait plus jamais la première religion de l'Inde.

850

Arrivée au pouvoir des Chola en Inde du Sud. La dynastie s'affirme comme une puissance militaire et économique particulièrement redoutable en Asie sous les règnes de Rajaraja Chola I et de son fils Rajendra Chola I.

1026

Dernière incursion de Mahmud de Ghazni en Inde, pillant à cette occasion le temple hindou de Somnath (Gujarat), dont il aurait brisé l'idole de ses propres mains.

1192

Prithviraj Chauhan perd Delhi face à Muhammad de Ghur. Cette défaite signe la fin de la suprématie hindoue dans la région, exposant le sous-continent à des invasions musulmanes ultérieures venues du nord-ouest.

Au début du VIe siècle, les invasions des Huns marquèrent la fin de cette ère. En 510, l'armée gupta fut vaincue par le général hun Toramana. Dans le nord de l'Inde, le pouvoir retourna à des royaumes hindous indépendants.

LES ROYAUMES D'INDE DU SUD

L'Âge d'or de l'Inde classique (Réunion des musées nationaux, 2007) est le catalogue de l'exposition consacrée à l'art gupta, organisée au Grand Palais (Paris) au printemps 2007.

L'Inde du Sud a sa propre histoire. Son éloignement permit l'émergence de puissants royaumes indépendants, parmi lesquels ceux de Kalinga, de Vakataka et de Shatavahana – ce dernier contrôlait le centre du pays tandis que les Kushana tenaient le Nord. Les plaines côtières fertiles donnèrent naissance aux grands empires du Sud : Chola, Pandya, Chalukya, Chera et Pallava.

Les Chalukya dominaient principalement le plateau du Deccan, dans le centre, poussant parfois leur expansion vers le nord. Exerçant le pouvoir à partir de Badami, leur capitale (dans l'actuel Karnataka), ils régnèrent de 550 à 753 avant d'être renversés par les Rashtrakuta. Une branche orientale des Chalukya reprit le pouvoir et régna depuis Kalyani (Karnataka) de 972 à 1190.

Les Pallava (VIe-IXe siècles), dans la pointe sud, contribuèrent à l'essor de l'architecture dravidienne, dont l'exubérance confine au baroque. La prospérité du Sud reposait sur des liens commerciaux établis de longue date avec d'autres civilisations, dont celles des Égyptiens et des Romains. En échange d'épices, de perles, d'ivoire et de soie, les Indiens recevaient notamment de l'or romain. Les marchands indiens étendirent également leur influence en Asie du Sud-Est.

Les Chola, qui accédèrent au pouvoir en 850 en supplantant les Pallava, ne se satisfirent pas de cette puissance commerciale, dont ils se servirent pour étendre leur territoire. Sous Raja Raja Chola I (985-1014), ils contrôlaient la quasi-totalité de l'Inde méridionale, le Deccan, l'actuel Sri Lanka, une partie de la péninsule Malaise et le royaume de Srivijaya, établi à Sumatra. Ils ne négligeaient pas pour autant leur terre d'origine, où ils construisirent certains des plus beaux exemples de l'architecture dravidienne.

De tout temps, l'hindouisme servit de sédiment sur lequel se développa la culture du sud de l'Inde.

LE NORD MUSULMAN

Tandis que le sud de l'Inde conservait une identité résolument hindoue, le Nord était déchiré par les incursions d'armées musulmanes arrivant du Nord-Ouest.

Mahmud de Ghazni, souverain de l'Empire ghaznévide (actuel Afghanistan), fut à l'avant-garde de l'expansion musulmane. Ghazni, qui n'est aujourd'hui qu'une bourgade sans importance entre Kaboul et Kandahar, était à l'aube du XIe siècle une somptueuse capitale, dont les fastes furent largement

1206

Meurtre de Muhammad de Ghur lors d'une séance de prière. Faute d'héritier, le royaume tombe aux mains de ses généraux. Naissance du sultanat de Delhi.

1336

Fondation du puissant empire Vijayanagar, du nom de sa capitale, dont les vestiges subsistent autour de Hampi (dans le Karnataka actuel).

1398

Invasion de Delhi par Tamerlan, en réponse la mansuétude des sultans de la ville à l'ég de leurs sujets hindous. Exécution de dizain de milliers de prisonniers hindous.

financés par le pillage des royaumes voisins. De 1001 à 1025, Mahmud fit dix-sept incursions en Inde, saccageant notamment le célèbre temple de Shiva, à Somnath (p. 748), dans le Gujarat ; 70 000 guerriers hindous donnèrent leur vie pour défendre le temple, qui finit par tomber en 1026. Après sa victoire, Mahmud, peu intéressé par la conquête de nouveaux territoires, repartit dans sa capitale en emportant un immense butin d'or et d'objets précieux. Les différentes razzias firent voler en éclat l'équilibre des pouvoirs dans le nord de l'Inde, permettant à d'autres envahisseurs d'en revendiquer les terres.

À la mort de Mahmud en 1033, Ghazni tomba aux mains des Seldjoukides, puis des Ghurides, originaires de l'ouest de l'Afghanistan, qui convoitaient le trésor indien. Les Ghurides étaient des guerriers particulièrement violents, à tel point que l'un de leurs généraux, Ala-ud-din Khilji, était surnommé "celui qui brûle tout".

Il y a aujourd'hui plus de 138 millions de musulmans en Inde, qui résident pour la plupart dans le nord du pays.

En 1191, Muhammad de Ghur marcha sur l'Inde. Vaincu lors d'une importante bataille par une alliance de rois indiens, il revint à l'attaque l'année suivante et mit ses ennemis en déroute. L'un de ses généraux, Qutb-ud-din, prit Delhi dont il devint le gouverneur. C'est sous sa férule que fut érigé le complexe de Qutb Minar (p. 157), qui demeure l'un des monuments majeurs de la ville. Un autre empire musulman vit le jour au Bengale et, en peu de temps, presque tout le nord de l'Inde passa sous contrôle musulman.

Après la mort de Muhammad de Ghur en 1206, Qutb-ud-din devint le premier sultan de Delhi. Son successeur, Iltutmish, reprit le contrôle du Bengale et défendit son empire contre une tentative d'invasion mongole. Ala-ud-din Khilji prit le pouvoir en 1296 et étendit inexorablement ses frontières vers le sud tout en repoussant d'autres incursions mongoles.

LA RENCONTRE DU NORD ET DU SUD

Ala-ud-din Khilji mourut en 1316 et, après l'assassinat du dernier sultan de la dynastic Khilji, Muhammad Tughluq monta sur le trône en 1324, fondant sa dynastie. Quatre ans plus tard, il s'emparait des places fortes de l'Empire hoysala – Belur, Halebid et Somnathpur. L'Inde lui appartenait.

C'est sous son règne que l'empire musulman pré-moghol atteignit ses dimensions les plus vastes. Pourtant, son immense ambition fut le germe de la désintégration de cet empire. Contrairement à ses prédécesseurs, dont Ashoka, Tughluq rêvait non seulement d'exercer une influence indirecte sur le sud de l'Inde, mais aussi de le contrôler tout entier.

Après plusieurs campagnes victorieuses, Tughluq délaissa Delhi pour un site plus central, fondant ainsi la ville de Daulatabad, près d'Aurangabad (Maharashtra). N'étant pas homme à se contenter de demi-mesures, il entreprit de peupler sa nouvelle capitale en déportant la population de Delhi. Cette marche forcée de 1 100 km vers le sud se solda par des pertes humaines

1469

Naissance de Guru Nanak, fondateur de la foi sikh (qui compte aujourd'hui des millions d'adeptes en Inde et au-delà), dans un village proche de Lahore (au Pakistan actuel).

1498

Découverte d'une voie maritime entre l'Europe et l'Inde par le navigateur portugais Vasco de Gama. Il débarque sur la côte de l'actuel Kerala et se lance dans le commerce avec la noblesse locale.

1510

Prise de Goa par l'armée portugaise sous les ordres d'Alfonso de Albuquerque, peu de temps après la mort du sultan Adil Shah de Bijapur.

considérables. Finalement, Tughluq ne tarda pas à se rendre compte que le Nord se retrouvait sans défense et la capitale dut à nouveau être déplacée. L'imposante forteresse perchée au sommet de la colline de Daulatabad constitue aujourd'hui l'ultime vestige de la mégalomanie de l'empereur.

Le dernier grand sultan de Delhi, Firoz Shah, s'éteignit en 1388 ; le sort du sultanat fut scellé en 1398, quand Tamerlan (Timur Lang), arrivant de Samarcande (Asie centrale), mena une campagne dévastatrice en Inde. Delhi fut impitoyablement saccagée ; les hindous furent massacrés. Affaibli, le sultanat éclata en plusieurs entités régionales (il disparaîtra définitivement en 1555).

Plusieurs royaumes se formèrent dans le sud après le retrait de Tughluq. Les deux principaux furent le sultanat musulman de Bahmani et l'empire hindou de Vijayanagar. Le premier vit le jour en 1345 et prit pour capitale Gulbarga, puis Bidar ; le second fut fondé en 1336 autour de sa capitale, Hampi. Les batailles qui les opposèrent durant deux siècles comptent parmi les plus sanglantes de l'histoire indienne. Elles n'eurent aucune issue avant que l'arrivée des Moghols ne marquât l'avènement d'un âge plus éclairé.

LES MOGHOLS

Alors que Vijayanagar vivait ses derniers jours, le grand empire suivant était en train de naître. À son apogée, l'immense Empire moghol englobait presque entièrement le sous-continent indien. Mais son importance ne tenait pas uniquement à ses dimensions. Les empereurs moghols firent aussi éclore un nouvel âge d'or des arts et de la littérature, tandis que leur passion pour l'architecture produisit quelques-uns des plus beaux monuments de l'Inde, dont le merveilleux Taj Mahal de Shah Jahan (p. 418).

Babur, le fondateur de la dynastie moghole (r 1526-1530), descendait à la fois de Gengis Khan et de Tamerlan. En 1525, fort de cette prestigieuse lignée, il marcha sur le Punjab depuis Kaboul, sa capitale. En 1526, grâce à la supériorité technologique que lui conférait la possession d'armes à feu, mais aussi par ses qualités de stratège qui lui permettaient de coordonner l'artillerie et la cavalerie, Babur défit les armées pourtant plus nombreuses du sultan de Delhi à la bataille de Panipat.

L'Inde impériale des grands Moghols, de Valérie Bérinstain (Découvertes Gallimard, 1997), propose une vision très complète de l'histoire du pays sous l'Empire moghol.

En 1539, son fils, Humayun (r 1530-1556), fut en revanche contraint de s'incliner devant Sher Shah, puissant dirigeant de l'est de l'Inde, et dut se retirer en Iran. À la mort de Sher Shah en 1545, il revint à la charge et parvint à prendre Delhi en 1555. Quand il mourut l'année suivante, son jeune fils, Akbar (r 1556-1605), lui succéda.

Akbar (qui signifie "grand" en arabe) méritait bien son nom. En 49 ans de règne, il parvint à conquérir et à consolider un empire immense. Ce fut probablement le plus grand des empereurs moghols. Doué de l'intelligence militaire alors essentielle pour un dirigeant, il était aussi un homme de culture juste et sage. À la différence de ses prédécesseurs, il comprit que

1526

Conquête de Delhi par Babur, qui devient le premier empereur moghol. Il écrase les troupes confédérées du Rajasthan grâce à l'introduction précoce d'armes à feu dans son armée.

1540

Brève prise de Delhi par la dynastie Sur, suite à la victoire de Sher Shah Suri sur Humayun lors de la bataille de Kanauj. Cet échec force les Moghols à s'allier temporairement avec les Rajput.

1556

Prise de Delhi par Hemu, général hindou de l'armée d'Adil Shah Suri, suite au décès accidentel d'Humayun. Il règne pendant m d'un mois avant de s'incliner devant Akbar de la deuxième bataille de Panipat.

la population hindoue était trop importante pour que sa soumission soit envisageable. Il chercha au contraire à l'intégrer à son empire et s'entoura de nombreux conseillers, généraux et fonctionnaires hindous. Akbar s'intéressait aux questions religieuses et passait des heures à discuter avec des théologiens de toutes confessions, y compris chrétiens et parsis. Mais ce n'était pas un pacifiste. Les rumeurs rapportant des massacres d'hindous à Panipat et à Chitrod ternissent encore sa réputation.

À sa mort, son fils Jahangir (r 1605-1627) monta sur le trône. Il parvint tant bien que mal à préserver l'intégrité de l'empire, non sans devoir mater plusieurs rébellions. Pendant les périodes de stabilité, Jahangir séjournait au Cachemire, qu'il adorait. Il y trouva d'ailleurs la mort, en 1627. Son fils, Shah Jahan (r 1627-1658), lui succéda après avoir éliminé tous les hommes de sa famille le séparant du pouvoir. C'est sous son règne que furent bâtis les plus beaux édifices de l'architecture moghole. Outre le Taj Mahal, il supervisa la construction du Red Fort (fort Rouge) ou Lal Qila de Delhi (p. 125) et transforma le fort d'Agra (p. 421) en un palais – qui devait devenir sa prison.

Akbar, le grand empereur moghol, fonda la Din-i Ilahi, la "religion de la Lumière", synthèse de toutes celles qu'il avait étudiées.

Son fils, Aurangzeb (r 1658-1707), le dernier grand Moghol, le fit emprisonner et finit par s'emparer du trône après deux ans de lutte contre ses frères. Aurangzeb consacra ses ressources à l'extension des limites de l'empire. Répétant l'erreur commise par Mohammad Tughluq quelque 300 ans plus tôt, il voulut déplacer sa capitale vers le sud (à Aurangabad) et leva un lourd impôt pour financer son armée. La décadence de la cour, le mécontentement de la population hindoue écrasée de taxes et l'intolérance religieuse affaiblirent la dynastie.

L'empire dut aussi faire face aux sérieuses menaces que représentaient les Marathes en Inde centrale et, plus encore, les Britanniques au Bengale. Quand Aurangzeb mourut en 1707, l'empire déclina très vite. Delhi fut mise à sac par le Perse Nadir Shah en 1739. Si les Moghols conservèrent le pouvoir jusqu'en 1857, année de la révolte des Cipayes, ils étaient déjà devenus des empereurs sans empire.

LES RAJPUT ET LES MARATHES

Durant la période moghole, les hindous, et notamment les Rajput, conservèrent un pouvoir fort. Les Rajput formaient une caste de guerriers du Rajasthan. Très attachés aux préceptes de la "chevalerie", qu'ils appliquaient à la guerre comme à la conduite des affaires publiques, ils étaient capables de protéger leur territoire de toutes les incursions étrangères, sans pour autant pouvoir s'organiser pour vaincre durablement. Quand ils ne repoussaient pas l'ennemi venu d'ailleurs, ils gaspillaient leurs forces en guerroyant entre eux. C'est ainsi que leurs territoires furent intégrés aux États vassaux des empereurs moghols. Ces derniers n'en reconnurent pas moins leur courage au combat. D'ailleurs, certains Rajput s'illustrèrent au nombre des meilleurs soldats des armées impériales mogholes.

1600

Première charte commerciale accordée par la reine Élisabeth Ire d'Angleterre à la Compagnie britannique des Indes orientales, le 31 décembre 1600. Le voyage inaugural a lieu en 1601, sous le commandement de sir James Lancaster.

1631

Début de la construction du Taj Mahal à Agra, suite au décès de Mumtaz, épouse de Shah Jahan. Ce dernier, accablé de chagrin, jure de construire le plus beau mausolée du monde en sa mémoire.

1674

Fondation par Shivaji du royaume Maratha, qui s'étend sur l'Inde occidentale et une partie de l'Inde du Nord et du Deccan. Il s'attribue le titre de Chhatrapati, "seigneur de l'Univers".

Moins chevaleresques, les Marathes n'en montrèrent pas moins une efficacité plus grande. Ils s'imposèrent sous la conduite de leur grand chef Shivaji, qui gagna la faveur populaire en défendant la cause hindoue contre les souverains musulmans. Entre 1646 et 1680, Shivaji multiplia les actes héroïques en affrontant les Moghols dans le centre de l'Inde. Capturé, il fut conduit à Agra, mais parvint à s'échapper et reprit sa vie mouvementée. Aujourd'hui encore, les conteurs itinérants font le récit de ses hauts faits. Ce héros est d'autant plus vénéré que, né dans la caste inférieure des *shudra* (serviteurs), il prouva que les grands chefs ne devaient pas nécessairement être issus de la caste des *kshatriya* (soldats).

Le fils de Shivaji fut capturé par l'empereur moghol Aurangzeb, qui le fit exécuter après lui avoir crevé les yeux. Le petit-fils n'ayant pas l'étoffe de son aïeul, l'Empire marathe passa sous la férule des *peshwa* qui accaparèrent le véritable pouvoir. Ces ministres héréditaires se rendirent peu à peu maîtres de l'Empire moghol affaibli, en lui fournissant tout d'abord des hommes de troupe, puis en prenant le contrôle effectif de son territoire.

L'expansion des Marathes prit fin brutalement en 1761 à Panipat. Là où, quelque 250 ans plus tôt, Babur avait remporté la bataille fondatrice de l'Empire moghol, les Marathes furent vaincus par l'Afghan Ahmad Shah Durrani, qui mit un terme à leur progression vers l'ouest. Ils réussirent à consolider leur domination sur le centre de l'Inde et la région de Malwa, mais durent finalement s'incliner devant la dernière puissance impériale qu'ait connue l'Inde : le Raj britannique.

L'ASCENSION DES PUISSANCES EUROPÉENNES

Les Britanniques ne furent ni les premiers Européens à s'installer en Inde, ni les derniers à en partir, ces deux "honneurs" revenant aux Portugais. En 1498, Vasco de Gama atteignit les côtes de l'actuel Kerala après avoir doublé le cap de Bonne-Espérance. L'ouverture de cette route maritime devait assurer au Portugal le monopole du commerce avec l'Inde et l'Extrême-Orient pendant près d'un siècle. Les Portugais s'emparèrent de Goa en 1510, puis de Diu en 1531 – deux enclaves qui restèrent portugaises jusqu'en 1961. À son apogée, la Goa dourada (Goa dorée) rivalisait avec la prospérité commerciale de Lisbonne. Toutefois, les Portugais, qui n'avaient pas les moyens de défendre leur immense empire colonial, furent rapidement isolés et éclipsés à l'arrivée des Britanniques et des Français.

L'Aventure des Français en Inde. XVIIe-XXe siècles, dirigé par Rose Vincent (Kailash, 1995), présente de façon très accessible l'histoire de la présence française en Inde.

En 1600, Élisabeth Ire d'Angleterre accorda le monopole du commerce avec l'Inde à la Compagnie britannique des Indes orientales (East India Company). En 1613, un premier comptoir fut fondé à Surat (p. 734), dans le Gujarat. D'autres furent établis à Madras (Chennai) en 1640, au Bengale en 1651 et à Bombay en 1668. Ainsi, pendant près de 250 ans, c'est bien une entreprise commerciale, et non la Couronne britannique, qui "régna" de fait sur l'Inde britannique.

1707

Mort d'Aurangzeb, dernier grand Moghol. Son décès amorce la chute de l'Empire moghol, alors qu'anarchie et rébellion éclatent dans tout le pays.

1739

Nadir Shah pille Delhi et en repart avec le trône du Paon, incrusté de joyaux, et le Koh-i-noor, un somptueux diamant qui changera maintes fois de mains avant de finir propriété de la couronne d'Angleterre.

1747

Le leader afghan Shah Durrani sillonne l'Inc du Nord, s'empare de Lahore et du Cachem pille Delhi et porte un coup supplémentaire l'Empire moghol de plus en plus affaibli.

En 1672, la France installa un comptoir à Pondichéry, qu'elle parvint à conserver après le départ des Britanniques – aujourd'hui encore, les édifices et les rues de la ville témoignent de cette présence prolongée. Pendant un siècle, le contrôle du commerce avec l'Inde fut l'enjeu de rivalités entre les Britanniques et les Français. Sous la conduite de commandants expérimentés, ces derniers semblèrent l'emporter un moment. Ils prirent notamment Madras en 1746 (qu'ils durent cependant restituer en 1749) et parvinrent à installer sur le trône leur prétendant, Nizam d'Hyderabad. Si cela augurait bien de l'avenir, les dirigeants de la Compagnie française des Indes orientales mirent toutefois un terme à toute prétention sérieuse de la France en 1750, lorsqu'ils estimèrent que leurs représentants faisaient trop de politique et pas assez de commerce. Ils congédièrent des responsables placés à des postes clés et signèrent avec les Britanniques un accord destiné à mettre un terme à tous les conflits politiques. Cette décision, qui accrut à court terme les bénéfices de la compagnie, mit fin à l'influence réelle de la France sur le sous-continent.

Dans son ouvrage *L'Inde vue d'Europe* (Albin Michel, 2008), Christine Maillard dresse un portrait de la fascination exercée par le sous-continent sur les Européens depuis les Lumières jusqu'au milieu du XXe siècle.

L'INDE BRITANNIQUE

Au début du XIXe siècle, l'Inde était sous le contrôle effectif du Raj britannique. Il subsistait toutefois une multitude de petits États, prétendument indépendants, gouvernés par des maharajas (ou des princes ayant des titres équivalents) et des nababs. Si ces États princiers administraient leur propre territoire, une forme de gouvernement centralisé n'en était pas moins en train de s'imposer. Le système britannique servit de modèle à la création du gouvernement et de l'administration en Inde. Dès 1784, Londres commença à superviser directement l'Empire, même si, en théorie, le territoire resta géré par la Compagnie britannique des Indes orientales jusqu'en 1858.

Le pouvoir britannique en Inde continuait d'avoir pour principaux objectifs le commerce et le profit, ce qui provoqua des mutations profondes. Les mines de fer et de charbon se développèrent ; le thé, le café et le coton devinrent des cultures primordiales. Le réseau ferré, encore utilisé aujourd'hui, fut mis en chantier. De grands projets d'irrigation furent lancés et la mainmise des *zamindar* sur les terres fut encouragée. Bien que peu présents sur leurs propriétés, ces grands propriétaires facilitèrent l'administration du pays, notamment en levant les impôts pour les Britanniques. Mais ils furent aussi responsables de la multiplication du nombre de paysans pauvres et sans terres.

L'anglais fut imposé comme langue officielle dans l'administration. Cette mesure, cruciale pour les Britanniques dans un pays où coexistaient de nombreuses langues, introduisit une distance plus grande encore entre les nouveaux dirigeants et la population.

Le Moghol blanc de William Dalrymple (Payot, 2008) raconte le tragique amour d'un soldat de la Compagnie des Indes orientales qui épousa une princesse musulmane indienne. Politiques de harem, complots et espionnage pimentent cette histoire vraie.

1757

Première victoire militaire sur le sol indien pour la Compagnie britannique des Indes orientales, sortie de sa mission commerciale. Siraj-ud-Daulah, le nabab du Bengale, s'incline devant Robert Clive lors de la bataille de Plassey.

1801

Ranjit Singh devient le maharaja (Grand Roi) des Sikhs récemment unifiés et établit un nouveau royaume puissant depuis sa capitale de Lahore (dans l'actuel Pakistan).

1857

Révolte des Cipayes, considérée comme la première guerre d'indépendance contre les Britanniques. En l'absence d'un dirigeant national, les indépendantistes contraignent le dernier roi moghol, Bahadur Shah Zafar s'autoproclamer empereur d'Inde.

L'ASCENSION AU POUVOIR DES BRITANNIQUES

C'est presque par hasard que les Britanniques, d'abord simples commerçants, devinrent gouverneurs. Ayant reçu l'autorisation des Moghols de s'implanter commercialement au Bengale, ils virent leurs affaires prospérer rapidement après la fondation d'un nouveau comptoir à Calcutta (Kolkata) en 1690. Sous le regard inquiet du nabab (dirigeant local), le commerce britannique prit de plus en plus d'ampleur et les "fabriques", des airs d'établissements permanents – et fortifiés !

Le nabab finit par décider de stopper la montée en puissance britannique. En juin 1756, il attaqua Calcutta et, après avoir pris la ville, il enferma les prisonniers britanniques dans une minuscule cellule. Il y avait si peu d'espace et d'air que, le lendemain, un grand nombre d'entre eux étaient morts. L'expression "trou noir de Calcutta" renvoie à cet épisode.

Six mois plus tard, Robert Clive, mercenaire de la Compagnie des Indes orientales, prit la tête d'une expédition visant à reprendre Calcutta et s'entendit avec l'un des généraux du nabab pour renverser ce dernier, ce qui fut fait en juin 1757 à la bataille de Plassey (l'actuelle Palashi). Le général traître fut alors mis sur le trône. Les Britanniques contrôlant de fait le Bengale, la période qui s'ensuivit permit aux agents de la compagnie de réaliser d'énormes profits. Quand un autre nabab prit les armes pour défendre ses propres intérêts, il fut défait à la bataille de Baksar en 1764. Cette victoire confirma la suprématie anglaise sur la région.

En 1771, Warren Hastings fut nommé gouverneur du Bengale. Sous son pouvoir, la compagnie accrut encore son emprise sur l'économie régionale. Homme d'État avisé, il bénéficia du vide laissé en Inde par la désintégration de l'Empire moghol. Les Marathes (p. 43), seule véritable puissance indienne capable d'occuper la place vacante, étaient divisés. Hastings signa différents traités avec les chefs locaux, dont un avec le plus haut dirigeant marathe.

Dans le Sud, peu soumis à l'influence moghole, la rivalité franco-britannique rendait la situation d'autant plus confuse que chaque puissance jouait les souverains locaux les uns contre les autres. Cela apparut clairement au cours des guerres de Mysore, lors desquelles Hyder Ali et son fils Tipu Sultan s'opposèrent vaillamment aux Anglais. Ce dernier fut tué au cours de la quatrième guerre (1789-1799) et la pénétration britannique progressa un peu plus. L'interminable conflit entre les Britanniques et les Marathes ne prit fin qu'en 1803 ; seul le Punjab, sous domination sikh, résistait encore. Il finit par tomber sous la tutelle de la Grande-Bretagne après les deux guerres sikhes (1845-1846 et 1848-1849).

LE CHEMIN DE L'INDÉPENDANCE

De nombreux Indiens voulaient s'affranchir de la domination étrangère. L'opposition contre les Anglais devint plus forte au début du XXe siècle, sous la houlette du Congrès national indien (ou parti du Congrès), le plus ancien parti politique indien.

Celui-ci se réunit pour la première fois en 1885 et revendiqua très vite le droit de participer au gouvernement du pays. Lorsque le pouvoir britannique tenta de séparer le Bengale du reste du pays en 1905, cette initiative très impopulaire provoqua d'immenses manifestations et mit en lumière l'opposition hindoue à toute division du pays. La communauté musulmane

1858

Prise de contrôle de l'Inde par les Britanniques, le pouvoir étant officiellement transféré de la Compagnie britannique des Indes orientales à la Couronne d'Angleterre. Début du Raj britannique, qui durera jusqu'à l'indépendance de l'Inde en 1947.

1869

Naissance de Mohandas Karamchand Gandhi à Porbandar (Gujarat) – connu plus tard sous le nom de Mahatma Gandhi et affectueusement appelé le "Père de la Nation".

1885

Fondation du parti du Congrès indien, première formation politique du pays. Il rassemble des Indiens éduqués et joue un rôle clé dans le long combat du pays vers l'indépendance.

forma son propre groupe et fit campagne pour s'assurer la protection de ses droits dans tout accord à venir. L'accroissement des tensions provoqua une scission dans les milieux hindous entre les modérés et les radicaux, prêts à recourir à la violence pour atteindre leur but.

Les troubles retombèrent pendant la Première Guerre mondiale. L'Inde apporta un soutien énorme à l'effort de guerre. Plus d'un million de volontaires indiens s'engagèrent et partirent en Europe, où plus de 100 000 périrent. Les dirigeants du parti du Congrès approuvèrent cette contribution, avec l'espoir qu'elle serait récompensée à la fin du conflit. Il n'en fut rien et la déception fut grande. Les troubles se multiplièrent au Punjab, où un contingent de l'armée anglaise fut envoyé en avril 1919 après l'émeute d'Amritsar. Obéissant à l'ordre de leur officier, les soldats ouvrirent le feu sur la foule des manifestants désarmés (voir l'encadré p. 270). La nouvelle du massacre se répandit rapidement dans toute l'Inde, et nombre d'Indiens jusque-là apolitiques adhérèrent au parti du Congrès.

En 1909, les réformes dites Morley-Minto instituèrent une participation indienne limitée au gouvernement et instaurèrent des corps électoraux distincts pour les diverses communautés religieuses du pays.

C'est à cette période que le parti trouva un nouveau leader en la personne de Mohandas Gandhi (voir l'encadré p. 50). Si sa politique de non-violence ne faisait pas l'unanimité parmi les membres du parti, le Mahatma n'en resta pas moins, avec le parti, à l'avant-garde de la lutte pour l'indépendance.

Tandis que le mouvement populaire conduit par Gandhi gagnait en importance et que la perspective d'un partage du pouvoir devenait de plus en plus probable, l'importante minorité musulmane s'inquiéta du sort qui lui serait fait dans une Inde indépendante. Les musulmans avaient compris qu'un tel État serait dominé par les hindous : si Gandhi faisait preuve d'une réelle ouverture d'esprit, les autres membres du Congrès semblaient peu favorables à l'idée de gouverner ensemble. Ainsi, dès 1930, les musulmans évoquèrent la possibilité d'un État indépendant.

Une princesse se souvient (Kailash, 1992), les mémoires de Gayatri Devi recueillies par Santha Rama Rao, constitue une passionnante chronique sur la vie de la ravissante maharani de Jaipur, née en 1919.

La marche vers l'indépendance fut interrompue pendant la Seconde Guerre mondiale, quand la plupart des militants du parti du Congrès furent emprisonnés pour éviter que leur action ne vienne perturber l'effort de guerre.

L'INDÉPENDANCE ET LA PARTITION

En Grande-Bretagne, la victoire du Parti travailliste aux élections de juillet 1945 bouleversa le paysage politique. Pour la première fois, l'indépendance de l'Inde était perçue comme une revendication légitime. Malheureusement, la bonne volonté britannique ne sut trouver de solution pour réconcilier les deux principaux partis indiens. Mohammed Ali Jinnah, dirigeant de la Ligue musulmane, réclamait un État musulman indépendant, tandis que le parti du Congrès, dirigé par Jawaharlal Nehru, faisait campagne pour une Inde indépendante unie.

1911

Début des travaux à New Delhi, sous la direction de l'architecte britannique Edwin Lutyens. Ce nouveau Delhi sera considéré comme l'une des plus belles cités-jardins jamais construites.

1919

Massacre, le 13 avril, de manifestants non armés sur le Jallianwala Bagh, dans la ville d'Amritsar (Punjab). Gandhi riposte avec son programme (non-violent) de désobéissance civile contre le gouvernement britannique.

1940

Adoption par la Ligue musulmane de résolution de Lahore, qui revendiq grande autonomie des musulmar Des campagnes ultérieures pou d'une nation musulmane ind menées dans les années 194 Ali Jinnah.

LA PREMIÈRE GUERRE D'INDÉPENDANCE : LA RÉVOLTE DES CIPAYES

En 1857, un demi-siècle après avoir pris le contrôle du pays, les Britanniques essuyèrent un sérieux revers. Les raisons précises de la Grande Mutinerie, ou révolte des Cipayes, sont encore controversées. Il est toutefois possible d'identifier les principales causes de ce qui fut par la suite considéré comme la première guerre d'indépendance par les historiens nationalistes : l'afflux de produits bon marché fabriqués en Grande-Bretagne, notamment textiles, qui privaient de nombreuses personnes de tout revenu ; la destitution de nombreux chefs locaux ; les taxes levées par les propriétaires terriens.

L'incident qui aurait mis le feu aux poudres se produisit le 10 mai 1857 à Meerut (Uttar Pradesh), dans les baraquements de l'armée. Une rumeur se propagea alors, selon laquelle un nouveau type de munition était lubrifié avec de la graisse de vache, selon les hindous, et de porc, selon les musulmans. Quand on sait que pour charger une arme, il faut mordre le bout de la cartouche, on comprend l'émeute qui s'ensuivit – la vache étant un animal sacré pour les premiers et le porc un animal impur pour les seconds.

À Meerut, la crise fut traitée avec un singulier manque de jugement. L'officier aux commandes fit aligner ses hommes et leur ordonna de mordre le bout des cartouches qui venaient de leur être confiées. Ceux qui refusèrent d'obéir furent emprisonnés sur le champ. Le lendemain matin, toute la garnison se rebella, tua les officiers et marcha sur Delhi. Sur les 74 bataillons indiens que comptait l'armée du Bengale, sept (dont un de Gurkha) restèrent loyaux, vingt furent désarmés et les quarante-sept autres se mutinèrent. Les soldats et les paysans se rallièrent autour de l'empereur moghol, à Delhi, mais personne n'avait d'objectif clair. Ils tinrent Delhi pendant plusieurs mois et firent le siège de la Résidence britannique à Lucknow pendant cinq mois avant de baisser les armes.

Peu après, la Compagnie des Indes orientales fut liquidée et le gouvernement britannique assuma directement le contrôle du pays. Il annonça qu'il soutiendrait les dirigeants des États princiers, en s'engageant à ne pas intervenir dans les affaires locales aussi longtemps qu'ils se montreraient loyaux envers lui.

Début 1946, une mission britannique échoua à rapprocher les deux camps et le pays glissa vers la guerre civile. En août 1946, la Journée d'action directe (*Direct Action Day*) organisée par la Ligue musulmane se solda par le massacre d'hindous à Calcutta ; des représailles contre les musulmans s'ensuivirent. En février 1947, le gouvernement britannique décida d'octroyer son indépendance au pays pour juin 1948 (cette date sera finalement avancée). Le vice-roi, lord Wavell, fut remplacé par lord Mountbatten.

Celui-ci plaida autant que possible auprès des deux factions rivales afin qu'elles acceptent l'idée d'une Inde unie, sans succès. La Partition fut décidée, Gandhi manifestant seul une ferme opposition. Devant la montée des violences dans la population civile, lord Mountbatten décida précipitamment d'avancer la date de l'indépendance au 15 août 1947.

1942

ahatma Gandhi lance la campagne "Quit
, enjoignant les Britanniques à quitter
oire sans délai pour permettre au pays
à l'autorité souveraine.

1947

Accession de l'Inde à l'indépendance le 15 août, au lendemain de la création du Pakistan. La partition est suivie d'un exode transfrontalier durant lequel des dizaines de milliers d'hindous et de musulmans bravent les violences communautaires pour rejoindre leur nation respective.

1947-1948

Signature, par le maharaja du Cachemire, du traité d'entrée dans l'Union indienne. Le Pakistan conteste la légalité du document. Première guerre indo-pakistanaise.

La décision de partager le pays en deux avait été très difficile à prendre ; s'entendre sur le tracé de la frontière se révéla pratiquement impossible. Si certaines régions étaient clairement hindoues ou musulmanes, beaucoup étaient mixtes. En outre, des poches de population appartenant à une confession étaient isolées dans des zones où l'autre dominait. Pire encore, les deux régions à majorité musulmane se trouvaient de part et d'autre du pays. L'État musulman du Pakistan serait donc une nation constituée de deux parties, orientale et occidentale, séparées par une Inde hostile. L'instabilité inhérente à cette situation sautait aux yeux. Il s'écoula toutefois 25 ans avant que l'inévitable scission ne se produise et que le Pakistan-Oriental ne devienne le Bangladesh.

Même si vous avez déjà vu *Gandhi*, avec Ben Kingsley et 300 000 figurants, revoyez-le. Peu de films parviennent à donner une image aussi cohérente de l'Inde en retraçant son chemin vers l'indépendance.

La difficile mission de dessiner la frontière fut confiée à un arbitre britannique indépendant, pleinement conscient que les conséquences seraient effroyables pour des millions de personnes. Dotée d'un port et de manufactures de jute, Calcutta, à majorité hindoue, se retrouva séparée du Bengale-Oriental, majoritairement musulman, grand producteur de jute mais dépourvu de port et de fabriques. Les importants mouvements de population de part et d'autre de la nouvelle frontière, firent plus d'un million de réfugiés au Bengale.

Le problème fut encore plus délicat au Punjab, où les tensions étaient extrêmes. La région la plus riche et la plus fertile du pays abritait d'importantes communautés musulmane, hindoue et sikh. Ces derniers, dont la campagne pour obtenir leur propre État s'était soldée par un échec, voyaient maintenant leur territoire coupé en deux. La frontière passait entre les deux principales villes de l'État, Lahore et Amritsar. Avant l'Indépendance, Lahore comptait 1,2 million d'habitants, dont approximativement 500 000 hindous et 100 000 sikhs. Après la Partition, il ne restait plus qu'un millier d'hindous et de sikhs dans la ville.

Dans *India, 1900-1947, un Britannique au cœur du Raj* (Autrement, 2002), Arundhati Virmani, historienne indienne, raconte l'Inde, du début du XXe siècle à l'Indépendance et à la Partition, à travers les yeux d'un administrateur anglais.

Le Punjab réunissait tous les éléments d'une tragédie, mais le bain de sang qui accompagna sa partition dépassa toutes les craintes. On assista à des transferts massifs de populations. Des trains bondés de musulmans s'enfuyant à l'ouest étaient arrêtés et leurs passagers massacrés par des foules d'hindous et de sikhs. Hindous et sikhs fuyant vers l'est subissaient le même sort de la part des musulmans. L'armée envoyée en renfort pour maintenir l'ordre se montra totalement impuissante, lorsqu'elle ne se joignit pas aux carnages. Quand le chaos s'apaisa enfin, plus de 10 millions de personnes avaient migré et au moins 500 000 avaient péri.

LE CONFLIT DU CACHEMIRE

Le Cachemire est le symbole le plus marquant de la douloureuse partition de l'Inde. Une fois la division décidée, la tâche délicate consistant à tracer la frontière indo-pakistanaise fut encore compliquée par la présence d'États princiers jouissant d'une indépendance formelle. L'accord prévoyait que l'on

1948

Assassinat du Mahatma Gandhi le 30 janvier à New Delhi par le nationaliste hindou Nathuram Godse. Godse et son complice, Narayan Apte, seront jugés, condamnés et pendus.

1948-1956

Formation du Rajasthan, à partir de 19 États princiers dont les dirigeants se précipitent pour signer l'instrument d'accession et abandonner leurs territoires, qui seront incorporés dans la nouvelle république indienne.

1952

Élections au Rajasthan, qui découvre la démocratie après des années de monarchie. Le Congrès est le premier parti à accéder au pouvoir.

LE MAHATMA GANDHI

Mohandas Karamchand Gandhi, l'une des plus grandes figures du XXe siècle, naquit le 2 octobre 1869 à Porbandar, dans le Gujarat. Après des études de droit à Londres (1888-1891), il partit en Afrique du Sud où il exerça le métier d'avocat. C'est là que le jeune Gandhi prit conscience des réalités politiques et entreprit de lutter contre les discriminations auxquelles il était confronté. Il devint rapidement le porte-parole de sa communauté, réclamant l'égalité des droits pour tous.

Gandhi rentra en Inde en 1915, sa doctrine de la non-violence, ou *ahimsa*, au centre de son projet politique. Il s'astreignit à une vie simple et disciplinée, créant l'ashram de Sabarmati, le premier ashram ouvert aux intouchables, à Ahmedabad.

Dès la première année, Gandhi remporta une victoire en défendant les paysans exploités du Bihar. C'est alors qu'il aurait reçu d'un admirateur le titre de "Mahatma" (grande âme). En 1919, l'adoption de lois discriminatoires, les Rowlatt Acts (qui autorisaient l'absence de jurés dans certains procès politiques), l'incita à poursuivre son action en lançant un mouvement de protestation nationale. Les jours suivant ce *hartal* (grève), les passions se déchaînèrent dans tout le pays et des manifestants pacifiques furent massacrés par les troupes coloniales à Amritsar (p.266). Profondément choqué, Gandhi interrompit l'action sur-le-champ.

En 1920, Gandhi, devenu un ténor du Congrès national indien, coordonna une campagne nationale de non-coopération avec la puissance coloniale, ce qui eut pour effet de faire naître un fort sentiment nationaliste et lui valut à jamais l'hostilité des Britanniques. Au début des années 1930, il fascina son pays et le monde entier par son fabuleux défi au gouvernement de Sa Majesté : à l'issue d'une longue marche d'Ahmedabad à Dandi (sur la côte du Gujarat) à la tête de milliers de partisans, Gandhi recueillit cérémonieusement, par évaporation, du sel de mer, bravant publiquement l'impôt sur le sel tant haï ; il fut une nouvelle fois incarcéré. Relâché en 1931 afin de représenter le Congrès national indien à la table des négociations à Londres, il conquit une large partie du peuple britannique mais ne put obtenir de concessions significatives de la part du gouvernement.

Las de la politique, il démissionna de son siège au Parlement en 1934 pour se consacrer à l'instruction en milieu rural. En 1942, il revint de façon spectaculaire sur le devant de la scène avec la campagne "Quit India", qui exhortait les Britanniques à quitter immédiatement le pays. Jugées subversives, les actions qu'il mena pendant la Seconde Guerre mondiale le menèrent à nouveau derrière les barreaux avec la plupart des dirigeants du Congrès.

Gandhi fut exclu des fiévreuses négociations pour l'indépendance qui suivirent la fin de la guerre. Impuissant, il assista au projet de partition du pays qui représentait à ses yeux une tragédie. Il était presque le seul à prêcher la tolérance et à vouloir que l'Inde reste un pays uni. Son engagement en faveur des membres de toutes les communautés lui valut inévitablement la haine des extrémistes hindous. Le 30 janvier 1948, il fut assassiné par un fanatique alors qu'il se rendait à la prière du soir. Un mémorial (p. 130) se dresse à l'emplacement où il trouva la mort.

demande à leurs dirigeants de choisir leur pays. Le Cachemire était un État à majorité musulmane, gouverné par un maharaja hindou, Hari Singh, qui tardait à prendre sa décision. Une armée pachtoune (pakistanaise) traversa

1962

Guerre sino-indienne dans la zone frontalière du nord-est et au Ladakh. La Chine parvient à s'emparer du territoire revendiqué et met fin à la guerre par un cessez-le-feu unilatéral.

1964

Mort du Premier ministre Jawaharlal Nehru, d'une crise cardiaque. Premier dirigeant de l'Inde indépendante, il joua un rôle central pour libérer le pays de la domination anglaise.

1965

Escarmouches au Cachemire et dans le territoire contesté du Rann du Kutch (au Gujarat) qui déclenchent la deuxième guer indo-pakistanaise, avec les combats de tar les plus importants depuis la Seconde Gue mondiale. Une résolution de l'ONU exigear un cessez-le-feu met fin au conflit un an plus tard.

alors la frontière, avec l'intention de marcher sur Srinagar pour annexer le Cachemire. Paniqué, le maharaja demanda l'aide de l'Inde, dont l'armée arriva juste à temps pour empêcher la chute de la ville. En conséquence, le maharaja signa l'Instrument of Accession, liant le Cachemire à l'Inde en octobre 1947. La légalité du document fut aussitôt contestée par le Pakistan, ce qui déclencha la guerre entre les deux nations, deux mois après l'Indépendance.

Les Voix de la partition Inde-Pakistan, d'Urvashi Butalia (Actes Sud, 2002), est un recueil de témoignages de survivants du drame terrible qu'a représenté la scission de l'Union indienne et du Pakistan.

En 1948, le conseil de sécurité de l'ONU commanda un référendum sur le statut du Cachemire –une demande toujours appuyée par les Pakistanais. En 1949, un cessez-le-feu fut conclu sous l'égide de l'ONU, dont les forces maintenaient les belligérants de part et d'autre d'une ligne de démarcation, la Line of Control (LOC). Ceci ne résolut pas grand-chose. Deux tiers du Cachemire se retrouvèrent du côté indien de la LOC, qui fait toujours office de frontière, sans être reconnue par aucun des deux pays. L'État indien de Jammu-et-Cachemire, tel qu'il a été défini depuis cette période, réunit le Ladakh (divisé entre musulmans et bouddhistes), le Jammu (à majorité hindoue) et la vallée du Cachemire, qui fait 130 km de long sur 55 km de large et abrite la majorité des habitants de l'État (à dominante musulmane). Du côté pakistanais, 3 millions de Cachemiris vivent dans l'Azad, le Cachemire "libre".

Depuis le tracé de la frontière, des incursions de l'autre côté de la LOC se sont répétées avec une inquiétante régularité. Si l'Inde et le Pakistan ont normalisé – dans une certaine mesure – leurs relations en 1976, les tensions restent fortes. Quant aux conflits internes au Cachemire, ils ont vraiment commencé en 1989.

Le Mahatma Gandhi était prêt à confier le destin d'une Inde unie à Mohammed Ali Jinnah, le dirigeant de la Ligue musulmane, pour éviter la Partition.

Pendant les années 1990, des incidents eurent lieu presque chaque année. Un petit groupe de militants cachemiris entra en rébellion armée contre le gouvernement indien. Il fut rejoint par des combattants armés venus d'Afghanistan et du Pakistan. L'Inde accusa le Pakistan de leur venir en aide – voire de les diriger – au Cachemire. En réponse, le Pakistan reprocha à l'Inde de refuser au Cachemire d'exercer son droit à l'autodétermination. Les relations indo-pakistanaises touchèrent le fond en 1998, quand le Bharatiya Janata Party (BJP), qui venait d'accéder au gouvernement, procéda à cinq essais nucléaires dans le désert du Rajasthan. Peu après, le Pakistan effectua ses propres essais. Quand il lança une incursion de l'autre côté de la LOC, près de Kargil, le spectre d'un conflit nucléaire dans l'une des régions les plus explosives du monde se profila. Devant la vague de condamnations internationales, les deux ennemis reculèrent, sans que la menace d'un conflit armé fût pour autant écartée.

En décembre 2001, des attaques terroristes contre le Parlement indien (attribuées par les autorités indiennes au Pakistan, qui dément toute participation) ont mené à de nouvelles tentatives d'intimidation, tandis que persistent les allégations de violations des droits de l'homme par l'armée indienne au Cachemire.

1966

Indira Gandhi, fille de Jawaharlal Nehru, devient Premier ministre. Elle reste la seule femme à avoir occupé ce poste en Inde.

1971

Le Pakistan-Oriental revendique son indépendance du Pakistan-Occidental. L'Inde s'en mêle, déclenchant la troisième guerre indo-pakistanaise. Le Pakistan-Occidental (actuel Pakistan) capitule et perd le contrôle du Pakistan-Oriental, qui devient le Bangladesh.

1972

Accord de Simla, qui tente de normaliser l[illegible] relations entre l'Inde et le Pakistan. La li[illegible] de cessez-le-feu du Cachemire est offic[illegible] sous le nom "Line of Control", et rest[illegible] la frontière de facto entre les deux [illegible]

Selon les estimations, le conflit du Cachemire aurait fait au moins 70 000 victimes entre 1989 et 2007.

En 2004, lorsque le dirigeant du parti du Congrès, Manmohan Singh, devint Premier ministre, les relations étaient tendues mais cordiales. Des mesures ont été prises pour créer la confiance – reprise des transports transfrontaliers, retrait par l'Inde d'un petit contingent de ses hommes et adoption par le Pakistan d'une rhétorique moins violente –, ce qui a contribué à calmer le jeu. Cependant, les attaques terroristes de novembre 2008 à Mumbai (Bombay ; voir p. 54) ont réactivé les tensions entre les deux voisins.

Depuis six décennies, l'Inde et le Pakistan considèrent toujours fermement le Cachemire comme une partie inaliénable de leur territoire. Cette question est devenue une véritable cause nationale pour les deux populations, et la pérennité de tout accord reposera sur l'aptitude des dirigeants de ces deux nations à l'imposer à leur peuple.

Pour de plus amples informations, reportez-vous p. 275.

L'INDE INDÉPENDANTE

Jawaharlal Nehru tenta d'engager son pays dans une politique de non-alignement, entretenant des relations cordiales avec la Grande-Bretagne et les pays du Commonwealth tout en se tournant vers l'Union soviétique – des choix guidés en partie par des conflits avec la Chine et le soutien des États-Unis au Pakistan, ennemi juré de l'Inde.

Les décennies 1960 et 1970 furent des plus tumultueuses. Une guerre frontalière avec la Chine, déclarée en 1962 dans les zones limitrophes de la North-East Frontier Area (NEFA, ou zone de la frontière du Nord-Est, rebaptisée depuis NER, ou Région du Nord-Est) et du Ladakh, entraîna la perte de l'Aksai Chin (partie orientale du Ladakh) et de petits territoires de la NEFA. Depuis, l'Inde n'a cessé de revendiquer sa souveraineté sur ces territoires. Les guerres avec le Pakistan – en 1965 au sujet du Cachemire et en 1971 au sujet du Bangladesh – renforcèrent le sentiment commun à de nombreux Indiens d'être entourés d'ennemis de toutes parts.

Shashi Tharoor est l'auteur d'une biographie passionnante consacrée à Nerhu (Seuil, 2008).

Le très populaire Nehru s'éteignit en 1964, et sa fille, Indira Gandhi (sans lien de parenté avec le Mahatma Gandhi), devint Premier ministre en 1966.

Comme son père avant elle, Indira Gandhi jouissait d'un immense prestige en Inde. Toutefois, contrairement à lui, elle fut toujours controversée et les historiens continuent à offrir des analyses très contrastées de son action sur le pays.

En 1975, une forte opposition et une situation instable conduisirent Indira Gandhi à déclarer l'état d'urgence. Libérée de nombreuses entraves parlementaires, elle réussit à relancer l'économie, à contrer efficacement l'inflation et à renforcer de manière décisive l'efficacité gouvernementale. Parallèlement, bon nombre d'opposants politiques se retrouvèrent en prison, le système judiciaire prit des allures de théâtre de marionnettes et la presse fut muselée.

1975

Déclaration de l'état d'urgence, selon l'article 352 de la Constitution indienne, par le Premier ministre Indira Gandhi, en réponse aux fortes [illegible]ions sociales et au blocage politique. Cette [illegible]on sera contestée.

1984

Assassinat du Premier ministre Indira Gandhi par deux de ses gardes du corps (sikhs) suite à sa décision controversée de prendre d'assaut le Temple doré d'Amritsar, sanctuaire le plus sacré des sikhs.

1991

Assassinat de Rajiv Gandhi lors d'un attenta[illegible] suicide par une sympathisante du Front de libération des Tigres de l'Eelam tamoul (LT[illegible]) pendant sa tournée électorale au Tamil Na[illegible]

En 1977, le parti d'Indira Gandhi perdit les élections qui mirent le Parti populaire Janata (JPP) au pouvoir. Le fondateur de ce dernier, Jaya Prakash Narayan (surnommé "JP"), un socialiste âgé pro-Mahatma Gandhi, mourut peu après. Beaucoup considèrent qu'il a sauvé la démocratie indienne.

Une fois au pouvoir, le Janata s'avéra ne disposer ni d'une politique cohérente ni d'une autre figure de la stature de Narayan. Son dirigeant, Morarji Desai, fut incapable de régler les problèmes du pays. L'inflation s'envola, la colère gronda et l'économie plongea. Le Janata se disloqua fin 1979 et, en 1980, les élections redonnèrent le pouvoir à Indira Gandhi avec une majorité encore plus large que précédemment.

Sur les 545 sièges du Lok Sabha (chambre basse du système bicaméral indien), 125 sont réservés aux intouchables.

LE PARTI DU CONGRÈS AU POUVOIR

Indira Gandhi s'avéra impuissante face aux troubles communautaires qui éclatèrent dans plusieurs régions, aux violentes agressions contre les *dalit* (intouchables ou castes répertoriées), aux brutalités policières, à la corruption et aux soulèvements du Nord-Est et du Punjab. En 1984, après avoir malencontreusement décidé d'envoyer l'armée déloger les séparatistes sikhs du temple d'Or d'Amritsar, elle fut assassinée par deux de ses gardes du corps sikhs. Sa décision de profaner le plus sacré des lieux de culte du sikhisme eut des conséquences catastrophiques. Elle déclencha de sanglants affrontements entre hindous et sikhs, qui firent plus de 3 000 morts (sikhs pour la plupart). La création d'un État sikh autonome, le Khalistan, a depuis été rejetée.

Rajiv Gandhi, fils d'Indira et ancien pilote d'Indian Airlines, accéda au poste de Premier ministre en 1984 grâce à une victoire écrasante du parti du Congrès. Après une brève période de calme, il se retrouva mêlé à des affaires de corruption. Il fut également incapable de venir à bout des troubles survenus entre les communautés qui agitaient notamment le Punjab. Il fut assassiné en 1991 au Tamil Nadu, lors d'un attentat à la bombe perpétré par une militante du Front de libération des Tigres de l'Eelam Tamoul (LTTE ; mouvement séparatiste armé sri lankais).

L'Inde contemporaine – De 1950 à nos jours, de Christophe Jaffrelot (Fayard, 2006), retrace les grandes étapes politiques, économiques, sociales et culturelles de l'Inde.

Narasimha Rao hérita du cadeau empoisonné que représentait la direction du parti du Congrès et le conduisit à la victoire aux élections de 1991. L'économie reçut un formidable coup de fouet en 1992, lorsque le ministre des Finances, Manmohan Singh, prit la décision de laisser partiellement flotter la roupie par rapport à un panier de monnaies "fortes". L'État cessa de distribuer des subventions et l'économie, autrefois moribonde, fut ouverte aux investissements étrangers – avec une grande circonspection dans un premier temps. Les multinationales, attirées par le vivier de techniciens bien formés et les bas salaires, affluèrent. Le plus bel exemple de ce phénomène est l'émergence de l'Inde parmi les premiers fabricants mondiaux de logiciels (voir encadré p. 62).

1992

Réactivation des rivalités entre hindous et musulmans suite à la démolition par des fanatiques hindous de Babri Masjid (mosquée), soi-disant construite sur les ruines d'un sanctuaire hindou à Ayodhya (Uttar Pradesh).

Mars 1998

Victoire du Bharatiya Janata Party (BJP ; Parti du peuple indien, fondé en 1980) aux élections nationales, en coalition avec plusieurs autres partis. Atal Behari Vajpayee devient Premier ministre de l'Inde.

Mai 1998

L'Inde accède au statut de puissance nucl[illegible] suite à des tests souterrains près de Pok[illegible] à l'ouest du Rajasthan. Le Pakistan fait même et ces essais valent aux deux p[illegible] sanctions de la communauté intern[illegible]

En 1997, K.R. Narayanan devint le président de l'Inde. Il fut le premier *dalit* (intouchable) à obtenir ce poste.

Malgré ses rapides succès économiques, le gouvernement de Rao, englué dans des scandales de corruption, ne put endiguer la montée des violences intercommunautaires. Il se maintint tant bien que mal au pouvoir jusqu'en 1996, année où il perdit les élections. Le parti du Congrès revint au pouvoir en 2004 sous la conduite d'un autre membre de la famille Gandhi, Sonia, l'épouse italienne du défunt Rajiv. La campagne d'agitation nationale planifiée par le BJP pour dénoncer les origines étrangères du leader du Congrès fut prise de court par la décision de Sonia Gandhi de s'effacer. L'ancien ministre des Finances Manmohan Singh, fut intronisé Premier ministre.

LA MONTÉE DES TENSIONS COMMUNAUTAIRES

L'*Atlas de l'Inde* (Autrement, 2008), édité par Philippe Cadène et Guillaume Balavoine apporte des clés précieuses pour comprendre la société indienne actuelle.

Le 6 décembre 1992, des fanatiques hindous détruisirent la mosquée Babri Masjid à Ayodhya (un site vénéré par les hindous car il serait le lieu de naissance de Rama) dans l'Uttar Pradesh. En prétendant que le lieu accueillait à l'origine un temple dédié à cette divinité, les extrémistes faisaient manifestement d'Ayodhya le symbole de leur exigence de "rendre" à l'Inde ses racines hindoues. Le BJP, parti du renouveau hindou qui était devenu le principal parti d'opposition aux élections de 1991, ne condamna que timidement les responsables de la démolition de la mosquée. Des émeutes éclatèrent dans le Nord, faisant des milliers de morts. À Mumbai (Bombay), une série d'attentats à la bombe fit 257 morts et 1 100 blessés.

Le BJP sortit vainqueur des élections de 1996, mais ne gouverna que deux semaines, les partis séculiers s'étant unis pour l'empêcher de créer une coalition viable. La montée du nationalisme hindou et le désarroi du parti du Congrès lui permirent toutefois de conserver son avantage. Il remporta les élections en 1998 puis en 1999, et devint le premier parti religieux à exercer le pouvoir en Inde.

L'apparente modération et le ton mesuré du Premier ministre Atal Behari Vajpayee furent sans cesse contredits par les prises de position plus radicales des autres membres du gouvernement et des militants du BJP. Malgré quelques tentatives pour apaiser les craintes des minorités, les relations avec le Pakistan se dégradèrent et les tensions intercommunautaires restèrent vives.

Début 2002, 52 activistes hindous revenant d'Ayodhya furent brûlés vifs dans un train près de Godhra (Gujarat). La responsabilité de leur mort fut initialement imputée aux musulmans par le gouvernement BJP de l'État. Les émeutes qui s'ensuivirent firent au moins 2 000 morts et 12 000 sans-abri, en majorité musulmans. L'enquête ouverte pour rechercher les causes de l'incendie conclut qu'il s'agissait probablement d'un accident.

Lorsque le Congrès revint au pouvoir, en 2004, le Premier ministre Manmohan Singh afficha clairement sa volonté de reprendre les pourparlers

2001

Gigantesque tremblement de terre au [G]ujarat le 26 janvier (jour de la République [in]dienne). Plus de 20 000 morts et près de [...]000 blessés.

Mai 2004

Manmohan Singh, un sikh membre du parti du Congrès, devient Premier ministre. Il est le premier membre d'une minorité religieuse à accéder à la plus haute fonction politique du pays.

Décembre 2004

Le 26 décembre, un tsunami catastrophiqu[e] frappe les côtes sud et est de l'Inde ainsi q[ue] les îles Andaman et Nicobar, faisant plus d[e] 10 000 morts et des centaines de milliers [de] sans-abri.

de paix avec le Pakistan à propos du territoire disputé du Cachemire. Ceux-ci furent brutalement arrêtés en juillet 2006, lorsque des attentats à la bombe furent perpétrés dans des trains à Mumbai (Bombay), faisant 200 morts et provoquant un regain de tensions entre communautés. Le gouvernement indien pointa du doigt le Pakistan, en affirmant que ses services secrets avaient joué un rôle dans l'attentat – une accusation qu'Islamabad dénia avec véhémence. Les pourparlers reprirent, mais la suspicion étant forte de part et d'autre de la frontière, le chemin de la réconciliation s'annonça une nouvelle fois difficile.

En 2004, le sikh Manmohan Singh devint le premier membre d'une communauté religieuse minoritaire à être élu Premier ministre, la plus haute fonction de l'État indien.

Ajoutant une pression supplémentaire au processus de paix, un attentat terroriste fit 68 victimes dans un train Delhi-Lahore (Pakistan) en février 2007. Les gouvernements indien et pakistanais se jurèrent de ne pas laisser cette attaque compromettre les pourparlers. Mais en dépit de l'attitude ferme du gouvernement indien, les tensions communautaires ont continué à s'envenimer, et 2008 reste une des années les plus sombres de l'histoire de l'Inde. En mai 2008, une série d'explosions simultanées à Jaipur a fait plus de 60 morts. En juillet de la même année, des attentats à Ahmedabad ont tué plus de 55 personnes et des explosions coordonnées à Delhi ont fait au moins 30 victimes. Les enquêtes (en cours) concernant ces différentes attaques ont mené à des groupes extrémistes musulmans et Delhi a juré de réprimer l'activité terroriste. Malgré ces avertissements musclés, le gouvernement fut pris au dépourvu en novembre 2008, lors d'attaques extrêmement coordonnées à Mumbai (Bombay), capitale économique du pays. La vague d'attentats dura trois jours et toucha des icônes touristiques de la ville comme le Taj Mahal Palace et le Tower Hotel, faisant plus de 173 morts. Au moment où nous écrivons, les enquêtes se poursuivent et des groupuscules islamistes basés au Pakistan sont activement recherchés.

Dans *L'Inde : d'un millénaire à l'autre, 1947-2007*, Shashi Tharoor mêle faits avérés et statistiques à des réflexions et observations personnelles pour comprendre l'Inde contemporaine.

Juillet 2007

Pratibha Patil est la première femme à prêter serment en tant que présidente de l'Inde, après avoir été la première femme gouverneur du Rajasthan (de 2004 à 2007).

Octobre 2008

Le 22 octobre, l'Inde lance la mission spatiale Chandrayaan-1, avec mise en place d'un satellite en orbite autour de la lune pendant deux ans.

2009

L'alliance menée par le parti du Congr[ès] triomphe à l'élection générale indien[ne]. Manmohan Singh est confirmé dan[s ses] fonctions de Premier ministre de [la plus] grande démocratie du monde.

Culture et société

IDENTITÉ INDIENNE

La relation intime entre la vie quotidienne et le religieux est souvent l'une des impressions les plus fortes que l'Inde laisse au voyageur; de la ménagère qui fait dévotement sa puja (prière) chez elle le matin, au commerçant qui sert rarement un client avant d'avoir demandé la bénédiction des dieux.

De même que la religion, la famille constitue le cœur de la société indienne. Pour la grande majorité des Indiens, l'idée d'être célibataire et sans enfant passé 35 ans est inconcevable. En dépit d'un nombre croissant de familles nucléaires, surtout dans les grandes agglomérations, la famille élargie reste la norme en ville et à la campagne. Considérés comme les chefs de la maisonnée, les hommes pourvoient habituellement à ses besoins.

Amartya Sen, le prix Nobel d'économie, mène également une réflexion profonde sur la singularité de son pays. Pour apprécier la richesse de sa pensée, parcourez son ouvrage, *L'Inde : Histoire, culture et identité* (Odile Jacob, 2007).

Vu l'importance cruciale de la religion et de la famille, ne soyez pas surpris si l'on vous interroge en permanence sur ces thèmes, ou si l'on vous regarde bizarrement – voire avec réprobation – si vous n'êtes pas dans la norme. Après vous avoir demandé votre pays d'origine, vous serez soumis à un feu roulant de questions concernant votre âge, votre situation sociale, votre religion, vos diplômes, votre profession et vos impressions sur l'Inde. N'y voyez aucune indiscrétion et n'hésitez pas à questionner votre interlocuteur.

Si le patriotisme existe depuis longtemps, il a pris de l'ampleur ces dernières années depuis que l'Inde obtient des succès croissants dans les domaines des technologies de l'information, des sciences, de la médecine, de la littérature et du cinéma. En ce qui concerne les sports, le pays compte plusieurs étoiles montantes du tennis, mais le cricket reste le sport roi et les meilleurs joueurs sont considérés comme des héros nationaux. En 2008, le cricket a dû partager le haut de l'affiche avec les échecs quand l'Indien Viswanathan Anand a battu le Russe Vladimir Kramnik lors des prestigieux championnats du monde d'échecs. Anand a été le premier joueur dans l'histoire des échecs à remporter le titre de champion mondial dans trois différentes catégories : knockout (élimination directe), tournoi et match (contre le champion en titre).

Le dynamisme de l'économie, qui connaît l'une des plus fortes croissances mondiales, est une autre source de fierté. Enfin, les avancées dans les technologies nucléaires et spatiales sont largement vues comme de puissants symboles de la souveraineté du pays. En 2008, l'Inde a rejoint le groupe très fermé des pays capables d'envoyer des engins vers la Lune.

Le *Dictionnaire de l'Inde* (Larousse, 2009) offre un éclairage varié sur le pays grâce à ses multiples entrées qui concernent aussi bien la population et la société, que l'économie ou la religion.

La juxtaposition des traditions ancestrales et des technologies de pointe dans l'Inde du XXIe siècle fait voler en éclat nombre de clichés. Le poulet tandoori et les hommes en *dhoti* (longue pièce de tissu drapée autour des hanches) font toujours partie du paysage, rejoints aujourd'hui par les pizzas au fromage et les téléphones portables dernier cri.

MODE DE VIE

Culture traditionnelle

MARIAGE, NAISSANCE ET DÉCÈS

Le mariage est un événement particulièrement important ; si les "mariages d'amour" ont augmenté ces dernières années (surtout dans les villes), la plupart des mariages hindous sont arrangés. On se renseigne discrètement dans sa communauté et si l'on ne trouve pas de parti convenable, on peut faire appel à des marieurs professionnels ou publier une annonce dans la presse ou sur Internet. Après vérification de la concordance des horoscopes, une rencontre est organisée entre les deux familles. L'âge légal du mariage est fixé à 18 ans.

L'INDE *Christopher Kremmer*

Qu'est-ce que l'Inde ? Face à l'immensité du territoire et à son extrême diversité, qu'est-ce qui rassemble les Indiens et fait du pays une nation ? La culture, indubitablement. Pas seulement celle des hindous ou des musulmans, ni celle des paysans ou encore des citadins cosmopolites. La nourriture a son importance, la langue également, mais aucun de ces éléments ne détermine à lui seul l'identité indienne. Il s'agit bien plutôt d'une alliance subtile et complexe entre tous.

Certains se plaisent à définir l'Inde par ses contradictions et ses extrêmes. C'est un pays de tolérance où des rivalités, notamment politiques et religieuses, peuvent conduire à des déferlements de violence ; un pays où se côtoient les contraires, fleuves immenses et plaines brûlées par le soleil, ferveur religieuse et campus modernes à la pointe des technologies. Ces contradictions ne sauraient expliquer à elles seules ce qui fait la quintessence de ce pays si différent de la Chine et du Moyen-Orient, et encore plus de l'Occident. Pour moi, l'Inde est d'abord ses histoires – les épopées en sanskrit du *Ramayana* et du *Mahabharata*, la *Bhagavad Gita* et la poésie classique ourdoue de Ghalib. Ce sont les histoires de chefs spirituels tels Gautama Buddha et Sri Ramakrishna, et bien sûr le Mahatma Gandhi, qui a réussi l'exploit de réunir philosophie et politique. L'Inde est aussi l'histoire de grands empires : ceux d'Ashoka, des Gupta, des Moghols, puis des Britanniques. Tandis que les empires naissaient et disparaissaient, le fermier indien, le commerçant, le soldat, l'artiste, le pandit et le *neta* (politicien) forgeaient les bases sur lesquelles ceux-ci s'édifiaient.

Toutefois, l'Inde est bien autre chose que la somme de toutes ses parties. Au cours de mes périples, elle m'a révélé de précieux secrets dans les moments les plus ordinaires, à travers mille petits détails : un verre d'eau offert par une villageoise pour étancher la soif du voyageur un jour de chaleur écrasante ; un étal de *paratha* caché dans une ruelle d'Old Delhi ; l'odeur aigre-douce des premières pluies de mousson ; le parfum âcre des *bidi* (petites cigarettes roulées à la main) ; l'air chargé de poussière qui s'engouffre par la fenêtre à la vitre manquante d'un bus délabré sur une route de campagne ; et même l'éternelle insistance des rabatteurs qui traquent l'étranger pour lui soutirer quelques roupies. Ces petits riens et ces rencontres fortuites s'attardent dans la mémoire longtemps après que le souvenir des musées et des temples s'est évanoui.

Chacun se construit sa propre image de l'Inde. Nous chérissons ces souvenirs, qui nous reviennent avec une douloureuse clarté, espérant que rien ne change. Mais l'Inde est un monde en mouvement, un tableau peint sur une toile qui bouge, avec une continuité dans ce tourbillon permanent. En hindi, "bonjour" – *namaste* – signifie également "au revoir", et "demain" – *cul* – peut aussi vouloir dire "hier". Rien de surprenant donc à ce que le mot *yatra* puisse se traduire par "voyage" ou "pèlerinage".

Christopher Kremmer, auteur de Inhaling the Mahatma

La dot, bien qu'illégale, reste un élément clé dans de nombreuses unions arrangées (surtout dans les communautés conservatrices) et des familles s'endettent lourdement pour fournir l'argent et les biens requis (des voitures et des ordinateurs aux machines à laver et aux téléviseurs). Selon les professionnels de la santé, le taux élevé d'avortements de fœtus de sexe féminin – malgré l'interdiction de l'identification du sexe par des examens médicaux, des cliniques la pratiquent clandestinement – est essentiellement dû au fardeau financier que représente la dot d'une fille.

Le mariage hindou est célébré par un prêtre et formalisé quand le couple a fait sept fois le tour d'un feu sacré. Malgré l'existence de familles nucléaires, la norme pour une épouse reste de vivre dans la famille de son mari et d'assumer les tâches domestiques sous la tutelle de sa belle-mère. Les relations entre belles-mères et belles-filles peuvent être difficiles et constituent l'un des sujets favoris des feuilletons de TV indiens.

Divorces et remariages deviennent plus fréquents dans les grandes villes, mais le divorce ne fait pas encore partie de la routine des tribunaux et reste mal vu. Dans les castes supérieures, les veuves ne sont pas censées se remarier, doivent s'habiller de blanc et vivre pieusement leur célibat (voir aussi p. 71).

Autre événement crucial, la naissance d'un enfant et ses premières années donnent lieu à plusieurs cérémonies spécifiques : premier horoscope, attribution du prénom, première ingestion de nourriture solide et, pour les garçons, première coupe des cheveux.

Les hindous incinèrent leurs morts et les cérémonies funéraires visent à purifier et à consoler le défunt autant que les vivants. Le *sharadda*, un hommage aux ancêtres en leur offrant de l'eau et des gâteaux de riz, se répète à chaque anniversaire du décès. Les cendres sont rassemblées après l'incinération, puis, treize jours après la mort (quand les proches ont retrouvé leur pureté), un membre de la famille les disperse dans un fleuve sacré ou dans l'océan.

Avec plus de 26 millions de personnes, la diaspora indienne est l'une des plus importantes de la planète. Les banques indiennes détiendraient 39 milliards de dollars US sur les comptes des Indiens expatriés (Non-Resident Indians ; NRI).

SYSTÈME DES CASTES

Bien que la Constitution indienne ne reconnaisse pas le système des castes, celui-ci conserve une influence considérable, notamment dans les campagnes où la caste détermine largement la position sociale. Elle peut aussi conditionner les perspectives professionnelles et maritales. Les castes se subdivisent en milliers de *jati*, groupes de "familles" ou communautés, parfois liés à une activité. Les hindous conservateurs épouseront uniquement quelqu'un du même *jati*.

Selon la tradition, la caste est la structure de base de la société hindoue. Mener une vie vertueuse et accomplir son *dharma* (devoir) augmente les chances de renaître dans une caste supérieure, donc dans de meilleures conditions. Les *varna* (castes) sont au nombre de quatre : les brahmanes (prêtres et érudits), nés de la bouche de Brahma lors de la création du monde, les *kshatriya* (guerriers), issus de ses bras, les *vaishya* (marchands), de ses cuisses, et les *shudra* (serviteurs), de ses pieds.

Sous ces quatre classes se trouvent les *dalit*. Autrefois appelés intouchables, ils sont aujourd'hui officiellement désignés sous le nom de *scheduled castes*, ou castes répertoriées, mais restent relégués aux tâches les plus ingrates ; le mot paria vient du nom d'un groupe de *dalit* tamouls, les Paraiyar. Certains dirigeants *dalit*, comme le célèbre Dr Ambedkar (1891-1956), tentèrent de changer de statut social en adoptant une autre foi ; dans son cas, ce fut le bouddhisme. Enfin, tout en bas de l'échelle sociale, les *Denotified Tribes* furent appelées "tribus criminelles" (*Criminal Tribes*) jusqu'en 1952, quand une loi reconnut officiellement 198 tribus et castes. Pour beaucoup nomades ou semi-nomades, elles n'ont d'autre choix que de vivre en marge de la société.

Intouchables. Entre révolte et intégration, de Robert Deliège (Albin Michel, 2007), est une étude sur la condition des *dalit* dans la société indienne, et sur leurs stratégies d'émancipation.

Pour améliorer la situation des *dalit*, le gouvernement pratique la discrimination positive dans le secteur public et les universités, ainsi qu'au Parlement. Aujourd'hui, ces quotas représentent presque 25% des emplois dans la fonction publique et des places d'étudiants dans les universités. La situation diffère selon les régions et les besoins de voix des politiciens. Bien que considéré plutôt favorablement, ce système de quotas a été critiqué au motif qu'il bloquerait injustement l'accès à l'enseignement supérieur et à l'emploi à certains qui l'auraient par ailleurs mérité.

PÈLERINAGES

Les dévots hindous doivent effectuer au moins un *yatra* (pèlerinage) par an pour implorer les divinités, disperser les cendres d'un parent dans un fleuve sacré, ou accroître leur mérite spirituel. Le pays compte des milliers de lieux de pèlerinage. Les personnes âgées réservent souvent leur dernier voyage à Varanasi (p. 446), car mourir dans cette ville sacrée mettrait fin au cycle des renaissances.

La plupart des fêtes indiennes sont reliées à la religion et attirent de nombreux pèlerins. Ne l'oubliez pas, même lors des festivités les plus joyeuses (voir l'encadré p. 59).

L'ÉTIQUETTE

L'Inde conserve de nombreuses traditions ancestrales. Nul ne s'attend à ce que vous les connaissiez, mais le bon sens et la courtoisie devraient vous éviter de commettre des impairs. Dans le doute, observez le comportement des habitants ou demandez conseil.

Les tenues discrètes (pour les femmes *et* les hommes) vous vaudront la sympathie des Indiens ; les femmes se reporteront aussi p. 800. Évitez les démonstrations d'affection en public. La nudité est aussi mal vue en public. Si les bikinis ne choquent pas sur les plages de Goa, mieux vaut porter bermuda et T-shirt dans des endroits moins touristiques.

Dans les sites religieux

Homme ou femme, les shorts et les hauts sans manches sont à proscrire dans les sites religieux, où il convient de s'abstenir de fumer et d'adopter une conduite respectueuse. La discrétion est de rigueur : bruit, démonstrations d'affection et comportements déplacés seront mal perçus.

Avant d'entrer dans un lieu saint, enlevez vos chaussures (donnez quelques roupies au gardien en les récupérant) et vérifiez si les photos sont autorisées. Dans de nombreux lieux de culte, les chaussettes sont autorisées, et appréciables en été quand le sol est brûlant.

Ne touchez jamais la tête de quelqu'un et ne dirigez pas la plante de vos pieds vers une personne, un sanctuaire ou l'effigie d'une divinité. De même, ne touchez pas quelqu'un avec le pied et abstenez-vous d'effleurer les sculptures de divinités.

Dans certains lieux de culte (notamment dans les temples sikhs et les mosquées), les femmes et parfois les hommes doivent se couvrir la tête. Prévoyez un foulard pour cette éventualité. Les femmes ne sont pas admises partout ou doivent quelquefois s'asseoir à l'écart des hommes. L'accès à certains sanctuaires est interdit aux non-croyants. Vous devez ôter tout objet en cuir avant d'entrer dans les temples jaïns, parfois interdits aux femmes durant leur menstruation.

À l'occasion d'une invitation

Si vous êtes invité, sachez qu'il est de bon ton d'enlever ses chaussures avant d'entrer dans une maison et de se laver les mains avant et après le repas. Attendez que l'on vous serve ou que l'on vous invite à le faire. Dans le doute, demandez à votre hôte comment procéder.

Utilisez la main droite pour manger et pour tout échange social, comme serrer la main ; la main gauche est réservée aux actes impurs, tels la toilette ou ôter des chaussures sales. Si vous buvez dans un récipient commun, maintenez-le juste au-dessus de votre bouche, en évitant tout contact avec vos lèvres.

Courtoisie et photographie

Faites preuve de délicatesse avant de prendre quelqu'un en photo, en particulier une femme, et demandez toujours la permission au préalable.

Il est souvent mal vu de prendre des photos dans un sanctuaire, lors de funérailles ou de cérémonies religieuses, et de gens qui se baignent en public, y compris dans les fleuves ; demandez l'autorisation. L'utilisation d'un flash peut être interdite dans certaines parties d'un temple, voire toutes. Reportez-vous également p. 797 et 788.

Autres conseils

Pour obtenir une information exacte quand vous posez une question, évitez de suggérer une réponse dans votre formulation. Mieux vaut demander "Où est le musée ?", de préférence en anglais (*Which way to the museum ?*), qu'indiquer une direction en disant "Est-ce le chemin du musée ?" (*"Is this the way to the museum ?"*). Ceci afin d'éviter une réponse toute faite (oui, en général), au cas où la personne ne vous comprendrait pas ou aurait mal entendu. Cette désinformation ne relève pas d'une mauvaise intention, mais seulement d'un souci de politesse, sachant que répondre "non" paraît inamical !

Le balancement de la tête de gauche à droite et vice-versa ne veut pas toujours dire "non". Cela peut signifier : "oui", "peut-être", ou "Je n'en ai pas la moindre idée".

TENUE TRADITIONNELLE

Vêtement traditionnel des Indiennes, l'élégant sari est une longue pièce de tissu (de 5 à 9 m de long sur 1 m de large), que l'on positionne en l'enroulant et en le plissant sans épingle ni bouton. Le sari se porte avec un *choli* (blouse serrée) sur un jupon retenu par un cordon. Le *palloo* est le pan du sari qui se drape par-dessus l'épaule. Les femmes portent aussi souvent le *salwar kameez*, qui se compose d'une tunique, d'un pantalon et d'un *dupatta* (longue écharpe). Il existe un choix fabuleux de saris et de *salwar kameez* dans toutes sortes de tissus et à tous les prix.

Traditionnellement, les hommes portent le *dhoti*, un genre de pagne qui passe entre les jambes, formant une sorte de pantalon.

Le costume varie selon les régions et les religions. Des musulmanes portent parfois la burka, qui les enveloppe de la tête au pied.

Problèmes de société

VIH ET SIDA

En 2008, selon les rapports de l'ONU et de l'Organisation nationale de contrôle du sida (NACO), l'Inde comptait 2,4 millions de séropositifs. Certains experts pensent qu'il s'agit d'une estimation a minima car de nombreux cas ne sont pas déclarés.

Selon l'AVERT, un organisme caritatif international basé au Royaume-Uni spécialisé dans le VIH et le sida, malgré la croyance largement répandue que le VIH ne concerne que les consommateurs de drogue par intraveineuse et les homosexuels, l'essentiel des contaminations en Inde s'effectue par les rapports hétérosexuels. Il s'agirait, dans des proportions significatives, d'épouses infectées par des maris volages et on constaterait une augmentation parmi la population de 15 à 44 ans sexuellement active. L'AVERT affirme que le VIH affecte un large spectre de la population indienne.

AIDS Sutra: Untold Stories from India révèle les histoires d'hommes et de femmes qui se cachent derrière les chiffres de l'épidémie de sida en Inde. Des écrivains renommés, tels Kiran Desai, Salman Rushdie et Vikram Seth, ont participé à la rédaction de cet ouvrage.

Dans cette nation de plus d'un milliard d'habitants, les professionnels de la santé ont prédit une augmentation spectaculaire du nombre de séropositifs si le gouvernement ne renforce pas radicalement les programmes éducatifs dans tout le pays et la promotion de l'emploi des préservatifs. Selon des militants, les lois anti-homosexuels (voir p. 61) entravent les efforts en matière d'éducation et de traitement.

TRAVAIL DES ENFANTS

Malgré une législation qui interdit le travail des enfants, les groupes de défense des droits de l'homme estiment qu'au moins 50 millions d'enfants (et non pas 12,6 millions selon les chiffres officiels) travaillent en Inde – soit plus que dans tout autre pays au monde. Selon l'Organisation internationale du travail (OIT), plus de 245 millions d'enfants de 5 à 15 ans travaillent dans le monde.

En Inde, le laxisme dans l'application des lois, la pauvreté et l'absence de protection sociale constituent les principales causes du problème. De nombreuses familles à faibles revenus ne peuvent pas subvenir aux besoins de leurs enfants et en sont réduites à les envoyer travailler pour survivre.

Conscient de la nécessité de lois plus sévères, le gouvernement a interdit en 2006 l'emploi des moins de 14 ans comme employés de maison et dans l'hôtellerie, deux secteurs connus pour employer beaucoup d'enfants (aucun chiffre fiable n'est disponible). Cette interdiction s'ajoute à une législation qui interdit déjà le travail des enfants de moins de 14 ans dans les "métiers à risque" (verreries, abattoirs, etc.). Les employeurs en infraction sont passibles d'emprisonnement, d'une forte amende, voire des deux. Le gouvernement a promis la réhabilitation de ces petits travailleurs, mais les critiques restent sceptiques quant à sa capacité de le faire réellement. Ils estiment que de nombreux enfants sans emploi se tournent vers la mendicité et/ou la criminalité.

Selon des organisations de défense des droits de l'homme, la majorité des enfants sont employés dans l'agriculture, les autres travaillent dans la construction, le tissage des tapis, les décharges, les briqueteries ou l'industrie du sexe. Beaucoup fabriquent des *bidi* (petites cigarettes roulées à la main), inhalant de la poussière de tabac et des produits chimiques. Les fabriques de feux d'artifice emploient également des enfants.

DROITS DES HOMOSEXUELS

D'après la NACO, l'Inde compterait 2,5 millions de gays, un nombre largement sous-évalué selon les groupes de défense des homosexuels, mais difficile à déterminer à cause de l'illégalité de l'homosexualité. Selon d'autres sources, le nombre d'homosexuels, de lesbiennes et de transsexuels s'élèverait à environ 100 millions.

L'article 377 du code pénal interdit les "relations charnelles contre-nature" (c'est-à-dire la sodomie), qui peuvent être punies de l'emprisonnement à vie plus une forte amende. Bien que cette loi, qui remonte à l'époque coloniale (1861), soit rarement utilisée, elle sert de prétexte pour harceler, arrêter et faire chanter les homosexuels. Par contre, rien n'est prévu pour réprimer les lesbiennes.

En 2006, plus d'une centaine de personnalités, dont le prix Nobel d'économie Amartya Sen et les écrivains Vikram Seth et Arundhati Roy, ont signé une lettre ouverte demandant le changement de la loi à la Haute Cour de Delhi. Cette démarche, visant à abroger cette antique loi antigay, s'est d'abord révélé infructueuse. Puis en juin 2009, la Haute Cour de Delhi a enfin dépénalisé l'homosexualité, estimant que l'article 377 allait à l'encontre des droits fondamentaux inscrits dans la Constitution. Si cet arrêté ne s'applique pour l'instant qu'à cette juridiction, la communauté homosexuelle et ses défenseurs espèrent l'abrogation de l'article 377 dans un avenir proche.

Bien que les secteurs les plus libéraux de certaines grandes villes, comme Mumbai (Bombay), Bengaluru (Bangalore), Delhi et Kolkata (Calcutta), fassent preuve de plus de tolérance, l'homosexualité reste largement dissimulée. Étant donné l'importance du mariage dans le sous-continent, la plupart des homosexuels cachent leurs préférences pour ne pas être reniés par leur famille et mis au ban de la société. La liberté d'expression gagne cependant du terrain. En 2008, des Gay Pride ont eu lieu pour la première fois dans plusieurs villes indiennes, dont Delhi, Kolkata et Bengaluru. En 2003, Mumbai a accueilli le Larzish Festival, le premier festival du film gay en Inde. Ce fut un beau succès pour la communauté homosexuelle, si l'on considère le raffut provoqué par les religieux lors de la projection de *Fire*, le film de Deepa Mehta qui mettait en scène des lesbiennes, interdit par le parti ultraconservateur Shiv Sena en 1998 (voir aussi p. 73).

Pour des détails sur les groupes de soutien, les publications et les sites Internet gays, reportez-vous p. 795.

HIJRA

Les *hijra*, une caste de travestis et d'eunuques qui s'habillent en femmes, constituent le groupe "non hétérosexuel" le plus visible en Inde. Certains sont gays, d'autres hermaphrodites, d'autres encore ont été enlevés et castrés. Alors que l'homosexualité a longtemps été réprouvée, les *hijra* contournent cette réprobation en s'affichant comme une sorte de troisième sexe. La plupart gagnent leur vie en animant les mariages et les fêtes célébrant la naissance d'un enfant mâle, ou en se prostituant.

Pour en savoir plus, lisez *Les Derniers Eunuques* de Zia Jaffrey (Payot, 2003).

UNE SUPERPUISSANCE DU LOGICIEL

La florissante industrie des technologies de l'information (IT) est née pendant le boom des années 1990. S'appuyant sur une classe moyenne hautement qualifiée et sur le faible coût du travail, elle a fait du pays l'un des acteurs majeurs dans le monde des nouvelles technologies.

D'après les journaux, ce secteur (y compris l'externalisation ou *outsourcing*) a généré en 2007 près de 55 milliards de dollars US, un montant qui devrait au moins doubler d'ici à 2012. Cependant, le ralentissement économique mondial de 2008-2009 a frappé les firmes indiennes qui ont procédé à des licenciements, au gel des salaires, et ont révisé à la baisse leurs plans d'investissement. Seul l'avenir dira comment cette industrie survivra à la crise mondiale.

Le boom des technologies de l'information a métamorphosé des villes comme Hyderabad, surnommée Cyberabad, et Bengaluru (Bangalore), la Silicon Valley indienne, devenues leaders mondiaux du marché. Le Tamil Nadu, le Karnataka et l'Andhra Pradesh produisent aujourd'hui plus de 50% du software indien destiné à l'exportation, et d'autres centres émergent tels Pune, Mumbai (Bombay), Delhi et Kolkata (Calcutta).

L'Inde est devenue un pays privilégié pour les centres d'appels internationaux qui, pour la plupart, dispensent une formation rigoureuse à leur personnel pour faciliter les échanges avec leurs clients des pays anglo-saxons. Les employés apprennent souvent à imiter les accents étrangers et adoptent des pseudonymes occidentaux. Outre des salaires intéressants, les entreprises d'IT tentent d'attirer les demandeurs d'emploi qualifiés (des opérateurs des centres d'appels aux ingénieurs en informatique) par le confort exceptionnel des lieux de travail.

Si l'essor de l'IT tient une place cruciale dans l'économie du pays, ses détracteurs lui reprochent d'être un phénomène essentiellement urbain, sans réel impact sur la vie de la grande majorité des Indiens. De plus, ce secteur a récemment été au cœur de divers scandales, le plus grave concernant le géant Satyam, installé à Hyderabad. Son directeur général a dû démissionner début 2009 en raison de son implication dans une fraude comptable de grande ampleur. Malgré les diverses controverses, nul doute que l'IT figurera dans l'histoire comme l'une des grandes réussites de l'Inde.

PAUVRETÉ

Depuis l'Indépendance, l'amélioration du niveau de vie des miséreux a constitué une priorité pour les gouvernements successifs. Pourtant, selon de récentes estimations de la Banque mondiale, près d'un tiers des personnes les plus pauvres de la planète vivent en Inde. D'après les chiffres officiels du pays, quelque 220 millions d'Indiens (250 millions selon des ONG) vivent en dessous du seuil de pauvreté. Environ 75% d'entre eux vivent dans les campagnes et d'autres s'entassent dans des bidonvilles surpeuplés. Parmi les États les plus touchés figurent le Bihar, l'Orissa, l'Uttar Pradesh et le Madhya Pradesh, qui connaissent aussi une croissance démographique particulièrement rapide.

Les principales causes de ce dénuement sont l'analphabétisme et un taux de croissance de la population largement supérieur à celui de l'économie. Malgré l'essor de la classe moyenne, la distribution des richesses demeure grandement inégalitaire. Près de 25% de la population (soit 250 millions de personnes) subsistent avec moins de 20 Rs par jour, d'après un rapport de 2007 de la Commission nationale pour les entreprises du secteur informel (National Commission for Enterprises in the Unorganized Sector ; NCEUS).

Bien qu'un tiers environ de la population vive avec moins de 1 $US par jour, l'Inde connaît la plus forte croissance du nombre de millionnaires en dollars US ; il était estimé à 125 000 en 2008.

En 2008, le revenu annuel moyen par personne s'élevait à 977 $US. Le salaire minimum journalier, qui diffère selon les États, variait en 2007 de 66 à 80 Rs, ce qui ne reflète pas toujours la réalité. Les États fixent des minima différents selon les activités industrielles et n'en imposent pas à certaines branches (comme les employés de maison). Les femmes sont souvent moins payées, notamment dans le bâtiment et l'agriculture.

Pauvreté et prostitution vont de pair. Un rapport de 2007 du ministère du Développement des femmes et des enfants indique que le pays compterait près de 2,8 millions de travailleurs du sexe (un chiffre en augmentation), dont 35% ayant commencé à se prostituer avant 18 ans. D'après certains organismes de défense des droits de l'homme, le nombre de prostitués serait bien plus élevé et pourrait atteindre 15 millions, la majorité se concentrant à Mumbai (Bombay).

La misère explique la progression de la mendicité, surtout dans les grandes villes. Elle reste choquante pour les voyageurs occidentaux malgré un nombre croissant de mendiants dans leurs propres pays. Donner ou non est un choix personnel, mais sachez que l'argent est souvent mieux employé à long terme par un organisme caritatif. Vous pouvez aussi travailler bénévolement pour une ONG (organisation non gouvernementale ; voir p. 780).

POPULATION

L'Inde est le pays le plus peuplé au monde (avec une population estimée à 1,15 milliard d'habitants en 2008) après la Chine, qu'elle devrait dépasser d'ici à 2030.

Un recensement a lieu tous les dix ans. Selon celui de 2001, la population a augmenté de 21,34% au cours de la décennie précédente. Mumbai (Bombay) est la ville la plus peuplée (16,4 millions d'habitants) du sous-continent, suivie par Kolkata (Calcutta ; 13,2 millions), Delhi (12,8 millions) et Chennai (Madras ; 6,6 millions). Malgré de nombreuses grandes villes, le pays demeure essentiellement rural, avec 75% de la population vivant dans les campagnes. D'après le rapport gouvernemental sur la pauvreté urbaine de 2009 (*India: Urban Poverty Report 2009*), de 40 à 50% de la population vivra en zone urbaine d'ici à 2030.

Pour plus de détails, consultez le site Internet Census of India (www.censusindia.net, en anglais). Dans ce guide, la population de chaque État, indiquée en début de chapitre dans l'encadré *En bref*, correspond aux chiffres du recensement officiel de 2001. Le prochain recensement doit avoir lieu en 2011.

Les Adivasi (membres des communautés ethniques) composent environ 8% de la population indienne – plus de 84 millions de personnes – et se répartissent en quelque 450 groupes tribaux. Pour en savoir plus, consultez le site du ministère des Affaires tribales (www.tribal.nic.in).

RELIGIONS

De la mère de famille qui fait une puja pour que son enfant réussisse ses examens, au garagiste qui renonce aux biens matériels pour s'engager sur la voie de l'accomplissement personnel, la religion imprègne presque tous les aspects de la vie quotidienne.

L'hindouisme, pratiqué par 82% de la population, prédomine largement. Avec le bouddhisme, le jaïnisme et le zoroastrisme, il figure parmi les religions les plus anciennes de l'humanité.

L'islam est la plus importante confession minoritaire du pays, qui compte environ 12% de musulmans. Il aurait été introduit dans le Nord lors des invasions militaires – l'Empire moghol contrôlait pratiquement toute l'Inde du Nord aux XVIe et XVIIe siècles –, et dans le Sud par des commerçants arabes.

Viennent ensuite les chrétiens (2,3%), dont 75% vivent dans le Sud, et les sikhs (1,9%), qui se regroupent essentiellement au Punjab. Bodhgaya, dans le Bihar, constitue un lieu de pèlerinage majeur pour les bouddhistes (environ 0,76%). Les jaïns (0,4%) vivent principalement dans le Gujarat et à Mumbai (Bombay). Les parsis, adeptes du zoroastrisme, sont aujourd'hui entre 60 000 et 70 000. Les premiers parsis s'installèrent au Gujarat pour cultiver la terre, puis devinrent commerçants et formèrent une communauté prospère à Mumbai sous l'Empire britannique. Il resterait moins de 5 000 juifs en Inde, résidant pour la plupart à Mumbai et dans le Sud.

Les religions tribales se sont si bien fondues dans l'hindouisme et les autres grandes religions qu'il est difficile d'en retrouver des traces. Elles seraient pourtant la source de certains fondements de l'hindouisme.

Pour des informations sur les principales fêtes religieuses, reportez-vous au *Calendrier des fêtes* (p. 27).

Conflits intercommunautaires

Les conflits religieux ont provoqué des épisodes sanglants au fil de l'histoire indienne. La partition du pays, après l'indépendance, entre l'Inde hindoue et le Pakistan musulman a engendré d'épouvantables carnages et un déplacement massif de populations (voir p. 47).

Parmi les dernières explosions de violences religieuses en Inde figurent les affrontements hindous-sikhs de 1984, qui ont abouti à l'assassinat du Premier ministre de l'époque, Indira Gandhi (p. 53), les féroces combats hindous-musulmans engendrés par l'exploitation politique du désastre d'Ayodhya en 1992 (p. 54), et le massacre de musulmans au Gujarat en 2002, faussement accusés d'avoir incendié un train de militants hindous.

Le différend qui oppose l'Inde et le Pakistan au sujet du Cachemire est également indissociable du conflit religieux. Depuis la Partition, les deux pays se sont deux fois déclaré la guerre à propos de ce territoire enclavé et des échanges d'artillerie ont failli déboucher sur un nouvel affrontement en 1999. Le conflit qui couve continue d'alimenter l'animosité entre hindous et musulmans de part et d'autre de la frontière (voir p. 49 pour plus de détails).

Hindouisme

L'hindouisme n'a ni fondateur, ni autorité centrale, et ne fait pas de prosélytisme. Les hindous croient au brahman, éternel, incréé et infini. Tout ce qui existe émane de lui et revient à lui. Les innombrables dieux et déesses ne sont que des manifestations du brahman, formes reconnaissables de ce phénomène immatériel.

Les hindous considèrent la vie terrestre comme cyclique. L'homme est soumis à des renaissances successives, un cycle de réincarnation appelé *samsara*. La qualité de chaque nouvelle incarnation dépend du *karma* (conduite ou actes) des vies antérieures. Une vie vertueuse et le respect du *dharma* (code moral de comportement et obligations sociales) accroissent les chances de se réincarner dans une caste supérieure. Par contre, un mauvais *karma* peut conduire à la renaissance sous forme d'animal. Seul l'être humain peut acquérir une connaissance de soi suffisante pour mettre fin au cycle des renaissances et atteindre le moksha (délivrance).

Mythes et dieux de l'Inde d'Alain Daniélou, *L'Hindouisme : Anthropologie d'une civilisation* de Madeleine Biardeau, et *L'Hindouisme : Fondements, courants, pratiques* de Giuliano Boccali et Cinzia Pieruccini, sont trois ouvrages de référence qui traitent des principes de base de l'hindouisme.

PANTHÉON

Toutes les divinités hindoues sont considérées comme des manifestations du Brahman, souvent décrit comme une trinité, le Trimurti, constituée de Brahma, de Vishnu et de Shiva.

Brahman

L'absolu, l'ultime réalité. Principe neutre, sans forme et éternel, il est source de toute forme de vie. On le dit *nirguna* (dénué d'attribut), contrairement aux autres dieux qui sont des manifestations du Brahman, et *saguna* (pourvus d'attributs).

Brahma

Il ne joue un rôle actif que dans la création de l'univers. Le reste du temps, il médite. Il a pour épouse Saraswati, déesse de la Connaissance, et pour monture un cygne. On le représente parfois assis sur un lotus émergeant du nombril de Vishnu pour symboliser l'interdépendance des dieux. Brahma est généralement dépeint avec quatre têtes, couronnées et barbues, tournées vers les quatre points cardinaux.

ADIVASI

L'origine des Adivasi (membres des communautés tribales ; "premiers habitants" en sanskrit) est antérieure à celle des Aryens védiques et des Dravidiens du Sud. Selon le recensement de 2001, les Adivasi représenteraient 8,2% de la population (avec plus de 84 millions d'âmes), répartis en quelque 400 groupes tribaux. Leur taux d'alphabétisation s'élevait en 2001 à 29,6%, contre 65,4% pour la moyenne nationale.

Par le passé, rares étaient les conflits entre les Adivasi et les villageois hindous des plaines, car ils n'entraient pas en concurrence pour les ressources et les terres. Malheureusement, au cours des dernières décennies, un nombre croissant d'Adivasi ont été privés de leurs terres ancestrales et sont devenus des travailleurs pauvres. Bien que représentés au Parlement grâce au système des quotas, les Adivasi ont parfois été dépossédés et exploités avec la complicité des politiques, une accusation que rejette le gouvernement. Quelle que soit la vérité, à moins d'un effort décisif en leur faveur, l'avenir des Adivasi semble compromis.

Pour en savoir plus sur ces peuples et leur place dans la société indienne, lisez *L'Inde des tribus oubliées*, un ouvrage très complet de Tiziana et Gianni Baldizzone (Chêne, 2004).

Vishnu

Il est le conservateur ou le protecteur, celui qui "fait le bien". Il protège et préserve tout ce qui est bon dans l'univers. Il est habituellement représenté avec quatre bras tenant un lotus, une conque marine (dans laquelle on souffle comme dans une trompe, aussi est-elle le symbole des vibrations cosmiques, sources de toute vie), un disque et une massue. Son épouse est Lakshmi, la déesse de la Prospérité, et sa monture Garuda, créature mi-homme mi-oiseau. Le Gange coulerait des pieds de Vishnu.

Shiva

Il est le destructeur, sans lequel aucune création ne serait possible. Son rôle créatif est symbolisé par le lingam, une représentation phallique vénérée. Doté de 1 008 noms, Shiva revêt une multitude de formes, dont celle de Nataraja, le seigneur du *tandava* (danse cosmique), qui rythme la création ou la destruction de l'univers.

Parfois, des serpents entourent son cou. Armé d'un trident (représentant le Trimurti), il chevauche Nandi, son taureau qui symbolise le pouvoir, la puissance, la justice et l'ordre moral. Parvati, l'épouse de Shiva, peut prendre de nombreuses formes.

Saviez-vous que Kali, la divinité assoiffée de sang, est une autre forme de Gauri, la déesse pourvoyeuse de lait ? Pour en savoir plus sur les curiosités de la mythologie hindoue, reportez-vous au *Dictionnaire de l'hindouisme* (Éditions du Rocher, 2002) de Jean Varenne.

Autres divinités importantes

Ganesh, le dieu à tête d'éléphant de la Chance, écarte les obstacles et est aussi le patron des scribes – la défense brisée qu'il tient à la main aurait servi à écrire une partie du *Mahabharata*. Son véhicule ressemble à un rat. Les légendes diffèrent quand à l'origine de sa tête de pachyderme. Selon l'une d'elles, Parvati le mit au monde en l'absence de son père, Shiva, et Ganesh grandit sans le connaître. Un jour qu'il montait la garde pendant que sa mère se baignait, Shiva revint et demanda à voir Parvati, mais Ganesh refusa. Furieux, Shiva lui trancha la tête pour découvrir ensuite avec horreur qu'il avait décapité son propre fils ! Il jura de remplacer la tête de Ganesh par celle de la première créature qu'il croiserait et ce fut un éléphant.

Autre divinité majeure, Krishna est une incarnation de Vishnu, envoyée sur terre pour défendre le bien et combattre le mal. Son alliance avec les *gopi* (vachères) et son amour pour Rada ont inspiré d'innombrables peintures et chants. Représenté avec un teint bleuté, il est souvent dépeint jouant de la flûte.

Hanuman, l'un des héros du *Ramayana* et le fidèle allié de Rama, incarne la notion de *bhakti* (dévotion). Roi des singes, il peut aussi prendre d'autres formes.

Les shivaïtes (adorateurs de Shiva) ont une vénération particulière pour Shakti, la déesse mère et la créatrice. Le principe de la *shakti* est personnifié par l'ancienne déesse Devi (la mère divine), qui se manifeste également sous la forme de Durga ou de Kali, la féroce destructrice du mal. Parmi les autres divinités révérées figurent Lakshmi, la déesse de la Fortune, et Saraswati, la déesse de la Connaissance.

Le panthéon hindou compte près de 330 millions de divinités. Chacun choisit celles qu'il vénère en fonction de ses affinités personnelles ou de la tradition.

TEXTES SACRÉS

Les textes sacrés de l'hindouisme se répartissent en deux catégories : ceux révélés par les dieux (*shruti*, qui signifie entendu) et ceux qui ont été écrits par les humains (*smriti*, mémorisé). Les *Veda*, considérés *shruti*, sont les textes fondateurs de l'hindouisme. Les plus anciens écrits védiques furent réunis il y a plus de 3 000 ans dans le *Rig-Veda*, dont les 1 028 versets comprennent des prières de prospérité et de longévité, ainsi qu'une explication de l'origine de l'univers. Les *Upanishad*, les dernières parties des *Veda*, traitent du mystère de la mort et insistent sur l'unité de l'univers. Les premiers textes furent rédigés en sanskrit védique, une langue proche du persan ancien, et les plus tardifs en sanskrit classique. Beaucoup ont été traduits en langue vernaculaire.

La littérature *smriti* englobe une collection de textes couvrant plusieurs siècles, expliquant en détail le rituel de cérémonies domestiques et exposant des principes politiques, économiques et religieux. Parmi les plus connus figurent le *Ramayana* et le *Mahabharata*, ainsi que les *Purana*, qui développent les épopées et promeuvent la notion de Trimurti. Contrairement aux *Veda*, la lecture des *Purana* n'est pas réservée aux mâles initiés des castes supérieures.

Le Chant du bienheureux : la Bhagavad Gîta (Albin Michel, 2002) et *Le Ramayana* dans la Bibliothèque de la Pléiade (Gallimard, 1999) permettent de découvrir ces textes fondamentaux hindous en français.

Mahabharata

Cette épopée, qui relate les exploits de Krishna, remonterait aux alentours du premier millénaire av. J.-C. Vers 500 av. J.-C., de substantiels ajouts, dont la *Bhagavad-Gita* (un dialogue entre Krishna et Arjuna avant une bataille), avaient rendu le *Mahabharata* beaucoup plus complexe.

Sur fond de lutte entre deux clans rivaux, les dieux héroïques (les Pandava) et les démons (les Kaurava), le *Mahabharata* contient des enseignements philosophiques et théologiques très développés. Krishna, incarné en cocher au service d'Arjuna, le héros des Pandava, participe à la victoire contre les Kaurava.

Ramayana

Composé vers le IIIe ou le IIe siècle av. J.-C, le *Ramayana* est attribué en grande partie au poète Valmiki. Comme le *Mahabharata*, il évoque un conflit entre les dieux et les démons.

LA PUISSANCE DU ÔM

L'un des symboles les plus vénérés de l'hindouisme, le Ôm est un *mantra* (mot ou syllabe sacré) hautement propice. Son aspect en forme de "trois" symbolise la création, la préservation et la destruction de l'univers, et par conséquent le Trimurti. Le *chandra* (croissant ou demi-lune) renversé représente l'esprit discursif et le *bindu* (point) à l'intérieur, Brahman.

Les bouddhistes croient que la répétition du Ôm avec une concentration absolue conduit à un état de bienheureuse vacuité.

LE SEPT SACRÉ

Le chiffre 7 revêt une signification particulière dans l'hindouisme. Sept villes saintes sont chacune des sites majeurs de pèlerinage : Varanasi (Bénarès ; p. 446), associée à Shiva, Haridwar (p. 476), où le Gange descendant de l'Himalaya pénètre dans les plaines, Ayodhya (p. 439), ville natale de Rama, Dwarka (p. 757), avec la capitale légendaire de Krishna qui se trouverait au large de la côte du Gujarat, Mathura (p. 431), lieu de naissance de Krishna, Kanchipuram, site des temples anciens de Shiva, et Ujjain (p. 693), où la Kumbh Mela se déroule tous les douze ans.

L'Inde compte également sept fleuves sacrés : le Gange, la Saraswati (supposée souterraine), la Yamuna, l'Indus, la Narmada, la Godavari et la Cauvery.

L'histoire raconte que Dasharatha, le roi sans enfant d'Ayodhya, implora les dieux de lui accorder un fils. Son épouse donna naissance à Rama, en fait une incarnation de Vishnu venu sur Terre pour renverser Ravana, le roi-démon de Lanka. Devenu adulte, Rama, ayant remporté la main de Sita après être parvenu à bander l'arc de Shiva, fut désigné par son père comme héritier du trône. Au dernier moment, la belle-mère de Rama exigea que cette faveur fût accordée à son propre fils. Exilés, Sita, Rama et son frère Lakshmana se réfugièrent dans les forêts où ils durent affronter les démons. La sœur de Ravana tenta sans succès de séduire Rama et, pour la venger, Ravana enleva Sita et l'enferma dans son palais de Lanka. Rama, aidé par l'armée des singes sous la conduite de leur dieu Hanuman, parvint à trouver le palais, tua Ravana et libéra Sita. Tous revinrent victorieux à Ayodhya, où Rama fut couronné roi.

Pour les enfants, Pascal Fauliot a signé *Le Ramayana* (Casterman, 2000), une excellente adaptation de cette grande épopée pour la jeunesse.

ANIMAUX ET VÉGÉTAUX SACRÉS

Les animaux, en particulier les serpents et les vaches, sont depuis longtemps sacrés en Inde. Pour les hindous, la vache est synonyme de fertilité et de nourriture, tandis que les serpents (en particulier les cobras) sont associés à la fertilité et au bien-être. Les *naga* (serpents) en pierre ont pour double objectif de protéger les humains des serpents et de se concilier les dieux serpents.

Des plantes sont aussi liées au sacré. Le banian symbolise le Trimurti et les manguiers représentent l'amour ; Shiva aurait épousé Parvati sous un manguier. La fleur de lotus aurait émergé des eaux primordiales et serait reliée par sa tige au centre mythique de la Terre. Cette fleur, souvent présente dans les eaux les plus polluées, parvient à fleurir au-dessus de fonds boueux. Le centre du lotus symbolise le centre de l'univers, le nombril de la Terre ; la tige et les eaux éternelles les maintiennent ensemble. Cette fleur rappelle aux hindous ce que devrait être leur vie : une incarnation de beauté et de force, comme le fragile et tenace lotus. Le lotus est aujourd'hui la fleur nationale de l'Inde.

Shiva est parfois représenté comme le seigneur du yoga, un ascète vivant dans l'Himalaya aux cheveux emmêlés, le corps couvert de cendres et doté d'un troisième œil, symbole de sagesse.

CULTES

Cultes et rituels tiennent une place prépondérante dans l'hindouisme. La plupart des foyers hindous possèdent un autel, où les membres de la famille prient les divinités de leur choix. Hors de chez eux, les hindous prient dans des temples. La puja, au centre du culte, va de l'invocation silencieuse aux cérémonies grandioses. Les dévots quittent souvent le temple en emportant une poignée de *prasaad* (nourriture bénie). Parmi les autres rites, citons l'*aarti* (allumer des lampes ou des bougies propitiatoires) et les *bhajan* (chants religieux) qui apaisent l'âme.

Islam

La religion islamique fut fondée dans la péninsule arabique par le prophète Mahomet au VIIe siècle. Le terme arabe *islam* signifie soumission ; les croyants (musulmans) se soumettent à la volonté d'Allah (Dieu), telle qu'elle est révélée dans le Coran. Dans cette religion monothéiste, la parole de Dieu est transmise par des prophètes (messagers), dont le plus récent est Mahomet.

Après la mort de Mahomet, la communauté fut déchirée par des conflits qui aboutirent à la division entre sunnites et chiites. Les premiers, majoritaires en Inde, restent attachés à la voie orthodoxe. Les seconds croient que seuls les imams (guides exemplaires) sont à même de révéler le véritable message du Coran.

Tous les musulmans s'accordent sur les cinq piliers de l'islam : la *shahada* (profession de foi : "il n'y a de dieu que Dieu et Mahomet est son prophète") ; la prière, idéalement cinq fois par jour ; la *zakat* (impôt), sous forme d'une aumône ; le jeûne pendant le ramadan (sauf pour les malades, les jeunes enfants, les femmes en période de menstruation, les vieillards et ceux qui entreprennent un voyage pénible) ; et le *haj* (pèlerinage) à La Mecque, que tout musulman espère accomplir au moins une fois dans sa vie.

Sikhisme

Le sikhisme fut fondé au Punjab par le Guru Nanak à la fin du XVe siècle en réaction au système des castes et à la domination des brahmanes sur les rituels. Les sikhs croient en un dieu unique et rejettent le culte des idoles ; certains se recueillent cependant devant les portraits des dix gourous. Texte sacré des sikhs, le Guru Granth Sahib contient notamment les enseignements de ces dix gourous.

Comme les hindous et les bouddhistes, les sikhs croient en la réincarnation et au karma. En revanche, aucune tradition ascétique ou monastique ne met fin au cycle des renaissances.

Deux ouvrages à consulter pour découvrir le sikhisme : *Les Sikhs. Histoire et tradition des "Lions du Panjab"*, de Denis Matringe (Albin Michel, 2008) et *Les Sikhs et le sikhisme pour tous* de Jaswant Singh (Le Plein des sens, 2005).

Élément fondamental du sikhisme, le concept du *khalsa* est la croyance en une race élue de saints soldats, qui respectent un code moral très strict (ni alcool, ni tabac, ni drogues) et s'engagent à défendre le *dharmayudha* (vertu). Cinq *kakkar* (emblèmes) distinguent la fraternité *khalsa* : le *kesh* (chevelure et barbe non coupées qui symbolisent la sainteté), le *kangha* (peigne qui retient la longue chevelure), le *kaccha* (caleçon qui symbolise la modestie), le *kirpan* (sabre ou épée, symbolisant pouvoir et dignité) et le *karra* (bracelet d'acier, signe de courage). Singh, qui signifie "lion", est un nom courant chez les sikhs.

La croyance en l'égalité de tous les êtres est au cœur du sikhisme et s'exprime de diverses manières. Ainsi, le *langar* est un repas préparé par des bénévoles dans la cuisine d'un gurdwara (temple sikh) et gracieusement offert à des gens de tous horizons, assis côte à côte, quelle que soit leur caste ou leur foi.

GURU NANAK : LE PREMIER GOUROU DU SIKHISME

Né dans l'actuel Pakistan, Guru Nanak (1469-1539), le fondateur du sikhisme, n'était pas convaincu par les pratiques religieuses musulmanes et hindoues. Contrairement à de nombreux saints hommes indiens, il croyait aux vertus de la famille et du travail. Marié, père de deux garçons, il travaillait comme fermier lorsqu'il ne voyageait pas pour prêcher et chanter les *kirtan* (chants de dévotion sikhs) qu'il avait composés, accompagné d'un barde musulman, Mardana. Il accomplissait des miracles et préconisait la méditation sur le nom de Dieu pour atteindre l'éveil.

Nanak croyait en l'égalité, des siècles avant que ce concept ne devienne acceptable, et faisait campagne contre le système des castes. C'était un gourou pragmatique qui affirmait que "celui qui gagne honnêtement sa vie et partage ses gains avec les autres connaît la voie qui mène à Dieu". Plutôt qu'un de ses fils, il désigna comme son successeur son disciple le plus talentueux.

Ses *kirtan* sont toujours chantés dans les gurdwara (temples sikhs) et son portrait orne des millions de foyers.

Bouddhisme

Le bouddhisme apparut au VIe siècle av. J.-C en réaction aux rigidités de l'hindouisme brahmanique. Le Bouddha (l'Éveillé) aurait vécu de 563 à 483 av. J.-C. À l'âge de 29 ans, le prince Siddhartha Gautama (le futur Bouddha) partit à la recherche du moyen de débarrasser le monde de la souffrance. À 35 ans, il atteignit le nirvana (état de pleine conscience) à Bodhgaya (Bihar). Critiquant le système des castes et une vénération irréfléchie des dieux, le Bouddha incita ses disciples à rechercher la vérité à travers leur propre expérience.

Selon l'enseignement du Bouddha, l'existence repose sur Quatre Nobles Vérités : la vie s'enracine dans la souffrance ; la souffrance est provoquée par la convoitise ; on peut se libérer de la souffrance en éliminant les désirs ; pour cela, il faut suivre "l'Octuple Sentier". Ce sentier se compose de la compréhension juste, de l'intention juste, de la parole juste, de l'action juste, du mode de vie juste, de l'effort juste, de l'attention juste et de la concentration juste. Le respect de ces huit règles conduit au nirvana.

Pratiquement disparu d'Inde au début du XXe siècle, le bouddhisme a connu un renouveau dans les années 1950 parmi les intellectuels et les *dalit*, déçus par le système des castes. L'afflux des réfugiés tibétains a par la suite accru le nombre d'adeptes. L'actuel dalaï-lama et le 17e karmapa résident en Inde (voir p. 383 et 387).

Jaïnisme

Le jaïnisme fut fondé au VIe siècle av. J.-C. par Mahavira, un contemporain du Bouddha, en réaction au système des castes et aux rites de l'hindouisme.

Les jaïns croient que la délivrance peut être atteinte si l'âme est totalement purifiée. La pureté signifie se défaire de tout *karman*, une matière engendrée par les actions et qui s'attache à l'âme. Diverses pratiques ascétiques (comme le jeûne et la méditation) peuvent débarrasser du *karman*. La conduite juste est essentielle et son fondement est l'*ahimsa* (non-violence), en pensée comme en acte envers toute créature vivante.

La discipline est moins sévère pour les laïques que pour les moines, dont certains vivent nus. D'autres, un peu moins ascétiques, conservent un minimum de biens, dont un balai pour écarter de leur chemin toute créature vivante qu'ils risqueraient d'écraser, et un morceau de tissu sur la bouche pour éviter d'inhaler des insectes.

Le *sadhu* est celui qui a renoncé à toute possession matérielle pour se consacrer à la quête spirituelle grâce à la méditation, l'étude des textes sacrés, la mortification et le pèlerinage.

Parmi les lieux saints du jaïnisme en Inde, Sravanabelagola, Palitana, Ranakpur (p. 221) et les temples jaïns de Mount Abu (p. 222) figurent en bonne place.

Christianisme

Il existe diverses théories sur les liens du Christ avec le sous-continent. Certains pensent que Jésus aurait passé ses "années perdues" en Inde (voir l'encadré p. 288), d'autres croient que le christianisme fut introduit en Inde du Sud par l'apôtre saint Thomas en 52. Toutefois, de nombreux chercheurs estiment que cette religion arriva dans le pays vers le IVe siècle quand un marchand syrien, Thomas Kanna, s'installa au Kerala avec 400 familles.

Le catholicisme s'implanta durablement dans le Sud après l'arrivée de Vasco de Gama en 1498 et des missionnaires dominicains, franciscains et jésuites s'activèrent dans la région. Des missions protestantes commencèrent sans doute à s'implanter vers le XVIIIe siècle.

ANATOMIE D'UN GOMPA

Certaines régions indiennes, comme le Sikkim et le Ladakh, sont réputées pour leurs *gompa* (monastères bouddhiques de style tibétain) colorés et richement ornés. Le centre d'un *gompa* est le *du-khang* (salle de prière), où les moines se rassemblent pour psalmodier des textes sacrés (les prières du matin sont un moment particulièrement favorable pour visiter les *gompa*). Les murs sont parfois couverts de peintures aux couleurs vives ou de *thangka* (tentures peintes) représentant des *bodhisattva* (humains ayant atteint l'éveil) et des *dharmapala* (divinités protectrices). À l'entrée du *du-khang* figure habituellement une peinture murale de la Roue de la Vie, la représentation graphique des principaux éléments de la philosophie bouddhiste (consultez www.buddhanet.net/wheel1.htm pour une description interactive de la Roue de la Vie).

Au cours des fêtes majeures, la plupart des *gompa* organisent des danses *chaam* (danses masquées rituelles célébrant la victoire du bien sur le mal). Les danses destinées à chasser les démons utilisent des masques de Mahakala, le Grand Protecteur, souvent coiffé d'un couvre-chef en crânes humains. La danse *durdag* emploie des masques en forme de crânes, représentant les seigneurs des Sites de Crémation. Les danseurs de la *shawa* portent des masques de cerfs aux yeux fous. Ces personnages sont souvent représentés avec un troisième œil au centre du front, symbolisant la nécessité de la réflexion intérieure.

La fabrication de sculptures en beurre est une autre activité originale des monastères bouddhiques. Confectionnées avec du beurre et de la pâte colorée, ces sculptures élaborées et délibérément éphémères symbolisent l'impermanence de l'existence humaine. Dans de nombreux *gompa*, on réalise aussi de superbes mandalas aux motifs géométriques avec du sable coloré, détruits ensuite pour démontrer la futilité du monde physique.

Zoroastrisme

Fondé en Perse par Zoroastre (Zarathustra) au VIe siècle av. J.-C., le zoroastrisme repose sur le concept du dualisme, le bien et le mal se livrant une lutte perpétuelle. Ce n'est pas véritablement une religion monothéiste : le bien et le mal sont deux entités qui coexistent, mais les fidèles ne doivent honorer que le bien. L'humanité a donc le choix. Il n'existe pas de conflit entre le corps et l'esprit, tous deux sont unis dans le combat contre le mal. Bien que mortel, l'homme possède des éléments immortels, tels que l'âme. Une existence agréable attend dans l'au-delà ceux qui l'auront méritée pendant leur vie terrestre. Toutes les fautes n'entrent toutefois pas en ligne de compte et l'âme errante ne doit par rendre compte du moindre méfait le jour du jugement.

Le rituel funéraire zoroastrien utilise les "tours du silence", dans lesquelles les corps sont déposés afin que les vautours les nettoient, ne laissant que les ossements.

Éclipsé en Perse par l'islam au VIIe siècle, le zoroastrisme résista, mais ses adeptes furent persécutés. Au cours des siècles suivants, certains émigrèrent en Inde et formèrent la communauté parsie. Pour plus d'informations, reportez-vous p. 63.

DROITS DES FEMMES

Les Indiennes ont le droit de vote et peuvent posséder des biens. Si le pourcentage de femmes en politique a crû au cours de la dernière décennie, elles restent nettement sous-représentées au Parlement, où elles ne sont que 10% environ.

La journaliste Dominique Hoeltgen, avec son ouvrage *Inde, la révolution par les femmes* (Éditions Philippe Picquier, 2009), livre un portrait plein d'optimisme des femmes dans l'Inde contemporaine.

Si la vie professionnelle demeure dominée par les hommes, les femmes, elles aussi, commencent à se faire une place, surtout dans les centres urbains. Le Kerala fut le premier État à s'affranchir des normes sociales en recrutant des femmes dans la police dès 1938. Ce fut également le premier État à créer un poste de police entièrement féminin (1973). Les villageoises ont beaucoup plus de mal à émerger, mais des groupes comme la Self-Employed Women's Association (SEWA) au Gujarat tracent la voie. Des femmes socialement défavorisées se sont organisées en syndicat, pour exercer des pressions contre les pratiques discriminatoires et l'exploitation (voir p. 728).

Dans les familles pauvres, les filles sont souvent considérées comme un fardeau en raison du coût de la dot lors de leur mariage. Selon un rapport de la presse indienne, les morts liées à la dot ont atteint le nombre de 7 618 en 2006 (soit 12% de plus que l'année précédente), l'Uttar Pradesh et le Bihar totalisant le plus de décès. Les nombreux cas non déclarés laissent supposer un chiffre bien plus élevé. Pour plus de précisions sur la dot, reportez-vous p. 56.

Si la vie des citadines des classes moyennes a connu des améliorations matérielles, les pressions n'ont pas disparu. Bénéficiant plus facilement de l'accès à des études supérieures, elles devront, une fois mariées, s'adapter à leurs beaux-parents et être avant tout des femmes d'intérieur. Comme dans les campagnes, celles qui déçoivent ou ne parviennent pas à donner naissance à un fils risquent gros, comme en témoigne la pratique extrême consistant à "brûler l'épouse" après l'avoir inondée d'un liquide inflammable. Selon des groupes féministes, un seul cas sur 250 ferait l'objet d'une plainte, et moins de 10% des cas signalés donneraient lieu à des poursuites judiciaires.

Les mariages arrangés sont entrés dans l'ère d'Internet avec des sites tels que www.shaadi.com, www.bharatmatrimony.com et, plus récemment, www.secondshaadi.com pour ceux qui veulent tenter leur chance une seconde fois.

Selon les derniers chiffres du Bureau national des dossiers judiciaires (National Crime Records Bureau ; NCRB), dépendant du ministère des Affaires intérieures, en 2006, le nombre de femmes violées avait été multiplié par huit depuis 1971 (année où le NCRB a commencé à recenser les viols). Les plaintes étaient passées de 7 à 53 par jour (soit une augmentation de 5,5% par rapport à 2005), la plupart des agressions ayant lieu à Delhi. Une fois encore, les chiffres sont sans doute bien plus élevés car de nombreux viols ne sont pas déclarés.

En octobre 2006, après des campagnes en faveur des droits des femmes, le Parlement indien a adopté une loi historique accordant des droits et une protection aux femmes souffrant de violences domestiques. Jusque-là, si les femmes pouvaient porter plainte contre des maris abusifs, elles n'avaient pas systématiquement droit à une partie des biens du foyer ou à une pension. Avec cette nouvelle loi, toute forme d'abus physique, sexuel (y compris le viol conjugal), psychologique et économique constitue non seulement une forme de violence domestique, mais aussi une atteinte aux droits de l'homme. Les coupables sont passibles de peines d'emprisonnement et d'amendes. Les femmes victimes d'abus sont légalement autorisées à rester au domicile conjugal. De plus, cette loi interdit toute menace psychologique ou physique concernant la dot. Des critiques soulignent cependant que de nombreuses femmes, en particulier en dehors des grandes villes, répugnent à demander une protection légale par crainte d'être mises au ban de la société.

Chandni Bar, réalisé par Madhu Bhandarkar, offre une description réaliste et poignante de la vie des femmes qui, à cause de la pauvreté et souvent poussées par leur famille, travaillent comme danseuses et prostituées dans les bars louches de Mumbai.

Alors que la Constitution permet le remariage des veuves et des divorcées, rares sont celles qui utilisent ce droit de peur d'être rejetées par la société, notamment hors des grandes villes. Bien qu'en progression, le taux de divorce reste parmi les plus bas du monde ; il est passé de 7 pour 1 000 en 1991 à 11 pour 1 000 en 2004. À défaut de statistiques fiables postérieures à 2004, il semblerait que le nombre de divorces augmente de 15% par an, essentiellement dans les villes. D'après un grand journal indien, il y aurait eu environ 9 000 divorces prononcés par les tribunaux à Delhi en 2007, un nombre qui a doublé en quatre ans.

Les voyageuses se reporteront p. 800.

ARTS

Une merveille artistique se révèle quasiment à chaque coin du pays, des camions aux peintures criardes sur une route poussiéreuse aux délicats *mehndi*, dessins corporels réalisés au henné. La richesse du patrimoine artistique, que ce soit l'architecture des temples ou les arts de la scène, fait d'un voyage dans le sous-continent un émerveillement perpétuel.

L'Art indien de Roy Craven (Thames & Hudson, 2005) est une excellente introduction à l'histoire de l'art indien, de ses débuts dans la vallée de l'Indus jusqu'à l'émergence des formes associées à l'hindouisme, à l'islam et au bouddhisme.

Les artistes contemporains ont su mêler les formes ancestrales aux influences les plus modernes pour produire des œuvres appréciées dans le monde entier, que ce soit dans les domaines de la création, de la danse ou de la musique.

Danse

Forme artistique ancienne, la danse indienne est indissociable de la mythologie et de la littérature classique. Elle peut se diviser en deux grandes catégories : classique et folklorique.

La danse classique est basée sur des disciplines traditionnelles bien définies et comprend :

- Le *bharata natyam* (ou *bharatanatyam*) – originaire du Tamil Nadu, il s'est répandu dans tout le pays.
- Le *kathakali* – apparu au Kerala, il est souvent, à tort, assimilé à une danse.
- Le *kathak* – mêlant des influences hindoues et musulmanes, il était particulièrement apprécié des Moghols. Il connut une notoriété malencontreuse lorsqu'il quitta les cours royales pour des établissements où les *nautch* (danseuses) excitaient le public en reproduisant les amours de Krishna et de Radha, puis redevint un art "sérieux" au début du XXe siècle.
- Le *manipuri* – d'une tonalité lyrique et raffinée, il provient de Manipur. Il attira un plus large public dans les années 1920, lorsque le poète bengali Rabindranath Tagore invita l'un de ses plus éminents représentants à l'enseigner à Shantiniketan (Bengale-Occidental).
- Le *kuchipudi* – danse théâtrale du XVIIe siècle issue d'un village de l'Andhra Pradesh dont elle tire son nom, elle met en scène la jalousie de l'épouse de Krishna.
- L'*odissi* – danse classique réputée la plus ancienne de l'Inde, elle fut d'abord réservée aux temples, puis exécutée par la suite dans les cours royales.

Visages de la danse indienne (A. Mazeran, 1988) est un ouvrage illustré qui présente les principales danses indiennes.

Les danses folkloriques, largement répandues et multiples, vont du *bhangra* du Punjab (voir p. 263), hautement inspiré, aux ballets de chevaux factices du Karnataka et du Tamil Nadu, en passant par la gracieuse danse des pêcheurs de l'Orissa.

Parmi les précurseurs de la danse indienne moderne, Uday Shankar, frère aîné de Ravi, le maître du sitar, fut le partenaire de la ballerine russe Anna Pavlova. Autre innovateur, Rabindranath Tagore créa en 1901 une école dédiée à la promotion des arts et de la danse à Shantiniketan (p. 547).

Musique

Les origines de la musique classique indienne remontent aux temps védiques, lorsque les poèmes religieux chantés par les prêtres furent réunis dans une anthologie intitulée le *Rig-Veda*. Au cours des millénaires, de multiples influences sont venues l'enrichir, aboutissant aux deux formes connues aujourd'hui : les musiques carnatique (du Sud) et hindoustanie (du Nord). Du fait de leurs racines communes, elles partagent certaines caractéristiques ; toutes deux utilisent le *raga* (mode mélodique) et le *tala* (séquence rythmique caractérisée par le nombre de temps). Le *tintal*, par exemple, est un *tala* à 16 temps. L'auditoire suit le *tala* en frappant dans ses mains aux temps appropriés (premier, cinquième et treizième temps pour le *tintal*). Le neuvième n'est pas scandé, car il s'agit du *khali* (temps mort), que l'on marque d'un mouvement de la main. *Raga* et *tala* constituent les éléments de base de la composition et de l'improvisation.

Les musiques carnatique et hindoustanie, interprétées par de petites formations de trois à six musiciens, emploient nombre d'instruments similaires. Il n'existe pas de diapason fixe, mais des différences tonales. La musique hindoustanie est davantage imprégnée des canons musicaux persans (transmis par les Moghols), la musique carnatique reste plus fidèle à la théorie. La différence la plus marquante, du moins pour les profanes, est la présence plus fréquente de la voix dans la tradition carnatique.

L'un des instruments les plus connus est le sitar (grand instrument à cordes), avec lequel le soliste interprète le *raga*. Parmi les autres instruments à cordes, citons le *sarod* (à cordes pincées) et le *sarangi* (joué avec un archet). Les tablas (des tambours jumeaux) marquent le *tala*. Le *tambura* ou le *shehnai*, qui ressemblent au hautbois, assument le rôle du bourdon. L'harmonium, au soufflet actionné à la main, est utilisé pour accompagner la musique vocale.

Pour comprendre la musique classique hindustanie, procurez-vous *Nād: Understanding Raga Music*, de Sandeep Bagchee, qui comprend un glossaire des termes musicaux.

La musique régionale folklorique est variée et très répandue. Charmeurs de serpents, conteurs et magiciens ambulants chantent aussi pour divertir leur auditoire. Les conteurs chantent habituellement les épisodes des grandes épopées.

En Inde du Nord, vous pourrez assister à des concerts de *qawwali* (chants religieux soufis) dans des mosquées ou des salles de spectacle. Ces concerts prennent généralement la forme d'un *mehfil* (rassemblement) réunissant un chanteur principal, un deuxième chanteur, des joueurs d'harmonium et de tablas et un chœur tonitruant de jeunes chanteurs qui tapent des mains, tous assis en tailleur par terre. Le chanteur principal stimule l'assistance avec des vers d'une poésie, des gestes dramatiques des mains et des formules religieuses tandis que les deux voix se répondent sur des mélodies improvisées qui montent en puissance. Sur commande, le chœur entonne un refrain au rythme hypnotique. L'assistance se balance souvent en criant son appréciation extatique.

Autre genre radicalement différent, la musique *filmi* est tirée des grands succès de Bollywood. Des sérénades d'amour modernes (au rythme lent) alternent avec des chansons entraînantes qui accompagnent des danses rapides. Pour découvrir les derniers succès et les chanteurs en vogue, renseignez-vous dans un magasin de musique.

La radio et la télévision ont joué un rôle primordial en diffusant toutes sortes de musiques, des *bhajan* (chants de dévotion) aux derniers succès de Bollywood, jusque dans les endroits les plus reculés du pays.

Cinéma

L'industrie cinématographique indienne est née en 1899 avec la projection à Kolkata (Calcutta) de *Panorama of Calcutta*, le premier film tourné en Inde. La première fiction indienne, *Raja Harishchandra,* date de 1913 – en pleine ère du muet. Ce film est considéré comme l'ancêtre du cinéma indien.

Aujourd'hui, l'industrie cinématographique indienne est la première de la planète, devant Hollywood ; Mumbai (Bombay), la capitale des films en hindi, est affectueusement surnommée "Bollywood". Parmi les autres villes grandes productrices de films figurent Chennai (Madras), Hyderabad et Bengaluru (Bangalore) ; plusieurs autres centres tournent des films en langues régionales. Les films à gros budget sont souvent en partie, voire entièrement, tournés à l'étranger et certains pays courtisent les sociétés de production indiennes pour bénéficier des retombées touristiques que génèrent ces films.

En moyenne, 900 films sont tournés annuellement en Inde. Pour la seule année 2006, les films de Bollywood ont fait près de 3,7 milliards d'entrées. Outre les centaines de millions de spectateurs locaux, les millions d'Indiens expatriés ont joué un rôle significatif dans la promotion du cinéma indien à l'étranger.

Bollywood vous passionne ? Découvrez les potins sur les célébrités en vous connectant à Fantastikindia (www.fantastikindia.fr).

On peut grossièrement diviser la production cinématographique indienne en deux catégories. La première, de loin la plus importante, est constituée de mélodrames de trois heures ou plus, avec de multiples rebondissements et ponctués de chants et de danses. Aucune scène d'amour et pas le moindre baiser n'apparaissent dans les films destinés au marché intérieur ; l'absence de nudité est souvent compensée par les déhanchements lascifs de l'héroïne enroulée dans un sari mouillé.

La seconde catégorie englobe des films d'art et d'essai, qui s'inspirent de la réalité indienne. En général, ils donnent, ou tentent de donner, une image fidèle de la vie sociale et politique. Tournés avec des budgets infiniment plus modestes que les productions commerciales, ce sont ces films qui remportent des prix dans les festivals internationaux.

Tourné à Mumbai, *Slumdog Millionaire,* le film du réalisateur britannique Danny Boyle, a récemment remporté un succès planétaire. Adapté du roman de l'écrivain et diplomate indien Vikas Swarup, *Les fabuleuses aventures d'un Indien malchanceux qui devint milliardaire* (10/18, 2007), le film a été récompensé par huit oscars en 2009, dont celui du meilleur film. Parmi le concert de louanges, des critiques ont dénoncé la description stéréotypée du pays et l'exploitation supposée des jeunes acteurs, des accusations fermement rejetées par le cinéaste et les producteurs. En 1983, le film *Gandhi* de Richard Attenborough, avait également remporté huit oscars, dont celui du meilleur film.

Satyajit Ray (1921-1992) est probablement le cinéaste indien le plus connu à l'étranger. *La Complainte du sentier* (1955) et *Le Monde d'Apu* (1959) figurent parmi ses films les plus célèbres.

Née en Inde, la cinéaste canadienne Deepa Mehta s'est aussi taillé un succès international avec sa trilogie *Fire, Earth* et *Water* (*Feu*, *Terre* et *Eau*). La réalisatrice a dû affronter divers obstacles pendant et après le tournage, notamment pour *Fire* ; des nationalistes ont incendié des cinémas, prétendant que l'homosexualité féminine abordée dans le film était une offense à la société indienne et à l'hindouisme.

Pour une sélection de films, reportez-vous p. 24.

Littérature

Parallèlement aux textes anciens en sanskrit, les ouvrages en langues vernaculaires ont contribué à constituer un patrimoine littéraire d'une richesse prodigieuse. On affirme d'ailleurs que l'Inde compte autant de traditions littéraires que de langues écrites.

Les Bengalis sont à l'origine d'un mouvement souvent appelé Renaissance indienne ou bengali, qui a produit une littérature prestigieuse à partir du XIXe siècle. Bankim Chandra Chatterjee, l'un des auteurs les plus illustres de ce courant, a notamment signé *Celle qui portait des crânes en boucles d'oreilles* (Gallimard, 2005), *Le Monastère de la félicité* (Serpent à Plumes, 2003), *Raj Singh le Magnifique* (L'Harmattan, 1988) et *Le Testament de Krishnokanto* (Gallimard, 1988). Cependant, Rabindranath Tagore (voir l'encadré p. 75) a été le premier à propulser la richesse de la culture indienne sur la scène internationale. Cet écrivain bengali a reçu le prix Nobel de littérature en 1913. *L'Offrande lyrique* (Gallimard, 1971), *Histoires de fantômes indiens* (Cartouche, 2006), *Quatre Chapitres* (Zulma, 2005), *Le Naufrage* (Gallimard, 2002) et *La Maison et le Monde* (Payot, 2002) font partie de ses ouvrages traduits en français.

L'Inde revendique un nombre croissant d'écrivains reconnus internationalement. Parmi les plus grands, citons Vikram Seth, auteur d'*Un garçon convenable* (LGF, 2007) et de *Deux Vies* (Albin Michel, 2007), et Amitav Ghosh, qui a remporté en France le prix Médicis étranger pour *Les Feux du Bengale* (Points, 2002) et en Inde le Sahitya Akademi Award (le plus prestigieux prix littéraire indien) pour *Les Lignes d'ombre* (Seuil, 1992). Ces dernières années, plusieurs auteurs indiens ont remporté le prestigieux Man Booker Prize : en 2008, Aravind Adiga pour son premier roman, *Le Tigre blanc*, (Buchet-Chastel, 2008), et auparavant, en 2006, Kiran Desai pour *La Perte en héritage* (Éditions des Deux Terres, 2007). Kiran Desai est la fille d'une autre romancière indienne, Anita Desai, trois fois nominée au Booker Prize et dont on peut notamment apprécier *Un parcours en zigzag* (Mercure de France, 2006) en français. En 1997, la kéralaise Arundhati Roy a obtenu le Booker Prize pour *Le Dieu des petits riens* (Gallimard, 1998). Originaire de Mumbai, Salman Rushdie a quant à lui reçu le Booker Prize en 1981 pour *Les Enfants de minuit* (*Plon, 1997*). Tous les ouvrages de cet excellent écrivain ont été publiés en français, dont *Shalimar le clown* (Pocket, 2007) et, plus récemment, *L'Enchanteresse de Florence* (Plon, 2008).

Le Jaipur Literature Festival (www.jaipurliteraturefestival.org), le plus grand festival littéraire d'Asie, se tient fin janvier à Jaipur (Rajasthan) et attire des écrivains renommés, indiens et étrangers.

Auteur indien né à Trinidad, V. S. Naipaul a beaucoup écrit sur l'Inde et remporté de nombreux prix, dont le Booker Prize en 1971 et le prix Nobel de littérature en 2001. Jhumpa Lahiri, une bengali née au Royaume-Uni, a été récompensée en 2000 du prix Pulitzer pour *L'Interprète des maladies* (*Gallimard, 2003*), un recueil de nouvelles.

Pour compléter cette liste de lectures, reportez-vous p. 24.

Architecture

Au fil des visites, les voyageurs découvriront les différents styles architecturaux anciens et modernes des temples, les monuments les plus remarquables et les plus révérés du pays. Si les sanctuaires en bois ou en briques des temps anciens n'ont pas résisté aux rigueurs du climat, des structures sacrées d'un nouveau style apparurent à l'avènement de la dynastie Gupta au nord de l'Inde (du IVe au VIe siècle) et devinrent une norme respectée pendant plusieurs siècles.

Le carré est pour les hindous la forme parfaite. Basées sur la numérologie, l'astrologie, l'astronomie et les principes religieux, des règles complexes régissent l'emplacement, le plan et la construction de chaque temple, représentation de l'univers. Au centre de l'édifice, un espace dépourvu d'ornementation, le *garbhagriha* (sanctuaire intérieur), symbolise la grotte matricielle qui aurait engendré le monde. C'est le lieu de résidence de la divinité à laquelle le temple est dédié.

RABINDRANATH TAGORE

Le brillant et prolifique poète, écrivain, artiste et patriote Rabindranath Tagore eut une influence inégalée sur la culture bengali. Né dans une famille aisée de Kolkata en 1861, il commença à écrire dès l'enfance pour ne plus s'arrêter ; il aurait dicté son dernier poème quelques heures avant sa mort, en 1941.

Tagore est aussi celui qui fit découvrir la richesse culturelle et historique de l'Inde à l'Occident. Il reçut le prix Nobel de littérature en 1913 pour son fabuleux recueil de poèmes mystiques *Gitanjali* (*Offrande lyrique*, traduit en français par André Gide). Par la suite, il diffusa son message humaniste lors de conférences en Asie, en Europe et en Amérique.

Malgré sa dimension internationale, Tagore demeurait très attaché à sa terre natale, comme en témoignent ses nombreuses chansons populaires et les textes des hymnes nationaux de l'Inde et du Bangladesh dont il est l'auteur. Fait chevalier par les Britanniques en 1915, il rendit ce titre en 1919 en signe de protestation après le massacre d'Amritsar (voir p. 270).

L'œuvre de Rabindranath Tagore a été traduite en français.

Inde, rêve de pierre (Éd. les Météores, 2005) dévoile la beauté des temples indiens et de leurs statues de pierre à l'aide de photos somptueuses. Avec des textes d'André Malraux et de Rabindranath Tagore.

Les amoureux de l'architecture apprécieront *Les Chefs-d'Œuvre de l'architecture traditionnelle de l'Inde* de Satish Grover (Éd. de Lodi, 2005) qui contient d'intéressantes réflexions sur l'architecture des temples.

Le sanctuaire est surmonté d'une structure appelée *sikhara* dans le Nord et *vimana* dans le Sud. Le *sikhara* est une tour curviligne coiffée par une pierre striée en forme de roue, surmontée d'une urne. Certains temples renferment une *mandapa* (antichambre) reliée au sanctuaire par des vestibules ; les *mandapa* peuvent contenir des *vimana* ou des *sikhara*.

Couramment utilisés pour les bains rituels et les cérémonies, les bassins des temples constituent un élément fondamental de l'activité religieuse tout en ajoutant à la beauté des lieux. Souvent vastes et angulaires, parfois alimentés par l'eau de pluie ou par des rivières grâce un système complexe de drainage, ces réservoirs remplissent des fonctions sacrées et séculières. Certains contiendraient une eau aux vertus curatives ou dotée du pouvoir d'effacer les péchés. Les fidèles (comme les voyageurs) doivent parfois se laver les pieds dans le bassin d'un temple avant de pénétrer dans le sanctuaire.

De l'extérieur, les temples jaïns ressemblent aux temples hindous. À l'intérieur, les multiples sculptures sont aux antipodes de l'ascétisme austère. Les gurdwara (temples sikhs) se reconnaissent habituellement à leur *nishan sahib*, un mât au sommet duquel flotte un drapeau triangulaire arborant les symboles sikhs. Le sublime Temple d'or d'Amritsar (p. 268) est le lieu le plus saint du sikhisme.

Les stupas, caractéristiques des lieux de cultes bouddhiques, étaient à l'origine des tumulus funéraires qui contenaient des reliques du Bouddha ou d'autres personnages vénérés. Le *chaitya* (antichambre) conduisant au stupa est un élément introduit plus tardivement. Bodhgaya (p. 586), où Siddhartha Gautama atteignit l'Éveil et devint le Bouddha, abrite un ensemble remarquable de monastères et de temples bouddhiques. Les *gompa* (monastères bouddhiques ; voir p. 70) du Ladakh et du Sikkim se distinguent par des motifs ornementaux tibétains.

Les musulmans apportèrent à l'Inde leurs conventions architecturales, telles les cloîtres à arcades et les coupoles. Réalisant la synthèse entre les styles persan et indien et les différentes traditions régionales, les Moghols réalisèrent des monuments d'un raffinement extrême, comme le tombeau d'Humayun à Delhi (p. 129), le fort d'Agra (p. 421) et la cité de Fatehpur Sikri (p. 429). L'empereur Shah Jahan (1627-1658) fit construire quelques merveilles de l'architecture indienne, en particulier le fabuleux Taj Mahal (p. 418).

L'iconographie religieuse constitue l'une des différences les plus frappantes entre l'hindouisme et l'islam. L'art islamique, qui interdit toute trace d'idolâtrie et la représentation de Dieu, a donné naissance à une calligraphie raffinée et à de superbes motifs non figuratifs. Les éléments de base de l'architecture des mosquées se retrouvent dans le monde entier. Une vaste salle, qui abrite le *mihrab* (niche) indiquant la direction de La Mecque, accueille les fidèles. Les minarets, placés aux points cardinaux, appellent ces derniers à la prière.

Les églises indiennes reflètent les modes et les préférences de l'architecture ecclésiastique européenne, tout en incorporant souvent des éléments décoratifs hindous. Les Portugais, entre autres, s'évertuèrent à reproduire les majestueuses églises de leur époque.

Peinture

Il y a quelque 1 500 ans, des artistes couvrirent les murs et les plafonds des grottes d'Ajanta, dans l'ouest de l'Inde, de peintures représentant la vie du Bouddha. La grâce et la liberté inhabituelle des personnages contrastent avec le style qui apparut dans cette partie du pays au XIe siècle.

La communauté jaïne indienne produisit un art sacré particulièrement somptueux. Toutefois, après la conquête du Gujarat par les musulmans

L'ART DU MEHNDI

Le *mehndi* est une forme d'art traditionnel qui consiste à peindre au henné des motifs élaborés sur les mains (et parfois les pieds) d'une femme lors de grandes occasions, comme le mariage. Si le henné est de bonne qualité, le dessin, brun orangé, peut tenir jusqu'à un mois.

Dans les régions touristiques, les *mehndi*-wallah appliquent des "bandes" de tatouage au henné sur les bras, les jambes et le dos. Si vous souhaitez avoir un *mehndi*, prévoyez au moins deux heures pour l'application du motif et le séchage (pendant ce temps, vous ne pourrez rien faire de vos mains). Le henné disparaît au fil des lavages ou du frottement avec une lotion.

Mieux vaut demander à l'artiste de tester le henné sur votre bras avant l'application, car certains contiennent des produits chimiques susceptibles de provoquer des allergies. Un henné de bonne qualité ne provoquera aucun désagrément.

en 1299, elle se consacra à l'enluminure des manuscrits, que l'on pouvait facilement cacher. Ces derniers constituent les seuls exemples de la peinture d'Inde du Nord à avoir survécu à l'islamisation.

Le style indo-persan, caractérisé par des motifs géométriques associés à des formes fluides, se développa dans les cours royales musulmanes, en conservant toutefois la tradition locale de l'œil allongé. L'esthétique persane, introduite par des artisans réfugiés en Inde après l'attaque d'Herat (aujourd'hui en Afghanistan) par les Ouzbeks en 1507, s'épanouit grâce au commerce et aux échanges entre la ville persane de Chiraz, grand centre de production de miniatures, et les sultans des provinces indiennes.

Indian Summer. La jeune scène artistique indienne (École nationale des beaux-arts, 2005) constitue une bonne introduction au travail des artistes contemporains indiens peinture, sculpture, photographie, vidéo, installations, son, etc.

La victoire de Babur à la bataille de Panipat en 1526 marqua le début de l'ère moghole en Inde. Si Babur et son fils Humayun encouragèrent les arts, le développement du style moghol est généralement attribué à Akbar, le fils d'Humayun. Ce style de peinture, souvent sous forme de miniatures colorées, dépeint la vie de la cour, l'architecture, des batailles, des scènes de chasse et des portraits détaillés. Akbar fit venir des artistes de nombreux pays. L'activité, d'abord essentiellement tournée vers l'enluminure de manuscrits (avec des sujets variant de l'histoire à la mythologie), s'élargit ensuite aux portraits et à la glorification de la vie quotidienne. L'influence occidentale se traduisit par quelques innovations dans les motifs et la perspective.

Jahangir, le fils d'Akbar, favorisa également la peinture, avec une préférence pour le portrait. Sa fascination pour les sciences naturelles se traduisit par un superbe patrimoine de peintures représentant des fleurs et des animaux. Sous le règne de son fils Shah Jahan, le style moghol perdit en fluidité et, malgré des couleurs vives, les peintures n'eurent plus autant de vigueur.

Plusieurs écoles de miniatures virent le jour au Rajasthan à partir du XVIIe siècle. Les sujets abordés allaient des défilés royaux aux *shikhar* (expéditions de chasse) et de nombreux artistes étaient influencés par les styles moghols. Les couleurs intenses, encore visibles aujourd'hui dans les miniatures et les fresques de certains palais indiens, étaient souvent obtenues en broyant des pierres semi-précieuses ; l'or et l'argent provenaient de feuilles d'or et d'argent réduites en fine poudre.

Au XIXe siècle, la peinture du Nord, fortement influencée par les styles occidentaux (notamment par les aquarelles britanniques), donna naissance à ce que l'on appelle la Company School, basée à Delhi.

Aujourd'hui, les peintures d'artistes indiens contemporains atteignent des records de vente partout dans le monde, tant par le nombre que par leurs prix. **Saffronart** (www.saffronart.com), une société de vente aux enchères installée à Mumbai (Bombay), remporte un grand succès, notamment grâce aux ventes en ligne après présentation des œuvres à Mumbai et à New York. Ces dernières années, des sociétés de vente aux enchères internationales ont afflué en Inde pour installer des bureaux ou conclure des alliances avec des galeries, afin de profiter d'un marché en pleine croissance.

Artisanat

Au fil des siècles, les nombreux groupes ethniques du sous-continent ont développé un patrimoine artistique à la fois imaginatif et doté d'une signification spirituelle. La plupart des objets allient esthétique et utilité.

La production artisanale ne reste pas confinée à sa région d'origine : les artistes se déplacent et s'inspirent parfois des idées d'autres régions. Ainsi, vous trouverez des boutiques d'artisanat du Cachemire partout en Inde.

La diversité est époustouflante. Parmi les articles les plus prisés, citons les céramiques, les bijoux, les articles en cuir, les métaux travaillés, les sculptures en pierre ou en bois, les objets en papier mâché et un somptueux éventail de textiles. Pour plus de détails sur l'artisanat, reportez-vous p. 767.

SPORTS

Cricket

Le cricket reste incontestablement le sport favori des Indiens. Pour les voyageurs, s'y intéresser constitue un moyen infaillible d'engager une conversation passionnée avec des habitants de toutes classes sociales, depuis les chauffeurs de taxi jusqu'aux cadres de l'informatique. Plus qu'un sport, le cricket est une affaire de fierté nationale, surtout quand l'Inde joue contre le Pakistan. Les matchs entre ces deux pays, aux relations tendues depuis l'Indépendance, déclenchent une ferveur qui frise le fanatisme et les joueurs des deux équipes subissent une pression intense.

> L'Inde possède le stade de cricket le plus haut du monde, à 2 250 m d'altitude à Chail, près de Shimla (Himachal Pradesh).

Aujourd'hui, le cricket est aussi devenu un énorme marché – notamment dans sa variante la plus courte, le twenty20 – attirant de lucratifs financements et assurant la célébrité de ses joueurs, tels le batteur Sachin Tendulkar et le lanceur Harbhajan Singh. Ce sport n'est pas à l'abri des scandales, comme celui des matchs truqués il y a quelques années.

Les rencontres internationales se déroulent dans diverses villes indiennes : pour les dates, les lieux et l'achat de billets en ligne (conseillé), consultez le site http://indiancricketleague.in/tickets.html. De nombreux journaux indiens publient des détails sur les matchs à venir.

Cricinfo (www.cricinfo.com, en anglais) et **Cricbuzz** (www.cricbuzz.com, en anglais) se consacrent à l'actualité du cricket.

Tennis

Moins populaire que le cricket, le tennis suscite néanmoins un intérêt croissant. Le premier succès indien a été signé par Leander Paes et Mahesh Bhupathi, qui ont remporté le double messieurs à Wimbledon en 1999. Plus récemment, Bhupathi s'est imposé dans le double mixte de l'Open d'Australie en 2009 avec l'Indienne Sania Mirza, tandis que Paes et sa partenaire Cara Black (originaire du Zimbabwe) ont gagné le double mixte de l'US Open en 2008.

À l'Open de Dubaï en 2005, la joueuse indienne Sania Mirza créait la surprise en terrassant la championne de l'US Open 2004, Svetlana Kuznetsova. Mirza, classée 97e joueuse mondiale (90 rangs derrière Kuznetsova), devint la première Indienne à remporter un titre WTA. Sa victoire en double mixte à l'Open d'Australie en 2009 lui a assuré une place dans l'histoire du tennis en tant que première Indienne à gagner un tournoi du Grand Chelem.

L'**All India Tennis Association** (AITA ; www.aitatennis.com) vous fournira davantage de renseignements sur le tennis en Inde.

Polo

Le polo à cheval, florissant en Inde jusqu'à l'Indépendance (en particulier dans la noblesse), déclina ensuite par manque de moyens. Il connaît aujourd'hui un regain d'intérêt grâce à de nouveaux soutiens financiers, mais reste un sport d'élite au public limité.

Durant les mois d'hiver, les voyageurs peuvent côtoyer la haute société en assistant à un match, notamment à Delhi, à Jaipur et à Kolkata (Calcutta ; consultez la presse locale). Le polo est également joué au Ladakh et à Manipur.

Pour des détails sur les Jeux du Commonwealth à Delhi en 2010, consultez www.cwgdelhi2010.org.

Les origines du polo demeurent incertaines. Si l'on pense généralement qu'il trouverait ses racines en Perse et en Chine il y a quelque 2 000 ans, il serait apparu dans le sous-continent au Baltistan (dans l'actuel Pakistan). Des journaux spécialisés affirment que les règles du jeu furent définies par l'empereur Akbar (r 1556-1605). Cependant, le polo tel qu'il se pratique aujourd'hui fut largement influencé par un régiment de cavalerie britannique stationné en Inde dans les années 1870. Les règles internationales furent établies après la Première Guerre mondiale. Le plus ancien club de polo toujours en activité, le **Calcutta Polo Club** (www.calcuttapolo.com), fondé en 1862, se trouve à Kolkata.

Hockey

Bien que sport national du pays, le hockey sur gazon a perdu une grande partie de son public au profit du cricket, qui accapare l'essentiel des financements sportifs.

Durant son âge d'or, entre 1928 et 1956, l'Inde remporta six médailles d'or consécutives aux Jeux olympiques, puis deux autres plus tard, en 1964 et en 1980.

Des initiatives récentes visent à ressusciter l'intérêt pour le hockey. Avec un certain succès, des clubs prestigieux font campagne auprès des jeunes, scolarisés ou étudiants, pour les encourager à s'inscrire. Au début 2009, les équipes nationales masculine et féminine de hockey étaient respectivement classées 11e et 14e mondiales.

Pour plus d'informations, consultez les sites en anglais **Indian Hockey** (www.indianhockey.com) et **Indian Field Hockey** (www.bharatiyahockey.org).

Autres sports

La deuxième nation la plus peuplée du monde a été raillée pour ses maigres performances aux derniers Jeux olympiques, les critiques dénonçant, entre autres, le faible engagement des sponsors, la pénurie d'infrastructures et d'équipements et le manque d'intérêt du public.

KABADDI – KABADDI – KABADDI

Sorte de croisement entre le jeu de chat et le rugby sans ballon, le kabaddi est joué dans tout le pays et particulièrement au Punjab, dans le nord de l'Inde. Alors que l'un des joueurs d'une équipe scande "kabaddi" – il ne peut s'interrompre, sans quoi l'autre équipe de 7 joueurs remporte la partie – les adversaires s'efforcent de lui faire toucher la ligne du centre. La partie dégénère fréquemment en mêlée, mais un jeune joueur nous a assuré qu'il y avait des règles : "Il est interdit de frapper l'adversaire ou de poser la main sur sa bouche ; ce serait une faute."

Moins pratiqué et similaire, le *kho-kho* oppose deux équipes de 9 joueurs. L'un d'eux course son adversaire autour d'une ligne de 8 joueurs assis.

À Beijing en 2008, l'Inde n'a remporté que trois médailles, toutes gagnées par des hommes : une médaille d'or pour le tir (carabine à air comprimé à 10 m) et deux médailles de bronze pour la boxe et la lutte. Aux Jeux olympiques d'Athènes en 2004, le pays n'avait remporté qu'une médaille d'argent (tir double-trap messieurs). À ceux de Sydney en 2000, l'Inde ne s'illustra que par la médaille de bronze de l'haltérophile Karnam Malleswari, la première femme indienne à remporter une médaille olympique.

Le football compte un nombre raisonnable de supporters, surtout dans l'Est et le Sud ; pour plus de détails, consultez le site **Indian Football** (www.indianfootball.com). Début 2009, l'Inde occupait le 148e rang mondial au classement de la FIFA.

Particulièrement populaires à Mumbai (Bombay), Mysore, Delhi, Kolkata (Calcutta), Hyderabad et Bengaluru (Bangalore), les courses de chevaux se déroulent principalement en hiver. Consultez les sites **India Race** (www.indiarace.com), **Equine India** (www.equineindia.com) et **Racing World** (www.racingworldindia.com).

Parmi les anciens sports traditionnels toujours pratiqués, citons le *kho-kho* et le *kabaddi* (voir l'encadré p. 79), sortes de jeux de chat élaborés.

MÉDIAS

Selon le rapport de 2008 de la World Association of Newspapers (WAN ; Association mondiale des journaux) sur les tendances mondiales de la presse, l'Inde est le second plus grand marché, après la Chine, pour les journaux, avec quelque 99 millions d'exemplaires vendus chaque jour. En 2007, la vente de journaux en Inde avait grimpé de 11,2%, et de 35,5% sur une période de 5 ans.

Le plus ancien journal indien en langue anglaise, le *Times of India* (son titre depuis 1861) parut d'abord sous forme de bihebdomadaire en 1838, alors appelé *The Bombay Times and Journal of Commerce*.

Dans l'ensemble, la presse écrite indienne – qui comprend des milliers de quotidiens et de magazines en diverses langues vernaculaires – bénéficie d'une grande liberté d'expression. Selon de récentes enquêtes, les journaux indiens en langue anglaise les plus lus sont le **Times of India** (www.timesofindia.com), **The Hindu** (www.hinduonnet.com) et l'**Hindustan Times** (www.hindustantimes.com). D'autres quotidiens et magazines d'actualités en anglais sont indiqués p. 771. La plupart des publications possèdent un site Internet.

La télévision indienne était autrefois dominée par **Doordarshan** (www.ddindia.gov.in), la chaîne nationale contrôlée par le gouvernement. L'arrivée de la TV satellite au début des années 1990 a révolutionné les habitudes des téléspectateurs. Ils ont désormais accès à des centaines de chaînes, des géants internationaux tels que CNN ou la BBC et de nombreuses chaînes régionales émettant en langue locale.

Pour des liens vers les journaux indiens nationaux et régionaux, connectez-vous à l'adresse www.onlinenewspapers.com/india.htm.

L'**All India Radio** (AIR ; www.allindiaradio.org), contrôlée par le gouvernement, est l'un des plus gros producteurs de radio du monde. Elle diffuse notamment des informations, des interviews, de la musique et du sport. Il existe par ailleurs sur tout le territoire un nombre croissant de radios privées FM offrant une programmation plus variée, dont des émissions avec le public sur des sujets autrefois tabous, comme les problèmes conjugaux.

Vous trouverez leurs programmes et leurs fréquences dans les journaux locaux.

Cuisine indienne

Banquet de fumets, de couleurs et de saveurs, la cuisine indienne exprime métaphoriquement la personnalité du pays. Comme bien d'autres domaines en Inde, la cuisine échappe à toute classification simpliste tant la diversité est grande selon les régions, dans les techniques de préparation comme dans les ingrédients. De la tradition moghole privilégiant la viande, aux célèbres tandoor (fours en argile) du Punjab, en passant par les recettes "indiennes" fortement occidentalisées de l'époque coloniale, il y en a pour tous les goûts. Les arômes divins des épices, le jus exquis des fruits exotiques et les curries très relevés, c'est tout cela la gastronomie indienne.

Vous pourrez goûter, un peu partout en Inde du Nord, mais tout particulièrement dans les grandes villes, aux spécialités de tout le pays.

En raison de son prix prohibitif, le safran est parfois mélangé à du carthame. On le surnomme alors "safran bâtard".

SPÉCIALITÉS LOCALES

Épices

Quand il a "découvert" l'Amérique, Christophe Colomb cherchait une nouvelle route vers la côte et le poivre noir de Malabar (Kerala et Karnataka). Aujourd'hui encore, le Kerala reste une grande région productrice de cette épice universellement appréciée. Les épices entrent dans la composition des mets les plus savoureux. Le curcuma donne leur couleur jaune aux mélanges et les graines de coriandre, très utilisées, relèvent les préparations. Pour confectionner la plupart des curries, plats emblématiques de l'Inde, on commence par jeter quelques graines de cumin dans de l'huile bouillante. Le tamarin, ou datte indienne, est utilisé pour sa saveur acidulée. On se sert beaucoup de la cardamome verte des Ghats occidentaux du Kerala pour parfumer les desserts et le *chai* (thé). Le safran, stigmates séchés de la fleur d'un crocus cultivé au Cachemire, est si léger qu'il faut cueillir plus de 1 500 fleurs (à la main) pour en obtenir un gramme.

Pratiquement tous les plats indiens se caractérisent par un mélange d'épices qui leur est propre et il y a autant de recettes différentes de *masala* (mélange) qu'il y a de méchants dans un film de Bollywood.

Le Curry. Une histoire gastronomique de l'Inde (Payot, 2009) de Lizzie Collingham évoque à travers cette préparation savoureuse le passé de l'Inde. Une vingtaine de recettes complètent son étude.

Riz

Le riz est, avec le blé, la denrée de base. Les riz blancs à long grain sont les plus courants. Ils sont servis très chauds en accompagnement des ragoûts. Le riz est souvent préparé sous forme de *pilao* (pilaf) ou de *biryani*. Il existe en Inde d'innombrables variétés régionales. Les habitants de chaque État affirment bien sûr détenir "la meilleure du pays", bien qu'en général ils s'accordent à concéder cet honneur au basmati, une variété de riz long largement exportée dans le monde entier.

Le khichdi (ou *khichri*), surtout préparé dans le Nord, est un mélange de riz et de lentilles légèrement épicé. Il est souvent préparé dans les foyers pour apaiser les maux de ventre – il est parfait pour la turista – ; certains restaurants en servent sur commande.

Symbole de pureté et de fertilité, le riz est utilisé lors des mariages hindous, et souvent en puja (offrandes) dans les temples.

Roti (pains)

Si le riz est omniprésent dans la cuisine du Sud, le blé domine dans celle du Nord. *Roti*, terme générique désignant tout type de pain, est synonyme de chapati, ces délicieuses galettes faites avec de la farine complète non levée, cuites sur un *tawa* (plaque légèrement concave). On peut adjoindre aux *roti* du *ghee* (beurre clarifié) ou de l'huile, ou les manger nature. Dans certains endroits, ils sont plus gros et plus épais que les chapati et cuits dans un tandoor.

Le *puri* est une sorte de beignet à la fois tendre et croustillant qui gonfle quand on le frit. Les *kachori* lui ressemblent plus ou moins, mais leur pâte est enrichie de maïs ou de dhal (lentilles). Le *paratha*, sans levain et feuilleté, se mange nature ou fourré de *paneer* (fromage frais à pâte molle). Le *naan*, épais et généralement de forme ovale, se cuit dans un tandoor. Il est particulièrement savoureux dans sa version aillée.

L'Inde gourmande. Encyclopédie de la cuisine indienne (Picquier, 2007) de Jean Papin réunit 162 recettes indiennes. Un recueil riche et épicé.

Dhal

Si le Nord et le Sud n'ont pas les mêmes céréales de base, ils partagent le goût du dhal (purée de lentilles ou de légumes secs au curry). Vous pourrez rencontrer jusqu'à 60 légumes secs différents. Les plus fréquents sont les *chana*, légèrement plus sucrés que les pois cassés jaunes. Vous trouverez aussi les *moong* (haricots mungs), de minuscules haricots ovales verts ou jaunes ; les *masoor* (lentilles à la belle couleur saumon) ; les *tuvar* ou *arhar* (ces lentilles sont en fait des pois cassés orangés, très appréciés dans tout le Sud du pays) ; les *rajma* (haricots rouges) ; les *kabuli chana* (pois chiches) ; les *urad* (lentilles noires) ; ou encore les *lobhia* (cornilles).

Viande

Même si, à elle seule, l'Inde compte probablement plus de végétariens que le reste du monde, sa gastronomie n'en est pas moins riche de plats carnés. Le poulet, l'agneau et le mouton (parfois de la chèvre) sont les viandes les plus courantes. Leur religion interdit la consommation du bœuf aux hindous et celle du porc aux musulmans.

Plus d'infos sur la gastronomie indienne p. 365.

Dans le Nord, la cuisine moghole fait la part belle à la viande, notamment dans les curries, kebabs, *kofta* et *biryani*. Cette gastronomie épicée remonte à l'époque où les Moghols (musulmans) régnaient sur l'Inde.

Autre grande spécialité du Nord, les viandes tandoori tirent leur nom du tandoor dans lequel on les cuit après les avoir fait mariner.

Poissons et fruits de mer

L'Inde du Nord n'est pas l'endroit idéal pour manger du poisson, sauf au Bengale-Occidental, où lacs et rivières abondent. En cas de doute sur la fraîcheur de la marchandise, mieux vaut s'abstenir.

Le curry indien n'existe pas. Ce terme, dérivé du mot tamoul *kari* (sauce), était employé par les Britanniques pour désigner les plats épicés.

Fruits et légumes

Les légumes sont de tous les repas et le terme *sabzi* (légumes) se comprend dans toutes les langues indiennes. On prépare généralement les légumes *sukhi* (sans sauce) ou *tari* (en sauce). Dans les deux cas, ils peuvent être frits, sautés, farcis, cuits au four, mitonnés en curry, réduits en purée et mélangés à d'autres ingrédients pour en faire des kofta, ou enrobés de pâte à frire pour faire des *pakora* (beignets).

Les pommes de terre sont très utilisées. Elles sont assaisonnées avec divers masala, servies accompagnées d'autres légumes, ou réduites en purée puis frites pour confectionner les *aloo tikki* (boulettes de purée frites) vendus dans la rue. Les oignons sont revenus avec d'autres légumes, réduits en une fine pâte servant de base à l'assaisonnement des viandes ou servis crus comme condiments. Généralement, les têtes de chou-fleur ne sont pas mélangées à d'autres légumes mais cuites seules, puis associées aux pommes de terre dans la préparation de l'*aloo gobi* (curry), ou aux carottes et aux haricots par exemple. Les petits pois et divers légumes entrent dans la composition des *pilao* et *biryani* et dans celle du plat emblématique de la gastronomie du Nord, le *mattar paneer* (curry de pois et de fromage non fermenté). *Les baigan* (aubergines) se servent en curry ou en fines tranches frites. Les Indiens sont aussi très friands de *saag* (mot générique pour les légumes feuilles), parmi lesquels figurent moutarde, épinards et fenugrec. Plus insolites, les *karela* (gourdes amères) s'accommodent souvent sans sauce, avec des épices, tout comme les délicieux *bhindi* (okras).

Les fruits entrent dans la composition des *chatni* (chutneys) et pickles, et parfument les *lassi* (boissons glacées à base de yaourt), les *kulfi* (glaces de consistance épaisse) et autres douceurs. Les agrumes, oranges (la variété indienne a la peau plutôt vert-jaune), tangerines, pamplemousses roses ou jaunes, kumquats et citrons doux, poussent dans tout le pays. L'Himachal Pradesh produit des pommes croquantes à l'automne. Le Cachemire se distingue pour ses belles fraises. Les fruits tropicaux en provenance du Sud, comme les ananas ou les papayes, sont excellents. Les mangues abondent pendant les mois d'été (surtout avril et mai). L'Inde en compte plus de 500 variétés, la meilleure étant l'Alphonso.

Dans *Des comptoirs à la cuisine. Hommage à l'abbé Raynal* (Actes Sud, 2007), Olivier Roellinger propose des recettes originales que lui ont inspirées l'ouvrage que l'abbé Raynal a consacré au commerce avec l'Inde et les Amérique au XVIIIe siècle.

Pickles, chutney et autres condiments

Aucun repas indien ne mériterait son nom s'il en était privé. Ces petites garnitures vont de l'oignon au vinaigre à de savantes compositions, mélanges de fruits, de fruits secs et d'épices. La plus connue est le *raita* (yaourt légèrement épicé contenant souvent du concombre râpé ou des morceaux d'ananas), servi glacé. Il constitue un excellent contrepoint à un plat très relevé. Les *chatni* (chutneys), sucrés ou salés, sont réalisés à partir de légumes, de fruits, d'herbes et d'épices. Mieux vaut faire preuve de la plus grande prudence avant d'en agrémenter son *thali* : certains sont très forts.

La Colère des aubergines. Récits gastronomiques de Bulbul Sharma (Picquier, 2002) est une analyse amusante des rapports sociaux vus à travers la cuisine. Elle est ponctuée de savoureuses recettes.

Laitages

Le lait et les produits laitiers sont très présents dans la cuisine indienne : le *dahi* (lait caillé/yaourt) est de tous les repas ou presque ; sa fraîcheur est appréciable quand il fait chaud. Le *paneer* est un fromage frais au goût neutre, très apprécié des végétariens qui l'accompagnent de condiments ; le *lassi* figure au nombre des boissons sucrées ou salées nourrissantes ; le *ghee* sert traditionnellement à la cuisson des aliments ; et certains des meilleurs *mithai* (sucreries indiennes) sont à base de lait.

Desserts et douceurs

La variété colorée des mithai, souvent collants et spongieux, et pour la plupart très sucrés, dépasse l'entendement. Les principaux sont les *barfi* (bonbons carrés à base de confiture de lait), les *halwa* moelleux (confiseries fabriquées avec des légumes, de la farine, des céréales, des lentilles, des amandes ou des fruits), les *ladoo* (boulettes sucrées à base de farine de pois chiche) et ceux à base de *chhana* (*paneer* non pressé), comme les *rasgulla* (boulettes de fromage frais à l'eau de rose). Il y a aussi les inimitables *jalebi* (serpentins de pâte orangée frits et trempés dans le sirop), servis chauds, plus simples mais tout aussi savoureux, que l'on trouve partout.

Dans tout le pays, le *kheer* (ou *payasam* dans le Sud) fait l'unanimité comme dessert en conclusion du repas. C'est un gâteau de riz légèrement aromatisé à la cardamome, au safran ou à la pistache, agrémenté d'amandes, de noix de cajou ou de fruits secs. Les *gulab jamun* sont des boulettes d'une pâte à base de lait, frites et trempées dans un sirop à la rose. Le *kulfi*, délicieuse crème glacée à base de lait réduit qui lui donne sa consistance ferme, se décline dans de multiples parfums : pistache, fruits, baies, etc.

On estime à 14 tonnes la quantité d'argent pur convertie chaque année en papier argenté comestible pour décorer les friandises, en particulier pendant les festivités de Diwali.

Le blog de Pankaj (www.pankaj-blog.com), une jeune actrice indienne installée en France, est une véritable mine d'informations sur la cuisine indienne. Elle expose notamment dans des vidéos savoureuses comment préparer les principales spécialités de son pays d'origine.

LA MAGIE DU PAAN (CHIQUE DE BÉTEL)

Un repas indien se termine souvent par un *paan*, mélange odorant de noix de bétel (ou noix d'arec), de pâte de citron vert, d'épices et de condiments enveloppé dans une feuille soyeuse et comestible. Rafraîchissant, le *paan* est apprécié pour ses vertus digestives, aussi les *paan*-wallahs se postent-ils souvent à la sortie des restaurants. La noix d'arec est légèrement narcotique et certains la consomment comme d'autres allument cigarette sur cigarette. À la longue, leurs dents prennent une coloration rouge tirant sur le noir, révélatrice de leur addiction.

Les *paan* peuvent être soit *mitha* (sucrés), soit *saadha* (au tabac). Une bouchée de *mitha paan* est une manière agréable de terminer un bon repas. Mâchez lentement la préparation, comme du chewing-gum, en laissant les sucs faire le bonheur de vos papilles.

BOISSONS

Boissons sans alcool

Le *chai* (thé), boisson favorite de la population, se sert largement additionné de lait et de sucre. Un verre de chai brûlant et mousseux est l'antidote idéal aux vicissitudes du voyage. La voix désincarnée psalmodiant "*garam chai*, *garam chai*" (thé chaud, thé chaud) deviendra vite pour vous un son familier et bienvenu. Ceux qui sont intéressés par des cours de dégustation de thé se reporteront p. 551.

La légende dit que le Bouddha, s'étant endormi en méditant, décida de se couper les paupières en signe de pénitence. De ces dernières naquît la plante du thé qui, une fois infusée, empêche le sommeil.

Si le *chai* est la boisson nationale, le café, apprécié de longue date dans le Sud, fait de plus en plus d'adeptes dans le Nord et les chaînes de café huppées, comme Barista ou Café Coffee Day, se développent progressivement.

Le *masala soda* est *la* boisson indienne. Vous le trouverez dans le moindre petit stand. Ce soda pétillant se boit agrémenté de citron vert, d'épices, de sel et de sucre. Le *jal jeera*, du jus de citron doux additionné de cumin, de menthe et de sel gemme, est sans doute la boisson indienne la plus thérapeutique et la plus rafraîchissante. Apprécié dans toute l'Inde, le *lassi*, boisson sucrée ou salée à base de yaourt, est également revigorant.

Le *faluda*, aromatisé à la rose, se compose de lait, de crème, de noix et de vermicelles. Le *badam* (servi chaud ou froid) est un lait au safran et aux amandes.

Les *pappadam* (ou *pappad*) sont des galettes rondes fines et croustillantes, à base de farine de lentille ou de pois chiche, servies avant ou avec le repas.

L'Inde compte d'innombrables vendeurs de jus de fruits frais, mais soyez vigilants quant à l'hygiène (voir l'encadré p. 87). Dans les restaurants, sucre ou sel sont couramment ajoutés aux jus de fruit ; pensez à les commander nature si c'est ainsi que vous les préférez.

Pour des conseils de prudence en matière d'eau potable, reportez-vous p. 823.

Boissons alcoolisées

Plus des trois quarts de la population consommatrice d'alcool boivent des "*country liquors*", dont le célèbre *arak* (à base de sève de cocotier, de pomme de terre ou de riz) du Sud. C'est la boisson des pauvres et des millions de personnes ne peuvent se passer de ce tord-boyaux. Tous les ans, de nombreuses personnes perdent la vue et parfois la vie après avoir bu de l'arak frelaté sortant d'une distillerie illicite où il est mélangé à de l'alcool méthylique.

Pour en savoir plus sur les vins indiens, consultez www.indianwine.com (en anglais). Santé !

Le *mahua* est un alcool blanc entêtant au goût puissant obtenu par la distillation des fleurs de l'arbre du même nom. En mars-avril, époque de la floraison, des distilleries improvisées s'installent dans la moindre localité du centre de l'Inde. Le *mahua* ne présente aucun danger du moment qu'il vient d'une distillerie fiable – mais peut être très dangereux quand l'alcool est frelaté par adjonction d'alcool méthylique.

Tous les villages de l'Est et du Nord-Est produisent leur bière de riz. Dans l'Himalaya, on trouve du *raksi*, un alcool de grain fort, dont le léger goût de charbon évoque celui de certains whiskies.

Les alcools étrangers produits en Inde (*Indian Made Foreign Liquors*, IMFL), à base d'alcool rectifié, représentent environ un quart du marché. Ces dernières années, la consommation d'alcools importés a augmenté dans les grandes villes où un nombre croissant de bars et de restaurants affiche des marques étrangères à côté des productions nationales.

Produite dans l'Himachal Pradesh, la bière Solan sort de l'une des brasseries les plus hautes du monde (2 400 m).

La bière est très répandue en Inde. Bars et restaurants haut de gamme offrent un vaste choix de marques indiennes et étrangères. La plupart des bières indiennes sont des blondes titrant autour de 5%, la préférée des voyageurs étant la Kingfisher.

La consommation de vin gagne régulièrement du terrain, même si l'industrie vinicole indienne en est encore à ses débuts. Les conditions favorables du climat et du sol dans certaines régions du Maharashtra et du Karnataka ont néanmoins donné naissance à quelques établissements vinicoles de qualité tels que Chateau Indage (www.indagevintners.com), Grover Vineyards (www.groverwines.com) et Sula Vineyards (www.sulawines.com). Chardonnay, chenin blanc, sauvignon blanc, cabernet sauvignon, shiraz et zinfandel comptent au nombre des cépages employés. Si vous souhaitez boire à la manière des souverains, les liqueurs royales du Rajasthan (autrefois réservées à la consommation dans le cercle privé de la famille royale) sont désormais en vente dans les débits de boissons de certaines villes comme Delhi et Jaipur. Parmi les ingrédients qui les composent : l'anis, la cardamome, le safran, la rose, les dattes, ou encore la menthe. Une des plus populaires est la “Maharani Mahansar” (1 700 Rs/bouteille).

PLATS DE FÊTE

Même si la plupart des fêtes hindoues sont essentiellement religieuses, elles sont souvent l'occasion d'agapes animées. Les mets sucrés étant considérés comme des produits de luxe, la fête ne serait pas complète s'il n'y en avait à profusion. Les *karanji*, en forme de croissant, sont fourrés de *khoya* (lait sucré crémeux) et de noix. Ils sont associés à Holi, la plus grande fête de l'hindouisme, qui ne serait plus la même sans les *malpua* (crêpes trempées dans un sirop), les barfi et les *peda* (bouchées multicolores de khoya enrobées de sucre). Diwali, la fête des Lumières, est célébrée dans tout le pays. Certaines régions ont des friandises spéciales pour l'événement.

Pour la liste des principales festivités indiennes, voir p. 27.

Le ramadan est pour les musulmans le mois du jeûne. Il leur est alors interdit de manger et de boire entre le lever et le coucher du soleil. Chaque jour, le jeûne est rompu avec des dattes – aliment de bon augure dans l'islam –, puis avec des fruits et des jus de fruit. Le dernier jour du ramadan, lors de l'Id al-Fitr, un plantureux banquet met fin au jeûne. On y sert des *biryani* à la viande et quantité de friandises confectionnées uniquement pour cette fête.

ÉTABLISSEMENTS

L'Inde compte une multitude de restaurants, des gargotes de rue délabrées aux restaurants chic des hôtels de luxe. La plupart des établissements de catégorie moyenne servent soit des spécialités du Sud (le plus souvent les plats végétariens du Tamil Nadu et du Karnataka), soit des plats du Nord (dont des spécialités punjabis et mughlais). Les cuisines des régions et États voisins sont souvent représentées car les Indiens doivent faire preuve d'une grande mobilité pour trouver du travail, et les restaurants permettent aux “expatriés” de manger comme chez eux.

Dans de nombreux grands hôtels, certains restaurants vous proposeront d'excellents menus puisés dans les gastronomies régionales, ce qui permet, sans aller partout, de goûter à tout. Les prix, prohibitifs proportionnellement aux revenus des Indiens, restent accessibles à la plupart des Occidentaux. Certaines grandes villes plus cosmopolites, comme Delhi, remarquables par la diversité de leur offre, voient fleurir des restaurants proposant une cuisine italienne, mexicaine chinoise et méditerranéenne aussi bien qu'indienne – pour plus de détails, reportez-vous aux rubriques *Où se restaurer* dans les chapitres régionaux.

Tandoori ! de C. Cavicchioli (De Vecchi, 2009) constitue une bonne introduction à la cuisine indienne, avec une trentaine de recettes faciles à réaliser qui couvrent toute la palette des spécialités culinaires du pays.

Les *dhaba* (ou snack-bars) accueillent des millions de routiers, de passagers de bus et de voyageurs. L'alimentation simple mais excellente qui y est servie a donné naissance au terme générique "menu *dhaba*".

Cuisine de rue

À toute heure du jour, des gens s'affairent à éplucher, presser, mélanger et à faire bouillir, frire, griller, mijoter ou cuire au four toutes sortes d'aliments pour attirer le chaland. Les tout petits commerçants vendent en général le même plat toute la journée. Les autres en proposent de différents pour le petit déjeuner, le déjeuner et le dîner. L'offre varie en fonction du quartier, de la ville et des régions : du simple cornet de riz soufflé ou de cacahuètes grillées dans le sable chaud au sandwich à l'œuf frit, sans oublier la symphonie de saveurs des *chaat* (en-cas salés ; voir p. 143).

La friture est la nourriture de base de la rue, où l'on déguste des samosas roboratifs et des *bhajia* (beignets de légumes) plus ou moins relevés. Dans les quartiers où vit une importante communauté musulmane, vous pourrez goûter des kebabs trempés dans une sauce onctueuse et enroulés dans un pain indien chaud.

Une fringale ? Procurez-vous *Street Foods of India* de Vimla et Deb Kumar Mukerji qui regroupe les recettes des en-cas phares de l'Inde comme les samosas, *bhelpuri*, *jalebis* et *kulfi*.

Sur les quais des gares

L'un des grands bonheurs du voyage en train est le défilé qui vous accueille dans la plupart des gares. Des vendeurs chargés de mets savoureux font l'article, criant et grimpant d'un wagon à l'autre ou passant bananes, omelettes et fruits secs entre les barreaux des fenêtres tandis que des "chefs" ambulants tentent de vous faire descendre en vous appâtant avec l'odeur des samosas rissolant dans l'huile bouillante. Les habitués du rail connaissent les spécialités de chaque gare : Agra est réputée pour ses *petha* (potirons enrobés de sucre cristallisé) et Dhaund, près de Delhi, pour ses *biryani*.

OÙ PRENDRE UN VERRE

Le Gujarat est le seul État où la vente d'alcool reste interdite. Partou ailleurs, il existe des lois pour la réglementer. Dans chaque État, les magasin de spiritueux peuvent avoir l'interdiction de vendre de l'alcool certain jours précis. L'alcool est frappé de taxes exorbitantes dans tout le pays sauf à Goa.

Vous trouverez d'agréables bars dans la plupart des métropoles, comm Kolkata (Calcutta) et Delhi. Ils s'animent surtout le week-end. Les plu chic servent un choix impressionnant de boissons indiennes et étrangère et de la bière à la pression. Les bars virent souvent au night-club après 20h mais on trouve aussi des lounge-bars tranquilles dans certaines grande villes. Dans les petites villes, les bars tiennent souvent du bouge et il serai imprudent pour une voyageuse de s'y aventurer seule. Pour plus de détail sur les bars, reportez-vous aux rubriques *Où prendre un verre* dans le chapitres régionaux.

La réglementation draconienne sur les licences décourage la consommatio d'alcool dans certains restaurants. Pour profiter de la manne touristique, de

BIEN MANGER DANS LA RUE

La cuisine de rue est l'un des grands plaisirs du voyage en Inde. Voici quelques conseils pour éviter les désagréments.

- Donnez quelques jours à votre organisme pour qu'il s'habitue à la cuisine locale, surtout si vous n'êtes pas habitué aux mets épicés.
- Faites comme tout le monde – si les gens du coin boudent un marchand, imitez-les. Regardez qui fait la queue. Quand il y a beaucoup de femmes et de familles, c'est que la nourriture est saine.
- Essayez de voir où et comment le vendeur nettoie son matériel, où et comment il conserve ses ingrédients. Sur un stand de friture, vérifiez que l'huile est propre et pas trop vieille. Si les marmites sont sales ou si les mouches se pressent autour des plats, n'hésitez pas à partir.
- Ne soyez pas surpris, si vous commandez des beignets, de voir le cuisinier les replonger dans l'huile bouillante. Il est normal de précuire les aliments et d'en achever la cuisson à la demande. Le fait de les frire détruit tous les germes.
- Sauf si l'endroit est réputé (et très fréquenté), mieux vaut éviter de manger de la viande dans la rue.
- Le niveau d'hygiène varie grandement d'un stand de jus de fruits à l'autre, soyez donc vigilant. Demandez au vendeur de presser les fruits devant vous et évitez tout ce qui vient d'un récipient ou est déjà servi dans un verre (sauf si vous êtes absolument certain de leur propreté).
- Ne vous laissez pas tenter par les tranches de melon ou de fruit qui conservent leur belle couleur : elles sont régulièrement arrosées d'eau, souvent douteuse.

enseignes servent clandestinement de la bière dans des théières ou des verres déguisés – n'acceptez rien de la sorte, ou vous risqueriez de vous mettre en infraction. Rares sont les restaurants végétariens à servir de l'alcool.

VÉGÉTARIENS

C'est sans doute en Inde que la cuisine végétarienne est la meilleure du monde. La notion de végétalisme n'est pas comprise dans le pays, car si l'expression *pure vegetarian* signifie sans œufs, la plupart des produits dérivés comme le lait, le beurre, le *ghee* et le lait caillé entrent dans la composition des recettes végétariennes. Si vous êtes végétalien, la première difficulté sera de faire comprendre vos besoins au cuisinier. Le plus simple est peut-être de manger dans la rue, ce qui permet de voir les ingrédients employés pour les plats.

Convertissez-vous à la cuisine végétarienne grâce aux nombreuses recettes indiennes regroupées dans l'ouvrage de Vidhu Mittal, *Pure et simple. Nouvelle cuisine végétarienne indienne* (Agnès Vienot Éditions, 2009).

À TABLE

Traditionnellement, les Indiens prennent trois repas par jour. Le petit-déjeuner, léger, se compose souvent de *paratha* dans le Nord, voire simplement de fruits, de céréales et/ou de toasts. Le déjeuner peut être substantiel (avec la version locale du *thali*, par exemple) ou léger, notamment dans les bureaux où le temps est limité. Le dîner constitue généralement le principal repas de la journée. Il comprend habituellement plusieurs préparations : des curries de légumes (voire de viande) et du dhal, accompagnés de riz et/ou de chapati. Tous les plats sont servis en même temps. Le dessert, qui n'est pas systématique, se limite souvent à un fruit. Sinon, il est plutôt réservé aux grandes occasions. Dans de nombreux foyers, le dîner peut être tardif (après 21h) ; tout dépend des goûts et de la saison – il se prend plus tard pendant les mois les plus chauds. Les restaurants ne s'animent en général qu'après 21h.

Alimentation et religion

Pour de nombreux Indiens, les aliments sont autant destinés à satisfaire l'esprit que le corps. En principe, les hindous évitent les aliments susceptibles de nuire au développement physique et spirituel mais il n'existe pas de règles strictes. L'interdiction de manger du bœuf est le seul véritable tabou. Les hindous les plus pratiquants (et les jaïns) ne boivent pas d'alcool et évitent l'ail et l'oignon qui, croient-ils, échauffent le sang et suscitent la passion. C'est pourquoi certains restaurants végétariens affichent l'absence d'oignon et d'ail dans leurs plats. Alcool, ail et oignon n'ont pas non plus droit de cité dans les ashrams.

Le *prasad* est une offrande de nourriture que l'on fait aux dieux dans les temples et que l'on partage ensuite entre les fidèles.

Certains produits, les laitages par exemple, sont considérés comme purs par essence. On les consomme pour nettoyer le corps et l'esprit, physique et immatériel. L'ayurvéda, ancienne science de la vie, de la santé et de la longévité, influence profondément les coutumes alimentaires.

Le porc et l'alcool sont interdits dans l'islam et la plupart des musulmans ne consomment pas d'excitants. "Halal" est le terme désignant les nourritures permises ; celles à proscrire sont dites "haram". Les périodes de jeûne doivent permettre de mériter l'approbation d'Allah, d'effacer l'ardoise des péchés et de comprendre la souffrance du pauvre.

Les bouddhistes adhèrent au précepte de l'*ahimsa* (philosophie de la non-violence) exposé dans le jaïnisme. La plupart des bouddhistes indiens sont végétariens. Le végétarisme le plus rigoureux est au centre du jaïnisme, doctrine exigeant que des mesures rigoureuses soient prises pour éviter la moindre blessure à toute créature vivante. Les jaïns ne mangent pas de légumes racines pour ne pas tuer d'insectes en les cultivant.

Les communautés sikh, chrétienne et parsi n'ont pas, ou quasiment pas, d'interdits alimentaires.

Deux ouvrages pour vous initier à la cuisine selon l'ayurvéda, *Recettes végétariennes de l'Inde selon l'ayurvéda* (La Plage, 2004), de Kiran Vyas et *Les Plaisirs gourmands de la cuisine ayurvédique* (Minerva, 2008) de Florence Pomana.

COURS DE CUISINE

Voici quelques adresses de cours de cuisine pour ceux qui souhaitent acquérir un peu du savoir-faire local. Cette liste n'a rien d'exhaustif vu le nombre croissant d'établissements qui dispensent des cours d'une durée variable, de façon professionnelle ou informelle. En général, les inscriptions se font quelques jours à l'avance.

Bhimsen's Cooking Class, **Lhamo's Kitchen**, **Nisha's Indian Cooking Course**, **Sangye's Kitchen** et **Tibetan Cooking School** (p. 388 ; McLeod Ganj, Himachal Pradesh)

BONNES MANIÈRES À L'INDIENNE

La plupart des Indiens mangent avec la main droite. Dans le Sud, toute la main est mise à contribution ; ailleurs, on utilise uniquement le bout des doigts. La main gauche est réservée aux actes peu hygiéniques, comme d'enlever des chaussures sales. Vous pouvez l'utiliser pour tenir votre verre ou vous servir dans le plat, mais jamais pour porter la nourriture à votre bouche. Après et avant un repas, il convient de se laver les mains.

Une fois servi, mélangez les aliments du bout des doigts pour former une boulette épaisse et collante. Si vous prenez un dhal avec du *sabzi,* incorporez uniquement le dhal à votre riz en accompagnant chaque bouchée d'un peu de *sabzi.* Si vous mangez un curry de poisson ou de mouton, mélangez la sauce au riz et séparez la viande de l'os sur le côté de votre assiette. Saisissez de petites bouchées du mélange du bout des doigts, phalanges tournées vers le plat, approchez votre main de la bouche et poussez les aliments avec le pouce.

Les enfants indiens apprennent très tôt à manger épicé. Il est donc rare qu'un menu spécifique leur soit proposé au restaurant. Il existe cependant quantité de plats non épicés – roti, riz, dhal (éventuellement), crème, soupe, sandwichs, etc. En cas de doute, renseignez-vous auprès du personnel. Certains restaurants prévoient des portions réduites.

Hotel Jamuna Resort (p. 187 ; Jhunjhunu, Rajasthan)
Hotel Krishna Niwas, **Noble Indian Cooking Classes**, **Shashi Cooking Classes** et **Spice Box** (p. 215 ; Udaipur, Rajasthan)
Kali Travel Home (p. 527 ; Kolkata, Bengale-Occidental)
Parul Puri (p. 133 ; Delhi)
Tannie Baig (p. 133 ; Delhi)

LES MOTS À LA BOUCHE

Quelques expressions utiles

Prenez-vous les cartes de crédit ?	*kyaa aap kredit kaard lete/ letee haing ?* (m/f)
Que suggérez-vous ?	*aap ke kyaal meng kyaa achchaa hogaa ?*
Je suis végétarien(ne).	*maing… hoong shaakaahaaree*
J'aimerais…, s'il vous plaît.	*muje… chaahiye*
S'il vous plaît, apportez…	*… laaiye*
l'addition	*bil*
une fourchette	*kaangtaa*
un verre	*glaas*
un verre de vin	*sharaab kee kaa glaas*
un couteau	*chaakoo*
le menu	*menyoo*
de l'eau minérale	*minral vaatar*
une assiette	*plet*
une cuillère	*chammach*
Je ne mange pas de…	*maing… naheeng kaataa/kaatee* (m/f)
Pouvez-vous préparer un repas sans… ?	*kyaa aap… ke binaa kaanaa taiyaar kar sakte/saktee haing?* (m/f)
bœuf	*gaay ke gosht*
produits laitiers	*dood se banee cheezong*
poisson	*machlee*
bouillon de viande	*gosht ke staak*
porc	*suar ke gosht*
volaille	*murgee*
viande rouge (chèvre)	*bakree*
Je suis allergique aux…	*muje… kee elarjee hai*
noix	*meve*
fruits de mer	*machlee*
coquillages	*shelfish*

Glossaire culinaire

achar	légumes émincés et épicés servis froids
aloo	pomme de terre ; aussi *alu*
aloo tikki	pâté de purée de pommes de terre, souvent fourré de légumes ou de viande
arak	boisson alcoolisée obtenue à partir de lait de coco, de pommes de terre ou de riz
arec (noix d')	voir *bétel*
badam	amande
baigan	aubergine ; également désignée sous le terme de *brinjal*
barfi	sucrerie à base de lait ressemblant à du caramel
bebinca	gâteau de Goa à la noix de coco, composé de 16 couches à base de sucre, de muscade, de cardamome et de jaunes d'œufs
besan	farine de pois chiche
besan gate	beignet de *besan* épicé cuit à la vapeur et relevé d'une sauce au curry

bétel	poivrier grimpant dont les feuilles, légèrement enivrantes, sont mélangées à de la noix d'arec et chiquées sous forme de *paan* ; les noix d'arec, ou noix de bétel, sont appréciées pour leurs vertus digestives et stimulantes
bhajia	beignets de légumes
bhang lassi	mélange de *lassi* et de *bhang* (dérivé de marijuana)
bhelpuri	fins beignets accompagnés de riz, de lentilles, d'oignons, d'herbes, de jus de citron et de chutney
bhindi	okra ou gombo
biryani	riz parfumé cuit à la vapeur avec de la viande et des légumes
bonda	pâté de purée de pommes de terre
chaat	en-cas salé, parfois assaisonné au *chaat masala*
chach	boisson au babeurre
chai	thé
channa	pois chiches épicés
chapati	ou *roti* ; pain indien rond sans levure
chatni	chutney
chawal	riz
cheiku	petit fruit marron et sucré qui ressemble à une pomme de terre
curd	lait caillé
dahi	lait caillé/yaourt
dhal	purée de légumineuses (souvent de lentilles), ou plat à base de ces légumes secs
dhal makhani	lentilles noires et haricots rouges avec de la crème et du beurre
dhansak	viande, généralement du poulet, accompagnée de lentilles au curry et de riz ; spécialité parsie
dosa	grande crêpe salée d'Inde du Sud
falooda	boisson parfumée à la rose, à base de lait, de crème, de noix et de vermicelles
faluda	nouilles à base de farine de pois chiche
farsan	amuse-gueules salés
feni	boisson alcoolisée originaire de Goa fabriquée à partir de lait de coco ou de noix de cajou
ghee	beurre clarifié
gobi	chou-fleur
gram	légumineuses (pois, haricots, lentilles, etc.)
gulab jamun	boules de pâte frites imbibées d'eau de rose
halwa	confiserie à base de légumes, de céréales, de lentilles, de noix ou de fruits
idli	boulette de riz fermenté ; spécialité du Sud
imli	tamarin
jaggery	sorte de sucre dur et brun confectionné à partir de la sève de palmier
jalebi	beignets en forme de serpentins orangés trempés dans un sirop de sucre
karela	gourde amère
keema	viande hachée épicée
kheer	gâteau de riz crémeux
khichdi	ou *khichri* ; mélange de riz et de lentilles légèrement épicé
kofta	légumes ou viande hachée, généralement roulés en boulette
korma	plat braisé semblable à un curry
kulcha	pain mou au levain
kulfi	glace parfumée (souvent à la pistache) de consistance ferme
ladoo	confiserie ronde à base de farine de pois chiches et de semoule ; également appelée *ladu*
lassi	boisson glacée à base de yaourt
masala dosa	plat d'Inde du Sud ; *dosa* fourré de pommes de terre épicées
mattar paneer	pois et fromage non fermenté en sauce
methi	fenugrec
mishti dhoi	sucrerie bengali ; *curd* sucré au jagré
mithai	bonbons indiens

molee	spécialité du Kerala ; morceaux de poisson pochés dans du lait de coco et des épices
momo	raviolis tibétains frits ou à la vapeur garnis de légumes ou de viande
mooli	radis blanc
naan	pain plat cuit dans un tandoor
namak	sel
namkin	amuse-gueules salés
pakora	dés de légumes roulés dans une pâte à base de farine de pois chiche et frits
palak paneer	morceaux de fromage frais dans une sauce aux épinards
paneer	fromage frais à base de crème
pani	eau
pappadam	ou *papad* ; fine galette croustillante ronde à base de farine de lentille ou de pois chiche
paratha	pain feuilleté à l'indienne (plus épais qu'un chapati) cuit avec du beurre clarifié sur une plaque chauffante ; souvent fourré de légumes râpés, de *paneer*, etc.
phulka	chapati qui gonfle quand on le place rapidement au-dessus d'une flamme
pilaf	voir *pilau*
pilau	aussi *pilaf* ou *pulao* ; riz cuit dans du bouillon et parfumé avec des épices
pudina	menthe
puri	ou *poori* ; pâte qui gonfle lorsqu'elle est plongée dans l'huile
raita	yaourt servi froid en accompagnement, souvent légèrement épicé et parfois agrémenté de concombre râpé ou de morceaux d'ananas
rasgulla	boulette de fromage frais sucré et parfumé à l'eau de rose
rogan josh	riche curry de mouton épicé
saag	légumes verts à feuilles
sabzi	légumes
sambar	plat de lentilles épais avec des légumes en cube ; spécialité d'Inde du Sud
samosa	triangle de pâte frit, farci avec une préparation épicée à base de légumes ou parfois de viande
sonf	ou *saunf* ; graines anisées utilisées comme digestif et pour se rafraîchir la bouche ; on les apporte généralement après le repas avec l'addition
tandoor	four en terre
tawa	plaque chauffante/plaque en fonte
thali	repas servi à volonté ; désigne également un plateau-repas compartimenté en inox (voire en argent)
thukpa	soupe de nouilles tibétaine
tiffin	en-cas ou repas léger ; désigne également un récipient, le plus souvent en acier inoxydable, permettant de transporter un repas ou un en-cas
tikka	dés de poulet, de *paneer*, d'agneau, etc., épicés, souvent marinés
toddy	boisson alcoolisée à base d'extraits de sève de palmier
tongba	bière de millet himalayenne
tsampa	plat de base tibétain préparé avec de la farine d'orge grillé
upma	*rava* (semoule) cuisinée avec oignons, épices, piments et noix de coco
uttapam	épaisse crêpe de riz salée d'Inde du Sud avec des oignons hachés, des piments verts, de la coriandre et de la noix de coco
vada	beignet salé aux lentilles d'Inde du Sud
vindaloo	curry très épicé mariné dans du vinaigre et de l'ail ; spécialité de Goa

Environnement

GÉOGRAPHIE ET GÉOLOGIE

L'Inde présente une extraordinaire diversité géographique : jungles humides, forêts tropicales, déserts arides et sommets vertigineux de l'Himalaya. Avec une superficie de 3 287 263 km², elle est le deuxième plus grand pays d'Asie derrière la Chine, et occupe la majeure partie du sous-continent, formé il y a 40 millions d'années par la collision des plaques indienne et euro-asiatique. L'Inde se compose de trois grandes zones géographiques : les sommets et les chaînes de l'Himalaya le long des frontières nord, la vaste plaine alluviale du Gange et d'autres fleuves provenant des pentes sud des montagnes qui coulent en direction du golfe du Bengale, et les hauteurs du plateau du Deccan, lequel forme le cœur du triangle de la péninsule méridionale.

Himalaya

Plus haute chaîne montagneuse du monde (le plus haut sommet indien culmine à 8 598 m), l'Himalaya constitue une frontière inexpugnable qui sépare l'Inde de ses voisins situés au nord. Cette majestueuse muraille naturelle de sommets et de crêtes s'étendant sur 2 500 km s'est formée lorsque le sous-continent indien s'est détaché du Gondwana, supercontinent de l'hémisphère sud qui englobait l'Afrique, l'Antarctique, l'Australie et l'Amérique du Sud. La plaque indienne dériva seule vers le nord puis heurta la plaque euro-asiatique il y a près de 40 millions d'années. Sous le choc de la collision, la croûte sédimentaire tendre de l'Eurasie se gondola, donnant naissance à l'Himalaya et à une multitude d'ondulations de la croûte terrestre de moindre envergure, qui s'étendent de l'Afghanistan au Myanmar (Birmanie) en passant par le nord de l'Inde. Aujourd'hui encore, des fossiles de créatures marines datant de cette époque sont découverts à 5 000 m d'altitude dans les sommets himalayens, soit à 800 km de la mer la plus proche. La collision continentale se poursuit : l'Himalaya gagne en effet environ 1 cm en hauteur par an, et est repoussé d'environ 5 cm par an vers le nord.

Les montagnes en perpétuelle évolution font du nord de l'Inde une zone d'intense activité sismique. En octobre 2005, un séisme ravageur a fait 80 000 morts au Cachemire.

Lorsque la chaîne de l'Himalaya atteignit des hauteurs vertigineuses au pléistocène (il y a moins de 150 000 ans), elle se mit à enrayer et à dérégler les systèmes climatiques, engendrant le climat de mousson qui domine l'Inde aujourd'hui, ainsi qu'une zone sous le vent à l'abri de la pluie au nord.

Semblable à une chaîne continue sur les cartes, l'Himalaya se compose en réalité de plusieurs chaînes, séparées par d'innombrables vallées. Avant la construction des routes, la plupart des vallées, complètement isolées, préservaient la pluralité des cultures montagnardes : les musulmans au Cachemire, les bouddhistes au Zanskar, au Ladakh, au Lahaul, au Spiti, au Sikkim et dans l'ouest de l'Arunachal Pradesh, et les hindous dans la majeure partie de l'Himachal Pradesh et de l'Uttarakhand (Uttaranchal).

Plaine Indo-Gangétique

Couvrant l'essentiel du nord de l'Inde, la vaste plaine alluviale où coule le Gange, fleuve sacré, perd seulement 200 m d'altitude entre Delhi et les zones humides du Bengale-Occidental. Le Gange rejoint ensuite le Brahmapoutre, arrivé du nord-est, avant de se jeter dans la mer au Bangladesh. Cette plaine alluviale suit un axe ouest-est entre la muraille himalayenne au nord, et le plateau du Deccan au sud. À l'ouest, elle englobe les régions les plus densément peuplées du Pakistan, et à l'est elle recouvre tout le Bangladesh. D'énormes quantités de sédiments venus des hautes terres voisines s'accumulent dans la plaine sur près de 2 km de profondeur, créant un terrain fertile et bien irrigué très propice à l'agriculture. Aujourd'hui plate, homogène et densément peuplée, cette région était jadis amplement boisée et riche d'une faune et d'une flore très diversifiées.

Dans l'ouest de l'Inde, la plaine Indo-Gangétique se fond dans le grand désert du Thar. Difficile d'imaginer que cette zone totalement aride, à la frange occidentale du Rajasthan, était couverte de forêts à la préhistoire. Enfin, l'État du Gujarat, à l'extrême ouest, est séparé du Sind pakistanais par une étendue marécageuse appelée Rann de Kutch. Pendant la saison sèche (de novembre à avril), le Rann s'assèche, ne laissant que des îlots de sel au milieu d'une vaste plaine.

FAUNE ET FLORE

L'Inde peut s'enorgueillir de la grande richesse de sa biodiversité. On y dénombre 397 espèces de mammifères, 1 232 espèces d'oiseaux, 460 espèces de reptiles, 240 espèces d'amphibiens et 2 546 espèces de poissons, soit le record absolu par rapport à tous les autres pays du monde. C'est tout naturellement qu'elle est devenue l'une des premières destinations pour l'observation des animaux en liberté. Des dizaines de parcs nationaux offrent la possibilité d'apercevoir des animaux rares ou inhabituels. Si vous souhaitez profiter de votre voyage pour découvrir la nature indienne, reportez-vous à l'encadré p. 96-97, qui indique les lieux et les périodes les plus propices à l'observation des animaux en Inde du Nord.

Le tigre et le paon sont les animaux emblématiques de l'Inde, le lotus, la fleur nationale. L'emblème du sous-continent est une colonne surmontée de quatre lions d'Asie.

Faune

Aussi riche que fascinante, la faunc de l'Inde compte nombre d'espèces célèbres, grandes et petites. Le pays est en effet un véritable melting-pot d'animaux venus d'Europe, d'Asie, et de l'ancien continent du Gondwana, qui vivent dans une foule d'habitats variés, depuis les luxuriants marais à mangroves jusqu'aux glaciales prairies d'altitude.

L'Himalaya possède une faune très riche. Sur les hauteurs se côtoient le yak (un bovin sauvage à épaisse toison pesant près d'une tonne), le chameau bactrien (qui habite les dunes en altitude), l'urial du Ladakh (un mouflon), l'antilope du Tibet, le grand bharal (caprin surnommé "mouton bleu"), le kiang (âne sauvage du Tibet), ainsi que l'ibex et le tahr de l'Himalaya (deux chèvres sauvages). À ceux-ci s'ajoutent des ours noirs et bruns (au Cachemire), des marmottes et des chevrotains porte-musc. Dépourvus de bois, ces derniers, très gracieux, ont des oreilles de lièvre et des canines qui, chez les mâles, ressemblent à des défenses. Ils sont chassés sans pitié pour leur musc, utilisé en parfumerie. Fort heureusement pour eux, de récents programmes de reproduction en captivité conduits près de Kedarnath (Uttarakhand) ont donné de bons résultats.

Pour une connaissance approfondie des divers habitats naturels en Inde, reportez-vous à l'ouvrage, en anglais, *Ecosystems of India* de JRB Alfred.

Les basses terres, qui regorgent de vie, sont le théâtre d'une intense compétition entre les hommes et la nature, dont cette dernière sort trop souvent perdante. Tandis que les habitants débordent des villes et villages surpeuplés, se retrouvant parfois contraints au braconnage par la pauvreté, les animaux sont progressivement délogés de leurs habitats naturels.

Aucun animal n'est plus chargé d'évocation mystique que le léopard des neiges, dont la discrétion est à l'origine de nombreux mythes : on le dit par exemple capable d'apparaître et de disparaître à sa guise. Peu d'individus subsistent de cette espèce. On les trouve au Sikkim, ainsi que dans l'Uttarakhand, l'Himachal Pradesh et l'Arunachal Pradesh.

Dans les bosquets de bambous de l'Himalaya oriental, et notamment au Sikkim, se cachent quelques rares pandas roux, qui se nourrissent de pousses de bambou, de feuilles, de fruits et d'insectes. Cet État est l'un de leurs ultimes refuges. Les derniers rhinocéros unicornes et les éléphants sauvages vivent dans les herbages du Nord.

Selon la croyance populaire, les cobras auraient une influence sur la mousson ; le Naag Panchami célèbre les serpents chaque année en juillet/août ; au grand dam des sociétés de défense des animaux, de nombreux serpents meurent d'épuisement et de suralimentation.

Les lacs et marais du Cachemire accueillent les oiseaux migrateurs de zone humide lors de leur migration. Les oies et les canards reviennent de Sibérie pour hiverner. Certaines espèces sont très douées pour le vol à haute altitude ; le crave à bec rouge est ainsi capable de voler bien au-dessus de 5 000 m.

Le Gange et la Yamuna se rejoignent dans la plaine du Nord avant de poursuivre leur cours sinueux sur des milliers de kilomètres jusqu'au golfe du Bengale, formant un delta de 80 000 km². Là, les marécages des Sundarbans abritent des tigres (274 en 2004, un nouveau décompte devait avoir lieu en 2009), des reptiles aquatiques, des poissons, des crabes, des sangliers, des tortues de mer de passage, des serpents et des chitals, ou cerfs axis, qui se sont adaptés à la salinité de leur environnement. Les eaux douces du Gange sont peuplées de dauphins du Gange, messagers mythiques de Shiva, de crocodiles des marais, de gavials à gueule effilée semblant surgir de la nuit des temps, de crabes nécrophages et de poissons en tous genres.

Les rudes déserts du Rajasthan et du Gujarat recèlent une faune étonnamment riche. Le chinkara (gazelle indienne), le khur (âne sauvage), le loup indien et l'antilope cervicapre se sont remarquablement adaptés à la chaleur, à la salinité des sols et aux maigres ressources en eau de la région. Au Gujarat, les 1 400 km² du Sasan Gir Wildlife Sanctuary offrent leur dernier refuge aux lions d'Asie. Dépourvus de l'impressionnante crinière de leurs cousins africains, ces lions, estimés à 325 en mai 2004, présentent un ventre plissé.

Parmi les primates, outre le très rare entelle doré, qui vit près de la frontière bhoutanaise, l'Inde accueille des espèces plus communes, comme le bonnet chinois et son cousin du Nord, le macaque rhésus.

Le dhole (chien sauvage) et le chacal se répartissent sur toute la péninsule, tout comme plusieurs espèces de cerfs et de gazelles, dont le sambar, assez courant. En revanche, le muntjac et le chevrotain se font de plus en plus rares. La mangouste tueuse de serpents, immortalisée par Kipling, reste fidèle au poste.

L'Inde compte 460 espèces de reptiles, dont 50 venimeuses (parmi lesquelles 20 serpents d'eau). Très répandu, le cobra, le roi des serpents (du moins dans la mythologie), est le plus long serpent venimeux du monde ; il peut atteindre 5 m. Un cobra qui se dresse, capuchon déployé, reste un spectacle hypnotisant. Citons aussi le bongare annelé, la vipère de Russel et l'échide carénée, tout aussi venimeux. Parmi les espèces inoffensives, figurent le serpent ratier, le serpent-liane (vert vif), le serpent d'arbre (marron foncé) et le python des rochers.

Les experts en ornithologie consulteront *A Guide to the Birds of India* de Richard Grimmett, Carol Inskipp et Tim Inskipp (en anglais). Les amateurs pourront se rabattre quant à eux sur le *Pocket Guide to Birds of the Indian Subcontinent* (en anglais).

ESPÈCES MENACÉES

L'extraordinaire biodiversité du sous-continent subit une pression croissante due à l'explosion démographique indienne. Au dernier recensement, l'Inde comptait 569 espèces menacées, dont 247 végétaux, 89 mammifères, 82 oiseaux, 26 reptiles, 68 amphibiens, 35 poissons et 22 invertébrés.

Avant 1972, le pays n'avait que 5 parcs nationaux. La promulgation cette année-là du Wildlife Protection Act (loi de protection de la faune) visait à en augmenter le nombre et à réduire l'exploitation abusive de la faune. Il a été suivi d'autres lois ambitieuses similaires, qui n'ont eu pour la plupart qu'une portée limitée. À titre d'exemple, le National Chambal Sanctuary, créé pour protéger les 200 derniers gavials vivant à l'état sauvage, sub

LE PROJECT TIGER

Lorsque le naturaliste Jim Corbett tira la sonnette d'alarme pour la première fois dans les années 1930, personne ne croyait que les tigres viendraient un jour à disparaître. On estimait à l'époque qu'il y en avait 40 000 en Inde, sans que personne n'ait pourtant procédé à un comptage. Vint ensuite l'indépendance, qui mit des armes entre les mains des villageois. Ceux-ci pénétrèrent alors dans des réserves de chasse anciennement hors de leur portée pour chasser le tigre et récupérer sa peau très lucrative. Lorsqu'on procéda enfin à un comptage officiel en 1972, il n'y avait plus que 1 800 tigres. Face au tollé international, Indira Gandhi fit de cet animal le symbole national de l'Inde et mit sur pied le **Project Tiger** (http://projecttiger.nic.in). Cet organisme a, depuis, créé 27 réserves qui ne protègent pas seulement le tigre mais aussi tous les animaux vivant dans le même habitat que lui. Après les succès des débuts, le nombre de tigres a récemment chuté à 1 400 individus, à cause du braconnage impitoyable dont ils sont la cible. De sorte que 153 millions de dollars et des équipements dernier cri ont été alloués afin d'enrayer la glissade inexorable vers l'extinction.

aujourd'hui l'exploitation de carrières de sable au vu et au su de tous. Quant aux braconniers locaux, ils continuent à chasser dans le parc à leur aise.

Le Project Tiger (voir l'encadré ci-dessus), mis en place en 1973 pour sauvegarder les tigres indiens, fait figure d'exception. Les principales menaces pour la faune demeurent la réduction de l'habitat et le braconnage. Ce dernier est non seulement le fait de criminels, mais aussi d'officiels corrompus et d'hommes d'affaires ayant pignon sur rue. On estime que 846 tigres et 3 140 léopards ont été braconnés entre 1994 et 2008. Le même sort a été réservé à 320 éléphants entre 2000 et 2008.

La Wildlife Protection Society of India (www.wpsi-india.org) lutte pour sauver les animaux grâce à l'éducation, le lobbying et des actions judiciaires menées contre les braconniers.

Tous les félidés indiens, des léopards aux léopards des neiges en passant par les panthères et les lynx des marais, sont menacés d'extinction du fait de la réduction de leur territoire et du braconnage lié au commerce de leurs fourrures et de certaines parties de leur corps utilisées en médecine chinoise. On considère que moins de 3 500 tigres, 1 000 léopards des neiges et 300 lions d'Asie vivent encore en liberté en Inde. De prétendues vertus médicinales sont attribuées à toutes les parties du corps du tigre, des dents au pénis ; la dépouille d'un animal coûte dans les 10 000 $US. Selon des estimations officielles, l'Inde perdrait 1% de sa population de tigres chaque année.

Malgré une protection sévère, le rhinocéros n'est pas épargné par le braconnage : sa corne est recherchée pour la confection d'aphrodisiaques ou encore de manches de poignards dans le Golfe. Les éléphants sont régulièrement chassés. Nous vous demandons, pour ne pas soutenir ce commerce, de ne pas acheter de souvenirs en ivoire. Également menacées, diverses espèces de cervidés fournissent nourriture et trophées. Proche de l'extinction, le *chiru*, ou antilope du Tibet, est quant à lui apprécié pour sa fourrure qui sert à tisser des châles en laine *shahtoosh*, très onéreux.

Le gavial, à l'anatomie étrange, se sert de ses mâchoires longues et très étroites comme de baguettes pour faire son choix parmi les poissons.

L'ours est lui aussi en danger. L'ours lippu est utilisé comme bête de spectacle, notamment dans les régions touristiques comme Agra et Jaipur (reportez-vous à l'encadré p. 423). Les dauphins d'eau douce souffrent de la pollution et de la pêche.

Flore

Jadis, l'Inde était presque entièrement couverte de forêts. Aujourd'hui, le couvert forestier est estimé à 20% de la superficie totale du pays, mais le Forest Survey of India s'est fixé l'objectif ambitieux d'atteindre les 33%. En dépit des coupes claires de grande ampleur dans les habitats forestiers, le pays compte encore 49 219 espèces végétales, dont 5 200 espèces endémiques. Les plantes désertiques du Rajasthan ont des liens de parenté avec le Moyen-Orient, et les forêts de conifères de l'Himalaya sont d'ascendance européenne et sibérienne.

Hormis les forêts de montagne de l'Himalaya, presque toutes les forêts des plaines sont des sous-genres de forêt tropicale, les forêts de sals (un arbre endémique) étant les plus couramment exploitées pour le bois d'œuvre. Le bois de santal, quant à lui, est victime de coupes illégales pour la fabrication d'encens et de sculptures sur bois. Certaines de ces forêts tropicales sont d'authentiques forêts ombrophiles qui restent vertes toute l'année, comme celles que l'on trouve dans les États du Nord-Est, mais la plupart se composent d'arbres à feuilles caduques. Poussiéreuses, elles ont l'air étonnamment mornes et tristes à la saison sèche. Cependant la chute des feuilles et l'assèchement de la végétation permettent d'y voir plus facilement des animaux.

L'ayurvéda (médecine traditionnelle indienne par les plantes) décrit environ 2 000 espèces de plantes ; l'*amchi* (médecine traditionnelle tibétaine) en utilise 91 de plus.

Plusieurs arbres revêtent une importante signification sur le plan religieux, notamment le kapokier. C'est sous cet arbre à grosses fleurs rouges et à l'écorce hérissée d'épines que s'est assis Pitamaha, le créateur du monde, pour se reposer après son dur labeur. Deux espèces connues de figuiers, le banian et le pipal, poussent jusqu'à des hauteurs vertigineuses en produisant des racines aériennes depuis leurs branches. Celles-ci se développent lorsqu'elles touchent terre et forment un enchevêtrement de tiges et de troncs. L'un de ces géants fait près de 200 m de circonférence. Le Bouddha aurait atteint l'Éveil alors qu'il était assis sous un pipal (aussi appelé, pour cette raison, arbre de la Bodhi).

PRINCIPAUX PARCS NATIONAUX ET RÉSERVES NATURELLES

Parc/réserve	Situation	Caractéristiques	Meilleure période	Page
Bandhavgarh National Park	Jabalpur, Madhya Pradesh	plaines : tigres, léopards, cervidés, chacals, nilgais (taureaux bleus) et sangliers	nov-avr	p. 711
Corbett Tiger Reserve	près de Ramnagar, Uttarakhand	forêts et plaines fluviales : tigres, léopards, dholes, éléphants, crocodiles, et 600 espèces d'oiseaux	mars-juin	p. 494
Govind Wildlife Sanctuary & National Park	Saur-Sankri, Uttarakhand	paysage de montagne : ours bruns et noirs, léopards des neiges, cervidés et oiseaux	avr-juin et sept-nov	p. 490
Great Himalayan National Park	sud-est de la vallée de Kullu Himachal Pradesh	montagnes et communautés de l'Himalaya : ours bruns et noirs, bharal, léopards et léopards des neiges	avr-juin et sept à mi-nov	p. 350
Jaldhapara Wildlife Sanctuary	nord du Bengale-Occidental	forêts et herbages : rhinoceros, tigres, éléphants et outardes du Bengale	de mi-oct à mai	p. 553
Kanha National Park	Jabalpur, Madhya Pradesh	forêt de sals et bois clairsemés : barasinghas, tigres, léopards, dholes, gaurs et sambars	mars-juin	p. 709
Kaziranga National Park	Assam, États du Nord-Est	hauts herbages et marécages : rhinocéros, buffles, éléphants, barasinghas, tigres et oiseaux de proie	fév-mars	p. 631
Keoladeo Ghana National Park	Bharatpur, Rajasthan	plaines : aigles, grues, flamants, hérons, cigognes et oies, pythons, chacals et cervidés	oct-fin fév	p. 179
Little Rann Sanctuary	nord-ouest du Gujarat	désert : flamants, ânes sauvages, loups et caracals	oct-juin	p. 768
Manas National Park	près de Guwahati, Assam	forêts et herbages : rhinocéros, tigres, éléphants, buffles et sangliers nains	nov-avr	p. 630
Marine National Park	à 30 km de Jamnagar, Gujarat	récifs coralliens et mangroves : marsouins aptères, dugongs et tortues de mer	déc-mars	p. 759

L'Himalaya abrite à la fois des espèces alpines (comme le pin et le cèdre déodar), tempérées et subtropicales. Dans les parties enneigées poussent de petites fleurs robustes, telles les anémones, les edelweiss et les gentianes – on pourra les admirer dans le Valley of Flowers National Park. Plus bas, les contreforts arrosés par la mousson sont tapissés de forêts à feuillages persistants : pommiers, canneliers, marronniers, bouleaux et pruniers.

Dans les déserts brûlants prospèrent le khejri (*Prosopis cineraria*) et différentes espèces d'acacias (des épineux rabougris), adaptés à ces conditions climatiques extrêmes. L'argousier est commun dans les déserts himalayens. Ces espèces indigènes souffrent malheureusement du développement d'essences étrangères comme l'eucalyptus, grand consommateur d'eau, qui fut introduit par les Britanniques dans le but d'assécher les zones marécageuses et d'enrayer la propagation du paludisme.

Malgré une superficie de seulement 29 km², le parc national de Keoladeo reste le site de choix pour observer les oiseaux en Inde puisqu'il en compte plus de 400 espèces.

PARCS NATIONAUX ET RÉSERVES NATURELLES

L'Inde compte 97 parcs nationaux et 486 réserves naturelles, qui couvrent environ 5% du territoire. La décision d'ouvrir 70 autres parcs a été adoptée, mais reste pour le moment lettre morte. À cela s'ajoutent 14 réserves de biosphère, qui englobent bon nombre des parcs et réserves. Elles

Parc/réserve	Situation	Caractéristiques	Meilleure période	Page
Nal Sarovar Bird Sanctuary	près d'Ahmedabad, Gujarat	grand lac et zones humides : oiseaux endémiques et migrateurs (oies, flamants, pélicans)	nov-fév	p. 729
Panna National Park	près de Khajuraho, Madhya Pradesh	forêt sèche à feuilles caduques : tigres, léopards, dholes, nilgais, chitals et sambars	jan-mai	p. 679
Pench Tiger Reserve	Madhya Pradesh	forêts de teks et herbages : gaurs (bisons indiens), hyènes, lynx des marais et tigres	fév-avr	p. 707
Pin Valley National Park	Dhankar, Himachal Pradesh	montagnes virginales : léopards des neiges, ibex, ours noirs et cervidés	juil-oct	p. 409
Rajaji National Park	près de Haridwar, Uttarakhand	hauteurs boisées : éléphants, tigres, léopards, cervidés et ours lippus	mars-juin	p. 481
Ranthambore National Park	sud de Jaipur, Rajasthan	forêt sèche autour d'un lac rempli de crocodiles : oiseaux (dont des tantales indiens), léopards, nilgais, crocodiles et tigres	oct-avr	p. 196
Sariska Tiger Reserve	Sariska, Rajasthan	collines rocheuses boisées : tigres, paons, sambars, nilgais, sangliers et singes rhésus	nov-mars	p. 183
Sasan Gir Wildlife Sanctuary	près de Junagadh, Gujarat	oasis dans le désert : lions d'Asie, léopards, crocodiles et nilgais	déc-avr	p. 749
Sunderbans Tiger Reserve	sud du Bengale-Occidental	mangrove : tigres, crocodiles et dauphins du Gange	oct-mars	p. 543
Valley of Flowers National Park	près de Joshimath, Uttarakhand	3 500 m au-dessus du niveau de la mer : chevrotains porte-musc, ours de l'Himalaya, papillons et environ 300 variétés de fleurs sauvages	de mi-juil à mi-août et de mi-sept à fin oct	p. 493
Velavadar National Park	près de Bhavnagar, Gujarat	herbages du delta : antilopes cervicapres, nilgais et oiseaux	déc-mars	p. 740

constituent des couloirs de migration protégés pour les animaux et facilitent l'observation de la biodiversité par les scientifiques.

De plus en plus de voyageurs visitent au moins un parc ou une réserve pendant leur séjour. De fait, la rencontre avec un éléphant, un rhinocéros ou un tigre sauvage est une expérience inoubliable. En outre, votre visite peut être considérée comme une participation à la protection de la nature. Les réserves naturelles se trouvent généralement dans des régions peu visitées et les infrastructures peuvent être limitées. Il est conseillé de réserver transports et hébergements à l'avance. Vérifiez aussi les horaires d'ouverture, si un permis est exigé et les montants des droits d'entrée. La plupart des parcs ferment en basse saison pour recenser les animaux ; les pluies de la mousson peuvent par ailleurs rendre les sentiers impraticables.

Les parcs organisent souvent des circuits en jeep ou en minibus. Il est également possible de découvrir la faune lors de randonnées guidées, de croisières ou d'excursions à dos d'éléphants. Les différents types de safaris sont présentés p. 102.

ÉCOLOGIE

Avec une population de plus d'un milliard d'individus, une industrialisation et une urbanisation en constante expansion et une utilisation toujours plus massive d'engrais, de pesticides et d'herbicides, l'environnement indien est soumis à d'énormes pressions. Selon certaines estimations, près de 65% du territoire seraient pollués d'une manière ou d'une autre. La pollution y atteint presque partout un seuil alarmant du fait de l'incapacité chronique du gouvernement à faire appliquer les mesures de protection indispensables. Les problèmes d'aujourd'hui résultent en partie de la "Révolution verte" des années 1960, au cours de laquelle un spectaculaire accroissement de la production entraîna un recours massif aux produits chimiques, d'où une dégradation importante de l'environnement, l'habitat naturel et la faune sauvage.

De nombreuses lois environnementales ont été adoptées depuis la catastrophe de Bhopal en 1984 (voir l'encadré p. 682). Pourtant, la situation ne fait qu'empirer, sous l'effet de la corruption et des abus de pouvoir en particulier – le mépris des lois par des compagnies impliquées dans les secteurs de l'hydroélectricité et des exploitations minière (de l'uranium notamment) et pétrolière constitue un exemple flagrant. Les agriculteurs de basse caste et les *adivasi* (communautés ethniques), peu représentés en politique et pas assez fortunés pour combattre les grandes sociétés, sont les plus durement touchés par la dégradation de l'environnement.

Le pays perd entre 11 et 27% de sa production agricole en raison de la dégradation des sols, provoquée par une agriculture intensive, une élévation du taux de salinité, une diminution du couvert forestier et une irrigation insuffisante. Le coût humain est considérable et met en exergue une terrible évidence : l'Inde est trop peuplée pour son niveau de développement actuel.

Le gouvernement indien pourrait sans conteste renforcer son action. Toutefois, les subventions occidentales, qui baissent artificiellement les coûts des produits importés et obligent les agriculteurs indiens à diminuer les prix, sont aussi à blâmer. Certains acteurs de l'agro-industrie occidentale cherchent aussi à promouvoir l'utilisation de semences OGM donnant naissance à des plantes stériles.

En Inde comme ailleurs, les touristes ont un rôle ambigu, puisqu'ils servent de catalyseurs du changement, tout en contribuant à la détérioration de la situation. Efforcez-vous de toujours prendre en compte l'impact écologique de votre voyage, notamment en randonnée (reportez-vous p. 108).

DES BARRAGES AUX BARRAGES

De tous les projets hydroélectriques indiens, le plus controversé est celui de la vallée de Narmada. Ce projet de 6 milliards de dollars US prévoit la construction de 30 barrages hydroélectriques sur la Narmada, au Madhya Pradesh, au Rajasthan et au Gujarat. Destiné à permettre l'irrigation de milliers de villages et à réduire les effets de la désertification dans les zones rurales, il implique aussi l'inondation des habitations de quelque 40 000 *adivasi*, dont beaucoup vénèrent les eaux comme une divinité. Le gouvernement a promis des hébergements en compensation, mais jusqu'ici, seules 10% des personnes déplacées se sont vu attribuer des terres cultivables. Après le refus de la Banque mondiale de financer le projet, la banque britannique Barclays a accepté de le faire. Le gouvernement indien a, quant à lui, réussi à contrer toutes les oppositions légales, bien que de grands noms (comme l'écrivaine Arundhati Roy) se soient joints au mouvement. Pour connaître les derniers rebondissements, consultez le **site des Amis de la Narmada** – www.narmada.org.

Pollution atmosphérique

La pollution engendrée par les émissions des véhicules et des industries est un problème grave : 4 à 8 fois supérieure à ce qu'elle était il y a 20 ans, elle a propulsé l'Inde dans le peloton de tête des pays ayant l'air le plus pollué et le plus fort taux de décès prématurés dus à la pollution atmosphérique. Le gasoil indien contient 50 à 200 fois plus de soufre que son équivalent européen et bien des véhicules anciens seraient recalés aux contrôles antipollution en vigueur en Europe. Delhi et Mumbai (Bombay) ont tenté de convertir leurs transports en commun au gaz naturel, mais la Cour suprême indienne a fait annuler cette décision.

Les défenseurs du projet de barrages sur la Narmada ont eux aussi lancé une campagne pour vanter ses mérites. Connectez-vous sur www.supportnarmadadam.org ou sur www.sardarsarovardam.org (sites en anglais).

Malheureusement, les efforts entrepris au niveau national pour améliorer la qualité de l'air échouent presque invariablement parce que les lois ne sont pas appliquées au niveau local. Ce problème touche aussi de plein fouet les foyers puisque plus d'un demi-million de personnes meurent chaque année, empoisonnées chez elles par des émanations toxiques. En effet, plutôt que de recourir aux poêles sans fumée ou au gaz liquide que leur procurent les organismes d'aides, les gens continuent de brûler du bois ou des déjections d'animaux.

Changement climatique

Les bouleversements climatiques, auxquels contribuent les émissions de CO_2 à l'échelle de la planète, se traduisent par l'apparition de conditions climatiques extrêmes en Inde. Si le pays participe pour une large part à la pollution mondiale, il reste néanmoins loin derrière l'Amérique et l'Europe pour ce qui est du volume de CO_2 émis par habitant.

Les précipitations amplifiées de la mousson provoquent des inondations de plus en plus catastrophiques, comme celle qui dévasta le Gujarat en 2005. Dans les déserts montagneux du Ladakh, depuis quelques années, des pluies accrues conduisent les habitants à modifier leur manière de cultiver la terre ; elles menacent en outre les bâtiments traditionnels, faits de briques. À l'opposé, d'autres régions pâtissent de précipitations réduites causant des sécheresses qui peuvent déboucher sur des émeutes pour l'accès à l'eau.

Dans de nombreuses villes indiennes, la pollution atmosphérique est plus de deux fois supérieure au niveau maximal recommandé par l'OMS.

En 2009, l'Inde a connu sa pire sécheresse depuis 1972, avec un déficit pluviométrique moyen de 23%. Le Nord a été le plus touché, la baisse des précipitations s'y élevant à 36% contre 7% dans le Sud.

Déforestation

Depuis l'indépendance, les exploitations forestière et minière, la culture, la croissance urbaine, l'industrialisation et la construction de barrages ont provoqué la disparition ou la détérioration de près de 53 000 km² de forêt. Les mangroves ont été réduites de moitié depuis les années 1990, diminuant les zones de frai des poissons.

La pollution sonore dans les grandes villes atteint plus de 90 décibels – plus d'une fois et demie la limite de "sécurité". Pensez à prendre des protections auditives !

Dès 1951, le premier plan quinquennal avait reconnu le rôle primordial des forêts dans la préservation des sols. Diverses lois ont depuis été introduites dans l'objectif d'accroître les superficies boisées. Elles ont presque toutes été ignorées par les autorités, les hors-la-loi et la population – qui coupe du bois pour se chauffer et fait paître le bétail. Durant votre voyage, limitez l'emploi des poêles à bois, même si le problème est moindre dans les régions montagneuses où poussent des pins à croissance rapide.

Les États ont officiellement l'obligation d'affecter à la reforestation une superficie équivalente aux zones déboisées, mais certains s'y soustraient ou réservent des terres inadaptées. Sur un autre front, des essences étrangères, dont le très envahissant eucalyptus, concurrencent la flore locale. De nombreuses organisations non gouvernementales travaillent avec les communautés rurales pour encourager la plantation d'arbres. Beaucoup de leaders religieux se sont joints au mouvement, y compris le dalaï-lama.

Ressources en eau

Un accès à l'eau potable insuffisant et des installations sanitaires de mauvaise qualité constituent les plus grandes menaces pour la santé publique en Inde. Sachant que la population indienne devrait s'accroître de 50% d'ici 2050, la consommation d'eau – industrielle, agricole et domestique – devrait atteindre des sommets, malgré des mesures gouvernementales destinées à la maîtriser.

Entre les grandes sécheresses de 1972 (déficit en eau de 23,9%) et de 2009 (23% de déficit en eau), l'Inde a connu trois autres sécheresses importantes en 1979, en 1987 et en 2002, avec des déficits de pluie de l'ordre de 19%.

Les fleuves sont aussi affectés par les ruissellements, la pollution industrielle et les rejets des égouts – la Sabarmati, la Yamuna et le Gange figurent parmi les cours d'eau les plus pollués du globe. On estime qu'au moins 70% des sources d'eau douce du pays sont polluées d'une façon ou d'une autre. Ces dernières années, la sécheresse a dévasté des parties entières du sous-continent (notamment le Rajasthan et le Gujarat) et entraîné un fort exode rural.

La distribution de l'eau est également un sujet épineux. Depuis 1947, 35 millions d'Indiens auraient été déplacés suite à la construction de grands barrages, principalement hydroélectriques, destinés à alimenter en énergie cette nation en plein développement. Si l'hydroélectricité est l'une des énergies les plus écologiques, la création de centrales a entraîné le sacrifice de vallées entières et les populations ne reçoivent que rarement une compensation adéquate pour leur déplacement – pour plus de détails, reportez-vous aux encadrés p. 99 et p. 347.

Activités

Alternant forêt dense, déserts et hauts sommets, les paysages du nord de l'Inde sont, par leur variété, un remède à l'ennui. La liste des activités est longue : trekking, parapente, alpinisme, safaris, balades à dos d'éléphant ou en bateau, cours de yoga, méditation, etc. Voici les plus prisées.

Bien choisir son tour-opérateur

Les histoires d'agences louches entraînant des touristes mal équipés dans des situations périlleuses ne manquent pas. Les tour-opérateurs n'étant que des intermédiaires, n'oubliez pas que tout ce qui touche à l'équipement et à la sécurité est pris en charge par l'organisme accompagnateur. Comparez les offres des différents prestataires, agences de trekking ou autres. Exigez, par écrit, le détail de l'excursion avant de partir, et veillez à obtenir ce pour quoi vous avez payé.

Adressez-vous autant que possible aux agences sans intermédiaire, disposant de guides et de moniteurs. Sinon, choisissez un tour-opérateur agréé par la Travel Agents Association of India (www.travelagentsofindia.com), l'Indian Association of Tour Operators (www.iato.in) ou l'Adventure Tour Operators Association of India (www.atoai.org). Les agences sans scrupule adoptent souvent des noms proches de ceux des organismes fiables. Outre les agences agréées par les organismes indiqués ci-dessus, vous pouvez consulter dans les offices du tourisme officiels la liste de ceux garantis par le gouvernement. N'hésitez pas à demander l'avis d'autres voyageurs.

Vérifiez toujours que le matériel est parfaitement sûr avant de partir, et déterminez ce qui est compris dans le tarif. Si les normes de sécurité ne vous semblent pas respectées, changez de structure. Vérifiez que vous êtes correctement assuré. De nombreuses polices d'assurance ne couvrent pas les activités "à risque", ce qui peut englober des pratiques aussi courantes que le ski et le trekking (voir p. 106).

ACTIVITÉS DE PLEIN AIR

Toutes sortes d'activités sportives ou de détente sont possibles, du trekking à l'alpinisme, en passant par les safaris, le rafting et les excursions en bateau ou à dos d'éléphant.

À LA RENCONTRE DE LA VIE SAUVAGE

La faune et la flore indiennes se caractérisent par leur diversité : éléphants, tigres, orchidées du désert, lianes, etc. Voici d'excellents moyens de les approcher de très près.

Le site Internet "Birding in India and South Asia" (www.birding.in, en anglais) est une excellente source d'informations sur l'ornithologie, qui va même jusqu'à recommander les jumelles les mieux adaptées à l'observation des oiseaux.

Ornithologie

L'Inde du Nord s'enorgueillit de posséder certaines des plus importantes régions de nidification et d'alimentation de la planète (l'observation se fait parfois en bateau ; voir les chapitres régionaux pour plus de détails). En voici quelques-unes :

Bengale-Occidental Circuits d'observation organisés par Gurudongma Tours & Travels (p. 570) à Kalimpong.

États du Nord-Est Circuits d'observation en bateau au Potasali Eco-Camp (p. 631), près de Tezpur, dans l'Assam.

Gujarat Superbes sites pour les ornithologues amateurs, dont le Khijadiya Bird Sanctuary (p. 759), le Little Rann Sanctuary (p. 768) et le Nal Sarovar Bird Sanctuary (p. 729). Meilleure saison : de novembre à avril.
Haryana et Punjab Des centaines d'espèces au Sultanpur Bird Sanctuary (p. 264).
Himachal Pradesh Nombreuses espèces d'oiseaux au Great Himalayan National Park (p. 350).
Madhya Pradesh et Chhattisgarh Quelque 250 espèces d'oiseaux à découvrir à la Pench Tiger Reserve (p. 707), au Kanha National Park (p. 709), au Bandhavgarh National Park (p. 711), au Panna National Park (p. 679), au Madhav National Park (p. 667), au Satpura National Park (p. 691), à l'Orchha Nature Reserve (p. 669) et au Kanger Valley National Park (p. 716).
Rajasthan Nombreuses espèces visibles au Keoladeo Ghana National Park (p. 179), au Ranthambore National Park (p. 196) et à Khichan (p. 236).
Sikkim Essayez les circuits d'observation de Sikkim Tours & Travels (p. 602) à Gangtok ou ceux de Khecheopalri Trekkers Hut Guest House (p. 613), au Khecheopalri Lake.

Randonnées à dos de chameau

Ce genre de safari se pratique dans les régions désertiques du pays. Le Rajasthan est la région idéale pour se lancer dans des excursions de plusieurs jours. La plupart partent de Jaisalmer (p. 237), de Bikaner (p. 246), de Khuri (p. 245) ou d'Osiyan (p. 236) : chaque soir, on dort à la belle étoile. Ces villes offrent aussi des safaris plus courts, tout comme Pushkar (p. 191), Shekhawati (p. 184) et les environs de Hunder (p. 324), dans la vallée de la Nubra, au Ladakh. Ces randonnées-là s'effectuent à dos de chameaux de Bactriane (à 2 bosses), des animaux descendant de ceux qui empruntaient jadis les routes marchandes de l'Himalaya – jusqu'à ce que les conflits entre l'Inde et les pays voisins ne les ferment.

Le Pays des marées, d'Amitav Ghosh (10/18, 2008), raconte la rencontre entre un homme d'affaires de Kolkata et une jeune cétologue dans les Sundarbans.

Randonnées et safaris à dos d'éléphant

Beaucoup de parcs nationaux ont leurs propres animaux. On peut les louer pour les safaris qui s'aventurent dans des coins inaccessibles aux véhicules et aux marcheurs. C'est en vous déplaçant de cette manière que vous aurez le plus de chances d'approcher un tigre du Bengale. Mieux encore : vous respecterez bien davantage la faune sauvage qu'à bord d'une jeep pétaradante. Les meilleures saisons pour visiter les parcs sont indiquées dans les chapitres régionaux et dans l'encadré p. 96.
Bengale-Occidental Excursions dans le Jaldhapara Wildlife Sanctuary (p. 550) à la découverte des rhinocéros unicornes.
Bihar et Jharkhand Visite du Jharkhand's Betla (Palamau) National Park (p. 594).
États du Nord-Est Possibilité de voir des rhinocéros unicornes au Kaziranga National Park (p. 631) et au Pobitora National Park (p. 629), et d'autres animaux sauvages au Manas National Park (p. 630).
Madhya Pradesh et Chhattisgarh Safaris permettant d'apercevoir des tigres dans le Panna National Park (p. 679), la Pench Tiger Reserve (p. 707), le Kanha National Park (p. 709) et le Bandhavgarh National Park (p. 711).
Uttarakhand Possibilité de voir parfois des tigres à la Corbett Tiger Reserve (p. 494) et au Rajaji National Park (p. 481).

Équitation

Ce sport se pratique dans presque toutes les zones montagneuses de l'Inde du Nord, sous la forme de tranquilles balades dans les stations d'altitude ou de longues randonnées en forêt. Les chevaux sont également utilisés sur certains itinéraires de *yatra* (pèlerinage). Pour de plus amples détails, reportez-vous aux chapitres régionaux.

Safaris en jeep

De nombreux safaris en jeep permettent de visiter les parcs nationaux, villages, temples et monastères reculés. On organise en général un itinéraire sur mesure, soit via une agence de voyages, soit en s'adressant directement aux chauffeurs de jeeps – reportez-vous aux chapitres régionaux pour plus de précisions. Voici un choix de safaris très populaires :

Bihar et Jharkhand Pour voir des animaux sauvages au Betla (Palamau) National Park (p. 594).

États du Nord-Est Circuits dans les villages traditionnels des États du Nord-Est avec Abor Country Travels au départ d'Itanagar (p. 637), et avec Himalayan Holidays au départ de Bomdila (p. 639) ; circuits d'observation des animaux sauvages au Kaziranga National Park (p. 631) et au Manas National Park (p. 630).

Gujarat Lions d'Asie au Sasan Gir Wildlife Sanctuary (p. 749), ânes sauvages et flamants au Little Rann Sanctuary (p. 768).

Himachal Pradesh Monastères, villages reculés et vues panoramiques depuis Kaza (p. 407), au Lahaul et Spiti, et depuis Manali (p. 358).

Jammu-et-Cachemire Cols montagneux et monastères dans le Ladakh et le Zanskar (p. 298 et p. 295).

Madhya Pradesh et Chhattisgarh Circuits d'observation des tigres dans les trois principaux parcs du Madhya Pradesh, la Pench Tiger Reserve (p. 707), le Kanha National Park (p. 709) et le Bandhavgarh National Park (p. 711). Il est également possible de faire des safaris en jeep au Panna National Park (p. 679), au Madhav National Park (p. 667), au Satpura National Park (p. 691) et au Kanger Valley National Park (p. 716).

Rajasthan Circuits au Ranthambore National Park (p. 196), à la Sariska Tiger Reserve (p. 183) et à la réserve animalière de Kumbhalgarh (p. 221).

Sikkim Des agences de Gangtok (p. 602) organisent des circuits dans des villages bouddhiques et dans les vallées montagneuses du nord du Sikkim.

Uttarakhand Tigres et cerfs au Rajaji National Park (p. 481) et à la Corbett Tiger Reserve (p. 494).

La Wildlife Protection Society of India (www.wpsi-india.org/tiger) œuvre à sauver les animaux sauvages, notamment les tigres. Le site Internet donne la situation des réserves de tigres, des statistiques sur le braconnage et quantité d'autres renseignements.

Croisières d'observation des animaux

Outre les oiseaux, on peut voir, en bateau, quantité d'autres animaux sauvages en divers lieux, notamment dans les États suivants :

Bengale-Occidental Circuits à travers les mangroves dans l'immense Sundarbans Tiger Reserve (p. 543).

États du Nord-Est Safaris d'observation des animaux en bateau au Manas National Park (p. 630).

Madhya Pradesh et Chhattisgarh Circuits d'observation des crocodiles aux chutes de Raneh (p. 679).

AUTRES ACTIVITÉS

L'Inde du Nord est un paradis pour les accros à l'adrénaline. Le trekking se pratique depuis les basses terres jusqu'aux contreforts himalayens. Parmi les autres activités au programme : parapente, rafting, escalade, kayak et zorb (boule en PVC servant d'habitacle de descente)… Vous trouverez ci-dessous quelques suggestions. N'oubliez pas de souscrire une assurance adaptée.

Canyoning

À Meghalaya, le Cherrapunjee Holiday Resort (p. 656) propose des excursions dont le clou est le franchissement d'incroyables "ponts vivants" – des ponts fabriqués par les habitants de la région qui altèrent la croissance d'arbres poussant sur les deux berges opposées. Le canyoning se pratique aussi depuis Manali (p. 358)

Circuits culturels

Les visites de villages traditionnels, autorisées dans plusieurs régions, offrent un aperçu du mode de vie des Adivasi (communautés ethniques). Certains circuits exploitent le filon sans vergogne, d'autres s'efforcent de minimiser l'impact du tourisme sur les habitants, parmi lesquels ils recrutent leurs guides. Voici des circuits fiables :

États du Nord-Est Possibilité d'organiser des circuits via des agences de voyages à Guwahati (p. 625), Dibrugarh (p. 635), Itanagar (p. 637), Kohima (p. 641), Aizawl (p. 646) et Bomdila (p. 639).
Gujarat Séjour chez les Halepotra au Shaam-e-Sarhad Rural Resort (p. 766), près de Bhuj.
Jammu-et-Cachemire Les agences de Leh (p. 301) organisent des visites et des treks dans les zones habitées par les communautés ethniques – voir aussi l'encadré p. 324.
Madhya Pradesh et Chhattisgarh Visites de villages traditionnels avec le Satpura Adventure Club à Pachmarhi (p. 692). L'office du tourisme du gouvernement indien organise des séjours chez l'habitant à Basari, village situé à 27 km à l'est de Khajuraho (p. 671). Pour des renseignements sur la visite des villages reculés du Chhattisgarh, voir p. 716, ou s'adresser au Chhattisgarh Tourism Board (office du tourisme du Chhattisgarh) à Raipur (p. 712).
Rajasthan Circuits dans les villages bishnoï au départ de Jodhpur (p. 227).
Uttarakhand Visites aux gardiens de buffles gujjar dans le Rajaji National Park avec Mohan's Adventure Tours (p. 476), de Haridwar.

Deltaplane et parapente

L'Himachal Pradesh est l'un des hauts lieux du vol à voile en Inde. Vous pourrez apporter votre matériel, ou vous offrir des cours ou des vols en tandem. Les normes de sécurité étaient jusqu'ici variables, à tel point que les autorités de l'Himachal Pradesh durent ordonner la fermeture de toutes les agences de parapente pour la période 2004-2005 suite à un accident mortel. Les choses se sont depuis améliorées, mais mieux vaut se renseigner auprès des autorités touristiques. Himachal Tourism organise l'Himalayan Hang Gliding Rally à Billing (p. 397) chaque année au mois de mai.

Mars-juin et septembre-décembre constituent les périodes idéales pour le vol à voile dans l'Himachal Pradesh.

Himachal Pradesh Parapente de loisir à Solang Nullah (p. 381) près de Manali, et à Billing (p. 397) près de Dharamsala.
Madhya Pradesh et Chhattisgarh Parapente avec Satpura Adventure Club à Pachmari (p. 692).

Escalade et alpinisme

La vallée de Kullu, près de Manali (p. 358), est une destination très prisée des amateurs de parois rocheuses.

En règle générale, les agences indiennes n'ont pas nécessairement de normes très strictes en matière de sécurité. Les grimpeurs chevronnés ont intérêt à apporter leur matériel – prévoyez de nombreux coinceurs à cames et du ruban adhésif pour les fissures de granit.

L'Himachal Pradesh, le Jammu-et-Cachemire, l'Uttarakhand et le Sikkim concentrent les principaux spots d'alpinisme.

Himachal Pradesh Alpinisme et escalade dans le nord de l'Himachal Pradesh au départ de Manali (p. 358), de Vashisht (p. 380) et de McLeod Ganj (p. 383).
Jammu-et-Cachemire Organisation de randonnées en montagne et d'alpinisme à Leh (p. 301) et Padum (p. 296) ; voir aussi p. 317.
Sikkim Alpinisme et trekking dans le Khangchendzonga National Park depuis Gangtok (p. 600) ; voir aussi le Goecha La Trek (p. 615).
Uttarakhand Organisation d'expéditions (alpinisme et escalade) depuis Uttarkashi (p. 489), Joshimath (p. 491), Nainital (p. 497) et Rishikesh (p. 482).

COURS ET STAGES

De nombreux organismes privés et publics proposent des stages d'alpinisme et d'escalade, souvent à dates fixes, pendant la belle saison. Les tarifs comprennent un hébergement sommaire, les repas et l'essentiel du matériel (apportez des vêtements adaptés). Parmi les organismes réputés, citons :

Himalayan Mountaineering Institute (www.exploredarjeeling.com/hmidarj.htm ; Darjeeling). Stages d'escalade et d'alpinisme, mars-décembre (p. 563).

PRATIQUER L'ALPINISME EN INDE DU NORD

Une autorisation de l'**Indian Mountaineering Foundation** (IMF ; www.indmount.org) de Delhi est requise pour l'ascension des sommets de plus de 6 000 m. Ce genre d'expédition a un coût pour les étrangers : de 1 200 à 1 650 $US par ascension, selon la hauteur du sommet. Nombre de pics se trouvent dans des zones d'accès restreint près de la frontière chinoise. Les alpinistes doivent acquitter un supplément pour les permis spéciaux, ainsi que pour les éventuels droits d'entrée dans les parcs nationaux. Les groupes qui partent avec des agences de voyages agréées, en Inde, pourront bénéficier de réductions. Pour plus de précisions sur la pratique de l'alpinisme dans le pays, contactez l'IMF.

Heureusement, de nombreux sommets sont accessibles sans devoir payer un permis ou des droits, en particulier au Ladakh, au Zanskar, au Lahaul et Spiti et au Sikkim. L'ascension du Stok Kangri (6 120 m) en 4 jours – voir p. 317 – est l'un des treks les plus prisés. Il permet de se promener en haute altitude sans avoir à débourser une somme importante (50 $US/pers). Soyez vigilant concernant les symptômes éventuels du mal des montagnes pour tous les treks à plus de 3 000 m. Pour s'entraîner avant d'entamer une expédition, on peut effectuer des stages (reportez-vous à la rubrique *Cours et stages* p. 104).

Institute of Mountaineering & Allied Sports (www.dmas.gov.in ; Manali). Cours d'alpinisme dans l'Himachal Pradesh, mai-octobre (p. 403).

Jawahar Institute of Mountaineering & Winter Sports (Cachemire ; www.pahalgam.com/jimws.html). Cours d'alpinisme d'été tous niveaux (p. 285).

Nainital Mountaineering Club (près de Nainital). Cours d'escalade en extérieur près de Nainital (p. 499).

Nehru Institute of Mountaineering (www.nimindia.org ; Uttarkashi). Cours d'alpinisme d'hiver avec expédition à 6 000 m (p. 489).

Excursions en bateau

Ce type d'activité existe dans différentes régions d'Inde du Nord. Nous en indiquons un choix varié, des courtes balades aux croisières de plusieurs jours. Voir aussi *Croisières d'observation des animaux* (p. 103).

États du Nord-Est Croisières en bateau à vapeur sur le Brahmapoutre dans l'Assam avec Jungle Travels India (p. 627).

Gujarat Croisières à travers les récifs de corail au Marine National Park (p. 759) de Jamnagar.

Jammu-et-Cachemire À Srinagar, location de *shikara* (sorte de gondole) pour se promener sur le lac Dal (p. 287).

Kolkata (Calcutta) Croisières pour assister à l'immersion des idoles pendant la fête de Durga Puja (p. 510).

Madhya Pradesh et Chhattisgarh Croisières jusqu'aux Marble Rocks près de Jabalpur (p. 707) et sur la Narmada (sacrée) à Maheshwar (p. 700). Canotage sur l'Upper Lake (p. 680) de Bhopal et tours en barque jusqu'aux chutes de Chitrakote (p. 716). Possibilité également de faire du pédalo sur l'immense lac qui borde le Madhav National Park (p. 667) et aux ghats sacrés d'Ujjain (p. 693).

Rajasthan Tours en bateau sur le lac Pichola (p. 212) d'Udaipur.

Uttarakhand Tours en barque sur le Naini Lake (p. 497) de Nainital.

Uttar Pradesh Visite à l'aube des ghats de Varanasi (Bénarès, p. 447 et p. 451), et croisières sur les fleuves sacrés à Chitrakut (p. 716), à Mathura (p. 431) et à Allahabad (p. 440). À Allahabad, possibilité également de faire du hors-bord, du kayak et du ski nautique sur la Yamuna.

Kayak et rafting

Partout, de puissants cours d'eau constituent autant de fantastiques sites de rafting. Si les choses ne sont pas aussi organisées qu'au Népal voisin, vous passerez toutefois de bons moments sur les rivières du Bengale-Occidental, du Sikkim, de l'Himachal Pradesh, de l'Uttarakhand et du Ladakh. La saison privilégiée n'est pas la même dans tous les États :

- Bengale-Occidental – septembre-novembre et mars-juin ;
- Himachal Pradesh – avril-septembre ou octobre ;
- Ladakh –juillet et août ;
- Uttarakhand – septembre-juin.

Le degré de difficulté des rapides va du niveau II au niveau IV. Nombre d'agents spécialisés proposent des safaris de plusieurs jours et de courtes excursions. L'excursion de cinq jours dans les gorges de la Zanskar, au Ladakh, est l'une des plus belles d'Asie. Profitez-en pendant qu'il en est encore temps : des barrages hydroélectriques se construisent sur les fleuves indiens à une vitesse alarmante.

On peut pratiquer le rafting sur de nombreux de cours d'eau, y compris dans les montagnes du Ladakh.

Bengale-Occidental Sortie rafting sur la Rangeet et la Teesta avec les tour-opérateurs de Darjeeling (p. 557) et du Teesta Bazaar (p. 575).

États du Nord-Est Excursion de kayak à la journée sur le Brahmapoutre avec Purvi Discovery, à Dibrugarh (Assam ; p. 624).

Himachal Pradesh Sorties sur les fleuves Beas et Sutlej organisées par les agences de Shimla (p. 335), de Tattapani (p. 343), de Kullu (p. 355) et de Manali (p. 358).

Jammu-et-Cachemire À Leh, plusieurs agences organisent des sorties kayak et rafting dans le Ladakh.

Madhya Pradesh et Chhattisgarh Rafting sur la Betwa à Orchha (p. 667), kayak sur l'Upper Lake à Bhopal (p. 680).

Uttarakhand Rafting et kayak sur le Gange et l'Alaknanda à Rishikesh (p. 482), à Haridwar (p. 476) et à Joshimath (p. 491).

Uttar Pradesh Possibilité de faire du kayak sur la Yamuna, rivière sacrée, à Allahabad (p. 440).

Ski et snow-board

La principale station de sports d'hiver d'Inde se trouve à Gulmarg, au Cachemire, mais par souci de sécurité, de nombreux skieurs se replient sur les stations plus petites de l'Uttarakhand et de l'Himachal Pradesh. Toutes sont en haute altitude et bénéficient d'un bon enneigement de janvier à mars. Il existe des pistes pour tous niveaux. Les tarifs (location de matériel et forfaits) sont parmi les plus compétitifs au monde mais… les coupures de courant immobilisent parfois les remontées mécaniques un long moment.

Himachal Pradesh Solang Nullah (p. 381) offre plusieurs petits téléskis et des chalets ainsi qu'un téléphérique, en construction lors de notre passage ; pistes tous niveaux, location de matériel et cours. Également : expéditions en altitude à pied ou en hélicoptère. Narkanda (p. 343) a moins d'infrastructures que Solang Nullah, mais on peut y prendre des leçons, et des remontées mécaniques sont disponibles en saison.

Jammu-et-Cachemire À Gulmarg (p. 293), les télésièges, le téléski et un téléphérique donnent accès à la poudreuse de haute altitude ; pistes tous niveaux ; location de matériel et cours.

Uttarakhand Auli (p. 492) compte un téléphérique, un télésiège et un remonte-pente qui grimpent sur 5 km de pentes pour débutants et niveaux intermédiaires. Pistes tous niveaux, location de matériel et cours.

Spéléologie

Des millénaires de moussons torrentielles ont creusé un fascinant réseau de grottes dans les profondeurs du Meghalaya, dont le Krem Um Im-Liat Prah/Krem Labbit, la plus longue grotte du pays (22 km). Les agences de Shillong (p. 652) organisent des excursions. Ce circuit étant ardu, mieux vaut être expérimenté et apporter son propre matériel.

Trekking

Les temples, monastères bouddhiques, lacs et cols lointains des contreforts himalayens sont autant de destinations très courues. De nombreux trek

FAIRE DU TREKKING EN TOUTE SÉCURITÉ

Avant de partir en expédition, pensez à vérifier les points suivants pour minimiser les risques et passer un moment agréable :

- Acquittez les droits et procurez-vous les permis exigés par les autorités locales.
- Assurez-vous d'être en bonne forme physique et en mesure d'endurer un effort soutenu.
- Obtenez des informations fiables (par exemple auprès des autorités du parc) sur les conditions du terrain et de l'environnement selon l'itinéraire choisi.
- Informez-vous sur les lois et réglementations en vigueur, et l'attitude à adopter, concernant les animaux sauvages et l'environnement.
- Choisissez des régions et des sentiers dont la difficulté est à votre portée.
- Gardez à l'esprit que les conditions météorologiques et le terrain varient de façon significative d'une région à l'autre, voire d'un sentier à l'autre. Les saisons ont également une influence majeure sur l'état des sentiers. Il faut adapter ses vêtements et son matériel en fonction.
- Avant de partir, renseignez-vous auprès des marcheurs expérimentés de la région sur leur façon d'appréhender les conditions climatiques et environnementales des sentiers.

(et même des routes) passent par des cols à plus de 5 000 m au Ladakh. Le trekking reste cependant moins développé qu'au Népal. Seule une poignée d'itinéraires disposent de gîtes, les randonneurs doivent apporter tout leur matériel (provisions, tentes, sacs de couchage, cartes et trousse de premiers secours). Il n'y a pas toujours d'eau potable, les sentiers sont souvent mal balisés et il n'est pas rare de ne trouver personne à qui demander la direction. Le risque de souffrir du mal des montagnes s'accentue à plus de 3 000 m, et donc sur la plupart des itinéraires du Ladakh, du Zanskar et du Lahaul et Spiti.

Pour toutes ces raisons, le trekking en indépendant peut se révéler dangereux. La plupart des randonneurs optent pour un trek organisé par une agence locale, mais il est aussi possible de trouver des porteurs, des guides et des animaux de bât auprès des offices du tourisme. Le cas échéant, prévoyez un plan d'évacuation d'urgence. Avant de partir, informez quelqu'un de votre destination et de la date prévue de votre retour. Ne partez jamais seul. En trek organisé, assurez-vous de disposer de tout le matériel nécessaire et déterminez précisément ce qui est compris dans la prestation. Une bonne assurance est indispensable (voir p. 780).

Le Ladakh et le Zanskar sont des destinations de trekking très prisées ; pour plus d'informations voir p. 315 et 297.

Bengale-Occidental Divers treks aux environs de Darjeeling (p. 557), avec au programme le spectaculaire Singalila Ridge.

Himachal Pradesh Treks à destination des cols, lacs et monastères médiévaux via les agences de Manali (p. 358), McLeod Ganj (p. 383), Bharmour (p. 403), Chamba (p. 400) et Kaza (p. 407) ; voir les itinéraires les plus courus p. 332. Treks en basse altitude dans la vallée de la Parbati (p. 351) et le Great Himalayan National Park (p. 350) ; reportez-vous également à l'encadré p. 353.

Jammu-et-Cachemire Treks au Ladakh et au Zanskar avec des tour-opérateurs de Leh (p. 301) et de Padum (p. 296) ; voir les itinéraires les plus courus p. 315 et p. 297. Treks également possibles à Gulmarg (p. 293), à Pahalgam (p. 285) et à Sonamarg (p. 293), au Jammu et au Cachemire ; renseignez-vous sur les conditions de sécurité dans la région.

Madhya Pradesh et Chhattisgarh Satpura Adventure Club, à Pachmari (p. 692), organise des promenades dans les collines.

Rajasthan Mount Abu (p. 222), avec ses sentiers forestiers permettant d'observer des ours, est la capitale du trekking au Rajasthan. On peut aussi organiser des treks à Nawalgarh (p. 186), Udaipur (p. 209) et à Ranakpur (p. 221).

TREKKING RESPONSABLE

Lors d'un trek, participez à la préservation de l'environnement en suivant les conseils ci-dessous.

Déchets

- Remportez tous vos détritus, notamment ceux que l'on oublie facilement (papier aluminium, pelures d'orange, mégots et emballages en plastique). Les emballages vides sont à conserver dans un sac poubelle spécialement prévu à cet effet. Si possible, remportez aussi les déchets laissés par d'autres.
- N'enterrez jamais les déchets : creuser perturbe les sols et favorise l'érosion. Par ailleurs, les détritus enfouis pourraient être déterrés et consommés par les animaux, qui se blesseraient ou s'empoisonneraient. Enfin, certains déchets mettent des années à se décomposer.
- Restreignez la quantité de déchets en emportant le minimum d'emballages et seulement la quantité nécessaire de nourriture. Servez-vous de récipients réutilisables ou de sacs de toile.
- Remportez lingettes, tampons, préservatifs et papier toilette. Ces articles brûlent et se décomposent très lentement.

Déjections humaines

- La contamination des sources d'eau par les fèces humaines peut entraîner la transmission de toutes sortes de maladies. Utilisez des toilettes s'il en existe. Sinon, creusez un trou de 15 cm de profondeur à au moins 100 m de tout point d'eau, et recouvrez-le de terre et d'une pierre. Dans la neige, creusez assez profond pour entamer le sol.
- Veillez à faire respecter ces règles de conduite si votre groupe dispose de toilettes portatives. Incitez tous les membres de l'expédition, porteurs y compris, à les utiliser.

Toilette, vaisselle et lessive

- N'employez ni détergent ni dentifrice dans ou à proximité des cours d'eau, même s'il s'agit de produits biodégradables.
- Pour vous laver, utilisez un savon biodégradable et un récipient à 50 m au moins des cours d'eau. Répandez l'eau usée sur une large surface afin qu'elle soit entièrement filtrée par le sol.
- Lavez les ustensiles de cuisine à 50 m de tout cours d'eau à l'aide d'un tampon à récurer, de sable ou de neige plutôt que de détergent.

Érosion

- Les flancs des collines et des pentes montagneuses, notamment en haute altitude, sont sujets à l'érosion. Restez sur les sentiers déjà existants et évitez d'emprunter des raccourcis.
- Si un sentier très fréquenté traverse une flaque de boue, ne la contournez pas de façon à ne pas l'agrandir.
- Ne cueillez pas les plantes qui aident au maintien des sols de surface.

Sikkim Les agences de voyages de Gangtok (p. 600) et de Yuksom (p. 614) organisent des treks au Sikkim.

Uttarakhand Treks à destination des glaciers, villages de montagne et points de vue himalayens, et treks de pèlerinage aux temples Char Dham à Rishikesh (p. 482), à Haridwar (p. 476), à Uttarkashi (p. 489), à Joshimath (p. 491) et à Nainital (p. 497) ; voir aussi p. 464.

Vélo et moto

On trouve des vélos et des motos à louer partout en Inde du Nord, et plus particulièrement dans les régions touristiques – vous trouverez une liste non exhaustive d'adresses d'agences de location dans les chapitres régionaux. Pour les circuits à motos recommandés, reportez-vous en p. 814.

Feu et cuisine

- Couper du bois accélère la déforestation, problème majeur en Inde. Évitez de faire du feu et choisissez de préférence un *lodge* qui n'utilise pas de bois pour chauffer l'eau et cuisiner.
- Utilisez un réchaud à pétrole, alcool ou tablettes et évitez ceux à recharge de gaz butane.
- Si vous faites du trekking avec un guide et des porteurs, prévoyez des réchauds pour toute l'équipe. En haute altitude, assurez-vous que tous les membres de l'expédition ont suffisamment de vêtements chauds, afin de ne pas avoir besoin trop souvent de faire du feu pour se réchauffer.
- On peut faire du feu en bordure des zones boisées dans les endroits très peu fréquentés. Si vous allumez un feu, servez-vous d'un foyer existant. Ne l'entourez pas de pierres et ne brûlez que du bois mort, ramassé à terre. N'utilisez que la quantité strictement nécessaire pour cuisiner. Dans les refuges, pensez à laisser du bois pour les suivants.
- Assurez-vous que le feu est complètement éteint. Étalez les braises et aspergez-les d'eau.

Préservation de la vie sauvage

- Ne chassez pas et n'encouragez pas cette pratique, illégale en Inde.
- N'achetez pas d'articles fabriqués à partir d'espèces menacées.
- Ne tentez pas de vous débarrasser des animaux qui occupent parfois les refuges. Dans les régions les plus sauvages, ils appartiennent le plus souvent à des espèces protégées.
- Pour ne pas attirer les animaux, ne laissez pas de restes de repas derrière vous. Placez vos provisions hors d'atteinte, dans des sacs fermés que vous accrocherez à un arbre ou au chevron d'une cabane.
- Ne nourrissez pas les animaux sauvages vous risquez de les rendre dépendants, de leur transmettre des maladies ou de déséquilibrer leurs populations.

Culture locale

- Respectez les coutumes des communautés locales, en particulier quand une attitude réservée est de mise.
- Observez les règles en vigueur dans les régions que vous visitez ; elles sont instituées pour préserver le mode de vie local.
- Ne distribuez pas de stylos, de bonbons ou de menue monnaie aux enfants. Cette attitude encourage la mendicité. Si vous souhaitez faire un geste, donnez de l'argent aux écoles et aux centres communautaires.
- Demandez toujours la permission aux propriétaires avant de pénétrer sur une propriété privée.
- Autant que possible, randonnez en compagnie d'un guide local, de sorte que l'argent du tourisme revienne directement aux gens que cette activité touche le plus.

Zorbing

Le zorbing – descente d'une pente à bord d'une énorme bulle en plastique transparent – est en vogue dans l'Himachal Pradesh. On pratique cette activité tout l'été à Solang Nullah (p. 381) et à Khajjiar (p. 400), près de Dalhousie.

SPIRITUALITÉ ET MÉDECINE HOLISTIQUE

Les voyageurs intéressés par la spiritualité et les médecines alternatives trouveront de nombreux cours et thérapies relatifs au soin du corps et de l'esprit. La méditation, l'ayurvéda et le yoga ont désormais acquis une réputation sérieuse, et les occasions de pratiquer ou d'améliorer sa technique ne manquent pas.

ASHRAMS

En Inde, il existe des dizaines d'ashrams, ces lieux de vie communautaires construits autour de la philosophie d'un gourou (guide spirituel). Les codes de conduite sont variables. Assurez-vous de pouvoir vous y conformer avant de vous engager (voir l'encadré p. 110).

Kolkata (Calcutta) La Ramakrishna Mission, qui insiste sur les points communs de toutes les religions, a son siège à Belur Math (p. 526) et possède divers établissements dans tout le pays.

Rajasthan Le petit Ashtang Yoga Ashram (Udaipur ; p. 210) propose des séances de pratique du hatha-yoga.

Uttarakhand On trouve divers ashrams à Rishikesh (p. 482) et Haridwar (p. 476). Ceux de Rishikesh, généralement moins austères, s'adressent plus aux étrangers.

AYURVÉDA

Ancien et très élaboré, l'ayurvéda est la médecine traditionnelle indienne. Sa pratique repose sur l'usage de plantes et de traitements holistiques. Il s'agit de soigner l'organisme dans son ensemble plutôt que la maladie seule, par des plantes, des massages et autres thérapeutiques. Des cliniques, complexes et écoles, où l'on peut apprendre la médecine ayurvédique et recevoir des soins, existent dans tous le pays. En voici une en Inde du Nord :

Gujarat Traitements et cours professionnels de médecine ayurvédique donnés à la célèbre Ayurvedic University de Jamnagar (p. 757).

ASHRAMS ET GOUROUS

De nombreuses personnes se rendant en Inde séjournent dans un ashram – littéralement "lieu d'effort" – afin de s'enrichir sur les plans personnel et spirituel. Des centaines de gourous (le mot signifie "celui qui dissipe l'ombre" ou "empreint de sagesse") proposent à des millions de disciples de bénéficier de leur expérience sur le chemin de la perfection. Il convient de se montrer prudent. Dans certains ashrams, la ligne de démarcation est très mince entre la communauté spirituelle et le culte de la personnalité. Les récits d'abus, souvent d'ordre sexuel, ne sont pas rares. Ces accusations ont entaché la réputation des communautés les plus célèbres, comme l'International Society for Krishna Consciousness et l'International Sai Organisation du gourou Sai Baba.

Il faut choisir son ashram en fonction de ses inclinations spirituelles propres. Chaque gourou a sa conception de la spiritualité, souvent centrée sur l'abstinence et la méditation. Tous les ashrams ont un code de conduite (code vestimentaire, séances de yoga et de méditation quotidiennes, contribution à un projet caritatif par exemple). On exige la plupart du temps des visiteurs qu'ils y adhèrent. La majorité est végétarienne et l'on peut vous demander de ne pas fumer, de ne pas consommer d'œufs, d'alcool, d'ail, d'oignons et de "*black drinks*" – en clair, toutes les boissons contenant de la caféine, thé et sodas compris. Les relations sexuelles peuvent être interdites ou vivement encouragées. Assurez-vous d'être à l'aise avec la question avant de vous engager.

Souvent, les ashrams gèrent des projets caritatifs – même si de nombreux gourous sont multimillionnaires – et il est d'usage de faire un don pour couvrir les frais de nourriture, d'hébergement et de fonctionnement. Il n'est en général pas nécessaire de prévenir de son arrivée, mais mieux vaut s'en assurer. Certains gourous se déplacent d'un lieu à l'autre sans crier gare ; enseignez-vous pour éviter une déception. Quand bien même vous n'auriez pas la fibre spirituelle, rès intéressant de voir de près, à l'occasion d'une visite d'une journée, comment fonctionnent nouvements spirituels contemporains.

MÉDITATION BOUDDHISTE

En Inde du Nord, des centres proposent des cours et des retraites de méditation *vipassana*. Certains exigent que l'on fasse vœu de silence, et beaucoup prohibent le tabac, l'alcool et le sexe. McLeod Ganj (p. 383), résidence du dalaï-lama, est le principal lieu d'enseignement du bouddhisme tibétain en Inde. Des enseignements en public sont dispensés par le dalaï-lama et le 17e Karmapa à certains moments de l'année – voir le site www.dalailama.com/page.60.htm.

Bihar et Jharkhand Cours de philosophie bouddhiste et de méditation *vipassana* à Bodhgaya (p. 586).

Gujarat Cours de méditation au Kutch Vipassana Centre (p. 766), dans le village de Bada.

Himachal Pradesh Cours de massages tibétains, de méditation et de philosophie bouddhistes à McLeod Ganj (p. 383).

Jammu-et-Cachemire Cours de méditation *vipassana* et de philosophie bouddhiste à Leh (p. 301) ; retraites à Choglamsar.

Plus de 2 000 espèces de plantes sont décrites dans les anciens textes ayurvédiques. Parmi elles, au moins 550 variétés sont couramment utilisées en Inde.

SPAS

Pour goûter aux bienfaits de l'ayurvéda sans en apprendre les techniques, rendez-vous dans les nombreux spas du pays, qui vont des hôpitaux ayurvédiques aux centres de soins de luxe des complexes hôteliers cinq étoiles (voir les chapitres régionaux pour des recommandations). Attention toutefois à certains massages tendancieux proposés par les tour-opérateurs, en particulier dans les villes touristiques. Demandez leur avis aux autres voyageurs et fiez-vous à votre instinct.

Voici quelques adresses recommandées :

Delhi L'Ashtaang ou le Kerala Ayurveda (p. 133), pour un traitement ayurvédique complet.

Himachal Pradesh Massages et autres traitements à Vashisht (p. 380), McLeod Ganj (p. 383) et Bhagsu (p. 387).

Madhya Pradesh et Chhattisgarh L'Usha Kiran Palace (p. 665), à Gwalior, compte un luxueux spa. C'est aussi le cas du Jehan Numa Palace Hotel (p. 683) à Bhopal, ainsi que de l'Amar Mahal et de l'Orchha Resort (p. 669) à Orchha. L'Ayur Arogyam (p. 676), tenu par un couple kéralais à Khajuraho, est un centre de massages recommandé.

Rajasthan Cliniques de massages ayurvédiques à Jaipur (p. 162), Udaipur (p. 209) et Jaisalmer (p. 237).

Uttarakhand Essayez l'Ananda Spa (p. 489), près de Rishikesh, et l'Haveli Hari Ganga (p. 479) à Haridwar.

Uttar Pradesh Divers hôtels de Varanasi offrent de bons massages kéralais. Voir p. 453.

Vous trouverez des renseignements sur la méditation *vipassana* enseignée par S.N. Goenka, ainsi que sur les divers centres où l'on peut suivre des cours, à l'adresse www.dhamma.org.

YOGA

Nombre de villes indiennes comptent au moins un centre où l'on peut suivre des cours (de durée variable) de yoga et de méditation. Les formes de yoga les plus courantes sont le hatha (qui suit la série de postures et de méditation *shatkarma*, ou purification), l'*ashtanga* (série de postures dite des "huit membres"), le *pranayama* (respiration contrôlée) et l'Iyengar (une variante de l'*ashtanga* dont certaines postures nécessitent un effort physique soutenu).

Cours de yoga

L'offre est pléthorique, mais tous les centres ne se valent pas (surtout dans les lieux touristiques). Demandez conseil aux offices du tourisme et à d'autres voyageurs et visitez plusieurs adresses pour dénicher celle qui correspond le mieux à vos besoins. Nombre d'ashrams (communautés spirituelles) proposent aussi des cours. Certains imposent des règles strictes (durée minimum de séjour, respect du silence, d'un régime alimentaire et d'un code de conduite ; voir l'encadré p. 110).

AMCHI

Les régions tibétaines où le bouddhisme prédomine ont leur propre médecine traditionnelle, l'amchi, qui combine l'astrologie et le traitement par les plantes himalayennes. Malgré l'arrivée de la médecine occidentale, l'*amchi* reste un moyen de traitement populaire dans certaines régions du Ladakh et de l'Himachal Pradesh ; voir p. 298 et p. 331.

Vieux de 4 000 ans, le yoga est l'une des disciplines spirituelles les plus anciennes de l'humanité. La forme que nous connaissons aujourd'hui fut introduite vers 200 av. J.-C. par l'érudit hindou Patanjali.

La liste qui suit est loin d'être exhaustive. Les endroits qui ne facturent pas leur enseignement apprécient néanmoins les dons.

Delhi Divers courants de méditation et de yoga (p. 133).

Gujarat Cours de hatha-yoga à l'Ayurvedic University de Jamnagar (p. 759).

Himachal Pradesh Cours de hatha-yoga, de *reiki*, et autres sciences du soin à Vashisht (p. 380) et McLeod Ganj (p. 383).

Jammu-et-Cachemire Cours de méditation et de yoga à Leh (p. 301).

Kolkata (Calcutta) Cours de yoga et de méditation à Kolkata (p. 527).

Madhya Pradesh et Chhattisgarh Yogi Sudarshan Dwiveda (p. 676) est le plus révéré des nombreux yogis de Khajuraho. À Orchha, l'Amar Mahal et l'Orchha Resort (p. 669) proposent des cours quotidiens.

Rajasthan Cours de yoga, de *reiki*, de shiatsu et de naturopathie à Pushkar (p. 191), cours de hatha-yoga à Jaipur (p. 168) et à Mount Abu (p. 222).

Uttarakhand Cours de hatha-yoga et de yogas *pranayama*, *kriya* et spirituel à Rishikesh (p. 482) et Haridwar (p. 476).

Uttar Pradesh Parmi les cours de yoga à Varanasi nous recommandons ceux du Yoga Training Centre et de la Benares Hindu University (p. 450).

Delhi

Métropole opulente aux allures de capharnaüm moyenâgeux et de vieille tante autoritaire, Delhi charme les voyageurs qui prennent le temps de la découvrir. Capitale indisciplinée, elle est bien entendu bondée, exaspérante, polluée, extrême et trépidante, mais personne n'est parfait !

C'est une ville qui réunit des mondes différents. Old Delhi, tout en frénésie et splendeur décrépite, fut jadis la capitale de l'Inde islamique. Les Britanniques ont ensuite édifié la vaste New Delhi comme capitale de leur empire. Et aujourd'hui, les quartiers récents de la ville déclinent une succession ininterrompue de boutiques, de bureaux et d'appartements, reflets d'une modernité anonyme.

D'impressionnants travaux ont été réalisés à l'occasion des Jeux du Commonwealth de 2010. Parmi ces nouvelles infrastructures herculéennes figurent le village des Jeux (65 ha) et un métro flambant neuf.

Derrière ses facettes moins attrayantes, Delhi dissimule une multitude de joyaux. À l'image d'une Rome orientale, la capitale indienne est constellée de ruines et de monuments, vestiges d'empires disparus. Elle recèle des musées, des temples et des mosquées remarquables, et offre une vie culturelle des plus riches. Les passionnés de shopping verront avec envie toutes les richesses de l'Inde étalées dans les grands magasins.

Mais l'extravagance sensorielle de Delhi ne s'arrête pas là. Vous y dégusterez l'une des meilleures cuisines du sous-continent : montagnes de pizzas, succulents *dosa* (crêpes salées) et fameux *dilli-ka-chaat* (en-cas de rue) qui, à l'instar de la ville, offrent un festival de saveurs en une seule bouchée.

À NE PAS MANQUER

- Une flânerie dans le **Red Fort** (p. 125) moghol
- Le havre de tranquillité du **tombeau de Humayun** (p. 129)
- Les *qawwali* chantés au crépuscule par les soufis, au **Hazrat Nizam-ud-din Dargah** (p. 131)
- La majestueuse **Jama Masjid** (p. 128), plus grande mosquée d'Inde
- La découverte éblouissante et déroutante des **bazars d'Old Delhi** (p. 150)
- Une séance de **shopping** (p. 148) effréné dans les grands magasins de la capitale
- La célèbre **cuisine de rue** (p. 143) de Delhi, ses **cocktails** (p. 146) et ses ravissants **restaurants** (p. 141)

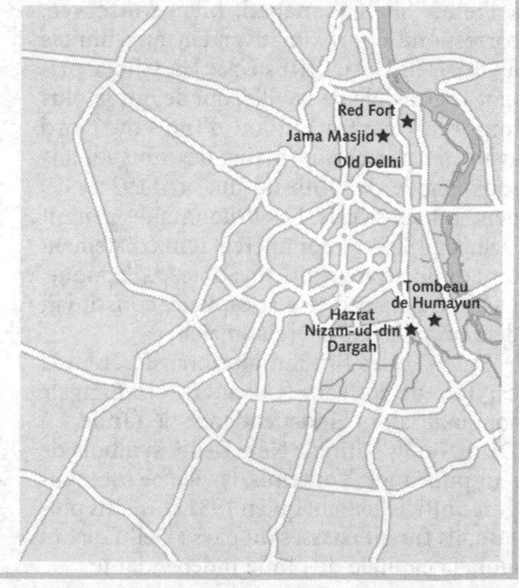

EN BREF

- Population : 12,8 millions d'habitants
- Superficie : 1 483 km^2
- Indicatif téléphonique : ☎ 011
- Langues principales : hindi et anglais
- Meilleure période : novembre à mars

HISTOIRE

Si Delhi n'a pas toujours été la capitale, elle n'en a pas moins joué depuis longtemps un rôle prépondérant dans l'histoire du pays. Véritable porte d'entrée de l'Inde, la ville, érigée sur les plaines à proximité d'un passage à gué sur la Yamuna, se trouve au carrefour des différentes régions d'Asie (occidentale, centrale et septentrionale). D'aucuns prétendent qu'il s'agirait de l'Indraprastha évoquée dans l'épopée du *Mahabharata*, il y a plus de 3 000 ans. Les premiers signes de peuplement ne datent pourtant que de 2 500 ans.

Au moins huit cités furent érigées sur ce site, la dernière étant New Delhi, bâtie par les Britanniques. Les quatre premières villes se trouvaient au sud, aux alentours du site du Qutb Minar. La cinquième, Firozabad, occupait l'emplacement du quartier de Firoz Shah Kotla, aujourd'hui à New Delhi. L'empereur Sher Shah créa la sixième Delhi à Purana Qila, toujours à New Delhi. L'empereur moghol Shah Jahan construisit la septième au XVIIe siècle, déplaçant sa capitale d'Agra à Delhi. Shahjahanabad, bien conservée, correspond approximativement aux limites d'Old Delhi. Au XIIe siècle, les Chola prirent le contrôle de la ville, qui devint le plus important centre hindou d'Inde du Nord avant de passer aux mains des musulmans sous l'égide de Qutb-ud-din en 1193 et ce, pendant six siècles. Les Britanniques prirent Delhi en 1803 et y nommèrent immédiatement un administrateur du royaume. À l'époque, Delhi, à défaut d'être la capitale, constituait déjà un pôle commercial majeur.

En 1911, les Britanniques transférèrent la capitale de Kolkata (Calcutta) – le Bengale soutenait alors l'indépendance de l'Inde – à Delhi, où ils bâtirent New Delhi, symbole de leur puissance. Toutefois, la ville ne fut inaugurée officiellement qu'en 1931 et 16 ans plus tard, ils furent chassés du pays : Delhi devint alors la capitale de l'Inde indépendante.

Depuis cette date, la population de Delhi a explosé grâce au développement économique et à l'accroissement des opportunités de travail. La ville apparaît aussi plus élégante que jamais, après sa réfection pour les Jeux du Commonwealth de 2010 (www.cwgdelhi2010.org). La surpopulation, l'intensité du trafic, le travail des enfants, la pénurie de logements et la pollution sont le revers de la médaille.

ORIENTATION

La ville est très étendue mais les sites dignes d'intérêt sont facilement accessibles. La principale gare routière, l'Inter State Bus Terminal (ISBT), se trouve au nord de Old Delhi ; la gare ferroviaire de New Delhi est au sud. Près de cette dernière, Paharganj, qui s'étend entre l'ancienne et la nouvelle ville, regorge d'hébergements bon marché.

New Delhi se partage entre les centres d'affaires et les quartiers résidentiels regroupés autour de Connaught Place (le cœur de la ville), et les infrastructures gouvernementales, aux alentours de Rajpath, au sud. Janpath part vers le sud depuis Connaught Pl ; elle réunit l'office du tourisme, des hôtels et un secteur commerçant. Le reste de l'agglomération – composé de zones résidentielles huppées et de bidonvilles – s'étend sur des kilomètres. À 25 km au sud du centre, la ville prospère de Gurgaon regroupe des immeubles de bureaux ultramodernes et des centres commerciaux clinquants.

Les terminaux des vols intérieurs de l'aéroport international Indira-Gandhi se situent à 15 km au sud-ouest du centre ; le terminal international est implanté 8 km plus loin.

Cartes

L'India Tourism Delhi (p. 118) propose une carte pliante gratuite de Delhi, mais la *AA City Map* (www.delhimapindia.com), également gratuite et disponible à l'office de tourisme et dans de nombreux hôtels, vous sera plus utile. Pour des plans plus détaillés, vous pouvez vous procurer dans la plupart des kiosques à journaux l'excellent *Eicher City Map* (245 pages ; 290 Rs). Eicher publie également la *Delhi Road Map* (75 Rs).

RENSEIGNEMENTS

Accès Internet

Les cybercafés ne manquent pas, notamment à Khan Market, Paharganj et Connaught Place. La plupart facturent 35 Rs par heure de connexion, 5 Rs pour imprimer une page et

25 Rs pour scanner un document ou graver un CD. Les hôtels huppés proposent souvent un accès Wi-Fi.

Argent

DISTRIBUTEURS AUTOMATIQUES DE BILLETS (DAB)

Il y en a partout, et notamment :

Citibank Basant Lok Complex (carte p. 116 ; Vasant Vihar) ; Khan Market (carte p. 120)
HDFC Paharganj (carte p. 136 ; Main Bazaar, Paharganj) ; Connaught Pl (carte p. 124 ; angle des blocks C et K)
ICICI Connaught Pl (carte p. 124 ; 9A Phelps Bldg) ; Paharganj (carte p. 136 ; Rajguru Rd)
UTI (carte p. 136 ; Rajguru Rd)

DEVISES ÉTRANGÈRES ET CHÈQUES DE VOYAGE

American Express (carte p. 124 ; ☎ 23719506 ; A-block, Connaught Pl ; 🕑 9h30-18h30 lun-ven, 9h30-14h30 sam). DAB réservé aux cartes Amex.
Baluja Forex (carte p. 136 ; ☎ 41541523 ; 4596 Main Bazaar, Paharganj ; 🕑 10h-17h30). Avances en espèces sur cartes MasterCard et Visa.
Central Bank of India (carte p. 120 ; ☎ 26110101 ; Ashok Hotel, Chanakyapuri ; 🕑 24h/24)
Delhi Tourism & Transport Development Corporation (carte p. 124 ; ☎ 23315322 ; N-36, Middle Circle, Connaught Pl ; 🕑 10h30-18h tlj sauf dim). Bureau de change.
Thomas Cook aéroport international (☎ 25653439 ; 🕑 24h/24) ; Janpath (carte p. 120 ; ☎ 23342171 ; Hotel Janpath ; 🕑 9h30-17h lun-sam) ; gare ferroviaire de New Delhi (carte p. 136 ; ☎ 23211819 ; 🕑 9h30-18h tlj sauf dim, 11h-18h dim)

VIREMENTS INTERNATIONAUX

Thomas Cook (carte p. 120 ; ☎ 23342171 ; Hotel Janpath, Janpath ; 🕑 9h30-18h tlj sauf dim)
Western Union (siège) (carte p. 124 ; ☎ 23355061 ; Sita World Travels, 12 F-Block, Connaught Pl ; 🕑 9h30-19h lun-sam). Nombreuses agences en ville.

Centres culturels et bibliothèques

Les centres culturels proposent périodiquement des expositions, des séminaires mais aussi des ballets, des concerts et des pièces de théâtre. Jetez un œil aux journaux locaux (voir rubrique *Médias* ci-contre) pour connaître la programmation en cours.

Alliance Française (carte p. 120 ; ☎ 43500200 ; www.afindia.org ; 72 Lodi Estate)
Delhi Public Library (carte p. 126 ; ☎ 23962682 ; SP Mukherjee Marg). Bibliothèque publique de Delhi.
India International Centre (carte p. 120 ; ☎ 24619431 ; www.iicdelhi.nic.in ; 40 Max Mueller Marg)
Max Mueller Bhavan (carte p. 120 ; ☎ 23329506 ; www.goethe.de/delhi ; 3 Kasturba Gandhi Marg)
Rabindra Bhavan (carte p. 120 ; Copernicus Marg) ; Lalit Kala Akademi (académie d'Art contemporain ; ☎ 23387241) ; Sangeet Natak Akademi (académie des Arts vivants ; ☎ 23382975) ; Sahitya Akademi (académie de Littérature ; ☎ 23386626)

Librairies

On trouve à Delhi une multitude d'excellentes librairies proposant un vaste choix de romans et d'ouvrages de toutes sortes (guides de voyage, magazines et cartes) à prix imbattable.

CONNAUGHT PLACE

New Book Depot (carte p. 124 ; ☎ 23320020 ; 18 B-Block, Inner Circle ; 🕑 11h-20h tlj sauf dim)
Oxford Bookstore (carte p. 124 ; ☎ 23766083 ; www.oxfordbookstore.com ; Statesman House, 148 Barakhamba Rd ; 🕑 10h-20h tlj sauf dim, 12h-20h dim). Le Cha Bar (p. 146) jouxte la librairie.
People Tree (carte p. 124 ; ☎ 23744877 ; www.peopletreeonline.com ; Regal Bldg, Sansad Marg ; 🕑 10h30-19h tlj sauf dim). Romans et essais (droits de l'homme, environnement, etc.)

KHAN MARKET

Bahri Sons (carte p. 120 ; ☎ 24694610 ; 🕑 10h30-19h30 tlj sauf dim)
Faqir-Chand & Sons (carte p. 120 ; ☎ 24618810 ; 🕑 10h-20h tlj sauf dim)
Full Circle Bookstore (carte p. 120 ; ☎ 24655641 ; 🕑 9h30-19h30 tlj). Le Café Turtle se trouve à l'étage (p. 146)

SOUTH EXTENSION

Teksons (carte p. 116 ; ☎ 24617030 ; G4, Part I ; 🕑 10h-20h). D'autres succursales, y compris à Connaught Place.
Timeless (carte p. 116 ; ☎ 24693257 ; 46 Housing Society, Part I ; 🕑 10h-19h). Nichée dans une ruelle (demandez autour de vous), cette librairie est réputée pour ses beaux livres de qualité traitant de l'Inde, depuis les tissus jusqu'à l'architecture.

Médias

Pour des informations sur les événements, procurez-vous le *Delhi City Guide* (20 Rs) et le *Delhi Diary* (10 Rs). L'excellent magazine mensuel *First City* (30 Rs) publie une liste exhaustive (assortie de critiques) de tous l[illegible] loisirs, des pièces de théâtre aux bars. Le *T[illegible] Out Delhi* (30 Rs) offre également un re[illegible] branché sur la ville. Pour une excursi[illegible]

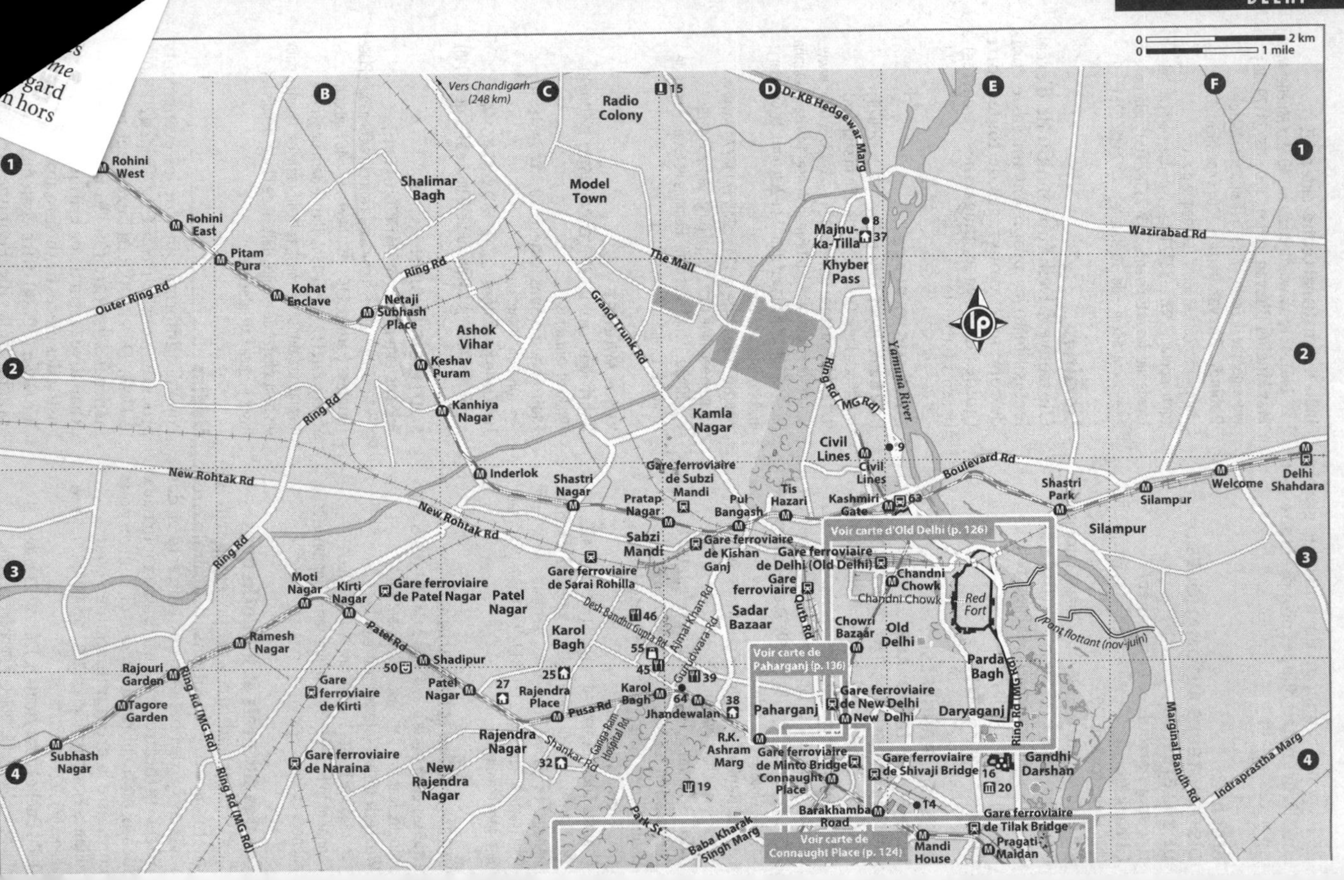
0 2 km
0 1 mile
Vers Chandigarh (248 km)
Radio Colony
15
Model Town
Shalimar Bagh
Ashok Vihar
Keshav Puram
Kanhiya Nagar
Kamla Nagar
Majnu-ka-Tilla
8
37
Khyber Pass
Civil Lines
9
Kashmiri Gate
63
Tis Hazari
Pul Bangash
Pratap Nagar
Sabzi Mandi
Shastri Nagar
Inderlok
Netaji Subhash Place
Kohat Enclave
Pitam Pura
Rohini East
Rohini West
Dr KB Hedgewar Marg
Wazirabad Rd
Yamuna River
Ring Rd (MG Rd)
Ring Rd
Outer Ring Rd
The Mall
Grand Trunk Rd
Boulevard Rd
New Rohtak Rd
Shastri Park
Silampur
Welcome
Delhi Shahdara
Marginal Bandh Rd
Indraprastha Marg
Pont flottant (nov-juin)
Red Fort
Chandni Chowk
Old Delhi
Chowri Bazaar
Daryaganj
Parda Bagh
Voir carte d'Old Delhi (p. 126)
Gare ferroviaire de Delhi (Old Delhi)
Gare ferroviaire de Kishan Ganj
Gare ferroviaire de Subzi Mandi
Gare ferroviaire de Sarai Rohilla
Gare ferroviaire de Patel Nagar
Gare ferroviaire de Kirti
Gare ferroviaire de Naraina
Gare ferroviaire de New Delhi
Gare ferroviaire de Minto Bridge
Gare ferroviaire de Shivaji Bridge
Gare ferroviaire de Tilak Bridge
Gare ferroviaire
Sadar Bazaar
Qutb Rd
Voir carte de Paharganj (p. 136)
Paharganj
New Delhi
Connaught Place
Barakhamba Road
Voir carte de Connaught Place (p. 124)
Mandi House
Pragati Maidan
Gandhi Darshan
16
20
14
R.K. Ashram Marg
19
Jhandewalan
38
Karol Bagh
64
39
45
55
46
Ajmal Khan Rd
Gurdwara Rd
Desh Bandhu Gupta Rd
Ganga Ram Hospital Rd
Pusa Rd
Shankar Rd
Rajendra Place
25
27
32
Rajendra Nagar
New Rajendra Nagar
Patel Nagar
Shadipur
50
Patel Rd
Kirti Nagar
Moti Nagar
Ramesh Nagar
Rajouri Garden
Tagore Garden
Subhash Nagar
Park St
Baba Kharak Singh Marg
A B C D E F
1 2 3 4

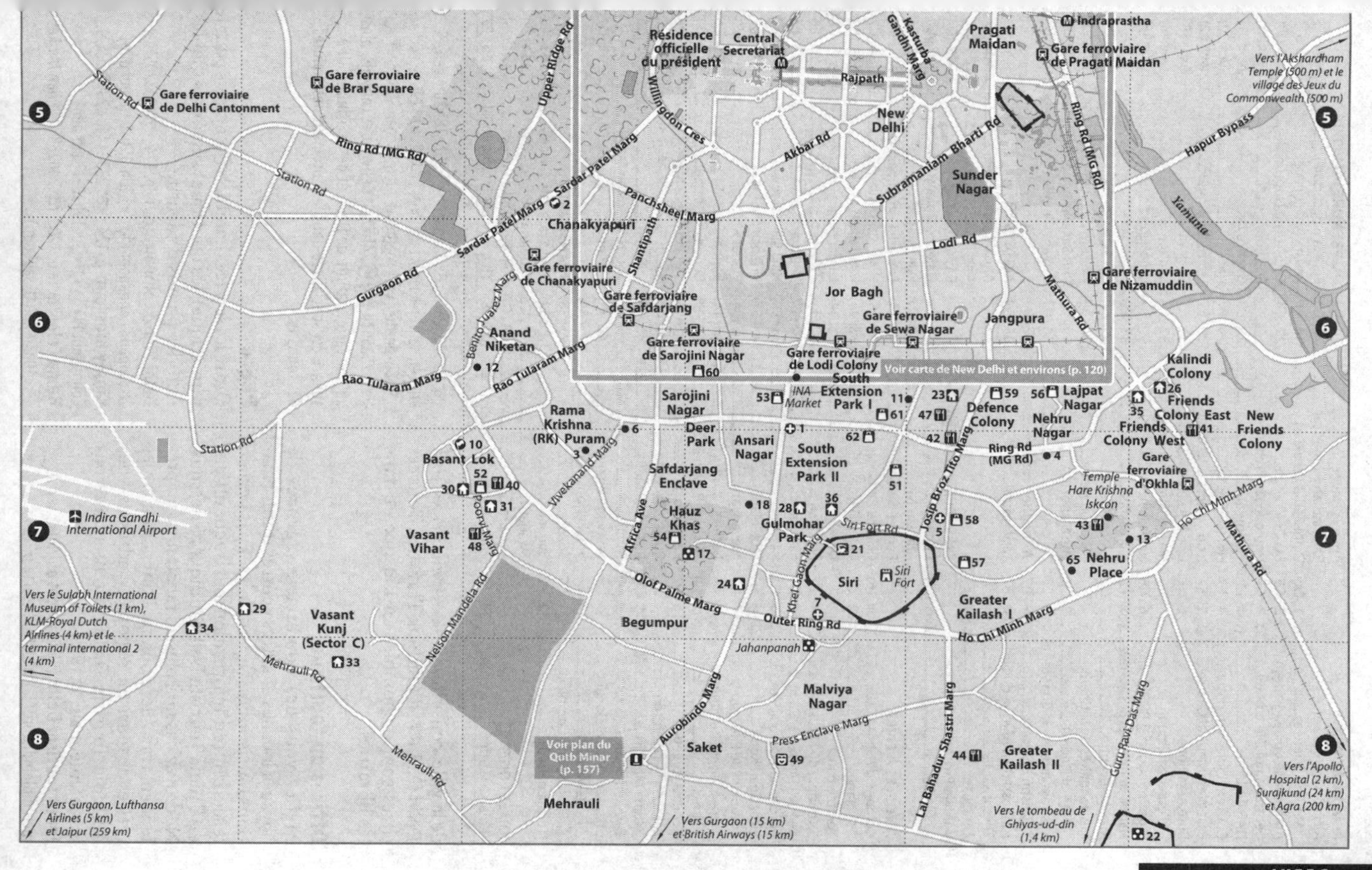
Station Rd
Gare ferroviaire de Delhi Cantonment
Gare ferroviaire de Brar Square
Upper Ridge Rd
Résidence officielle du président
Central Secretariat
Rajpath
Kasturba Gandhi Marg
Pragati Maidan
Indraprastha
Gare ferroviaire de Pragati Maidan
Vers l'Akshardham Temple (500 m) et le village des Jeux du Commonwealth (500 m)
Willingdon Cres
New Delhi
Akbar Rd
Subramaniam Bharti Rd
Ring Rd (MG Rd)
Hapur Bypass
Yamuna
Ring Rd (MG Rd)
Station Rd
Sardar Patel Marg
Panchsheel Marg
Sunder Nagar
Chanakyapuri
Lodi Rd
Gare ferroviaire de Nizamuddin
Gurgaon Rd
Gare ferroviaire de Chanakyapuri
Shantipath
Benito Juarez Marg
Gare ferroviaire de Safdarjang
Jor Bagh
Mathura Rd
Gare ferroviaire de Sewa Nagar
Jangpura
Anand Niketan
Gare ferroviaire de Sarojini Nagar
Gare ferroviaire de Lodi Colony
Voir carte de New Delhi et environs (p. 120)
Kalindi Colony
Rao Tularam Marg
Sarojini Nagar
INA Market
South Extension Park I
Lajpat Nagar
Friends Colony East
New Friends Colony
Rama Krishna (RK) Puram
Deer Park
Defence Colony
Nehru Nagar
Friends Colony West
Station Rd
Ansari Nagar
South Extension Park II
Ring Rd (MG Rd)
Gare ferroviaire d'Okhla
Basant Lok
Vivekanand Marg
Safdarjang Enclave
Temple Hare Krishna Iskcon
Ho Chi Minh Marg
Indira Gandhi International Airport
Poorvi Marg
Africa Ave
Hauz Khas
Gulmohar Park
Siri Fort Rd
Josip Broz Tito Marg
Vasant Vihar
Khel Gaon Marg
Siri
Siri Fort
Nehru Place
Mathura Rd
Olof Palme Marg
Greater Kailash I
Vers le Sulabh International Museum of Toilets (1 km), KLM-Royal Dutch Airlines (4 km) et le terminal international 2 (4 km)
Vasant Kunj (Sector C)
Begumpur
Outer Ring Rd
Ho Chi Minh Marg
Nelson Mandela Rd
Jahanpanah
Mehrauli Rd
Malviya Nagar
Guru Ravi Das Marg
Aurobindo Marg
Press Enclave Marg
Lal Bahadur Shastri Marg
Voir plan du Qutb Minar (p. 157)
Saket
Greater Kailash II
Mehrauli Rd
Vers l'Apollo Hospital (2 km), Surajkund (24 km) et Agra (200 km)
Mehrauli
Vers Gurgaon, Lufthansa Airlines (5 km) et Jaipur (259 km)
Vers Gurgaon (15 km) et British Airways (15 km)
Vers le tombeau de Ghiyas-ud-din (1,4 km)

RENSEIGNEMENTS
All India Institute of Medical Sciences ... **1** D6
Ambassade du Bangladesh ... **2** C5
Central Hindi Directorate ... **3** C7
DAB Citibank ... (voir 40)
Concern India Foundation ... **4** E7
East West Medical Centre ... **5** E7
Bureau régional d'enregistrement des étrangers (FRRO) ... **6** C6
Haut-Commissariat des Maldives ... (voir 12)
Max Medcentre ... **7** D7
Missionnaires de la Charité (Nirmal Hriday) ... **8** D1
Missionnaires de la Charité (Shishu Bhavan) ... **9** E2
Ambassade d'Afrique du Sud ... **10** B7
Teksons ... (voir 61)
Timeless ... **11** E6
Wildlife Protection Society of India ... (voir 57)

À VOIR ET À FAIRE
Colonne d'Ashoka ... (voir 16)
Ashtaang ... **12** C6
Temple bahaï (temple du Lotus) ... **13** F7
Bengali Market ... **14** E4
Coronation Durbar Site ... **15** D1
Firoz Shah Kotla ... **16** E4
Tombeau de Firoz Shah ... **17** D7
Jaypee Vasant Continental Hotel ... (voir 52)
Kerala Ayurveda ... **18** D7
Lakshmi Narayan Temple (Birla Mandir) ... **19** D4
Lambency Spa ... (voir 44)
Shankar's International Dolls Museum ... **20** E4
Siri Fort Sports Complex ... **21** D7
Tughlaqabad ... **22** F8

OÙ SE LOGER
Amarya Garden ... **23** E6
Amarya Haveli ... **24** D7
Bajaj Indian Home Stay ... **25** C4
Delhi Bed & Breakfast ... **26** F6
Ess Gee's ... **27** C4
Home Away From Home ... **28** D7
Hotel Eurostar ... **29** B7
Icon Towers ... **30** B7
Icon Villa ... **31** C7
Master Guest House ... **32** C4
New Delhi Bed & Breakfast ... **33** B8
Peace House ... (voir 37)
Radisson Hotel ... **34** A7
The Manor ... **35** F6
Thikana ... **36** D7
Wongdhen House ... **37** D1
Yatri House ... **38** D4

OÙ SE RESTAURER
Angan ... **39** D4
Arabian Nites ... **40** C7
Bengali Sweet House ... (voir 14)
Café de Paris ... (voir 58)
China Garden ... (voir 44)
Diva ... (voir 44)
Ego Thai ... **41** F6
Flavours ... **42** E7
Kasbah ... (voir 58)
Moti Mahal ... (voir 57)
Naivedyam ... (voir 54)
Nathu's ... (voir 14)
Not Just Parathas ... **44** E8
Park Baluchi ... (voir 54)
Punjabi by Nature ... (voir 40)
Roshan di Kulfi ... **45** C3
Sagar ... (voir 47)
Saravana Bhavan ... **46** C3
Smokehouse Grill ... (voir 44)
Spago ... (voir 58)
Sugar & Spice ... (voir 52)
Swagath ... **47** E6
Tamura ... **48** C7
Zäffrān ... (voir 58)

OÙ PRENDRE UN VERRE
Barista (succursale) ... (voir 47)
Barista (succursale) ... (voir 61)
Café Turtle (succursale) ... (voir 58)
Ego Lounge ... (voir 41)
Geoffrey's ... (voir 51)
Haze ... (voir 52)
Lizard Lounge ... (voir 62)
Shalom ... (voir 58)
Shalom ... (voir 48)
Urban Pind ... (voir 58)

OÙ SORTIR
PVR Priya Cinema ... (voir 52)
PVR Saket (Anupam 4) ... **49** D8
Satyam Cineplex ... **50** B3

ACHATS
Anokhi (succursale) ... (voir 58)
Ansal Plaza ... **51** D7
Basant Lok Complex ... **52** C7
Defence Colony Market ... (voir 47)
Dilli Haat ... **53** D6
Fabindia (succursale) ... (voir 58)
Hauz Khas Village ... **54** C7
Karol Bagh Market ... **55** C3
Lajpat Nagar Central Market ... **56** E6
M-Block Market ... **57** E7
Nalli Silk Sarees ... (voir 44)
N-Block Market ... **58** E7
Planet M ... (voir 62)
Rangarsons Music Depot ... **59** E6
Roopak's ... (voir 55)
Sarojini Nagar Market ... **60** D6
South Extension Market (Part I) ... **61** D6
South Extension Market (Part II) ... **62** D7

TRANSPORTS
Inter State Bus Terminal ... **63** E3
Fédération cycliste d'Inde ... **64** D4
Lalli Motorbike Exports ... (voir 55)
Thai Airways International ... **65** E7

de la ville, consultez le *Week-end Breaks from Delhi* (225 Rs), d'Outlook Traveller. Tous ces titres sont disponibles en kiosque et dans les librairies.

Offices du tourisme

Méfiez-vous des nombreuses agences de voyages louches et autres centres d'informations touristiques. Ne vous laissez pas berner, le seul centre d'information touristique officiel est l'India Tourism Delhi, indiqué ci-dessous. Ne croyez pas non plus les rabatteurs qui prétendent travailler pour lui. Pour connaître les offices du tourisme régionaux, adressez-vous à l'India Tourism Delhi ou renseignez-vous directement au ☎197.

India Tourism Delhi (Government of India ; www.incredibleindia.org) Connaught Pl (carte p. 124 ; ☎ 23320008/5 ; 88 Janpath ; 9h-18h lun-ven, 9h-14h sam) ; aéroport national (☎ 25675296 ; 8h-dernier vol) ; aéroport international (☎ 25656144 ; 24h/24). Délivre des conseils, ainsi qu'une carte gratuite de Delhi et des brochures. Une agence est spécialisée dans le traitement des plaintes des touristes.

Photo

Outre les services habituels (y compris pour le numérique), les boutiques suivantes, fiables, font des photos d'identité :

Delhi Photo Company (carte p. 124 ; ☎ 23320577 ; 78 Janpath, Connaught Pl ; 10h-19h30 tlj sauf dim)

Kinsey Bros (carte p. 124 ; ☎ 23324446 ; 2 A-Block, Connaught Pl ; 10h30-19h30 tlj sauf dim)

Rama Color (carte p. 120 ; ☎ 24628890 ; Khan Market ; 10h30-20h tlj sauf dim)

FÊTES ET FESTIVALS À DELHI

Les lieux et dates de certaines fêtes varient. Renseignez-vous à l'India Tourism Delhi (p. 118). Diwali (p. 28) et Dussehra (p. 28) sont des célébrations particulièrement animées dans la capitale.

Fête de la République (26 janvier ; Rajpath, p. 129). Défilé militaire spectaculaire.

Cérémonie de la Retraite (29 janvier ; Rajpath, p. 129). Clôture des célébrations de la fête de la République et autre défilé militaire. Billets indispensables pour les deux événements, disponibles à l'India Tourism Delhi (voir p. 118).

Fête des Fleurs de Delhi (jan-fév). Une manifestation multicolore qui dure plusieurs jours.

Fête de la Mangue (juil ; Talkatora Gardens). Une savoureuse fête de trois jours où sont présentées des centaines de variétés de mangues.

Fête de l'indépendance (15 août ; Red Fort, p. 126). L'Inde célèbre son indépendance acquise en 1947. À cette occasion, le Premier ministre s'adresse à la nation depuis les remparts du Red Fort (Fort rouge).

Festival du Qutb (oct-nov ; Qutb Minar, p. 157). Un festival de musique soufie et de danse indienne d'une semaine environ.

Festival international des Arts de Delhi (DIAF ; déc ; www.diaf.in). Trois semaines d'expositions, d'arts scéniques, de films, d'œuvres littéraires et d'événements gastronomiques à travers tout Delhi.

Madan Jee & Co (carte p. 126 ; ☎ 23276958 ; Chandni Chowk ; 🕑 10h30-19h30 lun-sam). Tout l'indispensable : format 4x5, pellicules 120 et 35 mm, flashs et trépieds.

Poste et téléphone

Delhi compte d'innombrables échoppes téléphoniques où les communications locales, régionales et internationales sont bon marché.

DHL (carte p. 124 ; ☎ 23737587 ; Mercantile Bldg, rez-de-chaussée Tolstoy Marg ; 🕑 8h-20h30). Transport international par avion.

Poste Connaught Pl (carte p. 124 ; 6 A-Block) ; poste principale de New Delhi (carte p. 120 ; ☎ 23364111 ; Baba Kharak Singh Marg ; 🕑 10h-13h et 13h30-16h tlj sauf dim). Service de poste restante à la poste principale (courrier à adresser à GPO, New Delhi – 110001)

Services médicaux

Vous trouverez des pharmacies dans presque tous les marchés.

All India Institute of Medical Sciences (Aiims ; carte p. 116 ; ☎ 26588700 ; Ansari Nagar)

Apollo Hospital (hors carte p. 116 ; ☎ 26925858 ; Mathura Rd, Sarita Vihar)

Apollo Pharmacy (carte p. 124 ; ☎ 32604579 ; 8 G-block, Connaught Pl ; 🕑 24h/24)

Dr Ram Manohar Lohia Hospital (carte p. 120 ; ☎ 23365525 ; Baba Kharak Singh Marg)

East West Medical Centre (carte p. 116 ; ☎ 24623738 ; B-28 Greater Kailash Part 1). Face au N-Block Market.

Max Medcentre (carte p. 116 ; ☎ 26499870 ; www.maxhealthcare.com ; N110 Panchsheel Park)

DÉSAGRÉMENTS ET DANGERS

Les visiteurs qui découvrent Delhi pour la première fois doivent se méfier tout particulièrement des rabatteurs et des escrocs, qui font preuve de beaucoup d'inventivité pour détrousser les touristes.

Les rabatteurs sévissent dans les lieux touristiques (Connaught Pl, Paharganj, gare de New Delhi, etc.). D'abords serviables, ils tentent d'attirer les touristes dans des boutiques, des agences de voyages et des offices du tourisme "officieux", où ils empochent une commission aux frais de leurs victimes. Ils seront néanmoins inoffensifs si vous décidez de les ignorer ou de les prendre à leur propre jeu. Si vous rencontrez des problèmes, sollicitez la "police du tourisme", dont les Jeep aisément reconnaissables stationnent dans les quartiers touristiques, y compris à l'aéroport international, à la gare de New Delhi et dans Janpath.

Pour les entourloupes dans les magasins, voir p. 786. Les femmes doivent être prudentes à Delhi comme dans toute grande ville (voir p. 800).

Rabatteurs des hôtels

Les taxi-*wallah* de l'aéroport international sont souvent des rabatteurs qui tenteront de vous persuader que votre hôtel est complet, peu intéressant, surréservé ou dangereux, ou encore qu'il a brûlé ou fermé, voire même qu'il y a des émeutes à Delhi. Leur objectif est de vous conduire vers un hôtel qui leur reversera une commission. Peut-être vous emmènera-t-on "gentiment" vers un prétendu office

NEW DELHI ET ENVIRONS

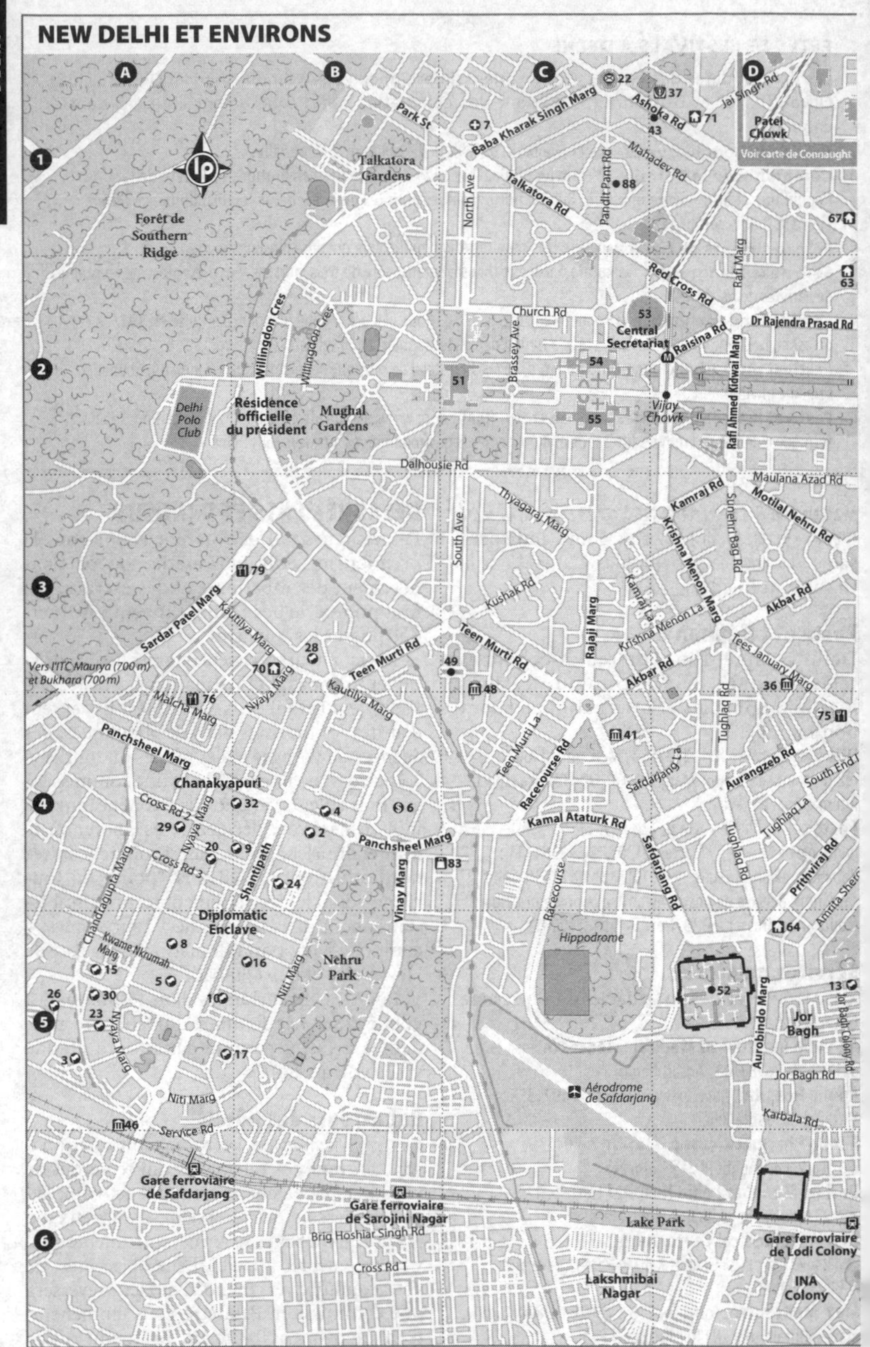

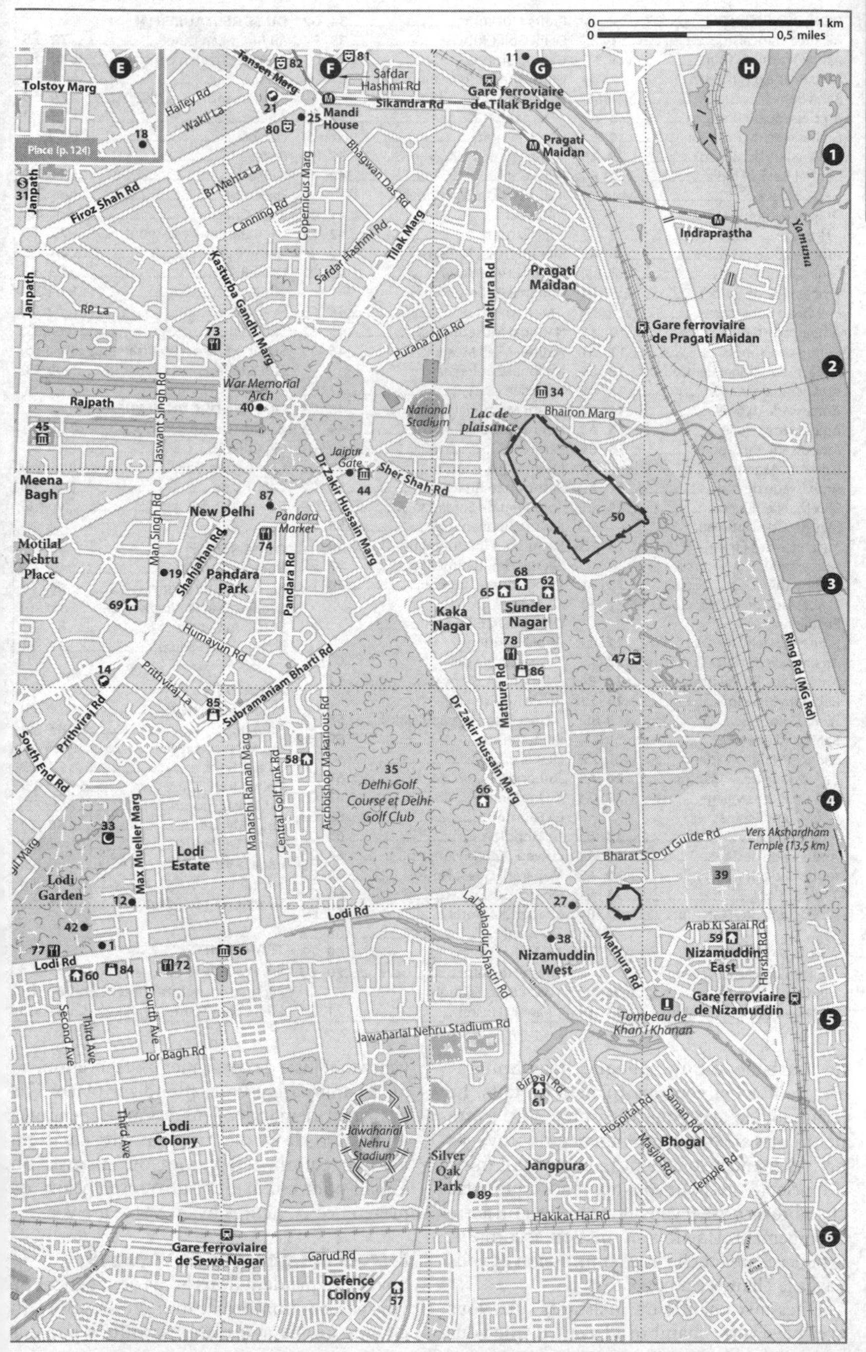

0 1 km
0 0,5 miles
E
F
G
H
Tolstoy Marg
Place (p. 124)
Tansen Marg
Safdar Hashmi Rd
Sikandra Rd
Mandi House
Gare ferroviaire de Tilak Bridge
Pragati Maidan
Indraprastha
Yamuna
Hailey Rd
Wakil La
Bhagwan Das Rd
Br Mehta La
Canning Rd
Copernicus Marg
Janpath
Firoz Shah Rd
Safdar Hashmi Rd
Tilak Marg
Kasturba Gandhi Marg
Pragati Maidan
Mathura Rd
RP La
Gare ferroviaire de Pragati Maidan
Purana Qila Rd
War Memorial Arch
Rajpath
Jaswant Singh Rd
National Stadium
Lac de plaisance
Bhairon Marg
Jaipur Gate
Sher Shah Rd
Dr Zakir Hussain Marg
Meena Bagh
New Delhi
Pandara Market
Motilal Nehru Place
Man Singh Rd
Shahjahan Rd
Pandara Park
Pandara Rd
Kaka Nagar
Sunder Nagar
Humayun Rd
Subramaniam Bharti Rd
Prithviraj La
Prithviraj Rd
South End Rd
Ring Rd (MG Rd)
Maharshi Raman Marg
Central Golf Link Rd
Archbishop Makarious Rd
Delhi Golf Course et Delhi Golf Club
Max Mueller Marg
Lodi Estate
Lodi Garden
Vers Akshardham Temple (13,5 km)
Bharat Scout Guide Rd
Lodi Rd
Lal Bahadur Shastri Rd
Arab Ki Sarai Rd
Nizamuddin West
Nizamuddin East
Mathura Rd
Harsha Rd
Lodi Rd
Gare ferroviaire de Nizamuddin
Tombeau de Khan i Khanan
Second Ave
Third Ave
Fourth Ave
Jawaharlal Nehru Stadium Rd
Jor Bagh Rd
Birbal Rd
Hospital Rd
Saman Rd
Lodi Colony
Third Ave
Jawaharlal Nehru Stadium
Masjid Rd
Bhogal
Silver Oak Park
Jangpura
Temple Rd
Hakikat Hai Rd
Gare ferroviaire de Sewa Nagar
Garud Rd
Defence Colony
1
2
3
4
5
6
1 11 12 14 18 19 21 25 27 31 33 34 35 38 39 40 42 44 45 47 50 56 57 58 59 60 61 62 65 66 68 69 72 73 74 77 78 80 81 82 84 85 86 87 89

RENSEIGNEMENTS

- Alliance Française ... 1 E5
- Ashok Travels & Tours ... (voir 31)
- Ambassade d'Australie ... 2 B4
- Bahri Sons ... (voir 85)
- Ambassade du Bhoutan ... 3 A5
- Ambassade du Royaume-Uni ... 4 B4
- Ambassade du Canada ... 5 A5
- Central Bank of India ... 6 B4
- DAB Citibank ... (voir 85)
- Dr Ram Manohar Lohia Hospital ... 7 C1
- Ambassade des Pays-Bas ... 8 A5
- Faqir-Chand & Sons ... (voir 85)
- Ambassade de France ... 9 B4
- Full Circle Bookstore ... (voir 85)
- Ambassade d'Allemagne ... 10 A5
- Centre des impôts ... 11 G1
- India International Centre ... 12 E4
- Ambassade d'Irlande ... 13 D5
- Ambassade d'Israël ... 14 E3
- Ambassade d'Italie ... 15 A5
- Ambassade du Japon ... 16 B5
- Lalit Kala Akademi ... (voir 25)
- Ambassade de Malaisie ... 17 A5
- Max Mueller Bhavan ... 18 E1
- Ministère de l'Intérieur (service des Étrangers) ... 19 E3
- Ambassade du Myanmar (Birmanie) ... 20 A4
- Ambassade du Népal ... 21 F1
- Poste principale de New Delhi (GPO) ... 22 C1
- Ambassade de Nouvelle-Zélande ... 23 A5
- Ambassade du Pakistan ... 24 B4
- Rabindra Bhavan ... 25 F1
- Rama Colour ... (voir 85)
- Sahitya Akademi ... (voir 25)
- Sangeet Natak Akademi ... (voir 25)
- Ambassade de Singapour ... 26 A5
- SOS Childrens Village ... 27 G4
- Haut-Commissariat de Sri Lanka ... 28 B3
- Ambassade de Suisse ... 29 A4
- Ambassade de Thaïlande ... 30 A5
- Thomas Cook ... 31 E1
- Ambassade des États-Unis ... 32 B4

À VOIR ET À FAIRE

- Archaeological Survey of India ... (voir 45)
- Tombeau de Bara Gumbad ... 33 E4
- Crafts Museum ... 34 G2
- Delhi Golf Club ... 35 F4
- Gandhi Smriti ... 36 D3
- Gurdwara Bangla Sahib ... 37 D1
- Hazrat Nizam-ud-din Dargah ... 38 G5
- Hotel Samrat ... (voir 6)
- Tombeau de Humayun ... 39 H4
- India Gate ... 40 F2
- Indira Gandhi Memorial Museum ... 41 C4
- Lodi Garden ... 42 E5
- Morarji Desai National Institute of Yoga ... 43 D1
- National Gallery of Modern Art ... 44 F3
- National Museum ... 45 E2
- National Rail Museum ... 46 A5
- National Zoological Gardens ... 47 G3
- Nehru Memorial Museum ... 48 C3
- Nehru Planetarium ... 49 C3
- Parul Puri ... (voir 61)
- Purana Qila ... 50 G3
- Rashtrapati Bhavan ... 51 C2
- Tombeau de Safdarjang ... 52 D5
- Sansad Bhavan ... 53 C2
- Secretariat (bâtiment nord) ... 54 C2
- Secretariat (bâtiment sud) ... 55 C2
- Tibet House ... 56 F5

OÙ SE LOGER

- Ahuja Residency (succursale de Defence Colony) ... 57 F6
- Ahuja Residency (succursale de Golf Links) ... 58 F4
- Bnineteen ... 59 H5
- Devna ... (voir 62)
- Jorbagh 27 ... 60 E5
- K-One One ... 61 G5
- La Sagrita ... 62 G3
- Le Meridien ... 63 D2
- Lutyens Guest House ... 64 D5
- Maharani Guest House ... 65 G3
- Oberoi ... 66 G4
- Shangri-La Hotel ... 67 D1
- Shervani ... 68 G3
- Taj Mahal Hotel ... 69 E3
- Youth Hostel ... 70 B3
- YWCA Blue Triangle Family Hostel ... 71 D1

OÙ SE RESTAURER

- All American Diner ... 72 E5
- Andhra Bhawan Canteen ... 73 E2
- Baci ... (voir 86)
- Chicken Inn ... 74 F3
- Dhaba ... 75 D4
- Eatopia ... (voir 72)
- Fujiya ... 76 A4
- Gulati ... (voir 74)
- Havemore ... (voir 74)
- Khan Chacha ... (voir 85)
- Lodi, Garden Restaurant ... 77 E5
- Nathu's ... 78 G3
- Olive Beach ... 79 B3
- Pindi ... (voir 74)
- Sevilla ... (voir 75)
- Sidewok ... (voir 85)
- Sugar & Spice (succursale) ... (voir 85)
- The Kitchen ... (voir 85)

OÙ PRENDRE UN VERRE

- Barista (succursale) ... (voir 85)
- Big Chill ... (voir 85)
- Café Coffee Day ... (voir 85)
- Café Turtle ... (voir 85)
- F Bar & Lounge ... (voir 6)

OÙ SORTIR

- Habitat World ... (voir 72)
- Kamani Auditorium ... 80 F1
- Sangeet Natak Akademi ... (voir 25)
- Shri Ram Centre ... 81 F1
- Triveni Kala Sangam ... 82 F1

ACHATS

- Anand Stationers ... (voir 85)
- Anokhi ... 83 B4
- Anokhi (succursale) ... (voir 85)
- C Lal & Sons ... 84 E5
- Delhi Cloth House ... (voir 85)
- Fabindia (succursale) ... (voir 85)
- Khan Market ... 85 E4
- Mittal Tea House ... (voir 86)
- Regalia Tea House ... (voir 86)
- Silverline ... (voir 85)
- Sunder Nagar Market ... 86 G3

TRANSPORTS

- Bikaner House ... 87 F3
- Fédération cycliste d'Inde ... 88 C1
- Metropole Tourist Service ... 89 G6

du tourisme, où un collègue "téléphonera" à votre hôtel et vous confirmera les faits. Le chauffeur de taxi peut aussi prétendre s'être perdu et s'arrêter à une agence de voyages pour demander son chemin. L'agent fait mine d'appeler l'hôtel pour vous apprendre que votre chambre est prise et vous aide à trouver un autre hébergement. Une fois sa mission accomplie, le taxi-*wallah* touche une commission et vous payez la chambre au prix fort.

Dites aux chauffeurs insistants que vous avez payé votre chambre à l'avance, que vous venez tout juste de confirmer la réservation, ou qu'un ami/parent vous attend sur place. S'ils persistent, demandez-leur de s'arrêter et notez le numéro de la plaque d'immatriculation. Par précaution, téléphonez ou envoyez un e-mail pour confirmer votre réservation, de préférence 24 heures avant votre arrivée.

Escrocs des agences de voyages

Soyez très prudent dans le cas des agences de voyages, car nombre de touristes rapportent chaque année avoir été escroqués par des

DELHI EN...

Deux jours

Acclimatez-vous en douceur sur des sites paisibles comme le **National Museum** (p. 130), le **Gandhi Smriti** (p. 130) et le **tombeau de Humayun** (p. 129). En soirée, rejoignez le **Hazrat Nizam-ud-din Dargah** (p. 131) pour écouter les soufis chanter des *qawwaali*.

Le deuxième jour, promenez-vous au **Red Fort** (p. 125), à Old Delhi, croquez un *jalebi* (beignet sucré en spirale), puis aventurez-vous dans les **bazaars** (p. 150) animés de la vieille ville avant de visiter l'imposante **Jama Masjid** (p. 128). Prenez ensuite un auto-rickshaw vers le sud jusqu'à **Connaught Place** (p. 131) pour une **collation** (p. 144) et une séance de shopping tranquille dans les fabuleux **grands magasins d'État** (p. 148).

Quatre jours

Suivez l'itinéraire ci-dessus puis, le troisième jour, explorez le **Qutb Minar** (p. 157) et livrez-vous à la méditation, l'après-midi, au **temple bahaï** (p. 132). Le soir, admirez les divines **Dances of India** (p. 147) avant de terminer la soirée dans un **bar** (p. 146).

Le quatrième jour, émerveillez-vous devant les splendeurs du **Crafts Museum** (p. 130) et le **Purana Qila** (p. 129) voisin. Rejoignez ensuite **Hauz Khas** (p. 132) pour découvrir son char abandonné et son mausolée, avant de faire un tour dans ses boutiques.

agents sans scrupule. Pour éviter ce genre de désagréments, mieux vaut comparer les prix et se fier aux recommandations des voyageurs. Optez pour les enseignes membres d'associations reconnues comme la Travel Agents Association of India et l'Indian Association of Tour Operators. Ne souscrivez pas à quelque chose que vous n'aviez pas envisagé de faire auparavant. Avant de verser de l'argent, exigez un devis détaillé *écrit* – ce document peut s'avérer précieux si vous déposez une plainte auprès de l'office du tourisme ou de la police.

Soyez particulièrement prudent si vous réservez un circuit de plusieurs jours en dehors de Delhi. De nombreux lecteurs qui ont payé d'avance pour un tel séjour ont dû acquitter des frais supplémentaires une fois sur place, verser des sommes astronomiques ou subir des conditions d'hébergement épouvantables. Certains voyageurs ont réservé des circuits dans les montagnes du Nord ou aux lacs, pour s'apercevoir ensuite qu'ils allaient au Cachemire. Étant donné la quantité de lettres envoyées par des lecteurs mécontents, évitez également de réserver un circuit au Cachemire depuis Delhi (voir p. 280 et 290).

Escrocs de la gare ferroviaire

C'est à la gare ferroviaire de New Delhi que vous attendent les pires escrocs. Ils feront tout pour vous empêcher d'atteindre l'International Tourist Bureau installé à l'étage pour vous diriger vers une agence de voyages locale (très chère et souvent peu fiable). Considérez que le bureau n'est *jamais* fermé (en dehors des horaires officiels ; voir p. 154), qu'il n'est pas en travaux et n'a pas déménagé.

D'autres aigrefins affirmeront que votre billet doit être tamponné ou contrôlé (moyennant une somme coquette) pour être valide. D'autres encore essaieront de convaincre les passagers sur liste d'attente qu'il y a des frais pour consulter le statut de leur réservation : c'est faux ! Ne vous laissez pas entraîner dans la discussion, mais continuez à avancer vers le bureau, avec politesse et fermeté. Si vous rencontrez de réels problèmes, menacez de prévenir la police touristique. Une fois sorti de la gare, allez au guichet des auto-rickshaws prépayés, dans le parking, pour éviter de surpayer votre transport.

À VOIR

La plupart des sites touristiques se concentrent principalement dans Old Delhi et aux abords de Connaught Place, à New Delhi.

Le dimanche, la circulation est moins dense, ce qui facilite les déplacements entre les sites. Arriver sur place dès l'ouverture permet aussi d'éviter la foule. De nombreux sites ferment le lundi.

Une tenue correcte et un comportement discret sont de rigueur dans les lieux de culte.

Old Delhi

Avec son allure de cité médiévale, Old Delhi forme un monde complètement à part, où

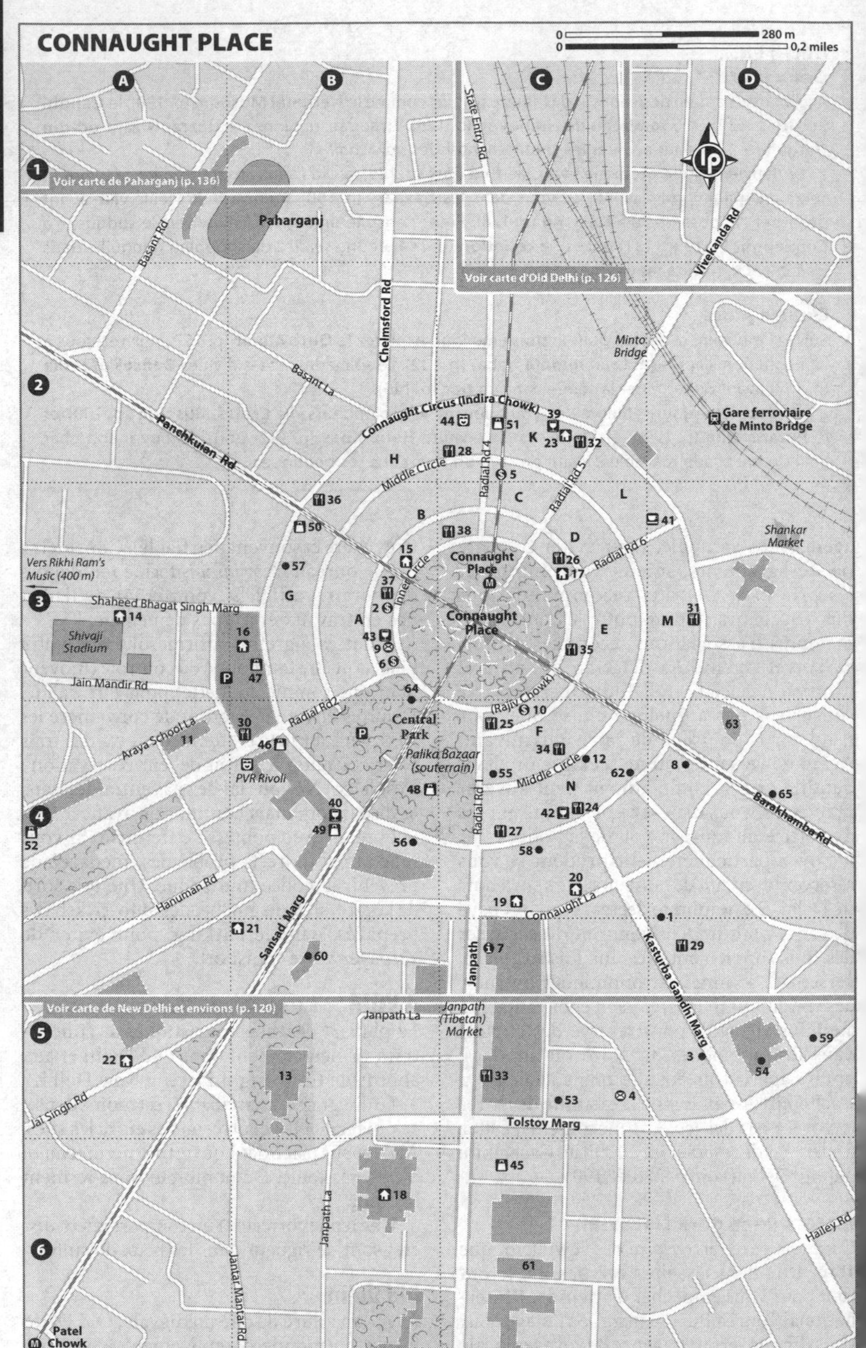
CONNAUGHT PLACE
0 280 m
0 0,2 miles
Voir carte de Paharganj (p. 136)
Voir carte d'Old Delhi (p. 126)
Voir carte de New Delhi et environs (p. 120)
Paharganj
Basant Rd
State Entry Rd
Vivekanda Rd
Chelmsford Rd
Minto Bridge
Gare ferroviaire de Minto Bridge
Basant La
Panchkuian Rd
Connaught Circus (Indira Chowk)
Middle Circle
Radial Rd 4
Radial Rd 5
Radial Rd 6
Radial Rd 2
Radial Rd 1
Inner Circle
Connaught Place
Shankar Market
Vers Rikhi Ram's Music (400 m)
Shaheed Bhagat Singh Marg
Shivaji Stadium
Jain Mandir Rd
(Rajiv Chowk)
Araya School La
Central Park
Palika Bazaar (souterrain)
PVR Rivoli
Barakhamba Rd
Hanuman Rd
Connaught La
Kasturba Gandhi Marg
Sansad Marg
Janpath
Janpath La
Janpath (Tibetan) Market
Jai Singh Rd
Tolstoy Marg
Janpath La
Jantar Mantar Rd
Halley Rd
Patel Chowk

RENSEIGNEMENTS
- American Center ... 1 D4
- American Express ... 2 B3
- Apollo Pharmacy ... (voir 50)
- British Council ... 3 D5
- Delhi Photo Company ... (voir 7)
- DHL ... 4 C5
- Bureau de change du DTTDC ... (voir 12)
- DAB de l'HDFC ... 5 C2
- DAB de l'ICICI ... 6 B3
- India Tourism Delhi (office du tourisme officiel) ... 7 C5
- Kinsey Bros ... (voir 6)
- New Book Depot ... (voir 15)
- Oxford Bookstore (Statesman House) ... 8 D4
- People Tree ... (voir 49)
- Poste ... 9 B3
- Western Union ... 10 C4

À VOIR ET À FAIRE
- Delhi Tourism & Transport Development Corporation (annexe) ... 11 A4
- Delhi Tourism & Transport Development Corporation (DTTDC) ... 12 C4
- Jantar Mantar ... 13 B5

OÙ SE LOGER
- Connaught ... 14 A3
- Corus ... 15 B3
- Hotel Alka ... 16 B3
- Hotel Palace Heights ... 17 C3
- Imperial ... 18 B6
- Prem Sagar Guest House ... (voir 16)
- Ringo Guest House ... 19 C4
- Sunny Guest House ... 20 C4
- The Park ... 21 B5
- YMCA Tourist Hostel ... 22 A5
- York Hotel ... 23 C2

OÙ SE RESTAURER
- Banana Leaf ... 24 C4
- Berco's ... 25 C4
- Embassy ... 26 C3
- Legends of India ... 27 C4
- Nirula's ... (voir 39)
- Nizam's Kathi Kabab ... 28 C2
- Parikrama ... 29 D5
- Rajdhani ... 30 B4
- Ruby Tuesday ... 31 D3
- Sagar Ratna ... 32 C2
- Saravana Bhavan (succursale) ... (voir 16)
- Saravana Bhavan ... 33 C5
- The Chinese ... 34 C4
- United Coffee House ... 35 C3
- Véda ... 36 B3
- Wenger's ... 37 B3
- Zäffrän ... (voir 17)
- Zen ... 38 C3

OÙ PRENDRE UN VERRE
- @live ... 39 C2
- 1911 ... (voir 18)
- All Sports Bar ... 40 B4
- Barista ... (voir 24)
- Bonsai ... (voir 15)
- Café Coffee Day ... (voir 24)
- Cha Bar ... (voir 8)
- Costa ... 41 D3
- Q'BA ... (voir 35)
- Regent's Blues ... 42 C4
- Rodeo ... 43 B3

OÙ SORTIR
- PVR Plaza Cinema ... 44 C2

ACHATS
- Central Cottage Industries Emporium ... 45 C6
- Fabindia (succursale) ... (voir 38)
- Khadi Gramodyog Bhawan ... 46 B4
- M Ram & Sons ... (voir 35)
- Nalli Silk Sarees ... 47 B3
- New Prominent Tailors ... (voir 51)
- Palika Bazaar ... 48 B4
- People Tree ... 49 B4
- Rikhi Ram ... 50 B3
- Soma ... 51 C2
- State Emporiums ... 52 A4

TRANSPORTS
- Aeroflot ... 53 C5
- Air Canada ... 54 D5
- Air India ... 55 C4
- Air India ... 56 B4
- Austrian Airlines ... 57 B3
- Delhi Transport Corporation ... 58 C4
- El Al Israel Airlines ... 59 D5
- Emirates ... 60 B5
- Gulf Air ... (voir 54)
- Jagson Airlines ... (voir 4)
- Japan Airlines ... 61 C6
- Jet Airways ... 62 C4
- Kingfisher Airlines ... (voir 62)
- Kumar Tourist Taxi Service ... (voir 23)
- Malaysian Airlines ... 63 D4
- Pakistan International Airlines ... (voir 65)
- Guichet des auto-rickshaws prépayés ... (voir 7)
- Guichet des auto-rickshaws prépayés ... 64 B3
- Royal Nepal Airlines Corporation ... (voir 33)
- Scandinavian Airlines ... (voir 18)
- Singapore Airlines ... 65 D4

règne une folle agitation qui assaille les sens. Prévoyez au moins une demi-journée pour lui faire honneur. Tous les sites présentés ci-dessous figurent sur la carte p. 126.

L'ancienne cité fortifiée de Shahjahanabad s'étend vers l'ouest à partir du Red Fort. Seuls des fragments subsistent de ses épais remparts. La **Kashmiri Gate** (porte du Cachemire), au nord, fut le théâtre de violents combats lorsque les Britanniques reprirent Delhi durant la révolte des Cipayes, en 1857. À l'ouest se dresse le **Mutiny Memorial** (mémorial de la Mutinerie), érigé par les Britanniques à la mémoire des soldats tombés pendant le soulèvement. À proximité, une **colonne d'Ashoka** fut, comme celle de Firoz Shah Kotla, apportée par Firoz Shah.

RED FORT (LAL QILA)

La silhouette imposante du **Red Fort** (Fort rouge ; Indiens/étrangers 10/250 Rs, caméra 25 Rs ; musée du fort 5 Rs ; 9h-18h tlj sauf lun) aux murs en grès a perdu de sa superbe, mais c'est le meilleur endroit de Delhi pour s'imprégner de la grandeur de l'ancienne cité moghole. Il date de l'apogée de cette dynastie, une époque de fastes inégalés, avec ses eunuques, ses éléphants de cérémonie, ses palanquins et ses édifices ornés de pierres précieuses.

Les remparts, longs de 2 km, varient en hauteur, de 18 m près de la rivière à 33 m du côté de la ville. Shah Jahan, qui fit construire ce fort entre 1638 et 1648, ne put totalement transférer sa capitale d'Agra à sa nouvelle cité de Shahjahanabad : déposé par son fils Aurangzeb, il fut emprisonné au fort d'Agra.

Le règne moghol à Delhi fut de courte durée, puisque Aurangzeb fut le seul empereur moghol à y résider. Minés par la guerre civile, les monarques suivants furent incapables de conserver le fort en l'état. Sous leur gouvernement, les taudis se multiplièrent à l'intérieur des remparts. Au XIXe siècle, le site était très délabré. Après le premier soulèvement indien

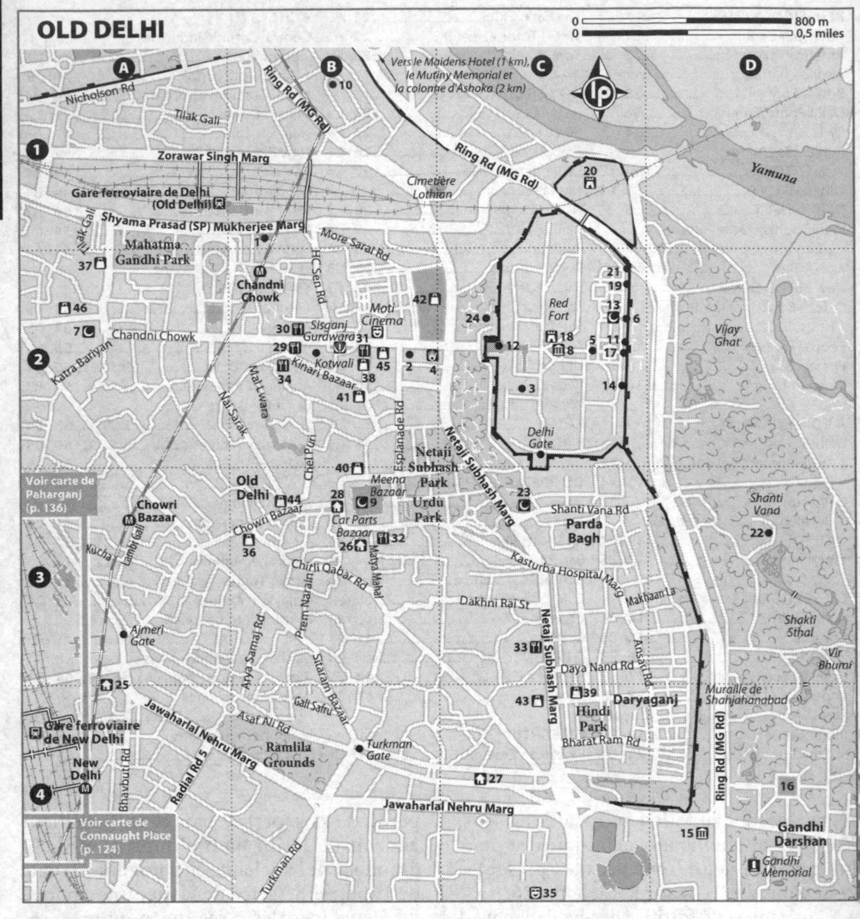

RENSEIGNEMENTS
- Delhi Public Library 1 B1
- Madan Jee & Co 2 B2

À VOIR ET À FAIRE
- Hôpital pour les oiseaux .... (voir 4)
- Chatta Chowk 3 C2
- Temple jaïn de Digambara 4 B2
- Diwan-i-Am 5 C2
- Diwan-i-Khas 6 C2
- Fatehpuri Masjid 7 A2
- Indian War Memorial Museum 8 C2
- Jama Masjid 9 B3
- Kashmiri Gate 10 B1
- Khas Mahal 11 C2
- Lahore Gate 12 C2
- Moti Masjid 13 C2
- Mumtaz Mahal 14 C2
- Musée d'Archéologie .... (voir 14)
- National Gandhi Museum 15 D4
- Naubat Khana .... (voir 8)
- Raj Ghat 16 D4
- Rang Mahal 17 C2
- Red Fort (Lal Qila) 18 C2
- Royal Baths 19 C2
- Salimgarh 20 C1
- Shahi Burji 21 C2
- Shanti Vana 22 D3
- Sunehri Masjid 23 C3
- Billetterie 24 C2

OÙ SE LOGER
- Ginger 25 A3
- Hotel Bombay Orient 26 B3
- Hotel Broadway 27 C4
- Hotel New City Palace 28 B3

OÙ SE RESTAURER
- Al-Jawahar .... (voir 32)
- Chor Bizarre .... (voir 27)
- Ghantewala 29 B2
- Haldiram's 30 B2
- Jalebiwala 31 B2
- Karim's 32 B3
- Moti Mahal 33 C3
- Paratha Wali Gali 34 B2

OÙ SORTIR
- Dances of India 35 C4

ACHATS
- Chowri Bazaar 36 B3
- Marché aux étoffes 37 A2
- Dariba Kalan 38 B2
- Daryaganj Book Market 39 C4
- Delhi Musical Stores 40 B3
- Kinari Bazaar 41 B2
- Lajpat Rai Market 42 B2
- Magasins d'instruments de musique 43 C4
- Nai Sarak 44 B3
- New Gramophone House 45 B2
- Marché aux épices 46 A2

de 1857 (révolte des Cipayes), les Britanniques détruisirent tous les bâtiments, à l'exception des plus importants, pour y installer casernes et bureaux de l'armée.

Les ponts en pierre qui enjambent les douves, profondes de 10 m et asséchées depuis 1857, ont remplacé les ponts-levis en bois d'origine en 1811.

La **billetterie** délivrant les billets pour le fort et le musée situé à l'intérieur se situe en face de Lahore Gate, la porte principale.

Depuis l'indépendance, bon nombre de grands discours politiques ont été délivrés au fort. Chaque année, le jour de la fête de l'indépendance (15 août), le Premier ministre s'adresse à la nation depuis les remparts.

Lahore Gate

La **porte principale** du fort doit son nom à son orientation, face à Lahore, aujourd'hui au Pakistan. Aurangzeb fit ajouter les bastions extérieurs, au grand dam de son père emprisonné. Cette porte est un symbole très fort de l'Inde moderne : pendant la guerre contre les Britanniques, les nationalistes rêvaient d'y voir flotter le drapeau indien. C'est chose faite depuis 1947.

Juste après la porte, on entre dans le **Chatta Chowk** (bazar couvert). Cette galerie jalonnée de magasins pour touristes fournissait jadis la maison royale en articles luxueux (soieries, bijoux et or).

La galerie mène au **Naubat Khana**, ou maison du Tambour, où des musiciens jouaient pour l'empereur et où les visiteurs devaient descendre de leur monture. L'**Indian War Memorial Museum** est installé à l'étage.

Diwan-i-Am

L'empereur écoutait les doléances de ses sujets dans la **salle des Audiences publiques**. L'alcôve où il s'asseyait est décorée de superbes motifs en *pietra dura* (marbre blanc incrusté de pierres précieuses ou semi-précieuses, en partie importé d'Italie). Beaucoup de ces pierres furent volées après la révolte des Cipayes. Cette salle élégante fut restaurée sur ordre de Lord Curzon, vice-roi des Indes de 1898 à 1905.

Diwan-i-Khas

La luxueuse **salle des Audiences privées**, en marbre blanc, servait à l'empereur pour recevoir les dignitaires. Le magnifique trône du Paon, en or massif serti de pierres précieuses, en constituait le joyau jusqu'à ce que Nadir Shah l'emportât en Perse en 1739. En 1760, les Marathes retirèrent le plafond en argent. Sur un distique en perse gravé au-dessus des arches de l'édifice, on peut lire : "S'il existe un paradis sur terre, il est ici, il est ici, il est ici".

Bains royaux

Près du Diwan-i-Khas, le **hammam** comprend trois grandes salles surmontées de coupoles avec une fontaine au centre, dont une aménagée en sauna. Jadis les sols étaient davantage couverts de *pietra dura* (marbre incrusté de pierres semi-précieuses) et la lumière filtrait du plafond par des vitraux colorés.

GARE AUX ENTOURLOUPES

- Déclinez les offes des taxis et des chauffeurs vous proposant de vous déposer à l'hôtel ou à la boutique de leur choix.
- Assurez-vous que le chauffeur vous a bien conduit à l'hôtel/boutique/office de tourisme que vous aviez demandé, car certains essayent de déposer leurs passagers à des adresses où ils toucheront un pourboire. Ne payez pas la course tant que vous n'êtes pas arrivé à bon port.
- Ignorez les rabatteurs qui, après avoir discrètement sali votre chaussure, vous proposent de la nettoyer pour un prix exorbitant, ou ceux qui vous offrent un nettoyage gratuit d'une seule oreille.
- Gare aux jeunes individus bavards qui rôdent, tout particulièrement à Connaught Place, sollicitant les étrangers pour des cours d'anglais ; dans 99,9% des cas, ce sont des rabatteurs.
- Ne croyez pas les types serviables qui essayent de vous conduire dans l'un des nombreux "bureaux touristiques" de Connaught Place. Il n'existe qu'un seul office du tourisme officiel dans le centre, au 88 Janpath.
- Ayez sur vous des petites coupures (moins de 50 Rs), les taxis ont souvent la fâcheuse tendance d'avoir peu de monnaie.

Shahi Burj

Cette modeste **tour** octogonale à trois niveaux, à la lisière nord-est du fort, était le cabinet de travail de Shah Jahan. Depuis une fontaine s'écoulait le *nahr-i-bihist* ou fleuve du Paradis, une eau fraîche qui circulait par un canal vers le sud à travers les bains royaux, le Diwan-i-Khas, le Khas Mahal et le Rang Mahal.

Moti Masjid

Construite en 1659 par Aurangzeb pour son usage personnel, la petite **mosquée de la Perle**, en marbre et totalement enclose, jouxte les bains. Les murs extérieurs respectent l'orientation du fort, tandis que les murs intérieurs, légèrement en biais, permettent à la mosquée d'être tournée vers La Mecque.

Bâtiments divers

Au sud du Diwan-i-Khas, l'ancien palais privé de l'empereur, le **Khas Mahal**, comporte des salles de prière, de repos et de séjour.

Plus au sud, le **Rang Mahal**, ou palais de la Couleur, doit son nom à ses éclatantes peintures intérieures, depuis longtemps disparues. Résidence de la première épouse de l'empereur, c'est ici que ce dernier dînait. Sur le sol, au centre, un lotus finement sculpté dans le marbre recueillait l'eau qui s'écoulait par le canal depuis le Shahi Burj.

Encore plus au sud, le long du mur oriental, le **musée d'Archéologie** est installé dans le **Mumtaz Mahal**, l'ancien quartier des femmes. Des vestiges de l'ère moghole y sont exposés.

De Lal Qila, un pont mène aux imposantes fortifications restaurées de **Salimgarh** (1540-1555), occupées jusqu'à récemment par l'armée indienne. Ce fort plus ancien est l'œuvre de Salim Shah.

Spectacle son et lumière

Chaque soir (sauf le lundi), un **spectacle** (60 Rs ; ⌚ en anglais 19h30 nov-jan, 20h30 fév-avr, sept-oct, 21h mai-août) retrace pendant une heure l'histoire du Red Fort. Ne manquez pas cette belle soirée, ne serait-ce que pour admirer le fort de nuit (protégez-vous des moustiques). Tickets à la billetterie du fort.

CHANDNI CHOWK

Principale artère d'Old Delhi, l'incroyable **Chandni Chowk** ("lieu du clair de lune") est une large avenue bondée de passants, de colporteurs et de rickshaws. À l'époque de Shah Jahan, un canal s'écoulait au centre et la lune s'y reflétait, d'où son nom. Des ruelles étriquées et envahies d'étals serpentent tout autour de l'artère. À l'extrémité est de Chandni Chowk (côté Red Fort), le **Digambara Temple**, un temple jaïn du XVIe siècle, abrite un **hôpital pour les oiseaux** (dons bienvenus ; ⌚ 10h-17h). Les jaïns prônent la préservation de toute forme de vie ; retirez vos chaussures et tout objet en cuir avant d'entrer.

L'extrémité ouest de Chandni Chowk est délimitée par la **Fatehpuri Masjid**, une mosquée du milieu du XVIIe siècle qui porte le nom d'une épouse de Shah Jahan. Après la première guerre d'indépendance de 1857 (révolte des Cipayes), l'édifice fut vendu à un marchand hindou qui l'utilisa comme entrepôt, avant d'être rendu aux musulmans du quartier.

Des navettes CNG (petits bus verts) circulent entre le temple jaïn de Digambara et la mosquée Fatehpuri (5 Rs).

SUNEHRI MASJID

La **Sunehri Masjid**, mosquée du XVIIIe siècle, se dresse au sud du Red Fort. En 1739, Nadir Shah, l'envahisseur persan, se jucha sur son toit pour regarder ses soldats massacrer les habitants de Delhi.

JAMA MASJID

La plus grande **mosquée** (200 Rs/appareil photo ou caméra ; ⌚ non-musulmans 8h30-12h30 et 14h-16h30, 8h-11h et 14h-16h30 ven) d'Inde peut accueillir jusqu'à 25 000 personnes. Dominant Old Delhi, la "mosquée du vendredi" fut la dernière extravagance architecturale de Shah Jahan, érigée entre 1644 et 1658. Des bandes verticales de grès rouge alternent avec du marbre blanc et elle comprend trois portes, quatre tours d'angle et deux minarets de 40 m de haut. La porte n°3 en est la principale entrée.

Pour 50 Rs, on peut monter dans le minaret sud ; les femmes doivent être accompagnées par un homme. Du sommet du minaret, une vue superbe dévoile l'une des caractéristiques du plan d'Edwin Lutyens, l'architecte de New Delhi : l'alignement de la Jama Masjid, de Connaught Place et de Sansad Bhavan (le Parlement).

Les visiteurs doivent se déchausser en haut des marches (donnez 5 Rs au gardien à la sortie). Si vous souhaitez recourir aux services d'un guide, demandez-lui un justificatif car des imposteurs vont jusqu'à faire payer l'accès à la mosquée, normalement gratuit.

RAJ GHAT

Au sud du Red Fort, sur les rives de la Yamuna, une simple **plate-forme** carrée de marbre noir marque le lieu de l'incinération du Mahatma Gandhi, assassiné en 1948. Elle porte l'inscription des derniers mots qu'il aurait prononcés – *Hai Ram* (Oh, Dieu !) – et recèle une atmosphère feutrée, au milieu d'une pelouse tranquille.

Jawaharlal Nehru, premier Premier ministre de l'Inde indépendante, fut incinéré au nord, à Shanti Vana (forêt de la Paix), en 1964. Sa fille, Indira Gandhi, assassinée en 1984, et ses petits-fils, Sanjay (mort en 1980) et Rajiv (assassiné en 1991), furent également incinérés à proximité.

Le **National Gandhi Museum** (☎ 23311793 ; entrée libre ; 9h30-17h30 tlj sauf lun) renferme des photos et divers objets ayant appartenu à Gandhi.

New Delhi et environs

Tous les sites dignes d'intérêt de ce secteur figurent sur la carte p. 120.

RAJPATH

Le **Rajpath** (Voie royale) constitue l'imposante voie d'accès à New Delhi. Chaque année, la parade de la fête de la République et la cérémonie de la Retraite s'y déroulent, respectivement le 26 et le 29 janvier.

L'architecte anglais Edwin Lutyens fut employé par le Raj pour construire New Delhi, de 1914 à 1931, lorsque les Britanniques y transférèrent leur capitale, jusqu'alors située à Calcutta. Son objectif était de traduire dans la pierre la puissance de l'Empire britannique mais, à peine 16 ans plus tard, les Britanniques étaient renvoyés du pays et New Delhi devint la locomotive de la nouvelle République.

À l'extrémité ouest du Rajpath se tient la résidence officielle du président indien, le **Rashtrapati Bhavan** (Maison présidentielle), érigé en 1929. Avant l'indépendance, ce palais de 340 pièces était la résidence du vice-roi. À l'époque de Mountbatten, dernier vice-roi des Indes, une prodigieuse armée d'employés entretenaient les lieux. On comptait 418 jardiniers, dont 50 jeunes garçons chargés d'éloigner les oiseaux. À l'ouest, le **jardin moghol** de 130 ha n'est ouvert au public que certains jours de février-mars (entrée libre ; photos interdites) ; contactez India Tourism Delhi (p. 118) pour les dates exactes.

Le Rashtrapati Bhavan est flanqué des **bâtiments du Secretariat** (**nord et sud**), deux constructions en miroir surmontées de coupoles, qui abritent des ministères et comptent plus d'un millier de pièces. Les trois édifices se tiennent sur une butte appelée Raisina Hill.

À l'extrémité est du Rajpath, l'**India Gate** (porte de l'Inde), un arc de pierre de 42 m de haut dessiné par Lutyens, rend hommage aux 90 000 soldats de l'armée des Indes tombés pendant la Première Guerre mondiale, dans les opérations menées à la frontière du Nord-Ouest à la même époque et lors de la guerre anglo-afghane de 1919.

Le **Sansad Bhavan** (Parlement), structure circulaire à colonnades de 171 m de diamètre, se trouve au bout de Sansad Marg.

TOMBEAU DE HUMAYUN

Ne manquez pas le plus merveilleux site de Delhi. Bel exemple des débuts de l'architecture moghole, le **tombeau de Humayun** (Indiens/étrangers 10/250 Rs, caméra 25 Rs ; aube-crépuscule) fut bâti au milieu du XVIe siècle par Haji Begum, la première épouse d'origine perse du second empereur moghol, Humayun. L'édifice introduisit le style architectural perse à Delhi, mais l'association du grès rouge et du marbre blanc est typiquement locale et témoigne de la fusion complémentaire des deux cultures. Ses caractéristiques architecturales – un édifice trapu éclairé par de hautes portes en arc, un dôme en forme de bulbe, 12 ha de jardins du plus pur style moghol – furent reprises et affinées au fil du temps pour aboutir à la somptuosité du Taj Mahal, à Agra. D'autres beaux tombeaux sont disséminés dans le complexe, notamment celui du barbier favori de l'empereur, Haji Begum. Derrière une porte à gauche de l'entrée, la tombe d'Isa Khan illustre avec élégance l'architecture de la dynastie Lodi. Le jardin moghol offre un merveilleux cadre pour une promenade, notamment en fin de journée.

PURANA QILA

Doté de murs massifs et d'impressionnantes portes, le **Purana Qila** (Vieux Fort ; ☎ 24353178 ; Mathura Rd ; Indiens/étrangers 5/100 Rs, caméra 25 Rs ; aube-crépuscule) fut construit sous le règne de Sher Shah (1538-1545), chef afghan qui interrompit brièvement la souveraineté moghole en défaisant les armées de Humayun, avant que celui-ci ne reprenne le contrôle du pays.

Après la porte sud se tient une élégante tour octogonale de grès rouge, le **Sher Mandal**, qui servit de bibliothèque à Humayun. En 1556, en descendant précipitamment l'escalier de cette tour, ce dernier glissa puis succomba à ses blessures. Juste derrière se dresse la **mosquée de Qila-i-Kuhran**, ou mosquée de Sher Shah, qui associe avec délicatesse le marbre noir et blanc au grès rouge, moins luxueux.

Un joli lac aménagé sur les anciennes douves séduit les visiteurs, qui peuvent y louer des pédalos (50 Rs/30 min).

Le site serait celui de l'ancienne Indraprastha (p. 114).

GANDHI SMRITI

Hommage poignant au père de la nation indienne, ce **mémorial** (☎23012843 ; 5 Tees January Marg ; entrée libre, photos autorisées/caméras interdites ; 🕓 10h-13h30 et 14h-17h tlj sauf lun, fermé 2e sam du mois) fut érigé à l'endroit même où le Mahatma Gandhi fut abattu par un extrémiste hindou le 30 janvier 1948. Des empreintes reproduisant les derniers pas de Gandhi mènent au lieu précis de son assassinat, indiqué par un petit pavillon baptisé "la colonne du martyr".

À l'intérieur, un imposant musée présente des photographies, peintures et dioramas retraçant des épisodes de la vie de Gandhi.

Gandhi fut l'hôte de cette maison, où il passa les 144 derniers jours de sa vie. Dans sa chambre, on peut voir ses maigres effets personnels, comme sa canne, ses lunettes, sa roue à filer et ses *chappal* (sandales).

CRAFTS MUSEUM

Sur un site ombragé, face au Purana Qila, se trouve le merveilleux **musée de l'Artisanat** (☎23371641 ; Bhairon Marg ; entrée libre ; 🕓 10h-17h mar-dim).

Dans les galeries, plus de 20 000 objets provenant de tout le pays sont exposés : pièces en bois ou en métal ouvré, bijoux en argent vieilli, masques ethniques, peintures et figurines en terre cuite et tissus richement colorés. Ces objets passionnants démontrent la qualité de réalisation des objets de la vie quotidienne, depuis des jeux provenant d'un village jusqu'à un imposant *jharokha* (balcon couvert) du Gujarat en bois du XVIIIe siècle. Sur place, une boutique vend des objets artisanaux de qualité.

On peut prendre des photos, sur autorisation.

NATIONAL MUSEUM

Le splendide **Musée national** (☎23019272 ; Janpath ; Indiens/étrangers avec audioguide 10/300 Rs ; photos Indiens/étrangers 20/300 Rs ; 🕓 10h-17h tlj sauf lun) offre un panorama de l'Inde depuis 5 000 ans. Outre de rares vestiges de la civilisation Harappa, les collections renferment des antiquités d'Asie centrale incluant des peintures sur soie du Ier siècle, des objets bouddhiques sacrés, des peintures miniatures scintillantes, des pièces de monnaie anciennes (portugaises, hollandaises et danoises notamment), des sculptures en bois, des étoffes, des instruments de musique, de redoutables armes mogholes, des manuscrits perses et des bijoux en os et coquillages de l'Indus.

Vous devrez disposer d'une pièce d'identité pour utiliser les audioguides ; caméras interdites.

À côté, l'**Archaeological Survey of India** (☎ 23010822 ; asi.nic.in ; Janpath ; 🕓 9h30-13h et 14h-18h lun-ven) propose des publications relatives aux principaux sites du pays.

GURDWARA BANGLA SAHIB

Le **Gurdwara Bangla Sabib** (Ashoka Rd ; 🕓 4h-21h) est un important temple sikh, toujours fourmillant d'activité. Surmonté d'un dôme doré, il se dresse sur le site où le huitième gourou sikh, Harkrishan Dev, séjourna plusieurs mois en 1664. Admiré pour ses talents de guérisseur, l'homme consacra une grande partie de son temps à aider les indigents et les malades. Derrière le gurdwara (temple sikh) se trouve un immense bassin ceint d'une gracieuse colonnade, dont l'eau aurait des vertus curatives. Des chants pieux résonnent toute la journée dans le temple.

TOMBEAU DE SAFDARJANG

Érigé au milieu du XVIIIe siècle par le nabab d'Avadh pour son père, le grandiose **tombeau de Safdarjang** (Aurobindo Marg ; Indiens/étrangers 5 Rs/2 $US, caméra 25 Rs ; 🕓 aube-crépuscule) est l'un des derniers édifices d'architecture moghole. En dépit de son maniérisme exagéré (sans doute un signe de l'agonie du grand empire), c'est un lieu charmant.

INDIRA GANDHI SMRITI

L'ancienne résidence d'Indira Gandhi, devenue le passionnant **musée Indira Gandhi** (☎23010094 ; 1 Safdarjang Rd ; entrée libre ; 🕓 9h30-16h45 tlj sauf lun), renferme objets, photos et coupures de journaux ainsi que quelques-uns de ses effets personnels, dont le sari qu'elle portait lors de son assassinat en 1984. Certaines pièces sont conservées en l'état et offrent une fenêtre intéressante sur l'élégance discrète de sa vie. Une autre partie est dédiée à son fils Rajiv, assassiné en 1991 par un kamikaze. On peut y voir des fragments de ses vêtements et les baskets qu'il portait ce jour-là. À la sortie, le dernier endroit foulé par Indira Gandhi avant d'être abattue est indiqué dans une allée recouverte de verre.

HAZRAT NIZAM-UD-DIN DARGAH

Au milieu d'un dédale de ruelles, le **sanctuaire de Nizam-ud-din Chishti** (🕒 24h/24) attire des flots d'adeptes et bouillonne d'animation. Le saint musulman soufi est mort en 1325 à l'âge de 92 ans, mais son mausolée en marbre, restauré à plusieurs reprises, date de 1562.

Parmi les autres tombes alentour, on peut voir celle d'Amir Khusru, un célèbre poète ourdou, et celle, plus tardive, de Jahanara, la fille de Shah Jahan. L'un des grands plaisirs de Delhi consiste à écouter les soufis entonner des *qawwali* après les prières du soir (vers le crépuscule), les jeudis et jours de fête.

LODI GARDEN

Le **jardin Lodi** (Lodi Rd ; 🕒 6h-20h) est un lieu de promenade et de jogging, surtout le matin et le soir. Particulièrement ravissant au crépuscule, il abrite les **tombeaux** en ruine des souverains sayyid et lodi, ainsi que le **Bara Gumbad**, un imposant tombeau du XVe siècle.

Si vous recherchez la sérénité, évitez le dimanche.

NATIONAL GALLERY OF MODERN ART

La **galerie nationale d'Art moderne** (☎23382835 ; ngmaindia.gov.in ; Jaipur House ; Indiens/étrangers 10/150 Rs ; 🕒 10h-17h mar-dim) présente, dans l'ancien palais du maharaja de Jaipur, tous les grands modernistes indiens. Belles œuvres d'Amrita Sher-Gil, de la famille Tagore et de MF Husain, le plus célèbre peintre contemporain. Photos interdites.

NEHRU MEMORIAL MUSEUM ET PLANÉTARIUM

Avant d'être la résidence de Jawaharlal Nehru (le premier Premier ministre de l'Inde), Teen Murti Bhavan fut, sous le nom de Flagstaff House, le domicile du commandant en chef britannique. Situé près de Teen Murti Rd, l'édifice accueille un **musée** (☎23016734 ; entrée libre ; 🕒 9h-17h15 tlj sauf lun), incontournable pour qui s'intéresse à l'histoire de l'indépendance. Certaines pièces ont été conservées en l'état et présentent de nombreuses photos (des précisions sur le contexte seraient utiles).

Dans le parc, un **planétarium** (☎23014504) programme un spectacle de 45 min (15 Rs, en anglais) à 11h30 et 15h.

TIBET HOUSE

La maison du Tibet comprend un petit **musée** (☎24611515 ; 1 Lodi Rd ; 10 Rs ; 🕒 9h30-13h et 14h-17h30 lun-ven) qui contient des objets liturgiques, des manuscrits sacrés, des sculptures et d'anciennes *tangka* (peintures tibétaines sur tissu). Tout a été apporté du Tibet lors de la fuite du dalaï-lama après l'invasion chinoise. Photos interdites.

La librairie propose des ouvrages sur le bouddhisme, des CD de psalmodie bouddhique, des drapeaux de prière et des *kata* (châles sacrés tibétains).

NATIONAL ZOOLOGICAL PARK

Apprécié par les familles et les amoureux, ce **zoo** (☎24359825 ; Mathura Rd ; Indiens/étrangers 10/50 Rs, caméra 50 Rs ; 🕒 9h30-16h tlj sauf ven) est le plus grand du pays. Le cadre est un peu triste, mais on peut y voir des tigres du Bengale, des ours noirs de l'Himalaya, des rhinocéros, des hippopotames, des loups, des éléphants, des girafes et des oiseaux exceptionnels.

Quartier de Connaught Place

CONNAUGHT PLACE

Au cœur de New Delhi se trouvent le quartier commerçant et les bâtiments à colonnades de **Connaught Place** (CP ; carte p. 124), dont le nom rend hommage à l'oncle de George V, venu à Delhi en 1921. Du rond-point central partent des rues en étoile, qui sont divisées en *blocks* et abritent boutiques, banques, restaurants, hôtels et bureaux.

Source de confusion, l'anneau extérieur est appelé "Connaught Circus" (*blocks* G à N) et l'anneau intérieur, "Connaught Place" (*blocks* A à F). Il y a également un anneau médian, le "Middle Circle". En 1995, les anneaux extérieur et intérieur ont été respectivement rebaptisés Rajiv Chowk et Indira Chowk, mais ces noms restent rarement employés.

Les rabatteurs sont particulièrement nombreux à Connaught Place (voir p. 119).

JANTAR MANTAR

Le **Jantar Mantar** (carte p. 124 ; Sansad Marg ; Indiens/étrangers 5 Rs/2 $US ; 9h-crépuscule), un bâtiment en terre cuite à l'architecture singulière, est le plus ancien des cinq observatoires du maharaja Jai Singh II. Érigé en 1725, il est constitué d'un gigantesque cadran solaire et comporte d'autres structures servant à prévoir la trajectoire des astres.

Autres quartiers

TEMPLE BAHAÏ (TEMPLE DU LOTUS)

Cet étonnant **temple bahaï** (carte p. 116 ; ☎26444029 ; Kalkaji ; 9h30-17h30 mar-dim oct-mars, 9h-19h avr-sept), dessiné en 1986 par l'architecte irano-canadien Fariburz Sahba, reproduit la forme d'une fleur de lotus avec 27 pétales en marbre blanc. Le refus des préjugés et la paix universelle font partie des principes du bahaïsme. Le temple accueille les adeptes de toutes confessions pour prier et méditer en silence, selon leur propre croyance. À l'intérieur, gardez le silence. Les photos sont interdites.

AKSHARDHAM TEMPLE

Ne manquez pas la visite du somptueux **temple Akshardham** (hors-carte carte p. 116 ; www.akshardham.com ; sortie Noida, National Hwy 24 ; 9h-18h mar-dim oct-mars, 10h-19h mar-dim avr-sept) du mouvement hindou Swaminarayan, à la périphérie de Delhi. Inauguré en 2005, l'édifice en grès rose et marbre blanc abrite 20 000 divinités sculptées et mêle des éléments des architectures traditionnelles de l'Orissa, du Gujarat, de l'Empire moghol et du Rajasthan.

Il faut au moins une demi-journée (de préférence en semaine) pour découvrir toutes ses richesses, parmi lesquelles une fontaine musicale et une promenade en bateau à travers l'histoire indienne.

LAKSHMI NARAYAN TEMPLE (BIRLA MANDIR)

À l'ouest de Connaught Place, le **temple de Lakshmi Narayan** (carte p. 116 ; Mandir Marg ; 6h-21h), un édifice de style orissais évoquant un gros gâteau rouge à la crème, a été érigé en 1938 par le riche industriel B. D. Birla. Inauguré par Gandhi, c'est un temple ouvert à toutes les castes et une pancarte sur la porte indique "Tout le monde est bienvenu".

NATIONAL RAIL MUSEUM

Les amoureux du train adoreront le **musée des Transports ferroviaires** (carte p. 120 ; ☎26881816 ; www.nationalrailmuseum.org ; Chanakyapuri ; 10 Rs, caméra 100 Rs ; 9h30-17h tlj sauf lun oct-mars, 9h30-19h avr-sept) réunissant quelque 30 locomotives et wagons anciens, notamment une locomotive à vapeur de 1855 en état de marche. Parmi les autres curiosités figure le crâne d'un éléphant qui chargea (en vain) un train postal en 1894.

Les enfants aiment la promenade à bord du "Joy Train" (adulte/enfant 10/5 Rs) ; le dimanche, on peut monter dans le **monorail à vapeur** (20 Rs ; 14h30-16h30).

HAUZ KHAS VILLAGE

Hauz Khas ("bassin royal") doit son nom à un réservoir bâti au XIIIe siècle par Allauddin Khilji. Devenu un jardin verdoyant, le lac artificiel approvisionnait autrefois le fort de Siri, la seconde ville de Delhi. Tout près se trouve la *madrasa* (école religieuse musulmane) à coupole de Firoz Shah (XIVe siècle), son **tombeau** (carte p. 116) et plusieurs tombes des époques Lodi et Tughluq. C'est un lieu retiré et fascinant. Non loin, **Hauz Khas Village** (carte p. 116) regroupe boutiques huppées et magasins de curiosités (voir p. 148).

SHANKAR'S INTERNATIONAL DOLLS MUSEUM

Depuis les personnages de corrida espagnols jusqu'aux mariées indiennes, le remarquable **musée international des Poupées de Shankar** (carte p. 116 ; ☎23316970 ; www.childrensbooktrust.com ; Nehru House, Bahadur Shah Zafar Marg ; 10 Rs ; 10h-17h30 mar-dim) possède 6 500 modèles provenant de 85 pays.

CORONATION DURBAR

Au nord d'Old Delhi, un **obélisque** (carte p. 116) se dresse, solitaire, au milieu d'un terrain vague. C'est là qu'en 1877 et en 1903 des *durbar* (audiences publiques) rassemblèrent les dirigeants indiens venus rendre hommage au monarque britannique. En 1911, le roi George V y fut proclamé empereur des Indes.

FIROZ SHAH KOTLA

Firozabad (la cinquième cité de Delhi) fut bâtie en 1354 par Firoz Shah. Ses ruines sont visibles à **Firoz Shah Kotla** (carte p. 116 ; Indiens/étrangers 5 Rs/2 $US, caméra 25 Rs ; aube-crépuscule), près de Bahadur Shah Zafar Marg. Visitez le site un jeudi après-midi quand la foule vient s'y recueillir, allumer des bougies et déposer des bols de lait pour apaiser les djinns de Delhi (esprits invisibles ou génies) qui habiteraient dans le *kotla*. Dans le palais-forteresse, une

colonne d'Ashoka en grès, de 13 m de haut, porte des édits d'Ashoka et un texte plus tardif.

SULABH INTERNATIONAL MUSEUM OF TOILETS

L'étrange **musée international Sulhab des Toilettes** (hors carte p. 116 ; ☎25053646 ; www.sulabhtoiletmuseum.org ; Sulabh Complex, Mahavir Enclave, Palam Dabri Rd ; entrée libre ; 🕑 10h-17h tlj sauf dim) présente une collection d'objets liés aux toilettes, de 2 500 av. J.-C. à nos jours. Ce n'est pas qu'une curiosité : Sulabh International a réalisé un travail remarquable dans le domaine des installations sanitaires en développant des toilettes à chasse d'eau et des installations biogaz, et en formant les enfants des "récupérateurs manuels" (chargés de vider les toilettes sèches) à un autre métier.

À FAIRE

Golf

Le **Delhi Golf Club** (carte p. 120 ; ☎24362768 ; www.delhigolfclub.org ; Dr Zakir Hussain Marg ; semaine/week-end 45/60 $US ; 🕑 du lever au coucher du soleil), qui date de 1931, est doté de splendides fairways bien entretenus. Souvent bondé le week-end.

Massages et soins ayurvédiques

Ashtaang (carte p. 116 ; ☎24111802 ; www.ashtaang.in ; E-2 Anand Niketan ; 🕑 9h30-16h30). Face à la Delhi University (campus sud), propose d'authentiques soins ayurvédiques comme le *sirodhara* (on verse de l'huile chaude sur le front ; 40 min/1 600 Rs) ou l'*abyangam* (massage traditionnel ; 45 min/1 100 Rs).

Kerala Ayurveda (carte p. 116 ; ☎ 41754888 ; www.keraaayurveda.biz ; E-2 Green Park Extn ; 🕑 8h-20h). Une adresse recommandée pour l'abyangam (45 min/900 Rs) et d'autres soins ayurvédiques.

Natation

Les hôtels de luxe possèdent de superbes piscines. La plupart sont réservées à leurs clients mais certains acceptent néanmoins les non-résidents, moyennant un droit d'entrée (taxes en sus).

Hotel Samrat (carte p. 120 ; ☎ 26110606 ; Chanakyapuri ; 450 Rs/pers)

Jaypee Vasant Continental Hotel (carte p. 116 ; ☎ 26148800 ; Basant Lok complex, Vasant Vihar ; 00 Rs/pers)

Radisson Hotel (carte p. 116 ; ☎ 26779191 ; Gurgaon Rd ; 1 000 Rs/pers)

Siri Fort Sports Complex (carte p. 116 ; ☎ 26496657 ; cotisation à la journée Indiens/étrangers 40/100 Rs). Piscine olympique (avr-sept) et bassin pour les enfants.

Cours

Pour les publications locales contenant la liste actualisée des cours proposés, reportez-vous p. 115.

Cuisine

Parul Puri (carte p. 120 ; ☎ 9810793322). Au K-One One (p. 139), Parul organise des cours de 2 heures axés sur les régions de l'Inde du Nord pour 1 200 Rs/pers ; réservez au moins deux jours avant.

Tannie Baig (☎ 9868217288 ; baig.murad@gmail.com). L'élégante Tannie, installée à Hauz Khas, a écrit 16 livres de cuisine. Le cours de 2 heures coûte 3 200 Rs pour un groupe jusqu'à 5 personnes.

Hindi

Le **Central Hindi Directorate** (☎26103160 ; West Block VII, RK Puram) propose des cours d'initiation à l'hindi pour un nombre minimum de participants ; comptez 6 000 Rs pour 60 heures (2 heures/jour, 3 jours/semaine).

Méditation et yoga

Les adresses suivantes sont idéales pour pratiquer la gymnastique corporelle et spirituelle. Mieux vaut téléphoner pour connaître les horaires et le lieu, s'il n'est pas mentionné ci-dessous. Les dons sont appréciés pour les cours gratuits.

Dhyan Foundation (☎ 26253374 ; www.dhyanfoundation.com). Séances de méditation et cours de yoga.

Morarji Desai National Institute of Yoga (carte p. 120 ; ☎ 23721472 ; www. yogamdniy.com ; 68 Ashoka Rd). *Pranayama,* hatha-yoga, méditation et yoga pour les enfants. Certains cours délivrent un diplôme.

Sri Aurobindo Ashram (☎ 26567863). Cours de hatha-yoga et méditation matin et soir, trois jours par semaine.

Studio Abhyas (☎ 26962757). Les cours de yoga combinent *asana* (postures), *pranayama*. Cours de méditation et de chants védiques certains soirs ou sur rendez-vous.

Tushita Meditation Centre (☎ 26513400). Cours de méditation tibétaine/bouddhiste 2 fois/semaine.

Vedic Wisdom Ashram (☎ 9213204094). Cours de méditation et de raja yoga. Sur rendez-vous.

Spa

Rendez-vous au **Lambency Spa** (carte p. 116 ; ☎40587983 ; www.chandansparsh.com ; M-24 Greater Kailash II ; 🕑 9h-21h), pour une manucure et une pédicure haut de gamme (599 Rs) ou des massages (à partir de 999 Rs). Taxes non incluses.

CIRCUITS ORGANISÉS

Même si la visite de certains sites est parfois expéditive, participer à un circuit organisé constitue une bonne solution pour découvrir cette ville très étendue. Évitez le lundi, jour de fermeture de nombreux sites. Les tarifs, indiqués par personne, ne comprennent ni les entrées ni le coût d'utilisation des appareils photo et des caméras. Réservez plusieurs jours à l'avance car un minimum de participants est parfois requis

L'**India Tourism Delhi** (p. 118) vous fournira les services d'un guide officiel polyglotte (à partir de 600/1 350 Rs la demi-journée/journée).

Ashok Travels & Tours (carte p. 120 ; ☎ 23340070 ; www.attindiatourism.com ; Hotel Janpath, Janpath). Circuits en car à Old Delhi ou New Delhi (200 Rs, 8h-13h), ou dans les deux (300 Rs, 8h-17h15). Excursion d'une journée à Agra (950 Rs, petit déj compris).

Delhi Tourism & Transport Development Corporation (DTTDC ; delhitourism.nic.in) Baba Kharak Singh Marg (carte p. 124 ; ☎ 23363607 ; 🕑 7h-21h) ; aéroport international (☎ 25675609 ; 🕑 24h/24) ; N-Block (carte p. 124 ; ☎ 23315322 ; 🕑 10h-18h lun-sam) circuits à New Delhi (9h-13h30) et Old Delhi (14h15-17h45), 150 Rs chacun (250 Rs avec clim). Excursion d'une journée à Agra (850 Rs, 950 Rs avec clim) 3 fois/semaine, et de 3 jours à Agra et Jaipur (4 200 Rs avec clim) 2 fois/semaine.

Hotel Broadway (carte p. 126 ; ☎ 43603600 ; 4/15 Asaf Ali Rd ; 750 Rs). Circuits pédestres de 2 heures à Old Delhi (départ à 9h30 ou 13h), incluant le déjeuner au Chor Bizarre (p. 141).

Old Delhi Walks (Intach ; ☎ 24641304 ; intachdelhi@rediffmail.com ; 50 Rs). Une visite à pied mensuelle (environ 2 heures) avec un guide chevronné, dans différents secteurs comme Chandhi Chowk, Nizamuddin, Hauz Khas et les Lodhi Gardens. Circuits à la carte possibles. Réservez au moins une semaine à l'avance.

Salaam Baalak Trust (carte p. 136 ; ☎ 23584164 ; www.salaambaalaktrust.com ; Gali Chandiwali, Paharganj ; don conseillé 200 Rs). Cette association caritative (p. 780) propose des promenades inédites dans Delhi (environ 2 heures), avec un ancien enfant des rues qui vous fera découvrir la vie des jeunes sans-abri des quartiers pauvres. Les recettes sont reversées à l'association pour aider ces enfants. Pour plus de détails, composez le ☎ 9910099348.

OÙ SE LOGER

Mieux vaut réserver, car les bons hôtels se remplissent vite et l'on se retrouve alors à la merci des rabatteurs (p. 119). Sur demande, la plupart des hôtels viennent chercher leurs clients à l'aéroport (p. 153).

Les rues peuvent être terriblement bruyantes : demandez une chambre calme et conservez des bouchons d'oreille à portée de main. Par ailleurs, la qualité des chambres peut fortement varier dans les hôtels pour petits budgets ou de catégorie moyenne. Essayez d'en visiter plusieurs avant de vous décider.

Les tarifs des établissements de catégorie moyenne ont grimpé en flèche ces dernières années, ce qui rend les chambres chez l'habitant d'autant plus intéressantes. Un grand nombre d'excellents B&B ont ouvert à l'occasion des Jeux du Commonwealth de 2010. Pour des informations sur le séjour chez l'habitant, contactez India Tourism Delhi (p. 118), qui classe les hébergements en deux catégories : "argent" (de 1 500 à 3 000 Rs) ou "or" (de 2 500 à 5 000 Rs). Vous pouvez aussi consulter les sites www.incredibleindianhomes.com et www.mahindrahomestays.com.

Pour les longs séjours, la location d'un appartement meublé peut s'avérer judicieuse. Épluchez le *Delhi City Guide* et le *Delhi Diary* (p. 115) ainsi que la presse locale. Les sites Internet www.speciality-apartments.com et www.delhiescape.net constituent des sources précieuses.

Les hôtels dont les chambres valent au moins 500 Rs ajoutent une taxe de luxe de 12,5% et certains facturent entre 5% et 10% pour le service. Sauf mention contraire, les taxes ne sont pas comprises dans les prix indiqués et les chambres disposent d'une sdb. Les clés doivent généralement être rendues pour midi. Nombre d'établissements acceptent de garder les bagages, moyennant parfois une somme modique.

N'hésitez pas à téléphonez ou envoyez un e-mail 24 heures avant votre arrivée pour confirmer votre réservation.

Petits budgets

Les établissements de cette catégorie offrent en général un cadre triste et un service inégal. Les chambres sont souvent petites et défraîchies, avec une sdb qui mériterait une réfection complète. Certaines n'ont même pas de fenêtre, mais elles sont moins chères que dans les autres capitales.

La plupart des voyageurs à petit budget optent pour Paharganj, une enclave touristique animée située près de la gare ferroviaire de New Delhi.

Nous n'indiquons ici que les chambres les moins chères, sans climatisation. Les chambre

HISTOIRE D'UN ENFANT DES RUES

Danish a 18 ans. Ancien enfant fugueur, il a bénéficié de l'aide du Salaam Baalak Trust. On estime que plus de 100 000 enfants vivent dans les rues de Delhi. La plupart se sont enfuis de chez eux ; quelques-uns sont orphelins, d'autres sont tout simplement perdus (souvent accidentellement séparés de leur famille pendant un pèlerinage).

Quand es-tu arrivé à Delhi ?

À sept ans, je me suis enfui de chez moi (Danish est originaire d'Arrah au Bihar, à plus de 800 km de Delhi).

Pourquoi t'es-tu enfui ?

Il y avait des problèmes avec la nourriture et on n'avait pas assez à manger. Ma famille est vraiment pauvre.

Tu n'avais pas peur ?

Pas vraiment. J'étais déjà parti pendant des périodes plus courtes, en dormant une nuit loin de la maison. Je suis d'abord resté à Allahabad et d'autres endroits.

Comment es-tu venu ici et comment as-tu fait pour survivre ?

Je suis venu en train. D'abord, je n'ai rien eu à manger pendant deux ou trois jours. J'ai vu un autre enfant récupérer les restes de nourriture des wagons de luxe et j'ai fait comme lui. Quand les gens laissaient quelque chose, je mangeais. J'ai ciré les chaussures, j'ai vendu de l'eau. J'ai commencé à ramasser des chiffons. J'ai vu d'autres enfants ramasser des chiffons et j'ai fait pareil. Je les vendais au chiffonnier et je recevais de l'argent. J'étais si excité d'avoir 10 Rs. J'ai dépensé 5 Rs en nourriture, 2 Rs en jeux et le reste pour fumer des *beedis* (cigarettes).

Où vivais-tu ?

J'ai habité dans le toit de la gare pendant huit ans. Mais parfois, je dormais dans le parc, ou dans un abri près de Kashmiri Gate.

Ta famille te manque ?

J'ai beaucoup pleuré, mais toujours seul. Je ne le montrais jamais aux autres.

Quand as-tu connu Salaam Baalak ?

Il y a quatre ans, à 14 ans. Salaam Baalak est venu me conseiller. Il a fallu longtemps pour me convaincre de partir.

Pourquoi ? Et que s'est-il passé alors ?

Il y a beaucoup de liberté dans la gare. La vie est très mauvaise mais on est libre. Tandis que lorsque j'ai rejoint Salaam Baalak, j'ai eu un emploi du temps dans ma vie. J'ai parlé aux enfants de la gare pour leur dire : pourquoi gâcher votre vie ici ? Je sais quel genre de problèmes ils rencontrent. C'est illégal de vivre là, donc il y a des problèmes avec la police. On m'a enfermé plusieurs fois.

Maintenant, je fais ma première année à l'école. Les enfants qui vivent dans les rues ne sont pas capables de lire quoi que ce soit, ni en hindi, ni en anglais. Je veux devenir homme d'affaires et vendre de l'art. Salaam Balaak a vraiment changé ma vie.

Es-tu retourné voir ta famille ?

Oui, plusieurs fois. Ils pensaient que Danish était mort. Maintenant, ils sont très contents.

Danish fabrique des produits artisanaux à l'aide de diverses techniques comme le macramé. Pour des informations complémentaires sur son travail et celui d'autres jeunes soutenus par le Salaam Balaak Trust, ou pour savoir comment les aider, contactez le **Trust** (carte p. 136 ; ☎ 23584164 ; www.salaambaalaktrust.com ; Gali Chandiwali, Paharganj).

limatisées, quand elles existent, coûtent uelques centaines de roupies de plus.

ORD DE DELHI

ld Delhi

eu de touristes étrangers logent dans la ourmillante Old Delhi, d'où la curiosité des abitants.

Hotel New City Palace (carte p. 126 ; ☎ 23279548 ; d/q 400/650 Rs ; ❄). Des chambres assez propres et un bon emplacement, sur la Jama Masjid. Accueil chaleureux.

Hotel Bombay Orient (carte p. 126 ; ☎ 23242691 ; s/d 490/580 Rs ; ❄). Près du bazar animé à la porte sud de la Jama Masjid, c'est l'un des meilleurs hôtels bon marché du secteur, mais n'espérez

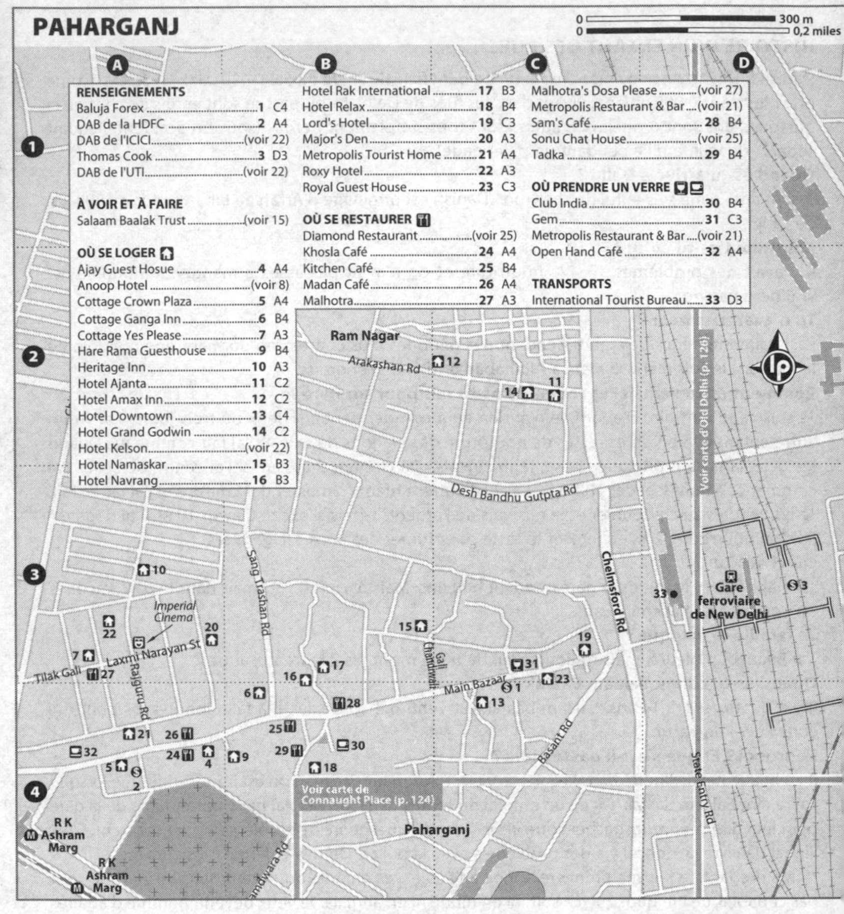

pas trop de confort et demandez une chambre récente. Réservation indispensable.

Paharganj

Paharganj, avec sa réputation de quartier mal famé, ne fait pas l'unanimité. Bien situé à proximité de la gare de New Delhi, il est pourtant le rendez-vous privilégié des voyageurs à petit budget. Si Paharganj regroupe certains des hébergements les moins chers de Delhi, les chambres minuscules, sombres et sales sont légion et l'accès à l'eau chaude aléatoire.

La plupart des hôtels se situent sur Main Bazaar, l'artère principale, et les nombreuses ruelles (sans nom) adjacentes. Main Bazaar est tellement embouteillée pendant la journée que certains taxi-wallahs refusent d'aller jusqu'au hôtels. Pas de panique : vous n'aurez qu quelques pas à faire. Les enseignes ci-dessou figurent sur la carte p. 136.

Hotel Downtown (☎ 41541529 ; 4583 Main Bazaa s/d 250/300 Rs). Des chambres petites et rudi mentaires, pour un hôtel en meilleur état qu nombre de ses voisins.

Hotel Namaskar (☎ 23583456 ; www.hotelnamaska com ; 917 Chandiwalan, Main Bazaar ; d/tr/q 300/400/480 R). Cette adresse bien connue des voyageu est tenue par deux frères accueillants et se viables. Chambres spartiates, mais d'un jo rose. Location de voiture.

Hotel Rak International (☎ 23562478 ; Toc Chowk, Main Bazaar ; s/d 350/450 Rs ;). Dans u secteur négligé derrière Main Bazaar, c hôtel très fréquenté propose des chambres modestes avec sol en marbre, TV, penderie, coiffeuse et fenêtre.

Major's Den (☎ 23589010 ; s/d 350/500 Rs ;). Dans une ruelle plus calme, un établissement sans prétention mais chaleureux. Chambres d'une propreté convenable (parfois sans fenêtre).

Hotel Amax Inn (☎ 23543813 ; www.hotelamax.com ; 8145/6 Arakashan Rd ; s/d 400/450 Rs ;). En retrait de Main Bazaar, cette adresse conviviale occupe une allée donnant sur Arakashan Rd. Bon rapport qualité/prix pour des chambres propres. Petite terrasse sur le toit.

Lord's Hotel (☎ 23588303 ; 51 Main Bazaar ; s/d 450/550 Rs ;). Un lieu assez agréable et décontracté, avec sol en marbre rafraîchissant et TV. Certaines chambres sont sombres.

Ajay Guest House (☎ 23583125 ; www.anupamhoteliersltd.com/html/Ajay.htm ; 5084 Main Bazaar ; s/d 500/600 Rs ;). Chambres rénovées d'un blanc éclatant, décorées de détails géométriques, avec parfois un plafond bleu. Sdb neuves au carrelage coloré.

Cottage Ganga Inn (☎ 23561516 ; cottagegangainn@yahoo.co.in ; 1562 Bazar Sangtrashan ; s/d/tr/q 550/750/850/1 000 Rs ;). Apprécié des baroudeurs, cet hôtel occupe une cour voisine d'une école maternelle, en retrait de Main Bazaar. Propre et bon marché.

Cottage Crown Plaza (☎ 23561800 ; http://www.yokosoindia.com/hotelcrownplaza ; 5136 Main Bazaar ; d 700 Rs ;). Excellent rapport qualité/prix pour des lits assez confortables, des draps et des sdb corrects, et une TV.

Cottage Yes Please (☎ 23562300 ; cottageyesplease@yahoo.co.in ; 1843 Laxmi Narayan St ; d 900 Rs ;). À l'angle du Cottage Crown Plaza, le même propriétaire propose un choix de chambres clinquantes et propres, avec TV, réfrigérateur, ventil en cuivre et vitraux.

Autres adresses :

Hotel Navrang (☎ 23561922 ; 644 C Mohalla Baoli, Tooti Chowk, Main Bazaar ; s/d 120/150 Rs). "Une maison loin de chez soi", aussi minuscule que le prix est dérisoire !

Hare Rama Guest House (☎ 23561301 ; www.hareramaguesthouse.com ; près de Main Bazaar ; s/d à partir de 300/400 Rs ;). Chambres sommaires mais acceptables, derrière le bazar.

Heritage Inn (☎ 23588222 ; Rajguru Rd ; s/d 330/440 Rs ;). Des chambres petites, mais avec TV et sdb convenable.

Anoop Hotel (☎ 41541390 ; 1566 Main Bazaar ; 450 Rs). Chambres assez propres et claires.

Royal Guest House (☎ 23586176 ; royalguesthouse@yahoo.com ; Main Bazaar ; s/d 490/590 Rs ;). Petites chambres avec draps propres, TV et réfrigérateur.

Hotel Kelson (☎ 41541020 ; narang_kelson@hotmail.com ; Rajguru Rd ; s/d 500/600 Rs ;). Chambres convenables avec sol en marbre. Juste à côté, le gérant loue quelques chambres familiales au Roxy Hotel.

Majnu-ka-Tilla

Refuge idéal pour les voyageurs en quête de tranquillité, cette paisible enclave, également appelée Tibetan Colony, est striée de ruelles étroites. Moins centrale que Paharganj, elle offre un meilleur rapport qualité/prix. Elle fourmille d'agences de voyages, de cyber-cafés et de marchés de babioles, dans une foule paisible où se mêlent moines bouddhistes, vendeurs de bibelots et habitants du quartier.

Le secteur, assez difficile à trouver, se trouve au nord de l'ISBT (gare routière). Du centre, prenez le métro jusqu'à Vidhan Sabha, puis un rickshaw.

Peace House (carte p. 116 ; ☎ 23939415 ; d 4e/3e/2e/1er ét. 300/380/450/450 Rs). Des chambres sobres, ordonnées et propres (hormis les murs). Service de chambre. La cuisine prépare de succulents *momos* (raviolis).

Wongdhen House (carte p. 116 ; ☎ 23816689 ; wongdhenhouse@hotmail.com ; s/d 475/550 Rs ;). La meilleure adresse du secteur, avec des chambres sommaires mais assez grandes et propres. Son toit donne sur la Yamuna et son bon restaurant propose une carte variée (plus un service de chambre).

NEW DELHI ET ENVIRONS

Connaught Place

Les établissements suivants (voir carte p. 124) sont en piètre état mais affichent des tarifs intéressants pour le quartier :

Ringo Guest House (☎ 23310605 ; ringo_guest_house@yahoo.co.in ; 17 Scindia House, Connaught Lane ; dort 100 Rs, s/d 350/450 Rs, sans sdb 150/250 Rs)

Sunny Guest House (☎ 23312909 ; sunnyguesthouse1234@hotmail.com ; 152 Scindia House, Connaught Lane ; s/d 300/400 Rs, sans sdb 150/200 Rs)

Chanakyapuri et Ashoka Road

Youth Hostel (carte p. 120 ; ☎ 26871969 ; www.yhaindia.org ; 5 Nyaya Marg, Chanakyapuri ; dort sans/avec clim 150/350 Rs, d sans/avec clim 500/1 000 Rs ;). Dortoir d'un bon rapport qualité/prix (carte de membre 100 Rs/an), sommaire, relativement propre et bien situé.

AÉROPORT

Hotel Eurostar (carte p. 116 ; ☎ 46062300 ; www.hoteleurostar.in ; A-27/1, Rd No. 1, Mahipalpur Extn, National Hwy 8 ; s/d 695/750 Rs ; ❄). Un établissement élégant et propre (même si les chambres sentent parfois le renfermé), parfait pour se rapprocher de l'aéroport sans se ruiner.

Catégorie moyenne

NORD DE DELHI

Old Delhi

Ginger (carte p. 126 ; ☎ 1800 209 3333 ; www.gingerhotels.com ; Rail Yatri Niwas ; ch 1 199 Rs ; ❄ 💻). L'hôtel d'un "chic basique" du Taj Group. Chambres soignées avec de beaux lits et une sdb élégante à un prix avantageux, idéales pour les hommes d'affaires peu dépensiers. Dans un bâtiment affreux, à quelques minutes à pied de la gare ferroviaire de New Delhi. Restaurant 24h/24.

Hotel Broadway (carte p. 126 ; ☎ 43663600 ; www.oldworldhospitality.com ; 4/15 Asaf Ali Rd ; s/d avec petit déj 2 095/4 495 Rs ; ❄). Entre les villes ancienne et nouvelle, cet établissement assez luxueux possède quelques chambres donnant sur Old Delhi. Visitez-en plusieurs car elles offrent un confort variable (certaines sont élégantes). Le décor des n°44 et 46 a été réalisé par l'architecte française Catherine Lévy, de même que celui du restaurant Chor Bizarre (voir p. 141). L'hôtel organise des circuits pédestres très appréciés (p. 134).

Paharganj

Pour une présentation complète du quartier, voir p. 136. À défaut d'être attrayant, c'est un secteur proche de Connaught Place (et moins cher) et de la gare ferroviaire de New Delhi. Voir carte p. 136.

Metropolis Tourist Home (☎ 23561794 ; www.metropolistravels.com ; 1634 Main Bazaar ; s/d taxe incluse 1 000/1 200 Rs ; ❄). Des chambres simples et sans charme, mais avec un agréable sol carrelé, une TV et un réfrigérateur (voire un petit balcon). Le restaurant sur le toit est un plus.

Hotel Relax (☎ 23562811 ; vidur109@hotmail.com ; Nehru Bazaar ; d 1 200 Rs ; ❄). Ce superbe édifice à la façade blanche regorge d'objets décoratifs et possède une belle terrasse plantée. Chambres vieillottes, avec TV et réfrigérateur Négociez le prix.

Hotel Ajanta (☎ 23546891 ; www.ajantahotel.com ; 36 Arakashan Rd, Ram Nagar ; s/d à partir de 1 400/1 600 Rs ; ❄ 💻). Chambres sobres et propres ; un supplément vous offrira davantage de confort et de classe. Agréable terrasse sur le toit et bon restaurant. Avis très partagés sur le service.

Hotel Grand Godwin (☎ 23546891 ; www.godwinhotels.com ; 8502, 41 Arakashan Rd, Ram Nagar ; s/d 1 600/1 900 Rs ; ❄ 💻). Situé au nord de Main Bazaar, dans Ram Nagar, il abrite un hall clinquant, un ascenseur en verre et des chambres impeccables (accès Wi-Fi et service de chambre). Personnel de réception quelque peu désinvolte.

NEW DELHI ET ENVIRONS

Connaught Place

Vous ne trouverez pas de quartier plus central, mais l'emplacement se paye cher. Voir carte p. 124.

YMCA Tourist Hostel (☎ 23361915 ; ymcath@ndf vsnl.net.in ; Jai Singh Rd ; s/d 2 380/3 350 Rs, sans sdb 1 090/1 825 Rs ; ❄ 💻 🏊). Cette auberge de jeunesse mixte aux allures de vieille institution emploie un personnel incompétent, mais loue des chambres correctes et fonctionnelles. Le tarif pour accéder à la belle piscine (d'avril à septembre) est décourageant (200 Rs). Taxes petit déj et dîner inclus.

Prem Sagar Guest House (☎ 23345263 ; http://www.premsagarguesthouse.com ; 1er ét., 11 P-Block ; s/d à partir de 2 500/3 000 Rs ; ❄). Une adresse fiable Douze chambres banales mais douillettes et propres, avec TV, réfrigérateur et penderie Terrasse décorée de plantes.

Hotel Alka (☎ 23344328 ; www.hotelalka.com ; P-Block s/d à partir de 2 850/4 800 Rs ; ❄). Des chambre standard exiguës, mais confortables e contemporaines. Un petit supplément vou offrira plus de panache, dans de superbe chambres au décor léopard. Bon restauran végétarien.

York Hotel (☎ 23415769 ; www.hotelyorkindia.com K-Block ; s/d 3 800/4 300 Rs ; ❄). Chambres de bonn taille, élégamment rénovées, avec parquet e couettes satinées. Évitez celles qui donnen sur la rue, plus bruyantes.

Hotel Palace Heights (☎ 43582610 ; www.hotelpalaceheights.com ; 26-28 D-Block ; s/d 5 500/6 000 Rs ; ❄ 💻 Cet hôtel de charme épatant est une vrai perle rare avec ses 12 chambres élégantes e plein cœur de Delhi.

Corus (☎ 43652222 ; www.hotelcorus.com ; 49 B-Block d 6 000-8 000 Rs ; ❄). Nouvel établissement chi du quartier, il dispose de chambres compacte propres et luxueuses. Un supplément vou accordera plus d'espace. Avis mitigés su le service et coupures occasionnelles d'ea chaude. Son beau restaurant, le Bonsai, es idéal pour boire un verre (Kingfisher 90 Rs), avec des tables dans une cour pavée.

Ouest de Connaught Place

Connu pour ses hébergements à taille humaine, ce quartier tranquille vous ravira (carte p. 116). Pensez à réserver car les places sont chères.

Ess Gee's (☎ 5725403 ; www.essgees.net ; 12/9 East Patel Nagar ; d avec petit déj 1 100 Rs ;). Une pension sereine et rétro (sans écriteau), décorée d'autels. Chambres sobres avec TV, bureau et penderie ; visitez-en plusieurs avant de choisir.

Master Guest House (☎ 28741089 ; www.master-guesthouse.com ; R-500 New Rajendra Nagar ; d 2 500 Rs ;). Tenue par un couple serviable, cette maison de banlieue compte cinq chambres bien meublées et pleines de cachet, quoique un peu chères, avec des sdb élégantes et impeccables. Terrasse arborée sur le toit.

Yatri House (☎ 23625563 ; www.yatrihouse.com ; 3/4 Panchkuian Marg ; s/d à partir de 2 500/3 000 Rs, ch neuve 5 000-5 500 Rs ;). Une adresse centrale mais paisible, avec un petit jardin à l'avant et une cour (mobilier en fer forgé) à l'arrière. Chambres spacieuses et propres, à la décoration sobre. Les tarifs comprennent la navette depuis/vers l'aéroport, la connexion Internet, les appels téléphoniques locaux, le thé/café et un en-cas dans l'après-midi. Sdb plus grande avec baignoire dans les chambres neuves, à l'étage.

Bajaj Indian Home Stay (☎ 25736509 ; www.bajajindianhomestay.com ; 8A/34 WEA Karol Bagh ; s/d avec petit déj 4 400/5 500 Rs taxe incluse ;). Cet hébergement très professionnel loue 10 chambres immaculées et bien décorées, avec coffre, réfrigérateur et sèche-cheveux. Thé/café, appels locaux et transferts vers l'aéroport compris. Restaurant sur le toit.

Chanakyapuri et Ashoka Road

YWCA Blue Triangle Family Hostel (carte p. 120 ; ☎ 23360133 ; www.ywcaofdelhi.org ; Ashoka Rd ; s/d avec petit déj 1 136/1 975 Rs taxe incluse ;). Une auberge de jeunesse mixte et centrale aux chambres correctes, malgré une atmosphère très sage et une odeur de naphtaline.

SUD DE DELHI

Home Away from Home (carte p. 116 ; ☎ 26560289 ; permkamte@sify.com ; 1er ét., D-8 Gulmohar Park ; s/d avec petit déj à partir de 1 800/2 200 Rs ;). Mme Kamte vit dans cette résidence élégante d'une banlieue aisée et l'entretient avec soin. Deux chambres seulement, soigneusement décorées d'antiquités, avec petit balcon.

K-One One (carte p. 120 ; ☎ 43592583 ; www.parigold.com ; K-11 Jangpura Extn ; s/d avec petit déj 3 500/4 000 Rs ;). Dans une enclave paisible, des chambres spacieuses et claires, dotées d'une bonne sdb et d'une TV à LCD. Agréable terrasse sur le toit. Le gérant organise des cours de cuisine (voir p. 120).

Jorbagh 27 (carte p. 120 ; ☎ 24698647 ; www.jorbagh27.com ; 27 Jorbagh ; s/d 3 500/4 300 Rs ;). Ce modeste établissement d'un quartier arboré regroupe 18 chambres propres dans un bâtiment ancien. Les deluxe sont plus grandes et plus agréables que les standard.

♡ **Delhi Bed & Breakfast** (carte p. 116 ; ☎ 9811057103 ; www.delhibedandbreakfast.com ; A6 Friends Colony East ; d 3 550 Rs ;). Un fabuleux hébergement chez l'habitant (pas facile à trouver) dans un faubourg verdoyant. Ses trois chambres joliment décorées possèdent de grands lits et des touches originales. Terrasse arborée sur le toit. Réservez.

Thikana (carte p. 116 ; ☎ 46041569 ; www.thikanadelhi.com ; A-7 Gulmohar Park ; s/d 4 000/4 500 Rs ;). Un B&B de charme luxueux, géré de manière très professionnelle. Tarifs largement justifiés. Chambres confortables aux couleurs chaudes et espaces communs séduisants.

Ahuja Residency Golf Links (carte p. 120 ; ☎ 246222555 ; www.ahujaresidency.com ; 193 Golf Links ; s/d avec petit déj 5 063/5 738 Rs ;) ; Defence Colony (carte p. 120 ; C-83 Defence Colony ; s/d 4 050/4 613 Rs). Cet hôtel installé de longue date affiche des prix raisonnables dans ce quartier huppé. Chambres confortables, souvent avec une petite terrasse, donnant sur des pelouses immaculées. Cadre moins chic à Defence Colony.

Lutyens Guest House (carte p. 120 ; ☎ 24625716 ; www.lutyensbungalow.co.in ; 39 Prithviraj Rd ; s/d avec petit déj 5 500/6 000 Rs taxe incluse ;). Cette vieille demeure pleine de recoins offre un écrin de verdure pittoresque et une splendide piscine. Le merveilleux jardin (pelouses, fleurs et perroquets) compense en partie les chambres sommaires dont les prix ont flambé. Repérez le "39 Amar Nath".

Icon Villa (carte p. 116 ; ☎ 41669766 ; www.icon-ysf.com ; F-75 Poorvi Marg, Vasant Vihar ; d avec petit déj 6 000 Rs ;). Idéale pour les longs séjours, dans une banlieue aisée au sud-ouest du centre, elle propose 15 chambres bien agencées avec bureau, TV et sol en marbre. Demandez-en une avec balcon.

Amarya Haveli (carte p. 116 ; ☎ 41759267 ; www.amaryagroup.com ; P5 Hauz Khas Enclave ; s/d 6 100/6 500 Rs ; ❄ 💻). Un havre créé par des Français en plein Hauz Khas, cet hôtel de charme offre une décoration originale d'objets et de tissus indiens. Le chef cuisine 24h/24.

Bnineteen (carte p. 120 ; ☎ 41825500 ; www.bnineteen.com ; B-19 Nizamuddin East ; d à partir de 6 750 Rs ; ❄ 💻). Paisiblement retiré dans la fascinante Nizamuddin East, ce chef-d'œuvre architectural offre depuis son toit de superbes vues sur le tombeau de Humayun. Chambres spacieuses et fraîches, parfaites pour les longs séjours, avec leur cuisine commune ultra-moderne à chaque étage. Le must est la suite du dernier étage (plus onéreuse), qui donne tout entière sur le tombeau.

The Manor (carte p. 116 ; ☎ 26925151 ; www.themanor-delhi.com ; 77 Friends Colony (West) ; d avec petit déj à partir de 7 500 Rs ; ❄ 💻). Pour un cadre plus intime, cet hôtel de charme proche de Mathura Rd réunit 16 chambres dans un bâtiment rénové qui combine luxe contemporain et élégance désuète. Restaurant chic, belles pelouses et terrasse ensoleillée complètent le tableau.

Amarya Garden (carte p. 116 ; ☎ 41759267 ; D-179 Defence Colony ; s/d à partir de 7 750/8 200 Rs). Tenu par les gérants d'Amarya Haveli, qui proposent ici quatre chambres d'un élégant minimalisme. Cuisinier disponible 24h/24.

Icon Towers (carte p. 116 ; ☎ 46016611 ; www.icon-ysf.com ; 46 Paschimi Marg, Vasant Vihar ; s/d avec petit déj 8 500/9 000 Rs, ste 9 000 Rs ; ❄ 💻). Proche de l'Icon Villa, cette enseigne jumelle est appréciée des voyageurs d'affaires pour ses chambres chics et masculines dotées de tout le confort moderne.

Connaught (carte p. 124 ; ☎ 23742842 ; www.theconnaughtnewdelhi.com ; 37 Shaheed Bhagat Singh Marg ; d avec petit déj 9 000 Rs ; ❄ 💻). Un hôtel entièrement rénové, dont les 79 chambres recèlent un magnifique design oriental. Moyennant 2 000 ou 3 000 Rs de plus, vous aurez une chambre palatiale.

Sunder Nagar

Le quartier huppé de Sunder Nagar compte quelques pensions confortables, indiquées sur la carte p. 120.

Maharani Guest House (☎ 24359521 ; www.mymaharani.com ; 3 Sunder Nagar ; s/d 3 000/3 600 Rs ; ❄). Vingt-quatre chambres défraîchies et un peu tristes, mais confortables, à des prix concurrentiels pour le secteur.

La Sagrita (☎ 24358572 ; www.lasagrita.com ; 14 Sunder Nagar ; s/d 3 690/4 090 Rs ; ❄ 💻). Le paisible jardin remporte un bon point, contrairement aux chambres, banales.

♡ **Devna** (☎ 24355047 ; www.newdelhiboutiqueinns.com ; 10 Sunder Nagar ; d 6 500 Rs ; ❄). Devancée par un joli jardin, voici l'une des plus charmantes adresses de Delhi, avec quatre belles chambres décorées de curiosités et d'antiquités. Les meilleures s'ouvrent sur la terrasse, à l'étage.

Shervani (☎ 42501000 ; www.shervanihotels.com ; 11 Sunder Nagar ; s/d avec petit déj 8 000/9 000 Rs ; ❄ 💻). L'hébergement le plus remarquable de Sunder Nagar se distingue par ses chambres élégantes avec parquet, TV à écran LCD, meubles sombres, coffre-fort électronique, réfrigérateur et de quoi préparer thé et café. Les remises de 20% s'obtiennent facilement.

AÉROPORT

New Delhi Bed & Breakfast (carte p. 116 ; ☎ 2689 4812 ; www.newdelhibedandbreakfast.com ; C8/8225 Vasant Kunj ; s/d 3 000/3 500 Rs ; 💻). Dans une enclave verdoyante à 10 minutes de l'aéroport, Renu Dayal loue deux doubles (dont une avec sdb attenante) dotées de grands lits confortables dans son élégante maison. Accueil familial chaleureux.

Catégorie supérieure

Maidens Hotel (hors carte p. 126 ; ☎ 23975464 ; www.maidenshotel.com ; Sham Nath Marg ; d à partir de 245 $US ; ❄ 💻 🏊). Au cœur d'un jardin de 3,2 ha, cet hôtel d'une gracieuse élégance, construit en 1903, accueillit Lutyens pendant la construction de New Delhi. Chambres traditionnelles à plafond haut, désuètes et bien équipées avec, pour certaines, une belle vue.

ITC Maurya (hors carte p. 120 ; ☎ 26112233 ; www.starwoodhotels.com ; Sardar Patel Marg ; s/d 340/370 $US ; ❄ 💻 🏊). Dans le quartier diplomatique, vous trouverez ici tout le confort imaginable et un service de premier ordre, plus un étage réservé aux dames. Côté prestations, un astrologue et des restaurants de choix, dont le très réputé Bukhara (voir p. 144).

Le Meridien (carte p. 120 ; ☎ 23710101 ; www.starwoodhotels.com ; Janpath ; s/d 360/380 $US ; ❄ 💻 🏊). Dans une tour de verre, les chambres contemporaines, dans les tons ocre et gris, offrent un confort cinq étoiles : minibar garni, peignoirs douillets et cosmétiques en tous genres.

Taj Mahal Hotel (carte p. 120 ; ☎ 23026162 ; www.tajhotels.com ; Man Singh Rd ; s/d 365/390 $US ; ❄ 💻 🏊). Œuvres d'art conceptuelles indiennes, tapis persans, tissus d'ameublement en soie et pelouses immaculées caractérisent ce monument du luxe. Les chambres offrent tout le faste des cinq-étoiles.

Shangri-La Hotel (carte p. 120 ; ☎ 41191919 ; www.shangri-la.com ; Ashoka Rd ; s/d 380/400 $US ;). Confort somptueux et raffinement dépouillé pour ce gratte-ciel aux chambres sombres et masculines, mâtinées de notes orientales (TV à écran LCD).

Imperial (carte p. 124 ; ☎ 23341234 ; www.theimperialindia.com ; Janpath ; s/d 425/480 $US ;). Unique en son genre, l'Imperial marie l'architecture victorienne à l'Art déco et possède de superbes peintures des XVIIe et XVIIIe siècles. Héritage du Raj, il a vu défiler les grands de ce monde, des princesses aux rock stars. Les chambres aux plafonds hauts frôlent la perfection : linge de lit français, coussins moelleux, sdb en marbre et meubles au travail d'orfèvre. Le restaurant Spice Route est magnifique, avec son décor de temple en bois, même si la cuisine (thaïe) est moins impressionnante.

Autres cinq-étoiles :

Park (carte p. 124 ; ☎ 23744000 ; www.theparkhotels.com ; 15 Parliament St ; s/d 300/340 $US ;). Un grand hôtel de charme dessiné par Conran, doté d'un beau spa.

Oberoi (carte p. 120 ; ☎ 24363030 ; www.oberoihotels.com ; Dr Zakir Hussain Marg ; s/d 380/410 $US ;). De superbes chambres contemporaines, avec vue sur le tombeau de Humayun, la piscine ou le green.

AÉROPORT

Radisson Hotel (carte p. 116 ; ☎ 26779191 ; www.radisson.com/newdelhiin ; National Hwy 8 ; s/d 345/365 $US ;). Des chambres raffinées tout confort, où vous pourrez oublier vos longues heures de vol sur les moelleux lits orthopédiques. Restaurants chinois, italien et de grillades.

OÙ SE RESTAURER

Les habitants de Delhi aiment manger et les visiteurs ne manqueront pas de bonnes adresses pour se restaurer, des modestes étals proposant de délicieux kebabs aux temples de la haute gastronomie. De plus, les voyageurs en mal de saveurs familières trouveront toutes les chaînes de restauration rapide.

La plupart des établissements des catégories moyenne et supérieure ajoutent un supplément de 10% pour le service. Une taxe s'applique parfois sur les boissons alcoolisées (20%) ou sans alcool (12,5%). Sauf mention contraire, les prix donnés ici ne comprennent pas les taxes.

Là où la réservation est conseillée, notamment le week-end, le numéro de téléphone est indiqué.

Nord de Delhi

OLD DELHI

Les adresses suivantes figurent sur la carte p. 126.

Restaurants

Al-Jawahar (plats 35-120 Rs ; 7h-24h). Voisin du Karim's (ci-dessous), il propose une cuisine similaire, moins réputée mais moins chère. Observez la fabrication adroite des *naan* à l'avant de l'échoppe.

Haldiram's (Chandni Chowk ; plats 42-94 Rs ; 9h30-22h30). À l'étage, un café-restaurant lumineux et propre, commode pour un excellent *thali* (98 Rs) ou de savoureuses spécialités d'Inde du Sud. Au rez-de-chaussée, on peut manger de bons *namkin* (mets salés) et *mithai* (sucreries) sur le pouce. Goûtez au *soan papadi* (feuilleté aux amandes et aux pistaches).

Karim's Old Delhi (plats 45-180 Rs ; 7h-24h) ; Nizamuddin West (168/2 Jha House Basti). Au bout d'une ruelle, face à la porte sud (n°1) de la Jama Masjid, ce restaurant légendaire sert de succulents plats mughlais depuis 1913, principalement avec viande, comme les kebabs de *burrah* (chèvre marinée). Durant le Ramadan, il ouvre après le coucher du soleil.

Moti Mahal (☎ 23273661 ; 3704 Netaji Subhash Marg, Daryaganj ; plats 110-235 Rs ; 12h-24h). La cuisine indienne de ce vieux restaurant familial ravit les convives depuis près de 60 ans. Renommé pour son *butter chicken* et son dhal *Makhani*. Chants qawwali tous les jours sauf mardi (à partir de 20h).

Chor Bizarre (☎ 23273821 ; Hotel Broadway, 4/15 Asaf Ali Rd ; plats 225-495 Rs ; 7h30-10h30, 12h-15h30 et 19h30-23h30). Endroit pittoresque à l'éclairage doux, décoré d'objets excentriques, le Chor Bizarre ("marché des voleurs") sert une cuisine cachemiri exceptionnelle. Il reçoit surtout des touristes et propose des spectacles de danse folklorique à 19h (115 Rs/pers).

Sur le pouce

Paratha Wali Gali (*paratha* 15-35 Rs). Dirigez-vous vers cette ruelle près de Chandni Chowk, bordée de petites gargotes (dont certains proposent des sièges), et régalez-vous de délicieux *paratha* (pains indiens plats) tout juste retirés du *tawa* (plaque chauffante), nature ou garnis d'*aloo* (pommes de terre), de *mooli* (radis blancs), de *pappadam* (fines galettes croustillantes) émiettés et de *badam* (amandes) pilés, accompagnés de pickles.

Jalebiwala (Dariba Corner, Chandni Chowk ; *jalebi* 200 Rs/kg). Les meilleurs *jalebi* (sucreries remplies de sirop de sucre) de Delhi, voire du pays, depuis plus d'un siècle. Des taxi-wallahs aux stars de Bollywood, nul ne résiste à ces gourmandises sirupeuses et croquantes.

Ghantewala (Chandni Chowk ; mithai à partir de 220 Rs/kg). Plus célèbre confiserie de Delhi, le "carillonneur" prépare des mithai depuis 1790. Goûtez quelques *sohan halwa* (gâteaux trempés dans du beurre clarifié).

PAHARGANJ

À Paharganj, les influences culinaires sont mêlées – israéliennes, italiennes, mughlaies ou encore mexicaines –, avec plus ou moins de bonheur. Les restaurants, sans surprise mais bon marché, attirent une foule de touristes.

Les adresses ci-dessous se trouvent dans le Main Bazaar ou sont situées à proximité (carte p. 136).

Madan Café (Main Bazaar ; plats 20-45 Rs ; ⌚ 7h-23h). Il ne vous en coûtera que 30 Rs pour déguster un savoureux *thali* dans ce modeste café végétarien. Installez-vous en terrasse pour observer les passants. En face, le Khosla Café est similaire.

Sonu Chat House (Main Bazaar ; plats 20-70 Rs ; ⌚ 8h-1h). Ce *dhaba* rudimentaire sert de bons plats d'Inde du Sud, des *thali*, des plats chinois et européens.

Kitchen Café (Hotel Shelton, 5043 Main Bazaar ; plats 35-120 Rs ; ⌚ 8h-23h30). Ce restaurant convivial au mobilier en rotin est juché sur un toit-terrasse bordé de plantes. Une adresse décontractée pour prendre son temps devant des spécialités du monde entier.

Malhotra (1833 Laxmi Narayan St ; plats 35-360 Rs ; ⌚ 7h-23h). Un endroit confortable et élégant qui séduit habitants de Delhi et baroudeurs avec de savoureuses spécialités indiennes, européennes et chinoises. Juste à côté, le Malhotra's Dosa Please sert des *dosa* à partir de 35 Rs.

Diamond Restaurant (Main Bazaar ; plats 50-260 Rs ; ⌚ 7h30-23h30). Une petite salle proposant une carte gigantesque, dont de bonnes pâtes.

Tadka (4986 Ram Dwara Rd ; plats 65-120 Rs ; ⌚ 12h-23h). Un modeste restaurant végétarien, sans artifice mais propre et bon. Goûtez au *saag paneer* (épinards et fromage frais) et au *Tadka* dhal.

Sam's Café (Vivek Hotel, 1534-1550 Main Bazaar ; plats 70-165 Rs ; ⌚ 8h-23h). Petits-déjeuners succulents, au rez-de-chaussée ou sur le toit-terrasse (plus joli) du Vivek Hotel. Un lieu tranquille pour se détendre et rencontrer des voyageurs. Bonnes pizzas.

Metropolis Restaurant & Bar (Metropolis Tourist Home, 1634 Main Bazaar ; plats 125-390 Rs ; ⌚ 8h-23h). Ce restaurant animé, le plus huppé du quartier, attire une foule de touristes sur son toit-terrasse avec une carte originale et variée.

KAROL BAGH

Sur le pouce

Angan (carte p. 116 ; Chowk Gurudwara Rd ; plats 60-125 Rs). Une petite "cantine" bourdonnante idéale pour grignoter quelques spécialités d'Inde, notamment du Sud, et de savoureux en-cas ; essayez le *chana bhatura* (pois chiches épicés servis avec du pain indien frit).

Roshan di Kulfi (carte p. 116 ; Gafal Market, Ajmal Khan Rd ; kulfi 42 Rs). Cette petite institution de Delhi est réputée pour ses succulents *kulfi* (desserts glacés au lait parfumés à la pistache, à la cardamome ou au safran). Les *golgappa* et *lassi* sont aussi recommandés.

New Delhi et ses environs

CONNAUGHT PLACE

Sauf mention contraire, les adresses ci-dessous figurent sur la carte p. 124.

Restaurants

Saravana Bhavan Janpath (46 Janpath ; plats 47-82 Rs ; ⌚ 8h-23h) ; Connaught Place (15 P-Block) ; Karol Bagh (carte p. 116 ; 8/54 Desh Bandhu Gupta Rd ; plats 47-82 Rs ; ⌚ 8h-23h). Très prisé, ce restaurant tamoul a des allures de fast-food mais ne sert que des mets de choix : *dosa*, *idli* et autres spécialités d'Inde du Sud, accompagnés de délicieux chutneys. Après un dessert inventif, comme les *ladoo* (boulettes sucrées) aux graines de concombre, commandez un café méridional. Arrivez tôt ou attendez vous à faire la queue !

Sagar Ratna (15 K-Block ; *dosa* 55-75 Rs ; ⌚ 8h-23h). Cet excellent spécialiste des *dosa* prépare aussi des *idli*, des *uttapam* (crêpes de riz salées) et divers délices du Sud, ainsi que des *thali*.

Andhra Bhawan Canteen (carte p. 120 ; 1 Ashok Rd ; *thali* végétariens 60 Rs ; ⌚ 8h30-10h30, 12h-15h et 19h30-22h30). Des *thali* du Sud (végétarien notamment) à volonté, à des tarifs imbattables. Une enseigne très fréquentée aux allures de cantine.

DÉLICIEUX DILLI KI CHAAT

Dilli ki chaat est une expression passe-partout pour désigner la savoureuse cuisine de rue de Delhi et ses en-cas qui parviennent à offrir un festival de saveurs en une seule bouchée. Le mot *chaat* viendrait de l'hindi *chatpata* ("acidulé") ou de *chat* ("lécher").

Nous avons demandé à Srishti Bajaj, une femme d'affaires de Delhi qui aime les *chaat*, de nous conseiller :

"Mes *chaat* préférés sont les *chaat papdi* (gaufrettes garnies de pommes de terre, pois chiches, yaourt et piment) croustillants, l'*aloo chaat* (pommes de terre) épicé, le puissant *bhel puri* (riz aux oignons) et les délicieux *golgappa* (beignets farcis aux pommes de terre et pois chiches épicés). Ils ne sont pas tous originaires de Delhi, mais sont très appréciés. Les sauces à la menthe verte et au tamarin sont incontournables !"

Le quartier central des *chaat* est Old Delhi (essayez **Haldiram's**, p. 141), mais vous pourrez aussi en manger à la **Bengali Sweet House** (carte p. 144) du Bengali Market, près de Connaught Place, chez **Angam** (carte p. 116) à Karol Bagh, ou chez **Nathu's** (voir p. 145) au Bengali Market et à Sunder Nagar.

Berco's (26 G-Block ; plats 125-395 Rs ; 12h30-23h). ılcôves au décor blanc et noir, et éclairage 'ambiance pour ce restaurant qui séduit de ombreux Delhiites avec une cuisine sino-ıdienne savoureuse. Grand bar à l'étage, qui evrait détenir une licence d'alcool lorsque ous lirez ces lignes.

Parikrama (23721616 ; 22 Kasturba Gandhi Marg ; ats 150-470 Rs ; 12h30-23h). Au 24e étage, ce estaurant tournant sert des plats indiens et hinois tout en laissant le temps d'admirer les ıonuments de la capitale (chaque révolution ure 1 heure 30).

Rajdhani (1/90 P-Block ; *thali* 215 Rs, sam-dim 253 Rs volonté ; 12h-15h30 et 19h-23h). Face au PVR ivoli Cinema, ce nouvel établissement oliment décoré propose de délicieux *thali* égétariens du Gujarat à prix modique, ainsi ue quelques plats du Rajasthan. Clientèle ocale et étrangère.

The Chinese (65398888 ; 14/15 F-Block ; plats 5-1 195 Rs ; 12h30-23h30). Apprécié des diplo-ıates chinois pour sa cuisine authentique u Hunan, comme l'agneau fumé ou le *gong oa ji ding* (poulet aux oignons, piments, acahuètes et sauce épicée à l'ail) dans un adre magnifique orné de calligraphies.

United Coffee House (15 E-Block ; plats 245-475 Rs ; 11h-23h). Ce restaurant classique au charme ésuet, datant de 1940, est un lieu splendide our se détendre ou siroter un verre dans après-midi. Prisé par les habitants autant ue les voyageurs, il décline une carte très ariée. Goûtez au *butter chicken*.

Zen (25 B-Block ; plats 269-595 Rs ; 11h-23h30). ne salle aux plafonds hauts, à la décoration inquante et surannée, pour une bonne carte chinoise et quelques plats japonais et thaïs. Mention spéciale pour l'agneau croustillant au sésame et les crevettes à la sichuanaise.

Véda (41513535 ; 27 H-Block ; plats 291-651 Rs ; 12h-24h). Le cadre somptueux créé par le grand couturier indien Rohit Bal offre une atmosphère exceptionnelle, appréciée des touristes étrangers, pour déguster des spécialités mughlaies et de la frontière du Nord-Ouest. Goûtez les côtelettes d'agneau tandoori ou le loup de mer Parsi. Un DJ anime (bruyamment) le bar, qui sert une margharita passable.

Legends of India (55 N-Block ; plats 325-645 Rs ; 11h-23h45). Ce restaurant élégant prépare des *chaat* haut de gamme (succulent *aloo chaat*) et une cuisine mughlaie savoureuse. À l'étage, le *lounge-bar* – baptisé le Tea Cup –, est parfait pour déguster un bon thé (un Assam Golden Tips, par exemple) préparé devant vous sur un chariot, ou une bière Kingfisher (109 Rs). Petite terrasse.

Sont aussi recommandés :

Banana Leaf (12 N-Block ; *dosa* 55-95 Rs, *thali* 105 Rs ; 11h-23h). Des spécialités correctes d'Inde du Sud, dans une salle sombre au sous-sol.

Embassy (11 D-Block ; plats 90-300 Rs ; 11h-24h). Une adresse fiable depuis longtemps, élégante et désuète, proposant des spécialités indiennes et européennes.

Ruby Tuesday (48 M-Block ; plats 235-695 Rs ; 11h-24h). Cuisine américaine et tex-mex dans un cadre confortable de style bistro. Ne manquez pas ses fabuleux travers de porc et son gâteau au chocolat.

Zāffrān (43582610 ; Hotel Palace Heights, 26-28 D-Block ; 100-700 Rs ; 12h-15h30 et 19h-24h). Un excellent restaurant de cuisine mughlaie, conçu comme une vaste terrasse.

Sur le pouce

Nirula's (14 K-Block Connaught Place). Venez ici pour la glace nappée de sauce chaude au chocolat, qui fait craquer les Delhiites.

Wenger's (16 A-Block ; gâteaux/sandwichs 33/50 Rs). Cette adresse légendaire existe depuis 1926, date à laquelle doit remonter la procédure de paiement compliquée ! Mais le jeu en vaut la chandelle, avec à la clef une profusion de douceurs (salées et sucrées), dont de parfaits feuilletés.

Bengali Sweet House (carte p. 116 ; 27-37 Bengali Market). Lieu incontournable de la capitale, le marché bengali est réputé pour ses sucreries et ses *chaat* (goûtez les golgappa), mais on y trouve aussi des *dosa* et des *thali*.

Nizam's Kathi Kabab (5 H-Block ; kebabs 50-150 Rs). Cette petite échoppe prépare de délicieux kebabs et *kathi roll* (*paratha* garnis de brochettes) à emporter ou à grignoter autour d'une table.

DIPLOMATIC ENCLAVE ET CHANAKYAPURI

Fujiya (carte p. 120 ; 12/48 Malcha Marg Market ; plats 110-360 Rs ; 12h-24h). Adresse fiable et chaleureuse, décorée de peintures japonaises, proposant une carte chinoise ponctuée de spécialités du Japon.

Bukhara (hors carte p. 120 ; ☎ 26112233 ; ITC Maurya, Sadar Patel Marg ; plats 495-695 Rs ; 12h30-14h45 et 19h-23h45 ;). Considéré comme le meilleur restaurant de Delhi, il sert des spécialités de la frontière du Nord-Ouest, dont de succulents tandoori et dhals. Bill Clinton y aurait mangé quatre fois de suite. Réservations indispensables (téléphonez entre 19h et 20h).

Olive Beach (carte p. 120 ; Hotel Diplomat, 9 Sardar Patel Marg, Chanakyapuri ; plats 495-1 050 Rs ; 12h-12h30). Ce restaurant ultra-chic aux allures de cabanon de plage est une adresse branchée de la capitale. Le chef italien prépare lui-même pâtes et pizzas.

Dhaba (The Claridges, Chanakyapuri, 12 Aurangzeb Rd ; plats env 500 Rs ; 12h30-14h45 et 19h30-23h30). Dans les hôtels Claridges, essayez cet endroit original au décor kitsch, qui propose une cuisine du Punjab haut de gamme. Mention spéciale pour la viande et le poisson *balti* ou le poisson *tikka*.

Sevilla (carte p. 120 ; ☎ 41335082 ; The Claridges, Chanakyapuri, 12 Aurangzeb Rd ; plats 625-1 550 Rs ; 19h30-0h30). Un cadre romantique, avec des tables entourées de rideaux transparents, parfois dans des huttes climatisées, au milieu d'un jardin paysager éclairé aux chandelles. Cuisine hispano-italienne, dont de succulents tapas.

LODI COLONY ET PANDARA MARKET

Les établissements ci-dessous figurent sur la carte p. 120.

All American Diner (India Habitat Centre, Lodi Rd ; plats 110-265 Rs ; 7h-24h). Dans un décor américain des années 1950 (avec un jukebox), dirigez-vous vers une alcôve rouge ou un tabouret de bar pour déguster les grands classiques de la cuisine US, depuis les crêpes au babeurre jusqu'aux hot-dog. Vous pouvez aussi essayer Eatopia, l'agréable aire de restauration bon marché d'Habitat, pour de bons *chaat* ou des plats indiens et chinois.

Lodi Garden Restaurant (Lodi Rd ; plats 325-825 Rs 11h30-15h30 et 18h-23h30). Un havre de verdure à côté du charmant Lodi Garden. Carte et clientèle résolument étrangères, avec une bonne cuisine méditerranéenne et libanaise. Brunch le week-end et concerts réguliers.

Le Pandara Market ne manque pas de restaurants, généralement ouverts tous les jours de midi à minuit. En voici quelques-uns :

Pindi (plats 120-350 Rs). Sert une savoureuse cuisine du Punjab depuis 1948. Le *butter chicken*, les kebabs cachemiris et le *shahi paneer* (fromage dans une sauce au cajou) sont à découvrir.

Gulati (plats 140-450 Rs). Spécialités d'Inde du Nord dans une salle ornée de miroirs. Goûtez les *tangri kebab* (brochettes de pilons de poulet) et les *dum aloo* (pommes de terre farcies).

Chicken Inn (plats 150-410 Rs). Une enseigne clinquante appréciée pour sa cuisine indienne et chinoise.

Havemore (plats 160-380 Rs). Un lieu confortable et chic proposant un bon choix de plats végétariens indiens.

Sud de Delhi

KHAN MARKET ET SUNDER NAGAR MARKET

Il existe quelques bonnes adresses où se requinquer après avoir fait ses courses au Khan Market ou au Sunder Nagar Market.

The Kitchen (carte p. 120 ; ☎ 41757960 ; Khan Market ; plats 160-385 Rs ; 11h-23h). Un excellent restaurant de quartier, d'une sobre élégance qui prépare des plats savoureux : curry rouge thaï et riz, *pad thai* et *fish and chips*.

Baci (carte p. 120 ; ☎ 41507445 ; Sunder Nagar Market ; plats 175-450 Rs ; 12h30-23h45, 12h30-1h jeu, 12h30-1h sam). Une cuisine italienne correcte et un bon café dans le cadre informel du café, ou au restaurant, plus chic. Animation par DJ et soirée dansante jeudi et samedi.

Sidewok (carte p. 120 ; ☎ 46068122 ; Khan Market ; plats 175-595 Rs ; 🕒 12h-23h30). L'élégant Sidewok sert (lentement) une délicieuse cuisine de toute l'Asie, dans un décor minimaliste aux boiseries sombres. Succulents nems vietnamiens.

Sur le pouce

Khan Chacha (carte p. 120 ; Khan Market ; en-cas 30-70 Rs ; 🕒 12h-22h sam-jeu). Une petite enseigne de kebabs si réputée que vous devrez sans doute faire la queue, mais ses *roti* garnis de chèvre/poulet/*paneer* le méritent.

Nathu's Sunder Nagar (carte p. 120 ; Sunder Nagar Market ; plats 35-70 Rs ; 🕒 8h30-23h) ; Connaught Place (carte p. 116 ; 23-25 Bengali Market). Célèbre confiserie qui vend de succulents *chaat*, namkin et mithai, ainsi que de bons *thali* (58-85 Rs). Terrasse ornée de guirlandes électriques.

HAUZ KHAS

Naivedyam (carte p. 116 ; ☎ 26960426 ; 1 Hauz Khas Village ; plats 30-80 Rs ; 🕒 11h-23h). Extraordinaire restaurant de spécialités du Sud, aux allures de temple (boiseries sombres et dorures). Bonne cuisine également, avec en tête de la carte le *tangam paper masala dosai* (crêpe farcie aux pommes de terre épicées).

Park Baluchi (carte p. 116 ; ☎ 26859369 ; Hauz Khas Village ; plats 150-550 Rs ; 🕒 12h-24h). Entouré de verdure, ce merveilleux restaurant installé dans le Deer Park offre un service décevant, mais les grillades originales comme le *banarasi seekh kabab* (légumes émincés et fromage) ou le *murg potli* (poulet et chèvre émincés, marinés et flambés). Évitez le week-end si les cris des enfants vous incommodent.

VASANT VIHAR

Restaurants

Tamura (carte p. 116 ; ☎ 26154082 ; D-Block Market ; plats 300-640 Rs ; 🕒 12h-15h et 18h30-22h). Une cuisine japonaise authentique et abordable, dans un paisible décor de bambous. Réservez au rez-de-chaussée.

Punjabi by Nature (carte p. 116 ; ☎ 41516666 ; Basant Lok complex ; plats 425-645 Rs ; 🕒 12h30-24h). Une cuisine du Punjab exceptionnelle, parmi des gouttes en verre et des peintures d'hommes enturbannés. Trempez un *rumali roti* (chapati très fin) ou un naan à l'ail dans les sauces goûteuses et essayez les golgappa à la vodka.

Sur le pouce

Sugar & Spice Vasant Vihar (carte p. 116 ; Basant Lok complex ; sandwichs/gâteaux 60/30 Rs) ; Khan Market (carte p. 120). Des gâteaux et en-cas salés à emporter : le strudel, les sandwichs au poulet tandoori et les tartes aux noix valent le détour, contrairement aux croissants et aux beignets, desséchés.

Arabian Nites (carte p. 116 ; 59 Basant Lok complex ; en-cas 60-295 Rs ; 🕒 10h30-23h). Cette minuscule enseigne prépare de savoureux *shawarma* au poulet à emporter (quelques sièges à l'intérieur).

GREATER KAILASH I

Moti Mahal (carte p. 116 ; 30 M-Block ; plats 130-410 Rs ; 🕒 12h15-15h15 et 19h-24h mer-lun). À l'étage du M-Block, un restaurant plus élégant que son ancêtre d'Old Delhi (voir p. 141), apprécié des familles huppées pour sa cuisine d'Inde du Nord et mughlaie.

Kasbah (carte p. 116 ; 2 N-Block ; 🕒 12h30-15h30 et 19h30-23h). Ce complexe séduit expatriés et Delhiites. Pour de savoureux plats mughlais, essayez le Zāffrān (plats 160-300 Rs), dont la salle a des airs de terrasse. Une impressionnante cuisine française vous attend au paisible Café de Paris (plats 350-800 Rs) et, pour manger italien, l'élégant Spago (plats 300-750 Rs) est correct.

GREATER KAILASH II

Not Just Parathas (carte p. 116 ; 84 M-Block ; *paratha* 54-265 Rs ; 🕒 12h-24h). Un établissement guilleret qui décline 120 variétés de *paratha*, cuits au tawa, grillés au tandoor ou hypocaloriques (farine complète et huile d'olive). Nombreuses garnitures : *palak* (épinard), poulet *tikka* ou *aloo gobi* (pommes de terre et choux-fleurs) par exemple.

China Garden (carte p. 116 ; ☎ 29223456 ; 73 M-Block ; plats 250-700 Rs ; 🕒 12h30-15h30 et 19h30-23h30). Sur trois niveaux, ce restaurant chinois richement décoré prépare de sensationnelles crevettes à l'ail. Bar à champagne au rez-de-chaussée (200 Rs pour un cru indien Kingfisher).

Diva (carte p. 116 ; ☎ 29215673 ; M-Block ; plats 390-925 Rs ; 🕒 12h30-15h30 et 19h30-1h). Le restaurant *molto chic* du chef italien Ritu Dalmia offre un cadre intime sur deux étages, avec nappes blanches et four à bois. Cuisine exceptionnelle, créative et succulente. *Avanti !*

♡ **Smokehouse Grill** (carte p. 116 ; ☎ 41435530 ; 2 VIPPS Center, LSC Masjid Moth ; plats env 590 Rs ; 🕒 18h-24h). Une adresse très branchée au chic minimaliste, avec une longue et excellente carte de plats fumés. Divin soufflé au chocolat.

DEFENCE COLONY

Sagar (carte p. 116 ; 18 Defence Colony Market ; *dosa* 48-75 Rs ; 8h-22h30). Il faut souvent faire la queue pour savourer ses succulents *dosa*, *idli* et spécialités du Sud.

Flavors (carte p. 116 ; 49-54C Moolchand Flyover Market, Ring Rd ; plats 230-450 ; 0h30-23h30). Petit havre d'élégance à la décoration sobre, entouré de pelouses et de verdure, avec quelques tables et chaises en fer forgé. Les convives se régalent de pâtes, de risotto et de pizzas au feu de bois. Bons desserts.

Ego Thai (carte p. 116 ; Community Centre, New Friends Colony ; plats 275-500 Rs ; 12h30-15h30 et 19h30-23h30). L'un des meilleurs restaurants thaïlandais de Delhi, au décor de boiseries sculptées (l'étage a plus de cachet). Bons curries et pad thai. Bar cossu adjacent, l'Ego Lounge.

Swagath (carte p. 116 ; Defence Colony Market ; plats 185-725 Rs ; 11h-23h45). Les Delhiites aisés se pressent dans cet élégant restaurant de six étages, réputé pour sa délicieuse cuisine indienne des régions de Mangalore et de Chettinad (fruits de mer notamment). Excellent *dhal-e-swagath* (curry de lentilles), poulet *gassi* (curry à la noix de coco) et autres délices.

OÙ PRENDRE UN VERRE

Delhi compte suffisamment de cafés décontractés et de bars animés pour satisfaire tous les goûts, de l'espresso avec croissants du matin jusqu'au hamburger arrosé de bière au dîner.

Cafés

Les accros à la caféine ne seront pas déçus : cappuccinos et autres cafés au lait sont devenus furieusement tendance à Delhi. Les amateurs de thé ne sont pas en reste : du Earl Grey au thé russe, les cartes abondent en choix.

Barista Connaught Place (carte p. 124 ; 16 N-Block ; café 50-80 Rs ; 21h-1h) ; Khan Market (carte p. 120) ; South Extension Part I (carte p. 116) ; Defence Colony Market (carte p. 116). Élégante chaîne de cafés-bars proposant d'excellents cafés et thés, ainsi que des en-cas.

Costa (carte p. 124 ; L-Block, Connaught Place, Greater Kailash II ; café 25-119 Rs ; 9h-23h30). Ce café chic du centre appartient à l'une des meilleures chaînes. Café fort, thés parfumés, milk-shakes au caramel anglais et bons gâteaux.

Cha Bar (carte p. 124 ; Oxford Bookstore, Statesman House, 148 Barakhamba Rd ; en-cas 50-120 Rs ; 10h-19h30 lun-sam, 12h-19h30 dim). Après un passage à la librairie, allez savourer un thé (plus de 75 variétés) au Cha en profitant de la vue. Succulents muffins aux myrtilles.

Open Hand Cafe (carte p. 136 ; Main Bazaar ; en-cas 45-105 Rs ; 7h30-23h30). Pour une touche d'élégance à Paharganj, ce café tenu par un Sud-Africain propose une atmosphère chic et artistique, un bon café et un délicieux *cheesecake*.

Club India (carte p. 136 ; 2e ét., 6 Toothi Chowk ; plats 50-275 Rs ; 8h-23h). Avec ses fenêtres dominant l'animation du *chowk* et sa petite terrasse sur le toit, c'est l'endroit idéal pour prendre un verre ou un en-cas (tempura et nouilles japonaises notamment).

Café Coffee Day Connaught Place (carte p. 124 ; 11 N-Block, Connaught Place ; café 50-112 Rs ; 9h-24h) ; Khan Market (carte p. 120). Parfait pour se détendre devant une tasse de thé et des brownies. Granités désaltérants. Nombreuses succursales.

Café Turtle Greater Kailash Part I (carte p. 116 ; 8 N-Block) ; Khan Market (carte p. 120 ; 2e ét., Full Circle Bookstore, Khan Market ; plats 165-300 Rs ; 10h-21h30). Les expatriés l'apprécient pour sa carte raffinée, son jazz en fond musical et sa petite terrasse. Ce café studieux et bohème excelle dans les cafés et les gâteaux (excellent moelleux au chocolat). Cuisine variée, des *wraps* à la menthe de Lucknow aux *bucatini* à l'*arrabiata*.

Big Chill (carte p. 120 ; Khan Market ; plats 160-450 Rs ; 12h-23h30). Le Khan Market compte deux enseignes côte à côte, où se regroupe une clientèle bourgeoise soignée. Carte interminable de plats européens, indiens et d'autres régions (plusieurs *cheesecakes*), tous savoureux.

Bars et discothèques

La plupart des bars de Delhi font aussi office de restaurant et de discothèque. Vous n'aurez guère le choix, mais l'ambiance est bien là. Dès que le soleil se couche, la fête commence, surtout du mercredi au samedi soir. Après 20h, la musique passe à plein volume. Une tenue correcte est en général exigée (pas de shorts, de t-shirts à bretelles ou de tongs).

Les bars proposent une multitude de boissons nationales ou importées à des prix prohibitifs : les boissons alcoolisées sont taxées à 20%, les autres à 12,5%. Sauf mention contraire, les prix ci-dessous n'incluent pas les taxes.

De nombreux bars, notamment près de Connaught Place, proposent un happy-hour (deux verres pour le prix d'un) de midi à 20h environ.

PAHARGANJ

Voir carte p. 136.

Gem (De Gem ; Main Bazaar). Dans ce bar sombre aux murs lambrissés, une Kingfisher ne coûte que 78 Rs TTC. Au rez-de-chaussée, on peut suivre un match de cricket sur un téléviseur grand écran, alors que l'étage a plus de cachet. Bons en-cas.

Metropolis Restaurant & Bar (Metropolis Tourist Home, 1634 Main Bazaar). Le restaurant sur le toit de cet hôtel (p. 142) est plus onéreux, mais aussi plus élégant. Carte variée.

CONNAUGHT PLACE

Les établissements suivants (voir carte p. 124) proposent en général un happy-hour en journée.

All Sports Bar (Regal Bldg ; 🕑 12h-1h). Un endroit entièrement dédié au sport. Nombreux écrans, un baby-foot (50 Rs), un billard (100 Rs), un canoë et des coupes scintillantes. Atmosphère gaie et lumineuse, mais piètre musique. Les bières sont sans doute les moins chères du quartier (Kingfisher 125 Rs).

Regent's Blues (18 N-Block ; 🕑 12h-24h). Un bar sombre proposant des bières à prix correct (Kingfisher 155 Rs). Posters de chanteurs aux murs et joyeuse musique démodée pour ce lieu animé et dénué de snobisme.

Rodeo (12 A-Block ; 🕑 12h-24h). Portes battantes, tequila (225 Rs), selles en guise de tabouret et serveurs coiffés de chapeaux de cow-boy vous attendant dans ce bar décontracté. Évitez les *nachos*.

♥ **@live** (12 K-Block ; plats 175-450 Rs ; 🕑 12h-1h). Intimiste et élégant sans être formel, il possède un atout de choix : un groupe malaisien se produit après 20h30 et le public choisit les chansons sur une carte internationale. Les musiciens ne sont pas des énervés, mais jouent bien et vous feront passer une bonne soirée. Bonne cuisine et Kingfisher pour 175 Rs.

Q'BA (1er ét., 42 E-Block ; plats 135-1 100 Rs ; 🕑 12h-24h). Le bar le plus chic du quartier, en forme de Q, offre un éclairage doux, des chaises en cuir et d'agréables canapés. Restaurant raffiné à l'étage (à partir de 19h) et toit-terrasse pour les chaudes soirées. Cocktails pour environ 350 Rs.

1911 (Imperial Hotel, Janpath ; 🕑 12h-0h45). Café néo-colonial par excellence, décoré de portraits de maharajas, il porte le nom de l'année où Delhi fut proclamée capitale des Indes britanniques. Boissons à partir de 600 Rs.

QUARTIER DIPLOMATIQUE ET CHANAKYAPURI

F Bar & Lounge (carte p. 120 ; Ashok Hotel, 50-B Chankayapuri ; 🕑 10h-3h). Une salle toute noire et un bar inondé de lumière. Si vous avez un peu d'argent à dépenser, rejoignez la jeunesse branchée dans ce lieu incontournable appartenant à Fashion TV (diffusée sur tous les écrans).

SOUTH DELHI

Voir carte p. 116.

Shalom Greater Kailash I (18 N-Block ; 🕑 12h-1h) ; Vasant Vihar (4 D-Block). Ce bar-restaurant cossu aux meubles en bois et aux murs blanchis est l'un des plus anciens lounge-bars de Delhi. Excellente cuisine méditerranéenne, en plus des vins, bières et cocktails (environ 400 Rs). DJ tous les soirs.

Urban Pind (4 N-Block, Greater Kailash I ; 🕑 12h-1h). Canapés floconneux et sculptures de style Khajuraho répartis sur trois étages. Animation DJ quotidienne (Kingfisher 200 Rs). Prenez une table sur le toit-terrasse. Soirée salsa le mardi, avec cours gratuits à partir de 21h. Expatriés et diplomates se réunissent ici le jeudi.

Lizard Lounge (1er ét., E5 South Extension Part II ; 🕑 12h-24h). De passage à South Extension, faites une pause rafraîchissante au Lizard, accompagnée d'une chicha à la pomme. Sur les platines : hip-hop, musique de Bollywood, tubes rock et rétro.

♥ **Haze** (8 Basant Lok, Visant Vihar ; 🕑 15h-1h). Un bar jazz branché mais sans prétention, sombre, intimiste et doté d'une vraie personnalité. Bon marché et incontournable pour les concerts de blues et de jazz indien le week-end.

OÙ SORTIR

Programmes culturels

Pour connaître le programme des innombrables manifestations culturelles, consultez les journaux et magazines locaux, en particulier le *First City* (p. 115). En "saison" (d'octobre à mars), des spectacles (souvent gratuits) ont lieu tous les soirs.

Dances of India (carte p. 126 ; ☎ 26234689 ; Parsi Anjuman Hall, Bahadur Shah Zafar Marg ; 200 Rs ; 🕑 19h30). Une heure de danses régionales, dont du *bharata natyam*, du *kathakali* et du *manipuri*.

Habitat World (carte p. 120 ; ☎ 43663333 ; www.habitatworld.com ; India Habitat Centre, Lodi Rd). Renseignez-vous sur les excellentes expositions temporaires de la Visual Art Gallery.

India International Centre (carte p. 120 ; ☎ 24619431 ; 40 Max Mueller Marg)
Kamani Auditorium (carte p. 120 ; ☎ 23388084 ; www.kamaniauditorium.org ; Mandi House, Copernicus Marg)
Sangeet Natak Akademi (carte p. 120 ; ☎ 23387246 ; www.sangeetnatak.org ; Rabindra Bhavan, Copernicus Marg)
Shri Ram Centre (carte p. 120 ; ☎ 23714307 ; www.shriramcenterart.org ; 4 Safdar Hashmi Rd)
Triveni Kala Sangam (carte p. 120 ; ☎ 23718833 ; 205 Tansen Marg)

Cinémas

Les suppléments aux journaux publient les programmes des salles. Les cinémas ci-dessous offrent la possibilité de réserver en ligne sur www.pvrcinemas.com et www.satyamcineplexes.com.
PVR Plaza Cinema (carte p. 124 ; ☎ 41516787 ; H-Block Connaught Pl)
PVR Priya Cinema (carte p. 116 ; ☎ 41000461 ; Basant Lok Complex, Vasant Vihar)
PVR Saket (Anupam 4) (carte p. 116 ; ☎ 41671787 ; Saket Community Centre, Saket)
Satyam Cineplex (carte p. 116 ; ☎ 25893322 ; Patel Rd, Patel Nagar)

ACHATS

Des bazars déboussolant aux boutiques coquettes, Delhi est un paradis du shopping. On y trouve une variété incroyable de marchandises : artisanat, tissus, vêtements (un kaléidoscope de saris), tapis, et bijouterie.

Hormis dans les emporiums et les boutiques à prix fixes, marchandez âprement. Certains chauffeurs de taxi ou d'auto-rickshaws reçoivent une commission (qui majore d'autant le prix que vous paierez) : déclinez poliment toute offre de vous conduire dans un magasin de leur choix, à la réputation souvent douteuse.

Pour obtenir la liste des galeries d'art indépendantes (beaucoup vendent des œuvres), consultez *First City*.

Emporiums d'État

Les emporiums pratiquent des prix fixes, légèrement plus élevés qu'ailleurs, pour des articles variés et de qualité. Si vous avez du temps, explorez-les afin de vous faire une idée des prix avant de chiner dans les marchés.

Central Cottage Industries Emporium (carte p. 124 ; ☎ 23326790 ; Janpath ; 🕒 10h-19h). Véritable caverne d'Ali Baba, ce magasin sur plusieurs niveaux regorge d'artisanat de tout le pays : bois sculpté, argenterie, bijoux, poterie, papier mâché, articles en cuivre, textiles (notamment des châles), produits de beauté, etc.

State Emporiums (carte p. 124 ; Baba Kharak Singh Marg ; 🕒 10h-18h30 tlj sauf dim, parfois fermé entre 13h30 et 14h30). Consacrez plusieurs heures à ces incroyables échoppes en enfilade, vitrines des productions de plusieurs États du pays, du Rajasthan au Cachemire.

Marchés, centres commerciaux et magasins

NORD DE DELHI

Chandni Chowk (carte p. 126 ; Old Delhi ; 🕒 lun-sam). Ne manquez pas de flâner dans le dédale des bazars très fréquentés de cette célèbre artère commerçante de la vieille ville. Ouverts de 10h à 19h ou de 12h à 21h, ils ravissent les sens (voir encadrés p. 150).

New Gramophone House (carte p. 126 ; ☎ 23271524 ; Pleasure Garden Market, Chandni Chowk ; 🕒 10h-21h lun-sam). Situé sur Chandni Chowk, au 1er étage face au Moti Cinema, il abrite un trésor de vieux disques de Bollywood (50-200 Rs) et d'anciens gramophones.

Main Bazaar (carte p. 136 ; Paharganj ; 🕒 env 10h-21h mar-dim). L'artère principale de Paharganj, royaume des voyageurs désargentés, abonde en marchandises bon marché : T-shirts, châles, cuirs, bijoux fantaisie, huiles essentielles, encens, *bindi* et petites pipes. Bien qu'officiellement fermées le lundi, beaucoup de boutiques restent ouvertes pendant la saison touristique.

Karol Bagh Market (carte p. 116 ; 🕒 env 10h-19h mar-dim). Ce marché prisé par la classe moyenne propose une vaste gamme d'articles scintillants, des *lehanga choli* (ensembles féminins) habillés aux chaussures de princesses. Pour les épices, deux boutiques voisines de Roopak (6/9 Ajmal Khan Rd) en proposent un choix similaire (de 60 à 100 Rs/100 gr, emballés). Leurs namkin (mets salés) vous accompagneront pendant les longs trajets en train ; les lentilles vertes grillées changent des fritures

CONNAUGHT PLACE

Janpath Market (carte p. 124 ; Janpath ; 🕒 10h30-19h30 lun-sam). Les échoppes du Tibetan Market séduisent les touristes avec une multitude d'articles ou babioles : textiles ornés de miroirs, châles colorés, *Om* en cuivre, grandes boucles d'oreilles, etc. Farfouillez pour trouver des articles intéressants et marchandez ferme.

Khadi Gramodyog Bhawan (carte p. 124 ; Regal Bldg, Sansad Marg ; ⌚ 10h30-19h15 lun-sam). Renommé pour ses excellents khadi (étoffes tissées à la main), il vend aussi du papier artisanal, de l'encens, des épices, du henné et des savons naturels.

Palika Bazaar (carte p. 124 ; Connaught Place ; ⌚ 11h-19h30 lun-sam). Ce bazar animé en sous-sol vend toutes sortes de produits de consommation (vêtements, électronique, montres, CD, etc.) à la classe moyenne de Delhi. Marchandez !

People Tree (carte p. 124 ; Regal Bldg, Sansad Marg ; ⌚ 10h30-19h lun-sam). Difficile à repérer, cette enseigne propose pêle-mêle des T-shirts originaux (représentant souvent des dieux indiens), des jupes, des robes, des chemises et chemisiers, des besaces, des bijoux fantaisie et des livres.

Soma (carte p. 124 ; 1er ét., 44 K-Block, Connaught Place ; ⌚ 10h-20h). Face au PVR Plaza Cinema, cette boutique située à l'étage vend toutes sortes de textiles imprimés au tampon : écharpes, pyjamas, housses de coussin, vêtements d'enfant, etc.

SUD DE DELHI

Ansal Plaza (carte p. 116 ; Khel Gaon Marg ; ⌚ 11h-20h30). Cette galerie marchande moderne vise une clientèle indienne aisée avec ses boutiques de vêtements griffés, de bijoux fantaisie et de luxueux saris. Elle abrite le Geoffreys, un beau pub à l'anglaise.

Dilli Haat (carte p. 116 ; Aurobindo Marg ; 15 Rs ; ⌚ 10h30-22h). En face de l'INA Market, un marché alimentaire en plein air qui vend de l'artisanat (marchandez) et des spécialités culinaires de diverses régions. Évitez le week-end.

M-Block Market et N-Block Market, Greater Kailash I (carte p. 116 ; Greater Kailash I ; ⌚ mer-lun). Cette enclave commerçante chic répartie sur deux secteurs doit sa renommée au remarquable Fabindia (ci-dessous). Essayez aussi la boutique de vêtements Anokhi (N-Block).

Fabindia GKI (carte p. 116 ; www.fabindia.com ; N-Block Market ; ⌚ 10h-19h30) ; Khan Market (carte p. 120 ; au-dessus du magasin 20 et 21) ; Connaught Place (carte p. 124 ; rez-de-chaussée supérieur, 28 B-Block). Des tenues qui ne détonneront pas chez vous, ainsi que du beau mobilier.

Nalli Silk Sarees Greater Kailash (carte p. 116 ; ☎ 24629926 ; Greater Kailash II ; ⌚ 10h-20h30) ; Connaught Place (carte p. 124 ; 7/90 P-Block). À Greater Kailash, ce grand magasin vend, sur quatre niveaux, des saris en soie d'Inde du Sud (de 1 000 à 30 000 Rs). L'enseigne de Connaught Place compte deux étages.

Hauz Khas Village (carte p. 116 ; ⌚ 11h-19h lun-sam). Ce "village" urbain réunit galeries d'art, boutiques de prêt-à-porter indien et magasins d'ameublement. C'est l'endroit idéal pour dénicher de vieilles affiches de Bollywood. Pour les meubles anciens et récents, essayez Country Collection (envois à l'étranger possibles) ; pour les *kameez* imprimés main et les tissus d'intérieur, entrez chez Cotton Curios.

C.Lal & Sons (carte p. 120 ; 9/172 Jor Bagh Market ; ⌚ 10h30-19h30). Après la visite du tombeau de Safdarjang, faites un tour dans la boutique de "curiosités" du sympathique Mr Lal, appréciée par les expatriés pour ses jolies décorations de Noël et ses objets d'artisanat à prix compétitifs : papier mâché, carreaux et sculptures.

Khan Market (carte p. 120 ; ⌚ env 10h45-19h30 lun-sam). Prisé par les diplomates et les Indiens fortunés, cette enclave regroupe, outre des librairies, des boutiques de mode (notamment des tailleurs), de lunettes de soleil, d'ameublement et d'accessoires. On y trouve aussi des épiceries fines vendant des produits importés, une modeste succursale de Fabindia (ci-dessus), un Anokhi et l'excellent Silverline, qui propose de beaux bijoux en or et en argent à prix correct. La papeterie Anand Stationers vend des articles faits main (cartes, agendas, albums photos, etc.). Évitez le samedi, jour de grande affluence.

Lajpat Nagar Central Market (carte p. 116 ; ⌚ env 11h-20h mar-dim). Un marché qui regorge de bonnes affaires pour les articles ménagers, les vêtements et les bijoux. Des *mehndiwala* peignent de jolis motifs au henné.

Sarojini Nagar Market (carte p. 116 ; ⌚ env 11h-20h mar-dim). Vêtements occidentaux bon marché (surplus et fins de série) dans certaines de ses allées. Traquez les défauts et marchandez ferme. Évitez le dimanche après-midi, bondé.

Sunder Nagar Market (carte p. 120 ; ⌚ env 10h30-19h30 lun-sam). Au sud de Purana Qila, cette enclave sophistiquée vend essentiellement de l'artisanat et des antiquités (souvent des copies) indiens ou népalais. Deux excellentes boutiques de thé voisines, Regalía Tea House (10h-19h30 lun-sam, 11h-16h dim) et Mittal Tea House (10h-19h30 lun-sam, 10h-16h30 dim), proposent des produits similaires et des dégustations gratuites. Grand choix, du

LES BAZAARS D'OLD DELHI

Les bazars tortueux d'Old Delhi (carte p. 126) constituent une incroyable expérience sensorielle. Les odeurs de fleurs, d'urine, d'encens, de thé, de vapeurs et de friture s'y mêlent allègrement, au milieu d'une stupéfiante profusion d'objets et de couleurs. Ces bazars animés sont particulièrement bondés les lundi et samedi et tous les après-midi. Venez vers 11h30, lorsque toutes les boutiques ont ouvert et que la foule reste supportable.

Pour les bijoux en argent (et quelques-uns en or), explorez Dariba Kalan, près du Sisganj Gurdwara. Le Kinari Bazaar voisin, renommé pour ses *zari* (tissages au fil d'or) et *zardozi* (broderies dorées), est le quartier de choix pour constituer un trousseau de mariage. Le **marché aux tissus** vend des étoffes au mètre, ainsi que du linge de maison. Le **Lajpat Rai Market** est le royaume des gadgets électriques et le **Chowri Bazaar**, celui du papier et des cartes de vœux en gros. Non loin, **Nai Sarak** offre papeterie et livres en gros, ainsi que des saris.

Près de la Fatehpuri Masjid, dans Khari Baoli, le **marché aux épices** resplendit de poudres de piment rouge écarlate, de masala ocre et de curcuma brique, et vend aussi des pickles, du thé et des fruits secs. Dans ce marché de gros, les épices sont rarement présentées en conditionnement hermétique. Pour cela, mieux vaut aller chez Roopak's (p.148), dans Karol Bagh.

Le **Daryaganj Sunday Book Market**, au nord de Gelhi Gate, est un ravissement pour les collectionneurs des livres (uniquement les dimanches après-midi).

kahwa parfumé du Cachemire (thé vert à la cardamome ; 110 Rs/100 g) au Vintage Musk (700 Rs/100 g), la fine fleur des thés. Le thé blanc (600/350 Rs 100 g biologique/non biologique) contiendrait plus d'antioxydants que le thé vert, tandis que les *dragon balls* (feuilles de thé assemblées en boules ; 80 Rs/pièce) sont remarquables lorsqu'elles infusent.

Musique

INSTRUMENTS DE MUSIQUE

Ces boutiques réputées offrent un large choix d'instruments indiens ou autres :

Delhi Musical Stores (carte p. 126 ; ☎ 23276909 ; www.indianmusicalinstruments.com ; 1070 Paiwalan, Old Delhi ; 🕑 10h-19h tlj sauf dim). En face de la porte n°3 de la Jama Masjid.

Rangarsons Music Depot (carte p. 116 ; ☎ 41677881 ; B-100 Lajpat Nagar Part 1 Pl ; 🕑 10h-17h30 tlj sauf dim). Tablas/trompettes indiennes/sitars/guitares à partir de 2 500/3200/4000/2000 Rs.

Rikhi Ram (carte p. 124 ; ☎ 23327685 ; www.rikhiram.com ;8 G-Block, Connaught Pl ; 🕑 11h30-20h tlj sauf dim). Une belle boutique ancienne vendant entre autres des sitars professionnels classiques (35000/45 000 Rs) et électriques (38 000 Rs) et des tablas (7 500-11 500 Rs).

Rikhi Ram's Music (carte p. 124 ; ☎ 23340496 ; www.rikhiram.org ; 144 Bhagat Singh Market ; 🕑 11h-19h30 tlj sauf dim). Près du Gole Market.

Les **boutiques spécialisées** (carte p. 126 ; 🕑 tlj sauf dim) qui bordent Netaji Subhash Marg, à Daryaganj, proposent des prix intéressants.

DISQUES, CASSETTES ET CD

Les magasins de musique disposent d'un vaste choix de CD (dont de l'excellente fusion) et d'un éventail plus restreint de cassettes – pratiques pour les voitures de location. Les petites enseignes abondent à Connaught Place et à Paharganj. L'excellent Planet M vend tous les genres de musique, des tubes bollywoodiens au raga, et possède plusieurs magasins à Delhi, notamment à Connaught Place, Greater Kailash II et Karol Bagh.

Tailleurs

Comptez une semaine pour un vêtement sur mesure, parfois moins.

Delhi Cloth House (carte p. 120 ; ☎ 24618937 ; Khan Market ; 🕑 11h-19h30 tlj sauf dim). Costumes en laine homme 5 000-25 000 Rs (tissu compris) ; jupes longues à partir de 400 Rs (sans le tissu).

M Ram & Sons (carte p. 124 ; ☎ 23416558 ; 21 E-Block, Connaught Pl ; 🕑 10h-20h tlj sauf dim). Costumes homme à partir de 3 500 Rs (sans le tissu), jupes longues à partir de 500 Rs (sans le tissu). Possibilité de confection sous 24h.

New Prominent Tailors (carte p. 124 ; ☎ 23418007 ; 25 K-Block, Connaught Pl ; 🕑 11h30-19h30 tlj sauf dim). Pantalons homme (sans le tissu) 300 Rs, jupe (avec doublure) 250 Rs.

DEPUIS/VERS DELHI

Delhi est l'une des principales portes d'entrée du pays. Elle constitue en outre un nœud de transports majeur, grâce à de nombreuses liaisons routières, ferroviaires et aériennes

En décembre-janvier, le brouillard perturbe souvent le calendrier des vols. Mieux vaut alors prévoir quelques heures de battement pour les correspondances.

Avion

Les terminaux des vols intérieurs (terminal 1) de l'aéroport international Indira-Gandhi (carte p. 116) se trouvent à 15 km au sud-ouest de Connaught Place ; le terminal international (terminal 2) est situé 8 km plus loin. Ils sont reliés par une navette gratuite : prenez-la à l'intérieur du hall des arrivées, à l'aéroport international, et prévoyez un temps de trajet assez long.

Pour tout renseignement sur les vols, appelez l'**aéroport international** (☎ 25661000 ; www.delhiairport.com) ou l'**aéroport national** (☎ 25675126).

VOLS INTÉRIEURS

Arrivées et départs

L'enregistrement pour les vols intérieurs se fait 1 heure avant le départ. Si vous arrivez dans le pays et prenez une correspondance pour une autre ville indienne, et que le vol est assuré par Air India, le départ peut avoir lieu au terminal international et non au terminal des vols intérieurs.

Compagnies aériennes

L'**agence d'Air India** (carte p. 124 ; ☎ 23313317 ; F-Block, Malhotra Bldg, Connaught Pl ; 10h-13h et 14h-17h tlj sauf dim) la plus pratique se trouve à Connaught Place. Pour connaître les heures de départ et d'arrivée des vols d'Air India, appelez le ☎ 1407.

Autres compagnies nationales :

Jagson Airlines (carte p. 124 ; ☎ 23721593 ; Vandana Bldg, 11 Tolstoy Marg ; 9h-18h tlj sauf dim)

Jet Airways (carte p. 124 ; ☎ 39841111 ; 40 N-Block, Connaught Pl ; 9h-20h lun-ven, 9h-18h sam-dim). Donne aussi des informations sur les vols de la compagnie JetLite.

Kingfisher Airlines (carte p. 124 ; ☎ 23730238 ; 42 N-Block, Connaught Pl ; 9h-19h lun-ven, 10h-17h sam-dim)

VOLS INTERNATIONAUX

Arrivées

Le hall des arrivées de l'aéroport international compte des guichets de change ouverts 24h/24, un DAB (banque ICICI), des comptoirs de taxis prépayés, un office du tourisme une billetterie ferroviaire.

Départs

Étiquetez aussi vos bagages à main, une formalité requise pour franchir les contrôles de sécurité.

Compagnies aériennes

Aeroflot (carte p. 124 ; ☎ 23723241 ; 15-17 Tolstoy Marg)

Air Canada (carte p. 124 ; ☎ 41528181 ; Rm202, 2e ét., Ansal Bvn, Kasturba Gandhi Marg)

Air France (carte p. 116 ; ☎/fax 25652274 ; Départ, Terminal 2, aéroport)

Air India (carte p. 124 ; ☎ 23731225 ; Jeevan Bharati Bldg, 124 Connaught Pl)

British Airways (hors carte p. 116 ; ☎ 01244120747 ; DLF Plaza Tower, DLF Phase 1, Qutb Enclave, Gurgaon)

Emirates (carte p. 124 ; ☎ 6614444 ; 7e ét., DLF Centre, Sansad Marg, Connaught Pl)

Gulf Air (carte p. 124 ; ☎ 25652981 ; 2e ét. Ansal Bhawan, 16 Kasturba Gandhi Marg)

KLM-Royal Dutch Airlines (hors carte p. 116 ; ☎ 23357747 ; Départs, terminal 2)

Lufthansa Airlines (☎ 23724200 ; 12e ét., tour B, DLF City, Phase 2 Gurgaon)

Malaysian Airlines (carte p. 124 ; ☎ 41512121 ; Gopal Das Bhavan, 28 Barakhamba Rd)

Pakistan International Airlines (carte p. 124 ; ☎ 23737791 ; 23 Barakhamba Rd)

Royal Nepal Airlines Corporation (RNAC ; carte p. 124 ; ☎ 23321164 ; 44 Janpath)

Singapore Airlines (carte p. 124 ; ☎ 23326373 ; Ashoka Estate Bldg, Barakhamba Rd)

Thai Airways International (carte p. 116 ; ☎ 41497777 ; Park Royal Intercontinental Hotel, America Plaza, Nehru Pl)

Bus

Bikaner House (carte p. 120 ; ☎ 23383469 ; Pandara Rd), près de l'India Gate, dispose de confortables bus publics qui desservent Jaipur (270/460/600 Rs sans AC/AC/deluxe, 6 heures, plusieurs départs 6h-24h tlj), Udaipur (810 Rs, 15 heures, 19h tlj), Ajmer (531 Rs, 9 heures, 19h, 22h et 23h30 tlj) et Jodhpur (718 Rs, 11 heures, 22h tlj).

Au nord de la gare ferroviaire de (Old) Delhi, l'**Inter State Bus Terminal** (ISBT ; carte p. 116 ; ☎ 23860290 ; Kashmiri Gate ; 24h/24), la plus grande gare routière de Delhi, peut se révéler chaotique ; essayez d'arriver au moins 30 min avant le départ. Consigne ouverte 24h/24 (15 Rs/bagage). Parmi les compagnies publiques (voir les sites Internet pour les horaires) présentes dans la gare, citons :

Delhi Transport Corporation (☎ 23865181 ; dtc.nic.in ; guichet 34)

VOLS NATIONAUX AU DÉPART DE DELHI

Ce tableau indique quelques destinations. Pour une liste exhaustive, consultez l'*Excel's Timetable of Air Services Within India* (55 Rs), disponible en kiosque et dans certaines librairies. Lors de votre réservation, demandez l'itinéraire le plus direct (le plus rapide). Les tarifs indiqués ici correspondent à des allers simples non remboursables. Ils peuvent varier. Réserver sur Internet permet souvent de faire des économies.

Destination	Code compagnie	Tarif ($US)	Durée	Fréquence
Ahmedabad	IC	25	1 heure 45	1/jour
	9W	35		2/jour
	SG	10		2/jour
	SG	20		1/jour
Amritsar	IC	70	1 heure	1/jour
	IT	10		1/jour
Bangalore	IC	50	2 heures 30	4/jour
	9W	70		3/jour
	SG	30		3/jour
	IT	60		6/jour
Chennai (Madras)	9W	70	2 heures 45	4/jour
	IC	55		5/jour
Dharamsala	IT	75	1 heure 30	1/jour
Goa	SG	60	2 heures 30	3/jour
	G8	40		1/jour
	IT	60		1/jour
	6E	40		1/jour
Hyderabad	IC	35	2 heures	3/jour
	9W	55		2/jour
	SG	15		3/jour
Jaipur	9W	30	45 min	1/jour
	IC	10		1/jour
Jodhpur	JA	80	1 heure 30	3/semaine
	9W	40		3/semaine
Khajuraho	IT	80	1 heure 45	1/jour
	JA	110		1/jour
Kolkata (Calcutta)	IC	35	2 heures	2/jour
	9W	50		3/jour
	IT	40		3/jour
	6E	10		3/jour
Kullu	IT	35	1 heure 45	1/jour
Leh	9W	80	1 heure 15	4/semaine
Mumbai (Bombay)	S2	25	2 heures	3/jour
	IC	35		10/jour
	9W	40		11/jour
	IT	45		11/jour
	SG	15		6/jour
Shimla	IT	251	1 heure	1/jour
Trivandrum	IC	100	4 heures 30	1/jour
	6E	80		1/jour
	9W	110		1/jour
Udaipur	JA	100	2 heures 30-3 heures	2/jour
	9W	45		1 ou 2/jour
	IT	45		1/jour
Varanasi	IC	20	1 heure 45	1/jour
	9W	55		1/jour
	SG	10		1/jour

IC – Indian Airlines, 9W – Jet Airways/JetLite, JA – Jagson Airlines, SG - Spicejet, IT - Kingfisher Airlines, G8 - Go Airlines, 6E – Indigo

Haryana Roadways (☎ 23861262 ; hartrans.gov.in ; guichet 35)
Himachal Roadways (☎ 23868654 ; guichet 40)
Punjab Roadways (☎ 23867842 ; www.punjabroadways.gov.in; guichet 37)
Rajasthan Roadways (☎ 23386658, 23864470 ; guichet 36)
Uttar Pradesh Roadways (☎ 23868709 ; guichet 33)

Train

Pour les étrangers, il est plus simple d'acheter les billets au très utile **International Tourist Bureau** (carte p. 136 ; ☎23405156 ; 1er ét., gare ferroviaire de New Delhi ; 8h-20h tlj sauf dim, 8h-14h dim). Ne croyez pas ceux qui vous diront qu'il a déménagé, fermé ou brûlé – ils veulent vous entraîner dans une agence privée (encadré p. 127). Certains porteurs tenteront parfois de vous berner. Ne les écoutez pas et gardez le cap vers le 1er étage du bâtiment principal.

Les billets sont payables en roupies – sur présentation d'un reçu de change ou d'un ticket de DAB –, en euros, en dollars ou en livres sterling ; on vous rendra la monnaie en roupies. Une billetterie ferroviaire est installée à l'aéroport (voir p. 151).

Delhi compte 2 gares principales : la gare ferroviaire de (Old) Delhi (carte p. 126), à Old Delhi, et la gare ferroviaire de New Delhi (carte p. 136), dans Paharganj, plus proche de Connaught Place. Si vous partez de la première, prévoyez suffisamment de temps pour traverser les embouteillages de la vieille ville.

La gare de Nizamuddin (carte p. 120), au sud de Sunder Nagar, accueille des trains principalement en provenance ou à destination du Sud.

Les porteurs de la gare demandent entre 20 et 30 Rs par bagage.

Les trains desservent bien plus de destinations que celles qui figurent dans l'encadré p. 154. Consultez *Trains at a Glance* (35 Rs), largement diffusé en kiosque, ou renseignez-vous dans un office du tourisme.

COMMENT CIRCULER

Auto-rickshaws et taxis constituent de bonnes alternatives aux bus urbains, souvent bondés. Prévoyez de la monnaie pour payer les courses. Les femmes se reporteront aux rubriques *Transports publics* et *Taxis* de la section *Voyager en solo* (p. 800).

Depuis/vers l'aéroport

L'absence de scrupule de certains chauffeurs de taxi complique parfois le trajet entre l'aéroport et le centre-ville (p. 119).

De nombreux vols internationaux arrivent dans la nuit ou à l'aube ; mieux vaut réserver un hôtel et préciser votre heure d'arrivée.

TRANSFERTS DE L'AÉROPORT

Un taxi prépayé vous reviendra moins cher qu'un transfert organisé par l'intermédiaire d'une agence de voyages ou d'un hôtel ; ces derniers doivent en effet payer 60 Rs pour accéder au hall des arrivées et jusqu'à 120 Rs pour le parking. Il arrive que les chauffeurs

BUS PUBLICS AU DÉPART DE DELHI

En plus des bus publics, il existe des bus privés confortables (y compris des bus-couchettes) qui partent d'emplacements centraux mais leurs horaires sont variables (renseignez-vous dans les agences de voyages). Il existe des bus à destination d'Agra mais le train est plus pratique et plus rapide.

Destination	Tarifs aller (Rs)	Durée	Fréquence
Amritsar	255 (A)	10 heures	5h30-21h30 (toutes les heures)
Chandigarh	140/400 (A/B)	5 heures	6h-1h30 (toutes les 30 min)
Dehra Dun	145 (A)	7 heures	5h-23h (toutes les heures)
Dharamsala	325/830 (A/B)	12 heures	4h30-23h (toutes les heures)
Jammu	300/400 (A/B)	12 heures	5h15-23h (toutes les heures)
Kullu	400/990 (A/B)	13 heures	9h
Manali	410/990 (A/B)	15 heures	13h-22h (toutes les heures)
McLeod Ganj	350 (A)	14 heures	19h40
Shimla	240/650 (A/B)	10 heures	5h-22h30 (toutes les heures)

A – ordinaire, B – deluxe AC

PRINCIPAUX TRAINS AU DÉPART DE DELHI

Destination	N° et nom du train	Tarifs (Rs)	Durée (heures)	Fréquence	Heure et gare de départ
Agra	2280 *Taj Exp*	76/266 (A)	3	tlj	7h10 HN
	2002/A *Bhopal Shatabdi*	370/700 (B)	2	tlj	6h15 ND
Amritsar	2013 *Shatabdi Exp*	645/1 200 (B)	5 heures 30	tlj	16h30 ND
	2029/2031 *Swarna/ Amritsar Shatabdi*	600/1 145 (B)	5 heures 30	tlj	7h20 ND
Bengaluru	2430 *Bangalore Rajdhani*	2 120/2 765/4 625 (C)	34	4/semaine	20h50 HN
Chennai	2434 *Chennai Rajdhani*	2075/2 700/4 500 (C)	28	2/semaine	16h HN
	2622 *Tamil Nadu Exp*	537/1 455/1 997/3 386 (D)	33	tlj	22h30 ND
Goa (Margaon)	*2432 Trivndrm Rajdhani*	2 035/2 615/4 370 (C)	25 heures 30	2/semaine	11h HN
Haridwar	2017 *Dehradun Shatabdi*	435/825 (B)	4 heures 30	tlj	6h50 ND
Jaipur	2958 *ADI SJ Rajdani*	605/775/1 285 (C)	5	6/semaine	19h55 ND
	2916 Ashram Exp	441/590/986 (C)	5 heures 45	tlj	15h OD
	2015 *Shatabdi Exp*	465/885 (B)	4 heures 45	6/semaine	6h05 ND
Khajuraho	2447A *Nizamuddin–Khajuraho Exp*	273/713 (E)	10 heures 15	3/semaine	9h35 HN
Lucknow	2004 *Lko Swran Shatabdi*	700/1 360 (B)	6 heures 15	tlj	6h15 ND
Mumbai	2952 *Mumbai Rajdhani*	1 495/1 975/3 305 (C)	16	tlj	16h30 ND
	2954 *Ag Kranti Rajdani Exp*	1 495/1 975/3 305 (C)	17 heures 15	tlj	16h55 HN
Udaipur	2963 *Mewar Exp*	309/814/1 106/1 854 (D)	12	tlj	18h30 HN
Varanasi	2560 *Shivganga Exp*	311/820/1114/1868 (D)	13	tlj	18h30 ND

Abréviations des gares : ND – New Delhi, OD – Old Delhi, HN – Hazrat Nizamuddin
Tarifs : A – 2e classe/chair car ; B – chair car/1re classe AC ; C – 3AC/2AC/1re classe AC ; D – sleeper/3AC/2AC/1re classe AC ; E – sleeper/3AC

n'aient pas accès aux arrivées pour des raisons de sécurité, auquel cas la plupart attendent devant la porte 1.

BUS

Le bus urbain n°780 relie le Super Bazaar, près de Connaught Place, à l'aéroport IGI (10 Rs), mais il ne circule pas régulièrement. Un bus deluxe non-climatisé part toutes les 30 minutes de l'ISBT pour l'aéroport, via le Super Bazaar (50 Rs, bagage 25 Rs).

TAXI ET AUTO-RICKSHAW

Il existe deux Delhi Traffic Police Prepaid Taxi Booths (guichets des taxis prépayés) dans l'aéroport intenational, un premier à l'intérieur du bâtiment des arrivées et un second à l'extérieur. Comptez environ 225 Rs jusqu'à Paharganj (majoration de 25% entre 23h et 5h).

On vous remettra un coupon indiquant votre destination ; insistez pour que le chauffeur accepte la course. Ne lui remettez le coupon, sa garantie de paiement, qu'une fois arrivé à destination.

Vous pouvez aussi réserver un taxi prépayé au comptoir d'**Easycabs**, dans le hall des arrivées des deux terminaux, international et national. Comptez environ 400 Rs (paiement par carte accepté) pour le centre-ville, dans une voiture propre et climatisée.

À l'aéroport national, le guichet des taxis prépayés se trouve dans le terminal.

Pour une course bon marché (mais éprouvante), prenez un auto-rickshaw prépayé de la gare ferroviaire de New Delhi à l'aéroport (environ 130 Rs).

AIRPORT EXPRESS

La nouvelle ligne à haute vitesse du métro (20 min, 150 Rs) depuis/vers Rajiv Chowk (Connaught Place) devrait être ouverte pour les Jeux du Commonwealth de 2010. Des guichets d'enregistrement seront installé à Rajiv Chowk.

Bus

Les quelques bus de la DTC suivent les mêmes itinéraires que les bus privés. Un trajet dans la ville ne coûte pas plus de 15 Rs. Si vous devez utiliser ce mode de transport effroyablement bondé, montez en bout de ligne pour trouver une place assise. Le bus climatisés (rouge et blanc) sont plus confortables mais moins fréquents.

Quelques lignes utiles :

Bus n°590 – de Krishi Bhawan à Qutb Minar.

Bus n°604 ou 620 – de Connaught Place (dans Sansad Marg) à Chanakyapuri (le bus 620 continue jusqu'à Hauz Khas)

Voiture

AVEC CHAUFFEUR

De nombreuses sociétés louent des voitures avec chauffeur. Des voyageurs ont été satisfaits des établissements ci-dessous. Tous deux limitent le temps de conduite à 8 heures et 80 km par jour et proposent des circuits hors de Delhi, y compris au Rajasthan, pour des prix supérieurs. Les tarifs mentionnés ici valent uniquement pour Delhi.

Kumar Tourist Taxi Service (carte p. 124 ; ☎ 23415930 ; kumartaxi@rediffmail.com ; 14/1 K-Block, Connaught Pl ; avec/sans clim 700/800 Rs par jour ; 🕑 8h-21h). Une minuscule agence près du York Hotel. Les tarifs, parmi les plus compétitifs de la ville, poussent certaines agences peu scrupuleuses à prétendre qu'elles travaillent avec eux ou qu'ils ont fermé.

Metropole Tourist Service (carte p. 120 ; ☎ 24310313 ; www.metrovista.co.in ; 224 Defence Colony Flyover Market ; avec/sans clim 800/1 100 Rs par jour ; 🕑 7h30-19h). Une autre adresse fiable, sous le Defence Flyover Bridge (côté Jangpura)

Cyclo-pousse et vélo

Les cyclo-pousse, toujours en usage dans certains secteurs d'Old Delhi, sont désormais interdits dans Chandni Chowk à cause des embouteillages. Espérons qu'ils ne seront pas bannis d'autres lieux car ils restent le meilleur moyen de circuler dans la vieille ville et leurs conducteurs excellent dans l'art de se faufiler dans la foule. Pourboires bienvenus.

Ils sont également interdits dans le quartier de Connaught Place et à New Delhi, mais sont pratiques pour aller de Connaught Place à Paharganj (environ 25 Rs). Le Jhandewalan Cycle Market (carte p. 116) propose le plus grand choix de vélos, neufs ou d'occasion.

Métro

Le fantastique métro de Delhi (ouvert de 6h à 23h) est doté d'un réseau efficace. Les annonces se font en hindi et en anglais.

Actuellement, la ville compte 3 lignes de métro partiellement opérationnelles : la première relie Rithala à Dilshad Garden (21 stations), la seconde Vishwa Vidyalaya au Central Secretariat (10 stations) et la troisième (ligne rouge) Dwarka à Indraprashta (31 stations). L'ensemble du réseau devrait être terminé courant 2010 pour les Jeux du Commonwealth.

Les jetons (6-22 Rs) sont en vente en station, tout comme le pass touristique (1/3 jours 70/200 Rs), valable pour des trajets illimités sur des courtes distances. Pour un long séjour, achetez une Smart Card (50 Rs, plus 50 Rs de caution remboursable), que vous rechargerez pour un montant de 50 à 800 Rs. Pour connaître l'état d'avancement des travaux (et accéder à la carte du réseau), consultez le site Internet www.delhimetrorail.com ou appelez le ☎ 24365204.

Moto

Pour obtenir des informations sur la location de motos, reportez-vous p. 813.

Radio-taxi

Si vous disposez d'un numéro de téléphone mobile local, vous pouvez appeler un radio-taxi. Des chauffeurs expérimentés conduisent ces voitures climatisées, propres et équipées de compteurs fiables. Comptez environ 15 Rs/km (majoration de 25% de 23h à 5h). Après avoir appelé l'opérateur, vous recevez un premier texto mentionnant le numéro d'immatriculation du taxi et un second confirmant son heure d'arrivée. Pour évitez d'attendre, téléphonez 20 à 30 minutes à l'avance. Vous pouvez aussi réserver en ligne.

Essayez les compagnies suivantes :

Easycabs (☎ 43434343 ; www.easycabs.com)

Megacabs (☎ 41414141 ; www.megacabs.com)

Quickcabs (☎ 45333333 ; www.quickcabs.in)

TARIFS DES AUTO-RICKSHAWS

Le tableau indique les tarifs officiels pratiqués par le guichet des auto-rickshaws prépayés pour un aller au départ de Janpath. Comptez environ le double en taxi.

Destination	Tarif (Rs)
Ansal Plaza	70
Temple Bahaï	80
Tombeau de Humayun	50
Karol Bagh	30
Gare ferroviaire d'Old Delhi	50
Paharganj	30
Purana Qila	30
Red Fort	50
South Extension	60

MÉTRO DE DELHI

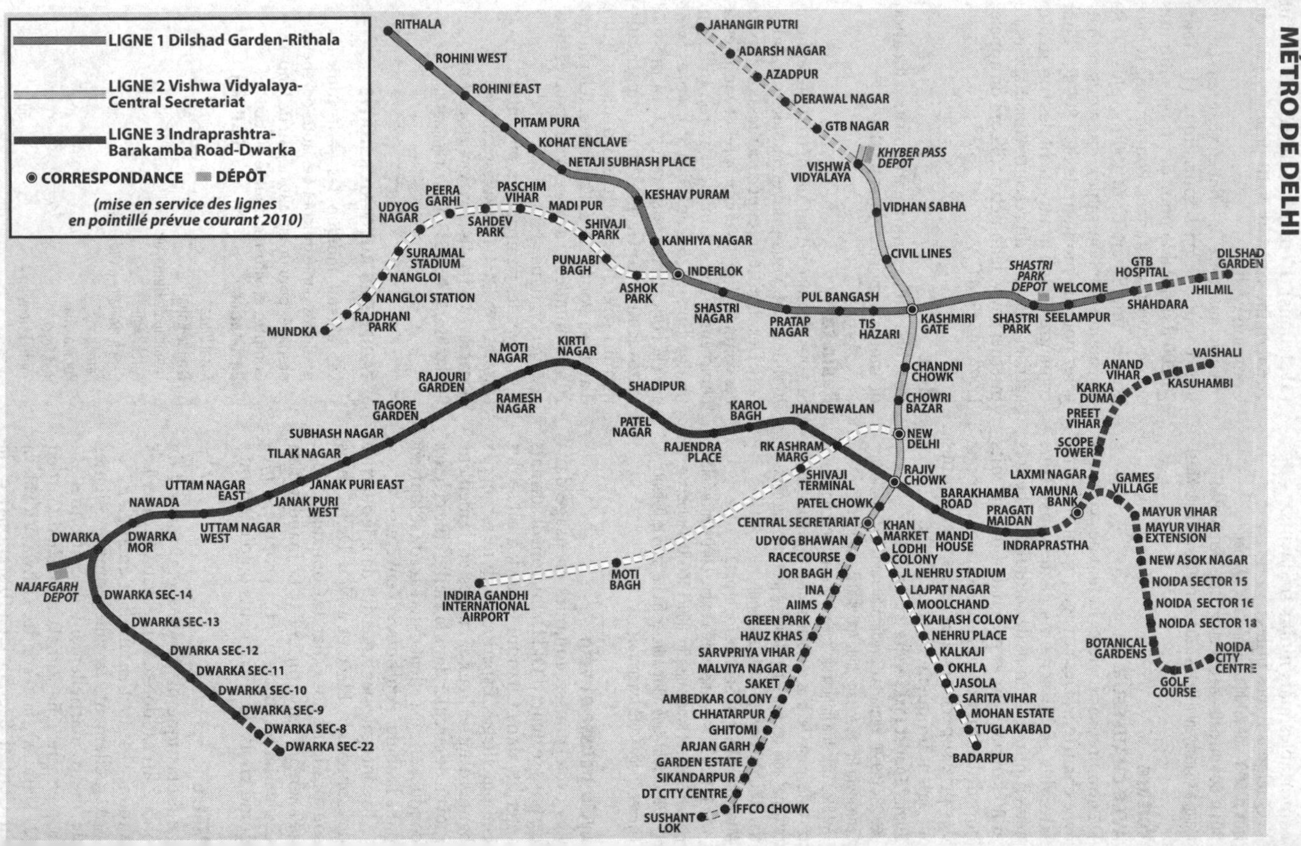

Taxi et auto-rickshaw

Tous les taxis et auto-rickshaws disposent d'un compteur, le plus souvent "en panne" ou que le chauffeur refuse d'utiliser (pour demander plus). Insistez pour qu'il le branche ou accordez-vous sur un prix au départ. Taxis et auto-rickshaws appliquent une majoration de 25% entre 23h et 5h.

Sinon, pour évitez les mauvaises surprises, adressez-vous à un guichet d'auto-rickshaws prépayés :

Janpath (carte p. 124 ; 88 Janpath ; 11h-19h lun-sam, 11h-14h dim). Guichet devant le bureau d'India Tourism Delhi.

Parking de la gare ferroviaire de New Delhi (carte p. 136 ; 24h/24)

Porte n°2 du Palika Bazaar (carte p. 124 ; Connaught Pl ; 11h-19h)

ENVIRONS DE DELHI

Pour les excursions d'une journée dans l'Haryana, reportez-vous p. 263.

TUGHLAQABAD

Tughlaqabad (carte p. 116 ; Indiens/étrangers 5/100 Rs, caméra 25 Rs ; 8h30-17h30) fut la troisième "Delhi". Cette gigantesque cité fortifiée, avec ses 6,5 km de murs d'enceinte et ses 13 portes, fut bâtie à la demande de Ghiyas-ud-din Tughlaq. Selon la légende, sa construction provoqua une querelle avec le saint Nizam-ud-din. Lorsque Tughlaq refusa de prêter les ouvriers dont Nizam-ud-din avait besoin pour ériger son sanctuaire, le saint maudit le souverain et lui prédit que sa ville ne serait peuplée que de bergers. Une prédiction qui se réalisa plus tard !

Par la suite, lorsque Ghiyas-ud-din revint d'une campagne militaire, Nizam-ud-din prédit un nouveau malheur et dit à ses disciples : "Delhi est loin". De fait, le roi fut assassiné sur la route de Delhi en 1325.

Depuis Janpath, l'aller en auto-rickshaw coûte environ 100 Rs (250 Rs l'aller-retour avec 1 heure d'attente sur place). Le métro devrait desservir Tughlaqabad d'ici 2010.

QUTB MINAR

Les imposants bâtiments religieux du **complexe du Qutb Minar** (carte ci-dessous ; 26643856 ; Indiens/étrangers 10/250 Rs, caméra 25 Rs ; aube-crépuscule) remontent à l'aube de l'ère musulmane en Inde. Cet ensemble situé dans les faubourgs

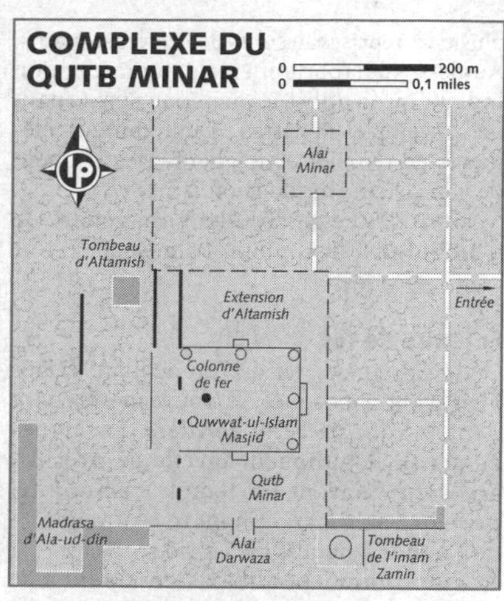

de Delhi était autrefois en plein cœur de la ville musulmane.

Le Qutb Minar proprement dit, un "Babel" de la victoire, est très similaire aux tours afghanes de même style et servit aussi de minaret. Le sultan musulman Qutb-ud-din débuta sa construction en 1193, juste après la défaite du dernier roi hindou de Delhi. Elle mesure près de 73 m de haut et s'affine progressivement, passant de 15 m de diamètre à la base à 2,50 m au sommet.

Un balcon en saillie orne chacun des cinq étages. Les trois premiers étages sont en grès rouge, les deux derniers en marbre et en grès. Seul le premier fut érigé du vivant de Qutb-ud-din. Ses successeurs poursuivirent les travaux et, en 1368, Firoz Shah fit reconstruire les derniers étages et ajouta une coupole. Celle-ci s'effondra lors d'un tremblement de terre en 1803. Un Anglais la remplaça en 1829, mais ce dernier ajout fut retiré quelques années plus tard.

Qutb Minar accueille chaque année le festival du Qutb en octobre-novembre (p. 119).

Mieux vaut visiter le site en semaine pour éviter la foule du week-end.

Quwwat-ul-Islam Masjid

Remaniée et agrandie au fil des siècles, la première mosquée bâtie en Inde, populairement appelée "la mosquée de la Puissance de l'islam", se dresse au pied du Qutb Minar. Elle fut construite en 1193 sur les fondations d'un temple hindou, puis agrandie à plusieurs reprises au cours des siècles suivants. Au-dessus de la porte orientale, une inscription indique qu'on utilisa les matériaux provenant de "27 temples idolâtres". De nombreux éléments en remploi témoignent effectivement de leur origine hindoue ou jaïne.

Entre 1210 et 1220, Altamish, gendre de Qutb-ud-din, fit entourer la mosquée d'une cour à arcades.

Colonne de fer

Cette colonne de fer de 7 m de haut, érigée bien avant la mosquée, se trouve maintenant dans la cour de cette dernière. Six lignes en sanskrit indiquent qu'elle se dressait à l'origine devant un temple vishnouite, peut-être au Bihar, et honorait la mémoire de Chandragupta II (375-413).

L'inscription ne dit pas comment elle fut fabriquée. Le fer, d'une exceptionnelle pureté, n'est pas oxydé et les scientifiques ne comprennent pas comment il a pu être fondu avec les technologies de l'époque.

Selon la légende, si, dos à la colonne, vous parvenez à l'encercler de vos bras, votre vœu sera exaucé. Toutefois les espoirs sont minces car une barrière protège désormais l'Iron Pillar.

Alai Minar

Lorsque Ala-ud-din fit agrandir la mosquée, il conçut un projet bien plus ambitieux : construire, au nord du Qutb Minar et de la mosquée, une seconde tour de la victoire identique mais deux fois plus haute. À sa mort, la tour, inachevée, atteignait 27 m. Nul ne voulut poursuivre le projet.

Autres curiosités

Principale entrée du complexe, l'exquise porte de grès rouge **Alai Darwaza** fut construite en 1310 par Ala-ud-din, au sud-ouest du Qutb Minar. Le **tombeau de l'imam Zamin** se dresse à côté de la porte et le **tombeau d'Altamish**, mort en 1235, près de l'angle nord-ouest de la mosquée. La **madrasa** (école coranique) **d'Ala-ud-din**, en ruines, s'élève à l'arrière de l'ensemble.

Les alentours recèlent quelques **palais d'été** et les **tombeaux** des derniers rois de Delhi, qui succédèrent aux Moghols. L'espace libre entre deux des tombeaux était réservé au dernier roi de Delhi. Impliqué dans la révolte des Cipayes en 1857, il mourut en exil à Yangon, au Myanmar (Birmanie), en 1862.

Depuis/vers le Qutb Minar

Prenez le bus 590 (15 Rs) depuis Krishi Bhawan. Depuis Janpath, un aller en auto-rickshaw coûte environ 100 Rs (250 Rs pour l'aller et retour avec 1 heure d'attente sur place). Le métro devrait atteindre Qutb Minar courant 2010.

Rajasthan

Le Rajasthan, ou "pays des rois", porte bien son nom. C'est en effet le domaine des maharajas, avec leurs forts majestueux et leurs palais somptueux. Nombre de voyageurs rêvent d'admirer un jour les ruines évocatrices et les monuments restaurés, vestiges de sa splendeur passée. Mais les attraits de cette région emblématique ne s'arrêtent pas là. C'est une terre de déserts et de jungle, de tigres et de caravanes de chameaux, de bijoux étincelants et d'art coloré. La culture du Rajasthan est pleine de vitalité. Les festivals y sont incessants, l'artisanat et la gastronomie tout simplement spectaculaires. En résumé, cet État aux distractions innombrables, variées et surprenantes, est *la* région à ne pas manquer en Inde.

La popularité du Rajasthan a donné naissance à une industrie touristique qui permet à tous les voyageurs, quel que soit leur budget, de l'explorer. Si les villes, colorées, vibrent de la foule et du chaos de l'Inde moderne, les trésors du passé ont une place de choix dans l'esprit de leurs habitants : le merveilleux Mehrangarh qui domine Jodhpur la bleue, les châteaux de sable doré de Jaisalmer, les palais d'Udaipur, le charme à la fois recueilli et carnavalesque de Pushkar, la fantaisie romanesque de Bundi, les *haveli* peints (résidences richement décorées) qui émaillent le Shekhawati… Les Rajasthanis ont de quoi être fiers de leur histoire riche et mouvementée.

Une ligne diagonale divise l'État entre la région vallonnée du Sud-Est et le désert du Thar, au nord-ouest, qui s'étend jusqu'au Pakistan. La petite station climatique de Mount Abu, perchée sur les collines, en est le point culminant.

À NE PAS MANQUER

- La majestueuse citadelle de **Mehrangarh** (p. 229) surplombant la ville bleue de Jodhpur
- Le fort en grès de **Jaisalmer** (p. 239) et le désert du Thar, à parcourir à dos de chameau
- Un dîner gastronomique et romantique à **Udaipur** (p. 218), avec vue féerique sur son lac et ses palais
- Les bazars colorés et les palais impériaux de la capitale rose, **Jaipur** (p. 162)
- La petite ville de **Pushkar** (p. 191), son lac sacré et sa foire, une des plus célèbres d'Inde
- **Bundi** (p. 199), modeste ville endormie et son palais digne d'un conte de fées
- Les villes oubliées du **Shekhawati** (p. 184) et les fresques de leurs *haveli* rongés par le temps

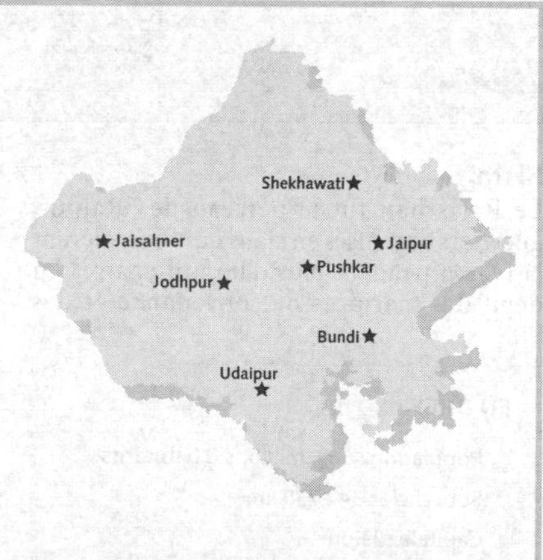

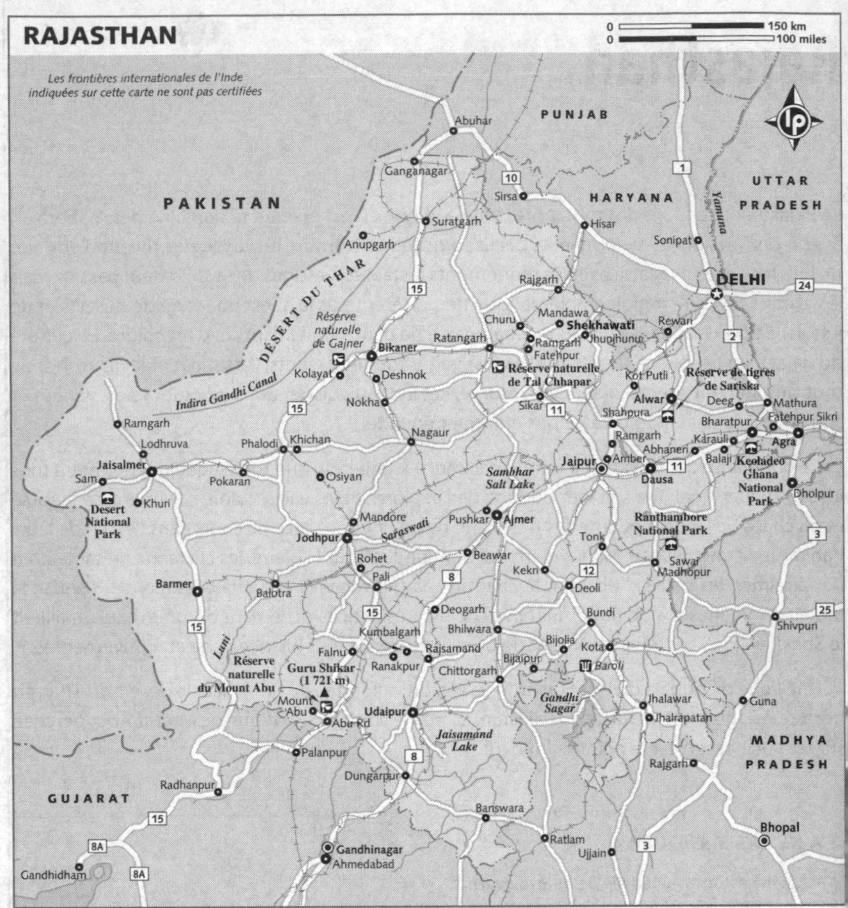

Histoire

Le Rajasthan fut le berceau des Rajput, guerriers organisés en clans qui contrôlèrent la région pendant plus d'un millénaire. En dépit des mariages de convenance et des alliances temporaires, orgueil et indépendance constituaient leurs valeurs suprêmes, d'où d'incessantes escarmouches internes qui les affaiblirent ; ils finirent vassaux de l'Empire moghol.

La bravoure et le sens de l'honneur des Rajput confinaient au paroxysme. Ces guerriers bataillaient envers et contre tous et, lorsque l'espoir n'était plus qu'un vain mot, déclaraient le *jauhar* (suicide collectif des civils). Les hommes revêtaient des tuniques couleur safran et partaient affronter l'ennemi alors que les femmes et les enfants s'immolaient sur un bûcher funéraire. On comprend pourquoi les empereurs moghols eurent tant de mal à contrôler cette partie de l'Empire.

EN BREF

- Population : 56,5 millions d'habitants
- Superficie : 342 239 km^2
- Capitale : Jaipur
- Langues principales : hindi et rajasthani
- Meilleure période : mi-octobre à mi-mars

FÊTES ET FESTIVALS AU RAJASTHAN

Festival de littérature de Jaipur (jan ; Jaipur, p. 162 ; www.jaipurliteraturefestival.org). Ce festival rassemble des auteurs indiens et internationaux autour de conférences, films, débats et pièces de théâtre. Dates exactes sur le site Internet.

Fête des Chameaux (jan-fév ; Bikaner, p. 246). Concours du meilleur chameau de race, courses, chameaux décorés.

Foire aux chameaux de Nagaur (jan-fév ; Nagaur, p. 236). Cette foire aux chameaux et aux bestiaux est axée sur le commerce de bétail mais colore la ville de toutes sortes de festivités.

Festival du Désert (fév ; Jaisalmer, p. 237). L'occasion pour les moustachus de se présenter au concours de "Monsieur Désert" et autres divertissements liés au désert.

Fête des Éléphants (mars ; Jaipur, p. 162). Défilés, matchs de polo et tirs à la corde entre hommes et éléphants.

Festival du Thar (mars ; Barmer, p. 245). Juste après le festival du Désert de Jaisalmer, spectacles culturels, danses et marionnettes.

Gangaur (mars-avr ; Jaipur, p. 162). Fête dans tout l'État, qui célèbre l'amour de Shiva et de Parvati ; particulièrement fervente à Jaipur.

Foire aux bestiaux (mars-avr ; Barmer, p. 245). L'une des plus grandes foires aux bestiaux du Rajasthan.

Fête du Mewar (avr ; Udaipur, p. 209). La version de Gangaur d'Udaipur : spectacles culturels gratuits et procession colorée jusqu'au lac. Les femmes revêtent leurs plus beaux atours.

Festival d'été (mai ; Mount Abu, p. 223). Si vous visitez le Rajasthan en été, ne manquez pas ce festival consacré à la musique rajasthanie.

Teej (août ; Jaipur, p. 162, et Bundi, p. 199). Célèbre l'arrivée de la mousson et commémore le mariage de Shiva et de Parvati.

Dussehra Mela (oct ; Kota, p. 203). Commémore la victoire de Rama sur Ravana (le roi-démon de Lanka) ; lors de cette fête spectaculaire, on promène des effigies hautes de 22,50 m et remplies de pétards.

Fête du Marwar (oct ; Jodhpur, p. 227 et Osiyan, p. 236). Célèbre les héros du Rajasthan par la musique et la danse, un jour à Jodhpur et un autre à Osiyan.

Bundi Ustav (oct-nov ; Bundi, p. 199). Programmes culturels, feux d'artifices et processions.

Kashavrai Patan (oct-nov ; Bundi, p. 199 et Kota, p. 203). Entre Bundi et Kota ; des milliers de pèlerins viennent pour le mois de Kartika.

Pushkar Mela (nov ; Pushkar, p. 191). La fête la plus célèbre de l'État ; une réunion gigantesque de chameaux, de chevaux et de bétail, de marchands, de pèlerins et de touristes.

Kolayat Mela (nov ; Kolayat, p. 251). À la même époque que Pushkar Mela, mais avec plus de sadhu (ascètes) que de chameaux.

Chandrabhaga Mela (nov ; Jhalrapatan, p. 205). Une foire aux bestiaux et l'occasion pour des milliers de pèlerins de se baigner dans les eaux sacrées de la Chandrabhaga.

Festival d'hiver (déc ; Mount Abu, p. 223). Musique et danses folkloriques.

Avec le déclin de l'Empire moghol, les Rajput retrouvèrent peu à peu leur indépendance… jusqu'à l'arrivée des Britanniques. L'expansion inexorable du Raj poussa la plupart des États rajput à s'allier aux Britanniques, qui leur permirent de conserver leur autonomie moyennant certaines contraintes politiques et économiques.

Pour les souverains rajput, ces alliances furent le commencement de la fin. La prodigalité prit le pas sur l'esprit chevaleresque et, au début du XXe siècle, nombre de maharajas passaient le plus clair de leur temps à voyager à travers le monde, occupant des étages entiers dans les hôtels les plus prestigieux. Si ces excès arrangeaient les Britanniques, tant de gaspillage eut des conséquences catastrophiques pour la région au point de vue social et économique. À l'avènement de l'Indépendance, l'espérance de vie et le taux d'alphabétisation au Rajasthan étaient parmi les plus bas du pays.

Au lendemain de l'Indépendance, le parti du Congrès, alors au pouvoir, dut conclure un marché avec les États rajput indépendants afin d'obtenir leur adhésion à l'Inde nouvelle. Les maharajas purent conserver leurs titres et leurs biens et obtinrent la garantie d'un revenu annuel. Cette situation privilégiée ne pouvait perdurer ; Indira Gandhi y mit un terme au début des années 1970 en abolissant titres et revenus et en séquestrant leurs biens.

LES PEUPLES RAJASTHANIS

Premiers habitants de la région, les Adivasi (tribus indigènes) forment 12% de la population – la moyenne nationale s'élève à 8%. Les principaux peuples sont les Bhil et les Mina. Les Bhil étaient jadis de farouches guerriers du sud-ouest de l'État ; ils aidèrent les Rajput à combattre les Marathes et les Moghols. Les Mina vivent dans l'est du Rajasthan. Au départ peuple dominant, ils commencèrent à décliner avec l'essor des Rajput ; en 1924, les Britanniques les qualifièrent de "tribu criminelle", une réputation qu'ils conservèrent jusqu'à l'indépendance. Parmi les autres ethnies figurent les Sahariya, les Damariya, les Rajput Garasia et les Gaduliya Lohar.

Depuis, le Rajasthan a fait des progrès notoires, même s'il demeure un État pauvre. Le poids des traditions pèse encore lourdement sur les femmes. Cependant, en 2008, le taux d'alphabétisation atteignait 60% (76% chez les hommes, 44% chez les femmes), contre 18% en 1961 et 39% en 1991 ; il reste toutefois inférieur à la moyenne nationale (65%) et l'écart entre hommes et femmes est le plus important du pays.

Renseignements

Le Rajasthan offre un grand choix d'hébergements de qualité, du palais luxueux à la pension bon marché. Le logement chez l'habitant permet de s'immerger dans le quotidien d'une famille locale. L'office du tourisme de la plupart des villes du Rajasthan propose un service payant de chambres chez l'habitant. Les prix indiqués dans ce chapitre ne comprennent pas les taxes (généralement 10% du prix pour les chambres à 1 000 Rs et au-delà).

Le choix est vaste, mais il est préférable de réserver entre octobre et mars.

EST DU RAJASTHAN

JAIPUR

☎ 0141 / 2,63 millions d'habitants

Chaotique et surpeuplée, Jaipur, la cité des Victoires, attire de nombreux visiteurs. Capitale contemporaine, la ville s'étend bien au-delà de ses murailles protectrices, et des centres commerciaux tout en verre et en acier bordent désormais ses avenues modernes. En tant que porte du Rajasthan, Jaipur voit arriver et partir les touristes allant de Delhi à Agra comme ceux qui se lancent dans une visite plus poussée de la région.

À Jaipur, le passé est préservé et vivace : forts majestueux perchés sur des collines, palais somptueux et bazars vibrants pleins de bonnes affaires. On y trouve un grand choix de lieux où se loger et où se restaurer. La ville reste cependant assiégée par sa population à la croissance galopante, et les infrastructures peinent à s'adapter. Les coupures d'eau sont fréquentes, la pollution parfois difficilement supportable et les mendiants innombrables, de même que les conducteurs de rickshaws déchaînés.

Le **festival de Littérature** a lieu en janvier, la **fête des Éléphants** en mars et le **Gangaur** en mars-avril. **Teej** se célèbre en août (p. 161).

Histoire

La cité doit son nom à son fondateur, le maharaja Jai Singh II (1693-1743), grand guerrier et astronome qui en fut aussi le premier urbaniste. En 1727, voyant décliner la puissance moghole, Jai Singh quitta sa forteresse bâtie à Amber, à flanc de colline, pour s'établir dans la plaine. Il dessina la cité, avec ses remparts extérieurs et ses blocs rectangulaires, selon les principes du *Shilpa-Shastra*, un ancien traité hindou d'architecture. En 1728, il construisit le Jantar Mantar, le remarquable observatoire de Jaipur.

En 1876, le maharaja Ram Singh fit peindre toute la ville en rose – couleur de l'hospitalité – pour recevoir le prince de Galles (le futur Edouard VII). La tradition s'est maintenue depuis.

Orientation

Après un moment d'adaptation, il est relativement facile de se repérer dans Jaipur. La vieille ville bordée de bazars se situe au nord-est ; les nouveaux quartiers s'étendent au sud et à l'ouest.

Trois grandes artères sillonnent la nouvelle ville : Mirza Ismail (MI) Rd, où se situent la plupart des restaurants, Station Rd et Sansar Chandra Marg. La plupart des infrastructures touristiques sont installées dans ces rues ou à proximité.

Renseignements

ACCÈS INTERNET

On trouve des accès à Internet dans toute la ville. La plupart des hôtels disposent d'ordinateurs et/ou d'accès Wi-Fi.

Mewar Cyber Café & Communication (Station Rd ; 25 Rs/h ; 24h/24). Près de la gare routière principale.

ARGENT

On trouve de nombreux DAB accessibles 24h/24, dont :

Bank of Rajasthan (Rambagh Palace Hotel ; 7h-20h)
HDFC (Ashoka Marg)
ICICI (Ganpati Plaza, MI Rd)
IDBI (Sawai Jai Singh Hwy, Bani Park)
SBBJ Bani Park (Sawai Jai Singh Hwy, Bani Park) ; Church Rd (Om Tower, Church Rd)
Standard Chartered (Bhagwat Bhavan, MI Rd)
Thomas Cook Jaipur Towers (Jaipur Towers, MI Rd) ; Sunil Sadan (Sunil Sadan 2, MI Rd ; 9h30-18h lun-sam). Deux agences centrales. Change de devises et chèques de voyage.

LIBRAIRIES

Bookwise (11h-20h30 lun-sam) Mall 21 (boutique 110, Mall 21 Bhagwan Das Rd) ; Marwari Bazaar (boutique 17 Marwari Bazaar, Hotel Rajputana Palace Sheraton). Un grand choix de livres sur l'Inde et le Rajasthan. Service d'expédition vers l'étranger.

Books Corner (MI Rd ; 10h-20h). Un vaste choix de livres et de magazines en anglais, ainsi que le *Jaipur Vision* (30 Rs), très utile.

Crossword (1er étage KK Sq, C11, Prithviraj Marg ; 10h30-21h lun-sam). Grande sélection de livres illustrés et de romans, de DVD, de CD et de cartes.

OFFICES DU TOURISME

Un service d'assistance touristique répond au ☎1363. La Tourism Assistance Force (police touristique) est présente sur les principaux sites. Les guides *Pink City Map & Guide* (20 Rs), *Jaipur Vision* (20 Rs) et *Jaipur City Guide* (30 Rs) proposent des plans et des adresses de boutiques et de restaurants. Ils sont disponibles gratuitement dans de nombreux hôtels et magasins.

Government of India Tourist Office (GITO ; ☎ 2372200 ; près de MI RD ; 9h-18h lun-ven). À côté de l'entrée de l'Hotel Khasa Kothi ; fournit des brochures sur toutes les régions.

Bureau des réservations du Rajasthan Tourism Development Corporation (RTDC ; ☎ 2202586 ; Station Rd ; 10h-17h tlj sauf dim). Derrière l'hôtel RTDC Swagatam, ce bureau gère les réservations pour les hôtels du Rajasthan affiliés au RTDC, dont le village touristique RTDC de la Mela (foire) de Pushkar.

Office du tourisme RTDC aéroport (☎ 2722647 ; à l'arrivée des vols) ; gare routière principale (☎ 5064102 ; quai n°3, gare routière principale ; 10h-17h) ; RTDC Tourist Hotel (☎ 2375466 ; MI Rd ; 8h-20h tlj sauf dim) ; gare ferroviaire (☎ 2315714 ; quai n°1, gare ferroviaire de Jaipur ; 24h/24). Dispose d'un plan et d'un service de billetterie.

PHOTO

La plupart des magasins de photo vendent des cartes mémoire et copient les photos numériques sur CD moyennant 100 Rs environ.

Goyal Colour Lab (☎ 221887 ; MI Rd ; 10h30-20h30 lun-sam, 10h-16h dim)

Sentosa Colour Lab (☎ 2388748 ; rdc, Ganpati Plaza, MI Rd ; 10h-20h30 tlj sauf dim)

POSTE

DHL Worldwide Express (☎ 2362826 ; G-8 Geeta Enclave, Vinobha Marg). Transporteur international fiable.

Poste principale (☎ 2368740 ; MI Rd ; 8h-19h45 lun-ven, 10h-17h45 sam). Un employé coud une toile autour des colis du lundi au samedi, de 10h à 16h.

SERVICES MÉDICAUX

Jaipur compte de bons hôpitaux et cliniques :

Galundia Clinic (☎ 2361040 ; MI Rd ; 24h/24). Dr Chandra Sen.

Santokba Durlabhji Hospital (☎ 2566251 ; Bhawan Singh Marg ; 24h/24)

Sawai Mansingh Hospital (☎ 2560291 ; Sawai Ram Singh Rd ; 24h/24). Vous trouverez, face à l'hôpital, des pharmacies pour réapprovisionner votre trousse de secours.

À voir

VIEILLE VILLE (VILLE ROSE)

La vieille ville est en partie ceinturée d'un rempart crénelé ponctué de portes (*pols*), dont les principales sont celles de Chandpol, Ajmer et Sanganeri. Difficile à croire, étant donné le chaos entraîné par la circulation automobile, mais la vieille ville est un chef-d'œuvre en matière d'urbanisme. De larges avenues divisent la cité en rectangles réguliers, chacun dévolu à un corps de métier (voir p. 173) comme le préconise l'antique traité d'architecture *Shilpa-Shastra*. Les grands **bazars** de la vieille ville sont le Johari Bazaar, le Tripolia Bazaar, le Bapu Bazaar et le Chandpol Bazaar. Au crépuscule, la lueur du soleil couchant exalte les teintes de la cité.

RAJASTHAN

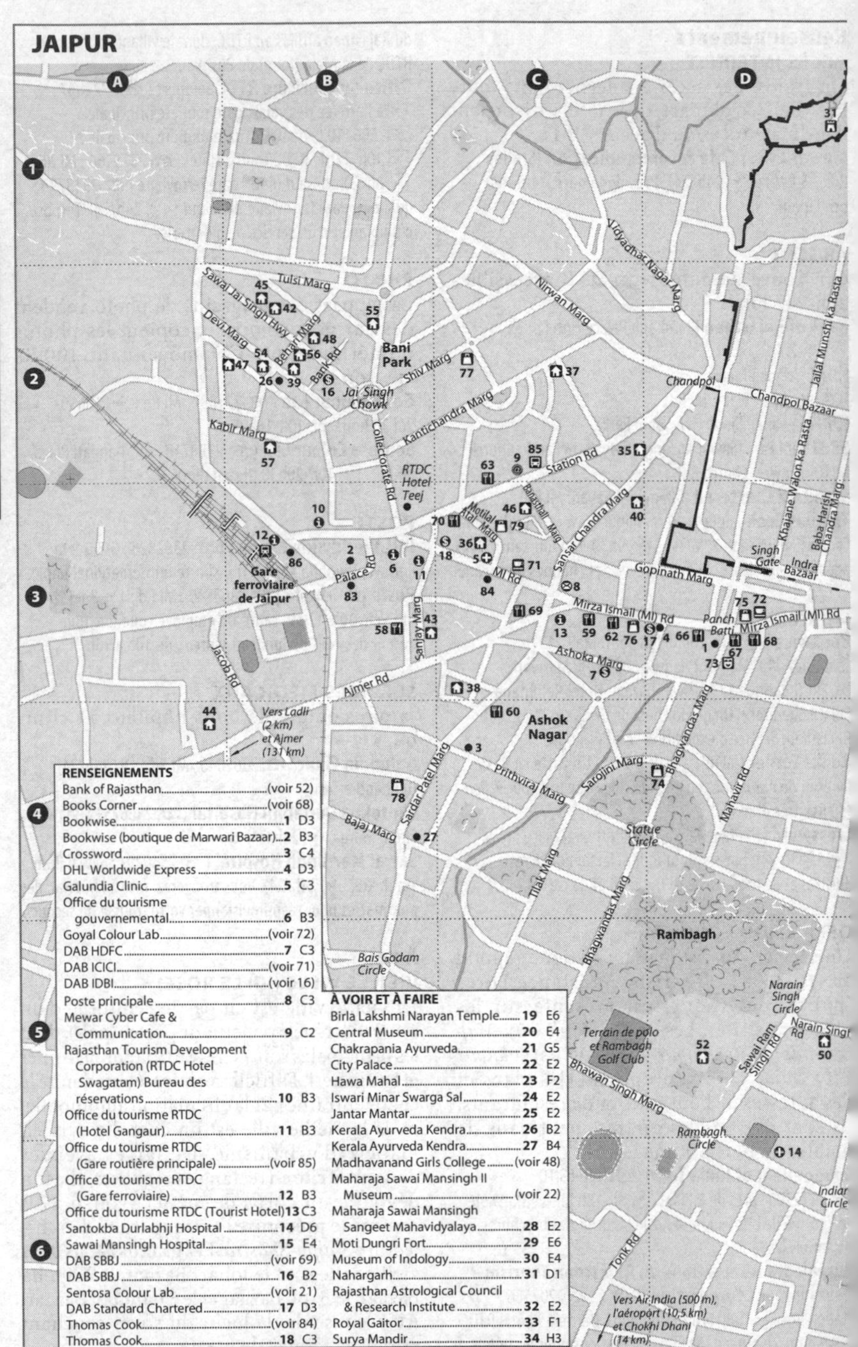
JAIPUR
A
B
C
D
1
2
3
4
5
6
Tulsi Marg
Sawai Jai Singh Hwy
Devi Marg
Behari Marg
Bank Rd
Bani Park
Shiv Marg
Jai Singh Chowk
Kabir Marg
Collectorate Rd
Kantichandra Marg
Vidyadhar Nagar Marg
Nirwan Marg
Chandpol
Chandpol Bazaar
Jailal Munshi ka Rasta
Khajane Walon ka Rasta
Baba Harish Chandra Marg
Station Rd
RTDC Hotel Teej
Motilal Atal Marg
Ganpati Marg
Sansar Chandra Marg
Singh Gate
Indra Bazaar
Gopinath Marg
Gare ferroviaire de Jaipur
Palace Rd
MI Rd
Mirza Ismail (MI) Rd
Panch Batti
Sanjay Marg
Ashoka Marg
Jacob Rd
Ajmer Rd
Vers Ladli (2 km) et Ajmer (131 km)
Ashok Nagar
Sardar Patel Marg
Prithviraj Marg
Sarojini Marg
Bhagwandas Marg
Mahavir Rd
Bajaj Marg
Statue Circle
Tilak Marg
Rambagh
Bais Godam Circle
Narain Singh Circle
Narain Singh Rd
Terrain de polo et Rambagh Golf Club
Sawai Ram Singh Rd
Bhawan Singh Marg
Rambagh Circle
Indian Circle
Tonk Rd
Vers Air India (500 m), l'aéroport (10,5 km) et Chokhi Dhani (14 km)
RENSEIGNEMENTS
Bank of Rajasthan (voir 52)
Books Corner (voir 68)
Bookwise 1 D3
Bookwise (boutique de Marwari Bazaar) 2 B3
Crossword 3 C4
DHL Worldwide Express 4 D3
Galundia Clinic 5 C3
Office du tourisme gouvernemental 6 B3
Goyal Colour Lab (voir 72)
DAB HDFC 7 C3
DAB ICICI (voir 71)
DAB IDBI (voir 16)
Poste principale 8 C3
Mewar Cyber Cafe & Communication 9 C2
Rajasthan Tourism Development Corporation (RTDC Hotel Swagatam) Bureau des réservations 10 B3
Office du tourisme RTDC (Hotel Gangaur) 11 B3
Office du tourisme RTDC (Gare routière principale) (voir 85)
Office du tourisme RTDC (Gare ferroviaire) 12 B3
Office du tourisme RTDC (Tourist Hotel) 13 C3
Santokba Durlabhji Hospital 14 D6
Sawai Mansingh Hospital 15 E4
DAB SBBJ (voir 69)
DAB SBBJ 16 B2
Sentosa Colour Lab (voir 21)
DAB Standard Chartered 17 D3
Thomas Cook (voir 84)
Thomas Cook 18 C3
À VOIR ET À FAIRE
Birla Lakshmi Narayan Temple 19 E6
Central Museum 20 E4
Chakrapania Ayurveda 21 G5
City Palace 22 E2
Hawa Mahal 23 F2
Iswari Minar Swarga Sal 24 E2
Jantar Mantar 25 E2
Kerala Ayurveda Kendra 26 B2
Kerala Ayurveda Kendra 27 B4
Madhavanand Girls College (voir 48)
Maharaja Sawai Mansingh II Museum (voir 22)
Maharaja Sawai Mansingh Sangeet Mahavidyalaya 28 E2
Moti Dungri Fort 29 E6
Museum of Indology 30 E4
Nahargarh 31 D1
Rajasthan Astrological Council & Research Institute 32 E2
Royal Gaitor 33 F1
Surya Mandir 34 H3

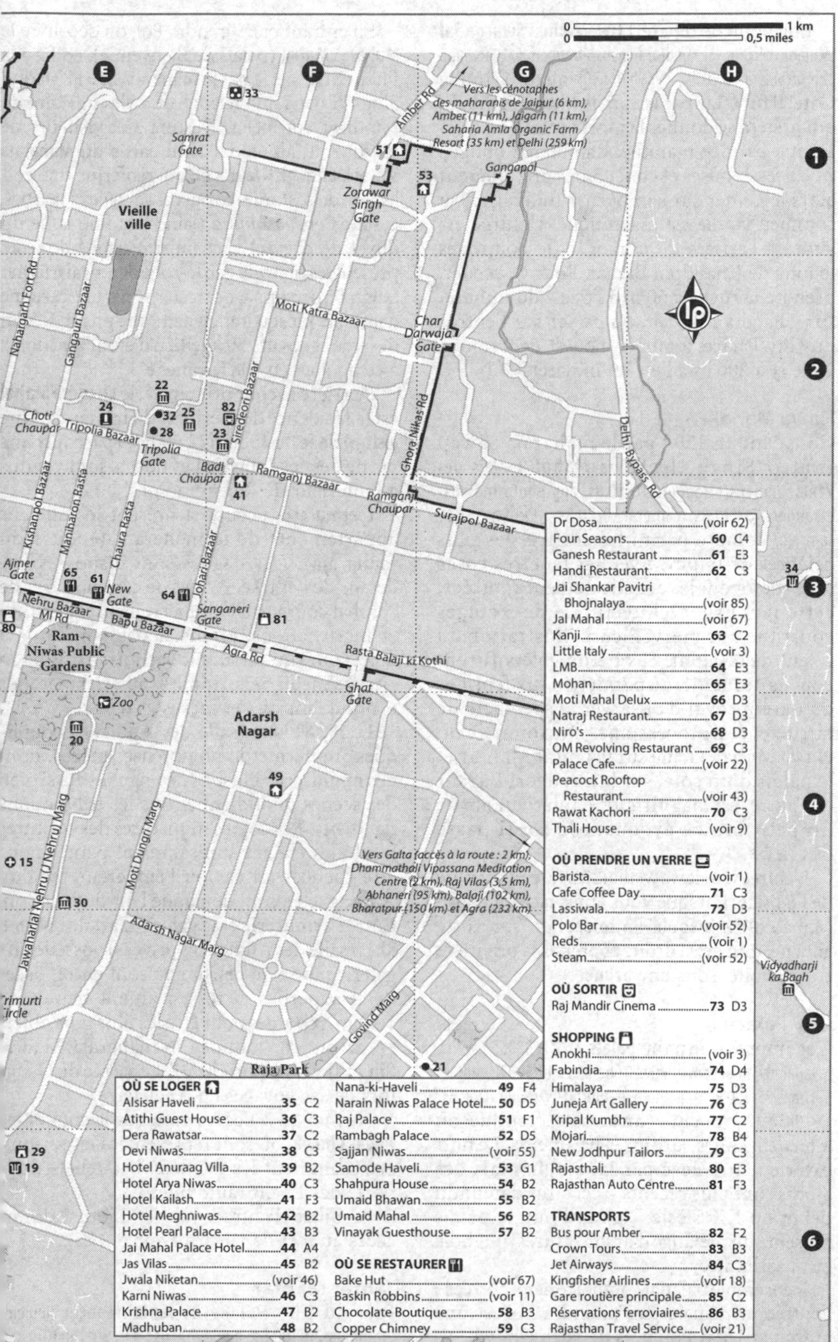
0 1 km
0 0,5 miles
E
F
G
H
1
2
3
4
5
6
Vers les cénotaphes des maharanis de Jaipur (6 km), Amber (11 km), Jaigarh (11 km), Saharia Amla Organic Farm Resort (35 km) et Delhi (259 km)
Amber Rd
Samrat Gate
Zorawar Singh Gate
Gangapol
Vieille ville
Nahargarh Fort Rd
Gangauri Bazaar
Moti Katra Bazaar
Char Darwaja Gate
Siredeori Bazaar
Ghora Nikas Rd
Delhi Bypass Rd
Choti Chaupar
Tripolia Bazaar
Tripolia Gate
Badi Chaupar
Ramganj Bazaar
Ramganj Chaupar
Surajpol Bazaar
Kishanpol Bazaar
Maniharon Rasta
Chaura Rasta
Johari Bazaar
Ajmer Gate
New Gate
Nehru Bazaar
MI Rd
Bapu Bazaar
Sanganeri Gate
Agra Rd
Rasta Balaji ki Kothi
Ghat Gate
Ram Niwas Public Gardens
Zoo
Adarsh Nagar
Moti Dungri Marg
Jawaharlal Nehru (J Nehru) Marg
Vers Galta (accès à la route : 2 km), Dhammathali Vipassana Meditation Centre (2 km), Raj Vilas (3,5 km), Abhaneri (95 km), Balaji (102 km), Bharatpur (150 km) et Agra (232 km)
Adarsh Nagar Marg
Trimurti Circle
Govind Marg
Raja Park
Vidyadharji ka Bagh
Dr Dosa (voir 62)
Four Seasons 60 C4
Ganesh Restaurant 61 E3
Handi Restaurant 62 C3
Jai Shankar Pavitri Bhojnalaya (voir 85)
Jal Mahal (voir 67)
Kanji 63 C2
Little Italy (voir 3)
LMB 64 E3
Mohan 65 E3
Moti Mahal Delux 66 D3
Natraj Restaurant 67 D3
Niro's 68 D3
OM Revolving Restaurant 69 C3
Palace Cafe (voir 22)
Peacock Rooftop Restaurant (voir 43)
Rawat Kachori 70 C3
Thali House (voir 9)
OÙ PRENDRE UN VERRE
Barista (voir 1)
Cafe Coffee Day 71 C3
Lassiwala 72 D3
Polo Bar (voir 52)
Reds (voir 1)
Steam (voir 52)
OÙ SORTIR
Raj Mandir Cinema 73 D3
SHOPPING
Anokhi (voir 3)
Fabindia 74 D4
Himalaya 75 D3
Juneja Art Gallery 76 C3
Kripal Kumbh 77 C2
Mojari 78 B4
New Jodhpur Tailors 79 C3
Rajasthali 80 E3
Rajasthan Auto Centre 81 F3
TRANSPORTS
Bus pour Amber 82 F2
Crown Tours 83 B3
Jet Airways 84 C3
Kingfisher Airlines (voir 18)
Gare routière principale 85 C2
Réservations ferroviaires 86 B3
Rajasthan Travel Service (voir 21)
OÙ SE LOGER
Alsisar Haveli 35 C2
Atithi Guest House 36 C3
Dera Rawatsar 37 C2
Devi Niwas 38 C3
Hotel Anuraag Villa 39 B2
Hotel Arya Niwas 40 C3
Hotel Kailash 41 F3
Hotel Meghniwas 42 B2
Hotel Pearl Palace 43 B3
Jai Mahal Palace Hotel 44 A4
Jas Vilas 45 B2
Jwala Niketan (voir 46)
Karni Niwas 46 C3
Krishna Palace 47 B2
Madhuban 48 B2
Nana-ki-Haveli 49 F4
Narain Niwas Palace Hotel 50 D5
Raj Palace 51 F1
Rambagh Palace 52 D5
Sajjan Niwas (voir 55)
Samode Haveli 53 G1
Shahpura House 54 B2
Umaid Bhawan 55 B2
Umaid Mahal 56 B2
Vinayak Guesthouse 57 B2
OÙ SE RESTAURER
Bake Hut (voir 67)
Baskin Robbins (voir 11)
Chocolate Boutique 58 B3
Copper Chimney 59 C3

Bon point de repère, l'**Iswari Minar Swarga Sal** (Minaret perçant le paradis ; Indiens/étrangers 5/10 Rs, app photo/caméra 10/20 Rs ; 9h-16h30) jouxte Tripolia Gate. Il fut érigé par Iswari, le fils de Jai Singh, qui préféra se donner la mort plutôt que d'affronter l'armée marathe. Rajputanat oblige : 21 de ses épouses et concubines pratiquèrent alors le *jauhar* sur son bûcher funéraire. Du sommet, la vue est magnifique. L'entrée est située à l'arrière de la rangée de boutiques le long de Chandpol Bazaar. Pour y accéder, prendre la ruelle à 50 m à l'ouest du minaret sur Chandpol Bazaar, ou passer par l'entrée du City Palace, à 50 m à l'ouest de Tripolia Gate et à 200 m à l'est du minaret.

Hawa Mahal

Construit en 1799 par le maharaja Sawap Pratap Singh, le **Hawa Mahal** (palais des Vents ; Indiens/étrangers 10/50 Rs, app photo Indiens/étrangers 10/30 Rs, caméra 20/70 Rs ; 9h-16h30 sam-jeu) compte parmi les édifices les plus célèbres de Jaipur. Avec ses fenêtres roses semi-octogonales et délicatement ajourées, cette fantaisie architecturale de 5 étages constitue une merveilleuse illustration du talent des Rajput. Ses petits volets furent conçus de manière à permettre aux femmes du harem royal d'observer le spectacle de la rue et les processions. Du sommet du Hawa Mahal, la vue sur le Jantar Mantar et le palais d'un côté, sur le Siredeori Bazaar de l'autre, est magnifique. L'intérieur abrite un petit musée évoquant le royal passé des lieux.

L'entrée du Hawa Mahal se trouve à l'arrière de l'édifice. Lorsque vous faites face au Hawa Mahal, allez jusqu'à l'intersection sur votre gauche, tournez à droite et prenez la première rue à droite, sous une arche.

City Palace

Cet impressionnant **palais** (☎2608055 ; www.royalfamilyjaipur.com ; Indiens/étrangers 40/300 Rs, enfant 5-12 ans 25/200 Rs, app photo gratuit/50 Rs, caméra 200 Rs ; 9h30-17h) occupe une vaste étendue où alternent cours, jardins et bâtiments. Le mur extérieur fut élevé par Jai Singh, mais des ajouts sont plus récents – certains datent du début du XXe siècle. Aujourd'hui, le palais présente un mélange d'architectures moghole et rajasthanie.

L'ensemble palatial comporte deux entrées : l'entrée principale par Virendra Pol, et une autre par Udai Pol, près de Jaleb Chowk.

En entrant par Virendra Pol, on découvre le **Mubarak Mahal** (palais de Bienvenue), édifié à la fin du XIXe siècle par le maharaja Sawai Madho Singh II dans un mélange de styles musulman, rajput et européen. Destiné aux visiteurs de marque, il fait aujourd'hui partie du **Maharaja Sawai Mansingh II Museum**, qui renferme une collection de costumes royaux et de châles superbes, certains en *pashmina* (laine très fine issue du duvet de chèvre) cachemiri. Parmi les pièces présentées figure la garde-robe de Sawai Madho Singh Ier, personnage caractérisé par une certaine démesure puisqu'il atteignait 2 m de haut, 1,20 m de large et pesait 250 kg. Rien d'étonnant, donc, à ce qu'il ait eu 108 femmes !

Derrière la cour principale, le **Chandra Mahal** est la résidence des héritiers du maharaja. Une **visite guidée** de 45 min (2 500 Rs) parcourt une partie des sept étages. Les tickets sont vendus à l'intérieur de Rajendra Pol.

L'**armurerie** occupe à présent les anciens appartements de la maharani (épouse du maharaja). Des dagues sont disposées au-dessus de l'entrée. Armes de cérémonie et de combat comportent de merveilleuses gravures et incrustations, à l'instar des poignards à deux lames qu'un simple déclic transforme en ciseaux meurtriers. Admirez aussi les plafonds ornés de miroirs et incrustés d'or.

Le **Diwan-i-Am** (salle des Audiences publiques) renferme de nombreuses pièces, dont des manuscrits illustrés dépeignant aussi bien des scènes quotidiennes que les tribulations des dieux. Les copies miniatures des écritures hindoues étaient suffisamment petites pour être cachées au cas où l'empereur moghol Aurangzeb aurait demandé leur destruction. Entre l'armurerie et la galerie d'art, le **Diwan-i-Khas** (salle des Audiences privées) possède une galerie pavée de marbre où sont entreposées deux superbes jarres en argent hautes de 1,60 m, réputées pour être les plus gros objets en argent du monde ; le maharaja Madho Singh II y transportait de l'eau sacrée du Gange lors de ses voyages en Angleterre.

Ne manquez pas les portes de la cour **Pitam Niwas Chowk**, où sont représentées les saisons et notamment les fabuleux bas-reliefs de la porte des Paons (automne).

Le billet d'entrée, valable 2 jours, donne accès au fort de Jaigarh (voir p. 177).

Jantar Mantar

Près du City Palace, le **Jantar Mantar** (Indiens/étrangers 20/100 Rs, guide 100 Rs ; 9h-16h30), un observatoire bâti par Jai Singh en 1728, évoque quelque collection de sculptures étranges. Une visite guidée (30 min-1 heure) vous permettra de comprendre le fonctionnement de chacun de ces fascinants instruments et comment Jai Singh réussit à mesurer le temps sur ses énormes cadrans solaires ainsi que la progression de l'astre du jour à travers le zodiaque. Chaque édifice possède une fonction spécifique, comme le calcul des éclipses. L'instrument le plus étonnant est le cadran solaire pourvu d'un gnomon haut de 27 m ; l'ombre qu'il projette se déplace de 4 m/heure.

Avant de construire le Jantar Mantar, Jai Singh envoya des spécialistes à l'étranger pour étudier différents observatoires de ce type. Celui de Jaipur, le plus vaste et le mieux conservé des cinq qu'il fit édifier, fut restauré en 1901. Les autres se trouvent à Delhi (p. 132), Varanasi (p. 446) et à Ujjaïn (p. 694). Celui de Muttra a disparu.

CENTRAL MUSEUM

Ce **musée** (Musée central ; Indiens/étrangers 15/100 Rs ; 10h-16h30 mar-dim, 10h-13h lun) occupe l'Albert Hall, un édifice particulièrement surchargé au sud de la vieille ville. Récemment restauré, la construction accueille une belle collection d'ustensiles ethniques, d'arts décoratifs, de costumes, de dessins et d'instruments de musique.

NAHARGARH

Construit en 1734 et agrandi en 1868, l'imposant **Nahargarh** (fort du Tigre ; Indiens/étrangers 10/30 Rs, app photo/caméra 20/70 Rs ; 10h-17h) surplombe le nord de la ville depuis une arête escarpée. La route grimpe sur 8 km à travers les collines depuis Jaipur ; le fort trône au bout d'un sentier sinueux de 2 km. Vous serez récompensé de vos efforts par la visite des salles aux meubles antiques et par une vue admirable. Le week-end, nombre de visiteurs viennent pique-niquer sur fond de soleil couchant.

ROYAL GAITOR

Les **cénotaphes** (entrée libre, app photo Indiens/étrangers 10/20 Rs ; 9h-16h30) royaux, ornés de merveilleuses sculptures, s'élèvent à l'extérieur des remparts de la ville, dans un village tout en longueur. Le tombeau de marbre du maharaja Jai Singh II est particulièrement impressionnant.

Les **cénotaphes des maharanis de Jaipur** (Amber Rd ; gratuit, app photo Indiens/étrangers 10/30 Rs ; 9h-16h30) sont moins impressionnants et moins bien entretenus mais restent intéressants. Ils se trouvent à mi-chemin de Jaipur et d'Amber, en face du Holiday Inn.

GALTA

L'ensemble des bâtiments formant le temple de **Galta** est surnommé à juste titre "temple des singes" : des langurs gracieux aux macaques agressifs, des centaines de singes y vivent. Vous pouvez acheter des cacahuètes à l'entrée pour les nourrir, si vous ne craignez pas de vous faire assaillir par 50 primates aux dents longues. Le site est accessible au terme d'une montée de 200 m jusqu'à un bassin, souvent débordant de pèlerins y faisant leurs ablutions. Un don est parfois demandé ; il est conseillé aux voyageuses de ne pas entreprendre seules l'ascension, notamment le soir.

Sur la corniche surplombant Galta, le **Surya Mandir** (temple du dieu Soleil) domine Jaipur. On y accède également par un chemin abrupt de 200 m depuis Surajpol Bazaar.

Le splendide **Dhammathali Vipassana Meditation Centre** (voir p. 169) est installé à 3 km du centre de Jaipur, sur la route Sisodiarani Baug-Galtaji. L'aller-retour en rickshaw coûte environ 150 Rs.

AUTRES CURIOSITÉS

Les trésors disparates du **SRC Museum of Indology** (musée d'Indologie ; Phrachyavidya Path, 24 Gangwell park ; visite guidée Indiens/étrangers 20/40 Rs ; 8h-18h) proviennent d'une étonnante collection privée d'artisanat populaire. On y trouve entre autres un manuscrit d'Aurangzeb et un lit de verre. Le musée est indiqué près de J Nehru Marg, au sud du Central Museum.

Plus au sud, le petit fort de **Moti Dungri** (J Nehru Marg ; fermé au public) surplombe le **Birla Lakshmi Narayan Temple** (J Nehru Marg ; 6h-15h et 15h-20h30), un édifice moderne aux splendides sculptures de marbre que font découvrir gratuitement des guides. À côté du temple, un petit **musée** (entrée libre ; 8h-12h et 16h-18h) présente des objets quotidiens de la famille Birla, des industriels de la région.

À faire

MASSAGES AYURVÉDIQUES

Épuisé par une journée de visites ? Détendez-vous dans l'élégant **Kerala Ayurveda Kendra**

(☎ 5106743 ; www.keralaayurvedakendra.com ; Baiai Marg ; ⏲ 8h-20h30), où l'heure de massage débute à 500 Rs. Vous pouvez aussi essayer **Chakrapania Ayurveda** (☎ 2624003 ; www.chakrapaniayurveda.com ; 8 Diamond Hill, Tulsi Circle, Shanti Path ; ⏲ 9h-14h et 15h-19h lun-sam, 9h-13h dim).

ASTROLOGIE

Le Dr Vinod Shastri, secrétaire général du **Rajasthan Astrological Council & Research Institute** (☎ 2663338 ; Chandani Chowk, Tripolia Gate ; ⏲ consultations 9h-20h), lira les lignes de votre main ou vous fournira votre horoscope informatisé. Qu'il ait auguré ou non de votre venue, mieux vaut prendre rendez-vous.

Promenade à pied

Départ de Panch Batti, sous la statue du maharaja Sawai Jai Singh.

Prenez la MI Rd vers le nord, puis tournez à gauche à Gopinath Marg et entrez dans la vieille ville. Dirigez-vous vers **Khajane Walon ka Rasta (1)**, où vous découvrirez de beaux objets artisanaux en marbre. Tournez à droite dans le Chandpol Bazaar et continuez tout droit. Vous arriverez à l'intersection de Choti Chaupar et du **Kishanpol Bazaar (2)**, où les imprimeurs textiles utilisent deux techniques : le *bandhani* (obtenus selon la technique de la teinture par ligature, ou tie and dye) *et le loharia* (littéralement "vagues", qui permet de réaliser rayures et zigzags).

Traversez Choti Chaupar pour arriver dans le **Tripolia Bazaar (3)**, où sont proposées toutes sortes d'objets en métal et d'ustensiles de cuisine. À droite, **Maniharon ka Rasta (4)** est le domaine des fabricants de bracelets en résine. Au nord du bazar se dresse l'**Iswari Minar Swarga Sal** (**5** ; p. 166).

À environ 50 m du minaret, on entre dans le City Palace par **Tripolia Gate (6)**. Porte principale du palais ornée de trois arches, elle est réservée aux descendants de la famille du maharaja. L'entrée du public se fait à gauche, par Atishpol, ou Stable Gate. Vous visiterez le **City Palace** (**7** ; p. 166), le **Jantar Mantar (8)**, en face, et l'impressionnant **Govind Devji Temple (9)**, entouré de jardins au nord du palais.

Sortez du complexe par Jaleb Chowk (demandez votre chemin). Le **Hawa Mahal** (**10** ; p. 166) et le bouillonnant Siredeori Bazaar se trouvent à droite. À quelques mètres de là s'étend une large place, Badi Chaupar, et un peu plus loin vers le sud le **Johari Bazaar (11)**, célèbre pour sa joaillerie en or et en argent. La plupart des grands *haveli* qui bordent la rue appartiennent à de riches marchands de coton. On remarque aussi les ouvrages des émailleurs, les *meenakari*, dont les articles décoratifs finement travaillés, aux tons rubis, vert bouteille et bleu royal, sont typiques de Jaipur.

Tournez à droite avant Sanganeri Gate pour arriver au Bapu Bazaar. Plus à l'ouest, vous pénétrerez dans le **Nehru Bazaar (12)**, qui s'étend entre Chaura Rasta et le Kishanpol Bazaar, à l'intérieur du mur d'enceinte côté sud. Les femmes de Jaipur viennent y choisir des tissus aux couleurs vives, des chaussures en peau de chameau et des parfums. Sortez par Ajmer Gate, la porte située à l'extrémité du Nehru Bazaar, pour gagner par **MI Rd (13)** le quartier animé de Jaipur où les restaurants sont très nombreux. Tournez à droite puis continuez tout droit pour rejoindre Panch Batti.

PROMENADE À PIED

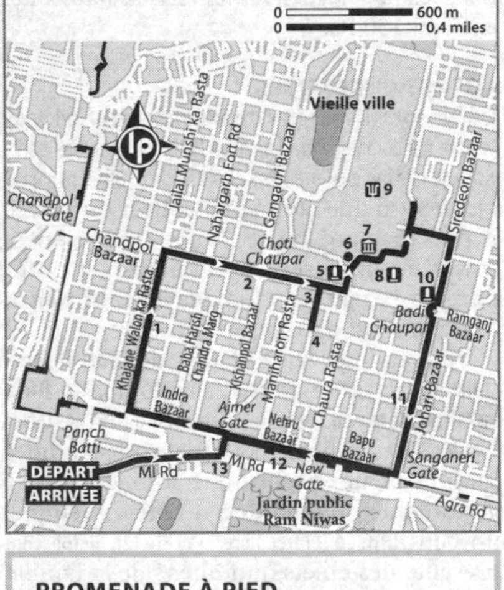

0 — 600 m
0 — 0,4 miles

PROMENADE À PIED

Départ : Panch Batti
Arrivée : Panch Batti
Distance : 3 km
Durée : 1 heure

Cours

Chakrapania Ayurveda (☎ 2624003 ; www.learnayurveda.com ; 8 Diamond Hill, Tulsi Circle, Shanti Path ; ⏲ 9h-14h et 15h-19h lun-sam, 9h-13h dim). Propose des cours d'ayurvéda pour débutants ou confirmés et accueille régulièrement des étudiants étrangers.

Dhammathali Vipassana Meditation Centre (☎ 2680220 ; Galta). Idéalement situé, ce centre offre des sessions de méditation de 10 jours (paiement par don).

Madhavanand Girls College (☎ 2200317 ; C-19 Behari Marg, Bani Park). Des cours gratuits de hatha-yoga sont dispensés de 6h à 7h.

Maharaja Sawai Mansingh Sangeet Mahavidyalaya (☎ 2611397 ; musique 8h-11h, danse 16h-20h tlj sauf dim). Une excellente école de musique, derrière Tripolia Gate. Cours de danse et de musique (comme les tabla – paire de tambours – et *pakhawaj* – tambour à deux faces) à partir de 500 Rs/mois.

Circuits organisés

La RTDC (p. 163) propose des circuits d'une demi-journée ou d'une journée dans Jaipur et ses alentours (100/150 Rs). Les circuits d'une journée (200 Rs par personne ; 9h-18h) incluent tous les sites importants (dont le fort d'Amber). La pause déjeuner à Nahargarh n'ayant lieu parfois qu'à 15h, mieux vaut prendre un petit-déjeuner copieux. Les circuits en bus climatisé (10h-17h ; 135/180 Rs) ne comprennent pas la visite de Nahargarh. Ceux d'une demi-journée (150 Rs ; 8h-13h, 11h30-16h30 et 13h30-18h30) se cantonnent aux limites de la ville. L'accès aux sites n'est pas inclus dans les tarifs. Organisés en fonction de la demande, les circuits partent de la gare ferroviaire et viennent chercher des visiteurs aux agences touristiques RTDC, au RTDC Hotel Gangaur et au RTDC Tourist Hotel. En chemin, attendez-vous à des arrêts prolongés dans les emporiums. La **visite de nuit de la ville rose** (250 Rs ; 18h30-22h30) parcourt plusieurs sites célèbres et comprend un dîner végétarien au fort de Nahargarh.

Réservez toutes les visites dans les agences touristiques RTDC des hôtels affiliés (Gangaur et Tourist).

Où se loger

Sitôt débarqués du train ou du bus, les voyageurs sont assaillis par les chauffeurs d'auto-rickshaws. Si vous acceptez leurs suggestions, vous risquez de payer une commission. Pour échapper à ces pratiques, faites appel directement aux auto-rickshaws prépayés dans les gares ferroviaire et routière. La plupart des hôtels viendront vous chercher si vous les prévenez de votre arrivée.

De mai à septembre, la plupart des établissements de catégories moyenne et supérieure offrent des réductions de 25-50%.

PETITS BUDGETS

Jwala Niketan (☎ 5108303 ; C6 Motilal Atal Marg ; ch 200-700 Rs ;). Calme bien que centrale, cette pension propose de nombreuses chambres bon marché et propres mais sans caractère. La famille qui la gère vit sur place et l'atmosphère est loin d'être commerciale. Pas de restaurant, mais la famille propose des plats végétariens.

Hotel Kailash (☎ 2577372 ; Johari Bazaar ; s/d 500/575 Rs, sans sdb 330/360 Rs). Cet hôtel sans prétention en face de la Jama Masjid est l'un des rares de la vieille ville. Les petites chambres sont basiques et mal aérées malgré le système de ventilation central. Celles à l'arrière sont plus calmes. Accueil chaleureux.

Hotel Pearl Palace (☎ 2373700 ; www.hotelpearlpalace.com ; s 300-850 Rs, d 350-900 Rs ;). Un hôtel populaire dans un coin calme proche d'Ajmer Rd. M. et Mme Singh entretiennent avec soin les chambres colorées et l'impressionnant Peacock Restaurant sur le toit. Bureau de change, réservations touristiques et transferts gratuits. Au moment de nos recherches, le Pearl Palace Heritage était en construction juste à côté. Il sera géré par la même excellente équipe énergique. Réservez à l'avance.

Devi Niwas (☎ 2363727 ; singh_kd@hotmail.com ; Dhuleshwar Bagh, Sadar Patel Marg, C-Scheme ; ch 400 Rs, avec clim 700 Rs ;). Il est recommandé de réserver à l'avance pour obtenir une des cinq chambres de cette pension familiale simple et décontractée, à l'hospitalité véritable. Bonne cuisine maison et petit jardin.

Krishna Palace (☎ 2201395 ; www.krishnapalace.com ; E26 Durga Marg, Bani Park ; ch 450 Rs, avec clim 850 Rs ;). Proche de la gare, c'est un hôtel aux employés exagérément zélés et turbulents. Il est cependant possible d'y trouver des coins propices à la lecture. Les chambres sont convenablement entretenues.

Vinayak Guesthouse (☎ 3249963 ; vinayaguesthouse@yahoo.co.in ; 4 Kabir Marg, Bani Park ; s/d 500/600 Rs ;). Cette pension sans prétention est dénuée de tous les pièges à touristes habituels. Les chambres fonctionnelles sont basiques mais l'accueil est sympathique et c'est proche de la gare.

Karni Niwas (☎ 2365433 ; www.hotelkarniniwas.com ; C5 Motilal Atal Marg ; s 550-950 Rs, d 650-1200 Rs ;). Caché dans une ruelle calme derrière l'Hotel Neelam, cet hôtel agréable propose des chambres spacieuses et confortables, dont beaucoup avec balcon ou terrasse fleurie. Transfert gratuit depuis la gare routière ou ferroviaire.

RAJASTHAN

Atithi Guest House (☎ 2378679 ; atithijaipur@hotmail.com ; 1 Park House Scheme Rd ; ch 750-1 200 Rs ;). Cette pension modeste, tenue par un patron aimable, est calme malgré son emplacement central entre MI Rd et Station Rd. Les chambres (en cours de rénovation lors de notre visite), propres et simples, disposent pour la plupart d'un balcon. Service de chambre et restaurant sur le toit.

Hotel Arya Niwas (☎ 2372456 ; www.aryaniwas.com ; ch 800 Rs, s/d avec clim 990/1 500 Rs ;). Juste à l'écart de Sansar Chandra Marg, cet hôtel de confiance attire toutes sortes de clients, à plus ou moins long terme. Une longue terrasse fait face à une paisible pelouse et le self végétarien est de très bonne qualité. Les chambres sont toutes différentes, voyez-en plusieurs avant de faire votre choix.

CATÉGORIE MOYENNE

Bani Park

Le quartier de Bani Park, à environ 2 km de la vieille ville, est *relativement* vert et paisible. Il renferme de nombreux hôtels familiaux de catégorie moyenne.

Hotel Anuraag Villa (☎ 2201679 ; www.anuraagvilla.com ; D249 Devi Marg ; ch 800-1 900 Rs ;). Cet hôtel calme et confortable aux chambres spacieuses et sans prétention dispose d'une vaste pelouse où vous pourrez vous reposer après de dures journées de visites. Employés aimables et efficaces, restaurant.

Sajjan Niwas (☎ 2311544 ; www.sajjanniwas.com ; via Behari Marg, Bani Park ; s/d à partir de 1 400/1 600 Rs ;). Bâtiment historique aux jolies chambres spacieuses avec meubles anciens, vitres colorées et charme désuet. Les prix restent malgré tout un peu élevés. Excellent restaurant sur le toit.

Dera Rawatsar (☎ 2200770 ; www.derarawatsar.com ; D194, Vijay Path ; ch 1 400-2 800 Rs, ste 4 500 Rs ;) Situé près de l'artère principale, cet hôtel tranquille est tenu par une famille noble de Bikaner. Les chambres sont bien décorées, le jardin ensoleillé, la cuisine familiale délicieuse et la matriarche, pas avare en histoires.

Madhuban (☎ 2200033 ; www.madhuban.net ; D237 Behari Marg ; s 1 500-2 000 Rs, d 1 600-3 200 Rs ;). C'est un hôtel de catégorie moyenne populaire, géré par le charmant Dicky et sa famille. L'intimité est assurée par les murs d'enceinte et la verdure, et les chambres sont bien équipées. Le menu du restaurant chic est varié et il y a une petite piscine privée, même si la plupart des clients lui préfèrent le gazon paisible et reposant.

Umaid Bhawan (☎ 2206426 ; www.umaidbhawan.com ; D1-2A, via Behari Marg ; ch 1 600-2 400 Rs, ste 3 500 Rs ;). Entrer dans cet hôtel, c'est comme pénétrer dans une peinture indienne aux couleurs chatoyantes, avec escaliers qui zigzaguent, alcôves douillettes et arches arrondies. Le cadre du restaurant sur le toit est superbe et les chambres sont confortables et bien décorées. Petit-déjeuner compris.

Umaid Mahal (☎ 2201952 ; reservation@umaidmahal.com ; C20B/2, Behari Marg ; s/d à partir de 1 600/1 800 Rs ;). Ce "château" étincelant sis dans une ruelle calme est géré par la même famille que l'Umaid Bhawan. Les chambres sont immaculées et somptueusement décorées, la piscine et le restaurant sont superbes. Les deux hôtels ont un service de transfert vers les gares ferroviaire et routière.

Hotel Meghniwas (☎ 2202034 ; www.meghniwas.com ; C9 Sawai Jai Singh Hwy ; s/d à partir de 2 000/2 200 Rs, ste 3 800 Rs ;). Cet hôtel, situé dans un immeuble construit en 1948 par le brigadier Singh et géré par ses sympathiques héritiers, propose des chambres modernes avec meubles traditionnels et vue sur la verdure. Les n°201 et 209 sont des mini-appartements, pratiques pour les séjours longue durée. La piscine, entourée de pelouse, est agréable.

Jas Vilas (☎ 2204638 ; www.jasvilas.com ; C9 Sawai Jai Singh Hwy ; s/d 2 800/3 200 Rs ;). Cet excellent hôtel est tenu par une famille charmante, prête à satisfaire vos moindres désirs. La plupart des 11 chambres luxueuses donnent sur la cour romantique et sa belle piscine. Pelouse isolée et salle à manger douillette.

Shahpura House (☎ 2203069 ; www.shahpurahouse.com ; D257 Devi Marg ; s/d/ste 3 000/3 500/4 500 Rs ;). Propriété du clan rajput Shekhawat, c'est une adresse somptueuse, même si elle manque de chaleur. Dans un style traditionnel recherché, les chambres sont immaculées, certaines avec balcon. Il y a même un hall durbar (de la cour royale) équipé d'un énorme lustre. La piscine est superbe.

Ailleurs

Nana-ki-Haveli (☎ 2615502 ; www.nanakihaveli.com ; Fateh Tiba ; ch 1 500-3 000 Rs). Un lieu tranquille et isolé et de belles chambres décorées dans un style traditionnel. Tenu par une famille on ne peut plus serviable et proche de Moti Dungri Rd. Jardin accueillant et cuisine maison.

Narain Niwas Palace Hotel (☎ 2561291 ; www.hotelnarainniwas.com ; Narain Singh Rd ; s/d/ste 3 000/4 200/5 500 Rs ;). Dans ce vaste palais à la magnifique splendeur défraîchie, le personnel est en livrée, la salle à manger chic, et la véranda équipée de meubles en osier invite à la lecture. Les chambres variées respirent le charme d'antan ; voyez-en plusieurs (surtout les sdb). La piscine de taille correcte est isolée dans le grand jardin luxuriant.

Alsisar Haveli (☎ 2368290 ; www.alsisarhaveli.com ; Sansar Chandra Marg ; s/d/ste 3 025/3 900/4 550 Rs ;). Cette demeure du XIXe siècle sise sur un terrain magnifique propose des chambres élégantes et voûtées, meublées d'antiquités. C'est une bonne adresse, mais prisée par les touristes en voyage organisé, d'où l'ambiance un peu impersonnelle.

CATÉGORIE SUPÉRIEURE

Samode Haveli (☎ 2632370 ; www.samode.com ; s/d 170/195 €, ste 225-285 € ;). Cet hôtel ancien fut la résidence du Rawal de Samode, Premier ministre de Jaipur. Les suites sont extrêmement romantiques avec grands lits, terrasses privées et miroirs élaborés. Les chambres classiques, si elles sont plus ordinaires, ne manquent pas de charme. Les prix, comprenant le petit déj, sont bien moins élevés de mai à septembre.

Jai Mahal Palace Hotel (☎ 2223636 ; www.tajhotels.com ; Jacob Rd ; d/ste 12 500/22 000 Rs ;). Ancienne résidence du Premier ministre de Jaipur, cet élégant bâtiment du XVIIIe siècle est désormais un hôtel de luxe grandiose géré par le Taj Group. La plupart des chambres, chic et confortables, donnent sur les 7 ha de jardins moghols raffinés.

Raj Palace (☎ 2634077 ; www.rajpalace.com ; Zorawar Singh Gate, Amber Rd ; d/ste 375-500 $US , ste 750-40 000 $US ;). Cet impressionnant palais est presque trop luxueux avec son musée de vaisselle ancienne, son énorme lustre en cristal et son impressionnante liste d'hôtes royaux. Les chambres basiques sont véritablement royales et les nombreuses suites sont paradisiaques. À 40 000 $US, la Shahi Mahal (suite présidentielle) est absolument astronomique.

Rambagh Palace (☎ 2211919 ; www.tajhotels.com ; Bhawani Singh Marg ; d 24 000-37 000 Rs, ste 69 000-199 000 Rs ;). Ancienne résidence du maharaja, ce magnifique palais est désormais un hôtel de luxe installé sur 19 ha de jardins paisibles avec pelouse immaculée à perte de vue. La véranda est ouverte aux non-clients qui peuvent s'offrir un remontant au Polo Bar ou un repas copieux dans l'un des restaurants (vivement conseillé).

Raj Vilas (☎ 2680101 ; www.oberoihotels.com ; Goner Rd ; ch 675 $US, tentes de luxe 800 $US, villas 3 400 $US ;). À 8 km du centre, le Raj Vilas, du groupe Oberoi, est le dernier-né des hôtels sophistiqués de Jaipur (réservés aux budgets XXL). Les chambres aux voûtes en terracotta sont disséminées sur plus de 13 ha parsemés de fontaines et chaque villa dispose d'une piscine privative.

Où se restaurer

RESTAURANTS

MI Road

Handi Restaurant (MI Rd ; plats 60-180 Rs ; 12h-15h30 et 18h30-23h30). Ce restaurant populaire est situé face à la poste principale, à l'arrière de Maya Mansions. On y sert de délicieux plats au barbecue et de la cuisine mughlaie dans une ambiance rustique. Le soir, un étal de brochettes est installé devant le restaurant.

Natraj Restaurant (MI Rd ; plats 80-200 Rs ; 11h-23h). Un restaurant végétarien chic qui propose de nombreux plats indiens (du nord), chinois et occidentaux. Les tomates farcies sont divines et le curry "potato bomb" explose en bouche. Bons *thali* et, pour les amateurs de cuisine d'Inde du Sud, délicieux *dosa*.

Copper Chimney (Maya Mansions ; plats 100-220 Rs ; 12h-15h30 et 18h30-23h30). Près du Handi Restaurant, Copper Chimney est un lieu chic au personnel serviable et qui s'orne d'une exubérante fresque équestre. Plats indiens végétariens ou non et petite sélection de plats occidentaux et chinois. Vous pourrez accompagner vos assiettes copieuses de vin indien.

Dr Dosa (☎ 4038468 ; Gaurav Tower, MI Rd ; plats 120-195 Rs ; 11h-23h). Malgré son nom bizarre et son enseigne de style BD, ce restaurant végétarien plutôt chic mérite le détour. Derrière les lourdes portes en bois, vous trouverez un aquarium, des lumières tamisées et des tables avec nappe blanche et argenterie. Comme on pourrait s'y attendre, le menu contient des *dosa* traditionnels, mais cette spécialité de l'Inde du Sud est également déclinée dans de nombreuses versions. Vous trouverez aussi des plats chinois, occidentaux, et d'Inde du Nord.

Niro's (☎ 2374493 ; MI Rd ; plats 140-370 Rs ; 11h-23h). Après plus de 50 ans d'existence, Niro sert toujours des plats traditionnels indiens sur fond de musique d'ambiance. On se presse sous son plafond en miroir pour ses nombreux mets, végétariens ou non. Le *lal maans* (mouton en sauce rouge épicée) et le *began bharta* (aubergine) sont délicieux.

RAJASTHAN

Moti Mahal Delux (☎ 4017733 ; MI Rd ; plats 140-380 Rs ; 🕒 11h-16h, 19h-23h). Partout en Inde désormais, des franchises du célèbre restaurant de Delhi servent le fameux *butter chicken*. Le long menu alléchant comprend aussi des mets à base de fruits de mer, des tandooris délicieux et des plats végétariens. Installez-vous sur les banquettes confortables et savourez l'ambiance, la cuisine épicée et surtout le délicieux *pista kulfi* (sorte de crème glacée à la pistache).

Vieille ville

Mohan (144-5 Nehru Bazaar ; plats 10-60 Rs ; 🕒 9h30-22h). Ce célèbre boui-boui paraît sale de l'extérieur, mais sa cuisine est préparée avec des produits frais. Il est situé à l'angle de la rue, à quelques marches en contrebas du trottoir. Enseigne en hindi.

Ganesh Restaurant (☎ 2312380 ; Nehru Bazaar ; plats 35-85 Rs ; 🕒 9h30-23h). Incroyablement placé, ce minuscule restaurant en plein air est perché sur les murailles, près de New Gate. On y accède par un escalier caché entre deux ateliers de tailleurs (n'hésitez pas à vous faire guider). Si vous cherchez un lieu typique où manger des plats goûtus, vous serez comblé.

LMB (Lakshmi Misthan Bandar ; ☎ 2560845 ; Johari Bazaar ; plats 55-210 Rs ; 🕒 8h-23h). LMB est un restaurant sattvik (exclusivement végétarien) au cadre Art déco et disco. Populaire depuis 1954, son menu comporte une mise en garde de Krishna contre la consommation de nourriture putride et polluée *(tamasic)*. Tous les plats sont préparés à base de ghee (beurre clarifié) et les en-cas de *puri* (pain frit) sont les meilleurs de la ville. Nous recommandons le *thali* du Rajasthan, le *paneer tikka* fourré au fenouil et le fameux *kulfi* (glace traditionnelle indienne).

Palace Cafe (☎ 2616449 ; City Palace ; plats 80-350 Rs ; 🕒 9h30-17h). Caché à l'intérieur du City Palace, c'est le bon endroit pour faire une pause rafraîchissante au cours de la visite. Bar et tables en terrasse pour déguster des en-cas ou des plats indiens et occidentaux.

Ailleurs

Jai Shankar Pavitra Bhojnalaya (☎ 25102541 ; 12 Sindhi Camp Bus Stand, Station Rd ; plats 10-50 Rs ; 🕒 7h-22h). Proche de la gare routière principale, ce restaurant végétarien simple et populaire prépare d'excellents petits-déjeuners indiens. L'anglais est approximatif mais la nourriture rapidement servie est fraîche et délicieuse.

Thali House (☎ 5115522 ; Station Rd ; *thali* 50-80 Rs ; 🕒 9h-23h). Ce restaurant trépidant est prisé par les amateurs de *thali*. Service rapide sous des ventilateurs cycloniques ou zone climatisée plus calme pour déguster le fameux *thali* végétarien.

Four Seasons (☎ 2373700 ; D43A Subhas Marg ; plats 75-170 Rs ; 🕒 12h-15h30 et 18h30-23h). Cet établissement chic extrêmement populaire s'étend sur deux étages, avec baie vitrée donnant sur la cuisine. Sans alcool et exclusivement végétarien, le menu propose des spécialités du Rajasthan, d'Inde du Nord et du Sud, des *thali*, des *dosa* et des pizzas.

Little Italy (☎ 4022444 ; 3e ét., KK Sq, C-11, Prithviraj Marg ; plats 165-200 Rs ; 🕒 12h-15h30 et 18h30-23h). Sans doute le meilleur restaurant italien de la ville. Cet établissement franchisé sert d'excellents plats végétariens (pâtes, risotto, pizza) dans un cadre détendu et moderne. Le menu varié inclut d'excellents desserts italiens. Vous choisirez vos boissons sur la carte du lounge bar attenant.

Peacock Rooftop Restaurant (☎ 2373700 ; Hôtel Pearl Palace ; Hari Kishan Somani Marg ; plats 35-120 Rs ; 🕒 7h-23h). Surplombant le Fort Hathroi (et une grande partie de Jaipur), ce restaurant sur toit, abrité par un baldaquin extraordinaire en forme de paon, offre une vue aussi inoubliable que sa cuisine. Savourez les merveilleux plats indiens et chinois, ou même les pizzas, sur les tables en fer bizarres ou plus haut, dans le coin romantique. Les *thali* végétariens ou non sont d'un excellent rapport qualité/prix (à partir de 50 Rs), de même que les petits-déjeuners occidentaux.

Restaurant tournant OM (☎ 2366683 ; Church Rd plats 110-300 Rs ; 🕒 12h-15h30 et 19h-23h). La tour en forme de roquette abrite un restaurant tournant à 56 m au-dessus de la ville. Le décor est presque fastueux et le menu végétarien et sans alcool propose plusieurs spécialités du Rajasthan ainsi que leurs diverses variations La scène centrale accueille parfois des spectacles de ghazal (chants ourdous tristes et romantiques, dérivés de la poésie).

SUR LE POUCE

Chocolate Boutique (68 Gopal Bari Rd ; gâteaux 20-90 Rs 🕒 10h30-20h30 lun-sam). Cette minuscule boutique de friandises alléchantes propose quelques gâteaux, brownies et tartes ainsi que de bons chocolats maison vendus à la pièce (10 à 12 Rs) ou en ballotin.

Bake Hut (Arvind Marg, près de MI Rd ; gâteaux 25-100 Rs ; 9h-20h lun-sam). Située à l'arrière du restaurant Surya Mahal, cette boulangerie-pâtisserie est toujours comble.

Jal Mahal (MI Rd ; glaces 12-110 Rs ; 10h-24h). Ce stand débordant de glaces à emporter propose des spécialités amusantes.

Baskin Robbins (Sanjay Marg ; glaces 15-140 Rs ; 12h-23h30). Un marchand de glaces au local minuscule, caché dans un coin de l'enceinte de l'hôtel Gangaur.

Pour de délicieuses friandises indiennes – dont la spécialité de Jaipur, le *ghevar* (un gâteau alvéolé recouvert de beurre clarifié et de lait) saupoudré d'amandes effilées –, rendez-vous au **Rawat Kachori** (Station Rd ; friandises 5-10 Rs, lassis 22 Rs). En face, l'étalage de **Kanji** (Station Rd ; le kilo de bonbons 110-300 Rs) est tout aussi fabuleux.

Où boire un verre

CAFÉS

Barista (Mall 21, Bhagwandas Marg ; café 50-70 Rs ; 9h-23h). Sert d'excellents expresso et cafés glacés ainsi que des muffins, en-cas et sandwichs. Boutique située en face du cinéma Raj Mandir.

Cafe Coffee Day (Ganpati Plaza, MI Rd ; café 35-90 Rs ; 9h-23h). La première chaîne indienne de cafés sert les meilleurs expressos et cafés frappés de la ville. Ce lieu climatisé caché au sous-sol propose aussi gâteaux et en-cas.

Lassiwala (Boutique 312, MI Rd ; petit/grand *lassi* 12/24 Rs ; 7h30 jusqu'à épuisement des stocks). Cette institution sans prétention concocte de délicieux *lassi* crémeux (boisson à base de yaourt et d'eau filtrée glacée) servis dans des gobelets en argile. Le véritable Lassiwala est situé juste à côté de l'allée, sous l'enseigne "Shop 312". Les imitateurs se trouvent sur sa droite.

BARS

Reds (☎ 4007710 ; 5e ét., Mall 21, Bhagwandas Marg ; 11h-23h). Dominant le cinéma Raj Mandir et la MI Rd, avec vue sur le Tiger Fort, Reds est un bar chic où l'on peut se relaxer autour d'un verre ou d'un repas. Installez-vous sur une banquette avec une bière (bouteille ou pression) ou un cocktail (avec ou sans alcool).

Polo Bar (Rambagh Palace Hotel, Bhawan Singh Marg ; 11h-23h). Un bar épatant décoré de souvenirs de polo et dont les fenêtres voûtées donnent sur une pelouse bien entretenue. Bières en bouteille (250 à 300 Rs) et cocktails environ 450 Rs).

Steam (Rambagh Palace Hotel, Bhawan Singh Rd ; 19h-tard mer-lun). Décoré d'une locomotive, le lounge bar du Rambagh est un repaire stylé et détendu avec DJ. Sirotez un cocktail, partagez une pizza pour un prix déraisonnable.

Où sortir

Cinéma Raj Mandir (☎ 2379372 ; 50-110 Rs ; Bhagwandas Marg ; réservations 10h-18h, séances 12h30, 15h30, 18h30 et 21h30). Premier cinéma hindi du pays, le Raj Mandir est une icône de Jaipur. Ouvert en 1976, ce bâtiment crème est à croquer. Souvent complet malgré sa taille, il est possible de réserver de une semaine à une heure à l'avance aux guichets 7 et 8. Sinon, préparez-vous à jouer des coudes à l'ouverture des guichets, 45 min avant chaque séance.

Chokhi Dhani (☎ 2225001 ; adulte/3-9 ans avec repas 300/150 Rs ; 18h-23h). À 15 km de Jaipur, ce village virtuel offre des soirées magiques. Ne vous laissez pas refroidir par son côté artificiel et promenez-vous dans les jardins à la lueur de lampes scintillantes. Dégustez un *thali* traditionnel du Rajasthan avant de profiter de spectacles originaux : danseurs traditionnels enflammant leur chapeau, jeunes enfants se balançant sur des mats, danseurs déguisés en lions. Les familles de Delhi raffolent de ces soirées.

Achats

À Jaipur, les accros au shopping seront aux anges. Des bazars sans âge de la vieille ville aux immenses centres commerciaux de verre qui se multiplient, le choix est impressionnant : artisanat du Rajasthan, textile, art et, bien sûr, pierres précieuses. Le marchandage fait partie du jeu et les prix sont plus élevés dans les magasins pour touristes autour du City Palace et de Hawa Mahal. Quelques magasins, dont l'emporium d'État et des boutiques de luxe, pratiquent des prix fixes souvent très élevés. Pour des conseils de marchandage, reportez-vous p. 772.

La plupart des magasins de grande taille se chargent de l'expédition des achats. Le faire vous-même vous reviendra toutefois moins cher (voir p. 163).

Jaipur est renommée pour les pierres précieuses et semi-précieuses, à prix compétitifs ; il est cependant indispensable de s'y connaître en gemmes. Ce commerce se concentre surtout dans le quartier musulman de Pahar Ganj, où vous assisterez à la taille et au polissage des pierres dans les ateliers nichés dans d'étroites

TOUT CE QUI BRILLE...

De nombreux voyageurs continuent de se faire escroquer dans des affaires de pierres précieuses. Méfiez-vous des pièges multiples : l'achat de pierres "à bas prix" pour les revendre chez vous avec un profit mirifique ; la promesse d'une commission pour transporter des pierres pour un riche négociant sans aucun risque pour vous... jusqu'au moment où la douane vous obligera à débourser une somme énorme, etc.

Ceux qui se livrent à de telles arnaques sont *toujours* charmants ; ils raccompagnent les voyageurs à leur hôtel et paient leur repas. Prenant ce comportement affable pour une marque de l'hospitalité indienne, les voyageurs font confiance à leur nouvel ami, qui, quelques jours plus tard, leur propose une transaction si avantageuse qu'elle paraît trop belle pour être vraie... Et c'est le cas ! Si vous achetez des pierres pour les revendre, elles ne valent généralement qu'une infime fraction du prix payé ; si on doit vous les envoyer, elles peuvent ne jamais arriver, même si elles ont été expédiées sous vos yeux. Les histoires de vendeurs malchanceux qui se voient refuser des licences d'exportation ou qui doivent payer des taxes énormes ne sont pas votre problème. Les témoignages de revendeurs de pierres chanceux sont faciles à falsifier. Ne laissez pas l'appât du gain obscurcir votre jugement.

ruelles. Dans le Johari Bazaar et le Siredeori Bazaar, de nombreux bijoutiers vendent des articles en or et en argent et de jolies pièces *meenakari* émaillées.

La ville a conservé en partie la répartition traditionnelle des activités artisanales. Le Bapu Bazaar abonde en saris et tissus, ainsi qu'en babioles bon marché, mais vous trouverez des prix plus intéressants au Johari Bazaar, spécialisé dans le coton. Le Kishanpol Bazaar est réputé pour les textiles, et en particulier pour les *bandhani*. Le Nehru Bazaar vend aussi des étoffes, ainsi que des *jooti* (chaussures pointues traditionnelles du Rajasthan), des babioles et des parfums. Pour les bracelets, rendez-vous à Maniharon ka Rasta.

Fabriques et salles d'exposition bordent Amber Rd, entre Zorawar Gate et le Holiday Inn, et vendent tissus imprimés, céramiques, tapis et antiquités. Elles sont habituées aux bus de touristes qui dépensent sans compter ; n'hésitez pas à marchander.

Rickshaw-wallahs, hôtels et agences de voyages fonctionnent à la commission. Ne vous laissez pas entraîner dans les boutiques de leur choix. Ne vous fiez pas non plus aux sympathiques jeunes gens qui vous abordent dans la rue pour vous faire découvrir l'échoppe de leur oncle/frère/cousin : la commission fait là aussi partie du jeu.

Rajasthali (MI Rd ; 11h-20h lun-sam). Les quatre étages de ce grand magasin d'État face à l'Ajmer Gate débordent d'objets artisanaux rajasthanis de qualité. Un bon moyen de se faire une idée des prix avant de se plonger dans les bazars.

Anokhi (www.anokhi.com ; 2e ét., KK Sq, C-11, Prithviraj Marg ; 9h30-20h lun-sam, 11h-19h dim). Cette boutique chic mérite une visite. Ses textiles de qualité, dont des tissus et vêtements imprimés au tampon, ont la particularité d'être fabriqués dans une usine éthique située au sein d'une ferme biologique, non loin de Jaipur.

Fabindia (☎ 5115991 ; www.fabindia.com ; Sarojini Marg). Vend une multitude de tissus somptueux, de meubles et d'objets de décoration. On y trouve aussi vêtements, produits de beauté et condiments certifiés équitables.

Kripal Kumbh (☎ 2201127 ; B18A Shiv Marg, Ban Park ; 9h-17h). Ce "showroom" est situé dans une maison particulière. C'est un bon endroit pour acheter des poteries bleues de Jaipur au vernis sans plomb, fabriquées par Kumud et Manakshi Rathore, filles du célèbre potier et peintre, feu M. Kripal Singh. Les céramiques coûtent de 100 Rs (le presse-papier) à 20 000 Rs (le grand vase).

Mojari (Villa Bhawani, Gulab Path, Chomu House ; 11h-18h lun-sam). Du nom des chaussures traditionnelles du Rajasthan, ce projet soutenu par les Nations unies emploie 3 500 artisans du cuir ruraux. Idéal si vous adorez les chaussures et avez les pieds fins.

Juneja Art Gallery (www.artchill.com ; 6-7 Laksm Complex, MI Rd ; 10h-20h lun-sam). Propose d'étonnantes œuvres d'art contemporain local (de 500 à 50 000 Rs). La galerie possède une autre branche, Artchill, à Amber Fort (p. 176).

Himalaya (MI Rd ; 10h-20h lun-sam). Si vous cherchez des préparations ayurvédiques, cette boutique près de Panch Batti vend des produits et des remèdes à base de plantes depuis plus de 70 ans. Les employés vous conseilleront pour de nombreuses affections, de la perte de mémoire à la gueule de bois, ou même pour des traitements pour vos animaux.

New Jodhpur Tailors (☎ 2365461 ; www.jodhpurtailors.com ; 9 Ksheer Sagar Hotel, Motilal Atal Marg ; 9h-20h30 lun-sam, 9h-17h dim). Cette petite boutique de tailleur peut confectionner des jodhpurs (1 800 Rs) en prévision d'une visite de la ville bleue, costumes sur mesure (7 000 à 15 000 Rs) ou chemises (700 à 900 Rs).

Depuis/vers Jaipur

AVION

Plusieurs compagnies proposent des vols depuis/vers Jaipur.

Air India (☎ 2743500 ; www.airindia.com ; Nehru Place, Tonk Rd)

Indigo (☎ 1800 1803838 ; www.goindigo.in ; aéroport)

Jet Airways (☎ 2360450 ; www.jetairways.com ; 1er ét., Umaid Nagar House, MI Rd ; 9h30-17h30 lun-sam, 10h-15h dim)

Kingfisher Airlines (☎ 4030372 ; www.flykingfisher.com ; Usha Plaza, MI Rd ; 9h30-17h30 lun-sam, 10h-15h dim)

La plupart des compagnies aériennes opèrent des vols quotidiens vers Delhi (3 200 Rs), Mumbai (6 800 Rs), Udaipur (3 600 Rs) et Ahmedabad (4 400 Rs).

Vous pouvez également réserver des vols intérieurs à l'agence **Rajasthan Travel Service** (☎ 2365408 ; Ganpati Plaza, MI Rd) ou chez **Crown Tours** (☎ 2363310 ; www.crowntourslimited.com ; Palace Rd) face à l'Hotel Rajputana Palace Sheraton.

BUS

Les bus de la Rajasthan State Road Transport Corporation (RSRTC) partent de la **gare routière principale** (Station Rd) et prennent des passagers à Narain Singh Circle. La gare possède une consigne (10 Rs/bagage les 24 heures) et un stand d'auto-rickshaws prépayés. Les bus deluxe partent du quai n°3, dans le coin droit de la gare routière. Il est possible d'acheter un billet à l'avance au **bureau des réservations** (☎5116032) de la gare routière.

Des bus réguliers desservent de nombreuses destinations, dont celles présentes dans le tableau ci-dessous. Pour les longs trajets, les bus privés sont souvent plus confortables, même si les services de luxe Silver Line de la RSRTC sont également appréciés, de même que ceux de la Gold Line et de Volvo. Nombre de bus privés (ainsi que la Gray Line de la RSRTC) ont des couchettes pour les longues distances (un supplément s'applique).

VOITURE

La RTDC facture 4,75 Rs/km pour une Ambassador (non climatisée), avec 250 km/jour au minimum. Comptez une taxe de nuit de 125 Rs au moins par 24 heures et une taxe de 12,4% appliquée sur la facture totale. Les taxis privés demandent au moins 5 Rs/km dans un véhicule non climatisé (250 km minimum) et des taxes de nuit identiques. Vous devrez régler le trajet de retour du chauffeur.

RAJASTHAN

PRINCIPAUX BUS AU DÉPART DE JAIPUR

Destination	Tarifs (Rs)	Durée	Fréquence
Agra	195, AC 316	5 heures 30	11/jour
Ajmer	95, AC 135	2 heures 30	13/jour
Bharatpur	120	4 heures 30	5/jour
Bikaner	182	8 heures	1/heure
Bundi	140, AC 205	5 heures	7/jour
Chittorgarh	200, AC 315	7 heures	6/jour
Delhi	300, AC 400-500	5 heures 30	au moins 1/heure
Jaisalmer	390	15 heures	21h45 tlj
Jhunjhunu	105	5 heures	4/jour
Jodhpur	220, AC 325	7 heures	10/jour
Kota	160, AC 240	5 heures	4/jour
Mount Abu	AC 495	13 heures	tlj
Nawalgarh	95	4 heures	4/jour
Sawai Madhopur	105	6 heures	2/jour
Udaipur	270, AC 419	10 heures	6/jour

PRINCIPAUX TRAINS AU DÉPART DE JAIPUR

Destination	N° et nom du train	Tarifs (Rs)	Durée	Départ
Agra	2308 *Howrah Jodhpur Exp*	157/385/512 (A)	4 heures 45	2h
	2966 *Udaipur-Gwalior Exp*	157/385/512 (A)	4 heures 15	6h10
Ahmedabad	2958 *Ahmedabad SJ Radhani Exp*	890/1195/1 990 (B)	9 heures 15	0h45 (mer-lun)
	2916 *Ahmedabad Ashram Exp*	278/727/987/1 648 (C)	11 heures	20h45
Ajmer	2015 *Shatabdi*	270/530 (D)	2 heures	22h50 (jeu-mar)
	9708 *Aravalli Exp*	121/246/331 (A)	2 heures 30	8h45
Bikaner	4737 *Bikaner Exp*	178/643/1 080 (E)	8 heures 30	22h55
	2468 *Intercity Exp*	114/406 (F)	5 heures 15	15h30
Delhi	2016 *Shatabdi*	535/1 015 (D)	4 heures 15	17h45
	4060 *Jaisalmer-Delhi Exp*	91/157/411/560 (G)	6 heures	5h
	2413 *Jaipur-Delhi Exp*	100/177/441/590 (G)	5 heures 30	16h35
Jaisalmer	4059 *Jaisalmer-Delhi Exp*	143/256/690/946 (G)	12 heures 45	23h55
Jodhpur	2465 *Ranthambore Exp*	101/173/359/450 (H)	5 heures 30	17h05
	4059 *Delhi-Jaisalmer Exp*	92/160/420/573 (I)	5 heures 30	11h55
Sawai Madhopur	2956 *Jaipur-Mumbai Exp*	141/276/361/592 (C)	2 heures	14h10
	2466 *Ranthambore Exp*	66/141/224/276 (H)	2 heures 15	10h55
Sikar	9711 *Jaipur-Sri Ganga Exp*	150/297 (J)	2 heures	20h40
Udaipur	2965 *Gwalior-Udaipur Exp*	217/553/745/1 252 (C)	7 heures 30	22h40

Tarifs : A – sleeper/3AC/2AC ; B – 3AC/2AC/1AC ; C – sleeper/3AC/2AC/1AC ; D – AC chair/executive chair ; E – sleeper/2AC/1AC ; F – 2e classe/AC chair ; G – 2e classe/sleeper/3AC/2AC ; H – 2e classe/sleeper/AC chair/3AC ; Ire – 2e classe/sleeper/3AC/1AC ; J – sleeper/2AC.

TRAIN

Le **bureau des réservations ferroviaires** (☎135 ; ⏲ 8h-14h et 14h15-20h lun-sam, 8h-14h dim), très efficace, se trouve sur la droite en sortant de la gare ferroviaire principale. Faites la queue au guichet indiquant Freedom Fighters, Foreign Tourists, etc. (comptoir n°769). Pour un déplacement le jour même, achetez votre billet à la gare. Pour tout renseignement, appelez le ☎131. Reportez-vous ci-dessus pour le détail des lignes et des tarifs.

Comment circuler

DEPUIS/VERS L'AÉROPORT

Aucun bus ne dessert l'aéroport, situé à 12 km au sud-est de la ville. En auto-rickshaw/taxi, comptez au moins 180/280 Rs pour atteindre le centre-ville.

AUTO-RICKSHAW

Il existe des guichets d'auto-rickshaws prépayés dans les gares ferroviaire et routière. Louer un auto-rickshaw pour découvrir la ville revient à environ 200/400 Rs la demi-journée/journée (avec la visite d'Amber mais pas celle de Nahargarh). Préparez-vous à marchander.

CYCLO-POUSSE

Moyen de transport écologique, un cyclo-pousse revient à environ 20 Rs pour une course rapide.

MOTO

Vous pouvez louer, acheter ou faire réparer une Royal Enfield Bullet (ou autre modèles plus petits) au **Rajasthan Auto Centre** (☎2568074 ; Sanjay Bazaar, Sanganeri Gate), l'atelier de réparation de moto le plus ordonné d'Inde. La location d'une Bullet 350 cm³ coûte 400 Rs/j (casque inclus).

ENVIRONS DE JAIPUR

Amber

À 11 km au nord de Jaipur, la magnifique citadelle dorée d'Amber (prononcez "aimeur") était autrefois la capitale de l'État de Jaipur. Magnifique exemple de l'architecture rajput dans toute sa splendeur artistique et défensive, les collines irrégulières qui l'entourent sont hérissées de remparts alors que la ville repose paisiblement au creux de la vallée.

La construction du fort d'Amber (Indiens/étrangers 25/150 Rs ; ⏲ 9h-17h30) fut entreprise en 1592 par le maharaja Man Singh, com mandant rajput de l'armée d'Akbar. Il fut ensuite agrandi par les Jai Singh avant leur installation à Jaipur.

On rejoint à pied la forteresse depuis la route en 10 min environ (des rafraîchissements sont vendus au sommet). L'aller-retour en Jeep coûte 150 Rs/pers. Les promenades à dos d'éléphant sont populaires et coûtent 550 Rs aller (l'éléphant monte 2 personnes et redescend sans passager) mais vous serez plus à l'aise à pied, sans parler du piteux état des pachydermes. L'association Help in Suffering (voir p. 783) œuvre, entre autres, pour le bien-être de ces éléphants.

Si vous n'optez pas pour l'audioguide (150 Rs), louer les services d'un guide (200 Rs/1 heure 30 ; 4 pers maximum) à l'entrée est une bonne idée, car les panneaux sont rares.

Après la billetterie, restez sur la droite de l'escalier principal et grimpez les marches étroites qui mènent au petit **Siladevi Temple** (🕓 6h-12h et 16h-20h). Du XVIe siècle jusqu'en 1980, date à laquelle cette pratique fut interdite, on y sacrifiait chaque jour une chèvre. Les photographies sont interdites.

Sur la gauche du temple, l'escalier principal conduit au **Diwan-i-Am** (salle des Audiences publiques), à la double colonnade et aux galeries ajourées.

Sur la terrasse supérieure, un portail orné de mosaïques et de sculptures donne sur les appartements du maharaja. Le **Jai Mandir** (salle de la Victoire) est remarquable pour ses marqueteries et son plafond couvert de miroirs colorés. Les délicats bas-reliefs de marbre représentent des insectes stylisés et des fleurs sinueuses.

En face du Jai Mandir, le **Sukh Niwas** (salle des Plaisirs), traversé par un chenal qui acheminait jadis de l'eau fraîche, possède une porte en bois de santal incrustée d'ivoire. Du Jai Mandir, on a une vue splendide sur les remparts et le lac en contrebas. Le **zenana** (quartier des femmes), qui entoure la quatrième cour, comporte un passage qui permettait au maharaja de mener suivant son bon plaisir ses visites nocturnes.

En poursuivant votre chemin après le fort d'Amber à travers la vieille ville, vous arriverez devant le **Anokhi Museum of Handprinting** (musée de l'Impression à la planche d'Anokhi ; Anokhi Haveli, Kheri Gate, Amber ; 🕓 10h30-17h mar-sam, 11h-16h30 dim), un musée dédié à l'impression sur tissu à l'aide de tampons de bois. Il dispose d'une documentation intéressante et propose des démonstrations d'impression manuelle. Vous pouvez acheter un T-shirt et réaliser vous-même votre impression. Le *haveli*, auquel on accède par un chemin pavé, se visite également. Vous trouverez aussi une boutique de souvenirs et un petit bar (excellent café).

Depuis Jaipur, les bus pour Amber sont fréquents (départ près du Hawa Mahal ; 8 Rs, 25 min). En auto-rickshaw/taxi, comptez au minimum 150/450 Rs l'aller-retour.

Jaigarh

Au sommet d'une colline broussailleuse dominant Amber, l'imposant **Jaigarh** (Indiens/étrangers 25/75 Rs, app photo/caméra 50 Rs ; 🕓 9h-17h), bâti en 1726 par Jai Singh, ne tomba jamais entre des mains ennemies. Il a traversé les siècles sans dommages. Accessible à pied depuis Amber (1 km), cette forteresse offre un panorama superbe depuis le Diwa Burj, l'une des tours de guet dont elle est ponctuée. Elle comporte des bassins, des appartements, un théâtre de marionnettes et le plus grand canon sur roues au monde, le Jaya Vana. L'entrée est gratuite sur présentation du billet d'entrée du City Palace de Jaipur, à condition qu'il ait moins de deux jours.

Abhaneri

À 100 km de Jaipur sur la route d'Agra, ce village à l'écart, entouré de champs de blé, possède l'un des *baori* (puits à galeries) les plus impressionnants du Rajasthan : le **Chand Baori** (entrée libre ; 🕓 aube-crépuscule), constitué de 11 niveaux visibles de marches s'enfonçant en zigzag à 20 m de profondeur. Le puits, le palais en ruine et le Harshat Mata Temple auraient été construits par le roi Chand, souverain d'Abhaneri et descendant de la dynastie rajput des Chahamana.

De Jaipur, prendre un bus jusqu'à Sikandra (45 Rs, 1 heure 30), d'où vous pourrez emprunter un taxi collectif (5 Rs) pour parcourir les 5 km qui mènent à Gular. De là, prendre un autre taxi collectif (Jeep) ou un minibus jusqu'à Abhaneri (encore 5 km, 5 Rs). Si vous disposez de votre propre véhicule, le détour vaut la peine entre Jaipur et Bharatpur.

Balaji

À 3 km de la route Jaipur-Agra, l'extraordinaire temple hindou de **Balaji** accueille les pratiques exorcistes. On y conduit les "possédés" pour chasser les mauvais esprits de leur corps. Les exorcismes ont lieu principalement le mardi et le samedi. Seuls les prêtres et les victimes peuvent pénétrer dans le temple – les cérémonies sont diffusées à l'extérieur sur des écrans vidéo. Les "possédés" hurlent, crient et dansent. Les scènes qui s'y déroulent, souvent violentes, peuvent choquer les âmes sensibles.

La cérémonie achevée, vous pourrez visiter le temple (photos interdites).

De nombreux bus relient Jaipur et Balaji (55 Rs, 2 heures à 2 heures 30).

BHARATPUR

☎ 05644 / 205 104 habitants

Les visiteurs viennent à Bharatpur pour explorer le Keoladeo Ghana National Park, une superbe réserve ornithologique de 29 km² inscrite au patrimoine mondial de l'humanité. Le parc constitue l'un des sites d'observation des oiseaux les plus importants du monde avec quelque 364 espèces d'oiseaux répertoriées. Cette région marécageuse est un lieu d'hivernage vital pour les oiseaux aquatiques, en provenance d'Asie centrale notamment.

Aux XVIIe et XVIIIe siècles, Bharatpur comptait parmi les grandes citadelles jat. Les Jat, qui occupaient la région avant l'arrivée des Rajput, réussirent à préserver leur autonomie grâce à leurs prouesses guerrières et à des mariages avec la noblesse rajput. Ils repoussèrent les Moghols à plusieurs reprises. Le fort de Bharatpur, édifié au XVIIIe siècle, résista même à une attaque britannique en 1805 et à un long siège en 1825. Ce dernier aboutit à la signature du premier traité d'amitié entre les États indiens du Nord-Ouest et la Compagnie britannique des Indes orientales. Par son influence jat et sa position géographique, Bharatpur évoque davantage l'Uttar Pradesh que le Rajasthan.

Hormis les puissants remparts de la citadelle, la ville ne présente guère d'intérêt.

Un antimoustique est de rigueur.

À voir

Le **Lohagarh**, le fameux "Iron Fort" (fort de Fer) du début du XVIIIe siècle, occupe en totalité la petite île artificielle au centre de la ville. Le maharaja Suraj Mahl éleva deux tours à l'intérieur des remparts pour commémorer ses victoires sur les Moghols et les Britanniques : la **Jawahar Burj** et la Fateh Burj. Les trois palais situés dans l'enceinte sont dans un état de délabrement avancé. L'un d'eux, disposé autour d'une cour paisible, abrite un **musée** (Indiens/étrangers 5/10 Rs, gratuit lun, app photo/caméra gratuit/20 Rs ; 🕙 10h-16h30 tlj sauf lun) poussiéreux et peu fréquenté, qui présente des sculptures jaïnes, des peintures et des trophées de chasse. Le hammam d'origine du palais présente davantage d'intérêt.

Où se loger

Vous trouverez d'autres adresses d'hébergements pratiques pour accéder au parc p. 180.

Shagun Guest House (☎ 232455 ; sites.google.com/site/shagungh ; ch 100 Rs, s/d sans sdb 80/90 Rs). Cette pension à l'écart située au bout d'une ruelle, après Mathura Gate, est l'adresse la plus accueillante de la ville. Les chambres, extrêmement rudimentaires, minuscules et poussiéreuses, sont néanmoins très bon marché, et le petit jardin ombragé dispose de hamacs. Rajiv, l'aimable propriétaire, vous informera sur le parc national. Il propose des circuits dans les villages.

Depuis/vers Bharatpur

BUS

Des bus réguliers desservent notamment Agra (36 Rs, 1 heure 30 à 2 heures), Fatehpur Sikri dans l'Uttar Pradesh (16 Rs, 1 heure), Jaipur (100 Rs, 5 heures), Deeg (22 Rs, 1 heure) et Alwar (56 Rs, 4 heures). Les bus, qui partent de la gare routière, s'arrêtent au carrefour situé derrière le centre d'accueil des touristes (Tourist Reception Centre).

TRAIN

Le 9023/4 *Janata Express* quitte New Delhi (2e classe/sleeper 66/121 Rs) à 13h15 et arrive à Bharatpur à 17h35. Il part de Bharatpur à 8h05 pour atteindre la capitale à 12h50. Le 2925/6 *Paschim Express* quitte New Delhi (sleeper/3AC/2AC/1AC 141/316/416/686 Rs) à 16h55 et arrive à Bharatpur à 19h40. Il repart de Bharatpur à 6h35 pour atteindre la capitale à 22h50.

Plusieurs trains quotidiens vont à Sawai Madhopur (sleeper/3AC/2AC/1AC 141/326/430/710 Rs) dont le 2094 *Golden Temple Mail*, qui part à 10h45 pour arriver à 13h05 avant de repartir pour Kota et Mumbai.

Pour Agra (sleeper/3AC/2AC/1AC 141/243/313/509 Rs), le 2966 *Udaipur-Gwalior Express* part à 9h05 et arrive à Agra Fort à 10h15.

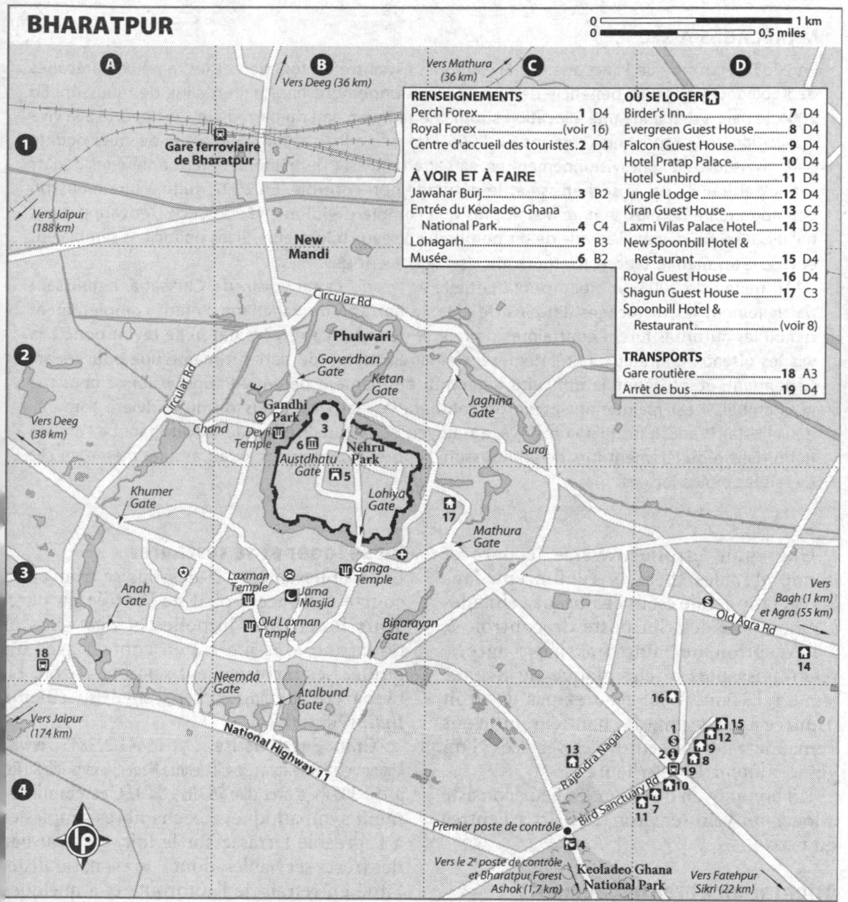

Comment circuler

En auto-rickshaw ou en cyclo-pousse, comptez 30 Rs pour rejoindre l'office du tourisme et la plupart des hôtels depuis la gare routière, et 35 Rs depuis la gare ferroviaire.

KEOLADEO GHANA NATIONAL PARK

La période d'octobre à février est idéale pour visiter ce **parc** (Indiens/étrangers 25/200 Rs, caméra 200 Rs ; 6h-18h avr-sept, 6h30-17h oct-mar), qui abrite alors de nombreux oiseaux migrateurs. En dehors de cette période, ou si les pluies de mousson ont été peu abondantes, les marécages peuvent être secs et les oiseaux, plus rares.

Pour observer les oiseaux, les meilleurs moments sont le matin, très tôt, et le soir. Vous apercevrez des tantales indiens, des grues antigones, des hérons, des aigrettes, des hiboux, des cormorans et des martins-pêcheurs. Les pythons sont fréquents en hiver, lorsqu'ils quittent leurs abris pour prendre le soleil.

La réserve était autrefois une étendue semi-aride, qui se gorgeait d'eau pendant la mousson. Pour alimenter régulièrement le parc en eau et prolonger l'existence saisonnière des marécages, le maharaja de Bharatpur fit dévier un canal d'irrigation, ce qui attira de nombreux oiseaux.

Le billet donne droit à une entrée par jour. Si vous souhaitez passer la journée dans le parc, demandez un panier-repas à votre hôtel et pensez à emporter de l'eau.

MARÉCAGES À SEC

En 2003, le barrage de Panchana, sur la Gambhir, est entré en fonction et les fameux marécages de Keoladeo n'ont plus bénéficié de leur approvisionnement habituel en eaux de mousson. En 2004, le parc a demandé une allocation supplémentaire en eau du barrage et s'est heurté à la vive opposition des propriétaires terriens. En 2006, l'Unesco a insisté sur la nécessité de créer pour le parc une source d'approvisionnement en eau alternative et permanente, étant donné les dégâts sérieux entraînés par la sécheresse et le pâturage non-contrôlé. En 2007, suite à une mousson peu abondante de plus, le parc n'était plus que l'ombre de lui-même : desséché, envahi par des milliers de têtes de bétail et vidé de ses nombreux oiseaux migrateurs. Si les politiciens semblaient entendre les manifestations d'inquiétude, ils n'agissaient pas.

Au milieu de 2008, une eau providentielle arriva du canal voisin de Chiksana, emplissant partiellement les marécages. En plus de cela, le barrage de Panchana s'étant complètement rempli les autorités furent contraintes de rejeter de l'eau. La réserve naturelle revint donc à la vie, les oiseaux migrateurs la réintégrèrent et la réputation du parc fut maintenue pour un an. Cependant, étant donné la difficulté à garantir de manière pérenne l'approvisionnement par la Chambal, il est maintenant prévu de conduire les eaux de mousson de la rivière Yamuna, dans l'Uttar Pradesh jusqu'à la réserve, au moyen de la canalisation de Goverdhan. La Yamuna débordant régulièrement lors de la mousson, l'approvisionnement serait assuré, même en cas de faibles pluies locales.

Une route étroite traverse le parc et d'innombrables chemins s'enfoncent dans la végétation. Elle est interdite aux véhicules à moteur au-delà du poste de contrôle 2, à l'exception des auto-rickshaws agréés, reconnaissables à leur plaque de licence jaune à l'avant. Vous n'aurez pas de droit d'entrée à payer pour le chauffeur, qui vous demandera 50 Rs/heure. Les services d'un guide coûtent 150 Rs/heure.

Un bon moyen de visiter les lieux consiste à louer un vélo (environ 25 Rs/j) à l'entrée du parc.

Orientation et renseignements

Le Keoladeo Ghana National Park se trouve à 3 km au sud du centre de Bharatpur. Pour une situation des différents équipements du parc, voir la carte p. 179

Le **centre d'accueil des touristes** (Tourist Reception Centre ; ☎ 05644-222542 ; 🕑 9h30-18h lun-ven), à 700 m de l'entrée du parc, propose une carte ancienne de Bharatpur (10 Rs).

Le Salim Ali Interpretation Centre & Programme et une librairie spécialisée en ornithologie sont installés dans le parc.

Le **Royal Forex** (Guest House ; New Civil Lines ; 40 Rs/h ; 🕑 6h-20h) change les espèces et les chèques de voyage, délivre des avances sur cartes de crédit et dispose de connexions Internet. Vous pouvez également changer des espèces au **Perch Forex** (☎ 05644-233477 ; B6 New Civil Lines ; 5h-23h).

Où se loger et se restaurer

Les établissements ci-dessous se trouvent à courte distance à pied de l'entrée du parc. Tous louent des jumelles et des vélos et pourront vous mettre en contact avec un guide. Les tarifs varient selon la saison. La plupart des pensions préparent de succulents *thali* (70-160 Rs).

Kiran Guest House (☎ 05644-223845 ; www.kiranguesthouse.com ; 364 Rajendra Nagar ; s sans sdb 80 Rs, d 150-300 Rs, d avec clim 750 Rs ; ❄). Cet établissement sympathique, aux chambres simples et à l'agréable terrasse sur le toit, est tenu par des frères serviables, dont l'un est naturaliste. Situé en retrait de l'autoroute et à quelques pas du parc. Transfert gratuit depuis les gares routière et ferroviaire.

Evergreen Guest House (☎ 05644-225917 ; s/d 150/250 Rs). Une adresse très basique et décontractée, avec 5 chambres séparées du logement familial. Les chambres (et les lits) sont spartiates mais ont toutes une sdb privée.

Jungle Lodge (☎ 05644-225622 ; Gori Shankar ; ch 200-400 Rs). Cette pension parfois assez désordonnée abrite des chambres basiques relativement propres. Les plus isolées et les plus claires se trouvent à l'étage.

Royal Guest House (☎ 05644-230283 ; www.royalguesthousebharatpur.com ; ch 250-750 Rs ; ❄ 💻). Ce petit établissement animé propose des chambres, des repas, un bureau de change et un accès Internet. La famille sympathique qui y vit est extrêmement serviable. Les chambres sont propres et d'un bon rapport qualité/prix. Accès Internet gratuit pour les hôtes.

Falcon Guest House (☎ 05644-223815 ; falconguesthouse@hotmail.com ; ch 300-1 200 Rs ;). Le bâtiment est bien entretenu, le patron souriant et les chambres spacieuses. Certaines possèdent un balcon et d'autres peuvent être réunies en suites familiales. Demandez un matelas mou. Possibilité de commander un bon *thali* végétarien au restaurant du jardin.

Spoonbill Hotel & Restaurant (☎ 05644-223571 ; www.hotelspoonbill.com ; ch 400-1 300 Rs ;). Le Spoonbill propose des chambres variées dont la meilleure, très spacieuse, est pourvue d'un balcon. La nourriture est excellente, avec du fromage frais au lait de vache maison et des mets rajasthanis.

Hotel Pratap Palace (☎ 05644-224245 ; www.hotelpratappalace.net.in ; Bird Sanctuary Rd ; s/d 450/550 Rs, deluxe 850/1 050 Rs, avec clim 1 300/1 450 Rs ;) Cet hôtel soi-disant classieux de style traditionnel propose des chambres défraîchies, mais spacieuses et confortables. Le confort varie, n'hésitez pas à en visiter plusieurs. Le restaurant est correct.

New Spoonbill Hotel & Restaurant (☎ 05644-223571 ; www.hotelspoonbill.com ; ch 550-1 500 Rs ;). Cet établissement associé avec l'hôtel Spoonbill propose des chambres presque modernes, chacune avec sa petite terrasse. Tarifs variables. Un restaurant donne sur le jardin.

Hotel Sunbird (☎ 05644-225701 ; www.hotelsunbird.com ; Bird Sanctuary Rd ; s/d 1 150/1 350 Rs, deluxe 1 650/1 950 Rs ;). Un établissement bien géré qui possède un coin arboré et un restaurant correct. Chambres propres et charmantes même si certaines sont un peu mornes. Petit-déjeuner inclus.

Birder's Inn (☎ 05644-227346 ; brdinn@yahoo.com ; Bird Sanctuary Rd ; s/d 1 450/1 900 Rs ;). Cet hôtel populaire à l'écart de la route compte un charmant restaurant en pierre et chaume et un joli jardin. Les chambres sont spacieuses, aérées, bien équipées et joliment décorées, avec une sdb correcte.

Bharatpur Forest Ashok (☎ 05644-222760 ; s/d 2 990/3 300 Rs ;). Cette pension tenue par l'Indian Tourism Development Corporation (ITDC) est à 1 km de l'entrée, à l'intérieur du parc. Les chambres calmes et confortables, entourées de verdure, ont un balcon avec une balancelle. On y trouve un restaurant, un bar, et une douce torpeur.

Laxmi Vilas Palace Hotel (☎ 05644-223523 ; www.laxmivilas.com ; Kakaji-ki-Kothi, Old Agra Rd ; s/d/ste 3 650/3 950/5 050 Rs ;). Autrefois propriété du benjamin du maharaja Jaswant Singh, Laxmi Vilas est un lieu divin. Les plafonds voûtés et les meubles massifs font le charme des chambres distribuées autour d'un jardin. La piscine est splendide.

Bagh (☎ 05644-225415 ; Agra-Achmera Rd ; www.thebagh.com ; ch 6 000-7 500 Rs ;). Le magnifique hôtel Bagh est situé dans l'ancien verger royal, à 2 km de la ville. Ses 14 chambres élégantes sont meublées d'antiquités avec une touche contemporaine et les 4 ha de jardin bicentenaire abritent de nombreux oiseaux.

Comment s'y rendre et circuler

Pour tout renseignement sur les transports, reportez-vous p. 178.

RAJASTHAN

DEEG

☎ **0564**

Deeg fut fondée par Suraj Mahl au milieu du XVIIIe siècle pour servir de villégiature estivale aux souverains du Bharatpur. Deuxième capitale de l'État, elle fut le théâtre d'une bataille mémorable au cours de laquelle les forces du maharaja résistèrent à une armée moghole et marathe de 80 000 hommes.

Le **Suraj Mahl's Palace** (Indiens/étrangers 5/100 Rs ; 9h30-17h30 tlj sauf ven) de Deeg est l'un des palais les plus prestigieux et les plus harmonieux du pays. Les bâtiments (*bhavan*), aux proportions délicates, prennent place dans un jardin au tracé géométrique. La construction principale, le **Ghopal Bhavan**, fut habitée par les maharajas jusqu'au début des années 1950. La plupart des pièces conservent leur mobilier d'origine, des larges sofas défraîchis aux énormes éventails à balancier. Combinaison des styles architecturaux moghol et rajput, ce palais du XVIIIe siècle flanqué de deux ravissants pavillons fait face à un large bassin, le **Gopal Sagar**. Les jardins se révèlent tout aussi extravagants : conçu pour retentir comme le tonnerre lors des pluies, le **Keshav Bhavan** (pavillon d'Été) comprend des centaines de fontaines d'où jaillissent des eaux colorées lors des fêtes locales.

Les **remparts** massifs (jusqu'à 28 m de hauteur) de Deeg et leurs douze bastions, dont certains sont toujours hérissés de canons, méritent une visite. Du palais, vous pourrez rejoindre à pied le sommet des murailles.

Des bus fréquents circulent depuis/vers Alwar (35 Rs, 2 heures 30) et Bharatpur (25 Rs, 1 heure, toutes les 30 min). Un bus direct se rend à Agra (60 Rs).

ALWAR

☎ 0144 / 260 245 habitants

La ville compte un fort sur la colline, un palais étendu abritant un musée bizarre, des avenues bordées d'arbres et des bazars colorés. Alwar, qui s'imposa jadis comme un important État rajput, possède un beau palais et des bazars pittoresques. Elle émergea au XVIIIe siècle sous Pratap Singh, qui repoussa les seigneurs de Jaipur et les Jat de Bharatpur, et résista aux Marathes. Alwar fut l'un des premiers États rajput à s'allier avec l'Empire britannique. Toutefois, l'ingérence de ce dernier dans les affaires de l'État finit par conduire à des relations parfois houleuses.

Alwar est la ville la plus proche de la Sariska Tiger Reserve (voir p. 183).

À voir

BALA QUILA

Cette imposante **citadelle** entourée de 5 km de remparts se dresse sur un versant abrupt, à 300 m au-dessus de la cité. Antérieure au règne de Pratap Singh, elle est l'une des rares forteresses à avoir été construites au Rajasthan avant la domination des Moghols. Malheureusement en ruine, elle abrite aujourd'hui une station de radio et ne peut se visiter que sur autorisation du superintendant de la police (SP) – celle-ci s'obtient facilement à son bureau, situé dans le City Palace.

CITY PALACE

Labyrinthique, le complexe du City Palace, caractérisé par des entrées massives et un bassin bordé de ghats et de pavillons symétriques, s'étend au-dessous de la forteresse. À l'étage de l'ancien City Palace se trouve l'intéressant **musée Alwar** (Indiens/étrangers 5/10 Rs ; ⌚ 10h-17h sam-jeu) qui présente des armes étonnantes, des pantoufles en ivoire, des miniatures fascinantes et des instruments de musique. Les collections évoquent l'extravagance du mode de vie des maharajas.

Non loin du musée (prendre les escaliers complètement sur la gauche du palais), le superbe **cénotaphe du maharaja Bakhtawar Singh** donne sur les ghats paisibles du palais.

Où se loger et se restaurer

Plusieurs hôtels, dont les propriétaires sont frères, entourent une cour à 500 m à l'est de la gare routière, en retrait de Manu Marg. Les femmes seules pourraient ne pas se sentir très à l'aise dans ces lieux. Nous ne présentons que l'un d'entre eux, l'Ashoka.

Ashoka (☎ 2346780 ; près du Manu Marg ; ch 400-950 Rs ; ❄). Cet établissement propose des chambres correctes dans la cour précédemment mentionnée. Les moins chères sont aussi les moins agréables. Les plus chères sont dotées de fresques géométriques et de sdb carrelées propres.

Alwar Hotel (☎ 2700012 ; 26 Manu Marg ; s/d à partir de 1 225/1 650 Rs ; ❄). Un hôtel situé à l'écart de la route. Ses meilleures chambres sont aussi les plus claires. Le personnel professionnel de cet hôtel de catégorie moyenne peut vous conseiller en matière de location de véhicules et de visites touristiques. Le petit-déjeuner (inclus) est servi dans le coquet jardin du restaurant qui prépare également des plats de diverses cuisines.

Neemrana Fort Palace (☎ 246007 ; www.neemranahotels.com ; s/d/ste à partir de 2 000/3 000/6 000 Rs ; ❄ 💻 🏊). Si vous avez un véhicule personnel, profitez-en pour loger dans ce magnifique palais perché sur un plateau fortifié, à 75 km au nord d'Alwar. Ce fort impressionnant de 10 étages est situé sur un terrain de 10 ha au cœur des collines d'Aravalli.

Prem Pavitra Bhojnalaya (Old Bus Stand ; plats 30-50 Rs ; ⌚ 10h-22h). Le meilleur restaurant d'Alwar se trouve au cœur de la vieille ville. Il sert depuis 1957 une savoureuse cuisine végétarienne bon marché à base de produits frais. Supplément de 10 Rs/personne pour la section climatisée, mais ça en vaut la peine. Goûtez la spécialité de *kheer* (riz au lait crémeux).

Depuis/vers Alwar

D'Alwar, des bus desservent Sariska (20 Rs, 1 heure à 1 heure 30, toutes les 30 min 5h15-20h30) et continuent jusqu'à Jaipur (80 Rs, 4 à 5 heures). Des services fréquents et brinquebalants sont assurés pour Bharatpur (50 Rs, 4 heures) et Deeg (35 Rs, 2 heures 30). Les bus à destination de Delhi (90 Rs, toutes les 30 min) passent soit par Tijara (en 4 heures), soit par Ramgarh (5 heures).

Côté train, le *Shatabdi* (n°2015/6) passe par Alwar. Il part pour Ajmer (chair 440 Rs 4 heures) à 8h35 et s'arrête à Jaipur (315 Rs 2 heures) à 10h40. Pour Delhi, le départ a lieu à 7h28 (chair/1re classe 350/670 Rs 2 heures 30).

Le *Mandore Express* part à 23h43 et arrive à Jodhpur (sleeper/3 AC 226/578 Rs, 465 km) à 8h. Le *Jaisalmer Express*, qui démarre à 20h50, rejoint directement Jaisalmer (sleeper/3 AC 251/705 Rs, 16 heures, 759 km).

L'aller-retour en taxi jusqu'à la Sariska Tiger Reserve (avec un arrêt à Siliserh) revient à 750 Rs.

RÉSERVE DE TIGRES DE SARISKA

☎ 0144

Située au cœur d'une vallée boisée entre Alwat et Jaipur, la **réserve de tigres de Sariska** (Indiens/étrangers 25/200 Rs, Jeep ou voiture 125 Rs, caméra 200 Rs ; 7h-16h oct-mar, 6h-16h30 avr-sept) est au centre d'une controverse depuis 2005, lorsqu'il a été annoncé qu'aucun tigre ne vivait plus dans le parc. Fin 2008, des félins en provenance du parc national de Ranthambore parcouraient de nouveau la réserve. Espérons que leur réintroduction, combinée au déplacement des villages situés à l'intérieur du parc, auront pour conséquence le renouvellement de la population des tigres.

Avec ou sans tigre, la réserve, mérite malgré tout une visite. Ses 800 km² (dont une zone centrale de 498 km²) abritent des nilgai (antilopes), des sambars (cerfs), des chitals (daims), des sangliers et de nombreuses espèces d'oiseaux. Des sites superbes se trouvent à l'intérieur ou à proximité, comme le spectaculaire **Kankwari Fort** juché sur une colline à 22 km du Forest Reception Office et **Bhangarh**, une cité fantôme du XVIIe siècle bien préservée, dont la légende veut qu'elle soit hantée. Vous pouvez demander à intégrer l'un ou l'autre dans un long circuit. Sinon, Bhangarh est desservie par un bus qui traverse la réserve jusqu'au village de Golaka (35 Rs).

À l'inverse de la plupart des parcs nationaux, celui-ci ouvre toute l'année, mais la meilleure période pour découvrir la faune s'étend de novembre à mars. Les animaux se montrent surtout le soir.

Il est possible d'explorer le parc avec un véhicule privé, mais seulement sur les routes goudronnées. L'idéal est de louer une Jeep (900/1 400/2 700 Rs 3 heures/4 heures/journée ; 5 personnes maximum), en profitant éventuellement des services d'un guide (150/300/500 Rs 3 heures/4 heures/journée), auprès du **Forest Reception Office** (☎ 2841333). Vous devrez payer un droit d'entrée pour le véhicule (1 215 Rs). Les Indiens qui se rendent au temple de Hanuman le mardi et le samedi (8h-15h) peuvent accéder gratuitement au parc – mieux vaut éviter ces jours de grande affluence.

Où se loger et se restaurer

RTDC Hotel Tiger Den (☎ 2841342 ; s/d à partir de 850/1 075 Rs ;). L'hôtel du RTDC occupe un long bâtiment bordé d'une véranda, avec une pelouse bien entretenue à l'avant et un jardin luxuriant à l'arrière. Chambres confortables équipées de TV. Bar et restaurant. Prévoir une moustiquaire ou de l'antimoustiques.

RAJASTHAN

LE RETOUR DU TIGRE À SARISKA

La réserve de tigres de Sariska a été au centre d'un des drames écologiques les plus médiatisés d'Inde. Le dernier tigre de Sariska a probablement été découpé et vendu à l'industrie pharmaceutique chinoise en 2004, mais ce n'est qu'en 2005 que fut annoncée officiellement l'extinction des félins dans l'une des réserves les plus importantes du pays. Trois ans plus tard, le transfert de tigres en hélicoptère, depuis le parc national de Ranthambore jusqu'à Sariska, a été copieusement commenté.

Une enquête avait souligné la nécessité d'un changement radical au niveau de la gestion de la réserve avant la réintroduction d'animaux. Des fonds supplémentaires ont été proposés pour financer le déplacement des villages situés à l'intérieur de la réserve et l'augmentation du nombre de gardes. Si le braconnage est certainement la cause de l'extinction des derniers tigres de Sariska, un rapport du World Wide Found For Nature (WWF; Fonds mondial pour la nature) a soulevé la question de la déforestation et du pâturage dans le parc, et celle du manque de motivation de ses employés. La mise en place d'actions pour changer cette situation est lente et insuffisante.

Néanmoins, en novembre 2008, 2 tigres (un mâle et une femelle) ont été transférés de Ranthambore à Sariska. Une femelle devait les rejoindre peu après, suivie de 2 autres tigres un peu plus tard. L'avenir dira si cette réintroduction est concluante mais, aujourd'hui, Sariska reste une triste illustration de l'état de la préservation des tigres en Inde, qui remet en cause l'attitude des fonctionnaires les plus haut placés comme celle des gardes-forestiers sous-payés.

Alwar Bagh (☎ 2885231 ; www.alwarbagh.com ; ch ou tente 2 800 Rs, ste 3 500 Rs ; ✇ ✇). Une adresse reposante dans le village de Dhawala, entre Alwar (14 km) et Sariska (19 km). L'hôtel, qui peut venir vous chercher ou vous emmener à Alwar, organise des visites de Sariska. Chambres claires et spacieuses à la décoration traditionnelle. L'hôtel possède un verger bio et un restaurant dans le jardin (petit déj/déj/dîner 150/340/340 Rs).

Sariska Tiger Heaven (☎ 224815 ; ch pension complète 4 500 Rs ; ✇ ✇). Cet établissement isolé, à environ 3 km à l'ouest de l'arrêt de bus du village de Thanagazi, propose des transferts gratuits. Les chambres, situées dans des cottages en pierre, ont de grands lits et des alcôves vitrées. Une bonne adresse, malgré son prix un peu élevé. Jeep et guides disponibles pour visiter le parc.

Depuis/vers Sariska

Alwar, à 35 km de Sariska, est un bon point d'accès à la réserve. Il existe des bus réguliers au départ d'Alwar (18 Rs, 1 heure à 1 heure 30, toutes les heures au moins), qui continuent ensuite jusqu'à Jaipur (67 Rs). Ils s'arrêtent devant le Forest Reception Office.

SHEKHAWATI

Région semi-désertique, le Shekhawati est sillonné de routes menant à des villages peu visités et à des *haveli* (maisons traditionnelles richement décorées) bien cachés.

Jadis riche et dangereux, le Shekhawati se trouvait sur la route des caravanes allant des ports de la mer d'Oman à la vallée du Gange. Les *thakur* (nobles) locaux, réputés pour leur propension à se quereller, commencèrent à prospérer au milieu du XVIIIe siècle, lorsque la Compagnie britannique des Indes orientales imposa son ordre. Un siècle plus tard, les Britanniques utilisèrent la compétence des marchands locaux, les Marwari (originaires de Marwar, l'actuelle Jodhpur), pour améliorer les échanges. Quand les Marwari s'installèrent dans les nouvelles villes côtières, ils firent bâtir des *haveli* pour leur famille restée au pays.

Jusqu'en 1947, ces demeures symbolisaient la prospérité de leurs habitants. Aujourd'hui, leurs secrets bien gardés participent de la mémoire du Rajasthan.

DEPUIS/VERS LE SHEKHAWATI

C'est par Jaipur ou Bikaner que l'on accède le plus facilement au Shekhawati. De nombreux

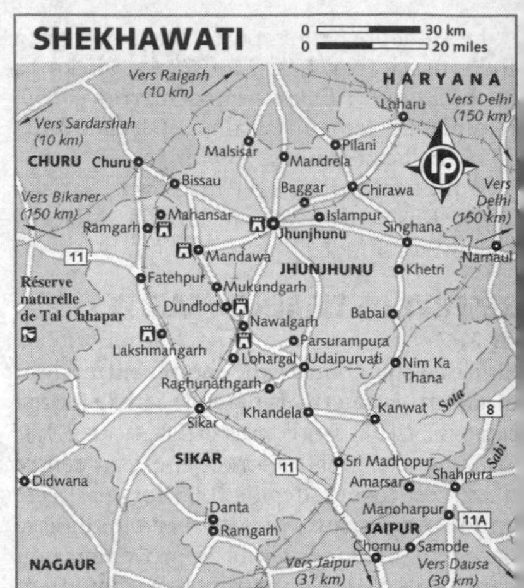

bus desservent Sikar (la porte d'entrée de la région, dépourvue de *haveli* remarquables) et Fatehpur, toutes deux sur le grand axe Jaipur-Bikaner. Les bus de la RSRTC relient régulièrement Mandawa et Bikaner (100 Rs, 3 heures 30). Des bus privés (90 Rs) sont également disponibles.

Churu figure sur la principale ligne ferroviaire Delhi-Bikaner. Des trains plus lents relient Sikar, Nawalgarh et Jhunjhunu à Jaipur et Delhi.

COMMENT CIRCULER

Les villes du Shekhawati sont bien desservies par des bus publics et privés. Souvent bondés, les bus locaux à destination des petites localités tolèrent que des passagers s'installent sur le toit. Une bonne option consiste à louer un taxi (ou même un auto-rickshaw) pour visiter la région (compter au minimum 1 000 Rs/j).

Ramgarh

La ville de Ramgarh fut fondée en 179 par les puissants Poddar, une famille de commerçants qui avaient quitté leur village de Churu suite à un désaccord avec le *thakur*. À son apogée, au milieu du XIXe siècle, la ville était l'une des plus riches de la région.

Le **Ram Gopal Poddar Chhatri**, près de la gare routière, possède une coupole dont l'intérieur est peint de couleurs éclatantes. Les **Poddar Haveli**, près de Churu Gate, s'ornent de fresques aux thèmes divers.

LES HAVELI, GALERIES À CIEL OUVERT

Dans la plupart des *haveli*, l'entrée se fait par une arche ouvrant sur une cour, qui renferme souvent une salle munie de *punkah* (éventails actionnés par des cordes) où les hommes s'occupaient traditionnellement de leurs affaires, ainsi qu'une écurie et un abri pour les attelages. Une autre arche mène, par un passage coudé, à une ou plusieurs cours intérieures, domaine réservé de la famille et géré par les femmes. Tout autour des étages supérieurs, des galeries donnent accès à des pièces. Les *haveli* comportent habituellement un toit-terrasse. Ce modèle architectural courant, également répandu en dehors du Shekhawati, préserve l'intimité des femmes dans des familles patriarcales. Avec ses murs épais, il procure l'ombre et maintient la fraîcheur à l'intérieur.

Les *haveli* du Shekhawati se distinguent par leurs peintures. Les artistes, à la fois bâtisseurs et peintres, appartenaient à la caste des *kumhar* (potiers) et utilisaient la technique de la fresque (application de pigments naturels sur la dernière couche de plâtre humide) pour obtenir des effets remarquables. À partir des années 1900, ils commencèrent à peindre sur du plâtre sec, réalisant ainsi des motifs plus raffinés mais perdant en spontanéité. Les murs extérieurs (particulièrement autour de l'entrée), les cours intérieures et extérieures, et parfois même les pièces, sont peints du sol aux avant-toits. Les peintures mêlent habituellement représentation de divinités et scènes de l'existence quotidienne émaillées d'inventions modernes, comme le téléphone, le train ou l'avion. Les deux mondes fusionnant fréquemment, Krishna et Radha peuvent ainsi voyager en voitures volantes !

Certains *haveli* sont ouverts au public ; la plupart sont habités par des familles ou des gardiens. Tentez votre chance et demandez si vous pouvez entrer. On vous laissera souvent visiter, parfois en échange d'un modeste pourboire. Il est généralement permis de prendre des photos.

Le développement touristique a ouvert la voie au commerce des antiquités. Dans certaines villes, des magasins vendent des éléments arrachés aux *haveli*, notamment des portes et des tours de fenêtres. Ne participez pas à ce pillage du patrimoine régional.

RAJASTHAN

Fatehpur

☎ 01571 / 78 462 habitants

Fondée en 1451 par des nababs musulmans qui en firent leur capitale, Fatehpur passa aux mains des Rajput au XVIIIe siècle. Cette bourgade animée comprend d'innombrables *haveli*, en piteux état à quelques exceptions près.

Le **Haveli Nadine Prince** (☎ 01571-231479 ; www.cultural-centre.com ; adulte/enfant 100/50 Rs ; 9h-18h), bâti en 1802, a été merveilleusement restauré par l'artiste française Nadine Le Prince, qui l'a transformé en galerie d'art et centre culturel et a fait connaître la situation critique du Shekhawati. On y trouve un café en plus de la galerie d'art contemporain. Le tarif d'entrée comprend une visite guidée. Un programme (Résidence d'Artistes) propose des séjours à des artistes désireux de mener à bien un projet de création.

Parmi les autres sites intéressants de Fatehpur, citons le **Jaganath Sanghania Haveli** (adulte/enfant 100/50 Rs ; 9h-18h), proche du précédent ; le **Mahavir Prasad Goenka Haveli**, orné de peintures magnifiques mais souvent fermé ; le **Geori Shankar Haveli**, où le plafond de l'antichambre est couvert d'une mosaïque de miroirs ; le **Nand Lal Devra Haveli**, aux peintures rouge et bleu ; le **Harikrishnan Das Sarogi Haveli**, avec une façade pittoresque et une dentelle de fer forgé ; et le **Vishnunath Keria Haveli**, où Radha et Krishna sont représentés dans des gondoles volantes.

Fatehpur est un bonne base pour visiter les villes voisines de Ramgarh et de Mahansar, mais l'hébergement n'y est pas exceptionnel. Les chambres du **RTDC Hotel Haveli** (☎ 230293 ; s/d 500/600 Rs, avec clim 750/850 Rs ;), situé à environ 500 m au sud de l'arrêt de bus, sont quelconques et la salle à manger, plutôt morne. À 200 m au nord du Haveli Nadine Prince, le basique mais très sympathique **Rendezvous** propose un hébergement à long terme et de bons *thali* végétariens (100 Rs).

Mandawa

☎ 01592 / 20 830 habitants

Cette discrète petite cité marchande fut fondée au XVIIIe siècle puis fortifiée par des familles de négociants. Devenue la ville la plus touristique du Shekhawati, elle constitue une bonne base pour parcourir la région – en dépit de l'étonnante ténacité de ses très jeunes racoleurs.

Le **Binsidhar Newatia Haveli** abrite la State Bank of Bikaner & Jaipur. Il possède de curieuses peintures sur sa façade est, qui figurent un garçon avec un téléphone, une occidentale dans une voiture et les frères Wright, pionniers de l'aviation. Le **Gulab Rai Ladia Haveli**, au sud-ouest du fort, comporte quelques fresques érotiques dégradées. La partie non occupée du **Castle Mandawa** (château de Mandawa) renferme des fresques dignes d'intérêt.

OÙ SE LOGER ET SE RESTAURER

Hotel Shekhawati (☎ 223036 ; hotelshekwati@sify.com ; près de Mukungarh Rd ; ch 350-1 500 Rs ;). Géré par un banquier à la retraite et son fils Pramod Pareek (guide touristique assermenté), il s'agit de la meilleure adresse bon marché de Mandawa. Des fresques colorées d'une obscénité comique égaient les chambres agréables et propres. De bons plats sont servis sur le toit.

Hotel Mandawa Haveli (☎ 223088 ; s/d 1 250/1 950 Rs, ste 3 250 Rs ;). Occupant un splendide *haveli* restauré du XIXe siècle près de Sonathia Gate, ses chambres très privées entourent une cour peinte. Les suites romantiques aux nombreuses voûtes et petites fenêtres sont superbes et certaines chambres standard ont également un balcon romantique. Les dîners se prennent sur le toit, les déjeuners dans un autre restaurant et vous pourrez petit-déjeuner dans le jardin.

Hotel Heritage Mandawa (☎ 223742 ; www.hotelheritagemandawa.com ; ch 1 500 Rs, ch deluxe 2 200 Rs, ste 4 000 Rs ;). Ce magnifique *haveli* est proche de la gare routière principale en passant par Sonathia Gate. Certaines chambres sont mornes, d'autres décorées gaiement et quelques-unes comportent une mezzanine avec des lits supplémentaires. Le jardin est reposant et le restaurant correct.

Hotel Castle Mandawa (☎ 223124 ; www.castle-mandawa.com ; s/d à partir de 3 300/3 800 Rs ;). Le plus grand hôtel de Mandawa, avec 85 chambres. On se perd facilement dans cet ancien château où même les chambres standard sont immenses et somptueuses. En plus des restaurants, des bars et des cafés, on y trouve une superbe piscine et un spa ayurvédique.

Bungli Restaurant (☎ 200084 ; Goenka Chowk ; plats 80-175 Rs ; 7h-23h). Apprécié des voyageurs, ce restaurant en plein air proche de la gare routière sert des tandooris brûlants et des bières fraîches. Les plats sont cuisinés à la demande et le service peut sembler un peu long.

Nawalgarh

☎ 01594

Ville centrale du Shekhawati, Nawalgarh constitue également un bon point de départ pour explorer la région. Malgré les constructions modernes, la ville a conservé son charme d'antan, notamment autour de la citadelle vieille de 250 ans. Elle compte des *haveli* dignes d'intérêt, dont l'**Aath Haveli**, le **Hem Raj Kulwal Haveli**, le **Bhagton-ki-Haveli** et le **Khedwal Bhavan** et le **Morarka Haveli Museum** (entrée 50 Rs).

Le **Dr Ramnath A Podar Haveli Museum** (Haveli-musée du Dr Ramnath A. Podar ; Indiens/étrangers 75/100 Rs ; caméra 30 Rs ; 8h-18h), construit dans les années 1920 dans la partie est de la ville, a été brillamment restauré et renferme des peintures murales saisissantes. Plusieurs galeries présentent la culture du Rajasthan, des turbans et tablas aux maquettes de forts en polystyrène.

OÙ SE LOGER ET SE RESTAURER

Les hôtels proposent repas, locations de vélo, treks, visites et cours d'hindi ou de musique.

Ramesh Jangid's Tourist Pension (☎ 224060 ; www.touristpension.com ; s/d à partir de 350/380 Rs, avec clim 900/950 Rs ;). Tenue par le génial Rajesh (fils de Ramesh, le propriétaire de l'écoresort Apani Dhani), cette pension offre, dans un cadre familial, des chambres spacieuses avec de grands lits. Les repas, à base d'ingrédients bio, sont délicieux.

Shekhawati Guest House (☎ 2224658 ; www.shekhawatiguesthouse.com ; s/d 400/500 Rs, avec clim 799/899 Rs, bungalows s/d 700/800 Rs ;). Cette adresse formidable, gérée par un couple sympathique, compte 6 chambres avec sdb et eau chaude et 5 huttes en pisé dans le jardin bio. Ce dernier subvient aux besoins principaux de l'hôtel où sont proposés des cours de cuisine gratuits. À 4 km à l'est de la gare routière (suivre les panneaux Roop Vilas Palace Hotel).

Apani Dhani (☎ 01594-222239 ; www.apanidhani.com ; s/d 850/995 Rs). Géré par Ramesh Jangid, pionnier de l'écotourisme, ce complexe hôtelier renommé est un bon endroit pour se détendre. Les huttes traditionnelles en pisé entourant une cour avec bougainvillier ont des lits confortables. Les ingrédients d restaurant viennent de la ferme bio adjacente et les énergies renouvelables sont utilisées autant que possible. Proche de la tour de télévision, du côté ouest de la route pour Jaipur. Ramesh, qui est polyglotte, préside "Les Amis du Shekhawati", une association pour la conservation des *haveli*.

À environ 4 km à l'est de la ville, **Roop Niwas Kothi** (☎ 01594-222008 ; www.roopniwaskothi.com ; s/d 2400/2700 Rs ;) et **Roop Vilas Palace Hotel** (☎ 9828199991 ; www.roopvilas.com s/d à partir de 3 000/3 500 Rs ;) sont deux hôtels mitoyens à l'atmosphère vieillotte et aux chambres désuètes, sur un terrain immense. Celles de Roop Vilas sont plus claires et mieux rénovées que celles de Roop Niwas. Tous deux proposent des promenades équestres.

Parsurampura

Ce petit village, à 20 km au sud-est de Nawalgarh, conserve quelques-unes des peintures les plus anciennes et les mieux préservées du Shekhawati. Celles qui ornent l'intérieur du dôme du **chhatri** (cénotaphe) **du thakur** (noble) **Sardul Singh** datent du milieu du XVIIIe siècle. Le **Shamji Sharaf Haveli** arbore des représentations de divinités hindoues et d'Occidentaux, et le petit **Gopinathji Mandir**, un temple construit en 1742 par Sardul Singh, abrite des peintures raffinées.

Jhunjhunu

☎ 01592 / 100 485 habitants

Jhunjhunu, chef-lieu du Shekhawati, est une ville plus animée que les autres localités de la région. Fondée par les nababs Kaimkhani au milieu du XVe siècle, elle fut prise par le souverain rajput Sardul Singh en 1730.

C'est ici que les Britanniques installèrent leur brigade du Shekhawati, formée dans les années 1830 pour mettre un terme aux activités des dacoïts (bandits), des petits chefs locaux qui s'enrichissaient surtout par le vol.

Le **centre d'accueil des touristes** (Tourist Reception Centre ; ☎ 232909 ; Mandawa Circle ; 9h-18h lun-ven), situé à l'écart du centre-ville, se trouve sur la déviation de Churu. Il délivre une carte sommaire de la ville et de la région.

À VOIR ET À FAIRE

Le **Khetri Mahal** (entrée 20 Rs), un petit palais délabré des années 1770, est l'un des édifices les plus raffinés du Shekhawati. Il offre une vue splendide. Le **Bihariji Temple**, de la même époque, renferme de belles fresques, hélas détériorées.

Joyau de la ville, l'immense et ostentatoire **Rani Sati Temple** est dédié à la déesse des marchands, une veuve qui pratiqua le sati (suicide rituel) sur le bûcher funéraire de son mari en 1595.

Le **Modi Haveli** et le **Kaniram Narsinghdas Tibrewala Haveli**, ornés de fresques, se trouvent dans le grand bazar.

COURS

À l'hôtel Jamuna Resort (ci-dessous), Laxmi Kant Jangid donne des cours de "fresques" et de cuisine indienne. Ces derniers incluent des visites de terrain et coûtent environ 1 000 € pour deux semaines. Voir www.jamunaresorthotel.com pour plus de détails.

OÙ SE LOGER ET SE RESTAURER

Hotel Shiv Shekhawati (☎ 01592-232651 ; www.shivshekhawati.com ; d 600-1 000 Rs ;). À 1 km à l'est du bazar (et à 600 m environ de la gare des bus privés), cet hôtel moderne propose des chambres simples et immaculées autour d'un patio. Propriétaires serviables et bon rapport qualité/prix.

Hotel Shekhawati Heritage (☎ 237134 ; www.hotelshekhawatiheritage.com ; près de Station Rd ; s/d 800/1 000 Rs ;). Au sud-ouest de la gare routière de la RSRTC, Shekhawati Heritage est caché dans une petite rue. Ses chambres claires donnant sur la verdure sont bien entretenues mais un peu chères.

Hotel Fresco Palace (☎ 325233 ; fresco_palace@yahoo.com ; près de Station Rd ; ch 1 100/1 500 Rs ;). Voisin de l'hôtel Shekhawati Heritage, ce petit établissement aux vitrines remplies de bibelots propose des chambres propres et colorées mais, encore une fois, un peu trop chères.

Hotel Jamuna Resort (☎ 232871 ; www.jamunaresorthotel.com ; s/d à partir de 700/800 Rs, ste à partir de 2 200 Rs ;). Cet hôtel perché sur une colline dominant l'est de la ville est tenu par Laxmi Kant Jangid, également gérante de l'hôtel Shiv Shekhawati. Les chambres aux murs en pisé traditionnel sont décorées de peintures et de miroirs. Possibilité de loger gratuitement si vous étudiez la peinture et participez à l'entretien et à la décoration. Des cours de cuisine réputés sont également proposés (voir ci-dessus).

Mahansar

☎ 01595 / 4 426 habitants

Peu visité, ce village tranquille, est réputé pour son alcool artisanal, qui ressemble à l'ouzo. Vous y découvrirez le **Raghunath Temple**, aux allures de *haveli*, qui date du milieu du XIXe siècle, les peintures dorées du **Sona-ki-Dukan Haveli** (100 Rs) et **Sahaj Ram Poddar Chhatri**.

Le **Narayan Niwas Castle** (☎ 264322 ; www.mehansarcastle.com ; s/d 1 200/1 600 Rs), un château de 1768 installé dans l'ancien fort, est épargné par le mercantilisme qui plane sur d'autres palais-hôtels. Les chambres, un peu poussiéreuses mais aux murs peints pour certaines, ont un charme fou. Services de guides locaux disponibles et excellente cuisine.

AJMER

☎ **0145 / 485 197 habitants**

Entouré de collines irrégulières, la ville bruyante et animée d'Ajmer encercle les eaux paisibles de l'Ana Sagar. Les touristes, attirés par la ville voisine de Pushkar, font souvent l'impasse sur le superbe sanctuaire de Khwaja Muin-ud-din Chishti, lieu de pèlerinage musulman.

Place d'une grande importance stratégique, Ajmer fut pillée par Muhammad de Ghur durant l'une de ses incursions depuis l'Afghanistan. Par la suite, elle devint la résidence favorite des Moghols. L'un des premiers contacts entre les Moghols et les Britanniques y fut noué en 1616. Ajmer fut ensuite prise par les Scindia avant d'être rendue aux Britanniques en 1818, devenant l'une des rares cités du Rajasthan placées sous leur contrôle direct. En 1875, les Britanniques bâtirent le Mayo College. Cette prestigieuse école pour la noblesse indienne est aujourd'hui ouverte à tout garçon dont les parents peuvent assumer les frais de scolarité.

Orientation et renseignements

La principale gare routière se trouve au nord-est de la ville. La gare ferroviaire et la plupart des hôtels se situent à l'est du dargah.

Bank of Baroda (Prithviraj Marg ; 10h-15h lun-ven, 10h-12h30 sam). Change les chèques de voyage et délivre des avances sur les cartes de crédit.

DAB de la Bank of Baroda (Station Rd). Près de l'entrée du restaurant Honeydew.

DAB de HDFC (Sadar Patel Marg)

Satguru's Internet (60-61 Kutchery Rd ; 20 Rs/h ; 9h-22h)

State Bank of India (☎ 2627048 ; 10h-14h et 14h30-16h lun-ven, 10h-13h sam). Change les devises étrangères et les chèques de voyage.

Office du tourisme complexe RTDC Hotel Khadim (☎ 2627426 ; 8h-12h et 15h-18h lun-ven) ; gare ferroviaire (8h-12h et 15h-18h tlj)

À voir et à faire

ANA SAGAR

Ce grand **lac**, créé au XIIe siècle suite à la construction d'un barrage sur la Luni, reflète les collines gris-bleu environnantes. Deux beaux parcs s'étendent sur ses rives, le **Dault Bagh** et le **Subash Bagh**, tous deux agrémentés de plusieurs pavillons de marbre, érigés en 1637 par Shah Jahan.

DARGAH

Dans la vieille ville, le **dargah** (5h-21h juil-mars, 4h-21h avr-juin) compte parmi les principaux lieux de pèlerinage musulmans du pays. Il s'agit du tombeau d'un saint soufi, Khwaja Muin-ud-Din Chishti, qui arriva de Perse en 1192 et vécut à Ajmer jusqu'en 1233. La construction du sanctuaire fut achevée par Humayun et la porte fut ajoutée par le *nizam* (souverain) d'Hyderabad. L'empereur moghol Akbar y venait en pèlerinage une fois par an.

Vous devrez vous couvrir la tête à certains endroits ; emportez une écharpe ou un chapeau, ou achetez-en au bazar voisin.

La première porte, la Nizam Gate, fut bâtie en 1915 en haut d'un escalier, afin de la protéger de la pluie. La mosquée blanche et verte sur la droite, l'Akbari Masjid, fut édifiée par Akbar en 1571.

La deuxième cour abrite une mosquée construite par Shah Jahan. Derrière, dans la cour intérieure, les grands chaudrons en fer (l'un fut donné par Akbar en 1567, l'autre par Jahangir en 1631), appelés *deg*, recueillent les dons pour les indigents.

Le tombeau du saint, surmonté d'une coupole en marbre, se dresse dans la cour intérieure. Dans le mausolée, la tombe est entourée d'une plate-forme en argent. Les cordons sacrés et les petits mots accrochés aux barreaux sont des requêtes ou des remerciements de pèlerins.

À l'entrée, les *khadim* (serviteurs de Dieu), munis de registres de dons, solliciteront votre contribution. On vous demandera probablement un autre don à l'intérieur, où l'on vous bénira peut-être avec le bord de la couverture de la tombe. Venez de préférence le soir, pour entendre des *qawwali* (chants religieux) dans un décor illuminé.

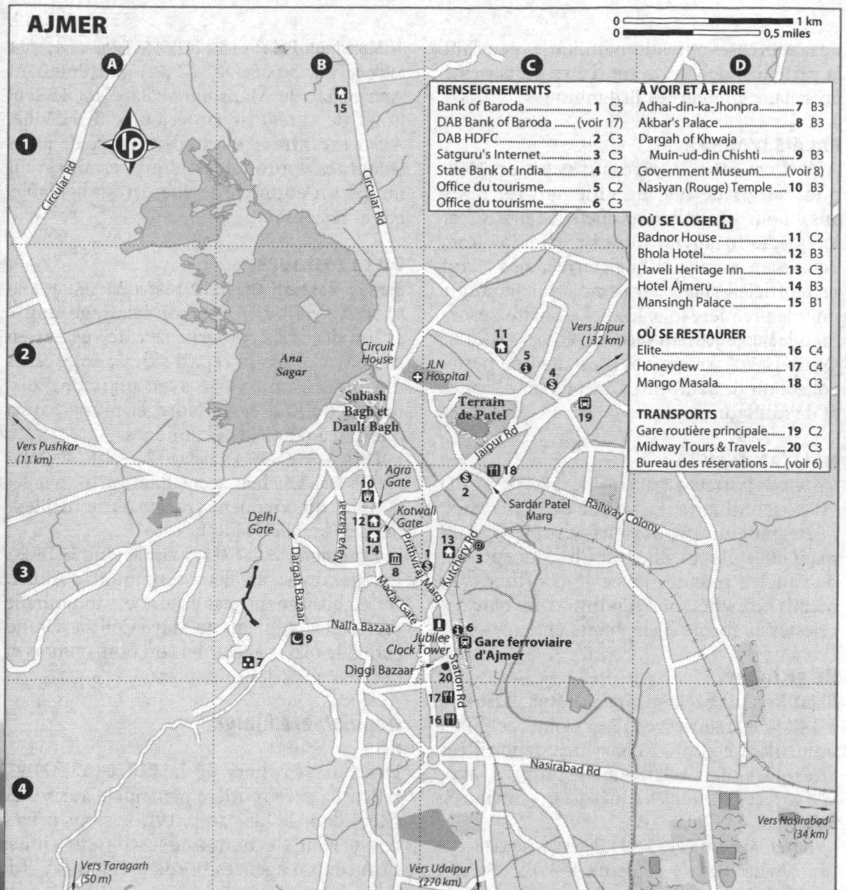

Pèlerins et soufis du monde entier convergent au *dargah* pour l'*urs*, date anniversaire de la mort du saint, au 7e mois du calendrier lunaire. Alors qu'il s'était retiré dans son cloître pour une longue méditation, le saint fut retrouvé sans vie 6 jours plus tard, lorsque la porte fut enfin ouverte. Aujourd'hui encore, l'urs se prolonge pendant 6 jours. Il constitue la période idéale pour visiter le sanctuaire, à condition de ne pas redouter la foule. De nombreux pèlerins viennent également à l'occasion du ramadan.

ADHAI-DIN-KA-JHONPRA ET TARAGARH

Les ruines extraordinaires de la mosquée **Adhai-din-ka-Jhonpra** (des Deux-Jours-et-demi) se dressent derrière le dargah, à la périphérie de la ville. Selon la légende, sa construction se serait faite en 1153, en deux jours et demi. Une autre interprétation veut que son nom fasse référence à la durée d'une fête. Collège sanskrit lors de son édification, elle fut convertie en mosquée par Muhammad de Ghur qui, après la prise d'Ajmer en 1198, ajouta un mur à sept arcades devant la salle des piliers.

Édifice grandiose, la mosquée s'orne de piliers, d'arcades et de dômes, pour beaucoup construits avec des matériaux provenant de temples hindous et jaïns.

À trois kilomètres de la ville, une montée de 1 heure 30 à pied depuis la mosquée (trajet possible en voiture) mène à l'ancien **Taragarh** (fort de l'Étoile ; entrée libre ; aube-crépuscule), qui offre une vue superbe sur la cité. Construit par le fondateur d'Ajmer, le Taragarh fut le théâtre de nombreuses opérations militaires pendant la période moghole, avant d'être transformé en sanatorium par les Britanniques.

PALAIS D'AKBAR

Akbar conçut cet imposant **palais** en 1570 pour servir de lieu de villégiature, mais aussi pour surveiller les chefs locaux. C'est ici que, le 10 janvier 1616, sir Thomas Roe, ambassadeur du roi d'Angleterre James Ier, fut reçu officiellement par l'empereur Jehangir pour la première fois. L'édifice abrite désormais le **Musée gouvernemental** (5 Rs, app photo 20 Rs ; 10h-16h30 tlj sauf ven), qui présente une petite collection de sculptures en pierre, d'armes et de miniatures.

NASIYAN TEMPLE

Ce **temple jaïn rouge** (Prithviraj Marg ; 5 Rs ; 8h-17h) est extraordinaire. La salle, à deux niveaux, renferme un prodigieux diorama aux maquettes dorées illustrant le concept jaïn de l'ancien monde – avec 13 continents et océans –, la ville d'or d'Ajodhya et des bateaux célestes en forme d'éléphants et de cygnes.

Où se loger

Bhola Hotel (2432844 ; Prithviraj Marg ; s 250 Rs, d 350-400 Rs). Au sud-est de l'Agra Gate, cet hôtel accueillant compte 5 chambres dépouillées et exiguës mais relativement propres, avec sdb privée basique et climatiseurs antiques. Bon *thali* (50 Rs).

Hotel Ajmeru (2431103 ; www.hotelajmeru.com ; Khailand Market ; s/d à partir de 450/550 Rs, avec clim 800/1 100 Rs). À environ 600 m de la gare ferroviaire par Kotwali Gate, cet hôtel quelconque est le meilleur du quartier (ce qui ne place pas la barre très haut).

Haveli Heritage Inn (2621607 ; haveliheritageinn@hotmail.com ; Kutchery Rd ; ch 650-1 800 Rs). Situé dans un *haveli* de près de 150 ans, cet hôtel du centre-ville est une bonne adresse. Les chambres, à la décoration simple mais jolie, sont spacieuses et hautes de plafond, immaculées, climatisées et à l'écart de la rue, bruyante. Grandes sdb et agréable cour verdoyante. Ambiance familiale chaleureuse et délicieux repas faits maison.

Badnor House (2627579 ; ssbadnor@rediffmail.com ; Civil Lines ; d avec petit déj 2 000 Rs). Cette pension offre une bonne occasion de séjourner avec une famille adorable, à l'hospitalité sincère. Une chambre dans la maison principale et une grande chambre indépendante avec jardinet privé.

Mansingh Palace (2425956 ; Circular Rd ; s/d à partir de 7 000/8 000 Rs). Surplombant Ana Sagar, le Mansingh Palace est le seul hôtel de catégorie supérieure de la ville. Assez excentré, il est moderne avec de jolies chambres confortables, dont certaines ont un balcon et une belle vue. Jardin agréable, bar et restaurant.

Où se restaurer

Mango Masala (2422100 ; Sadar Patel Marg ; plats 40-145 Rs ; 11h-23h). Avec son éclairage tamisé et son décor de garderie, ce café végétarien sans alcool est le repaire des adolescents d'Ajmer. Menu varié avec plats chinois, d'Inde du Sud et du Nord et pizzas, ainsi que gâteaux, glaces et sundaes.

Elite (2429544 ; Station Rd ; plats 40-80 Rs ; 11h-23h). Un lieu accueillant, prisé par les familles qui viennent y déguster le meilleur *thali* de la ville (54 Rs).

Honeydew (2622498 ; Station Rd ; plats 55-120 Rs). Longtemps le meilleur restaurant d'Ajmer, cet établissement mal éclairé est toujours le préféré des étudiants du Mayo College. Grand choix de plats végétariens ou non, chinois et occidentaux (dont des pizzas).

Depuis/vers Ajmer

BUS

Des bus réguliers de la **RSRTC** (2429398) relient la gare routière principale aux villes citées dans le tableau p. 191. Les bus privés desservent de nombreuses destinations. Beaucoup d'agences bordent Kutchery Rd, mais soyez vigilants !

TRAIN

De nombreux trains au départ d'Ajmer ne réservent pas de places pour les touristes. Prenez votre place dès que possible au guichet n°5 du **bureau des réservations de la gare ferroviaire** (8h-14h et 14h15-20h lun-sam, 8h-14h dim). **Midway Tours & Travels** (2628744 ; Station Rd ; 8h-20h) peut vous réserver des couchettes (sleeper/upper class) moyennant une modeste commission.

Les trains de la ligne Delhi-Jaipur-Ahmedabad-Mumbai s'arrêtent à Ajmer. Le 2016/5 *Shatabdi* circule du mardi au jeudi entre Ajmer et Delhi (AC chair/1st class 660/1 250 Rs) via Jaipur (300/575 Rs). Il quitte Delhi à 6h05 et arrive à Ajmer à 13h. Dans le sens inverse il part d'Ajmer à 15h5 pour arriver à Jaipur à 17h45 puis à Delhi

BUS AU DÉPART D'AJMER

Destination	Tarifs (Rs)	Durée
Agra	210	10 heures
Ahmedabad	270	13 heures
Bharatpur	180	8 heures
Bikaner	150	8 heures
Bundi	105	5 heures
Chittor	110	5 heures
Delhi	165/550 AC	9 heures
Indore	250	12 heures
Jaipur	80	2 heures 30
Jaisalmer	280	10 heures
Jodhpur	125	6 heures
Pushkar	10	30 min
Udaipur	140	8 heures

22h40. Le 2957 *Rajdhani Express* vers Delhi (3AC/2AC/1AC 660/895/1 530 Rs, 7 heures) quitte Ajmer à 0h35.

Le 9105/6 *Delhi–Ahmedabad Mail* part d'Ajmer à 20h40 et arrive à Delhi (sleeper/3AC/2AC 200/531/753 Rs) à 5h25. Pour aller dans le Gujarat, le train part d'Ajmer à 7h40 et arrive à Ahmedabad (sleeper/3AC/2AC 215/574/800 Rs) à 18h40.

Le 2992 *Ajmer–Udaipur City Express* part à 15h55 pour arriver à Udaipur (2e classe/AC chair 103/346 Rs) à 21h20, via Chittor (80/266 Rs), à 19h.

Comment circuler

Vous trouverez quantité d'auto-rickshaws (environ 30 Rs/course en ville), de cyclo-pousse et de *tonga* (attelage à 2 chevaux).

PUSHKAR

☎ 0145 / 14 800 habitants

Blottie autour d'un lac sacré, la petite ville de Pushkar aurait surgi là où Brahma aurait laissé tomber une fleur de lotus. Haut lieu de pèlerinage pour les hindous, Pushkar abrite l'un des rares temples dédiés à Brahma. Des rangées de ghats partant de centaines de temples bleutés mènent au lac paisible et mystique.

Ce lieu magique, quoique touristique, attire aussi bien des touristes que des pèlerins. Les opérateurs suspects abondent dans ce paradis bon marché. On y trouve des pickpockets agiles et des prêtres qui tentent de converser avec des pèlerins intoxiqués par Dieu ou par la marijuana. Il convient de respecter les restrictions locales – alcool, viande et œufs sont à proscrire, tout comme les manifestations publiques d'affection.

Puskhar se trouve à 11 km d'Ajmer, de l'autre côté du Nag Pahar (mont du Serpent).

Orientation et renseignements

La ville, lovée autour du lac, est un dédale de ruelles se déployant depuis Sadar Bazaar. Sa petite taille et l'affabilité des habitants permettent de se retrouver facilement. Il est aisé de changer des espèces et des chèques de voyage et de se connecter à Internet (environ 25 Rs/heure).

Office du tourisme (Tourist Information Centre ; ☎ 2772040 ; 🕑 10h-17h). Dans l'Hotel Sarovar. Distribue des cartes gratuites.

Poste (près de Heloj Rd ; 🕑 9h30-17h). Proche de la gare routière de Marwar.

Punjab National Bank (Sadar Bazaar ; 🕑 9h30-17h lun-ven, 9h30-16h sam). Le DAB à l'intérieur de l'agence accepte les cartes Cirrus et MasterCard mais pas les Visa.

State Bank of Bikaner & Jaipur (Sadar Bazaar ; 🕑 10h-16h lun-ven, 10h-12h30 sam). Change espèces et chèques de voyage. Le DAB SBBJ, au nord du temple de Brahma, accepte les cartes internationales.

RAJASTHAN

À voir

TEMPLES

Si Pushkar compte des centaines de temples, peu sont anciens. En effet, beaucoup furent profanés par Aurangzeb et reconstruits par la suite. Le plus célèbre, le **Brahma Temple** est l'un des rares temples dédiés à ce dieu dans le monde. Selon la légende, Brahma voulait pratiquer un *yagna* (automortification) près du lac. Son épouse, Savitri, ne l'ayant pas accompagné, il épousa une autre femme. Savitri, contrariée, fit le vœu que Brahma ne soit vénéré nulle part ailleurs. Le temple se distingue par sa flèche rouge et les *han* (oies sacrées de Brahma) qui surmontent sa porte d'entrée.

La montée (1 heure) qui mène au **Savitri Temple**, en haut d'une colline qui surplombe le lac, se fait de préférence avant l'aube – la vue n'en est pas moins belle à toute heure du jour. Depuis la gare routière de Marwar, un chemin escarpé mène en 30 min au **Pap Mochani (Gayatri) Temple**, où la vue est superbe.

À 8 km au sud-ouest de la ville (après l'embranchement du Savitri Temple), les temples consacrés à Shiva constituent un excellent but d'excursion à moto (ou à vélo pour les sportifs) à travers collines et villages, par une piste accidentée. Un autre temple de Shiva, niché dans une grotte à 8 km au nord, mérite aussi le détour.

GHATS

Le lac est entouré de 52 ghats, qui permettent aux pèlerins de se baigner dans l'eau sacrée. Certains ghats revêtent une importance particulière : Vishnu serait apparu au **Varah Ghat** sous l'aspect d'un sanglier et Brahma se serait baigné au **Brahma Ghat**. Une partie des cendres de Gandhi fut dispersée au **Gandhi Ghat** (anciennement Gau Ghat). Si vous désirez vous joindre aux fidèles, n'oubliez pas qu'il s'agit d'un lieu de culte : déchaussez-vous, ne fumez pas et ne prenez pas de photo.

À faire

TREKS EN CHAMEAU ET PROMENADES ÉQUESTRES

Pushkar est l'endroit idéal pour partir pour une longue randonnée à dos de chameau. Les premiers circuits débutent à 500 Rs/jour. Comptez 6-7 jours pour rejoindre Jodhpur et 10-12 jours pour Jaisalmer (p. 237). De nombreux tour-opérateurs sont installés le long de Panchkund Kund Marg.

La **Shannu's Riding School** (centre équestre ; ☎ 2772043 ; www.pushkar.bravehost.com ; Panch Kund Marg ; cours 250 Rs/h) de Marco, résident de longue date à Pushkar, propose des cours d'équitation et des safaris sur ses gracieux étalons Marwari.

RÉFLEXOLOGIE

Pour vous soulager de vos douleurs, offrez-vous une séance de réflexologie des orteils (250 Rs) chez le **Dr NS Mathur** (☎ 2622777, 9828103031 ; Ajmer Rd ; 🕓 10h30-18h30), qui enseigne aussi le *reiki* (1er/2e degré 1 500/3 000 Rs), une médecine douce par apposition des mains, d'origine japonaise.

Cours

MUSIQUE

L'**école de musique de Pushkar** (☎ 5121277 ; Pushkar Lake Palace hotel ; Parakrama Marg), située au bord du lac, enseigne le sitar classique, les tabla, l'harmonium, la danse – entre autres – pour 150 Rs/h. L'**école de musique Saraswati** (☎ 2773124 ; Malniyon ka Chowk, Badi Basti ; 🕓 10h-22h) enseigne les tabla, la flûte, le chant et le *kathak* (danse classique). Tarif à partir de 350 Rs pour 2 heures. Instruments en vente et représentations régulières en soirée (de 20h à 21h30).

YOGA ET THÉRAPIES

Pour le *reiki*, le yoga et le shiatsu, **Roshi Hiralal Verma** tient ses quartiers à l'**Ambika Guesthouse** (☎ 2773154). Le prix dépend de la durée et de la nature des soins.

Le Dr Kamel Pandey propose des cours de yoga et des consultations de naturothérapie à l'Old Rangji Temple, derrière le Honey & Spice Restaurant.

Où se loger

La plupart des hôtels sont simples, propres, régulièrement blanchis à la chaux et dotés de jolis toits-terrasses pour se relaxer. Pushkar compte beaucoup d'établissements pour voyageurs à petits budgets – bien plus que dans la sélection qui suit. Pendant la foire aux chameaux, les tarifs grimpent de façon vertigineuse ; mieux vaut alors réserver.

PETITS BUDGETS

Milkman (☎ 2773452 ; vinodmilkman@hotmail.com ; Ma Mohalla ; ch 100-500 Rs). Maison familiale incroyablement accueillante avec fresques coquines dans les chambres douillettes et propres. Plantes dans tous les coins, même le toit est recouvert d'une pelouse luxuriante.

L'HABIT NE FAIT PAS LE PRÊTRE

Des prêtres, authentiques ou non, vous aborderont près des ghats et vous proposeront de faire une puja (prière) en échange du "passeport de Pushkar" (un ruban rouge autour du poignet) ou de fleurs. On vous demandera de ne pas oublier les membres de votre famille dont le bonheur mérite *sûrement* plusieurs centaines de roupies pour chacun. Vous pourrez renier votre famille ou refuser d'encourager ces "prêtres" sans scrupule. Dans tous les cas, ne vous laissez pas berner et décidez toujours d'un prix à l'avance.

Le Brahma Temple dispose de boîtes destinées aux dons. Ici, vous pourrez déposer des fleurs et des douceurs sacrées pour le bonheur de vos amis, de votre famille ou de toute autre personne, tout en conservant suffisamment dans les poches pour vous offrir un *masala chai* (thé aux épices) !

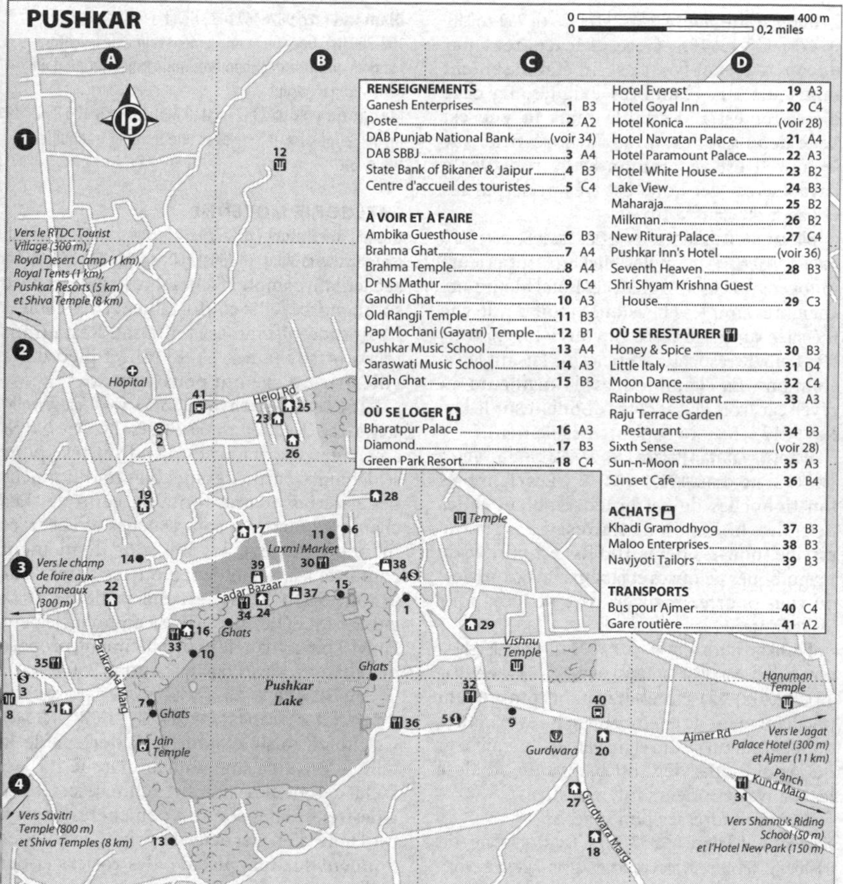

Shri Shyam Krishna Guesthouse (☎ 2772461 ; Sadar Bazaar ; s/d 225/300 Rs, sans sdb 125/225 Rs). Située dans un beau bâtiment ancien au bleu délavé, avec pelouse et jardin, cette pension à l'austérité monacale est sincèrement accueillante. Certaines des chambres les moins chères sont spartiates mais toutes reflètent l'atmosphère simple du lieu. La cuisine extérieure et le jardin permettent d'apprécier au calme de copieux plats végétariens.

Lake View (☎ 2772106 ; www.lakeviewpushkar.com ; Sadar Bazaar Rd ; ch à partir de 400 Rs, sans sdb à partir de 00 Rs). Magnifiquement situé, cet hôtel bénéficie à la fois de la proximité du centre-ville et du lac. Les chambres sont mornes mais le personnel fait de son mieux pour les garder dans un état convenable. Son principal atout est la vue depuis le restaurant sur le toit.

Hotel Everest (☎ 2773417 ; www.pushkar-hotel-everest.com ; ch 200-600 Rs, avec clim 700 Rs ;). Au nord du Sadar Bazaar, mais non loin de celui-ci, et à proximité du terrain de mela (foire), c'est le meilleur des hôtels pour petits budgets, tenu par un père et son fils qui feront leur possible pour vous satisfaire. Ses chambres sont claires et propres. Belle vue depuis le restaurant sur le toit.

Hotel Paramount Palace (☎ 2772428 ; hotelparamount-palace@hotmail.com ; Bari Basti ; ch 200-850 Rs). Cet hôtel élevé aux escaliers impressionnants offre une vue en hauteur sur la ville et le lac. Réputé pour son bon rapport qualité/prix et son personnel serviable. Les chambres sont inégales mais la nourriture est bonne. Au cas où la vue vous lasserait, il y a aussi un petit jardin.

Hotel White House (☎ 2772147 ; ch 250-650 Rs, avec clim 650-1 350 Rs). Géré efficacement par une mère et son fils, c'est un établissement immaculé aux chambres exiguës. La cage d'escalier est redoutable mais la vue est belle depuis le restaurant arboré situé sur le toit. Il est recommandé de réserver à l'avance, car cet hôtel est très prisé par les voyageurs, à juste titre.

Bharatpur Palace (☎ 2772320 ; Sadar Bazaar ; s/d à partir de 300/600 Rs). Sur les niveaux supérieurs mitoyens du Gandhi ghat, cet hôtel bleuté aux chambres simples et basiques jouit d'une vue inégalée sur le lac sacré. Si vous y logez, vous êtes tenu de respecter les pèlerins faisant leurs ablutions. La chambre 1 est la meilleure au réveil car trois de ses côtés donnent sur le lac. Les 9, 12, 13 et 16 sont bien également.

Hotel Navaratan Palace (☎ 2772981 ; s/d à partir de 300/400 Rs, avec clim 600/700 Rs ; ❄ 🏊). Les chambres fonctionnelles de cet hôtel semblent faites pour les hommes d'affaires. La superbe piscine (non-résidents 100 Rs) est bordée de magnifiques pelouses et jardins (avec tortues) où vous pourrez manger. Aire de jeux pour les enfants.

Pushkar Inn's Hotel (☎ 2772010 ; hotelpushkarinns@yahoo.com ; Pushkar Lake ; s/d 500/700 Rs, avec clim 1 000/1 200 Rs ; ❄). Hôtel charmant comprenant un alignement de chambres propres et claires donnant sur un jardin et un verger. La fraîcheur du lac qui y parvient est bienvenue, malgré les mauvaises odeurs intempestives.

D'autres adresses bon marché :

New Rituraj Palace (☎ 2772875 ; Gurdwara Marg ; ch 80-100 Rs). On ne peut plus basique. Jardin agréable avec cuisine maison, dans un coin paisible.

Diamond (☎ 9828462343 ; Holi Ka Chowk ; s/d 100-300 Rs). Dans un emplacement calme de la ville, Diamond propose des chambres minuscules autour d'un petit jardin reposant.

Maharaja (☎ 2773527 ; Mali Mohalta ; ch 120 Rs). Un lieu populaire et isolé avec une terrasse tranquille sur le toit.

CATÉGORIE MOYENNE

Green Park Resort (☎ 2773532 ; www.greenparkpushkar.com ; Gurdwara Marg ; ch 750-1 600 Rs ; ❄ 🏊). Ce lieu accueillant compte 18 chambres superbes avec sol en marbre, lits confortables et TV câblée. La grande piscine est tentante. Restaurant relaxant sur le toit. À 10 min à pied de la ville, par un chemin poussiéreux.

♡ **Seventh Heaven** (☎ 5105455 ; www.inn-seventh-heaven.com ; Chotti Basti ; ch 450-2 000 Rs ; ❄). Ce *haveli* aménagé avec amour est l'endroit rêvé pour se détendre parmi des meubles traditionnels, des galeries et une fontaine centrale. Les chambres carrelées sont fraîches et décorées individuellement, les lits sont divinement confortables. L'ambiance du restaurant sur le toit, Sixth Sense, est merveilleuse et sa cuisine est délicieuse. Si c'est complet, le petit Hotel Konica, dans le même bâtiment, propose des chambres très basiques pour 250 Rs.

Hotel New Park (☎ 2772464 ; www.newparkpushkar.com ; Panch Kund Rd ; s/d à partir de 1 100/1 300 Rs ; ❄ 🏊). Cet hôtel paisible, situé à l'extérieur de la ville, n'est qu'à une courte marche du lac. L'état des vieilles chambres climatisées laisse à désirer et elles sont un peu chères, mais il est facile d'en négocier le prix. Les balcons donnent sur une piscine, des rosiers et des collines en arrière-plan.

VILLAGE TOURISTIQUE DE LA FOIRE AUX CHAMEAUX

Pendant la foire aux chameaux, la RTDC et plusieurs opérateurs privés installent une profusion de tentes près du champ de foire. Elles sont généralement remplies par les voyageurs des circuits organisés. Prévoyez des vêtements chauds – les nuits sont fraîches –, ainsi qu'une lampe-torche. Réservez longtemps à l'avance.

RTDC Tourist Village (☎ 2772074 ; maisonnettes s/d à partir de 700/800 Rs, tentes s/d à partir de 6 000/6 500 Rs) propose diverses tentes et maisonnettes, souvent réservées longtemps à l'avance par les voyages organisés. Le paiement doit être versé en intégralité 2 mois à l'avance. Pension complète incluse.

Moins près du champ de foire que le Royal Tents, le **Royal Desert Camp** (☎ 2772957 ; www.hotelpushkarpalace.com ; tentes s/d 2 420/2 662 Rs) est néanmoins une bonne adresse. Réservations à l'Hotel Pushkar Palace (☎ 2773001).

Royal Tents (www.jodhpurheritage.com ; tentes 250 $US). Géré par les héritiers du maharaja de Jodhpur, ces tentes sont les plus luxueuses et les plus chères. Pension complète incluse. Réservations auprès du **Jodhpur's Balsamand Palace** (☎ 0291-2571991).

LA FOIRE AUX CHAMEAUX DE PUSHKAR

Quand vient le mois de Kartika, le huitième mois lunaire du calendrier hindou et l'un des plus sacrés, les chameliers briquent leurs vaisseaux du désert et entament la longue marche qui les mènera à Pushkar pour la Kartik Purnima (pleine lune). Chaque année, quelque 200 000 personnes convergent ici, amenant 50 000 chameaux, chevaux et têtes de bétail. La ville se transforme en un tourbillon de couleurs, de sons et de mouvements où se mêlent musiciens, mystiques, touristes, négociants, animaux et dévots.

Les affaires sérieuses commencent une semaine avant la RTDC Mela (foire). Dès que celle-ci débute, l'insolite prend le dessus : musiciens, charmeurs de serpents, enfants qui se balancent sur des perches, etc. Même le programme culturel touristique semble étrange : concours de moustaches, de nouage de turbans, du plus grand nombre de personnes parvenant à monter sur un chameau sans tomber.

Toutefois, cette effervescence ne constitue pas la seule attraction. À la même époque, des pèlerins hindous affluent à Pushkar pour se baigner dans le lac sacré lors de Kartik Purnima. Cet événement religieux se déroule parallèlement en un crescendo magique d'encens, de chants et de processions jusqu'à la pleine lune, le dernier soir de la foire, quand des milliers de dévots se lavent de leurs péchés et déposent des bougies allumées sur les eaux.

Si vous êtes au Rajasthan à cette époque (demandez les dates à la RTDC), ne manquez pas cette fête, certes pleine de monde, touristique et bruyante, mais extraordinaire. Prévoyez des bouchons d'oreilles pour dormir, voire de quoi vous protéger de la poussière et des poils d'animaux. La foire a généralement lieu en octobre ou novembre (13 au 21 nov 2010, 2 au 10 nov 2011).

Hotel Goyal Inn (☎ 2773991 ; www.hotelgoyalinn.com ; Ajmer Rd ; s/d 800/1 000 Rs, avec clim 1 200/1 500 Rs ; ❄ 💻). Proche de la gare routière pour Ajmer, mais les chambres à l'arrière ne sont pas trop bruyantes. Le jardin central ressemble à une oasis. Les chambres ne doivent être libérées qu'à midi. La plomberie n'est pas toujours en bon état, surtout dans les chambres non-climatisées.

Pushkar Resorts (☎ 2772944 ; Motisar Marg ; s/d à partir de 3 495/3 945 Rs ; ❄ 🏊). Ce vaste ensemble à 5 km de la ville est entouré d'un verger, avec une piscine à l'ombre des palmiers. Ses 10 bungalows modernes, regroupés par quatre, sont confortables et certains ont été magnifiquement rénovés. Situé en dehors de la ville sainte, on y trouve de la viande et de l'alcool au menu, ce qui attire de nombreux voyageurs.

Jagat Palace Hotel (☎ 2772953 ; www.hotelpushkar-palace.com ; Ajmer Rd ; s/d 2 662/3 267 Rs ; ❄ 🏊). Hôtel superbe conçu pour ressembler à un palais. Ses chambres romantiques aux meubles sculptés ont de belles sdb. Les balcons donnent sur un grand jardin verdoyant et une piscine (non-résidents 300 Rs). Formules intéressantes et réductions en basse saison.

Où se restaurer

Pushkar compte de nombreux restaurants sympathiques, souvent avec vue sur le lac et spécialités occidentales à la carte, mais l'hygiène laisse parfois à désirer. Le végétarisme strict est de rigueur partout.

Sunset Cafe (☎ 2772382 ; plats 10-110 Rs ; 🕑 7h30-24h). Ce café au bord des ghats côté est jouit d'une superbe vue sur le lac, en particulier au coucher du soleil. Le petit déj et les plats indiens ou italiens sont corrects et on y sert également des pâtisseries.

Sun-n-Moon (☎ 2772883 ; Bari Basti ; plats 25-180 Rs ; 🕑 7h30-23h). L'accueil sympathique et le menu italien de ce repaire néo-hippy attirent une clientèle variée. Dans la cour, peuplée de tortues, se dressent un arbre de bodhi et un sanctuaire. *Lassi* et masala chai au petit déj.

Honey & Spice (☎ 5105505 ; Laxmi Market près de Sadar Bazaar ; plats 30-85 Rs ; 🕑 7h30-18h30). Un minuscule lieu pour prendre son petit-déjeuner ou déjeuner avec cake à la banane, sandwichs, steak de tofu et autres préparations maison servies avec du riz complet. Le café d'Inde du Sud est excellent et le propriétaire est une mine d'informations sur la région.

Raju Terrace Garden Restaurant (Sadar Bazaar ; plats 30-75 Rs ; 🕑 7h30-22h30). Perché sur un toit-terrasse verdoyant éclairé de guirlandes, ce restaurant offre une vue superbe sur le lac. Plats occidentaux corrects (dont pommes de terre au four et pizzas) mais cuisine indienne décevante.

Sixth Sense (☎ 5105455 ; Seventh Heaven, Chotti Basti ; plats 40-90 Rs ; 🕑 8h-23h). Situé sur le toit du Seventh Heaven, ce restaurant est l'endroit idéal pour se relaxer autour d'un délicieux repas. Le mécanisme du monte-plats est fascinant. Réservez-vous pour les desserts, délicieuses tartes maison.

Rainbow Restaurant (☎ 51210771 ; plats 45-100 Rs ; 🕑 11h-23h). Sur un petit toit-terrasse surplombant le lac, le Rainbow comble sa clientèle avec ses pâtes excellentes, son délicieux houmous servi avec du pain pita frais, et ses desserts glacés sucrés à souhait.

Moon Dance (☎ 2772606 ; plats 60-160 Rs ; 🕑 7h30-22h30). L'attrait principal de ce restaurant, c'est son jardin impeccable dans lequel on se sent immédiatement détendu, peut-être grâce aux ondes positives émanant du temple de Vishnu, juste en face. La cuisine indienne et italienne est bonne, et on y sert également quelques plats mexicains.

Little Italy (☎ 2772366 ; Panch Kund Marg ; plats 80-120 Rs ; 🕑 7h30-23h). Cet adorable restaurant verdoyant sert des pizzas au feu de bois, d'excellentes pâtes et du bon houmous avec pain pita. Le pesto est fait avec le basilic du jardin et le café est bon – pour Pushkar.

Achats

L'étroit Sadar Bazaar de Pushkar est bordé d'échoppes attrayantes où vous trouverez bijoux en argent, lampes en verre, broderies, tentures murales, CD et vêtements.

Les articles textiles viennent en grande partie du district de Barmer, au sud de Jaisalmer. Comme dans toute ville touristique, le marchandage s'impose.

Pushkar est également un bon endroit pour se faire confectionner des vêtements. **Navjyoti Tailors** (Sadar Bazaar) et **Maloo Enterprises** (Varah Ghat Chowk) sont deux adresses fiables. **Khadi Gramodhyog** (Sadar Bazaar), presque caché dans la rue principale, vend à prix fixe des chemises tissées à la main, des écharpes et des châles.

Depuis/vers Pushkar

L'arrêt des bus à destination ou au départ d'Ajmer (10 Rs, 30 min) se situe sur la route qui s'élance vers l'est ; d'autres bus circulent depuis la gare en direction du nord.

Des agences de voyages locales vendent des billets pour des bus privés ; comparez les prix. Ces bus partent généralement d'Ajmer et les agences devraient vous fournir une correspondance gratuite. Ceux qui partent de Pushkar s'arrêtent souvent au moins 1 heure à Ajmer. Certains bus (notamment ceux qui passent par Jodhpur) ne vont pas jusqu'au terminus, en dépit des promesses, et impliquent de changer de bus et de verser un supplément. Le tableau ci-dessus donne quelques destinations et tarifs au départ de Pushkar.

BUS AU DÉPART DE PUSHKAR

Destination	Tarifs (Rs)	Durée
Agra	ordinary/sleeper 180/230	9 heures
Bundi	110	6 heures
Delhi	ordinary/sleeper 180/230	10 heures 30
Jaipur	100	4 heures
Jaisalmer	ordinary/sleeper 240/340	10 heures 30
Jodhpur	120	5 heures
Udaipur	ordinary/sleeper 160/230	8 heures

Le bureau de poste se charge des réservations des billets de train au départ d'Ajmer moyennant environ 15 Rs ; les agences de voyages prennent 50 Rs (transport jusqu'à Ajmer compris). Pour les trains en provenance d'Ajmer, reportez-vous p. 196.

Les voitures entrant à Pushkar passent par un péage (35 Rs). Les bus tiennent compte de cette taxe dans le prix du billet.

Comment circuler

Aucun auto-rickshaw ne circule dans la ville, où l'on se déplace facilement à pied. Vous pourrez louer un vélo (10/30 Rs par heure/jour) ou un scooter/moto (200/350 Rs par jour) dans de nombreux magasins. Un *wallah* transportera vos bagages en carriole à bras depuis/vers la gare routière pour 15 Rs environ.

RANTHAMBORE NATIONAL PARK

☎ 07462

Le **Ranthambore National Park** (🕑 oct-juin) couvre 1 334 km² de jungle bordée d'escarpements abrupts. Au centre, le **fort de Ranghambore** (entrée gratuite ; 🕑 6h-18h), du Xe siècle, se dresse dans un décor de temples anciens, de mosquées, de lacs peuplés de crocodiles, de *chhatri* (cénotaphes) et d'affûts. Classé réserve naturelle en 1955, le parc servit pourtant de territoire de chasse au maharaja jusqu'en 1970.

Le Ranthambore est certainement le meilleur endroit du Rajasthan pour observer des tigres. Le Project Tiger, un programme mis en place en 1979 pour veiller sur la population de félins a dû surmonter maints écueils – des difficultés mises en exergue en 2005, lorsque des fonctionnaires furent impliqués dans des affaires de braconnage. Aujourd'hui, il est pratiquement impossible d'obtenir un recensement exact des animaux, tant les sources divergent. Le rapport d'une ONG estimait leur nombre à 23 mi-2008, juste avant le départ de 2 tigres pour la réserve de tigres de Sariska (voir p. 183 pour plus d'informations).

La circulation automobile dans le parc est limitée aux véhicules des safaris, hormis durant le Ganesh Mela, une gigantesque foire organisée en août. Les quelques tigres survivants, habitués à être observés, ne sont effrayés ni par les Jeep, ni par les *canter* (ces grands camions découverts accueillant 20 pers) et paraissent même intrigués par les visiteurs.

Si voir un tigre reste une affaire de chance, les paysages du parc (faune et flore comprises) méritent largement le détour, surtout lorsqu'on se rend jusqu'au fort. La réserve accueille plus de 300 espèces d'oiseaux.

Orientation

La ville de Sawai Madhopur se trouve à 10 km de la première entrée. Il faut ensuite parcourir 3 km pour atteindre la grille principale et le fort de Ranthambhore. Des hôtels jalonnent la route qui relie la ville au parc. La gare ferroviaire se trouve au cœur de Sawai Madhopur, juste au sud du grand bazar.

Renseignements

Bureau de Project Tiger (☎ 223402 ; Ranthambore Rd). À 500 m de la gare ferroviaire.

Centre d'accueil des touristes (Tourist Reception Centre ; ☎ 2220808 ; gare ferroviaire de Sawai Madhopur ; 🕑 10h-17h tlj sauf dim)

DAB de la Bank of Baroda (Bazariya Market, Sawai Madhopur). À 200 m au nord-ouest de la gare ferroviaire.

State Bank of Bikaner & Jaipur (Sawai Madhopur ; 🕑 10h-14h lun-ven, 10h-12h sam). Change les espèces et les chèques de voyage et dispose d'un DAB. À deux ou trois blocs au nord de la gare ferroviaire, où se trouve un autre DAB de la SBBJ.

Tiger Track (Ranthambore Rd ; 60 Rs/h ; 🕑 7h-22h30). Accès Internet.

À faire

La meilleure saison pour participer à un **safari** s'étend d'octobre à avril (réservation sur www.rajasthanwildlifetour.com). Un vêtement chaud vous protégera de la fraîcheur matinale.

Les Gypsy, Jeep au toit ouvrant pouvant accueillir 5 passagers, sont le meilleur moyen de se déplacer. Il est possible d'apercevoir des tigres depuis les grands canter (20 pers), mais les autres passagers sont parfois bruyants. Les guides vous mèneront dans l'une des cinq zones du parc. Quatre Jeep et quatre *canter* circulent dans chacune d'entre elles le matin et le soir.

Les **safaris d'une demi-journée** (Indiens/étrangers gypsy 436/647 Rs/pers, canter 340/547 Rs/pers) durent 3 heures. D'octobre à février, départ à 7h et à 14h30. De mars à juin, 6h30 et 15h30. Les **safaris à la journée** (Indiens/étrangers gypsy seulement 871/1 293 Rs/pers) s'arrêtent à Bhilai Sagar pour le déjeuner.

Il est possible de réserver votre place en gypsy ou en *canter* par Internet. Un gypsy et 5 canters sont réservés à la billetterie de l'**Office des forêts** (Ranthambore Rd ; 🕑 5h-7h et 12h-14h). Pour ces derniers, le mieux est de laisser votre hôtel s'en charger, moyennant un petit supplément. La demande est souvent bien supérieure à l'offre pendant les périodes de vacances.

Les services d'un guide, obligatoires, sont inclus dans le prix du billet de canter. En Jeep, comptez un supplément de 200 Rs. Il est recommandé de donner un pourboire.

Où se loger et se restaurer

De nombreux hôtels bordent Ranthambhore Rd et la plupart se chargent gratuitement de venir vous chercher ou de vous déposer aux gares ferroviaire et routière. Sawai Madhopur, une localité sans grand attrait, en compte de moins chers (souvent sales et bruyants).

RANTHAMBORE ROAD

Hotel Aditya Resort (☎ 9414728468 ; Ranthambore Rd ; ch à partir de 350 Rs, avec clim 600 Rs, sans sdb à partir de 250 Rs ; ❄). Cet établissement accueillant est bien au-dessus de ses concurrents de même catégorie. Le personnel aimable s'occupe des réservations de safaris et offre des réductions sur les grandes chambres climatisées si vous ne branchez pas la clim.

RTDC Vinayak Tourist Complex (☎ 221333 ; s/d 700/800 Rs, avec clim 1 100/1 300 Rs ; ❄). Ce complexe de la RTDC est proche de l'entrée du parc et propose des chambres assez claires et spacieuses avec petit coin salon. Belle pelouse et feux de camps en hiver.

Hotel Tiger Safari Resort (☎ 221137 ; www.tigersafariresort.com ; d à partir de 800 Rs, bungalows à partir de 1 300 Rs ; ❄ 💻 🏊). À environ 4 km

RAJASTHAN

de la gare ferroviaire, c'est l'un des meilleurs rapports qualité/prix. Le personnel aimable peut vous organiser un safari, avec réveil et petit déj copieux avant le départ du matin. Les grandes chambres doubles et les "bungalows" (chambres plus spacieuses avec grandes sdb) donnent sur un jardin bien entretenu et une petite piscine. Restaurant correct.

Hotel Anurag Resort (☎ 220751 ; www.anuragresort.com ; s/d 1 400/1 600 Rs, bungalows 2 300/2 500 Rs ;). Cet hôtel établi depuis longtemps propose des chambres de catégorie moyenne, correctes mais petites. Bon restaurant et jardin tiré au cordeau. Habitué à organiser des safaris.

Hotel Ankur Resort (☎ 220792 ; ankurswm@sancharnet.in ; s/d 2 200/2 640 Rs, bungalows 2 640/3 080 Rs, deluxe 3 080/3 520 Rs ;). À 3 km de la gare ferroviaire, les chambres de cet hôtel prisé sont propres, lumineuses, et entourées de verdure.

RTDC Castle Jhoomar Baori (☎ 220495 ; s/d 2 500/3 500 Rs, ste 4 000/5 000 Rs ;). Cet ancien pavillon de chasse royal jouit d'un emplacement superbe en haut d'une colline, à 7 km de la gare. Les chambres possèdent un certain charme, à défaut d'être luxueuses, et le toit-terrasse est agréable.

Hotel Ranthambore Regency (☎ 221176 ; www.ranthambhor.com ; s/d pension complète 5 670/6 930 Rs ;). Un grand hôtel proposant de superbes et immenses chambres de luxe distribuées autour d'un beau jardin avec une piscine impressionnante. Souvent pris d'assaut par les voyages organisés.

Nahargarh Ranthambore (☎ 252146 ; www.nahargarhranthambore.com ; Village Khilchipur, Ranthambore Rd ; s/d/ste pension complète 6 700/7 700/9 900 Rs ;). Face à l'entrée du parc, à 1 km de Ranthambore Rd, cet hôtel de la chaîne Alsisar est un palais digne d'un roi. Ses chambres sont immenses, sa longue salle à manger est couverte de dorures, et son jardin gigantesque ressemble à un décor de cinéma à l'abandon. Même le personnel semble intimidé.

♡ **Khem Villas** (☎ 252099 ; www.khemvillas.com ; Ranthambhore Rd ; s/d pavillon 7 000/8 000 Rs, tente 9 500/12 000 Rs, maisons 12 000/15 000 Rs ;). Un établissement splendide, créé par la famille Singh Rathore, dont le patriarche, Fateh Singh Rathore, est à l'origine de la préservation des tigres à Ranthambore. Son fils Goverdhan et sa bru Usha gèrent cet impressionnant "éco-lodge". L'hébergement s'effectue dans des chambres dans le pavillon colonial, sous des tentes luxueuses ou dans des maisonnettes en pierre somptueuses. L'intimité est garantie (vous pouvez même vous doucher à la belle étoile) et l'atmosphère est détendue, avec apéritif au coucher du soleil. Les prix incluent la pension complète et les taxes.

SAWAI MADHOPUR

On trouve à Sawai Madhopur des établissements bon marché mais dont le confort laisse à désirer. Ils sont proches de la gare mais pas toujours pratiques quand il s'agit d'organiser un safari.

Hotel Chinkara (☎ 220340 ; 13 Indira Colony, Civil Lines ; s/d 200/300 Rs). Un hôtel paisible tenu par une famille accueillante. Les chambres sont grandes mais poussiéreuses. Cuisine maison.

Ganesh Ranthambhore (☎ 220230 ; 58 Bal Mandir Colony, Civil Lines, ch à partir de 400 Rs ;). Cet hôtel à l'ouest du pont autoroutier propose des chambres basiques mais propres. Les plus chères sont plus spacieuses et lumineuses, avec TV et clim.

Achats

Dastkar Craft Centre (☎ 252051 ; Ranthambore Rd ; ⏲ 10h-20h). À 3 km de la gare, ce magasin mérite une visite. Il dépend d'une organisation qui vient en aide aux villageoises de basses castes en vendant les beaux articles artisanaux qu'elles produisent – saris, écharpes, sacs, dessus-de-lit, etc. Possibilité de visiter l'atelier situé derrière l'entrée du parc, près de Khem Villas.

Depuis/vers le Ranthambore National Park

BUS

Des bus desservent Jaipur (100 Rs, 6 heures) et Kota (70 Rs, 4 heures) depuis Sawai Madhopur. Ceux qui passent par Tonk partent d'un arrêt de bus proche de la station-service voisine de l'autopont. Ceux qui passent par Dausa (sur la route Jaipur-Bharatpur) partent du rond-point près de la poste principale. Pour tout renseignement, appelez le ☎ 2451020. Pour la plupart des destinations, mieux vaut prendre le train.

TRAIN

La gare de Sawai Madhopur possède un **bureau de réservations informatisées** (⏲ 8h-20h lun-sam, 8h-14h dim).

Le 2903/4 *Golden Temple Mail* quitte Sawai Madhopur à 12h40, s'arrête à Bharatpur (sleeper/3AC 141/316 Rs) à 15h08, et arrive à Delhi (192/484 Rs) à 19h. Dans le sens inverse part de Delhi à 7h45, passe à Bharatpur à 0h40 et arrive à 13h05. Le même train (2904) part à 13h10 et atteint Kota (141/268 Rs) 14h30. Le 9037/8 *Avadh Express* est une utre solution pratique pour Kota. Il part e Sawai Madhopur à 9h15 et arrive à Kota sleeper/3AC 121/238 Rs) à 11h les mardi, mercredi, vendredi et samedi. Dans l'autre irection, il quitte Sawai Madhopur à 16h25 our arriver à Agra (132/340 Rs) à 21h50 les mardi, vendredi et dimanche.

omment circuler

'ous trouverez des loueurs de vélos au bazar rincipal de Sawai Madhopur (30 Rs/j). Des uto-rickshaws stationnent devant la gare ferroviaire (30 Rs jusqu'à Ranthambore Rd).

SUD DU RAJASTHAN

BUNDI

☎ 0747 / 88 312 habitants

vec ses étroites ruelles bordées de maisons leues, ses temples de mêmes teintes et son alais féerique orné de coupoles, Bundi, ou u moins son quartier ancien en contrebas u palais, est l'archétype du Rajasthan des rochures touristiques. Véhicules polluants et oules étouffantes en sont quasiment absents t il y flotte, en particulier autour du magnifique palais, un parfum de grandeur passée uquel ne fut pas insensible Rudyard Kipling, ui s'y installa pour écrire. De janvier à mars, es coquelicots roses recouvrent les champs nvironnants.

Bundi est une trêve bienvenue dans le circuit touristique habituel. C'est un bon endroit our se perdre dans les ruelles, s'imprégner 'histoire, ou simplement pour observer la ie qui passe.

Capitale d'un grand État princier à l'apogée es Rajput, Bundi perdit de son importance ors de l'essor de Kota à l'époque moghole. outefois, elle conserva son indépendance usqu'à son intégration dans l'État du ajasthan, en 1947.

enseignements

e très efficace **office du tourisme** (☎2443697 ; Kota ; 🕑 10h-17h lun-ven), au sud de la gare routière, ropose des plans de la ville (gratuits), un serice de réservation de bus pour Udaipur et les oraires des bus ou trains. Vous y trouverez galement des informations sur la visite des sites rupestres et des chutes d'eau de Bundi. Mukesh Mehta, du Haveli Braj Bhushanjee (p. 202), est une mine d'informations ; le site Internet de son frère mérite le coup d'œil (www.kiplingsbundi.com, en anglais).

On trouve des DAB de la SBBJ sur Kota Rd et dans l'agence locale près de Azad Park, et des bureaux de change aux horaires extrêmement variables, au sud du palais. Vous pourrez consulter vos emails pour 60 Rs/h dans de nombreux cybercafés exigus. Comme par hasard, la clim sera en panne lors de votre visite.

À voir

TARAGARH

Recouvert de vigne vierge, le **Taragarh** (fort de l'Étoile ; gratuit), construit en 1354, est une invitation à la promenade. Munissez-vous d'un bâton pour vous frayer un chemin dans la végétation envahissante, vous appuyer lors de la montée abrupte et vous rassurer quand des macaques arrogants vous entoureront. Grimpez le chemin derrière le Chittrasala, puis tournez à gauche et montez la rampe en pierre située juste avant le **Dudha Mahal**, un petit bâtiment désaffecté à 200 m du palais. Dans l'enceinte du fort, vous découvrirez d'immenses réservoirs creusés dans la roche ainsi que le **Bhim Burj**, le rempart le plus large, qui conserve un canon. Le panorama sur la ville et la campagne environnante est particulièrement beau au coucher du soleil.

BUNDI PALACE

Au nord-ouest du bazar, le **palais** (Indiens/étrangers 10/60 Rs, app photo/caméra 50/100 Rs ; 🕑 8h-17h30) est un édifice extraordinaire même si ses peintures murales aux tons turquoise et or sont un peu défraîchies. Autrefois abandonné aux chauves-souris, il fut ensuite loué par le maharaja à une entreprise privée qui se chargea de le nettoyer. Il est maintenant ouvert au public ; des guides compétents (250 Rs) proposent leurs services près de la billetterie.

L'entrée s'effectue par l'énorme porte des Éléphants (1607). De là, on accède au Chhatra Mahal (1644), qui contient certaines des plus belles fresques de Bundi ; une pièce est ornée de douze portraits de Krishna (une pour chaque mois) bien préservés. Une fresque murale représentant une gigantesque procession royale décore le Phool Mahal (1607). Dans le Badal Mahal (même époque), un plafond d'inspiration chinoise divisé en pétales représente Krishna et des paons.

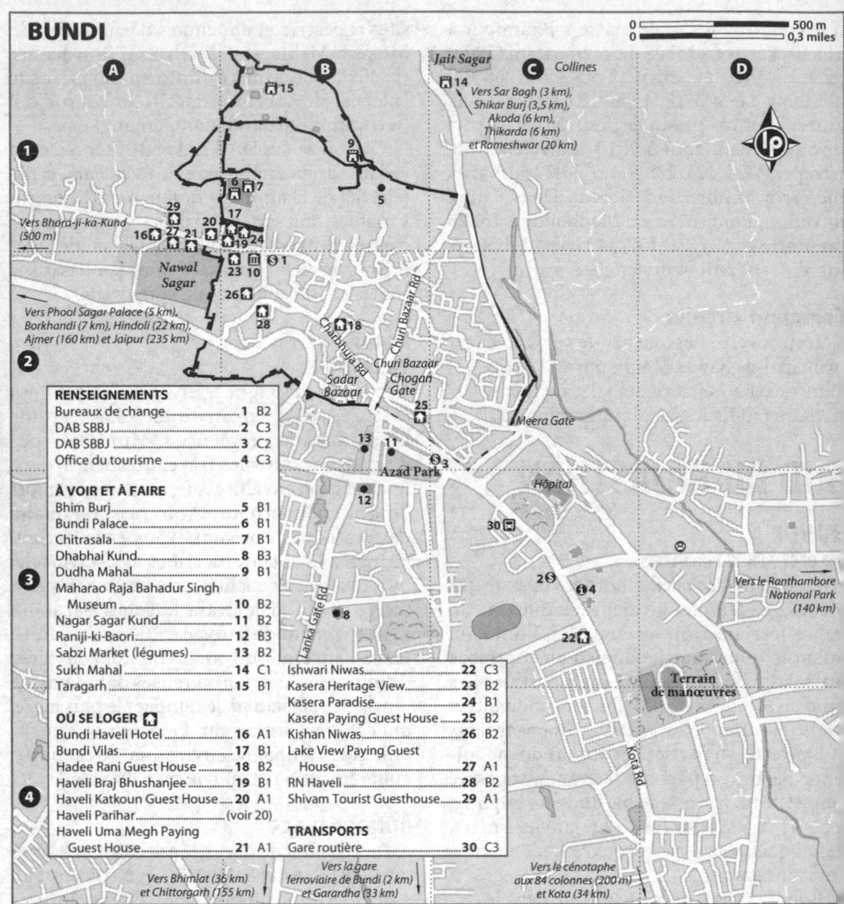

Pour rejoindre le **Chitrasala** (Umed Mahal ; entrée libre ; 7h-18h), édifié par Rao Umed Singh au XVIIIe siècle, sortez par la porte des Éléphants et montez vers l'entrée par la gauche. Au-dessus de la cour verdoyante, plusieurs salles sont couvertes de fresques. Le Sheesh Mahal, au fond à droite, est très abîmé mais conserve de belles incrustations de verre. Le matin, les pièces sont bien éclairées par le soleil, mais l'après-midi, une lampe de poche peut s'avérer utile.

MUSÉE MAHARAO RAJA BAHADUR SINGH

Ce **musée** (100 Rs, app photo 50 Rs ; 9h-13h et 14h-17h) situé dans le Moti Mahal, résidence des héritiers royaux actuels, est un très bel hommage aux membres plus récents de l famille royale. La première salle est rempli d'animaux empaillés, principalement de tigres tués par des personnalités indienne britanniques et américaines. Les plus stu péfiants sont la tigresse et ses deux petit tués par "M. Milton Reynolds, inventeur d stylo à bille, en 1953 à Bhimlat". Les autre salles renferment des portraits royaux et d collections d'armes.

BAORI ET RÉSERVOIRS

Bundi compte de nombreux *baori* (puits *impressionnants*. Le **Raniji-ki-Baori** (puits d la Reine), profond de 46 m, est rehaussé d superbes sculptures. Il fut édifié en 169 par la rani Nathavatji, et demeure l'un d plus grands du genre. Il est aujourd'hui abandonné et laissé aux pigeons et aux chauves-souris (d'où l'odeur). Devant Chogan Gate, le **Nagar Sagar Kund** est formé de deux puits identiques.

Visible du fort, le **Nawal Sagar**, un lac artificiel carré, tend à s'assécher lorsque la mousson est faible. Au centre se dresse un temple dédié à Varuna, le dieu aryen de l'Eau. Le **Bhora-ji-ka-Kund** et le grand **Dhabhai Kund**, tous deux du XVIe siècle, mériteraient également le coup d'œil s'ils n'étaient pas utilisés comme toilettes publiques.

À VOIR ÉGALEMENT

Ne manquez pas de flâner dans la vieille ville. Devant les remparts, entre le Raniji-ki-Baori et le Nagar Sagar Kund, le **marché sabzi** (marché aux légumes) est particulièrement animé. Le quartier recèle plus de 200 temples et 100 *baori*. Le Haveli Braj Bhushanjee (p. 202) vous fournira un plan pour découvrir ce patrimoine architectural.

Les autres sites de Bundi se trouvent en dehors de la ville et sont accessibles à vélo, en auto-rickshaw ou en taxi. À plusieurs kilomètres sur la route d'Ajmer, le **Phool Sagar Palace**, un palais moderne, s'agrémente de jardins et d'un beau lac artificiel. Le **Sukh Mahal** (🕓 10h-17h), un palais plus modeste où séjourna Kipling, se situe plus près de la ville, au bord du sublime Jait Sagar. Non loin, le **Sar Bagh**, mal entretenu, abrite plusieurs cénotaphes royaux aux sculptures parfois complexes. Sur la route qui longe le nord du Jait Sagar, le **Shikar Burj**, un ancien pavillon de chasse royal proche d'un bassin, constitue un agréable lieu de pique-nique. Dans un jardin au sud de la ville, le **cénotaphe aux 84 colonnes** est particulièrement stupéfiant lorsqu'il est illuminé en soirée.

La campagne environnant Bundi est propice aux excursions à vélo. Parcourez 6 km au nord pour arriver à **Akoda**, un village de marchands, et **Thikarda**, qui compte des potiers. À 20 km au nord, **Rameshwar** abrite un temple troglodytique dédié à Shiva et une cascade. Le village rural de **Borkhandi** s'étend à 7 km à l'ouest de Bundi. À 22 km en direction de Jaipur, **Hindoli** comprend un lac et un fort en ruine.

À 33 km de Bundi, dans le village de Garardha, des **peintures rupestres**, vieilles sans doute de quelque 15 000 ans, bordent la rivière. Outre les scènes de chasse, l'une d'elles représente un homme chevauchant un oiseau énorme. Demandez au centre d'accueil des touristes ou à votre hôtel de vous trouver un guide. L'excursion d'une demi-journée en Jeep coûte environ 800 Rs aller-retour. Vous trouverez à **Bhimlat** (600 Rs aller-retour en taxi), sur la route de Chittor à environ 36 km de Bundi, une chute d'eau impressionnante et une aire de pique-nique.

Fêtes et festivals

En octobre/novembre, les festivals de **Bundi Ustav** et **Kashavrai Patan** apportent un peu d'animation dans une ville plutôt endormie le reste du temps. Août accueille les festivités du **Teej**. Voir p. 161 pour plus d'informations sur les festivals.

RAJASTHAN

Où se loger et se restaurer

Les paying guest houses sont d'un excellent rapport qualité/prix, avec cuisine maison. Bundi était autrefois une ville sans alcool, mais il est souvent possible de trouver une bière fraîche. Dans la plupart des pensions, le personnel viendra vous chercher à la gare si vous leur demandez à l'avance.

Haveli Uma Megh Paying Guest House (☎ 2442191 ; haveliumamegh@yahoo.com ; ch 100-550 Rs). Avec ses peintures murales, ses alcôves et ses portes très basses, cette adresse calme et véritablement bon marché, gérée par des frères sympathiques, déborde de charme. Les chambres les plus chères sont spacieuses. Belle vue sur le lac. Jardin luxuriant en bordure de lac pour dîner aux chandelles (30 à 55 Rs).

RN Haveli (☎ 5120098 ; rnhavelibundi@yahoo.co.in ; Rawle ka Chowk ; ch 250 Rs, sans sdb 150 Rs). Les trois femmes dynamiques (mère et filles) qui s'occupent de cet hôtel entraînent souvent leurs hôtes dans des excursions à travers la ville. Vous trouverez dans cette vieille maison délabrée des chambres bien entretenues, un jardin ombragé et de délicieux repas. Les femmes seules s'y sentiront immédiatement à l'aise.

Kasera Paying Guest House (☎ 2446630 ; d 300-500 Rs, sans sdb 200 Rs). Tenu par les propriétaires du Kasera Heritage View, cet ancien *haveli* reconverti en petite pension proche de Chogan Gate, dans le bazar principal, propose des petites chambres bon marché et un restaurant sur le toit.

Lake View Paying Guest House (☎ 2442326 ; lakeviewbundi@yahoo.com ; ch 250-500 Rs). Un vieux monsieur bienveillant et sa famille vous accueillent dans cette pension qui jouit d'un bel emplacement au bord du lac. Chambres avec vitraux et vue sur l'eau. Jardin agréable.

Ishwari Niwas (☎ 2442414 ; www.ishwariniwas.com ; 1 Civil Lines ; ch 500-1 800 Rs ; ❄ 💻). Hôtel familial aux connotations royales dans un ancien bâtiment colonial entourant une cour à la décoration surprenante. Les chambres sont spacieuses et ornées de fresques et la salle à manger est décorée de têtes et de peaux d'animaux. L'emplacement excentré, proche de la gare routière, n'est pas des plus pratiques.

Haveli Braj Bhushanjee (☎ 2442322 ; www.kiplingsbundi.com ; ch 500-2 450 Rs ; ❄ 💻). Cet authentique *haveli* de 250 ans est géré par la sympathique famille Braj Bhushanjee (descendants d'anciens premiers ministres de Bundi). Le bâtiment ravissant aux murs de pierre originaux (et aux portes très basses) offre une vue splendide depuis son toit. Grand choix de chambres, certaines vieilles mais pleines de charme, d'autres modernes avec vue. Toutes sont décorées de magnifiques fresques et équipées de sdb avec chauffe-eau solaire.

Kasera Heritage View (☎ 2444679 ; www.kaseraheritageview.com ; ch 500-3 500 Rs ; ❄). La réception de ce *haveli* rénové est bizarrement moderne mais ses chambres sont un peu plus authentiques. Si le restaurant sur le toit semble en équilibre instable, il offre un beau point de vue sur son cousin démesuré, le Kasera Paradise (www.kaseraparadise.com), devant le palais, qui partage les mêmes tarifs et coordonnées.

Haveli Katkoun Guest House (☎ 2444311 ; http://havelikatkoun.free.fr ; Balchand Para ; ch 600-1 800 ; ❄). Juste derrière la porte occidentale de la ville, ce *haveli* complètement restauré offre des chambres spacieuses et immaculées, avec superbe vue sur le lac ou le palais. Le restaurant et les chambres, en cours de rénovation lors de notre visite, ne devraient pas décevoir.

♡ **Bundi Haveli Hotel** (☎ 2447861 ; www.hotelbundihaveli.com ; ch 1 350 Rs, avec clim 2 500 Rs, ste 4 000 Rs ; ❄). Ce *haveli* magnifiquement rénové est le plus sophistiqué de la ville. Relaxant et confortable, ses chambres aux murs blancs et aux sols en pierre, avec touches de couleur et artisanat combinés aux équipement sanitaires et électriques modernes, signent une évolution touristique pour Bundi. Charmant restaurant sur le toit, avec vue sur le palais et menu modeste mais bon.

Bundi Vilas (☎ 9414175280 ; www.bundivilas.com ; Balhand Para ; ch 2 500 Rs, ste 5 500 Rs ; ❄ 💻). On accède à ce superbe *haveli* par une minuscule allée. Beaucoup prennent le porche imposant de cet hôtel pour l'entrée du City Palace voisin. La plupart des bâtiments originaux subsistent et une extension en grès de Jaisalmer, aux murs ocre et design intérieur subtil, ajoute à son charme. Si l'élégance des chambres séduit, les suites sur le toit manquent un peu d'intimité.

D'autres familles proposent des pensions bon marché :

Kishan Niwas (☎ 2445807 ; jain_jp@hotmail.com ; Nahar ka Chohtta ; ch 100-250 Rs). Très basique, avec seau d'eau chaude.

Haveli Parihar (☎ 2446675 ; Balchand Para ; ch 150-500 Rs). Propriétaires enthousiastes, cours de cuisine possibles.

Hadee Rani Guest House (☎ 2442903 ; hadeeranip.g@yahoo.com ; Boari Khera House, Sadar Bazaar ; ch 200-600 Rs). Une famille pleine d'énergie gère cette pension avec superbe restaurant sur le toit.

Shivam Tourist Guesthouse (☎ 9214911113 ; shivam_pg@yahoo.com ; Balchand Para ; ch 200-800 Rs). Hôtel bon marché assez propre mais à la déco inexistante. Les propriétaires énergiques proposent des cours de cuisine, de dessin au henné et d'hindi.

Depuis/vers Bundi

BUS

Attendez-vous à un parcours cahoteux si vous prenez un bus depuis/vers Bundi. L'autoroute entre Kota et Udaipur est néanmoins meilleure que par le passé et peut permettre une excursion à Kota (mais étudiez auparavant les possibilités par train). Quelques destinations et tarifs sont présentés dans le tableau p. 202.

BUS AU DÉPART DE BUNDI

Destination	Tarif (Rs)	Durée	Fréquence
Ajmer	105	4 heures	ttes les 30 min
Bikaner	235	10 heures	3/jour
Chittor	96	4 heures	4/jour
Indore	200	12 heures	4/jour
Jaipur	120	5 heures	ttes les 30 min
Jodhpur	220	10 heures	7/jour
Kota	25	1 heure	ttes les 30 min
Pushkar	110	5 heures	1/jour (8h30)
Sawai Madhopur	54	4 heures 30	5/jour
Udaipur	160	8 heures 30	4/jour

Des bus privés relient Bundi à Udaipur (siège/couchette 130/200 Rs). Départ à 22h. Réservés aux amateurs de sensations fortes et aux masochistes.

TRAIN

Plusieurs trains transitent par Bundi (gare à 2 km au sud de la vieille ville), et s'ils sont plus lents que le bus, ils sont aussi plus confortables. Deux trains quotidiens relient Chittor, où vous pourrez prendre une correspondance pour Udaipur. Il n'est pas nécessaire de réserver. En général, il est possible de visiter Chittor entre les deux trains. Les travaux pour l'élargissement des voies entre Chittor et Udaipur avancent vite et quand vous lirez ce guide, un service plus rapide devrait relier Agra à Udaipur, en passant par Bundi et Chittor.

Le 1771/2 *Haldighati Passenger* en provenance d'Agra, qu'il a quitté à 19h10 (sleeper 111 Rs), part à 7h21 pour Chittor (sleeper 80 Rs, 3 heures 15). Le 9020A *Dehradun Express* part pour Chittor à 9h38 (sleeper/2AC 121/331 Rs, 2 heures 30). Il arrive de Delhi (194/786 Rs, 11 heures 30).

Comment circuler

En auto-rickshaw, comptez 40 Rs jusqu'à la gare ferroviaire, 90/150 Rs pour un circuit d'une demi-journée dans la ville/aux alentours et environ 250 Rs l'aller-retour pour Akoda et Rameshwar. Plusieurs boutiques de la vieille ville louent des vélos (vieux Hero 30 Rs/j) et des motos. Renseignez-vous auprès de votre pension.

KOTA

☎ 0744 / 696 000 habitants

Kota a eu une importance stratégique dans l'histoire et elle renferme toujours une énorme base militaire, mais c'est aujourd'hui principalement une ville industrielle moderne. Son palais somptueux, son musée éclectique et ses belles fresques feront la joie des passionnés d'histoire. La Chambal, peuplée de crocodiles et parcourue par de nombreux bateaux, est la seule rivière permanente de l'État. Kota est renommée pour ses *kota doria*, des saris de toute beauté tissés de fils d'or provenant de Kaithoon, un village voisin.

La fondation de la cité remonte à la défaite des Bhil, en 1264. Kota n'atteignit toutefois ses dimensions actuelles qu'au XVIIe siècle, lorsque l'empereur Jahangir l'attribua à Rao Madho Singh, fils du rajah de Bundi. En 1624, la ville devint un État autonome, un statut qu'elle conserva jusqu'à son intégration au Rajasthan après l'indépendance.

L'hébergement et les restaurants laissent à désirer à Kota. Organisez plutôt une excursion à la journée ou visitez la ville entre deux trains ou bus.

Orientation et renseignements

Kota s'étend le long de la rive est de la Chambal. La gare ferroviaire se situe tout au nord. Plusieurs hôtels et la gare routière se trouvent dans le centre. On trouve des DAB des banques HDFC et SBBJ à la gare ferroviaire et des DAB ICICI et SBBJ près de l'hôtel Phul Plaza.

Shiv Shakti Enterprises (Rampura Rd ; Internet 50 Rs/h ; ⏲ 10h-22h). Accès Internet.

State Bank of Bikaner & Jaipur (Industrial Estate). Change les espèces et les chèques de voyage.

State Bank of India (Chawni Circle). Change les espèces et les chèques de voyage Amex.

Centre d'accueil des touristes (Tourist Reception Centre ; ☎ 2327695 ; ⏲ 9h30-18h lun-ven). Dans le RTDC Chambal Hotel.

À voir et à faire

CITY PALACE ET FORT

À côté du barrage de Kota, dominant la Chambal, l'ensemble formé par le **City Palace** (Garh Palace ; ⏲ 9h-17h) et le **fort** constitue l'une des plus grandes citadelles du Rajasthan. L'entrée se fait par la **Naya Darwaza** (Nouvelle Porte), au sud.

Dans le palais, le remarquable **Rao Madho Singh Museum** (Indiens/étrangers 10/100 Rs, app photo 50 Rs ; ⏲ 10h-16h30) présente tous les objets nécessaires à une vie royale confortable – mobilier en argent, armes de toute beauté et une écurie de palanquins. La partie la plus ancienne du palais date de 1624. Un extraordinaire décor de miroirs et de miniatures parfaitement préservées égaye les petits appartements ; les pièces du dernier étage renferment d'exquises peintures représentant des scènes de chasse et la vie à la cour.

JAGMANDIR

Entre le City Palace et le centre d'accueil des touristes s'étend le **Kishore Sagar**, un beau lac artificiel créé en 1346. Au milieu du lac, sur une petite île plantée de palmiers, s'élève le ravissant palais de **Jagmandir**, bâti en 1740 par l'une des maharanis de Kota.

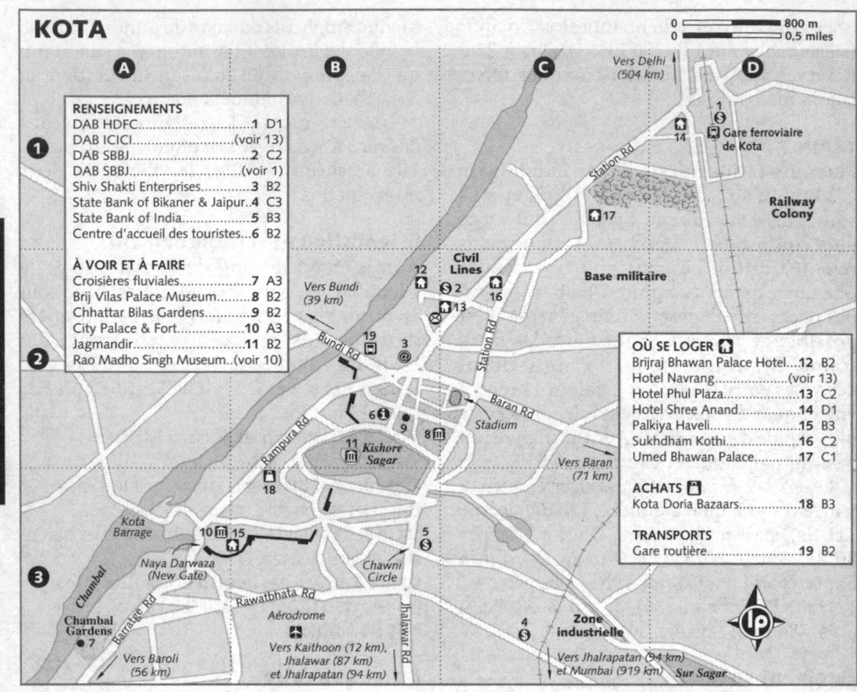

BRIJ VILAS PALACE MUSEUM

Près du Kishore Sagar, ce petit **musée gouvernemental** (Indiens/étrangers 5/10 Rs ; 10h-16h30 tlj sauf ven) décrépit conserve une collection d'idoles de pierre du IXe au XIIe siècle, une inscription du IIIe siècle, des fragments de sculptures datant de l'âge du cuivre ainsi que quelques miniatures. Seuls les mordus d'archéologie y trouveront leur compte.

CROISIÈRES FLUVIALES

Une promenade sur la Chambal permet de découvrir la ville autrement. Une fois passée la zone industrielle, le paysage devient superbe, avec une végétation luxuriante et des falaises escarpées de part et d'autre. On peut apercevoir des oiseaux, des gharials (crocodiles à gueule étroite) et des crocodiles. Les bateaux partent des Chambal Gardens pour des croisières de 8 km (400 Rs) ou d'autres, expéditives, d'une dizaine de minutes (20 Rs).

JARDINS

Kota est incroyablement doté en jardins. Les **Chambal Gardens** (entrée 2 Rs) se déploient sur la rive située au sud du fort. Les crocodiles ne résident heureusement plus dans les bassins troubles et vous ne pourrez les voir que lors d'une croisière.

À côté du centre d'accueil des touristes, les **Chhattar Bilas Gardens** abritent d'imposants cénotaphes royaux, envahis par la végétation et parsemés d'éléphants sculptés.

Fêtes et festivals

En octobre, la ville accueille une immense **Dussehra Mela** et, durant le mois de Kartika (octobre/novembre), des milliers de pèlerins envahissent la ville pour **Kashavrai Patan**. Voir p. 161 pour plus d'informations et demandez le programme des festivals au centre d'accueil des touristes.

Où se loger et se restaurer

Hotel Shree Anand (☎ 2462473 ; s/d à partir de 150/200 Rs, avec clim 400/500 Rs ;). Cet hôtel rose face à la gare ferroviaire est pratique si vous avez un train à prendre tôt le matin. Les chambres sont minuscules et défraîchies mais disposent toutes d'une sdb privée.

Hotel Phul Plaza (☎ 2329351 ; Collectorate Circle, Civil Lines ; s/d à partir de 325/425 Rs, avec clim

550/750 Rs ;). Un hôtel d'affaires propre et pratique. Les chambres sur rue sont un peu bruyantes. Bon restaurant végétarien avec menu varié.

Hotel Navrang (☎ 2323294 ; Collectorate Circle, Civil Lines ; s/d 350/450 Rs, avec clim 650/850 Rs ;). S'il ne paie pas de mine cet hôtel comporte un patio qui renferme un objet incongru et son personnel est aimable. Son restaurant végétarien (plats 40-85 Rs) d'inspiration Art déco est au-dessus de la moyenne.

Palkiya Haveli (☎ 2387497 ; www.alsisar.com ; Mokha Para ; s/d/ste 1 600/2 000/2 400 Rs ;). Ce *haveli* traditionnel appartenant à la même famille depuis plus de deux siècles est la meilleure adresse de Kota. C'est un lieu paisible et charmant, aux hôtes accueillants, avec un jardin clos et une cour renfermant un beau margousier. Les fresques sont impressionnantes, les chambres anciennes, ravissantes et la nourriture, exquise.

Brijraj Bhawan Palace Hotel (☎ 2450529 ; brijraj@datainfosys.net ; s/d/ste 1 700/2 350/2 900 Rs ;). Dominant la rivière Chambal, cet hôtel de caractère attire des hôtes de marque depuis 1830. Construit pour abriter la Résidence britannique, il porte le nom de l'actuel *maharao* (majaraja) de Kota, Brijraj Singh, qui y réside encore. Les chambres immenses et classiques, un peu défraîchies, s'ouvrent sur de vastes vérandas et sur des terrasses impeccables donnant sur la rivière.

Sukhdham Kothi (☎ 2320081 ; www.sukhdhamkothi.com ; Station Rd, Civil Lines ; s/d 2 000/2 300 Rs ;). Ce bâtiment centenaire entouré d'un terrain arboré s'orne de voûtes foliées, d'arcades fraîches et de terrasses. Les chambres charmantes, quoique guindées, sont meublées d'antiquités et le lieu semble figé dans une époque révolue. Petit-déjeuner inclus.

Umed Bhawan Palace (☎ 2325262 ; près de Station Rd ; s/d deluxe 3 000/3 500 Rs, ste 4 000-6 500 Rs ;). Entouré de vastes jardins, ce fastueux palais édouardien est plus majestueux que le Brijraj Bhawan. Ses chambres sont volumineuses mais souvent sombres, et l'atmosphère générale est impersonnelle.

Achats

Les bazars autour de Rampura Rd vendent un grand choix de *kota doria* (saris tissés de fils d'or), que vous pourrez aussi acquérir à la source, à Kaithoon (à 12 km de Kota ; Rs en bus, 150 Rs aller-retour en auto-rickshaw).

BUS AU DÉPART DE KOTA

Destination	Tarifs (Rs)	Durée	Fréquence
Ajmer	125	6 heures	ttes les 30 min
Bikaner	300	12 heures	3/jour
Bundi	25	1 heure	ttes les 30 min
Chittor	105	6 heures	5/jour
Jaipur	140 (240 AC)	6 heures	ttes les 30 min
Jodhpur	225	11 heures	3/jour
Udaipur	170	6 heures	6/jour

Depuis/vers Kota

BUS

De nombreux bus express desservent Kota (voir tableau ci-dessus).

TRAIN

Kota figure sur la ligne principale Mumbai-Delhi via Sawai Madhopur. De nombreux trains s'y arrêtent sur leur trajet vers Sawai Madhopur (voir tableau p. 206), mais les horaires de départ ne sont pas toujours pratiques.

Comment circuler

Des minibus relient la gare ferroviaire et la gare routière (6 Rs). Un auto-rickshaw demande 30 Rs pour le même trajet. Vous trouverez un guichet d'auto-rickshaws prépayés à la gare ferroviaire.

ENVIRONS DE KOTA

Baroli

Cet ensemble de temples du IXe siècle est situé à 56 km au sud-ouest de Kota. Si de nombreux édifices furent pillés par les armées musulmanes, de merveilleuses sculptures subsistent néanmoins. Le Brij Vilas Palace Museum de Kota (p. 204) abrite quelques statues provenant des sanctuaires.

Des bus partent de Kota toutes les heures (25 Rs, 1 heure 30). Demandez au chauffeur de vous déposer à Baroli.

Jhalawar

Les alentours de Jhalawar, une jolie bourgade à 87 km au sud de Kota, comptent de superbes sites peu visités. À 7 km au sud, **Jhalrapatan**, la cité des Cloches des temples, conserve un temple du Xe siècle dédié à Surya, qui comporte des sculptures impressionnantes et l'une des représentations de Surya (dieu du Soleil) les mieux préservées du pays.

PRINCIPAUX TRAINS AU DÉPART DE KOTA

Destination	N° et nom du train	Tarifs	Durée	Départ
Agra	9037 *Avadh Exp*	166/437/596 (A)	7 heures	14h55 (lun, mer, jeu, sam)
Chittor	1772 *Haldighati Pass*	80 (B)	4 heures	6h35
	9020A *Dehradun Exp*	121/386/636 (C)	3 heures	9h05
Delhi	2059 *Shatabdi*	142/475 (D)	6 heures 30	6h
	2903 *Golden Temple Mail*	223/570/768/1 292 (E)	7 heures	11h25
	2964 *Mewar Exp*	223/570/768/1 292 (E)	6 heures	23h55
Jaipur	2181 *Dayodaya Exp*	149/380/505 (A)	4 heures	8h35
	2955 *Mumbai-Jaipur Exp*	155/380/505/841 (E)	4 heures	8h55
Mumbai	2956 *Jaipur-Mumbai Exp*	344/913/1 244/2 091 (E)	14 heures	17h35
	2952 *Mumbai Rajdhani*	1 190/1 570/2 615 (F)	11 heures 30	21h05
Sawai Madhopur	2059 *Shatabdi*	72/220 (D)	1 heure	6h
	2903 *Golden Temple Mail*	141/268/327/533 (E)	1 heure	11h25
Udaipur	2963 *Mewar Exp*	171/424/567/946 (E)	6 heures	1h10

Tarifs : A – sleeper/3AC/2AC ; B – sleeper ; C – sleeper/2AC/1AC ; D – 2e class/AC chair ; E – sleeper/3AC/2AC/1AC ; F – 3AC/2AC/1AC.

RAJASTHAN

Le **Shantinath Temple**, un sanctuaire jaïn du XIIe siècle, mérite aussi le détour. Jhalrapatan accueille le **Chandrabhaga Mela** (p. 161) en novembre. À 3 km de Jhalrapatan, le charmant **Chandrabagha Temple** borde une rivière. Le **Gagron Fort**, une spectaculaire forteresse, domine le confluent de deux rivières à 10 km de Jhalawar. Jhalawar possède plusieurs hôtels corrects. Des bus circulent régulièrement entre Jhalawar et Kota (55 Rs, 2 heures).

CHITTORGARH (CHITTOR)

☎ 01472 / 96 000 habitants

Chittorgarh – le "fort" (*garh*) de Chittor – est la plus belle citadelle du Rajasthan et mérite amplement d'être visitée. La ville elle-même est quelconque mais la citadelle qui s'étend en haut d'une colline abrupte est impressionnante, avec ses remparts à créneaux, ses portes voûtées, ses palais abandonnés, ses temples paisibles et le magnifique Jaya Stambha, la tour de la victoire.

Chittor peut faire l'objet d'une halte entre Udaipur et Bundi (ou Kota), ou d'une excursion d'une journée à partir de l'une de ces villes. Quelques heures suffisent à visiter la citadelle.

Histoire

Chittor est mentionnée dans le *Mahabharata*. Dans cette grande épopée, Bhima, l'un des héros pandava, frappe le sol avec une telle force que l'eau en jaillit pour former un vaste lac. Le fort fut fondé par Bappa Rawal de Sisodia au VIIIe siècle. Il subit sa première défaite en 1303, lorsque Ala-ud-din Khilji, le roi pathan de Delhi, l'assiégea pour s'emparer de la belle Padmini, l'épouse de Bhim Singh, oncle du *rana* (souverain). Tandis que la défaite semblait inévitable, les défenseurs de Chittor se sacrifièrent dans un dernier combat et les princesses rajput, dont Padmini, accomplirent le jauhar.

En 1535, Bahadur Shah, sultan du Gujarat, assiégea le fort. Une nouvelle fois, le même code ancestral s'appliqua. On estime que 13 000 femmes et 32 000 hommes périrent au cours de ce jauhar.

Le dernier saccage de Chittor survint 33 ans plus tard, en 1568, lorsque Akbar s'empara du fort. Là encore, les femmes se jetèrent dans un brasier, tandis que 8 000 cavaliers vêtus d'orange s'élancèrent vers une mort certaine. Le maharana Udai Singh II se réfugia alors à Udaipur, où il établit sa capitale. En 1616, Jahangir rendit Chittor aux Rajput. Aucune tentative de repeuplement ne fut jamais entreprise. Le fort fut restauré en 1905.

Orientation et renseignements

Le fort s'étire sur 28 km² au sommet d'une colline abrupte, haute de 180 m, qui domine la plaine. Jusqu'en 1568, la cité de Chittor se trouvait à l'intérieur des remparts ; la ville moderne d'aujourd'hui s'étend à l'ouest de la colline. La Gambheri (une rivière) sépare la vieille ville de la gare routière, de la voie ferrée et du reste de la ville.

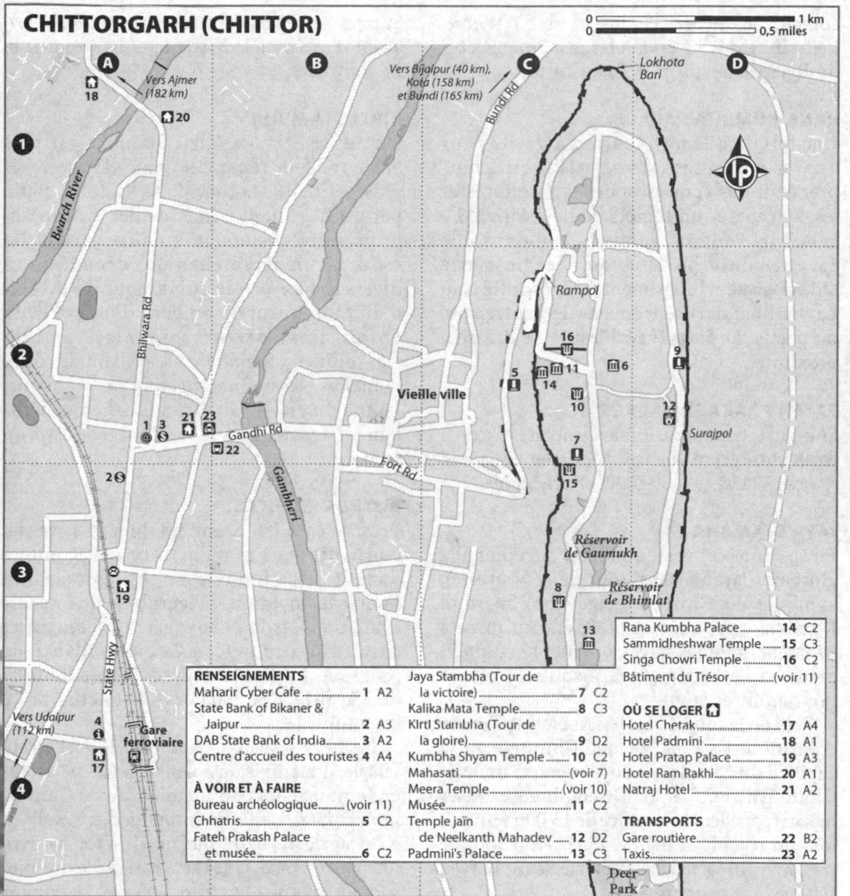

Le **centre d'accueil des touristes** (Tourist Reception Centre ; ☎ 241089 ; 🕑 10h-13h et 14h-17h lun-ven) se trouve près de la gare ferroviaire. La **State Bank of India** (Gandhi Rd) dispose d'un DAB, tout comme la **State Bank of Bikaner & Jaipur** (Bhilwara Rd) qui change également les espèces. Pour vous connecter à Internet, montez les marches jusqu'au **Maharir Cyber Cafe** (Collectorate Circle ; 25 Rs/h ; 🕑 9h-22h).

À voir

Les principaux sites de Chittor se regroupent dans le **fort** (Indiens/étrangers 5/100 Rs ; 🕑 aube-crépuscule). Une montée sinueuse de plus de 1 km passe par sept portes et mène à l'entrée principale, le **Rampol** (l'ancienne entrée arrière), du côté ouest.

Sur le chemin, deux **chhatri** (cénotaphes) marquent les emplacements où tombèrent les deux jeunes chefs Jaimal et Kalla lors de la bataille contre Akbar – Jaimal, blessé à mort, fut porté par Kalla pour se battre jusqu'au bout. La **Surajpol**, la principale porte du côté est du fort, offre une vue superbe sur les plaines environnantes.

Aujourd'hui, le fort consiste en un ensemble de palais et de quelque 130 temples en ruine. Les principaux sites peuvent être vus en quelques heures si vous êtes motorisés. Des guides se postent habituellement au Rana Kumbha Palace (150 Rs environ). Un **spectacle sons et lumières** (adulte/enfant 50/25 Rs ; 🕑 19h tlj en hindi, 20h dim en anglais) a lieu tous les soirs au palais Rana Kumbha. La représentation dominicale coïncide avec l'arrivée du *Palace on Wheels* (le train royal desservant les principaux sites du Rajasthan, voir p. 817) à Chittor.

RANA KUMBHA PALACE

Une fois dans le fort, tournez à droite pour arriver aux ruines de ce **palais**, qui comprennent des écuries pour les éléphants et les chevaux et un temple dédié à Shiva. Le jauhar de Padmini aurait eu lieu dans une cave, aujourd'hui condamnée. Le **musée archéologique** et le bâtiment du Trésor (le Nau Lakha Bhandar) se trouvent de l'autre côté du palais. Le **Singa Chowri Temple** se dresse à proximité.

FATEH PRAKASH PALACE

Situé juste derrière le Rana Kumbha Palace, ce **palais** plus récent abrite un petit **musée** (Indiens/étrangers 5/10 Rs ; 9h30-17h30) et une école.

JAYA STAMBHA

En se dirigeant vers le sud, on parvient à la glorieuse **Jaya Stambha** (tour de la Victoire), symbole de Chittor. Érigée par le *rana* Kumbha entre 1458 et 1468, elle culmine à 37 m et compte 9 étages finement sculptés ; grimpez l'escalier étroit jusqu'au 8e étage pour admirer la vue.

Près de la tour, le Mahasati était le lieu de crémation des *rana* lorsque Chittor était la capitale du Mewar, un royaume qui incluait Chittorgarh et Udaipur. De nombreuses stèles de sati rappellent le sacrifice de 13 000 femmes lors du suicide rituel de 1535. Non loin, le très ouvragé **Sammidheshwar Temple** fut bâti au VIe siècle et restauré en 1427.

RÉSERVOIR DE GAUMUKH

Derrière le temple, au bord de la falaise, une source, qui s'écoule par le mufle (*gaumukh*) d'une vache sculptée dans le rocher, alimente ce profond bassin.

PADMINI'S PALACE

Continuez vers le sud pour rejoindre le **palais de Padmini**, qui borde un vaste bassin au centre duquel s'élève un pavillon. Selon la légende, Padmini était assise dans ce pavillon lorsque Ala-ud-din aperçut son reflet dans l'eau et décida de détruire Chittor pour l'enlever. Les portes de bronze du pavillon, dérobées par Akbar, ornent le fort d'Agra.

Un chemin circulaire passe ensuite par le parc aux cerfs, le **réservoir de Bhimlat**, la Surajpol et le **temple jaïn de Neelkanth Mahadev**, avant d'arriver à la Kirti Stambha (tour de la Renommée).

KIRTI STAMBHA

Haute de 22 m, la Kirti Stambha est plus ancienne (elle remonterait au XIIe siècle) et plus petite que la tour de la Victoire. Bâtie par un négociant jaïn et dédiée à Adinath, le premier *tirthankar* (maître jaïn), elle est ornée de représentations dénudées des divers *tirthankar*, ce qui indique qu'il s'agit d'un monument digambara (il existe deux ordres jaïns : le *svetembara* et le *digambara* ; les moines *svetembara* s'habillent de robes blanches ; les moines *digambara* vivent nus, "vêtus du ciel"). Un étroit escalier, généralement fermé, gravit les 7 étages jusqu'au sommet.

AUTRES ÉDIFICES

Près de la Kirti Stambha, le **Meera Temple**, construit sous le règne du *rana* Kumbha dans le style indo-aryen, est associé à la poétesse mystique Meerabai, qui aurait avalé un poison envoyé par un ennemi et aurait survécu grâce à la bienveillance de Krishna. Le **Kumbha Shyam Temple** (temple de Varah) est le plus grand sanctuaire de ce complexe.

En face du palais de Padmini, le **Kalika Mata Temple**, un temple du Soleil du VIIIe siècle, fut endommagé lors du premier sac de Chittor, puis converti en un temple dédié à Kali au XIVe siècle. À l'extrémité nord du fort s'ouvre une autre porte, la **Lokhota Bari**. À l'extrémité sud, une petite ouverture servait à précipiter les criminels dans le vide.

Où se loger et se restaurer

Les hôtels de Chittor sont pour la plupart sales et bruyants. Les femmes seules éviteront les établissements proches des gares ferroviaire et routière.

Natraj Tourist Hotel (☎ 241009 ; reservations@hotelnatraj.info ; Gandhi Rd ; s/d à partir de 150/225 Rs, avec clim à partir de 700/850 Rs ;). Sans doute la meilleure adresse à proximité de la gare routière. Derrière sa devanture arborée des chambres variées vous attendent. Voyez-en plusieurs pour en trouver une raisonnablement propre et avec TV.

Hotel Ram Rakhi (☎ 249558 ; Bhilwara Rd ; ch 450 Rs, avec clim 750 Rs ;). Cet hôtel esseulé, proche du pont enjambant la Bearch, se dresse au milieu des champs. Chambres colorées, claires et spacieuses, et personnel très serviable.

Hotel Chetak (☎ 241589 ; s/d à partir de 500/650 Rs, avec clim 900/1 000 Rs ;). L'hôtel le plus correct aux abords de la gare ferroviaire, avec des chambres ordinaires équipées de TV et d'eau chaude. Restaurant végétarien avec cuisine chinoise ou d'Inde du Nord et du Sud.

Hotel Padmini (☎ 241718 ; hotel_padmini@rediffmail.com ; s/d 800/1 000 Rs, avec clim 1 800/2 000 Rs ;). Cet établissement de l'autre côté de la Bearch, doté d'un hall ouvragé et d'un immense jardin, possède des chevaux (que l'on peut monter en réservant à l'avance). Les chambres, défraîchies, sont trop chères. Certaines ont un balcon avec vue sur le fort.

Hotel Pratap Palace (☎ 243563 ; hpratap@hotmail.com ; s 1 600-2 400 Rs, d 1 850-2 700 Rs ;). La meilleure adresse de Chittor, et la plus sympathique. Emplacement pratique, personnel efficace et grand choix de chambres, dont les plus chères disposent de banquettes sous les fenêtres donnant sur la verdure, et même d'une grande fresque (chambre 209). Le restaurant qui donne sur le jardin sert des plats savoureux. Si vous y déjeunez, vous pourrez laisser vos bagages le temps de visiter le fort. L'hôtel organise des excursions dans les villages environnants et la visite de son château à Bijaipur (ci-contre).

Depuis/vers Chittorgarh

BUS

Des bus express desservent notamment Delhi (340 Rs, 14 heures), Ajmer (120 Rs, 5 heures), Jaipur (185 Rs, 8 heures), Udaipur (65 Rs, 2 heures 30) et Bundi (75 Rs, 5 heures).

TRAIN

Le 2966 *Udaipur–Gwalior Express* quitte Chittor à 0h35 pour arriver à Jaipur (sleeper/3AC/2AC/1AC 183/459/614/1 028 Rs) à 6h. Le 2991 *Udaipur–Ajmer Express* part à 9h20 et arrive à Ajmer (2e classe/AC chair 76/266 Rs) à 12h30. Pour Bundi (sleeper 80 Rs), le 1771 *Haldighati Passenger* part à 14h et arrive à 17h48 ; le 9019A *Neemach–Kota Express* part à 14h55 pour atteindre Bundi (sleeper/2AC/1AC 121/331/542 Rs) à 17h10.

Le 9657 *Udaipur City Express* à destination d'Udaipur (sleeper/3AC/2AC 121/238/303 Rs) part les mercredi, vendredi et samedi à 16h40 et arrive à 19h15. Le 2963 *Mewar Express* part à 4h55 et arrive à Udaipur (sleeper/3AC/2AC/1AC 141/268/333/544 Rs) à 7h.

Comment circuler

En auto-rickshaw, comptez environ 200 Rs l'aller-retour de la gare routière ou ferroviaire jusqu'au fort, temps d'attente compris. La course en cyclo-pousse entre les deux gares revient à environ 25 Rs.

ENVIRONS DE CHITTORGARH

Bijaipur

À 40 km de Chittor, le **Castle Bijaipur** (château de Bijaipur ; www.castlebijaipur.com ; s 3 000-5 500 Rs, d 3 400-5 500 Rs, ste 9 200-15 000 Rs ;) est un palais du XVIe siècle merveilleusement situé. Les chambres, romantiques et luxueuses, peuvent être réservées sur le site Internet ou en passant par l'**Hotel Pratap Palace** (☎ 01472-240099 ; hpratap@hotmail.com) de Chittor. Les propriétaires organisent le transfert depuis Chittor, des safaris en Jeep et à cheval, des cours de cuisine et de yoga.

UDAIPUR

☎ 0294 / 389 500 habitants

Udaipur est la ville la plus romantique du Rajasthan, et peut-être même de l'Inde. Ce qualificatif fut appliqué à la ville pour la première fois en 1829 par le colonel James Tod dans son ouvrage *Annals & Antiquities of Rajasthan*, et il est toujours d'actualité, en dépit du capitalisme rampant et de la multiplication des hôtels dans l'Udaipur moderne.

Encadrée par les reliefs anciens des monts Aravalli, la vieille ville est dominée par les coupoles du City Palace, qui se dressent, immenses, en bordure du lac Pichola. Les balcons du palais surplombent les eaux en direction de l'autre emblème de la ville, le Lake Palace, construction féerique, étincelante le jour et illuminée la nuit.

Udaipur, qu'on appelait jadis Mewar, fut fondée en 1559 par le maharana Udai Singh II après le dernier sac de Chittorgarh par l'empereur moghol Akbar. Elle devint rapidement le symbole du patriotisme des princes de la région et de leur désir inconditionnel d'indépendance.

Orientation

La vieille ville, délimitée par les vestiges des remparts, s'étend sur la rive est du lac Pichola. Les gares routière et ferroviaire se trouvent à l'extérieur des remparts, au sud-est.

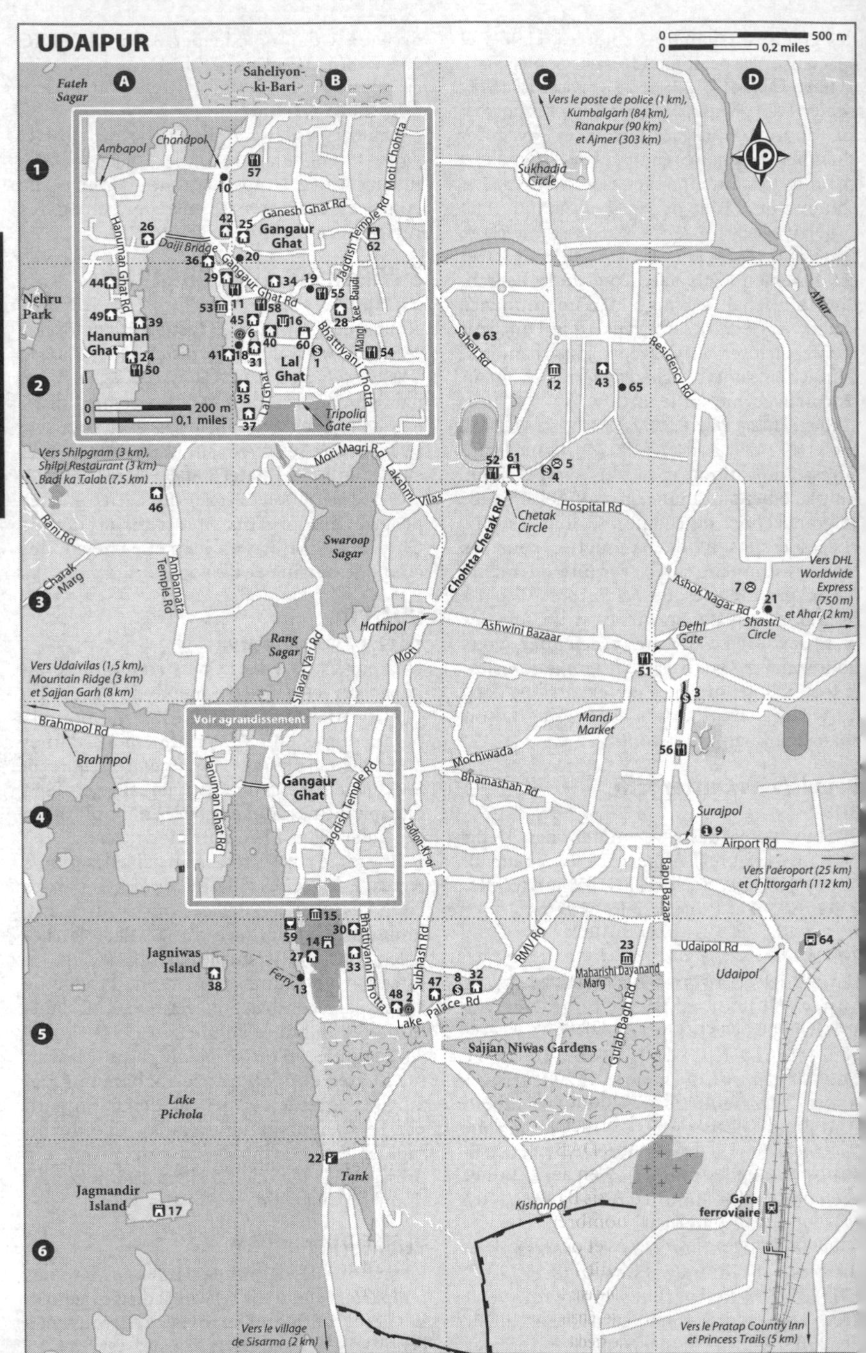
UDAIPUR
0 500 m
0 0,2 miles
Fateh Sagar
Saheliyon-ki-Bari
Vers le poste de police (1 km), Kumbalgarh (84 km), Ranakpur (90 km) et Ajmer (303 km)
Sukhadia Circle
Ahar
Nehru Park
Saheli Rd
Residency Rd
Vers Shilpgram (3 km), Shilpi Restaurant (3 km) Badi ka Talab (7,5 km)
Moti Magri Rd
Lakshmi Vilas
Chohtta Chetak Rd
Chetak Circle
Hospital Rd
Rani Rd
Charak Marg
Ambamata Temple Rd
Swaroop Sagar
Vers DHL Worldwide Express (750 m) et Ahar (2 km)
Ashok Nagar Rd
Shastri Circle
Hathipol
Ashwini Bazaar
Delhi Gate
Rang Sagar
Silavat Vari Rd
Moti
Vers Udaivilas (1,5 km), Mountain Ridge (3 km) et Sajjan Garh (8 km)
Brahmpol Rd
Brahmpol
Voir agrandissement
Mandi Market
Mochiwada
Bhamashah Rd
Surajpol
Airport Rd
Jadion-Ki-Or
Vers l'aéroport (25 km) et Chittorgarh (112 km)
Bapu Bazaar
Udaipol Rd
Udaipol
Jagniwas Island
Ferry
Bhattiyanni Chotta
Subhash Rd
RMV Rd
Maharishi Dayanand Marg
Gulab Bagh Rd
Lake Palace Rd
Sajjan Niwas Gardens
Lake Pichola
Tank
Jagmandir Island
Kishanpol
Gare ferroviaire
Vers le village de Sisarma (2 km)
Vers le Pratap Country Inn et Princess Trails (5 km)
Ambapol
Chandpol
Ganesh Ghat Rd
Moti Chohtta
Jagdish Temple Rd
Gangaur Ghat
Hanuman Ghat Rd
Daiji Bridge
Gangaur Ghat Rd
Mangi Yee Baudi
Bhattiyani Chotta
Hanuman Ghat
Lal Ghat
Tripolia Gate
0 200 m
0 0,1 miles

RENSEIGNEMENTS

DAB Axis Bank	1	B2
BA Photo N Bookstore	2	B5
Bank of Baroda	3	D3
DAB de la gare routière	(voir 64)	
DAB HDFC	4	C2
Poste principale	5	C2
Mewar International	6	B2
Bureau de poste	(voir 15)	
Poste restante	7	D3
Thomas Cook	8	C5
Centre d'accueil des touristes	9	D4

À VOIR ET À FAIRE

Ashoka Arts	(voir 29)	
Ashtang Yoga Ashram	10	A1
Ayurvedic Body Care	(voir 45)	
Bagore-ki-Haveli	11	A2
Bhartiya Lok Kala Museum	12	C2
Croisières	13	B5
City Palace	14	B5
City Palace Jetty (Bansi Ghat)	(voir 13)	
City Palace Museum	15	B4
Crystal Gallery	(voir 27)	
Government Museum	(voir 15)	
Hotel Krishna Niwas	(voir 45)	
Jagdish Temple	16	B2
Jagmandir Palace	17	A6
Krishna Ranch	(voir 30)	
Krishna's Musical Instruments	18	B2
MM Travels	(voir 35)	
Noble Indian Cooking Classes	19	B2
Prem Musical Instruments	20	B1
RTDC Hotel Kajri	21	D3
Shashi Cooking Classes	(voir 58)	
Spice Box	(voir 18)	
Sunset Point	22	B6
Vintage & Classic Car Collection	23	C5
Magasin du World Wide Fund for Nature	(voir 14)	

OÙ SE LOGER

Amet Haveli	24	A2
Anjani Hotel	25	B1
Dream Heaven Guest House	26	A1
Fateh Prakash Palace Hotel	27	B5
Garden Hotel	(voir 23)	
Hotel Baba Palace	28	B2
Hotel Gangaur Palace	29	A2
Hotel Krishna Niwas	(voir 45)	
Hotel Kumbha Palace	30	B5
Hotel Lake Ghat Palace	31	B2
Hotel Mahendra Prakash	32	C5
Hotel Raj Palace	33	B5
Hotel Udai Niwas	34	B2
Jagat Niwas Palace Hotel	35	B2
Jaiwana Haveli	(voir 31)	
Jheel Guest House	(voir 36)	
Jheel Palace Paying Guest House	36	A1
Kankarwa Haveli	(voir 35)	
Lake Corner Soni Paying Guest House	37	B2
Lake Palace Hotel	38	A5
Lake Pichola Hotel	39	A2
Lake View Guest House	40	B2
Lalghat Guest House	41	A2
Lehar Paying Guest House	(voir 34)	
Mewar Haveli	(voir 40)	
Nukkad Guest House	42	A1
Pahuna Haveli	43	C2
Panorama Guest House	44	A2
Poonam Haveli	45	B2
Ram Pratrap Palace Hotel	46	A3
Rang Niwas Palace Hotel	47	B5
Shambhu Vilas	48	B5
Shiv Niwas Palace Hotel	(voir 27)	
Udai Kothi	49	A2

OÙ SE RESTAURER

Ambrai	50	A2
Barwachi Restaurant	51	C3
Berry's	52	C2
Cafe Edelweiss	53	B2
Cafe Namaste	(voir 29)	
Jagat Niwas Palace Hotel	(voir 35)	
Lake Palace Hotel	(voir 38)	
Lotus Cafe	54	B2
Maxim's Cafe	55	B2
Mayur Rooftop Cafe	(voir 28)	
Parkview Restaurant	56	D4
Savage Garden	57	B1
Sunrise	58	B2
Udai Kothi	(voir 49)	
Whistling Teal	(voir 33)	

OÙ PRENDRE UN VERRE

Paanera Bar	(voir 27)	
Pichola Bar	(voir 17)	
Sunset View Terrace	59	B5

OÙ SORTIR

Dharohar	(voir 11)	
Spectacle son et lumières du Mewar	(voir 14)	

ACHATS

Rajasthali	60	B2
Rajasthali	61	C2
Sadhna	62	B1

TRANSPORTS

Air India	63	C2
Gare routière	64	D5
Haveli Tours & Travels	(voir 60)	
Heera Cycle Store	(voir 34)	
Jet Airways	65	C2
Kingfisher Airlines	(voir 52)	

Renseignements

ACCÈS INTERNET

De multiples boutiques permettent de se connecter à Internet, notamment autour du Lal Ghat. Les adresses suivantes possèdent des connexions assez rapides :

BA Photo N Book Store (69 Durga Sadan ; 30 Rs/h ; 9h15-23h)

Mewar International (35 Lal Ghat ; 30 Rs/h ; 8h-23h)

ARGENT

Il existe quantité de DAB, dont celui de la HDFC Bank, près de la poste principale. ICICI, HDFC, SBBJ et IDIBI ont des DAB près de la gare routière (dans le lot, il y en aura certainement en service) ; celui d'Axis Bank se situe près du Jagdish Temple. De nombreux établissements changent les espèces et octroient des avances sur les cartes de crédit.

Bank of Baroda (10h-14h30 lun-ven, 10h-12h30 sam). À 200 m au sud-est de Delhi Gate. Change les espèces et délivre des avances sur les cartes de crédit.

Thomas Cook (Lake Palace Rd ; 9h30-19h lun-sam). Près du Rang Niwas Palace Hotel, change les devises et les chèques de voyage.

LIBRAIRIES

Autour du Lal Ghat, de nombreuses boutiques vendent et échangent des ouvrages dans différentes langues.

MÉDIAS

Go Udaipur est une publication utile répertoriant la plupart des bonnes ou mauvaises adresses de la ville. Il coûte 15 Rs mais vous le trouverez gratuitement dans de nombreux hôtels et boutiques.

OFFICE DU TOURISME

Centre d'accueil des touristes (Tourist Reception Centre ; ☎ 2411535 ; Fateh Memorial Bldg ; 9h30-18h lun-ven). Près de Surajpol, il dispose de plans et de brochures et propose des visites guidées.

POSTE

Bureau de Poste Restante (Shastri Circle ; ⌚ 10h30-13h et 13h30-16h30 lun-sam)

DHL Worldwide Express (☎ /fax 2412979 ; 380 Ashok Nagar Rd ; ⌚ 9h30-19h30 tlj sauf dim). Collecte gratuite du courrier dans Udaipur.

Poste (City Palace Complex ; ⌚ 10h30-13h et 13h30-16h30 tlj sauf dim). Devant le City Palace Museum, à côté de la billetterie.

Poste principale (Chetak Circle ; ⌚ 10h-13h et 13h30-19h). Au nord de la vieille ville.

URGENCES

Police (☎ 2412693 ; Surajpol)

À voir

LAC PICHOLA

Le paisible lac Pichola fut agrandi par Udai Singh II après la fondation de la ville. Le maharana inonda le village de Picholi (qui donna son nom au lac), en faisant ériger un barrage, le Badipol. Le lac mesure désormais 4 km de long sur 3 km de large. Peu profond, il peut s'assécher lorsque les pluies de mousson sont trop faibles. Le City Palace se dresse sur la rive orientale. Au nord de ce palais, la rive bordée de ghats destinés aux bains et aux *dhobi* (lessives) invite à la flânerie. Au sud du palais, une route cabossée serpente à travers bois jusqu'au village de Sisarma, sur la rive occidentale du lac. La route devrait être rénovée et étendue, ce qui permettrait de superbes balades à vélo tout autour du lac.

Deux îles, Jagniwas et Jagmandir, émergent du lac. Des **promenades en bateau** (adulte/enfant 30 min 200/100 Rs, 1 heure 300/150 Rs ; ⌚ 9h30-17h) partent toutes les demi-heures de la jetée du City Palace (Bansi Ghat) lorsque le niveau de l'eau le permet. Le circuit le plus long comprend la visite de Jagmandir. D'autres petits bateaux partent de Lal Ghat (près de l'hôtel Jagat Niwas). **MM Travels** (☎ 2525265) propose diverses embarcations, dont des barques (75 Rs les 20 min) et des bateaux à moteur (à partir de 450 Rs les 20 min).

Île Jagniwas

Le palais, construit par le maharana Jagat Singh II en 1754, occupe la totalité des 1,5 ha de Jagniwas, l'île du Lake Palace Hotel. Cette résidence royale d'été a été transformée en un hôtel d'un luxe inégalé, avec cours ombragées, bassins de lotus et petite piscine sous un manguier. L'accès pour les non-résidents est limité au déjeuner et au dîner (réservation obligatoire). Les bateaux de l'hôtel rejoignent l'île à partir de la jetée du City Palace.

Île Jagmandir

Le **palais** de l'île Jagmandir fut édifié par le maharana Karan Singh en 1620, puis agrandi par le maharana Jagat Singh (1628-1652). L'empereur moghol Shah Jahan y séjourna en 1623-1624, alors qu'il menait une révolte contre son père, Jahangir ; il s'en serait inspiré pour ériger le Taj Mahal. Le maharana Swarup Singh y abrita des Européens lors de la révolte de 1857. Bordée d'une rangée d'énormes éléphants en pierre, l'île possède un remarquable *chhatri* (cénotaphe) sculpté dans une pierre gris-bleu et offre une vue splendide sur la cité.

CITY PALACE ET MUSÉES

L'imposant **City Palace** (palais de la Ville ; adulte/enfant 25/15 Rs ; ⌚ 9h-20h), orné de balcons, de tours et de coupoles, surplombe le lac. Avec une façade longue de 244 m et haute de 30,40 m, c'est le plus vaste palais du Rajasthan. Malgré les bâtiments édifiés par divers maharanas, il possède une certaine unité de style. Le maharana Udai Singh II, fondateur de la ville, en commença la construction. Des terrasses supérieures, on découvre une belle vue sur le lac et la ville.

On entre dans le palais et le musée au nord par les portes d'Hathipol (1600) et Tripolia (1725), dotée de trois arches. À gauche, sept arches commémorent les sept fois où des maharajas furent pesés, afin que leur poids en or ou en argent fût distribué à la population. C'est ici que se trouve le guichet pour acheter les billets et louer les audio-guides (200 Rs) ou les services d'un guide (hindi/autres langues 100/150 Rs).

Le **City Palace Museum** (adulte/enfant 50/30 Rs, app photo et caméra 200 Rs ; ⌚ 9h30-16h30) englobe la partie principale du palais, dont le **Mor Chowk** et ses somptueuses mosaïques représentant des paons. Le **Manak (rubis) Mahal** s'orne de verreries et de miroirs et le **Krishna Vilas** renferme une remarquable collection de miniatures (photos interdites). Un beau jardin central agrémente le **Bari Mahal**, tandis qu'un superbe décor de miroirs scintille dans le **Moti Mahal**. Des céramiques ornementales recouvrent le **Chini Mahal**. Une grande cage à tigre se trouve près de l'entrée du **Zenana Mahal**, qui renferme de peintures murales.

Dans le complexe, un **musée gouvernemental** (Indiens/étrangers 5/10 Rs ; 10h-16h30) présente un singe effrayant portant une lampe, et d'autres pièces jugées plus sérieuses, comme des sculptures et des portraits de maharajas (un beau panel de moustaches).

De luxueux magasins d'artisanat et une boutique du **WWF** (9h30-17h30) se concentrent dans le Manak Chowk, la grande cour devant le musée. Un bureau de poste est installé à l'extérieur de la porte d'Hathipol, près du guichet.

Le reste du palais, qui fait face au lac, accueille notamment deux hôtels, le Shiv Niwas Palace et le Fateh Prakash Palace. On y accède depuis l'extrémité sud de Badi Chowk ou par la Lake Palace Rd, au sud du complexe.

Le Fateh Prakash Palace Hotel abrite l'étonnante **Crystal Gallery** (galerie du Cristal ; adulte/enfant 500/300 Rs ; 9h-19h), dont le droit d'entrée est exorbitant. Le maharana Sajjan Singh commanda cette extravagante collection de cristal (qui comprend même un lit !) à F&C Osler & Co, en Angleterre, en 1877, mais mourut avant son arrivée. Tous les objets restèrent emballés pendant 110 ans. Les photos sont interdites.

Les dames du palais regardaient autrefois le grandiose **Durbar Hall** (salle des audiences) depuis la galerie du Cristal. La plupart des palais indiens possèdent un *Durbar Hall*, qui était jadis utilisé pour les événements officiels. Celui-ci, construit en 1909, est sans doute l'un des plus imposants. Les illustres seigneurs du Mewar, dont les portraits ornent les murs, descendraient de la plus ancienne dynastie régnante au monde – leur pouvoir remonte à 76 générations. Le *Durbar Hall* peut accueillir des centaines de personnes ; il se loue désormais pour de grandes occasions.

JAGDISH TEMPLE

À 150 m au nord de l'entrée du City Palace, ce **temple** (darshan ; 5h-14h et 16h-22h30) indo-aryen, somptueusement sculpté, fut édifié par le maharana Jagat Singh en 1651. Il renferme une statue de pierre noire de Vishnu, sous la forme de Jagannath, le seigneur de l'Univers. Devant le temple, un sanctuaire abrite une statue en cuivre de Garuda.

BAGORE-KI-HAVELI

Au bord de l'eau dans le quartier du Gangaur Ghat, ce gracieux *haveli*, bâti au XVIIIe siècle par un ancien Premier ministre, a été restauré avec soin et abrite un **musée** (25 Rs ; 10h-17h30). Il compte 138 pièces réparties autour de plusieurs cours. Certaines restituent les lieux dans leur décor d'autrefois, d'autres présentent des objets rares, comme le plus grand turban du monde. Une intéressante galerie d'art expose des œuvres contemporaines et populaires, ainsi que des monuments de renommée internationale sculptés dans du polystyrène. De beaux spectacles de danses rajasthanis ont lieu à 19h dans la cour supérieure (voir p. 219).

FATEH SAGAR

Au nord du lac Pichola, ce **lac** entouré de collines, rendez-vous favori des amoureux, s'assèche en cas de faible mousson. Il fut créé par le maharana Jai Singh qui décida la construction d'un barrage en 1678. Ce dernier fut détruit par des pluies torrentielles et relevé par le maharana Fateh Singh. Le **Nehru Park**, une île-jardin, s'étend en son centre. De la vieille ville, comptez 35 Rs l'aller simple en auto-rickshaw.

BHARTIYA LOK KALA MUSEUM

Ce petit **musée** privé (Indiens/étrangers 20/35 Rs, app photo/caméra 10/50 Rs ; 9h-17h30) présente bijoux ethniques, instruments de musique, peintures et marionnettes. **Spectacle de marionnettes** tous les jours (Indiens/étrangers 30/50 Rs ; 18h-19h).

SAHELIYON-KI-BARI

Au nord de la ville, le **Saheliyon-ki-Bari** (jardin des Demoiselles d'honneur ; 5 Rs ; 8h-19h), un charmant petit jardin d'agrément, fut aménagé pour les 48 suivantes qui firent jadis partie de la dot d'une princesse. Parsemé de fontaines, de kiosques et d'éléphants de marbre, il comprend un délicieux bassin couvert de lotus.

SHILPGRAM

Le village d'artisanat de **Shilpgram** (Indiens/étrangers 15/25 Rs, app photo/caméra 10/50 Rs ; 11h-19h), à 3 km à l'ouest d'Udaipur, accueille en décembre une fête – renseignements au centre d'accueil des touristes. Le reste de l'année, il présente des créations d'artistes et d'artisans originaires du Rajasthan, du Gujarat, de Goa et du Maharashtra.

Juste à côté du village, le **Shilpi Resort Restaurant** possède une **piscine** (100 Rs ; 11h-20h).

RAJASTHAN

L'aller-retour en auto-rickshaw de la vieille ville à Shilpgram revient à 250 Rs (avec 30 min d'attente).

AHAR

À 2 km à l'est d'Udaipur, 250 **cénotaphes** restaurés des maharanas de Mewar composent une cité spectaculaire de dômes, érigés au fil de 350 années. Non loin, on peut visiter les ruines de l'ancienne capitale de Sisodias et un **musée** (5 Rs ; 10h-17h), dont certaines pièces remontent à plus de 5 000 ans.

SAJJAN GARH (PALAIS DE LA MOUSSON)

Perché sur une chaîne montagneuse tel un château de conte de fées, ce **palais** (Indiens/étrangers 10/80 Rs, auto-rickshaw/voiture 20/50 Rs, app photo/caméra gratuit/20 Rs ; 9h-18h) à l'abandon fut construit à la fin du XIXe siècle par le maharana Sajjan Singh. Observatoire à l'origine, il devint plus tard un palais de la mousson et un pavillon de chasse. Désormais propriété du gouvernement, il est ouvert au public, mais l'intérieur – des pièces vides déprimantes et un ennuyeux centre d'interprétation de la nature – n'a pas grand intérêt. La vue fabuleuse, surtout au coucher du soleil, constitue le principal attrait du site.

Pour accéder à la réserve naturelle de Sajjan Garh, les billets d'entrée (par personne et par véhicule) s'achètent au pied de la montagne. De là, il faut monter 4 km pour arriver au palais. Au sommet, le très basique **Grand Sajjangarh Restaurant** (en-cas 50 Rs) propose des en-cas et boissons. L'aller-retour en auto-rickshaw coûte 250 Rs, attente comprise.

À VOIR ÉGALEMENT

La **collection de voitures anciennes et de collection** des maharajas (Garden Hotel ; entrée avec soda/*thali* végétarien 100/150 Rs ; 9-18h) est passionnante, si vous aimez les voitures. Elle comprend 22 véhicules splendides, dont une Cadillac de 1938 adaptée au purdah (permettant aux femmes de se dissimuler) et la magnifique Rolls Royce Phantom de 1934 qui apparaît dans *Octopussy*. Bon *thali* végétarien (déjeuner 11h-15h, dîner 19h-22h).

Le **Sunset Point** est un bel endroit pour admirer le coucher du soleil. Une fontaine musicale fonctionne quand l'eau est suffisante.

Presque 5 km après Shilpgram, le **Badi ka Talab** (lac du Tigre), un gigantesque lac artificiel entouré de collines, se révèle agréable pour un pique-nique. Gare aux crocodiles !

À faire

MASSAGES

L'**Ayurvedic Body Care** (☎ 5132802 ; 39 Lal Ghat ; 10h30-21h) propose des massages ayurvédiques, dont un massage de la tête (250Rs), du dos (250Rs) et du corps (700Rs), et vend des produits ayurvédiques.

PROMENADES À CHEVAL

Plusieurs agences organisent des promenades équestres allant de quelques heures à plusieurs jours. Le prix dépend du nombre de cavaliers, de la durée de la promenade et des équipements nécessaires (tentes, cuisiniers, etc.). Compter environ 1 000 Rs pour une demi-journée, déjeuner et transferts depuis/vers votre hôtel compris.

Krishna Ranch (Hotel Kumbha Palace ; ☎ 2422702 ; www.krishnaranch.com). Organise des excursions à cheval autour d'Udaipur.

Pratap Country Inn (☎ 2583138 ; www.horseridingindia.com ; Jaisamand Rd ; Titardia Village). Gérée par Maharaj Narendra Singh, pionnier des safaris équestres au Rajasthan, cette pension propose des cours d'équitation, des promenades à la journée et des safaris plus longs.

Princess Trails (☎ 242012 ; www.princesstrails.com ; Familie Shaktawat, Jaisamand Rd, Titardia Village). Une entreprise indo-allemande proposant de longs safaris à cheval, ainsi que des excursions d'une demi-journée avec les célèbres chevaux Marwari.

RANDONNÉES

Explorer à pied la campagne et les villages environnants est un excellent moyen de découvrir la vie rurale tout en admirant de superbes paysages. Piers, de **Udaipur Outback** (☎ 3291478 ; www.udaipuroutback.com ; Sisarma), organise des randonnées de toutes sortes. Il pourra vous mettre en contact avec un guide local très professionnel.

Cours

Ashoka Arts (Hotel Gangaur Palace, Gangaur Ghat Rd). Dispense des cours de peinture miniature classique (100 Rs/h).

Ashtang Yoga Ashram (☎ 2524872 ; Raiba House). Son professeur de hatha yoga a plus de 20 ans d'expérience. Paiement par donation dont les bénéfices sont reversés à l'hôpital des animaux.

Hotel Krishna Niwas (☎ 2420163 ; jairaj34@yahoo.com ; 35 Lal Ghat ; cours de 2 h avec repas 850 Rs ;

LE LANGAGE DES COULEURS

La vie quotidienne au Rajasthan s'accompagne d'une profusion de couleurs : lourds turbans *(safa, paag* ou *pagri)*, saris ondoyants écarlates, jaune d'or ou safran, scintillantes jupes traditionnelles *(lehanga* ou *ghaghara)* et foulards (*odni* ou *dupatta*).

Derrière l'aspect décoratif se cache une véritable signification sociale. La couleur du turban peut correspondre à une caste, une religion ou un événement. Les Rajput portent traditionnellement un turban jaune safran, symbole de la chevalerie. Les brahmanes le choisissent rose, les *dalit*, marron et les nomades, noir. Les turbans multicolores sont réservés aux fêtes. Les turbans blancs, gris, noirs ou bleus portés par les hindous symbolisent la tristesse ; toutefois, les musulmans ont aussi adopté ces couleurs. La façon de nouer le turban indique la classe sociale et l'origine de son propriétaire.

Pour les hindous, le blanc et certaines nuances de bleu et de vert, couleurs de deuil, sont adoptés par les veuves. Les épouses et les femmes célibataires préfèrent le rose, le rouge et le jaune. Les significations se font parfois complexes. Ainsi, une combinaison de rouge et de jaune ne peut être portée que par les femmes ayant un fils. Les *chuda* (bracelets), les *bichiya* (anneaux d'orteils) et le trait de vermillon sur la raie des cheveux indiquent une hindoue mariée, donc inaccessible.

RAJASTHAN

🕑 16h30-18h30). Les cours de cuisine de Sushma ont lieu dans une pièce adaptée et lumineuse. Jairaj, un artiste renommé, enseigne la peinture classique (600 Rs pour une leçon de base de 2 heures).

Krishna's Musical Instruments (☎ 9950906001 ; 37 Lal Ghat). Krishna, de la caste des musiciens, donne des cours de sitar, de tabla, de chant et de flûte – entre autres (100 Rs/h).

Noble Indian Cooking Classes (☎ 2415100 ; nicc_indya@yahoo.co.in ; Nani Gali, Jagdish Chowk). Les cours très prisés de Ruchi, Swati, et leur mère Rajni, vous enseigneront l'art du chapati (150 Rs/pers), vous apprendront à réaliser un festin (8 plats, 1 000 Rs), ou d'autres choses encore.

Prem Musical Instruments (☎ 2430599 ; Gangaur Ghat Rd). Bablu donne des cours de sitar, de tabla et de flûte (250 Rs/h).

Shashi Cooking Classes (☎ 9929303511 ; http://shashicookingclassesblogspot.com ; 18 Gangaur Ghat Rd ; 400 Rs/4 h ; 🕑 10h-14h, 17h30-21h30). Nos lecteurs ne tarissent pas d'éloge sur les cours dynamiques de Shashi (4 étudiants maximum), sous le Sunrise Restaurant.

Spice Box (☎ 9414235252 ; spicebox2001@yahoo.co.in ; Lal Ghat Rd ; 650 Rs/3 h). Les cours de cuisine de Shakti Singh sont recommandés.

Circuits organisés

Des visites de la ville en 5 heures (5 pers minimum, 90 Rs/pers droits d'entrée en sus) partent à 8h du RTDC Hotel Kajri. Des excursions mènent à Ranakpur et Kumbalgarh (330 Rs, repas végétarien compris, droits d'entrée en sus).

Fêtes et festivals

Udaipur célèbre le **Mewar Festival** (p. 161) en avril.

Où se loger

Pour un cadre romantique, logez aux abords du lac, à l'ouest du Jagdish Temple ou de l'autre côté, dans le quartier plus paisible de l'Hanuman Ghat, et choisissez une chambre donnant sur l'eau – souvent plus chère que les autres. La plupart des hôtels offrent des réductions hors saison.

Pour échapper au système des commissions, rendez-vous aux guichets d'auto-rickshaws prépayés situés devant les gares routière et ferroviaire. Si vous rencontrez des difficultés avec un chauffeur d'auto-rickshaw (relevez son numéro d'immatriculation) ou avec un hôtel, contactez la police ou le centre d'accueil des touristes.

PETITS BUDGETS

Lal Ghat

Lalghat Guest House (☎ 2525301 ; lalghat@hotmail.com ; 33 Lal Ghat ; dort/s sans sdb 100/150 Rs, d 400-600 Rs, avec clim 1 200-2 100 Rs ; ❄ 💻). Cette pension, l'une des plus anciennes d'Udaipur, a toujours du succès avec son immense choix de chambres. Le dortoir est impeccable (deux lits par alcôve fermée par un rideau, et avec casier) ; les chambres les moins chères, qui ressemblent à des cellules, vont être refaites ; les chambres moyennes sont équipées de moustiquaires et les meilleures, joliment décorées, ont vue sur le lac.

Lehar Paying Guest House (☎ 2417651 ; 87 Gangaur Ghat Rd ; s/d à partir de 150/200 Rs). Tenue par une maîtresse femme et son fils, cette pension propose de vieilles chambres exiguës, plutôt ordinaires, mais propres. Visitez-en plusieurs avant de vous décider. Restaurant basique sur le toit.

Lake Corner Soni Paying Guest House (2525712 ; 27 Navghat ; s/d 200/250 Rs, sans sdb à partir de 150/200 Rs). Cet établissement on ne peut plus modeste, mais à l'ambiance familiale agréable, propose des chambres plutôt défraîchies et des sdb douteuses. Emplacement exceptionnel, bonne cuisine maison et vue magnifique depuis le toit.

Nukkad Guest House (2411403 ; Ganesh Ghat Rd ; s 150-200 Rs, d 250-700 Rs). Le sympathique Raju nous ouvre sa maison familiale traditionnelle aux chambres simples et propres. La moins chère est la seule sans sdb. Atmosphère très détendue et restaurant basique sur le toit.

Lake View Guest House (2420527 ; Lal Ghat ; ch 200-700 Rs, avec clim 800-1 000 Rs ;). D'impressionnantes rénovations ont fait de Lake View une excellente adresse pour petits budgets. Voyez plusieurs chambres, l'entretien et la plomberie laissant parfois à désirer. Certaines ont une vue incroyablement proche du temple voisin. Les petites chambres les moins chères, dans l'ancien bâtiment, sont bizarrement configurées.

Hotel Ganguar Palace (2422303 ; www.ashokahaveli.com ; Ganguar Ghat Rd ; ch 250-2 000 Rs ;). Ce *haveli* traditionnel absolument charmant ne cesse de s'améliorer. Bâti autour d'une cour, avec l'Ashoka Art School en face, où vous pourrez créer des œuvres d'art, une chiromancienne et une boulangerie allemande. Restaurant sur le toit.

Hotel Udai Niwas (5120789 ; www.hoteludainiwas.com ; Gangaur Ghat Rd ; ch 300-700 Rs, avec clim 800-1 200 Rs ;). Hôtel central aux chambres impeccables et colorées, décorées de marionnettes et de tentures murales. Excellent rapport qualité/prix pour les moins chères. Sur le toit, le Sun & Moon, restaurant sur 3 niveaux diffuse des films.

Hotel Lake Ghat Palace (2521636 ; lakeghatanis@hotmail.com ; Lal Ghat ; ch 300-1 000 Rs, avec clim 1 200 Rs ;). Cette bonne adresse pour voyageurs à petit budget propose des chambres spacieuses avec vitraux. Vue ou balcon pour certaines. Bon restaurant et vue splendide depuis le toit.

Jheel Guest House (2421352 ; Gangaur Ghat Rd ; ch 450-550 Rs). Les chambres de cet ancien *haveli* vont des plus basiques, à l'arrière, à la chambre avec balcon et trois fenêtres donnant sur le lac. Des rénovations sont prévues, dans le style de la Jheel Palace Paying Guest House (p. 217).

Hanuman Ghat

Dream Heaven Guest House (2431038 ; www.dreamheaven.co.in ; Hanuman Ghat ; ch 150-550 Rs, avec clim 650 Rs ;). Cette pension au succès mérité propose des chambres impeccables d'un bon rapport qualité/prix, décorées avec tentures et peintures, certaines avec balcon. Petites sdb.

Panorama Guest House (2431027 ; www.panoramaguesthouse.in ; Hanuman Ghat ; ch 150-400 Rs, avec clim 600-800 Rs ;). Une autre jolie pension, bien entretenue par l'aimable Krishna. Donne sur une petite place. Ses chambres sont propres et un peu kitsch. Sur le toit, son restaurant sert de délicieuses crêpes accompagnées d'un bon café.

Ailleurs

Hotel Kumbha Palace (2422702 ; www.hotelkumbhapalace.com ; Bhattiyanni Chohtta ; s 100 Rs, d 350-400 Rs, avec clim 900 Rs ;). Situé dans le quartier des serviteurs du City Palace, cet hôtel est pourvu d'une pelouse luxuriante à l'arrière et de chambres doubles confortables. Le restaurant saura consoler ceux qui ont le mal du pays. Les gérants indo-néerlandais tiennent également le Krishna Ranch (p. 215), recommandé pour les promenades équestres.

Shambhu Vilas (2421921 ; paratour@hotmail.com ; Lake Palace Rd ; ch 600 Rs, avec clim 800-1 200 Rs ;). Cet hôtel défraîchi, autrefois bon marché, est devenu trop cher pour ce qu'il offre. Les chambres sont correctes mais mériteraient une rénovation. Le restaurant sur le toit propose aux clients de mettre la main à la pâte.

CATÉGORIE MOYENNE

Lal Ghat

Jaiwana Haveli (2411103 ; www.jaiwanahaveli.com ; 14 Lal Ghat ; ch 400-1 950 Rs ;). Un personnel jeune et professionnel gère cet établissement aux chambres immaculées agrémentées de tissus imprimés, de TV à l'écran LCD et de lits confortables. Les moins chères sont minuscules. Préférez les chambres d'angle (21 et 31), pour la vue.

Poonam Haveli (2410303 ; poonamhaveli@hotmail.com ; 39 Lal Ghat ; ch 700-1 300 Rs, ste 1 800 Rs ;). Propose des chambres spacieuses avec grands lits, et vue sur le lac pour les meilleures. La chambre 007 s'orne de belles voûtes et la suite renferme deux pièces et un Jacuzzi. Le restaurant sur le toit sert des soi-disant "véritables pizzas italiennes" en plus des plats indiens et occidentaux habituels.

Hotel Baba Palace (2427126 ; www.hotelbabapalace.com ; Jagdish Temple Rd ; s 750-1 800 Rs, d 1 200-2 600 ;). Les chambres de cet établissement chi sont impeccables et fraîches, avec de bons lits et de solides portes. Toutes sont climatisées et équipées de TV. Petit déj inclus. Extrêmement proche du temple Jagdish. Excellent café (Mayur Rooftop Cafe) sur le toit.

Kankarwa Haveli (☎ 2411457 ; 26 Lal Ghat ; ch 850 Rs, avec clim 1 250-2 850 Rs ;). Un vieux *haveli* délicieusement simple aux chambres blanchies à la chaux, portes traditionnelles basses, fresques originales et alcôves magiques. Les chambres les plus chères donnent sur le lac Pichola.

Mewar Haveli (☎ 2521140 ; www.mewarhaveli.com ; 34-35 Lal Ghat ; ch 990-1 500 Rs ;). Une très bonne adresse, tenue par les propriétaires du Jagat Niwas Palace Hotel. Personnel aimable et chambres lumineuses, propres et richement décorées, avec lits confortables. Celles de l'étage (accessibles par ascenceur) sont divines. Restaurant sur le toit.

Hotel Krishna Niwas (☎ 2420163 ; www.hotelkrishnaniwas.com ; 35 Lal Ghat ; d 1 100-1 400 Rs ;). Cet hôtel prisé propose des chambres bien tenues, dont certaines avec un balcon ou une belle vue (plus petites). Superbe panorama depuis le toit. Restaurant correct et cours de cuisine (p. 214).

Jheel Palace Paying Guest House (☎ 98298275355 ; www.jheelguesthouse.com ; 56 Gangaur Ghat ; d 1 250 Rs, avec clim 2 050 Rs). En face de la Jheel Guesthouse, cet hôtel est au bord du lac (selon le niveau des eaux). Chambres aérées (la 201 est la meilleure, avec des fenêtres sur 3 côtés), personnel discret et serviable. Restaurant brahmane sur le toit, exclusivement végétarien et sans alcool.

Anjani Hotel (☎ 2421770 ; www.anjanihotel.com ; 77 Gangaur Ghat Rd ; ch 1 350-2 700 Rs ;). Un hôtel bien tenu aux nombreuses chambres de taille et de confort très différents. Les plus élevées ont une vue superbe sur la ville. Parmi ses autres atouts : un ascenseur, une minuscule piscine, une boutique d'art et un restaurant sur le toit.

Jagat Niwas Palace Hotel (☎ 2420133 ; www.jagatniwaspalace.com ; 23-25 Lal Ghat ; ch 1 450 Rs, deluxe 1 950-3 450 Rs, ste 5 550 Rs ;). Cet excellent hôtel de catégorie moyenne installé dans deux *haveli* jouit d'un emplacement spectaculaire. Les chambres deluxe sont coquettes, avec meubles sculptés et banquette devant la fenêtre. Les plus chères donnent sur le lac. Les chambres basiques sont petites et relativement confortables et seul l'emplacement justifie leur prix. Un restaurant romantique occupe le toit de l'hôtel.

Autour de Palace Rd

Rang Niwas Palace Hotel (☎ 2523890 ; www.rangniwaspalace.com ; Lake Palace Rd ; s 770-1 800 Rs, d 900-2 100 Rs, ste s/d 2 500/3 000 Rs ;). Cet adorable palais du XIXe siècle débordant de charme, avec un jardin central et une petite piscine (non-résidents 125 Rs), est une véritable oasis. Les chambres de la partie ancienne sont les plus jolies. Les suites, décorées de meubles sculptés, avec balcon et balancelle, sont divines.

Hotel Mahendra Prakash (☎ 2419811 ; www.hotelmahendraprakash.com ; Lake Palace Rd ; ch 1 000-3 500 Rs ;). Un jardin verdoyant, des chambres spacieuses et bien meublées et une atmosphère joyeuse composent cet hôtel. Les chambres climatisées commencent à 1 500 Rs et les plus élevées, avec balcon, donnent sur le City Palace. Le restaurant domine un beau *baori* (puits en escalier). Superbe piscine (non-résidents 100 Rs) et pelouse peuplée de tortues.

Hotel Raj Palace (☎ 2410364 ; www.hotelrajpalaceudaipur.com ; Bhattiyani Chohtta ; ch 950 Rs, avec clim à partir de 1 500 Rs, ste 2 500 Rs ;). Cet hôtel aux mille recoins occupe un magnifique *haveli* vieux de 300 ans à l'entrée imposante. Ses chambres sont très variées, visitez-en plusieurs. Emplacement paisible et personnel serviable. Restaurant dans le jardin, où vit une tortue amatrice de tomates, et restaurant agréable sur le toit depuis lequel on aperçoit les coupoles du City Palace.

Hanuman Ghat

Lake Pichola Hotel (☎ 2431197 ; www.lakepicholahotel.com ; s/d à partir de 1 500/1 700 Rs ;). Ce grand hôtel, plutôt impersonnel mais bien situé, comporte des chambres spacieuses quoique défraîchies (négociez). Celles qui donnent sur le lac sont dotées de balcons d'où l'on peut observer le lac.

Amet Haveli (☎ 2431085 ; amethaveli@sify.com ; s/d/ste 3 000/3 500/4 500 Rs ;). Vieux de 350 ans, cet édifice sur les rives du lac renferme des chambres accueillantes avec banquettes devant la fenêtre et vitres colorées munies de petits volets. Offrez-vous en une équipée d'un balcon ou d'une immense baignoire. L'Ambrai, un des restaurants les plus romantiques d'Udaipur, fait partie de l'hôtel.

Udai Kothi (☎ 2432810 ; www.udaikothi.com ; ch/deluxe/ste 3 000/6 000/7 000 Rs ;). L'atout de cet hôtel clinquant est sa merveilleuse terrasse, qui accueille un bon restaurant et la seule

RAJASTHAN

piscine sur un toit de la ville (non-résidents 300 Rs) ; il y a même un Jacuzzi avec vue. Les chambres sont confortables, immaculées et bien équipées.

Ailleurs

Mountain Ridge (☎3291478 ; www.mountainridge.in ; Sisarma ; d avec petit déj 1 700 Rs, ste 3 500 Rs ;). Cette pension à la campagne constitue une base idéale pour découvrir la région d'Udaipur. Perchée au-dessus du village de Sisarma, à 10 min de voiture du lac Pichola, vous y trouverez 3 chambres élégantes, une suite, une magnifique piscine et une terrasse.

Pahuna Haveli (☎ 2526617 ; www.pahunahaveli.com ; 211 Sardarpura ; d/ste 2 000/3 000 Rs). Une pension magnifique en banlieue d'Udaipur, tenue par les adorables Hanwant Singh et Hemant Kumari. Cinq belles chambres de style mewari, joli jardin et délicieux repas (déjeuner ou dîner 250 Rs).

Ram Pratap Palace Hotel (☎ 2431701 ; www.hotelrampratap.com ; Fateh Sagar Lake ; s/d/ste à partir de 2 400/2 800/5 000 Rs ;). Son emplacement loin de l'épicentre touristique d'Udaipur (la vieille ville n'est qu'à 10 min de marche mais on se sent totalement isolé), son confort (dont le spa) et son personnel aimable font l'attrait de cet hôtel. De nombreuses chambres équipées de grandes fenêtres ont une vue magnifique sur Fateh Sagar. Ce n'est pas le cas des chambres standard du rez-de-chaussée.

CATÉGORIE SUPÉRIEURE

City Palace

Shiv Niwas Palace Hotel (☎2528016 ; www.hrhindia.com ; d 12 000 Rs, ste 24 000-80 000 Rs ;). Jadis réservée aux hôtes du maharana, cette résidence compte des chambres au mobilier luxueux, dont certaines sont couvertes d'argent et agrémentées de fontaines. Les plus basiques ne sont pas d'un très bon rapport qualité/prix. Choisissez une suite avec terrasse ou contentez-vous de nager dans la magnifique piscine en marbre (non-résidents 500 Rs).

Fateh Prakash Palace Hotel (☎ 2528008 ; www.hrhindia.com ; d et ste à partir de 15 000 Rs ;). Ce palais luxueux où rôda le maharana Fateh Singh date du début du XXe siècle. Les chambres les moins chères ne sont pas dans l'aile principale mais bénéficient d'une magnifique vue sur le lac.

Lake Palace Hotel (☎ 2528800 ; www.tajhotels.com ; d/ste à partir de 18 000/69 000 Rs ;). Icône d'Udaipur, ce palais romantique semblant flotter sur le lac est extraordinaire. Il comprend des patios, des bassins de lotus et une petite piscine ombragée. Les chambres sont ornées de tentures en soie et de meubles sculptés. Les moins chères ne donnent pas sur le lac mais sur le bassin aux nénuphars ou la terrasse.

Autres secteurs

Garden Hotel (☎2418 881 ; www.hrhindia.com ; ch standard/supérieure 4 500/5 500 Rs). Cet hôtel, en face des Sajjan Niwas Gardens, est plus détendu que la plupart des établissements de cette catégorie. Les chambres, si elles ne sont pas luxueuses, sont élégantes. La suite familiale, sur deux niveaux et avec deux sdb, est d'un bon rapport qualité/prix.

Udaivilas (☎ 2433300 ; www.oberoihotels.com ; ch 22 500-28 000, ste 130 500 Rs ;). Ce luxueux hôtel de charme ne lésine pas sur le faste et les dorures. Ses dômes sculptés sont époustouflants. Piscine privée dans les suites et deux restaurants excellents et somptueux.

Où se restaurer

D'innombrables cafés sont installés sur les toits baignés de soleil, jouissant pour la plupart d'une vue superbe sur le lac, à l'égal des restaurants des hôtels haut de gamme. Pour prendre un verre, goûtez au *duru*, un alcool local à base de safran, de cardamome et d'anis. Sinon, il y a un vaste choix de bières.

De nombreux restaurants bon marché projettent en soirée des films récents, ou le bon vieil *Octopussy*, en partie filmé à Udaipur.

RESTAURANTS

Maxim's Cafe (☎9414239762 ; Jagdish Chowk ; plats 35-90 Rs ; 8h-22h30). Jouit d'une petite terrasse sur deux niveaux, surplombant le temple Jagdish. Pizzas et plats végétariens (indiens, chinois et occidentaux) fraîchement préparés.

Sunrise (☎ 9928580882 ; angle Lal Ghat et Gangaur Ghat Rd ; plats 40-60 Rs ; 8h-22h). Sert des petits-déjeuners de champion ainsi que de la cuisine indienne maison, et plusieurs plats italiens et suisses pour ceux qui ont le mal du pays. Venez tôt pour obtenir une des 6 tables. Le charmant Shashi donne des cours (p. 215) dans la cuisine du rez-de-chaussée.

Lotus Cafe (☎ 5103099 ; Bhattiyani Chohtta ; plats 40-110 Rs ; 8h30-23h30). Ce petit restaurant branché prépare de succulents plats (principalement indiens) à base de poulet. C'est l'endroit idéal pour rencontrer d'autres voyageurs. Mezzanine pour se prélasser au son de musique cool et jeux de société à disposition.

Parkview Restaurant (☎ 2528098 ; plats 50-190 Rs ; 🕑 9h-23h). Ce restaurant localement réputé (depuis 1968) est étrangement peu fréquenté par les touristes. Vaste choix de plats indiens servis par un personnel chic dans une longue salle avec 90 sièges rouges.

Whistling Teal (☎ 24220167 ; Bhattiyani Chohtta ; plats 50-180 Rs ; 🕑 8h30-22h30). On accède à ce restaurant aux curries succulents et au service irréprochable par la réception du Raj Palace Hotel. Niché dans un jardin verdoyant à l'écart de la rue, on y consomme cocktail ou narguilé au bar. Les expressos du petit café le long du Bhattiyani Chohtta sont excellents.

Bawarchi Restaurant (☎ 2414955 ; 6 Delhi Gate ; *thali* 55 Rs). Un petit restaurant animé qui sert des *thali* jaïns, gujaratis ou rajasthanis à prix modique.

Mayur Rooftop Cafe (☎ 2427126 ; Jagdish Temple Rd ; plats 80-220 Rs ; 🕑 8h-23h). Ce restaurant aéré offre une superbe vue sur le spectacle de lumières multicolores sur le temple Jagdish. Le menu comprend les plats multi-ethniques habituels, et le *thali* à 55 Rs est d'un bon rapport qualité/prix.

Berry's (☎ 2429027 ; Chetak Circle ; plats 90-150 Rs ; 🕑 12h-16h, 19h-23h). Une adresse agréable et branchée avec porte en bronze reluisante et aquarium. Venez de préférence le soir, quand le service chic attire de nombreux clients. Les mets, végétariens ou non, sont raffinés. Bonne cuisine indienne et plats chinois ou occidentaux.

♡ **Ambrai** (☎ 2431085 ; près d'Hanuman Ghat ; plats 95-190 Rs ; 🕑 12h30-15h et 19h30-22h30). La cuisine indienne de ce restaurant est à la hauteur de son emplacement en bordure de lac, avec vue sur le Lake Palace Hotel, le Lal Ghat et le City Palace. Ambrai ressemble à un parc français avec son mobilier en fer forgé, son sol poussiéreux et ses grands arbres feuillus. Le bar est superbe.

Jagat Niwas Palace Hotel (☎ 2420133 ; 23-25 Lal Ghat ; plats 115-315 Rs ; 🕑 7h-11h, 12h-15h et 18h30-22h15). Un superbe restaurant chic avec vue magnifique sur le lac, cuisine indienne délicieuse et service agréable. Le menu comprend de nombreux curries adaptés aux papilles occidentales (mouton, poulet, poisson, végétarien) ainsi que des tandooris. Le menu du bar est tentant avec ses en-cas et ses bières fraîches. Réservation conseillée le soir.

Savage Garden (☎ 9414296958 ; à l'intérieur de Chandpol ; plats 150-550 Rs ; 🕑 11h-22h). Non loin de Chandpol, ce restaurant aux murs bleu indigo, avec tables en alcôves ou installées dans une jolie cour, ne manque pas de charme. Cuisine méditerranéenne aux influences italienne et moyen-orientale. Goûtez le *mezze* (caviar d'aubergine, houmous et taboulé). Le bar est chic et sert des vins indiens blancs, rouges et pétillants de Nasik (dans le Maharashtra).

Lake Palace Hotel (☎ 2528800 ; buffet 2 000 Rs ; 🕑 7h30-22h30). Cette institution d'Udaipur est peut-être surfaite mais vous ne trouverez pas de plus bel endroit pour dîner. Vous pourrez déguster un somptueux buffet au déjeuner, ou un menu au dîner (3 plats, 3 000 Rs + taxes). Réservation indispensable et tenue correcte exigée.

SUR LE POUCE

Cafe Namaste (Hotel Gangaur Palace ; Gangaur Ghat Rd ; gâteaux 15-70 Rs ; 🕑 7h30-19h30). Cette boulangerie de style européen ne déçoit pas avec ses succulents muffins, tartes aux pommes et autres gâteaux, accompagnés de cafés (40-70 Rs) sortis de la machine à expresso rutilante qui trône dans la boutique.

Cafe Edelweiss (Gangaur Ghat Rd ; en-cas 30-50 Rs ; 🕑 7h30-19h30). Géré par les propriétaires du Savage Garden, ce petit coin d'Europe consolera les voyageurs ayant le mal du pays. Les tartes et gâteaux ne font pas long feu et il est difficile d'y trouver une table. Bon café (30-40 Rs).

Où boire un verre

Les endroits pour vous relaxer en regardant les eaux paisibles du lac Pichola, une boisson à la main, ne manquent pas ; mais pour vous faire vraiment plaisir, offrez-vous un verre au bar des grands hôtels. Le **Paanera Bar** (Shiv Niwas Palace Hotel ; 🕑 11h-23h), au bord de la piscine, est agrémenté de divans moelleux. Le **Pichola Bar** (Jagmandir Island Palace ; 🕑 11h-23h) est situé dans un ancien palais au milieu du lac. Le **Sunset View Terrace** (City Palace complex ; 🕑 11h-22h), sur une terrasse baignée de soleil dominant le lac, est l'endroit idéal pour un gin-tonic au coucher du soleil.

Où sortir

Dharohar (Gangaur Ghat ; adulte/enfant 60/30 Rs, app. photo/caméra 10/50 Rs ; 🕑 spectacle 19h). Le magnifique Bagore-ki-Haveli est le meilleur endroit (et le plus pratique) pour admirer des danseurs traditionnels du Rajasthan.

Spectacle sons et lumières du Mewar (Manak Chowk, City Palace ; adulte/enfant 50/25 Rs, fauteuil surélevé 100/50 Rs ; 20h-21h). Quinze siècles d'histoire fascinante du Mewar sont condensés en une heure de projection agrémentée de commentaires.

Achats

Udaipur est réputée pour son artisanat, et notamment pour ses miniatures de style rajput-moghol. Les boutiques se regroupent le long de Lake Palace Rd et aux alentours du Jagdish Temple. Repérer les meilleurs exige un œil aiguisé. Si nombre d'"écoles d'art" enseignent les techniques à de jeunes artistes, elles fabriquent également à moindre coût le plus gros de ce qui alimente le marché touristique. Parmi les autres souvenirs prisés par les touristes : tissus, bijoux en argent, sculptures en bois, livres aux couvertures de cuir et papier (de Jaipur) fait à la main.

Les bazars, moins touristiques, s'étendent autour de la tour de l'Horloge, à l'est du Gangaur Ghat. L'animation bat son plein dans la soirée. Le Bara Bazaar vend de l'or, de l'argent, des saris et des tissus. On trouve des souliers traditionnels à Mochiwada, de l'argent à Bhattiyanni et des épices au Mandi Market.

Préparez-vous à marchander âprement, car les prix annoncés frisent le ridicule.

Rajasthali Chetak Circle (Chetak Circle ; 10h30-19h lun-sam) ; près de Lal Ghat (Jagdish Temple Rd ; 10h-18h30). Visitez cet emporium d'État pour vous faire une idée des prix de l'artisanat.

Sadhna (☎ 2417454 ; www.sadhna.org ; Jagdish Temple Rd ; 10h-19h). Cette boutique appartient à Seva Mandir, une ONG fondée en 1969 pour aider les femmes des communautés rurales. On y trouve de beaux textiles à prix fixes et reverse les bénéfices aux artisans et à des projets de développement de l'organisation.

Depuis/vers Udaipur

AVION

Air India (☎2410999 ; www.airindia.com ; Mumal Towars 1er ét., Saheli Rd ; 10h-13h et 14h-17h lun-sam, 10h-14h dim) dessert Delhi (à partir de 2 400 Rs l'aller) via Jodhpur (1 400 Rs), Jaipur (1 500 Rs) et Mumbai (3 100 Rs). **Jet Airways** (☎2561105 ; Blue Circle Business Centre, Madhuban), près de la poste principale, propose des vols identiques aux mêmes prix. **Kingfisher Airlines** (☎2429428 ; www.flykingfisher.com ; Chetak Circle) propose plusieurs vols quotidiens à destination de Delhi (5 300 Rs).

BUS

Les **bus RSRTC** (☎2484191) rallient notamment Agra (express 250 Rs, 13 heures), Jaipur (express/deluxe 170/220 Rs, 9 heures), Ajmer (express/deluxe 120/150 Rs, 8 heures), Jodhpur (express/deluxe 115/145 Rs, 8 heures), Chittor (local/express 50/75 Rs, 3/2 heures 30), Delhi (express/deluxe 300/450 Rs, 14 heures) et Mumbai (350 Rs, 16 heures).

Des compagnies privées affrètent des bus pour Mount Abu (100 Rs, 5 heures), Ahmedabad (ordinaire/AC 150/200 Rs, 6 heures), Jodhpur (seat/sleeper 100/150 Rs, 7 heures), Delhi (ordinaire/sleeper 200/350 Rs, 14 heures) et Mumbai (seat/sleeper 400/600 Rs, 16 heures).

Haveli Tours & Travels (☎ 9828787872 ; 61 Jagdish Temple Rd) propose un bus quotidien pour Jodhpur (450 Rs) à 8h. Pause déjeuner dans leur complexe du village de Ghanerao et visite de Ranakpur sur la route.

TAXI

De nombreux chauffeurs vous montreront une liste de prix "officiels" pour des destinations comme Mount Abu, Chittor et Jodhpur. Sachez que 5 Rs/km sans AC est une bonne base. N'oubliez pas en outre que le retour est facturé (même si vous ne faites que l'aller), ainsi que l'éventuelle pause de nuit du chauffeur.

TRAIN

La voie ferrée reliant Udaipur est en cours d'élargissement et si le service ferroviaire passant par Chittor est lent et limité à l'heure actuelle, il est néanmoins préférable au bus. Au moment de la parution de ce guide, les trains rapides devraient être plus nombreux. Pour tout renseignement, ☎2527390.

Le 2964 *Mewar Express* part d'Udaipur à 18h30 et arrive à Delhi (sleeper/3AC/2AC/1AC 309/814/1 106/1 854 Rs) à 6h15, en passant par Chittor (141/268/333/544 Rs, 2 heures) et Kota (171/424/567/946 Rs, 4 heures). Dans le sens inverse (2963), il quitte Delhi à 19h pour atteindre Udaipur à 7h. Le 2966 *Udaipur-Gwalior Express* quitte Udaipur à 22h20 et arrive à Agra (sleeper/3AC/2AC/1AC 291/763/1 036/1 734 Rs) à 10h15, via Chittor, Ajmer et Jaipur (217/553/745/1 252 Rs 7 heures 30).

Le 2991 *Udaipur-Ajmer Express* part à 7h05 et arrive à Ajmer (2e classe/AC Chair 98/346 Rs) à 12h30, via Chittor (61/210 Rs, 2 heures).

L'*Ahmedabad Express* (9943) part pour Ahmedabad à 19h45 (sleeper/2AC 154/548 Rs) et arrive à 4h25.

Comment circuler

DEPUIS/VERS L'AÉROPORT

Aucun bus ne dessert l'aéroport, situé à 25 km de la ville. Un taxi vous demandera au moins 350 Rs.

AUTO-RICKSHAW

Les auto-rickshaws sont dépourvus de compteur ; convenez du prix avant de monter. Une course en ville s'élève à environ 30 Rs. Des guichets d'auto-rickshaws prépayés sont installés aux gares routière et ferroviaire. Une journée de visite en ville revient à 300 Rs.

Le système des commissions sévit. Ne vous laissez pas influencer par les chauffeurs et maintenez votre choix d'hébergement. À moins d'avoir opté pour le prépaiement, faites-vous déposer au Jagdish Temple à votre arrivée : il constitue un bon point de départ pour chercher un hébergement.

VÉLO ET MOTO

Heera Cycle Store (5130625 ; 7h30-21h), près de l'Hotel Udai Niwas, loue des vélos Hero peu commodes pour 25 Rs la journée (plus 50 $US de caution) ou des VTT plus maniables pour 50 Rs par jour (100 $US de caution). Vous y trouverez également des mobylettes/motos/Bullet pour 70/300/400 Rs la journée (200/400/500 $US de caution).

ENVIRONS D'UDAIPUR

Kumbalgarh

Édifié au XVe siècle par le maharana Kumba, l'extraordinaire fort en pierre de **Kumbalgarh** (Indiens/étrangers 5/100 Rs ; 8h-18h) est perché à 1 100 m d'altitude dans les monts Aravalli, à 84 km au nord d'Udaipur. Son architecture colossale évoque l'idéal chevaleresque des Rajput.

Fort le plus important du Mewar après Chittor, il servait de retraite aux souverains en période de danger. Il ne fut pris qu'une seule fois au cours de son histoire, et encore fallut-il les efforts conjugués des armées d'Amber, du Marwar et de l'empereur moghol Akbar, pour faire tomber la citadelle qu'elles ne conservèrent pas plus de deux jours.

Les remparts s'étendent sur 36 km et entourent 360 temples, des palais, des jardins, des *baori* (puits) et 700 redoutes à canons.

Si vous séjournez à Kumbalgarh, aller à pied jusqu'au fort vous permettra d'apprécier ses défenses impénétrables.

La **réserve naturelle de Kumbalgarh** (Indiens/étrangers 10/100 Rs ; lever-coucher du soleil) est célèbre pour ses léopards et ses loups. On y trouve aussi des antilopes tétracères (à quatre cornes) et des ours lippus. Le meilleur moment pour voir les animaux se situe entre mars et juin, quand l'eau est peu abondante. Pour y entrer, un permis du département des forêts de Kelwara, non loin de là, est nécessaire. Les hôtels peuvent s'en charger et organiser des promenades équestres de trois heures ou des safaris en Jeep. **Shivika Lake Hotel** (02934-285078 ; http://shivikalakehotel.com), à Ranakpur, organise des tours en Jeep pour 700 Rs/personne, entrée incluse.

Karni Palace Hotel (02594-242033 ; Bus Stand Rd, Kelwara ; s/d à partir de 600/750 Rs, avec clim 1 200/1 500 Rs, ste 3 000 Rs ;). De jolis champs de maïs s'étendent à l'arrière de cet hôtel dénué de charme mais prisé par les groupes. La peinture est défraîchie mais c'est impeccable.

Kumbhal Castle (02594-242171 ; www.thekumbhalcastle.com ; s/d à partir de 1 800/2 000 Rs ;). À 3 km du fort, il s'agit d'un "château" moderne aux chambres basiques et lumineuses avec banquette devant la fenêtre, balcons communs et belle vue.

Aodhi Hotel (02594-242341 ; www.hrhindia.com ; ch 6 000 Rs, ste 7 000 Rs ;), à environ 5 km du fort, est un hôtel charmant et paisible, avec piscine accueillante.

Plusieurs bus RSRTC circulent depuis/vers Udaipur (40 Rs, 3 heures 30). Certains s'arrêtent à Kelwara, à 7 km, d'autres à l'Aodhi Hotel – à 2 km à pied du fort. Louer un taxi à Udaipur vous permettra de visiter Ranakpur et Kumbalgarh dans la journée ; nombre de voyageurs proposent de partager un taxi et les frais (1 400 Rs).

Ranakpur

À 90 km au nord d'Udaipur, dans une profonde vallée boisée, une route sinueuse conduit à **Ranakpur** (entrée libre, app photo/caméra 50/100 Rs ; jaïns 6h-19h ; non-jaïns 11h-17h), l'un des temples jaïns les plus vastes et les plus importants du pays. Cet incroyable ensemble en marbre blanc sculpté comprend une série de 29 salles soutenues par une forêt de 1 444 colonnes, toutes différentes. La dévotion des bâtisseurs transparaît dans les sculptures complexes.

Le temple principal, le **Chaumukha Mandir** (temple aux Quatre Visages), est dédié à Adinath et date de 1439. Le complexe renferme deux autres temples jaïns, consacrés à **Neminath** et **Parasnath**, ainsi qu'un **temple du Soleil**. L'**Amba Mata Temple** se dresse à 1 km de l'ensemble.

Chaussures, cigarettes et articles de cuir doivent être déposés à l'entrée.

Rustique et accueillant, le **Shivika Lake Hotel** (☎ 02934-285078 ; http://shivikalakehotel.com ; ch 600-1 600 Rs ; ❄ 💻 🏊) compte de petits bungalows douillets installés dans un joli jardin luxuriant et un restaurant (plats 40-100 Rs). La famille, bien informée, organise des safaris en forêt et des randonnées guidées.

Situé dans une zone où l'on cultive des mangues, le **Ranakpur Hill Resort** (☎ 02934-286411 ; www.ranakpurhillresort.com ; Ranakpur Rd, Post Sadri ; s/d à partir de 1 800/2 200 Rs ; ❄ 💻 🏊) possède une agréable piscine et un restaurant gigantesque. Les chambres sont bien agencées (sdb étincelantes).

À 11 kilomètres de Ranakpur, **Aranyawas** (☎ 9829699413 ; www.aranyawas.com ; Maga Village ; ch à partir de 1 800/2 500 Rs ; ❄ 🏊) est un chalet isolé entouré d'arbres fruitiers et de forêt. La plupart des chambres donnent sur un ruisseau.

Le **Maharani Bagh Orchard Retreat** (☎ 02934-285105 ; balsamand@sify.com ; s/d 3 900/4 900 ; ❄ 🏊), à 4 km de Ranakpur dans une plantation de manguiers, loue des bungalows avec terrasse et meubles en bois, entourés de pelouses.

Des bus desservent Ranakpur (45 Rs, 3 heures), mais il est difficile de visiter Ranakpur et Kumbalgarh dans la journée en transport public. De plus, les hébergements listés ci-dessus sont trop éloignés de la gare routière pour s'y rendre à pied. Depuis Udaipur, vous pourrez en revanche gagner Ranakpur et Kumbalgarh en taxi pour 1 400 Rs.

Jaisamand Lake

À 48 km au sud-est d'Udaipur, ce lac artificiel de 88 km² est l'un des plus grands d'Asie. Créé par un barrage sur la Gomti, il fut aménagé par le maharana Jai Singh au XVIIe siècle. De superbes chhatri (cénotaphes) de marbre bordent la digue, longue de 330 m et haute de 35 m. Les palais d'été des maharanis d'Udaipur ponctuent les collines avoisinantes.

Jaisamand Island Resort (☎ 0294-2431401 ; www.jaisamand.co.in ; ch à partir de 3 300 Rs ; ❄ 💻 🏊). Moderne et élégant, cet hôtel isolé jouit d'un merveilleux emplacement, à 20 min en bateau de l'autre côté du lac. Un cadre somptueux entoure la piscine, qui n'est pas toujours remplie et peut sembler négligée. Le complexe accorde souvent des réductions.

Des bus partent fréquemment d'Udaipur (27 Rs, 1 heure 30).

Dungarpur

À 110 km au sud d'Udaipur, la splendide Dungarpur (cité des Collines) fut fondée au XIIIe siècle. Le **Juna Mahal** (100 Rs, billets en vente à l'Udai Bilas ; 🕑 9h-17h), un magnifique palais déserté, recèle de nombreuses peintures murales (dont des illustrations du *Kama Sutra*, dissimulées dans un placard). L'ancien pavillon de chasse royal, sur une colline avoisinante, jouit d'une vue fantastique.

Le superbe **Deo Somnath Temple**, à 25 km de la ville, remonte au XIIe siècle.

L'**Hotel Pratibha Palace** (☎ 02964-230775 ; Shastri Colony ; d 150-200 Rs) possède des petites chambres acceptables. Le meilleur rapport qualité/prix dans cette catégorie.

Udai Bilas Palace (☎ 02964-230808 ; www.udaibilas-palace.com ; s/d/ste 4 050/5 100/6 300 Rs ; ❄ 💻 🏊). Au bord des eaux scintillantes du Gaib Sagar, ce palais a été transformé en partie en un hôtel de rêve. Il s'organise autour de l'extraordinaire Ek Thambia Mahal (palais à colonne unique) et ses chambres ont conservé l'ameublement d'origine, Art déco et années 1940. Certaines disposent d'un balcon qui donne sur l'eau.

Des bus RSRTC circulent fréquemment depuis/vers Udaipur (60 Rs, 3 heures). Un train extrêmement lent effectue le même trajet (2e/1re classe 21/154 Rs, 4-5 heures, 114 km). Parmi les trains qui partent d'Udaipur, le 431 *Udaipur-Ahmedabad Passenger*, quitte Udaipur à 9h20 et arrive à Dungarpur (sleeper 80 Rs) à 13h30 ; le 9943 *Udaipur-Ahmedabad Express*, part d'Udaipur à 19h45 pour atteindre Dungarpur (sleeper/2AC 121/303 Rs) à 23h.

MOUNT ABU

☎ 02974 / 22 100 habitants / altitude 1 200 m

Mount Abu, la seule station dans les collines du Rajasthan, s'élève bien au-dessus des plaines étouffantes et offre un répit bienvenu après le désert. Plusieurs maharajas y construisirent leur résidence d'été. Il attire désormais des hordes de vacanciers du Gujarat voisin. Les pentes boisées qui bordent le chemin tortueux menant jusqu'à la ville abritent entre autres des ours, des sangliers et des singes. La flore, tout aussi variée, comprend notamment des orchidées très rares. Des randonnées plus ou moins longues permettent de découvrir la nature luxuriante.

Mount Abu est aussi célèbre pour ses merveilleux temples jaïns Dilwara et la présence d'adeptes du Brahma Kumaris. Les prix y sont exorbitants au moment de Diwali, qui n'est pas la bonne période pour s'y rendre. Prévoyez des vêtements chauds, car les soirées sont fraîches.

Orientation et renseignements

Mount Abu se situe sur un plateau de 22 km de longueur et 6 km de largeur, à 27 km de la gare ferroviaire la plus proche (Abu Road). La ville s'étend principalement le long de la route qui descend d'Abu Road au lac Nakki.

Le **centre d'accueil des touristes** (Tourist Reception Centre ; ☎ 235151 ; 🕑 9h30-18h mar-sam), en face de la gare routière, propose des cartes gratuites. La **Union Bank of India** (marché principal ; 🕑 10h-15h lun-ven, 10h-12h30 sam), cachée derrière la Yani-Ya Cyber Zone, était la seule à échanger des chèques de voyage et des devises au moment de nos recherches. On trouve un DAB de la SBBJ près du café Coffee Day et un de la SBI à côté du centre d'accueil des touristes. Pour utiliser Internet, allez à **Yani-Ya Cyber Zone** (marché principal ; 30 Rs/h ; 🕑 8h-22h) ou **Shree Krishna Telecommunications** (marché principal ; 30 Rs/h ; 🕑 8h-22h).

À voir et à faire

NAKKI LAKE

Principal centre d'intérêt de la ville, le joli **lac Nakki** doit son nom à la légende selon laquelle il fut creusé par un dieu avec ses ongles, ou *nakh*. Une agréable promenade permet d'en faire le tour, en admirant au passage de curieuses **formations rocheuses**. La plus connue, le **Toad Rock**, ressemble à un crapaud prêt à bondir dans le lac. Le **Raghunath Temple** (🕑 aube-crépuscule), qui date du XIVe siècle, se dresse près du lac. Sur la berge à proximité du temple, vous pourrez louer des embarcations – un pédalo (30 min, 2/4 pers 50/100 Rs) ou, plus romantique, une **shikara**, embarcation qui évoque une gondole (30 min, 2 pers 100 Rs).

POINTS DE VUE

Sunset Point est un endroit apprécié au coucher du soleil. **Honeymoon Point** et les **Crags** offrent aussi de beaux points de vue. Accompagné d'un guide, vous pourrez emprunter le sentier, souvent sombre, qui conduit jusqu'au sommet de **Shanti Shikhar**, à l'ouest de l'Adhar Devi Temple, pour découvrir des vues panoramiques. Ne visitez aucun de ces lieux sans être accompagné, surtout hors des heures de coucher du soleil, où vous risquez de vous y trouver seul(e). Malheureusement, des agressions (et pire) se sont produites ces dernières années.

La terrasse de l'ancien **palais d'été** du maharaja de Jaipur, aujourd'hui Jaipur House (voir p. 226), jouit d'une vue inégalée sur le lac.

DILWARA TEMPLES

Ces **temples** (entrée libre ; 🕑 jaïns aube-crépuscule, non-jaïns 12h-18h) comptent parmi les plus beaux exemples d'architecture jaïne en Inde. Il est interdit de prendre des photos, mais on peut en acheter à l'extérieur. Comme dans tous les temples jaïns, les articles en cuir (chaussures, ceintures, etc.) doivent être déposés à l'entrée. Les femmes ne sont pas admises en période menstruelle.

Pour les encourager à tailler des sculptures d'une grande finesse, les artisans étaient, dit-on, rétribués en fonction de la quantité de poussière de marbre qu'ils récoltaient. Deux temples comportent des sculptures d'une incroyable intensité.

Le temple le plus ancien, le **Vimal Vasahi**, fut commencé en 1031 en l'honneur du premier tirthankar, Adinath. Il fallut 14 années et plus de 180 millions de roupies pour l'achever. Le sanctuaire central comporte une image d'Adinath ; autour de la cour, 52 cellules identiques renferment chacune un tirthankar aux yeux ouverts et aux jambes croisées. La cour d'entrée compte 48 piliers. En face du temple se dresse la **maison des Éléphants**, d'où des éléphants sculptés partent en procession vers l'entrée du temple ; certains ont été endommagés par des pilleurs moghols.

Plus tardif, le **Luna Vasahi** est dédié à Neminath, le 22e tirthankar. *Il* fut bâti en 1230 par les frères Tejpal et Vastupal, ministres comme l'était Vimal, pour la bagatelle de 125,9 millions de roupies. Il fallut 2 500 artisans et 15 années pour tailler le marbre, si fin par endroits qu'il en devient presque transparent. Remarquez la fleur de lotus suspendue au centre de la coupole, véritable chef-d'œuvre taillé dans un seul bloc.

Le temple, étonnamment bien conservé, emploie à plein-temps plusieurs sculpteurs pour l'entretenir.

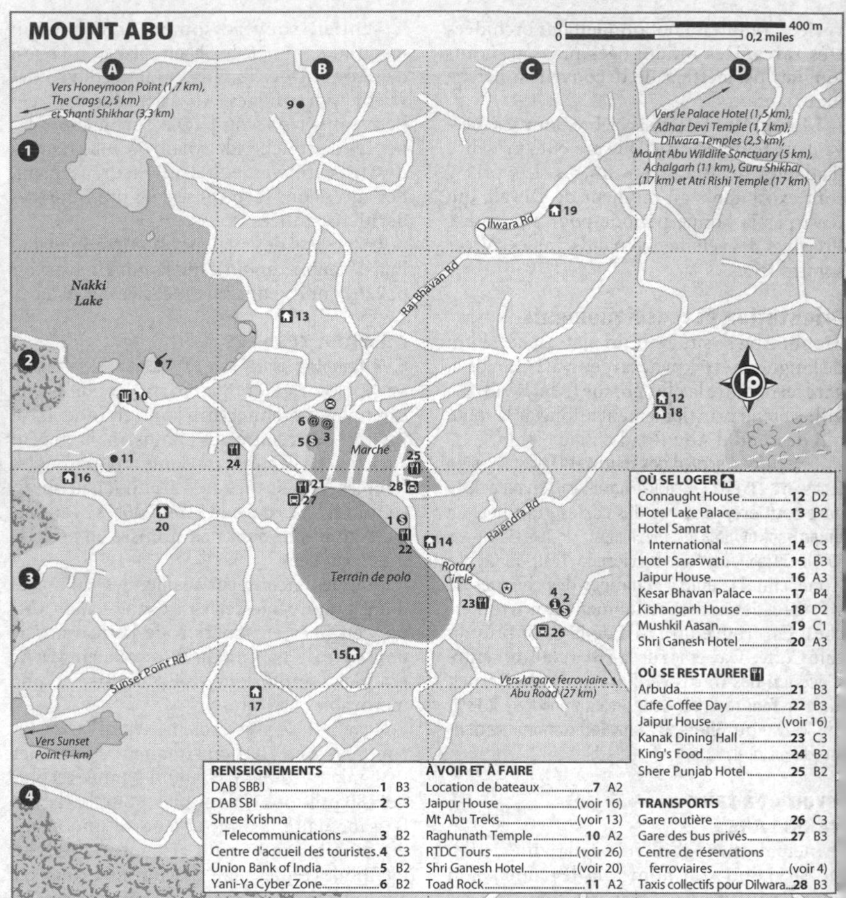

L'enceinte comprend trois autres temples : le **Bhimashah Pittalhar** (1315-1433), orné d'une statue de quatre tonnes faite de cinq métaux, le **Mahaveerswami** (1582), un petit sanctuaire flanqué d'éléphants peints, et le **Khartar Vasahi**, à trois niveaux.

Une promenade de moins d'une heure mène de la ville à Dilwara. Vous pourrez aussi prendre un taxi collectif (voir p. 227).

RANDONNÉES

En plus d'être le chasseur de serpent local, Charles, le guide de **Mt Abu Treks** (☎ 9414154854 ; Hotel Lake Palace), organise des randonnées personnalisées, de la simple visite d'un village aux longues expéditions dans la réserve naturelle de Mount Abu. Passionné par la faune et la flore, il répondra à toute vos questions. Les différentes formules d treks durent 3 à 4 heures (280 Rs/pers), un demi-journée (380 Rs), une journée déjeune compris (610 Rs), et 2 jours tous les repa compris (1 250 Rs). L'entrée du parc est com prise dans les tarifs mais si vous souhaite vous enfoncer plus loin dans la jungle e avez besoin d'un taxi pour vous y rendre prévoyez un supplément.

Le personnel du **Shri Ganesh Hotel** (☎ 235062 lalit_ganesh@yahoo.co.in) propose aussi d'excel lentes courtes randonnées dans les colline (200 Rs/pers). L'une part le matin à 9 heures et l'autre démarre à 15 heures pour profiter d coucher du soleil. Les itinéraires varient et l niveau de difficulté dépend des capacités d groupe. Il existe de bonnes chances d'apercevoir des ours et d'autres animaux.

Une recommandation de la part des habitants de la région : il est dangereux de se promener dans ces montagnes sans guide. Il est arrivé que des touristes se fassent attaquer par des ours ou même agresser (voire pire) par d'autres personnes.

Circuits organisés

La RTDC propose la visite en 5 heures des principaux sites autour de la ville (65 Rs, entrées non comprises). Ces circuits partent de la gare routière à 8h30 et 13h30 (plus tard en été). Celui de l'après-midi se termine à Sunset Point. Réservez au **comptoir des renseignements** (☎235434) de la gare routière.

Fêtes et festivals

Mount Abu est pris d'assaut lors de **Diwali** (voir p. 28) en octobre/novembre. La **fête de l'été** (p. 161) a lieu en mai, et en décembre se tient la **fête de l'hiver** (p. 161).

Où se loger

Mount Abu est formée, pour bonne part, d'hôtels. La haute saison s'étend de mi-avril à juin, pendant et après Diwali (il faut alors réserver bien à l'avance, les prix explosent et la foule envahit la ville) et entre Noël et le Nouvel An. Nombre d'établissements de catégories moyenne et supérieure offrent des réductions hors saison. Dans la plupart des hôtels, vous devrez libérer votre chambre pour 9h.

Des rabatteurs attendent aux abords de la gare routière et des stations de taxis. Ignorez-les en basse saison mais, en période d'affluence, ils vous épargneront de longues marches, car ils savent où trouver des chambres libres.

Shri Ganesh Hotel (☎ 235062 ; lalit_ganesh@yahoo.co.in ; dort à partir de 50 Rs, avec douche 100 Rs, ch 250-600 Rs, s/d sans sdb à partir de 80/150 Rs ; 💻). Cet établissement serein propose des chambres variées d'un bon rapport qualité/prix. Séances matinales de yoga sur le toit, cours de cuisine (150 Rs) avec repas à la clé et randonnées tous les matins et soirs (voir p. 224). Cuisine à disposition et bon petits déj.

Hotel Saraswati (☎ 238887 ; ch 490-890 Rs ; ❄). Prisé, propre et efficace, cet hôtel accueillant dans un environnement paisible, derrière le terrain de polo, propose un grand choix de chambres bien entretenues. La climatisation coûte 400 Rs supplémentaires et les prix augmentent parfois de 200 Rs le week-end. Restaurant de *thali* gujarati bon marché pour compenser.

Mushkil Aasan (☎ 235150 ; Dilwara Rd ; ch 750 Rs). Une pension adorable, nichée dans une vallée sur la route des temples Dilwara, qui propose 9 chambres douillettes. Emplacement tranquille et petite pelouse. Le prix n'inclut pas les repas, qui peuvent être pris sur place.

Hotel Samrat International (☎ 235153 ; Lake Rd ; s/d à partir de 1 000/1 250 Rs, s sans sdb à partir de 170 Rs). Cet hôtel propice aux lunes de miel abrite des chambres très diverses, des doubles exiguës aux suites spacieuses et attrayantes (avec balcons couverts donnant sur le terrain de polo). Les suites pour jeunes mariés sont "particulières". Les prix peuvent baisser jusqu'à 40% en dehors des périodes touristiques. La circulation de la rue est bruyante pour Mount Abu.

Hotel Lake Palace (☎ 237154 ; www.savshantihotels.com ; ch 1 800-2 800 Rs ; ❄). Un hôtel spacieux qui donne sur un petit jardin. Les chambres sont simples et charmantes. Certaines disposent d'une terrasse semi-privée avec vue sur le lac. Réductions de 30 % au moins hors week-ends et haute saison. C'est ici qu'est basé Charles, de Mt Abu Treks (p. 224).

Kishangarh House (☎ 238092 ; www.royalkishangarh.com ; Rajendra Marg ; bungalows s/d 2 000/2 500 Rs, s/d deluxe 3 500/4 000 Rs). L'ancienne résidence du maharaja de Kishangarh a été merveilleusement convertie en hôtel de luxe. C'est sans doute le meilleur rapport qualité/prix de cette catégorie avec des chambres impressionnantes, les bungalows étant les plus confortables. Pièces principales incroyablement hautes de plafond, salon baigné de lumière et jardin impeccable.

Kesar Bhavan Palace (☎ 235219 ; www.kesarpalace.com ; Sunset Point Rd ; ch 2 400 Rs, ste 4 000 Rs ; ❄). Cette propriété ancienne perchée au milieu des arbres offre une belle vue verdoyante mais est un peu austère. Les chambres confortables avec sol en marbre ont un balcon et les suites sont sur deux niveaux. Vérifiez les sdb, certaines sont en bien mauvais état pour le prix.

Palace Hotel (☎ 238673 ; www.palacehotelbikanerhouse.com ; Bikaner House, Dilwara Rd ; s/d à partir de 3 800/4 000 Rs, ste à partir de 5 500 Rs ; ❄). Non loin des temples Dilwara, cet énorme palais construit en 1893 par sir Swinton Jacob, ressemble à un manoir écossais avec son jardin, son lac et ses courts de tennis. Chambres immenses et élégantes.

Connaught House (☎ 238560 ; Rajendra Marg ; ch sur terrasse/cottage 4 000/5 000 RS ; ❄). Propriété des héritiers du maharaja de Jodhpur, ce pavillon colonial d'un autre âge, aux airs de cottage anglais, est décoré de photos sépia, de bois sombre, de plafonds voûtés et comprend un magnifique jardin ombragé. La suite 28 est la plus isolée et les "cottages" dans le bâtiment principal ont un charme fou.

Jaipur House (☎ 235176 ; www.royalfamily-jaipur.com ; d cottage 2 nuits 6 444 Rs, d 8 666 Rs, ste 10 666-11 777 Rs). Ce bâtiment perché en haut d'une colline surplombant le lac a été construit par le maharaja de Jaipur en 1897. Les suites luxueuses dominent la ville. Pour plus de simplicité, optez pour les cottages, anciennes résidences des serviteurs. Demi-pension comprise.

Où manger et boire un verre

La plupart des vacanciers viennent du Gujarat, d'où la profusion de restaurants proposant des *thali* végétariens sucrés.

Cafe Coffee Day (Rotary Circle ; café 35-90 Rs ; 🕑 9h-24h). Une branche de la célèbre enseigne. Bons thé et gâteaux.

Shere Punjab Hotel (marché principal ; plats 35-200 Rs ; 🕑 8h-23h). La cuisine punjabi et chinoise de cet établissement du marché n'est pas chère. Nombreux curries classiques, végétariens ou non.

King's Food (☎ 2328478 ; Nakki Lake ; plats 40-75 Rs ; 🕑 8h-22h). Ce fast-food animé ouvert sur la rue propose les plats habituels ainsi que des mets chinois, du Punjab et d'Inde du Sud. Délicieux lassi.

Arbuda (☎ 238358 ; Arbuda Circle ; plats 40-90 Rs ; 🕑 8h-23h). Un grand restaurant installé sur une vaste terrasse avec chaises chromées. Il est très prisé pour sa cuisine du Gujarat, du Punjab et d'Inde du Sud. Bons petits-déjeuners occidentaux et jus de fruits frais.

Kanak Dining Hall (☎ 238305 ; Abu Rd ; *thali* gujarati/rajasthani 70/100 Rs ; 🕑 11h-15h, 19h-23h). Les excellents *thali* à volonté de ce restaurant sont peut-être les meilleurs de Mount Abu. Salle à manger animée à l'intérieur et terrasse couverte.

Jaipur House (☎ 235176 ; plats 135-300 Rs ; 🕑 11h30-15h30 et 19h30-23h). La jolie terrasse ouverte offre une vue magnifique sur les collines, le lac et les lumières de la ville. Cuisine indienne et occidentale (non-végétarienne) digne d'un maharaja. Parfait aussi pour un verre (bière 180 Rs, cocktail 200 Rs).

Depuis/vers Mount Abu

Un péage est installé à l'entrée de Mount Abu : chaque passager des bus et des voitures doit payer 10 Rs, plus 10 Rs par voiture.

BUS

Entre 6h et 9h, des bus grimpent régulièrement de la gare d'Abu Road à Mount Abu (22 Rs, 1 heure, toutes les 30 min). Ils partent devant la gare routière, près de la billetterie.

Il est généralement plus rapide et plus pratique de prendre un bus direct à partir de Mount Abu qu'un train à la gare d'Abu Road. Les **bus RSRTC** (renseignements ☎ 235434) desservent Jaipur (express/deluxe 288/495 Rs, 12 heures, 3/j), Udaipur (106/115 Rs, 4 heures 30, 6/j), Ahmedabad (121 Rs, 6 heures 30), Jodhpur (165 Rs, 7 heures, 1/j), Ajmer (express/deluxe 212/3730 Rs, 10 heures, 3/j), et Jaisalmer (245 Rs, 11 heures, 1/j). Certains bus RSRTC vont jusqu'à Mount Abu, d'autres s'arrêtent à la gare ferroviaire d'Abu Road.

Les bus des compagnies privées partent de la gare des bus privés, au nord du terrain de polo, et desservent les mêmes destinations à des prix presque identiques.

TAXI

D'Abu Rd, un taxi demande 250 Rs jusqu'à Mount Abu pour 6 passagers au maximum. Certains chauffeurs prétendront que ce tarif ne vaut que jusqu'à la gare routière et réclameront un supplément (jusqu'à 50 Rs) pour vous conduire à votre hôtel. Un taxi depuis/vers Udaipur coûte environ 2 500 Rs.

TRAIN

Abu Road, la gare de Mount Abu, se trouve sur la ligne à voie large Delhi-Mumbai via Ahmedabad. À Mount Abu, au-dessus de l'office du tourisme, le **bureau des réservations ferroviaires** (🕑 8h-14h) dispose de places réservées sur la plupart des trains express.

Le 9106 *Ahmedabad-Haridwar Mail* quitte Abu Road à 12h45 et arrive à Ahmedabad (sleeper/3AC/2AC/1AC 125/321/434/719 Rs) à 18h40. Le 9224 *Jammu Tawai-Ahmedabad Express* part à 10h50 pour arriver à Ahmedabad (sleeper/2AC 121/406 Rs) à 15h30. Pour Bhuj et le reste de la péninsule de Kathiawar, au Gujarat, changez de train à Palanpur, à 53 km au sud d'Abu Rd.

Le 9105 *Haridwar-Ahmedabad Mail* part à 14h06 et arrive à Delhi (sleeper/3AC/2AC/1AC

289/784/1 076/1 804 Rs) à 5h25, en passant par Ajmer (157/411/560/936 Rs, 6 heures 30) et Jaipur (197/523/715/1 202 Rs, 8 heures 30). Le 9707 *Aravalli Express* part à 9h58, passe par Ajmer (sleeper/3AC/2AC 157/411/560 Rs) à 16h05 et arrive à Jaipur (197/523/715 Rs) à 18h45.

Le 9223 *Ahmedabad-Jammu Tawai Express* part à 15h17 pour arriver à Jodhpur (sleeper/2AC 145/512 Rs) à 20h.

Comment circuler

Si les bus locaux desservent divers sites aux alentours de Mount Abu, il est plus simple de suivre le circuit de 5 heures (p. 225). La location d'une Jeep revient à 600/1 000 Rs par demi-journée/journée. Pour Dilwara, vous pourrez prendre l'un des taxis collectifs (Jeep) qui partent une fois pleins, près du marché (5 Rs/pers, 50 Rs/véhicule et 150 Rs pour une heure d'attente sur le site).

Aucun auto-rickshaw ne circule à Mount Abu mais on se déplace facilement à pied. Le *baba-gari*, une charrette à bras tirée par un porteur, est typique de la ville ; les porteurs transporteront vos bagages pour 15 Rs, voire 1 ou 2 (petites) personnes.

ENVIRONS DE MOUNT ABU

Guru Shikhar

Au bout du plateau, à 15 km de Mount Abu, le **Guru Shikhar** est le point culminant du Rajasthan (1 721 m). Une route conduit presque jusqu'au sommet et à l'**Atri Rishit Temple**, où un prêtre vous accueillera et où la vue est sublime. La visite fait partie du circuit de la RTDC. Le trajet aller-retour en Jeep revient à 500 Rs.

Achalgarh

Quelques temples jaïns dans les collines et un ancien temple de Shiva, à 11 km au nord de Mount Abu, au-dessus d'un village, offrent une vue spectaculaire et méritent le détour.

Mount Abu Wildlife Sanctuary

Cette **réserve de faune sauvage** (Indiens/étrangers/Jeep 10/80/100 Rs ; 8h-17h) couvre 290 km² et se situe sur un vaste plateau, à 5,5 km au nord-est de Mount Abu. Elle abrite des léopards, des cerfs, des renards et des ours. Elle se trouve à 3 km de marche des temples de Dilwara. Contactez Mt Abu Treks (p. 224) pour un circuit avec une nuit sur place.

OUEST DU RAJASTHAN

JODHPUR

☎ 0291 / 846 500 habitants

L'imposante citadelle de Mehrangarh, s'élevant majestueusement au-dessus de la ville bleue de Jodhpur, est une vision magnifique doublée d'un chef-d'œuvre architectural. Ses remparts impressionnants semblent naître des parois rocheuses sur lesquelles ils sont perchés. En contrebas, la vieille ville, méli-mélo de cubes bleu brahmane, s'étend dans le brouillard : la "ville bleue" porte bien son nom. Jodhpur excède largement ses limites du XVIe siècle, mais le voyageur gardera en mémoire l'agitation de la vieille ville bleutée et de son fort, magnifique dans sa démesure.

Jodhpur est aujourd'hui surpeuplée et sale (même si on parle enfin de régler le problème des égouts à ciel ouvert). Préparez-vous aux sollicitations incessantes, surtout autour de la tour de l'Horloge. Tentez d'y échapper en vous enfonçant dans les méandres des bazars moyenâgeux de la vieille ville (à l'ouest de la tour de l'Horloge), où vous dénicherez toutes sortes d'articles, des petites boîtes de tabac à priser aux fameux pantalons de cavalier, qui tiennent leur nom de la ville.

Jodhpur fut fondée en 1459 par Rao Jodha, chef du clan rajput des Rathor. Située sur une route marchande, elle tira sa prospérité du commerce de l'opium, du bois de santal, des dattes et du cuivre. Le royaume des Rathore portait autrefois le nom de Marwar, ou pays de la Mort.

La **fête du Marwar** (p. 161) s'y tient en octobre.

Orientation

Le centre d'accueil des touristes et les gares routière et ferroviaires se situent en dehors de la vieille ville. High Court Rd part de la gare ferroviaire de Raika Bagh, passe devant les jardins Umaid, puis longe le mur de la ville en direction de la gare ferroviaire principale.

Renseignements

On trouve un DAB de l'Axis Bank face à Sojati Gate et d'autres de la Bank of Baroda sur Nai Sarak et Residency Rd. Les SBBJ et IDBI ont également des DAB sur Nai Sarak. DAB d'IDBI sur Airport Rd.

La ville compte de nombreux cybercafés, qui facturent habituellement 30 Rs/h.

Centre d'accueil des touristes (☎ 2545083 ; 🕑 9h30-18h lun-ven). Dans l'enceinte du RTDC Hotel Ghoomar. Des cartes gratuites et une liste des pensions vous seront données, à contrecœur et sans sourire.

Gucci's (Killikhana ; Internet 30 Rs/h). Le plus haut débit que l'on ait trouvé. Boissons fraîches et barres chocolatées réfrigérées.

iWay (20 Rs/h). Devant la tour de l'Horloge.

Kiosque Sarvodaya (Station Rd). À proximité de la gare ferroviaire, petit choix de magazines et livres en anglais (dont des Lonely Planet).

Krishna Book Depot (Sardar Market). Impressionnante collection de livres neufs et d'occasion.

Net Hut (Fort Rd, Makrana Mohalla ; 30 Rs). Haut débit, toutes proportions gardées. Parmi les hébergements pour petits budgets.

Poste principale (Station Rd)

State Bank of India (☎ 2543649 ; High Court Rd ; 🕑 10h-16h lun-ven, 10h-13h sam). Change des devises et les chèques de voyage.

Thomas Cook (☎ 2512064 ; Shop 1, Mahareer Palace). Change des devises et chèques de voyage.

À voir et à faire

MEHRANGARH

Propriété des descendants du maharaja de Jodhpur, le **Mehrangarh** (Majestic Fort ; Indiens app photo/audioguide 30/50/150 Rs, étrangers 250 Rs ; 🕑 9h-17h oct-mars, 8h30-17h30 avr-sept) est un véritable prodige architectural. À mesure que l'on approche des remparts dressés vers le ciel, on prend la mesure du talent fascinant des travailleurs qui les ont construits. N'hésitez pas à utiliser l'audioguide, compris dans le droit d'entrée, qui offre un mélange réussi d'histoire, d'informations et d'anecdotes. C'est un vrai plaisir de se promener à son rythme, et de le consulter à loisir. Les services d'un guide personnel sont disponibles pour 150 Rs environ.

Parmi les sept portes du fort, la **Jayapol** fut bâtie par le maharaja Man Singh en 1806 après sa victoire sur Jaipur et Bikaner, et la **Fatehpol** (porte de la Victoire), érigée par le maharaja Ajit Singh, commémore la victoire de celui-ci sur les Moghols. La seconde porte après Jayapol (la porte principale), à l'intérieur du fort, conserve des traces des boulets de canon. À côté de la dernière porte, la **Lohapol** (porte de Fer) comporte de nombreuses empreintes de petites mains rappelant le sati (suicide rituel) des veuves du maharaja Man Singh, qui s'immolèrent sur son bûcher funéraire en 1843. Objets de dévotion, elles sont habituellement couvertes de poudre rouge.

À l'intérieur du fort, les murs, qui se parent d'un ocre soutenu, dessinent un labyrinthe de palais et de cours. L'architecture rajput y est représentée dans cette alternance de symétrie et d'asymétrie qui lui est si particulière. Le **musée** du fort abrite une admirable collection d'objets ayant appartenu aux souverains indiens : des *howdah*, ces nacelles placées sur le dos des éléphants pour les grandes processions, des miniatures, des armes et quelques curiosités – comme des haltères incrustées d'ivoire utilisées par les femmes au XIXe siècle et des poids en os de chameau pour fixer les tapis.

Les palais portent des noms évocateurs, comme **Moti Mahal** (le palais de la Perle), **Sukh Mahal** (le palais du Plaisir) et **Phool Mahal** (le palais des Fleurs). Ce dernier fut doré à la feuille d'or mélangée à de la colle et à de l'urine de vache. La cour intérieure, **Holi Chowk**, servait de cadre aux fêtes de Holi que les femmes contemplaient de l'étage. Le petit siège de marbre servit pour les couronnements à partir du XVIIe siècle.

Sur les remparts, à l'extrémité sud du fort, d'anciens canons surplombent le précipice et la vieille ville. La vue est magique et l'on entend clairement les voix et les sons de la ville, portés par les courants. Dédié à Durga, le paisible **Chamunda Devi Temple**, qui fut en 2008 le théâtre d'une bousculade dramatique des fidèles, se dresse dans cette partie du fort.

Un **ascenseur** transporte les voyageurs handicapés ou épuisés (15 Rs) au niveau supérieur du palais. Le fort compte même un **astrologue** (☎ 2514614 ; 🕑 9h-13h et 14h-17h), M. Sharma, qui facture 200/300 Rs pour une consultation de 15/30 min.

JASWANT THADA

Ce **mémorial** de marbre blanc (Indiens/étrangers 15/30 Rs, app photo 25 Rs ; 🕑 9h-17h), dédié au maharaja Jaswant Singh II, déploie une harmonieuse succession de dômes. La sérénité du site repose l'esprit après l'agitation de la ville. La vue sur le fort est superbe. La construction du cénotaphe, en 1899, fut suivie de celle du crématoire royal et de trois autres cénotaphes à proximité. Remarquez le mémorial consacré à un paon qui se jeta dans le bûcher funéraire. De splendides *jali* (cloisons de marbre treillissées) entourent le tombeau.

TOUR DE L'HORLOGE ET MARCHÉS

La **tour de l'Horloge**, point de repère de la vieille ville, est entourée par le Sardar Market, un marché vibrant de couleurs, de mouvements et de sons. En se dirigeant vers l'ouest, on pénètre dans le cœur commerçant de la vieille ville, où les ruelles mènent aux bazars de légumes, d'épices, de douceurs, d'argent et d'artisanat.

UMAID BHAWAN PALACE

Cet immense palais construit en grès de Chittar, ce qui lui vaut parfois le nom de **Chittar Palace**, fut érigé à partir de 1929. Conçu par le président de l'Institut royal des architectes britanniques pour le maharaja Umaid Singh, sa construction dura 15 ans et employa 3 000 ouvriers. Ce projet royal avait, semble-t-il, un dessein philanthropique : fournir du travail lors d'une période de terrible sécheresse.

Le maharaja Umaid Singh mourut en 1947, 4 ans après l'achèvement du palais. Son descendant vit toujours dans une partie du bâtiment ; le reste a été transformé en hôtel luxueux et en musée, où une intéressante collection de photos témoigne de l'élégante décoration intérieure du palais, d'inspiration Art déco. Le personnel veillera à ce que vous ne pénétriez pas dans l'hôtel, mais vous pourrez jeter un œil au hall central et à sa coupole. Pour visiter l'hôtel, allez manger dans l'un de ses restaurants. Admirez les voitures de collection rutilantes exposées sur la pelouse, devant le musée.

UMAID GARDENS ET SADAR GOVERNMENT MUSEUM

Les Umaid Gardens (jardins d'Umaid) abritent le **Sadar Government Museum** (3 Rs ; ⌚ 10h-16h30 tlj sauf ven), qui semble figé dans le temps. Les collections comprennent des armes et des sculptures (VIe-Xe siècle) ; les explications sont plutôt maigres.

Circuits organisés

Le bureau de la RTDC, situé dans l'Hotel Ghoomar (à côté de l'office du tourisme) propose un circuit de 4 heures dans la ville (100 Rs, entrées aux musées en sus, 4 pers minimum), de 9h à 13h et de 14h à 18h. Le parcours inclut le palais d'Umaid Bhawan, Mehrangarh, Jaswant Thada et les jardins de Mandore.

Jodhpur est renommée pour les excursions en Jeep dans des villages bishnoï de potiers et de tisserands de *dhurrie* (tapis). Les Bishnoï, une communauté vishnouite respectant toute forme de vie, protègent la faune et la flore depuis le XVe siècle. La qualité de ces excursions, très touristiques, dépend de la compétence du guide. La plupart des hôtels organisent des circuits semblables. Ils sont tous à peu près au même prix, soit 500-600 Rs/pers pour une demi-journée, déjeuner compris. **Marwar Eco Cultural Tours & Travels** (☎ 5123095 ; www.nativeplanet.org/tours/india), un tour-opérateur privé, est vivement recommandé.

Chhota Ram Prajapat (☎ 2696744 ; chhotaramprajapat@rediffmail.com) propose un hébergement dans des maisonnettes (800 Rs/pers, dîner inclus, jusqu'à 8 pers) à Salawas, le principal village d'artisans.

Gemar Singh (☎ 02922-272313, 9460585154 ; www.hacra.org) organise des séjours chez l'habitant ou en camping, des randonnées dans le désert et des safaris à dos de chameau à Osiyan et dans des villages rajput et bishnoï. Comptez environ 800 Rs/pers pour une journée (2 pers au minimum), transfert depuis Jodhpur, randonnée à dos de chameau, guide, nourriture et hébergement compris.

Où se loger

Ne laissez pas un conducteur d'auto-rickshaw vous emmener à l'adresse de son choix, où il recevra sans doute une commission. La meilleure solution consiste à se faire déposer devant la tour de l'Horloge (il n'y en a qu'une) et à continuer à pied. Si, comme de nombreux voyageurs, vous arrivez tard à la gare ferroviaire ou routière, arrangez-vous à l'avance pour que l'hôtel vienne vous chercher.

Le centre d'accueil des touristes dispose d'une liste à jour des pensions de la ville et de ses environs. Il y en a près de 60, et leurs tarifs vont de 100 à 1 200 Rs/nuit. C'est un excellent moyen de se familiariser avec cette ville polluée, bruyante et agitée qui, au premier abord, peut sembler aussi intimidante que Mehrangarh l'était pour les armées ennemies.

PETITS BUDGETS

Cosy Guest House (☎ 2612066 ; www.cosyguesthouse.com ; Navchokiya Rd, Brahmpuri ; lit sur le toit 75 Rs, tentes 150 Rs, d 350-750 Rs, s/d sans sdb 175/200 Rs ; ✖ 💻). Cet établissement paisible rempli de voyageurs est au cœur de la vieille ville bleue. D'un bleu éclatant, cette bâtisse de 500 ans compte plusieurs niveaux de toits entremêlés

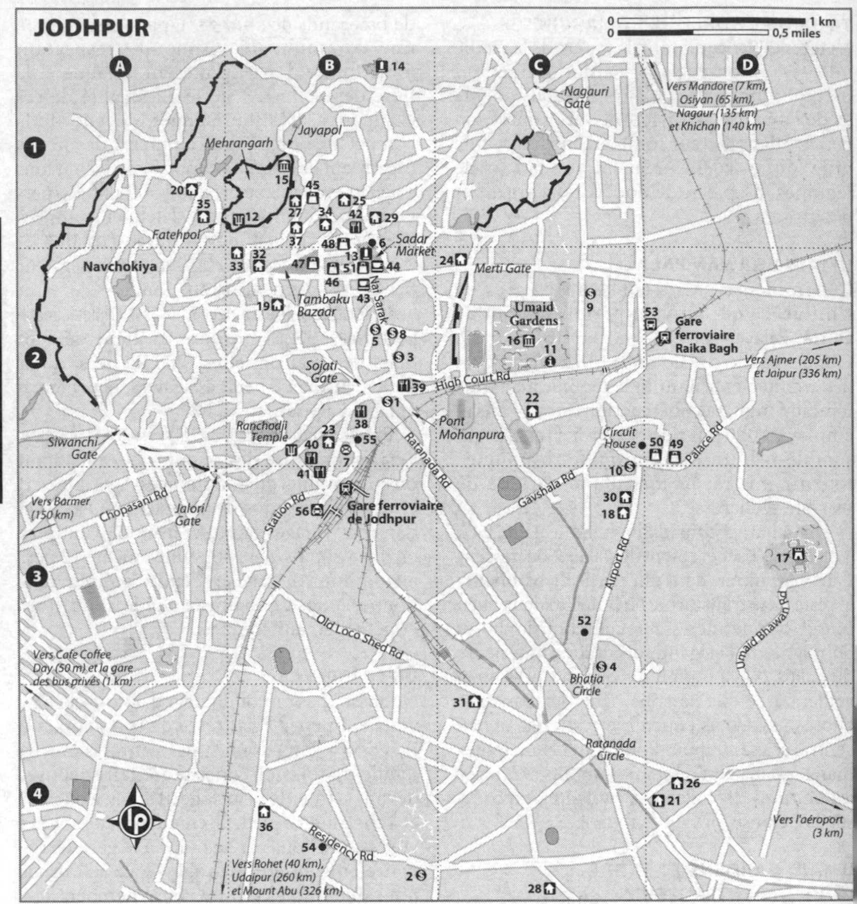

et diverses chambres, certaines spartiates, d'autres bien décorées. Indiquez Navchokiya Rd au rickshaw, d'où il pourra suivre les pancartes, ou appelez le génial M. Joshi.

Govind Hotel (☎ 2622758 ; www.govindhotel.com ; Station Rd ; dort 110 Rs, s 350 Rs, d 400-1 100 Rs ;). Hôtel bien conçu pour les voyageurs à petit budget, avec personnel serviable (qui refuse de payer des commissions aux rabatteurs), cybercafé et emplacement pratique par rapport à la gare ferroviaire. Chambres carrelées et propres avec sdb correctes. Restaurant sur le toit et café avec expresso et gâteaux excellents.

Shivam Paying Guest House (☎ 2610 688 ; shivamgh@hotmail.com ; Makrana Mohalla ; ch 200-650 Rs, sans sdb 150 Rs ;). Cet établissement calme proche de la tour de l'Horloge est tenu par une famille aimable et serviable. Chambres douillettes et petit restaurant charmant sur le toit.

Sunrise Guest House (☎ 2623790 ; anilsunrise-guesthouse@yahoo.com ; Makrana Mohalla ; s/d à partir de 150/250 Rs, avec rafraîchisseur d'air 250/350 Rs). Une pension simple au personnel sympathique et serviable. Restaurant en terrasse et chambres basiques mais propres. Vous aurez même le choix entre toilettes occidentales ou à la turque présentes côte à côte dans les sanitaires.

Durag Villas Guest House (☎ 2512298 ; www.duragvillas.com ; 1 Old Public Park ; ch 250-900 Rs ;). Ce lieu calme et détendu autour d'une cour arborée, voisin de la Durag Niwas Guest House propose des chambres simples d'un bon rapport qualité/prix. Les plus chères sont climatisées mais l'investissement vaut la peine.

RENSEIGNEMENTS

DAB Axis Bank ... 1 B2
DAB Bank of Baroda ... 2 B4
DAB Bank of Baroda ... 3 B2
Gucci's ... (voir 27)
DAB IDBI ... 4 C3
DAB IDBI ... 5 B2
Krishna Book Depot ... 6 B1
Poste principale ... 7 B2
Net Hut ... (voir 34)
Kiosque Sarvodaya ... (voir 40)
DAB SBBJ ... 8 B2
Sify i-way ... (voir 13)
State Bank of India ... 9 C2
Thomas Cook ... 10 C3
Centre d'accueil des touristes ... 11 C2

À VOIR ET À FAIRE

Astrologue ... (voir 15)
Chamunda Devi Temple ... 12 B1
Clock Tower ... 13 B2
Jaswant Thada ... 14 B1
Lohapol ... (voir 15)
Marwar Eco Cultural Tours & Travels ... (voir 25)
Moti Mahal ... (voir 15)
Musée ... 15 B1
Phool Mahal ... (voir 15)
Bureau de la RTDC ... (voir 11)
Sadar Government Museum ... 16 C2
Sukh Mahal ... (voir 15)
Umaid Bhawan Palace ... 17 D3

OÙ SE LOGER

Ajit Bhawan ... 18 C3
Blue House ... 19 B2
Cosy Guest House ... 20 A1
Devi Bhawan ... 21 D4
Durag Niwas Guest House ... 22 C2
Durag Villas Guest House ... (voir 22)
Govind Hotel ... 23 B2
Haveli Inn Pal ... (voir 29)
Heritage Kuchaman Haveli ... 24 C2
Hotel Haveli ... 25 B1
Karni Bhawan ... 26 D4
Krishna Prakash Heritage Haveli ... 27 B1
Newton's Manor ... 28 C4
Pal Haveli ... 29 B1
Ranbanka Palace ... 30 C3
Ratan Vilas ... 31 C4
Saji Sanwri Guest House ... 32 B2
Shahi Guest House ... 33 B2
Shivam Paying Guest House ... 34 B1
Singhvi's Haveli ... 35 A1
Sunrise Guest House ... (voir 34)
Taj Hari Mahal Palace ... 36 B4
Umaid Bhawan Palace ... (voir 17)
Yogi's Guest House ... 37 B1

OÙ SE RESTAURER

Agra Sweets ... 38 B2
Hotel Priya & Restaurant ... 39 B2
Indique ... (voir 29)
Jharokha ... (voir 25)
Kalinga Restaurant ... 40 B2
Mehran Terrace ... (voir 15)
Mid Town ... 41 B3
Omelette Shop ... 42 B1
On the Rocks ... (voir 18)
Pillars ... (voir 17)
Risala ... (voir 17)
Umaid Bhawan Palace ... (voir 17)

OÙ PRENDRE UN VERRE

Cafe Sheesh Mahal ... (voir 29)
Five Star Fruit Juice ... 43 B2
Govind Hotel ... (voir 23)
Shri Mishrilal Hotel ... 44 B2
Trophy Bar ... (voir 17)

ACHATS

Ajay Art Emporium ... (voir 49)
Kaman Art ... 45 B1
Krishna Art & Crafts ... 46 B2
Maharani Art Exporters ... 47 B2
MV Spices ... 48 B1
Rajasthan Arts & Crafts House ... 49 D2
Rani Handicrafts ... 50 D2
Shri Rani Sati Cloth Store ... 51 B2

TRANSPORTS

Air India ... 52 C3
Gare routière ... 53 D2
Haveli Tours & Travel ... (voir 25)
Jet Airways ... 54 B4
Mahadev Travels ... (voir 40)
Réservations ferroviaires ... 55 B2
Station de taxis ... 56 B3

Durag Niwas Guest House (☎ 2512385 ; www.duragniwas.com ; 1 Old Public Park ; ch 350-750 Rs ;). Un lieu sympathique loin de l'agitation de la vieille ville. Bonne cuisine végétarienne maison et coin détente sur le toit avec coussins au sol et tentures en saris. Le tarif au mois pour une chambre double en pension complète est de 6 000 Rs. La pension organise des visites culturelles et la participation à des missions bénévoles avec le Sambhali Trust (www.sambhali-trust.org), qui vient en aide aux filles et aux femmes défavorisées.

Hotel Haveli (☎ 2614615 ; Makrana Mohalla ; s/d à partir de 500/650 ;). Cet établissement prisé vieux de 250 ans est situé à l'intérieur des remparts. Les chambres sont toutes décorées différemment et beaucoup s'agrémentent d'un petit balcon et d'une vue sur le fort. Le restaurant végétarien sur le toit, Jharokha, jouit d'une vue splendide et propose des animations le soir.

Singhvi's Haveli (☎ 2624293 ; www.singhvihaveli.com ; Ramdevji ka Chowk, Navchokiya ; ch 200-1 800 Rs). Ce *haveli* en grès rouge aux *jali* (écrans de pierre) magnifiquement sculptés renferme 11 chambres, de la plus simple à la splendide suite "Maharani" aux 10 fenêtres avec vue sur le fort. Le restaurant végétarien, romantique et reposant, est agrémenté de coussins au sol et de tentures en saris.

Quelques autres hôtels bon marché dans la vieille ville :

Blue House (☎ 2621396 ; bluehouse36@hotmail.com ; Moti Chowk ; s 150 Rs, d 250-1 500 Rs ;). Assurément bleue, cette vieille maison construite de manière anarchique propose un grand choix de chambres toutes différentes. Les escaliers sont très raides. Méfiez-vous des concurrents au nom similaire.

Yogi's Guest House (☎ 2643436 ; ch 350-850 Rs, s/d sans sdb 200/250 Rs). Au pied des remparts, ce repaire de voyageurs abrite de nombreuses chambres très variées et un restaurant sur le toit.

Saji Sanwri Guest House (☎ 2440305 ; www.sajisanwri.com ; Gandhi St, City Police ; s 350 Rs, d 350-1 700 Rs ;). Un *haveli* familial vieux de 350 ans qui propose plusieurs chambres fleuries avec sdb.

CATÉGORIE MOYENNE

Krishna Prakash Heritage Haveli (KP Haveli ; ☎ 2633448 ; www.kpheritage.com ; Nayabas, Killikhana ; s/d standard 850/1 050 Rs, deluxe 1 550/1 750 Rs, ste à partir de 2 450 Rs ;). Cet hôtel paisible, malgré sa proximité avec la tour de l'Horloge, est d'un bon rapport qualité/prix. Distribuées sur plusieurs niveaux, les chambres bien décorées sont de taille correcte, de même que les sdb. Une piscine couverte permet d'échapper à la chaleur et, grâce au restaurant sur le toit, vous profiterez de la fraîcheur du soir.

Shahi Guest House (☎ 2623802 ; www.shahiguesthouse.com ; ch à partir de 900-1 800 Rs ;). Une pension aménagée sur un *zenana* (quartier des femmes) de 350 ans. Les pierres sont fraîches et des passages étroits bordent une petite cour. Les chambres au style particulier sont confortables et la famille qui les loue est adorable. Restaurant plaisant sur le toit, offrant une belle vue.

Devi Bhawan (☎ 2511067 ; www.devibhawan.com ; Ratanada Circle ; ch standard/semideluxe/deluxe 950/1 200/1 500 Rs ;). Cet hôtel construit autour d'une oasis de verdure, à l'ombre de majestueux margousiers, ne se contente pas d'être le plus paisible de Jodhpur ; il est aussi d'un excellent rapport qualité/prix. Les chambres sont divisées en trois catégories, de simple à somptueuse. Toutes sont spacieuses, propres et confortables, agrémentées de meubles traditionnels et de tissus colorés. Piscine superbe et bon restaurant.

Newtons Manor (☎ 2430686 ; www.newtonsmanor.com ; 86 Jawahar Colony, Ratanada ; ch 1 095-2 195 Rs ;). Cet hôtel à l'allure victorienne se compose 8 chambres élégantes décorées avec soin et meublées d'antiquités. Une grande table de billard fait la fierté des lieux et un tigre orne le salon. Excellente cuisine. Internet et transferts gratuits.

Heritage Kuchaman Haveli (☎ 2547787 ; www.kuchamanhaveli.com ; à l'intérieur de Merti Gate ; ch 1 200-3 500 Rs ;). Récemment restauré, ce grand *haveli* situé à proximité de la tour de l'Horloge abrite un dédale de chambres de toutes tailles. Les meubles sont massifs et la décoration s'approche plus du kitsch que du traditionnel. Tarifs un peu exagérés.

Ratan Vilas (☎/fax 2614418 ; www.ratanvilas.com ; Old Loco Shed Rd, Ratanada ; ch standard/deluxe/super deluxe 1 500/2 000/2 500 Rs ;). Construit en 1920 par le maharaja Ratan Singhji de Raoti, grand joueur de polo, ce joyau d'une époque révolue représente l'Inde coloniale par excellence. Les pelouses sont impeccables, les chambres spacieuses et immaculées, et le personnel exceptionnel prépare des repas succulents.

Haveli Inn Pal (☎ 2612519 ; www.haveliinnpal.com ; Gulab Sagar ; ch 1 800-2 350 Rs ;). Il faut emprunter l'entrée du Pal Haveli (voir ci-dessous) pour accéder à cet hôtel qui occupe une aile à l'arrière du majestueux *haveli*, sur la droite. Avec ses douze chambres confortables et son restaurant sur le toit, il offre une expérience du luxe à l'ancienne, en plus simple et moins coûteuse que son aîné. Petit déj et taxes comprises.

Karni Bhawan (☎ 2512101 ; www.karnihotels.com ; Palace Rd ; s/d 2 200/2 750 Rs, ste 4 000 Rs ;). Ce bâtiment colonial rénové ressemble étrangement à un motel. Prisé par les groupes de touristes, ses pelouses paisibles, son restaurant rustique et sa grande piscine (sans ombre) en font aussi une bonne adresse pour les familles. Les chambres sont surchargées de mobilier traditionnel mais elles sont spacieuses et propres.

Pal Haveli (☎ 3293328 ; www.palhaveli.com ; Gulab Sagar ; ch standard 2 500 Rs, ch royal heritage 4 000 Rs ;). Construit par le *thakur* (noble) de Pal en 1847, c'est le plus beau *haveli* original de la ville. Autour d'une cour centrale, ses 21 chambres, souvent spacieuses, sont décorées avec goût dans un style traditionnel. Le restaurant sur le toit, Indique, est excellent.

CATÉGORIE SUPÉRIEURE

Ranbanka Palace (☎ 2512801 ; http://ranbankahotels.com ; Airport Rd ; ch 5 000-12 500 Rs ;). Ce bâtiment proche d'Ajit Bhawan ressemble à un musée. Les chambres sont immenses, avec tapis persans et lits à baldaquin, mais peu soignées.

Ajit Bhawan (☎ 2513333 ; www.ajitbhawan.com ; Airport Rd ; ch 9 000-15 000 Rs ;). À l'écart de la poussiéreuse Airport Rd, cet hôtel est entouré d'un jardin splendide. Les maisonnettes en pierre au toit de chaume, situées à l'arrière du bâtiment principal, sont confortables et meublées traditionnellement. Superbe piscine (non-résidents : 562 Rs), restaurant chic et boutique.

Taj Hari Mahal Palace (☎ 2439700 ; www.tajhotels.com ; 5 Residency Rd ; ch avec vue sur jardin/piscine 12 000/14 000 Rs ;). Cet hôtel moderne du Taj Group utilise les fioritures traditionnelles à bon escient. Il encadre une cour avec une immense piscine. Possibilité de réductions conséquentes en période de faible affluence.

Umaid Bhawan Palace (☎ 2510101 ; www.tajhotels.com ; Umaid Bhawan Rd ; ch 25 000-42 000, ste 85 000-144 000 ;). Ce palais doré de style Art déco est colossal et fait (trop) penser à un bâtiment institutionnel. Il mérite néanmoins une visite ou même une nuit de luxe dans une de ses ailes isolées. Court de tennis, piscine intérieure et pelouse verdoyante. Plusieurs restaurants.

Où se restaurer

RESTAURANTS

Hotel Priya & Restaurant (☎ 2547463 ; 181-2 Nai Sarak, Sojati Gate ; plats 25-60 Rs ; 6h-24h). Une atmosphère joyeuse anime cet établissement qui donne sur la rue. Si vous supportez les gaz d'échappement, vous pourrez y manger des plats d'Inde du Nord et du Sud, de bons *thali* (50 Rs) et même des douceurs.

Mid Town (☎ 2637001 ; Station Rd ; plats 40-100 Rs ; 7h-23h). Ici, vous dégusterez d'excellents mets végétariens, bien installé, au son de musiques traditionnelles. Les plats du Rajasthan incluent le *thali* (100 Rs) et des spécialités de Jodhpur comme le *chakki-ka-sagh* (boulettes de froment cuites dans une sauce épaisse) et le *kabuli* (légumes avec du riz, du lait, du pain et des fruits).

Jharokha (☎ 2614615 ; Hotel Haveli, Makrana Mohalla ; plats 60-80 Rs ; 7h30-22h30). L'un des meilleurs restaurants végétariens de Jodhpur se trouve sur les toits-terrasses de l'Hotel Haveli. En plus de la belle vue et de la cuisine excellente, des chants et danses traditionnels sont proposés chaque soir. Le menu inclut des spécialités du Rajasthan et d'Inde du Nord ainsi que des pizzas, pâtes et crêpes.

Kalinga Restaurant (☎ 2615871 ; Station Rd ; plats 85-180 Rs ; 8h-23h). Ce restaurant aux abords de la gare ferroviaire est branché, animé et climatisé. Le bar est bien fourni et les plats savoureux. Cuisine d'Inde du Nord végétarienne ou non (tandoori et curries). Goûtez le *lal maans*, un succulent curry rajasthani au mouton.

Indique (☎ 3293328 ; Pal Haveli, Gulab Sagar ; plats 85-200 Rs ; 7h-23h). Ce toit-terrasse raffiné et éclairé aux chandelles est l'endroit idéal pour un dîner romantique. Même le Gulab Sagar scintille la nuit, et la vue sur le fort, la tour de l'Horloge et l'Umaid Bhawan est magnifique. Le menu comprend les habituels tandooris et curries d'Inde du Nord, et le *butter chicken* et le *rogan josh* ne déçoivent pas. Faites un saut au charmant 18th Century Bar avec ses selles en guise de tabourets de bar et ses nombreux souvenirs de l'ancien temps.

On the Rocks (☎ 5102701 ; plats 75-270 Rs ; 12h30-15h30, 19h-23h). Ce restaurant installé dans un jardin et éclairé aux chandelles le soir est fréquenté par les familles et groupes organisés. La cuisine indienne, avec un grand choix de grillades, est savoureuse. On y trouve également une aire de jeux et un bar, le Rocktails (10h30-23h) avec piste de danse (couples uniquement).

Mehran Terrace (☎ 2549790 ; Mehrangarh ; *thali* vég/non-vég 540/600 Rs ; 7h30-22h30). Dîner sur l'une des hautes terrasses du fort est terriblement romantique, et si le service laisse un peu à désirer, le bon *thali* est servi à volonté. Les tables bien espacées et éclairées aux chandelles, les concerts de musique traditionnelle accompagnés de danses, le tout à 140 m au-dessus de la ville, en font une expérience inoubliable. Réservation indispensable.

Umaid Bhawan Palace (☎ 2510101 ; Umaid Bhawan Rd ; plats 650-1 750 Rs). regroupe plusieurs restaurants : le Risala (13h-15h et 19h30-23h), qui rend hommage aux célèbres lanciers de Jodhpur (*risala* signifie cavalerie), est un restaurant gastronomique détendu, qui sert des plats occidentaux et indiens, dont des spécialités du Rajasthan. Le Pillars (6h30-23h) se trouve sur la véranda à colonnades à l'ouest, derrière Risala. Le café aéré et le restaurant décontracté partagent le même menu. La vue sur le Mehrangarh, de l'autre côté du jardin, est splendide.

SUR LE POUCE

Omelette Shop (Sadar Market ; plats 10-15 Rs). Juste après la porte (près de l'arche intérieure, attention aux imitateurs !), du côté nord de la place, l'Omelette Shop affirme que son cuisinier cuit plusieurs milliers d'œufs par jour depuis 30 ans. Les deux œufs durs épicés coûtent 10 Rs et une omelette de 2 œufs avec piments, coriandre et 4 toasts, 15 Rs.

Agra Sweets (MG Rd ; friandises 10 Rs, lassis 12 Rs). Ce magasin de bonbons face à Sojati Gate vend de bons *lassi* et de délicieuses spécialités de Jodhpur comme le *mawa ladoo* (douceur lactée à base de sucre, de cardamome et de pistaches, enveloppée d'une feuille d'argent) et le *mawa kachori*, semblable aux baclavas.

Où boire un verre

Profitez de votre séjour à Jodhpur pour goûter au *lassi makhania*, une boisson rafraîchissante au safran.

Shri Mishrilal Hotel (Tour de l'Horloge, Sadar Market ; lassis 15 Rs ; 8h-22h). Ce lieu sans prétention proche de la tour de l'Horloge prépare de

RAJASTHAN

MUSIQUE MYSTIQUE

Des simples résonateurs aux timbales retentissantes, les instruments rajasthanis mettent en œuvre des dispositifs fascinants, et sont souvent fabriqués par les musiciens. Le *morchang* est une sorte de guimbarde aux sons très percussifs ; la *sarangi,* un instrument à cordes ; le *kamayacha,* un *langa* à 16 cordes joué à l'aide d'un long archet tendu de crin ; le *kharta* (castagnettes en métal) est joué en l'honneur des prophètes et des saints ; l'*algoza* de la région d'Ajmer est une sorte de cornemuse typique des pays de l'Asie du Sud-Est.

Le Rajasthan est un terrain d'investigation inestimable pour les ethnomusicologues. Si certains chants s'inspirent de la vie quotidienne, les héros légendaires comme Moomal Mahendra et Dhola-Maru continuent d'enrichir le répertoire des musiciens rajasthanis.

Il existe traditionnellement deux classes de musiciens au Rajasthan : les *langa*, de l'Ouest, qui sont influencés par le soufisme et attirent principalement un public de musulmans, et les *manganiar*, plus proches des hindous.

Une multitude d'artistes accompagnent, en outre, fêtes et célébrations : les charmeurs de serpents, *sapera,* utilisent un instrument composé de deux tubes, le *poonga ;* les *bhopa,* des chanteurs religieux, sillonnent les villages pour les protéger de la sécheresse et de la maladie ; les *mirasi* et les *jogi* de Mewar produisent des vibrations gutturales harmonieuses a cappella ; les *maand*, anciens troubadours des cours royales, s'expriment à travers des chants folkloriques très raffinés.

La danse tient aussi une place importante dans la culture rajasthanie. Le *ghooma*, qui se compose d'une série de gracieuses pirouettes, célèbre le Holi. Le *teerah taali* est une danse frénétique traditionnelle que les Kamad de Pokharan dédient à Baba Ramdeo, le dieu des parias. Les hommes jouent d'un instrument à quatre cordes, le *chau-tara*, et sont accompagnés d'innombrables petites cymbales, les *manjeera,* qui sont attachées aux mains et aux pieds des femmes. Le *chari*, de la région de Kisherigarh, se danse avec une jarre illuminée sur la tête.

Dans la région du Shekhawati, le *kacchi ghodi* s'exécute à cheval. Les cavaliers brandissent une épée et se déplacent au rythme des percussions, pendant qu'un chanteur narre les exploits de bandits célèbres. À Bikaner, on célèbre les Jasnathi, respectés pour leurs pouvoirs tantriques, en dansant sur des charbons ardents jusqu'à ce que la musique atteigne un crescendo et que les danseurs entrent en transe. À Jalore, l'avaleur d'épées jongle au rythme de cinq percussionnistes, dont les énormes instruments pendent à leur cou.

Des concerts et des spectacles de danse pour les touristes ont lieu dans toutes les grandes villes de la région, généralement dans les hôtels huppés. Certains tour-opérateurs proposent des circuits dans des villages, surtout dans l'Ouest, au moment de célébrations : un bon moyen d'entrer dans les coulisses de la scène musicale rajasthanie.

délicieux *lassi* makhania, crémeux à souhait. Ce sont les meilleurs de la ville, voire du Rajasthan, voire d'Inde !

Five Star Fruit Juice (112 Nai Sarak ; petit/grand jus de fruits 25/30 Rs ; 🕙 9h-22h). Cette échoppe est la meilleure adresse pour boire des jus de fruits extra-frais dans une ambiance sympathique.

Les amateurs de café trouveront leur bonheur au **Cafe Sheesh Mahal** (Pal Haveli, tour de l'Horloge ; 🕙 10h-23h), au café sur le toit du **Govind Hotel** (Station Rd), et, pour les accros, dans une boutique de **Cafe Coffee Day** (Jaljog Circle, Sardapura ; 🕙 10h-23h).

Pour vous désaltérer autrement, montez sur un tabouret en pied d'éléphant au **Trophy Bar** (Umaid Bhawan Palace ; Umaid Bhawan Rd ; 🕙 11h-15h et 18h-23h).

Achats

Vous trouverez à Jodhpur l'habituel artisanat rajasthani, mais la ville est surtout renommée pour les antiquités. Les boutiques se regroupent dans Palace Rd, près de l'Umaid Bhawan Palace. Sachez que le commerce des éléments architecturaux anciens contribue à appauvrir le patrimoine culturel indien (de magnifiques *haveli* sont dépouillés de leurs portes et de leurs cadres de fenêtre). La plupart des boutiques peuvent fabriquer des meubles de style ancien à des prix raisonnables. Palace Rd concentre un grand nombre de show-rooms.

Les meilleures adresses pour les reproductions d'antiquités sont **Ajay Art Emporium** (☎ 2510269 ; Palace Rd), **Rani Handicrafts** (☎ 2638785 www.ranihandicrafts.com ; Palace Rd), **Maharani Art**

Exporters (☎ 2639226 ; Tambaku Bazaar) et **Rajasthan Arts & Crafts House** (☎ 2653926 ; Palace Rd).

Aux alentours de la tour de l'Horloge, de nombreuses boutiques d'épices visent une clientèle de touristes ; elles pratiquent des prix en conséquence et la qualité laisse à désirer. **MV Spices** (☎ 5109347 ; www.mvspices.com ; Vegetable Market, tour de l'Horloge ; 🕑 10h-21h) jouit d'une bonne réputation, tant pour ses épices que pour son service. Si vous cherchez des épices meilleur marché, dirigez-vous vers l'ouest depuis la tour de l'Horloge et suivez le Tambaku Bazaar en direction de Navchokiya, dans la vieille ville. De l'autre côté de la petite place, vous trouverez quelques échoppes. L'authentique safran du Cachemire coûte environ 250 Rs/gramme. Beaucoup de safran signifie une moins bonne qualité et provient d'Europe de l'Est, aussi soyez vigilants.

D'autres boutiques réputées :

Kaman Art (www.kamanart.blogspot.com ; Old Fort Rd, Killikhana ; 🕑 10h-20h). Cette minuscule galerie d'art contemporain propose les œuvres d'une quarantaine de peintres des 4 coins de l'Inde.

Krishna Art & Crafts (1er ét., Tija Mata ka Mandir). Une bonne adresse pour en savoir plus sur les vêtements traditionnels. Grand choix de tapis et de châles.

Shri Rani Sati Cloth Store (117 Sardar Market). Cette petite boutique à gauche de la tour de l'Horloge (en entrant dans le marché) vend de beaux tissus imprimés au tampon.

Depuis/vers Jodhpur

AVION

Air India (☎ 2510757 ; Airport Rd ; 🕑 10h-13h15 et 14h-16h30) propose des vols pour Delhi (5 200 Rs) via Jaipur (3 600 Rs) et pour Mumbai (6 400 Rs) via Udaipur (3 600 Rs). **Jet Airways** (☎ 5102222 ; bureau 4, Osho Appartments, Residency Rd) dessert les mêmes destinations. **Kingfisher** (☎ 1800 2333131 ; www.flykingfisher.com) opère des vols quotidiens vers Jaipur (4 000 Rs), Jaisalmer (3 300 Rs) et Udaipur (3 200 Rs).

BUS

Des **bus RSRTC** (☎ renseignements 2544686) relient Jodhpur à Mount Abu (express 165 Rs, 7 heures), Jaisalmer (express/deluxe 105/175 Rs, 5 heures 30, ttes les 30 min), Ahmedabad (240/266 Rs, 10-12 heures, 6/j), Udaipur (147/157 Rs, 6 heures 30, 7/j), Jaipur (express/deluxe/AC 188/200/322 Rs, 7 heures 30, ttes les 30 min), Ajmer (115/121/200 Rs, 4 heures 30, ttes les 30 min), Bikaner (136/146 Rs, 5 heures 30), Delhi (deluxe/AC 388/731 Rs, 12 heures 30 à 14 heures, 5/j).

De nombreuses compagnies privées, dont **Mahadev Travels** (☎ 2633927 ; Station Rd), ont des bureaux face à la gare ferroviaire et dans la rue qui mène au temple Ranchodji. Elles desservent, entre autres, Jaisalmer (seat/sleeper 130/200 Rs), Udaipur (140/200 Rs), Bikaner (130/180 Rs), Jaipur (150/220 Rs) et Ajmer (110/180 Rs). Les bus privés partent du cinéma Sardarpura. Vous pouvez également vous rendre au bureau de la compagnie, d'où on vous y emmènera.

Haveli Tours & Travels (☎ 9414295539 ; Hotel Haveli, Makrana Mohalla) propose un bus quotidien pour Udaipur (450 Rs) à 8h, avec une pause déjeuner dans leur complexe du village Ghanerao et visite de Ranakpur.

TRAIN

Le 4059/60 *Delhi-Jaisalmer Express* part à 6h10 et arrive à Jaisalmer (sleeper/3AC 157/411 Rs) à 13h. Le 4809/10 *Jodhpur-Jaisalmer Express* part tous les soirs à 23h25 pour arriver à Jaisalmer à 5h30. Jodhpur étant la gare de départ de ce dernier, il y a plus de chance qu'il parte à l'heure.

Pour Delhi, le 2461/2 *Mandore Express* quitte Jodhpur à 19h30, s'arrête à Jaipur (sleeper/3AC 180/450 Rs) à 1h et arrive à Delhi (276/720 Rs) à 6h30. Le 2466 *Ranthambhore Express* part à 5h55 et arrive à Jaipur (sleeper/3AC 180/450 Rs) à 10h35, et à Sawai Madhopur (220/561 Rs) à 13h15. Plusieurs trains quotidiens desservent Bikaner, dont le 4708 *Ranakpur Express* qui part à 10h05 pour arriver à Bikaner (sleeper/3AC 148/386 Rs) à 16h.

Le 4889 *Thar Express* hebdomadaire (aussi appelé *JU MBF Link Express*, voir p. 808) relie Jodhpur à Karachi, au Pakistan. Il part de la gare ferroviaire de Raikabad à Jodhpur chaque samedi et atteint Munabao, à la frontière, à 7h. Depuis Munabao, il faut changer pour un train pakistanais (à condition d'avoir un visa pakistanais).

Comment circuler

L'aéroport se trouve à 5 km du centre-ville. Comptez 70 Rs en auto-rickshaw et 180 Rs en taxi.

Une station de taxis est installée près de la gare ferroviaire principale. Les déplacements dans les environs de Jodhpur reviennent à environ 90 Rs en taxi (300 Rs pour une journée de visite) et à 50 Rs en auto-rickshaw.

RAJASTHAN

ENVIRONS DE JODHPUR

Mandore

Mandore, à 9 km au nord de Jodhpur, était la capitale du Marwar jusqu'à la fondation de Jodhpur. Aujourd'hui, ses **jardins** aux terrasses rocheuses constituent sa principale attraction. Ils renferment des stupas de grès rouge foncé ainsi que les cénotaphes des seigneurs de Jodhpur, dont celui du maharaja Dhiraj Ajit Singh, qui se dresse vers le ciel.

La **salle des Héros**, du XVIIIe siècle, comprend 15 représentations de héros locaux et de divinités hindoues, sculptées dans la paroi rocheuse, enduites de plâtre et peintes de couleurs vives.

Mandore Guest House (0291-2545210 ; www.mandore.com ; s/d avec clim 1 265 Rs, ste 3 025 Rs ;). De charmantes maisonnettes arrondies en pisé réparties dans un jardin verdoyant et une bonne cuisine maison. L'établissement est lié à une ONG locale qui lutte contre la toxicomanie, fournit des soins médicaux et propose de courtes missions de bénévolat.

Rohet

Rohet Garh (02936-268231 ; s/d à partir de 1 450/2 000 Rs, ste 3 000 ;) est un hôtel classé situé dans le petit village de Rohet, à une quarantaine de kilomètres au sud de Jodhpur. Il dispose de chambres charmantes, d'une somptueuse piscine à colonnades et organise des excursions dans les villages environnants. C'est ici que Bruce Chatwin écrivit *Le Chant des pistes*. Les chambres anciennes sont envoûtantes, mais les extérieurs, avec la somptueuse piscine et de vastes pelouses ombragées, ne sont pas en reste. Possibilité de monter un fier destrier Marwari. Le comble du luxe : la balade équestre jusqu'au luxueux campement dans le désert (9 000 Rs/pers) avec visite de villages en chemin.

Osiyan

À 65 km au nord de Jodhpur, cette ville ancienne du grand désert du Thar fut un important centre marchand du VIIIe au XIIe siècle. Elle était alors sous la domination des jaïns, qui y laissèrent des temples finement sculptés, encore en très bon état. Le **Sachiya Mata Temple** (6h-19h15) est un impressionnant complexe fortifié. Le **Mahavira Temple** (5 Rs, app photo/caméra 40/100 Rs ; 6h-20h30) renferme une représentation du 24e tirthankar (grand maître jaïn), réalisée avec du sable et du lait et qui daterait de plus de 2 000 ans.

En octobre, Osiyan accueille la **fête du Marwar** (p. 161).

Prakash Bhanu Sharma, un prêtre brahmane de belle prestance, accueille les pèlerins dans une **pension** (02922-274331 ; s/d 250/300 Rs) proche du Mahavira Temple.

Gemar Singh (p. 229) vit non loin d'Osiyan. Il organise des nuits chez l'habitant ou en camping, des marches dans le désert et des safaris en chameau dans les environs.

De Jodhpur, des bus desservent régulièrement Osiyan (30 Rs, 1 heure 30, toutes les 30 min). Le 4059 *Delhi-Jaisalmer Express* part de Jodhpur à 6h20 et arrive à Osiyan (2e classe/sleeper/3AC/2AC 41/121/213/283 Rs) à 7h14 avant de repartir pour Jaisalmer (78/135/350/475 Rs). Au retour, le 4060 quitte Jaisalmer à 16h, s'arrête à Osiyan à 21h et arrive à Jodhpur à 22h. L'aller-retour en taxi depuis Jodhpur revient à 800 Rs.

Nagaur

À Nagaur, à 135 km au nord-est de Jodhpur, l'**Ahhichatragarh** (fort du Cobra à capuchon ; Indiens/étrangers 15/50 Rs, app photo/caméra 25/100 Rs, guide 100 Rs ; 9h-13h et 14h-17h), une forteresse massive du XIIe siècle restaurée, comprend un système de recyclage hydraulique unique. Au centre se dresse un palais rajput-moghol richement peint.

La **foire aux chameaux de Nagaur** (p. 161) a lieu en janvier-février.

Hotel Bhaskar (01582-240100 ; Station Rd ; s/d à partir de 200/300 Rs). Cet hôtel accueillant, proche de la gare ferroviaire, loue des chambres acceptables.

À environ 1 km du fort, l'**Hotel Mahaveer International** (243158 ; www.hotelminagaur.com ; Vijai Vallabh Chowk ; ch 550-1 265 Rs ;) propose des chambres austères mais confortables destinées aux voyageurs d'affaires. Visitez plusieurs chambres dans l'ancienne et la nouvelle aile avant de vous décider. Restaurant végétarien relativement propre (plats 85 à 175 Rs) et bar.

Les **Royal Tents** (tente 11 500 Rs), des tentes fastueuses, sont installées pour la foire dans l'enceinte du fort. Elles se réservent longtemps à l'avance auprès du **Balsamand Palace** (0291-2572321 ; www.jodhpurheritage.com). Le **RTDC** (s/d 6 500/7 500 Rs) propose également des tentes.

Des bus relient Jodhpur et Nagaur toutes les heures (70 Rs, 3 heures).

Khichan

Paradis des ornithologues, ce petit village situé à 140 km au nord-ouest de Jodhpur permet, lors des longs safaris à dos de chameau, une halte bien méritée. De fin août-début septembre à fin mars, des nuées de demoiselles de Numidie (des grues) volent dans le ciel et descendent sur les lacs et les champs vers 7h et 17h pour se nourrir des céréales que leur donnent les villageois. **Phalodi**, 10 km à l'ouest, est un ancien centre caravanier doté de magnifiques *haveli*. Il possède des hébergements à des prix abordables, dont le **Lal Niwas** (☎ 02925-223813 ; Dadha's Mohalla, Phalodi ; s/d 2 400/2 650 Rs ;).

Un service de bus réguliers dessert Phalodi, ainsi que Jodhpur (86 Rs, 3 heures 30) et Jaisalmer (72 Rs, 3 heures 30). Des bus quotidiens relient Phalodi à Khichan (5 Rs, 15 min). L'aller-retour en auto-rickshaw vous coûtera 70 Rs.

JAISALMER

☎ 02992 / 58 500 habitants

Aucun lieu n'évoque aussi bien le mystère du désert et l'exotisme des routes marchandes parcourues de caravanes de chameaux, que le fort de Jaisalmer. Ce gigantesque château doré s'élevant sur les plaines sableuses, tel un mirage des temps passés, est à couper le souffle. Les armées d'éoliennes qui avancent dans le désert rendent cependant ce bond dans le passé un peu plus difficile.

Quatre-vingt-dix-neuf bastions colossaux encerclent ses rues toujours habitées. À l'intérieur se côtoient des boutiques couvertes de broderies colorées, un palais royal et de nombreux commerces ravis de vous délester de quelques roupies. Malgré le mercantilisme ambiant, il est difficile de ne pas s'extasier devant cette citadelle du désert. Enserrées par les remparts, les ruelles sinueuses de la vieille ville renferment de somptueux *haveli* à la beauté défraîchie. Les *haveli*, le fort et son palais clos ont tous été taillés dans le même grès couleur miel, d'où le surnom de Jaisalmer : la "ville dorée".

Derrière les apparences, la cité millénaire est aujourd'hui en péril. La surpopulation, conjuguée à un mauvais système d'écoulement des eaux, entraîne l'affaissement progressif de la citadelle. Ajouté à cette perspective inquiétante, le harcèlement continu des vendeurs de safari – ou colporteurs autres – peut rendre l'atmosphère un peu tendue.

La cité accueille le **festival du Désert** (p. 161) en février.

Histoire

Fondée en 1156, Jaisalmer prospéra grâce à sa position stratégique sur la route des caravanes entre l'Inde et l'Asie centrale. Négociants et citadins y construisirent de somptueuses demeures en bois et en grès, finement sculptés.

Bien que relativement épargnée par les Moghols, la cité connut son lot de sièges et de pillages et sacrifia au rite du jauhar (suicide collectif) au XIIIe siècle, au terme d'un siège de huit ans. En bons termes avec Delhi, elle connut un autre âge d'or au XVIIe siècle, où furent bâtis de nombreux édifices grandioses.

Le développement du transport maritime et du port de Mumbay (Bombay) mena au déclin de Jaisalmer. La Partition et la fermeture des routes commerciales qui traversaient le Pakistan auraient bien pu sceller son sort et la pénurie en eau, la conduire à la mort. Pourtant, les guerres indo-pakistanaises de 1965 et de 1971 soulignèrent une nouvelle fois son importance stratégique.

Aujourd'hui, l'apport économique du tourisme rivalise avec celui des bases militaires.

Orientation

On pénètre dans le fort par la First Fort Gate. À l'intérieur, un dédale de ruelles pavées débouche sur des temples jaïns et sur le palais de l'ancien souverain. L'ensemble n'est pas assez grand pour qu'on s'y perde.

Le marché principal, le Bhatia Market, ainsi que la plupart des sites et des services, se concentrent au nord.

Renseignements

Les cybercafés abondent à l'intérieur et à l'extérieur du fort. La connexion revient à environ 40 Rs/heure.

Bhatia Newsagency (Bhatia Market ; 9h-21h). Journaux (venir à 11h pour la dernière édition), magazines et livres neufs et d'occasion dans plusieurs langues.

Bureau de poste (10h-17h lun-ven, 10h-13h sam). Juste à l'extérieur du fort. Vente de timbres et envoi de cartes postales.

Byas & Co (Bhatia Market ; 9h-21h). Matériel photo et développement, clés USB.

Centre d'accueil des touristes (☎ 252406 ; Gadi Sagar Rd ; 9h-18h lun-ven). À 1 km au sud-ouest de la First Fort Gate, ce bureau accueillant propose des plans gratuits, les horaires de train et de bus et une petite liste de pensions.

Dr Dube (☎ 9414149500 ; consultation 500 Rs). Un médecin fiable qui se déplace dans les hôtels.

RAJASTHAN

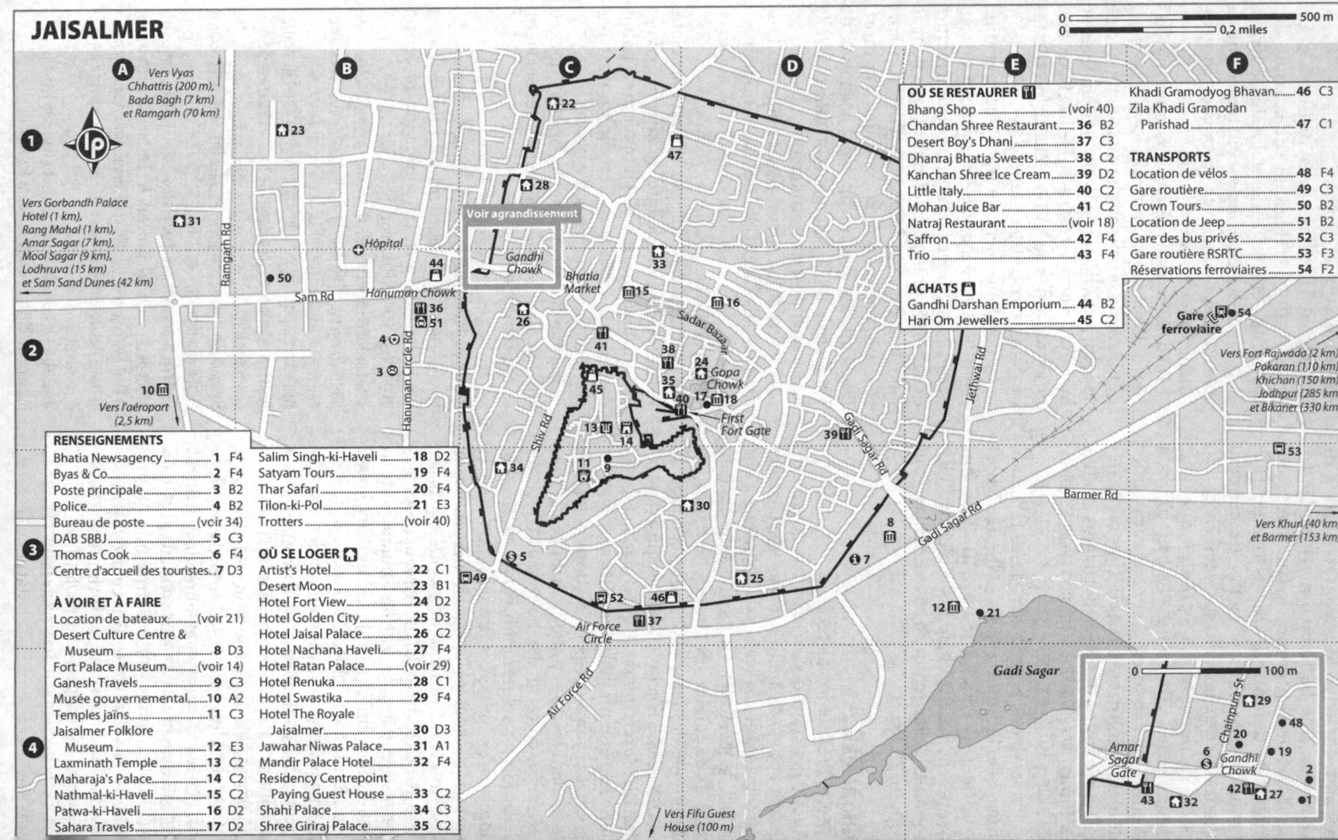
JAISALMER
0 500 m
0 0,2 miles
A
B
C
D
E
F
1
2
3
4
Vers Vyas Chhattris (200 m), Bada Bagh (7 km) et Ramgarh (70 km)
Vers Gorbandh Palace Hotel (1 km), Rang Mahal (1 km), Amar Sagar (7 km), Mool Sagar (9 km), Lodhruva (15 km) et Sam Sand Dunes (42 km)
Vers l'aéroport (2,5 km)
Vers Fort Rajwada (2 km), Pokaran (110 km), Khichan (150 km), Jodhpur (285 km) et Bikaner (330 km)
Vers Khuri (40 km) et Barmer (153 km)
Vers Fifu Guest House (100 m)
Voir agrandissement
Gandhi Chowk
Bhatia Market
Hôpital
Ramgarh Rd
Sam Rd
Hanuman Chowk
Hanuman Circle Rd
Shiv Rd
Sadar Bazaar
Gopa Chowk
First Fort Gate
Gadi Sagar Rd
Jethwai Rd
Barmer Rd
Air Force Circle
Air Force Rd
Gare ferroviaire
Gadi Sagar
Amar Sagar Gate
Chainpura St
0 100 m
RENSEIGNEMENTS
Bhatia Newsagency 1 F4
Byas & Co. 2 F4
Poste principale 3 B2
Police 4 B2
Bureau de poste (voir 34)
DAB SBBJ 5 C3
Thomas Cook 6 F4
Centre d'accueil des touristes 7 D3
À VOIR ET À FAIRE
Location de bateaux (voir 21)
Desert Culture Centre & Museum 8 D3
Fort Palace Museum (voir 14)
Ganesh Travels 9 C3
Musée gouvernemental 10 A2
Temples jaïns 11 C3
Jaisalmer Folklore Museum 12 E3
Laxminath Temple 13 C2
Maharaja's Palace 14 C2
Nathmal-ki-Haveli 15 C2
Patwa-ki-Haveli 16 D2
Sahara Travels 17 D2
Salim Singh-ki-Haveli 18 D2
Satyam Tours 19 F4
Thar Safari 20 F4
Tilon-ki-Pol 21 E3
Trotters (voir 40)
OÙ SE LOGER
Artist's Hotel 22 C1
Desert Moon 23 B1
Hotel Fort View 24 D2
Hotel Golden City 25 D3
Hotel Jaisal Palace 26 C2
Hotel Nachana Haveli 27 F4
Hotel Ratan Palace (voir 29)
Hotel Renuka 28 C1
Hotel Swastika 29 F4
Hotel The Royale Jaisalmer 30 D3
Jawahar Niwas Palace 31 A1
Mandir Palace Hotel 32 F4
Residency Centrepoint Paying Guest House 33 C2
Shahi Palace 34 C3
Shree Giriraj Palace 35 C2
OÙ SE RESTAURER
Bhang Shop (voir 40)
Chandan Shree Restaurant 36 B2
Desert Boy's Dhani 37 C3
Dhanraj Bhatia Sweets 38 C2
Kanchan Shree Ice Cream 39 D2
Little Italy 40 C2
Mohan Juice Bar 41 C2
Natraj Restaurant (voir 18)
Saffron 42 F4
Trio 43 F4
ACHATS
Gandhi Darshan Emporium 44 B2
Hari Om Jewellers 45 C2
Khadi Gramodyog Bhavan 46 C3
Zila Khadi Gramodan Parishad 47 C1
TRANSPORTS
Location de vélos 48 F4
Gare routière 49 C3
Crown Tours 50 B2
Location de Jeep 51 B2
Gare des bus privés 52 C3
Gare routière RSRTC 53 F3
Réservations ferroviaires 54 F2

Police (252233 ; Hanuman Circle Rd)
Poste principale (Hanuman Circle Rd ; 10h-17h lun-ven, 10h-13h sam). À l'ouest du fort.
SBBJ (Shiv Rd). DAB.
Thomas Cook (253679 ; Gandhi Chowk ; 9h30-19h30 lun-sam). Change de devises et de chèques de voyage.

À voir et à faire

FORT DE JAISALMER

Le **fort** est un dédale de ruelles pavées de grès, qui serpentent entre le palais, les temples et les centaines de *haveli* d'une fausse simplicité. Érigé en 1156 par le souverain rajput Jaisala et consolidé par ses successeurs, il couronne la colline de Trikuta, haute de 80 m. Une importante proportion de la population de la vieille ville réside à l'intérieur des remparts, qui sont jalonnés de 99 bastions. Flâner dans les ruelles de ce musée vivant est une expérience unique.

Palais du Maharaja

L'entrée se fait par une série de portes massives, dans une large cour que dominent les sept étages de l'élégant **palais**. La cour servait autrefois à la revue des troupes, à l'audition des requêtes et aux spectacles extravagants qui étaient offerts aux hôtes de marque. Une partie du palais est ouverte au public en tant que **musée du Fort Palace** (Indiens/appareil photo/caméra 30/50/150 Rs étrangers/caméra 250/150 Rs ; 8h-18h mars-juil, 9h-18h août-fév). Le tarif étranger inclut l'audioguide et l'utilisation de votre appareil photo. Des salles d'une beauté fascinante se superposent d'étage en étage. Ne manquez pas le Rang Mahal, orné de miroirs et de peintures, la petite galerie de sculptures du XVe siècle finement exécutées et le spectaculaire panorama à 360° que l'on découvre du toit.

Temples jaïns

Dans le dédale du fort, s'étend un magnifique ensemble de sept **temples jaïns** (20 Rs, app photo/caméra 50/100 Rs) en grès mordoré, érigés entre le XIIe et le XVIe siècle. Les heures d'ouverture varient ; renseignez-vous auprès des gardiens. Le raffinement des sculptures, auxquelles la pierre chaude et douce donne une qualité exceptionnelle, rivalise avec celui des temples de Ranakpur et de Mount Abu. Le premier temple, le **Chandraprabhu** (7h-12h), est dédié au 8e tirthankar, symbolisé par la lune. Autour de la galerie supérieure, 108 statues de marbre représentent Parasnath, le 22e tirthankar. Le **Rikhabdev Temple** (7h-12h) se trouve sur la droite. Derrière Chandraprabhu, une *torana* (architrave) superbement ouvragée donne accès au **Parasnath Temple** (11h-12h), qui est agrémenté d'un plafond splendide, peint de couleurs vives. Une porte au sud mène au petit **Shitalnath Temple** (11h-12h) qui contient une statue en 8 métaux du 10e tirthankar. Dans le mur nord, une porte ouvre sur le somptueux **Sambhavanth Temple** (11h-12h) – sur le parvis, des prêtres broient du bois de santal destiné aux rites. Des marches descendent vers le **Gyan Bhandar** (10h-11h), une petite bibliothèque de manuscrits anciens, fondée en 1500. En contrebas, les temples de **Shantinath** (11h-12h) et de **Kunthunath** (11h-12h), construits en 1536, s'ornent de sculptures sensuelles.

Laxminath Temple

Ce **temple hindou**, plus sobre que ses homologues jaïns, est coiffé d'un dôme au décor étincelant. Les dévots offrent des céréales, distribuées ensuite devant le temple. Une architrave en argent repoussé entoure l'entrée du sanctuaire intérieur, où une statue disparaît sous les guirlandes.

HAVELI

Patwa-ki-Haveli

Plus beau *haveli* de Jaisalmer, le **Patwa-ki-Haveli**, orné de dentelles de pierre couleur miel, domine une étroite ruelle. Bâti entre 1800 et 1860 par cinq frères jaïns, marchands de brocards et de bijoux, il est plus imposant de l'extérieur. La première de ses cinq sections accueille le **musée Patwa Haveli de Kothari** (Indiens/étrangers 40/100 Rs, app photo/caméra 30/40 Rs ; 9h-18h), une propriété privée qui évoque la vie au XIXe siècle. Le **haveli** voisin (Indiens/étrangers 10/50 Rs) appartient au gouvernement. Il est abandonné, seuls des pigeons et chauve-souris l'habitent.

Salim Singh-ki-Haveli

Ce **haveli** (15 Rs, app photo/caméra 15/50 Rs ; 8h-18h oct-avr, 8h-19h mai-sept) privé et partiellement habité fut construit il y a 300 ans par Salim Singh, un Premier ministre redouté lorsque Jaisalmer était la capitale d'un État princier. L'édifice se distingue par son architecture, inhabituelle : le dernier niveau, abondamment sculpté et ourlé de gracieux balcons voûtés, est surmonté de coupoles bleu pâle.

SOS, FORT EN DANGER

L'un des monuments les plus menacés de la planète a subi de sévères détériorations ces dernières années, dues à la trop forte pression subie par le système d'égouts de la citadelle. Depuis 1993, trois des bastions du XIIe siècle se sont effondrés. Grâce aux actions d'organisations comme la fondation britannique **Jaisalmer in Jeopardy** (☎ /fax 020-73524336 ; www.jaisalmer-in-jeopardy.org ; 3 Brickbarn Close, London SW10 0TP), de gros dommages ont été évités suite à l'étanchéification récente de nombreuses canalisations poreuses. Un autre ennemi demeure cependant : la multiplication des constructions inconsidérées et les déchets qu'elles engendrent. La prise de conscience progresse mais certains habitants du fort mettent inconsciemment en péril leurs propres habitations en faisant fi des mesures de préservation.

Pour des informations sur la sauvegarde de Jaisalmer, contactez la **Jaisalmer Conservation Initiative** (☎ 011-24631818 ; www.intach.org ; 71 Lodi Estate, New Delhi 110003), une branche de l'Indian National Trust for Art and Cultural Heritage's (INTACH), ou Jaisalmer in Jeopardy.

RAJASTHAN

Nathmal-ki-Haveli

Édifié à la fin du XIXe siècle, ce **haveli** (entrée libre ; 🕑 8h-19h), qui appartenait également à un Premier ministre de la cité, est habité en partie. Richement sculpté, il comprend de superbes peintures au 1er étage, réalisées avec 1,5 kg d'or. Des cartes postales britanniques du XIXe siècle et un portrait de la reine Victoria entourent l'une des portes. Les ailes droite et gauche, œuvres de deux frères qui rivalisèrent en virtuosité, se ressemblent sans être identiques. Des éléphants de grès accueillent les visiteurs.

GADI SAGAR

Cet imposant **réservoir** au sud de la ville alimentait autrefois la cité en eau. Nombre de temples et de sanctuaires l'entourent et des oiseaux aquatiques y nichent en hiver. On peut s'y promener en **bateau** (50-100 Rs/30 min ; 🕑 8h-21h).

La splendide porte de **Tilon-ki-Pol** qui enjambe la route menant au réservoir aurait été bâtie par une prostituée célèbre. Lorsque celle-ci proposa de la financer, le maharaja aurait refusé sous le prétexte qu'il devrait passer dessous pour rejoindre le réservoir – une offense à sa dignité. La courtisane aurait profité de son absence pour passer outre, faisant ajouter un temple dédié à Krishna à son sommet afin qu'on ne puisse la détruire.

MUSÉES

À côté du centre d'accueil des touristes, le **Desert Culture Centre & Museum** (centre culturel et musée du Désert ; ☎ 252188 ; 50 Rs ; 🕑 10h-20h) fournit d'intéressantes informations sur la culture du Rajasthan et présente des textiles et des instruments traditionnels. La nouvelle présentation interactive sur mini-DVD permet de dynamiser l'exposition quelque peu statique. Un **spectacle de marionnettes** (50 Rs, app photo/caméra 20/50 Rs ; 1 heure) y a lieu chaque soir à 18h30. Le billet d'entrée au Desert Culture Centre donne accès au petit **Jaisalmer Folklore Museum** (musée du Folklore de Jaisalmer ; 20 Rs, app photo/caméra 20/50 Rs ; 🕑 8h-18h), qui renferme une collection hétéroclite, allant des ornements de chameaux aux flacons à opium.

Le **musée gouvernemental** (Indiens/étrangers 5/10 Rs, gratuit lun ; 🕑 10h-16h30 tlj sauf ven) réunit une collection de fossiles, de marionnettes et de textiles, limitée mais bien documentée.

Circuits organisés

Peu de voyageurs visitent Jaisalmer sans s'aventurer dans le désert à dos de chameau. Pour plus de détails, voir l'encadré p. 242.

Le centre d'accueil des touristes organise des excursions aux dunes de sable de Sam pour voir le coucher du soleil (150 Rs/pers ; départ à 15h). Sur demande, on peut descendre de voiture à Kanoi, à 5 km de Sam, et continuer à dos de chameau jusqu'aux dunes (250 Rs environ).

Où se loger

Résider dans le fort n'est plus une option à considérer, tant le surdéveloppement et la surfréquentation du lieu fragilisent la structure. Lonely Planet a choisi de ne citer aucun hôtel ou restaurant établi dans l'enceinte du fort. Nous encourageons les touristes à opter pour ce choix éthique.

Certaines enseignes tentent à tout prix de vendre des safaris à dos de chameau. Pour éviter tout conflit, déclarez le plus tôt possible que cela ne vous intéresse pas. Dans de nombreux hôtels, la chambre doit être libérée à 9h.

PETITS BUDGETS

Beaucoup d'adresses se regroupent au nord de Gandhi Chowk.

Hotel Shree Giriraj Palace (☎ 252268 ; ch 150-200 Rs, sans sdb 80 Rs). Propose des chambres simples et gaies aux sdb minuscules, dans un bâtiment ancien. Charmant restaurant sur le toit.

Hotel Swastika (☎ 252483 ; swastikahotel@yahoo.com ; Chainpura St, Ghandi Chowk ; s/d à partir de 150/200 Rs, ch avec clim 600 Rs, s sans sdb 100 Rs ;). Cet hôtel propre et bien tenu aux chambres sans prétention, dont certaines s'ouvrant sur un balcon, ne vous donnera qu'une envie : vous relaxer. Nombreux restaurants à proximité.

Hotel Renuka (☎ 252757 ; hotelrenuka@rediffmail.com ; s/d 300/350 Rs, avec clim 600/650 Rs, sans sdb 100/150 Rs ;). Accueille ses hôtes depuis 1988 dans des chambres impeccables sur trois étages. Les meilleures disposent d'une sdb et d'un balcon. Magnifique vue sur le fort depuis le toit-terrasse, où est installé un restaurant. Transferts gratuits depuis les gares routière et ferroviaire.

Hotel Ratan Palace (☎ 253615 ; s/d 300/350 Rs, avec clim 600/650 Rs, sans sdb 100/150 Rs ;). Géré par la même famille que l'Hotel Renuka, et tout aussi sympathique, avec des chambres lumineuses de même confort.

Hotel Golden City (☎ 251664 ; www.hotelgoldencity.com ; s/d 150/200 Rs, s/d avec rafraîchisseur d'air 200/300 Rs, ch avec clim 600 Rs ;). Près de Gadi Sagar Rd, cet hôtel animé ressemble à un mini-complexe hôtelier pour petits budgets. Grand choix de chambres, TV câblée, deux restaurants et une piscine (non-résidents 100 Rs).

Artist's Hotel (☎ 252082 ; artisthotel@yahoo.com ; Artist Colony, Suly Dungri ; s 180 Rs, d 300-450 Rs). Tenu par des Autrichiens, cet hôtel soutient des musiciens locaux et loue des chambres simples au-dessus d'une résidence d'artistes animée. Concerts réguliers et vue sur le fort depuis le toit.

Hotel Fort View (☎ 252214 ; ch 200-600 Rs). Une institution pour les voyageurs à petit budget. Des rénovations étaient en cours lors de notre visite. Quel qu'en soit le résultat, l'emplacement et la vue sur le fort sont imbattables.

CATÉGORIE MOYENNE

Shahi Palace (☎ 255920 ; www.shahipalacehotel.com ; près de Shiv Rd ; ch 300-750 Rs, avec clim 750-1 750 Rs ;). Un hôtel chaleureux et accueillant qui renferme des chambres joliment décorées avec banquette devant la fenêtre, murs en pierre et lits en bois ou en pierre taillée. Excellent restaurant et vue magnifique depuis le toit-terrasse.

Residency Centrepoint Paying Guest House (☎ /fax 252883 ; residency_guesthouse@yahoo.com ; s/d 400/450 Rs). Cette pension familiale de charme est proche du Patwa-ki-Haveli. Les doubles sont propres et spacieuses. La 101 dispose d'un joli balcon. Superbe vue sur le fort depuis le toit.

Desert Moon (☎ 250116, 9414149350 ; www.desertmoonguesthouse.com ; Achalvansi Colony ; s 500-800 Rs, d 700-1 200 Rs ;). En-dessous du point de vue de Vyas Chhatris, cet hôtel jouit d'un emplacement paisible, à environ 10 min de marche de Gandhi Chowk. Géré par un aimable couple indien et néo-zélandais qui propose safaris en chameau et transferts depuis/vers la gare (routière ou ferroviaire). Chambres fraîches, propres et confortables avec sol en pierre polie et sdb immaculées.

Hotel Jaisal Palace (☎ 252717 ; www.hoteljaisalpalace.com ; s/d 600/750 Rs, avec clim 900/1 100 Rs ;). Derrière le Mandir Palace Hotel, cet établissement bien tenu propose des chambres plutôt petites et mornes, avec balcon et vue sur le fort, pour celles exposées au sud.

Fifu Guest House (☎ 252656 ; www.fifuguesthouse.com ; Bera Rd ; ch 1 050-1 650 Rs ;). Cet hôtel est un peu excentré mais ses belles chambres colorées garantissent un séjour paisible et agréable. Vue splendide depuis le toit et excellent restaurant végétarien. Accès par un chemin poussiéreux, pensez à prendre une lampe de poche la nuit.

Hotel The Royale Jaisalmer (☎ 9252808707 ; Dhibba Para ; s/d 1 250/1 500 Rs, ste 2 200-2 500 Rs ;). Au sud de l'entrée du fort, un hôtel flambant neuf qui laisse une bonne première impression. Chambres spacieuses et colorées, au décor traditionnel, et restaurant végétarien multicuisine sur le toit. Petit déj inclus.

Hotel Nachana Haveli (☎ 252538 ; www.nachanahaveli.com ; Ghandi Chowk ; s/d 2 250/2 500 Rs, ste s/d 3 250/3 500 Rs ;). Ce *haveli* de 280 ans renferme un hôtel merveilleux à l'atmosphère médiévale. Les chambres en pierres apparentes et au plafond voûté sont magnifiques et somptueusement décorées, même si certaines sont un peu sombres. La cour et les espaces communs sont parés d'objets rajput, dont des balancelles et des tapis en peau d'ours.

Jawahar Niwas Palace (☎ 252208 ; jawaharniwas@yahoo.co.in ; s/d 3 000/3 900 Rs, ste 4 800 Rs ;). Tel un mirage, cette beauté abandonnée s'élève à 1 km à l'ouest du fort dans un jardin aride. Les chambres sont spacieuses et élégantes, avec de grandes sdb. Celles de l'étage, à l'avant, ont la

RAJASTHAN

SAFARIS À DOS DE CHAMEAU À JAISALMER

Explorer les alentours de Jaisalmer à dos de chameau constitue la plus belle façon de découvrir la vie du désert. La meilleure période s'étend d'octobre à février.

Avant le départ

Les organisateurs se livrent une concurrence féroce et les conditions varient considérablement de l'un à l'autre. Aucun hôtel ne possède de chameau ; les hôteliers et les agences de voyages servent uniquement d'intermédiaires.

Prenez garde aux organisateurs qui prétendent offrir (et facturent) un safari de 3 jours alors que le retour se fait après le petit-déjeuner du troisième jour.

Le prix minimal d'un safari se situe entre 500 et 750 Rs par personne et par jour. Pour ce prix, vous aurez un petit-déjeuner (flocons d'avoine, thé et toasts), un déjeuner et un dîner (riz, dhal et chapati). Les couvertures sont fournies, mais vous devrez emporter de l'eau minérale. Rien ne vous empêche de payer davantage si vous souhaitez plus de confort : tentes, lits de camp, meilleurs repas, bière, etc. Soyez vigilant : certains voyageurs ont payé un supplément pour des prestations incluses dans des safaris moins coûteux.

Quelle que soit la somme dépensée, vérifiez bien l'itinéraire et le matériel avant le départ. Sachez que vous n'obtiendrez aucune compensation pour des prestations manquantes. Gardez un œil sur vos affaires, notamment sur le chemin du retour, et occupez-vous personnellement de votre sac. Si vous souhaitez porter plainte, adressez-vous au **superintendant de la police** (superintendent of police ; 252233) ou au **centre d'accueil des touristes** (Tourist Reception Centre ; ☎ 252406 ; Gadi Sagar Rd ; 9h-18h lun-ven).

À emporter

Les femmes apprécieront un soutien-gorge de sport. Emportez un chapeau à larges bords (ou un turban), des pantalons longs, du papier toilette, de la crème solaire et une gourde à bandoulière. Un sac de couchage vous permettra de supporter les nuits froides, même si l'on vous affirme que des couvertures sont prévues.

Choisir un safari

Plusieurs agences indépendantes sont recommandées. **Ganesh Travels** (☎ 250138 ; ganeshtravel45@hotmail.com), dans le fort, jouit d'une bonne réputation et appartient à des chameliers. Géré par M. Bissa, alias Monsieur Désert, **Sahara Travels** (carte p. 238 ; ☎ 252609 ; sahara_travels@yahoo.com), installé près de la First Fort Gate, suscite également des commentaires élogieux. **Trotters**

meilleure vue sur le fort. Merveilleuse piscine noyée dans un jardin ceint de murs.

Rang Mahal (☎ 250907 ; www.hotelrangmahal.com ; ch/ste à partir de 3 500/8 100 Rs ;). Vous trouverez cet hôtel aux grands bastions et aux suites somptueuses, le long de Sam Rd, en allant vers l'ouest. Restaurant excellent et piscine spectaculaire (non-résidents 200 Rs ou 500 Rs déjeuner ou dîner compris). Les chambres munies d'une véranda donnant sur le fort sont les meilleures.

CATÉGORIE SUPÉRIEURE

Mandir Palace Hotel (☎ 252788 ; www.welcomheritagehotels.com ; Gandhi Chowk ; s/d 3 800/4 200 Rs ;). Ce palais se trouve juste à l'intérieur des remparts. La construction est magnifique et les chambres restaurées sont sublimes. Évitez les plus récentes. Le lieu est vaste et manque un peu de chaleur. Le personnel peut sembler distant.

Gorbandh Palace Hotel (☎ 253801 ; crs@udaipur.hrhindia.com ; Sam Rd ; d/ste 6 000/7 000 Rs ;). Un hôtel moderne grandiose, délicieusement paisible et particulièrement adapté aux familles. Construit en grès local avec des frises réalisées par des artisans de la région. Le restaurant et la piscine (non-résidents 200 Rs) sont superbes.

Fort Rajwada (☎ 2786835 ; sales@fortrajwada.com s/d 4 750/6 300 Rs, ste 11 000-13 000 Rs ;) Autre hôtel moderne, mais bâti selon les principes anciens du *vaastu* (similaire au feng shui). Tous les matériaux sont naturels. Un décorateur d'opéra a conçu l'aménagement intérieur, d'où son côté théâtral.

(☎ 9414469292 ; www.trotterscamelsafarijaisalmer.com ; Gopa Chowk) s'enorgueillit de s'éloigner encore plus des sentiers battus. Leurs safaris d'une demi-journée à 21 jours commencent par une sortie en Jeep.

Satyam Tours (☎ 250773 ; ummedsatyam@yahoo.com) et **Thar Safari** (☎ 252722 ; tharsafari@yahoo.com), tous deux dans Gandhi Chowk, proposent des variantes du circuit habituel.

Aucune agence n'est parfaite et nos recommandations ne vous dispensent pas de faire vos propres recherches.

Quel que soit votre choix, insistez pour que tous les détritus soient rapportés à Jaisalmer.

Dans le désert

Ne vous attendez pas à une mer de dunes : le désert du Thar se compose principalement de broussailles arides ponctuées de villages. À tout instant surgissent des champs de millet ou des troupeaux de moutons et de chèvres dont les cloches tintinnabulent dans le silence du désert, guidés par des bambins. Les flatulences des chameaux font également partie des bruits ambiants !

Camper sous les étoiles et se rassembler autour d'un feu en écoutant les chants des chameliers seront autant de souvenirs magnifiques.

Les rênes attachées au nez du chameau rendent l'animal facile à diriger. Des étriers améliorent aussi le confort du voyage. Lors des haltes, les chameaux sont dessellés et laissés sans entraves. Ils broutent les buissons, tandis que les chameliers préparent le repas ou le *chai* (thé). Chacun cherche un peu de repos, à l'ombre d'un arbre.

La plupart des safaris durent 3 ou 4 jours, ce qui est un minimum pour visiter les sites les plus intéressants, à moins de disposer d'une Jeep.

De nombreux voyageurs optent pour des safaris "non touristiques". On vous emmènera alors en Jeep à une trentaine de kilomètres au sud ou au nord-ouest, où vous vous promènerez en évitant les sites courus et les autres groupes.

Le circuit traditionnel passe par **Amar Sagar** (20 Rs, app photo/caméra 50/100 Rs), qui comprend un jardin, des *baori* (puits) asséchés et un temple jaïn ; les ruines désertées de **Lodhruva** (p. 245) ; **Bada Bagh** (50 Rs, app photo/caméra 20/50 Rs), une oasis fertile dotée d'un barrage ancien et de chhatri (cénotaphes) royaux sculptés dans le grès, désormais environnés d'une forêt d'éoliennes ; les dunes de **Sam** (p. 245) ; et divers villages abandonnés.

Si vous manquez de temps, optez pour un safari d'une demi-journée, avec transferts en Jeep.

Les chameliers s'attendent à un pourboire ou à un cadeau à la fin du circuit : ne dérogez pas à la règle.

Où se restaurer

RESTAURANTS

Chandan Shree Restaurant (Hanuman Chowk ; plats 20-100 Rs, *thali* 40-100 Rs). Toujours plein, ce restaurant au succès mérité concocte des *thali* savoureux et épicés du Gujarat, du Rajasthan, du Punjab et du Bengale, servis à volonté.

Desert Boy's Dhani (Seemagram Campus ; plats 50-100 Rs ; 9h-23h). Dans un jardin clos, ce restaurant prisé propose de délicieux plats végétariens à déguster à table ou sur des coussins au sol.

Trio (☎ 252733 ; Gandhi Chowk ; plats 55-200 Rs ; 6h30-10h30, 12h-15h et 18h-23h). Un restaurant simple servant de bons plats indiens et occidentaux, végétariens ou non. Installé sous une tenture, c'est un lieu romantique et relaxant, avec concerts le soir et belle vue sur le fort. Les amateurs de grillades apprécieront le *thali* tandoori.

Natraj Restaurant (☎ 252667 ; plats 75-160 ; 8h-23h). Le Natraj est une excellente adresse, avec toutes sortes de plats, végétariens ou non, à la carte. Belle vue sur le sommet du Salim Singh-ki-Haveli voisin depuis le toit.

Saffron (☎ 252538 ; plats 80-140 Rs ; 7h-15h et 19h-22h30). Tenu par les propriétaires du Nanchana Haveli, ce restaurant installé sur une terrasse en grès dominant Gandhi Chowk prépare des plats délicieux (végétariens ou non). La cuisine indienne est succulente et l'italienne, presque aussi bonne. Particulièrement charmant le soir.

Little Italy (☎ 253397 ; First Fort Gate ; plats 95-130 Rs ; 8h30-23h). Tenu par les mêmes personnes que le Bhang Shop (le *bhang* est une variété de cannabis) mais les herbes utilisées pour la cuisine sont sans danger. Par contre, en cas de fringale, vous pourrez y déguster des antipasti, pizzas, pâtes, salades et desserts savoureux. La salle de restaurant est agréable et la superbe terrasse offre une vue panoramique sur le fort.

SUR LE POUCE

Dhanraj Bhatia Sweets (Sadar Bazaar ; friandises 13 Rs/100g). Cela fait 10 générations que cette enseigne du Bhatia Market prépare des friandises traditionnelles. Célèbre dans toute la ville et au-delà pour ses spécialités locales, dont le *ghotua ladoos* (bouchées sucrées à base de farine de pois chiches) et le *panchadhari ladoos* (à base de farine de froment).

Kanchan Shree Ice Cream (Gadisagar Rd ; lassis 15-30 Rs ; 9h-22h). Cette petite boutique sympathique fabrique des glaces (10 Rs) et de délicieux *lassi* makhania, entre autres gâteries. Également : *lassi* avec boule de glace ou soda et glace.

Bhang Shop (First Fort Gate ; lassis médium/fort 50/60 Rs). En plus des lassis, biscuits, gâteaux et sucreries à base de bhang sont vendus ici. La spécialité est le pack "spécial safari". Le bhang peut être étonnament fort et tout le monde ne le supporte pas (voir p. 799).

Achats

Jaisalmer est célèbre pour ses magnifiques broderies, couvre-lits, tentures ornées de miroirs, lampes à pétrole, œuvres en pierre et antiquités. Soyez vigilant lors de l'achat d'articles en argent, ce métal pouvant être mélangé avec du bronze.

La ville compte plusieurs bonnes boutiques de khadi (étoffes tissées à la main), qui vendent des tapis, des châles, et des vêtements à prix fixes, comme **Zila Khadi Gramodan Parishad, Khadi Gramodyog Bhavan** (Seemagram) et le **Gandhi Darshan Emporium** (Gandhi Chowk).

Hari Om Jewellers (☎ 9982032342 ; 101 Valmiki Colony, Murgi Farm ki Gali). Prenant la relève du célèbre Hari Om, l'orfèvre Roop Kishore Soni fabrique de superbes bagues et bracelets en argent ainsi que des bijoux personnalisés. Il possède également, en plus de cette adresse, une boutique dans le fort.

Depuis/vers Jaisalmer

AVION

L'aéroport a rouvert récemment mais le service de vols intérieurs est souvent perturbé en raison des tensions politiques avec le Pakistan voisin. Au moment de nos recherches, **Kingfisher Airlines** (www.flykingfisher.com) opérait un vol direct depuis/vers Jodhpur (3 300 Rs l'aller) d'où de nombreuses correspondances sont possibles. **Crown Tours** (☎/fax 251912), à 350 m d'Amar Sagar Gate, peut vendre des billets.

BUS

La **gare routière RSRTC** (carte p. 238 ; ☎251541) se trouve près de la gare ferroviaire. Toutefois, les bus partent d'un terminal plus pratique au sud-ouest du fort. Des bus privés partent d'Air Force Circle.

Des bus desservent régulièrement Jodhpur (express/deluxe 137/176 Rs, 5 heures 30), Bikaner (express 140 Rs, 7 heures), Jaipur (deluxe 391 Rs, 12 heures) via Ajmer (308 Rs, 12 heures).

La plupart des agences de voyages (presque toutes sont regroupées près d'Hanuman Chowk) vendent des billets pour les compagnies privées. Si une agence vous annonce que le bus est plein, essayez-en une autre. Les bus privés rallient notamment Bikaner (seat/sleeper 150/200 Rs, 7 heures), Jaipur (200/300 Rs, 12 heures), Jodhpur (120/180 Rs, 2 heures 30), Ajmer (180/300 Rs, 12 heures) et Ahmedabad (200/300 Rs). Ces prix sont valables pour les bus directs ; attention car certains trajets (jamais ceux pour Bikaner) impliquent un changement à Jodhpur. Des voyageurs se retrouvent à Jodhpur avec un billet inutilisable ; faites-vous préciser le trajet auquel correspond le vôtre.

TRAIN

Un **bureau des réservations** (8h-20h lun-sam, 8h-14h dim) est installé à la gare.

Parmi les nombreux trains qui circulent depuis/vers Jodhpur, le 4809 *Jodhpur-Jaisalmer Express* (sleeper/3AC 157/411 Rs) quitte Jaisalmer à 23h15 et arrive à Jodhpur à 5h20. En sens inverse, le 4810 quitte Jodhpur à 23h et rejoint Jaisalmer à 5h.

Le 4060 *Jaisalmer-Delhi Express* part à 16h et s'arrête à Jodhpur (sleeper/3AC 157/411 Rs) à 22h, à Jaipur (256/690 Rs) à 5h et arrive à Delhi (322/877 Rs) à 11h05. Le 4059 part de Delhi à 18h15 et arrive à Jaisalmer 19 heures plus tard.

Le 4701 *Jaisalmer-Bikaner Express* quitte Jaisalmer à 22h45 et arrive à Bikaner (sleeper

AC chair 163/336 Rs) à 4h05. Au retour, le 4702 part de Bikaner à 23h25 pour atteindre Jaisalmer à 5h30.

Comment circuler

VÉLO

Le vélo constitue un bon moyen de se déplacer. En ville, de nombreuses échoppes en louent, notamment près de Gandhi Chowk (5/30 Rs par heure/jour).

JEEP

On peut louer une Jeep (maximum 5 passagers) à la station de Gandhi Chowk. Pour vous rendre à Khuri ou aux dunes de Sam, comptez 550 Rs l'aller-retour par Jeep, avec 1 heure d'attente.

ENVIRONS DE JAISALMER

Lodhruva

Les ruines désertes de cette ancienne capitale se dressent à 15 km au nord-ouest de Jaisalmer. Seuls les **temples jaïns**, restaurés à la fin des années 1970, témoignent de la splendeur passée de la cité. Le **temple principal** (20 Rs, app photo/caméra 50/100 Rs ; lever-coucher du soleil) contient une statue d'argent finement ciselée de Parasnath, le 23e tirthankar. Il semble qu'un cobra a élu domicile sur le site. Le trajet en taxi depuis Jaisalmer revient à environ 700 Rs et inclut la visite d'Amar Sagar (lac et temple jaïn).

Dunes de sable de Sam

Le **Desert National Park** (parc national du désert ; Indiens/étrangers 5/10 Rs, véhicule 100 Rs) a été créé dans le grand désert du Thar, près du village de Sam. L'une des excursions les plus prisées mène aux dunes de sable qui bordent le parc, à 42 km de Jaisalmer.

Ce désert de type saharien, aux immenses dunes soyeuses et ondulantes, est particulièrement beau au lever ou au coucher du soleil. Nombre de safaris prévoient une nuit dans les **dunes**. L'endroit étant devenu une curiosité touristique majeure, ne vous attendez pas à être seul. Néanmoins, le site reste magique et vous pourrez prendre de belles photos.

Les détritus qui jonchent le sol sont la conséquence tragique de l'augmentation du nombre de visiteurs. N'y contribuez pas !

Chaque jour, 3 bus se rendent à Sam (25 Rs, 1 heure 30) depuis Jaisalmer. Le centre d'accueil des touristes organise des excursions aux dunes au coucher du soleil (p. 237).

Khuri

☎ 03014

Khuri est un petit village paisible, sis à seulement 40 km au sud-ouest de Jaisalmer, mais à des années-lumière de la bouillonnante citadelle. Il possède ses propres dunes de sable. Bien que les habitants de Jaisalmer prétendent que Khuri est devenu touristique et qu'il vaut mieux l'éviter, le lieu reste paisible (sauf en périodes de vacances, quand il se remplit de touristes indiens), avec ses maisons de pisé décorées de motifs élaborés. Vous y trouverez des camps de maisonnettes en pisé et des chameliers désireux de vous emmener dans les dunes, mais nulle rue bordée d'échoppes ou de restaurants occidentaux. Après le coucher du soleil, vous profiterez de la solitude du désert et d'un ciel constellé d'étoiles.

L'hébergement, spartiate, se résume à des maisonnettes en pisé aux murs peints, coiffées de chaume et sans ventilateur, regroupées autour d'un feu de camp. Toutes les adresses mentionnées ci-dessous servent des repas et organisent des safaris à dos de chameau.

Badal House (☎ 274120 ; maisonnette/chambre sans sdb, pension complète 150/300 Rs par pers). Cet impeccable complexe familial propose quelques maisonnettes attrayantes et des chambres fraîchement repeintes. Badal Singh, charmant, demande 500 Rs pour un safari à dos de chameau avec une nuit dans les dunes. Ne vous laissez pas impressionner par les rabatteurs. Si vous arrivez en voiture, demandez à votre chauffeur de ne pas réclamer de commission.

Mama's Guest House (☎ 274042 ; gajendra_sodha2003@yahoo.com ; maisonnette sans sdb demi-pension 500 Rs/pers). Établie de longue date, cette pension loue des maisonnettes douillettes, blanchies à la chaux et installées en cercle. Un safari de 2 jours basique/luxueux revient à 650/900 Rs.

Gangaur Guest House (☎ 274056 ; hameersingh@yahoo.com ; maisonnette avec sdb commune/privative 500/750 Rs/pers). Loue des maisonnettes confortables, également disposées en cercle. L'établissement propose des forfaits à 750 Rs comprenant promenade à dos de chameau, dîner avec danses traditionnelles et petit-déjeuner.

Plusieurs bus relient Jaisalmer et Khuri (22 Rs, 1 heure).

Barmer

☎ 02982 / 83 500 habitants

À 153 km au sud de Jaisalmer, Barmer est réputé pour son artisanat : sculptures sur bois,

RAJASTHAN

broderies, tissus imprimés, etc. Les échoppes du Sadar Bazaar constituent un bon point de départ ; explorez les ruelles environnantes pour voir les artisans à l'œuvre. En dehors de cela, le reste du village présente peu d'intérêt pour le visiteur.

En mars, Barmer accueille le **Thar Festival** et une importante **foire aux bestiaux** (p. 161).

Hotel Krishna (☎ 220785 ; ch sans/avec clim 300/700 Rs, ch avec sdb 200-500 Rs ;). Dans l'artère principale qui part de la gare ferroviaire, cet hôtel accueillant loue des chambres acceptables.

Des bus circulent fréquemment entre Barmer et Jaisalmer (66 Rs, 2 heures 30) ou Jodhpur (95 Rs, 4 heures).

Les trains suivants passent par Barmer : le 4059 *Delhi-Jaisalmer-Barmer Express*, bifurque et part de Jodhpur à 6h10 pour arriver à Barmer (sleeper/3AC 125/321 Rs) quatre heures plus tard. En sens inverse (4060A), il quitte Barmer à 18h30 et arrive à Jodhpur à 22h, où il est raccordé au 4060 en provenance de Jaisalmer avant de repartir vers Delhi. Le *Thar Express* (p. 235) relie Jodhpur au Pakistan par cette ligne une fois par semaine.

Pokaran

Au croisement des routes de Jaisalmer, de Jodhpur et de Bikaner, à 110 km de Jaisalmer, le **fort de Pokaran** (50 Rs, app photo ou caméra 30 Rs ; 7h-19h), une poussiéreuse citadelle de grès cramoisi, abrite un dédale d'étroites ruelles bordées de maisons à balcons. Construit entre le XIVe et le XVIIe siècle, il assurait autrefois la protection de 108 villages. Aujourd'hui, il est en partie occupé par l'hôtel **Fort Pokaran** (☎ 02994-222274 ; www.fortpokaran.com ; d à partir de 3500/7 000 Rs ;). Il y a peu à voir ici, mais la localité peut figurer comme étape entre Jodhpur et Jaisalmer.

C'est à proximité de Pokaran qu'en mai 1998, l'Inde procéda à cinq tirs nucléaires, laissant un énorme cratère que l'on ne peut approcher.

Des bus fréquents desservent/partent de Jailsamer (40 Rs, 2 heures 30). Il existe également des bus pour Bikaner (98 Rs, 5 heures) et Jodhpur (65 Rs, 3 heures).

BIKANER

☎ 0151 / 529 000 habitants

Poussiéreuse cité du désert, Bikaner constitue une halte appréciable, grâce à son fort et à son atmosphère survoltée. À proximité de l'imposante citadelle s'étend la vieille ville, entourée de murs : c'est un dédale de ruelles étroites et bosselées semblant sorties du Moyen Âge, jonchées de monceaux de détritus, et bordées de *haveli* de grès rouge et de temples jaïns aux peintures exquises.

Étape importante sur les grandes routes caravanières, Bikaner fut bâtie en 1488 par Rao Bika, un descendant de Jodha, le fondateur de Jodhpur.

Les safaris à dos de chameau attirent de plus en plus de touristes, désireux de contempler au calme le lever du soleil sur le désert. On y vient aussi pour visiter le Karni Mata Temple Deshnok, à 30 km au sud, qui abrite des milliers de rats sacrés vénérés par les pèlerins. Kolayat, à 54 km au sud, est une ville de pèlerinage aux nombreux temples : sadhus et pèlerins viennent faire leurs ablutions dans le lac.

Une **foire aux chameaux** (p. 161) a lieu en janvier.

Orientation et renseignements

Un rempart du XVIIIe siècle, long de 7 km et doté de cinq portes, entoure la vieille ville. Le fort se trouve au nord-est, en dehors des murs.

La plupart des hôtels disposent d'accès Internet. Il est sinon possible de se connecter dans de nombreux cafés (20 Rs/heure). La ville compte un grand nombre de DAB, notamment celui de la Corporation Bank, en face du fort ; Bank of Baroda, Axis Bank et SBBJ ont des DAB près de la gare ferroviaire.

Pour plus de renseignements sur la ville, consultez le site www.realbikaner.com.

Bank of Baroda (face à la gare ferroviaire ; ☎ 2545453 ; 10h-14h lun-ven, 10h-12h30 sam). Change seulement les chèques de voyage.

Centre d'accueil des touristes (Tourist Reception Centre ; ☎ 2226701 ; RTDC Hôtel Dhola Maru ; 10h-17h tlj sauf dim). Délivre une carte gratuite.

Modi Cyber Cafe (Station Rd ; internet 20 Rs/h ; 9h-22h). N'est pas très engageant mais on y trouve un accès Internet, des chaises, des crèmes glacées, des consignes sûres (30 Rs) et même la possibilité de prendre une douche entre deux trains.

State Bank of Bikaner & Jaipur Ambedkar Circle (12h-16h tlj sauf dim) ; Public Park (10h-14h lun-ven, 10h-12h sam). Change les espèces et les chèques de voyage.

À voir

JUNAGARH

Édifié entre 1588 et 1593 par le raja Rai Singh général de l'armée de l'empereur mogho

Akbar, ce **fort** (entrée avec audioguide et app photo 250 Rs, Indiens/étrangers avec guide 20/100 Rs, app photo/camera 30/100 Rs ; 10h-16h30) imposant est entouré d'un rempart long de 986 m, ponctué de 37 bastions et bordé d'une douve. **Surajpol** (porte du Soleil) est le principal accès à la citadelle. Des guides privés vous aborderont, même si votre ticket comprend l'audioguide et une visite guidée officielle du fort (départ ttes les 15 min environ, devant le guichet). À l'intérieur, les palais se regroupent sur le côté sud et forment un ensemble séduisant de cours, de balcons, de pavillons, de tours et de fenêtres.

Les décors intérieurs sont superbes, notamment dans le **Diwan-i-Khas**, le **Phool Mahal** (palais des Fleurs), orné de peintures et de panneaux de marbre sculptés, le **Hawa Mahal**, le **Badal Mahal** et l'**Anup Mahal**.

Pour découvrir la citadelle à votre rythme, prenez un audioguide ou demandez un guide privé (les groupes l'explorent au pas de charge). Non loin, le **Prachina Bikaner Cultural Centre & Museum** (centre culturel et musée de Prachina ; 25 Rs, app photo 20 Rs ; 9h-18h), bien documenté, présente de splendides costumes et bijoux et une collection rare d'objets quotidiens.

LALGARH PALACE

À 3 km au nord du centre-ville, ce **palais** de grès rouge fut construit par le maharaja Ganga Singh (1881-1942) en mémoire de son père, le maharaja Lal Singh. L'édifice imposant est festonné de balcons et de délicats treillis de pierre. Le **Sri Sadul Museum** (Indiens/étrangers 10/20 Rs, app photo/caméra 20/50 Rs ; 10h-17h tlj sauf dim) présente de multiples photos anciennes en noir et blanc et des accessoires ayant appartenu au maharaja. Il est possible de loger dans le palais (p. 249).

À VOIR ÉGALEMENT

Les rues étroites de la vieille ville recèlent des *haveli* anciens et deux beaux **temples jaïns** du XVe siècle. Le **Bhandasar Temple** est particulièrement remarquable, avec ses grès sculptés et ses peintures pleines de vie. Quarante tonnes de ghee (beurre clarifié) auraient été versées dans les fondations, ce qui rend le sol graisseux en été. Plus petit, le **Sandeshwar Temple** renferme de jolies sculptures.

Le **Ganga Government Museum** (Indiens/étrangers /10 Rs, gratuit lun ; 10h30-16h30 mar-dim) contient une collection, petite mais bien présentée, de sculptures, objets artisanaux, instruments de musique et peintures à l'or. L'entrée se trouve à l'arrière, à gauche du bâtiment.

Le **Centre national de recherche sur les chameaux** (10 Rs, app photo 20 Rs, promenade 30 Rs, guide 100 Rs ; 14-18h) est à environ 8 km à l'est du centre-ville. Vous pourrez y voir des chamelons, faire une promenade en chameau et visiter le petit musée. Le Camel Milk Parlour du centre ne paie pas de mine mais prépare des *lassi* pour 5 Rs. L'aller-retour coûte 150 Rs en auto-rickshaw et 300 Rs en taxi, avec 30 min d'arrêt à la ferme des chameaux.

Où se loger

PETITS BUDGETS

Les adresses les moins chères bordent Station Rd, une artère très bruyante. Préférez-leur les établissements plus plaisants au nord et au sud de la ville.

Vino Guest House (2270445 ; www.vinodesertsafari.com ; Gangasharhar Rd ; s/d à partir de 100/200 Rs, maisonnettes 300 Rs ;). Cette pension accueillante est située dans la maison d'un organisateur de safari réputé, à 3 km au sud de la ville. Les chambres avec rafraîchisseur d'air sont d'un excellent rapport qualité/prix, les maisonnettes dans le jardin sont simples et confortables et un bassin (non-résidents 50 Rs) permet de se rafraîchir. Cuisine maison excellente et cours de cuisine gratuits.

Shanti House (2543306 ; inoldcity@yahoo.com ; New Well ; ch 200-350 Rs). Ce minuscule *haveli* à l'intérieur de la vieille ville, derrière l'école jaïne, propose 4 chambres bon marché joliment décorées (2 jours minimum). Gouri, le propriétaire, est un guide cultivé qui propose des visites de la vieille ville (30 Rs/h) et organise des visites de Deshnok (450 Rs).

Vijay's Guest House (2231244 ; www.camelman.com ; Jaipur Rd ; ch 300-800 Rs ;). Vous vous sentirez chez vous dans cette pension familiale à 3 km à l'est de la ville. Les 10 chambres sont spacieuses et lumineuses et Vijay est un hôte loquace, expert en chameaux ses safaris sont recommandés. Avec sa pièce commune confortable et son restaurant dans le jardin, c'est l'endroit idéal avant une excursion à dos de chameau. Transferts gratuits depuis les gares routière et ferroviaire.

Hotel Marudhar Heritage (2522524 ; hmheritage2000@yahoo.co.in ; Ganga Shahar Rd ; s 250-900 Rs, d 350-999 Rs ;). Non loin de la gare ferroviaire, cette adresse accueillante et bien tenue satisfera tous les budgets. Ses chambres basiques et confortables, d'un bon rapport

RAJASTHAN

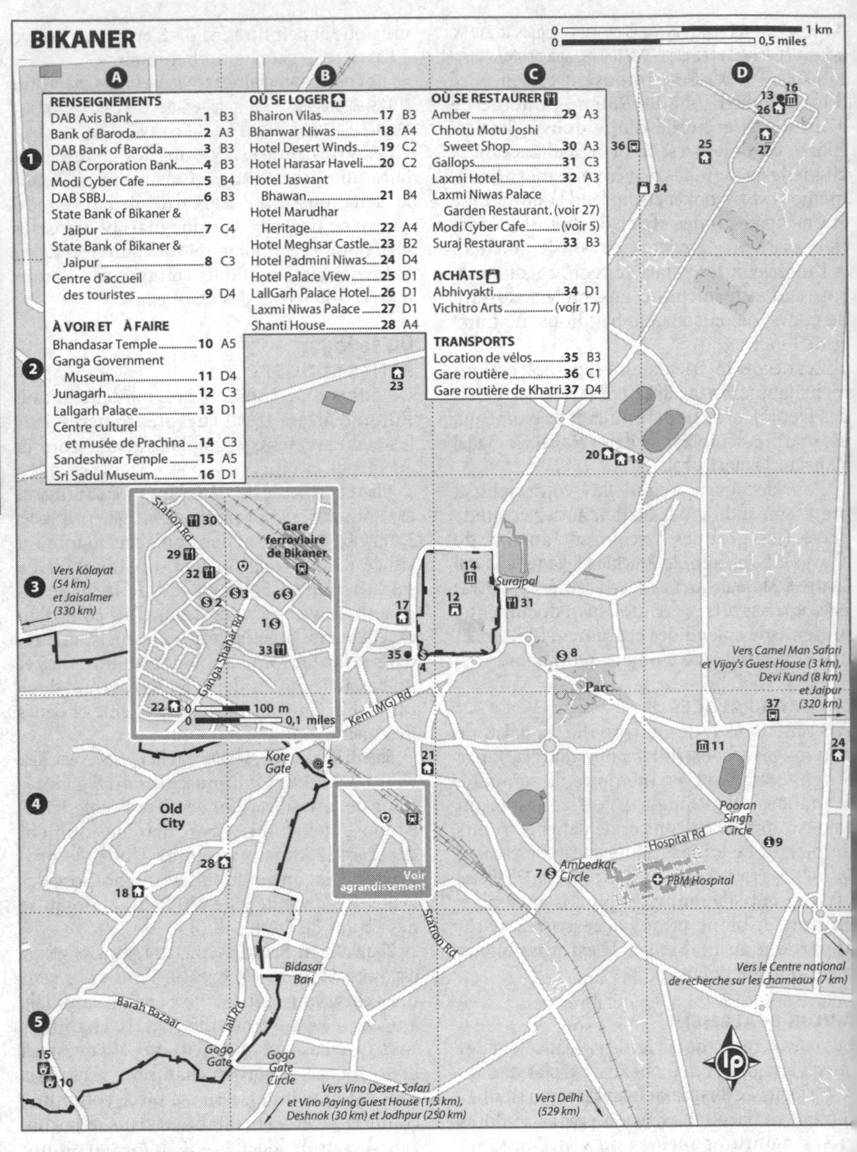

qualité/prix, sont prisées par les visiteurs locaux. Belle vue depuis le toit mais les repas sont servis dans les chambres.

Hotel Harasar Haveli (☎ 2209891 ; www.harasar.com ; Sadul Ganj ; ch 300-2 000 Rs). Une excellente adresse, prisée des voyageurs à petit et moyen budget. Ses 33 chambres sont très variées. Le supplément est justifié pour les deluxe mais vérifiez que tout fonctionne avant de vous décider. Bon restaurant sur le toit et possibilité de manger dans la cour, sous des tentures pendant les heures les plus chaudes.

CATÉGORIE MOYENNE

Hotel Meghsar Castle (☎ 2527315 ; www.hotelmeghsarcastle.com ; 9 Gajner Rd ; ch 350-1 050 Rs ;

SAFARIS À DOS DE CHAMEAU À BIKANER

Les safaris à partir de Bikaner sont de plus en plus plébiscités. Bikaner comptant moins de tour-opérateurs que Jaisalmer, vous serez moins sujet à sollicitations. Si les sites sont plus rares qu'aux alentours de Jaisalmer, vous pourrez vous promener parmi les broussailles, dormir sur les dunes et découvrir la vie des villages du désert. Les longs safaris (vers Jaisalmer ou Jodhpur) sont vivement recommandés. Un safari d'une journée et une nuit, repas et transferts compris, coûte environ 1 300 Rs par personne. Le coût à la journée diminue à mesure que la durée du safari augmente.

Vino Desert Safari (☎ 2270445 ; vino_desertsafari@yahoo.com) propose des safaris d'une demi-journée à 13 jours (500-1 500 Rs/jour selon le confort et l'utilisation ou non d'une Jeep). **Camel Man** (☎ 2231244 ; www.camelman.com), de Vijay Singh Rathore, offre des safaris d'une demi-journée à 14 jours (jusqu'à Jaisalmer). Comptez 650 Rs/jour pour les safaris de base ; 800-1 600 Rs/jour pour les plus confortables, lits et draps inclus.

RAJASTHAN

Cet hôtel bien tenu, au nord de la ville, propose des chambres désuètes et propres, avec sol en mozaïque et carrelage créant un écho ! Possibilité de manger dans le jardin à l'arrière. Les chambres sur rue peuvent être bruyantes.

Hotel Padmini Niwas (☎ 2522794 ; padmini_hotel@rediffmail.com ; 148 Sadul Ganj ; s/d 450/550 Rs, avec clim 750/850 Rs ;). Un lieu magnifique pour se détendre après l'agitation de la ville. Chambres propres (mais avec moquette) et propriétaire détendu et serviable. Superbe pelouse avec l'une des rares piscines découvertes de la ville (non-résidents 100 Rs).

Hotel Palace View (☎ 2543625 ; hotelpalaceview@gmail.com ; Lalgarh Palace Campus ; s 500-900 Rs, d 600-1 000 ;). Cet hôtel proche du Lalgarh Palace est immaculé. Décoration minimale et atmosphère un peu morne mais hôtes extrêmement accueillants. Bonne adresse pour ceux qui recherchent un peu de calme.

Hotel Jaswant Bhawan (☎ 2548848 ; www.hoteljaswantbhawan.com ; Alakhsagar Rd ; s 550-1 650 Rs, d 700-1 800 ;). Situé dans une jolie maison ancienne qui semble se délabrer peu à peu. Les chambres les plus chères sont propres et spacieuses et la nourriture est excellente. Petit jardin paisible.

Bhairon Vilas (☎ /fax 2544751 ; hbhairon@rediffmail.com ; s 800-1 600, d 900-1 800 Rs ;). Cette imposante résidence de l'ancien Premier ministre de Bikaner est gérée par son arrière-petit-fils, Harsh Singh. Les chambres sont décorées de manière éclectique, avec antiquités et vieilles photos de famille. Restaurant dans le jardin, bar dans le style "Famille Adams", magasin de très jolis vêtements et d'objets d'art. Organisation de safaris, visites de villages, etc.

Hotel Desert Winds (☎ 2542202 ; www.hoteldesertwinds.in ; s/d 900/1 100, deluxe 1 100/1 300 Rs ;). Ce voisin du Harasar Haveli, tenu par un ancien directeur de Rajasthan Tourism, abrite des grandes chambres impeccables, mais un peu mornes. L'atmosphère y est détendue et agréable.

CATÉGORIE SUPÉRIEURE

Bhanwar Niwas (☎ 2529323 ; www.bhanwarniwas.com ; Rampuria St ; s/d à partir de 3 500/4 500 Rs ;). Ce somptueux hôtel ancien est installé dans le superbe Rampuri Haveli, un joyau de la vieille ville. Vaste choix de chambres spacieuses à la décoration soignée et personnalisée. Les pièces communes sont remplies d'antiquités et entourent une grande cour intérieure qui accueille parfois des spectacles.

Lallgarh Palace Hotel (☎ 2540201 ; www.lallgarhpalace.com ; s/d à partir de 4 500/5 000 Rs ;). Cet hôtel fait partie du palais du maharaja (p. 247), construit en 1902. Ses chambres désuètes mais bien équipées entourent une cour intérieure. Les plus chères sont immenses, avec de hauts plafonds. Piscine intérieure.

Laxmi Niwas Palace (☎ 2202777 ; www.laxminiwaspalace.com ; s/d/ste 6 000/7 000/15 000 Rs ;). Autre partie du Lallgarh Palace, cet hôtel est considéré comme le plus beau de la ville, avec ses sculptures magnifiques et son mobilier somptueux. Les chambres sont gigantesques et pleines de cachet. De ses trois restaurants, le Gulab Mahal, dans l'ancienne bibliothèque royale, est le plus étonnant. Charmant restaurant dans le jardin (voir ci-dessous).

Où se restaurer

RESTAURANTS

Laxmi Hotel (Station Rd ; plats 20-30 Rs). Cet établissement simple, ouvert sur la rue, sert des *thali* végétariens savoureux et très frais (les *roti* sont faits sous vos yeux).

Amber (☎ 2220333 ; Station Rd ; plats 40-100 Rs ; ⏲ 6h-22h). Avec ses murs brun-roux couverts de miroirs et son style guindé, Amber a bonne réputation. Sa cuisine végétarienne est appréciée.

Suraj Restaurant (☎ 2542740 ; Rani Bazaar près de Station Rd ; plats 45-65 Rs ; ⏲ 6h-22h30). Ce restaurant situé sous le Suraj Hotel sert les meilleurs *thali* de Bikaner. Au choix, "mini", "deluxe", ou "spécial", vivement recommandé, à partager à deux.

Laxmi Niwas Palace Garden Restaurant (☎ 2202777 ; plats 80-150 Rs ; ⏲ 12h-15h et 19h30-22h30). Installé dans un jardin, cet excellent restaurant accueille des musiciens en soirée. Deux menus au choix : le moins cher et le plus épicé, plutôt destiné aux Indiens, propose des plats de Chine et d'Inde du Sud et du Nord, végétariens ou non. Les plats du second menu, plus cher, proviennent des autres restaurants chic de l'hôtel. (Les prix indiqués sont ceux du menu le moins cher.)

Gallops (☎ 3200833 ; face au fort Junagadh ; plats 150-200 Rs ; ⏲ 10h-22h30). Gallops est un café climatisé très chic, avec grandes fenêtres et salon revêtu de cuir de chameau. L'expresso est excellent, mais à 100 Rs le cappuccino, il faut vraiment être en manque. Le menu propose des plats onéreux (cuisine chinoise et indienne, végétarienne ou non, dont spécialités de tandoori).

SUR LE POUCE

Bikaner est connu pour les *namkin* (en-cas épicés) vendus le long de Station Rd, entre autres.

Chhotu Motu Joshi Sweet Shop (Station Rd ; friandises 5-30 Rs). La confiserie la plus prisée de Bikaner propose diverses douceurs indiennes. Goûtez les *rasmalai* (bouchées sucrées à base de fromage frais, 16 Rs) et les *kesar cham cham* (à base de lait et sucre, aromatisés au safran, 6 Rs).

Modi Cyber Cafe (Station Rd ; glaces 10-15 Rs ; ⏲ 9h-22h). Vous trouverez ici de bonnes glaces, des sièges, une connexion Internet, une consigne, et même des douches.

Achats

Abhivyakti (Ganganagar Rd ; ⏲ 8h30-18h30) appartient à l'Urmul Trust, une ONG locale soutenue par l'Urmul Dairy (qui possède un magasin à côté). Cette boutique vend des textiles produits par des artisans des villages voisins. Les bénéfices des produits étiquetés Urmul Trust sont reversés directement aux producteurs pour contribuer à financer une école de filles. L'Urmul Trust accueille volontiers des bénévoles (voir p. 783).

Vichitra Arts. Basé à Bhairon Vilas (p. 249), ce magasin propose de très beaux vêtements originaux. Un artiste peignant des miniatures réside dans l'atelier adjacent.

Depuis/vers Bikaner

BUS

La gare routière se trouve à 3 km au nord du centre-ville, presque en face de la route qui mène au Lalgarh Palace. Si votre bus arrive du sud, demandez au chauffeur de vous déposer plus près du centre. De nombreux bus privés ou de la RSRTC relient Udaipur (express 293 Rs, 12 heures), Ajmer (147 Rs, 7 heures), Jaipur via Fatehpur et Sikar (182 Rs, 7 heures), Jodhpur (135 Rs, 5 heures 30), Jaisalmer (174 Rs, 8 heures) et Agra (300 Rs, 12 heures). Des bus desservent également Delhi (253 Rs, 10 heures), dont certains passent par Jhunjhunu (122 Rs, 5 heures). Des bus privés pour Nawarlgarh (80 Rs, 4 heures) partent de l'intersection près du Ganga Government Museum, aussi appelée gare routière de Khatri.

TRAIN

À destination de Jaipur, le 2308A *Bikaner-Howrah Superfast* part à 18h30 (sleeper/3AC 201/510 Rs, 7 heures) ; le 4738 *Bikaner-Jaipur Express* part à 21h20 (sleeper/2AC/1AC 178/643/1 080 Rs, 8 heures 30) ; le 2467 *Intercity Express* part à 5h (2e classe/AC chair 114/406 Rs, 6 heures 30). Le 4707 *Ranakpur Express* part pour Jodhpur (sleeper/3AC/2AC 148/386/525 Rs, 5 heures) à 9h45. Le 2464A *Sampark Kranti Express* part à 17h20 (mardi, jeudi et samedi) pour atteindre la gare de Delhi Sarai Rohilla (sleeper/3AC 293/771 Rs) à 5h30. Le 4702 *Bikaner-Jaisalmer Express* part à 23h25 et arrive à Jaisalmer (sleeper/AC chair 160/329 Rs) à 5h30.

Comment circuler

La course en auto-rickshaw de la gare ferroviaire au palais devrait coûter 30 Rs, mais on vous demandera sans doute davantage. On peut louer des vélos près de Bhairon Vilas (p. 249) pour 30 Rs/jour.

ENVIRONS DE BIKANER

Devi Kund

À 8 km à l'est de Bikaner, les cénotaphes en marbre et grès rouge des souverains de la dynastie Bika renferment quelques belles fresques. L'aller-retour jusqu'à ce site paisible revient à 150 Rs en rickshaw.

Deshnok

À 30 km au sud de Bikaner, se dresse le **Karni Mata Temple** (www.karnimata.com ; entrée gratuite, app photo/caméra 20/50 Rs ; 4h-22h) de Deshnok, l'un des temples les plus étranges de l'Inde. Selon la légende, Karni Mata, une incarnation de Durga qui vécut au XIVe siècle, pria Yama, le dieu de la Mort, de rendre la vie au fils d'un conteur. Devant son refus, Karni Mata réincarna tous les conteurs défunts en rats, privant ainsi Yama d'âmes humaines.

Une foule de rongeurs sacrés *(kaba)* accueille les intrépides. Si vous apercevez un rat blanc, ou si l'un d'entre eux trottine sur vos pieds, la chance vous accompagnera.

Le temple est un important site de pèlerinage. Sachez le respecter et n'oubliez pas de vous déchausser avant d'entrer. Toutes les heures, au moins 2 bus partent de la gare routière Goga Gate de Bikaner pour Deshnok (20 Rs, 40 min). L'aller-retour en taxi avec une heure d'arrêt au temple coûte 500 Rs.

Kolayat

À l'écart des itinéraires touristiques, 54 km au sud de Bikaner, la bourgade de Kolayat s'étend autour d'un lac bordé de temples. Ajoutant à l'ambiance paisible, de nombreux sadhus à l'esprit embrumé par les drogues font trempette sur des chambres à air… Le **Kolayat Mela** (p. 161) a lieu en novembre.

Cette ville paisible compte plusieurs *dharamsala* (pensions pour pèlerins) bon marché, mais la plupart n'acceptent pas les touristes. Mieux vaut donc visiter Kolayat à l'occasion d'une excursion d'une journée.

De Bikaner, des bus font le trajet régulièrement (30 Rs, 1 heure 30).

Haryana et Punjab

Niché au nord-ouest de l'Inde, le Punjab est un petit État inondé de lumière où les "*sat sri akal*" (bonjour !) remplacent les "*namaste*". Pays des sikhs, il compte davantage de gurdwara (lieux de culte sikh) que de temples, et les turbans y rivalisent de couleurs chatoyantes.

Le Punjab doit son nom ("cinq eaux") aux cinq rivières qui irriguent la région – la Beas, la Jhelum, la Chenab, la Ravi et la Sutlej – et lui garantissent une prospérité agricole enviée par les autres États. Sa phénoménale production de blé (environ 20% de la production nationale) a valu à ce territoire fertile d'être qualifié de "grenier de l'Inde". Son sol riche produit aussi riz, mil perlé, orge, sucre de canne, maïs, légumes et fruits en abondance, et presque 15% du coton indien. L'État a en outre enfanté des personnages hors du commun qui font la fierté des Punjabis, comme le Premier ministre Manmohan Singh et la star du cricket Harbhajan Singh.

Du *butter chicken* au *bhangra* (musique et danse), les Punjabis, travailleurs et bons vivants, ont exporté leur richesse culturelle vers de lointaines contrées, avec un nombre d'expatriés par habitant supérieur aux autres États indiens. Le Punjab bénéficie ainsi d'un apport financier considérable provenant de l'étranger, qui a accéléré le développement économique de la région. Mais en dépit de cette modernisation, les Punjabis ont gardé un formidable sens de la tradition, comme en témoigne le Temple d'or d'Amritsar, sanctuaire majeur du sikhisme et site remarquable de l'Inde.

Moins visité, l'Haryana est séparée du Punjab depuis 1966, mais partage la même capitale, Chandigarh. Elle est célèbre pour la ville sainte hindoue de Kurukshetra où, selon la tradition, le bien triompha du mal.

À NE PAS MANQUER

- La quiétude et la splendeur du **Temple d'or** (p. 268) d'Amritsar, le sanctuaire le plus sacré du sikhisme
- L'enthousiasme populaire devant les soldats indiens et pakistanais qui défilent fièrement lors de l'étonnante **cérémonie de fermeture de la frontière** (p. 274) à Attari
- La découverte de Chandigarh, la métropole moderniste de Le Corbusier, et son drôle de voisin, le **Nek Chand Fantasy Rock Garden** (p. 257)
- Une pause aux **Pinjore Gardens** (p. 262), les plus beaux jardins clos moghols d'Inde, puis une ascension à travers la sérénité verdoyante des **Morni Hills** (p. 263)

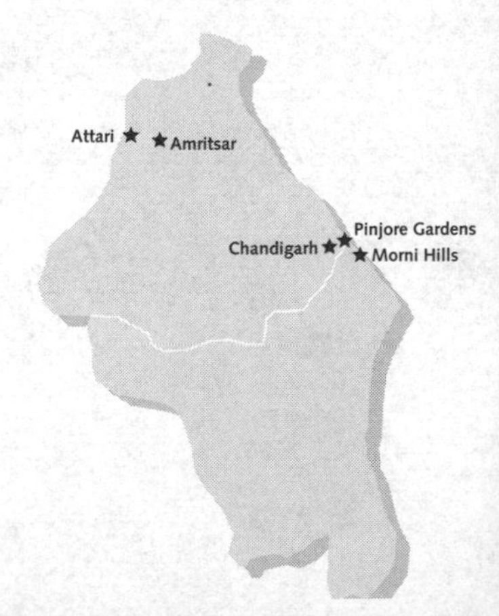

HARYANA ET PUNJAB

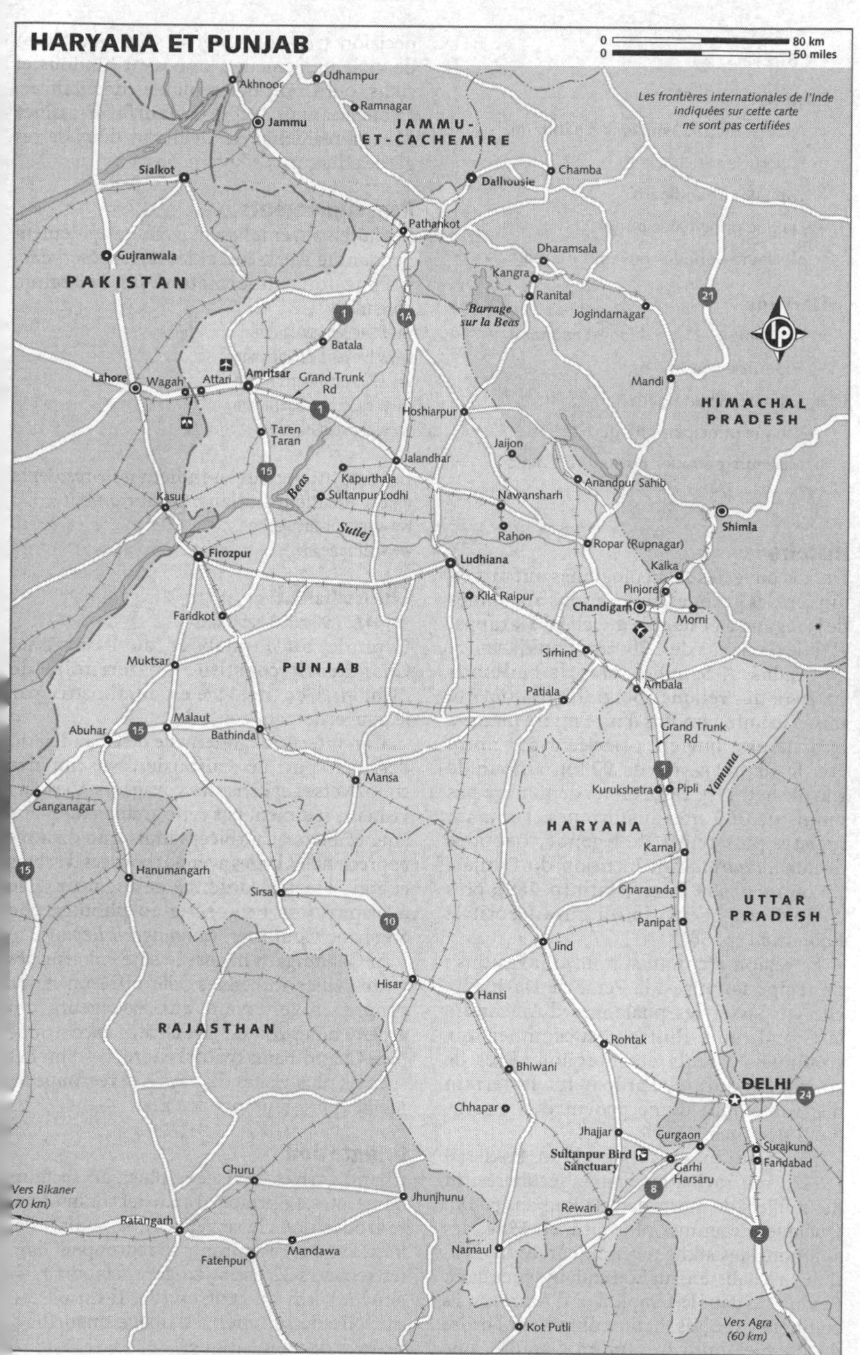
HARYANA ET PUNJAB
0 80 km
0 50 miles
Les frontières internationales de l'Inde indiquées sur cette carte ne sont pas certifiées
JAMMU-ET-CACHEMIRE
PAKISTAN
HIMACHAL PRADESH
PUNJAB
HARYANA
UTTAR PRADESH
RAJASTHAN
Akhnoor
Udhampur
Ramnagar
Jammu
Sialkot
Chamba
Dalhousie
Pathankot
Gujranwala
Dharamsala
Kangra
Ranital
Barrage sur la Beas
Jogindarnagar
Batala
Lahore
Wagah
Attari
Amritsar
Grand Trunk Rd
Mandi
Hoshiarpur
Taren Taran
Jaijon
Jalandhar
Kapurthala
Beas
Anandpur Sahib
Kasur
Sultanpur Lodhi
Nawanshahr
Shimla
Sutlej
Rahon
Ropar (Rupnagar)
Firozpur
Ludhiana
Kalka
Pinjore
Kila Raipur
Chandigarh
Morni
Faridkot
Sirhind
Muktsar
Ambala
Patiala
Malaut
Abuhar
Bathinda
Grand Trunk Rd
Yamuna
Mansa
Kurukshetra
Pipli
Ganganagar
Karnal
Hanumangarh
Gharaunda
Sirsa
Panipat
Jind
Hisar
Hansi
Rohtak
Bhiwani
DELHI
Chhapar
Jhajjar
Gurgaon
Sultanpur Bird Sanctuary
Surajkund
Faridabad
Garhi Harsaru
Churu
Vers Bikaner (70 km)
Jhunjhunu
Rewari
Ratangarh
Mandawa
Narnaul
Fatehpur
Kot Putli
Vers Agra (60 km)
HARYANA ET PUNJAB

EN BREF

Punjab

- Population : 24,3 millions d'habitants
- Superficie : 50 362 km^2
- Capitale : Chandigarh
- Langue principale : punjabi
- Meilleure période : novembre à mars

Haryana

- Population : 21,1 millions d'habitants
- Superficie : 44 212 km^2
- Capitale : Chandigarh
- Langue principale : hindi
- Meilleure période : novembre à mars

Histoire

Des découvertes archéologiques ont mis en lumière les grandes civilisations anciennes de la région, à l'exemple de celle d'Harappa, établie il y a plus de 4 000 ans dans la vallée de l'Indus. À Sanghol, près de Ludhiana (p. 266), des reliques bouddhiques ont été mises au jour, témoins d'un Empire maurya remontant à quelques siècles avant notre ère. Dans un rayon de 92 km autour de Kurukshetra (p. 263), on ne dénombre pas moins de 360 sites historiques. Dans un registre plus teinté de légende, l'épopée du *Mahabharata* fait mention du Punjab. En outre, c'est à Ram Tirath (p. 269), près d'Amritsar, que Valmiki aurait écrit le *Ramayana* (p. 66).

La région a connu son lot d'invasions : un temps soumise à la Perse de Darius Ier, elle vit passer les phalanges d'Alexandre le Grand, puis finit par succomber aux continuels assauts des Moghols. Près de six siècles durant, Panipat fut le terrain d'affrontement d'une province constamment disputée.

La partition de l'Inde et du Pakistan (1947), qui raviva les haines séculaires, fit des milliers de morts dans le Punjab (p. 48). Quelques décennies plus tard, en 1984, des autonomistes sikhs revendiquèrent la création du Khalistan, un État sikh indépendant. Retranchés dans le Temple d'or d'Amritsar, ils en furent expulsés manu militari sur l'ordre du Premier ministre, Indira Gandhi ; une décision très controversée. En résultèrent de violentes émeutes opposant hindous et sikhs, qui firent des centaines de victimes. La même année, Indira Gandhi fut assassinée dans sa résidence de Delhi par deux de ses gardes du corps sikhs (p. 53).

Renseignements

Les hôtels se remplissent parfois rapidement pendant le week-end et les fêtes (réservez).

Pour toute information sur la région, consultez :
www.punjabgovt.nic.in
www.haryana-online.com
www.haryanatourism.com
www.citcochandigarh.com
www.chandigarh.nic.in

Les sites utiles pour les Indiens non-résidents (Non-Resident Indians) comprennent :
www.nrisabhapunjab.in
www.nrizone.in

CHANDIGARH

☎ **0172 / 900 000 habitants**

Capitale du Punjab et de l'Haryana, Chandigarh constitue un territoire de l'Union. À ce titre, elle est administrée par le gouvernement central.

L'architecture moderniste de Chandigarh, dessinée par Le Corbusier, suscite des controverses et divise les voyageurs. Certains visiteurs n'aiment pas cette architecture sans âme et bien quadrillée, tandis que d'autres apprécient les larges avenues bordées d'arbres et son caractère ordonné et anguleux. Elle a inspiré une belle série au photographe Stéphane Couturier, *Chandigarh Replay*.

Si Chandigarh n'a pas le côté enjôleur des autres villes indiennes, elle offre un havre propre et verdoyant aux voyageurs qui arpentent les routes. Elle abrite l'excentrique Nek Chand Fantasy Rock Garden – l'un des sites les plus visités du pays – et regroupe les meilleurs restaurants de l'État.

Orientation

Chandigarh est divisée en plusieurs secteurs numérotés. Le principal quartier commerçant se trouve dans le secteur 17 ; la plupart des hôtels et des restaurants se regroupent dans les secteurs 22 et 35. La gare ferroviaire se situe à 8 km du centre-ville. Il est parfois difficile de se repérer dans ce quadrillage de rues quasi identiques.

FÊTES ET FESTIVALS EN HARYANA ET AU PUNJAB

Kila Raipur Sports Festival (Olympiades rurales ; www.ruralolympics.net ; fév ; Kila Raipur, près de Ludhiana, p. 266). Trois jours de rencontres sportives : courses de chars à bœufs, *kabaddi* (voir l'encadré p. 79), épreuves de force, danses folkloriques, etc.

Surajkund Crafts Mela (1-15 fév ; Surajkund, p. 264). Des artisans d'autres régions présentent et vendent leurs réalisations colorées. Un événement très populaire autour d'excellents stands culinaires et de beaux spectacles culturels.

Basant (fév-mars ; Patiala, p. 265). Cerfs-volants, chants et danses saluent l'arrivée du printemps.

Holla Mohalla (mars ; Anandpur Sahib, p. 264). Trois jours dédiés à la Khalsa (confrérie sikhe) : *kirtan* (hymnes), démonstrations d'arts martiaux et reconstitutions d'anciennes batailles.

Baisakhi Festival (www.baisakhifestival.com ; 13 ou 14 avr ; dans tout l'État). Célèbre la nouvelle année solaire et la première récolte, avec des danses folkloriques notamment.

Baba Sheikh Farid Aagman Purb Festival (sept ; Faridkot, p. 266). Cinq jours de fête en hommage à un saint soufi. Spectacles culturels.

Pinjore Heritage Festival (début oct ; Pinjore Gardens, p. 262). Trois jours de festivités avec musique et danses, étals d'artisanat et d'alimentation.

Harballabh Sangeet Sammelan (www.harballabh.org ; fin déc ; Jalandhar, p. 266). Un festival musical de quatre jours (qui existe depuis plus de 130 ans) présentant des musiciens et chanteurs classiques du pays.

Gita Jayanti (nov-déc ; Kurukshetra, p. 263). Une semaine d'événements culturels marquant l'anniversaire de la *Bhagavad Gita*.

Renseignements

ACCÈS INTERNET

Chaque secteur central dispose d'un cybercafé.

Cyber-22 (secteur 22-C ; 20 Rs/h ; ⌚ 9h30-22h)

ARGENT

Les DAB sont nombreux et faciles à trouver.

Thomas Cook (☎ 2745629 ; secteur 9-D ; ⌚ 9h30-18h lun-sam). Change les devises étrangères et les chèques de voyage. Virements internationaux.

CONSIGNE

Gare routière (☎ 6577050 ; secteur 43 ; 25 Rs/j ; ⌚ 24h/24)

LIBRAIRIES

Capital Book Depot (☎ 2702260 ; secteur 17-E ; ⌚ 10h30-14h et 15h15-20h45)

English Book Shop (☎ 2702542 ; secteur 17-E ; ⌚ 10h30-14h et 15h30-20h30 lun-sam)

OFFICES DU TOURISME

Office du tourisme de Chandigarh (☎ 2703839 ; 1er ét., gare routière secteur 17-B ; ⌚ 9h30-18h)

Office du tourisme de l'Haryana (☎ 2702957 ; secteur 17-B ; ⌚ 9h-17h lun-ven)

Office du tourisme de l'Himachal (☎ 2708569 ; 1er ét., gare routière secteur 17-B ; ⌚ 10h-17h tlj sauf dim, fermé 2e sam du mois)

Office du tourisme de l'Uttar Pradesh et de l'Uttarakhand (Uttaranchal) (☎ 2707649 ; 2e ét., gare routière secteur 17-B ; ⌚ 10h-17h tlj sauf dim, fermé 2e sam du mois)

PHOTO

Shri Gurudev (☎ 2704534 ; secteur 17-D ; ⌚ 9h30-18h). Bonne réputation.

POSTE

Poste principale (☎ 2702170 ; secteur 17 ; ⌚ 9h30-16h lun-sam)

SERVICES MÉDICAUX

PGI Hospital (Post Graduate Institute ; ☎ 2746018 ; secteur 12)

Silver Oaks Hospital (☎ 5094125 ; phase 9 ; Mohali). Un hôpital privé réputé.

À voir et à faire

BÂTIMENTS ADMINISTRATIFS

Œuvres de Le Corbusier, les imposants bâtiments de béton de la **Cour suprême**, du **Secretariat** et du **Vidhan Sabha** (Assemblée législative) sont communs au Punjab et à l'Haryana. Ils se concentrent dans le secteur 1.

La Cour suprême, à l'architecture impressionnante, ouvrit en 1955. On peut en principe la visiter du lundi au vendredi sur demande préalable à l'office du tourisme de Chandigarh (ci-contre) ; passeport requis. Vous admirerez son architecture, notamment la rampe interne, le toit suspendu ondulant et les piliers colorés. Vous pourrez également vous promener autour

CHANDIGARH

0 — 1 km
0 — 0,5 miles

RENSEIGNEMENTS
DAB Bank of Baroda ...(voir 27)
Capital Book Depot ... 1 B2
Chandigarh Tourism ... 2 B3
Cyber-22 ... 3 A3
English Book Shop ... 4 B3
Office du tourisme de l'Haryana .. 5 C2
Office du tourisme de l'Himachal .(voir 2)
DAB HSBC ...(voir 57)
DAB ICICI ...(voir 57)
Poste principale ... 6 B2
PGI Hospital ... 7 B1
DAB Punjab National Bank ... 8 C2
DAB SBI ...(voir 21)
Shri Gurudev ...(voir 41)
DAB State Bank of India ... 9 A4
Thomas Cook ... 10 C2
Office du tourisme de l'Uttar Pradesh ...(voir 2)
Office du tourisme de l'Uttarakhand (Uttaranchal) ...(voir 2)

À VOIR ET À FAIRE
Jardin de Bougainvillées ... 11 C1
Chandigarh Architecture Museum ... 12 C2
Jardin des Parfums ... 13 A3
Government Museum & Art Gallery ... 14 C2
Cour suprême ... 15 D1
Le Corbusier Centre ... 16 D3
Musée ... 17 D1
National Gallery of Portraits . 18 B2
Natural History Museum ...(voir 12)
Nek Chand Fantasy Rock Garden ... 19 D1
Sculpture de la Main ouverte .. 20 D1
Pédalos ... 21 D2
Roseraie ... 22 B2
Secretariat ... 23 D1
UT Secretariat ... 24 C2
Vidhan Sabha ... 25 D1

OÙ SE LOGER
AB's ...(voir 50)
Chandigarh Hotel ... 26 A4
Hotel Akashdeep ... 27 B3
Hotel City Heart Premium ... 28 C3
Hotel Kwality Regency ... 30 B3
Hotel Mountview ... 31 C1
Hotel Shivalikview ... 33 B2
Hotel Sunbeam ... 34 B3
Kaptain's Retreat ... 35 A4
Piccadily Hotel ... 36 B3
Taj Chandigarh ... 37 B2

OÙ SE RESTAURER
AB's ...(voir 50)
Barbeque Nation ...(voir 50)
Barista ... 38 A4
Bhoj ...(voir 29)
Café Coffee Day ...(voir 38)
Chop Sticks 2 ... 39 C3
Chop Sticks 2 (succursale) ...(voir 36)
Copper Chimney ...(voir 46)
Ghazal ... 40 B3
Hot Millions Salad Bar & Restaurant ... 41 B2
Java Dave's ... 42 C1
Khyber ... 43 A4
Mehfil ... 44 B2
Moti Mahal (succursale) ...(voir 46)
Moti Mahal ...(voir 44)
Nik Baker's (succursale) ... 45 C2
Nik Baker's ...(voir 38)
Noodle Bar ... 46 D4
Orchid Lounge ... 47 A4
Oven Fresh ...(voir 51)
Pomodoro ...(voir 36)
Sagar Ratna ... 48 B3
Sai Sweets ...(voir 32)
Sindhi Sweets ... 49 B3
Sundarams ...(voir 50)
Swagath ... 50 D3
Yangtse ...(voir 33)

OÙ PRENDRE UN VERRE
English Garden Bar ...(voir 44)
Lava Bar ...(voir 37)
Oriental Lounge ...(voir 50)
Piccadilly Blue Ice Bar & Restaurant ... 51 B2
Score!!! ... 52 C3
Vintage Terrace Lounge Bar .(voir 31)
Voodoo ...(voir 46)
Zinc Lounge ...(voir 46)

OÙ SORTIR
Kiran Cinema ... 53 B3
Neelam Cinema ... 54 B3
Tagore Theatre ... 55 C3

ACHATS
Anokhi ... 56 C3
Ebony ... 57 C2
Fabindia ... 58 C2
Khadi Ashram ...(voir 4)
Music World ... 59 C3
Music World ...(voir 51)
Phulkari ...(voir 4)
Suvasa ... 60 C2

TRANSPORTS
Air India ... 61 A4
Gare routière ...(voir 2)
Jet Airways ...(voir 10)
Auto-rickshaws prépayés ... 62 B3

Secteur 12 · Secteur 11 · Secteur 3 · Secteur 1 · Lake Reserved Forest · Secteur 10 · Secteur 4 · Secteur 16 · Secteur 9 · Sukhna Lake · Secteur 5 · Secteur 8 · Secteur 6 · Secteur 23 · Sector 17 · Secteur 22 · Secteur 18 · Secteur 7 · Secteur 26 · Secteur 21 · Secteur 19 · Secteur 35 · Secteur 27 · Secteur 34 · Secteur 28
Udyan Path · Uttar Marg · Jan Marg · Udyog Path · Madhya Marg · Sarovar Path · Himalaya Marg · Sukhna Path · Dakshin Marg
Passage souterrain

Vers l'Inter State Bus Terminal (secteur 43 ; 1,5 km), la billetterie ferroviaire (1,5 km) et le Silver Oaks Hospital

Vers le Jardin en terrasses (500 m)

Vers l'aéroport (3,5 km), Kingfisher Airlines (3,5 km) et l'Aura Vaseela (4,5 km)

Vers la gare ferroviaire (2 km), le Fun Republic Shopping Centre (4 km), le Ruby Tuesday (4 km), le Fun Cinemas (4 km), les Pinjore Gardens (19 km), Morni Hills (42 km) et Shimla (109 km)

CHANDIGARH, MÉTROPOLE MODERNISTE

Chandigarh fut construite peu après la partition Inde-Pakistan (p. 47) pour devenir la nouvelle capitale du Punjab. Premier à occuper la fonction de Premier ministre de l'Inde indépendante, Jawaharlal Nehru souhaitait qu'elle symbolisât la modernité du nouvel État.

Deux architectes américains, Matthew Nowicki et Albert Mayer, influencés par le concept des cités-jardins à l'anglaise, furent tout d'abord appelés pour mener à bien le projet.

La disparition de Nowicki dans un crash aérien conduisit Mayer à abandonner le projet et Le Corbusier fut alors sollicité pour le reprendre. L'architecte français envisagea une utopie moderniste où "l'arithmétique, la texture et la géométrie" remplaceraient "les bœufs, vaches et chèvres menés par les paysans à travers les champs brûlés par le soleil". Chandigarh prendrait forme avec des places pour les piétons, des avenues bordées d'arbres, des maisons protégées du bruit de la circulation, des jardins publics et un lac artificiel, le Sukhna Lake.

Le plan d'ensemble de Le Corbusier s'organisait en secteurs d'1 km², peu élevés, à très faible densité de population, possédant chacun leurs commerces, leurs écoles et leurs lieux de culte. Nehru approuva : "Chandigarh est le plus grand exemple d'architecture expérimentale en Inde. Son aspect peut déconcerter, mais il incite à la réflexion et intègre des concepts novateurs."

de la **Main ouverte**, célèbre sculpture du maître qui exprime le message de paix d'une "main ouverte pour donner et recevoir".

Il faut passer par le parking pour accéder aux bâtiments de la Cour suprême. Ils abritent un **musée** (entrée libre ; 10h-17h mar-sam), petit mais bien tenu, qui réunit des dessins originaux de Le Corbusier et des objets variés, comme les menottes de Godse, l'assassin du Mahatma Gandhi (voir encadré p. 50). La plupart des pièces sont présentées au 1er étage. Intéressante visite guidée (gratuite) sur demande.

Pour visiter le Secretariat et le Vidhan Sabha, vous devrez obtenir un laissez-passer auprès du département de l'Architecture, au **UT Secretariat** (☎ 2741620 ; secteur 9-D).

NEK CHAND FANTASY ROCK GARDEN

La visite de ce **jardin** (www.nekchand.com ; adulte/enfant 10/5 Rs ; 9h-18h oct-mar, 9h-19h avr-sept) de 10 ha garantit une sorte d'immersion dans l'imaginaire de Nek Chand (voir l'encadré p. 260), l'artiste créateur des lieux. Matériaux organiques et déchets urbains ingénieusement employés animent ce curieux labyrinthe, dédale d'allées et d'escaliers ponctué de cours, débouchant tantôt sur une bruyante cascade, tantôt sur un amphithéâtre envahi de personnages constitués de tessons de porcelaine. Prises électriques ou câbles multicolores, verres et bracelets brisés… aucun matériau n'a été négligé pour donner corps aux centaines de figures humaines et animales surgissant à chaque détour.

Équipez-vous de chaussures confortables et arrivez tôt le week-end pour éviter la foule.

SUKHNA LAKE

Ce **lac artificiel** (8h-22h) sur lequel évoluent des **pédalos** (8h-18h ; 2 pers 40 Rs/30 min, 4 pers 80 RS/30 min) fait partie du projet urbanistique de Le Corbusier. Entouré d'un jardin ornemental et d'un terrain de jeu, il accueille le **Mermaid Fast Food Restaurant & Bar** (repas 70-150 Rs ; 11h-23h). Il peut y avoir foule le dimanche après-midi.

MUSÉES

Le **Chandigarh Architecture Museum** (musée municipal ; ☎ 2743626 ; secteur 10-C ; entrée/appareil photo gratuit/5 Rs ; 9h45-17h tlj sauf lun) donne un aperçu efficace de la conception et du développement de Chandigarh au moyen de photos, de lettres, de maquettes, de coupures de presse et de plans d'architecte. Un **spectacle sons et lumières** est donné en plein air (accès libre ; 19h30-20h30 ven-dim).

Tout à côté, le **Natural History Museum** (Muséum d'histoire naturelle ; ☎ 2740261 ; secteur 10-C ; entrée/appareil photo 10/5 Rs ; 10h-16h30 tlj sauf lun) présente une collection de manuscrits – notamment des textes en sanskrit du XVIe siècle – plus intéressante que ses crânes d'animaux fossilisés.

Le Corbusier Centre (☎ 2777077 ; www.lecorbusiercentrechd.org ; secteur 19-B ; entrée libre ; 10h-13h et 14h15-17h mar-dim) séduira les visiteurs qui s'intéressent à l'urbanisme. Vieux documents, croquis et photos retracent le travail du maître d'œuvre de Chandigarh (voir l'encadré ci-dessus). On peut voir une photo noir et blanc de l'architecte en costume et nœud papillon sur un bateau à aubes, ainsi que des lettres passionnantes. Sur l'une d'elles (du 4 novembre 1960), Jawaharlal

DU RECYCLAGE À L'ART BRUT

Au lendemain de l'Indépendance, de nombreux réfugiés affluèrent du nouvel État pakistanais. L'un d'entre eux, Nek Chand, obtint un poste de responsable de l'aménagement routier de Chandigarh. Fasciné par les innombrables déchets issus de la destruction de villages au profit de la construction de la ville, Chand décida de les récupérer et de leur offrir une nouvelle vie, sous la forme de figures humaines et animales.

De ces rebuts naquirent une foule de porteuses d'eau, de joueurs de pipeau, de buveurs de *chai*, de singes, d'hommes stylisés et de danseuses d'une forte expressivité. Son œuvre fut découverte en 1973, une quinzaine d'années après son éclosion, par les autorités indiennes. Le jardin occupait illégalement un terrain public et l'ensemble était voué à la démolition. Le gouvernement local reconnut heureusement l'intérêt de sa création et décida de la nationaliser. On accorda à Chand l'aide de 50 ouvriers pour continuer son travail et l'attribution d'un salaire afin qu'il se consacre entièrement à son art.

Aujourd'hui, le parc est, dit-on, le deuxième site le plus visité en Inde, après le Taj Mahal. Il accueille en moyenne 5 000 visiteurs par jour. La **Nek Chand Foundation** (www.nekchand.com) réunit des fonds et recrute des bénévoles.

Chand est un autodidacte. Aujourd'hui âgé de plus de 80 ans, il se rappelle avoir façonné des jouets et des petites maisons en terre dès son plus jeune âge. Son style semble avoir été influencé par Le Corbusier ou Gaudí, mais pour ce fervent hindouiste, la source de son inspiration est un don de Dieu.

Nehru écrit au Premier ministre du Punjab : "J'espère que vous respecterez Le Corbusier. Son opinion est intéressante."

GALERIES

Le **Government Museum & Art Gallery** (Musée-Galerie d'art gouvernemental ; ☎2740261 ; secteur 10-C ; entrée/appareil photo 10/5 Rs ; 🕑 10h-16h30 mar-dim, visites guidées gratuites 11h et 15h mar-dim, films 11h et 15h dim) réunit une importante collection de *phulkari* (pièces d'étoffes brodées) réalisés par des villageoises du Punjab, d'objets en métal, de miniatures indiennes, de sculptures bouddhiques ainsi que d'art contemporain.

Derrière la State Library, la **National Gallery of Portraits** (Galerie nationale des portraits ; ☎ 2720261 ; secteur 17-B ; entrée libre ; 🕑 10h-17h mar-dim) abrite des photos et des tableaux évoquant les mouvements pour l'Indépendance.

PARCS ET JARDINS

En accord avec la vision de cité-jardin prônée par Le Corbusier, Chandigarh est dotée d'espaces verts, comme la **Roseraie** (secteur 16), avec ses quelque 1 500 variétés de roses, ou le **jardin de Bougainvillées** (secteur 3). Moins centraux, le **Jardin en terrasses** (secteur 33) et le **jardin des Parfums** (secteur 36) méritent également le détour.

Circuits organisés

Un **bus touristique à impériale** (☎12703839, 4644484 ; ticket 50 Rs ; 🕑 10h-18h30) effectue deux fois par jour des circuits d'une demi-journée depuis l'Hotel Shivalikview (où sont vendus les tickets, voir p. 259). Il dessert la Roseraie, le Government Museum & Art Gallery, le Nek Chand Fantasy Rock Garden et le lac Sukhna. Les horaires peuvent changer, prenez soin de vérifier avant.

Où se loger

Une chose est certaine, Chandigarh n'offre rien d'exceptionnel en matière d'hébergement, avec un rapport qualité/prix décevant. Mais, à défaut d'un beau cadre, on y trouve de quoi satisfaire toutes les bourses.

Pour loger chez l'habitant, contactez l'office de tourisme (p. 255), qui vous informera sur son réseau de Bed & Breakfast (chambres à partir de 700 Rs).

PETITS BUDGETS

Les établissements bon marché corrects sont rares à Chandigarh et les meilleurs se remplissent vite. Attendez-vous à un cadre terne et vieillot, avec un service inégal. Avant de vous installer, vérifiez que tout fonctionne dans la sdb et que le bruit de la circulation est supportable.

Chandigarh Hotel (☎ 2703690 ; secteur 22-C ; s/d 700/900 Rs ; ❄). Des chambres sommaires et fatiguées, qui vous dépanneront si les deux établissements précédents sont complets.

Hotel Akashdeep (☎ 5074086 ; secteur 22-D ; s/d 1 395/1 595 Rs ; ❄). Des chambres modernes et correctes malgré un ameublement fade. Elles ne valent pas leur prix, mais une remise de 30% (en période creuse) les rend intéressantes.

CATÉGORIES MOYENNE ET SUPÉRIEURE

Hotel Kwality Regency (☎/fax 2720204 ; secteur 22-A ; s/d 1 495/1 695 Rs ;). Ses 14 chambres toutes différentes sont agréables, mais les moins chères sont petites et manquent de lumière. Un bon rapport qualité/prix malgré tout. TV, carpette, bureau et coffre-fort électronique dans chaque chambre. Bar et restaurant proposant une cuisine variée.

Hotel Sunbeam (☎ 2708100 ; www.hotelsunbeam.com ; secteur 22-B ; s/d 1 995/2 395 Rs ;). Des chambres reluisantes, malgré une décoration vieillotte, et correctement meublées (chaînes d'information en continu sur la TV). Cocktails au *lounge-bar*.

Kaptain's Retreat (☎ 5005599 ; http://www.nivalink.com/kaptainsretreat/index.html ; secteur 35-B ; s/d 2 190/2 490 Rs ;). Hôtel géré par le légendaire joueur de cricket Kapil Dev, décoré d'objets sportifs et de battes dédicacées. Paisible bar-restaurant et 10 chambres sans grand luxe, confortables et pleines de cachet.

Hotel City Heart Premium (☎ 2724203 ; www.cityhearthotels.com ; secteur 17-C ; s/d 2 195/2 495 Rs ;). Des chambres kitsch mais convenables, en cas de besoin.

AB's (☎ 6577888 ; secteur 26 ; ch 2 500 Rs ;). Au-dessus du restaurant éponyme (p. 260), il loue des chambres propres et modernes (les moins chères sont petites) avec TV à écran plat et de quoi préparer thé ou café. Tout proche de l'élégant Oriental Lounge (p. 261).

Aura Vaseela (☎ 01762-287575 ; www.auravaseela.com ; Nadiali village ; ch à partir de 2 599 Rs, bungalows à partir de 3 299 Rs ;). Tenu par un duo dynamique (Gags et Jeeva), ce "complexe ethnique de campagne" n'est pas facile à trouver (on viendra vous chercher sur demande), dans un endroit retiré à 4,5 km du centre-ville. Il mérite le détour pour ses bungalows de style traditionnel aménagés avec goût, ou les chambres du luxueux bâtiment principal. Petite salle de gym, galerie d'artisanat, restaurant et bar. Sérénité garantie !

Hotel Shivalikview (☎ 4672222 ; www.citcochandigarh.com/shivalikview ; secteur 17-E ; s/d avec petit déj et dîner 3 500/4 000 Rs ;). Chambres bien pensées quoiqu'un peu monotones, avec TV, bureau et sol carrelé. Centre d'affaires, salon de beauté et restaurant chinois réputé, le Yangtse (p. 260).

Piccadily Hotel (☎ 2707571 ; www.thepiccadily.com ; secteur 22-B ; s/d 3 990/4 990 Rs ;). Ce séduisant quatre-étoiles dispose de chambres contemporaines : accès Wi-Fi, TV à plasma, minibar, canapé, bureau, coffre-fort, sèche-cheveux et de quoi faire thé ou café. Le Pomodoro (p. 260) sert des spécialités italiennes.

Hotel Mountview (☎ 4671111 ; www.citcochandigarh.com/mountview ; secteur 10-B ; s/d avec petit déj 5 500/6 200 Rs ;). Des chambres bien agencées, agréables au regard, avec TV à écran plat, minibar, coffre-fort et nécessaire pour préparer thé ou café. Club de gym, bons restaurants (café ouvert 24h/24) et élégant Vintage Terrace Lounge Bar (p. 261).

Taj Chandigarh (☎ 6613000 ; www.tajhotels.com ; secteur 17-A ; s/d 9 000/10 000 Rs ;). Moins luxueux que ses homologues de la chaîne Taj, mais très séduisant. Chambres somptueuses aux grandes fenêtres, dotées de meubles ergonomiques, minibars, écrans plasma et coffres-forts électroniques. Concierge jour et nuit. Plusieurs restaurants, bar (p. 261), spa et centre d'affaires ouvert 24h/24. Il y a même un astrologue.

Où se restaurer

Grâce à la gourmandise des habitants de Chandigarh, les voyageurs pourront profiter d'un choix croissant de lieux de restauration. Outre de succulentes petites enseignes familiales, vous y trouverez les fast-foods habituels.

Une myriade de restaurants occupe les secteurs 17, 26 et 35. Nous indiquons le numéro de téléphone quand les réservations sont recommandées (week-end surtout).

RESTAURANTS

Sagar Ratna (secteur 17-E ; plats 65-115 Rs ; 8h-23h ;). Ce restaurant de chaîne végétarien concocte des spécialités d'Inde du Sud, des excellents *dosa* (crêpes salées) aux copieux *thali*. Le *dahi idli* (gâteau de riz moelleux), nappé de yaourt, est un concentré de fraîcheur.

Sundarams (secteur 26 ; *dosas* à partir de 68 Rs ; 9h30-22h30 ;). Des plats du Sud d'une authenticité imbattable pour un charmant établissement familial. *Dosa*, *idli* et *uttapam* (crêpes de riz salées) maison s'accompagnent de délicieux chutneys frais.

Bhoj (secteur 22-B ; *thali* 110 Rs ; 7h30-22h30 ;). Une adresse sans prétention appréciée par les voyageurs pour ses copieux *thali* végétariens d'Inde du Nord.

Khyber (☎ 2607728 ; secteur 35-B ; plats 115-265 Rs). Sirotez une bière dans le bar de style western, au rez-de-chaussée, avant de découvrir la cuisine parfumée de la frontière du Nord-Ouest au restaurant. Succulents dhal *Khyber* (curry aux lentilles mijoté) et *pathar kebab* (agneau grillé sur pierres de lave).

Mehfil (secteur 17-C ; plats 120-290 Rs ; 11h-24h). Une cuisine indienne, chinoise et européenne, servie dans un cadre confortable. Le *murg tawa* (poulet à la punjabi) et le *methi murg* (poulet au fenugrec) méritent le détour. Certains plats peuvent paraître trop doux.

Ghazal (☎ 2704448 ; secteur 17-C ; repas 140-210 Rs ; 8h-23h30). Une adresse renommée de Chandigarh pour sa remarquable carte de plats indiens, chinois et européens. Le grand *Ghazal special murg* (poulet à la crème) se marie parfaitement avec la bière pression (45 Rs/chope).

Noodle Bar (secteur 26 ; plats 140-240 Rs ; 11h-16h30 et 19h30-23h). Au royaume des nouilles, on vous propose aussi un grand choix d'autres spécialités asiatiques.

Chop Sticks 2 (☎ 4642000 ; secteur 7-C ; plats 140-240 Rs ; 11h30-16h et 19h-23h30). Les habitants reviennent sans cesse dans cet agréable restaurant chinois pour savourer le poulet émincé et sa sauce à l'ail piquante. Petite succursale dans le secteur 22-B.

Moti Mahal (☎ 5073333 ; secteur 17-C ; plats 145-250 Rs ; 10h30-23h30). Succulentes spécialités d'Inde du Nord. Mention spéciale pour le *butter chicken*, les *jeera aloo* (pommes de terre épicées), le poulet masala et le *palak paneer* (fromage frais et purée d'épinards épicée). Large éventail de pains indiens. Succursale dans le secteur 26.

Copper Chimney (☎ 5087373 ; secteur 26 ; plats 145-280 Rs ; 11h-15h30 et 19h-24h). Le *boti kebab* (mouton mariné et grillé) est extraordinairement épicé, le tandoori *gobi* (chou-fleur) savoureux et le brownie "grésillant", renversant. Décor chic.

Barbeque Nation (☎ 4666900 ; secteur 26 ; plats 145-280 Rs ; 12h30-15h30 et 19h30-23h30). L'originalité est un petit grill au centre de chaque table, sur lequel les convives font cuire leurs mets. Le reste est plus commun. Bon buffet végétarien ou non végétarien (déjeuner lun-sam/dim 309/450 Rs par pers ; dîner tlj 450 Rs) que l'on complète de grillades indiennes, chinoises ou méditerranéennes.

AB's (☎ 2795666 ; secteur 26 ; plats 155-425 Rs ; 11h-24h). Installez-vous confortablement dans cet agréable restaurant (spécialisé dans la cuisine punjabie, cachemirie et mughlaie) pour savourer un *tabakh maaz* (côtes d'agneau marinées et épicées), un *paneer achari* (fromage mariné et épicé cuit à la flamme) ou un *jungli gosht* (mouton épicé à la tomate).

Hot Millions Salad Bar & Restaurant (secteur 17-D, 1er ét. ; plats 175-380 Rs ; 10h-24h). La meilleure des enseignes de la ville, réputée pour son menu salade (soupes, salades végétariennes ou non et desserts, 201 Rs/pers). Carte éclectique tex-mex, chinoise, indienne et italienne. Ambiance décontractée.

Swagath (☎ 5000444 ; secteur 26 ; plats 175-575 Rs ; 11h-24h). Excellente gastronomie centrée sur les spécialités de Mangalore et Chettinad. Savoureux fruits de mer – crevettes, calamar, crabe et un délicieux *gassi* (curry à la noix de coco) de poisson – et bon *murgh malai tikka* (poulet mariné cuit dans un four en argile).

Yangtse (☎ 4672222 ; Hotel Shivalikview, secteur 17-E ; plats 185-275 Rs ; 12h30-15h et 19h30-23h30). L'un des meilleurs restaurants chinois de Chandigarh, avec une vue panoramique sur la ville. Poulet à la sichuanaise, aubergines à l'ail, poulet au miel épicé ou nouilles à l'ail et au piment : le choix est difficile ! En dessert, optez pour les crêpes aux dattes avec de la glace.

Ruby Tuesday (Fun Republic shopping centre, 1er ét., Mani Majra ; plats 210-425 Rs ; 11h-23h). Avant ou après une séance cinéma au Fun Republic (voir p. 262), prenez un en-cas dans ce restaurant décontracté de style américain, apprécié pour ses copieux hamburgers, ses pizzas au fromage et ses fabuleux *ribs*. Aire de restauration au dernier étage.

Orchid Lounge (☎ 2624991 ; secteur 34-A ; plats 225-550 Rs ; 11h30-24h). Cet élégant restaurant et lounge-bar est un endroit chic où on déguste un sauvignon blanc Grover (800 Rs) le temps de consulter la carte "orientale". Sont recommandés : le poisson aigre-doux à la citronnelle et aux feuilles de citron vert, le *pad thai*, ou encore les brocolis, maïs jeune et noix de cajou à la sauce aux prunes pimentée.

Pomodoro (☎ 2707571 ; Piccadily Hotel, secteur 22-B ; plats 245-345 Rs ; 11h30-15h30 et 19h-24h). Sa cuisine italienne traditionnelle, servie avec courtoisie dans un cadre luxueux, fait du Pomodoro le choix *numero uno*. Minestrone, pâtes, pizzas, risottos et viandes grillées authentiques, plus de succulents desserts (tiramisu et *panacotta*). Belle carte des vins.

SUR LE POUCE

Sai Sweets (secteur 22-B ; en-cas 13-30 Rs). En plus d'un incroyable éventail de *mithai* (sucreries indiennes), cette modeste enseigne propose des *namkin* (amuse-gueule salés) et des en-cas : samosa (feuilletés triangulaires) et *channa bhatura* (pain indien frit aux pois chiches épicés).

Sindhi Sweets (secteur 17-C ; en-cas/*thali* 35/90 Rs). Des en-cas – hamburgers d'*aloo tikki* (pommes de terre) – et un fabuleux choix de mithai. Toujours plein, surtout au moment de Diwali.

Nik Baker's (secteur 35-C ; en-cas et muffins à partir de 40 Rs ; ☒). La meilleure boulangerie de Chandigarh prépare du pain frais (multicéréale, aux graines de lin, *ciabatta*, au tournesol, au seigle, etc.), des en-cas (quiche, panini aux champignons, croissants au poulet) et des pâtisseries (tarte au citron, *cheesecake* aux myrtilles, brownie), ainsi que de la glace (celle au brownie est renversante). Pour un gâteau d'anniversaire (à partir de 390 Rs), commandez au moins un jour à l'avance. Petite succursale dans le secteur 9-D.

Java Dave's (secteur 10-D ; gâteaux à partir de 50 Rs ; ☒). Face à l'Hotel Mountview, un endroit agréable pour une pause-café et gâteau. Le "café à la noix de coco grillée" est prometteur.

Oven Fresh (secteur 17-E ; en-cas 75-120 Rs ; ☒). Boulangerie de qualité : tartes aux champignons, muffins gonflés, thé chaud à la menthe poivrée, thé glacé à la pêche, *café latte*, etc.

Les chaînes de café **Café Coffee Day** (secteur 35-C ; en-cas à partir de 35 Rs ; ☒) et **Barista** (secteur 35-C ; en-cas à partir de 40 Rs ; ☒) se livrent une concurrence acharnée en matière de cappuccino et de douceurs.

Où prendre un verre

Chandigarh regroupe des bars de tout acabit, miteux ou chics, les meilleurs offrant une bonne sélection de boissons indiennes et étrangères. Les femmes seront plus tranquilles accompagnées d'un homme.

Score!!! (secteur 8-C ; ⏲ 11h-24h ; ☒). Très branché, ce luxueux bar sportif (éclairage tamisé, confortables canapés et longue carte de boissons) est agréable pour siroter une Kingfisher (100 Rs/pinte) ou une tequila (225 Rs). On vient danser les mercredi, vendredi, samedi et dimanche soir (DJ après 21h).

Voodoo (secteur 26 ; ⏲ 11h-24h ; ☒). Une salle exiguë et sombre, avec une piste de danse (DJ mercredi et samedi à 21h) où se presse une jeunesse bien mise, un verre de BMW (Baileys, Malibu et whisky, 225 Rs) ou de Sex on the Beach (vodka, liqueur de pêche, canneberge et jus d'orange, 200 Rs) à la main.

Zinc Lounge (secteur 26 ; ⏲ 11h-16h30 et 19h30-23h ; ☒). Attenant au Noodle Bar (p. 260), ce bar enjôleur séduit la belle clientèle de Chandigarh. Carte alléchante de vins indiens, australiens, espagnols et français (vin de producteur 250 Rs/verre) et cocktails : mint julep, cosmopolitan, margarita et "sangria indienne" (au gingembre 250 Rs).

Vintage Terrace Lounge Bar (Hotel Mountview ; secteur 10-B ; ⏲ 11h-23h ; ☒). L'un des meilleurs bars d'hôtel (fauteuils confortables et grand écran de TV). Le choix ne manque pas : vin, bière, cocktails (avec ou sans alcool), spiritueux et liqueurs (Cointreau 225 Rs/verre), et des bâtonnets de poisson (400 Rs) pour les petits creux.

Lava Bar (Taj Chandigarh Hotel, secteur 17-A ; ⏲ 11h-23h30 ; ☒). Petit bar à l'atmosphère rétro décoré de lampes à lave. Vous avez le choix entre des bulles à prix d'or (Dom Pérignon 22 000 Rs) ou une longue carte de blondes légères (Corona 300 Rs). DJ à 19h, le mercredi, jeudi, vendredi et samedi.

Oriental Lounge (secteur 26 ; ⏲ 11h-24h ; ☒). Au rez-de-chaussée du restaurant AB's (p. 260), ce lounge-bar huppé offre un cadre relaxant. En boisson, Heineken (180 Rs/canette), tequila à la menthe (250 Rs), etc. Son interminable carte décline des spécialités de toute l'Asie : soupe de nouilles (75 Rs), gâteaux au crabe (Rs240) et Tickle Me Honey (côtelettes de porc à la thaïe marinées dans du miel, 190 Rs). Happy-hour de 12h à 18h.

Piccadilly Blue Ice Bar & Restaurant (secteur 17-E ; ⏲ 11h-23h ; ☒). Un bar-restaurant contemporain sur plusieurs niveaux, agréable pour prendre un verre et grignoter tranquillement. Kingfisher (85/140 Rs pour 33/65 cl), thé Long Island glacé (250 Rs) et Bacardi Breezer (100 Rs). Côté cuisine, crevettes grillées et curry de poisson thaï, mais aussi hamburgers et poulet Stroganoff.

English Garden Bar (secteur 17-C ; ⏲ 11h-24h ; ☒). Un bar souterrain, sous le restaurant Mehfil (p. 260), un peu sombre mais sans prétention aucune. Bonne bière pression (55 Rs).

Vous pouvez aussi boire un verre à l'Orchid Lounge (voir p. 260).

Où sortir

Le **Tagore Theatre** (☎2724278 ; secteur 18-B) programme des concerts, des ballets et des pièces de théâtre.

On peut voir des films (généralement en hindi) sur les écrans du **Kiran Cinema** (☎ 2705082 ; secteur 22-D) et du **Neelam Cinema** (☎ 2703600 ; secteur 17-D), ainsi qu'un mélange de productions hollywoodiennes et bollywoodiennes au multiplexe **Fun Cinemas** (☎ 9888997806 ; centre commercial Fun Republic, Mani Majra).

Achats

Le secteur 17 regroupe la majorité des boutiques et des centres commerciaux.

Anokhi (www.anokhi.com ; secteur 7-C, Inner Market ; 🕑 10h30-19h lun-sam). Belles étoffes imprimées au tampon.

Ebony (secteur 9-D ; 🕑 10h30-19h30 lun-sam). Grand magasin moderne approvisionné en produits de marque.

Fabindia (www.fabindia.com ; secteur 9-C ; 🕑 10h-20h). Formidables vêtements (mêlant les styles indien et occidental) et articles pour la maison.

Khadi Ashram (secteur 17-C ; 🕑 10h30-14h et 15h30-20h lun-sam). Étoffes artisanales et produits de beauté aux plantes (savons au nénuphar, à l'aloe vera et à la menthe notamment).

Music World (secteurs 17-E et 18-D ; 🕑 10h-21h30). CD (à partir de 40 Rs) et DVD (à partir de 60 Rs).

Phulkari (secteur 17-C ; 🕑 10h30-14h et 15h30-20h lun-sam). Un grand magasin d'État qui vend de tout, de l'artisanat aux *jooti*.

Suvasa (secteur 8-B, Inner Market ; 🕑 10h30-19h45). Beaux tissus imprimés au tampon, dont des trousses de toilette et des *salwar kameez* (ensemble traditionnel pour femme).

Depuis/vers Chandigarh

AVION

L'aéroport international devrait être mis en service vers 2010.

Air India (Indian Airlines) (☎ 1800227722 ; secteur 34-A ; 🕑 9h30-13h et 14h-17h30 lun-ven). Vol quotidien pour Delhi (3 675 Rs) et Mumbai (6 875 Rs).

Jet Airways (☎2741465 ; secteur 9 ; 🕑 9h-18h lun-sam). Vols quotidiens vers Delhi (100 $US).

Kingfisher Airlines (☎ 9302795005 ; aéroport ; 🕑 9h-18h). Vols quotidiens pour Delhi (100 $US) et Mumbai (155 $US).

BUS

Il existe une demi-douzaine de compagnies de bus qui, pour la plupart, partent de l'Inter State Bus Terminal (ISBT), dans le secteur 43.

Des bus réguliers desservent Patiala (50 Rs, 3 heures), Sirhind (50 Rs, 2 heures), Anandpur Sahib (45 Rs, 2 heures 30), Amritsar (125 Rs, 7 heures), Dharamsala (ordinaire/deluxe 200/350 Rs, 8 heures), Manali (ordinaire/deluxe 290/4000 Rs, 11 heures), Haridwar (125 Rs, 6 heures), Delhi (145 Rs, 5 heures 30) et Shimla (100 Rs, 4 heures).

TRAIN

Un **bureau des réservations** (☎2720242 ; 🕑 8h-20h lun-sam, 8h-14h dim) est installé au 1er étage de la gare routière (secteur 43). Les auto-rickshaws prépayés pour la gare ferroviaire coûtent 55 Rs.

Deux trains rapides circulent entre Delhi et Chandigarh : le *Shatabdi Express* (chair car/1-AC 440/960 Rs, 3 heures) et le *Jan Shatabdi Express* (107/345 Rs, 4 heures).

Une demi-douzaine de trains rallient Kalka (chair car/executive 238/430 Rs, 1 heure), où 4 trains quotidiens (chair/1AC 168/250 Rs, 5 heures) brinquebalent à travers la montagne jusqu'à Shimla.

Comment circuler

Chandigarh peut être explorée à vélo, au gré des nombreux parcs et des pistes cyclables. Le Chandigarh Tourism Office (p. 255) en propose à la location (100 Rs/8 heures) ; on peut aussi en louer au Sukhna Lake (p. 257) à un prix identique, avec une caution de 500 Rs.

La course en cyclo-pousse en ville varie de 20 à 50 Rs selon la distance. Le guichet des auto-rickshaws prépayés, situé derrière la gare routière, facture 40 Rs jusqu'à Sukha Lake.

Les taxis demandent environ 160 Rs pour l'aéroport. Les deux bonnes compagnies, **Indus Cab** (☎ 4646464) et **Mega Cab** (☎ 4141414), facturent environ 15 Rs/km. L'office du tourisme (p. 255) peut vous réserver un taxi (900 Rs/8 heures, maximum 80 km) pour visiter les sites de la ville (dont les Pinjore Gardens).

Pour louer une voiture avec chauffeur, comptez environ 800/950 Rs (sans/avec clim) pour 8 heures et un maximum de 80 km (au-delà, comptez 5/6 Rs sans/avec clim par kilomètre).

La course en taxi de Chandigarh à Delhi ou Amritsar coûte 4 500 Rs environ.

ENVIRONS DE CHANDIGARH

Pinjore (Yadavindra) Gardens

Ce **jardin moghol** du XVIIe siècle (☎01733-230759 ; entrée 20 Rs ; 🕑 7h-22h) ceint de murs se déploie sur 7 niveaux. Entièrement reconstruit, il est orné de jeux d'eau (pas toujours en action) et offre une vue panoramique sur les monts Shivalik.

BHANGRA MANIA

Le *bhangra*, une musique et une danse très rythmées, était à l'origine pratiqué pendant la fête des récoltes au Punjab (il remonterait au XIVe siècle).

Cette danse joyeuse et endiablée consiste le plus souvent à lever les bras en l'air tout en secouant énergiquement les épaules. L'instrument le plus important est le *dhol* (tambour à deux faces) qui produit de puissants battements.

Dans les années 1980 et 1990, le bhangra traditionnel revisité dans un esprit de fusion original (incluant des éléments de hip-hop, disco, techno, rap, house et reggae) fit des ravages sur la scène internationale, en particulier au Royaume-Uni, et anima les pistes de danse du monde entier.

Dessiné par Nawab Fidai Khan, auquel on doit également la mosquée Badshahi de Lahore (Pakistan), le jardin tint lieu de retraite aux empereurs moghols et à leurs harems.

L'**Heritage Festival** (voir l'encadré p. 255) a lieu tous les ans dans le jardin.

Dans le jardin, l'agréable **Budgerigar Motel** (☎ 01733-231877 ; dort/s/d 300/1 200/1 400 Rs ; ❄), de style moghol, possède deux dortoirs propres de quatre lits et des chambres confortables. Accès gratuit au jardin pour les hôtes. Son restaurant, le **Golden Oriel** (*thali* vég/non-vég 100/120 Rs ; 🕑 7h-23h) est ouvert à tous.

Le café **Jal Mahal** (plats 60-275 Rs ; 🕑 13h-22h) est installé au milieu de l'un des bassins.

De Chandigarh, prenez le bus (20 Rs, 1 heure, départs réguliers).

Morni Hills

L'unique station climatique de l'Haryana surplombe les plaines embrumées qui la séparent des monts Shivalik et Kasauli, à la lisière de l'Himachal Pradesh. En dehors du week-end, les hauteurs boisées de Morni constituent un merveilleux havre de paix loin des foules.

À 10 km du village de Morni, le parc d'attractions **Hosh & Josh Hills 'n' Thrills** (☎ 01733-201150 ; Tikka Tal ; adulte/enfant 50/30 Rs ; 🕑 9h-19h) divertira à coup sûr les enfants.

Mountain Quail Tourist Resort (☎ 01733-250166 ; ch à partir de 900 Rs). En réfection lors de notre passage (de même que le restaurant), il devrait être impeccable lors de votre venue.

Lake View Camping Complex (☎ 01733-250166 ; Tikka Tal ; dort 150 Rs, ch 1 500 Rs, camping 600 Rs/nuit/pers). Joliment situé au bord d'un lac, cet ensemble dispose de très bonnes chambres avec un balcon donnant sur l'eau. Sacs de couchage et sdb communes inclus dans le prix des tentes. Le **restaurant** (plats 50-230 Rs) possède lui aussi une terrasse sur le lac. Location de bateaux (4 places, 100 Rs/30 min).

Des bus rejoignent quotidiennement Morni (45 Rs, 2 heures). Des liaisons avec Tikka Tal sont assurées depuis Mountain Quail, 2 km avant le village.

HARYANA

Selon les interprétations, Haryana désigne "le séjour de Dieu", en référence à Hari, l'un des avatars de Vishnu (voir p. 65), ou évoque la verdure – *hara* signifie "vert" en hindi.

Les autorités de l'Haryana possèdent une série de motels-restaurants au bord des routes principales. Contactez l'**office du tourisme de l'Haryana** (Haryana Tourism ; www.haryanatourism.gov.in) Chandigarh (☎ 01722702957 ; secteur 17-B ; 🕑 9h-17h lun-ven) Delhi (☎ 011-23324910 ; Chanderlok Bldg, 36 Janpath ; 🕑 9h-17h lun-ven, 9h-13h sam) pour de plus amples détails.

KURUKSHETRA

☎ **01744 / 154 000 habitants**

Kurukshetra possède un intérêt historique et religieux particulier puisque, selon les enseignements hindous, Brahma en aurait fait le berceau de l'univers. Krishna y aurait prononcé la *Bhagavad Gita*, son long sermon à Arjuna (p. 66), avant de s'engager dans la fameuse bataille de 18 jours décrite dans le *Mahabharata*, au terme de laquelle le bien triompha du mal. La ville doit son nom à son fondateur, le roi aryen Kuru, qui aurait fait don de ses membres et de sa tête à Vishnu, afin qu'il établisse sur cette offrande un royaume où règneraient l'éthique et les valeurs morales.

Le **Sri Krishna Museum** (Pehowa Rd ; 15 Rs ; 🕑 10h-17h) abrite des représentations anciennes et modernes de Sri Krishna, incarnation héroïque de Vishnu.

À côté, le **Kurukshetra Panorama & Science Centre** (Pehowa Rd, entrée/appareil photo 15/20 Rs ; 🕑 10h-17h30 tlj sauf lun) présente des expositions scientifiques interactives au rez-de-chaussée. À l'étage, sous un faux ciel flamboyant, des vautours dévorent des têtes coupées dans un diorama représentant la bataille du *Mahabharata*.

À 500 m de là, des ghats entourent le **bassin de Bhramasarovar**, le plus grand du pays. Créé selon les écrits sacrés par Brahma, il attire une foule nombreuse au moment des éclipses solaires et lors du **Gita Jayanti** (anniversaire de la *Bhagavad Gita ; voir* l'encadré p. 255).

Jyotisar, situé à 6 km du bassin, possède un **banian** qui serait le rejeton de l'arbre sous lequel Krishna aurait prononcé son long sermon, la *Bhagavad Gita*. On peut y voir un **spectacle sons et lumières** (20 Rs ; crépuscule mar-dim) d'une heure en hindi (anglais sur demande).

À 2,3 km du Sri Krishna Museum se dresse le **tombeau du cheikh Chehli** (Indiens/étrangers 5/100 Rs ; 9h-17h mar-dim), où le saint soufi et sa famille reposent dans des mausolées en grès et en marbre.

Le **Neelkanthi Krishna Dham Yatri Niwas** (☎ 291615 ; Pehowa Rd ; ch 600 Rs ;) propose le meilleur hébergement de la ville, dans des chambres ordinaires mais convenables. L'**office du tourisme** (☎ 293570 ; 9h30-17h mar-sam) attenant n'est guère utile.

Des bus desservent quotidiennement Delhi (95 Rs, 3 heures) et Patiala (37 Rs, 1 heure 30).

SUD ET OUEST DE DELHI

Surajkund

Ce village endormi situé à 30 km au sud du centre de Delhi s'anime durant le **Surajkund Crafts Mela** (voir l'encadré p. 255).

Le **réservoir du Soleil** (lac de Surajkund) fut construit au Xe siècle par le raja Surajpal, un rajput tomara.

La plupart des visiteurs viennent pour la journée depuis Delhi. Si vous souhaitez loger sur place, vous avez le choix entre trois hôtels gérés par l'office du tourisme de l'Haryana, le meilleur étant l'**Hotel Rajhans** (☎ 0129-2512843 ; ch 2800 ;). Dans la catégorie moyenne, essayez l'**Hermitage** (☎ 0129-25112313 ; ch 1 500 Rs ;) et, mieux encore, le **Sunbird Motel** (☎ 0129-2511357 ; ch 1 500 Rs ;).

Plusieurs bus partent quotidiennement de Delhi (40 Rs, 2 heures) pendant le Mela. Comptez environ 700 Rs pour effectuer le trajet en taxi (aller-retour).

Sultanpur Bird Sanctuary

Cette **réserve** (Indiens/étrangers 5/40 Rs, appareil photo/caméra 25/500 Rs ; 6h30-18h avr-sept, 6h30-16h30 oct-mars) de 145 ha héberge plus de 250 espèces d'oiseaux, dont le tantale indien, la demoiselle de Numidie, le cormoran, le chevalier grivelé, le colvert et le pluvier. La population fluctuante des bois et des zones humides du parc compte environ 150 espèces résidentes et une centaine d'espèces migratrices originaires d'Europe, d'Afghanistan, de Sibérie et d'autres régions. La meilleure période pour visiter le parc s'étend d'octobre à mars.

L'hébergement se limite au **Rosy Pelican Complex** (☎ 0124-2375242 ; ch 1 000-2 200 Rs ;), aux chambres correctes mais mal entretenues. Restaurant ouvert à tous.

Situé à 46 km au sud-ouest de Delhi, Sultanpur est vraiment difficile d'accès. On peut faire le trajet (éprouvant) en bus (40 Rs, 1 heure, fréquence irrégulière), mais il vaut mieux louer un taxi (aller-retour 1 100 Rs).

PUNJAB

ANANDPUR SAHIB

☎ 01887 / 14 700 habitants

Second lieu saint révéré par les sikhs après le Temple d'or d'Amritsar, Anandpur Sahib compte plusieurs gurdwara (temples sikhs) anciens. Important site de pèlerinage depuis plus de 300 ans, la ville fut fondée en 1664 par Tegh Bahadur, le 9e gourou sikh, peu avant qu'il ne se fasse couper la tête par l'empereur moghol Aurangzeb pour avoir refusé de se convertir à l'islam. Son fils, le gourou Gobind Singh, institua en 1699 la Khalsa (une confrérie sikh). La fête de **Holla Mohalla** (voir l'encadré p. 255) célèbre son anniversaire.

Plus grand gurdwara de la ville, le **Kesgarh Sahib** renferme des armes sacrées – pour certaines, entre les mains des gardes. Le petit temple Sis Ganj se dresse à l'endroit où l'on déposa la tête du gourou Tegh Bahadur quand elle fut rapportée de Delhi pour y être incinérée. À 500 m de la ville s'élève l'**Anandgarh Sahib**, où une volée de marches mène à un fort qui domine le Khalsa Heritage Complex. Ce nouveau bâtiment en forme de cinq pétales évoque les cinq saints guerriers de la Khalsa. Les importants travaux achevés fin 2009 visent à faire de cet immense ensemble un site incontournable dédié à l'histoire et à la culture sikhs. Pour des détails, voir www.khalsaheritagecomplex.org.

Kishan Haveli (☎ 01887-232650 ; Academy Rd ; ch 400-1 000 Rs ; ❄) occupe un vaste terrain dans une paisible retraite champêtre, à 1,5 km de la ville. L'édifice au charme défraîchi possède des chambres confortables et un modeste restaurant (repas 80 Rs).

Les gurdwara offrent aussi des hébergements et des repas (paiement par don), mais sont souvent complets.

Les gares routière et ferroviaire se situent à 300 m l'une de l'autre, sur la route principale à la sortie de la ville. Des bus partent toutes les heures pour Chandigarh (50 Rs, 2 heures) et toutes les 2 heures pour Amritsar (100 Rs, 5 heures).

Le train de nuit *Delhi-Una Himachal Express* relie Anandpur Sahib et Delhi (sleeper/3-AC/2-AC/1-AC 160/400/600/1 000 Rs, 8 heures).

SIRHIND

☎ 01763 / 53 800 habitants

Cette petite ville compte quelques sites dignes d'intérêt dont l'**Aam Khas Bagh**, un jardin clos d'époque moghole, et le **Gurdwara Fatehgarh Sahib** qui commémore le martyre des deux jeunes fils du 10e gourou sikh ; en 1704, ils furent enterrés vivants pour avoir refusé de se convertir à l'islam. Chaque année en décembre, la fête de **Shaheedi Jor Mela** est donnée en leur honneur durant trois jours.

À voir également, **Rauza Sharif**, le mausolée de marbre du cheikh Ahmad Faruqi Sirhindi – un saint musulman – qui attire les pèlerins en août pour la **fête d'Urs**.

Pour loger sur place, préférez le **Sahil Motel** (☎ 01763-228392 ; d 1 250 Rs ; ❄).

Des bus relient régulièrement Sirhind à Chandigarh (50 Rs, 2 heures) et desservent Patiala (20 Rs, 1 heure).

PATIALA

☎ 0175 / 238 000 habitants

Ancienne capitale d'un État sikh indépendant établi par Baba Ala Singh lors du déclin de la puissance moghole (voir p. 42), Patialia est aujourd'hui une ville de taille modeste qui ne voit passer qu'un petit nombre de touristes. Elle est connue pour sa **fête de Basant** (encadré p. 255) et a donné son nom au Patiala Peg (voir l'encadré ci-dessous).

Le fort délabré de **Qila Mubarak** semble avoir été directement transféré du désert dans le bazar. Dans le Durbar Hall (1859), une **galerie d'armes** (10 Rs ; ⏰ 10h30-17h mar-dim) présente des pièces anciennes.

Au **Moti Bagh Palace** (Sheesh Mahal ; 10 Rs ; ⏰ 10h30-17h mar-dim) sont exposés des figurines en ivoire, des animaux empaillés, des instruments de musique et d'autres pièces d'art. Non loin, l'Old Moti Bagh Palace abrite un **musée des Sports** (entrée libre, passeport requis ; ⏰ 10h30-13h et 14h-17h30 lun-ven), qui présente des souvenirs du célèbre sprinter punjabi Milkha Singh, surnommé "le Sikh volant".

On dit que ceux qui prient au **Dukh Niwaran Gurdwara** (⏰ aube-crépuscule), près de l'arrêt de bus, sont délivrés de la souffrance.

♥ **Baradari Palace** (Rajinder Kothi ; ☎ 2304433 ; www.neemranahotels.com ; Baradari Garden ; ch 3 000 Rs ; ❄). Ce magnifique hôtel classé, le plus bel établissement du Punjab, est une étape idéale sur le parcours Delhi-Amritsar. Soigneusement restaurée, la demeure au charme désuet a conservé ses plafonds hauts, de beaux meubles d'époque et possède d'agréables terrasses donnant sur un jardin. Chambres spacieuses élégamment meublées. Une piscine est en projet.

Les autres hébergements de Patiala sont miteux et peu recommandés aux femmes seules. Les meilleurs (mobilier usé et service

HARYANA ET PUNJAB

UN "PATIALA PEG", BIEN TASSÉ !

Au début du XXe siècle, un concours particulièrement important de "*tent-pegging*" (planter de tente) opposa à Patiala l'équipe du vice-roi à celle du maharaja local. Les joueurs, montés sur un cheval au galop, devaient retirer de petits piquets de bois du sol à l'aide d'une lance.

Dans leur souci de remporter la partie et d'échapper à la colère du maharaja, l'équipe patialaise invita ses rivaux à boire, la veille du match, et leur servit de généreuses rasades (*pegs*) de whisky. Pendant ce temps, on remplaçait les piquets de tente des Britanniques par de plus petits, tandis que les Patialais s'en attribuaient de plus grands. L'équipe du maharaja gagna, mais celle du vice-roi porta plainte auprès du maharaja. Celui-ci, n'ayant pas compris qu'elle parlait des piquets de tente (*pegs*), lui répondit qu'à Patiala, où l'hospitalité n'était pas un vain mot, les *pegs* (de whisky) étaient toujours plus grands qu'ailleurs. Depuis, un *Patiala Peg* désigne, partout dans le pays, une forte dose de whisky.

anonyme) sont l'**Hotel Narain Continental** (☎ 2212846 ; Mall ; ch 1 375 Rs ; ❄) et le **Green's Hotel** (☎ 2213071 ; Mall ; ch 500 Rs ; ❄), moins cher.

Des bus relient chaque jour Patiala à Sirhind (20 Rs, 1 heure).

NORD DU PUNJAB

Important centre textile, **Ludhiana** abrite aujourd'hui le siège de Hero Bicycles, qui produit chaque année près de 4 millions de bicyclettes. Cette vaste ville constitue une base pratique pour assister au **Kila Raipur Sports Festival** (voir l'encadré p. 255).

Voici près d'un millénaire, **Jalandhar** survécut à la mise à sac de Mahmud de Ghazni. Elle devint par la suite une importante cité moghole. Désormais centre de commerce important, elle accueille le **Harballabh Sangeet Sammelan** (voir l'encadré p. 255). C'est aussi une bonne base pour visiter **Kapurthala**, où vécut Anita Delgado, jeune danseuse de flamenco espagnole qui épousa le riche maharaja – l'histoire inspira à Javier Moro son roman *Une passion indienne*.

Faridkot, qui conserve une forteresse vieille de 700 ans, fut jadis la capitale de l'État sikh du même nom. Le Baba Sheikh Farid, poète soufi du XIIIe siècle, vécut dans la ville. Désormais, un **festival** (voir l'encadré p. 255) se déroule tous les ans en son honneur. Sa croyance dans l'égalité entre les hommes influença le gourou Nanak (voir l'encadré p. 68). Certains de ses poèmes se retrouvent dans le *Guru Granth Sahib*, le livre sacré des sikhs.

AMRITSAR

☎ 0183 / 1,01 million d'habitants

Fondée en 1577 par Ram Das, le 4e gourou des sikhs, Amritsar est *le* cœur du sikhisme. Elle abrite en effet son lieu le plus saint : le Temple d'or. Ce gurdwara doré, qui se dresse au centre d'un bassin sacré comme un gigantesque lingot scintillant, attire des millions de pèlerins venus de toute la planète. Havre de sérénité au milieu de l'effervescence des bazars, ce temple majestueux est souvent considéré comme le point fort d'un voyage en Inde. On ne peut malheureusement pas en dire autant des rues avoisinantes, bouillonnantes d'activité. La cohue de la circulation et de la foule, surtout dans la vieille ville bondée, peut se révéler vraiment épuisante.

L'emplacement de la cité fut octroyé par l'empereur moghol Akbar. En 1761, c'est pourtant un autre empereur moghol, Ahmad Shah Durani, qui pilla la ville et détruisit le temple. Ce dernier fut reconstruit en 1764 ; en 1802, le maharaja Ranjit Singh fit couvrir son toit de plaques de cuivre doré. L'édifice y gagna son nom de Temple d'or.

Lors des troubles qui secouèrent le Punjab au début des années 1980, le Temple d'or fut occupé par des séparatistes qui demandaient la création d'une patrie sikhe. L'armée les en chassa en 1984 au terme d'une opération controversée qui endommagea gravement le temple et embrasa le conflit entre hindous et sikhs. Des émeutes éclatèrent dans tout le Punjab et firent des milliers de victimes, dont une majorité de sikhs.

Orientation

Ceinte d'une rue qui suit le tracé circulaire des anciens remparts, la vieille ville, qui englobe le Temple d'or et les bazars, s'étend au sud-est de la gare ferroviaire. La ville moderne, au nord de la gare ferroviaire, accueille la plupart des hôtels huppés. De nombreux restaurants et magasins se concentrent dans Lawrence Rd. La gare routière se situe à 2 km à l'est de la gare ferroviaire.

Renseignements

ACCÈS INTERNET

Cyber Swing (vieille ville ; 40 Rs/h ; 🕑 9h30-22h). Au-dessus du restaurant Punjabi Rasoi.

Reliance World (the Mall ; adhésion 200 Rs ; 🕑 9h-22h lun-sam, 9h-21h dim). Face à l'Hotel Ritz Plaza. L'adhésion donne droit à 9 heures de connexion.

ARGENT

Les DAB ne cessent de se multiplier.

HDFC (Temple d'or ; 🕑 9h30-15h30 lun-sam). Change les chèques de voyage et devises ; DAB.

DAB ICICI (Lawrence Rd). Dispose d'un autre DAB dans la vieille ville.

LIBRAIRIES

Book Cafe (☎ 5002082 ; Ranjit Ave ; 🕑 9h-23h lun-sam). Petit café attenant.

Booklovers Retreat (☎ 2545666 ; Hall Bazaar ; 🕑 9h-20h lun-sam). Meilleur choix de la vieille ville.

Oxford Bookstore (☎ 6548884 ; www.oxfordbookstore.com ; New Sadak, Lawrence Rd ; 🕑 10h-21h lun-sam, 12h-21h dim). Sirotez un thé à la réglisse au Cha Bar.

OFFICE DU TOURISME

Office du tourisme (☎ 2402452 ; Queen's Rd ; 🕑 9h-17h tlj sauf dim). Niché au bout d'une ruelle dans l'enceinte de l'Hotel Palace. Peu utile.

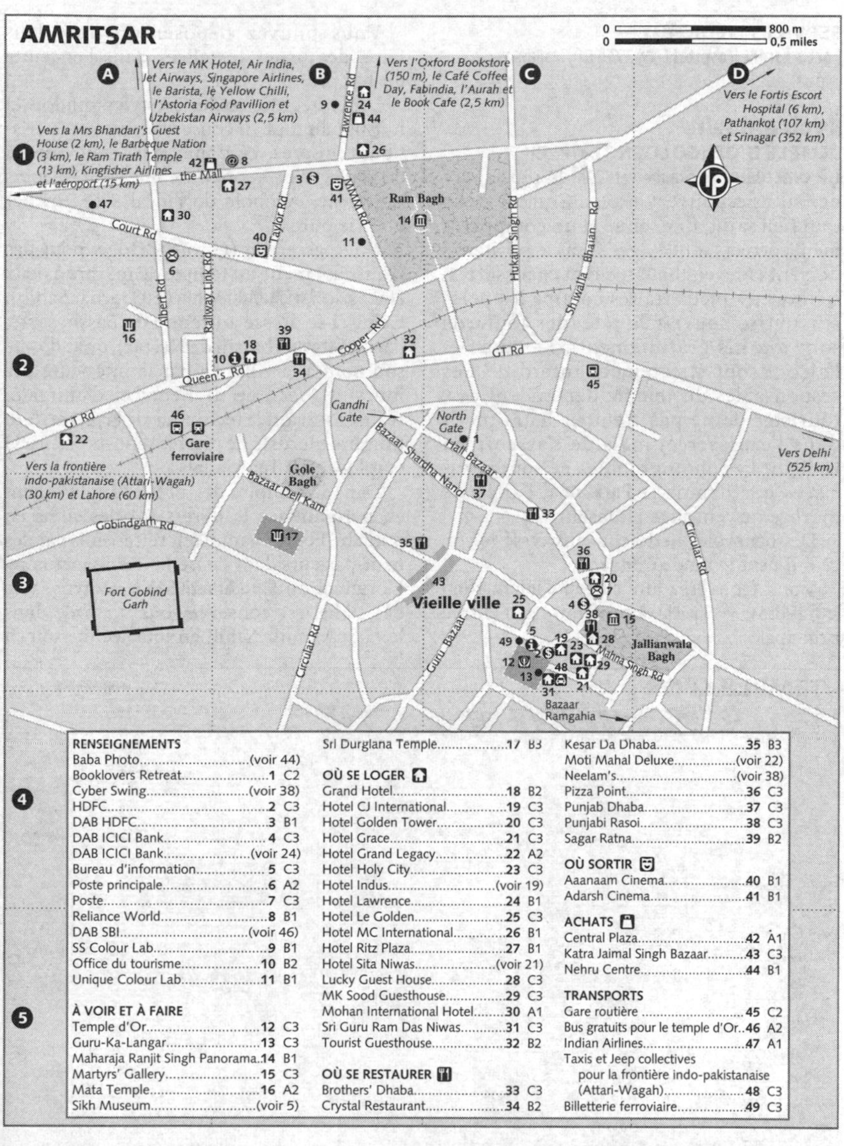

PHOTO

Les magasins suivants vendent des cartes mémoire (à partir de 500 Rs/1 GB).

Baba Photo (☎ 5052714 ; 12 Nehru Centre, Lawrence Rd ; 🕒 10h30-21h30 lun-sam, 16h30-21h30 dim)

SS Colour Lab (☎ 2401515 ; 104 Lawrence Rd ; 🕒 10h-21h lun-sam)

Unique Colour Lab (☎ 2223263 ; MMM Rd ; 🕒 10h-21h30 lun-sam, 14h-20h30 dim). À côté de l'Indian Academy of Fine Arts.

POSTE

Poste principale (☎ 2566032 ; Court Rd ; 🕒 9h-15h lun-ven, 9h-14h sam)

Poste (Phawara Chowk ; 🕒 9h-19h tlj sauf dim)

SERVICES MÉDICAUX

Fortis Escort Hospital (☎ 2573901 ; Majitha Verka Bypass)

À voir et à faire

TEMPLE D'OR (GOLDEN TEMPLE)

Le **sanctuaire** (🕒 aube-vers 22h) le plus sacré des sikhs est ouvert à tous. Comme dans tout lieu saint, une tenue et un comportement corrects sont exigés. Tous les visiteurs doivent enlever chaussures et chaussettes, se laver les pieds (faites comme les pèlerins) et se couvrir la tête (des foulards sont fournis gratuitement). Le tabac et l'alcool sont strictement interdits. Les responsables du temple demandent aux touristes de ne pas tremper leurs pieds dans l'eau sacrée, mais de s'asseoir en tailleur. Les photographies ne sont autorisées que depuis le **Parkarma**, l'allée de marbre qui entoure le bassin.

Des bénévoles nettoient sans cesse le sol, ce qui peut le rendre glissant.

Vous trouverez un **bureau d'information** (☎ 2553954 ; 🕒 7h-20h), à proximité de l'entrée principale.

Vous pouvez déposer un don dans l'une des urnes installées dans l'enceinte du temple.

L'architecture mêle les styles hindou et musulman tout en conservant ses caractéristiques propres. Le dôme, qui serait couvert de 750 kg d'or, représente une fleur de lotus renversée, symbole de l'idéal sikh : mener une vie pure.

Une passerelle (Gurus' Bridge, pont des Gourous) mène au temple de marbre à deux étages, le **Hari Mandir Sahib** (ou Darbar Sahib). Celui-ci se dresse au centre du bassin sacré, l'**Amrit Sarovar** (bassin de Nectar), qui a donné son nom à la ville. La partie inférieure des murs est décorée de fleurs et d'animaux réalisés suivant la technique de la *pietra dura* (marbre incrusté de pierres semi-précieuses) employée au Taj Mahal.

Dans le temple, des prêtres psalmodient en permanence le livre saint des sikhs en punjabi. Leurs chants sont retransmis par des haut-parleurs dans l'ensemble du sanctuaire. L'original du **Guru Granth Sahib**, le livre sacré des sikhs, est conservé sous un voile dans le Hari Mandir Sahib en journée. Le soir, il

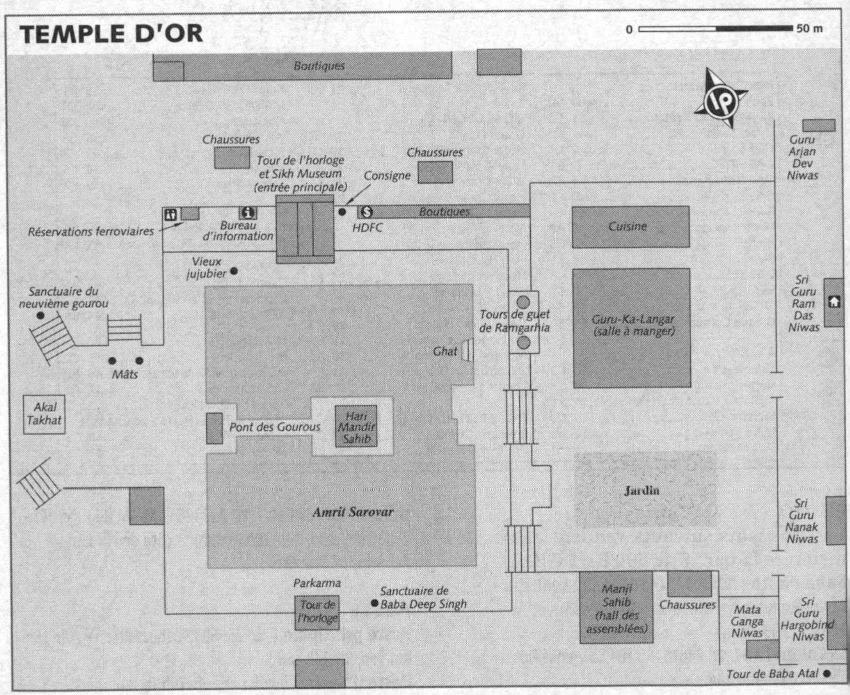

est rapporté à l'Akal Takhat. Les cérémonies se déroulent à 5h et 21h40 en hiver, à 4h et 22h30 en été.

À l'étage de la tour de l'Horloge (l'entrée principale), le **Sikh Museum** (Musée sikh ; entrée libre ; 7h-19h) retrace de manière vivante la pénible histoire des sikhs, successivement maltraités par les Moghols, les Britanniques et le régime d'Indira Gandhi.

Endommagé lorsqu'il fut pris d'assaut par l'armée en 1984 (p. 53), l'**Akal Takhat**, où se réunit le Shiromani Gurdwara Parbandhak Committee (SGPC), ou Parlement sikh, a été soigneusement restauré. Le gouvernement indien l'a fait restauré, mais les sikhs, scandalisés par les actions de l'armée, l'ont démoli, puis reconstruit eux-mêmes.

Édifiée en 1784, la **tour de Baba Atal**, une tour octogonale de 9 étages, commémore Atal Rai, le fils de Har Gobind, le 6e gourou sikh. Le jeune garçon, ayant rendu la vie à son ami tué par une morsure de serpent, se serait suicidé à cet endroit après que son père l'eut réprimandé pour avoir opéré un miracle. Chacun des neuf étages du gurdwara représente une année de la vie du jeune Atal.

Le **Guru-Ka-Langar**, le réfectoire gratuit (dons appréciés), existe dans tous les temples sikhs. Il symbolise l'unité entre les différentes croyances, religions et nationalités. Les imposantes cuisines (dont l'une est dotée d'une machine à chapati) préparent chaque jour un repas végétarien pour 60 000 à 80 000 pèlerins (et plus encore pendant les fêtes) ! Toute personne est invitée à se joindre à la foule assise sur le sol pour manger ; c'est une expérience que nous recommandons vivement (n'hésitez pas à aider les bénévoles à la vaisselle).

Essayez de visiter le temple plusieurs fois, surtout à l'aube et au crépuscule, pour apprécier pleinement les effets de la lumière à différentes heures de la journée.

Pour des informations complémentaires sur le sikhisme, voir p. 68.

JALLIANWALA BAGH

Proche du Temple d'or, ce petit **parc** (6h-21h été, 7h-20h hiver) commémore un triste événement : en ce lieu, en 1919, 2 000 Indiens furent tués ou blessés par les troupes britanniques (encadré p. 270). Des impacts de balles restent visibles, tout comme le puits où se jetèrent désespérément des centaines de personnes fuyant les projectiles. Une flamme éternelle commémore l'événement. Le parc abrite aussi la **Martyrs' Gallery** (6h-21h été, 7h-20h hiver), où un spectacle sons et lumières est en préparation.

MAHARAJA RANJIT SINGH PANORAMA (RAM BAGH)

Dans le parc du Ram Bagh, l'impressionnant **panorama du maharaja Ranjit Singh** (10 Rs ; 9h-21h mar-dim) est dédié à celui qui fut surnommé le Lion du Punjab (1780-1839). À l'étage, un panorama plus grand que nature, avec force effets sonores, dépeint diverses batailles, dont la conquête du fort de Multan par le maharaja (1818). Les enfants l'apprécieront beaucoup. Le rez-de-chaussée présente des peintures colorées et des dioramas.

Il faut se déchausser et laisser son appareil photo à l'entrée.

MATA TEMPLE

Ce **temple hindou** (Model Town, Rani-ka-Bagh ; aube-crépuscule) de style troglodytique est dédié à Lal Devi, une sainte du XXe siècle associée à la fertilité féminine. Pour lui rendre ses dévotions, les fidèles doivent ramper dans des tunnels, marcher dans l'eau jusqu'aux chevilles et traverser des grottes dont la dernière, qui accède au temple, représente l'intérieur d'une bouche divine.

SRI DURGIANA TEMPLE

Consacré à la déesse Durga et entouré par un bassin sacré, ce **temple** (aube-crépuscule) du XVIe siècle est le pendant hindou du Temple d'or. Ses portes en argent martelé lui valent le nom de Temple d'argent. Visitez-le de préférence lorsqu'on y chante d'apaisants *bhajan* (chants pieux), de 7h30 à 9h30 et de 18h30 à 20h30 (tous les jours).

RAM TIRATH TEMPLE

À 13 km à l'ouest d'Amritsar, c'est autour de ce **temple hindou** (6h-20h) que Valmiki aurait travaillé au *Ramayana* (p. 66). On dit aussi que c'est ici que sont nés les deux fils du seigneur Rama, Luv et Kush.

Près de l'imposante statue de Hanuman (dieu singe hindou) se dresse un temple dont les galeries conduisent à des grottes ornées de divinités. Ne manquez pas le petit bassin du temple et sa pierre flottante ; selon la légende, c'est l'une des nombreuses pierres utilisées par l'armée de Rama pour traverser l'océan.

L'aller-retour en taxi (avec 1 heure d'attente sur place) coûte environ 550 Rs.

LE MASSACRE DU JALLIANWALA BAGH

Les troubles d'Amritsar furent déclenchés par l'adoption du Rowlatt Act (1919), qui conférait aux autorités britanniques les pleins pouvoirs pour emprisonner sans procès les Indiens suspectés de sédition. Les *hartal* (grèves générales), organisés en signe de protestation, dégénérèrent en émeutes et en pillages, et trois banquiers britanniques furent assassinés.

Le brigadier-général Dyer fut appelé pour rétablir l'ordre dans la ville. Le 13 avril 1919 (jour de Baisakhi), 5 000 Indiens participaient à une manifestation pacifique dans le Jallianwala Bagh, une esplanade entourée de hauts murs. Dyer arriva avec 150 soldats et leur ordonna d'ouvrir le feu sans sommation. Six minutes plus tard, on comptait les victimes par centaines.

Le nombre définitif de victimes n'a jamais été communiqué mais il est estimé à plus de 1 500, dont de nombreuses femmes et des enfants.

La décision de Dyer, soutenu par ses pairs, fut condamnée par sir Edwin Montagu, le secrétaire d'État pour l'Inde. Cette répression aviva le nationalisme indien et, l'année suivante, Gandhi lança son programme de non-coopération avec les autorités coloniales. Le film *Gandhi* de Richard Attenborough donne une fidèle reconstitution de ce massacre et des questions qu'il souleva.

Où se loger

Dans l'ensemble, les chambres et le service des hôtels d'Amritsar sont très moyens. Il est possible d'obtenir des réductions en période creuse. Visitez plusieurs chambres avant de choisir car le confort varie considérablement au sein d'un même établissement.

Une taxe d'environ 10% (non comprise ci-dessous) est généralement appliquée.

PETITS BUDGETS

Devant un choix des plus décevants, votre seule motivation sera le prix. La plupart des établissements bon marché se trouvent dans les ruelles bruyantes de la vieille ville (prévoyez des bouchons d'oreilles), non loin du Temple d'or.

Temple d'or (dort gratuit, don apprécié, ch sans/avec clim 100/300 Rs ; ☒). Pour loger dans les immenses bâtiments qui accueillent pèlerins et touristes, inscrivez-vous au Guru Arjan Dev Niwas. Les étrangers sont généralement installés au Sri Guru Ram Das Niwas voisin. Chambres et dortoirs sommaires, avec sdb communes. Respectez la durée maximale du séjour (3 jours).

Tourist Guesthouse (☎ 2553830 ; bubblesgoolry@yahoo.com ; 1355 GT Rd ; dort/s/d 100/150/300 Rs ; ☐). Une institution pour baroudeurs, aux murs nus et éraflés, mais affichant des prix dérisoires. Ambiance décontractée, parking sûr, petit jardin et restaurant simple. TV, eau chaude et rafraîchisseur d'air dans toutes les chambres

Hotel Sita Niwas (☎ 2543092 ; d 350 Rs, sans sdb 250 Rs). Chambres basiques et minuscules, à des tarifs imbattables. Ajoutez quelques roupies pour plus d'espace.

Lucky Guest House (☎ 2542175). En pleins travaux lors de notre passage, il devrait être flambant neuf quand vous arriverez, avec des tarifs attendus autour de 400 Rs.

Hotel Grace (☎ 2559355 ; hotelgraceasr@yahoo.com ; d 550 Rs ; ☒). Des chambres qui mériteraient d'être repeintes mais correctes pour le prix, dotées d'une TV et de bons meubles. Vue sur le temple depuis le toit.

MK Sood Guesthouse (☎ 5093376 ; ch 650 Rs ; ☒). Des chambres quelconques mais assez grandes et suffisamment confortables pour une nuit ou deux.

Hotel Golden Tower (☎ 2534446 ; www.hotelgoldentower.com ; Phawara Chowk ; ch 800 Rs ; ☒). Un hôtel sommaire, bien situé, aux chambres peu décorées mais convenables, avec TV et réfrigérateur.

Hotel Holy City (☎ 5068111 ; mail@hotelholycity.co.in ; ch 850 Rs ; ☒). Près du Temple d'or, chambres modestes et toit-terrasse.

CATÉGORIE MOYENNE

Grand Hotel (☎ 2562424 ; www.hotelgrand.in ; Queen's Rd ; s/d 1 000/1 200 Rs ; ☒ ☐). Ce trois-étoiles proche de la gare mérite son succès. Chambres sans prétention mais confortables, alignées le long d'un jardin verdoyant avec un café (le Bottoms Up Pub) et une véranda fraîche (tables et chaises). Sanjay, le sympathique propriétaire est une bonne source d'information et peut organiser des circuits (notamment à la frontière pakistanaise, voir l'encadré p. 274).

Hotel Le Golden (☎ 5028000 ; www.hotellegolden.com ; s/d 1 200/1 350 Rs ; ☒). Une bonne adresse près du Temple d'or, aux chambres propres. Le café du toit donne sur le temple.

Mrs Bhandari's Guest House (☎ 2228509 ; bhandari_guesthouse.tripod.com ; 10 Cantonment ; s/d à partir de 1 300/1 600 Rs ;). Léguée par la gentille Mme Bhandari (1906-2007), cette pension respectueuse de l'environnement occupe un vaste jardin. Les chambres simples et confortables évoquent une vieille maison familiale à l'atmosphère tranquille et conviviale. Les baroudeurs peuvent planter leur tente moyennant une modeste participation. Le bâtiment principal déborde de trésors anciens (poêle à bois centenaire) et a jadis hébergé des personnalités.

Hotel CJ International (☎ 2543478 ; www.cjhotel.net ; ch 1 450 Rs ;). Un confort sans aucun charme et un personnel parfois brusque, tout près du Temple d'or (réservez l'une des cinq chambres qui lui font face).

Hotel Indus (☎ 2535900 ; www.hotelindus.com ; ch 1 550 Rs ;). La vue fantastique sur le temple depuis le toit justifie à elle seule un séjour dans cet hôtel moderne. Des chambres petites mais convenables. Deux d'entre elles (la 303 et la 304, 2 035 Rs) donnent directement sur le sanctuaire ; à préférer absolument.

Hotel Lawrence (☎ 2400105 ; www.lawrenceamritsar.com ; 6 Lawrence Rd ; s/d 2 500/3 000 Rs ;). Ignorez la façade de cette chaleureuse retraite à l'abri de l'effervescence. Chambres contemporaines au sol en marbre ou avec moquette. Le restaurant propose une carte internationale.

CATÉGORIE SUPÉRIEURE

Plusieurs cinq-étoiles étaient en construction lors de la rédaction de ce guide. L'**Ista** (www.istahotels.com) a depuis ouvert ses portes et le **Radisson** (www.radisson.com) devrait le suivre bientôt, tous deux avec un confort haut de gamme.

Les hôtels suivants se rangent dans la catégorie des quatre-étoiles, avec un luxe plus modeste.

Hotel MC International (☎ 2222901 ; www.hotelmcinternational.com ; the Mall ; s/d avec petit déj 2 800/3 200 Rs ;). Flambant neuf, il paraît de grande qualité avec ses chambres contemporaines et sa multitude de services : salle de gym, salon de beauté, restaurant, bar, café 24h/24 et centre d'affaires.

Mohan International Hotel (☎ 2227801 ; www.mohaninternationalhotel.com ; Albert Rd ; s/d 3 000/4 000 Rs ;). Cet hôtel vieillissant vous accueillera volontiers si les autres établissements sont pleins. Chambres en plus ou moins bon état, mais confortables. Vérifiez que la clim fonctionne en été !

Hotel Grand Legacy (☎ 5069991 ; www.grandlegacy.net ; GT Rd, Model Town ; s/d avec petit déj 2 850/4 400 Rs ;). Cinquante-deux chambres attrayantes : fauteuils en cuir, bureau, TV à écran LCD, minibar, coffre-fort électronique et de quoi faire thé et café. Salle de gym, café ouvert 24h/24, agent de voyage et centre d'affaires. Il abrite aussi un restaurant, le Moti Mahal Deluxe (p. 273) et le Behind Bars, idéal pour un cocktail.

MK Hotel (☎ 2504610 ; www.mkhotel.biz ; Ranjit Ave ; s/d avec petit déj 3 000/4 600 Rs ;). Meilleur quatre-étoiles d'Amritsar, l'élégant MK offre le même confort que les chambres du Grand Legacy. Centre d'affaires, restaurant de cuisine internationale, café ouvert 24h/24, club de remise en forme et bar.

Hotel Ritz Plaza (☎ 2562836 ; www.ritzhotel.in ; the Mall ; s/d avec petit déj 3 500/4 700 Rs ;). Très appréciées par les voyageurs d'affaires et les groupes organisés, ses chambres bien meublées possèdent TV, canapé, minibar et de quoi préparer thé et café. Certaines sont plus spacieuses. Bar décontracté, café ouvert 24h/24 et restaurant de cuisine internationale.

Où se restaurer

Amritsar est réputée pour son poisson mariné dans du citron, du piment, de l'ail et du gingembre, puis pané et ensuite frit. Repérez les stands qui en préparent (nombreux dans la vieille ville) à l'odeur de friture.

Les hôtels et les restaurants ne servent pas d'alcool dans le quartier du Temple d'or.

RESTAURANTS

Neelam's (plats 30-90 Rs ; 9h-22h30). Non loin du temple, ce modeste restaurant est idéal pour un *lassi* à la banane rafraîchissant. Carte éclectique de pizzas, hamburgers, soupes, *dosa* et *aloo paratha*. Muesli au miel au petit-déjeuner.

Punjabi Rasoi (plats 45-85 Rs ; 9h-23h30). À deux pas du temple, cette adresse végétarienne simple propose des plats indiens, européens et chinois corrects.

Sagar Ratna (Queen's Rd ; *dosas* à partir de 45 Rs ; 9h-23h ;). Un restaurant végétarien décontracté qui prépare d'excellentes spécialités d'Inde du Sud (*idli*, *dosa*, *uttapam*) et quelques plats du Nord et de Chine. Son soda au citron vert frais étanchera votre soif.

Pizza Point (Phawara Chowk ; plats 60-110 Rs ; 9h30-23h ;). Un havre de fraîcheur à l'abri des rues bondées de la vieille ville. Les pizzas sont quelconques. Il sert aussi des sandwichs toastés, des *dosa*, des soupes et des *paratha* farcis au yaourt et aux *pickles*.

Crystal Restaurant (☎ 2225555 ; Cooper Rd ; plats 110-210 Rs ; 11h-23h30 ;). Le restaurant le plus chic d'Amritsar décline toutes sortes de spécialités du monde entier. Réservez, surtout le week-end. Deux Crystal, aussi bons l'un que l'autre, travaillent côte à côte (suite à une mésentente familiale).

Astoria Food Pavillion (plats 125-325 Rs ; 12h-23h ;). Agréable restaurant proche du MK Hotel. Vaste choix de plats indiens et internationaux.

Moti Mahal Deluxe (☎ 5069991 ; Hotel Grand Legacy, GT Rd, Model Town ; plats 125-350 Rs ; 9h-23h30 ;). Une cuisine d'Inde du Nord raffinée et préparée de main de maître (surtout les tandooris). Ne manquez pas les savoureux *murgh makhani* (*butter chicken*) et *diwani handi* (mélange de légumes au fenugrec et à la menthe). La bouteille de Kingfisher coûte 120 Rs.

Yellow Chilli (☎ 5005504 ; District Shopping Centre, B-Block, Ranjit Ave ; plats 145-295 Rs ; 11h-16h et 19h-23h30 ;). Un élégant restaurant de chaîne créé par le célèbre cuisinier Sanjeev Kapoor, qui séduit les habitants avec de savoureux *hariyali machchi* (poisson parfumé à la menthe et grillé), *rogan josh* (mouton mijoté dans un bouillon de yaourt et de fenouil) et *kulfi* (glace ferme) au cassis. Bon buffet végétarien au déjeuner (165 Rs). Réservez pour dîner.

Aurah (B-Block, Ranjit Ave ; plats 150-250 Rs ; 11h30-23h30 ;). À l'étage du Subway, ce havre aux allures de café réjouit les convives avec des délices du monde entier : salade de nouilles, brochettes de poulet à la citronnelle, risotto, etc. En dessert, le chocolat s'impose.

Barbeque Nation (MK Towers). Encore fermé lors de notre passage, ce nouveau venu ressemblera à son confrère de Chandigarh (voir p. 260).

SUR LE POUCE

Café Coffee Day (Lawrence Rd ; en-cas à partir de 35 Rs ;). Ce café d'une grande chaîne branchée sert des en-cas salés et sucrés, un succulent café et des granitas glacés.

Barista (Ranjit Ave ; en-cas à partir de 40 Rs ;). L'enseigne d'une autre chaîne en vogue qui prépare du bon café, des frappés au caramel et à la cannelle, ainsi qu'un mojito glacé à la pastèque parfait en été.

Amritsar est aussi connue pour ses *dhabas* (gargotes), tels que le **Punjab Dhaba** (Goal Hatti Chowk), le **Kesar Da Dhaba** (Passian Chowk) et le **Brothers' Dhaba** (Town Hall Chowk), où on mange (essentiellement indien) pour environ 80 Rs (ouverture matinale et fermeture tardive). Le Brothers a notre (très légère) préférence.

Où sortir

Les cinémas **Aaanaam** (☎2210949 ; Taylor Rd) et **Adarsh** (☎2565249 ; MMM Rd) programment des films en hindi (parfois en anglais) ; horaires des séances dans les journaux.

Achats

Les étroites ruelles de la vieille ville font tourner la tête, avec leurs innombrables boutiques qui vendent de tout. Pour les *jooti* (babouches, à partir de 200 Rs), essayez les magasins qui entourent Gandhi Gate (Hall Gate).

Le Katra Jaimal Singh Bazaar déborde de *salwar kameez* et de saris. Les boutiques plus modernes se regroupent dans Lawrence Rd et Mall Rd.

Fabindia (☎ 2503102 ; www.fabindia.com ; 30 Ranjit Ave ; 10h-20h). Étoffes indiennes au style à la fois contemporain et traditionnel, et articles pour la maison.

Depuis/vers Amritsar

AVION

Amritsar accueille des vols nationaux et internationaux.

Air India (☎ 2508122 ; MK Hotel, Ranjit Ave ; 9h30-17h30)
Indian Airlines (☎ 2213392 ; 39A Court Rd ; 10h-17h lun-ven, 10h-13h sam)
Jet Airways (☎ 2508003 ; Ranjit Ave ; 9h-18h lun-sam)
Kingfisher Airlines (☎ 080-39008888 ; aéroport ; 9h-18h)
Singapore Airlines (☎ 2500330 ; Nagpal Tower-II, Ranjit Ave ; 9h30-17h30 lun-sam)
Uzbekistan Airways (☎ 2507744 ; Ranjit Ave ; 9h30-17h30 lun-ven, 9h30-13h sam)

BUS

Des bus partent fréquemment pour Delhi (255 Rs, 10 heures), Chandigarh (145 Rs, 7 heures), Pathankot (54 Rs, 3 heures) et Jammu (130 Rs, 6 heures).

Au moins un bus se rend quotidiennement à Dalhousie (135 Rs, 6 heures) Dharamsala (125 Rs, 6 heures), Shimla

(250 Rs, 10 heures) et Manali (300 Rs, 14 heures) dans l'Himachal Pradesh.

Des bus privés à destination de Delhi (sans/avec clim 300/450 Rs, 8 heures 30) partent chaque jour des environs de la gare ferroviaire vers 22h. D'autres bus privés pour Chandigarh (250 Rs) et Jammu (250 Rs) démarrent de Gandhi Gate.

TRAIN

Les billets sont en vente à la gare ferroviaire et au **bureau des réservations du Temple d'or** (⏲ 8h-20h lun-sam, 8h-14h dim), moins fréquenté.

Le train le plus rapide pour Delhi est le *Shatabdi Express* (5h10 chair car/executive 570/1 095 Rs, 17h chair car/executive 675/1 260 Rs, 5 heures 45). L'*Amritsar-Howrah Mail* rallie quotidiennement Lucknow (sleeper/3-AC/2-AC 310/825/1 158 Rs, 16 heures 30), Varanasi (365/998/1 373 Rs, 22 heures) et Howrah (489/1 346/1 857 Rs, 37 heures).

Comment circuler

Un service de bus gratuit relie la gare ferroviaire et le Temple d'or toutes les 45 min, de 4h30 à 21h30. Le trajet revient à 300 Rs en cyclo-pousse, à 505 Rs en auto-rickshaw et à 100 Rs en taxi. Pour rejoindre l'aéroport, vous devrez débourser 200 Rs en auto-rickshaw et 500 Rs en taxi.

FRONTIÈRE INDE-PAKISTAN À ATTARI-WAGAH

Deux raisons attirent les visiteurs à ce poste frontière, à 30 km à l'ouest d'Amritsar : la cérémonie de "fermeture de la frontière" (voir l'encadré p. 274) et l'entrée au Pakistan (voir l'encadré ci-dessous).

L'aller-retour en taxi (les taxis officiels ont une plaque minéralogique jaune) d'Amritsar à la frontière (1 heure) coûte environ 600 Rs (temps d'attente inclus). Des Jeep collectives (80 Rs/pers aller-retour), stationnées près de l'entrée du réfectoire du Temple d'or, conduisent à la cérémonie de la frontière. Elles partent environ 2 heures avant la cérémonie.

Vous pouvez rejoindre la frontière en auto-rickshaw, au risque toutefois d'être arrêté par la police car ces véhicules n'ont pas le droit de circuler en dehors de la ville.

La plupart des hôtels organisent des circuits à la frontière ; vous pouvez essayer le Grand Hotel (p. 271), qui accepte aussi les clients de l'extérieur sur demande préalable (prix à l'inscription).

PATHANKOT

☎ **0186 / 168 000 habitants**

Pour les voyageurs, cette ville frontalière poussiéreuse n'est qu'un nœud de transports vers l'Himachal Pradesh et le Jammu voisins.

TRAVERSER LA FRONTIÈRE INDO-PAKISTANAISE

Heures d'ouverture de la frontière

La frontière est ouverte de 10h à 16h tous les jours. Arrivez une demi-heure au moins avant la fermeture.

Changer des devises

La minuscule **State Bank of India** (⏲ 10h-17h ; lun-sam) change des espèces. Il est recommandé d'effectuer vos transactions à Amritsar, où les banques sont plus importantes.

Transports au Pakistan

Depuis Wagah (Pakistan), les bus et taxis rallient Lahore, à 30 km.

Où se loger et se restaurer

Pour passer la nuit sur place, allez à l'**Aman Umeed Tourist Complex** (côté Attari ; ch 1 000 Rs ; ❄), qui possède aussi un restaurant (plats 75-190 Rs).

De petits étals proposent en-cas et boissons fraîches.

Visas

S'il est théoriquement possible d'obtenir un visa à l'ambassade du Pakistan à Delhi, il est toutefois recommandé d'en faire la demande dans votre pays d'origine où les procédures sont généralement plus simples (voir aussi p. 790).

PARADE MARTIALE

Tous les soirs, juste avant le coucher du soleil, des soldats indiens et pakistanais se retrouvent à la frontière pour une cérémonie de 30 minutes. L'abaissement du drapeau et la cérémonie de fermeture de la frontière tient à la fois du cérémonial colonial bien réglé, du défilé comique au pas de l'oie et, compte tenu des relations orageuses entre les deux pays, d'une incroyable coopération. L'événement est si populaire que des tribunes ont été installées pour accueillir la foule des patriotes.

La cérémonie commence vers 16h15 en hiver et 17h15 en été (vérifiez car les horaires dépendent du coucher du soleil). Vous pouvez utiliser (gratuitement) votre appareil photo, mais les grands sacs sont interdits (les contrôles sont irréguliers).

Arrivez tôt pour éviter la ruée vers les tribunes. De l'endroit où s'arrêtent les transports, il faut marcher 10 minutes pour les rejoindre. Les étrangers sont autorisés à s'asseoir aux premiers rangs (derrière la zone VIP, la plus proche de la frontière).

Avant la cérémonie, les soldats piétinent le visage fermé, avec un air timide de débutant, et toute l'animation vient des spectateurs, dont certains défilent en brandissant le drapeau indien. Une puissante musique et un animateur attisent la ferveur patriotique. Le public pakistanais, hommes et femmes séparés, exprime son ardeur tout aussi bruyamment, hormis pendant le ramadan.

Ensuite, sur un ordre lancé depuis chacune des salles de garde, les soldats entament un défilé au pas cadencé, épaules redressées, moustaches saillantes et regards intimidants. La parade jusqu'à la frontière soulève de furieux applaudissement du public qui scande de façon ininterrompue "Hindustan zindabad" (Vive l'Inde !).

Les portes s'ouvrent alors brutalement et les officiers commandant la garde s'avancent l'un vers l'autre pour échanger un bref salut et une poignée de main. Les drapeaux sont ensuite abaissés simultanément et pliés, puis les portes refermées d'un coup sec. La frontière est alors fermée pour la nuit.

L'**Hotel Venice** (☎ 2225061 ; www.venicehotelindia.com ; Dhangu Rd ; ch 980 Rs ; ❄) propose le meilleur hébergement (demandez une chambre rénovée) et plusieurs restaurants. Vous trouverez d'autres hôtels sur Railway Rd et, avec une réservation de train, vous pouvez loger dans les *retiring rooms* (double 200 Rs) de la gare.

La **gare routière** (☎ 2254435 ; Gurdaspur Rd) se trouve à 500 m de la gare ferroviaire de Pathankot Junction et à 3 km de la gare ferroviaire de Chakki Bank.

Bus et taxis desservent Amritsar (70 Rs, 2 heures 30), Jammu (70 Rs, 2 heures 30), Chamba (80 Rs, 3 heures 30), Dalhousie (65 Rs, 2 heures 30), Dharamsala (65 Rs, 2 heures 30), Manali (280 Rs, 10 heures 30), Chandigarh (136 Rs, 6 heures) et Delhi (280 Rs, 11 heures).

Chaque jour, plusieurs trains express rejoignent Delhi (sleeper/3-AC/2-AC 230/540/1 000 Rs, 11 heures), Amritsar (chair 34 Rs, 3 heures) et Jammu (chair 40 Rs, 3 heures). La ligne à voie étroite de la vallée de Kangra part de la gare de Pathankot Junction (encadré p. 397).

Les taxis pour Amritsar et Dharamsala reviennent respectivement à environ 1 300 et 1 400 Rs.

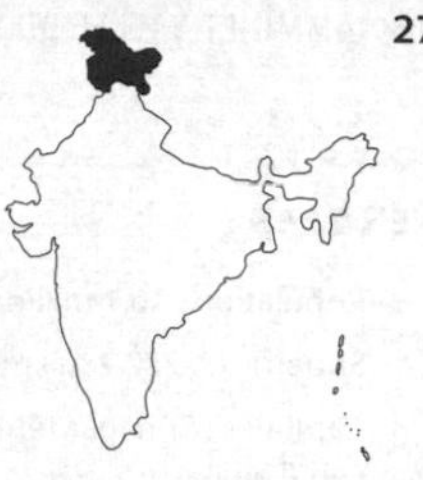

Jammu-et-Cachemire

L'État du Jammu-et-Cachemire réunit trois régions totalement différentes. Le Ladakh, sublime contrée himalayenne majoritairement peuplée de bouddhistes tibétains d'une gentillesse désarmante, attire la plupart des voyageurs étrangers. Ce fabuleux patchwork de monastères, de gorges et d'arides montagnes rocheuses ne ressemble en rien au reste de l'Inde. Lorsque les routes d'accès sont ouvertes (en été uniquement), Leh, la charmante "capitale" du Ladakh, offre toutes les infrastructures nécessaires aux touristes et se révèle idéale pour trouver des compagnons de trekking ou des voyageurs disposés à partager une Jeep. Si Leh vous paraît trop touristique, vous pouvez vous réfugier au Zanskar, une région ladakhie moins visitée, frangée de pics enneigés dépassant 7 000 m.

Pour les touristes indiens, le Jammu-et-Cachemire présente d'autres attraits. Des millions de pèlerins hindous affluent à Armanath et à Vaishno Devi près de Jammu. D'autres visiteurs apprécient le Cachemire musulman pour son agréable fraîcheur en été, pour son splendide paysage de montagne et pour le ski à Gulmarg en hiver. Surnommée la Vallée du Paradis, le Cachemire connaît une telle instabilité politique que les touristes occidentaux l'ont déserté depuis la fin des années 1980. Certains viennent admirer les curieux temples hindous de Jammu et savourer la sérénité des lacs de Srinagar à bord d'un house-boat. Les disputes territoriales au sujet du Cachemire ont provoqué trois guerres entre l'Inde et le Pakistan et les conflits intercommunautaires ont entraîné la fermeture de la route Jammu-Srinagar pendant la quasi-totalité de l'été 2008. Il est indispensable de se renseigner sur la sécurité avant de partir pour Jammu ou Srinagar. Si la situation semble trop tendue, ne prenez pas de risque et allez au Ladakh en avion ou par la route de Manali, accidentée et somptueuse.

À NE PAS MANQUER

- Les peintures murales et l'ambiance propice à la méditation des *gompa* (monastères bouddhiques tibétains) de la **vallée de l'Indus** (p. 327)
- La fraîcheur estivale de **Leh** (p. 301), la paisible capitale du Ladakh, ses petites rues médiévales, son palais évoquant le Potala et son profond respect de l'environnement
- Un trek inoubliable en haute altitude dans l'austère magnificence du **Ladakh** (p. 298) ou du **Zanskar** (p. 295)
- Une plongée dans l'époque du Raj en séjournant à bord d'un luxueux house-boat sur le lac Dal à **Srinagar** (p. 285)
- Les sublimes paysages de montagne derrière l'eau bleue du **Pangong Tso** (p. 329) ou la splendide **vallée de la Nubra** (p. 324)

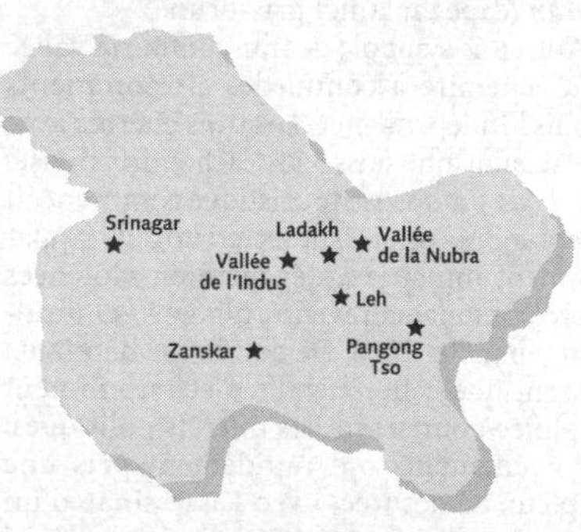

EN BREF

- Population : 10,1 millions d'habitants
- Superficie : 222 236 km^2
- Capitales : Srinagar (été), Jammu (hiver), Leh (Ladakh)
- Principales langues : cachemiri, ourdou, ladakhi, hindi, purig, balti, dogri, punjabi et pahari
- Meilleures périodes : mai à octobre (Srinagar), juillet à début septembre (Ladakh), décembre à mars (ski à Gulmarg)

JAMMU ET VALLÉE DU CACHEMIRE

Majoritairement hindou, le Jammu se tient en bordure des plaines, au nord desquelles de hauts sommets se déploient à perte de vue. Profondément enfoncée dans ces montagnes et occupant le lit de ce qui était jadis un lac immense, la vallée du Cachemire, musulmane, offre un aspect et une culture totalement différents. Ici, les villages aux toits de tôle côtoient des rizières en terrasses délimitées par des vergers et des rangées de peupliers. Fiers de leur indépendance d'esprit, les Cachemiris pratiquent pour la plupart un islam basé sur le soufisme. Beaucoup ont les yeux verts. En hiver, ils se réchauffent en transportant un *kangri* (pot en terre rempli de braises dans un panier d'osier) sous leur *pheran* (cape en laine) gris-brun.

Autrefois symbole de tranquillité, la vallée du Cachemire a connu des affrontements depuis l'Indépendance. Les trois guerres avec le Pakistan ont laissé le Cachemire divisé. Alors que l'industrie touristique commençait à reprendre, une dispute territoriale apparemment mineure a dégénéré en violences intercommunautaires entre hindous et musulmans en juillet 2008. De nombreux habitants pensent que cette querelle a été sciemment amplifiée pour servir des intérêts politiques. Les événements ont rapidement pris une ampleur démesurée, avec l'assassinat d'un important dirigeant nationaliste cachemiri et la fermeture de la route Jammu-Srinagar pendant presque tout l'été. Si les esprits se sont calmés en septembre 2008, les problèmes sous-jacents demeurent et il serait irresponsable de se rendre au Cachemire sans vérifier au préalable la situation politique (voir l'encadré p. 281).

Histoire

Géologues et mystiques hindous s'accordent sur le fait que la vallée du Cachemire, longue de 140 km, était jadis un lac immense. Par contre, leurs avis divergent sur l'assèchement du lac, provoqué par un séisme postérieur à la période glaciaire pour les premiers, par le dieu Vishnu et ses compagnons pour tuer le démon du lac pour les seconds.

Au IIIe siècle av. J.-C., le royaume hindou du Cachemire devint un important centre d'enseignement bouddhiste sous l'empereur Ashoka. Pendant des siècles, des artistes bouddhistes cachemiris voyagèrent dans l'Himalaya et réalisèrent de fabuleuses peintures murales dans les monastères, comme celles qui subsistent à Alchi (p. 321).

Aux XIIIe et XIVe siècles, de pacifiques mystiques soufis introduisirent l'islam au Cachemire. Plus tard, des dirigeants musulmans, tel l'iconoclaste sultan Sikander (1389-1413), ordonnèrent la destruction des temples hindous et des monastères bouddhiques. D'autres, comme le grand Zeinalab'din (règne 1423-1474), encouragèrent la tolérance religieuse et culturelle à tel point que les visiteurs de cette époque rapportaient que rien ne différenciait les hindous et les musulmans cachemiris. Cette relative ouverture d'esprit perdura sous le règne de l'empereur moghol Akbar (1556-1605), dont les troupes s'emparèrent du Cachemire en 1586. Les Moghols, qui considéraient le Cachemire comme leur jardin d'Éden, créèrent de splendides jardins dans Srinagar, dont certains subsistent aujourd'hui.

Lors de l'arrivée des Britanniques en Inde, le Jammu et le Cachemire étaient constitués de royaumes indépendants, contrôlés par les dirigeants sikhs de Jammu. En 1846, après que les Britanniques eurent vaincu les sikhs, ils donnèrent le Cachemire au maharaja Gulab Singh en échange d'un tribut annuel de six châles, douze chèvres et un cheval. La dynastie autocratique hindoue des Dogra, dont était issu Gulab Singh, gouverna jusqu'à l'Indépendance, témoignant d'un mépris total envers la majorité musulmane. La plupart des citoyens étaient à peine plus que des esclaves et soumis au système du *begar*, un servage qui les obligeait à travailler gratuitement comme porteurs ou ouvriers agricoles pour les pandits locaux.

Alors qu'approchait la Partition en 1947, le Cachemire se trouvait dans une situation délicate. Malgré une population majoritairement musulmane, le leader populaire (et emprisonné) de l'opposition essentiellement islamique préconisait le rattachement à l'Inde. Le maharaja hindou Hari Singh préférait conserver l'indépendance du Cachemire mais se révéla incapable de prendre une décision et les mois passèrent. Finalement, pour sortir du statu quo, des tribus pachtounes, appuyées par le nouveau gouvernement pakistanais, tentèrent un coup l'État et échouèrent de peu. En une journée ou presque, les Pachtouns se trouvèrent quasi aux portes de Srinagar, alors sans protection. Juste à temps, Nehru, lui-même cachemiri hindou et tout premier Premier ministre de l'Inde indépendante, envoya des troupes par avion, déclenchant le premier conflit indo-pakistanais. Srinagar était sauvée. Les envahisseurs furent repoussés hors de la vallée du Cachemire, mais le Pakistan garda le contrôle du Baltistan, de Muzaffarabad et des principales voies d'accès de la vallée. Depuis, le Cachemire est divisé par une frontière ténue – la Ligne de contrôle –, déterminée par les Nations unies. La proposition d'un référendum afin que les Cachemiris décident eux-mêmes de rallier le Pakistan ou l'Inde ne se concrétisa jamais et une nouvelle invasion du Pakistan en 1965 provoqua un autre conflit de longue durée.

Alors que beaucoup d'Indiens cachemiris souhaitaient être indépendants de l'Inde et du Pakistan, ce conflit devint la grande cause des fondamentalistes islamiques propakistanais. Une frange de militants se tourna vers la rébellion armée, réprimée avec brutalité par l'armée indienne, ce qui provoqua un ressentiment exacerbé. En 1990, l'État était envahi de combattants, certains originaires du Cachemire, mais beaucoup plus d'Afghanistan et du Pakistan, dont l'islam sunnite fondamentaliste contredisait l'ouverture d'esprit des Cachemiris soufis. Les groupes fondés par les moudjahidin afghans prétendaient combattre pour les droits des Cachemiris, mais terrorisaient les habitants des régions qu'ils contrôlaient pour leurs prétendues transgressions des lois islamiques et leur faible soutien à l'insurrection.

Le Cachemire fut alors placé sous l'autorité directe de Delhi, déclenchant les pires années de violences. Aux massacres et attentats à la bombe des rebelles firent écho les violations des droits de l'homme perpétrées par l'armée indienne, dont la disparition inexpliquée de quelque 4 000 personnes. Les essais nucléaires menés par le gouvernement indien en 1998 firent craindre le pire. Le Pakistan répliqua par ses propres essais, puis franchit la Ligne de contrôle près de Kargil. La guerre nucléaire semblait plus que probable et le président américain Bill Clinton désigna le Cachemire comme la région la plus dangereuse au monde. Par chance, les Nations unies parvinrent à calmer la situation. Après un cessez-le-feu en 2003, la plus grande autonomie du Cachemire s'accompagna d'une baisse significative des tensions, tandis que l'installation controversée d'une double barrière minée, haute de 2,50 m et parallèle à la Ligne de contrôle, aidait l'Inde à réduire les incursions. En octobre 2005, un tragique tremblement de terre fit plus de 75 000 victimes, essentiellement dans le Cachemire sous contrôle pakistanais ; il contribua cependant au rapprochement des deux gouvernements pour que l'aide puisse franchir la Ligne de contrôle.

Avec la diminution des attaques de rebelles, le tourisme national avait fortement augmenté ces dernières années. Puis l'été 2008 a été marqué par des violences et des grèves. Elles ont été provoquées par un conflit apparemment mineur au sujet du droit pour un organisme caritatif hindou de posséder un terrain de 16 ha à Amarnath ; un incident qui souligne la fragilité des relations intercommunautaires. Les troubles ont dégénéré en deux mois de grèves, d'affrontements et de couvre-feu. La situation s'est apaisée en septembre 2008, mais demeure très tendue et certains à Jammu demandent la création d'un État séparé.

Parallèlement, le paisible Ladakh cherche à obtenir le statut de territoire de l'Union (comme Chandigarh) afin de pouvoir se démarquer des troubles qui agitent le Jammu-et-Cachemire, avec lequel il n'a pas de liens.

Climat

Des pluies torrentielles, une chaleur écrasante et un fort taux d'humidité caractérisent le Jammu de juin à août. Par contraste, les étés sont agréablement frais dans la montagneuse vallée du Cachemire. La saison de ski à Gulmarg dure de décembre à mars. Si la route Jammu-Srinagar reste en principe ouverte tout l'hiver, les routes plus petites,

JAMMU-ET-CACHEMIRE

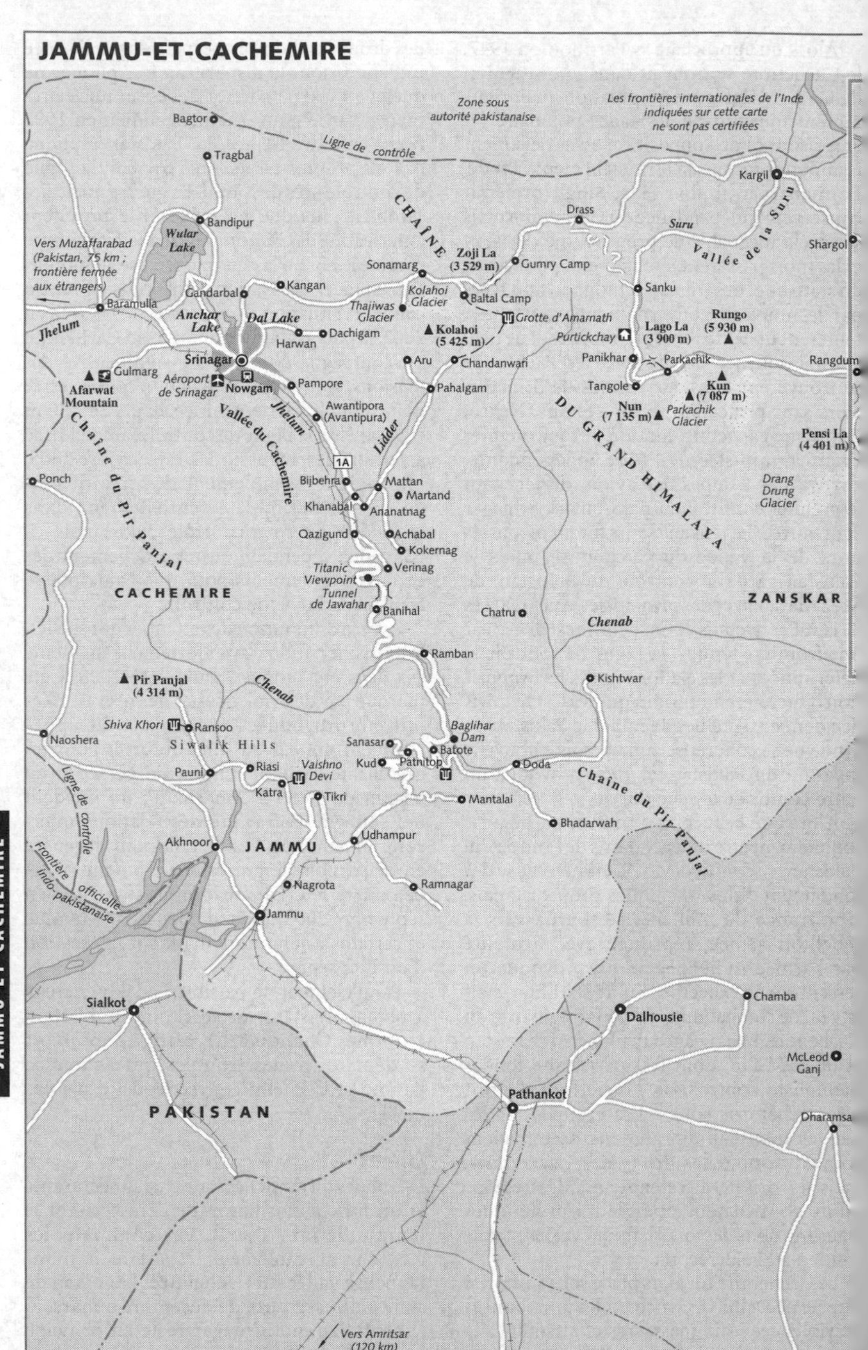

0 50 km
0 30 miles
Voir carte Environs de Leh (p. 319)
Zone sous autorité chinoise
Panamik
Nubra
Pinchamik
Vallée de la Nubra
Sumur
Dha
Hanu-Do
Hunder
Tirit
Diskit
Indus
Chaîne
Khalsar
Rongo
Namika La (3 760 m)
Skurbuchan
Khardung
Mulbekh
Timishgan
Shyok
Fotu La (4 147 m)
Khalsi
Khardung La (5 602 m)
Hiniskut
Rizong
Lamayuru
du Ladakh
Kanji La (5 255 m)
Prinkiti La (3 750 m)
Hinju
Alchi
Nimmu
Phyang
Leh
Chang La (5 289 m)
Konze La (4 950 m)
Dung Dung La (4 820 m)
Spituk
Zingchen
Choglamsar
Durbuk
Sisir La (4 850 m)
Ganda La (4 920 m)
Thiksey
Takthog
Tangtse
Chaîne
Stok Kangri (6 121 m)
Lukung
Singge La (5 050 m)
Zanskar
Markha
Chemrey
Pangong Tso
Hemis
Spangmik
Nerak
Chaîne du Stok
Karu
Accès interdit aux étrangers au-delà de cette limite
du Zanskar
Upshi
Miru
Stod
Cha Cha La (4 950 m)
Gya
Rubrang La (5 020 m)
Rumtse
Pidmo
Zangla
Indus
Phey
Taglang La (5 359 m)
Karsha
Sani
Stongde
Padum
LADAKH
Tso Kar
Bardan
Mune
Horlamkong La (4 712 m)
Chumathang
Raru
Pang
Thukse
Raldong
Pepula
Phuktal
Puga
Mahe
Purne
Camp militaire de Pang
Kyamayur La (5 125 m)
Yal
Lachlung La (5 060 m)
Tetha
Tanze
Tso Kiagar
Gamabarma La (5 101 m)
Point de vue
Kargyak
RUPSU
Yalangyau La (4 920 m)
Korzok
Tentes de Bharatpur
Tso Moriri
Camp d'été des nomades Chang-Pa
Shingo (Shinkun) La (5 090 m)
Lakong
Sarchu
Patseo
Ramjak
Vallée de Pattan
Chika
Baralacha La (4 950 m)
Darcha
Poste de contrôle de Darcha
Udaipur
Jispa
Café sous tente de Zingzingbar
LAHAUL
Keylong
TIBET (CHINE)
Gondla
Khoksar
HIMACHAL PRADESH
Vallée de Kullu
Manali
Kaza
Naggar
Kullu
SPITI
Tabo
Kullu
Aéroport de Kullu

dont celle qui relie Sonamarg et Kargil, sont coupées par la neige et fermées jusqu'à la fin du printemps.

Désagréments et dangers

Les affrontements politiques demeurent préoccupants (voir l'encadré p. 281). Méfiez-vous des forfaits pour les house-boats, surtout ceux vendus en dehors du Cachemire (voir l'encadré p. 290). Gardez toujours votre passeport à portée de main lors de vos déplacements ; vous devrez le présenter aux nombreux postes de contrôle. Toutes les routes qui mènent au Ladakh sont impraticables en hiver et la plupart des établissements touristiques ferment d'octobre à mai.

Comment s'y rendre et circuler

De nombreux vols intérieurs desservent Srinagar et Jammu. Des bus et des Jeep collectives rallient le Ladakh, seulement en été. Des lignes ferroviaires relient Jammu à Delhi et Amritsar, mais des problèmes techniques ont retardé la construction de la nouvelle ligne Jammu-Srinagar. L'auto-stop revient rarement moins cher que le trajet en bus, et les chauffeurs de camion en état d'ivresse constituent un réel problème. En période de tensions politiques, les Jeep de location sont considérées comme plus sûres que les transports publics.

SUD CACHEMIRE

Cette partie du Cachemire est essentiellement peuplée d'hindous et de sikhs, et ses lieux saints attirent d'innombrables pèlerins. Les visiteurs étrangers sont très rares en raison des attaques régulières de militants musulmans, supposés venir du Pakistan.

Jammu

☎ 0191 / 612 000 habitants / altitude 327 m

Si la ligne ferroviaire continue jusqu'à Udhampur, à 65 km, Jammu reste le principal carrefour ferroviaire du Cachemire et une étape majeure pour les pèlerins qui se rendent à Vaishno Devi (voir l'encadré p. 285). Fondée en 1730, la capitale d'hiver du Jammu-et-Cachemire était le siège royal des rajas Dogra, dont le Mubarak Mandi, superbement délabré, domine une "vieille ville" effervescente, à l'architecture quelconque. Bien que Jammu s'autoproclame la "cité des temples", peu d'entre eux ont un intérêt historique ; beaucoup sont cependant suffisamment kitsch et animés pour justifier une halte d'une journée sur la route de Srinagar ou du Ladakh, si la sécurité le permet.

ORIENTATION

Le centre vallonné de Jammu s'étend sur la rive nord de la Tawi et grimpe régulièrement de la gare routière au Mubarak Mandi à travers les étroites ruelles du bazar. La gare ferroviaire, l'aéroport et le fort se situent à plusieurs kilomètres sur la rive sud. La plupart des cartes publiées sont inexactes.

RENSEIGNEMENTS

HFDC Bank. Un DAB fiable près de la gare routière.
J&K Bank (Raghunath Bazaar ; ⌚ 10h-16h lun-ven, 10h-13h sam). Change les espèces et possède un DAB.
J&K Tourism (☎ 2548172, 2544527 ; www.jktdc.org ; Regency Rd ; ⌚ 6h-21h30). Comporte une réception, un bâtiment d'hébergement, plus un comptoir d'information à la gare ferroviaire. La carte de la ville (10 Rs) est très approximative.
Web Raiders (Dogra Hall Rd ; 40 Rs/h). Accès à Internet.

À VOIR

Sacs, appareils photo, téléphones portables voire même stylos doivent parfois être déposé à l'entrée des principaux sites. Ceux-ci sont trè dispersés et vu la chaleur écrasante, les "cir

JAMMU-ET-CACHEMIRE

FÊTES ET FESTIVALS AU JAMMU ET DANS LA VALLÉE DU CACHEMIRE

Fête de Jammu (avr ; Jammu, ci-dessus). Trois jours de ripaille et de danse.
Sri Amarnath Ji Yatra (juil-sept ; Armanath, voir l'encadré p. 285). Lors de la pleine lune notamment, des centaines de milliers de pèlerins hindous grimpent à pied pour vénérer le lingam de glace d'Amarnath.
Vaishno Devi Yatra (début oct ; Katra, voir l'encadré p. 285). Des pèlerins hindous affluent à Vaishno Devi, particulièrement début octobre.
Ramadan (tout l'État). Le mois de jeûne du calendrier musulman se termine par l'Id al-Fitr (p. 27).
Id al-Adha (tout l'État ; p. 28). Les musulmans commémorent le sacrifice d'Ibrahim (Abraham) par des banquets et des sacrifices d'animaux.
Pour les fêtes et festivals du Ladakh, consultez l'encadré p. 299.

> **CONDITIONS DE SÉCURITÉ**
>
> En période de calme, le Cachemire n'est pas plus dangereux que toute autre région de l'Inde. Cependant, la présence de l'armée dans les banques, les bureaux et les sites religieux peut sembler pesante (ne prenez jamais de photos d'installations militaires sans permission explicite). La violence peut néanmoins reprendre sans prévenir, suite à un discours enflammé ou à une arrestation controversée.
>
> Avant le départ, consultez de nombreuses sources pour avoir une idée de la situation, sachant que les points de vue manquent souvent d'objectivité. Comparez les avis des journaux suivants (en anglais) :
>
> - *Daily Excelsior* (www.dailyexcelsior.com)
> - *Greater Kashmir* (www.greaterkashmir.com)
> - *Kashmir Herald* (www.kashmirherald.com)
> - *Kashmir Times* (www.kashmirtimes.com)
> - *IndiaMike* (www.indiamike.com/india/jammu-and-kashmir-f30)
>
> Sachez que votre assurance voyage ne vous couvrira pas forcément si votre gouvernement déconseille de se rendre au Cachemire. Faites preuve de bon sens, évitez les manifestations, les rassemblements politiques et les installations militaires. Les bus, les gares routières et les groupes de pèlerins ont été la cible d'attentats par le passé.

cuits" de 4 heures en auto-rickshaw (300 Rs) constituent une excellente solution.

Rive nord

Au cœur de la vieille ville, le **Raghunath Mandir** (Raghunath Bazaar ; ⏲ 6h-11h30 et 18h-21h30) est orné en façade d'un *sikhara* (temple hindou) doré et entouré de pavillons contenant des milliers de cailloux gris incrustés dans du ciment ; ce sont en fait des *saligram* (fossiles d'ammonites) représentant les innombrables divinités du panthéon hindou.

Également central, le grand **Ranbireshwar Mandir** (Shalimar Rd) n'a rien de remarquable au niveau architectural. Il renferme une importante collection de lingams, dont certains en cristal opalescent.

Caché derrière une multitude de stands de châles dans une ruelle facile à manquer, le **Gupawala Mandir** (Pinkho Rd) est un petit ensemble de galeries creusées dans la roche, avec des grottes aux couleurs chatoyantes dédiées à Krishna et à Shiva.

Jadis grandiose, l'imposant **Mubarak Mandir** semble près de s'effondrer. Seule section ouverte, l'ancienne **salle Durbar** (ou Pink Hall) abrite aujourd'hui une galerie d'art. Dans le dédale des cours à l'arrière, des papiers oubliés par des bureaucrates jonchent des salles récemment désertées et volettent dans les escaliers à demi délabrés. Un spectacle surréaliste !

L'**Amar Mahal Palace** (☎ 2546783 ; Indiens/étrangers 10/45 Rs, appareil photo 10 Rs ; ⏲ 9h-12h50 et 14h-17h50 oct-mars, 14h-16h50 avr-sept) fut la dernière résidence officielle des rajas Dogra. Cette demeure en brique et pierre d'allure très européenne comporte de jolis balcons en bois et une tourelle de château. La collection d'aquarelles est moins impressionnante que l'emplacement du palais, au sommet d'une falaise avec vue panoramique sur la vallée.

Rive sud

De l'autre côté de la Tawi, les murs bas et complètement rénovés du **fort de Bahu**, construit au XIXe siècle sur une colline, protègent désormais un temple dédié à Kali. La pelouse à l'extérieur recouvre un **aquarium** (adulte/enfant 20/10 Rs ; ⏲ 11h-21h mar-sam, 11h-20h dim) souterrain, dans lequel on entre par la gueule béante d'une carpe géante.

Joyeusement tape-à-l'œil, le **Har-ki-Paori Mandir** est un ensemble de divinités géantes en ciment, dans un style qui évoque les parcs Disney. Elles surveillent un lieu de baignade où les jeunes garçons plongent dans la Tawi sous le regard attendri de leurs parents. De l'autre côté de la rivière, le Mubarak Mandi révèle son immensité.

Certains circuits grimpent la bretelle sud-est pour visiter l'étrange **Mahamaya Mandir**. Chantier de construction et camp militaire, le site est affreux, mais offre une vue superbe.

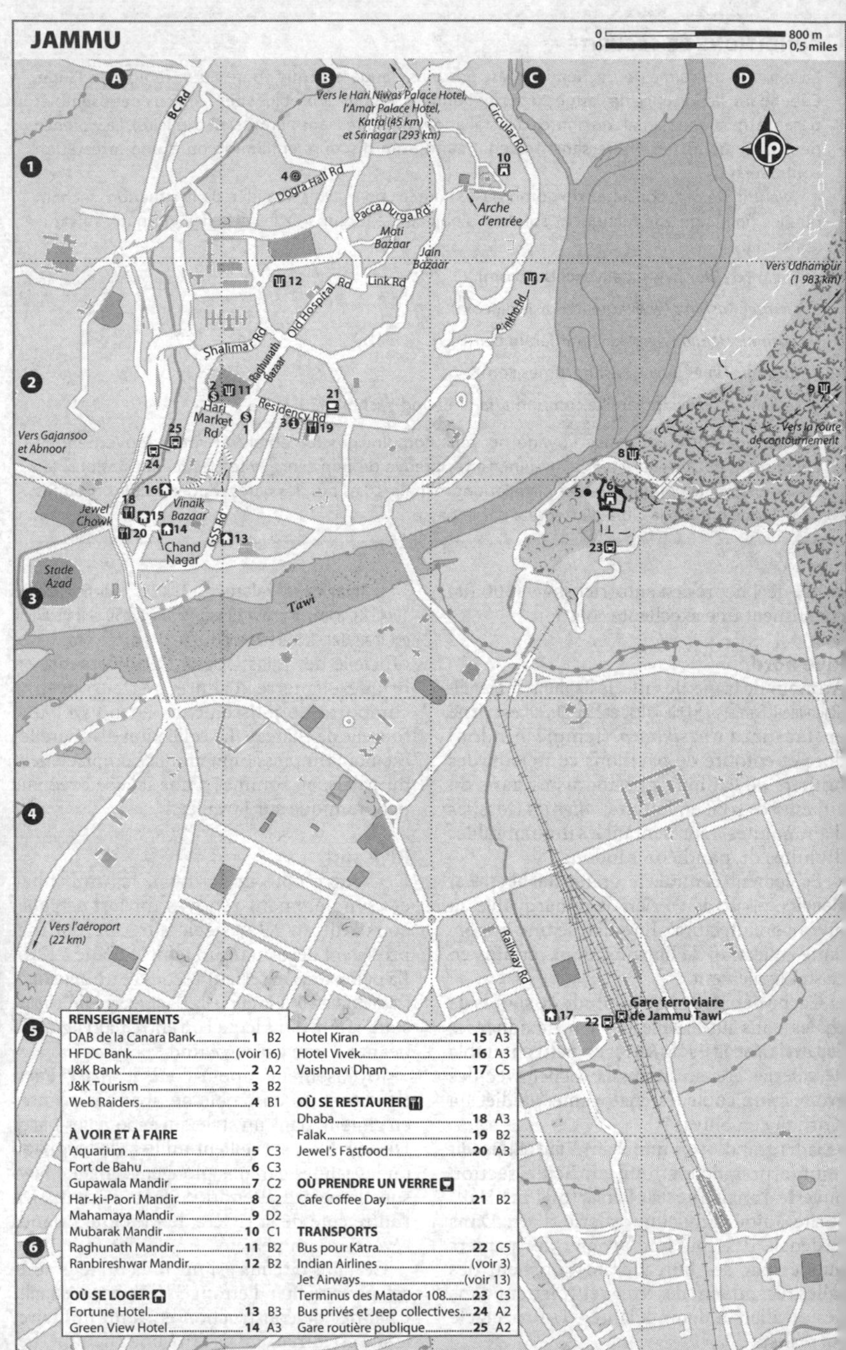
JAMMU
0 800 m
0 0,5 miles
A
B
C
D
1
2
3
4
5
6
Vers le Hari Niwas Palace Hotel, l'Amar Palace Hotel, Katra (45 km) et Srinagar (293 km)
BC Rd
Circular Rd
Dogra Hall Rd
Pacca Durga Rd
Arche d'entrée
Moti Bazaar
Jain Bazaar
Link Rd
Old Hospital Rd
Pinkho Rd
Shalimar Rd
Raghunath Bazaar
Residency Rd
Hari Market Rd
Vers Gajansoo et Abnoor
Jewel Chowk
Vinaik Bazaar
GSS Rd
Chand Nagar
Stade Azad
Tawi
Vers Udhampur (1 983 km)
Vers la route de contournement
Vers l'aéroport (22 km)
Railway Rd
Gare ferroviaire de Jammu Tawi
RENSEIGNEMENTS
DAB de la Canara Bank 1 B2
HFDC Bank (voir 16)
J&K Bank 2 A2
J&K Tourism 3 B2
Web Raiders 4 B1
À VOIR ET À FAIRE
Aquarium 5 C3
Fort de Bahu 6 C3
Gupawala Mandir 7 C2
Har-ki-Paori Mandir 8 C2
Mahamaya Mandir 9 D2
Mubarak Mandir 10 C1
Raghunath Mandir 11 B2
Ranbireshwar Mandir 12 B2
OÙ SE LOGER
Fortune Hotel 13 B3
Green View Hotel 14 A3
Hotel Kiran 15 A3
Hotel Vivek 16 A3
Vaishnavi Dham 17 C5
OÙ SE RESTAURER
Dhaba 18 A3
Falak 19 B2
Jewel's Fastfood 20 A3
OÙ PRENDRE UN VERRE
Cafe Coffee Day 21 B2
TRANSPORTS
Bus pour Katra 22 C5
Indian Airlines (voir 3)
Jet Airways (voir 13)
Terminus des Matador 108 23 C3
Bus privés et Jeep collectives 24 A2
Gare routière publique 25 A2

Parfois empruntée par des chameaux, la route traverse des vergers d'avocatiers peuplés de singes et de chèvres.

OÙ SE LOGER

Des hôtels sont installés dans toute la ville, souvent dégradés par des pèlerins peu soigneux qui les prennent d'assaut pendant la saison du *yatra* (pèlerinage) de Vaishno Devi, début octobre. De nombreux hôtels bon marché se regroupent autour de Vinaik Bazaar, à un pâté de maisons au sud et à l'est de la gare routière, et offrent des chambres minuscules fréquemment sans fenêtre.

Vaishnavi Dham (☎ 2473275 ; www.maavaishnodevi.org ; Railway Rd ; dort/d 60/650 Rs ;). Conçu pour les pèlerins mais ouvert à tous, ce vaste établissement blanc constitue une bonne affaire à condition de dormir dans un dortoir de 20 lits. Tournez à droite en sortant de la grande cour devant la gare ferroviaire.

Green View Hotel (☎ 2573906 ; 69 Chand Nagar ; s à partir de 125 Rs, d 250-350 Rs). Un peu plus propre, plus tranquille et mieux géré que beaucoup d'hôtels de Vinaik Bazaar, le Green View propose des simples exigus et des doubles plus plaisantes, pour la plupart avec douche (eau froide), rafraîchisseur d'air, TV, toilettes propres et fenêtre. Le toit-terrasse est en ciment nu. L'entrée se situe au bout de la ruelle, en face de l'Hotel Kiran aux couleurs criardes, à un pâté de maisons à l'est de Jewel Chowk.

Hotel Vivek (☎ 2547545 ; Below Gumat ; s/d à partir de 700/900 Rs ;). Établissement correct de catégorie moyenne, il avoisine la gare routière. L'éclairage chaleureux et la clim compensent l'absence de fenêtre dans les chambres à l'arrière et le bruit dans celles en façade.

Fortune Hotel (☎ 2561415 ; www.fortunehotels.in ; BSS Rd ; s/d à partir de 3 300/3 600 Rs ;). À part quelques négligences mineures dans l'entretien, ce bel hôtel d'affaires moderne répond à toutes les attentes : un soupçon d'orientalisme dans l'atrium, le café gracieusement offert, un bar, une discothèque et un restaurant séduisant sur le toit-terrasse. Tarifs préférentiels pour les réservations en ligne.

Hari Niwas Palace Hotel (☎ 2543303 ; www.hariniwaspalace.com ; s/d à partir de 3 300/6 600 Rs, deluxe 6 600/8 250 Rs ;). Tenu par les descendants de l'ancien maharaja, ce palais blanc du XXe siècle bénéficie d'un emplacement privilégié, au sommet d'une falaise à côté de l'Amar Mahal Palace. Si les chambres deluxe sont parfaites, les moins chères sont en sous-sol et semblent un peu négligées. Belle piscine couverte.

OÙ SE RESTAURER

La rue qui relie Jewel Chowk et Vinaik Bazaar compte plusieurs *dhaba* (échoppes) bon marché où se régaler de *chana puri* (pois chiches épicés servis sur un *puri*, 11 Rs) au petit-déjeuner et de délicieux repas de "poulet sauté" (65 Rs), accompagnés d'oignons caramélisés. Des boutiques de vin et deux bars sont installés à proximité.

Jewel's Fastfood (45-100 Rs ; 9h-22h30). Le choix de burgers, de *dosa*, de curries et de *thali* (végétarien/non végétarien 80/100 Rs) fait oublier l'ambiance occidentale insipide de cette salle climatisée.

Falak (☎ 2520770 ; KC Residency Hotel, Residency Rd ; plats 130-275 Rs plus 22,5% ; 12h30-23h). Restaurant panoramique tournant, il sert une excellente cuisine indienne à des prix un peu élevés.

Cafe Coffee Day (Residency Rd ; 10h-23h). Savourez le meilleur café de Jammu dans cette succursale climatisée de la chaîne Coffee Day.

DEPUIS/VERS JAMMU

Avion

Les compagnies **GoAir** (www.goair.in), **Indian Airlines** (☎ 2456086 ; complexe J&K Tourism ; 10h-16h45 lun-sam), **Jet Airways** (☎ 2574312 ; KC Residency Hotel), **JetLite** (www.jetlite.com) et **SpiceJet** (www.spicejet.com) desservent toutes Delhi (à partir de 3 150 Rs, 1 heure) et Srinagar (à partir de 3 150 Rs, 35 min). JetLite et GoAir proposent également des vols pour Mumbai, et Indian Airlines pour Leh (7 345 Rs, lundi et vendredi).

Bus et Jeep

Les bus privés et les Jeep collectives stationnent sur un parking chaotique au-dessous de l'autopont de BC Rd. Les bus publics utilisent la grande gare routière décrépite en béton, juste à l'est. Des bus publics partent pour Delhi à 4h30, 5h45, 7h40, 10h, 12h05 et 13h45 ; de nombreux bus privés partent entre 18h30 et 22h30, dont plusieurs bus-couchettes (500 Rs). Parmi les autres destinations desservies par les bus publics figurent Chamba (p. 400 ; 170 Rs, 7 heures, 8h05), Dalhousie (p. 398 ; 145 Rs, 6 heures, 8h), Dharamsala (p. 382 ; 220 Rs, 5 heures, 8h30), plus une trentaine de services quotidiens pour Amritsar (p. 266 ; 102 Rs, 6 heures) via Pathankot (p. 273 ; 50 Rs, 2 heures 30). Changer à Pathankot permet de rejoindre d'autres localités.

Actuellement, les liaisons en bus vers Srinagar sont suspendues. Il faut partager/louer une des nombreuses Jeep (à partir de 250/3 000 Rs) qui attendent le matin devant les gares routière et ferroviaire. Pour Katra, des bus/minibus/taxis (29/53/710 Rs) partent de la gare ferroviaire.

Train

Jammu Tawi, la principale gare ferroviaire de Jammu, se situe à 5 km de la gare routière. Pratiques, les trains de nuit pour Delhi incluent le *Jammu Mail* (4034) à 16h15 (13 heures) et le *Shalimar Express* (4646) à 21h (14 heures). Le meilleur train pour Amristsar part à 14h30 (à partir de 125 Rs, 4 heures). Le *Malwa Express* (2920) à destination d'Indore part à 9h et rejoint Agra à 22h40. L'*Himgri Express* (2332) qui se rend à Howrah (Kolkata, 60 heures) via Varanasi (Bénarès ; 22 heures 30) part à 22h45 les lundis, jeudis et dimanches.

Problèmes techniques et attentats ont considérablement retardé la construction de la nouvelle ligne ferroviaire Jammu-Srinagar sur le tronçon Udhampur-Katra-Qazigund. En 2012, elle devrait traverser la rivière Chenab sur ce qui sera l'un des plus hauts ponts du monde.

COMMENT CIRCULER

En auto-rickshaw, comptez 30 Rs pour un court trajet, 70 Rs entre les gares ferroviaire et routière, et 100 Rs jusqu'à l'aéroport.

LES MOSQUÉES CACHEMIRIES

Uniques, les mosquées cachemiries sont habituellement des édifices carrés, coiffés de toits à plusieurs niveaux et d'une modeste flèche centrale. Elles comportent rarement des minarets. Pour les visiteurs, leur décor intérieur en constitue le principal attrait, avec des murs couverts de papier mâché ou de *khatamband* (lambris de bois à facettes), peints de motifs floraux et géométriques de couleurs vives. Habillez-vous décemment, ôtez vos chaussures et demandez la permission avant d'entrer ou de prendre des photos. Comme dans toute mosquée, les femmes doivent se couvrir la tête et emprunter l'entrée qui leur est réservée.

Des minibus bondés et de curieux minibus Matador sillonnent la ville (5 Rs le trajet) : empruntez le n°108 pour le fort ou le n°117 entre les gares routière et ferroviaire. Les minibus Satwari passent par l'aéroport.

DE JAMMU À SRINAGAR

Bien goudronnée, la route Jammu-Srinagar franchit laborieusement deux cols et offre de nombreux points de vue splendides. Elle est aussi extrêmement fréquentée, avec un défilé permanent de camions et de convois militaires. La circulation est parfois interrompue par des glissements de terrain ou paralysée par des *hartal* (grèves passives), comme celui qui l'a bloquée durant l'été 2008, pénalisant les commerçants cachemiris et les voyageurs. Préparez-vous à prendre l'avion si la route ferme à nouveau.

Au départ de Jammu, la route grimpe à travers un paysage étrange de buttes boisées qui semblent avoir poussé çà et là au hasard. À l'approche de **Tikri**, une montagne imposante surgit à l'horizon, sillonnée des périlleux lacets du chemin de pèlerinage vers le **sanctuaire de Vaishno Devi** (voir l'encadré p. 285), haut perché sur son flanc (accessible de Katra).

Au Km 72,3 (à 6 km après **Udhampur**), de l'autre côté de la Tawi, une impressionnante **cascade** jaillit du versant boisé. Ensuite, la route monte un dénivelé d'un kilomètre à travers des forêts de conifères jusqu'à **Kud** et **Panitop** (Km 110), entre lesquelles sont installés quelques **complexes hôteliers** (d hors saison/plein tarif à partir de 150/2 000 Rs) un peu défraîchis. **Sanasar** (http://campsanasar.com), un détour de 18 km le long des crêtes à partir de Panitop, était autrefois prisé pour le parapente.

La route principale redescend en serpentant et juste avant le **Baglihar Dam**, un barrage controversé et ruineux, remonte vers le **tunnel de Jawahar** (2 531 m) où les étrangers doivent remplir les longs formulaires d'entrée/sortie du Cachemire (un peu étrange dans la mesure où l'on est déjà dans l'État du Jammu-et-Cachemire). Le **Titanic Viewpoint** (Km 208), 2 km après le tunnel, offre une vue panoramique sur la vaste **vallée du Cachemire** encadrée de montagnes, et ses superbes rizières en terrasses bordées de peupliers. Au Km 213 un autre point de vue domine **Verinag**, l'un des trois villages de la région dotés de jardins moghols. Halte traditionnelle pour un thé **Qazigund** est remplie d'échoppes de safran et de boutiques qui vendent des battes de cricket fabriquées sur place.

AMARNATH ET VAISHNO DEVI

Dans une grotte à **Armanath**, un étrange lingam naturel en pierre se couvre de glace opalescente entre mai et août. Ce phénomène extraordinaire attire chaque année plus d'un demi-million de pèlerins hindous, malgré les menaces des rebelles cachemiris. Les tensions sont particulièrement fortes depuis qu'une dispute sur la propriété d'un terrain a dégénéré en une flambée de violence embrasant tout l'État en 2008. Toutefois, rejoindre le fleuve chaotique des pèlerins cheminant constitue une expérience inoubliable si l'on est préparé aux risques potentiels, à une présence militaire oppressante et à la densité de la foule (ne vous attendez pas à un calme propice à la méditation). Tous les participants du *yatra* (pèlerinage) doivent se procurer une carte de pèlerin et être correctement vêtus pour affronter des températures pouvant descendre en dessous de zéro avant d'avoir l'autorisation d'entamer la marche.

Il existe deux itinéraires. En partant de Pahalgam (ci-dessous), un trajet en taxi de 16 km conduit à Chandanwari, d'où une marche de 3 jours (36 km) conduit à Armanath. Sinon, des Jeep collectives partent de Sonamarg (p. 293 ; 9h) pour le Baltal Camp, d'où l'on peut rejoindre la grotte et revenir en une longue journée de marche. Les pèlerins les plus aisés achèvent le trajet à cheval, en hélicoptère ou en *dandy* (palanquin).

Pendant tout l'été, les hôtels de la région profitent de l'afflux de pèlerins pour louer à n'importe quel prix des chambres miteuses. La demande est particulièrement forte pendant la fête de Shivrani, en juillet.

Le *yatra* jusqu'à la grotte où demeure **Vaishno Devi** (www.maavaishnodevi.org) est tout aussi populaire. Les pèlerins hindous viennent rendre hommage aux trois incarnations de la déesse, Saraswati la créatrice, Lakshmi la persévérante et Kali la destructrice. Pour atteindre la grotte, il faut franchir un gué dans l'eau glacée après une grimpée de 13,5 km dans la montagne depuis **Katra**, à 45 km de Jammu. Mai, juin et début octobre sont les principales périodes de pèlerinage. Comme à Armanath, la sécurité pose un sérieux problème.

À **Khanabal**, la petite route d'**Ananatnag** grimpe dans la vallée de la Lidder vers **Pahalgam** (ci-dessous), station touristique entourée de pins et étape pour les pèlerins.

En bord de route à **Awantipora** (Avantipura ; km 266,5), 29 km avant Srinagar, se dressent les ruines massives du **temple Awantiswarmi** (Indiens/étrangers 5/100 Rs ; aube-crépuscule), dédié à Vishnu et édifié au IXe siècle dans un style similaire à celui des temples hindous d'Asie du Sud-Est. Plus petit et aussi ancien, le **temple de Shiva**, à 1 km à l'ouest, se visite avec le même billet.

Poussiéreuse et étendue, **Pampore**, 14 km avant Srinagar, est la capitale indienne du safran. Au sud, les champs vallonnés de part et d'autre de la route se couvrent de crocus violets en octobre (c'est leur pistil qui produit le pigment jaune du safran).

Pahalgam

000 habitants / altitude 2 740 m

Pendant le pèlerinage (de juin à août ; voir encadré ci-dessus), Pahalgam est prise d'assaut par les *yatri* (pèlerins) d'Amarnath. Début septembre, elle redevient une bourgade paisible, idéale pour des promenades à pied ou à cheval, notamment vers les points de vue de Baisarn (5 km) et Dhabyan (7,5 km) ou jusqu'au lac Tulyan (7 km). Le **Jawahar Institute** (☎243129 ; 10h-17h lun-sam), à 1 km au sud du centre-ville, organise des **treks** de plusieurs jours d'un bon rapport qualité/prix (avril-novembre), et des sorties de **ski** (janvier-février). Sur la route d'Aru, **Highland Excursions** (☎01942488061 ; www.highlandoutdoors.com) propose des sorties de **rafting** (mi-avril à fin septembre).

Parmi les quelques curiosités de Pahalgam, citons le **temple Mamleshwar** du XIe siècle sur la rive ouest, la **mosquée** en bois et le **Club Park**, rempli de fleurs.

Les dizaines d'hôtels qui accueillent les pèlerins ferment pour la plupart en hiver.

SRINAGAR

☎ 0194 / 988 000 habitants / altitude 1 730 m

Les house-boats du placide lac Dal, les fameux jardins mogholS, les anciennes mosquées en bois, l'insolite "tombeau de Jésus" de Rozabal et la tiédeur de la température estivale font de Srinagar l'une des destinations favorites des touristes indiens. Sauf lorsque les tensions intercommunautaires se ravivent, comme

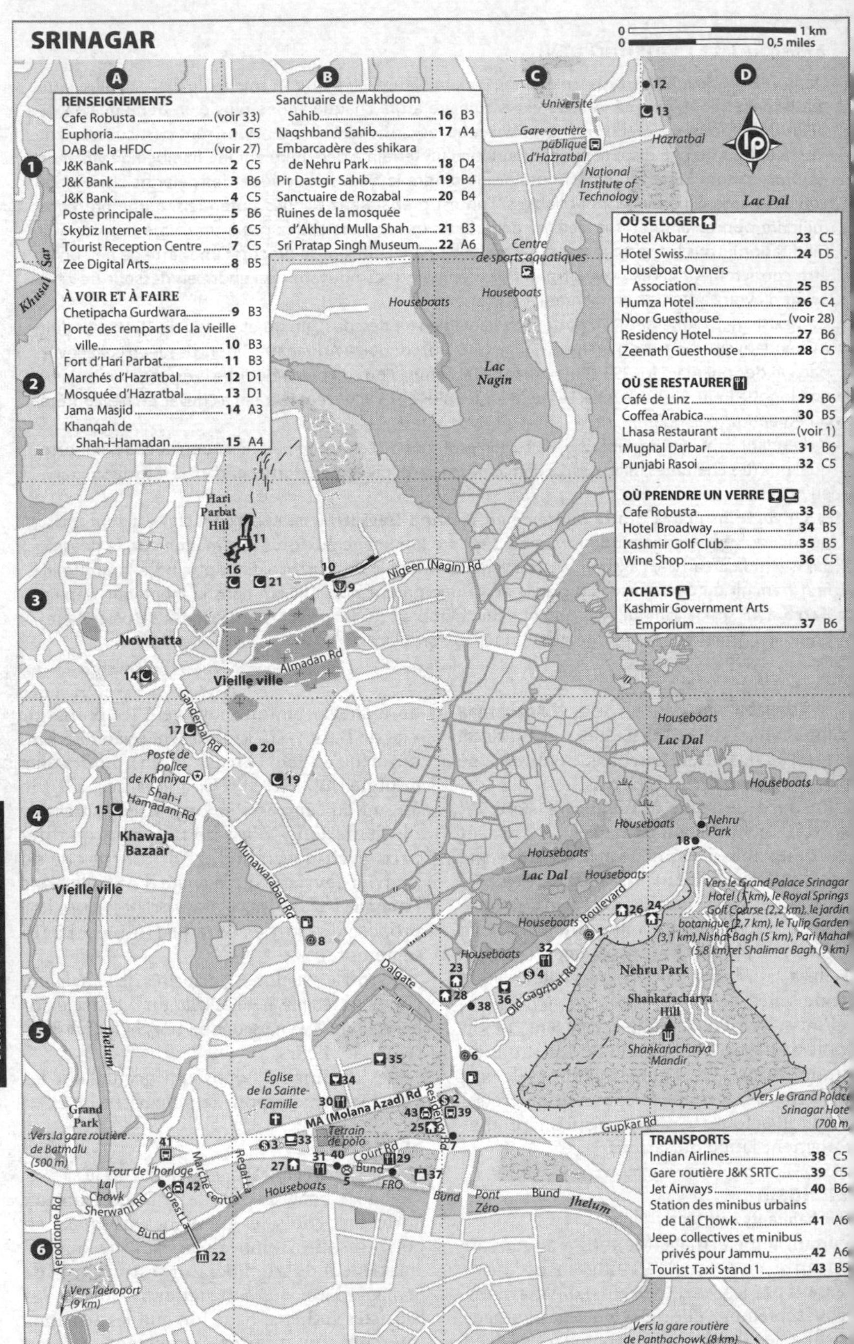
SRINAGAR
0 1 km
0 0,5 miles
A
B
C
D
1
2
3
4
5
6
RENSEIGNEMENTS
Cafe Robusta (voir 33)
Euphoria 1 C5
DAB de la HFDC (voir 27)
J&K Bank 2 C5
J&K Bank 3 B6
J&K Bank 4 C5
Poste principale 5 B6
Skybiz Internet 6 C5
Tourist Reception Centre 7 C5
Zee Digital Arts 8 B5
À VOIR ET À FAIRE
Chetipacha Gurdwara 9 B3
Porte des remparts de la vieille ville 10 B3
Fort d'Hari Parbat 11 B3
Marchés d'Hazratbal 12 D1
Mosquée d'Hazratbal 13 D1
Jama Masjid 14 A3
Khanqah de Shah-i-Hamadan 15 A4
Sanctuaire de Makhdoom Sahib 16 B3
Naqshband Sahib 17 A4
Embarcadère des shikara de Nehru Park 18 D4
Pir Dastgir Sahib 19 B4
Sanctuaire de Rozabal 20 B4
Ruines de la mosquée d'Akhund Mulla Shah 21 B3
Sri Pratap Singh Museum 22 A6
OÙ SE LOGER
Hotel Akbar 23 C5
Hotel Swiss 24 D5
Houseboat Owners Association 25 B5
Humza Hotel 26 C4
Noor Guesthouse (voir 28)
Residency Hotel 27 B6
Zeenath Guesthouse 28 C5
OÙ SE RESTAURER
Café de Linz 29 B6
Coffea Arabica 30 B5
Lhasa Restaurant (voir 1)
Mughal Darbar 31 B6
Punjabi Rasoi 32 C5
OÙ PRENDRE UN VERRE
Cafe Robusta 33 B6
Hotel Broadway 34 B5
Kashmir Golf Club 35 B5
Wine Shop 36 C5
ACHATS
Kashmir Government Arts Emporium 37 B6
TRANSPORTS
Indian Airlines 38 C5
Gare routière J&K SRTC 39 C5
Jet Airways 40 B6
Station des minibus urbains de Lal Chowk 41 A6
Jeep collectives et minibus privés pour Jammu 42 A6
Tourist Taxi Stand 1 43 B5
Université
Gare routière publique d'Hazratbal
Hazratbal
National Institute of Technology
Lac Dal
Khusal Sar
Centre de sports aquatiques
Houseboats
Lac Nagin
Hari Parbat Hill
Nigeen (Nagin) Rd
Nowhatta
Almadan Rd
Vieille ville
Ganderbal Rd
Poste de police de Khaniyar
Shah-i Hamadani Rd
Khawaja Bazaar
Munawarabad Rd
Nehru Park
Boulevard
Vers le Grand Palace Srinagar Hotel (1 km), le Royal Springs Golf Course (2,2 km), le jardin botanique (2,7 km), le Tulip Garden (3,1 km), Nishat Bagh (5 km), Pari Mahal (5,8 km) et Shalimar Bagh (9 km)
Dalgate
Old Gagribal Rd
Shankaracharya Hill
Shankaracharya Mandir
Jhelum
Église de la Sainte-Famille
MA (Molana Azad) Rd
Residency Rd
Vers le Grand Palace Srinagar Hotel (700 m)
Grand Park
Vers la gare routière de Batmalu (500 m)
Terrain de polo
Gupkar Rd
Court Rd
Tour de l'horloge
Lal Chowk
Marché central
Regal La
Bund
FRO
Sherwani Rd
Forest La
Pont Zéro
Aerodrome Rd
Vers l'aéroport (9 km)
Vers la gare routière de Panthachowk (8 km)

c'était malheureusement le cas lors de nos recherches, avec des grèves paralysant la ville et des couvre-feux de 24 heures. Attendez-vous à des changements concernant les informations de cette rubrique en fonction de l'évolution de la situation. Visiter Srinagar sans se renseigner soigneusement sur les conditions de sécurité serait pure folie (voir l'encadré p. 281).

Orientation

Les trois principaux quartiers de Srinagar convergent autour de Dalgate, où la pointe sud-ouest du lac Dal passe par une écluse. La vieille ville se situe au nord-ouest, le principal quartier commerçant, au sud-ouest autour de Lal Chowk, et la plus forte concentration de house-boats fait face au Boulevard (ou Boulevard Rd), directement à l'est. Les jardins moghols se succèdent sur plusieurs kilomètres plus à l'est.

Renseignements

ACCÈS INTERNET

Cafe Robusta (CRL Lounge, MA Rd ; 45 Rs ; ⌚ 9h30-21h). Ce café (p. 292) offre une connexion Wi-Fi illimitée.

Euphoria (Old Gagribal Rd ; 30/50 Rs 30 min/h ; ⌚ 8h-24h été, 9h-22h hiver)

Skybiz Internet (Dalgate ; 40 Rs/h ; ⌚ 9h-20h)

Zee Digital Arts (Munawarabad Rd ; 30 Rs/h ; ⌚ 9h-19h)

ARGENT

HFDC (Court Rd). Possède un DAB fiable.

J & K Bank (MA Rd ; ⌚ 10h-16h lun-ven, 10h-12h30 sam). Change les espèces et les chèques de voyage ; une autre agence est installée dans le Boulevard.

OFFICE DU TOURISME

Centre d'accueil des touristes (Tourism Reception Centre ; ☎ 2456291 ; www.jktourism.org, www.jktdc.org ; ⌚ 24h/24). Avec de la persévérance, vous parviendrez à obtenir des réponses à vos questions dans cet endroit peu accueillant.

POSTE

Poste principale (Bund ; ⌚ 10h-17h lun-sam). Bureau de poste très surveillé, avec fouille à l'entrée.

À voir

LAC DAL

Que vous séjourniez ou non sur l'un des superbes **house-boats** patinés par le temps, le paisible lac Dal restera sans doute votre plus beau souvenir de Srinagar. Dans les secteurs dégagés, les pics brumeux de la chaîne du Pir Panjal s'y reflètent comme dans un miroir. D'une dizaine d'embarcadères, des *shikara* (sorte de gondole) aux couleurs vives, propulsés à la rame, transportent des produits vers les marchés, des enfants à l'école et des touristes pour découvrir les villages, les jardins et les marchés flottants. Hormis l'insistance (habituellement polie) des vendeurs, l'endroit est idyllique. L'embarcadère qui fait face au Nehru Park est pratique pour un circuit en *shikara*.

PARCS ET JARDINS

Srinagar est réputée pour ses jardins ravissants, dont beaucoup datent de l'époque moghole. Ils présentent pour la plupart un plan similaire, avec des pelouses en terrasses, des bassins alimentés par des fontaines et des massifs de fleurs soignés, parsemés de gros *chinar* (l'arbre national du Cachemire), conduisant à des pavillons ou de fausses façades de forteresse.

Créé pour Nur Jahan par son époux Jehangir, le **Shalimar Bagh** (adulte/enfant 10/5 Rs ; ⌚ 9h-crépuscule avr-oct, 10h-crépuscule nov-mars) est le jardin le plus célèbre. Pourtant, avec ses terrasses plus escarpées et une vue panoramique sur le lac, le **Nishat Bagh** (adulte/enfant 10/5 Rs ; ⌚ 9h-crépuscule sam-jeu) est d'emblée plus impressionnant.

Le **Pari Mahal** (entrée libre ; ⌚ aube-crépuscule) s'étend parmi les ruines d'un palais, bien au-dessus des rives du lac. De loin, l'ensemble paraît étrange la nuit, quand il est éclairé. Dans la journée, la vue fabuleuse sur le lac justifie plus le long trajet escarpé en auto-rickshaw que le jardin lui-même. Emportez votre passeport car vous serez contrôlé par la police en chemin. Au passage, vous découvrirez le modeste **jardin Cheshmashahi** (adulte/enfant 10/5 Rs ;

HEURES D'OUVERTURE À SRINAGAR

La plupart des boutiques, banques et bureaux ferment le vendredi vers l'heure du déjeuner pour les prières des musulmans. Si vous devez effectuer une démarche importante, faites-la le jeudi. Même en l'absence de couvre-feu officiel, n'espérez pas trouver un auto-rickshaw ou un bateau après 20h, quand Srinagar devient étrangement silencieuse.

JÉSUS AU CACHEMIRE ?

Pour beaucoup, cette théorie est au mieux fantaisiste, au pire blasphématoire. Plusieurs auteurs affirment cependant que Jésus aurait passé ses "années perdues" (entre l'adolescence et le début de son ministère à l'âge de 30 ans) en Inde, où il aurait été influencé par le bouddhisme. Cette hypothèse fit l'objet d'un grand battage dans les années 1890 quand le voyageur russe Nicolas Notovitch "découvrit" des documents la corroborant au Hemis Gompa (p. 328) ; ils ont depuis disparu, mais il les décrit dans son ouvrage *La Vie inconnue de Jésus-Christ en Inde et au Tibet*.

D'après le Coran (sourate 4, versets 156-157), la mort de Jésus sur la croix serait une "grave calomnie" car "ils ne le tuèrent pas". Dans un livre plus tardif, *Jesus in Heaven & Earth*, Khwaja Nazir Ahmad postule que Jésus (sous le nom d'Isa, Yuz Asaf ou Youza Asouph) se retira au Cachemire après la crucifixion et fut inhumé à Srinagar. *Jesus lived in India* de Holger Kersten, disponible dans toutes les librairies de voyageurs en Inde, accrédite cette thèse et donne même un plan du tombeau à Rozabal (p. 288).

8h-20h) et le grand **Jardin botanique** (adulte/enfant 10/5 Rs ; 8h-crépuscule sam-jeu). Juste derrière, le plus grand **Jardin de tulipes** (50 Rs ; aube-crépuscule avr) d'Asie attire des foules en avril, lors de la floraison.

VIEILLE VILLE

Khanqah de Shah-i-Hamadan

Avec une façade et des intérieurs couverts de sculptures sur bois coloré et de reliefs en papier mâché, la **Khanqah de Shah-i-Hamadan** (salle de réunion des musulmans ; Khawaja Bazaar), construite dans les années 1730 et surmontée de flèches, est le plus beau bâtiment ancien de Srinagar. Les visiteurs peuvent jeter un coup d'œil par la porte mais seuls les musulmans peuvent entrer. L'édifice se tient sur le site de l'une des premières mosquées du Cachemire, fondée par le saint perse Mir Sayed Ali Hamadani. Surnommé "Shah", Hamadani arriva en 1372 avec 700 réfugiés fuyant lors de la conquête de la Perse par Tamerlan, et aurait converti 37 000 personnes au soufisme. Ce sont sans doute ses compagnons qui transmirent aux Cachemiris l'art raffiné du tapis persan.

Jama Masjid

Principale mosquée de Srinagar, l'imposante **Jama Masjid** (Nowhatta), édifiée en 1672, peut accueillir 33 000 fidèles. Chacun des 378 piliers qui soutiennent le toit a été fabriqué avec le tronc d'un seul cèdre de l'Himalaya. De monumentales guérites en brique indiquent les quatre points cardinaux. Sacs et appareils photo sont interdits.

Pir Dastgir Sahib

Grand sanctuaire soufi vert et blanc, le **Pir Dastgir Sahib** (Khanyar Chowk ; 4h-22h) comporte une tour pointue et des boiseries en filigrane à l'extérieur. À l'intérieur, de superbes œuvres en papier mâché entourent des sépultures éclairées par des guirlandes électriques.

Rozabal

Le **sanctuaire de Rozabal** (Ziyarat Hazrati Youza Asouph), un petit édifice vert, se situe à deux pas au nord-ouest du Pir Dastgir Sahib, et fait face à la tour en brique de 4 étages de la mosquée de Rozabal. Selon une théorie très controversée, la crypte du sanctuaire abriterait le tombeau de Jésus-Christ, un sarcophage orné de pieds sculptés portant des "marques de crucifixion" en forme de demi-lune. Un dais noir parsemé d'étoiles cachant la sépulture, les visiteurs ne peuvent pas vérifier ces assertions. Pour plus d'informations sur la théorie concernant la présence de Jésus au Cachemire, lisez l'encadré ci-dessus.

Naqshband Sahib

Ce **sanctuaire** (Khanyar Chowk) du XVIIe siècle aux proportions harmonieuses fut construit dans le style de l'Himachal Pradesh, avec des couches alternées de bois et de pierre pour résister aux séismes.

HARI PARBAT

Au sommet d'une haute colline, l'imposant **fort d'Hari Parbat**, bâti au XVIIIe siècle, est visible de presque partout à Srinagar. Occupé par l'armée, il est fermé au public. Pour les hindous, Hari Parbat était à l'origine l'île où Vishnu et Sharika (Durga) vainquirent Jalodabhava, le démon mythique du lac du Cachemire (voir *Histoire*, p. 276). Les musulmans viennent se recueillir au grand **sanctuaire**

de Makhdoom Sahib, desservi par un escalier qui passe par les ruines de la mosquée en pierre d'**Akhund Mullah Shah**, de 1649. Les marches, où sont postés des mendiants, commencent à quelques centaines de mètres au-delà des rares vestiges des **remparts de la vieille ville** (érigés par Akbar dans les années 1590) et du grand **Chetipacha Gurdwara** (temple sikh).

SRI PRATAP SINGH MUSEUM

Vous aurez besoin de votre passeport pour entrer au **musée Sri Pratap Singh** (☎2312859 ; Indiens/étrangers 10/50 Rs ; 🕑 10h-16h mar-dim), accessible par un pont piétonnier sur la Jhelum. Il présente, entre autres, des œuvres en papier mâché mogholes, des armes et des costumes traditionnels cachemiris, ainsi que des animaux naturalisés qui semblent morts d'effroi.

SHANKARACHARYA HILL

Colline boisée, **Shankaracharya Hill** (🕑 7h30-17h), également appelée Takht-i-Sulaiman (trône de Salomon), est considérée comme un site sacré depuis au moins 250 av. J.-C. Une route de 5,5 km serpente jusqu'au sommet, où se dresse le **Shankaracharya Mandir**, un petit temple du XIe siècle dédié à Shiva. De l'extrémité ouest du Boulevard, des raccourcis permettent de monter à pied.

HAZRATBAL

À plusieurs kilomètres au nord de la vieille ville, la principale université de Srinagar s'étend autour de la grande **mosquée Hazratbal** coiffée d'un dôme blanc. Construite au XXe siècle, la mosquée abrite la relique la plus sacrée du Cachemire, le Moi-e-Muqqadas, un poil de la barbe du prophète Mahomet. La mosquée d'origine avait été spécialement construite pour accueillir cette relique quand le Nashqband Sahib (p. 288) se révéla trop petit pour les nombreux pèlerins. En décembre 1963, la brève disparition, toujours inexpliquée, du poil sacré faillit déclencher une guerre civile.

La mosquée tourne le dos au lac Dal, dont elle est séparée par des pelouses fortement gardées. Sur les pittoresques **marchés** alentour, des stands vendent des cosses de lotus et des *puri* cachemiris (pâte à beignet qui gonfle dans la friture).

À faire

GOLF

La ville compte plusieurs clubs de golf haut de gamme. L'accès au green revient à 400 Rs/20 $US pour les Indiens/étrangers au **Royal Springs Golf Course** (☎2482582), près du Jardin botanique.

Circuits organisés

Lorsque les touristes sont assez nombreux, le **centre d'accueil des touristes** (p. 287) organise des excursions en bus d'une journée à Sonamarg (170 Rs), Gulmarg (160 Rs) et Pahalgam (170 Rs), qui partent toutes à 8h30.

Où se loger

Séjourner sur un house-boat est l'un des principaux attraits de Srinagar, mais certains préfèrent passer la première nuit dans un hôtel pour choisir avec soin un bateau. Les innombrables rabatteurs cherchent à toucher une commission, quitte à vous pousser vers des house-boats isolés ou moins accueillants. Certains sont parfois des propriétaires d'hôtel ou de house-boat en quête de clients. Fiez-vous à votre intuition.

HOUSE-BOATS

Ces maisons flottantes, typiques de Srinagar, sont apparues à l'époque coloniale, quand les Britanniques n'avaient pas le droit de posséder des terres. Si la plupart ont moins de 30 ans, les house boats les plus luxueux conservent des allures de palais, avec lustres, panneaux en noyer sculpté et salons confortables évoquant le Raj des années 1930. S'asseoir dans la véranda en bois sculpté d'un bateau et regarder la vie sur le lac est l'un des plus grands plaisirs de Srinagar. Les bateaux de catégorie A sont confortables, mais manquent généralement de salons intérieurs. Ceux de catégorie D se contentent souvent de flotter. En principe, un house-boat comporte trois chambres doubles. Étant donné l'actuel contexte politique, vous en disposerez sans doute seul, chef et personnel compris.

TARIFS DES HOUSE-BOATS

Catégorie	Tarif officiel	Tarif pratique en été
Deluxe	3 600 Rs	1 200 Rs
A	2 500 Rs	800 Rs
B	1 500 Rs	600 Rs
C	1 000 Rs	500 Rs
D	700 Rs	400 Rs

DU FLOTTEMENT SUR LES HOUSE-BOATS

Séjourner sur un house-boat à Srinagar est généralement une expérience charmante. Cependant, nous recevons depuis des décennies des plaintes de voyageurs qui ont le sentiment d'avoir été escroqués. La plupart des plaintes concernent des forfaits achetés hors du Cachemire, notamment à Delhi. Les problèmes les plus courants sont les suivants :

- Séjourner sur un house-boat au standing inférieur à celui promis.
- La multiplication des extras (qui se chiffrent parfois en centaines de dollars).
- L'éloignement de la berge qui rend difficile toute tentative de "s'échapper".
- Se retrouver quasiment "prisonnier" sous prétexte de dangers à Srinagar ou en conservant simplement votre passeport (ne le donnez jamais !).
- Le harcèlement poussant à faire des "dons" ou à signer pour des treks à des prix exorbitants (200 $US par jour, soit cinq fois plus cher qu'au Ladakh !).
- Se faire escroquer par des changeurs qui, tels des prestidigitateurs, remplacent les billets au cours de la transaction.
- Les avances déplacées du personnel envers les femmes célibataires.

Pour éviter ces tracas, le mieux consiste à réserver un house-boat après votre arrivée à Srinagar. Inspectez bien le bateau de fond en comble et faites-vous clairement préciser les prestations comprises dans le tarif. Si les repas, le thé, l'eau minérale, les transferts, etc. ne sont pas compris, vérifiez leur prix.

Ne laissez jamais votre passeport ou des objets de valeur sans surveillance sur le bateau et indiquez à la **Houseboat Owners Association** (☎ /fax 2450326 ; Residency Rd ; ⌚ 8h-18h) l'endroit où vous logez. Elle peut éventuellement arbitrer des désaccords sur les prix.

Tarifs

Officiellement, les tarifs sont fixes. Toutefois, lorsque les touristes sont rares (comme lors de nos recherches), la plupart des propriétaires s'adaptent à votre budget : en marchandant un peu, vous trouverez probablement un house-boat dans vos prix. Le tableau ci-dessus indique le prix approximatif d'une chambre double, y compris les transferts, le thé et les repas.

Faites-vous toujours préciser quels sont les repas et les boissons fournis (seulement du riz et du dhal ? le thé en supplément ?), si le chauffage est compris et insistez pour que les transferts en *shikara* (et/ou l'utilisation d'un canoë) soient inclus. Idéalement, obtenez par écrit le détail des prestations et vérifiez les prix à deux fois pour éviter les mauvaises surprises.

Choisir un house-boat

Choisir parmi quelque 1 400 bateaux n'est pas facile. Visitez toujours le house-boat avant de payer et ne réservez *jamais* à Delhi (voir l'encadré ci-dessus).

Choisissez d'abord le secteur. L'endroit privilégié est le lac Dal, avec une forte concentration de bateaux face au Boulevard, devant un quartier marécageux. Les standards varient et la proximité des house-boats permet d'en visiter plusieurs avec un *shikara* avant de se décider. La proximité de la berge facilite l'emprunt d'un *shikara* si vous souhaitez vous "échapper". Les house-boats amarrés plus loin sur le lac peuvent séduire par leur isolement, mais il est plus difficile d'en partir et de résister aux diverses pressions du propriétaire, qui demande plus d'argent ou insiste pour vendre des forfaits de trekking. Les house-boats du lac Nagin souffrent de ce même isolement. Ceux de la Jhelum, souvent assez délabrés, sont reliés à la rive par des pontons en bois, mais on perd le romantique trajet en *shikara*.

Quel que soit l'endroit choisi, attendez-vous aux visites des vendeurs de souvenirs qui se déplacent en *shikara*.

Pour faire le tour de plusieurs bateaux sur le lac Dal, louez un *shikara* ou adressez-vous à la **Houseboat Owners Association** (☎ /fax 2450326 ; Residency Rd ; ⌚ 8h-18h) qui organise des visites gratuites en *shikara*. Dans les deux cas, on tentera sûrement de vous orienter sur les bateaux de luxe, mais étant données les promotions actuelles, pourquoi ne pas en profiter ?

HÔTELS

Des dizaines de grands hôtels quelconques bordent le Boulevard et de nombreux établissements de catégorie moyenne jalonnent Old Gagribal Rd, la rue parallèle. Des adresses pour petits budgets se regroupent juste au nord de Dalgate. Les prix varient fortement en fonction de la saison et de la situation politique.

Humza Hotel (☎ 2500857 ; www.incrediblekashmir.net ; Old Gagribal Rd ; dort/d/q à partir de 100/400/600 Rs). Dans une petite rue et sans enseigne, cet hôtel accueillant, tenu par une famille, propose des sols couverts de tapis pour les voyageurs désargentés, et des chambres bien tenues avec sdb pour les autres. Réservez à la Handloom House, qui appartient à la même famille.

Noor Guesthouse (☎ 2450872 ; près de Dalgate ; d basse/haute saison à partir de 200/500 Rs, sans sdb à partir de 100/250 Rs). Les chambres les moins chères sont installées dans une vieille maison en bois pleine de charme et les plus récentes sont séparées par de fines cloisons en aggloméré, mais toutes sont d'une propreté irréprochable. Blanchissage gratuit, couvertures électriques dans certaines chambres et un charmant jardin rempli de roses pour le petit-déjeuner.

Zeenath Guesthouse (☎ 2474070 ; près de Dalgate ; s 150-300 Rs, d 200-400 Rs). Petites et très propres, ces nouvelles chambres au sol carrelé se situent au-dessus d'un cabinet médical, avec une petite pelouse tranquille à l'arrière.

Hotel Swiss (☎ 2472766 ; www.swisshotelkashmir.com ; Old Gagribal Rd ; d 400-650 Rs ; 💻 P). Avec un jardin paisible, des chambres d'un bon rapport qualité/prix (surtout les n°401 à 404) et un charmant et serviable directeur soufi, le Swiss reste à juste titre une adresse prisée des voyageurs. Location de vélos, Internet gratuit et thé gracieusement offert.

Hotel Akbar (☎ 2500507 ; hotelakbar.com ; d ancienne/récente 800-2 500/1 000-3 000 Rs). Les principaux atouts de cet hôtel standard de catégorie moyenne sont le grand jardin, avec de la vigne vierge montant le long des espaliers, et l'emplacement central et très calme. Seules les chambres les plus récentes disposent d'un chauffe-eau. L'épaisseur des toiles d'araignées dans l'immense lustre de la cage d'escalier laisse pantois.

Residency Hotel (☎ 2473702 ; www.hotelresidencykashmir.com ; Court Rd ; s/d 3 500/4 500 Rs, hors saison 1 800/2 300 Rs ; 📶). Un ascenseur en verre grimpe à travers l'atrium d'une galerie marchande jusqu'à cet hôtel d'affaires très professionnel, aux immenses sdb élégantes et au linge raffiné.

Lalit Grand Palace (☎ 2501001 ; www.thelalit.com/Srinagar ; ste sans réservation/plein tarif 10 000/20 000 Rs). Hôtel impeccable de la chaîne Intercontinental, il offre de vastes suites dans le palais du maharaja de 1910, entouré de grandes pelouses soignées. Des portraits royaux ornent la salle Durbar, qui renferme l'un des plus grands tapis faits main au monde. Des chambres standards "palace deluxe" (14 000 Rs) et la piscine sont actuellement en travaux.

Où se restaurer

Punjabi Rasoi (Boulevard ; roti 3 Rs, curries 25-70 Rs, plats 25-70 Rs ; 🕒 8h-22h). Plusieurs *dhaba* très simples jalonnent le Boulevard et servent de copieux repas végétariens à prix doux jusque relativement tard.

Mughal Darbar (☎ 2476998 ; Residency Rd ; plats 35-240 Rs plus 22,5% ; 🕒 10h-22h). Le paysage alpin derrière les fenêtres contraste avec les peintures murales de style moghol qui ornent ce bon restaurant, installé au-dessus d'une boulangerie fréquentée. La carte offre un beau choix de plats, des curries végétariens (35-50 Rs) aux savoureuses spécialités cachemiries (120-240 Rs).

Cafe de Linz (Court Rd ; plats 40-140 Rs plus 12,5% ; 🕒 12h-22h30). Inhabituel avec ses murs sombres, ce restaurant en demi-cercle propose une sélection classique de plats indiens et pseudo-chinois. Le lien de la famille avec l'Autriche se résume à une affiche de Linz.

Lhasa Restaurant (Boulevard Lane 2 ; plats 60-180 Rs plus 12,5% ; 🕒 10h-21h). Installez-vous dans l'agréable jardin clos ou dans la salle au plafond bas, décorée d'éléments bouddhiques. Si les boulettes de poulet épicées sont excellentes, certains plats chinois et tibétains n'ont guère de goût.

Coffea Arabica (MA Rd ; pizzas 150-200 Rs, pâtes 120-180 Rs, poisson-frites 200 Rs ; 🕒 9h-22h). Moderne et accueillant, il comprend divers comptoirs où commander des plats variés de style fast-food, une petite librairie et un coin salon sous les combles pour le café et les gâteaux.

Où prendre un verre

Dans cette ville musulmane, les restaurants ne servent pas d'alcool. Toutefois, Srinagar compte quatre boutiques de spiritueux et les bars de certains hôtels proposent des boissons alcoolisées.

Wine Shop (Heemal Hotel Shopping Complex, Boulevard). L'un des quatre cavistes de la ville.

Dar Bar (cocktails 300 Rs, vin à partir de 2 200 Rs la bouteille ; 🕒 10h-22h). Dans le Lalit Grand Palace, le petit Dar Bar offre une jolie vue sur les pelouses et le lac Dal.

Cafe Robusta (CRL Lounge, MA Rd ; cafés 35-80 Rs ; 🕒 9h30-21h ; wifi). Dans un salon en étage de style occidental, avec jeu de fléchettes, il sert une sélection d'excellents cafés.

L'Hotel Broadway et le Kashmir Golf Club possèdent des bars haut de gamme.

Achats

Le long du Boulevard, plusieurs grands magasins proposent d'innombrables souvenirs cachemiris, dont de jolies boîtes en papier mâché, des objets en noyer sculpté, ainsi que des châles en cachemire et en pashmina, autrefois popularisés en Europe par Joséphine de Beauharnais. Safran, battes de cricket et fruits secs abondent dans les échoppes de Lal Chowk. Des "fabriques" de tapis bordent la route de Shalimar Bagh et visent la clientèle des groupes en circuit organisé. À moins d'être connaisseur, mieux vaut acheter un *gabba* (tapis cachemiri avec appliqué) au point de chaîne ou un *namda* (tapis en laine feutrée) aux motifs floraux, bien moins onéreux. Sachez que certaines fourrures proviennent d'espèces menacées (voir l'encadré p. 776).

Kashmir Government Arts Emporium (☎ 2452783 ; Bund ; 🕒 10h-17h30 lun-sam). Installé dans une demeure à colombages flanquée de guérites à l'allure britannique et gardée par l'armée, cet emporium vend de l'artisanat cachemiri à prix fixes, dont des tapis noués à la main et des *salwar kameez*. Vous pourrez y flâner tranquillement, sans que l'on vous pousse à l'achat.

Depuis/vers Srinagar

AVION

La plupart des liaisons aériennes ont continué de fonctionner pendant les couvre-feux de 2008 (un billet d'avion se double théoriquement d'un permis de circuler pendant le couvre-feu). Sauf mention contraire, les vols ci-après sont quotidiens :

GoAir (www.goair.in). Mumbai (jeudi, samedi), Delhi (mardi, samedi), Delhi via Jammu (lundi, mercredi, vendredi, dimanche).

Indian Airlines (☎ 2450247 ; Shahenshah Palace Hotel, Boulevard). Leh (mercredi ; 6 710 Rs), Delhi, Jammu.

Jet Airways (☎ 2480801 ; Court Rd). Delhi, Jammu.

JetLite (☎ 2106750 ; www.jetlite.com). Delhi, Mumbai.

Kingfisher (www.flykingfisher.com). Delhi, Mumbai.

SpiceJet (www.spicejet.com). Delhi, Jammu.

Les contrôles de sécurité très stricts imposent d'arriver bien à l'avance pour l'enregistrement.

BUS ET JEEP

Lors de notre passage, la **gare routière J&K SRTC** (☎ 2455107 ; Residency Rd) était paralysée par de longues grèves. Normalement, des bus partent pour Kargil (335 Rs, 10 heures) et Leh (600 Rs, 2 jours) à 7h30. Les Jeep collectives à destination de Kargil (600 Rs) démarrent vers 7h du **Tourist Taxi Stand 1** (station de taxis touristiques ; Residency Rd) de l'autre côté de la rue. Réservez le véhicule et votre siège la veille au soir. Lorsque la route est ouverte, de nombreux minibus privés (220-270 Rs) et Jeep collectives (250-300 Rs) partent pour Jammu d'un arrêt proche de la tour de l'horloge à Lal Chowk, pour la plupart entre 6h30 et 9h (il faut parfois changer de véhicule à Ramban quand les tensions entre hindous et musulmans se ravivent). De la gare routière de Batmalu, des bus locaux desservent Uri, Sonamarg (3/j) et Gulmarg (avec changement à Tangmarg). De la gare routière de Panthachowk, à 8 km au sud du centre-ville, des bus rallient Pampore et Ananatnag (correspondance pour Pahalgam).

Pour les excursions en bus à Sonamarg, Gulmarg et Pahalgam, voir *Circuits organisés* (p. 289).

Les bus internationaux Srinagar-Muzaffarabad (2/mois) sont réservés aux Cachemiris indiens et pakistanais.

Comment circuler

BATEAU

Selon le Tourist Reception Centre, les promenades en *shikara* sur le lac Dal (p. 287) devraient coûter 100 Rs l'heure, mais le prix affiché s'élève à 200 Rs. Refusez fermement si le pilote du *shikara* tente de faire un détour par des boutiques de souvenirs qui lui versent une commission. Les courts trajets entre les house-boats et la berge coûtent 20 Rs. Malgré les nombreux embarcadères de *shikara*, il est difficile et/ou très coûteux de trouver un bateau après la nuit tombée.

BUS ET TAXI

Un bus J&K SRTC part pour l'aéroport du centre d'accueil des touristes à 8h30 et 11h30 (35 Rs). À l'aéroport, achetez un billet de bus ou un coupon de taxi (380 Rs) dans le hall des arrivées. En ville, il faut un certain courage pour emprunter les minibus bondés, aux destinations mentionnées uniquement en ourdou : les lignes les plus pratiques circulent de Lal Chowk à Hazratbal ou Shalimar Bagh via la berge sud du lac Dal et Nishat Bagh. Les auto-rickshaws demandent 20 Rs pour un court trajet en ville. Comptez environ 800 Rs pour un circuit d'une journée comprenant les jardins moghols, la vieille ville et Hazratbal.

ENVIRONS DE SRINAGAR

Les excursions les plus prisées aux alentours de Srinagar sont **Sonamarg** (ci-dessus), **Pahalgam** (p. 285) et **Gulmarg**, à 52 km à l'ouest, où un golf verdoyant et frangé de pins devient en hiver la meilleure **station de ski** (⌚ mi-déc à mi-avr) du pays. À 1 km à l'ouest de l'arrêt de bus de Gulmarg, un **téléphérique Gondola** (⌚ 10h-16h) à deux tronçons grimpe le mont Afarwat jusqu'à 3 930 m, puis à 4 390 m pour une vue sublime. En été, on peut redescendre à pied à Gulmarg en quelques heures à travers la forêt, en passant par les maisons hivernales au toit en tourbe des nomades gujar.

De Srinagar, les excursions d'une journée en bus/taxi J&K SRTC reviennent à 160/1 200 Rs (voir *Circuits organisés* p. 289).

DE SRINAGAR À KARGIL

☎ 0194

Ce splendide trajet de 200 km part des vallées montagneuses du Cachemire et franchit les remarquables doubles boucles du Zoji La (3 529 m). Après le col, on descend à travers des vallées encaissées, aux versants presque verticaux. Dans les véhicules, les fenêtres du côté sud offrent la meilleure vue.

Sonamarg

☎ 0194

Cette bourgade se résume à une rue bordée de constructions quelconques au cœur d'une vallée superbe. En juillet-août, les hôtels négligés augmentent leurs prix de 100% quand affluent les pèlerins indiens. Nombre d'Indiens découvrent la neige pour la première fois à l'occasion d'une randonnée de 2 heures, à pied ou à cheval, jusqu'au **glacier Thajiwas** : la route de 5 km file vers le sud près du Snowland Hotel, un établissement haut de gamme à 1,5 km à l'ouest de Sonamarg. Les pèlerins qui se rendent au célèbre lingam de glace d'Armanath (voir l'encadré p. 285) partent en masse vers 9h du **Baltal Camp** (à l'est de Sonamarg ; 400 Rs en taxi collectif), à 15 km d'Armanath.

Au centre de Sonamarg, les **J&KTDC Tourist Bungalows** (☎ 2417208 ; d 500 Rs, hutte 2 lits 1 800 Rs), installés sur des pelouses soignées qui contrastent fortement avec les détritus alentour, offrent de loin le meilleur rapport qualité/prix. L'établissement possède aussi des dortoirs (100 Rs le lit) sur le chemin du glacier Thajiwas.

Légèrement en retrait, l'**Hotel Glacier Heights** (☎ 2417215 ; d 2 000 Rs) ressemble à un cottage anglais en brique. Il propose des chambres correctes (mais glaciales), à un prix acceptable hors saison (environ 600 Rs). L'hôtel comprend un restaurant décent.

De Sonamarg, des bus partent pour Srinagar à 7h30, 9h30 et 12h30 (75 Rs, 2 heures 30). Vous pouvez aussi prendre une Jeep collective/privée (100/1 000 Rs), avec un éventuel changement à Kangan (60/500 Rs, 1 heure). Les bus qui se dirigent vers l'est sont souvent pleins quand ils arrivent à Sonamarg ; pour rejoindre Kargil, mieux vaut louer un taxi/Jeep (2 500/3 500 Rs), ou retourner à Srinagar pour obtenir une place assise.

Drass

Bourgade musulmane, Drass est une triste succession de maisons et de boutiques qui, aux côtés de plusieurs bases militaires, gâchent une belle et large vallée. La proximité de la Ligne de contrôle ôte tout espoir de randonnée. Le 9 janvier 2005, les météorologistes de Drass ont enregistré une température de – 60°C et depuis, la ville se proclame le second endroit le plus froid au monde, après Oymyakon en Yakoutie (Russie). Les touristes locaux font halte pour visiter divers champs de bataille de la guerre de 1999 contre le Pakistan. Plusieurs hôtels peu engageants se regroupent autour de l'arrêt de bus. Les femmes voyageant seules risquent de se sentir mal à l'aise à Drass.

KARGIL ET ZANSKAR

Majestueuse et moins visitée, la "seconde moitié" du Ladakh comprend le Zanskar, région reculée, peu peuplée et bouddhiste, et la vallée de la Suru, un peu plus verdoyante et majoritairement musulmane chiite, à l'instar de Kargil, la capitale régionale. Les paysages de montagne sont d'une beauté spectaculaire.

KARGIL

☎ 01985 / 10 700 habitants / altitude 2 817 m

La plupart des voyageurs ne font halte dans la deuxième "ville" du Ladakh que pour prendre une correspondance entre Leh et Srinagar ou le Zanskar. Après le calme et le charme idylliques du Ladakh bouddhiste, cette cité musulmane peut sembler rébarbative et un peu oppressante, une impression néanmoins très subjective. Tous les services nécessaires aux voyageurs se regroupent sur trois petits pâtés de maisons dans Main Bazaar, tels des centres téléphoniques publics (PCO) et des **cybercafés** (80 Rs/h) aux connexions lentes. L'arrêt des bus/taxis collectifs se situe à 100 m en direction de la rivière, après le DAB de la State Bank of India. L'accueillant **centre d'accueil des touristes** (Tourist Reception Centre ; ☎ 232721 ; 🕒 10h-16h) se tient derrière l'arrêt de bus.

La plupart des hôtels sont bon marché (environ 300 Rs la double), centraux et guère séduisants. Bonne adresse, le **J&KTDC Tourist Bungalow** (☎ 232328 ; d 200 Rs) offre des chambres avec chauffe-eau au-dessus de l'office du tourisme. L'élégante façade de l'**Hotel Kargil Continental** (☎ 232300 ; s/d 200/300 Rs après négociations ; Ⓟ) cache une décoration intérieure très défraîchie, mais les serviettes de toilette et les draps sont propres. Empruntez la ruelle avec le panneau signalant le morne Hotel Greenland, voisin.

La petite rue au nord conduit à l'**Hotel Siachen** (☎ 232221 ; hotel_siachen_kargil@rediffmail.com ; d 1 200-1 800 Rs), aux jolis balcons agrémentés de vigne vierge. La profusion de faux bois assombrit les chambres et les épais tapis semblent difficiles à nettoyer. Vous pourrez sans doute obtenir une réduction.

Restaurants simples et *dhaba* bordent Main Bazaar. Il est cependant difficile d'obtenir des plats sans viande. Hormis les boulangeries, seul le **Pasgo** (Main Bazaar ; repas 70-120 Rs) reste ouvert dans la journée durant le ramadan.

Depuis/vers Kargil

Les bus pour Leh (à partir de 250 Rs, 10 heures) partent à 4h30 et passent par Mulbekh (1 heure 30) et Lamayuru (environ 5 heures). Les Jeep collectives (500 Rs) démarrent vers 7h. Lorsque grèves et couvre-feux le permettent, des bus (à partir de 300 Rs, 10 heures) et des taxis collectifs (600 Rs) partent habituellement pour Srinagar vers 1h. Louer une Jeep (3 500-4 500 Rs) permet de se lever à une heure plus "décente" et de profiter du paysage splendide, vertigineux par endroits. Les minibus Kargil-Mulbekh (30 Rs) partent à 14h, 15h et 16h d'un autre arrêt, à 300 m le long de la berge, et reviennent le lendemain matin.

Rejoindre le Zanskar depuis Kargil constitue un vrai casse-tête. Le bus Kargil-Padum ne circule plus. Trois fois par semaine, un bus Leh-Kargil-Padum est supposé partir de Kargil vers 1h, mais les horaires sont hautement fantaisistes. Le mieux consiste à louer une Jeep ; en conduisant à une allure régulière, il faut compter 7 heures pour Rangdum et 14 heures pour Padum (environ 10 000 Rs pour le véhicule). Prévoyez cependant plus de temps pour les haltes photo. Les tensions entre les syndicats de taxis du Zanskar et de Kargil empêchent de louer le véhicule pour l'aller-retour. Vérifiez que votre chauffeur possède les permis exigés par le Zanskar. Afin de trouver d'autres voyageurs pour partager les frais, déposez des affichettes au centre d'accueil des touristes ou à l'Hotel Kargil Continental.

La seule station-service opérationnelle de Kargil se situe à 2,5 km du pont principal sur la route de Leh.

ENVIRONS DE KARGIL

☎ 01985

Mulbekh

Le sommet du **site du château médiéval** de Mulbekh offre une vue époustouflante : au-delà des champs d'orge en terrasses de la verdoyante vallée de la Wakha, les monts Zanskar se dressent majestueusement en une série d'à-pics et de falaises aux arêtes vives. S'il ne reste des remparts du château que deux tours en briques crues, ce site inexpugnable abrite aujourd'hui deux *gompa*. Le **Serdung Gompa** remplace l'ancien monastère qui s'est presque totalement effondré en 2003, et le **Gandentse Gompa** est l'édifice d'origine. D'en bas, il semble impossible de grimper l'escar pement pyramidal sur lequel ils se tiennent ; toutefois, un sentier serpente à l'arrière et conduit aux *gompa* en 45 min de montée éprouvante. Vous pouvez aussi emprunter en voiture l'étroit ruban d'asphalte de 2,8 km qui part à 100 m à l'ouest du **Chamba Gompa** (10 Rs), sur la route principale. Ce petit sanctuaire, construit en 1975, entoure une aiguille rocheuse sculptée d'un superbe relief du Maitreya-Bouddha, haut de 8 m et vieux de plus de 1 000 ans. Demandez la clé au **Paradise Hotel and Restaurant** (☎270010 ; d 300 Rs, avec sdb 500 Rs), l'un des deux hôtels sommaires de l'autre côté de la route. Bien plus pittoresque, la **Karzoo Guesthouse** (☎270027 ; 200 Rs/pers), installée au pied de l'à-pic du château, offre 3 chambres avec toilettes communes, ainsi qu'une belle salle à manger-cuisine, typique du Ladakh d'antan.

Près du tournant de la route principale, la nouvelle **Otosnang Guesthouse** (☎ 270028 ; 150 Rs/pers), sans enseigne, se distingue par son style traditionnel. Sonam, le propriétaire, parle anglais et sa belle-sœur forme des tisserands dans le petit atelier de tapis de Wakha, à 4 km à l'est (visites possibles).

La **Maitreya Guesthouse** (☎ 270035 ; d ch/pension complète 800/1 000 Rs), l'hébergement le plus élégant de Mulbekh, se situe à 1 km à l'ouest. Elle comporte de modernes sols carrelés et des rampes en bois torsadé (seau d'eau chaude 20 Rs).

Shargol

Petit et unique, le **Shargol Gompa** est presque entièrement creusé à flanc de falaise. Visible de la route Leh-Kargil à 5 km à l'ouest de Mulbekh, il est accessible par une piste de 1,6 km qui s'embranche près du Km 236. Avant de grimper le court chemin escarpé, demandez la clé du *gompa* au nouveau *dukhang* (monastère inférieur).

VALLÉE DE LA SURU

La route principale qui mène au Zanskar serpente à travers la fertile vallée de la Suru, où plusieurs rustiques villages musulmans en pierre se blottissent au pied des hautes parois et des montagnes, que dominent les cimes enneigées du **Nun** (7 135 m) et du **Kun** (7 087 m). Le panorama est particulièrement beau aux abords de **Panikhar**. Un trek d'une journée, fatigant mais superbe, part de la route de contournement de Panikhar, franchit le Lago La à 3 900 m, puis descend jusqu'à **Parkachik**, d'où un bus part pour Kargil à 7h. Juste après Parkachik, un grand glacier noirci de poussière s'écroule dans la Suru alors que la route commence à grimper vers le splendide **Pensi La** (Panzila ; 4 401 m).

OÙ SE LOGER ET SE RESTAURER

Des **J&K Tourist Bungalows** (d 200 Rs), sans prétention et bien tenus, sont installés à Sanku, à Purtickchay (avec vue parfaite sur le Nun et le Kun), à Panikhar, à Tangole (camp de base possible pour l'alpinisme), à Parkachik et à Rangdum. Le plus difficile est de trouver le *chowkidar* (gardien) pour vous ouvrir la porte. Sanku et Rangdum possèdent des maisons de thé très simples.

DEPUIS/VERS LA VALLÉE DE LA SURU

De Kargil, des bus partent pour Panikhar (50 Rs, 2 heures) à 6h30 et à 14h, et reviennent vers 5h et 11h. Les bus pour Parkachik quittent Kargil à 11h, et retournent le lendemain matin à 7h. Pour continuer vers le Zanskar, vous devrez vous en remettre à l'auto-stop, très aléatoire.

La plupart des conducteurs de Jeep refusent d'emprunter la mauvaise piste Sanku-Drass.

ZANSKAR

Réputée pour son isolement, cette vallée escarpée, entourée de montagnes majestueuses, est une région ladakhie à dominante bouddhiste. Son principal attrait est le trek d'une semaine pour la rejoindre ou en sortir (p. 297). Lorsque la neige bloque la seule route du Zanskar en provenance de Kargil (via la vallée de la Suru), le seul moyen d'accès est la marche le long de la rivière Zanskar gelée (p. 298).

Le Zanskar ne compte ni banques avec service de change, ni stations-service officielles (le syndicat de taxis de Padum dispose de ses propres réserves de carburant). Si vous campez, attendez-vous à des nuits très froides, même en été.

Rangdum

280 habitants / altitude 3 670 m

Niché dans une vallée sauvage balayée par les vents, Rangdum est le premier village bouddhiste sur la route du Zanskar. Ce petit groupe de basses maisons ladakhies et de poteaux téléphoniques n'a rien de séduisant mais le cadre est somptueux. À l'ouest, les monts Nun et Kun dressent leurs sommets enneigés. À l'est, l'horizon se compose de strates arides aux formes étranges, devant lesquelles se détache le **Rangdum Gompa** (50 Rs), à 5 km, tel un îlot flottant au-dessus de la vallée. Le monastère abrite 25 moines coiffés de bonnets jaunes et des ânes bien plus nombreux.

La **Zanskar Express Guesthouse** est l'une des trois **maisons de thé** (*thali dahl* et riz 35 Rs) sommaires qui avoisinent le poste de contrôle un peu caché. Elle vous trouvera une chambre chez l'habitant pour 250 Rs (tarif négociable). Rangdum compte un **J&K Tourism Bungalow** (d 200 Rs) aux prix honnêtes. À 2 km du village, merveilleusement isolé et assez cher, le **Nun-Kun Deluxe Camp** (☎ 1982252153 ; lakpale@yahoo.co.in ; c/o Zanskar Trek, Leh ; d tente avec lits pension complète 2 500 Rs) comporte des toilettes communes avec papier hygiénique. Sans réservation, on parvient parfois à faire baisser les prix jusqu'à 600/1 000 Rs sans/avec les repas.

De Rangdum à Padum

Environ 1 km après le **Pensi La** (4 401 m), le col accidenté qui sépare les vallées de la Suru et de la Zanskar, une vue spectaculaire découvre le long **glacier Drang Drung** d'une blancheur scintillante. Plus bas, la vallée de la Zanskar s'élargit et des petits villages entourés de champs se nichent au pied des montagnes abruptes. **Phey** possède un petit *gompa* et des chambres chez l'habitant. À **Sani**, le plus ancien *gompa* du Zanskar est une petite salle de prière de deux étages, entourée par un cloître couvert et un mur chaulé ponctué de stupas.

Padum

☎ 01983 / 1 500 habitants / altitude 3 505 m

Après la route accidentée et somptueuse, la petite capitale poussiéreuse du Zanskar déçoit cruellement. Malgré les montagnes splendides en toile de fond, le centre de Padum n'est qu'un carrefour sans caractère. À un pâté de maisons du centre, vous trouverez l'arrêt de bus/taxis collectifs, des centres téléphoniques, un cybercafé chaotique, un **office du tourisme** (☎ 245017 ; 🕑 10h-16h lun-sam) et la plupart des hébergements. L'artère principale continue sur 700 m vers le sud, passe devant une grande **mosquée** de 1991 et rejoint la "vieille ville" délabrée, où de grands stupas et des rochers érodés conduisent au sommet d'une colline. Plus traditionnel, le village de **Pibiting**, à 2 km au nord, possède un petit *gompa* et stupa coiffé d'une balise lumineuse perché sur une hauteur.

À FAIRE

Dans le camping qui fait face à l'office du tourisme, des **propriétaires de chevaux** proposent souvent leurs services comme guides ou porteurs pour les **treks** (250-350 Rs par cheval et par jour). Vous pouvez aussi vous renseigner dans des agences comme **Zanskar Trek** (☎ 245136), qui possède un bureau sur la route vers la mosquée. Les itinéraires prisés sont décrits p. 297.

OÙ SE LOGER ET SE RESTAURER

La plupart des hôtels ferment de fin octobre à juin, à moins d'une réservation pour des treks d'hiver en groupe. En face de l'office du tourisme, un camping sans prétention comprend un **Tourist Bungalow** (d 200 Rs) acceptable.

Mont-Blanc Guesthouse (☎ 245183 ; ch 250 Rs, avec sdb 350 Rs). Tenue par une famille accueillante, cette pension offre 4 chambres aménagées de manière traditionnelle, et parfois quelques verres de *chhang* (bière d'orge).

Phukthar Guesthouse (☎ 245226 ; d 200-400 Rs). La meilleure des trois pensions de la vieille ville est installée au-dessus d'un petit musée d'ethnobotanique et d'une rangée de boutiques inachevées. Elle loue des chambres d'un bon rapport qualité/prix, certaines dotées d'une petite sdb, et possède un restaurant.

Hotel Ibex (☎ 245214 ; d 350-550 Rs). Si le confort des chambres varie, leur disposition plaisante, autour d'un jardin abrité, et le restaurant chaleureux (plats 45-100 Rs) en font une adresse prisée à juste titre. Voisins, les hôtels Kailash et Changthang pratiquent des prix similaires et semblent plus élégants, mais l'ambiance est moins sympathique.

Gakyi Hotel (s/d à partir de 700/900 Rs). Bien meublées, les chambres récentes ont belle allure, mais semblent étrangement oubliées au-dessous du restaurant le plus rutilant de Padum (plats 40-85 Rs, bière 120 Rs). Certaines sentent le renfermé.

DEPUIS/VERS PADUM

L'isolement du Zanskar cessera brutalement lors de l'achèvement de la nouvelle route Darcha-Padum-Chiling, ce qui devrait prendre des années. D'ici là, les transports publics restent très limités. L'imprévisible bus Padum-Kargil-Leh met environ 18 heures pour rejoindre Kargil (300 Rs) et ne circul

TAXIS AU DÉPART DE PADUM

Destination	Aller simple (Rs)	Aller-retour (Rs)
Pishu	1 800	2 400
Rangdum	4 000	6 000
Raru	1 300	2 500
Zangla	2 000	3 000

que quelquefois par semaine (n'hésitez pas à vous renseigner à plusieurs reprises !). Les Jeep pour Kargil coûtent 8 000 Rs (soit 20% moins cher qu'en sens inverse), qu'elles effectuent le trajet en 14 heures ou qu'elles s'arrêtent pour la nuit. Les tarifs officiels des taxis du Zanskar figurent dans le tableau ci-dessus.

Environs de Padum

KARSHA

De l'autre côté de la vallée, à 7 km de Padum, Karsha est un séduisant patchwork de champs d'orge et d'aires de battage où travaillent des *dzo* (hybride de la vache et du yak), que dominent des maisons à l'ancienne et le remarquable **Karsha Gompa**, le plus grand monastère bouddhique du Zanskar. Datant au moins du Xe siècle, cet ensemble de bâtiments blanchis à la chaux grimpe presque à la verticale le long des roches rouges d'une montagne abrupte. Des marches en ciment conduisent au cloître supérieur et à la salle de prière, ornée de vieilles peintures murales craquelées et de colonnes en bois branlantes. L'association caritative française **Solidarijeune** (www.solidarijeune.org) aide à son entretien.

Karsha compte trois "pensions" de style hébergement chez l'habitant, toutes avec toilettes communes. La **Chetan Guesthouse** (tr 300 Rs), sans enseigne, et la **Thieur Guesthouse** (tente 100 Rs, d/q 300/350 Rs), entourée d'un jardin, proposent des matelas sur le sol parmi des tables basses ladakhies. La **Tinkuling Guesthouse** (d 300 Rs) offre de véritables lits dans deux chambres doubles un peu poussiéreuses.

Le bus pour Karsha (15 Rs) quitte Padum à 16h, et revient le lendemain matin à 8h. En taxi de Padum, comptez 520/690 Rs aller/aller-retour. À pied, prévoyez 2 heures de marche à travers la plaine exposée au vent et au soleil.

ZANGLA ET STONGDE

La route splendide jusqu'à Zangla constitue une belle excursion d'une demi-journée à partir de Padum. Au-dessus des villages de **Rinam** et **Shilingskit**, remarquez les strates de roche étonnamment courbes. L'un des plus beaux sites du trajet est le **Stongde Gompa**, juché à 300 m au-dessus de la vallée, à 12 km de Padum. On le rejoint par un détour sinueux de 3 km, ou à pied par une grimpée quasi verticale. Une passerelle à 6,5 km avant Zangla permet aux marcheurs d'effectuer la randonnée entre Karsha et Zangla (environ 7 heures) ; si la vue est belle, l'itinéraire traverse des terres plutôt arides et écrasées de soleil. L'entrée de **Zangla** est gardée par une petite **forteresse en ruine** au sommet d'une colline. À l'autre bout du village se tient un sympathique **couvent** bouddhique. Au centre de Zongla, une maison rose vif offre un hébergement sans prétention.

RARU ET BARDAN

Le trek entre le Zanskar et Darcha commence habituellement par un trajet en voiture jusqu'au village de **Raru**, qui possède deux petits restaurants et des hébergements très sommaires chez l'habitant. L'itinéraire depuis Padum passe par le **Bardan Gompa**, perché au-dessus de la vallée sur un promontoire rocheux.

TREKKING AU ZANSKAR

Le trekking constitue la principale activité au Zanskar. Les rares hameaux que l'on croise en chemin sont minuscules, aussi faut-il prévoir une tente et des provisions.

Itinéraires d'été

De nombreux randonneurs s'adressent aux agences de Leh (de 35 à 55 € par personne et par jour tout compris ; de juin à octobre). Avec de la patience et votre propre matériel de camping, vous pourrez aussi engager guides, porteurs et chevaux à Padum (p. 296), Lamayuru (p. 323) ou Darcha (p. 330) ; mieux vaut toutefois acheter les provisions indispensables à Leh ou à Kargil. S'aventurer sans guide est déconseillé. Des orages rendent parfois les itinéraires impraticables, il peut neiger à partir de début septembre et l'acclamation à l'altitude est indispensable pour éviter le mal des montagnes (voir p. 107). Si vous lisez l'anglais, vous trouverez des renseignements plus détaillés dans le guide *Trekking in the Indian Himalaya* de Lonely Planet.

DU ZANSKAR À DARCHA

Le trek entre Raru et Darcha (sur la route Manali-Leh) dure 6 jours via Pepula et Purne, 7 jours de plus si l'on passe une seconde nuit (recommandé) à Purne avant la grimpée de 2 jours jusqu'au Shinkun La (5 090 m). Cette journée supplémentaire permet de faire le détour (environ 5 heures aller-retour) jusqu'au **Phuktal Gompa**, un monastère gelugpa troglodytique accroché à la paroi quasi verticale de la gorge de Shadi. Il renferme une source sacrée et des peintures murales de style alchi, vieilles de 700 ans. Dans le minuscule Darcha, tous les véhicules, y compris les bus quotidiens Manali-Leh, s'arrêtent aux *dhaba* en bord de route pour le contrôle des passeports.

DU ZANSKAR À LAMAYURU

Ce trek classique franchit en 7 jours trois cols à plus de 4 800 m reliant Zangla (p. 297) à Wanla (p. 323) via le **Lingshet Gompa**, l'un des plus importants monastères du Zanskar. Commencer/terminer à Padum/Lamayaru rajoute au moins 2 jours.

Itinéraire d'hiver

TREK DE CHADAR

Chaque année en février, des voyageurs intrépides et des enseignants du Zanskar (qui reviennent de leurs vacances d'hiver) effectuent le trek de Chadar (seulement possible en hiver ; février est la meilleure période) à partir de Chiling (p. 320) ou de Padum (7 jours). L'itinéraire traverse un paysage irréel de canyons, et s'effectue pour l'essentiel sur la Zanskar gelée. Les marcheurs passent la nuit dans des grottes le long de la berge ainsi qu'à Nerak, l'un des villages les plus isolés d'Inde. S'il n'y a pas d'étapes de haute altitude, vous aurez besoin d'un excellent équipement hivernal et d'un guide local expérimenté, sachant "lire" la glace.

LADAKH

Des montagnes arides aux contours déchiquetés encerclent cet ancien et fabuleux royaume bouddhiste. En été, les randonneurs effectuent des treks entre les *gompa*, perchés sur des affleurements rocheux parmi des stupas chaulés et des murs *mani* (murs de méditation tibétains en pierre, gravés d'inscriptions sacrées). La brise des montagnes emporte les messages spirituels des drapeaux de prière colorés. Les moulins à prières tournent dans le sens des aiguilles d'une montre afin de répandre le mérite des mantras. Des peintures murales aux couleurs vives et de nombreuses statues de bodhisattva ornent l'intérieur des *gompa*.

La société traditionnelle ladakhie a beaucoup à apprendre à l'Occident en termes de respect de l'environnement et d'entraide sociale, comme vous le constaterez en rendant visite à la Women's Alliance de Leh (p. 306) et au LEDeG (p. 306). Bien que la plupart des Ladakhis soient pauvres, les maisons traditionnelles en briques crues sont vastes et confortables, et chaque foyer produit son carburant et sa nourriture, notamment des produits laitiers, des légumes, et l'orge qui sert à la fabrication de la *tsampa* (plat tibétain de farine d'orge grillé) et du *chhang*. Cela constitue un véritable exploit compte tenu de la brièveté de la saison propice à l'agriculture et de la superficie très limitée des terres arables dans ce désert d'altitude, où l'eau doit être laborieusement acheminée depuis les torrents alimentés par la fonte des glaciers. Gardez toujours à l'esprit que l'eau est ici une denrée très précieuse.

En été, les habitants recouvrent les toits plats de tas de *chuchump* (luzerne) aux torsades caractéristiques, un fourrage qui permettra de nourrir le bétail pendant le rude hiver. Les températures glaciales empêchent tout travail en hiver, une saison réservée aux fêtes. Peu de touristes découvrent le Ladakh à cette période de l'année, car les routes d'accès traversent certains des plus hauts cols au monde et sont totalement coupées de novembre à mai (parfois plus tôt). Seuls les avions, frôlant des sommets vertigineux à destination de Leh, relient alors le Ladakh au reste du monde.

Histoire

Descendant d'une dynastie fondée en 975 et comptant 39 générations, la famille royale du Ladakh a aujourd'hui cessé de régner. Elle prit le nom de Namgyal ("Victorieux") en 1470 quand Lhachen Bhagan, qui gouvernait depuis Basgo (p. 320), conquit un royaume ladakhi rival installé à Leh-Shey (p. 327). Bien que le Ladakh ait été culturellement "tibétanisé" au IXe siècle, le bouddhisme y parvint sous sa forme indienne, comme en témoignent les anciens temples d'Alchi (p. 322). Au fil du temps, différentes sectes

FÊTES ET FESTIVALS AU LADAKH ET AU ZANSKAR

Losar (6 déc 2010, 25 déc 2011). Nouvel An ladakhi, célébré dans les maisons et le *gompa* bouddhique par des festins, des cérémonies et des danses.

Gu-Stor (dates variables). Des cérémonies et des danses masquées fêtent la victoire du bien sur le mal dans les *gompa*, dont les suivants :

- **Spituk** (2-3 jan 2011 ; p. 320)
- **Karsha** (8-9 juil 2010, 27-28 juil 2011 ; p. 297)
- **Korzok** (14-15 juil 2010, 2-3 août 2011 ; p. 328)
- **Thiksey** (25-26 oct 2010, 13-14 nov 2011 ; p. 327)

Dosmoche (11-12 fév 2010, 2-3 mars 2011 ; partout y compris Leh, p. 301, Likir, p. 321 et Diskit, p. 325). Nouvel An bouddhique. Danses masquées ; des effigies représentant les mauvais esprits de l'année écoulée sont brûlées ou jetées dans le désert.

Guru Tse-Chu (23-24 fév 2010, 14-15 mars 2011 ; Stok Gompa, p. 318). Danses masquées et prédictions des oracles.

Matho Nagrang (27-28 fév 2010, 17-18 mars 2011 ; Matho, p. 319). Les oracles du monastère accomplissent des numéros d'acrobatie les yeux bandés et des mutilations rituelles.

Yuru Kabgyat (9 juin 2010, 28 juin 2011 ; Lamayuru, p. 323). Danses masquées monastiques.

Tse-Chu (21-23 juin 2010, 10-12 juil 2011 ; Hemis, p. 328). Anniversaire de Padmasambhava (p. 70), célébré par 3 jours de danses masquées. Le célèbre *thangka* (peinture tibétaine rectangulaire sur tissu) de Hemis, haut de 3 étages et incrusté de perles, est déroulé tous les 12 ans (la prochaine fois en 2016).

Phyang Tsedup (13-14 juil 2010, 1er-2 août 2011 ; Phyang Gompa, p. 320). Les danses masquées *chaam* rituelles célèbrent la victoire du bien sur le mal et du bouddhisme sur les religions antérieures. Le *thangka* géant de Phyang est déroulé tous les 3 ans (la prochaine fois en 2010).

Fête du Ladakh (1er-15 sept). Très touristique mais amusante, elle commence par un défilé bigarré dans Leh (p. 301), suivi de danses bouddhiques (à Spituk, p. 320), de polo (Leh), de tir à l'arc (Alchi, p. 321) et de musique.

Fête de Chemrey Thekchhok (4-5 nov 2010, 23-24 nov 2011 ; Thekchhok Gompa à Chemrey, p. 329). Danses masquées et rituels mystiques.

bouddhistes tentèrent de s'imposer, puis l'ordre tibétain gelugpa réussit à prédominer ; sa philosophie fut introduite au XIVe siècle par le pèlerin tibétain Tsongkhapa, qui a laissé une étrange relique à Spituk (p. 320).

Au XVIe siècle, le Ladakh lança une attaque contre la cité musulmane de Skardu, qui se solda par un échec désastreux. Étrangement, plutôt que de tuer le roi ladakhi, les vainqueurs exigèrent qu'il épouse une de leurs princesses. Malgré l'importante immigration musulmane qui s'ensuivit, le bouddhisme retrouva son importance sous le règne du plus grand roi du Ladakh, Senge Namgyal (règne 1616-1642), qui enrichit le pays en pillant les réserves d'or du Tibet occidental et établit de nouveau la capitale à Leh. Le Ladakh resta un royaume indépendant jusqu'en 1846, date à laquelle les Nyamgal perdirent le pouvoir. La région fut alors annexée au royaume des rajas Dogra de Jammu.

Depuis l'Indépendance, le Ladakh a été gouverné comme un sous-district (aujourd'hui semi-autonome) du Jammu-et-Cachemire. Une situation étrange sur le plan culturel pour ce "petit Tibet", l'une des dernières sociétés bouddhistes tantriques de la planète. Lorsque le tourisme fut autorisé pour la première fois en 1974, les pessimistes prédirent que le mode de vie traditionnel ladhaki, respectueux des équilibres, serait balayé par l'arrivée du "modernisme". La mondialisation de l'économie et les changements climatiques ont certes causé de nombreux problèmes, dont de dangereux déplacements de population, mais jusqu'ici, cette société traditionnelle s'est révélée étonnamment résistante. Dans le même temps, l'adoption de technologies localement utiles et pertinentes, comme l'énergie solaire et les murs Trombe, commence à améliorer les conditions de vie des populations rurales.

Climat

Désert de haute altitude, le Ladakh est réputé pour son ciel d'un bleu limpide.

Les précipitations sont faibles et le soleil brille en moyenne 300 jours par an. La courte saison touristique de Leh (de juillet à début septembre) se caractérise par des températures agréables dans la journée et des nuits plutôt fraîches. Des orages peuvent cependant éclater à tout moment et même en août, vous aurez besoin d'un pull quand des nuages cachent le soleil. Sur les itinéraires de treks les plus hauts, le thermomètre peut descendre en dessous de – 5°C la nuit, même en plein été. Dès septembre, la neige commence à tomber en altitude et bien que les principaux cols restent habituellement ouverts jusqu'en octobre, ils peuvent être temporairement fermés bien plus tôt. En hiver, les températures tombent en dessous de – 20°C et la plupart des hôtels ferment. Ceux qui restent ouverts facturent un supplément pour le chauffage et ne proposent que de l'eau en seau car les canalisations sont gelées.

Langue

Si l'écriture *bodyik* du Ladakh utilise des caractères tibétains, le ladakhi et le tibétain sont deux langues distinctes. Mot passe-partout, *jule* (prononcez djou-lé) signifie bonjour, au revoir, s'il vous plaît et merci. Ajouter "*lay*" à la fin d'un nom ou d'une phrase marque le respect. Au salut *khamzang*, il suffit de répondre *khamzang*. Si vous ne mangez pas de viande, précisez *sha za-amet*. *Zhimpo-rak* se traduit par "c'est délicieux". Vous trouverez d'autres expressions utiles et des conseils culturels dans l'excellent *Getting Started in Ladakhi* (en anglais ; 200 Rs) de Rebecca Norman.

Renseignements

Que vous ayez ou non besoin d'un permis, déplacez-vous toujours avec votre passeport car les contrôles sont assez fréquents.

PERMIS

Pour visiter la vallée de la Nubra, Pangong Tso, Dha-Hanu, Tso Moriri ou le haut Indus au-delà d'Upshi, vous devez posséder un *inner line permit*. Ce permis s'obtient facilement en une journée ouvrable par l'intermédiaire des agences de voyages de Leh pour 100 Rs, plus 20 Rs par jour de taxe de séjour. Les permis, valables 7 jours, ne peuvent pas être prorogés. En théorie, ils ne sont délivrés que pour un groupe de quatre personnes au minimum. Les agences contournent facilement cette règle, mais si vous voyagez sans le groupe inscrit sur le permis, vous encourez le risque (limité) d'être renvoyé ; revenir seul ne pose aucun problème. Faites plusieurs photocopies de vos passeport et permis pour les remettre aux divers postes de contrôle en chemin (si vous voyagez avec une agence, elle s'en chargera).

Désagréments et dangers

Leh et le Ladakh oriental ne connaissent aucun des conflits de la vallée du Cachemire.

La majeure partie du Ladakh se situe au-dessus de 3 000 m et les voyageurs qui arrivent en avion souffrent régulièrement du mal des montagnes (p. 824). Reposez-vous au moins pendant les premières 24 heures et buvez beaucoup d'eau (le gingembre et l'ail sont également recommandés). Tenez toujours compte de l'altitude lors des ascensions

KIT DE HAUTE MONTAGNE

Étant donné la haute altitude, vous aurez besoin :

- de vêtements chauds, même en été
- d'un chapeau, d'un baume pour les lèvres, de lunettes de soleil à verres anti-UV et d'écran solaire (les coups de soleil sont un risque permanent)
- d'une torche électrique de bonne qualité (les rues ne sont pas éclairées et les coupures de courant sont fréquentes, même à Leh)
- de paracétamol pour soulager les symptômes du mal des montagnes. Si le malaise persiste, descendez à plus basse altitude car cette affection est potentiellement mortelle (voir p. 824)

Prévoyez aussi des antibiotiques (disponibles à Leh), des sels de réhydratation en cas de maux d'estomac et des pansements pour les ampoules. Les campeurs devront se munir d'un sac de couchage valable en toute saison, et les photographes équiperont leur appareil d'un filtre UV.

abruptes, surtout dans les cols. Assurez-vous d'être correctement acclimaté et équipé avant d'entamer un trek.

N'utilisez pas de poêles à charbon dans les chambres mal ventilées ; ils peuvent provoquer une intoxication au monoxyde de carbone (voir l'encadré p. 794).

À faire

En été, le Ladakh est une terre d'élection pour les activités de plein air. Grâce aux nombreuses agences de Leh (voir p. 307), il est très facile d'organiser une ascension (p. 307), une sortie de rafting (p. 307) et des treks en haute altitude (p. 315).

LEH

☎ 01982 / 28 640 habitants / altitude 3 520 m

Peu d'endroits en Inde se montrent aussi accueillants envers le voyageur sans pour autant le harceler que cette ville entourée de montagnes. Si la capitale ladakhie compte de nombreuses agences de voyages, boutiques de souvenirs et pizzerias, même les pensions les moins chères occupent des bâtiments de style traditionnel, avec des fenêtres au cadre en bois ouvragé. La vieille ville décrépite reste émaillée de maisons en briques crues et de stupas. Les "faubourgs" forment un patchwork verdoyant de champs d'orge et de cours d'eau, ponctués de jolies maisons anciennes et de pensions. Leh est une ville dont on tombe facilement amoureux !

Orientation

La crête rocheuse escarpée qui plonge vers Main Bazaar est coiffée d'un palais, d'un fort et d'un *gompa*. Les ruelles délabrées de la vieille ville sillonnent le versant sud de la crête. Des pensions sont installées dans toute la ville, mais les principaux quartiers touristiques sont Changspa Rd et Fort Rd, un peu moins convivial.

À 10 km au sud-est, le faubourg de Choglamsar s'est développé autour d'un camp de réfugiés tibétains. Le dalaï-lama y possède un *photang* (résidence) pour ses visites officielles.

CARTES

L'excellente *Leh Valley Map* (195 Rs) au 1/10 000 de Henk Thoma, indique avec précision près de 200 hôtels et pensions de Leh. La **Ladakh Bookshop** (carte p. 304 ; Main Bazaar) vend les *Cartes de trekking* d'Olizane (www.olizane.ch), des cartes fiables, en français et en anglais, en trois feuilles à 1 300 Rs la feuille. L'**office du tourisme** (carte p. 304 ; ☎253482 ; Ibex Rd ; 🕓 10h-16h lun-sam) propose une carte *Jammu & Kashmir* (10 Rs), utile mais imparfaite.

Renseignements

ACCÈS INTERNET

Les dizaines de cybercafés facturent 90 Rs l'heure. La rapidité des connexions varie beaucoup dans un même établissement et les coupures de courant peuvent être gênantes.

Get Connected (carte p. 304 ; Main Bazaar ; 🕓 9h-21h). Gravure de CD.

Info Internet (carte p. 304 ; Music School Rd ; 🕓 9h-22h). À côté du Happy World Cafe. Bonnes connexions et certains ordinateurs équipés de Skype.

No-Name Internet (carte p. 304 ; Old Fort Rd ; 🕓 9h-23h30). Personnel très serviable.

Vista (carte p. 304 ; Changspa Lane ; 🕓 9h-23h30). Un des nombreux cybercafés de cette rue.

ARGENT

Plusieurs bureaux de change sont installés dans Changspa Rd et à Main Bazaar. Comparez les taux avec soin.

Bureau de change de la J&K Bank (carte p. 304 ; Himalaya Complex, Main Bazaar ; 🕓 10h-14h lun-ven, 10h-12h sam). Offre des taux corrects pour les chèques de voyage.

DAB de la J&K Bank (carte p. 304 ; Ibex Rd). Semble régulièrement hors service.

Paul Merchant (carte p. 304 ; ☎ 255309 ; 🕓 9h-21h). Change rapidement les espèces et les chèques de voyage et effectue des transferts Western Union.

State Bank of India (carte p. 304 ; Main Bazaar ; 🕓 10h-16h lun-ven, 10h-13h sam). Service de change à l'étage parfois un peu chaotique. On doit souvent faire la queue devant son DAB extérieur, accessible 24h/24 et le seul distributeur fiable de Leh.

LAVERIES

Star Laundry (carte p. 304 ; Ford Rd)

Dzomsa (carte p. 304 ; ☎ 250699 ; 70 Rs/kg ; 🕓 8h-22h30). Service de blanchissage respectueux de l'environnement.

LIBRAIRIES

Les librairies suivantes sont bien fournies en cartes postales, romans, ouvrages sur la spiritualité et livres sur le Ladakh, le Cachemire et le Tibet.

Book Worm (carte p. 304 ; Old Fort Rd). Achat et vente de livres d'occasion.

Kangsing Books (carte p. 304 ; Changspa Rd)
Ladakh Bookshop (carte p. 304 ; Main Bazaar)
Leh Ling Bookshop (carte p. 304 ; Main Bazaar)
Otdan Bookshop (carte p. 304 ; Zangsti Rd)

OFFICE DU TOURISME

Dans toute la ville, des panneaux d'affichage comportent des annonces pour des circuits, des treks et d'autres activités.

Office du tourisme (carte p. 304 ; ☎ 253482 ; Ibex Rd ; 🕑 10h-16h lun-sam). Dispose d'un nombre limité de brochures sur le Ladakh.

PHOTOGRAPHIE ET PHOTOCOPIE

De nombreux cybercafés (p. 301) gravent les photos sur CD moyennant 80 Rs.

Nirvana Bookstall (carte p. 304). Photocopies.
RK Exchange (carte p. 304 ; Main Bazaar ; 🕑 variables). Vend des cartes mémoire et des pellicules pour diapositives Sensia (220 Rs).
Unique Stationery (carte p. 304 ; Old Rd ; 🕑 8h-18h). Photocopies.
World Colour Lab (carte p. 304 ; Main Bazaar ; 🕑 10h-19h). Photocopies, impression photos numériques, développement et tirage, vente de pellicules pour diapositives.

POSTES

Poste centrale (carte p. 304 ; Main Bazaar ; 🕑 10h-16h30 lun-sam)
Poste principale (hors carte p. 303 ; Airport Rd ; 🕑 10h-13h et 14h-17h lun-ven, 10h-13h sam)

RÉPARATIONS

Cordonnier (carte p. 304). Généralement installé devant Dzomsa (p. 312) pendant la journée.
Mobile Doctor (carte p. 304 ; ☎ 252831 ; Music School Rd). Affirme réparer quasi tous les appareils électroniques.

SERVICES MÉDICAUX

AMS Advice (☎ 253629 ; 🕑 24h/24). Avis médical et conseils sur le mal des montagnes.
Het Ram Vinay Kumar Pharmacy (carte p. 304 ; ☎ 252160 ; Main Bazaar ; 🕑 9h30-20h). Antibiotiques et autres médicaments de base.
Sonam Norbu Memorial Hospital (carte p. 303 ; ☎ 252360/252014)

SITES INTERNET

Carte du Ladakh en ligne (www.reachladakh.com/ladakh_map.htm)
J&K Tourism (www.jktourism.org/ladakh/index.htm). Informations générales ainsi que sur les hébergements et les tour-opérateurs.
LAHDC (www.leh.nic.in). Indique les ouvertures et fermetures des routes de Srinagar et Manali.

TÉLÉPHONE

De nombreux bureaux PCO/STD/ISD pratiquent les tarifs indiens standards.

Pour vous procurer une carte SIM (80 Rs), apportez les photocopies de vos visa et passeport, ainsi que 3 photos d'identité à **Airtel** (carte p. 304 ; Ibex Rd ; 🕑 7h-14h et 15h-19h lun-sam). Sachez que l'envoi de SMS est interdit au Jammu-et-Cachemire par crainte du terrorisme.

URGENCES

Police (carte p. 304 ; ☎ 252018 ; Zangsti Rd)

À voir

CRÊTE DU PALAIS

Les principaux monuments de Leh sont perchés sur l'austère crête rocheuse qui constitue le principal point de repère de la ville. À moins d'être déjà acclimaté à l'altitude, ne grimpez pas sur cette crête le jour de votre arrivée.

Palais de Leh

La construction du **palais de Leh** (carte p. 304 ; Indiens/étrangers 5/100 Rs ; 🕑 aube-crépuscule), un édifice brun de 9 étages, commença en 1553. Édifié par les rois bouddhistes du Ladakh, il fut jadis le plus haut bâtiment du monde et rappelle le palais du Potala à Lhassa (Tibet). Ses murs épais sont pratiquement dénués d'ornements et à l'intérieur, quelques sections sont partiellement effondrées. Seule la salle de prière donne un aperçu de sa splendeur passée. Il n'en demeure pas moins plaisant d'arpenter le dédale de couloirs sombres, d'emprunter des escaliers cachés et des échelles improvisées pour atteindre le toit qui offre une vue superbe sur la ville. Apportez une torche et faites attention aux trous dans les planchers.

Gompa du palais

Trois beaux édifices religieux gardent l'imposante entrée du palais. La cour du **Som[illegible] Gompa** (carte p. 304), de 1840, est utilisé[illegible] pour des **danses traditionnelles** (150 Rs ; 🕑 17h3[illegible] en été). Derrière, le **Chenrezi Lhakhang** (carte p. 304[illegible] 20 Rs), aux peintures murales colorées, célèbr[illegible] le panthéon des 1 000 bouddhas (dont 996 [illegible] naître). Le **Chamba Lhakhang** (carte p. 304 ; 20 Rs[illegible] un sanctuaire rouge de 1430, se distingu[illegible] par des peintures murales médiévales e[illegible] partie conservées entre ses murs intérieurs e[illegible] extérieurs. Dans la salle centrale, une statu[illegible] rutilante de Maitreya, haute de 3 étages, [illegible] été restaurée en 1957.

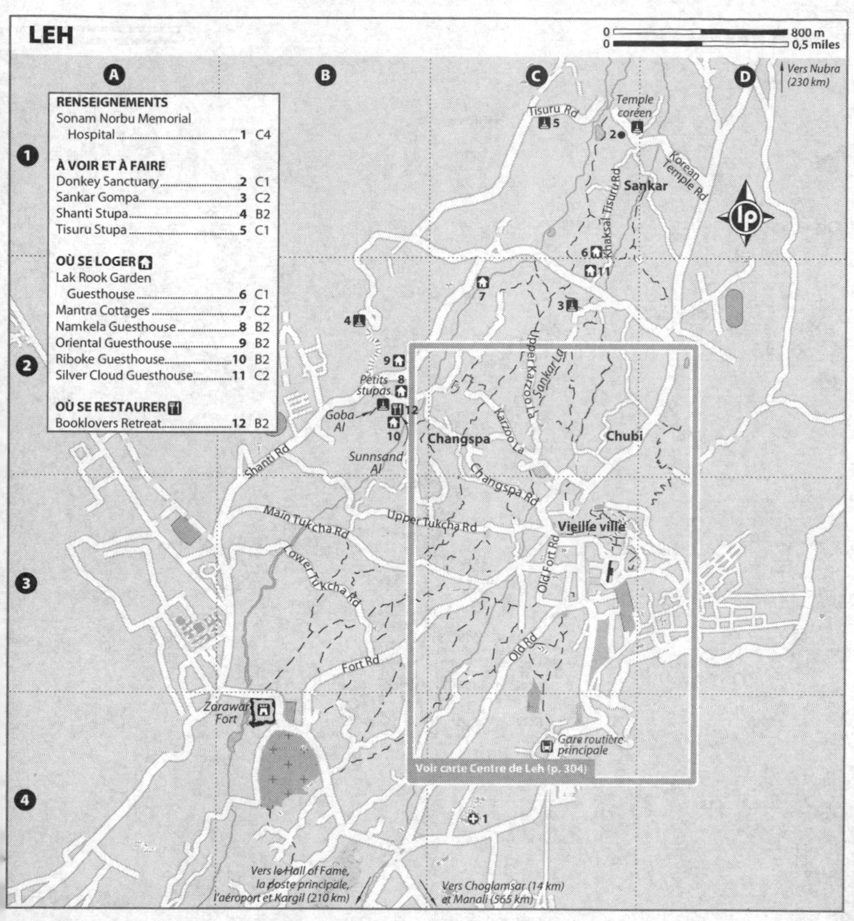

Fort Tsemo

Une grimpée vertigineuse de 15 min commence en face du Chenrezi Lakhang et serpente jusqu'aux ruines médiévales du **fort Tsemo** (fort de la Victoire ; carte p. 304 ; 10 Rs ; environ 7h-19h), visible de tout endroit dans Leh. Devant le fort, le **Gonkang Gompa** (carte p. 304) renferme des statues de divinités protectrices, tandis que le **Namgyal Tsemo Gompa** (carte p. 304 ; 20 Rs), un édifice en briques crues de 1430, contient un bouddha haut de 3 étages.

Au retour, un autre chemin descend vers une **forêt de stupas** (carte p. 304) à Chubi.

VIEILLE VILLE

Derrière la **Jama Masjid** (carte p. 304), une belle mosquée sunnite réservée aux hommes, les ruelles sinueuses et les escaliers de la vieille ville se faufilent entre une série de chortens (stupas) érodés et des maisons ladakhies traditionnelles en briques crues. De nombreuses belles structures sont restaurées avec l'aide du **Tibet Heritage Fund** (www.tibetheritagefund.org). Un nouvel **ensemble musée-bibliothèque** (carte p. 304) est en construction près de la petite mosquée sunnite pour les femmes, la **mosquée des Marchands** (carte p. 304). En face du **Datun Sahib** (carte p. 304), un arbre sacré aurait été planté en 1517 par un mystique sikh. D'autres prétendent qu'il aurait miraculeusement poussé d'un bâton de marche laissé par Staksang Raspa, le gourou du grand roi ladakhi Senge Namgyal.

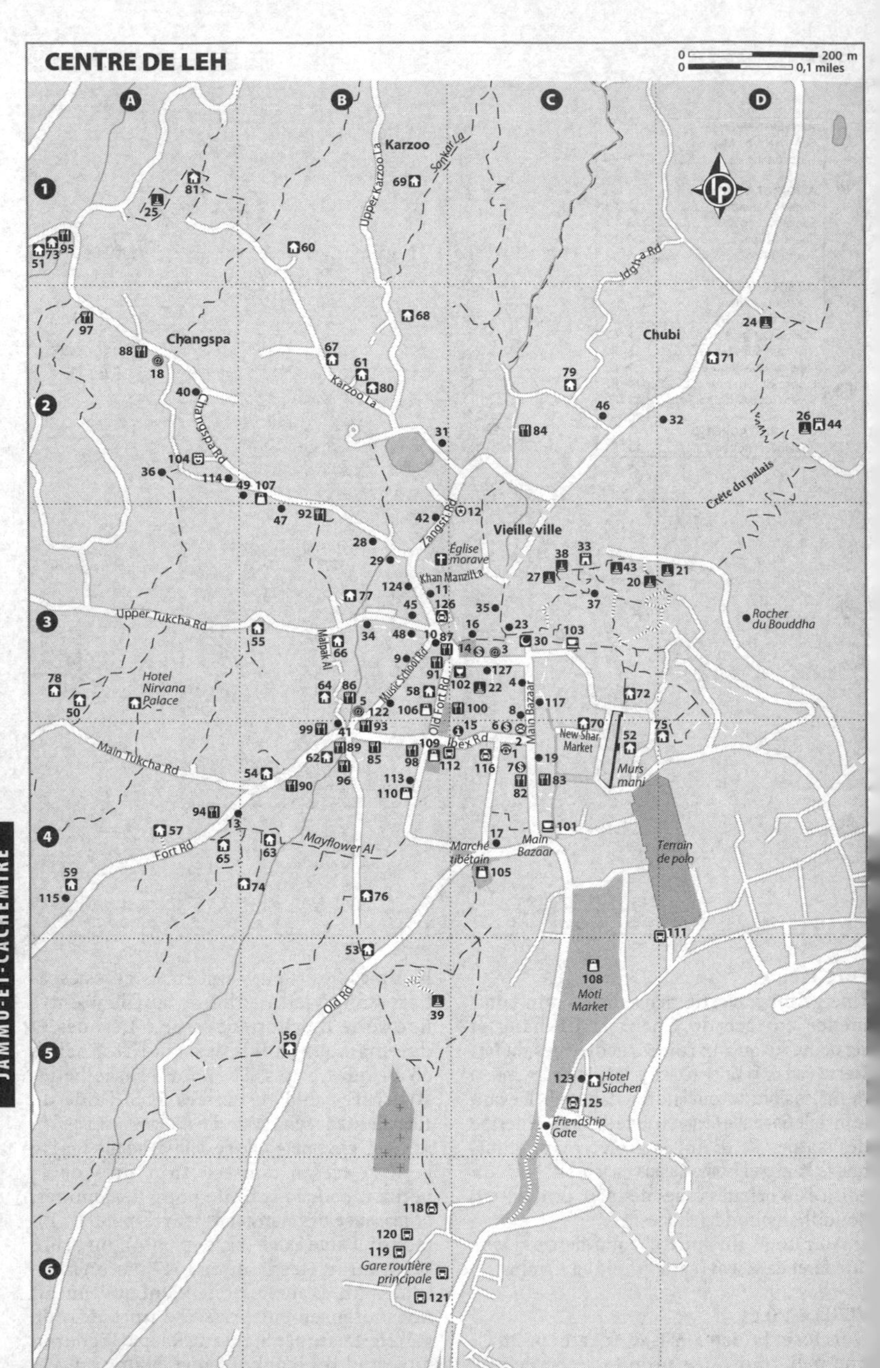

JAMMU-ET-CACHEMIRE

RENSEIGNEMENTS

Airtel **1** C4
Book Worm (voir 58)
Poste centrale **2** C4
Get Connected **3** C3
Het Ram Vinay Kumar Pharmacy **4** C3
Info Internet **5** B3
DAB de la J&K Bank **6** C4
Bureau de change de la J&K Bank **7** C4
Kangsing Books (voir 49)
Ladakh Bookshop (voir 3)
Leh Ling Bookshop **8** C3
Mobile Doctor **9** B3
Nirvana Bookshop **10** B3
No-Name Internet (voir 99)
Otdan Bookshop **11** B3
Paul Merchant (voir 102)
Police **12** C3
RK Exchange (voir 10)
Cordonnier (voir 87)
Star Laundry **13** A4
State Bank of India **14** C3
Office du tourisme **15** C4
Unique Laundry **16** C3
Unique Stationery **17** C4
Vista **18** A2
World Colour Lab **19** C4

À VOIR ET À FAIRE

Adil (voir 51)
Chamba Lhakhang **20** C3
Chenrezi Lhakhang **21** D3
Chowkhang Gompa **22** C3
Arbre sacré de Datun Sahib **23** C3
Forêt de stupas **24** D2
Gomang Stupa **25** A1
Gonkang Gompa **26** D2
Sanctuaire de Guru Lakhang **27** C3
Himalayan Journeys **28** B3
IMF, Sri Sonam Wangyal **29** B3
Jama Masjid **30** C3
Ladakh Ecological Development Group **31** B2
Départ du défilé de la fête du Ladakh **32** D2
Palais de Leh **33** C3
Lhasi Karpo Ecological Trek & Tours **34** B3
Complexe musée-bibliothèque **35** C3
Mahabodhi Centre **36** A2
Munshi Mansion **37** C3
Namgyal Stupa **38** C3
Namgyal Tsemo Gompa (voir 26)
Nezer Latho **39** B5
Open Ladakh **40** A2
Overland Escape **41** B4
Snow Leopard Trails **42** B3
Soma Gompa **43** C3
Splash Adventures (voir 91)
Mosquée des Marchands (voir 35)
Fort Tsemo **44** D2
Wild East Adenture **45** B3
Women's Alliance **46** C2
World Adventure **47** B3
XPloreLadakh **48** B3
Yama Adventures **49** B2

OÙ SE LOGER

Ashoka Guesthouse **50** A3
Asia Guesthouse **51** A1
Babu Guesthouse **52** C4
Hotel Dragon **53** B5
Hotel Grand Willow **54** B4
Hotel Hilltown **55** B3
Hotel Lasermo **56** B5
Hotel Lha-Ri-Mo **57** A4
Hotel Lingzi **58** B3
Hotel Namgyal Palace **59** A4
Hotel Naro **60** B1
Hotel Saser **61** B2
Hotel Tso-Kar **62** B4
Hotel Yasmin **63** B4
Indus Guesthouse **64** B3
Jampal Guesthouse **65** A4
Jigmet Guesthouse **66** B3
Karzoo Guesthouse **67** B2
Lotus Hotel **68** B2
Magsoon Guesthouse **69** B1
Moonland Guesthouse **70** C4
New Moon Guesthouse **71** D2
Old Ladakh Guest House **72** C3
Otsal Guesthouse **73** A1
Padma Hotel **74** B4
Palace View Guesthouse **75** D4
Pangong Hotel **76** B4
Saiman Guesthouse **77** B3
Snowland Hotel **78** A3
Spangchenmo Guesthouse **79** C2
Travellers' House **80** B2
Zeepata Guesthouse **81** A1

OÙ SE RESTAURER

Amdo Food **82** C4
Amdo **83** C4
Amigo Korean Café **84** C2
Chopsticks **85** B4
Dolphin Bakery **86** B3
Dzomsa **87** B3
Dzomsa **88** A2
Dzomsa **89** B4
Gesmo (voir 93)
Grill-N-Curry **90** B4
Il Forno **91** B3
La Pizzeria **92** B3
Ladag Apricot Store (voir 87)
Lamayuru Restaurant **93** B4
Local Food Restaurant (voir 46)
Mona Lisa **94** A4
Otsal Restaurant **95** A1
Penguin Garden **96** B4
Pumperknickel German Bakery (voir 91)
Sheldon Garden Restaurant **97** A2
Simple Tandoor Bakeries (voir 23)
Summer Harvest **98** B4
Tenzin Dickey Tibetan **99** B4
Marché aux légumes **100** C3

OÙ PRENDRE UN VERRE

Desert Rain **101** C4
Indus Wine Shop (voir 6)
La Pizzeria (voir 92)
La Terrasse **102** C3
Lala's Art Café **103** C3

OÙ SORTIR

KC Garden Restaurant **104** A2
Spectacles de chants et danses ladakhis traditionnels (voir 43)

ACHATS

Gol Market **105** C4
Handicrafts Industrial Cooperative Shop **106** B3
Harish **107** B2
Ladakh Ecological Development Group (voir 31)
Moti Market **108** C5
Marché des réfugiés tibétains **109** B4
Wamda Wood Carving **110** B4
Women's Alliance (voir 46)

TRANSPORTS

Bus pour Kargil **111** D4
Point de départ des bus HPTDC **112** B4
Discover Himalaya Adventure **113** B4
Himalayan Bikers **114** A2
Billetterie HPTDC (voir 93)
Indian Airlines **115** A4
Station de Jeep et de taxis **116** C4
Jet Airways **117** C3
Ladakh Taxi Operators Cooperative **118** B6
Gare routière principale – bus J&K SRTC **119** B6
Gare routière principale – bus LBOC **120** B6
Gare routière principale – minibus **121** B6
Agences de location de motos **122** B3
Jeep collectives pour Kargil **123** C5
Summer Holidays **124** B3
Station de taxis **125** C5
Station de taxis **126** B3
Vajra Voyages **127** C3

Un passage couvert conduit à la **Munshi Mansion** (carte p. 304), du XVIIe siècle. L'ancienne résidence du secrétaire royal ladakhi est actuellement réaménagée pour devenir le Lamo Arts Centre. Plus haut, le **sanctuaire de Guru Lhakang** (carte p. 304), un bâtiment trapu, contient des peintures murales fraîchement repeintes et une statue de Guru Rinpoche à l'air féroce. Une courte marche à travers les rochers mène au gigantesque

Namgyal Stupa (carte p. 304), édifié plus haut devant les murs du palais.

CHOWKHANG GOMPA

Caché dans une grande cour derrière Main Bazaar, le petit **Chowkhang Gompa** (carte p. 304 ; entrée libre), du XXe siècle, est le siège de l'association bouddhiste du Ladakh. Des centaines de drapeaux de prière entourent le toit doré de la salle de prière.

SHANTI STUPA

Construit par des moines japonais afin de promouvoir la paix dans le monde, ce grand **stupa** (carte p. 303 ; 🕒 5h-21h), au sommet d'une colline, comporte à mi-hauteur des reliefs aux couleurs vives ; il est coiffé d'une demi-sphère blanche et d'une flèche (il est interdit de fumer). Son principal intérêt est la vue splendide sur Leh. Mieux vaut effectuer cette exténuante montée de 15 min vers 17h30, quand la lumière dorée de l'après-midi éclaire encore la ville et que les marches qui grimpent de Changspa bénéficient d'une ombre rafraîchissante.

STUPAS

En ruine, le **Tisuru Stupa** (carte p. 303 ; Tisuru Rd), une massive structure en briques crues du XIe siècle, ressemble à une ziggourat (pyramide à étages) inachevée.

Datant du IXe siècle, le **Gomang Stupa** (carte p. 304), blanchi à la chaux, s'élève en couches concentriques dentelées entre d'anciennes sculptures rupestres bouddhiques et de nombreux chortens. Cet endroit paisible et ombragé dégage une authentique atmosphère de spiritualité.

Couvert de drapeaux de prière, le mystérieux **Nezer Latho** (carte p. 304), un édifice chaulé, se tient sur un affleurement rocheux et offre une vue panoramique sur Leh. De l'Hotel Dragon, en face, une montée de 5 min y conduit.

LEDEG

Le **Ladakh Ecological Development Group** (LEDeG ; carte p. 304 ; ☎ 253221 ; www.ledeg.org ; 🕒 10h-16h lun-sam) comporte une bibliothèque, une salle d'exposition présentant une cuisine ladakhie typique, et une salle de réunion où l'on peut voir un intéressant documentaire d'une heure sur les nomades et la vie sauvage de l'est du Ladakh (séance à 15h ; don à l'entrée). Près de l'entrée, une exposition est consacrée aux énergies renouvelables, et une boutique vend de l'artisanat produit par des coopératives villageoises à des prix compétitifs. Vous pourrez aussi remplir ici vos bouteilles d'eau (voir l'encadré p. 313).

WOMEN'S ALLIANCE

Une visite de ce **centre communautaire** (carte p. 304 ; ☎ 250293 ; www.isec.org.uk/pages/ladakh.html ; 🕒 10h-17h lun-sam) devrait être obligatoire pour tous ceux qui viennent au Ladakh ! Le centre s'efforce d'enseigner, aux habitants comme aux étrangers, le remarquable équilibre de la société ladakhie traditionnelle. La projection de l'excellent documentaire d'une heure, *Ancient Futures: Learning from Ladakh* (séance à 15h du lundi au samedi ; don à l'entrée) est suivie d'un débat. Divers autres films sont projetés à 11h.

SANKAR GOMPA

La promenade jusqu'au **Sankar Gompa** (carte p. 303 ; 20 Rs), un édifice gelugpa de 2 étages hors du temps, passe entre des murs de pierre et de jolies fermes ladakhies, le long de petits ruisseaux et devant un joli stupa champêtre. Dans la principale salle de prière du *gompa* trône un portrait de Kushok Bakula Rinpoche (mort en 2004), l'ancien grand lama du Ladakh. Sa réincarnation, récemment identifiée, s'installera à terme dans le *photang* (résidence officielle) au toit doré, en face du monastère.

DONKEY SANCTUARY

Les ânes maltraités ou abandonnés parce que trop vieux pour travailler sont recueillis dans cette **réserve** (carte p. 303 ; ☎ 9419658777 ; Korean Temple Rd) semi-rurale. Leur apporter des carottes constitue un prétexte idéal pour flâner sur les hauteurs de Leh, charmantes et peu visitées. Les dons financiers sont acceptés avec gratitude.

HALL OF FAME

À environ 1 km après l'aéroport sur la route Spituk-Kargil, ce petit **musée** (hors carte p. 303 ; Indiens/étrangers 10/50 Rs ; 🕒 9h-13h et 15h-19h) présente des expositions sur la culture ladakhie et sur la guerre avec le Pakistan pour la propriété du glacier Siachen.

Activités et cours

YOGA ET MÉDITATION

Le **Mahabodhi Centre** (carte p. 304 ; ☎ 253689 ; www.mahabodhi-ladakh.org ; Changspa Lane) propose des

cours de yoga (150 Rs ; ⌚ 9h30 lun-ven, 16h lun-sam) d'une heure et demie, suivis d'une séance de méditation. Vous pouvez réserver ici des stages de méditation *vipassana* de 3 ou 10 jours dans son **Meditation Centre** (carte p. 304 ; ☎264372 ; dort 150 Rs, ch 350-500 Rs ; 💻) bien plus grand, à 12 km au sud-est. Le dimanche, le Meditation Centre organise une journée de présentation et d'initiation à la méditation (400 Rs, déjeuner et transfert en bus de Leh compris).

Open Ladakh (carte p. 304 ; ☎ 9419886135 ; www.openladakh.com ; Changspa Rd) organise des **séances de méditation** (⌚ 16h lun-ven), de yoga, des week-ends de retraite à Stok (p. 318) et de plus longs cours d'initiation.

MASSAGE

De nombreux établissements proposent massages et gommages, notamment dans Old Fort Rd. Les prestations varient énormément et mieux vaut se renseigner auprès d'autres voyageurs. Comptez à partir de 500 Rs pour un massage ayurvédique. Le charmant **Adil** (carte p. 304 ; Asia Guesthouse, Changspa) propose des cours de plusieurs jours (200 €) pour apprendre massage, manipulation des chakras et acupression.

ALPINISME

De nombreux sommets du Ladakh dépassent 6 000 m. Certains, comme le Stok Kangri (p. 317), sont des "sommets de trekking" accessibles aux groupes dotés d'un équipement basique mais avec une expérience minimale de l'alpinisme. Beaucoup d'autres sommets restent rarement escaladés. L'ascension du Kun (7 087 m), qui surplombe la vallée de la Suru (p. 295), peut être tentée par des alpinistes amateurs expérimentés avec un encadrement fiable. Le Nun voisin (7 135 m) requiert en revanche une expédition de haut niveau. Bien évidemment, toute ascension à ces altitudes exige une acclimatation parfaite et une excellente forme physique (voir p. 104).

Droits d'accès aux sommets

Les droits d'accès aux sommets, de 50 $US (les sommets de trekking) à 400 $US (les sommets à plus de 7 000 m), se paient directement à l'**IMF** (www.indmount.org), dont le représentant au Ladakh, **Sri Sonam Wangyal** (carte p. 304 ; ☎252992 ; Changspa Lane), règle généralement les formalités en moins de 24 heures. Il affirme avoir été l'homme le plus jeune à grimper l'Everest et possède un bureau curieusement installé dans la cour du Mentokling Restaurant.

Les agences peuvent également s'occuper des permis. Le Stok Kangri étant le seul sommet où l'IMF les contrôle régulièrement, de nombreux tour-opérateurs encouragent les alpinistes à enfreindre la loi et à grimper sans payer les droits. Nous ne saurions cautionner ce genre de pratique.

RAFTING ET KAYAK

En été, des agences telles que **Splash Adventures** (carte p. 304 ; ☎254870 ; gangakayak@yahoo.com ; Zangsti Rd) et **Himalayan Journeys** (carte p. 304 ; ☎250591 ; stanny104hj@yahoo.co.in ; Changspa Rd) proposent tous les jours des sorties de rafting à travers de splendides canyons entre Phey et Nimmu (pour débutants, niveaux I/II, de 650 à 850 Rs) et entre Chiling et Nimmu (niveaux II/III, de 1 200 à 1 400 Rs). Préparez-vous à être trempé ! En s'organisant à l'avance, des rafteurs expérimentés peuvent faire une expédition de plusieurs jours sur l'Indus, avec des rapides de niveau IV aux alentours de Skurbuchan (p. 323).

TREKKING

Voir p 315.

BÉNÉVOLAT

Pour faire un trek en participant à une expérience de bénévolat en groupe, adressez-vous à **Around Ladakh with Students** (www.secmol.org/ecotourism) ou choisissez un **trek de collecte de détritus** (www.overlandescape.com/cleaningtrek.php).

Circuits organisés

TREKS ET CIRCUITS EN JEEP

Des dizaines d'agences peuvent vous procurer une Jeep, un chauffeur et obtenir les permis nécessaires. Réserver un circuit complet n'est habituellement pas nécessaire car on trouve facilement de modestes hébergements ruraux à l'arrivée. Les circuits réservés à l'avance peuvent coûter trois fois plus cher. Même le touriste le plus pressé a besoin de deux jours à Leh pour s'acclimater à l'altitude, cela laisse suffisamment de temps pour s'organiser sur place. En pleine saison des treks, le délai peut être un peu plus long en cas de pénurie de chevaux.

Le choix de l'agence reste toujours hasardeux. Celles indiquées ci-dessous se sont révélées compétentes et/ou nous ont été chaudement recommandées par des voyageurs, mais il en existe d'autres. Rares sont celles à éviter, mais beaucoup sont quelconques. Essayez d'obtenir des informations récentes auprès d'autres voyageurs. En fait, le facteur décisif est souvent l'agence qui organise un circuit le jour qui vous convient.

Himalayan Journeys (carte p. 304 ; ☎ 250591 ; stanny104hj@yahoo.co.in ; Changspa Rd). Jeep collective et sorties de rafting quotidiennes.

Lhasi Karpo Ecological Trek & Tours (carte p. 304 ; ☎ 255644 ; www.eco-ladakh.com ; Upper Tukcha Rd ; 🕑 17h-21h). Le propriétaire compétent guide les promenades à pied dans la vieille ville.

Overland Escape (carte p. 304 ; ☎ 250858 ; www.overlandescape.com). Une grande agence aux multiples prestations, dont le directeur est l'auteur réputé d'un guide de voyage au Ladakh. Le bureau est installé au-dessus du restaurant Bon Apetit.

Snow Leopard Trails (carte p. 304 ; ☎ 252074 ; www.snowleopardtrails.com ; Hotel Kanglhachen Complex, Zangsti Rd). Treks avec hébergement chez l'habitant.

Splash Adventures (carte p. 304 ; ☎ 254870 ; gangakayak@yahoo.com ; Zangsti Rd). Spécialistes du rafting.

Wild East Adventure (carte p. 304 ; ☎ 250505 ; www.wildeastadventure.com ; Upper Tukcha Rd). Bon contact pour le trekking.

World Adventure (carte p. 304 ; ☎ 251910 ; gurmetcharu@rediffmail.com ; Changspa Rd). Petite agence serviable.

XploreLadakh (carte p. 304 ; ☎ 09906994743 ; www.xploreladakh.com ; Upper Tukcha Rd). Parfois un peu chaotique, mais excellente pour partager une Jeep. Si elle ne peut rien pour vous, une dizaine d'autres agences sont installées à proximité.

Yama Adventures (carte p. 304 ; ☎ 250833 ; www.yamatreks.com ; Changspa Rd). Recommandée par plusieurs lecteurs-trekkeurs.

PROMENADES À PIED DANS LA VIEILLE VILLE

Ces **promenades guidées** (300 Rs/pers ; 🕑 9h30 mar, jeu et sam), en petits groupes, partent du Lala's Art Cafe (p. 312) et explorent la vieille ville, visitant au passage de vieilles maisons en partie reconstruites et plusieurs temples. Elles durent environ 5 heures.

Où se loger

La plupart des hébergements offrent de l'eau chaude le matin ou le soir et il faut parfois attendre 10 min pour obtenir une température agréable. Afin de ne pas gaspiller cette précieuse ressource, mieux vaut demander un seau d'eau chaude ou se doucher moins souvent qu'à l'ordinaire.

Quelques hôtels plus haut de gamme ajoutent 10% de service. Si vous pouvez vous passer de TV et de personnel en uniforme, les meilleures pensions (à partir de 700 Rs) sont souvent aussi plaisantes que les hôtels touristiques (1 980 Rs). À part les moquettes râpées omniprésentes dans les couloirs, presque tous les établissements de Leh, quelle que soit la catégorie, ont bien plus de charme que leurs équivalents ailleurs en Inde. Leh compte plus de pensions correctes que nous n'avons la place d'en indiquer et vous dénicherez facilement le petit nid douillet qui vous convient. La plupart des hôtels et de nombreuses pensions ferment en hiver.

Si quelques pensions sont disséminées dans les ruelles poussiéreuses de la vieille ville, les principaux quartiers touristiques sont Changspa Rd, verdoyante et développée, et Fort Rd, plus animée avec une plus forte proportion d'hôtels de catégorie moyenne. Bruyante, Old Rd abrite plusieurs hôtels fréquentés par des groupes en forfaits-séjours. Karzoo, Upper Karzoo et Tukcha sont plus paisibles et séduisants, mais manquent de cafés et de boutiques. Chubi et surtout Sankar ont une ambiance indéniablement rurale.

PETITS BUDGETS

Le standing des chambres variant dans chaque pension, vaut-il mieux visiter avant de se décider. Réserver plus de 24 heures à l'avance est souvent inutile car les pensions les moins chères ne connaissent leurs disponibilités que lors du départ de leurs hôtes.

Changspa

♡ **Zeepata Guesthouse** (carte p. 304 ; ☎ 250747 ; Changspa ; s/d 100/200 Rs). Relativement moderne et d'un calme souverain, cette pension de 6 chambres semble avoir bizarrement "poussé" sur les ruines d'une ancienne demeure en briques crues. La chambre du dernier étage s'agrémente d'une jolie petite terrasse avec vue. Bien tenues, les sdb communes disposent d'un chauffe-eau.

Oriental Guesthouse (carte p. 303 ; ☎ 253153 ; www.oriental-ladakh.com ; Changspa ; s/d 100/200 Rs, avec sdb 350/850 Rs ; 🕑 tte l'année ; 💻). Ce grand complexe un peu isolé peut satisfaire tous les budgets avec ses chambres propres et récentes. Les moins chères sont toutefois un peu sombres et donnent sur des couloirs négligés, qui sentent le mouton bouilli. L'établissement offre l'accès à Internet dans la réception-bibliothèque, un vaste jardin un restaurant, un panneau d'affichage pratique et de l'eau potable gratuite pour les résidents.

Namkela Guesthouse (carte p. 303 ; ☎ 251792 ; Changspa Rd ; d sans sdb 200 Rs). Des chambres sans prétention dans une authentique maison familiale ladakhie.

Riboke Guesthouse (Ribook Guesthouse ; carte p. 303 ; ☎ 253230 ; Riboke_gh@yahoo.co.in ; Sunnsand Alley ; d 200 Rs, avec sdb 350 Rs). Dans une maison typique, des chambres pimpantes et ensoleillées malgré les sols en lino un peu usés. Agréable espace de détente dans un paisible jardin potager.

Asia Guesthouse (carte p. 304 ; ☎ 253403 ; ladakhasia@yahoo.co.in ; Changspa Rd ; d à partir de 200 Rs, avec sdb à partir de 500 Rs). Véritable institution prisée des voyageurs, cette grande pension comprend un café dans le jardin au bord d'un cours d'eau et un salon orné d'un yak naturalisé. Les chambres à 650 Rs possèdent des sdb joliment carrelées, mais la grande annexe défraîchie (l'ancien Hotel Sun'n'Sand) a besoin d'une rénovation complète.

Quartier de Fort Road

Jampal Guesthouse (carte p. 304 ; ☎ 251272 ; tse_nain2004@yahoo.co.in ; Mayflower Alley ; d sans sdb 200-300 Rs). Tenue par une famille très accueillante, cette pension comporte un jardin et un salon de style traditionnel. Eau chaude matin et soir dans les sdb communes.

Indus Guesthouse (carte p. 304 ; ☎ 252502 ; masters_adv@yahoo.co.in ; Malpak Alley ; d 200-500 Rs, petit déj 100 Rs). L'Indus propose des chambres d'un bon rapport qualité/prix, surtout celles en étage à 300 Rs. Deux terrasses communes et un jardin ombragé ajoutent à son attrait.

Tukcha

Ashoka Guesthouse (carte p. 304 ; ☎ 252725 ; ashoka-guesthouse@gmail.com ; Main Tukcha Rd ; ch 150 Rs, avec sdb 300 Rs). Des chambres bon marché, d'une propreté irréprochable, mais des espaces communs très réduits.

Karzoo

Karzoo Guesthouse (carte p. 304 ; ☎ 9906997015 ; Karzoo Lane ; d 200 Rs, avec sdb 300 Rs). Dirigée par des Népalais, cette maison traditionnelle ladakhie séduit une clientèle sereine avec son jardin convivial et d'agréables espaces de détente. Les chambres les moins chères partagent des sdb au sol en ciment brut, mais ont plus de charme que celles avec sdb.

Magsoon Guesthouse (carte p. 304 ; ☎ 919960992683 ; Sankar Lane ; ch 350 Rs). Un jardin fleuri, la vue sur le fort et la salle à manger de style traditionnel sont les principaux atouts de cette pension standard.

Vieille ville

Moonland Guesthouse (carte p. 304 ; ☎ 252175 ; Old Town ; s/d sans sdb 100/200 Rs). Cinq chambres sans prétention et très propres partagent 2 sdb au-dessus d'une modeste maison familiale.

Babu Guesthouse (carte p. 304 ; ☎ 252419 ; Old Town ; s/d 150/200 Rs). Les chambres en étage bénéficient d'une vue oblique sur le palais. Les toilettes communes, à l'extérieur, sont à deux pas.

Palace View Guesthouse (carte p. 304 ; ☎ 250773 ; Old Town ; d à partir de 200 Rs, avec sdb à partir de 300 Rs). Cette maison familiale très accueillante comporte une cour avec des sièges, deux salons et un toit-terrasse avec une vue fabuleuse sur la crête et le palais. Les sdb sont équipées de chauffe-eau.

Old Ladakh Guesthouse (carte p. 304 ; ☎ 252951 ; Old Town ; d à partir de 200 Rs, avec sdb à partir de 500 Rs). Malgré des poutres cramoisies de style semi-oriental, une belle cuisine-salle à manger traditionnelle et une vue époustouflante du toit-terrasse, cette pension déçoit à cause des chambres négligées et oppressantes ou claires mais défraîchies. La nouvelle annexe, actuellement en construction, devrait être plus agréable.

Chubi

Spangchenmo Guesthouse (carte p. 304 ; ☎ 252257 ; Idgha Rd ; d 200 Rs). Tenue par une famille, cette sympathique pension de 3 chambres fait face au fort, de l'autre côté d'un champ.

Sankar

Lak Rook Garden Guesthouse (carte p. 303 ; ☎ 252987 ; agyal123@yahoo.com ; Sankar ; ch à partir de 200 Rs, avec sdb à partir de 350 Rs). Cette superbe ferme ladakhie disparaît presque au milieu de son fabuleux jardin potager bio. Les charmants propriétaires, la nourriture savoureuse, les douches chauffées à l'énergie solaire et les toilettes à la turque ou "locales" (à compost) en font une adresse culte pour les voyageurs, malgré les chambres très modestes, parfois un peu humides.

CATÉGORIE MOYENNE

Travellers' House (carte p. 304 ; Karzoo Lane ; d à partir de 400 Rs). Jolie maison gérée par une famille, ornée de photos en noir et blanc et dotée de sdb avec chauffe-eau.

L'ÉCOLOGIE AVANT LA LETTRE

La culture ladakhie traditionnelle recycle tout, même les déjections humaines, grâce aux toilettes à compost, en recouvrant de temps à autre les excréments de terre. Cette brillante invention empêche la pollution des cours d'eau et évite le gaspillage des chasses d'eau. Les utiliser autant que possible aide au respect de l'environnement à condition de ne rien jeter dans le trou qui ne soit pas biodégradable. Rappelez-vous que le compost fertilise ensuite les champs des fermiers.

Hotel Yasmin (carte p. 304 ; ☎ 255098 ; www.yasminladakh.com ; Mayflower Lane ; d ét. inférieur/supérieur 400/500 Rs). Un jardin paisible et une jolie vue de la chambre du dernier étage.

♥ **Hotel Saser** (carte p. 304 ; ☎ 250162 ; nam_gyal@rediff.com ; Karzoo Lane ; d 400-700 Rs). Le plus chic et le plus calme des établissements semi-traditionnels de cette rue, le Saser est agencé autour d'une pelouse fleurie. Si toutes les chambres disposent d'eau chaude, celles du dernier étage (700 Rs), mieux décorées, partagent un balcon avec vue sur le palais. Le café, aménagé avec goût, contient de nombreux livres sur la région.

Jigmet Guesthouse (carte p. 304 ; ☎ 253563 ; jigmetguesthouse@yahoo.com ; Upper Tukcha Rd ; d 500-700 Rs ; ⏲ tte l'année). Les grandes chambres propres donnent sur un splendide jardin planté de fleurs et de légumes. Des espaces de détente, agrémentés de livres, sont installés à l'ombre des pommiers et à l'intérieur.

Saiman Guesthouse (carte p. 304 ; ☎ 253161 ; Saiman_guesthouse@yahoo.com ; Malpak Alley ; d 500-650 Rs). Accueillante, d'une propreté irréprochable et dotée d'un superbe jardin, cette pension de style maison familiale comprend de grandes chambres douillettes (avec vue pour les plus chères) et un petit salon.

New Moon Guesthouse (carte p. 304 ; ☎ 250296 ; angchok@india.com ; Sankar Rd, Chubi ; d 300 Rs, avec sdb 600 Rs). Très bien tenue, cette pension offre des lits neufs, un salon ladakhi et un restaurant correct dans le jardin, qui souffre un peu du bruit de la rue.

Hotel Tso-Kar (carte p. 304 ; ☎ 255763 ; www.lehladakhhotel.com ; Fort Rd ; d à partir de 600 Rs). Les chambres ne sont pas aussi plaisantes que le laisse supposer la jolie cour à colonnades, malgré la TV sat et l'eau chaude toute la journée.

Hotel Naro (carte p. 304 ; ☎ 255138 ; www.hotelnaro.com ; Karzoo Lane ; d 650 Rs, avec sdb 950 Rs). Des chambres propres et pimpantes, pour la plupart avec des sdb en marbre ou récemment carrelées et l'eau chauffée à l'énergie solaire. Beaucoup bénéficient d'une vue superbe sur le jardin de dahlias et le Shanti Stupa.

Hotel Lingzi (carte p. 304 ; ☎ 252020 ; www.lingzihotel.com ; Old Fort Rd ; d ét. inférieur/intermédiaire/supérieur 800/1 200/1 400 Rs). Très central, il offre un service attentif, un vaste toit-terrasse avec vue et l'eau chaude 24h/24. Si la façade et la réception ont beaucoup de charme, les chambres, propres, se révèlent banales.

CATÉGORIE SUPÉRIEURE

Hotel Grand Willow (carte p. 304 ; ☎ 251835 ; Fort Rd ; s/d 1 430/1 980 Rs). Trois étages de balcons richement sculptés, d'impeccables sdb neuves, des couvre-lits en soie et une petite salle à manger orientale. Réductions possibles de 40% hors saison.

Hotel Hilltown (carte p. 304 ; ☎ 256451 ; hilltownleh@gmail.com ; Upper Tukcha Rd ; s/d à partir de 1 430/1 980 Rs). Des chambres claires et gaies avec de belles sdb récentes dans un édifice ancien restauré, agrémenté d'un petit café dans le jardin.

Lotus Hotel (carte p. 304 ; ☎ 250265 ; www.hotel-lotus.tk ; Upper Karzoo Lane ; s/d/ste 1 430/1 980/3 300 Rs). Conçu comme un palais ladakhi, cet hôtel possède des chambres joliment décorées d'éléments tibétains et d'épais tapis. Un café est installé sur une terrasse surélevée dans le jardin.

Pangong Hotel (carte p. 304 ; ☎ 254655 ; www.pangongladakh.com ; Chulung Lane ; s/d 1 400/1 980 Rs ; 💻). Modernes et élégantes, les chambres du Pangong, toutes avec beau linge, TV à plusieurs chaînes, sdb impeccable et moquette, gagnent en style au fil des étages. La tranquille ruelle d'accès n'est pas éclairée.

Snowland Hotel (carte p. 303 ; ☎ 253027 ; snowlandtukcha@gmail.com ; Main Tukcha Rd ; d ét. inférieur/supérieur 1 500/1 800 Rs). Un hôtel très paisible aux chambres impeccables, avec petits balcons et vue sur les montagnes au dernier étage. Il faut les libérer à 10h.

Mantra Cottages (carte p. 303 ; ☎ 253588 ; www.himalayas-travel.com ; Shanti Rd ; lits jum 1 500 Rs, pension complète 3 500 Rs). Exigus mais douillets et très propres, ces bungalows sont disposés autour d'une terrasse plantée d'orge et jouissent d'une jolie vue.

Hotel Namgyal Palace (carte p. 304 ; ☎ 256356 namgyalpalace.com ; Fort Rd ; s/d/ste 1 570/2 180/3 630 Rs) Plus impersonnel mais plus professionne que beaucoup d'hôtels de Leh, le Namgya propose des chambres modernes, avec des sdb bien aménagées, et une vue splendide sur les montagnes, du 3e étage. Les encadrements de fenêtres en aluminium détonnent un peu avec les boiseries tibétaines néotraditionnelles.

Hotel Lasermo (carte p. 304 ; ☎ 252313 ; www.hotellasermo.com ; Old Rd ; s/d à partir de 1 600/2 200 Rs). Rayonnant d'un petit jardin central, les couloirs en marbre rose conduisent à des chambres de tailles diverses, spacieuses pour la plupart, et à deux vastes terrasses sur le toit. Le service est attentif et l'hôtel reste ouvert en partie en hiver. Il souffre un peu du bruit de la rue.

Padma Hotel (carte p. 304 ; ☎ 252630 ; www.padmaladakh.com ; d 1 850 Rs ; 💻). Cachés dans un grand jardin, les chambres neuves joliment aménagées et le restaurant sur le toit avec vue sur les montagnes valent au Padma un succès constant. Plus ancienne, la partie pension comprend des chambres avec sdb commune à 500 Rs.

♥ **Hotel Lha-Ri-Mo** (carte p. 304 ; ☎ 252101 ; fax 253345 ; Fort Rd ; d 1 980 Rs). Ce complexe enchanteur ressemble à un petit Potala blanc, noir et magenta, disposé autour d'une pelouse centrale. Les chambres les plus récentes ont un style minimaliste branché ; les serviettes de toilette sont changées tous les jours. Le salon de style tibétain est une merveille orientale et le restaurant, excellent.

Hotel Dragon (carte p. 304 ; ☎ 252139 ; www.travelladakh.com ; Old Rd ; s/d à partir de 1 994/2 026 Rs). Des terrasses à plusieurs niveaux et une séduisante salle à manger comptent parmi ses attraits. D'exotiques têtes de lit en marqueterie ornent les chambres du dernier étage, comme la n°131.

Où se restaurer

Les cafés de voyageurs abondent, des plats chinois ou du Moyen-Orient s'ajoutent aux curries, aux crêpes à la banane, aux pizzas tandooris et aux spécialités tibétaines comme les *momo* et la *thukpa* (soupe de nouilles). Nombre de restaurants, dont ceux en plein air de Changspa, ferment de mi-septembre à juillet.

CENTRE-VILLE

Amdo Food (carte p. 304 ; Main Bazaar ; plats 45-70 Rs). Si le cadre est quelconque, la cuisine tibétaine est excellente : délicieux *momo,* succulent *wonton* au fromage frit, et alléchantes boulettes de légumes en sauce à l'ail couleur framboise. Pas d'alcool. L'entrée se situe dans la ruelle sur le côté.

Amdo (carte p. 304 ; Main Bazaar ; plats 45-130 Rs). À ne pas confondre avec l'Amdo Food, cet Amdo se tient de l'autre côté de la rue et comporte un toit-terrasse. Il propose un plus grand choix, dont un *chow mein* au piment et à l'ail (45 Rs) bien relevé.

Pumpernickel German Bakery (carte p. 304 ; Zangsti Rd ; repas 50-180 Rs). Derrière le comptoir de la boulangerie, une vaste salle à manger avec des colonnes en bois ladakhies offre une carte de plats aux saveurs internationales. Essayez le curry de tofu (80 Rs avec riz).

Il Forno (carte p. 304 ; Zangsti Rd ; pizzas 100-170 Rs). Discret, il est bien meilleur que la plupart des autres restaurants sur les toits qui surplombent Main Bazaar, notamment pour les pizzas. Il sert également de la bière (130 Rs).

FORT ROAD

Lamayuru Restaurant (carte p. 304 ; Fort Rd ; plats à partir de 25 Rs). Entouré d'autres gargotes similaires, ce restaurant banal est une bonne adresse pour des en-cas indiens, chinois et internationaux à petits prix.

Gesmo (carte p. 304 ; Fort Rd ; curries à partir de 35 Rs). Charmant repaire de voyageurs à l'ancienne, avec des nappes à carreaux, des plafonds en damier, un choix de gâteaux et de petits-déjeuners, ainsi que des curries d'un bon rapport qualité/prix.

Tenzin Dickey Tibetan (carte p. 304 ; Fort Rd ; plats 40-60 Rs). Une petite adresse douillette et sans prétention qui sert des plats tibétains végétariens.

Dolphin Bakery (carte p. 304 ; Malpak Alley ; plats 50-110 Rs). Installez-vous sur la petite terrasse triangulaire ombragée, au bord de l'eau, pour savourer une pâtisserie ou un bon burger végétarien (servi avec des frites jaune fluo !).

Penguin Garden (carte p. 304 ; plats 50-170 Rs). Proche de l'artère principale, c'est un endroit tranquille pour lire les journaux en grignotant un gâteau dans la journée, ou déguster un poulet tandoori le soir sous la lumière scintillante des lampes colorées.

Grill-N-Curry (carte p. 304 ; Fort Rd ; plats 50-200 Rs, thé 20 Rs). Grimpez deux volées de marches en métal pour admirer une vue inhabituelle sur le palais, puis régalez-vous d'un excellent *caju masala* épicé aux champignons (90 Rs).

Chopsticks (carte p. 304 ; Fort Rd ; plats 60-180 Rs). Ce restaurant asiatique, au 3e étage, est le plus raffiné de Leh. Si le curry vert thaïlandais (90 Rs) est savoureux, la *tom kha kai* (soupe thaïe au poulet et au lait de coco) est moins réussie.

Mona Lisa (carte p. 304 ; Fort Rd ; plats 70-200 Rs). Une bonne carte aux multiples influences et une agréable terrasse couverte.

CHANGSPA

Otsal Restaurant (carte p. 304 ; Changspa Lane ; plats 50-120 Rs). Un plaisant repaire de baroudeurs au bord d'un cours d'eau.

Booklovers Retreat (Cafe Jeevan ; carte p. 303 ; Changspa Lane ; plats 60-120 Rs ; 7h-23h). Plus sophistiqué mais pas plus cher que la concurrence, il offre un grand choix de spécialités, dont d'excellentes moyen-orientales. Deux bibliothèques remplies de livres et un charmant toit-terrasse couvert ajoutent à son attrait.

Sheldon Garden Restaurant (carte p. 304 ; Changspa Lane ; plats 80-140 Rs). Dans un jardin calme, éclairé aux bougies, vous dégusterez un succulent poulet *malai* tandoori ou l'un des nombreux plats mexicains, italiens et locaux plus ou moins réussis.

La Pizzeria (carte p. 304 ; Changspa Lane ; pizzas 130-290 Rs, pâtes 130-205 Rs, plats 60-500 Rs). Plus cher que la plupart des autres établissements, le plus joli restaurant en plein air de Leh mérite amplement la dépense pour ses pizzas à pâte fine et croustillante, son excellente soupe au potiron (90 Rs), ses tajines, ses plats tandooris ou sa truite au cognac. Il sert de la bière (150 Rs).

CHUBI

Local Food Restaurant (carte p. 304 ; Women's Alliance ; repas 40 Rs ; 11h-16h lun-sam). Produits régionaux et recettes traditionnelles reflètent la philosophie de Women's Alliance. Les tables sont installées dans un jardin et le choix est très limité.

Amigo Korean Cafe (carte p. 304 ; plats 85-300 Rs ; 9h-22h lun-sam). Dans un jardin ombragé, ce charmant café propose une vaste sélection de spécialités coréennes sur des cartes en anglais et en hangul, ainsi que du thé vert (20 Rs).

FAIRE SES COURSES

Vous pourrez acheter des produits frais au **marché aux légumes** (carte p. 304 ; Old Fort Rd) ou auprès des femmes vêtues de couleurs vives dans Main Bazaar (carte p. 304). Des pains ronds (3 Rs) tout juste sortis du tandoor traditionnel sont vendus derrière la Jama Masjid.

Les voyageurs soucieux d'écologie achèteront de préférence des produits locaux, comme les abricots, plutôt que du chocolat importé, ou du jus de *tsestalulu* (argousier) plutôt que des boissons en cannettes. Vous trouverez des produits régionaux au **Ladag Apricot Store** (carte p. 304 ; 9h-18h) ou dans les trois succursales de **Dzomsa** (carte p. 304 ; ☎ 250699 ; 8h-22h30), qui proposent aussi de l'eau potable pour remplir votre bouteille (7 Rs ; voir l'encadré p. 313).

Où prendre un verre

Beaucoup de restaurants en plein air ou sur les toits-terrasses servent de la bière, qui n'apparaît jamais sur la carte. Demandez aux serveurs.

La Pizzeria (carte p. 304 ; Changspa Lane). Sert des cocktails classiques (180 Rs).

Indus Wine Shop (carte p. 304 ; Ibex Rd ; 10h-21h, fermé les jours de pleine lune). Alcools et bières fraîches à emporter mais pas de vin.

La Terrasse (carte p. 304 ; Main Bazaar ; bière 100 Rs). Ouvert relativement tard, il comprend un toit-terrasse fréquenté et une salle moins plaisante pour les nuits froides.

CAFÉS

Desert Rain (carte p. 304 ; ☎ 256426 ; New Shar Market ; café 25-40 Rs ; 8h-20h30 lun-sam). Il sert un bon café dans une ambiance occidentale détendue et met à disposition de nombreux livres. Projection de film le samedi à 17h30.

Lala's Art Cafe (carte p. 304 ; Old Town ; café 25 Rs). Des marches en pierre mènent à cette petite maison en briques crues de la vieille ville, superbement restaurée et décorée de belles photos en noir et blanc. Savourez un excellent café italien, puis admirez les anciennes sculptures au fond du rez-de-chaussée.

Où sortir

KC Garden Restaurant (carte p. 304 ; ☎ 254499 ; Changspa Rd). L'un des établissements les plus animés de Changspa en soirée, le KC est le point de ralliement pour les fêtes de la pleine lune (400 Rs transport compris ; nuits de pleine lune de mai à août). Projections de films à 20h plusieurs soirs par semaine.

SPECTACLES CULTURELS

Chants et danses ladakhis traditionnels (carte p. 304 ; 150 Rs ; 17h30). Destinés aux touristes, ces spectacles ont lieu en été devant le Soma Gompa.

Achats

De nombreuses boutiques de souvenirs et les marchés de réfugiés tibétains (carte p. 304) offrent une superbe sélection de *thangka*, de chapeaux ladakhis, d'"antiquités" et de lourds bijoux en turquoise, ainsi que des châles cachemiris et divers bibelots népalais, tibétains et chinois.

L'artisanat et les vêtements vendus par **LEDeG** (carte p. 304 ; ☎ 253221 ; www.ledeg.org ; ⏰ 10h-16h lun-sam) et la **Women's Alliance** (carte p. 304 ; ☎ 250293 ; www.isec.org.uk/pages/ladakh.html ; ⏰ 10h-17h lun-sam) sont produits localement et d'un bon rapport qualité/prix. La **Handicrafts Industrial Cooperative Shop** (carte p. 304 ; Old Fort Rd ; ⏰ 9h-18h) et **Wamda Wood Carving** (carte p. 304 ; Old Fort Rd ; ⏰ 9h-18h) vendent des tables en bois *choktse*, sculptées de créatures mythiques. **Harish** (carte p. 304 ; Changspa Rd) propose des instruments de musique locaux et occidentaux.

Pour acheter des vêtements bon marché, des sacs et du matériel de camping, rendez-vous au **Gol Market** (carte p. 304 ; Old Rd ; ⏰ 9h-17h30). Le Moti Market (carte p. 304) est plus grand.

Depuis/vers Leh

AVION

Les vols offrent une vue spectaculaire mais peuvent être annulés à la dernière minute à cause du mauvais temps. Obtenir une autre réservation peut prendre des jours, aussi faut-il prévoir une durée de séjour flexible. Les voyageurs qui arrivent à Leh en avion ressentent presque tous des symptômes du mal des montagnes, mais venir directement de Delhi par la route via Manali est encore pire car on franchit des cols à 5 000 m. L'avion est le seul moyen de rejoindre le Ladakh en hiver, quand les routes sont coupées.

Indian Airlines (carte p. 304 ; ☎ 252076 ; Fort Rd ; ⏰ 10h-13h et 14h-16h30) dessert Delhi (10 625 Rs, lundi, mercredi, vendredi), Srinagar (6 710 Rs, mercredi) et Jammu (7 345 Rs, lundi et vendredi), l'escale la plus pratique pour rejoindre Dharamsala (p. 382) en venant de Leh.

Jet Airways (carte p. 304 ; ☎ 250999 ; Main Bazaar ; ⏰ 10h-13h et 14h-17h) propose au moins un vol par jour pour Delhi en août. La fréquence baisse progressivement jusqu'à 2 vols par semaine en février.

Kingfisher (www.flykingfisher.com) offre en été un vol Leh-Delhi-Pune.

BUS ET JEEP COLLECTIVE

Il existe divers points de départ pour Manali, Kargil et Srinagar. La plupart des autres bus publics, locaux et longue distance, partent de plusieurs arrêts dans la gare routière principale (carte p. 304), à 700 m au sud du centre-ville.

> **LE PLEIN D'EAU, S'IL VOUS PLAÎT !**
>
> Afin que Leh ne disparaisse sous une mer de bouteilles en plastique, les organisations écologiques **Dzomsa** (carte p. 304 ; ☎ 250699 ; recharge 7 RS ; ⏰ 8h-22h30) et **LEDeG** (carte p. 304 ; ☎ 253221 ; www.ledeg.org ; recharge 5 Rs ; ⏰ 10h-16h lun-sam) permettent de remplir ses bouteilles d'eau bouillie et purifiée. Toutes deux proposent aussi la collecte et le recyclage du papier, des bouteilles et des piles.

Kargil

Les bus à destination de Kargil (ordinaire/deluxe 250/340 Rs, 10 heures) partent vers 4h du terrain de polo. Les Jeep collectives (siège/véhicule 500/3 500 Rs, 12 heures) partent vers 7h devant l'Hotel Siachen ("Old Bus Station") ; repérez le numéro JK07 sur les plaques minéralogiques et réservez de préférence la veille.

Srinagar

Les liaisons en bus pour Srinagar sont actuellement suspendues, mais de nombreux tour-opérateurs proposent des Jeep collectives (1 000/1 300 Rs pour 10/7 passagers), qui partent vers 12h et arrivent le lendemain matin. La route est fermée de début novembre à fin mai.

Manali

Superbe mais très cahoteuse, la route Leh-Manali (p. 330) est officiellement ouverte de mi-juillet à mi-septembre ; des véhicules privés l'empruntent jusqu'à mi-octobre si elle est praticable (sans garantie). Le trajet (22-25 heures) est bien plus plaisant avec une étape d'une nuit. Sarchu se situe à peu près à mi-chemin, mais y faire halte signifie dormir à 4 200 m, avec le risque de souffrir du mal des montagnes. Si vous n'êtes pas acclimaté, mieux vaut passer la nuit à Keylong (p. 405).

Le bus J&K SRTC (ordinaire/deluxe 585/850 Rs, 2 jours) part de la gare routière principale (carte p. 304) vers 4h30 et s'arrête pour la nuit à Keylong (475 Rs, 17 heures). En direction du nord, il part de Manali à 9h et de Keylong à 5h. Plus confortables, les bus HPTDC stationnent devant le siège de la J&K Bank à Leh, dans Ibex Rd, et démarrent à 5h un jour sur deux (1 250 Rs, ou 1 600 Rs avec hébergement sous tente à Keylong). Achetez votre billet à la **billetterie HPTDC** (carte p. 304 ; ☎ 094518460071 ; Fort Rd ; ⏰ 9h30-13h et 14h-19h), en étage.

BUS DEPUIS/VERS LEH

Destination	Tarif (Rs)	Durée	Départs
Alchi	50	3 heures	6h, 8h, 12h (retour 8h, 11h, 15h)
Chemrey	30	1 heure	voir bus pour Shakti
Choglamsar	7	15 min	fréquents
Chiling	55	3 heures 30	9h mer et dim (retour 13h)
Chitkan*	144	8 heures	8h mar, ven, dim (retour mer, sam, lun)
Dha*	146	7 heures	9h dans les deux sens
Diskit/Hunder**	102	6 heures	6h mar, jeu, sam (retour dim, mer, ven) prendre le bus Thersey/Skurubu
Hemis	32	2 heures	9h30 (retour 12h)
Hemis Skupachan*	74	4 heures	14h (retour 8h30) via Yangthang
Khalsi*	78	4 heures 30	15h dans les deux sens
Korzok		variable	10, 20 et 30 du mois
Lamayaru	101	5 heures 30	prendre le bus pour Chitkan ou Kargil
Likir Gompa	33	2 heures	16h (retour 6h30)
Matho	20	40 min	9h, 14h, 17h
Phey	10	30 min	12h, 16h30 (retour 8h, 13h)
Phyang	18	40 min	4 par jour
Shakti	35	1 heure 15	8h15, 12h, puis ttes les 30 min jusqu'à 17h (retours fréquents 7h-9h, 12h30, 15h30)
Shey	12	25 min	voir bus Thiksey ou Shakti
Skurbuchan*	113	6 heures	10h
Spituk	7	15 min	6 par jour
Srinagar**	650	1 jour et demi	temporairement suspendu
Stakna	15	40 min	terminus des bus de Thiksey à proximité
Stok	15	30 min	8h, 14h, 16h30 (retour 9h, 15h, 17h30)
Sumur*	105	7 heures	6h jeu, sam (retour ven, dim)
Thiksey	15	30 min	toutes les 30 min 7h30-18h
Tia*	92	4 heures 30	12h
Timishgang*	87	4 heures	11h
Wanla*	105	5 heures	8h30 mar, jeu, dim

* Bus LBOC (☎ 252792), ** J&K SRTC (☎ 252085), autres minibus (☎ 253262)

JAMMU-ET-CACHEMIRE

Vajra Voyages (carte p. 304 ; ☎ 252043 ; Main Bazaar) et **Tiger Eye Adventure** (carte p. 359 ; ☎ 01902252718 ; www.tigereyeadventure.com ; Old Manali) vendent des billets pour d'autres bus privés, dont quelques-uns font étape à Sarchu.

La **Ladakh Taxi Operators Cooperative** (carte p. 304 ; ☎ 252723 ; 6h-19h30), au-dessus de la gare routière de Leh, propose tous les jours des Jeep collectives pleines à craquer (siège arrière/milieu 900/1 500 Rs). Presque toutes les agences de voyages de Manali et de Leh offrent des Jeep un peu moins bondées (à partir de 1 200 Rs). Elles partent toutes entre 1h et 2h et effectuent d'une traite le long trajet épuisant Manali-Leh. Mieux vaut se regrouper à cinq pour louer une Jeep et faire étape une nuit. Comptez environ 12 000 Rs pour le véhicule en direction du sud, mais seulement 8 500 Rs de Manali si vous trouvez un chauffeur ladakhi.

En direction du sud, avec les permis requis, vous pouvez aussi faire le trajet Leh-Manali via le Tso Moriri (p. 328) en 3 jours. C'est impossible en sens inverse, car les permis sont uniquement délivrés à Leh.

Autres destinations

D'autres bus et minibus partent de la "nouvelle" gare routière principale. Pour la rejoindre à pied depuis le centre-ville empruntez le chemin malodorant en face de l'Hotel Dragon, ou traversez le bazar installé sur des marches depuis la Friendship Gate. Vérifiez avec soin les horaires de départ avant de venir avec vos bagages.

Pour des informations sur d'autres bus vers/depuis Leh, consultez le tableau p. 314.

TAXI ET JEEP

Revus annuellement, les tarifs des taxis et des Jeep sont publiés dans une brochure largement utilisée par les chauffeurs et les agences ; il est souvent possible d'obtenir une réduction (environ 15%). Pour plus de détails sur les taxis et les Jeep au départ de Leh, voir le tableau p. 316.

Pour des excursions d'une journée dans la vallée de l'Indus, vous engagerez facilement un chauffeur à l'une des trois principales stations de taxi/minibus. Pour de plus longs circuits en Jeep, les tour-opérateurs vous aideront à trouver d'autres voyageurs pour partager les frais ; cinq est un nombre idéal pour voyager confortablement. N'hésitez pas à demander au chauffeur de s'arrêter pour des photos.

Combiner plusieurs destinations rend l'excursion moins chère ; ainsi le circuit Leh-Stok-Matho-Stakna-Leh ne coûte que 1 120 Rs.

Pour les étapes d'une nuit, ajoutez 350 Rs pour les dépenses du chauffeur, plus 630/1 235 Rs par demi-journée/journée de location du véhicule.

MOTO

Discover Himalaya Adventure (carte p. 304 ; ☎250353 ; Main Bazaar), ainsi que plusieurs tour-opérateurs installés principalement dans Music School Rd, louent des scooters/motos 125 cm^3 pour 400/500 Rs par jour. Vérifiez avec soin la police d'assurance et gardez à l'esprit que les stations-service sont rares (à Leh, Choglamsar, Karu, Diskit, Spituk, au carrefour de Phyang, à Khaltse et Kargil) et parfois à court de carburant !

Comment circuler

DEPUIS/VERS L'AÉROPORT

La course en taxi jusqu'au centre de Leh coûte environ 100 Rs. Sur la nationale devant l'aéroport, des minibus publics (bondés) rejoignent le centre-ville (5 Rs).

BICYCLETTE

Des agences, comme **Himalayan Bikers** (carte p. 304 ; ☎250937 ; www.thehimalayanbikers.com ; Changspa Lane) et **Summer Holidays** (carte p. 304 ; ☎252651 ; standoore@gmail.com ; Zangsti Rd), louent des VTT (à partir de 400 Rs par jour) et organisent des circuits quotidiens jusqu'au Khardung La (p. 324) – que vous rejoignez en Jeep avant de redescendre à vélo (900 Rs par personne, location du vélo, permis et trajet en voiture compris).

TAXI

Les taxis de Leh sont presque tous des minibus ; un court trajet coûte environ 70 Rs. Vous les trouverez aux stations de taxis, où vous pourrez en réserver un la veille si vous devez partir tôt le lendemain matin.

TREKKING AU LADAKH

Les montagnes du Ladakh offrent de superbes itinéraires de trekking en été. Ils commencent presque tous à quelque 3 500 m et grimpent souvent au-dessus de 5 000 m, aussi l'acclimatation est-elle indispensable pour éviter le mal des montagnes (p. 824).

SÉJOURS CHEZ L'HABITANT

Dans les petits villages du Ladakh, la frontière est très floue entre les pensions et les hébergements chez l'habitant. Les deux offrent un aperçu fascinant sur le mode de vie ladakhi. Habituellement, vous mangez avec la famille dans la cuisine traditionnelle, où les casseroles sont suspendues au-dessus du poêle alimenté en partie par un mélange de paille et de bouse de vache séchée. Vous pouvez parfois participer aux travaux des champs. Les modestes pièces en briques crues comportent généralement une pile de tapis et de couvertures pour dormir et sont étonnamment douillettes ; certaines disposent même de lampes fonctionnant à l'énergie solaire.

Dans certaines régions, **Himalayan Homestays** (www.himalayan-homestays.com) offre des prix standards (350/600 Rs en simple/double) et quelques agences de Leh s'occupent en théorie des réservations (50 Rs de supplément) ; étant donné l'absence de téléphone, la réservation se résume souvent à un billet en ladakhi demandant à un hôte de vous accueillir. À Rumbak en particulier (p. 316), il est habituellement facile de trouver un hébergement sans réservation.

TAXIS ET JEEP AU DÉPART DE LEH

Destination	Aller simple (Rs)	Aller-retour (Rs)
Alchi	1 276	1 690
Basgo	780	1 040
Chiling	1 683	2 019
Hemis	903	1 204
Kargil	4 485	6 552
Keylong	11 000	16 076
Lamayuru	2 457	3 276
Likir	1 072	1 430
Matho	632	821
Nimmu	702	936
Phey	312	416
Phyang	487	650
Shey	266	335
Spituk	195	260
Srinagar	8 463	11 284
Stakna	654	805
Stok (palais)	361	514
Thiksey	421	509

Si vous ne souhaitez pas transporter un sac, une tente et des provisions, optez pour les itinéraires du Sham (p. 317), Zingchen-Rumbak-Stok (ci-contre) ou Zingchen-Chiling (p. 317), ponctués de chambres chez l'habitant/pensions et de modestes cafés sous tente. Plusieurs agences de voyages, dont Snow Leopard Trails (p. 308), peuvent réserver les hébergements et vous procurer un guide (800 Rs par jour), et vendent également la carte topographique *Himalayan Homestays* (150 Rs). Cette carte fournit suffisamment de détails sur les deux derniers itinéraires pour les emprunter sans guide ; faites cependant preuve de bon sens et suivez les conseils des habitants plutôt que de suivre aveuglément les indications parfois erronées de la carte.

Les treks plus longs et plus difficiles nécessitent généralement un matériel de camping complet. Transporter des sacs lourds dans les hautes altitudes du Ladakh est plus épuisant qu'on ne l'imagine. Mieux vaut louer des chevaux de bât, d'autant que les propriétaires peuvent faire office de guides. Comptez au moins 250 Rs par cheval, un prix qui peut considérablement augmenter quand les chevaux sont rares (notamment durant les récoltes d'août) ; vous devrez peut-être patienter quelques jours pour en trouver. Les meilleurs endroits sont l'arrivée des treks prisés, surtout Lamayaru (p. 318) et Padum (p. 296).

De nombreux visiteurs s'adressent aux agences de Leh, qui proposent des treks tout compris à partir de 35 € par personne et par jour pour un groupe de 4 randonneurs. Les prix varient considérablement en fonction de nombreux facteurs. Les forfaits comprennent un guide, un cuisinier, des chevaux de bât, la nourriture et des tentes. Faites-vous bien préciser les prestations et vérifiez l'équipement avant le départ. Mieux vaut emporter ses propres tente et sac de couchage, car les tentes des agences sont souvent lourdes, vieilles, abîmées et/ou manquent de piquets.

Suggestions d'itinéraires

Pour compléter cette vue d'ensemble très sommaire, consultez *Trekking in the Indian Himalaya* de Lonely Planet ou, en français, *Grands Treks au Ladakh Zanskar* d'Élodie et Rambert Jamin et *Ladakh-Zanskar* de Charles Genoud et Philippe Chabloz. L'adresse www.myhimalayas.com/travelogues/ladakh.htm comporte des blogs de voyageurs. Pour les treks au Zanskar, reportez-vous p. 297.

ZINGCHEN-RUMBAK-STOK

- 2 jours
- trek avec hébergement chez l'habitant, possible sans guide ni équipement
- un col à 4 900 m

Par temps sec, la belle grimpée de 3 heures en bord de rivière entre Zingchen et Rumbak est facile à suivre. En cas de doute sur l'itinéraire, suivez les crottins des ânes et traversez tous les ponts que vous croiserez (le chemin traverse la rivière bien plus souvent que ne l'indiquent les cartes). Rumbak (4 050 m) est un endroit charmant où passer la nuit et s'acclimater à l'altitude. Le matin suivant, avant d'entamer la marche de 7 heures Rumbak-Stok, regardez si des nuages couvrent le Stok La (Namling La), un col à 4 900 m. Dans ce cas, mieux vaut attendre une journée (ou retourner à Zingchen), car la traversée sans guide avec une faible visibilité est dangereuse. S'il fait beau, la montée escarpée de 2 heures jusqu'au col se repère facilement et offre une vue sur un paysage spectaculaire. De l'autre côté du Stok La, tournez à gauche et descendez après le second minicol (environ 25 min). Sinon, suivez les autres randonneurs pour franchir le troisième minicol et dirigez-vous vers le camp de base du Stok Kangri (p. 317).

À environ 2 heures de marche au-delà du col, un café sous tente permet de se sustenter. Restez ensuite sur la berge ouest de la rivière en descendant, à moins que le niveau ne soit très bas. Une seule courte section grimpe vers une crête basse, surmontée d'une petite tour.

ZINGCHEN-CHILING

- 3 à 5 jours
- trek avec hébergement chez l'habitant, possible sans guide ni équipement
- un col à 4 900 m

Le premier jour, visitez le joli village de Rumbak (3 heures ; voir plus haut), rebroussez chemin pendant 30 min jusqu'à un café sous tente, puis montez pendant 1 heure jusqu'à l'étrange Yurutse (4 200 m), probablement le plus petit village du monde. Flanquée de petits stupas, sa seule et unique habitation (également un hébergement) s'agrémente d'une source d'eau douce et offre une vue splendide sur le Stok Kangri (6 121 m) à travers une trouée dans la vallée en face. Le lendemain, l'exténuante traversée du Ganda La à 4 900 m (environ 4 heures depuis Yurutse) précède une descente de 2 heures, en passant par un café sous tente, jusqu'au village de Shingo, qui compte deux maisons ; la première est un hébergement. Le jour suivant, la descente jusqu'à la vallée de la Markha prend environ 2 heures 30. Kaya et Skiu possèdent respectivement deux et un hébergements. Si vous en avez l'énergie, vous pouvez continuer jusqu'à Chiling (p. 320), à 4 heures de marche supplémentaires.

Important : en 2008, le *trolley* (pont en câble métallique tressé) sur la Zanskar a été ôté à Chiling et un nouveau pont est en construction à 4 km au sud près de la confluence de la Zanskar et de la Markha. Il sera sans doute achevé quand vous lirez ces lignes et permettra de rejoindre Kaya en Jeep.

Pour combiner ce trek avec le bus Leh-Chiling, qui circule deux fois par semaine (mercredi et dimanche), vous pouvez le faire en sens inverse, et consacrer éventuellement le dernier jour au trek Rumbak-Stok.

TREK DE SHAM

- 1 à 4 jours
- pensions sur le chemin
- pas de col de haute altitude

Plus une promenade champêtre qu'un trek, l'itinéraire complet relie Likir (p. 321) et Nurla (p. 322) via Yangthang (p. 321). À part la section d'une journée Hemis Skupachan-Timishgang, il suit des routes paisibles et des pistes ; on peut aussi emprunter plusieurs raccourcis (un peu difficiles à repérer près de la rivière, juste à l'ouest de Yangthang). Ses principaux attraits sont les pensions familiales dans chaque petit hameau croisé en chemin, et la possibilité de prendre un bus à chaque étape et d'interrompre la randonnée si vous le souhaitez. Marchez de préférence tôt le matin car de longs tronçons sont totalement dépourvus d'ombre.

ASCENSION DU STOK KANGRI

- 5 jours de Stok (p. 318) ou de Zingchen (p. 320)
- ascensions jusqu'à 6 120 m
- nécessite une tente, du matériel d'alpinisme et un guide
- permis IMF 50 $US par personne

Le Stok Kangri (6 120 m) est le spectaculaire sommet enneigé que l'on voit à Leh de l'autre côté de la vallée. Son ascension requiert des piolets, des crampons et une excellente forme physique. Les alpinistes, encordés par sécurité, partent du camp de base vers 2h afin de traverser le sommet glacé avant que le soleil ne le rende trop glissant. Les expéditions font halte à 4 400 m, 4 800 m et 5 300 m pour favoriser l'acclimatation, mais le mal des montagnes constitue un risque certain.

TREK DE LA VALLÉE DE LA MARKHA

- 6 à 7 jours de Chiling à Hemis
- cafés sous tente ou hébergements saisonniers sur la majeure partie de l'itinéraire ; emportez néanmoins une tente et des provisions
- un col à 5 030 m

Ce trek très prisé peut débuter à Stok ou à Zingchen (1 jour de plus) en suivant l'itinéraire Zingchen-Chiling (ci-contre) jusqu'à Skiu (2 jours de plus). On passe la nuit dans les villages de Skiu, Markha puis Hankar, dominé par une spectaculaire tour fortifiée en ruine sur un piton rocheux. De Hankar, une longue grimpée d'une journée traverse des pâturages de yaks à Nimaling (camp) avant de franchir le Kongmaru La (5 030 m), qui offre une vue vertigineuse. On descend dans une gorge étroite en passant par le joli village de Shang Sumdo.

TREKS DE LAMAYURU

Plusieurs treks partent du charmant village de Lamayuru (p. 323) et requièrent tous d'emporter une tente ; mieux vaut partir avec un guide et/ou un propriétaire de cheval. Le trek Lamayuru-Chiling (5 jours) se combine facilement avec celui de la vallée de la Markha (p. 317) ou Zingchen-Chiling (p. 317). Partir de Wanla (p. 323) permet de gagner une journée, mais il est difficile de trouver des chevaux sans recourir à une agence. Prévoyez un jour de plus pour vous acclimater avant de franchir le Konze La (4 950 m). Pour l'itinéraire Lamayuru-Zanskar, reportez-vous p. 298.

TSO KAR-TSO MORIRI

- 4 à 5 jours (8 jours en partant de Rumtse)
- températures nocturnes au-dessous de 0°C ; prévoyez l'équipement nécessaire
- guides indispensables
- 4 cols à plus de 4 700 m (7 en partant de Rumtse)
- itinéraire très isolé, sans village perm - nent en chemin

Ce trek éprouvant traverse de hautes vallées de pâturages qui grimpent vers des sommets arrondis, très différents des pics arides et découpés typiques du Ladakh. La dernière longue journée de marche offre une vue sublime sur le Tso Moriri et, souvent, une rencontre avec des nomades Chang-Pa près de Korzok (p. 328). Si vous partez du Tso Kar (p. 330), prévoyez quelques jours de battement pour que les chevaux de bât de votre agence arrivent de Rumtse.

DÉTRITUS

Lors d'un trek, des randonneurs irrespectueux jettent leurs emballages dans des fourrés ou les cachent sous des pierres. Plutôt que de pester contre ces comportements, emportez un sac vide et, le dernier jour, ramassez les détritus en chemin. D'autres suivront peut-être votre exemple. Souvenez-vous aussi que les cafés sous tente n'ont pas de système de collecte des ordures : si vous achetez un *maggi* (nouilles instantanées) ou un soda, l'emballage et la cannette finiront sans doute dans la rivière si vous ne les emportez pas.

ENVIRONS DE LEH

☎ 01982

Les villages de la vallée de l'Indus forment de vertes oasis dans un paysage semi-désertique brun foncé, entouré de montagnes arides aux contours déchiquetés. Plusieurs superbes monastères médiévaux peuvent se visiter dans la journée à moto, en Jeep ou en bus public, ou constituer une étape sur la route de destinations plus lointaines. Vous devrez parfois demander à des moines de vous ouvrir la porte.

Des camps militaires enlaidissent le paysage par endroits.

Sud de Leh

Pour visiter Stok, Matho et Stakna, puis revenir à Leh via Thiksey et Shey, vous aurez besoin d'un véhicule assez petit pour traverser le pont très étroit sur l'Indus à Stakna.

STOK

L'ancienne famille royale du Ladakh (voir p. 298), dépouillée de son pouvoir en 1846, mène aujourd'hui une vie relativement modeste et partage son temps entre une résidence à Manali et le majestueux **palais de Stok** (50 Rs ; 9h-13h et 14h-19h mai-oct). Ressemblant vaguement au Potala et doté de cadres de fenêtres pittoresques, le palais est photogénique malgré la gigantesque tour de télécommunications qui se dresse derrière. L'élégante **cafétéria du palais** (thé 10-20 Rs, sandwichs 25-30 Rs) comprend une belle terrasse en plein air. Au-dessus, plusieurs salles sur deux niveaux abritent le **musée du Palais** (50 Rs, photos interdites), qui présente des trésors de la famille, dont l'ancienne *yub-jhur* (couronne) en or et turquoises de la reine et une photo du jeune roi en baskets.

En face du palais, une courte ruelle conduit au **Stok Abagon** (dons bienvenus 20 Rs ; 8h-19h), l'ancienne demeure du médecin de la famille royale. Vieille de 350 ans, cette maison en briques crues en partie meublée est très décrépite, mais le gardien-guide Jigmet propose de brèves et intéressantes visites à la lumière de son téléphone portable (mieux vaut apporter une lampe électrique).

La paisible artère principale de Stok passe devant des fermes blanchies à la chaux, des vieux stupas en ruine puis, après 1 km contourne le modeste **Stok Gompa**, où des oracles royaux prédisent l'avenir durant la grande **fête de Guru Tse-Chu** (février-mars ; voir

l'encadré p. 299). À 1 km au nord, les bus en provenance de Leh s'arrêtent au **trekking point**, un ensemble de trois restaurants-campings sans prétention. De là, 5 min de marche en amont sur le chemin de Rumbak conduisent à la dernière maison du village, le très sommaire **Hotel Kangri** (☎ 201009 ; demi-pension 200 Rs/pers), un café sous tente adossé à un hébergement spartiate, où l'on dort par terre dans une unique pièce délabrée.

Au pied du palais, la **Kalden Guesthouse** (☎ 242057 ; d 300-400 Rs) possède une jolie façade ladakhie et un jardin potager, où les vieux propriétaires en costumes traditionnels boivent du *chhang* à même un *chapskyan* (carafe à décanter en cuivre). Les chambres, de qualité variable, partagent une sdb carrelée, une salle de puja (offrandes et prières) et une salle à manger ladakhie un peu kitsch.

Plus bas, à 400 m du palais en direction de Leh, l'**Hotel Highland** (☎ 242005 ; d 1 500 Rs) offre 12 chambres plus confortables et un peu mieux aménagées que celles de l'**Hotel Skittsal** (☎ 242051 ; www.skittsal.com ; s/d 1 430/1 980 Rs), à l'aspect plus pimpant. Situé 1,2 km plus bas, il jouit d'une belle vue sur la vallée.

MATHO

Le **Matho Gompa** (☎246085 ; 20 Rs), un monastère de la secte bouddhiste sakya, se dresse sur une crête aux strates de diverses couleurs au-dessus du village de Matho. Si des structures modernes ont remplacé la plupart des bâtiments du début du XVe siècle, l'endroit mérite le détour pour la vue fabuleuse sur la vallée. Pendant la célèbre **fête de Matho Nagrang** (voir l'encadré p. 299) des moines exécutent des acrobaties les yeux bandés, se livrent à des rituels d'auto-mutilation et dévoilent leurs prédictions pour l'année à venir.

SPITUK, PHEY ET ZINGCHEN

Fondé à la fin du XIVe siècle par l'ordre gelugpa, le vaste **Spituk Gompa** (Monastère exemplaire ; 30 Rs) surplombe l'extrémité de l'aéroport de Leh (ne photographiez pas la piste militaire ; des soldats surveillent). Les multiples édifices en briques crues du *gompa* dévalent une butte escarpée vers le village de Spituk, sur la rive de l'Indus. Derrière le **Skodong Lakhang**, le sanctuaire central au toit doré, le **Chikang**, très pittoresque, renferme une statue de Tsongkhapa (1357-1419) coiffé d'un bonnet jaune, l'inspirateur du bouddhisme gelugpa. À côté, la statue du Bouddha contiendrait une étrange relique : du sang provenant du nez de Tsongkhapa. Au sommet de la butte se dressent un **latho** à trois niveaux et le petit **temple Palden Lama**, plein de cachet, qui recèle des divinités voilées.

Zingchen (Zinchan, Jingchian), une jolie oasis de deux maisons, est un bien meilleur point de départ pour les treks que le village de Spituk, car les dix premiers kilomètres de l'itinéraire Spituk-Zingchen sont écrasés de soleil. Un trajet en taxi Leh-Zingchen (1 300 Rs) permet de s'arrêter au Spituk Gompa et à d'autres endroits photogéniques le long des splendides gorges qui commencent à 6 km avant Zingchen.

Zingchen possède un hébergement, un terrain de camping et un café sous tente. Avec un peu de patience, on peut obtenir une place pour un prix dérisoire dans les Jeep qui retournent vides à Leh après avoir déposé les randonneurs. Sinon, vous pouvez parcourir à pied 11 km (via un pont piétonnier quasi caché sur l'Indus) jusqu'à **Phey**, le verdoyant point de départ d'excursions de rafting courues (p. 307).

Ouest de Leh

PHYANG

Les champs d'orge entourés d'arbres qui s'étagent sur les flancs d'une vallée et une vue splendide sur le Stok Kangri couvert de neige font de Phyang un endroit charmant. Le **Phyang Gompa** (25 Rs), ocre et blanc, domine le centre du village et reste photogénique malgré les dégâts provoqués par un séisme. Derrière, des *dzo* paissent dans une prairie et un joli chemin suit un escarpement rocheux, passe devant des maisons traditionnelles et conduit au seul hébergement de Phyang (1,5 km), la ravissante **Hidden North Guesthouse** (☎226007 ; www.hiddennorth.com ; tente/empl tente 100/60 Rs, d 250 Rs, avec sdb 350 Rs). Installées dans un joli jardin de tournesols face aux montagnes, les chambres sans prétention sont impeccablement tenues et les sdb rutilent de propreté. Les fenêtres de la chambre n°8 donnent sur le Stok Kangri. Le déjeuner/dîner revient à 70/90 Rs.

CHILING

La route en corniche qui suit la Zanskar le long de la gorge encaissée à partir du Km 400 offre un fabuleux paysage géologique coloré. Au premier coup d'œil, Chiling, à 28 km au sud, semble se résumer à un restaurant, une maison de thé-boutique et un terrain de camping en bord de route. En fait, le village se cache plus haut sur un plateau fertile et offre des chambres chez l'habitant. Il fut fondé par des dinandiers népalais, venus construire le grand bouddha du palais de Shey (p. 327). Aujourd'hui, Chiling est un carrefour de trekking entre Lamayuru et la vallée de la Markha (p. 317). Pour rejoindre la vallée, franchissez la Zanskar grâce au télésiège, à 4 km au sud.

NIMMU (NIMO)

Si Nimmu possède un joli quartier de maisons ladakhies traditionnelles, un vaste camp militaire défigure l'extrémité ouest de l'artère principale. Le village compte une rue centrale bordée de maisons de thé où s'arrêtent les camionneurs, ainsi que deux pensions-restaurants en bord de route.

BASGO

Capitale du bas Ladakh jusqu'à l'union des royaumes ladakhis en 1470, Basgo possède d'antiques chortens qui témoignent de sa longue histoire. Au-dessus du village, sur un ensemble irréel de buttes érodées, se dressent les vestiges des **remparts de la citadelle**, jadis grandiose, un **palais** aux murs en terre très délabré et deux temples superbes, récemment rénovés avec l'aide de l'Unesco. Le plus haut, le **Chamba Gompa** (20 Rs) possède des peintures merveilleusement restaurées sur les murs et au plafond et renferme une statue de Maitreya haute de 2 étages, dont l'expression incarne le détachement. Un peu plus bas, derrière les ruines du palais, le **temple Sar-Zung** (20 Rs), plus sombre et plus impressionnant, possède une autre grande statue de Maitreya et une bibliothèque de rouleaux calligraphiés.

Le chemin qui mène à la citadelle commence presque en face du seul hébergement de Basgo, l'agréable **ToGo Guesthouse** (☎ 225104), qui compte 2 chambres. En voiture, prenez la route qui serpente de l'extrémité ouest du village.

LIKIR

Installé sur une crête, Likir peut être le point de départ du trek de Sham (p. 317). À 4 km au-dessus du village principal, les édifices tibétains du **Likir Gompa** (20 Rs), du XVe siècle, s'étagent à flanc de colline. La première salle de prière à droite de l'entrée comporte des sièges réservés au dalaï-lama et à son frère, le grand lama honoraire de Likir. Après deux autres salles de prière plus colorées, on grimpe jusqu'au joli **musée** (🕑 8h-13h et 14h-18h été, 10h-13h et 14h-16h hiver) qui occupe une salle. Derrière le *gompa*, une immense **statue de Maitreya** dorée, du XXe siècle, semble séduisante de loin. En approchant, on constate qu'elle s'écaille et elle paraît un peu tape-à-l'œil.

Pour une belle photo du *gompa* entouré de champs d'orge et d'anciens chortens, descendez pendant 10 min le sentier rocailleux vers la très sommaire **Old Likir Guesthouse** (☎ 227505 ; 250 Rs/pers). Juste au-dessus du *gompa*, la **Chhuma Guesthouse** (200 Rs/pers), tout aussi rustique, offre une vue superbe depuis ses 2 chambres défraîchies avec matelas sur le sol. Une excellente cuisine locale est servie (aux hôtes uniquement) dans la cuisine traditionnelle.

Dans le village, la **Norboo Spon Guesthouse** (☎ 227137 ; s/d sans sdb 200/400 Rs), très accueillante et entourée d'un jardin soigné, propose des chambres séduisantes avec un décor tibétain et des couvertures colorées. Vous aurez le choix entre les sdb communes ladakhies ou occidentales. Pour une sdb privée et l'eau chaude 24h/24 (en été), rendez-vous à l'**Hotel Lhukhil** (www.hotellhukhil.com ; s/d 1 230/1 780 Rs), à 5 min de marche à travers champs. Conçues comme un temple chinois, la plupart des chambres bénéficient d'une vue et le jardin comporte de nombreux espaces de détente.

Cinq autres pensions sont éparpillées dans le village.

SHAM

De Likir, un détour de 30 min sur une route récemment asphaltée traverse des paysages fabuleux jusqu'au village de **Yangthang**. Ressemblant à un puzzle d'architecte, ses vieilles maisons trapues s'ajustent parfaitement pour former un carré impeccable autour d'un minuscule sanctuaire. Entouré de champs d'orge, avec des montagnes déchiquetées à l'horizon, le village compte trois "pensions" de style hébergement chez l'habitant (matelas sur le sol et repas pour 250 Rs), un excellent moyen de découvrir la vie des villageois. Un sentier escarpé descend jusqu'à Rizong (p. 322) en 1 heure 30.

Une mauvaise piste de Jeep conduit jusqu'à **Hemis Skupachan**, un plus grand village à 10 km à l'ouest, où de curieuses maisons médiévales se regroupent autour d'une butte rocheuse. La **Toro Guesthouse** (250 Rs/pers) comporte une cuisine traditionnelle et un balcon commun donnant sur des pics enneigés à l'horizon. Non loin, juste après le *gompa* du village, la **Lungchay Guesthouse** (☎ 240024 ; 300-350 Rs/pers) propose un hébergement plus confortable à l'étage nouvellement construit, avec toilettes à l'extérieur. Le village compte une dizaine d'autres pensions et hébergements chez l'habitant.

Le célèbre bosquet d'anciens genévriers d'Hemis Skupachan se situe à 1 km sur le sentier de Sham, qui mène en 6 heures à **Timishgan** (Tingmosgang, Temisgam) via Ang. Cette randonnée est la principale section du trek de Sham.

Timishgan, une ancienne capitale du royaume du bas Ladakh au XIVe siècle, est un grand village-monastère où fut signé un traité avec le Tibet en 1864. Il possède plusieurs hébergements chez l'habitant, de même que **Tia**. Un pick-up collectif part à 9h pour Khaltse (20 Rs) et des bus à destination de Leh partent à 8h des deux villages.

ALCHI

Prisé, Alchi combine les charmes d'un village rural de *gompa* et d'un repaire touristique détendu. Parsemé de pensions et de gargotes, le centre se situe au bout de la piste de 4 km, qui part de la route Leh-Kargil au Km 370. Au centre du village, un sentier facilement repérable descend vers le site principal d'Alchi, le fabuleux ensemble de temples de Choskor, en passant devant des stands de souvenirs et une German Bakery (boulangerie allemande).

Ensemble des temples de Chhoskhor

Ces **temples** (30 Rs, photos interdites ; ⌚ 8h-13h et 14h-18h) du XIe siècle, fondés par le “Grand Traducteur” Lotsava Ringchen Zangpo, sont considérés comme le joyau de l’art indo-tibétain au Ladakh.

Le **temple Sumrtsek**, le premier, comporte un porche en bois aux sculptures de style indien. À l’intérieur, des peintures murales ornent les trois niveaux et représentent des centaines de petits bouddhas *dayani*. Les têtes des immenses statues en bois de Maitreya, Manjushri et Avalokitesvara atteignent le dernier étage, inaccessible.

Juste après, le **temple Vairocana** possède une arrière-salle remplie d’impressionnants mandalas.

Dans le **temple Lotsa**, Lotsava Ringchen Zangpo apparaît sous une forme légèrement reptilienne derrière et à gauche du bouddha central, dans une vitrine. À ses pieds, une rangée de personnages comiques rappelle l’importance de ne rien prendre trop au sérieux.

Le **temple Manjushri** renferme une statue rutilante à quatre faces de Manjushri (Bouddha de la Sagesse).

En sortant de l’ensemble, engagez-vous dans la galerie de chortens et levez les yeux !

Autres sites

Près de l’école, à 700 m avant le centre d’Alchi, les vestiges d’une antique demeure en briques crues se dressent entre un étang et un affleurement rocheux.

Une installation hydroélectrique gâche un peu le joli cadre d’Alchi, en bord de rivière.

Où se loger et se restaurer

En été, Alchi offre une dizaine d’hébergements, dont de “luxueux” camps de toile bien trop chers et très quelconques. Beaucoup ferment dès la mi-septembre.

Lotsava (☎ 227129 ; dorjeystanzin@yahoo.com ; ch à partir de 150 Rs, avec sdb à partir de 300 Rs). Le Lotsava occupe une ferme traditionnelle ladakhie, un austère bâtiment trapu de 3 étages, entouré d’un jardin sans fleurs. Les chambres en étage sont plus lumineuses et plaisantes que celles du rez-de-chaussée malgré des plafonds en contreplaqué. Empruntez la ruelle à côté de l’Alchi Resort.

Lungpa Guesthouse (☎ 227125 ; d 250-300 Rs, avec sdb 400-600 Rs). À la sortie du complexe des temples, l’imposante façade de cette pension cache un intérieur qui semble inachevé. Les chambres avec sdb sont néanmoins d’un bon rapport qualité/prix.

Zimskhang Guesthouse (☎ 227085 ; zimskhang@yahoo.com ; d 300 Rs, avec sdb 800 Rs). Les chambres les plus simples surplombent le meilleur restaurant en plein air d’Alchi et partagent ses toilettes extérieures bien tenues. Plus confortables, celles avec sdb sont installées au dernier étage d’un bâtiment de style ladakhi, de l’autre côté du sentier qui mène aux temples ; il comporte des salons décents, mais sans vue.

Alchi Resort (☎ 252520 ; alchi_resort@hotmail.com ; s/d 2 640/3 300 Rs). Derrière un restaurant aux peintures orientales, un petit pont conduit à un jardin où deux bungalows à toit de bois encadrent un pavillon central. Bien que séduisantes, les chambres sont très chères par rapport aux standards locaux.

RIZONG

Accrochées aux parois abruptes d’un amphithéâtre aride, les deux antiques salles de prière du **Rizong Gompa** (20 Rs) sont ornées de peintures murales vénérées, noircies par la suie, et de statues dorées. Niché parmi des vergers au pied du *gompa*, le **couvent de Chullichan** (don apprécié) sert d’école pour les filles du village.

La route d’accès de 5 km (totalement emportée en 2008) grimpe une gorge étroite à partir du joli village d’**Uletokpo**, qui possède trois camps de toile haut de gamme mais pas de pension. L’**Uley Adventure Resort** (☎ 227208 ; ulecamp@sancharnet.in, www.reachladakh.com/uleethnicresort.htm ; s/d 1 300/1 800 Rs, d pension complète 2 800 Rs ; ⌚ juin-début sept) propose des tentes-huttes dans un charmant verger et des bungalows plus récents à l’allure bizarre de vaisseau lunaire. Tous partagent des sdb communes.

Un sentier grimpe vers Yangthang (p. 321).

NURLA ET KHALSI

Après le trek de Sham (p. 317), des randonneurs descendent de Timishgan jusqu’à la route NH1D Leh-Kargil et arrivent à 2 km à l’ouest de **Nurla** (à 14 km à l’ouest d’Uletokpo). Seul hébergement de Nurla, le **Faryork Resort** (☎229526 ; tente 2 800 Rs), trop cher, se tient à côté du pont piétonnier sur l’Indus d’où partent les treks pour Taru. Son ancien Faryork Restaurant (actuellement fermé), derrière la boutique de Nurla, loue parfois des **chambres** (d 500-600 Rs) d’un meilleur rapport qualité/prix.

Centre régional plus animé, **Khalsi** possède des boutiques, des gargotes et des échoppes d'appels téléphoniques. Si vous devez passer la nuit sur place, le **Khababs Hotel** (☎ 9469291513 ; artère principale ; d 300 Rs) offre 3 chambres très quelconques. Faire du stop vers l'ouest est généralement plus facile du poste de contrôle à 2 km à l'ouest de Khalsi.

DHA-HANU

Permis requis

Les étrangers disposant d'un permis (délivré à Leh) peuvent emprunter la belle route de la vallée de l'Indus au nord-ouest de Khalsi jusqu'à Dha. De l'autre côté du fleuve, on aperçoit le joli village en terrasses de **Takmachik** juste avant **Domkhar**, entouré de noyers. Un *gompa* fortifié surplombe la gorge de l'Indus et le pittoresque village de **Skurbuchan**. D'anciens **pétroglyphes** se distinguent sur des rochers bruns érodés en bord de route (au Km 55,9 par exemple) ; certains sont des imitations récentes. De **Sanjak**, une route secondaire traverse une gorge étroite pour rejoindre Chitkan. Les Jeep collectives pour Kargil (150 Rs) qui empruntent cet itinéraire partent à 6h30 près du du pont, des maisons de thé et de l'unique pension de Sanjak.

En contrebas de **Biama**, deux ponts branlants traversent la gorge de l'Indus. À 3 km, le curieux village de **Dha** (250 habitants) bénéficie d'un microclimat étonnamment clément et est habité par des Brokpa (Dard ; voir l'encadré p. 324). Certains portent encore des perles aux oreilles et des chapeaux traditionnels ; les vieilles femmes nouent encore leurs cheveux en longues tresses triples.

Le bus en provenance de Leh s'arrête au milieu de nulle part, en face du petit sentier qui conduit à Dha en 10 min de marche. Parmi les champs de tomates, les vergers d'abricotiers et les granges en pierre brute, la **Skybapa Guesthouse** (dort/d 200/400 Rs), au sol en terre battue, propose des chambres avec des lits et un coin repas charmant sous une grande tonnelle. Les toilettes communes sont installées de l'autre côté de la cour.

La maison jaune qui surplombe le cœur du village est le **Siringlamo Bangpa** (200 Rs/pers), un hébergement chez l'habitant aux chambres délabrées, avec des lits de camp défoncés. Le *namkin chai* (thé au beurre de yak) a un goût de roquefort, mais les propriétaires sont charmants. Ils portent le costume traditionnel brokpa et pratiquent l'animisme (ils prient devant une pierre noire conservée dans une pièce fermée).

Avec un interprète, vous trouverez d'autres chambres chez l'habitant à Dha ou à Biama, où l'**Aryan Valley Tent-Camp** (☎ 228543 ; pension complète 2 800 Rs), en bord de route et trop cher, comprend une **pension** (d sans sdb 500 Rs).

WANLA

Au-dessus du village de Wanla, le petit **Wanla Gompa** (www.achiassociation.org ; 20 Rs ; aube-crépuscule) médiéval se juche sur une haute crête étroite entre les ruines de deux tours d'une forteresse du XIVe siècle, aujourd'hui disparue. Son porche sculpté évoque le style d'Alchi et son unique salle sombre renferme trois grandes statues devant d'anciennes peintures murales noircies par la fumée. Si vous allez à Lamayuru en voiture, un facile détour de 7 km conduit à Wanla : sur la NH1D, tournez vers le sud au nouveau *photang* (résidence cérémonielle) de couleurs vives.

Centrale, la **Wamda Guesthouse** (d 200 Rs) ne compte qu'une chambre sombre et spartiate au-dessus de la Dorjay Craft House. Le **Tarchit Camp** (☎ 254866 ; camping 100 Rs, par pers repas compris 350 Rs), à 2 km de Wanla sur la route de Fanjila, construit actuellement 2 chambres d'hôtes et propose des matelas dans la salle à manger traditionnelle.

Deux campings sont installés de l'autre côté du pont, en face du centre de Wanla, sur la route qui mène à des sources thermales, à 4 km.

LAMAYURU

☎ 01982 / altitude 3 390 m

Dans un paysage lunaire entouré de montagnes spectaculaires, Lamayuru est l'un des plus beaux villages du Ladakh. Les maisons se blottissent sur une colline érodée, constellée de grottes, au pied du superbe **Yungdrung Gompa** (20 Rs). Dans la principale salle de prière, la grotte minuscule dans laquelle méditait le mystique Naropa au XIe siècle est protégée par une vitre. D'après la légende, la région était auparavant le fond d'un lac profond dont les eaux se seraient miraculeusement évaporées grâce aux prières du saint bouddhiste Arahat Nimagung. Point de départ de plusieurs treks prisés (p. 318), Lamayuru constitue une excellente étape entre Kargil et Leh. Nombre de pensions vous aideront à trouver des chevaux de bât.

Où se loger et se restaurer

L'électricité ne fonctionne que de 19h à 23h et certaines pensions ne sont pas raccordées.

Les prix augmenteront probablement quand la situation se sera stabilisée au Cachemire et que les touristes seront plus nombreux.

Siachen Guesthouse (☎ 224538 ; d sans sdb 150-250 Rs). Elle compte 4 chambres plaisantes, avec seau d'eau chaude gratuit, et des toilettes communes très propres. Les chambres n°1 et 3, les meilleures, ont des fenêtres sur les quatre côtés. Charmant restaurant en plein air.

Tharpaling Guesthouse (☎ 224516 ; d 500 Rs, d/tr sans sdb 250/300 Rs). Toujours souriante, Tsiring Yandol fait régner une joyeuse ambiance familiale dans sa pension et sert les repas à la grande table commune. Les chambres en étage sont claires et pimpantes, avec sdb pour la meilleure.

Dragon Guesthouse (☎ 224501 ; d 300 Rs, avec sdb 600 Rs). Elle offre des chambres avec sdb d'un bon rapport qualité/prix et un agréable restaurant dans le jardin.

Hotel Niranjana (☎ 224555 ; s/d sans sdb 500/700 Rs). À côté du monastère, le Niranjana possède des chambres assez confortables, pour beaucoup avec une jolie vue, et des sdb communes propres, équipées d'un chauffe-eau. Un grand restaurant et la réception occupent le rez-de-chaussée.

Hotel Moonland (☎ 224551 ; d 600-800 Rs). Installé dans un jardin à 400 m après l'arrêt de bus dans le premier virage en lacet, le Moonland propose 8 chambres avec sdb carrelées et eau chaude. La salle à manger et le restaurant en plein air bénéficient d'une vue superbe sur le monastère.

Depuis/vers Lamayuru

Les bus quotidiens Kargil-Leh font halte dans les deux sens à Lamayuru entre 9h et 10h. Les bus Leh-Chitkan en direction de l'est arrivent vers 10h30 les lundi, mercredi et samedi, et vers 13h en direction de l'ouest les dimanche, mardi et vendredi.

OUEST DE LAMAYURU

De Lamayuru, la route NH1D grimpe en lacets vers des crêtes découpées qui surplombent le **Fotu La** (4 147 m). De ce col, la route descend vers **Hansukot**, qui comprend un Tourist Bungalow et des vestiges d'une forteresse. Une vallée plus large et fertile s'étend jusqu'à **Khangral**, où les passeports sont contrôlés. La route franchit ensuite le **Namika La** (3 760 m) et descend dans la splendide **vallée de la Wakha** pour rejoindre Kargil via **Mulbekh** (p. 294) et **Shargol** (p. 295).

> **LES BROKPA**
>
> Les traits physiques des Brokpa (ou Drokpa, ou Dard), le "peuple des alpages", ont laissé supposer qu'ils descendaient des armées d'Alexandre le Grand, voire même d'une tribu perdue d'Israël. Leur dialecte indiquerait plutôt qu'ils ont immigré à Dha-Hanu depuis le Gilgit-Baltistan il y a environ mille ans. Certains Brokpa pratiquent encore un animisme qui intègre des éléments de l'ancienne religion bon, précurseur du bouddhisme tibétain.

VALLÉE DE LA NUBRA

☎ 01982 / permis requis

Les vallées encaissées de la Shyok et de la Nubra offrent un paysage fabuleux de villages verdoyants construits sur des versants pierreux, entourés de champs de rochers et de montagnes arides. En louant une Jeep à Leh, un circuit de 3 jours comprenant tous les endroits décrits dans cette section revient à 6 931 Rs par véhicule. Les circuits de 2 jours (5 542 Rs) sont trop courts pour apprécier le paysage en chemin, aussi séduisant que les destinations elles-mêmes. N'empruntez pas cet itinéraire avant d'être parfaitement acclimaté à l'altitude.

Khardung La

altitude 5 602 m

De Leh, il faut environ 1 heure 30 pour grimper la route en lacets sur une montagne rocheuse dénudée, via le South Pullu Army Camp (où les permis sont contrôlés), jusqu'au **Khardung La** (5 602 m), le plus haut col carrossable au monde. Fêtez cet exploit en buvant un thé à la cantine du col, en achetant un T-shirt à la boutique de souvenirs, ou en montant pendant 5 min au milieu des rochers couverts de drapeaux de prière jusqu'au point de vue.

En descendant vers le nord le long d'un cours d'eau, tentez d'apercevoir des marmottes de l'Himalaya et arrêtez-vous à un pâturage de *dzo* autour d'un charmant **étang alpin**, à 3 km avant le North Pullu Army Camp.

Khardung

Les panoramas les plus fabuleux du trajet commencent à l'entrée de Khardung, un village d'éleveurs de yaks qui se résume à quelques maisons ladakhies et à deux terrasses de champs d'orge, entourées d'aiguilles rocheuses et de gigantesques promontoires dentelés, entre lesquelles se détachent au loin des pics enneigés. Dans les minuscules boutiques-cafés en bord de route, des villageois en costume traditionnel servent de délicieux déjeuners de dhal et riz.

Au-delà, ce paysage tourmenté descend vers la large **vallée de la Shyok**, où de majestueuses montagnes brun-rouge s'élèvent au-dessus du sable gris pâle étincelant de cette plaine inondable.

Diskit

altitude 3 144 m

Plus gros bourg de la région de la Nubra, **Diskit** possède deux centres très différents. Guère séduisante comparée aux autres localités du Ladakh, la partie moderne comprend un bazar bien fourni, un centre d'accueil des touristes, un **NI Internet cafe** (100 Rs/h) sujet à des coupures de courant et la seule station-service de la région (à 1 km au nord).

Bien plus charmant, le hameau pittoresque d'**Old Diskit** (vieux Diskit) se situe à 1,5 km au sud. Partant de deux grands moulins à prières, des **murs mani** descendent à travers un groupe d'**anciens stupas**, passent devant un petit **temple ancien** en piteux état et une demeure palatiale ladakhie décrépite (en face de l'embranchement vers la Sunrise Guesthouse).

Au-dessus d'Old Diskit, une étroite route en lacets de 2 km mène au fabuleux **Diskit Gompa** (20 Rs) du XVIIe siècle, un ensemble de bâtiments de style tibétain accrochés sur un pic escarpé qui se termine par un précipice vertigineux. La route d'accès passe par le *photang* du grand lama de la Nubra. Une **statue inachevée de Chamba (Bouddha Maitreya) assis**, haute de 6 étages, se dresse sur une colline intermédiaire.

OÙ SE LOGER ET SE RESTAURER

Old Diskit

Karakoram Guesthouse (☎ 220024 ; d sans sdb 150 Rs). À un pâté de maisons en contrebas de l'embranchement de la Sunrise Guesthouse, cette ferme familiale est tenue par une femme âgée en costume traditionnel. Les chambres un peu délabrées s'agrémentent de lits flambant neufs et les sdb sont communes.

Sunrise Guesthouse (☎ 220025 ; ch 250 Rs, avec sdb 300 Rs ; ⌚ tte l'année). Un "stupa-tunnel" conduit à cette pension vieillissante, charmante et authentique, installée dans un paisible jardin de tournesols parmi des ruines bouddhiques. La chambre n°1 offre une vue splendide sur le *gompa*. Deux chambres plus récentes disposent d'une sdb.

Olthang Guesthouse (☎ 220067 ; dort 100 Rs, tente avec lit 300 Rs, d 400-800 Rs ; ⌚ tte l'année). De loin la plus grande et la plus occidentale des 4 pensions d'Old Diskit, l'Olthang se repère facilement sur la route principale. La partie hôtel plus récente comporte 16 chambres, dont des doubles assez élégantes à 800 Rs et d'autres moins soignées à 600 Rs. L'espace détente en plein air, sans ombre, donne sur le *gompa*.

Diskit-Ville

Trois adresses correctes se nichent dans des ruelles paisibles, près de l'extrémité sud du bazar.

Sand Dune Guesthouse (☎ 220022 ; d 200 Rs, avec sdb 500 Rs). Disposées autour d'une agréable cour-jardin, les chambres bon marché, rustiques et correctes, partagent des toilettes à la turque. Plus pimpantes, les chambres récentes ont moins de cachet mais disposent d'impeccables sdb carrelées. Le personnel sympathique parle anglais.

Eagle Guesthouse (☎ 220089 ; ch 250 Rs, avec sdb 300 Rs). Curieusement nichée parmi des étables, la maison principale possède un joli jardin et des chambres sans prétention et lumineuses. Par contraste, celles avec sdb, dans l'annexe en face, semblent sombres.

Zambala Guesthouse (☎ 220418 ; d à partir de 350 Rs, avec sdb à partir de 500 Rs ; ⌚ tte l'année). Cette nouvelle pension de 2 étages comporte de beaux sols en marbre, une jolie salle à manger semi-traditionnelle et des chauffe-eau dans les sdb communes.

DEPUIS/VERS DISKIT

De Diskit, des bus partent pour Sumur (30 Rs, 2 heures) du lundi au samedi vers 8h et 15h (retour aux mêmes horaires), et continuent parfois jusqu'à Panamik. Les bus Leh-Hunder (voir p. 326) passent par Diskit 3 fois par semaine.

À Diskit, on peut louer des Jeep pour rejoindre Hunder (250 Rs), Sumur (1 120 Rs) et Leh (environ 3 500 Rs).

Environs de Diskit

HUNDER

Perdu dans la verdure à 10 km de Diskit, le **village de Hunder**, plaisant mais fréquenté, est la destination la plus occidentale accessible aux étrangers. À 3 km avant le village (500 m avant le camp militaire), de belles **dunes de sable** et des étangs marécageux sont encadrés par les parois abruptes de la vallée. Explorez-les au cours d'une **randonnée à dos de chameau de Bactriane** (150 Rs les 15 min), très touristique, ou à pied. Si vous souhaitez revenir à pied à Diskit, emportez beaucoup d'eau, restez près de la route et ne suivez pas les pistes des chameaux qui s'aventurent dans d'impénétrables fourrés d'épineux.

Dans le village de Hunder, le **Hunder Gompa** contient une grande statue dorée de Chamba ; un sentier périlleux grimpe vers les quartiers des pèlerins, en ruine, et un **fort** au sommet d'une crête.

Où se loger et se restaurer

Hunder compte plus d'une dizaine de pensions avec jardin (qui permettent presque toutes de camper moyennant 100 Rs), ainsi que deux camps de luxe aux tarifs excessifs.

Moonland Guesthouse (☎ 221048 ; d 150 Rs, avec sdb 200 Rs). Signalée au bout d'un sentier longeant un cours d'eau, cette ferme austère, tenue par une famille sympathique, offre 3 chambres rustiques.

Goba Guesthouse (☎ 221083 ; d à partir de 200 Rs). Choisissez les chambres en étage avec sdb, de préférence la n°8 (500 Rs), dotée de fenêtres sur les quatre côtés et d'une terrasse avec une vue splendide. Le personnel est très serviable, le cadre charmant et la cuisine excellente.

Himalayan Guesthouse (☎ 221131 ; ch 300 Rs, avec sdb 450 Rs). Les chambres sont assez banales mais le propriétaire, Gulam, est d'une incroyable gentillesse. Entourée d'un jardin paisible, la pension est si bien cachée dans le dédale des sentiers qu'elle pourra sans doute vous accueillir quand les autres établissements affichent complet.

Karma Inn (☎ 221042 ; karmaleh@yahoo.co.in ; d ét. inférieur/supérieur 1 000/1 500 Rs). De nouvelles chambres confortables avec des lits aux matelas fermes et des petits salons devant des baies vitrées donnant sur un fabuleux paysage de montagnes. En venant de Diskit, suivez les panneaux indiquant l'Organic Camp, à 2 km avant le centre de Hunder.

Depuis/vers Hunder

Des bus à destination de Leh (vers 6h15 les mercredi, vendredi et dimanche) et plusieurs bus ralliant Diskit le matin font halte sur la bretelle de contournement, à courte distance à pied derrière le Hunder Gompa. Du village de Hunder, un seul bus part pour Diskit à 9h.

De Sumur à Panamik

La Nubra descend vers la Shyok depuis le glacier Siachen, un territoire très disputé et le plus haut champ de bataille au monde (entre l'Inde et le Pakistan). Avec un permis standard pour la Nubra, les étrangers peuvent emprunter la route récemment asphaltée jusqu'à Panamik.

Au Km 12, la route contourne le **village de Tirit** et offre la vue sur une longue **cascade** qui jaillit de la paroi rocheuse. Au Km 16,5, les ruines du **Zonzhar Gompa** se dressent sur une butte en bord de route. Le plus important des curieux villages traversés, **Sumur** (Km 22,5) est dominé par le **Samstemling Gompa**, pittoresque et largement reconstruit. Vous pouvez le rejoindre à pied en suivant un cours d'eau ou emprunter en voiture une route asphaltée de 2 km qui part du village de **Tegar** (Tiger), au Km 25. Au-dessus de ce croisement, les ruines de l'ancienne citadelle royale de la Nubra mènent au **palais de Zamskhang**, haut de trois étages et quasiment intact. Grimpez avec précaution sur le toit pour admirer la vue sur la vallée.

Un petit *gompa* borde la route à **Pinchamik** (Km 29), un hameau rempli de moulins à prières et de chortens, où les habitants en costume traditionnel transportent des paniers pleins de légumes sur leur dos.

Panamik (Km 50), un hameau étendu aux maisons basses, est connu pour deux sources thermales sans grand intérêt qui colorent de traînées rouille la paroi rocheuse au-dessus de la route principale. En voiture, faites le détour pour admirer le paysage et, de l'autre côté de la vallée, l'inaccessible **Ensa Gompa**, qui s'accroche à une saillie verdoyante sur une falaise rocheuse abrupte.

OÙ SE LOGER

La plupart des pensions autorisent le camping (100 Rs) dans leur jardin.

Centre de Sumur

AO Guesthouse (☎ 223506 ; ch 250 Rs). Avec ses chambres bien tenues en retrait du carrefour principal après la J&K Bank, cette adresse est pratique pour les bus et les gargotes de Sumur, mais n'a pas le charme des autres hébergements.

Vieille ville de Sumur

Près d'une dizaine de pensions sont accessibles par la Sumur Link Rd, qui serpente sur 2 km à travers les vergers depuis l'AO Guesthouse et passe devant plusieurs grands moulins à prières.

K,Sar Guesthouse (☎ 223574 ; dort/d 100/300 Rs). La plus charmante de plusieurs nouvelles minipensions, toutes avec de jolis jardins paisibles. Les deux chambres doubles disposent de sdb correctes.

Namgyal Guesthouse (☎ 223505 ; d 200 Rs, avec sdb 400 Rs). À défaut d'ambiance, elle offre une jolie vue sur les montagnes au-delà des dahlias.

Largyal Guesthouse (☎ 223537 ; ch sans sdb 250 Rs/pers). Plus loin du bourg, cette pension à l'ancienne possède des chambres rustiques qui partagent une seule sdb sommaire. Une chambre s'agrémente de jolis meubles de style tibétain, les autres sont banales. La chaleureuse ambiance familiale constitue un atout indéniable.

Tegar

Dotés chacun d'un vaste jardin, les deux hôtels haut de gamme de Tegar bordent la route principale, à 500 m au sud du palais.

Hotel Yarabtso (☎ 223544 ; norzum@usa.net ; s/d 800/1 200 Rs, pension complète 1 427/2 600 Rs). Derrière d'imposantes façades de style traditionnel, les chambres médiocres sont dotées de sdb correctes et l'agréable salon est orné de photos de famille des années 1970.

Hotel Rimo (☎ 9419340747 ; hotelrimonubra@rediffmail.com ; s/d 1 500/2 500 Rs, pension complète 2 500/3 300 Rs). Moderne et décoré d'éléments pseudo-ladakhis, il offre des lits tendus de draps d'une blancheur éblouissante. Le lino inégal en faux bois qui couvre les sols gâche un peu l'ensemble.

Panamik

Les quatre modestes **pensions** (d 200-300 Rs) de Panamik jalonnent la route principale, à 1 km au nord des sources thermales. Toutes ont leur charme : les jardins fleuris de la **Hot Springs Guesthouse** (☎ 247043) et de la **Bangka Guesthouse** (☎ 247044), les chambres un peu plus élégantes de la **Nebula Guesthouse** (☎ 247013) et du **Saser Restaurant** (☎ 247021).

EST DE LEH

Vallée de l'Indus

La route de la vallée de l'Indus est goudronnée jusqu'à Karu, d'où des routes secondaires partent vers le Pangong Tso (p. 329) via Chemrey (p. 329) et Hemis (7 km ; p. 328). Des permis sont requis pour continuer à l'est d'Upshi.

SHEY

Jadis la capitale d'été du Ladakh, Shey est une séduisante oasis de verdure ponctuée d'étangs, d'où surgit une crête rocheuse ornée de **sculptures du Bouddha** (Km 459). Les **ruines d'une forteresse** et le **palais royal Naropa** (20 Rs ; 🕑 8h-19h mai-oct) se dressent au sommet de la crête. Semblable à un mini-Potala, le palais est actuellement en reconstruction. Son sanctuaire central reste un lieu sacré et contient un **bouddha** en cuivre doré haut de 2 étages, réalisé en 1645.

Le *photang* à toit doré du lama local se tient à 1 km à l'est. La **Druk White Lotus School** (www.dwls.org), à 200 m du *photang*, accueille volontiers des professeurs bénévoles expérimentés (bon niveau d'anglais exigé). Ses bâtiments modernes combinent élégamment des éléments décoratifs traditionnels et les dernières technologies durables.

La **Besthang Guesthouse** (☎ 267556 ; d 300 Rs, avec sdb 450 Rs) possède 3 chambres sans prétention, dont une avec sdb et cuisine. Les hôtes peuvent utiliser la ravissante salle à manger ladakhie de la famille. L'impasse qui conduit à la pension offre une jolie vue sur le palais.

THIKSEY

Au Km 454, une grimpée escarpée ou une boucle de 1,5 km en voiture conduit au superbe **Thiksey Gompa** (☎ 267011 ; www.thiksey.com ; fête oct-nov), dont les bâtiments chaulés de style tibétain couvrent un grand affleurement rocheux. Ce monastère, l'un des plus grands et des plus typiques du Ladakh, est un véritable village avec des boutiques, une école, un restaurant et un hôtel. Près du parking supérieur, le **musée du monastère** (30 Rs ; 🕑 8h-13h et 14h-19h), aux commentaires très complets, présente des objets tantriques, dont certains sculptés dans des os humains. Remarquez les 10 armes symboliquement utilisées pour combattre les mauvais esprits.

Au-dessus, le **gompa principal** (entrée/caméra 30/100 Rs ; 🕑 6h-13h et 14h-18h) comporte une salle de prière avec un bouddha haut de 14 m, à la coiffe très détaillée et à l'expression à la fois paisible, espiègle et vaguement menaçante. Le **Gonkhang** (temple des Protecteurs) est plus petit et plus ancien. Une charmante **bibliothèque** est installée sur le toit.

La puja de l'aube est devenue si populaire que les touristes sont souvent plus nombreux que les moines en été.

Géré par le monastère, le **Chamba Hotel** (☎ 267004 ; kthiksey@vsnl.com ; d 300 Rs, avec sdb 300-1 500 Rs) comprend deux sites, chacun avec restaurant (plats 50-100 Rs). Celui situé en contrebas du musée du *gompa* possède des chambres correctes. Le second, au principal carrefour routier, offre des chambres banales, d'un bon rapport qualité/prix, dans la cour et des chambres plus récentes et plus luxueuses dans un bâtiment traditionnel de deux étages.

STAKNA

Impressionnant malgré ses dimensions réduites, le **Stakna Gompa** (20 Rs), de 1618, coiffe un affleurement rocheux de l'autre côté de l'Indus, à 800 m en face du Km 449 (où s'arrêtent les bus Leh-Thiksey) ; la route sinueuse jusqu'au *gompa* ajoute 900 m. L'étroit pont suspendu laisse tout juste passer les petits minibus. Près de la cour centrale du *gompa*, quatre salles ornées de peintures murales tantriques récentes aux couleurs vives sont ouvertes aux visiteurs. Derrière la principale salle de prière, des petits sanctuaires renferment des statues en bois de santal vieilles de 400 ans, des fresques d'origine et des statuettes à l'effigie des lamas bhoutanais qui fondèrent le monastère.

HEMIS

De Karu, un détour de 7 km conduit au village de Hemis, niché dans une gorge déchiquetée de roche rouge au-delà de murs mani étonnamment longs. Caché dans les feuillages derrière le village, le fameux **Hemis Gompa** (30 Rs ; 🕒 8h-13h et 14h-18h), de 1672, est le centre spirituel des bouddhistes drukpa du Ladakh (www.drukpa.org). Des documents soi-disant trouvés ici soutiennent la théorie de la présence de Jésus au Cachemire (voir l'encadré p. 288). Hemis reste avant tout réputé pour sa **fête de Tse-Chu** (voir l'encadré p. 299) qui a lieu tous les ans.

De l'extérieur, ce grand *gompa* rectiligne n'est pas particulièrement séduisant. Cependant, sa superbe cour centrale comporte de nombreuses boiseries merveilleusement détaillées et de hauts mâts ornés de drapeaux de prière (la lumière du matin est idéale pour les photos). Les énormes troncs d'arbres qui soutiennent la splendide salle de prière principale proviennent du Cachemire. Le sanctuaire sur le côté contient une statue de Padmasambhava, haute de 8 m.

De l'autre côté de la cour, le vaste **musée du monastère** (100 Rs) présente de véritables trésors d'art sacré aux côtés de fausses peaux de tigres, d'un gramophone et de quelques *damnyan* (instruments de musique semblables au banjo). Les commentaires sont moins détaillés que ceux du musée de Thiksey.

Des **chambres** (150 Rs/lit) spartiates, avec toilettes communes occidentales ou ladakhies, sont installées dans le mur extérieur en ciment du mur du *gompa*. Demandez la clé au **Hemis Restaurant & Camping** (camping 100 Rs/tente), juste devant, qui sert des repas simples (35-80 Rs) et possède un terrain de camping sommaire.

Il est parfois possible de loger chez l'habitant dans le village.

Tso Moriri

altitude 4 595 m / permis requis

Autour de ce grand **lac** légèrement saumâtre, de larges vallées herbeuses grimpent vers de hautes montagnes arrondies, un paysage qui évoque le Tibet. Vous avez de fortes chances d'apercevoir des *kiang* (ânes sauvages), des renards et des marmottes, et de rencontrer des nomades Chang-Pa (Khampa) avec leurs troupeaux de chèvres ou de yaks. La visite du grand **campement d'été Chang-Pa**, à 5 min de route derrière le petit village de Korzok, est fascinante quand il est peuplé. Korzok est le seul vrai village du Tso Moriri, avec un **gompa** du XIXe siècle et une curieuse **fête** (voir l'encadré p. 299) ; cependant, son étrange ambiance de Far West n'est pas très plaisante. Quasiment chaque maison propose un hébergement (rarement propre).

Le **Goose Homestay** (d 200 Rs) offre des chambres de dimensions correctes en étage (desservi par une échelle) avec matelas par terre, vue sur le lac et toilettes à l'extérieur.

Le **Lake View GH & Restaurant** (☎ 9419345362 d sans sdb 500 Rs) bénéficie d'une belle vue sur le lac (au-delà des toits jonchés de détritus) mais ses chambres très sommaires ne sont pas toujours propres.

Le **Nomadic Life Camp** (d tente 1 300 Rs), le meilleur des trois, possède des petites tentes très propres, avec des lits, qui partagent un lavabo-toilettes en plein air et une salle de douche avec eau chaude.

Tso Moriri se visite souvent au cours d'un circuit en Jeep de 3 jours Leh-Manali (environ 19 000 Rs par véhicule). Après la descente dans la vallée de l'Indus par des gorges spectaculaires jusqu'à Mahe, on passe la nuit à Korzok puis on emprunte des pistes accidentées pour rejoindre la route de Manali via le Tso Kar (p. 330). Ce trajet n'est réalisable qu'en direction du sud car les permis sont délivrés à Leh.

Vers Pangong Tso

De Leh, on peut visiter Chemrey et Takhtog indépendamment, mais il faut un permis pour continuer jusqu'au serein Pangong Tso, le plus beau lac du Ladakh. Les étrangers n'ont pas le droit d'aller au-delà de Spangmik.

De nombreux touristes indiens se rendent au Pangong Tso au cours d'une longue et épuisante excursion d'une journée au départ de Leh. Il est bien plus plaisant de passer la nuit à Spangmik.

Sachez que, selon les conditions climatiques, les gués au-delà de Tangtse deviennent impraticables dans l'après-midi.

Acclimatez-vous d'abord à l'altitude car vous devrez franchir le Chang La (5 289 m).

CHEMREY

Entouré de champs d'orge et de bosquets d'argousiers, le village de Chemrey est dominé par le **Thekchhok Gompa** (20 Rs ; fête en novembre, p. 299), aux proportions harmonieuses. Un dédale de chemins mène au complexe principal, où des piliers en bois superbement irréguliers soutiennent la salle de prière centrale du XVIIe siècle. Au-dessus, le **Lamalakhang** renferme des peintures murales noircies par la fumée des lampes à beurre et difficiles à discerner. À l'avant-dernier étage, le **Gurulakhang** possède des peintures aux couleurs vives et une statue de Padmasambhava, dorée et incrustée de turquoises, haute de 3 m.

SHAKTI ET TAKTHOG

Juste avant **Shakti**, la route bifurque. La branche qui mène au Pangong Tso contourne Shakti et passe au-dessus des ruines de la **forteresse** du village, au Km 14. L'autre branche en cul-de-sac rejoint le **Takthog Gompa** (20 Rs), à 7 km au nord, le seul monastère nyingmapa de la région. Sa salle de prière est installée dans une grotte hautement révérée où le grand sage Padmasambhava aurait médité au VIIIe siècle.

TANGTSE

Le **Chang La** (5 289 m), le troisième plus haut col carrossable au monde, est sans doute le seul où l'on vous offre gracieusement une tasse de thé (un geste de l'armée indienne). En descendant vers le nord, la route de la vallée, austère et désolée, offre un panorama spectaculaire sur des montagnes déchiquetées. Si vous devez passer la nuit à Tangtse, à 40 km avant le Pangong Tso, la **Dothguling Guesthouse** (Main St ; d 500 Rs, tr sans sdb 300 Rs) est la meilleure des cinq pensions-restaurants. Le **Chang Queen Eco Camp** (tr/q 300/400 Rs), joliment situé en bord de rivière, comporte 2 chambres et sert des plats de dhal et riz à 30 Rs. Juste après Tangtse, les ruines d'un *gompa* fortifié, sur un affleurement rocheux, gardent une vallée aride couverte de sable blanc, encadrée de parois aux strates beige et brun-rouge et ponctuée d'étangs d'un bleu translucide.

Pangong Tso

Permis requis

Quand le soleil brille, le bleu intense de ce lac immense contraste avec les couleurs minérales des montagnes alentour, aux sommets couverts de neige toute l'année. On découvre ce spectacle fabuleux près de **Lukung**, un poste de contrôle de l'armée qui précède trois petites **pensions** (tr 500-700 Rs) très simples et deux ou trois **cafés sous tente** (couchage 100 Rs). Une piste cahoteuse suit la berge du lac et conduit à **Spangmik**, à 7 km, un minuscule village avec des champs d'orge et des murs en pierre sèche. C'est un endroit merveilleux pour se détendre, rencontrer des nomades et faire de belles balades, comme celle de 30 min qui mène au-dessus du village au **temple Gontserboom**, très modeste mais entretenu avec soin.

Presque toutes les maisons de Spangmik offrent un **hébergement chez l'habitant** (tr/q 300/400 Rs). Beaucoup comportent une pittoresque cuisine ladakhie avec un fourneau solaire et préparent une nourriture acceptable (en supplément). Toutes partagent des toilettes à compost et aucune ne dispose de douche. Les meilleures proposent des lits plutôt qu'un espace sur le sol. Dans le **Gongma Homestay**, recommandé et bien indiqué, vous aurez peut-être la chance de rencontrer **Stobgais** (☎ 9419372322 ; stoblha@yahoomail.com), un guide charmant et expérimenté, qui parle anglais et vous aidera à mieux comprendre la vie des nomades Chang-Pa (voir l'encadré ci-dessous). Également recommandé, Dorje & Diskit's occupe une maison de 2 étages sans enseigne, sur la droite en entrant dans Spangmik.

Central, le **Pangong Tso Resort** (☎ à Leh 9419179907 ; 2chhaleh@India.com ; d pension complète 2 850 Rs, tente avec lit sans sdb 2 700 Rs) possède 6 chambres et des toilettes occidentales. Malgré un accueil très chaleureux, ce petit complexe en béton sans attrait est beaucoup trop cher, particulièrement pour les lits sous tente.

Vers Manali

La route cahoteuse Leh-Manali franchit quatre cols à plus de 4 900 m. Elle est fermée de fin octobre à juin. Même en été, la vitesse moyenne des véhicules reste inférieure à 20 km/heure, mais la vue est fabuleuse.

D'UPSHI AU TAGLANG LA

À **Upshi** (Km 425), qui se résume à quelques maisons de thé, la route de Manali en direction du sud quitte la vallée de l'Indus et se dirige vers **Miru** (Km 410), doté d'une forteresse en ruine et de nombreux stupas. Au-delà s'ouvre une superbe vallée étroite, aux parois verticales rayées de strates pourpre et vert-de-gris. De l'autre côté de la rivière, une forteresse en ruine sur un piton rocheux fait face au joli village de **Gya** (Km 398). Après **Rumtse** (Km 394), la route devient épouvantable et grimpe en lacets jusqu'au vertigineux **Taglang La** (5 359 m).

TSO KAR

À quelque 30 km après le Taglang La, une route secondaire (signalée "Pastureland Camp") conduit en 20 min à deux **campements** (tente avec lit pension complète d 2 000-2 800 Rs) saisonniers très isolés dans une prairie déserte. De là, on voit à mi-distance le **Tso Kar** entouré de montagnes aux sommets arrondis et couverts de neige. À l'est du lac, des ornithologues viennent observer des grues à cou noir, une espèce rare qui arrive de Sibérie pour se reproduire à la fin du printemps.

DE PANG À KEYLONG

Aucun village ne ponctue le fabuleux paysage austère entre Rumtse et Darcha. Des cafés sous tente saisonniers servent des plats simples à **Pang** (où le camp militaire dispose d'oxygène pour ceux qui souffrent du mal des montagnes), à **Bharatpur** (où l'on peut dormir sous tente moyennant 50 Rs par personne dans une ravissante vallée de haute altitude) et à **Zingzingbar**. Au pied des spectaculaires lacets appelés les **Gata Loops** s'étend **Sarchu**, une belle vallée à 4 200 m où plusieurs **camps de toile avec lits** (à partir de 500 Rs/pers), relativement haut de gamme, se succèdent sur plusieurs kilomètres. Si Sarchu est bien situé à mi-chemin entre Leh et Manali, dormir à cette altitude peut provoquer le mal des montagnes si vous n'êtes pas correctement acclimaté. Les passeports sont contrôlés à **Darcha**, où des *dhaba* proposent une cuisine simple et un hébergement très sommaire (déconseillé aux femmes seules). De nombreux treks en provenance du Zanskar s'achèvent ici et, avec de la patience, on trouve parfois des propriétaires de chevaux qui retournent "à vide" à Padum. Les bus sont généralement pleins quand ils arrivent à Darcha ; en direction du sud, rester debout 2 heures jusqu'à Keylong (p. 405) est supportable.

LA TRANSHUMANCE DE STOBGAIS

Stobgais travaille comme guide touristique en été. Le reste de l'année, il est le secrétaire de la Pashmina Cooperative Society de la région. "Avant, les marchands échangeaient des céréales et d'autres produits de base contre notre laine et les fermiers se faisaient rouler. Aujourd'hui, les choses se sont améliorées. Nous avons un prix fixe, 2 600 Rs par *bakti* (2 kg), et si nous obtenons un meilleur prix d'une filature, le bonus est partagé entre tous."

Stobgais appartient à une famille de Chang-Pa nomades, qui quittent en décembre leurs basses habitations sur les berges du Pangong Tso pour emmener leurs troupeaux de chèvres et de yaks dans les pâturages d'hiver de Chushul, à trois jours de marche à l'est. "Les hivers froids sont bénéfiques parce que les poils des chèvres sont plus longs !" En février, lorsque le lac est gelé, hommes et bêtes le traversent jusqu'à la rive nord. "Lorsque la glace est suffisamment épaisse, nous traçons une route en terre pour que les animaux ne glissent pas. Il faut la faire rapidement avant l'aube pour que la glace ne fonde pas !"

Himachal Pradesh

Des vallées boisées aux cols vertigineux ou aux monastères bouddhiques, peu d'États indiens peuvent rivaliser avec l'Himachal Pradesh pour la diversité et la splendeur des paysages.

Beaucoup le considèrent comme la plus belle région montagneuse du pays ; un endroit où faire des treks de plusieurs jours en haute altitude, puis se détendre dans un café au cœur d'une ville animée. Les cimes du Dhauladhar, du Pir Panjal et de la chaîne occidentale de l'Himalaya se dressent au-dessus de l'Himachal, offrant de multiples activités sportives. La culture tibétaine bouddhiste attire de nombreux voyageurs, qui vont directement à McLeod Ganj, la résidence du dalaï-lama.

Avant d'atteindre l'Himalaya, vous traverserez des stations climatiques de l'époque britannique, de paisibles forêts, des vergers et des vallées splendides. Shimla reste la station d'altitude préférée du pays, tandis que le Kinnaur, plus au nord, constitue la porte orientale du Spiti.

Dans le centre de l'Himachal, Manali et les vallées de Kullu et de la Parvati séduisent aussi bien les baroudeurs, que les jeunes mariés ou les amateurs de sports extrêmes. De l'autre côté de l'Himachal, des forts, des temples et des palais émaillent les basses collines.

Manali est le point de départ de la route principale vers le Ladakh. Le Great Himalayan Circuit, un trek prisé, part du Cachemire, traverse les vallées montagneuses du Ladakh, du Lahaul et du Spiti jusqu'au Kinnaur, puis s'achève à Shimla. Ici, même l'itinéraire le plus emprunté est une piste taillée dans le versant d'une montagne escarpée.

Les déplacements sont parfois longs et fatigants, mais il existe quantité d'endroits pour se détendre et admirer de sublimes paysages. L'Himachal Pradesh est incontestablement un État magnifique.

À NE PAS MANQUER

- Le petit train qui grimpe jusqu'à **Shimla** (p. 335), une station climatique prisée à l'atmosphère britannique
- Un séjour à **McLeod Ganj** (p. 383), siège du gouvernement tibétain en exil et du dalaï-lama
- Ski, trek, escalade, parapente, rafting ou zorbing à **Manali** (p. 362), la capitale des sports d'aventure de l'Himachal
- La découverte de la **vallée de la Parvati** (p. 351) et un trek jusqu'au village de montagne de **Malana** (p. 353)
- Les temples antiques de **Chamba** (p. 400) et **Bharmour** (p. 403), en dehors des circuits touristiques
- La traversée de cols spectaculaires, le Rohtang La et le Kunzum La, jusqu'au **monastère de Tabo** (p. 411) et à la lointaine **vallée de la Spiti** (p. 403)

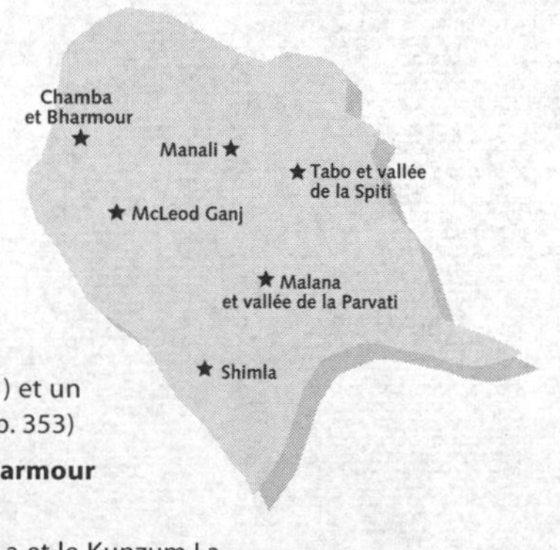

HIMACHAL PRADESH

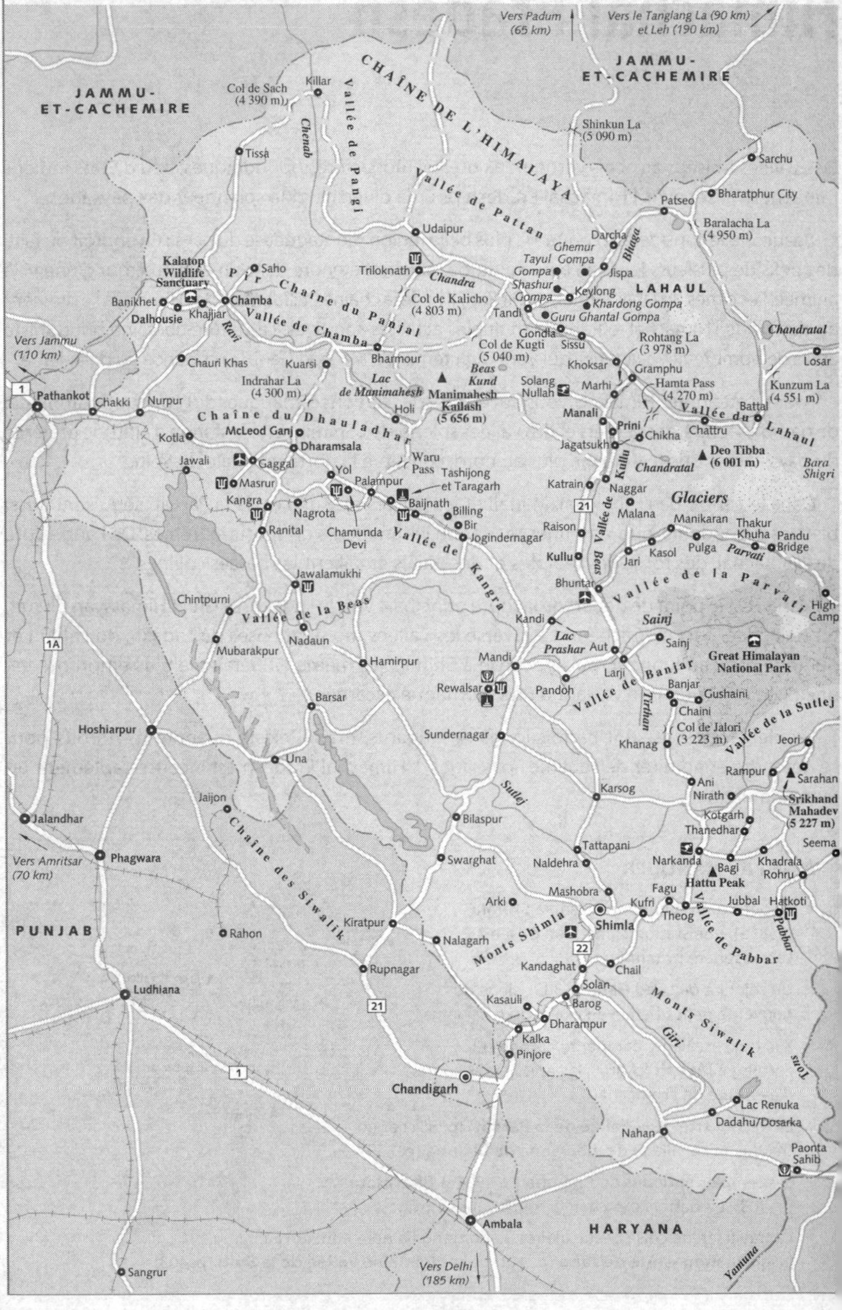

Vers Padum (65 km)
Vers le Tanglang La (90 km) et Leh (190 km)
JAMMU-ET-CACHEMIRE
JAMMU-ET-CACHEMIRE
Col de Sach (4 390 m)
Killar
Chaîne de l'Himalaya
Vallée de Pangi
Chenab
Tissa
Shinkun La (5 090 m)
Sarchu
Bharatphur City
Patseo
Baralacha La (4 950 m)
Vallée de Pattan
Udaipur
Darcha
Bhaga
Ghemur Gompa
Tayul Gompa
Jispa
Shashur Gompa
Keylong
Khardong Gompa
LAHAUL
Kalatop Wildlife Sanctuary
Saho
Triloknath
Chandra
Pir Chaîne du Panjal
Banikhet
Chamba
Dalhousie
Khajjiar
Ravi
Vallée de Chamba
Col de Kalicho (4 803 m)
Tandi
Guru Ghantal Gompa
Gondla
Sissu
Rohtang La (3 978 m)
Chandratal
Losar
Vers Jammu (110 km)
Chauri Khas
Bharmour
Col de Kugti (5 040 m)
Kuarsi
Beas Kund
Khoksar
Gramphu
Hamta Pass (4 270 m)
Kunzum La (4 551 m)
Indrahar La (4 300 m)
Lac de Manimahesh
Manimahesh Kailash (5 656 m)
Solang Nullah
Marhi
1
Pathankot
Chakki
Nurpur
Holi
Manali
Battal
Chattru
Vallée du Lahaul
Chaîne du Dhauladhar
Prini
Chikha
Kotla
McLeod Ganj
Dharamsala
Jagatsukh
Deo Tibba (6 001 m)
Jawali
Gaggal
Waru Pass
Tashijong et Taragarh
Kullu
Chandratal
Bara Shigri
Masrur
Yol
Palampur
Katrain
Naggar
Glaciers
Kangra
Nagrota
Baijnath
Billing
21
Vallée de Beas
Malana
Bir
Raison
Manikaran
Thakur Khuha
Pandu Bridge
Ranital
Chamunda Devi
Vallée de Kangra
Jogindernagar
Kullu
Jari
Kasol
Pulga
Parvati
Jawalamukhi
Bhuntar
Vallée de la Parvati
High Camp
Chintpurni
Vallée de la Beas
Kandi
Sainj
Nadaun
Lac Prashar
Aut
Sainj
1A
Mubarakpur
Hamirpur
Mandi
Larji
Great Himalayan National Park
Vallée de Banjar
Rewalsar
Pandoh
Banjar
Gushaini
Barsar
Chaini
Tirthan
Vallée de la Sutlej
Hoshiarpur
Sundernagar
Col de Jalori (3 223 m)
Khanag
Jeori
Una
Ani
Rampur
Sarahan
Sutlej
Karsog
Nirath
Srikhand Mahadev (5 227 m)
Jaijon
Jalandhar
Bilaspur
Kotgarh
Thanedhar
Chaîne des Siwalik
Tattapani
Seema
Vers Amritsar (70 km)
Phagwara
Swarghat
Naldehra
Narkanda
Bagi
Khadrala
Hattu Peak
Rohru
Mashobra
Fagu
Arki
Kufri
Theog
Jubbal
Hatkoti
PUNJAB
Shimla
Vallée de Pabbar
Pabbar
Rahon
Kiratpur
Monts Shimla
Nalagarh
22
Kandaghat
Chail
Rupnagar
Solan
Ludhiana
Kasauli
Barog
Monts Siwalik
21
Dharampur
Giri
Kalka
Pinjore
Tons
1
Chandigarh
Lac Renuka
Dadahu/Dosarka
Nahan
Paonta Sahib
Ambala
HARYANA
Yamuna
Sangrur
Vers Delhi (185 km)

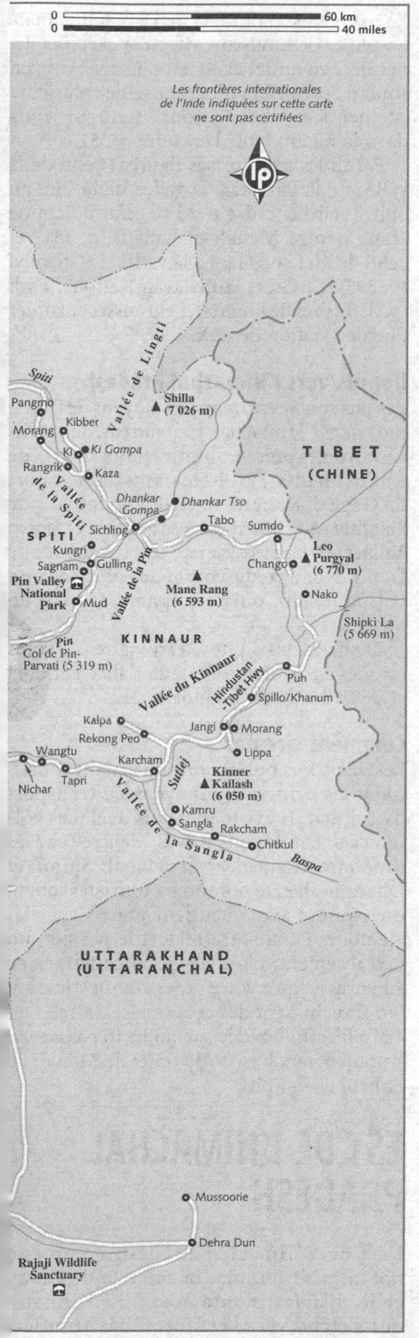

Histoire

L'histoire de l'Himachal est liée aux anciennes routes commerciales. Au Xe siècle, le Tibet conquit une grande partie du nord de l'État et le bouddhisme prédomine toujours dans les montagnes désertiques du Lahaul et du Spiti. Le sud, plus accessible, était divisé en une multitude de petits royaumes gouvernés par des rajas, des *rana* (rois) et des *thakur* (nobles), Kangra, Kullu et Chamba étant les plus importants.

Les rajas sikhs parvinrent à dominer la région au début du XIXe siècle et consolidèrent leur pouvoir en signant des traités avec les Britanniques. Des missionnaires jésuites à la recherche du royaume mythique du Prêtre Jean furent les premiers Occidentaux à s'aventurer dans la contrée. Cependant, plusieurs tribus aryennes s'étaient installées en Inde du Nord bien avant notre ère et sont toujours présentes, comme les Kinnauri de l'Himachal oriental, qui pratiquent une religion mêlant le bouddhisme et l'hindouisme.

Au cours du XIXe siècle, les Britanniques créèrent des petits îlots britanniques à Shimla, à Dalhousie, à Dharamsala. Shimla devint plus tard la capitale estivale du Raj et la voie ferrée fut prolongée jusqu'à la vallée de Kangra. Les Britanniques étendirent progressivement leur influence jusqu'à ce que toute la région soit dirigée par Shimla.

L'État de l'Himachal Pradesh fut fondé après l'Indépendance en 1948, affranchissant de nombreux villages du système féodal. En 1966, les districts administrés par le Punjab, dont le Kangra, le Kullu, le Lahaul et le Spiti, lui furent concédés et l'Himachal Pradesh devint un État de l'Union indienne à part entière en 1971. D'abord négligé par le gouvernement central, il est devenu une source d'énergie majeure et ses énormes centrales hydroélectriques alimentent la moitié du pays.

EN BREF

- Population : 6,1 millions d'habitants
- Superficie : 55 673 km²
- Capitale : Shimla
- Langues : hindi, pahari et punjabi
- Meilleures périodes : mai-juin et septembre-début novembre (juillet-octobre au Lahaul et au Spiti)

Climat

Les meilleures saisons s'étendent de mai à juillet et de septembre à début novembre ; mieux vaut alors réserver les hébergements. Durant la mousson, les collines de moyenne altitude peuvent être froides et humides. La neige bloque de nombreuses régions montagneuses de novembre à avril, dont les vallées du Lahaul et du Spiti et la route Manali-Leh ; c'est aussi la haute saison pour le ski dans les modestes stations proches de Manali et de Shimla.

Renseignements

PERMIS

La zone frontalière entre le Tibet et l'Inde est politiquement sensible. Les étrangers ont besoin d'un permis (*Inner Line Limit*) pour voyager entre Rekong Peo, au Kinnaur, et Tabo, au Spiti. Vous l'obtiendrez facilement à Shimla (voir l'encadré p. 337), Kaza (voir l'encadré p. 410) et Rekong Peo (p. 347), en fournissant deux photos d'identité et les photocopies de vos passeport et visa.

Activités sportives

Manali est la capitale indienne des sports d'aventure, avec d'innombrables activités en été et en hiver ; voir l'encadré p. 362.

PARAPENTE

Les courants ascendants des contreforts himalayens offrent des conditions idéales pour le parapente, notamment à Solang Nullah (p. 381) et à Billing (p. 397).

RAFTING

La Beas, près de Kullu, forme d'impressionnants rapides, à descendre en kayak ou en rafting ; organisez de préférence ces excursions à Manali (voir l'encadré p. 362).

SKI

De janvier à mars, les amateurs de ski et de snowboard affluent à Solang Nullah (p. 381), près de Manali, et à Narkanda (p. 343), près de Shimla.

TREKKING

L'Himachal Pradesh est un paradis pour le trekking. À Manali, à McLeod Ganj et dans d'autres villes, des dizaines d'agences organisent des treks vers des cols et des vallées isolés. Les tarifs commencent à 2 000 Rs par personne et par jour, guides, porteurs, tente et nourriture compris.

La haute saison dure de mai à octobre, mais les pluies de mousson affectent certains itinéraires en juillet et en août. Le trekking en solitaire est fortement déconseillé ; plusieurs accidents et "disparitions" sont survenus dans la région (voir l'encadré p. 351).

Parmi les treks prisés figurent celui de la vallée de la Parvati à la vallée de la Pin, au Spiti (voir l'encadré p. 353), celui du col de Hamta entre Manali et Lahaul (p. 381) et celui de McLeod Ganj à la vallée de Chamba (p. 395). Le Great Himalayan National Park (p. 350), près de Bhuntar, peut aussi constituer une destination de trek.

Depuis/vers l'Himachal Pradesh

Les bus sont les principaux moyens de transport dans l'Himachal. Cependant, des petits aérodromes près de Shimla (Jubbarhatti), de Kullu (Bhuntar) et de Dharamsala (aéroport de Gaggal, Kangra) accueillent des vols de **Kingfisher Airlines** (www.flykingfisher.com) et **Jagson Airlines** (www.jagsonairline.com) en provenance de Delhi. Nombre de voyageurs prennent un vol pour Leh, puis rejoignent Manali en bus (2 jours).

D'anciennes lignes ferroviaires à voies étroites parcourent l'État, de Kalka à Shimla et de Pathankot à Jogindarnagar.

Comment circuler

Les vieux bus publics brinquebalant constituent les principaux moyens de transport dans l'État. Il existe toutefois quelques vols intérieurs et des bus privés "deluxe" sur les itinéraires fréquentés vers Manali, Shimla et Dharamsala. De nombreux touristes louent une voiture avec chauffeur pour visiter les alentours et, si votre budget le permet, un taxi acceptera volontiers de faire un trajet de 8 heures jusqu'à votre prochaine destination (en franchissant des cols si nécessaire). Des 4x4 collectifs bondés (au moins 10 passagers) s'ajoutent aux bus sur le trajet de Manali au Lahaul et au Spiti.

EST DE L'HIMACHAL PRADESH

L'est de l'Himachal Pradesh comprend notamment Shimla, la capitale de l'État et le district montagneux du Kinnaur qui s'étend vers l'est jusqu'à la frontière

FÊTES ET FESTIVALS EN HIMACHAL PRADESH

Losar Lahaul et Spiti (jan-fév ; p. 403) ; McLeod Ganj (déc-jan ; p. 383). Dans tout l'État, les Tibétains célèbrent leur Nouvel An par des processions, de la musique, des danses et des *chaam* (danses masquées exécutées par des lamas dans les *gompa* pour célébrer la victoire du bien contre le mal et celle du bouddhisme sur les religions antérieures). Le dalaï-lama délivre des enseignements publics à Dharamsala.

Fête de Shivaratri (fév-mars ; Mandi, p. 348 ; Baijnath, p. 397). En hommage à Shiva, les habitants portent en procession des effigies des divinités locales jusqu'aux temples.

Sui Mata Mela (avr ; Chamba, p. 400). Quatre jours de chants et de danses en l'honneur de Sui Mata, qui donna sa vie pour sauver les habitants de Chamba.

Dhungri Mela (mai ; Manali, p. 358). Sacrifice d'animaux offerts à Hadimba, dans l'ancien temple d'Hadimaba, à Manali.

Himalayan Hang-Gliding Rally (mai ; Billing, p. 397). Compétition internationale de parapente à Billing.

Fête de Ki Chaam (juin-juil ; Ki, p. 408). Les villageois du Spiti viennent assister à des danses rituelles masquées, les *chaam*, au monastère de Ki.

Fête du Lahaul (juil ; Keylong, p. 405). Une grande foire et un festival culturel ont lieu à Keylong : marché animé, danses et musique.

Fête de Minjar (juil-août ; Chamba, p. 400). Une fête des moissons qui dure une semaine sur les rives de la Ravi. Des pousses de maïs (*minjar*) sont offertes à Varuna, le dieu de la Pluie, et des effigies de divinités, tel Raghuvira (un avatar de Rama), sont promenées en procession dans les rues.

Foire de Ladarcha (août ; Kaza, p. 407). Une ancienne foire commerciale du Spiti, avec des danses bouddhiques, des compétitions sportives et des marchés effervescents.

Fête de Pauri (août ; Triloknath, p. 405). Bouddhistes et hindous se rassemblent au temple de Triloknath et allument d'énormes lampes à beurre en l'honneur de Shiva ou d'Avalokitesvara.

Manimahesh Yatra (août-sept ; près de Bharmour, p. 403). Les shivaïtes entreprennent un trek de trois jours pour se baigner dans le lac de Manimahesh, l'une des résidences mythiques de Shiva.

Fête de Phulech (sept-oct ; Kalpa, p. 348 ; Sangla, p. 346). Les villageois du Kinnaur remplissent les cours des temples de fleurs aux parfums entêtants, des oracles sacrifient des animaux et prédisent les événements de l'année à venir.

Dussehra ou **Durga Puja** (oct ; Kullu, p. 355 ; Sarahan, p. 345). Kullu célèbre la défaite du démon Ravana par une procession gigantesque derrière le chariot de Raghunath (Rama). La fête de Sarahan fête la victoire de Durga sur le démon Mahishasura par des sacrifices d'animaux à Bhimakali.

Foire de Lavi (nov ; Rampur, p. 345). Cette foire séculaire de Rampur, sur l'ancienne route marchande du Tibet, donne lieu à trois jours de transactions commerciales et de spiritualité.

Fête de Guktor (nov ; Dhankar, p. 409). Processions et danses masquées au Dhankar Gompa, dans le Spiti.

Renuka Mela (nov ; lac Renuka, p. 344). Cette fête de six jours culmine avec l'immersion rituelle des effigies de Parsasurama (Vishnu).

International Himalayan Festival (10-12 déc ; McLeod Ganj, p. 383). Ce festival célèbre le prix Nobel de la paix du dalaï-lama, et promeut la paix et la tolérance avec des danses et de la musique bouddhiques.

tibétaine puis s'incurve au nord vers le Spiti. Consultez le site officiel du district, http://hpshimla.nic.in.

SHIMLA

☎ 0177 / 144 900 habitants / altitude 2 205 m

Jusqu'à l'arrivée des Britanniques, Shimla n'était qu'une paisible clairière au cœur d'une forêt appelée Shyamala (un nom local de Kali, la déesse hindoue qui détruit les démons). Puis un fonctionnaire écossais, Charles Kennedy, y construisit une résidence d'été en 1822, changeant à jamais le sort de la localité. En 1864, Shimla devint la capitale estivale du Raj et tous les étés, jusqu'en 1939, le gouvernement entier s'y réfugia pour fuir la chaleur écrasante des plaines. Lorsque la ligne ferroviaire Kalka-Shimla fut construite en 1903, Shimla acquit le statut de première station climatique d'Inde ; elle fut même brièvement la capitale du Punjab avant que la carte ne soit redessinée en 1966.

Juchée sur une crête longue de 12 km, Shimla est aujourd'hui très étendue et semble sur le point de glisser dans la vallée. Plusieurs écoles prestigieuses sont installées dans cette villégiature. Quelques pittoresques édifices de

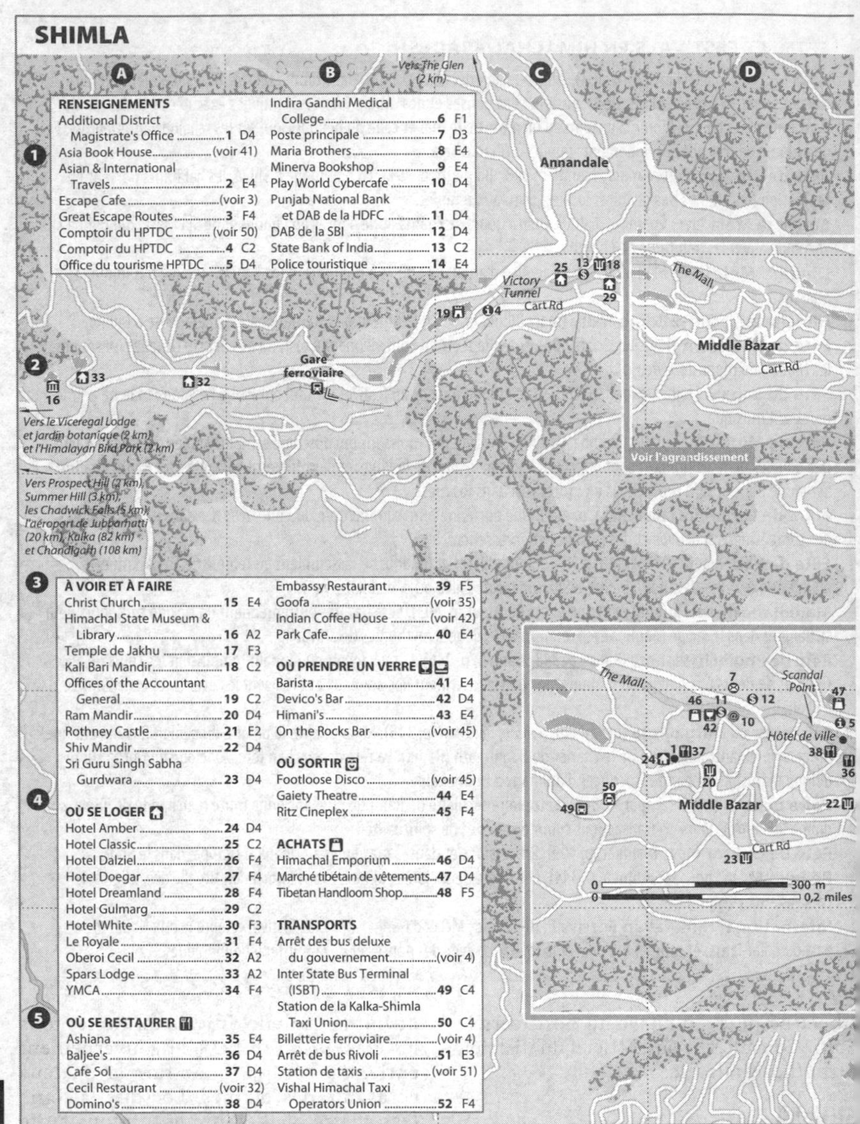

l'époque britannique jalonnent le centre et les alentours offrent d'agréables promenades en forêt. Des pics enneigés se découpent à l'horizon, clairement visibles d'avril à juin, puis en octobre et en novembre, la principale saison touristique. Les jeunes mariés viennent profiter de la neige en décembre et en janvier.

Orientation

Shimla s'étend sur des kilomètres et Scandal Point marque son centre officiel. De là, le vaste plateau dégagé appelé le Ridge s'étire à l'est jusqu'à Christ Church, où des sentiers grimpent vers le temple de Jakhu.

Le Mall, une longue et sinueuse artère piétonne, court à l'ouest et à l'est de Scanda

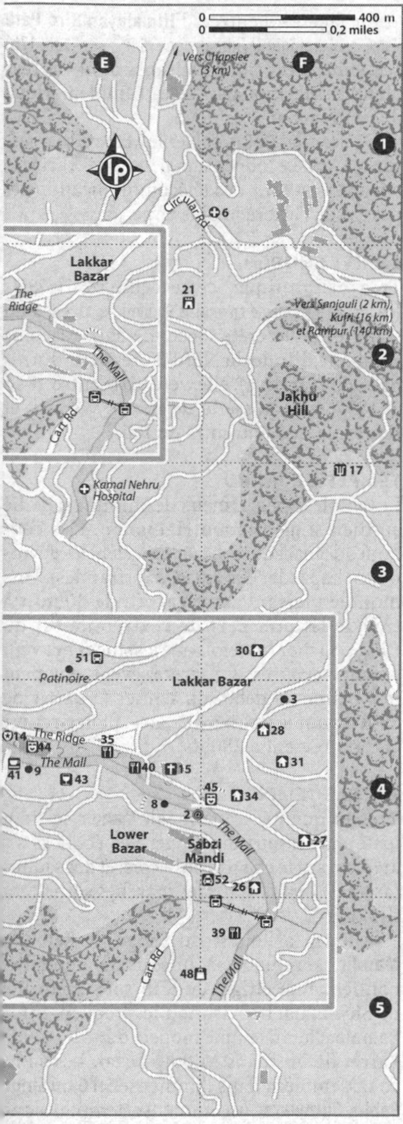

Point. En contrebas, Cart Rd abrite la gare ferroviaire, l'Inter State Bus Terminal (ISBT ; gare des bus inter-États) et des stations de taxis. Un funiculaire relie le Mall et Cart Rd ; vous pouvez aussi emprunter les ruelles qui grimpent le Middle Bazaar et de Lower Bazaar.

Aux gares routière et ferroviaire, des porteurs proposeront de transporter vos bagages pour 30 à 50 Rs. Beaucoup sont également des rabatteurs et les hôtels augmentent leurs tarifs pour y inclure leur commission.

Renseignements

Fumer, cracher, jeter des détritus et utiliser des sacs en plastique dans les espaces publics est interdit par la loi et puni d'une amende de 500 Rs.

ACCÈS INTERNET

Il n'existe que quelques cybercafés :

Asian & International Travels (The Mall ; 30 Rs/h ; 9h-21h30). Un endroit exigu dans le Mall.

Escape Cafe (6 Andi Bhavan, Jakhu ; 30 Rs/h ; 9h30-22h). Au-dessus du Ridge, dans l'agence de voyages Great Escape Routes.

Play World Cybercafe (The Mall ; 30 Rs/h ; 9h-21h). Le meilleur des cybercafés du Mall.

AGENCE DE VOYAGES

Great Escape Routes (5533037 ; www.greatescaperoutes.com ; 6 Andi Bhavan, Jakhu). Spécialisée dans le trekking et les circuits d'aventure autour de Shimla et dans l'Inde du Nord. Location de motos Enfield pour 500 Rs par jour.

ARGENT

Si vous allez au Kinnaur, au Spiti ou au Lahaul, procurez-vous suffisamment de roupies à Shimla. De nombreux DAB, accessibles 24h/24, sont installés autour de Scandal Point et le long du Mall.

DAB de la State Bank of India (Scandal Point)

Punjab National Bank (The Mall ; 10h-16h, lun-ven, 10h-13h sam). Change les principales devises et chèques de voyage.

State Bank of India (The Mall ; 10h-16h lun-ven, 10h-13h sam). À l'ouest de Scandal Point ; un DAB est disponible en face.

> **PERMIS (INNER LINE PERMIT)**
>
> Les permis pour voyager de Rekong Peo à Tabo, au Spiti, sont gratuitement délivrés par le bureau de l'**Additional District Magistrate** (2657005 ; 10h-13h30 et 14h-17h lun-sam, fermé 2e sam du mois), dans le Collectorate Building près du Mall. Ils sont émis sur le champ. Bien que cela ne soit pas officiellement exigé, apportez deux photos d'identité et les photocopies de vos passeport et visa. Vous pouvez aussi obtenir ces permis à Rekong Peo et à Kaza.

LIBRAIRIES

Asia Book House (The Mall ; ⌚ 10h-20h30). Des livres en anglais, dont des romans et des récits de voyage.

Maria Brothers (☎ 2565388 ; 78A The Mall ; ⌚ 10h30-20h). Livres anciens et d'occasion.

Minerva Bookshop (☎ 2803078 ; The Mall ; ⌚ 9h-18h). Bon choix de romans, de cartes et de livres sur l'Himachal Pradesh.

OFFICE DU TOURISME

Office du tourisme HPTDC (Himachal Pradesh Tourist Development Corporation ; ☎ 2652561 ; www.hptdc.gov.in ; Scandal Point ; ⌚ 9h-20h, jusqu'à 18h août-sept et déc-mars). Pratique pour des conseils, des brochures et des réservations de bus, d'hôtels et de circuits HPTDC. Il possède des comptoirs à la gare routière ISBT et au Victory Tunnel.

POSTE

Poste principale (The Ridge ; ⌚ 10h-20h lun-sam, 10h-16h dim). Poste restante et envoi des colis. Plusieurs bureaux de poste jalonnent le Mall, à l'ouest.

URGENCES

Indira Gandhi Medical College (☎ 2803073 ; The Ridge, Circular Rd ; ⌚ 24h/24)

Police touristique (☎ 2812344 ; Scandal Point)

À voir et à faire

HIMACHAL STATE MUSEUM & LIBRARY

À 2,5 km à l'ouest de Scandal Point, une rude grimpée mène à la tour des télécommunications et au **musée-bibliothèque de l'État** (Indiens/étrangers 10/50 Rs, appareil photo/caméra 100/1 500 Rs ; ⌚ 10h-13h30 et 14h-17h mar-ven, dim et 2e sam du mois). Il renferme une superbe collection de miniatures de Kangra et du Rajasthan, des broderies de Chamba, des monnaies, des bijoux, des sculptures religieuses, des peintures de Shimla et des armes, dont d'énormes tromblons. Une salle est consacrée aux séjours de Gandhi à Shimla.

VICEREGAL LODGE ET JARDIN BOTANIQUE

Ancienne résidence officielle des vice-rois britanniques, le **Viceregal Lodge** (Indiens/étrangers 20/50 Rs ; ⌚ 9h15-13h et 14-17h, jusqu'à 19h mai-juil, visite ttes les 30 min) abrite aujourd'hui l'Indian Institute of Advanced Study (Institut indien d'études supérieures). Les milliers de briques de cet édifice extravagant furent transportées à dos de mules. Des visites guidées permettent de découvrir les bâtiments (photos interdites), mais vous ne paierez que 20 Rs si vous vous limitez au jardin.

En face de l'entrée, l'**Himalayan Bird Park** (Parc ornithologique himalayen ; 5 Rs ; ⌚ 10h-17h) accueille d'exotiques faisans, dont de resplendissants monals, l'oiseau emblématique de l'Himachal.

De Scandal Point, suivez le Mall vers l'ouest sur 4,5 km. Le lodge est mal indiqué : dirigez-vous vers la tour des télécommunications et restez sur l'artère la plus large.

CHRIST CHURCH

Très britannique, cette **église** (☎ 2652953 ; The Ridge ; ⌚ messe en anglais 9h dim) se dresse au sommet de la crête. Seconde église la plus ancienne d'Inde du Nord (après celle d'Ambala, en Haryana), elle a été bâtie entre 1846 et 1857. Elle possède de beaux vitraux et renferme des souvenirs du Raj.

TEMPLE DE JAKHU

Le temple le plus fameux de Shimla est dédié au dieu singe hindou Hanuman. Des centaines de macaques rhésus harcèlent les dévots pour chaparder des *prasaad* (offrandes). Une montée plaisante et escarpée de 30 min à travers la forêt part de l'extrémité est du Ridge. Sachez toutefois que les singes peuvent se montrer agressifs ; achetez éventuellement une canne au début du sentier (à partir de 25 Rs) pour les tenir à distance. L'aller-retour en taxi revient à 280 Rs.

AUTRES TEMPLES

Très fréquenté, le petit **Shiv Mandir** se tient juste en dessous du Ridge. Les écoliers s'y arrêtent sur le chemin de l'école, et des sadhus (ascètes) installés sur les marches sollicitent des dons.

À 1 km à l'ouest du Ridge, le **Kali Bari Mandir**, semblable à une hutte bengalie, contient une effigie de Kali sous sa forme de Shyamala. Les vishnouites fréquentent le **Ram Mandir**, un temple moderne au-dessus de l'arrêt de bus dans Middle Bazar. Les sikhs se rassemblent dans l'immense **Sri Guru Singh Sabha Gurdwara**, un immense temple blanc proche de l'ISBT.

BÂTIMENTS ANCIENS

De majestueux exemples d'architecture britannique bordent le Ridge, tels l'**hôtel de ville**, qui semble sorti d'un film d'horreur, et la **poste**, une folie pseudo-Tudor. Les grandioses **Offices of the Accountant General** (bureaux de la Cour des comptes)

UN FONCTIONNAIRE REMARQUABLE

Né dans le Kent, en Angleterre, Allan Octavian Hume était considéré comme un excentrique par ses pairs. En 1849, il s'engagea dans le service public en Inde et grimpa rapidement les échelons de l'administration coloniale. Horrifié par le traitement indigne infligé à la population, il fit campagne pour des réformes sociales et aida à la fondation de l'Indian National Congress, le premier parti politique indien, actuellement à la tête du pays.

Le prestige de Hume ne se limita pas à la sphère politique. Pendant son temps libre, il réunit la plus grande collection d'oiseaux naturalisés d'Asie, qu'il installa dans un musée privé à Rothney Castle, sa résidence de Shimla. Cette collection fut par la suite expédiée au British Museum de Londres. Hume était aussi curieux des sciences occultes et organisait régulièrement des séances avec des voyants célèbres tels que Madame Blavatsky, une médium ukrainienne. Il envisagea même de devenir *chela* (élève) d'un lama (moine bouddhiste tibétain), avant de consacrer son énergie à l'autonomie de l'Inde.

faussement gothiques, dominent l'extrême ouest du Mall. Au-dessus de Shimla sur le chemin du temple de Jakhu, vous pouvez apercevoir à travers les grilles le **Rothney Castle**, l'ancienne demeure d'Allan Octavian Hume (voir l'encadré ci-dessus).

PROMENADES À PIED

À 4 km au nord-ouest de Scandal Point, **The Glen** était le terrain de jeu des riches colons britanniques, choisi pour sa ressemblance avec les Highlands écossais. La route traverse la plate prairie verdoyante à **Annandale**, un ancien champ de courses où se disputent aujourd'hui des matchs de cricket et de polo.

Prospect Hill, à 4 km à l'ouest de Shimla, offre de belles vues et un temple intéressant. À 5 km sur la ligne ferroviaire Shimla-Kalka, **Summer Hill** est sillonnée de jolis chemins ombragés. Hautes de 67 m, les **Chadwick Falls** (chutes de Chadwick), à 2 km plus à l'ouest, sont particulièrement impressionnantes juste après la mousson. À 3 km à l'est de Lakkar Bazar, le village de **Sanjauli** possède un temple dédié à Durga et un petit monastère bouddhique de la secte gelugpa.

Circuits organisés

L'office du tourisme HPTDC organise tous les jours des circuits en bus dans les villages autour de Shimla (160-250 Rs par personne). Ils partent de l'arrêt de bus Rivoli vers 10h30. Renseignez-vous à l'office du tourisme sur les itinéraires.

Les syndicats de taxis proposent des excursions d'une journée à Kufri, Naldehra, Fagu et Mashobra (900 Rs) ; et à Mashobra, Naldehra et Tattapani (1 200 Rs).

Où se loger

Les prix des hôtels augmentent fortement durant la haute saison (avril-juin, octobre, novembre et Noël). Le reste de l'année, demandez une réduction. En hiver, comptez un supplément pour le chauffage. Les rabatteurs abondent ; ne les croyez pas s'ils prétendent que l'hôtel de votre choix est complet ou fermé.

PETITS BUDGETS

Hotel Gulmarg (☎2653168 ; gulmarghotel@yahoo.com ; s 300-450 Rs, d 500-1 450 Rs ; ❄). Au-delà du Mall et occupant plusieurs bâtiments et annexes en dessous du Computer College, cet hôtel immense, prisé par les jeunes mariés, offre un choix hétéroclite, des doubles rutilantes avec lits ronds et miroirs au plafond aux simples, banales et exigus. Réductions jusqu'à 50% en basse saison.

Hotel Classic (☎ 2653078 ; d 440-950 Rs). Défraîchi et accueillant, le Classic se tient entre Scandal Point et la gare ferroviaire. Toutes les chambres disposent d'eau chaude et de la TV ; celles des étages inférieurs, plus chères, font face à la vallée et à la prairie d'Annandale.

Hotel Dalziel (☎ 2652691 ; hoteldalziel@hotmail.com ; The Mall ; d 550-880 Rs). Bien situé au bout du Mall, le Dalziel occupe un ancien et vaste bungalow colonial plein de cachet. Il propose des chambres propres, avec TV et eau chaude, réparties autour d'une grande salle à manger lambrissée. Bon rapport qualité/prix.

YMCA (☎ 2650021 ; ymcashimla@yahoo.co.in ; s/d avec petit déj 660/850 Rs, sans sdb 310/410 Rs ; 💻). En haut de l'escalier qui jouxte le Ritz Cineplex, le grand YMCA à la façade rouge vif accueille hommes et femmes de tout âge, quelle que soit leur religion. Il comprend des chambres plaisantes et bien tenues, un cybercafé, des coffres pour les objets de valeur (30 Rs) et des jeux divers, dont un billard et une table de ping-pong. Réservez en haute saison.

CATÉGORIE MOYENNE

Spars Lodge (☎ 2657908 ; Museum Rd ; s/d 660/990 Rs ; 💻). Sur la petite route qui monte au musée, le Spars est un véritable hôtel de voyageurs avec des propriétaires très accueillants. Lumineux, propre et spacieux, il comporte une charmante salle à manger ensoleillée au dernier étage. Le café sert une cuisine excellente, dont des truites locales.

Hotel White (☎ 2656136 ; www.hotelwhiteshimla.com ; Lakkar Bazar ; ch 700-1 200 Rs, ste à partir de 1 450 Rs). Au nord-est de Scandal Point de l'autre côté du bazar animé, cet hôtel bien tenu conserve des prix fixes, et justifiés, toute l'année. Tentez d'obtenir une chambre au 2e étage avec la vue sur Shimla.

Hotel Amber (☎ 2654774 ; Middle Bazar ; ch 750-2 000 Rs). Au cœur du bazar, près du Ram Mandir, cet hôtel bruyant et chaleureux propose d'agréables petites chambres lambrissées, avec TV et balcons communs donnant sur le marché.

Hotel Dreamland (☎ 2806897 ; d 800-1 650 Rs ; 💻). Derrière le pavillon à l'extrémité ouest du Ridge, une montée escarpée conduit à ce grand hôtel qui possède des chambres assez bien tenues, avec TV et vue sur la vallée. Des rabatteurs le recommandent or les prix sont souvent fortement réduits sans passer par leur biais ; renseignez-vous avant de voir les chambres.

Hotel Doegar (☎ 2811927 ; www.hoteldoegar.com ; The Ridge ; d 1 000-2 500 Rs). De nombreux hôtels de Shimla visent la clientèle des jeunes mariés avec un décor chargé. Celui-ci n'échappe pas à la règle : miroirs au plafond, lambris des années 1970 et lourdes tentures. Néanmoins, toutes les chambres sont différentes. Hors saison, offrez-vous une deluxe avec balcon quand les prix baissent de moitié. Le toit-terrasse bénéficie d'une vue splendide.

CATÉGORIE SUPÉRIEURE

Le Royale (☎ 2651002 ; le_royale@hotmail.com ; Jakhu Rd ; ch 1 700-2 950 Rs). Perché sur le sentier qui mène au temple de Jakhu, cet hôtel de charme loue des chambres aménagées avec goût. Proche du Ridge, il est suffisamment isolé pour rester intime. Il comprend un bon restaurant, le Green Leaf, et un jardin avec vue sur les montagnes.

Oberoi Cecil (☎ 2804848 ; www.oberoicecil.com ; The Mall ; s/d à partir de 11 000/12 500 Rs, ste à partir de 21 000 Rs ; ❄ 💻 🏊). Le plus luxueux cinq-étoiles de Shimla offre tout le confort moderne derrière une splendide façade coloniale. Dans l'immense atrium central, un somptueux bar-restaurant est ouvert aux non-résidents. Accès Wi-Fi dans tout l'établissement.

Chapslee (☎ 2802542 ; www.chapslee.com ; d pension complète 10 000-13 000 Rs ; ❄). Outrageusement fastueuse, l'ancienne résidence du raja Charanjit Singh de Kapurthala se tient au sommet d'Elysium Hill, à 4 km au nord de Shimla. Lustres, tapisseries, tapis afghans, trophées de chasse, céramiques mogholes, meubles baroques et victoriens ornent cette fabuleuse retraite. Le Chapslee compte 6 chambres splendides, toutes avec des aménagements d'origine, une bibliothèque, une salle de jeu, un solarium, des courts de tennis et un terrain de croquet. Paiement à l'avance par carte de crédit.

Où se restaurer

Lieu de villégiature et capitale de l'État, Shimla compte quantité de restaurants, notamment le long du Mall et du Ridge. Dans Middle Bazar, des dizaines de fast-foods indiens servent des samosas, des gâteaux de pommes de terre, du *channa puri* (pois chiches et pain frit) et d'autres en-cas. Sauf mention contraire, les établissements suivants ouvrent de 10h à 22h.

Baljee's (The Mall ; plats 15-100 Rs). En face de l'hôtel de ville, le Baljee's est une excellente adresse pour petit-déjeuner d'omelette, de toasts et de *dosa* (crêpe de farine de lentille). Un comptoir fréquenté vend des pâtisseries indiennes.

Indian Coffee House (The Mall ; plats 20-35 Rs ; 🕑 8h30-22h). Institution à Shimla, l'Indian Coffee House ressemble à un club avec ses serveurs en uniforme et le menu inscrit sur un tableau. Il est idéal pour le petit-déjeuner, les *dosa* bon marché et le café.

Park Cafe (The Ridge ; repas 30-140 Rs). À quelques pas du Mall, ce café détendu, à l'ambiance estudiantine, est plaisant pour boire un verre ou savourer un en-cas végétarien (pizzas, sandwichs).

Ashiana (The Ridge ; plats 40-170 Rs ; 🕑 9h-22h). Dans un joli bâtiment circulaire le long du Ridge, ce restaurant élégant donne sur la rue. Installé au-dessus du Goofa (voir ci-dessous), il sert des plats indiens et chinois, des grillades et quelques spécialités thaïlandaises.

Goofa (The Ridge ; plats 40-100 Rs ; 🕑 9h-22h). En dessous de l'Ashiana, le Goofa est un bar-restaurant souterrain qui propose des plats indiens et occidentaux.

Domino's (The Mall ; pizzas 60-300 Rs). Chaîne de fast-foods occidentale prisée par les familles indiennes. Ses pizzas séduisent les randonneurs étrangers après des semaines de dhal et de riz dans les montagnes.

Embassy Restaurant (The Mall ; plats 80-190 Rs ; 🕑 9h-22h). Ne vous laissez pas rebuter par la façade quelconque. La confortable salle lambrissée jouit d'une vue superbe sur Shimla, surtout la nuit quand scintillent les lumières de la ville. La carte comporte des plats indiens, chinois et occidentaux, avec de délicieux *biryani* (riz parfumé cuit à la vapeur avec de la viande et des légumes) et un succulent curry de poulet.

Cafe Sol (The Mall ; plats 120-400 Rs ; 🕑 11h-22h). Installé dans l'atrium sur le toit de l'Hotel Combermere, avec une entrée directe dans le Mall, le Sol propose un intéressant mélange de plats mexicains, italiens et méditerranéens. Goûtez les crevettes aux flocons de maïs ou les copieuses enchiladas (tortillas farcies).

Cecil Restaurant (☎ 2804848 ; The Mall ; plats à partir de 400 Rs, buffet petit déj/dîner 580/990 Rs). Pour un repas classique, choisissez ce restaurant à l'élégance coloniale. En plus de la carte, il offre un buffet somptueux au petit-déjeuner et au dîner. Réservation conseillée. Un restaurant plus détendu est installé dans le jardin. Vous pouvez également prendre un verre dans le bar de l'atrium.

Où prendre un verre

Barista (The Mall ; 🕑 9h-22h). La jeunesse branchée se retrouve dans ce café pour savourer un cappuccino ou un milk-shake.

Himani's (The Mall ; plats 45-125 Rs ; 10h-22h). Si le décor – néons et marbre – date des années 1980, l'Himani's est une bonne adresse pour un verre ou une assiette de poulet *tikka*. Sur deux niveaux, la terrasse du dernier étage qui surplombe le Mall est idéale par un après-midi ensoleillé.

Devico's Bar (The Mall ; plats 30-100 Rs ; 10h-22h). Descendez en dessous du Cafe Coffee Day pour boire une bière ou un cocktail dans ce bar décontracté.

Où sortir

La promenade le long du Mall et du Ridge constitue la distraction favorite.

Gaiety Theatre (☎ 2805639 ; The Mall). Fermé pour rénovation lors de notre passage, ce théâtre propose habituellement des représentations du Shimla Amateur Dramatic Club (club de comédiens amateurs de Shimla). La salle splendide mérite le coup d'œil.

Ritz Cineplex (☎ 2652413 ; Christ Church ; billets 35-75 Rs). Ce multiplex moderne projette quelques succès étrangers parmi les films de Bollywood.

Footloose Disco (☎ 2652413 ; Christ Church ; 1 pers/couple 200/300 Rs ; 🕑 19h30-23h). Dans le bâtiment du Ritz Cineplex, le seul night-club de Shimla fait danser la jeunesse sur la musique des films de Bollywood jusque tard le week-end.

Achats

Dans l'effervescent Lakkar Bazar, les touristes indiens marchandent des souvenirs – textiles artisanaux ou bois sculptés. Les étrangers préfèrent habituellement la foule et l'ambiance du Middle Bazar, sur le chemin qui descend vers la gare routière. Vous y trouverez toutes sortes de marchandises, des petits récipients en acier aux plumes de paon et du henné aux bracelets. Les fruits et les légumes sont en vente au Sabzi Mandi, au pied de la colline. Pour des vêtements de qualité et de marques, rendez-vous au marché tibétain de vêtements, derrière l'office du tourisme.

L'**Himachal Emporium** (☎ 2011234 ; The Mall ; 🕑 9h-18h mar-sam) propose des tapis, châles et d'autres souvenirs de l'État. Le **Tibetan Handloom Shop** (☎ 2808163 ; The Mall ; 🕑 9h-18h) vend des souvenirs tibétains au profit des réfugiés.

Depuis/vers Shimla

AVION

L'aéroport de Jubbarhatti, à 23 km au sud de Shimla, est desservi par **Kingfisher Airlines** (☎ 1800 2093030 ; www.flykingfisher.com). Lorsque le temps le permet, des vols quotidiens relient Shimla et Delhi. **Jagson Airlines** (☎ 2625177 ; www.jagsonairline.com) offre un vol Delhi-Shimla-Kullu les lundi, mercredi et vendredi. La course en taxi jusqu'à l'aéroport coûte environ 720 Rs.

BUS

Le HPTDC et des agences de voyages proposent des bus deluxe de nuit pour Delhi (650 Rs, 10 heures), et des bus matin et soir pour Manali (à partir de 450 Rs, 10 heures) en saison (avril-juin, octobre-

BUS AU DÉPART DE SHIMLA

Destination	Tarifs (Rs)	Durée	Fréquence
Chamba	375	14 heures	4/jour
Chandigarh	100/145 (ordinaire/deluxe)	4 heures	toutes les 15 min
Dehra Dun	174	9 heures	5/jour
Delhi	243/450 (ordinaire/deluxe)	9 heures	toutes les heures
Dharampur (pour Kasauli)	85	2 heures 30	départs réguliers
Dharamsala	232	10 heures	5/jour
Jammu	245	12 heures	2/jour
Kullu	222	8 heures 30	5/jour
Manali	257	10 heures	5/jour
Mandi	145	6 heures	toutes les heures
Nahan	127	5 heures	4/jour
Narkanda	60	2 heures	départs réguliers
Paonta Sahib	170	7 heures	5/jour
Rampur	125	5 heures	toutes les heures
Rekong Peo	220	10 heures	toutes les heures
Rohru	120	6 heures	départs réguliers
Sangla	220	10 heures	1/jour
Sarahan	165	8 heures	3/jour

novembre). Ils partent tous de l'arrêt des bus deluxe du gouvernement, près du Victory Tunnel. Des bus réguliers pour Chail (34 Rs, 2 heures 30), Naldehra (24 Rs, 1 heure 30) et Tattapani (50 Rs, 3 heures) partent de l'arrêt de bus Rivoli (Lakkar Bazar), au nord du Ridge.

D'autres bus publics partent de la grande et chaotique **Inter State Bus Terminal** (☎ 2656326 ; Cart Rd). La billetterie informatisée effectue les réservations jusqu'à un mois à l'avance. Adressez-vous au comptoir n°9 pour les réservations et au comptoir n°8 pour les renseignements. Les destinations figurent sur le tableau ci-dessus.

TAXIS AU DÉPART DE SHIMLA

Destination	Tarifs aller simple (Rs)
Aéroport	720
Chail	1 200
Chandigarh	1 420
Dehra Dun	3 500
Dharamsala/McLeod Ganj	3 200/3 500
Kasauli	920
Kullu	3 000
Manali	3 200
Naldehra	520
Narkanda	1 200
Rekong Peo	3 200
Sarahan	2 800
Tattapani	1 200

TAXI

La **Kalka-Shimla Taxi Union** (☎2658225) possède une station près de l'ISBT, tandis que les taxis de la **Vishal Himachal Taxi Operators Union** (☎2805164) stationnent en bas du funiculaire. Des taxis collectifs partent pour Kalka entre 12h et 14h (275 Rs). La course en taxi de la gare ferroviaire ou de l'ISBT jusqu'au funiculaire coûte environ 70 Rs. Une autre station de taxis avoisine l'arrêt de bus Rivoli.

TRAIN

L'un des plaisirs de Shimla est d'embarquer sur le petit train à vapeur qui part de Kalka, au nord de Chandigarh. Au fil d'un beau trajet de 4 à 6 heures, il traverse 103 tunnels en grimpant dans les collines. La minuscule gare de Shimla se situe à 1,5 km à l'ouest de Scandal Point, dans Cart Rd, une marche de 15 min en montée. La consigne ouvre de 9h à 17h.

Les trains ordinaires (1re/2e classe 227/34 Rs) partent pour Kalka à 14h25 et 18h15 et reviennent à 4h et 6h. Pour un voyage luxueux, prenez le *Shivalik Express* à 17h40 (retour à 5h15 ; 280 Rs, 1re classe uniquement) ou l'*Himalayan Queen* à 10h30 (retour à 16h ; 167 Rs, chair car uniquement). Les billets de 1re classe comprennent les repas.

L'*Himalayan Queen* assure la correspondance avec les trains *Himalayan Queen* depuis/vers Delhi (chair car/2e classe 284/75 Rs). À Delhi, le train part de la gare ferroviaire de Nizammudin à 5h25 et fait halte à la gare de New Delhi à 5h50.

Une billetterie ferroviaire jouxte l'office du tourisme sur le Ridge ; vous pouvez aussi réserver à la gare ferroviaire.

Comment circuler

La marche est le seul moyen de se déplacer dans le centre de Shimla. Un **funiculaire** (7 Rs/pers ; 8h-22h, 8h-21h basse saison) à deux stations relie l'extrémité est du Mall et Cart Rd, à 15 min de marche au-dessus de l'ISBT. De la gare ferroviaire au bas du funiculaire, un taxi coûte environ 80 Rs.

ENVIRONS DE SHIMLA

De Shimla à Tattapani

À 12 km au nord de Shimla, le petit village de **Mashobra** possède une vieille église coloniale et offre d'agréables promenades parmi des cèdres de l'Himalaya.

À 15 km au nord de Mashobra, **Naldehra** est surtout réputé pour le **Naldehra Golf Course** (☎ 0177-2747739 ; www.naldehragolf.com ; green Indiens/étrangers 250/500 Rs, location clubs 250 Rs ; 7h-18h), créé en 1905 par le vice-roi britannique Lord Curzon. Installé parmi de hauts cèdres, dont certains au milieu du parcours, ce terrain de golf est assez ardu. Louez les services d'un caddy (40/70 Rs pour 9/18 trous) pour ne pas vous perdre. Vous pouvez aussi louer un cheval pour une randonnée le long de la crête, ou marcher parmi les pins.

L'**Hotel Golf Glade** (☎ 0177-2747739 ; d 1 000-1 200 Rs), sur le terrain de golf, est un établissement haut de gamme du HPTDC, avec de belles chambres autour d'un bar-restaurant séduisant.

Tattapani

☎ 01907 / altitude 656 m

À 30 km en contrebas de Naldehra sur les rives de la Sutlej, Tattapani est réputée pour ses sources thermales sulfureuses, qui jaillissent sur une plage fluviale sablonneuse. Dans les années à venir, un projet hydroélectrique et un barrage, à 35 km en aval, devraient submerger le bas du village.

Tattapani possède plusieurs temples dédiés au culte de Rishi Jamdagam. Vous pouvez aussi marcher jusqu'à des grottes consacrées à Shiva et d'anciens palais. Demandez votre chemin aux habitants ou à la New Spring View Guesthouse.

La **New Spring View Guest House** (☎ 9816341911 ; www.newspringview.com ; d 500-750 Rs), une excellente pension toute neuve, a remplacé la Spring View Guest House au bord de la rivière. Elle offre des chambres spacieuses et claires, un bon restaurant et des bains d'eau thermale. Les propriétaires, très serviables, organisent diverses activités, comme le trekking et le rafting, et louent des motos Enfield.

Kasauli

☎ 01792 / altitude 1 850 m

Perchée à flanc de colline à 75 km au sud-ouest de Shimla, Kasauli est une autre retraite du Raj entourée de pins. Plusieurs bâtiments datent de l'époque coloniale et de paisibles promenades à travers la forêt offrent des vues splendides sur les plaines du Punjab.

Aucun bus direct ne relie Shimla et Kasauli. Prenez un bus en direction du sud à Shimla, puis un bus local à Dharampur.

Le charmant **Hotel Ros Common** (☎ 272005 ; d 1 800-3 000 Rs), un établissement du HPTDC, occupe un bungalow colonial dans un jardin ravissant. Une annexe un peu moins chère est installée à proximité.

Chail

☎ 01792 / altitude 2 150 m

Le village de Chail coiffe une colline à 65 km au sud de Shimla. Il fut fondé par le maharaja de Patiala qui en fit sa capitale d'été après avoir été chassé de Shimla pour avoir courtisé la fille du commandant britannique. Chail se targue de posséder le plus haut terrain de cricket au monde, à 3 km du village. Une **réserve naturelle**, peuplée de cervidés et d'oiseaux, s'ajoute aux promenades en forêt.

L'**Hotel Pineview** (☎ 248349 ; ch à partir de 200 Rs), seul hébergement correct pour les petits budgets, propose des dortoirs et des seaux d'eau chaude.

Le **Palace Hotel** (☎ 248141 ; palace@hptdc.in ; chalet 1 300-1 600 Rs, ch 2 500-6 000 Rs, ste à partir de 8 000 Rs ;), un ancien palais du maharaja, est géré par le HPTDC. Dans un parc soigné de 28 ha, cette majestueuse demeure en pierre grise évoque le luxe du Raj, avec un éventail d'hébergements, des chalets en rondins aux suites somptueuses.

Narkanda

☎ 01782 / altitude 2 708 m

À 65 km au nord-est de Shimla, Narkanda est une halte de routiers sans attrait la majeure partie de l'année, puis se transforme en une modeste station de ski de janvier à mars.

Le HPTDC propose des forfaits de ski de 3/5/7 jours à partir de 2 739/4 565/6 391 Rs, comprenant l'hébergement en pension complète, l'équipement et les cours (transports en supplément). Consultez les dates sur le site www.hptdc.nic.in.

Sur la route principale dans le centre du village, l'**Hotel Mahamaya Palace** (☎ 242448 ; ch 500-900 Rs) offre une ambiance alpine, des grandes chambres un peu défraîchies, dont certaines avec vue sur les montagnes, et un restaurant séduisant en bois sombre.

Géré par le gouvernement, le **HPTDC Hotel Hatu** (☎ 242430 ; hotelhatu.tripod.com ; d 900-1 500 Rs), près de la route principale à l'est du centre, comporte des chambres douillettes, un jardin plaisant et un bar-restaurant.

Vallée de Pabbar

☎ 01781 / altitude 1 400 m

Courant vers le nord-est jusqu'au Kinnaur, la paisible vallée de Pabbar est facilement accessible en bus public depuis Shimla. À **Hatkoti**, le temple de Durga, du VIIIe siècle, se dresse à l'entrée de la vallée. De style kinnauri classique avec son toit en ardoise, il attire de nombreux pèlerins shivaïtes pendant les fêtes de Chaitra Navratra et d'Asvin Navratra, en avril et octobre. Vous pourrez loger dans les quartiers du temple réservés aux pèlerins, ou au **HPTDC Hotel Chanshal** (☎ 240661 ; dort 100 Rs, d 800 Rs, avec clim 900-1 000 Rs), à 10 km au nord d'Hatkoti en direction de Rohru.

Des bus locaux relient Hatkoti et **Jubbal**, à 29 km à l'ouest, où un beau palais à toit d'ardoise fut bâti par l'ancien *rana* de Jubbal.

Nahan

☎ 01702

La plupart des touristes se contentent de traverser Nahan lors du trajet en bus entre Shimla et Dehra Dun. Pourtant, les rues pavées de la vieille ville, bordées de temples en ruine et d'édifices datant de la période des rajas, méritent une visite. Durant le **Bhawan Dwadshi**, à la fin de la mousson, des effigies de dieux hindous sont portées dans les rues pour un bain rituel dans le Ranital (lac Rani), au centre de la ville.

À une heure de bus de Nahan, le **Renukaji** (lac Renuka), le plus grand lac de l'Himachal, est un lieu de pique-nique prisé par les familles indiennes. Le **Renuka Mela** (voir l'encadré p. 335), une fête d'une semaine en l'honneur de la déesse Renukaji, a lieu en novembre.

L'**Hotel Regency** (☎ 223302 ; d 350-500 Rs) se situe près du *maidan* (pelouse publique) dans le centre de Nahan. Au bord du lac à Renukaji, le vaste **Hotel Renuka** (☎ 01783-267339 ; dort 100 Rs, d 700-1 000 Rs ; ❄), géré par le HPTDC, comprend un restaurant et propose diverses activités, dont des promenades en bateau.

Des bus fréquents desservent Paonta Sahib (43 Rs, 2 heures) et Dadahu-Dosarka (35 Rs, 45 min), le point de départ d'une marche de 30 min jusqu'au Renukaji. En taxi, comptez 500 Rs pour Renukaji ou Paonta Sahib.

Paonta Sahib

☎ 01704

En dehors des circuits touristiques et près de la frontière de l'Uttarakhand, Paonta Sahib est l'endroit où Gobind Singh, le 10e gourou sikh, passa son enfance. Les pèlerins sikhs affluent au vaste **Paonta Sahib Gurdwara**, sur les rives de la Yamuna sacrée. Ils remplissent la localité durant la **fête de Holi**, en mars, quand il devient difficile de trouver une chambre dans la région.

Au bord de la rivière à 100 m du temple, l'**Hotel Yamuna** (☎ 222341 ; d 500-700 Rs, avec clim 1 100-1 700 Rs ; ❄), un établissement HPTDC standard, possède un bon bar-restaurant.

Des bus partent toutes les heures le matin pour Shimla (170 Rs, 7 heures) et plusieurs bus quotidiens desservent Dehra Dun (40 Rs, 2 heures).

VALLÉE DU KINNAUR

Tapissée de pommiers et offrant des vues époustouflantes sur les montagnes de l'est de l'Himachal Pradesh, la vallée du Kinnaur est une région fascinante. L'ancienne Hindustan-Tibet Hwy, construite par les Britanniques pour pénétrer au Tibet, file de Shimla vers le nord-est à travers le Kinnaur. Elle permet d'accéder aux villages de montagne, parsemés de temples aux toits d'ardoise, et aux vastes vergers de pommiers. Les Kinnauri, ou Kinner, d'origine aryenne, vivent essentiellement de l'agriculture. Vous les reconnaîtrez dans tout le pays à leur *thepang* (toque de laine) en feutre vert.

Avec un permis facile à obtenir (voir l'encadré p. 337), vous pourrez voyager au nord jusqu'aux montagnes désertiques du Spiti (p. 403). Durant la majeure partie de la dernière décennie, la route entre Rekong Peo et le Spiti a été coupée, obligeant à changer de bus et à traverser la rivière sur de précaires passerelles en corde. De fortes pluies et des inondations continuent d'emporter des tronçons de la route. Lors de nos recherches, elle était ouverte jusqu'à Tabo ; renseignez-vous localement avant de continuer au nord de Rekong Peo.

La majeure partie de l'année, le Kinnaur est une paisible oasis de montagnes et de vallées. L'ambiance change en septembre-octobre durant la Durga Puja, quand affluent les vacanciers bengalis. À la même époque, la récolte des pommes attire des centaines de grossistes en fruits de tout le pays. Il est alors impossible de trouver une chambre dans la région, en particulier dans les endroits prisés comme Kalpa et la vallée de la Sangla.

Pour plus d'informations sur la vallée du Kinnaur, consultez le site du gouvernement local, http://hpkinnaur.nic.in.

Rampur

☎ 01782 / altitude 1 005 m

Porte du Kinnaur, cette ville sans charme était autrefois la capitale des rajas de Bushahr. Aujourd'hui, Rampur est essentiellement un endroit où l'on change de bus. Si vous décidez de vous attarder, visitez le jardin du charmant **palais Padam**, agrémenté de terrasses et de tourelles, construit en 1925 pour le maharaja de Bushahr. La ville compte plusieurs temples anciens, dont le **temple de Raghunath**, en pierre, au bord de la nationale, le **Purohit Mandir** et le **temple de Sri Sat Narain**, dans le bazar en bord de rivière. Moderne et clinquant, le **temple Dumgir Budh**, sur la route principale, rappelle le passé bouddhiste du Kinnaur.

Lors de l'énorme **foire de Lavi** (voir l'encadré p. 335), la deuxième semaine de novembre, des pèlerins et des marchands viennent des villages isolés.

OÙ SE LOGER ET SE RESTAURER

Bien que Rampur ne donne guère envie de s'attarder, elle compte toutefois quelques hôtels bon marché où vous pourrez passer la nuit. La plupart des hébergements se regroupent en contrebas de la gare routière, dans le bazar qui descend de la nationale à flanc de colline.

Satluj View Guesthouse (☎ 233924 ; dort 50 Rs, ch 200-300 Rs). Juste au-dessus de la gare routière, quelques marches en ciment descendent vers cette pension aux chambres défraîchies, réparties sur plusieurs étages.

Hotel Bushahr Regency (☎ 234103 ; d 900-1 300 Rs, avec clim 1 300-1 500 Rs). Hôtel HPTDC standard situé à la lisière ouest de Rampur, il possède des chambres spacieuses et un restaurant correct.

DEPUIS/VERS RAMPUR

La chaotique gare routière de Rampur offre des services fréquents pour Rekong Peo (100 Rs, 5 heures) et Shimla (125 Rs, 5 heures) via Narkanda. Des bus partent toutes les deux heures pour Sarahan (40 Rs, 2 heures). Chaque jour, 3 bus rallient Sangla (105 Rs, 5 heures).

Sarahan

☎ 01782 / altitude 1 920 m

Ancienne capitale d'été du royaume de Bushahr, Sarahan est dominée par le fabuleux **temple de Bhimakali** (don à l'entrée ; 🕒 7h-20h), dont la structure en couches alternées de pierre et de bois résiste aux secousses sismiques. Il comporte deux tours, l'une du XIIe siècle, l'autre des années 1920 qui renferme un sanctuaire hautement révéré à Bhimakali (l'avatar local de Kali), sous un splendide auvent en filigrane d'argent.

Des règles strictes régissent l'entrée : les hommes doivent se couvrir la tête (des calottes sont prêtées dans le temple), il faut ôter ses chaussures, s'abstenir de fumer et laisser aux gardiens appareil photo et tout objet en cuir.

Derrière le temple, une petite exposition présente d'anciennes cornes de cérémonies, des lampes et des armes. De l'autre côté de la cour, le **temple de Lankra Vir**, un édifice trapu, fut le site de sacrifices humains jusqu'au XVIIIe siècle. La tradition se poursuit avec des sacrifices d'animaux – chèvres, poules et buffles – selon le rite des Astomi, lors de **Dussehra** (voir l'encadré p. 335), en octobre.

Les collines environnantes offrent de paisibles promenades ; descendez jusqu'au **gompa bouddhique** du village de Gharat ou grimpez les pentes du **Bashal Peak**. Le flamboyant **palais** du dernier maharaja de Bushahr se tient derrière le temple de Bhimakali.

OÙ SE LOGER ET SE RESTAURER

Petit village, Sarahan compte néanmoins quelques bons hébergements. Hormis la pension du temple, tous les hôtels offrent des réductions significatives hors saison (août et décembre à mars).

♥ **Temple Guesthouse** (☎ 274248 ; dort 25 Rs, ch 150-300 Rs). Installée dans l'enceinte de l'ancien temple, cette pension comprend des dortoirs rudimentaires et de grandes chambres lumineuses en étage, avec eau chaude.

Trehan's Guesthouse (☎ 274205 ; ch 500-880 Rs). Les sympathiques propriétaires proposent diverses chambres compactes, toutes avec TV et, pour les plus chères, vue sur la vallée.

Hotel Srikhand (☎ 274234 ; dort 100 Rs, ch 900-1 600 Rs). Plus élégant que beaucoup d'établissements HPTDC, son architecture en bois et pierre copie le style du temple. La vue panoramique sur la vallée, les chambres joliment décorées et le restaurant correct en font une bonne adresse.

DEPUIS/VERS SARAHAN

De Sarahan, 3 bus directs rallient Shimla (165 Rs, 8 heures) via Rampur (40 Rs, 2 heures). Pour d'autres destinations, prenez un bus local jusqu'à Jeori (18 Rs, 45 min), puis une correspondance. Un taxi de Jeori à Sarahan revient à 300 Rs.

Vallée de la Sangla

☎ 01786 / altitude 2 680 m

La vallée de la Sangla, ou Baspa, était autrefois décrite comme "la plus belle vallée de l'Himalaya". Aujourd'hui abîmée par les barrages et les constructions du projet hydroélectrique de la Baspa, elle conserve néanmoins un peu de sa beauté originelle et reste intéressante pour son architecture kinnauri traditionnelle. Évitez la région durant la célébration de Durga Puja (Dussehra). La route vertigineuse qui mène à la vallée part de Karcham, sur la nationale Rekong Peo-Shimla, et passe devant les canalisations de la centrale hydroélectrique.

SANGLA

Plus gros bourg de la vallée, Sangla était autrefois un village de conte de fées, avec de basses maisons en bois et des temples coiffés d'ardoise surplombant une vallée préservée. Puis la centrale hydroélectrique a bouleversé ce paysage idyllique. Aujourd'hui, les maisons sont en béton et des hôtels surgissent à tous les coins de rue. Pour retrouver cette sérénité qui caractérisait la vallée, il faut grimper dans les collines. Descendez dans le bas du village pour découvrir de vieilles maisons en pierre et des temples hindous et bouddhiques. Le **temple de Bering Nag** est au cœur de l'animation lors de la **fête de Phulech** (voir l'encadré p. 335) en septembre.

Où se loger et se restaurer

Tous les hôtels affichent complet durant Durga Puja. En dehors de la haute saison (septembre et octobre), demandez des réductions.

Baspa Guesthouse (☎ 242206 ; d 400-660 Rs). Tenue par une charmante famille kinnauri, cette pension offre diverses chambres avec tapis, eau chaude et belle vue aux étages supérieurs.

Sangla Resort (☎ 242201 ; d 650-900 Rs). L'un des hébergements les plus séduisants de Sangla, ce charmant chalet en pierre est installé dans un jardin paisible, entouré de vergers. Les chambres sont impeccables. La terrasse commune et les balcons donnent sur la vallée.

Banjara Camps (☎ 242536 ; www.banjaracamps.com ; tente s/d pension complète 5 000/5 500 Rs). Ces camps de toile sont installés le long de la Baspa entre avril et octobre. Les tentes deluxe disposent d'une sdb et des activités sont comprises dans les prix.

Près de la gare routière, une demi-douzaine de restaurants tibétains servent des *momo* (raviolis tibétains), de la *thukpa* (soupe de nouilles tibétaine), des *chow mein*, du riz sauté et des en-cas indiens.

Depuis/vers Sangla

Des bus partent le matin pour Rampur (90 Rs, 5 heures) et deux bus se rendent chaque jour à Rekong Peo (40 Rs, 3 heures). Des bus locaux remontent la vallée jusqu'à Chitkul (35 Rs, 2 heures) deux fois par jour.

Des 4x4 collectifs desservent Karcham (35 Rs, 2 heures), sur l'itinéraire des bus Shimla-Rekong Peo. Un taxi jusqu'à Rekong Peo coûte 1 000 Rs.

ENVIRONS DE SANGLA

Accroché à un éperon rocheux à 2 km au-dessus de Sangla, le village de **Kamru** fut la capitale du royaume de Bushahr. Malgré une modernisation rapide, il conserve quelques maisons et d'imposants temples en pierre et ardoise. Il est dominé par le **fort de Kamakhya Devi**, l'ancienne demeure des *thakur* de Bushahr, semblable à une tour. Pour le visiter, vous devez vous couvrir la tête, ôter vos chaussures et tout objet en cuir. Kamru est desservi par une route goudronnée, qui part à l'ouest du pont à Sangla et traverse des vergers de pommiers et de noyers.

Plus haut dans la vallée, les villages de **Rakcham** (3 050 m), à 14 km de Sangla, et de **Chitkul** (3 450 m) sont les dernières étapes de l'ancienne route marchande vers le Tibet. Plus paisibles que Sangla, ils se transforment en stations touristiques.

Rekong Peo

☎ 01786 / altitude 2 290 m

Rekong Peo est le principal centre administratif du Kinnaur et un important carrefour de transports. La proximité du joli village de Kalpa ou l'obtention d'un permis pour continuer vers Tabo, au Spiti, constituent les principales raisons de s'attarder dans cette bourgade. Perché au-dessus de la ville près de l'antenne radio, le **Kinnaur Kalachakra Celestial Palace** (Mahabodhi Gompa) renferme une statue de Sakyamuni haute de 10 m et offre une vue superbe sur le Kinner Kailash (6 050 m).

Surnommée Peo par les habitants, la ville s'étire le long d'une route en boucle à 10 km au-dessus de l'Hindustan-Tibet Hwy. La plupart des hôtels se regroupent dans le bazar principal, dans la partie basse, ou au-dessus de la gare routière. Un escalier en béton relie la gare routière et le bazar.

Aucun établissement ne change les devises. Le DAB de la State Bank of India, dans le bazar principal, accepte les cartes internationales.

Le **centre d'accueil des touristes** (Tourist Information Centre ; ☎ 222897 ; 🕒 10h-17h lun-sam), en dessous du bazar, fournit quelques informations locales et s'occupe essentiellement des réservations ferroviaires. Il délivre également en quelques heures les permis pour Tabo, au Spiti (150 Rs) ; apportez une photo d'identité et des photocopies de vos passeport et visa.

Dans le bazar principal, **Sap Computer** (50 Rs/h ; 🕒 10h-19h) offre l'accès à Internet.

OÙ SE LOGER ET SE RESTAURER

Ridang Hotel (☎ 222767 ; d 300-800 Rs). Le meilleur des hôtels bordant le bazar principal, il possède des chambres propres, toutes avec TV et certaines agrémentées de tapis, et un bon restaurant.

Hotel Mehfil (ITBP Rd ; plats 40-200 Rs). Au-dessus du bazar, près du début des marches qui mènent à la gare routière, il propose un grand choix de plats végétariens ou non et sert des bières glacées.

DEPUIS/VERS REKONG PEO

La gare routière se situe à 2 km du bazar principal par la route ou à 500 m par l'escalier proche du poste de police, au bout d'ITBP Rd.

Des bus partent environ toutes les heures pour Shimla (220 Rs, 10 heures) de 4h à 19h, via Jeori (pour Sarahan ; 150 Rs, 4 heures) et Rampur (100 Rs, 5 heures). Des bus directs desservent Sangla à 9h30 et 16h (40 Rs, 3 heures) ; vous pouvez aussi prendre n'importe quel bus en direction du sud et changer à Karcham (20 Rs, 1 heure).

Pour le Spiti, un bus part à 7h30 pour Kaza (150 Rs, 12 heures) via Nako (95 Rs, 5 heures) et Tabo (130 Rs, 10 heures) ; un autre bus part pour Tabo à 16h. Vous avez besoin d'un permis pour effectuer ce trajet – voir l'encadré p. 337. Pour plus de détails sur cet itinéraire, reportez-vous p. 411.

Du bazar principal, des bus locaux desservent fréquemment Kalpa (10 Rs, 30 min) ; vous pouvez également louer un taxi (200 Rs) ou prendre un taxi collectif (30 Rs). En taxi, comptez 1 000 Rs pour Sangla et 4 000 Rs pour Shimla ou Kaza.

HYDROÉLECTRICITÉ : LE PRIX À PAYER

Jusqu'en 2002, le Kinnaur était l'une des régions les plus paisibles de l'Himachal Pradesh. Puis, les constructions hydroélectriques envahirent l'État. Plusieurs barrages et centrales jugulent désormais le cours tumultueux de la Sutlej, fournissant l'électricité de l'Himachal Pradesh et de la plupart des États voisins. La station hydroélectrique de Nathpa Jhakri, la plus importante du pays, produit 1 500 mégawatts, l'équivalent de deux centrales nucléaires, et une demi-douzaine d'autres jalonnent la Sutlej et la Baspa.

Si l'hydroélectricité compte au nombre des énergies les plus "propres", ses conséquences sur le paysage du Kinnaur ont été dramatiques. La construction des barrages a entraîné la destruction de vallées entières et l'engloutissement de villages séculaires. Si certains villageois n'ont reçu que de maigres compensations, d'autres ont profité de la manne financière apportée par ces projets pour remplacer leurs maisons traditionnelles en bois et pierre par des constructions en béton. Alors que l'hydroélectricité améliore indéniablement la qualité de vie des Kinnauri, la perte des habitats naturels et du patrimoine culturel affectera des générations.

Kalpa

☎ 01786 / altitude 2 960 m

Une route sinueuse grimpe au-dessus de Rekong Peo jusqu'à Kalpa, l'un des villages les plus paisibles du Kinnaur, avec une vue somptueuse sur le Kinner Kailash. Les forêts et les vergers environnants offrent de belles promenades et vous pouvez flâner quelques heures dans les ruelles pavées en observant la vie du village. Kalpa compte plusieurs pensions sans prétention, d'un bon rapport qualité/prix, ainsi qu'un nombre croissant d'hôtels modernes sur la crête, au-dessus du village.

Résidence d'hiver de Shiva selon la légende, Kalpa possède d'impressionnants temples de style kinnauri dans le complexe de **Narayan-Nagini** et un pittoresque temple bouddhique en haut du village. En septembre-octobre, lors de la **fête de Phulech** (voir l'encadré p. 335), les habitants déposent des fleurs sauvages dans le centre du bourg.

OÙ SE LOGER ET SE RESTAURER

Les hôtels suivants affichent complet pendant Durga Puja (septembre-octobre) et accordent des réductions le reste de l'année.

Hotel Blue Lotus (☎ 226001 ; dort 150 Rs, d 350-900 Rs). Dans l'artère principale du village, cet hôtel bien tenu offre un grand choix de chambres et une vaste terrasse ensoleillée face aux montagnes, parfaite pour un petit-déjeuner matinal.

Chini Bungalow (☎ 226385 ; ch 300-650 Rs ; fermé nov-mars). Indiqué dans la ruelle à droite après l'Hotel Blue Lotus, ce charmant cottage jaune citron comprend un jardin fleuri donnant sur les montagnes, et des chambres sans prétention, propres et confortables. Les propriétaires sont sympathiques.

Kailash View Guesthouse (☎ 226026 ; d 550-750 Rs, sans sdb 150 Rs). Du Chini Bungalow, suivez la ruelle à travers champs pour arriver à la Kailash View au-dessus du village, un bâtiment moderne à l'ambiance rustique, avec vue sur les vergers et les montagnes.

Hotel Kinner Villa (☎ 226006 ; ch 1 200-1 800 Rs). Une montée escarpée de 1 km à travers les vergers et les champs après le village conduit au plus bel hébergement de Kalpa. Les chambres bénéficient d'une vue splendide sur les montagnes. Des salons avec baies vitrées, chauffés en hiver, font face à la vallée.

Pour les repas, essayez le restaurant du Blue Lotus ou les *dhaba* qui bordent la route en contrebas du temple bouddhique.

DEPUIS/VERS KALPA

Des minibus locaux circulent dans la journée entre Kalpa et Rekong Peo (10 Rs, 30 min). Comptez 30/200 Rs en taxi collectif/individuel. À pied, empruntez le chemin aux marches usées plutôt que la route sinueuse.

CENTRE DE L'HIMACHAL PRADESH

Le centre de l'Himachal est dominé par les vallées de Kullu et de la Parvati – réputées pour leurs châles en laine et la charas. La région est appréciée des routards, des jeunes mariés, des randonneurs et des amateurs de sports extrêmes. Elle abrite Manali, l'un des principaux centres de voyageurs de l'État. C'est aussi le principal itinéraire vers le nord. En effet, nombre de touristes passent à Manali et continuent au-delà du Rohtang La (3 978 m) vers le Lahaul, le Spiti et le Ladakh.

Pour plus d'informations sur le district de Kullu, consultez les sites www.kullu.net et http://hpkullu.nic.in.

MANDI

☎ 01905 / 27 400 habitants / altitude 800 m

Ancienne étape marchande sur la route du sel vers le Tibet, Mandi est la porte de la vallée de Kullu et le carrefour des principales routes en provenance de Kullu, de Chandigarh et de Pathankot. Cette ville n'a rien de touristique et semble davantage punjabie qu'himalayenne, avec une importante communauté sikhe et un climat qui rappelle les plaines. Bâtie autour de la confluence de la Beas et de la Suketi Khad, elle compte au moins 81 vieux temples shivaïtes. Des excursions d'une journée dans les collines conduisent aux lacs sacrés de Rewalsar et de Prashar.

Orientation et renseignements

Mandi s'organise autour de l'Indira Market, un centre commercial aménagé autour d'une place verdoyante, avec des marches menant au Raj Mahal Palace sur un côté. La gare routière se situe sur la rive est de la Beas (15 Rs en auto-rickshaw).

Aucun établissement ne change les chèques de voyage ; l'Evening Plaza Hotel change les dollars US (en espèces). Sur la place de l'Indira Market, des DAB de la State Bank of India et de la HDFC acceptent les cartes internationales. Plusieurs cybercafés sont installés sur la place.

À voir et à faire

Mandi possède de nombreux temples en pierre, pour la plupart près de la rivière. Peint avec des couleurs vives, le **Bhutnath Mandir**, du VIIe siècle, est le centre de la **fête de Shivaratri** (voir l'encadré p. 335), qui honore Shiva en février.

En suivant Bhutnath Bazar jusqu'à la rivière, on arrive à des ghats ornés d'une gigantesque statue d'**Hanuman** et à une longue allée bordée de *sikhara* (temples hindous) en pierre sculptée. Les plus impressionnants, le **Panch Bahktar Mandir** et le **Triloknath Mandir**, se font face de part et d'autre de la rivière. L'**Akardash Rudar Mandir**, près du pont construit par les Britanniques sur la Beas, mérite également le coup d'œil.

Perché au sommet de Tarna Hill, le **Rani Amrit Kaur Park** offre une vue superbe et renferme le **temple de Syamakali**, orné de peintures représentant les diverses incarnations de Kali. Vous pouvez parcourir à pied les 5 km depuis la ville ou prendre un auto-rickshaw (50 Rs).

Où se loger et se restaurer

Plusieurs hôtels et restaurants bordent Indira Market.

Shiva Hotel (☎ 224221 ; ch 300-400 Rs). Au-dessus du marché et en face du palais, cet hôtel modeste comprend un bar-restaurant. Les chambres les plus chères, en façade, donnent sur la place.

Evening Plaza Hotel (☎ 225123 ; d 250-660 Rs, avec clim 880 Rs ; ⊠). À quelques pas du Shiva Hotel, il offre des chambres propres avec TV – préférez celles en façade – et un service de change.

♥ **Raj Mahal Palace Hotel** (☎ 222401 ; www.rajmahalpalace.com ; ch à partir de 600 Rs, avec clim 1 540 Rs, ste 1 650-2 300 Rs ; ⊠). Cet hôtel romantique occupe des parties rénovées du palais de la famille royale. Cachées derrière les principaux bâtiments décrépits du palais, les chambres lumineuses, douillettes et bien tenues ressemblent pour certaines à un pavillon de chasse colonial pour d'autres à un chalet moderne. Installé sous les arbres, le Garden Restaurant (plats 60-160 Rs, 7h-23h) est la meilleure table de Mandi. Il sert une excellente cuisine végétarienne ou non en salle ou dans le jardin et se double du Copacabana Bar.

BUS AU DÉPART DE MANDI

Destination	Tarifs (Rs)	Durée	Fréquence
Aut	38	1 heure	ttes les 30 min
Aéroport de Bhuntar	58	2 heures	ttes les 30 min
Chandigarh	140	6 heures	10/jour
Delhi	230/560 (ordinaire/deluxe)	12 heures	10/jour
Dharamsala	125	6 heures	6/jour
Kullu	68	2 heures 30	ttes les 30 min
Manali	105	4 heures	ttes les 30 min
Shimla	140	6 heures	ttes les heures

Treat Restaurant (Indira Market ; plats 30-130 Rs). Au niveau inférieur de la place du marché, ce petit restaurant élégant et fréquenté propose des plats chinois et d'Inde du Sud dans une salle climatisée.

Depuis/vers Mandi

BUS

La gare routière se situe dans la partie est de la ville, de l'autre côté de la rivière. Des bus locaux desservent Rewalsar (20 Rs, 1 heure 30, ttes les heures) jusqu'en début de soirée.

TAXI

À la gare routière, les taxis facturent 800 Rs pour Kullu, 700 Rs pour l'aéroport de Bhuntar et 600 Rs pour l'aller-retour à Rewalsar. Comptez environ 1 500 Rs par jour pour la vallée de Banjar et le Great Himalayan National Park.

LAC REWALSAR

☎ 01905 / altitude 1 350 m

Haut perché dans les montagnes à 24 km au sud-ouest de Mandi, ce lac sacré est révéré par les bouddhistes, les hindous et les sikhs. L'érudit indien Padmasambhava partit de Rewalsar au VIIIe siècle pour enseigner le bouddhisme au Tibet. Les hindous, les bouddhistes et les sikhs se réunirent ici au XVIIe siècle pour organiser la résistance contre les exactions des Moghols.

Une jolie route sinueuse grimpe vers le village qui borde le petit lac. Le **Drikung Kagyu**

Gompa, un monastère ocre rouge, abrite une école de *thangka* (peinture tibétaine sur tissu), une académie d'études bouddhiques et une grande statue de Sakyamuni. Derrière, se dresse un **gurdwara** (temple sikh) bleu pâle, bâti en l'honneur de Gobind Singh dans les années 1930. Dans l'autre direction, le **Tso-Pema Ogyen Herukai Nyingmapa Gompa** possède de superbes peintures murales et s'anime lors des puja (offrandes et prières) le matin et l'après-midi. Au-dessus du lac, le **Zigar Drukpa Kagyud Institute**, un grand bâtiment blanc, contient de gigantesques statues de divinités tantriques. Une statue de Padmasambhava, haute de 12 m, se dresse sur la colline qui surplombe le lac et se voit facilement du village. Au bout du lac, plusieurs petits **temples hindous** sont dédiés au sage Rishi Lomas, qui dut faire pénitence en l'honneur de Shiva.

Les taxis proposent des circuits vers d'autres temples et points de vue autour du lac, notamment à la **grotte de Padmasambhava** sur la crête, où ce dernier aurait médité. On peut aussi la rejoindre à pied.

Sur les ghats au nord-ouest du lac, des centaines de poissons sautent pratiquement hors de l'eau quand des pèlerins leur lancent des poignées de riz soufflé.

Où se loger et se restaurer

Drikung Kagyu Gompa Guesthouse (☎240364 ; www.dk-petsek.org ; ch sans sdb 100-200 Rs). La pension du *gompa* rouge offre un hébergement simple et confortable aux pèlerins et aux voyageurs. Seau d'eau chaude inclus.

Nyingmapa Gompa Guesthouse (☎ 240226 ; ch 200-300 Rs). Elle propose des chambres propres et austères aux pèlerins bouddhistes, mais ouvertes à tous.

Hotel Lotus Lake (☎ 240239 ; hlotuslake@yahoo.com ; ch 300-550 Rs). En face du lac et tenu par des bouddhistes, cet hôtel moderne, rutilant, comprend des chambres lumineuses, avec TV et eau chaude. Une aubaine !

Plusieurs *dhaba* et restaurants bouddhiques entourent le lac. Le **Topchen Restaurant** (25-50 Rs), installé sur un balcon en face du Nyingmapa Gompa, prépare d'excellents *momo* et *thukpa*. Le **Kora Community Cafe** (30-80 Rs), près de l'Hotel Lotus Lake, est une bonne adresse pour un café, des en-cas tibétains ou un *thali* végétarien.

Depuis/vers le lac Rewalsar

De Mandi, des bus fréquents rallient Rewalsar (20 Rs, 1 heure 30) et permettent de faire facilement l'excursion dans la journée. En taxi, comptez 450/600 Rs aller/aller-retour.

DE MANDI À KULLU

À 15 km au sud de Kullu, près du village de Bajaura, le **Basheshar Mahadev** (VIIIe siècle) est le plus grand temple en pierre de la vallée de Kullu. Finement sculpté, c'est une version plus imposante des *sikhara* classiques de la vallée de Kullu.

Caché dans les hauteurs entre Mandi et Bajaura au bord du beau **lac Prashar** (2 730 m), l'imposant **temple Prashara**, de style pagode, fut édifié au XIVe siècle en l'honneur du sage Prashar Rishi. Le lac se situe à 8 km de marche du village de Kandi, desservi par des bus locaux sur la route Mandi-Bajaura (renseignez-vous sur les horaires à la gare routière).

Au sud-est de Mandi, la **vallée de Banjar**, peu visitée, offre des promenades paisibles et des villages préservés. La ville de **Banjar** compte quelques hôtels sans prétention ; vous pouvez grimper sur 6 km jusqu'au village de **Chaini** pour voir l'un des plus hauts temples-tours de l'Himachal, endommagé par le séisme de 1905, mais toujours impressionnant avec ses sept étages. Une marche plus longue et prisée conduit au **col de Jalori** (3 223 m).

GREAT HIMALAYAN NATIONAL PARK

D'une superficie de 750 km^2, ce **parc national** (☎01902-265320 ; www.greathimalayannationalpark.com ; Indiens/étrangers 10/200 Rs par jour, appareil photo 50/150 Rs, caméra 2 500/5 000 Rs) a été créé en 1984 pour protéger 180 espèces d'oiseaux et des mammifères rares, tels que les ours noirs et bruns, les chevrotains porte-musc, et des léopards des neiges. Outre la protection des animaux, le parc gère des programmes qui fournissent des revenus durables aux populations qui vivent à la périphérie.

Pour observer les animaux, le mieux consiste à effectuer un trek de 5 à 8 jours en compagnie d'un garde forestier. Contactez les gardes au Sai Ropa Tourist Centre, à 5 km avant Gushaini, ou un tour-opérateur privé à Manali. Vous devrez souscrire une assurance couvrant l'évacuation d'urgence en hélicoptère.

Pour rejoindre le parc, prenez un bus sur la route Mandi-Manali jusqu'à Aut, puis un taxi jusqu'à l'entrée.

BHUNTAR

☎ 01902

En bord de nationale, Bhuntar possède le principal aéroport de la vallée de Kullu (en plein centre-ville, près de la Beas) et quelques hôtels qui accueillent les passagers des vols. C'est aussi le carrefour pour les bus qui desservent la splendide vallée de la Parvati. La plupart des voyageurs se contentent de traverser la ville sur la route de Manali ou de Kasol, ou séjournent à Kullu, à 10 km.

Un DAB de la State Bank of India est le dernier où vous pourrez retirer des espèces si vous allez vers la vallée de la Parvati.

Où se loger et se restaurer

Quelques hôtels sont regroupés en face de l'aéroport et à 500 m au nord, dans le principal bazar.

Hotel SunBeam (☎ 265790 ; d 250/700 Rs). Cet hôtel correct offre des chambres décentes et abrite le Yamini Restaurant.

Hotel Amit (☎ 265123 ; d 400-1 900 Rs). À côté du SunBeam, il possède des chambres plus plaisantes, avec TV, téléphone et tapis, ainsi qu'un bon restaurant.

Plusieurs *dhaba* sont installés autour de la gare routière. Le **Malabar Restaurant** (plats 40-120 Rs), en face de l'aéroport, sert des repas plus substantiels.

Depuis/vers Bhuntar

AVION

L'aéroport avoisine la gare routière. **Kingfisher Air** (www.flykingfisher.com) offre un vol quotidien pour Delhi (95 $US, 1 heure 20).

Jagson Airlines (☎ 265222 ; www.jagsonairlines.com ; aéroport de Bhuntar ; 8h-17h) propose des vols de Delhi à Bhuntar et Dharamsala les mardi, jeudi et samedi, et de Delhi à Bhuntar via Shimla les lundi, mercredi et vendredi. Les bagages sont limités à 10 kg.

BUS

Des bus réguliers desservent Manali (48 Rs, 3 heures), Kullu (11 Rs, 30 min) et Mandi (58 Rs, 2 heures). Des bus ralliant d'autres destinations passent à Bhuntar 3 heures après avoir quitté Manali. Pour la vallée de la Parvati, des services réguliers se rendent à Manikaran (32 Rs, 3 heures) via Kasol (25 Rs, 2 heures 30) et Jari (20 Rs, 1 heure).

TAXI

La station de taxis fait face à l'aéroport. Comptez 450 Rs pour Jari, 600 Rs pour Kasol, 250 Rs pour Kullu, 1 000 Rs pour Manali, 650 Rs pour Mandi et 800 Rs pour Manikaran.

VALLÉE DE LA PARVATI

☎ 01902

La rivière Parvati serpente depuis la nationale, à Bhuntar, jusqu'aux sources thermales de Manikaran et au-delà. Sa superbe vallée est une destination prisée par les voyageurs. Au fil des années, la vallée est devenue aussi célèbre pour sa charas, sauvage ou cultivée, que pour sa beauté naturelle. Le long de la rivière, quelques petits villages se sont transformés en rendez-vous de voyageurs en dreadlocks, avec des hébergements bon marché, une cuisine internationale et du reggae en permanence. La région est également renommée pour les treks, notamment celui qui mène jusqu'au curieux village de Malana, la traversée du col de Chandrakani jusqu'à Naggar, ou celle du col de Pin-Parvati jusqu'au Spiti. Pour des raisons de sécurité, le trekking en solitaire est déconseillé – voir l'encadré ci-dessous.

MORTELLES RANDONNÉES

Depuis la seconde moitié des années 1990, plus d'une vingtaine de touristes étrangers ont disparu dans les vallées de Kullu et de la Parvati, morts accidentellement au cours d'un trek en solitaire ou tués par des dealers de drogues locaux. La *charas* (marijuana) de Manali jouit d'une réputation internationale et ceux qui vivent de ce trafic n'apprécient pas l'intrusion des étrangers : tenez-vous à l'écart !

Si vous avez l'intention de partir dans les montagnes, nous vous recommandons d'opter pour un trek organisé, particulièrement dans la vallée de la Parvati. Outre le fait qu'il vaut mieux être en nombre dans un environnement parfois hostile, les guides pourront vous secourir et appeler de l'aide en cas de besoin. Évitez de partir seul et indiquez toujours à votre hôtel votre destination et le moment prévu de votre retour. Ne vous fiez pas aux sadhus (ascètes) et aux vagabonds qui se montreraient trop amicaux.

VALLÉES DE KULLU ET DE LA PARVATI

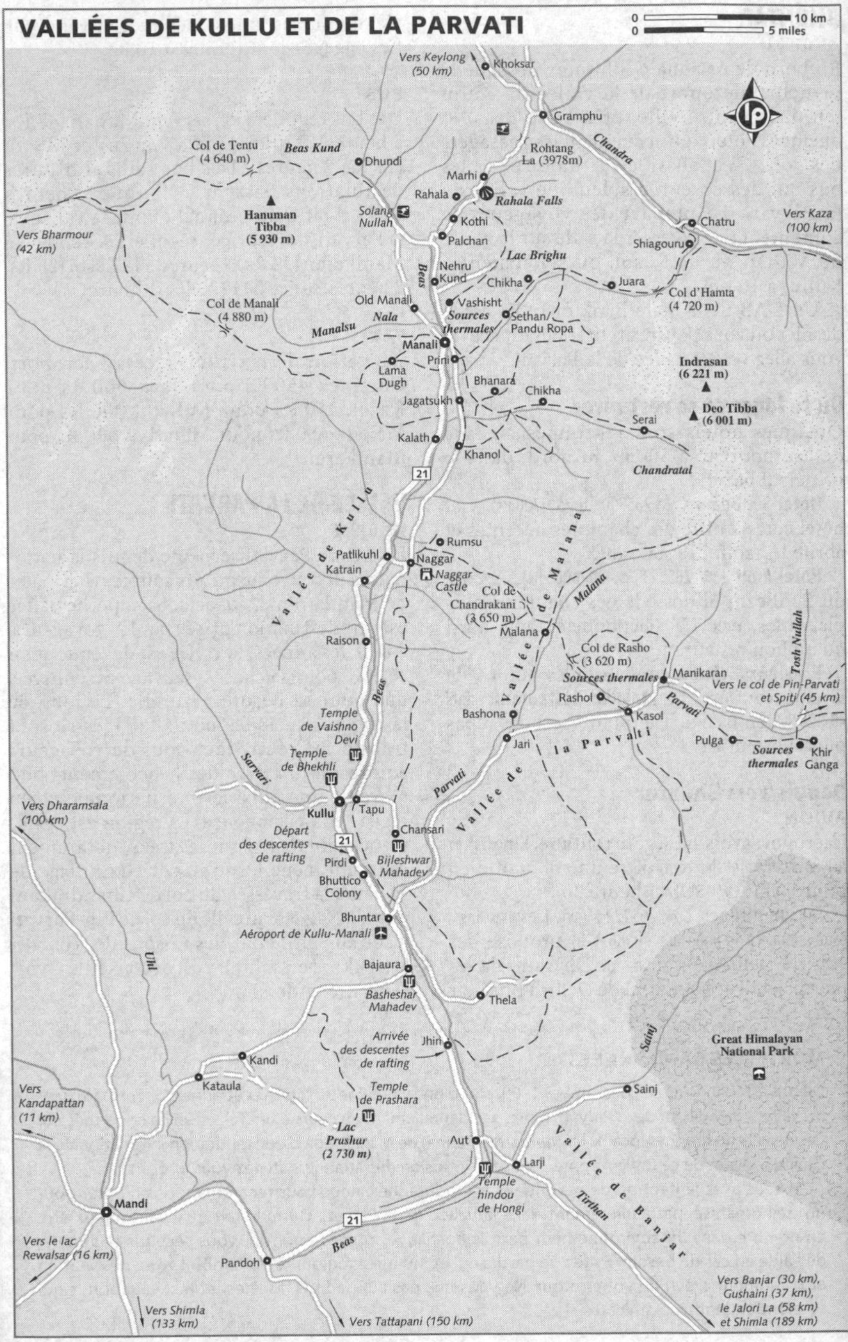

0 10 km
0 5 miles

Vers Keylong (50 km)
Khoksar
Gramphu
Chandra
Rohtang La (3978m)
Col de Tentu (4 640 m)
Beas Kund
Dhundi
Marhi
Rahala
Rahala Falls
Hanuman Tibba (5 930 m)
Solang Nullah
Kothi
Chatru
Vers Kaza (100 km)
Vers Bharmour (42 km)
Palchan
Shiagouru
Lac Brighu
Beas
Nehru Kund
Chikha
Juara
Col d'Hamta (4 720 m)
Col de Manali (4 880 m)
Old Manali
Vashisht
Sources thermales
Sethan/ Pandu Ropa
Manalsu
Nala
Manali
Prini
Lama Dugh
Indrasan (6 221 m)
Bhanara
Chikha
Jagatsukh
Deo Tibba (6 001 m)
Serai
Kalath
Khanol
Chandratal
21
Vallée de Kullu
Vallée de Malana
Rumsu
Patlikuhl
Naggar
Katrain
Naggar Castle
Col de Chandrakani (3 650 m)
Malana
Raison
Col de Rasho (3 620 m)
Tosh Nullah
Sources thermales
Manikaran
Vers le col de Pin-Parvati et Spiti (45 km)
Rashol
Parvati
Beas
Bashona
Kasol
Temple de Vaishno Devi
Jari
Vallée de la Parvati
Pulga
Sources thermales
Khir Ganga
Temple de Bhekhli
Sarvari
Parvati
Vers Dharamsala (100 km)
Kullu
Tapu
Chansari
Départ des descentes de rafting
21
Pirdi
Bijleshwar Mahadev
Bhuttico Colony
Bhuntar
Aéroport de Kullu-Manali
Uhl
Bajaura
Basheshar Mahadev
Thela
Arrivée des descentes de rafting
Jhiri
Sainj
Great Himalayan National Park
Kandi
Kataula
Temple de Prashara
Sainj
Vers Kandapattan (11 km)
Lac Prushar (2 730 m)
Aut
Vallée de Banjar
Larji
Temple hindou de Hongi
Mandi
Tirthan
21
Beas
Vers le lac Rewalsar (16 km)
Pandoh
Vers Banjar (30 km), Gushaini (37 km), le Jalori La (58 km) et Shimla (189 km)
Vers Shimla (133 km)
Vers Tattapani (150 km)

HIMACHAL PRADESH

Jari et Malana

Vers le milieu de la vallée de la Parvati, **Jari** est un petit village animé de part et d'autre de la nationale, et le repaire de voyageurs le plus tranquille de la vallée. La plupart des visiteurs séjournent dans le paisible hameau de Mateura Jari, au-dessus du village.

Jari est le point de départ du trek jusqu'au village de montagne de **Malana** ; une route arrive désormais à proximité du bourg et vous pouvez louer un taxi à Jari, Kasol ou Manikaran. Malana est une localité isolée de maisons en bois et pierre traditionnelles. Les villageois, qui descendraient des soldats grecs d'Alexandre le Grand, ont leur propre système de castes et leur Parlement. Les visiteurs doivent attendre à l'orée du village qu'on les invite à entrer et il est interdit de toucher les villageois ou leurs biens, y compris les maisons, les temples et tout bâtiment (tout contrevenant encourt une amende de 1 000 Rs).

Au-dessus du village, quelques pensions accueillent les étrangers pour 100 Rs la nuit. Un taxi (450 Rs l'aller de Jari) vous déposera au bout de la route, d'où une montée escarpée de 1 heure 30 mène au village. Emportez votre passeport, que vous devrez présenter aux gardes de la centrale hydroélectrique. De Jari ou de Kasol, on peut aussi marcher jusqu'à Malana (17 km). **Negi's Himalayan Adventure** (☎ 276119 ; www.negis-himalayan-adventure.com), à Jari, organiser des treks aux alentours, dont celui jusqu'à Malana.

OÙ SE LOGER ET SE RESTAURER

La plupart des pensions sont installées à 1,5 km de Jari, dans le hameau de Mateura Jari, au bout d'une montée escarpée à travers des champs de maïs. De la route principale, suivez les panneaux des pensions.

Village Guest House (☎ 276070 ; s/d sans sdb 50/100 Rs ; 💻). Cette grande pension accueillante, la première en arrivant à Mateura Jari, possède un jardin clos, des chambres impeccables réparties dans plusieurs maisons anciennes, et sert des repas. Les propriétaires sont charmants.

Juste au-dessus de la Village Guest House, non loin de temples en bois décorés, la **Chandra Place Guesthouse** (☎ 276049 ; ch 100 Rs) et la **Rooftop Guesthouse** (☎ 275434 ; ch 100 Rs) offrent une ambiance détendue dans un agréable cadre rural.

DEPUIS/VERS JARI

Les bus Bhuntar-Manikaran font halte à Jari (20 Rs, 1 heure). L'aller en taxi de Bhuntar à Jari revient à 450 Rs.

TREK DE LA VALLÉE DE PIN-PARVATI

À faire de préférence entre mi-septembre et mi-octobre, ce trek de 9 jours, épuisant et superbe, franchit le col enneigé de Pin-Parvati (5 319 m) pour rejoindre la vallée de la Pin, au Spiti. Il n'existe aucun hébergement en chemin et vous devrez vous adresser à un tour-opérateur de Kasol ou de Manali (voir *Circuits organisés* p. 363). Pulga, le point de départ, est accessible en bus ou en taxi depuis Manikaran.

De Pulga, l'itinéraire grimpe pendant 2 jours à travers forêts et pâturages jusqu'à Thakur Khuha. Les deux jours suivants, vous traverserez une région montagneuse aride pour arriver à High Camp, où vous passerez la nuit avant l'ascension du col. Une marche pénible à travers la neige et les éboulis conduit à la vallée de la Pin. Les deux derniers jours, vous suivrez la rivière qui traverse le Pin Valley National Park jusqu'au village de Mud, où un bus part chaque jour pour Kaza.

Étape	Itinéraire	Durée (heures)	Distance (km)
1	Pulga à Khir Ganga	4-5	10
2	Khir Ganga à Tunda Bhuj	7-8	18
3	Tunda Bhuj à Thakur Khuha	5-6	16
4	Thakur Khuha à Pandu Bridge	6-7	12
5	Pandu Bridge à Mantalai	6-7	15
6	Mantalai à High Camp	7-8	12
7	High Camp à la vallée de la Pin via le col de Pin-Parvati	5-6	12
8	Vallée de la Pin à Chinpatta Maidan	6-7	14
9	Chinpatta Maidan à Mud	6-7	15

Kasol

☎ 01902

S'étirant le long de la Parvati avec les montagnes se dressant au nord-est, Kasol est le principal repaire de voyageurs de la vallée. Dans ce village, bars reggae, restaurants de baroudeurs, cybercafés et pensions bon marché séduisent une clientèle essentiellement israélienne à l'instar de Vashisht ou d'Old Manali. Que l'on apprécie ou non cette ambiance, Kasol est un bon endroit pour se détendre et explorer la vallée. Le village se divise entre Old Kasol (Vieux Kasol), du côté Bhuntar du pont, et New Kasol (Nouveau Kasol), du côté Manikaran, deux quartiers quasi similaires.

De nombreux cybercafés Internet facturent 40 Rs l'heure et plusieurs agences de voyages changent volontiers espèces et chèques de voyage.

De Kasol, une marche fatigante de 4 heures conduit à **Rashol**, un village de montagne qui compte quelques pensions rudimentaires.

OÙ SE LOGER ET SE RESTAURER

La plupart des pensions ferment pour l'hiver, de novembre à avril.

Alpine Guest House (☎ 273710 ; alpinehimachal@gmail.com ; d 350-500 Rs, q 700 Rs). L'une des meilleures adresses, cette pension en briques et en bois, entourée de pins, se tient près de la rivière dans Old Kasol. Les bruits de la rivière et de la forêt bercent les chambres spacieuses ; les pelouses et les terrasses invitent au bavardage avec d'autres voyageurs.

Panchali Holiday Home (☎ 273095 ; ch 300-500 Rs). Tournant le dos à l'artère principale, cet hôtel moderne loue des chambres correctes, avec TV, téléphone et chauffe-eau. Celles en façade s'agrémentent de jolis balcons.

Taji Place (☎ 9816461684 ; d 150-300 Rs, cottage 600 Rs). À New Kasol, le Taji occupe une grande maison rose en bord de rivière. Il propose des chambres soignées, quelques bungalows bien équipés dans le jardin et une source thermale privée.

Little Italy (plats 40-120 Rs). Au 1er étage. Il s'y prépare d'excellentes pâtes et pizzas, et sert de la bière.

♥ **Bhoj Restaurant** (plats 50-150 Rs). La salle un peu sombre, les meubles confortables, la musique funky et l'excellente cuisine en font une adresse prisée dans Old Kasol. La carte comporte des plats indiens, chinois et occidentaux, dont des truites locales, ainsi que des desserts.

Dans Old et New Kasol, d'innombrables restaurants de voyageurs proposent des cartes identiques. Citons notamment le Moon Dance Cafe & German Bakery et l'Evergreen Restaurant.

DEPUIS/VERS KASOL

Les bus de Bhuntar à Manikaran passent par Kasol (25 Rs, 2 heures 30). Les tarifs affichés à la station de taxis près du pont de Kasol comprennent Manikaran (100 Rs), Jari (200 Rs), Bhuntar (600 Rs), Kullu (800 Rs) et Manali (1 600 Rs).

Manikaran

☎ 01902 / altitude 1 737 m

Important site de pèlerinage pour les sikhs et les hindous, Manikaran est renommé pour ses sources thermales, dont la vapeur s'élève au-dessus d'un énorme temple au bord de la Parvati. Son nom signifie "bijou de l'oreille" ; selon la légende, un serpent géant aurait volé les boucles d'oreilles de Parvati alors qu'elle se baignait, puis les aurait recrachées sur le sol, faisant jaillir les sources qui bouillonnaient en dessous. L'eau est assez chaude pour cuire le riz (94°C) et doit être mélangée à celle de la rivière pour les bains. Selon les habitants, elle guérirait tous les maux (y compris rhumatismes et bronchite).

Le village entoure le **Sri Guru Nanak Ji Gurdwara**, un temple à plusieurs étages construit en 1940 par Baba Narain Har Ji sur la rive nord de la rivière. Vénéré par les hindous et les sikhs, son sanctuaire attire un flux régulier de pèlerins. Ôtez vos chaussures et couvrez-vous la tête avant d'entrer. Les boutiques du bazar vendent des *prasaad* (offrande de nourriture) et des souvenirs de Guru Nanak.

Le gurdwara et le village disposent de bains séparés pour hommes et femmes. Le village abrite plusieurs temples, dont le **Raghunath Mandir**, de style hutte en pierre, et le **temple de Naini Devi**, en bois travaillé. Remarquez les marmites de riz ou de pommes de terre qui cuisent sur les fumerolles des sources dans le village et le gurdwara.

OÙ SE LOGER

Plusieurs pensions bon marché se regroupent près du gurdwara. La plupart des hôtels se concentrent dans le village principal sur la rive nord, accessible par un pont suspendu en venant de la gare routière.

Moon Guesthouse (☎ 273002 ; ch 100-150 Rs). Proche de la Padha Family Guest House, elle possède un bain attrayant et ses meilleures chambres font face à la rivière.

Padha Family Guest House (☎ 9418408073 ; d 100-250 Rs). Dans le bazar juste avant le gurdwara, cette adresse recommandée comprend des chambres sans prétention, avec ou sans sdb, un bon restaurant et un bassin thermal carré.

Fateh Paying Guesthouse (☎ 273767 ; ch 150 Rs). Signalée au bout d'une allée négligée dans la partie ancienne du village, cette grande maison verte renferme de jolies chambres. L'ambiance est détendue et les propriétaires, accueillants.

Country Charm (☎ 273703 ; d 500-600 Rs). Sur la rive sud près de la gare routière, le Country Charm offre des chambres correcte et la vue sur le village et le gurdwara. Les balcons de l'étage surplombent la rivière.

OÙ SE RESTAURER

Plusieurs restaurants sont installés dans le bazar ; l'alcool est interdit sur la rive du gurdwara.

Holy Palace Restaurant (plat 35-135 Rs). Voyageurs et pèlerins apprécient le cadre confortable, la musique pop et la longue carte de plats indiens, chinois et occidentaux, végétariens ou non.

DEPUIS/VERS MANIKARAN

Des bus circulent régulièrement entre Manikaran et Bhuntar (32 Rs, 2 heures 30) via Kasol (4 Rs, 15 min). Pour Manali, changez à Kullu ou à Bhuntar. Des excursions d'une journée en taxi peuvent s'organiser à Manali, Kullu ou Bhuntar.

De Manikaran, les taxis facturent 100 Rs pour Kasol, 750 Rs pour Bhuntar, 950 Rs pour Kullu et 1 500 Rs pour Manali.

KULLU

☎ 01902 / 18 300 habitants / altitude 1 220 m

Kullu est la capitale administrative de la vallée de Kullu et le point de départ de la montée vers Manali. Si la ville ne présente guère d'intérêt, elle reste plus "indienne" que les repaires de voyageurs de la vallée. En octobre, **Dussehra** – ou Durga Puja – (voir l'encadré p. 335) donne lieu à des festivités particulièrement importantes. Plus de 200 statues de divinités sont sorties des temples et promenées dans la ville derrière un énorme *rath* (chariot), qui porte la statue de Raghunath provenant du temple de Raghunath, dans Sultanpur. Pendant une semaine, un marché et des divertissements envahissent le *maidan*, avec acrobates et musiciens. Quelque 30 000 fidèles se pressent alors à Kullu et il devient difficile de trouver une chambre. Vous pouvez cependant venir facilement pour la journée de Manali ou de Kasol.

Orientation et renseignements

La Savari scinde Kullu en deux. La station de taxis, l'office du tourisme et la plupart des restaurants et des hôtels se concentrent dans la partie sud de la ville. La gare routière et le temple de Raghunath se situent au nord de la rivière – prenez le raccourci à travers le bazar, en dessous de l'Hotel Shobla International.

L'**office du tourisme HPTDC** (☎ 222349 ; 🕑 10h-17h lun-sam) est installé sur le *maidan*, près de la station de taxis. Il s'occupe des réservations pour les bus deluxe HPTDC, qui stationnent devant.

De la station de taxis, la rue grimpe jusqu'à la poste principale. Des cybercafés (30 Rs l'heure) bordent l'artère principale dans Dhalpur.

Au sud du *maidan*, un DAB de la State Bank of India accepte les cartes internationales.

À voir et à faire

Dans Sultanpur au nord du centre-ville, le **temple de Raghunath** est le plus important de Kullu et comporte plusieurs sanctuaires dédiés à Raghunath (Rama). Pour le rejoindre, prenez l'une des deux pistes qui grimpent en face de la gare routière et repérez l'entrée proche de l'imposant **Raja Rupi**, l'ancien palais des rajas de Kullu.

Dans les collines environnantes, plusieurs temples importants sont accessibles en taxi ou en bus locaux (renseignez-vous sur les horaires à la gare routière). À 3 km de Kullu, dans le village de Bhekhli, le **temple de Bhekhli** (temple de Jagannathi Devi) offre une vue spectaculaire sur Kullu et la vallée.

Une marche de 3 km à partir de Chansari, à 11 km au sud-est de Kullu sur la rive est de la Beas, conduit au **temple de Bijleshwar Mahadev** (Bijli Mahadev). Juché sur une colline, il est surmonté d'un mât en bois de 20 m qui attire la bénédiction divine sous forme d'éclairs. La foudre brise le lingam en pierre de Shiva à l'intérieur du temple, qui est ensuite recollé avec du beurre.

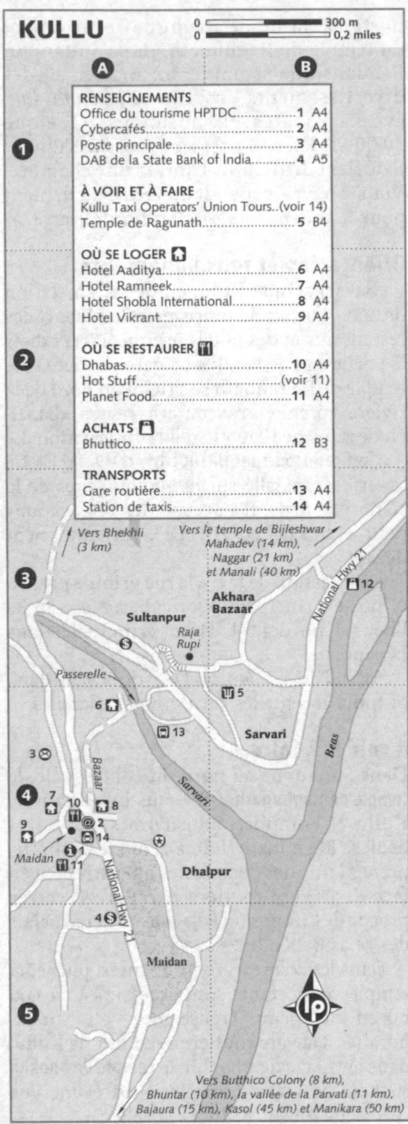

Circuits organisés

La **Kullu Taxi Operators' Union** (☎ 222332) propose des excursions à partir de la station de taxis pour 800 Rs environ.

Où se loger

Hotel Vikrant (☎ 222756 ; d 300-600 Rs). Situé dans une paisible ruelle du centre derrière le *maidan*, le Vikrant est une bonne adresse pour les petits budgets. Les chambres, toutes avec douche, eau chaude et TV, sont plus spacieuses et lumineuses à l'étage qu'au rez-de-chaussée.

Hotel Aaditya (☎ 222713 ; d 380-770 Rs). De l'autre côté de la passerelle en venant de la gare routière, à l'extrémité sud du bazar, cet hôtel de plusieurs étages offre un bon choix de chambres ; celles du dernier étage sont agrémentées d'un balcon donnant sur la rivière.

Hotel Ramneek (☎ 222558 ; hotel_ramneek@yahoo.co.in ; d 500-650 Rs). Derrière le *maidan*, ce grand hôtel rose et pourpre de 3 étages propose des chambres de dimensions correctes ouvrant sur des balcons communs.

Hotel Shobla International (☎ 222800 ; www.shoblainternational.com ; ch 1 320-1 650 Rs, ste 2 200-3 300 Rs ; ❄). Cet établissement moderne est proche du bazar. Il pratique des tarifs excessifs mais le meilleur des hôtels d'affaires du centre de Kullu possède un agréable bar-restaurant.

Où se restaurer

De nombreux *dhaba* sont regroupés autour de la station de taxis et de la gare routière. Quantité de gargotes bon marché sont installées dans le bazar. Le restaurant de l'Hotel Shobla International mérite d'être essayé.

Hot Stuff (plats 50-250 Rs ; 🕒 7h-21h30). Près de l'office du tourisme, ce fast-food brillamment éclairé propose une bonne carte de spécialités indiennes, chinoises et internationales à prix doux, dont des pizzas et du poulet tandoori. Il possède une petite terrasse en façade.

Planet Food (plats à partir de 50-250 Rs ; 🕒 9h-23h). À côté du Hot Stuff, ce restaurant installé sur plusieurs niveaux offre une carte similaire de plats indiens végétariens ou non, chinois et occidentaux, servis sur des nappes sales. À l'étage, un bar avec une salle de billard précède un bouge fréquenté par des hommes.

Achats

Plusieurs boutiques vendent les châles réputés de la vallée. Vous pourrez aussi les acheter à la source, dans le grand centre de tissage de Bhuttico, juste au sud de Kullu (voir l'encadré p. 358). Bhuttico possède également un magasin dans l'Akhara Bazaar.

Depuis/vers Kullu

AVION

L'aéroport qui dessert Kullu se situe à Bhuntar à 10 km au sud (voir p. 351).

BUS AU DÉPART DE KULLU

Destination	Tarif (Rs)	Durée	Fréquence
Aut	30	1 heure 30	ttes les 15 min
Aéroport de Bhuntar	12	30 min	ttes les 10 min
Manali	38	1 heure 30	ttes les 10 min
Mandi	68	2 heures 30	ttes les 10 min
Manikaran	48	3 heures	ttes les heures

TAXIS AU DÉPART DE KULLU

Destination	Tarif (Rs)
Bhuntar	250
Jari	600
Kasol	750
Manali	750
Mandi	1 150
Manikaran	800
Naggar	550

BUS

Du côté nord de la Sarvari, la gare routière offre des services fréquents pour les localités de la vallée. Les bus en provenance de Manali pour des destinations en dehors de la vallée de Kullu passent à Kullu environ 1 heure 30 après leur départ ; voir p. 379 pour plus de détails.

Consultez le tableau ci-dessus pour les principaux services dans la vallée.

TAXI

La station de taxis sur le *maidan* propose des circuits organisés ou sur mesure ; une excursion d'une journée revient à 800 Rs.

Comment circuler

Dans Kullu, une course en auto-rickshaw ne devrait pas dépasser 30 Rs.

NAGGAR

☎ 01902 / altitude 1 760 m

Construit autour d'un imposant château, le paisible village de Naggar fut la capitale du Kullu pendant 1 500 ans. Le peintre russe Nikolaï Roerich s'y installa au début du XXe siècle, attirant un flux régulier de touristes russes. Le village s'étire le long de la route secondaire entre Kullu et Manali et compte plusieurs petits cybercafés. Tous les sites intéressants, ainsi que quelques pensions et restaurants corrects, se regroupent autour du château, à 2 km au-dessus de la localité. De Manali, on peut facilement visiter Naggar dans la journée.

À voir et à faire

CHÂTEAU DE NAGGAR

Édifié par les rajas sikhs de Kullu en 1460, le **fort** (étrangers 15 Rs ; ⏲ 7h-22h) est un splendide exemple de l'architecture himachalie, avec ses couches alternées de pierre et de bois. Transformé en hôtel en 1978 quand le dernier raja rencontra des difficultés financières, il comprend un petit **musée** au rez-de-chaussée. Le **temple de Jagtipath**, dans la cour, contient une dalle en pierre qui aurait été apportée par des abeilles. Le meilleur moyen de découvrir le château est d'y séjourner ou d'essayer son restaurant (voir p. 358).

ROERICH GALLERY & URUSVATI MUSEUM

La route principale qui traverse le village continue sur 2 km jusqu'à la **Roerich Gallery** (☎ 248290 ; www.roerichtrust.org ; adulte/enfant avec musée Urusvati 30/20 Rs, appareil photo/caméra 25/60 Rs ; ⏲ 10h-13h et 13h30-18h mar-dim, jusqu'à 17h nov-mar), l'ancienne demeure du peintre russe Nikolaï Roerich, mort à Naggar en 1947. Les étages inférieurs présentent ses peintures aux couleurs surréalistes de Kullu, du Spiti et du Lahaul. Les appartements privés de l'artiste occupent les étages supérieurs. Nikolaï Roerich fut à l'origine du Pacte Roerich (1935), un traité signé par plus de 60 pays garantissant la conservation des monuments culturels dans le monde.

À 5 min de marche de la galerie, l'**Urusvati Himalayan Folk & Art Museum** (musée d'Art et de Folklore himalayens Urusvati ; entrée avec le billet de la galerie) renferme la collection personnelle d'objets ethnologiques du peintre et des photos de la famille Roerich.

TEMPLES

En descendant le chemin qui longe le château, on passe devant le beau **Vishnu Mandir** du XIe siècle, couvert de sculptures. En bas, après la petite poste, le **temple de Gauri Shankar**, dédié à Shiva, se tient au milieu de temples plus petits consacrés à Narayan, une incarnation de Vishnu. En dessous de la Roerich Gallery, des dépendances en bois sculpté entourent le **temple de Tripura Sundari Devi**, semblable à une pagode. Derrière la galerie, un sentier grimpe à travers bois jusqu'au **temple de Murlidhar Krishna**, perché sur la crête au-dessus de Naggar.

LES CHÂLES DE LA VALLÉE DE KULLU

La vallée de Kullu est réputée pour ses châles et, de Bhuntar à Manali, la nationale est bordée d'innombrables échoppes, salles d'exposition et emporiums qui en vendent. Les châles traditionnels, tissés sur des métiers en bois, sont en laine (de mouton), en pashmina (poils de chèvre) ou en angora (poils de lapin). C'est l'une des principales industries de la vallée de Kullu et elle procure un revenu à des milliers de villageoises, dont beaucoup se sont regroupées en coopératives. Vous pourrez en visiter plusieurs près de Kullu et acheter directement des châles auprès de celles qui les fabriquent.

Étant donné la concurrence, l'insistance des vendeurs peut être pesante dans les endroits touristiques et vous devrez sérieusement marchander. Pour une ambiance détendue et une qualité supérieure, rendez-vous dans les succursales de **Bhuttico** (www.bhutticoshawls.com), la coopérative des tisserandes Butthi. Créée en 1944, elle pratique des prix fixes et possède des boutiques à Manali, Lullu, Bhuntar et dans d'autres villes de l'État. Comptez plus de 300 Rs pour un châle en laine d'agneau, à partir de 1 000 Rs en angora et de 3 000 Rs en pashmina. Les châles superbement brodés que portent les villageoises valent au moins 6 500 Rs.

TREKKING

Naggar est le point de départ de l'excellent trek de 3 jours jusqu'au village de Malana et Jari via le col de Chandrakhani (3 660 m). Tour-opérateur expérimenté, Ravi Sharma, au Poonam Mountain Lodge (voir ci-dessous), organise ce trek, ainsi que des treks plus longs dans la vallée de Kullu jusqu'à Manikaran, au Lahaul et au Spiti, et au Ladakh pour 1 700 Rs par jour, tout compris. Un safari en 4x4 revient à 2 500 Rs par jour.

Où se loger et se restaurer

Des hôtels se regroupent autour du château. En contrebas, le hameau de Chanalti Naggar possède une pension rustique.

Chanderlok Guesthouse (☎ 248213 ; d 200-300 Rs). À 5 min de marche en contrebas du château, cette pension paisible, tenue par une famille, offre quelques chambres propres et ensoleillées et un jardin fleuri, parsemé d'anciens sanctuaires hindous.

Poonam Mountain Lodge (☎ 248248 ; www.poonammountain.in ; s 250 Rs, d 300-350 Rs ; 💻). Juste en dessous du château, ce chalet bien tenu propose de confortables chambres lambrissées. Le propriétaire, Ravi Sharma, est une mine d'informations sur les treks dans la région. Pour un séjour plus long, vous pouvez louer sa maison en pierre et bois traditionnelle de 2 étages dans le village voisin (5 000 Rs par mois).

Hotel Ragini (☎ 248185 ; raginihotel@hotmail.com ; ch 800-1 200 Rs ; 💻). Hôtel moderne et propre, il est apprécié des groupes pour ses chambres lumineuses, avec parquet et balcon, ainsi que pour son jardin où se déroulent les cours de yoga et d'autre activités holistiques. Le restaurant sur le toit sert une excellente cuisine.

Castle Hotel (☎ 248316 ; www.hptdc.gov.in ; c 1 050-2 650 Rs). Le château est incontestablement l'hébergement le plus séduisant de Naggar. Cependant, depuis la récente rénovation les prix ont augmenté. Les couloirs tou de bois et de pierre mènent à des chambre diverses, certaines de style colonial avec de éléments d'origine, d'autres entièremen réaménagées. Celles qui donnent sur l vallée bénéficient d'une vue superbe. Si votr budget ne vous permet pas d'y séjourne profitez du bon restaurant et de sa terrass qui surplombe la vallée.

La Purezza (repas 50-120 Rs ; 🕒 11h-22h, fermé hiver Sur la route de la Roerich Gallery, ce caf installé sur un toit sert des pizzas et des pâte correctes.

Depuis/vers Naggar

Des bus locaux circulent régulièremen entre Manali et Naggar de 6h à 18h (20 R 1 heure). L'aller-retour en taxi de Manal Kullu à Naggar revient à 650/750 Rs.

MANALI

☎ **01902 / 4 400 habitants / altitude 2 050 m**

Avec des vues splendides sur les chaînes d Dhauladhar et du Pir Panjal et la bouillor nante Beas coulant à travers la ville, Mana attire des touristes toute l'année. Les baro deurs se réfugient dans les villages alentou les sportifs viennent pour le trekking, parapente, le rafting et le ski ; les famill et les jeunes mariés indiens profitent d

MANALI ET VASHISHT

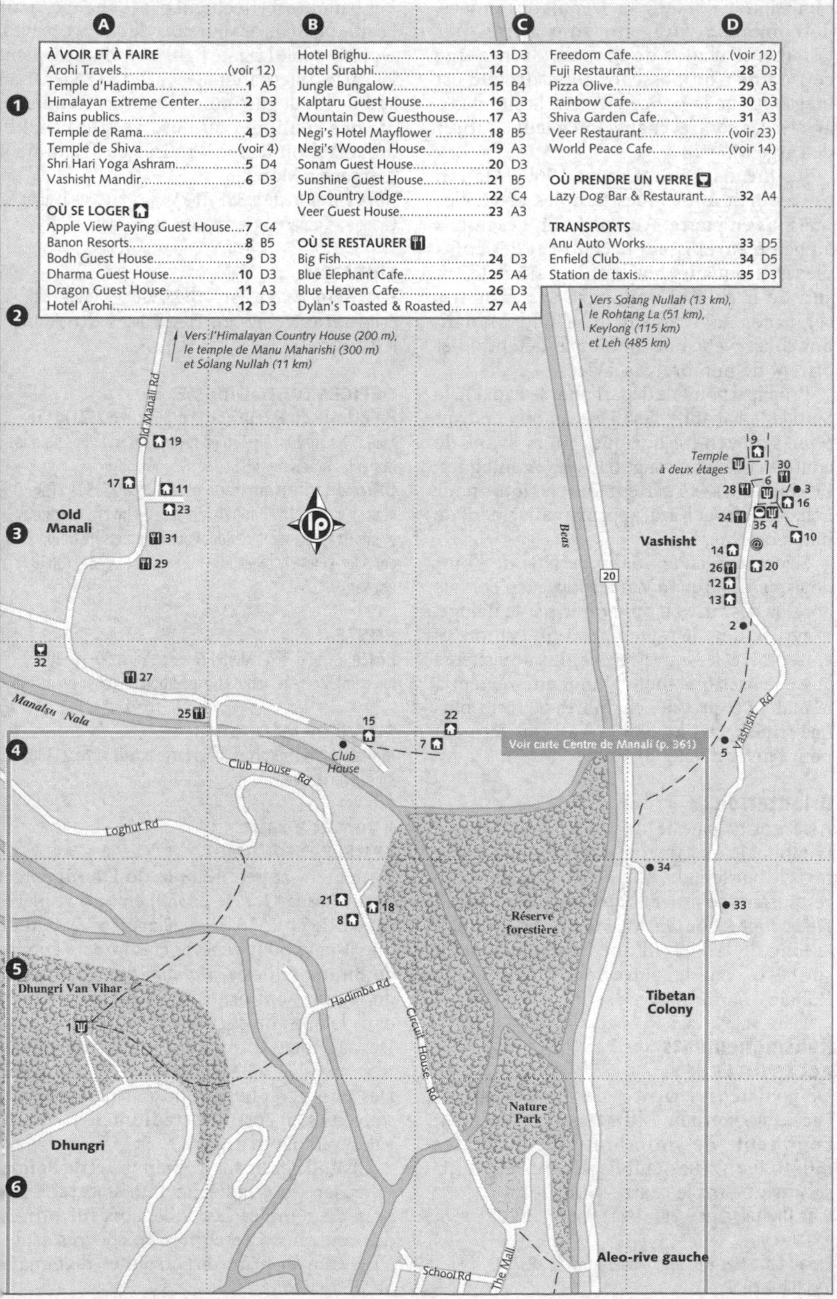

0 — 200 m
0 — 0,1 miles

A B C D

1 2 3 4 5 6

À VOIR ET À FAIRE

Arohi Travels....(voir 12)
Temple d'Hadimba....1 A5
Himalayan Extreme Center....2 D3
Bains publics....3 D3
Temple de Rama....4 D3
Temple de Shiva....(voir 4)
Shri Hari Yoga Ashram....5 D4
Vashisht Mandir....6 D3

OÙ SE LOGER

Apple View Paying Guest House....7 C4
Banon Resorts....8 B5
Bodh Guest House....9 D3
Dharma Guest House....10 D3
Dragon Guest House....11 A3
Hotel Arohi....12 D3
Hotel Brighu....13 D3
Hotel Surabhi....14 D3
Jungle Bungalow....15 B4
Kalptaru Guest House....16 D3
Mountain Dew Guesthouse....17 A3
Negi's Hotel Mayflower....18 B5
Negi's Wooden House....19 A3
Sonam Guest House....20 D3
Sunshine Guest House....21 B5
Up Country Lodge....22 C4
Veer Guest House....23 A3

OÙ SE RESTAURER

Big Fish....24 D3
Blue Elephant Cafe....25 A4
Blue Heaven Cafe....26 D3
Dylan's Toasted & Roasted....27 A4
Freedom Cafe....(voir 12)
Fuji Restaurant....28 D3
Pizza Olive....29 A3
Rainbow Cafe....30 D3
Shiva Garden Cafe....31 A3
Veer Restaurant....(voir 23)
World Peace Cafe....(voir 14)

OÙ PRENDRE UN VERRE

Lazy Dog Bar & Restaurant....32 A4

TRANSPORTS

Anu Auto Works....33 D5
Enfield Club....34 D5
Station de taxis....35 D3

Vers Solang Nullah (13 km), le Rohtang La (51 km), Keylong (115 km) et Leh (485 km)

Vers l'Himalayan Country House (200 m), le temple de Manu Maharishi (300 m) et Solang Nullah (11 km)

Old Manali Rd
Old Manali
Temple à deux étages
Vashisht
Beas
20
Vashisht Rd
Manalsu Nala
Club House
Club House Rd
Voir carte Centre de Manali (p. 361)
Loghut Rd
Réserve forestière
Dhungri Van Vihar
Hadimba Rd
Circuit House Rd
Tibetan Colony
Nature Park
Dhungri
Aleo-rive gauche
School Rd
The Mall

HIMACHAL PRADESH

l'air frais et découvrent la neige lors d'une excursion au Rohtang La. Depuis des années, de nombreux voyageurs sont attirés par la fameuse charas de Manali. Sachez que consommer ou posséder cette drogue est illégal et que la police locale n'hésite pas à arrêter les contrevenants (ou à leur soutirer de l'argent).

Jusque dans les années 1960, Manali se résumait à quelques temples et vieilles maisons en pierre. Aujourd'hui, des hôtels en béton envahissent le centre et des complexes clinquants bordent la nationale, au sud de la ville. La plupart des visiteurs séjournent à Vashisht ou à Old Manali, qui conservent une ambiance détendue et offrent de nombreux services.

Principal point de départ pour le Ladakh, le Spiti et le Lahaul, Manali est un bon endroit pour se détendre quelques jours avant de continuer le long trajet dans les montagnes. Des bus et des 4x4 partent touts les jours pour Leh, Keylong et Kaza, approximativement de juin à octobre.

Selon la légende, Manu, le Noé de l'hindouisme, débarqua à Manali pour recréer la vie après la destruction du monde par le déluge. D'avril à juin, de septembre à fin octobre et entre Noël et le Nouvel An, l'afflux de visiteurs laisse penser que toute l'humanité revient à Manali ! Les prix des chambres peuvent plus que tripler. Old Manali et Vashisht ferment pour l'hiver d'octobre à mai.

Orientation

Artère principale de Manali, le Mall prolonge la nationale. La gare routière et les stations de taxis le bordent. La plupart des hôtels et des restaurants se situent dans les rues à l'ouest. Deux routes courent vers le nord de Manali le long de la Beas : l'une vers Old Manali sur la rive ouest, l'autre vers Vashisht et le Rohtang La sur la rive est.

Renseignements

ACCÈS INTERNET

De nombreuses agences de voyages offrent l'accès à Internet. Old Manali et Vashisht comptent de nombreux cybercafés (30-40 Rs/h). Les établissements suivants se situent dans le centre-ville.

Cafe Digital (carte p. 361 ; Manu Market ; 50 Rs/h ; ⌚ 8h-23h)

Email Cafe (carte p. 361 ; Model Town ; 50 Rs/h ; ⌚ 10h-20h)

ARGENT

Les banques n'effectuent pas le change, mais la ville possède des bureaux de change privés. Deux DAB de la State Bank of India acceptent les cartes internationales ; celui de l'agence au sud de la rue piétonne est moins fréquenté. Si vous continuez au nord vers le Ladakh, le Lahaul ou le Spiti, retirez suffisamment d'argent à Manali.

HDFC Forex (carte p. 361 ; The Mall ; ⌚ 9h30-19h30). Change les espèces et les chèques de voyage.

LIBRAIRIE

Bookworm (carte p. 361 ; ☎ 252920 ; ⌚ 10h-18h). Romans et récits de voyages. Possède une succursale dans le NAC Market.

OFFICES DU TOURISME

Billetterie du HPTDC (carte p. 361 ; ☎ 252116 ; The Mall ; ⌚ 7h-20h, 9h-17h en hiver). Réservations pour les bus et les hôtels du HPTDC.

Office du tourisme (carte p. 361 ; ☎ 253531 ; The Mall ; ⌚ 8h-21h, 10h-17h lun-sam en hiver). Brochures et informations sur la région. Pour les billets de train, adressez-vous à la billetterie ferroviaire (⌚ 8h-13h30 lun-sam), à côté.

POSTE

Poste (carte p. 361 ; Model Town ; ⌚ 9h30-17h30 lun-sam). Poste restante et expédition de colis (avant 14h)

SERVICES MÉDICAUX

Manali Civil Hospital (hors carte p. 361 ; ☎ 253385). Au sud de la ville.

À voir et à faire

TEMPLE D'HADIMBA

Également appelé temple de Dhungri, cet ancien **mandir** (carte p. 359) en bois et pierre fut édifié en 1553. Des pèlerins viennent de tout le pays pour vénérer Hadimba, l'épouse de Bhima selon le *Mahabharata*. Les murs du temple sont ornés de danseurs sculptés dans le bois, de cornes de buffles et d'ibex. Des sacrifices d'animaux ont lieu durant les trois jours de la **Dhungri Mela** (p. 335), en mai. Des photographes proposent des portraits souvenirs en costume traditionnel, avec un yak ou un lapin angora !

Ghatotkach, le fils d'Hadimba et de Bhima est vénéré sous la forme d'un **arbre sacré** situé près du temple. Les villageois lui offrent des couteaux, des cornes de chèvres et des effigies en fer-blanc de personnes, d'animaux ou de maisons.

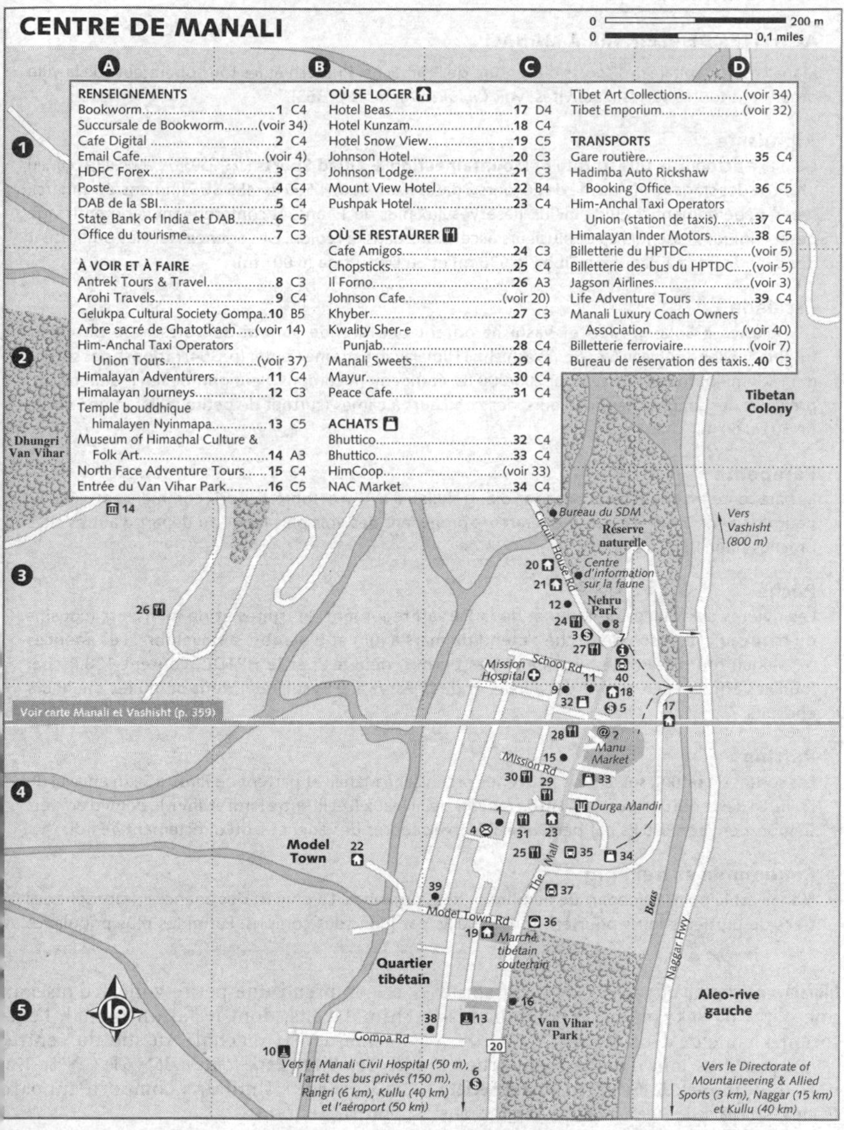

Hadimba se situe à 20 min de marche au nord-ouest de Manali (40 Rs en auto-rickshaw).

MUSÉE DE MANALI

En face du temple d'Hadimba, le **Museum of Himachal Culture & Folk Art** (musée de la Culture et l'Art folklorique de l'Himachal ; carte p. 361 ; ☎253846 ; 10 Rs ; 8h-20h) présente des reliques religieuses, des objets usuels, des instruments de musique, des armes et des sculptures en bois et des maquettes des temples de l'Himachal.

MONASTÈRES BOUDDHIQUES

Une petite colonie tibétaine est installée au sud du centre-ville. Le **temple bouddhique**

ACTIVITÉS DE PLEIN AIR À MANALI

Manali est la capitale des sports d'aventure de l'Himachal Pradesh et les tour-opérateurs de la ville organisent toutes sortes d'activités (voir *Circuits organisés* p. 363).

Alpinisme

De mai à octobre, le **Directorate of Mountaineering & Allied Sports** (☎ 250337 ; www.dmas.gov.in) propose des stages d'alpinisme de 26 jours à dates fixes, pour 4 500 Rs/455 $US (Indiens/étrangers), repas, hébergement et guide inclus. Réservés aux plus de 17 ans, ils comprennent l'apprentissage des techniques essentielles et plusieurs ascensions dans la région. Des agences locales organisent des expéditions à l'Hanuman Tibba (5 930 m) et au Deo Tibba (6 001 m).

Escalade

Les falaises à Solang, Aleo et Vashisht offrent une grande variété de voies avec pitons et traditionnelles de niveau 6a à 6c. À Vashisht, l'Himalayan Extreme Center (p. 364) propose des sorties d'une demi-journée/journée pour 700/900 Rs, équipement compris. Pour grimper en indépendant, prévoyez des sangles, des coinceurs, des coinceurs à cames (surtout de petite taille) et une corde de 30 ou 60 m.

Parapente

Le parapente est une activité prisée à Solang Nullah d'avril à octobre. Les prix commencent à 600 Rs pour un vol de 2 min. Des tour-opérateurs proposent des vols plus longs au départ d'autres sites proches pour 1 500 à 2 500 Rs.

Pêche

Les rivières des vallées de Kullu et de la Parvati regorgent de truites et de mahseers (cousins du barbeau). La saison de pêche s'étend de mars à juin et d'octobre à novembre. Les agences de Manali fournissent l'équipement. Les permis, délivrés par le HPTDC, coûtent 100 Rs par jour. Les affluents en amont de la Beas et de la Parvati, à Kasol, comptent parmi les meilleurs endroits.

Rafting

Les sorties de rafting sur la Beas peuvent s'organiser à Manali et partent de Pirdi, à 3 km en aval de Kullu. La descente comporte 14 km de rapides de niveaux II et III entre Pirdi et Jhiri, le point d'arrivée. Comptez environ 600 Rs par personne. Réservez auprès des agences, ou directement à Pirdi.

Randonnée et trekking

Manali est le point de départ de nombreux treks organisés. La plupart des agences proposent des treks de plusieurs jours pour environ 2 500 Rs par jour, tout compris. Parmi les plus populaires

himalayen Nyinmapa (carte p. 361 ; ⏲ 6h-18h) abrite une statue de Sakyamuni, le Bouddha historique, haute de deux étages.

Un peu plus loin dans la même rue et plus traditionnel, le **Gelukpa Cultural Society Gompa** (gompa de la Société culturelle gelugpa ; carte p. 361 ; ⏲ 6h-18h) possède une salle de prière remplie de statues de bodhisattva, de lamas révérés et de divinités bouddhiques. Un petit atelier produit des tapis tibétains.

RÉSERVES NATURELLES

Au bord de la Beas, un grand bosquet de cèdres de l'Himalaya a été transformé en **réserve naturelle** (carte p. 361 ; 5 Rs ; ⏲ 9h-19h) et comprend une petite volière d'oiseaux himalayens, dont le faisan monal, l'emblème de l'Himachal. Au sud du centre, le **Van Vihar Park** (carte p. 361 ; 5 Rs ; ⏲ 8h-19h, 8h-17h en hiver), similaire, comporte un parc pour les enfants.

OLD MANALI

À 2,5 km au-dessus du Mall, de l'autre côté de la Manaslu Nala, Old Manali (Vieux Manali) a conservé son ambiance de village de montagne et possède quelques superbes maisons anciennes. Le **temple de Manu Maharishi** (hors carte p. 359), en bois et pierre, est construit sur le site où Manu figurent le Beas Kund (3 jours), le trek Pin-Parvati qui va de la vallée de la Parvati au Spiti (8 jours), et le col de Hamta (4 270 m) jusqu'au Lahaul (5 jours).

Les alentours de Manali offrent de nombreuses marches plus courtes. Celle de 13 km au-dessus de la rive ouest de la Beas jusqu'à Solang Nullah constitue une plaisante alternative au bus. Vous pouvez aussi parcourir 6 km jusqu'aux neiges éternelles, au-dessus de la prairie de Lama Dugh, le long de la rivière Manalsu Nala. N'oubliez pas les règles de sécurité : ne partez jamais seul et informez quelqu'un de votre itinéraire.

Safaris en Jeep

Les safaris en Jeep au Ladakh, au Lahaul et au Spiti reviennent à environ 2 500 Rs par jour – visites de monastères, cols d'altitude, lacs glaciaires, hébergement sous tente ou dans des pensions villageoises.

Ski et snowboard

De janvier à mars, le village de Solang Nullah devient la première station de sports d'hiver de l'Himachal (voir p. 381). Des tour-opérateurs de Manali et des hôtels de Solang Nullah louent des équipements de ski et de snowboard pour 500 Rs par jour. Toute l'année, l'Himalayan Extreme Center (p. 364) organise du ski en haute altitude sur une poudreuse immaculée, réservé aux skieurs expérimentés (de 3 à 5 jours, environ 2 500 Rs par jour). **Himachal Helicopter Adventures** (☎ 9816025899 ; www.himachal.com) propose le transport en hélicoptère (très coûteux) jusqu'aux hautes pentes.

VTT

Les versants abrupts autour de Manali offrent un terrain de choix pour les randonnées à VTT. Des agences louent des vélos pour 400 Rs par jour. Vous pouvez aussi organiser des circuits au Ladakh, au Spiti et au Lahaul. La descente du Rohtang La constitue une audacieuse randonnée d'une journée. Des bus et des taxis peuvent vous transporter avec votre vélo jusqu'au col, que vous redescendez en roue libre. Prenez le temps de vous acclimater à l'altitude.

Zorbing

En été, les pistes de ski de Solang Nullah se transforment en terrain de zorbing (descente à l'intérieur d'une bulle géante). Les réservations s'effectuent à Manali ou à Solang Nullah. Comptez 250 Rs la descente.

Autres activités

Parmi les autres activités figurent les randonnées à cheval (900 Rs par jour), le canyoning (900 Rs par jour). De brefs vols en montgolfière sont parfois proposés en été à Solang Nullah.

aurait médité après avoir accosté le bateau qui sauva l'humanité. De là, un chemin part vers le nord et traverse le village de Goshal (2 km) avant de rejoindre Solang Nullah, à 11 km.

DIRECTORATE OF MOUNTAINEERING & ALLIED SPORTS

Ce **centre de sports d'aventure** (hors carte p. 361 ; ☎ 250337 ; www.dmas.gov.in ; 🕓 10h-17h lun-sam, fermé 2e sam du mois) est installé à Aleo, à 3 km au sud de Manali sur la rive est de la Beas. Il propose d'innombrables activités : rafting, trekking au ski et à l'alpinisme ; consultez son site Internet.

Circuits organisés

En saison, quand la demande est suffisante, le HPTDC organise des excursions en bus d'une journée à Naggar (200 Rs), au Rohtang La (250 Rs), à Manikaran et la vallée de la Parvati (275 Rs). Des agences privées proposent des circuits similaires.

La **Him-Aanchal Taxi Operators Union** (carte p. 361 ; ☎ 252120 ; The Mall) offre des circuits à prix fixes, notamment au Rohtang La (1 200 Rs), à Solang Nullah (600 Rs) et à Naggar (600 Rs).

AGENCES DE CIRCUITS D'AVENTURE

Les agences suivantes sont fiables et bien établies, et peuvent organiser des treks, des circuits et des activités d'aventure ; voir l'encadré p. 363 pour les activités les plus prisées.

Antrek Tours & Travel (carte p. 361 ; ☎ 252292 ; www.antrek.co.in ; 1 Rambagh, The Mall)

Arohi Travels (carte p. 361 ; ☎ 254421 ; www.arohiecoadventures). Installé près du Mall, possède aussi un bureau à l'Hotel Arohi, à Vashisht (carte p. 359)

Himalayan Adventurers (carte p. 361 ; ☎ 252750 ; www.himalayanadventurersindia.com ; 44 The Mall)

Himalayan Extreme Center (carte p. 359 ; ☎ 9816174164 ; www.himalayan-extreme-center.com ; Vashisht)

Himalayan Journeys (carte p. 361 ; ☎ 252365 ; www.himalayanjourneysindia.com ; The Mall). En face de Nehru Park.

North Face Adventure Tours (carte p. 361 ; ☎ 254041 ; www.northfaceindia.com ; The Mall)

Où se loger

Manali offre des hébergements d'un excellent rapport qualité/prix, bien que les tarifs soient plus élevés en haute saison : d'avril à juin, en septembre et octobre, et à Noël. En dehors de ces périodes, les réductions sont habituelles, mais négociez. Le chauffage est rare ; préparez-vous à vous blottir sous les couvertures.

PETITS BUDGETS

À moins d'avoir à prendre un bus tôt le matin, peu de voyageurs logent dans le centre-ville. Les meilleures adresses de cette catégorie se regroupent à courte distance au nord, dans les villages d'Old Manali et de Vashisht (p. 380).

Manali

Pushpak Hotel (carte p. 361 ; ☎253656 ; d 300 Rs). Au bout d'une ruelle en face de la gare routière, c'est l'un des meilleurs hébergements bon marché du Mall. Les chambres à l'arrière sont plus calmes.

Mount View Hotel (carte p. 361 ; ☎ 252465 ; Model Town ; d 350-750 Rs). Dans un quartier tranquille à courte distance du Mall, cet hôtel original, couvert de lierre, offre des chambres basses de plafond, désuètes et confortables, avec eau chaude et TV.

Sunshine Guest House (carte p. 359 ; ☎ 252320 ; Circuit House Rd ; ch 350 Rs). Cette vaste maison décrépite de l'époque du Raj séduit plus par son ambiance coloniale que par son confort. Les chambres immenses, avec cheminée (bois en supplément), et les vastes sdb laissent passer les courants d'air. Les balcons, les solariums et le jardin envahi par la végétation ne manquent pas de charme.

Old Manali

Au-dessus de Manali de l'autre côté de la Manaslu Nala, Old Manali compte les meilleurs hébergements pour petits budgets. Les hôtels s'échelonnent sur plus d'un kilomètre de la rivière jusqu'au village, au nord, et la plupart se concentrent dans une enclave à mi-chemin. Beaucoup ferment pour l'hiver fin octobre.

Jungle Bungalow (carte p. 359 ; ☎ 252278 ; s/d sans sdb 100/150 Rs). L'une des pensions sommaires de l'autre côté de la rivière, cet établissement branlant offre des chambres peu meublées et des grands balcons communs. Elle borde le sentier au-dessus du Club House.

Apple View Paying Guest House (carte p. 359 ; ☎ 253899 ; ch sans sdb 150 Rs). Plus à l'est le long du sentier en venant du Jungle Bungalow (ci-dessus), après des vergers, cette charmante pension est tenue par une famille sympathique.

Negi's Wooden House (carte p. 359 ; ☎ 9816319390 ; d 150-200 Rs). Les chambres sans prétention sont installées en retrait de la route et le propriétaire propose des massages tibétains.

♡ **Veer Guest House** (carte p. 359 ; ☎ 252710 ; veerguesthouse@rediffmail.com ; s 150 Rs, d 300-500 Rs). Dans un joli jardin et établi de longue date, le Veer est l'une des meilleures adresses d'Old Manali. Les chambres de l'aile d'origine ont beaucoup de caractère et les nouvelles, en façade, sont lumineuses et chic, avec balcon privé et TV. L'établissement comporte 3 simples sans sdb, un café agréable et une table de billard.

Up Country Lodge (carte p. 359 ; ☎ 252257 ; d 200-400 Rs). À côté de l'Apple View (voir plus haut) et également tenu par une famille, cette demeure propose des chambres claires avec sdb, un peu plus séduisantes.

Mountain Dew Guesthouse (carte p. 359 ; ☎ 9816446366 ; d 250-300 Rs). Sur la route principale, cette robuste maison à 3 étages s'agrémente de jolis balcons et d'un jardin rempli d'arbres fruitiers, de vignes et de roses. Choisissez une chambre au dernier étage pour la vue.

CATÉGORIE MOYENNE

Dragon Guest House (carte p. 359 ; ☎252290 ; www.dragontreks.com ; Old Manali ; ch 350-850 Rs, ste 1 800-2 200 Rs ; ❄ 💻). Ancienne adresse pour petits budgets, le Dragon conserve quelques chambres à prix doux au rez-de-chaussée. Les chambres rénovées en étage correspondent à la catégorie moyenne et les suites spacieuses du dernier étage répondent aux critères "lune de miel".

(Suite à la page 377)

Délices d'Inde du Nord

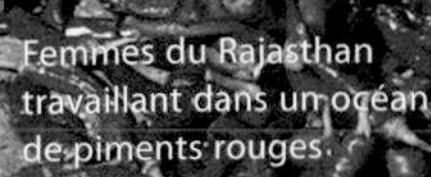

Femmes du Rajasthan travaillant dans un océan de piments rouges
DALLAS STRIBLEY

Tenez-vous prêt à entreprendre l'un des voyages culinaires les plus exaltants de votre vie ! Passés maîtres dans l'art de frire, de mijoter, de griller, de sauter et de pétrir, les talentueux cuisiniers indiens concoctent une merveilleuse diversité de spécialités régionales qui vous entraîneront dans une véritable épopée gourmande. Le voyageur affamé trouvera un fabuleux éventail d'exquis délices, mêlant cuisine traditionnelle et contemporaine. Savoureux tandooris ou kebab, plats mijotés dans du laitage, le tout accompagné de toutes sortes de pains : les repas enflamment l'imagination, éveillent les papilles et apaisent l'estomac. Alors, n'attendez pas ! Relevez vos manches, mettez votre casquette de gourmet et lancez-vous sur les succulentes routes gastronomiques de l'Inde du Nord.

Pour une définition des termes, reportez-vous au glossaire culinaire p. 89.

FORMIDABLE THALI

Le *thali* est le plat du midi par excellence. Bon marché, copieux, sain et tout simplement succulent, il regroupe le meilleur de la cuisine indienne. Si, en Inde du Sud (dont il est originaire), il est traditionnellement servi sur un plateau plat parfois couvert d'une feuille de bananier, dans le Nord il est présenté sur un plateau métallique rond compartimenté pour recevoir les diverses préparations qui le composent (c'est à ce plateau que le *thali* doit son nom).

Au restaurant, lorsqu'on l'apporte au client, un serveur arrive ensuite avec une grande marmite de riz, dont il sert de généreuses portions dans votre assiette, suivies de dhal, de *sambar* (lentilles), de *rasam* (bouillon de dhal parfumé au curcuma), de plats de légumes, de chutneys, de pickles et de *dahi* (fromage blanc/yaourt). Avec les doigts de votre main droite, commencez à mélanger les divers accompagnements avec le riz, pour en faire de petites boulettes formant une bouchée, que vous glisserez ensuite dans votre bouche en la poussant avec votre pouce. Évitez de mettre vos doigts dans la bouche ou de les lécher. Observer les autres clients vous aidera à comprendre la technique. Si vous en avez plein la main, vous devriez trouver un bol d'eau sur la table pour vous rincer les doigts. Les serveurs continueront à remplir votre assiette jusqu'à

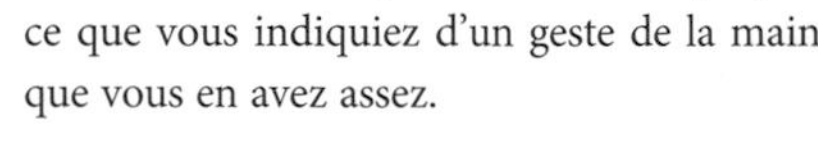

ce que vous indiquiez d'un geste de la main que vous en avez assez.

Succulent poulet tandoori du Punjab
GREG ELMS

PUNJAB

La nourriture simple et saine du Punjab est souvent familière aux Occidentaux, car ses ingrédients de base sont devenus les symboles de la cuisine indienne dans le monde entier. Une pâte à base d'oignon, d'ail et de gingembre est le point de départ de bien des recettes. Piments, tomates, cumin, *garam masala*, feuilles de fenugrec séchées et *kalonji* (une graine noire proche du carvi, aussi appelée "graine d'oignon") viennent la

Fabuleuses douceurs dans la vitrine d'une confiserie, Rajasthan

KAREN TRIST

compléter dans des proportions variables. Le repas principal de la journée se compose de *roti* avec un peu de beurre doux, d'une assiette de dhal et d'un plat de légumes comme le populaire *saag* (à base d'épinards), l'*aloo gobi* (curry de pomme de terre et de chou-fleur), le *baingan bharta* (aubergines grillées sautées avec des oignons et des tomates) ou l'*aloo mattar* (un délicieux curry de pomme de terre et de petit pois). Le *tandoor*, four en argile ouvert sur le dessus sous lequel on place du charbon, fait partie intégrante de la tradition culinaire. Sans lui, pas de *naan* tout chaud ni de kebab. *Sheekh* (brochettes de viande), *tangri* (pilons de poulet farcis), *boti* (morceaux d'agneaux désossés et épicés), *chicken tikka* (morceaux de poulets fondants) et l'omniprésent poulet tandoori sortent tout droit du tandoor.

RAJASTHAN

Des paysages arides du Rajasthan, peu propices aux cultures, naît une cuisine très relevée et inventive. Devant la rareté des légumes, des fruits et des poissons, les céréales, les légumes secs et les produits laitiers sont amplement mis à contribution pour confectionner des plats d'une étonnante finesse. La farine de blé est l'ingrédient des *roti*, *poori* et *paratha*, ainsi que des célèbres *bati* (boulettes de farine complète cuites au four), emblématiques de l'État. Les *churma* (boulettes de farine complète constellées de fruits secs et de sucre) sont le troisième membre de la trilogie classique : *dhal-bati-churma*. Le *besan* (farine de pois chiche), autre ingrédient de base, entre dans la composition d'en-cas salés. Dans les déserts arides de Jaisalmer, de Jodhpur et de Bikaner, l'eau

DÉCOUVRIR LES DOSA

Les *dosa* (aussi prononcé *dosai*) sont de grandes crêpes salées à la farine de riz, de lentille ou de pois chiche, généralement servies avec un bol de *sambar* (soupe de lentilles garnie de morceaux de légumes) chaud et un bol de *chatni* (chutney) rafraîchissant à la noix de coco. Cette spécialité d'Inde du Sud, à l'origine consommée au petit déjeuner, peut se déguster à toute heure de la journée. Le plus apprécié est le *masala dosa* (farci aux pommes de terre épicées), mais on en compte bien d'autres variétés : le *rava dosa* (avec une pâte à base de semoule), le *Mysore dosa* (similaire au *masala dosa*, avec une farce plus riche en légumes et en piment) et le *pessarettu dosa* (avec une pâte à base de dhal de haricot mungo) de l'Andhra Pradesh. Aujourd'hui, cette délicieuse spécialité est servie dans toute l'Inde.

Sur un marché de produits frais, Sikkim
STAEVEN VALLAK

n'est pas utilisée dans la cuisson de la viande : on lui préfère le lait, le lait caillé, la crème et le ghee, employé à profusion. Le *murg ko khaato* (poulet cuit dans une sauce à base de lait caillé), l'*achar murg* (poulet mariné) et le *kacher maas* (viande d'agneau séchée cuite dans les épices) sont les mets classiques de la gastronomie des déserts du Rajasthan.

CACHEMIRE

Beaucoup de Cachemiris se sont installés à Delhi et dans d'autres centres urbains où vous pourrez découvrir leur gastronomie. Celle-ci se caractérise par des mélanges d'épices et des viandes cuites dans du lait caillé ou du lait, ce qui leur donne une coloration blanche et une apparence lisse. Le curry, lorsqu'il est relevé de piment, acquiert une couleur rouge vif. La cuisine cachemirie offre une alléchante variété de recettes végétariennes et à base de viande, avec une préférence pour le mouton (ne manquez pas le délicieux *rogan josh*).

UTTAR PRADESH ET UTTARAKHAND

L'Uttar Pradesh et l'Uttarakhand se caractérisent par la pluralité de leurs traditions culinaires, de la cuisine végétarienne hindoue à l'opulente gastronomie musulmane nabab, en passant par la cuisine simple des zones montagneuses. Les lieux de pèlerinage comme Varanasi sont essentiellement végétariens ; un repas habituel se compose de *phulka* (petits pains farcis), de *dhal chaval* (dhal et riz) et d'un plat de légumes de saison. Lucknow, pendant musulman de Varanasi, est réputé pour sa cuisine nabab et célèbre pour ses kebabs de viande hachée ou reconstituée. Le *shami kebab* (boulettes bouillies faites de viande hachée, de purée de pois chiches et d'épices) est particulièrement apprécié dans l'Uttar Pradesh.

BENGALE-OCCIDENTAL

Gastronomes, les Bengalis considèrent leur cuisine, source de fierté inépuisable, comme le summum du raffinement. Une grande variété de poissons peuple les cours d'eau et les lacs de l'État. On les sert frits, en curry, mélangés à de l'oignon, légèrement mijotés avec des légumes ou en *jhaal*, assaisonnés d'une moutarde très forte. Les confiseries bengalies figurent parmi les meilleures du pays. L'une des plus connues est le savoureux *rasgulla* (boulettes de fromage frais aromatisées à l'eau de rose). Pour en savoir plus sur la cuisine bengalie, voir l'encadré p. 531.

BIHAR

La cuisine du Bihar est admirablement simple et saine. Le *sattu* (farine de pois chiche), économique et nourrissant, entre dans toutes les préparations, des plus basiques aux plus

Un alléchant *thali* aux parfums assamais de Guwahati, dans les États du Nord-Est GREG ELMS

raffinées. Le travailleur emporte son viatique noué dans son *gamchha* (serviette tissée à la main) et le mangera accompagné d'oignon ou de piment ; la maîtresse de maison d'une famille de classe moyenne trempera les *litti* (boulettes de *sattu* épicées cuites au charbon) dans un bol de ghee tiède avant de les servir.

SIKKIM

Comme beaucoup de choses au Sikkim, la cuisine rappelle celle du Tibet et du Népal. Le *thukpa* (une soupe de nouilles nourrissante), les *momo* (raviolis fourrés aux légumes ou à la viande et cuits à la vapeur ou frits) et le *gyakho* (ragoût) sont omniprésents. Côté boissons, le thé au beurre salé se prépare avec le traditionnel *sudah*. Et aucun séjour dans le Sikkim ne saurait être parfait sans goûter au *tongba*, la bière de millet himalayenne.

ÉTATS DU NORD-EST

Les différents États ont des traditions culinaires d'une diversité phénoménale. Chaque communauté possède ses plats typiques. Dans l'Assam, l'acidité est très appréciée et, comme en Thaïlande, on utilise beaucoup le citron vert (fruit et feuilles). Le plat de poisson de l'État est le *tenga*, un ragoût dans lequel le *rohu* (poisson de la famille des

HUMBLE IDLI

Le très simple *idli* est un en-cas traditionnel d'Inde du Sud que l'on rencontre aujourd'hui dans toute l'Inde. Faible en calories, sain et nutritif, c'est une alternative bienvenue aux mets frits, épicés ou pimentés. Les *idli* sont des gâteaux de riz fermenté moelleux, ronds et blancs que l'on trempe dans le *sambar* (sauce épaisse à base de lentilles) ou le *chatni* (chutney) de coco. Le *dahi idli* est un *idli* trempé dans un yaourt très légèrement épicé – un bonheur pour les estomacs sensibles.

DHAL-ICIEUX !

Si les Indiens du Nord et ceux du Sud n'ont pas les mêmes plats de prédilection, tous semblent en revanche partager le même goût pour le dhal (curry de lentilles ou de légumes secs). On peut trouver jusqu'à 60 sortes différentes de légumes secs : les plus communs sont le *channa*, version légèrement plus douce des pois cassés jaunes, le *moong dhal* (haricots mungo), les *masoor* (lentilles rouges), le *tuvar dhal* (lentilles jaunes, aussi baptisées *arhar*), très prisées dans le Sud, les *rajma* (haricots rouges), les *kabuli channa* (pois chiches), l'*urad* (haricots urd ou lentilles) et les *lobhia* (doliques).

carpes) est doré sur un lit d'oignons puis mijoté dans une sauce claire relevée de jus de citron. Les Khasi, qui forment le plus large groupe du Meghalaya, préparent des plats à base de riz comme les *putharo* (crêpes faites avec de la farine de riz), les *pukhen* (gâteaux de riz frits et sucrés) et les *pusla* (gâteaux de riz cuits à la vapeur enveloppés dans des feuilles). À Tripura, la population adore les plats de poisson, frais ou séché – *nona ilish paturi* (morceaux de *hilsa* enveloppés dans une feuille comestible puis frits), *pithali* (ragoût de poisson séché), etc. Les *shidol* (petits poissons d'eau douce fermentés et mis en conserve), typiques du Tripura, se retrouvent dans toutes les cuisines. Le poisson est également roi sur les tables du Manipur, où l'on prépare une conserve appelée *ngari*. Dans le Nagaland, le riz figure au menu de tous les repas. Les habitants ont une prédilection pour le porc et leur cuisine rappelle un peu la cuisine chinoise, par l'emploi des oignons de printemps, de l'ail, du gingembre et du glutamate de sodium. Dans l'Arunachal Pradesh, vous découvrirez de nombreux plats tibétains, dont les *momo*, les *churpee* (bouchées de viande de yak séchée) et le *thukpa* (une copieuse soupe de nouilles).

MADHYA PRADESH

La cuisine du Madhya Pradesh est caractéristique du nord de l'Inde, multiculturel. Dans la ceinture sèche, de Gwalior à Indore, la cuisine dite *malwa* fait beaucoup appel aux céréales et au dhal. Elle contient très peu de légumes mais beaucoup d'huile et de ghee. La capitale, Bhopal, fut longtemps soumise à la loi islamique. Dans les familles musulmanes, on mange du *korma*, du *rizala* (plat de mouton épicé d'une coloration vert-blanc), de l'*ishtu* (ragoût très relevé), des *achar gosht* (célèbres bouchées de viande marinées de Hyderabad) et des kebabs.

GUJARAT

La population du Gujarat est à presque 90% végétarienne, en raison notamment de son importante communauté jaïne (voir p. 69). Le *thali* (voir p. 366), servi au déjeuner et au dîner, est sans conteste le plat le plus équilibré et le plus nourrissant du pays. L'assiette se compose de riz, de *roti*, de crudités (dés de concombre et de tomate) ou de quelques légumes (lamelles de chou ou pousses de soja à la noix de coco râpée), de *raita*, d'un légume sec (des haricots sautés), d'un curry de légumes (pommes de terre et aubergines), de dhal, de *kadhi* (qui ressemble au dhal, mais en plus acide, et est fait avec du lait caillé et du *besan*), d'un *farsan*, de pickles et d'un *mithai (dessert)*. Tous ces éléments sont servis en même temps, mais on prend son temps pour les savourer.

Fêtes indiennes

Pachydermes colorés lors de la fête des éléphants (p. 161), à Jaipur
RICHARD I'ANSON

Qu'il s'agisse de gigantesques défilés avec fanfares, éléphants caparaçonnés et acrobates faisant montre de leur incroyable talent, de minuscules fêtes de village destinées à célébrer la récolte ou l'une des innombrables divinités, les célébrations indiennes sont toujours spectaculaires. Le sous-continent, terre aux multiples influences religieuses – sikhe, jaïne, musulmane et bouddhiste – est le théâtre de fêtes et festivals aussi nombreux que bigarrés, parmi lesquels les fêtes hindoues tiennent le haut du pavé. En effet, avec un panthéon comptant près de 330 millions de divinités, on ne s'étonnera guère de pouvoir assister presque chaque jour à des célébrations, chacune placée sous le signe de rituels particuliers. Au-delà de leur caractère spirituel ou religieux, toutes participent pleinement à l'identité et à la culture indiennes.

Pour plus de détails, reportez-vous au *Calendrier des fêtes* p. 27, aux encadrés *Fêtes et festivals* dans les chapitres régionaux, ainsi qu'à l'encadré *Top 10* (p. 24) où nous avons indiqué nos fêtes préférées.

KUMBH MELA

Agoraphobes, passez votre chemin ! Sur une période de 12 ans, la Kumbh Mela se déroule dans quatre villes différentes (tous les trois ans) du centre et du nord du pays. C'est à la fois la plus grande fête indienne et le plus grand rassemblement religieux du monde. Cette immense fête draine des dizaines de millions de pèlerins, parmi lesquels les *naga* (sadhus ayant fait vœu de nudité) de certains ordres monastiques hindous radicaux. Elle n'appartient à aucune caste ou croyance particulière – les fidèles de toutes les branches de l'hindouisme participent à cette communion de masse et se trempent dans les eaux du Gange, de la Shipra ou de la Godavari.

Naga rassemblés pour la Maha Kumbh Mela, à Allahabad

ANDERS BI

La lutte entre le bien et le mal est à l'origine de la fête. Selon les mythes hindous de la création, les dieux et les démons livrèrent une grande bataille pour un *kumbh* (pichet) contenant le nectar de l'immortalité. Vishnu s'en empara et le fit disparaître, mais, dans son élan, quatre gouttes du nectar tombèrent sur le sol – à Allahabad (p. 440), à Haridwar (p. 476), à Nasik, et à Ujjain (p. 693). Dans chacune de ces villes, les célébrations durent environ six semaines, toutefois, elles ont pour point d'orgue quelques dates jugées propices aux ablutions sacrées, et qui sont en principe au nombre de six. À Allahabad se déroulent les festivités encore plus impressionnantes de la Maha (grande) Kumbh Mela. Chaque ville accueille aussi une Ardh (demie) Mela tous les six ans, ainsi que la Magh Mela, fête annuelle de moindre envergure. Pour plus de précisions, consultez le site Internet www.kumbhamela.net.

Prochaines Kumbh Mela

- **2010** Haridwar (mars-avril)
- **2013** Allahabad (janvier-février)
- **2015** Nasik (août-septembre)
- **2016** Ujjain (avril-mai)

HOLI

Holi est la fête hindouiste la plus endiablée. Elle a lieu le jour de la pleine lune du mois de Phalguna (février-mars). C'est l'occasion pour les hindous de se rapprocher de la nature : ils se débarrassent de leurs habits d'hiver et fêtent dans l'allégresse l'arrivée du printemps. Chacun peint son prochain de couleurs vives : cela va d'une touche de poudre rose sur le visage au véritable déluge d'eau colorée que l'on se lance à pleins seaux. Un conseil : portez de vieux vêtements et soyez prêt à vous faire arroser !

La fête aux mille couleurs de Holi, à Jaipur
CHRISTER FREDRIKSSON

DIWALI

Diwali (Deepavali), plus communément appelée la fête des Lumières, est la fête hindouiste la plus largement répandue dans le pays (et particulièrement en Inde du Nord). Elle se déroule cinq jours durant au mois de Kartika (octobre-novembre). Maisons et commerces sont illuminés de guirlandes clignotantes, et des bougies sont déposées sur les eaux des rivières et des fleuves pour guider le seigneur Rama de retour d'exil. Dans la période qui précède la fête, les maisons et les boutiques sont nettoyées et décorées, parfois même repeintes. Nombre de demeures arborent des *rangoli* (p. 841). Feux de Bengale et pétards sont également à l'honneur. Diwali est une fête très gaie : les gens revêtent leurs plus beaux habits, s'échangent des cadeaux, le tout dans une joyeuse effervescence. Les confiseurs travaillent et vendent beaucoup à cette période car Diwali se distingue entre autres par la distribution de *mithai* (friandises) à tout l'entourage : famille, amis et collègues de travail.

DUSSEHRA

La fête hindouiste de Dussehra en l'honneur de Durga et de Rama – qui ont tous deux vaillamment vaincu les forces du mal – s'étend sur 10 jours pendant le mois d'Asvina (septembre-octobre). Selon les États, elle prend des formes différentes, mais partout, il s'agit de célébrer la victoire du bien sur le mal. D'après la légende, Durga, la Mère éternelle, a été créée lorsque les dieux ont eu besoin d'un être tout-puissant capable de détruire le dieu-démon Mahishasura. Tous les dieux donnèrent alors leurs armes à Durga qui put ainsi vaincre le malin. Dans de nombreux temples à travers tout le pays, Mahishasura est représenté se recroquevillant aux pieds de Durga et de sa monture, un lion (ou un tigre) qui grogne avec férocité. Durga incarne la forme ultime de la beauté féminine et de la force : son sourire songeur et ses grands yeux dégagent une aura maternelle et protectrice, mais ses 10 bras déployés autour d'elle, chacun portant une arme différente, rappellent qu'elle est prête à combattre les forces du mal.

Dans toute l'Inde (sauf au Bengale-Occidental où la fête prend une forme différente que l'on appelle Durga Puja), les gens passent Navaratri (les neuf premières nuits) à pratiquer le culte de Durga. Les fidèles suivent un régime végétarien strict, et beaucoup de gens ne consomment que des friandises et des fruits à cette période. Les festivités font la part belle au foyer et au voisinage. C'est un moment que l'on met à profit pour se rendre visite et échanger des cadeaux. Chaque jour, on confectionne des friandises différentes, que l'on offre d'abord à la divinité, avant de les manger en famille ou de les offrir aux amis. Dans les États comme le Gujarat, des danses endiablées appelées Dandiya se déroulent toute la nuit. Le 10e jour, le jour de Dussehra, on célèbre Durga avec ferveur. Cette date est considérée par les hindous comme placée sous les meilleurs auspices : tout ce qui est entrepris le jour de Dussehra est assuré de réussir.

DURGA PUJA

Au Bengale-Occidental (p. 515), Dussehra prend la forme de la Durga Puja, grand moment de célébration religieuse et de fête. Les réjouissances, durant lesquelles on mange également beaucoup de friandises, durent 10 jours en septembre-octobre. À l'occasion de la Durga Puja, on sert le *bhog,* nourriture cérémonielle d'abord offerte à Durga puis consommée lors d'un grand repas qui rassemble toute la communauté. Le *bhog* se compose de *khichdi* (riz et lentilles légèrement épicés), de beignets d'aubergines et de pommes de terre, de *labda* (mélange

Hindou se préparant à la puja (prière) de Durga Puja, à Kolkata (Calcutta)

RICHARD I'ANSON

épicé de légumes) et d'un *chatni* (chutney) de tomates. Souvent, les habitants de différents quartiers se rassemblent, mettent de l'argent en commun et font sculpter une idole à l'effigie de Durga pour leur localité. C'est l'occasion de repousser les limites de l'art en fabriquant des Durga en tessons de verre colorés, en copeaux de bois, en coquillages et même en bouteilles de plastique. Au terme de neuf jours de festivités et de dévotion, les idoles à l'effigie de Durga sont immergées dans une rivière ou un lac comme le veut la tradition. Les fêtes les plus hautes en couleur de la Durga Puja, au Bengale, commencent généralement le 6e jour. À partir de là, l'essentiel des réjouissances tourne autour du *bhog* partagé par la communauté au déjeuner. Le 8e jour, on sert parfois du *mangsher jhol* (curry de mouton) et des *luchi* (beignets de pâte à choux). Ce jour-là, traditionnellement, on sacrifiait une chèvre en l'honneur de Durga. De nos jours, on se contente d'étêter un bananier.

Les costumes colorés de la fête de Gangaur, à Jaipur

JOHN SONES

GANGAUR

L'une des fêtes les plus populaires du Rajasthan (p. 161), le mois de Gangaur (mars-avril) honore l'amour qui unit Shiva et Parvati. Parvati symbolisant la perfection de la vie conjugale, on considère qu'il est très sage pour les femmes, mariées ou non, de lui rendre un culte à l'occasion de cette fête. Les femmes mariées prient pour leurs époux, et les femmes célibataires prient pour trouver un bon mari. Les gens fabriquent de petites figurines en terre cuite et/ou en bois à l'effigie des deux divinités qui seront ensuite au cœur des célébrations religieuses pendant un mois. La fête atteint généralement son paroxysme les trois derniers jours. On revêt alors les figurines de magnifiques atours, vêtements et bijoux. À Jaipur (p. 162), la capitale du Rajasthan, une effigie de la déesse vêtue d'un costume très élaboré est transportée en palanquin de Tripolia Gate, au City Palace, à travers les rues de la vieille ville. Pendant ce temps, dans les environs de Mount Abu (p. 222), des membres de l'ethnie des Garasia transportent une image de Parvati de village en village, accompagnés de danses et de chants. À Bundi (p. 199), à Kota (p. 203) et à Jhalawar (p. 205), les femmes célibataires cueillent des coquelicots dans les champs et en font de superbes couronnes pour la déesse.

JANMASTAMI

Célébrée au mois de Bhadra (août-septembre), cette fête commémore la naissance du seigneur Krishna, divinité adorée par les hindous de toutes les castes. Souvent représenté comme un charmant joueur de flûte séduisant les *gopi* (jeunes femmes qui traient les vaches), on le considère comme le dieu du Chant et de la Danse. À Mathura (Uttar Pradesh ; p. 431), où il serait né et aurait grandi, cette fête est organisée comme une grande reconstitution historique marquée par le *ras-lila* (représentation servant à rejouer les danses de Krishna avec les *gopi*). Le *naivedya* (friandise à base de riz soufflé, de lait, de lait caillé et de sucre) est l'offrande la plus courante dans les temples. Krishna est aussi appelé Makhan Chor (voleur de beurre) en référence aux larcins qu'il commettait enfant – beurre, lait et lait caillé dans les récipients en terre suspendus à l'extérieur des maisons. Ses espiègleries sont rejouées avec joie aujourd'hui, et ont fourni au cinéma de Bollywood certaines de ses scènes les plus populaires. Traditionnellement, on accroche haut dans les rues des pots emplis de lait caillé et de friandises. Des groupes de jeunes hommes qui se donnent le nom de *gopala* (sortes de cowboys) forment des pyramides humaines pour accéder aux pots qu'ils cassent afin d'en récupérer le contenu. Si ce jour-là il pleut, on considère que c'est de bon augure car d'après la légende, Krishna serait né un jour de déluge. Les fidèles restent éveillés, jeûnant jusqu'à minuit pour célébrer le moment de sa naissance.

RAMADAN ET AÏD EL-FITR

L'islam représente la plus importante minorité religieuse en Inde. Le ramadan (Ramazan), mois de jeûne de l'aube au crépuscule dont les dates varient chaque année puisqu'elles suivent le calendrier lunaire, est évidemment une grande fête. C'est au cours de ce mois, le neuvième du calendrier lunaire, que le Coran aurait été révélé au prophète Mahomet. Le jeûne a entre autres rôles celui d'aider les musulmans à comprendre les souffrances qu'endurent les pauvres. Pendant le ramadan, il est interdit de manger, fumer et boire en journée. On rompt le jeûne à la tombée de la nuit et l'on mange également tôt le matin, avant le lever du soleil. L'aïd el-fitr marque le dernier jour du ramadan (le trentième), et suit l'apparition de la nouvelle lune. La fin du mois de jeûne est l'occasion de grandes réjouissances.

FOIRE AUX CHAMEAUX

Chaque année (octobre-novembre), le Rajasthan accueille la spectaculaire foire aux chameaux de Pushkar – pour plus de précisions, reportez-vous à la p. 195

La foire aux chameaux de Pushkar

ANDREW BAIN

(Suite de la page 364)

Un bon restaurant, un cybercafé et un tour-opérateur fiable pour les treks et les circuits complètent l'offre.

Hotel Beas (carte p. 361 ; ☎ 252832 ; d 500-800 Rs, ste 1 000-1 100 Rs). Bien situé sur la rive en dessous du centre-ville, ce grand hôtel du HPTDC possède des chambres propres et confortables, sans cachet. Mieux vaut réserver en saison, car il est prisé par les groupes.

Himalayan Country House (hors carte p. 359 ; ☎ 252294 ; www.himalayancountryhouse.com ; Old Manali ; s 600 Rs, d 1 200-1 600 Rs). Au bout de la route dans Old Manali, cet hôtel en pierre et bois de 4 étages surplombe les toits d'ardoise du village et les montagnes au loin. Superbement aménagé, il comprend des portes sculptées traditionnelles et des petites chambres lambrissées ouvrant sur des balcons communs.

Hotel Snow View (carte p. 361 ; ☎ 252684 ; www.snowviewhotelmanali.com ; d 1 100-1 200 Rs, f 1 600-1 800 Rs). En plein centre-ville, cet hôtel d'affaires banal offre tout le confort attendu pour ce standing, ainsi qu'un bar-restaurant.

Hotel Kunzam (carte p. 361 ; ☎ 253197 ; The Mall ; d 1 450-1 850 Rs). Parmi les divers hôtels de luxe du HPTDC à Manali, celui-ci est le plus central. Il possède des chambres spacieuses, plutôt élégantes – celles qui se situent à l'arrière sont plus calmes –, et un bon bar-restaurant.

CATÉGORIE SUPÉRIEURE

Les hôtels haut de gamme se concentrent le long de Circuit House Rd, en direction d'Old Manali.

Johnson Hotel (carte p. 361 ; ☎ 253764 ; www.johnsonhotel.in ; Circuit House Rd ; d 1 800-4 500 Rs). Portant le nom d'un propriétaire terrien de l'époque du Raj, cet hôtel raffiné, en bois et pierre, comprend des chambres douillettes, une maisonnette centenaire, un jardin charmant et un excellent restaurant.

Negi's Hotel Mayflower (carte p. 359 ; ☎ 252104 ; www.negismayflower.com ; Club House Rd ; s/d à partir de 2 200/2 500 Rs). Cet imposant chalet agrémenté de balcons renferme de vastes et douillettes chambres lambrissées, dont certaines avec cheminée (bois en supplément). Le jardin et les pelouses invitent à la détente.

Johnson Lodge (carte p. 361 ; ☎ 251523 ; www.johnsonslodge.com ; Circuit House Rd ; d 2 650 Rs, cottage 350 Rs). Construit en bois et pierre dans le style traditionnel de l'Himachal, cet hôtel à plusieurs niveaux possède un intérieur chic et contemporain, avec des chambres claires, élégamment aménagées et dotées de grands lits, et de luxueux bungalows de 2 ou 3 chambres.

Banon Resorts (carte p. 359 ; ☎ 253026 ; www.banonresortsmanali.com ; d 3 500 Rs, cottages à partir de 8 800 Rs). La famille Banon a ouvert la première pension de Manali, qui n'avait sans doute rien à voir avec l'hôtel luxueux qui accueille aujourd'hui les touristes aisés. Les chambres de l'hôtel principal, équipé du chauffage central, sont spacieuses et banales comparées au lobby rutilant. Par contre, les maisonnettes à 2 chambres offrent un luxe et une intimité exceptionnels.

Où se restaurer

Manali compte quelques bons restaurants indiens et internationaux et de nombreux cafés de voyageurs sont installés à Old Manali et Vashisht. La plupart des restaurants servent des truites provenant d'élevages locaux. Sauf mention contraire, les établissements suivants ouvrent de 8h à 22h.

MANALI

Manali Sweets (carte p. 361 ; en-cas à partir de 8 Rs ; à partir de 7h). Le *dhaba* le plus prisé de Manali sert des pâtisseries indiennes, du thé, des samosas et des en-cas végétariens épicés jusque tard le soir.

Cafe Amigos (carte p. 361 ; Circuit House Rd ; plats 40-150 Rs). Ce petit café fiable propose un choix d'enchiladas, de burritos et de nachos, des pizzas, des plats tibétains et chinois et de bons desserts.

Kwality Sher-e-Punjab (carte p. 361 ; The Mall ; plats 30-70 Rs). Cette cafétéria lumineuse offre uniquement des plats végétariens du Punjab et d'Inde du Sud.

Peace Cafe (carte p. 361 ; Siyali Mahadev Market ; plats 45-200 Rs). Au bout d'une ruelle proche de la poste, ce restaurant douillet en étage, tenu par des Tibétains, possède sans doute la carte la plus variée de Manali, des *momo* aux nouilles japonaises et des truites locales à l'agneau de Hong Kong. Service efficace et sympathique.

Chopsticks (carte p. 361 ; The Mall ; plats 60-180 Rs). Rendez-vous le plus populaire auprès des voyageurs à Manali, ce restaurant chinois-tibétain-japonais ne désemplit pas. Il sert également des plats indiens, des truites, de la bière et des vins de fruit. Arrivez tôt en soirée pour obtenir une table.

Mayur (carte p. 361 ; Mission Rd ; plats 70-250 Rs). Prisé par les habitants pour ses excellentes spécialités d'Inde du Nord et du Sud, il comprend un restaurant traditionnel au rez-de-chaussée. À l'étage, le bistrot contemporain propose des plats plus étonnants, comme les croquettes, le poulet Stroganoff ou le "Marmite toast".

Il Forno (carte p. 361 ; Hadimba Rd ; plats 80-200 Rs ; 12h30-22h30). Juché à flanc de colline près du temple d'Hadimba, cet authentique restaurant italien occupe un superbe bâtiment en bois et en pierre de l'Himachal. Pizzas au feu de bois, lasagnes et pâtes sont préparées par un chef originaire de Vérone. Vous pouvez siroter un expresso ou une bière en contemplant la vallée sur la terrasse dans le jardin.

Khyber (carte p. 361 ; The Mall ; plats 80-250 Rs ; 8h-24h). Près du carrefour principal dans le centre de Manali, ce bar-restaurant en étage est idéal pour une bière, un verre de vin de fruits ou de cidre à prix raisonnables. Installez-vous dans l'un des box confortables pour savourer des spécialités punjabies ou afghanes riches en viande, à moins de préférer un plat chinois, occidental ou une truite tandoori.

Johnson's Cafe (carte p. 361 ; Circuit House Rd ; plats 120-350 Rs ; 8h-22h30). Le restaurant du Johnson Hotel est l'un des meilleurs de la ville pour la cuisine britannique et ravira les amateurs de gigot à la menthe, de poulet fumé et de crumble aux figues et aux pommes. Si le bar-restaurant est cosy, la terrasse dans le jardin est plus agréable quand il fait chaud.

OLD MANALI

De nombreux restaurants en plein air proposent du matin au soir les incontournables pizzas, sandwichs avec pain pita, *momo*, crêpes à la banane, tartes aux pommes, etc. Tous ferment à partir de début novembre.

Pizza Olive (carte p. 359 ; plats 80-160 Rs ; 9h-22h). Les effluves du four évoquent incontestablement l'Italie ; et les pâtes et pizzas ne déçoivent pas. Installez-vous dans la salle ou dans le jardin.

Veer Restaurant (carte p. 359 ; ☎ 252710 ; plats 40-120 Rs). Le restaurant détendu de la Veer Guest House possède une bibliothèque, une TV à grand écran et des coussins sur le sol.

Dylan's Toasted & Roasted (carte p. 359 ; www.dylanscoffee.com ; boissons et en-cas 20-70 Rs ; 8h-20h). Dans Old Manali, ce petit café de style bungalow sert de copieux petits-déjeuners, de délicieux desserts, un bon expresso, du thé à la cannelle et des en-cas. L'ambiance décontractée donne envie de s'attarder ; des films sur DVD sont projetés dans une salle attenante.

Restaurants prisés des voyageurs, le Shiva Garden Cafe et le Blue Elephant Café, près de la rivière, servent une cuisine internationale correcte (plats 30-120 Rs).

Où prendre un verre

Les restaurants qui se doublent d'un bar constituent le centre de la vie nocturne et servent pour la plupart de l'alcool. Les innombrables vergers de l'Himachal fournissent pommes, poires, prunes et abricots à foison. Une partie des fruits est fermentée pour obtenir des cidres et des vins de fruits fortement alcoolisés. À Manali, vous pourrez les goûter au Khyber (ci-contre) et au Chopsticks (p. 377). Plus sélects, le Johnson Hotel (p. 377), le Johnson Lodge (p. 377) et le Banon Resort (p. 377) possèdent également des bars plaisants.

La plupart des cafés de voyageurs d'Old Manali servent de la bière, y compris le Lazy Dog Bar & Restaurant en bord de rivière. À Vashisht, le Rainbow Cafe (p. 381) est un rendez-vous prisé.

Achats

D'innombrables boutiques vendent des souvenirs de l'Himachal, du Tibet et du Ladakh elles ouvrent habituellement de 10h à 19h. **Tibet Art Collections** (carte p. 361 ; ☎ 252974 ; NAC Market offre un bon choix. Le **Tibet Emporium** (cart p. 361 ; ☎ 252431 ; The Mall) propose toutes sorte d'objets tibétains et des tee-shirts imprimé de messages en tibétain.

Les châles sont en vente partout. Faite un tour à la coopérative **Bhuttico** (carte p. 361 ☎ 260079 ; The Mall), qui pratique des prix fixe raisonnables et possède une autre boutiqu dans Manu Market. Plusieurs autres coopératives disposent de magasins dans le Mall.

HimCoop (carte p. 361 ; The Mall) est une bonn adresse pour sa vaste sélection de produit biologiques locaux : jus de fruits, confiture fruits secs et pickles.

Depuis/vers Manali

AVION

L'aéroport le plus proche se situe à Bhunta à 50 km au sud de Manali (voir p. 351). Vo pouvez réserver un vol dans les agences c voyages locales ou auprès de **Jagson Airlines** (ca p. 361 ; ☎ 252843 ; www.jagsonairlines.com ; The Mall).

BUS PUBLICS AU DÉPART DE MANALI

Destination	Tarifs (Rs)	Durée (heures)	Départs
Amritsar	290-355	17	14h, 15h30
Dehra Dun	360	16	18h30
Dharamsala	235	10	8h, 18h, 19h
Haridwar	390	17	10h, 12h40
Jammu	260-350	12	14h30, 16h
Shimla	210/280 (ordinaire/deluxe)	10	5/jour

BUS

Dans la gare routière, un **guichet** (carte p. 361 ; ☎252323 ; 5h-19h) effectue les réservations.

Le **HPTDC** (carte p. 361 ; ☎ 252116 ; The Mall) et la **Manali Luxury Coach Owners Association** (carte p. 361 ; ☎ 253816; The Mall) disposent de bus luxueux. Les billets s'achètent dans leurs bureaux ou dans les agences de voyages qui bordent le Mall.

Vallées de Kullu et de la Parvati

Des bus partent pour Kullu toutes les 30 min (37 Rs, 1 heure 30) et continuent vers Mandi (110 Rs, 4 heures) via l'aéroport de Bhuntar (50 Rs, 2 heures). Des bus locaux réguliers desservent Naggar (20 Rs, 1 heure) de 6h à 18h. Pour la vallée de la Parvati, changez à Bhuntar.

Leh

Du 15 juillet au 15 septembre, des bus empruntent la route vertigineuse qui monte vers Leh. Ce trajet de deux jours comprend une étape à Keylong ou à Sarchu. Prévoyez des vêtements chauds et guettez les symptômes du mal des montagnes (voir p. 824).

Des bus publics (585 Rs) partent à 13h et font étape pour la nuit à Keylong. Des bus privés circulent jusqu'à mi-octobre (environ 1 500 Rs) et s'arrêtent à Keylong ou Sarchu.

Lahaul et Spiti

Le Rohtang La, sur la route Manali-Keylong, est normalement ouvert de juin à fin octobre, et le Kunzum La, entre Manali et le Spiti, de juillet à mi-octobre (les dates précises dépendent de l'enneigement).

En saison, des bus réguliers partent pour Keylong entre 4h et 13h (110 Rs, 6 heures).

Pour le Spiti, des bus rallient Kaza (192 Rs, 10 heures) à 5h30 et 6h ; le premier continue jusqu'à Tabo (230 Rs, 13 heures).

Delhi et Chandigarh

Pour Delhi, les services les plus confortables sont les bus quotidiens du HPTDC qui rejoignent l'office du tourisme de l'Himachal dans Janpath, à Delhi. Le bus deluxe part à 17h (615 Rs, 14 heures) et le bus Volvo climatisé à 18h30 (815-990 Rs). Tous deux passent par Chandigarh (385 Rs, 10 heures). Réservez à la billetterie du HPTDC.

Des agences de voyages privées offrent des services similaires pour Paharganj, à Delhi ; assurez-vous de voyager en bus deluxe tout au long du trajet.

Des bus publics partent régulièrement de la gare routière jusqu'au milieu de l'après-midi ; pour Delhi, comptez 405/500/700 Rs en bus ordinaire/deluxe/climatisé.

Autres destinations

En saison, le HPTDC et des compagnies privées offrent des bus pour Shimla (415 Rs, 10 heures) et Dharamsala/McLeod Ganj (450 Rs, 10 heures).

Pour les bus publics au départ de Manali, reportez-vous au tableau ci-contre.

TAXI

La **Him-Aanchal Taxi Operators Union** (carte p. 361 ; ☎252120 ; The Mall) propose des 4x4 collectifs pour Leh (1 000-1 500 Rs, 14 heures) à 14h, de juillet à mi-octobre ; réservez la veille. En saison, des agences de voyages peuvent vous aider à trouver d'autres passagers pour partager la location d'un 4x4. Le prix est le même si vous vous arrêtez à Keylong. Des 4x4 collectifs partent pour Kaza vers 5h (environ 500 Rs). L'excursion au Rohtang La revient à 1 200 Rs.

Quelques exemples de tarifs (aller simple) :

Destination	Tarif (Rs)
Aéroport de Bhuntar	800
Dharamsala	3 400
Kaza	5 000
Keylong	3 500
Kullu	600 (900 via Naggar)
Leh	10 000
Manikaran	1 200
Naggar	400
Solang Nullah	400

Comment circuler

AUTO-RICKSHAW

La course jusqu'à Old Manali ou Vashisht revient à 50 Rs. Si vous ne trouvez pas d'auto-rickshaw dans la rue, rendez-vous au **Hadimba Auto Rickshaw Booking Office** (carte p. 361 ; ☎253366 ; The Mall).

MOTO

De nombreux voyageurs achètent ou louent une moto pour rejoindre le Ladakh ou le Spiti. L'**Enfield Club** (carte p. 359 ; ☎251094 ; Vashisht Rd), près de l'embranchement de Vashisht, répare les Enfield et vend des motos d'occasion.

Plusieurs établissements louent des motos. Assurez-vous que le prix inclut l'assurance en responsabilité civile. Actuellement les prix s'élèvent à 600 Rs par jour pour une Enfield 500 cm^3, 400 Rs pour une Enfield 350 cm^3 et 350 Rs pour une Yamaha, Honda ou Bajaj 100 ou 150 cm^3. Voici quelques loueurs fiables :

Anu Auto Works (carte p. 359 ; ☎ 9816163378 ; Vashisht Rd)

Himalayan Inder motors (carte p. 361 ; ☎ 9816113973 ; Gompa Rd)

Life Adventure Tours (carte p. 361 ; ☎ 253825 ; Diamond Hotel, Model Town Rd)

ENVIRONS DE MANALI

Vashisht

☎ 01902

À 3 km au nord de Manali, dans les hauteurs à l'est de la Beas, Vashisht (carte p. 359) est un village satellite de Manali très apprécié des voyageurs, comme Old Manali de l'autre côté de la rivière. Les touristes indiens viennent essentiellement pour se baigner dans les sources thermales et visiter les temples, tandis que les étrangers apprécient les hébergements bon marché, l'ambiance détendue et la charas. La plupart des pensions ferment pour l'hiver à la fin octobre.

Le village comporte quelques belles maisons anciennes en bois et pierre ornées de sculptures derrière les bains publics et plusieurs temples typiques de l'Himachal dans le centre. Vashisht est beaucoup moins étendu qu'Old Manali – agences de voyages, bureaux de change, restaurants et cybercafés, dont l'**Anand Internet Cafe** (Vashisht Rd ; 30 Rs/h ; ⏲ 8h-22h), jalonnent l'artère unique, à quelques pas les uns des autres.

À VOIR ET À FAIRE

Dédié au sage Vashisht, l'ancien **Vashisht Mandir**, en pierre, abrite des **bains publics** (entrée libre ; ⏲ 5h-21h), avec des bassins séparés pour hommes et pour femmes. Des bains en plein air sont installés un peu plus haut. Le secteur des sources thermales est animé en permanence par des habitants venus laver leur linge ou leur vaisselle. Des temples consacrés à **Shiva** et à **Rama** se dressent à proximité. Au bout du village, un autre Vashisht Mandir de style kinnauri comporte deux étages.

Des agences de voyages organisent des treks et d'autres activités sportives dans la vallée (voir p. 362). L'**Himalayan Extreme Center** (☎ 9816174164 ; www.himalayan-extreme-center.com), un tour-opérateur dynamique, propose de la varappe à Vashisht, Solang et Aleo (900 Rs par jour, équipement compris), du canyoning (900 Rs) et des circuits de ski et de snowboard en altitude de 3 à 5 jours.

Sur le sentier qui descend vers la Beas, le **Shri Hari Yoga Ashram** (☎ 250493 ; ⏲ fermé hiver), coiffé d'un toit orange, offre des cours de yoga pour débutants à 10h et pour initiés à 8h et 16h30 (de 100 à 150 Rs).

OÙ SE LOGER

La plupart des hébergements ferment de fir octobre à avril. Les prix indiqués ci-dessous peuvent doubler en haute saison (avril-juir et septembre-octobre).

Bodh Guest House (☎ 254165 ; s/d sans sdb 100/150 Rs). Rudimentaire et propre, cette pension de 3 étages se niche dans le vieux village, au-dessus du Vashisht Mandir.

Kalptaru Guest House (☎ 253433 ; d 100-150 Rs). Cette grande maison de village ancienne au-dessus du temple, ne manque pas de cachet Elle offre des chambres sommaires, avec vue su le village depuis les étages supérieurs, et l'ea chaude provient des sources thermales.

Dharma Guest House (☎ 252354 ; ch petits budget 150-350 Rs, d 500-1 500 Rs ; 💻). Un chemin escarp au-dessus du temple de Rama conduit à c vaste établissement, qui bénéficie d'une vu superbe sur la vallée. Il propose des chambre pouvant convenir à tous les budgets : simple et propres dans l'aile ancienne ; plus chères mesure que l'on grimpe les étages ; spacieuse et luxueuses dans la nouvelle aile, avec TV balcon et eau chaude.

Sonam Guest House (☎ 251783 ; ch avec/sans s 200/150 Rs). Tenue par une famille sympathiqu cette pension, dans l'artère principale, a charme d'un grenier en pierre et en bois des œuvres du propriétaire ornent les mur Elle comprend 5 chambres sans prétentic et bien tenues, ainsi qu'un salon où l'on peut visionner des films étrangers.

Hotel Brighu (☎ 253414 ; d 300-450 Rs). Ce grand hôtel désuet en pierre et en bois comporte d'immenses balcons en bois donnant sur la vallée et des chambres défraîchies mais propres, avec tapis, eau chaude et TV.

Hotel Surabhi (☎ 252796 ; www.surabhihotel.com ; d 350-1 000 Rs). D'un excellent rapport qualité/prix, ce grand hôtel moderne, dans la rue principale, fait face à la vallée. Les chambres, vastes et propres, disposent toutes d'un balcon avec vue, de la TV et d'eau chaude.

Hotel Arohi (☎ 254421 ; www.arohiecoadventures.com ; d 400-900 Rs ; ✇). Tenu par M. Thakur, un tour-opérateur, alpiniste et randonneur chevronné, l'Arohi offre des chambres standard de catégorie moyenne avec TV, chauffe-eau et vue superbe partout, y compris du restaurant.

OÙ SE RESTAURER

Vashisht compte plusieurs bons cafés et restaurants d'hôtel ; la plupart ferment en novembre pour l'hiver.

Rainbow Cafe (plats 40-110 Rs ; 8h-22h). Rendez-vous prisé en soirée, ce café sur un toit est une institution. Dans une ambiance reggae, il sert des petits-déjeuners, des *momo*, des pâtes au fromage de yak, des pizzas, des *thali*, ainsi que de la bière fraîche. Cybercafé au rez-de-chaussée.

World Peace Cafe (plats 40-100 Rs). Sur le toit de l'Hotel Surabhi, ce café fréquenté offre des coussins sur le sol, des plats italiens, mexicains et israéliens, et la vue sur la chaîne du Dhaulardhar.

Fuji Restaurant (plats 45-60 Rs ; 11h-22h lun-sam). Ce restaurant japonais authentique, sur le toit de la Negi's Paying Guesthouse, après le temple, propose des plats végétariens japonais, notamment des nouilles et une soupe miso.

Freedom Cafe (plats 50-120 Rs). Installé sous une tente, avec un sol en terre battue et vue sur la vallée, il prépare une bonne cuisine internationale – pizzas, plats thaïlandais, mexicains et israéliens.

Parmi d'autres bons restaurants, citons le Blue Heaven Cafe et le Big Fish, qui servent des plats indiens, chinois et occidentaux à partir de 40 Rs.

DEPUIS/VERS VASHISHT

La course en auto-rickshaw entre Vashisht et Manali revient à 50 Rs ; n'espérez pas en trouver un pour revenir à Manali après 19h. À pied, prenez le sentier qui part de l'Himalayan Extreme Center, passe par le Shri Hari Yoga Ashram et descend vers les rives de la Beas. En sens inverse, il commence à 200 m au nord de l'embranchement vers Vashisht.

Trek du col de Hamta

Facilement accessible de Manali, ce trek de 4 ou 5 jours franchit le col de Hamta (4 270 m), dans la chaîne du Pir Panjal. Il commence au village de Prini, sur la route Manali-Naggar desservie par les bus. Mieux vaut choisir un trek organisé car il faut camper en chemin.

De Prini, la piste grimpe à l'ombre de forêts de pins jusqu'à Sethan, puis traverse des prairies jusqu'à Chikha. Un campement près d'une cascade permet de s'acclimater avant d'atteindre le bas du col à Juara. L'ascension exténuante est récompensée par une vue sublime sur les pics enneigés. En redescendant, vous pouvez continuer jusqu'à Chatru ou camper près de la rivière à Shiagouru. De Chatru, des transports routiers rejoignent le Laddakh au nord, le Spiti à l'est et Manali au sud.

Étapes	Itinéraire	Durée (heure)	Distance (km)
1	Prini-Sethan/ Pandu Ropa	5-6	8
2	Sethan/ Pandu Ropa-Juara	4-5	10
3	Juara-Shiagouru via le col de Hamta	7-8	10
4	Shiagouru-Chatru	3-4	8

Solang Nullah

☎ 01902

Au pied d'une longue prairie verdoyante à 13 km au nord de Manali, Solang Nullah est la station de ski favorite de l'Himachal. Avec l'imposant Friendship Peak enneigé en toile de fond, l'endroit est magnifique toute l'année. En été, la prairie est utilisée pour le parapente, la randonnée à pied et à cheval et le zorbing. De janvier à mars, skieurs et snowboarders dévalent des pistes de 1,5 km. Un nouveau télésiège était quasiment achevé lors de notre passage. Un petit remonte-pente fonctionne sur les pistes réservées aux débutants, au-dessus du village.

Des tour-opérateurs de Manali et des hôtels de Solang Nullah proposent des cours de ski et de snowboard et louent les équipements ; comptez 500 Rs par jour, plus 300 Rs pour les remonte-pentes. Des dizaines de cabanons en bois sur la route Solang Nullah-Manali louent des vêtements et du matériel usagés. Les skieurs expérimentés pourront participer à des expéditions en haute altitude à Manali et à Vashisht.

En été, la prairie de Solang Nullah est remplie d'excursionnistes venus pour une promenade à cheval (à partir de 150 Rs) ou en quad (à partir de 500 Rs), ou pour faire du zorbing (à partir de 250 Rs) ou du parapente (à partir de 600 Rs). Les collines alentour offrent de belles balades, comme celle qui mène jusqu'au petit **temple de Shiva**, à 3 km au-dessus du village. Voir l'encadré p. 362 pour plus de détails sur ces activités.

OÙ SE LOGER ET SE RESTAURER

En hiver, l'ambiance de Solang Nullah rappelle les Alpes ; quelques pensions de style chalet disposent de chauffages à gaz ou de poêles à bois (supplément de 150 Rs) et de douches chaudes (à réserver). Le reste de l'année, le village est un paisible point de départ pour des treks aux alentours.

Friendship Hotel (☎ 256010 ; ch 400-500 Rs). Au pied des pistes de ski, cet hôtel accueillant possède des chambres avec tapis, sdb et chauffe-eau. Un poêle réchauffe le salon du rez-de-chaussée.

Snow View Hotel (☎ 256181 ; ch 500 Rs). En contrebas du Friendship Hotel, il offre des prestations similaires : chambres banales et confortables, location de skis et personnel enthousiaste.

Hotel Iceland (☎ 256008 ; www.icelandsolang.com ; ch 800-1 500 Rs ; 💻). Le meilleur hébergement de Solang est tenu par des skieurs et alpinistes expérimentés. L'hôtel d'origine renferme des chambres douillettes et une nouvelle aile, quasiment achevée lors de notre passage, comprend de grandes chambres lambrissées et un bar-restaurant convivial. Location de skis et de snowboard à 450 Rs par jour pour les résidents.

DEPUIS/VERS SOLANG NULLAH

Des bus partent de Manali pour Solang Nullah (13 Rs, 1 heure) à 8h, 9h30, 14h et 16h, et retournent immédiatement. En taxi, comptez 400 Rs. Solang Nullah est à 2 heures de marche d'Old Manali. La neige bloque parfois la route en janvier et février ; il faut alors parcourir 3 km à pied du village de Palchan, sur la nationale.

OUEST DE L'HIMACHAL PRADESH

L'ouest de l'Himachal Pradesh est surtout connu pour abriter le gouvernement tibétain en exil, près de Dharamsala. En continuant plus avant, vous découvrirez la fascinante vallée de Chamba. Consultez le site officiel du district de Kangra, http://hpkangra.nic.in, et celui de la vallée de Chamba, http://hpchamba.nic.in.

DHARAMSALA

☎ 01892 / 19 800 habitants / altitude 1 219 m

Dharamsala doit sa célébrité à la présence du dalaï-lama, mais le gouvernement tibétain en exil est en fait installé un peu plus haut, à Gangchen Kyishong. La bourgade peu attrayante où les bus s'arrêtent est Lower Dharamsala (Dharamsala inférieure), qui abrite la gare routière, un bon musée et l'effervescent Kotwali Bazar. Les voyageurs rejoignent directement la petite ville animée de McLeod Ganj, également appelée Upper Dharamsala (Dharamsala supérieure), ou Bhagsu.

La **State Bank of India** (🕒 10h-16h lun-ven, 10h-13h sam) change les devises et les chèques de voyage. Un DAB est installé à proximité, dans le bazar principal.

À voir

Le **Museum of Kangra Art** (musée de l'Art de Kangra ☎ 224214 ; Indiens/étrangers 10/50 Rs ; 🕒 10h-13h30 et 14h-17h mar-dim), près de la gare routière, présente quelques belles miniatures de l'école de Kangra, des sculptures religieuses, des tissus, des broderies, des armes et des palanquins des rajas de la région.

Où se loger et se restaurer

Quelques hébergements sont pratiques si vous devez prendre un bus tôt le matin.

Hotel Paradise (☎ 224207 ; Kotwali Bazar ; 150-300 Rs). À courte distance au-dessus de la gare routière, il offre des grandes chambres propres avec TV, et eau chaude pour les plus chères. En façade, elles bénéficient de la lumière naturelle.

Kashmir House (☎ 222977 ; d 900-1 000 Rs). Installé dans une ancienne demeure du maharaja du Jammu-et-Cachemire, cet hôtel du HPTDC se situe dans un endroit paisible, sur colline en direction de Gangchen Kyishong. Les chambres immenses jouissent de tout le confort moderne.

Hotel Dhauladhar (☎ 224926 ; ch 1 200-2 000 Rs). Non loin de la gare routière, il propose des chambres confortables mais trop chères, avec belle vue pour certaines. Il comprend également un restaurant et le High Spirits Bar, doté d'une terrasse surplombant la vallée.

Andey's Midtown Restaurant (☎ 222810 ; plats 40-200 Rs ; 🕑 9h30-22h30). Tenu par une famille et très fréquenté, le meilleur restaurant de Dharamsala sert un grand choix de plats indiens, chinois et occidentaux, végétariens ou non, dont de délicieux *thali* et curries, des kebabs et des burgers. Dans le bar au fond, des selles de cheval servent de sièges.

Depuis/vers Dharamsala

AVION

Pour les liaisons aériennes dans la région, reportez-vous p. 393.

BUS

Des minibus font régulièrement la navette entre la gare routière de Dharamsala et McLeod Ganj (9 Rs, 45 min) jusqu'à 19h. Un bus Volvo deluxe part à 20h pour Delhi (785 Rs, 12 heures). Pour les autres destinations, consultez le tableau ci-dessous.

TAXI

De la gare routière, un escalier escarpé conduit à la **station de taxis** (☎ 222105). Des taxis collectifs partent pour McLeod Ganj quand ils sont pleins (9 Rs, 30 min). Pour des circuits d'une journée, comptez 800 Rs pour moins de 80 km et 1 500 Rs au-delà.

Quelques exemples de tarifs (aller simple) :

Destination	Tarif (Rs)
Aéroport de Gaggal	250
Jawalamukhi	700
Kangra	350
Masrur	900
McLeod Ganj	130
Palampur	600

TRAIN

La gare ferroviaire la plus proche est Kangra Mandir, sur la ligne étroite Pathankot-Jogindarnagar – voir p. 396 et l'encadré p. 397. Les réservations pour d'autres destinations au départ de Pathankot s'effectuent auprès du **Rail Reservation Centre** (☎ 226711 ; Hotel Dhauladhar ; 🕑 8h-14h lun-sam).

MCLEOD GANJ

☎ 01892 / altitude 1 770 m

Quand des voyageurs parlent de rejoindre Dharamsala pour voir le dalaï-lama, ils se rendent en réalité à McLeod Ganj. À 4 km au-dessus de Dharamsala, ou 10 km par la route, McLeod Ganj est le siège du gouvernement tibétain en exil et la résidence de Sa Sainteté le 14e dalaï-lama. Aussi prisée par les voyageurs que Manali, la ville compte de nombreux hôtels bon marché, agences de trekking, cybercafés, restaurants et boutiques de souvenirs tibétains. Elle est habitée par

BUS AU DÉPART DE DHARAMSALA

Destination	Tarifs (Rs)	Durée	Départs
Amritsar	150	7 heures	5h
Chamba	150-175	8 heures	6/jour
Dalhousie	140	6 heures	8h40, 12h15
Dehra Dun	325	13 heures	21h
Delhi	290-785	12 heures	11/jour
Gaggal	12	30 min	fréquents
Jammu	135	5 heures	9h45
Jawalamukhi	50	1 heure 30	toutes les heures
Kangra	20	1 heure	fréquents
Kullu	210	9 heures	18h
Manali	250	10 heures	18h
Mandi	125	6 heures	5/jour
Palampur	35	2 heures	fréquents
Pathankot	83	3 heures 30	toutes les heures
Shimla	225	10 heures	9/jour

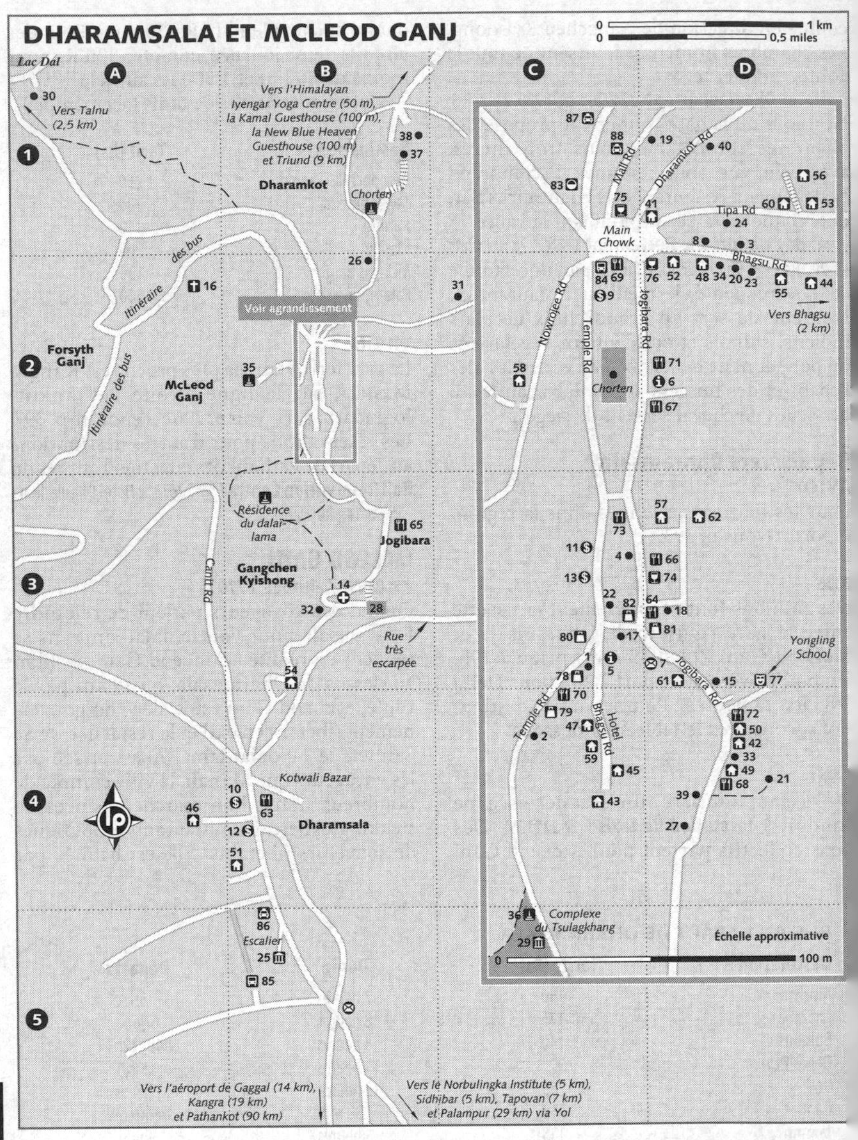

une importante communauté tibétaine, dont beaucoup de réfugiés. Vous verrez de nombreux moines en robe bordeaux, surtout quand le dalaï-lama est présent.

Fondée au milieu des années 1850 en tant que ville de garnison britannique, McLeod (du nom de David McLeod, un lieutenant-gouverneur du Punjab) servit de centre administratif jusqu'au tremblement de ter de 1905. Elle tomba ensuite dans l'oub jusqu'en 1960, quand le dalaï-lama demand l'asile après l'invasion du Tibet par la Chir (voir p. 393).

Depuis, McLeod est devenue un centre d'étu du bouddhisme et de la culture tibétaine, av toutes sortes d'activités holistiques et de cou

RENSEIGNEMENTS
Bookworm.................1 C3
Branch Security Office..........(voir 34)
Destination Travels.................2 C4
Green Cyber Cafe.................(voir 44)
Hills Bookshop.................3 D1
Himachal Travels.................4 C3
Office du tourisme HPTDC.........5 C3
Information Office of Central Tibetan
Administration.................6 D2
Mandala Wifi Coffee House..(voir 70)
Namgyal Bookshop.............(voir 36)
Poste.................7 D3
Potala Tours & Travels.................8 D1
Punjab National Bank.................9 C2
DAB de la SBI.................10 B4
State Bank of India et DAB.........11 C3
State Bank of India et DAB.........12 B4
Thomas Cook.................13 C3
Tibetan Delek Hospital.................14 B3

À VOIR ET À FAIRE
Bhimsen's Cooking Class..........15 D3
Église St John-in-
the-Wilderness.................16 A2
Dr Lobsang Khangkar Memorial
Clinic.................17 C3
Dr Yeshi Dhonden.................18 D3
Eagle's Height Trekkers.................19 D1
Environmental Education
Centre.................20 D2
Gu Chu Sum Movement
Gallery.................(voir 68)
High Point Adventure............(voir 59)
Hope Education Centre............21 D4
Temple de Kalachakra............(voir 36)
Lha.................22 C3
Lhamo's Kitchen.................23 D2
Library of Tibetan Works &
Archives.................(voir 28)
Men-Tsee-Khang Clinic.................24 D1
Men-Tsee-Khang Museum....(voir 32)
Museum of Kangra Art.................25 B5
Namgyal Gompa.................(voir 36)
Nechung Gompa.................(voir 28)
Nisha's Indian Cooking
Course.................(voir 72)
Regional Mountaineering
Centre.................26 B2
Sangye's Kitchen.................27 D4
Secrétariat du gouvernement tibétain
en exil.................28 B3
Tibet Museum.................29 C5
Tibet Museum.................(voir 36)
Tibetan Children's Village..........30 A1
Tibetan Cooking School.........(voir 22)
Tibetan Cultural Museum......(voir 28)
Tibetan Institute of Performing
Arts.................31 C2
Tibetan Medical & Astrological
Institute.................32 B3
Tibetan Universal Massage.......33 D4
Tibetan Welfare Office.................34 D2
Tsechokling Gompa.................35 B2
Complexe du Tsuglagkhang.....36 C5
Tushita Meditation Centre.........37 B1
Universal Yoga Centre...........(voir 77)
Vipassana Meditation Centre....38 B1
VolunteerTibet.................39 D4
Yeti Trekking.................40 D1

OÙ SE LOGER
Asian Plaza Hotel.................41 D1
Cheryton Cottage Guest
House.................42 D4
Chonor House Hotel.................43 C4
Green Hotel.................44 D2
Hotel Bhagsu.................45 C4
Hotel Dhauladhar.................46 A4
Hotel Him Queen.................47 C4
Hotel Him Queen Annexe......(voir 47)
Hotel India House.................48 D2
Hotel Ladies Venture.................49 D4
Hotel Mount View.................50 D4
Hotel Paradise.................51 B4
Hotel Tibet.................52 D2
Kalsang Guest House.................53 D1
Kareri Lodge.................(voir 59)
Kashmir House.................54 B3
Kunga Guesthouse.................55 D2
Loling Guest House.................56 D1
Loseling Guest House.................57 D3
Om Hotel.................58 C2
Pema Thang Guest House........59 C4
Seven Hills Guest House...........60 D1
Takhyil Hotel.................61 D3
Tibetan Ashoka Guest House....62 D3

OÙ SE RESTAURER
Andey's Midtown
Restaurant.................63 B4
Ashoka Restaurant.................64 D3
Cafe Boom Boom.................65 B3
Chocolate Log.................(voir 42)
Gakyi Restaurant.................66 D3
Jimmy's Italian Kitchen.................67 D2
Khana Nirvana.................(voir 79)
Lung Ta.................68 D4
Mandala Wifi Coffee
House.................(voir 70)
McLlo Restaurant.................69 C2
Moonpeak Espresso.................70 C4
Namgyal Cafe.................(voir 36)
Nick's Italian Kitchen.................(voir 55)
Oogo's Cafe Italiano.................(voir 66)
Peace Cafe.................(voir 61)
Snow Lion Restaurant.................71 D2
Taste of India.................72 D4
Tsongkha.................73 C3

OÙ PRENDRE UN VERRE
Aroma.................74 D3
Boutique de spiritueux.................75 C1
X-cite.................76 D2

OÙ SORTIR
Khana Nirvana.................(voir 79)
Tibetan Music Trust.................77 D3

ACHATS
Green Shop.................(voir 20)
Norling Designs.................78 C3
Stitches of Tibet.................79 C4
TCV Handicraft Centre.................80 C3
Tibetan Handicrafts Cooperative
Centre.................81 D3
Tailleurs de la Tibetan Handicrafts
Cooperative.................82 C3

TRANSPORTS
Station des auto-rickshaws.........83 C1
Gare routière et billetterie.........84 C2
Gare routière de Dharamsala....85 B5
Station de taxis de Dharamsala..86 B5
Réservations ferroviaires.........(voir 46)
Jeep collectives pour Dharamsala..87 C1
Station de taxis.................88 C1

Nombre de voyageurs travaillent bénévolement pour des projets concernant les réfugiés.

Prévoyez une veste imperméable car il pleut fréquemment. La plupart des boutiques et bureaux sont fermés le lundi.

Orientation

De la gare routière centrale, Jogibara Rd court au sud vers Gangchen Kyishong et Dharamsala. Temple Rd se dirige au sud vers le monastère de Tsuglagkhang. Bhagsu Rd rejoint Bhagsu à l'est, et Tipa Rd file au nord-est vers le Tibetan Institute of Performing Arts. Dharamkot Rd part au nord en direction de Dharamkot.

La station de taxis se situe dans Mall Rd. Des auto-rickshaws et des Jeep collectives stationnent sur la route nord inférieure qui part vers l'église St John-in-the-Wilderness et le lac Dal.

Renseignements

ACCÈS INTERNET

Les nombreux cybercafés facturent 30 Rs l'heure.

Green Cyber Café (Bhagsu Rd ; 6h-21h30). Au Green Hotel, connexions rapides et accès Wi-Fi.

Mandala Wifi Coffee House (Temple Rd ; 7h-20h). Apportez votre portable et utilisez le Wi-Fi en sirotant un café.

AGENCES DE VOYAGES

Un grand nombre d'agences de voyages réservent les billets de train et de bus et organisent des circuits et des treks.

Destination Travels (☎ 220012 ; www.destinationtravels.co.in ; Temple Rd). Une agence fiable pour les vols intérieurs et internationaux, les transports locaux et les circuits.

Himachal Travels (☎ 221428 ; himachaltravels@sancharnet.in ; Jogibara Rd)

Potala Tours & Travels (☎ 221378 ; Bhagsu Rd)

ARGENT

Plusieurs établissements effectuent des transferts d'argent par Western Union.

Punjab National Bank (Temple Rd ; ⌚ 10h-14h et 15h-16h lun-ven, 10h-13h sam)

State Bank of India (Temple Rd ; ⌚ 10h-16h lun-ven, 10h-13h sam). Possède un DAB international.

Thomas Cook (Temple Rd ; ⌚ 9h30-18h30)

LIBRAIRIES

Bookworm (☎ 221465 ; Hotel Bhagsu Rd ; ⌚ 10h-18h30 mar-dim). La meilleure de la ville.

Hills Bookshop (☎ 220008 ; Bhagsu Rd ; ⌚ 9h-21h). Un grand choix de romans et de guides de voyage.

Namgyal Bookshop (☎ 221492 ; Tsuglagkhang Complex ; ⌚ 9h30-12h et 13h-18h mar-dim). Spécialisée dans les textes bouddhiques.

MEDIAS

Contact (www.contactmag.org), un magazine local gratuit, fournit des renseignements pratiques et des informations sur les cours et le bénévolat.

Le *Tibetan Review* et le *Tibetan Bulletin*, journal officiel du gouvernement en exil, traitent des questions tibétaines.

OFFICES DU TOURISME

Office du tourisme HPTDC (☎ 221205 ; Hotel Bhagsu Rd ; ⌚ 10h-17h, fermé dim juil-août et déc-mars). Cartes, guides et réservations pour les hôtels et les bus HPTDC en Himachal.

Bureau d'information de l'administration centrale tibétaine (Information Office of Central Tibetan Administration ; ☎ 222457 ; www.tibet.net ; Jogibara Rd ; ⌚ 9h-17h30 mar-dim). Informations sur les questions tibétaines.

POSTE

Poste (Jogibara Rd ; ⌚ 9h30-17h lun-ven, 9h30-12h sam, envoi de colis 9h30-13h lun-ven). Poste restante et expédition de colis.

SERVICES MÉDICAUX

L'*amchi*, la médecine tibétaine traditionnell est largement pratiquée à McLeod Ganj voir p. 389.

Tibetan Delek Hospital (☎ 222053 ; Gangchen Kyishong ; consultations 10 Rs ; ⌚ consultations externe 9h-13h et 14h-17h).

À voir

COMPLEXE DU TSUGLAGKHANG

Principal site pour les pèlerins, les moines et l voyageurs, le **Tsuglagkhang** (Chapelle centrale ; Temp Rd ; ⌚ non-résidents 10h-18h) comprend le *photan* (résidence officielle) du dalaï-lama, le Namgy Gompa (monastère), le Tibet Museum et l Tsuglagkhang proprement dit.

Révéré, le Tsuglagkhang équivaut, pou les Tibétains en exil, au temple du Jokhang Lhassa. Consacré à Avalokitesvara (Chenrez en tibétain), le dieu de la Compassion, contient une statue dorée haute de 3 m d Bouddha Sakyamuni, encadrée d'Avalokites vara et de Padmasambhava, l'érudit indien qu introduisit le bouddhisme au Tibet. La statu d'Avalokiteshvara renferme plusieurs relique sauvées du Jokhang durant la Révolutio culturelle chinoise.

À côté du Tsuglagkhang, le **temple d Kalachakra**, construit en 1992, possède d splendides peintures murales du mandal de Kalachakra (la Roue du Temps), spéci fiquement relié à Avalokitesvara, dont l dalaï-lama est une incarnation. Tous le ans, des mandalas en sable sont réalisé le 5e jour du 3e mois tibétain. Les photo sont autorisées dans le Tsuglagkhang, mai pas dans le temple de Kalachakra. Caméras téléphones portables, cigarettes et briquet sont interdits dans le complexe durant le enseignements.

Les autres édifices forment le **Namgyal Gompa** où des moines débattent presque tous le après-midi, ponctuant leurs arguments de pié tinements ou d'applaudissements. La librairi du monastère offre un bon choix de texte bouddhiques. Vous pourrez savourer de gâteaux ou des plats végétariens au Namgya Cafe (p. 391).

Juste après l'entrée principale, le **Tibe Museum** (musée du Tibet ; www.thetibetmuseum.org 5 Rs ; ⌚ 9h-17h) retrace l'histoire tragiqu de l'invasion chinoise et de l'exode de Tibétains à travers des photos, des entretien et des vidéos. Une visite incontournable McLeod Ganj.

Les pèlerins tibétains effectuent un *kora* (tour rituel) du Tsuglagkhang dans le sens des aiguilles d'une montre. À l'entrée du temple, empruntez la route qui descend sur la gauche et suivez le sentier sinueux qui part vers la droite. Il passe par une forêt parsemée de drapeaux de prière avant de rejoindre Temple Rd.

SECRÉTARIAT DU GOUVERNEMENT TIBÉTAIN EN EXIL

Dans les bâtiments du gouvernement à Gangchen Kyishong, la **Library of Tibetan Works & Archives** (bibliothèque des Œuvres et Archives tibétaines ; www.ltwa.net ; Secretariat Complex ; 9h-13h et 14h-17h lun-sam, fermé 2e et 4e sam du mois) conserve des textes tibétains, sauvés lors de la Révolution culturelle. Beaucoup ont été traduits en plusieurs langues. Vous devez devenir membre temporaire (50 Rs par mois) et présenter votre passeport pour accéder à la collection.

À l'étage, un fascinant **musée culturel** (10 Rs ; 9h-13h et 14h-17h lun-sam, fermé 2e et 4e sam du mois) présente des statues, d'anciens objets et livres tibétains, ainsi que de remarquables mandalas en bois et sable en trois dimensions. Ne manquez pas la visite du **Nechung Gompa**, la résidence de l'oracle officiel du Tibet.

INSTITUT MÉDICAL ET ASTROLOGIQUE TIBÉTAIN (MEN-TSEE-KHANG)

À 5 min de marche en dessous du secrétariat, le **Men-Tsee Khang** (☎223113 ; www.men-tsee-khang.org ; Gangchen Kyishong) a été fondé pour perpétuer l'astrologie et la médecine traditionnelle tibétaine (*amchi*). Il comprend une bibliothèque et un centre de formation. Si vous connaissez l'heure exacte de votre naissance, un astrologue pourra établir votre thème astral en anglais.

Le **Men-Tsee Khang Museum** (5 Rs ; 9h-13h et 14h-17h lun-sam) présente une exposition fascinante sur la médecine traditionnelle tibétaine, illustrée par des spécimens conservés et des *thangka*.

TSE CHOKLING GOMPA

Au pied d'un long escalier en dessous de la gare routière, ce paisible monastère fut bâti en 1987 pour remplacer le Dip Tse Chokling Gompa du Tibet, détruit durant la Révolution culturelle. Habité par une petite congrégation de moines gelugpa, sa salle de prière renferme une statue de Sakyamuni, avec une coiffe splendide ornée de joyaux.

AUTRES CURIOSITÉS

Gérée par un organisme caritatif local qui travaille avec d'anciens prisonniers politiques, la **Gu Chu Sum Movement Gallery** (galerie du Mouvement Gu Chu Sum ; Jogibara Rd ; entrée libre ; 14h-17h lun, mer et ven) présente une exposition de photos retraçant l'histoire de l'oppression politique dans le Tibet occupé.

Fondé par le Tibetan Welfare Office, l'**Environmental Educational Centre** (Centre d'éducation à l'environnement ; Bhagsu Rd ; 8h30-19h lun-sam) œuvre pour la sensibilisation aux problèmes environnementaux. Vous pouvez y remplir votre bouteille d'eau. À côté, le Green Shop (voir p. 393) vend du papier artisanal et d'autres produits biologiques.

Près de la rue principale à l'entrée de McLeod, l'**église St John-in-the-Wilderness** possède de beaux vitraux datant de l'époque britannique. Elle ouvre le dimanche matin pour la messe. De nombreuses victimes du séisme de 1905 sont enterrées dans le cimetière voisin.

À faire

MÉDECINES PARALLÈLES, YOGA ET MASSAGE

McLeod Ganj regorge de thérapeutes offrant des soins holistiques et alternatifs, certains honnêtes et d'autres profitant de voyageurs naïfs. Des annonces pour des cours et des soins sont affichées dans toute la ville et publiées dans *Contact*. Renseignez-vous auprès d'autres voyageurs pour trouver un praticien fiable. Voir aussi la rubrique cours p. 388 et 389.

PROMENADES À PIED

Parmi les courtes promenades aux alentours de McLeod Ganj, une balade de 2 km conduit à **Bhagsu**, et une marche de 3 km au nord-est rejoint **Dharamkot** en offrant une vue spectaculaire sur la vallée au sud et les crêtes du Dhauladhar au nord. Vous pouvez également effectuer une boucle de quelques heures en passant par Bhagsu et Dharamkot avant de redescendre vers McLeod.

À 4 km au nord-ouest de McLeod Ganj, Mall Rd mène au paisible **lac Dal** et au **Tibetan Children's Village** (village des enfants tibétains ; ☎221348 ; www.tcv.org.in ; 9h30-17h lun-ven), qui dispense un enseignement gratuit à quelque 2 000 enfants de réfugiés tibétains. Visiteurs et bénévoles sont les bienvenus. Un petit temple hindou borde le lac et on découvre une vue splendide depuis **Naddi**, un peu plus haut.

RENCONTRE AVEC LE DALAÏ-LAMA

Le dalaï-lama accorde des audiences aux réfugiés tibétains, mais son emploi du temps ne lui permet pas de recevoir les étrangers. On peut néanmoins assister à ses enseignements publics à Gangchen Kyishong pendant la mousson (juillet-août), après Losar (le Nouvel An tibétain en février-mars), et à d'autres occasions, selon son agenda. Pour des informations sur ces enseignements et sur le dalaï-lama, consultez le site www.dalailama.com. Pour assister aux conférences, vous devrez vous enregistrer, en présentant votre passeport et deux photos d'identité, au **Branch Security Office** (Bureau de la sécurité ; ☎ 221560 ; www.tibet.com ; Bhagsu Rd ; 🕑 9h-13h et 14h-17h lun-sam, fermé 2e et 4e sam du mois).

Une randonnée prisée de 1 ou 2 jours aller-retour mène à **Triund** (2 900 m), à 9 km de Dharamkot à travers des champs de rochers et des forêts de rhododendrons. Après une nuit dans le simple refuge de Triund, vous pouvez monter jusqu'au glacier à Laka Got (3 350 m), puis revenir à McLeod Ganj. Un itinéraire pittoresque longe la gorge depuis la cascade de Bhagsu. De Triund, un trek conduit à l'**Indrahar La** (4 300 m) et à la vallée de Chamba (p. 397).

TREKKING

De McLeod Ganj, des treks partent pour les vallées de Kullu, de Chamba, du Lahaul et du Spiti. En ville, plusieurs agences les organisent ; comptez de 1 500 à 2 000 Rs par personne et par jour, tout compris. L'itinéraire le plus emprunté franchit l'Indrahar La (4 300 m) dans le Dhauladhar et rejoint Bharmour (p. 403).

Au-dessus de la gare routière sur la route de Dharamkot, le **Regional Mountaineering Centre** (☎ 221787 ; 🕑 10h-17h lun-sam) organise des treks et des activités d'aventure et propose des cours et des expéditions à dates fixes. Il vous fournira une liste de guides et de porteurs agréés.

Autres tour-opérateurs fiables :

Eagle's Height Trekkers (☎ 221097 ; www.trekking.123himachal.com ; Mall Rd). Organise également des circuits d'observation des oiseaux et des safaris en 4x4.

High Point Adventure (☎ 220718 ; www.trek.123himachal.com ; Hotel Bhagsu Rd)

Yeti Trekking (☎ 221060 ; Dharamkot Rd)

Cours

YOGA, MÉDITATION ET PHILOSOPHIE

Plusieurs organismes offrent des cours à long terme de philosophie bouddhiste et de méditation. Des règles strictes imposent le silence et interdisent alcool et tabac.

Himalayan Iyengar Yoga Centre (☎ 221312 ; www.hiyogacentre.com ; Dharamkot Rd ; 🕑 avr-oct). Des stages de 5 jours commencent tous les jeudis (2 500 Rs).

Lha (☎ 220992 ; Temple Rd ; 🕑 10h-17h lun-ven) propose des cours de yoga à 7h30 et à 17h30 (100 Rs le cours) et des formations sérieuses de massage tibétain.

Library of Tibetan Works & Archives (☎ 222467 ; itwa@gov.tibet.net). Dans le complexe de Gangchen Kyishong, des cours de philosophie bouddhiste à 200 Rs par mois, plus 50 Rs d'inscription.

Tushita Meditation Centre (☎ 221866 ; www.tushita.info ; 🕑 inscription 9h30-11h30 et 12h30-16h lun-sam). Près de Dharamkot, il offre des cours externes de 8 jours et des retraites de 10 jours de philosophie bouddhiste, ainsi que des cours pour étudiants confirmés ; consultez le site Internet pour les dates.

Vipassana Meditation Centre (☎ 221309 ; www.sikhara.dhamma.org ; 🕑 inscription 16h-17h lun-sam). À Dharamkot, ce centre organise des retraites de méditation *vipassana* de 10 jours d'avril à novembre.

Universal Yoga Centre (☎ 9418291929 ; www.vijaypoweryoga ; Yongling School, Jogibara Rd) est réputé pour ses cours et stages de yoga.

CUISINE

Les cours de cuisine couvrent un grand éventail de spécialités, des *dosa* (crêpes de farine de lentilles ou de pois chiches) d'Inde du Sud aux *momo* au chocolat. Réservez la veille pour les cours suivants :

Bhimsen's Cooking Class (Jogibara Rd ; cours 200 Rs ; 🕑 11h-13h et 16h-18h). Cuisine du nord et du sud de l'Inde.

Lhamo's Kitchen (☎ 9816468719 ; Bhagsu Rd ; cours 250 Rs, 3 jours 550 Rs ; 🕑 10h-12h et 17h-19h). Cuisine végétarienne tibétaine. Recommandé.

Sangye's Kitchen (☎ 9816164540 ; Jogibara Rd ; cours 250 Rs ; 🕑 11h-13h et 17h-19h dim-ven). Spécialités tibétaines et menu différent chaque jour. Près du monastère Tashi Choeling.

Nisha's Indian Cooking Course (☎ 9318877674 ; www.indiancookingcourse.com ; Taste of India Restaurant, Jogibara Rd ; cours 700 Rs; 🕑 3 après-midi/semaine). Cuisine végétarienne et non-végétarienne d'Inde du Nord.

Tibetan Cooking School (☎ 220992 ; Lha, Temple Rd ; 🕑 inscription 9h-11h). Stages de 3 jours.

TIBÉTAIN

La **Library of Tibetan Works & Archives** (☎222467 ; www.itwa.net ; cours lun-sam), dans le complexe de Gangchen Kyishong, propose des cours de tibétain pour débutants et confirmés à 250 Rs par mois, plus 50 Rs d'inscription.

Lha (☎ 220992 ; Temple Rd ; 10h-17h lun-ven) propose des cours particuliers de tibétain à 100 Rs l'heure.

Plusieurs professeurs indépendants font paraître des annonces dans le magazine *Contact*. **Pema Youton** (☎ 9418603523) a bonne réputation.

MASSAGE

Recommandé, le **Tibetan Universal Massage** (☎9816378307 ; www.tibetanmassage.com ; Jogibara Rd) enseigne le massage tibétain traditionnel. La formation dure cinq après-midi à des dates fixes (1 500 Rs).

Fêtes et festivals

Des spectacles de *lhamo* (opéra tibétain) et de théâtre musical ont lieu pour certaines occasions au **Tibetan Institute of Performing Arts** (TIPA, Institut tibétain du spectacle vivant ; ☎221478 ; www.tibetanarts.org), à l'est de Main Chowk. Chaque année, un **festival d'opéra** se tient du 27 mars au 4 avril et le **festival anniversaire du TIPA** se déroule du 27 au 30 mai.

En décembre ou janvier, Mcleod célèbre **Losar** (Nouvel An tibétain ; voir l'encadré p. 335) avec des processions et des danses masquées dans les monastères. Le dalaï-lama délivre alors un enseignement public. L'anniversaire du dalaï-lama, le 6 juillet, est également l'occasion de festivités.

Du 10 au 12 décembre, McLeod Ganj accueille l'**International Himalayan Festival** (Festival international de l'Himalaya ; voir l'encadré p. 335) pour commémorer l'attribution du prix Nobel de la paix au dalaï-lama ; des troupes de toutes les nations himalayennes présentent des spectacles culturels.

Où se loger

Les hébergements les plus prisés affichent vite complet. S'il existe beaucoup plus d'adresses que celles mentionnées ici, la réservation reste fortement recommandée d'avril à juin et en octobre-novembre.

PETITS BUDGETS

Loseling Guest House (☎221087 ; d 190-250 Rs). Dans la même ruelle que la Tibetan Ashoka Guest House (voir plus bas), cette agréable pension est gérée par un monastère tibétain du Karnataka. Toutes les chambres disposent d'une douche et d'eau chaude.

Hotel Ladies Venture (☎ 221559 ; shantiazad@yahoo.co.in ; Jogibara Rd ; s 200 Rs, d 250-500 Rs). Ce paisible hôtel vert et jaune, entouré de balcons et égayé de fleurs, offre des chambres soignées et une belle vue sur la montagne depuis le toit-terrasse.

Om Hotel (☎ 221313 ; omhotel@hotmail.com ; Nowrojee Rd ; d 275-300 Rs, sans sdb 170-200 Rs). Au bout d'une ruelle en dessous de la gare routière, cet hôtel est tenu par une famille sympathique. Il possède des chambres plaisantes et un restaurant en terrasse, idéal pour admirer le coucher du soleil sur la vallée.

Hotel Mount View (☎ 221382 ; Jogibara Rd ; 300-500 Rs). Des Cachemiris dirigent cet hôtel soigné, dont les chambres en retrait de la rue bénéficient d'une vue sur la vallée depuis les balcons à l'arrière. Les propriétaires gèrent une agence de trek et proposent des circuits à Pahalgam,

L'AMCHI

Pratiquée depuis des siècles, l'*amchi*, la médecine traditionnelle tibétaine, est utilisée pour soigner toutes sortes de maux mineurs et récurrents. McLeod Ganj compte plusieurs dispensaires, dont la **Men-Tsee-Khang Clinic** (☎ 221484 ; Tipa Rd ; 9h-13h et 14h-17h lun-sam, fermée 2e et 4e sam du mois) et la **Dr Lobsang Khangkar Memorial Clinic** (☎ 220811 ; 9h-12h et 14h-17h lun-sam), près de la poste.

Le praticien le plus réputé est l'ancien médecin du dalaï-lama, le **Dr Yeshi Dhonden** (8h-13h), dont le petit dispensaire se tient au bout d'une ruelle proche de Jogibara Rd, après l'Ashoka Restaurant. Il n'est pas nécessaire de prendre rendez-vous ; présentez-vous à 8h pour prendre un jeton et on vous indiquera une heure approximative de consultation. Vous devrez revenir avec un échantillon d'urine qui, avec un bref examen, suffira au médecin pour vous prescrire les comprimés idoines à base de plantes. Nombre d'habitants et d'expatriés ne jurent que par ses traitements.

Pour en savoir plus sur l'*amchi*, visitez le Tibetan Medical & Astrological Institute (Men-Tsee Khang ; p. 387).

au Cachemire ; renseignez-vous sur la sécurité dans la région avant de vous décider.

Green Hotel (☎ 221200 ; www.greenhotel.biz ; Bhagsu Rd ; ch 300-800 Rs, sans sdb 100 Rs ; 💻). Depuis longtemps et toujours l'une des meilleures adresses à petits prix de McLeod, le Green loue des chambres diverses et ensoleillées dans deux bâtiments, dont certaines avec vue sur la vallée et la montagne. Le restaurant et le cybercafé sont très fréquentés ; connexion Wi-Fi.

Tibetan Ashoka Guest House (☎ 221763 ; d avec/sans sdb 350/100 Rs). Près de Jogibara Rd, dans une ruelle proche du chörten (stupa), cette grande pension ensoleillée surplombe la vallée. Malgré ses nombreuses chambres, sans prétention et propres, elle affiche complet en saison.

Kunga Guesthouse (☎ 221180 ; Bhagsu Rd ; d 400 Rs). Au-dessus du Nick's Italian Kitchen, la Kunga possède des chambres bien tenues et prisées.

Takhyil Hotel (☎ 221152 ; Jogibara Rd ; ch 400-500 Rs). Juste au-dessous du *chorten*, cet hôtel tibétain offre une ambiance paisible et des chambres propres avec TV, douche et eau chaude.

De Tipa Rd, une volée de marches grimpe vers la **Kalsang Guest House** (☎ 221709 ; Tipa Rd ; s/d sans sdb 100/150 Rs, d 250-400 Rs). Elle est tenue par des Tibétains et possède une grande terrasse verdoyante en façade et des chambres spartiates et propres. Le même escalier conduit à la **Loling Guest House** (☎ 221072 ; Tipa Rd ; ch avec/sans sdb 200/100 Rs), similaire. En face de Tipa Rd, la **Seven Hills Guest House** (☎ 221949 ; d 300 Rs), un peu plus élégante, comprend un cybercafé et un restaurant.

CATÉGORIES MOYENNE ET SUPÉRIEURE

La plupart des hôtels de catégorie moyenne se situent dans Hotel Bhagsu Rd et offrent une vue panoramique sur la vallée. Quelques-uns sont installés près de la gare routière.

Kareri Lodge (☎ 221132 ; karerihl@hotmail.com ; Hotel Bhagsu Rd ; ch 400-900 Rs ; ❄). Entouré d'hôtels plus haut de gamme, le Kareri compte 5 chambres propres, toutes avec balcon et TV. L'ambiance est détendue et le sympathique gérant organise des treks de qualité.

Hotel Tibet (☎ 221587 ; htdshala@sancharnet.in ; Bhagsu Rd ; ch 550-990 Rs ; ❄). À courte distance de la gare routière, cet établissement offre une ambiance sélecte malgré des prix très raisonnables. Géré par le gouvernement tibétain, il comprend un bon bar-restaurant. Toutes les chambres bénéficient d'eau chaude et d'une TV. Cartes de crédit acceptées.

♥ **Cheryton Cottage Guest House** (☎ 221993 ; tcheryl_89@yahoo.com ; Jogibara Rd ; d 700 Rs, appareil 1 500 Rs). Dans un jardin derrière le Chocolate Log, cette pension est tenue par un ancien pilote de chasse qui fut aussi professeur d'anglais. Elle comporte 4 chambres paisibles et un appartement équipé de 4 pièces à côté. Réservation impérative.

Pema Thang Guest House (☎ 221871 ; www.pemathang.net ; Hotel Bhagsu Rd ; ch 825-1 155 Rs ; ❄). Pension de style tibétain décorée avec goût, elle possède des chambres spacieuses et claires, joliment meublées, et un excellent restaurant. Réservation recommandée.

Hotel Him Queen (☎ 221861 ; www.himqueenhotel.com ; Hotel Bhagsu Rd ; d 800-1 600 Rs, ste à partir de 1 800 Rs ; ❄). Près de l'Hotel Bhagsu, ce grand hôtel d'affaires propose des chambres bien tenues avec vue sur la vallée. Celles de l'annexe sont un peu moins chères.

Hotel Bhagsu (☎ 221091 ; Hotel Bhagsu Rd ; d 900-2 000 Rs ; ❄). Sur la route au-dessus du bazar et de Tsuglagkhang, cet hôtel du HPTDC est prisé pour son ambiance coloniale et le décor attrayant de ses chambres, dont certaines donnent sur la vallée. Réservez en saison.

Hotel India House (☎ 221457 ; www.hotelindiahouse.com ; Bhagsu Rd ; ch 1 320-2 200 Rs ; ❄). Proche de la gare routière, ce rutilant hôtel moderne pratique des prix un peu exagérés. Les chambres deluxe sont agrémentées d'une baignoire et d'un balcon.

Asian Plaza Hotel (☎ 220655 ; www.asianplazahotel.com ; Main Chowk ; d 1 600-2 200 Rs, ste 3 200 Rs). En face de la gare routière, un hôtel d'affaires clinquant qui offre tout le confort attendu à ces prix, mais manque furieusement de caractère.

Chonor House Hotel (☎ 221006 ; www.norbulingka.org ; s/d à partir de 1 900/2 300 Rs, ste 2 800/3 500 Rs ; 💻). Caché dans une allée anonyme près d'Hotel Bhagsu Rd, le Chonor est un véritable joyau. Géré par le Norbulingka Institute (p. 395), il est décoré d'artisanat et de textiles tibétains et chaque chambre décline un thème, des couvre-lits aux peintures murales. À cela s'ajoutent un jardin ravissant, une boutique, un restaurant et un cybercafé. Réservation indispensable.

Où se restaurer

RESTAURANTS

D'innombrables restaurants de voyageurs proposent des cartes similaires : pizzas, pâtes, omelettes, plats indiens et chinois, voire européens ou mexicains. Des étals vendent

BÉNÉVOLAT À MCLEOD GANJ

McLeod Ganj offre plus de possibilités de bénévolat que tout autre endroit de l'Himachal Pradesh. Qu'il s'agisse d'aider des réfugiés tibétains nouvellement arrivés ou de nettoyer l'environnement, les besoins sont nombreux. Des voyageurs participent à des missions de courte durée, comme des cours de conversation en langue étrangère ou le ramassage des détritus. Pour une expérience plus longue, privilégiez les postes qui correspondent à vos capacités. Les organismes ci-dessous pourront vous proposer une mission adaptée. Les bénévoles s'organisent généralement eux-mêmes pour l'hébergement et les repas. De nombreuses organisations en quête de bénévoles publient des annonces dans le magazine gratuit *Contact*, qui recherche lui-même des bénévoles pour la rédaction, la correction ou la maquette du journal.

Volunteer Tibet (☎ 220894 ; www.volunteertibet.org ; Jogibara Rd ; ⌚ 10h-13h30 et 15h-17h lun-ven) propose des placements dans des secteurs demandeurs, comme l'enseignement, l'informatique et les services sociaux. Il privilégie les bénévoles qui peuvent s'investir deux mois ou plus, mais offre aussi des missions courtes.

Le **Lha** (☎ 220992 ; www.lhaindia.org ; Temple Rd ; ⌚ 10h-17h lun-ven) recrute aussi des bénévoles pour divers projets communautaires, dont l'enseignement de l'informatique, du français et de l'anglais. Prévoyez au moins deux semaines pour les postes d'enseignant et un mois ou plus pour des missions plus importantes.

Le **Hope Education Centre** (☎ 9218947689), près de Jogibara Rd, organise des cours de conversation en anglais pour les réfugiés tibétains de 16h30 à 18h du lundi au vendredi. Ils se tiennent souvent de manière informelle au Cafe Oasis et tout le monde peut participer.

Le **Gu Chu Sum** (☎ 220680 ; Jogibara Rd ; ⌚ 9h-17h) offre des cours d'anglais similaires à partir de 18h, du lundi au vendredi, au-dessus du Lung Ta Restaurant.

Le **Tibetan Welfare Office** (☎ 221059 ; Bhagsu Rd ; ⌚ 9h-13h et 14h-17h lun-sam, fermé 2e et 4e sam du mois) vous renseignera sur d'autres possibilités aux alentours de McLeod Ganj, dont la collecte des déchets dans le cadre du Clean Upper Dharamsala Project.

des *momo* et du *tingmo* (pain tibétain cuit à la vapeur) près du chörten et à l'entrée du Tsuglagkhang.

Tsongkha (Jogibara Rd ; plats 20-80 Rs ; ⌚ à partir de 8h). Simple et fréquenté, ce restaurant tibétain comprend une salle et un toit-terrasse donnant sur le chörten et la vallée.

Snow Lion Restaurant (Jogibara Rd ; plats 20-80 Rs ; ⌚ 7h30-21h30). Derrière la Snow Lion Guesthouse, c'est une autre bonne adresse pour les *momo*, la *thukpa* et le *tingmo*.

Green Hotel (Bhagsu Rd ; plats 25-80 Rs ; ⌚ à partir de 6h). Le restaurant de cet hôtel offre une bonne cuisine végétarienne et les petits-déjeuners les plus matinaux de la ville. En prime, un cybercafé et l'accès Wi-Fi.

Peace Cafe (Jogibara Rd ; plats 30-40 Rs). Ce petit café douillet est toujours rempli de moines venus savourer de délicieux *momo*, du *chow chow* (nouilles sautées aux légumes ou à la viande) ou une *thukpa*.

Lung Ta (Jogibara Rd ; plats 30-50 Rs ; ⌚ 12h-20h30 lun-sam). Restaurant végétarien japonais à but non lucratif, il propose un menu différent tous les jours. De nombreux voyageurs japonais apprécient son ambiance et sa cuisine authentiques.

Namgyal Cafe (en-cas 30-80 Rs ; ⌚ 10h-22h mar dim). Dans le Namgyal Gompa, à l'intérieur du Tsuglagkhang (p. 386), ce café sert des pâtisseries et des plats végétariens. Des réfugiés y travaillent pour apprendre le métier.

Gakyi Restaurant (Jogibara Rd ; plats 30-100 Rs). Repaire de voyageurs, il offre de bons petits-déjeuners et l'habituelle carte occidentale et tibétaine.

Oogo's Cafe Italiano (Jogibara Rd ; plats 35-150 Rs). Ce charmant petit café mitonne essentiellement des spécialités italiennes, mais sert aussi des gaufres, des pommes de terre au four, des côtes d'agneau grillées et d'alléchants desserts. L'ambiance chaleureuse et la bibliothèque invitent à la détente.

Taste of India (Jogibara Rd ; plats 50-100 Rs). Avec seulement 5 tables, il est souvent rempli de clients venus déguster des curries d'Inde du Nord, végétariens ou non, ou du poulet tandoori.

Nick's Italian Kitchen (Bhagsu Rd ; repas 50-100 Rs ; ⌚ 7h-21h). Le restaurant de la Kunga Guesthouse sert depuis des années de savoureuses pizzas végétariennes, des pâtes, des gnocchis et de succulents desserts, comme le gâteau au chocolat nappé de chocolat chaud. Installez-vous dans la salle éclairée aux bougies ou en terrasse.

Jimmy's Italian Kitchen (Jogibara Rd ; plats 60-130 Rs). Restaurant italien bien établi, le Jimmy's a récemment déménagé en face du chörten, en étage. Vous vous y régalerez de pizzas authentiques, à moins de préférer l'un des nombreux plats de pâtes.

Ashoka Restaurant (Jogibara Rd ; plats 60-150 Rs ; 12h-22h30). Cet élégant restaurant prépare de bons plats indiens végétariens ou non, tels le mouton korma et le poulet masala. Il comporte également une petite terrasse sur le toit.

McLlo Restaurant (Gare routière ; plats 65-175 Rs ; 10h-22h). Bondé tous les soirs et à juste titre, ce grand restaurant se situe au-dessus de la gare routière et propose une longue carte de plats indiens, chinois et internationaux. C'est aussi un bon endroit pour boire une bière (100 Rs), du cidre ou du vin.

CAFÉS

McLeod se distingue par ses excellents cafés. Plusieurs notamment servent des expressos, cappuccinos et thés à l'anglaise d'une rare qualité.

Chocolate Log (Jogibara Rd ; 25-50 Rs ; 9h30-19h mer-lun). L'une des premières pâtisseries de la ville, elle reste réputée pour ses gâteaux et son café.

Mandala Wifi Coffee House (Temple Rd ; en-cas 25-90 Rs ; 7h-20h). À côté du Moonpeak, le Mandala possède une terrasse encore plus plaisante, idéale pour savourer de délicieux sandwichs ou un café. Wi-Fi gratuit à partir de 100 Rs de consommation.

Moonpeak Espresso (Temple Rd ; cafés et en-cas 30-60 Rs ; 7h-20h). Un café et des gâteaux excellents, des sandwichs originaux et des plats comme le poulet poché avec une sauce à la mangue, au citron vert et à la coriandre.

Khana Nirvana (www.khananirvana.org ; Temple Rd ; repas 35-85 Rs). Au-dessus du Stitches of Tibet, ce café à l'ambiance détendue propose de copieux petits-déjeuners végétariens, des soupes, des salades, des sandwichs, des burritos et du thé biologique. Des animations ont lieu presque tous les soirs (voir ci-dessous).

Cafe Boom Boom (Jogibara Rd ; plats 70-250 Rs ; 8h-20h30 mar-dim). Un peu éloigné, en contrebas de McLeod, ce café exceptionnel mérite le détour. Superbement agencé, il possède un sol en mosaïque, des meubles délicatement sculptés et un immense balcon avec vue. Dans une atmosphère paisible et légèrement excentrique, vous savourerez une excellente pizza ou focaccia, de délicieuses pâtisseries et un bon café.

POUR UNE PLANÈTE SANS PLASTIQUE !

Autour de McLeod Ganj, les bouteilles de plastique jonchent les collines. Elles subsisteront pendant des siècles, avant de se décomposer en une poussière chimique polluante. Si les sacs en plastique sont bannis en Himachal Pradesh, les bouteilles sont toujours présentes. Protégez la nature : faites remplir vos bouteilles vides pour 10 Rs dans l'une des stations d'eau filtrée à McLeod Ganj, comme celles du Lha (p. 388), de l'Environmental Educational Centre (p. 387) et du Green Hotel (p. 390).

Où prendre un verre et sortir

Les bars se regroupent essentiellement autour du principal *chowk* (place) et facturent 100 Rs la grande bouteille de bière. Le McLlo Restaurant (ci-contre) et le X-cite, tous deux dans le quartier de la gare routière, sont les meilleures adresses pour un verre. L'Hotel Tibet (p. 390), l'Hotel India House (p. 390), l'Aroma et l'Hotel Mount View possèdent chacun un bar. Plusieurs petites boutiques de spiritueux, dont une en face de la gare routière, vendent de la bière (60 Rs) et des alcools (à partir de 50 Rs).

Khana Nirvana (www.khananirvana.org ; Temple Rd). Ce café détendu propose presque tous les soirs des manifestations artistiques et des divertissements : “scène ouverte” le lundi, documentaires sur le Tibet le mardi, conférenciers tibétains le dimanche…

Tibetan Music Trust (☎ 9805661031 ; www.tibetanmusictrust.org ; don à l'entrée ; 18h jeu et dim). La Yonglings School, près de Jogibara Rd, offre deux fois par semaine des concerts de musique folklorique tibétaine, avec chants et démonstrations des instruments traditionnels – un excellent spectacle culturel.

Pour les spectacles de *lhamo* (opéra tibétain) et de théâtre musical, reportez-vous à la rubrique *Fêtes et festivals* (p. 389).

Achats

Des dizaines de boutiques et d'échoppes vendent des objets tibétains, dont des *tangkha*,

L'EXIL TIBÉTAIN

Jusqu'en mai 1949, le royaume indépendant du Tibet était gouverné par le dalaï-lama, l'incarnation d'Avalokitesvara, le bodhisattva de la Compassion. Puis l'Armée de libération du peuple chinois entra à Lhassa afin de libérer paisiblement le Tibet. Depuis, on estime à 1,2 million le nombre de Tibétains tués et 90% du patrimoine culturel du Tibet a été détruit.

Face à des persécutions impitoyables, plus de 250 000 Tibétains ont fui leur pays et traversé à pied l'Himalaya pour se réfugier en Inde. Ils sont venus rejoindre Sa Sainteté le 14e dalaï-lama, Tenzin Gyatso, à Dharamsala, profitant du droit d'asile accordé par l'Inde en 1959. Le village de Gangchen Kyishong, en dessous de McLeod Ganj, est aujourd'hui le siège du gouvernement tibétain en exil ; celui-ci s'efforce de défendre les droits des Tibétains opprimés et d'obtenir la libération des prisonniers politiques.

En 2008, les Jeux olympiques de Beijing ont provoqué des manifestations contre l'oppression chinoise dans le monde entier et un soulèvement à l'intérieur du Tibet. Cependant, la situation des réfugiés tibétains en Inde demeure difficile.

Ils gagnent leur vie en travaillant la terre ou dans des manufactures, en vendant des tapis et d'autres objets d'artisanat. Leurs écoles et leurs institutions caritatives ont un besoin crucial de bénévoles désireux de s'impliquer à long terme. Pour plus d'informations, lisez l'encadré p. 391.

des statuettes en bronze, des moulins à prière en métal, des drapeaux de prière, des trompes tibétaines et des chapelets en pierres semi-précieuses. Certains magasins sont gérés par des Tibétains, mais beaucoup appartiennent à des Cachemiris, un peu trop insistants. Plusieurs coopératives proposent des objets similaires, sans faire pression sur les acheteurs.

Tibetan Handicrafts Cooperative Centre (☎ 221415 ; Jogibara Rd ; 8h30-17h lun-sam). Cette coopérative emploie des réfugiés tibétains récemment arrivés pour le tissage des tapis et vous pouvez visiter l'atelier. Comptez environ 6 000 Rs pour un tapis en laine de 90 x 180 cm aux couleurs traditionnelles. De l'autre côté de la rue, des tailleurs réalisent des vêtements sur mesure.

Stitches of Tibet (☎ 221527 ; www.tibetanwomen.org ; Temple Rd ; 10h-17h mar-dim). Cet organisme fait travailler des femmes réfugiées pour la fabrication de vêtements sur mesure.

TCV Handicraft Centre (☎ 221592 ; www.tcvcraft.com ; Temple Rd ; 10h-17h mar-dim). Une grande variété de souvenirs tibétains à prix fixes. Les bénéfices sont reversés au Tibetan Children's Village.

Le **Green Shop** (Bhagsu Rd ; 10h-17h mar-dim) se spécialise dans le papier tibétain fabriqué à la main. **Norling Designs** (Temple Rd ; 10h-17h lun-sam) vend les produits du Norbulingka Institute (p. 395).

Depuis/vers McLeod Ganj

De nombreuses agences de McLeod Ganj effectuent les réservations sur les trains au départ de Pathankot (p. 273) moyennant une commission. Pour les liaisons ferroviaires dans la vallée de Kangra, reportez-vous p. 383.

AVION

L'aéroport le plus proche se situe à Gaggal, à 15 km au sud-ouest de Dharamsala. **Kingfisher** (www.flykingfisher.com) dessert Delhi (à partir de 4 000 Rs, 2 heures 30) tous les jours à 16h. Réservez auprès de Destination Travels (voir *Agences de voyages* p. 386). Un taxi jusqu'à Gaggal revient à 450 Rs (1 heure).

AUTO-RICKSHAW

La station des auto-rickshaws se tient juste au nord de la gare routière. Pratiques pour les destinations proches, ils demandent 30 Rs pour Bhagsu, 40 Rs pour le Tsuglagkhang et 50 Rs pour Dharamkot.

BUS

Toutes les rues partent de la gare routière sur la place principale de McLeod Ganj, où vous pouvez réserver une place dans un bus de l'Himachal Roadways Transport Corporation (HRTC) jusqu'à un mois à l'avance. Des agences de voyages vendent des billets pour les bus deluxe privés qui desservent Delhi (450 Rs, 12 heures, 18h), Manali (450 Rs, 11 heures, 20h30) et d'autres destinations. Des bus longue distance réguliers partent de Dharamsala. Pour plus de détails sur les bus au départ de McLeod Ganj, consultez le tableau p. 384.

BUS AU DÉPART DE MCLEOD GANJ

Destination	Tarif (Rs)	Durée (heures)	Départs
Dehra Dun	325	13	20h
Delhi	325	12	4h, 18h, 19h (ordinaire) ; 16h30, 19h45 (deluxe) ; 19h30 (AC)
Manali	255	11	6h, 6h30,17h
Pathankot	65	4	5/jour

TAXI

La **station de taxis** (☎221034) se trouve dans Mall Rd, au nord de la gare routière. Louer un taxi pour la journée revient à 1 000 Rs jusqu'à 80 km.

Les courts trajets comprennent Gangchen Kyishong (60 Rs), Dharamkot (70 Rs), le Kotwali Bazaar à Dharamsala (140 Rs), la gare routière de Dharamsala (150 Rs), le Norbulingka Institute (300 Rs) et l'aéroport (550 Rs). Comptez 30% de plus pour l'aller-retour. Pour les longues distances, les tarifs sont semblables à ceux pratiqués à la station de taxis de Dharamsala (voir p. 383).

ENVIRONS DE MCLEOD GANJ

Bhagsu et Dharamkot

☎ 01892

Noyés parmi les pins au nord et à l'est de McLeod, ces deux villages peuvent se visiter en une plaisante randonnée d'une demi-journée ou serviront de lieux d'hébergement. Bhagsu (Bhagsunag) se transforme peu à peu en une station estivale fréquentée. Une enclave de routards occidentaux et israéliens se situe au bout du village, mais des hôtels en béton plus sélects commencent à surgir. Le village possède une source fraiche avec des **bains**, un petit **temple de Shiva**, construit par le raja de Kangra au XVIe siècle, et un **temple** tape-à-l'œil, avec un escalier qui traverse les gueules béantes d'un crocodile et d'un lion en ciment. De Bagsu, vous pouvez marcher jusqu'à Dharamkot et revenir à McLeod, ou grimper jusqu'à Triund en passant près d'une **cascade**.

Diverses thérapies alternatives sont proposées dans le quartier des voyageurs. Le **Buddha Hall** (☎ 221171 ; www.buddhahall.com) offre des cours de reiki, de yoga et de musique classique indienne. Bhagsu compte quelques cybercafés et agences de voyages.

OÙ SE LOGER

Bhagsu

Oak View Guesthouse (☎221530 ; d 200-300 Rs). Sur le chemin d'Upper Baghsu, cette pension bien tenue offre des chambres avec eau chaude et TV. Son restaurant animé en façade sert des plats classiques, ainsi que des spécialités thaïlandaises et israéliennes.

Sky Pye Guesthouse (☎ 220497 ; d 250 Rs ; 💻). Un peu plus haut que l'Oak View, le Sky Pye est une autre adresse pour voyageurs d'un bon rapport qualité/prix, qui affiche souvent complet. La terrasse et certaines chambres bénéficient de la vue. La pension comprend un cybercafé et un joli petit restaurant, avec tables basses et coussins au sol.

Quelques d'hôtels de catégorie moyenne se regroupent à l'entrée de Bhagsu. La **Sangam Guesthouse** (☎ 221013 ; www.hotelsangambhagsunag.com ; d 600-1 000 Rs) constitue un bon choix avec ses chambres propres (certaines avec balcon) et son restaurant.

Dharamkot

Bien plus paisible que Bhagsu, Dharamkot compte quelques pensions près de l'Himalayan Iyengar Yoga Centre.

Kamal Guesthouse (☎ 226920 ; d avec/sans sdb 200/75 Rs). Une sympathique pension de 5 chambres avec un toit-terrasse.

New Blue Heaven Guesthouse (☎ 221005 ; www.hotelnewblueheaven.com ; d 350-880 Rs ; 💻). Les chambres impeccables, avec tapis, TV, eau chaude et balcon donnant sur la vallée, en font un bon choix. Celles des étages supérieurs bénéficient d'une meilleure vue.

OÙ SE RESTAURER

Dans Bhagsu, des boulangeries allemandes et des cafés de voyageurs servent des plats tibétains et des spécialités du Moyen-Orient.

Ashoka International Restaurant (plats 30-140 Rs). Installez-vous aux tables classiques ou sur des coussins à même le sol dans cette salle élégante pour déguster une bonne cuisine indienne ou chinoise.

Unity Bistro & Pizza House (plats 35-75 Rs). Plus haut que l'Ashoka dans Upper Bhagsu, ce café animé fréquenté sert des pizzas cuites au feu de bois et des pâtes.

Sidhibari et Tapovan

Le petit village de Sidhibari, à 6 km de Dharamsala, est la résidence d'Ogyen Trinley

Dorje, le 17e Karmapa du bouddhisme tibétain, réfugié en Inde depuis 2000. Bien que son siège officiel soit le monastère de Rumtek au Sikkim, le jeune dirigeant des Kagyu (Bonnet noirs) ne peut l'occuper par crainte de représailles du gouvernement chinois.

Le siège provisoire du Karmapa est le grand **Gyuto Tantric Gompa** (☎ 01892-236637 ; www.kagyuoffice.org), à Sidhibari, où des audiences publiques ont lieu les mercredi et samedi à 14h30. Les étrangers sont bienvenus, mais la sécurité est stricte ; les sacs, téléphones et appareils photo ne sont pas autorisés dans l'auditorium.

Non loin, l'**ashram de Tapovan**, une retraite spirituelle pour les dévots de Rama, comprend un Ram Mandir coloré, un gigantesque lingam noir de Shiva et une statue de Hanuman haute de 6 m.

Des bus locaux circulent régulièrement entre Dharamsala et Sidhibari (5 Rs, 15 min). Comptez 250 Rs aller-retour en taxi. Tapovan est à 2 km de marche au sud par une paisible route de campagne.

Norbulingka Institute

☎ 01892

À 6 km de Dharamsala, le magnifique **Norbulingka Institute** (☎ 246405 ; www.norbulingka.org ; 8h-18h) a été fondé en 1988 pour enseigner et préserver les arts tibétains traditionnels, dont la sculpture sur bois, la réalisation de statues, la peinture de *thangka* et la broderie. L'institut produit des souvenirs ravissants et coûteux, dont la vente bénéficie aux artistes réfugiés. Il comprend un merveilleux **jardin** d'inspiration japonaise et un **temple bouddhique** avec une statue dorée de Sakyamuni haute de 4 m. Près de la boutique, le **Losel Doll Museum** (Indiens/étrangers 5/20 Rs ; 9h-17h30) illustre la vie des Tibétains à l'aide de dioramas de marionnettes. Une courte marche derrière le complexe conduit au **Dolma Ling**, un grand couvent bouddhique.

Dans le splendide jardin du Norbulingka, la **Norling Guest House** (☎ 246406 ; normail@norbulingka.org ; s/d à partir de 1 200/1 500 Rs) offre des chambres féeriques, ornées de peintures murales bouddhiques et d'artisanat, réparties autour d'un atrium ensoleillé. Le Norling Café sert des repas.

À Dharamsala, prenez un bus à destination de Yol et demandez au chauffeur de vous déposer à Sidhpur (5 Rs, 15 min), près de la Sacred Heart School. Le Norbulingka Institute se situe à 15 min de marche. En taxi de Dharamsala, comptez 280 Rs aller-retour.

LE TREK DE MCLEOD GANJ À BHARMOUR

Ce trek de 6 à 7 jours franchit l'Indrahar La (4 300 m) pour rejoindre l'ancien village de Bharmour, dans la vallée de Chamba. Le col est ouvert de septembre à début novembre. Le trek peut s'effectuer dans les deux sens et s'organiser à McLeod Ganj ou à Bharmour.

Depuis McLeod, prenez un auto-rickshaw dans Dharamkot Rd, puis marchez à travers les forêts de pins et de rhododendrons jusqu'à Triund, qui offre un simple refuge. Grimpez ensuite vers le glacier de Laka Got (3 350 m), et continuez jusqu'à la grotte appelée Lahes Cave. En partant de bonne heure le lendemain, vous pouvez franchir l'Indrahar La, admirer la vue spectaculaire, puis descendre jusqu'au campement verdoyant de Chata Parao.

Les étapes jusqu'à Bharmour peuvent être difficiles sans un guide local. De Chata Parao, le sentier revient dans la forêt, puis une descente en 3 jours conduit à Kuarsi, Garola et enfin Bharmour, où vous pouvez emprunter un bus pour Chamba. Vous pouvez aussi raccourcir le trek et prendre un bus à divers endroits du parcours.

Étape	Itinéraire	Durée (heures)	Distance (km)
1	McLeod Ganj à Triund	4-5	9
2	Triund à Lahes Cave	4-5	6
3	Lahes Cave à Chata Parao via l'Indraha La	6-7	11
4	Chata Parao à Kuarsi	5-6	14
5	Kuarsi à Chanauta	6-7	16
6	Chanauta à Garola	5-6	12
7	Garola à Bharmour	5-6	14

SUD-OUEST DE DHARAMSALA

Kangra

☎ 01892 / altitude 734 m

Jadis capitale de la principauté de Kangra, cette ville de pèlerinage animée se visite facilement dans la journée depuis McLeod Ganj. Les hindous se rendent au **temple de Brajeshwari Devi**, l'un des 51 *shakti peetha*, les sanctuaires bâtis sur les sites où tombèrent les parties du corps de Sati, la première épouse de Shiva, après qu'elle eut été consumée par les flammes. Celui-ci marque l'emplacement du sein gauche de la déesse (voir *Histoire*, p. 510, pour plus de détails sur cette légende).

Renommé pour sa richesse, le temple fut pillé par divers envahisseurs, de Mahmud de Ghazni à Jehangir, puis fut détruit par le séisme de 1905 avant d'être reconstruit dans le style d'origine. De l'artère principale, une rue sinueuse, bordée d'échoppes de *prasaad* et de bibelots religieux, grimpe vers le temple.

Le **fort de Kangra** (Nagar Kot ; Indiens/étrangers 5/100 Rs ; 🕒 aube-crépuscule), à l'autre bout de la ville, semble inexpugnable. Bâti au-dessus de la confluence de la Manjhi et de la Banganga, il fut successivement habité par des rajas hindous, des seigneurs moghols et des Britanniques avant d'être ravagé par le séisme de 1905. Par temps clair, les remparts offrent une vue sur les plaines au sud et les montagnes au nord. Dans le fort, un petit **musée** renferme des sculptures en pierre provenant des temples et des miniatures de l'école de Kangra. De la gare routière, comptez 80 Rs en auto-rickshaw.

Dans l'artère principale entre l'escalier menant au temple et la gare routière, le **Royal Hotel & Restaurant** (☎ 265013 ; royalhotel@rediffmail.com ; ch 400-500 Rs) propose des chambres carrelées bien tenues, avec douche et eau chaude, et un restaurant correct.

Pour les repas, vous pouvez essayer les *dhaba* du centre-ville, ou dans le bazar qui monte au Brajeshwari Devi.

DEPUIS/VERS KANGRA

La gare routière de Kangra se tient à 1,5 km au nord du bazar du temple (25 Rs en auto-rickshaw du centre-ville). Des bus fréquents desservent Dharamsala (20 Rs, 1 heure), Palampur (35 Rs, 1 heure 30), Pathankot (70 Rs, 3 heures) et Jawalamukhi (30 Rs, 1 heure 30).

Les trains s'arrêtent à la gare de Kangra Mandir, à 3 km à l'est de la ville, et à la gare de Kangra, à 5 km au sud. Des voyageurs ont eu des difficultés à trouver un auto-rickshaw pour rejoindre la ville dans ces deux gares.

À Kangra, les taxis facturent 200 Rs pour l'aéroport de Gaggal, 350 Rs pour Dharamsala et 500 Rs pour McLeod Ganj, Jawalamukhi ou Masrur.

Masrur

De Gaggal, une route serpente vers le sud-ouest à travers des collines verdoyantes jusqu'aux **temples** (Indiens/étrangers 5/100 Rs ; 🕒 aube-crépuscule) du Xe siècle de Masrur. Bien que très endommagés par le séisme de 1905, ces *sikhara* rappellent les temples hindous d'Angkor, au Cambodge. Grimpez en haut des temples pour la vue sur les montagnes.

Pour rejoindre Masrur, le plus simple consiste à prendre un taxi à Dharamsala (900 Rs aller-retour). Vous pouvez aussi emprunter un bus public de Dharamsala à Lunj (20 Rs, 1 heure 30), puis un taxi pour les derniers kilomètres.

Jawalamukhi

☎ 01970

À 34 km au sud de Kangra se tiennent la ville et le **temple** de Jawalamukhi, la déesse de la Lumière, vénérée sous la forme d'une flamme de gaz naturel sortant des rochers. Ce temple, l'un des 51 *shakti peetha*, marque l'emplacement où serait tombée la langue de Sati (voir *Histoire*, p. 510). Le dôme et la flèche en or furent installés par le maharaja Ranjit Singh, "le Lion du Punjab", qui ne partait jamais au combat sans avoir été béni en ces lieux.

L'**Hotel Jawalaji** (☎ 222280 ; d 600-800 Rs, avec clim 1 300-2 000 Rs ; ❄), un établissement haut de gamme du HTPDC, offre des chambres soignées. Son emplacement est idéal pour marcher jusqu'au temple et dans la campagne environnante.

Des bus pour Dharamsala (50 Rs, 1 heure 30) et Kangra (30 Rs, 1 heure 30) partent toute la journée de l'arrêt situé en contrebas de la route menant au temple. De McLeod Ganj, l'aller/aller-retour en taxi revient à 700/1 000 Rs.

DE DHARAMSALA À MANDI

Palampur

☎ 01894 / altitude 1 249 m

À 30 km au sud-est de Dharamsala, Palampur est une petite ville carrefour entourée de

LE PETIT TRAIN DE KANGRA

Un petit train part lentement vers l'est depuis Pathankot sur des voies étroites, offrant un beau trajet jusqu'à Kangra (2 heures 30), Palampur (4 heures), Baijnath (6 heures 30) et Jogindarnagar (9 heures). Sept trains circulent chaque jour, deux jusqu'à Jogindarnagar, cinq jusqu'à Baijnath. Le billet coûte 27 Rs ou moins, selon la destination. Les compartiments sont bondés et il est impossible de réserver. Arrivez tôt pour obtenir une place près de la fenêtre et profiter de la vue.

plantations de thé et de rizières. Une courte marche conduit à la jolie cascade de **Bundla Chasm**. Vous pouvez aussi passer quelques heures à observer le traitement des feuilles de thé à la **Palampur Tea Cooperative** (☎230220 ; 🕓10h30-12h30 et 13h30-16h30 mar-ven), à 2 km de la ville sur la route de Mandi.

Le **HPTDC Hotel Tea-Bud** (☎231298 ; d 900-2 000 Rs), à 1 km au nord de Main Bazar à la lisière de la ville, possède un grand jardin, un bon restaurant et des chambres spacieuses et bien tenues ; les plus chères sont installées dans une nouvelle aile, mais les anciennes sont très correctes.

La gare routière se situe à 1 km au sud de Main Bazar (20 Rs du centre en auto-rickshaw). Des bus partent toute la journée pour Dharamsala (35 Rs, 2 heures). De Dharamsala, un taxi revient à 600 Rs. Les trains Pathankot-Jogindarnagar font halte à Palampur.

Baijnath

☎01894 / altitude 1 010 m

Importante destination de pèlerinage, la petite ville de Baijnath, à 46 km au sud-est de Dharamsala, se tient sur une crête face à des montagnes. Au centre, le **temple de Baidyanath**, superbement sculpté, date du VIIIe siècle ; il est consacré à Vaidyanath, un avatar de Shiva, dieu des Médecins. Des milliers de pèlerins arrivent pour la **fête de Shivaratri** (voir l'encadré p. 335), fin février-début mars.

La plupart des visiteurs viennent pour la journée, ou font étape à Baijnath entre Mandi et Dharamsala. La ligne ferroviaire Pathankot-Jogindarnagar passe par Paprola, à 1 km à l'ouest de la gare routière.

Tashijong et Taragarh

Le village de Tashijong, à 5 km à l'ouest de Baijnath et à 2 km au nord de la route de Palampur, abrite une petite communauté de réfugiés et de moines de l'école Drukpa Kagyud. La vie s'organise autour de l'imposant **Tashijong Gompa**, qui comporte plusieurs salles de prière ornées de peintures murales, ainsi qu'une coopérative de tapis, de *thangka* et de sculptures sur bois.

À Taragarh, à 2 km au sud de Tashijong, l'extraordinaire **Taragarh Palace** (☎01894-242034, Delhi 011-24692317 ; www.taragarh.com ; ch 4 000-5 500 Rs ; ❄ 🍴) est l'ancien palais d'été du dernier maharaja du Jammu-et-Cachemire. Aujourd'hui transformé en hôtel de luxe, il renferme des portraits de la famille royale des Dogra, une profusion de marbre d'Italie, des lustres en cristal, des peaux de tigre et des meubles opulents. Une piscine et des courts de tennis sont installés dans le parc splendide. Le restaurant sert de somptueux buffets (300-500 Rs).

Les bus qui circulent sur la nationale Mandi-Palampur peuvent vous déposer, sur demande, aux deux localités.

Bir et Billing

À 9 km à l'est de Baijnath, une route sinueuse grimpe jusqu'au village de Bir (1 300 m), une petite communauté tibétaine avec trois paisibles **gompa**, qui accueillent volontiers les visiteurs. Billing (2 600 m) est une piste d'envol réputée pour le parapente et le deltaplane. En 1992, le vol record aller-retour (de 135 km) a eu lieu ici. Des équipes internationales tentent de le battre chaque année en mai lors de l'**Himalayan Hang-Gliding Rally** (voir l'encadré p. 335). Vous devez disposer de votre équipement pour profiter des courants ; renseignez-vous sur place pour les vols en tandem.

Un taxi de McLeod Ganj à Billing revient à 750 Rs. Vous pouvez aussi prendre un bus ou un train jusqu'à Jogindarnagar (sur la route de Mandi), puis un taxi (350 Rs aller-retour).

VALLÉE DE CHAMBA

Séparée de la vallée de Kangra par la chaîne du Dhauladhar et du Cachemire par le Pir Panjal, cette vallée isolée fut pendant des siècles la principauté de Chamba, le plus ancien État du nord de l'Inde. Bien que de bonnes routes relient Chamba à Pathankot et à Kangra, peu de voyageurs viennent jusqu'ici et encore moins s'aventurent au-delà de Dalhousie, une charmante station climatique.

Dalhousie

☎ 01899 / 10 500 habitants / altitude 2 036 m

Avec ses vallées plongeantes couvertes de pins et la vue sur les montagnes au loin, Dalhousie est une autre paisible retraite laissée par les Britanniques. Depuis l'Indépendance, la prestigieuse Dalhousie Public School est venue s'ajouter aux anciennes résidences coloniales et plusieurs hôtels modernes accueillent les jeunes mariés des plaines ; l'inévitable camp militaire complète le tableau. Les promenades et la beauté des vues constituent les principaux intérêts de l'endroit.

Une communauté de réfugiés tibétains s'est installée à Dalhousie. Des **sculptures rupestres** colorées de divinités bouddhistes jalonnent le côté sud de la crête. Datant de l'époque britannique, les églises **St John** et **St Francis**, entourées de pins, se dressent aux deux extrémités de la crête.

ORIENTATION

Si Dalhousie compte peu de rues escarpées, son étendue la rend fatigante. Les quartiers des marchés, Subhash Chowk et Gandhi Chowk, sont reliés par deux rues, Thandi Sarak (Cold Rd) et Garam Sarak (Hot Rd) ; la seconde est plus ensoleillée. Le quartier de la gare routière, avec plusieurs bons hôtels, se situe à 2 km au nord.

Munissez-vous d'une lampe de poche, car les rues sont mal éclairées.

RENSEIGNEMENTS

Au Tibetan Market (marché tibétain) et près de Gandhi Chowk, des cybercafés facturent 40 Rs l'heure.

Office du tourisme HPTDC (☎ 242225 ; 🕑 10h-17h avr-juil, fermé dim août-mars). En face de la gare routière ; le personnel sympathique vous renseignera sur les horaires des bus.

Punjab National Bank (Hospital Rd ; 🕑 10h-16h lun-ven, 10h-13h sam). À 300 m au sud de Subhash Chowk ; change les chèques de voyage de préférence aux espèces.

State Bank of India (🕑 24h/24). DAB qui accepte les cartes internationales, près de la gare routière.

Trek-n-Travels (☎ 242160 ; Tibetan Market). Près de la gare routière ; organise des treks dans la vallée de Chamba à partir de 700 Rs par jour.

OÙ SE LOGER

Dalhousie compte plus de 100 hôtels, répartis sur diverses crêtes et dans des chemins, pour la plupart défraîchis. Les prix doublent et les disponibilités se réduisent durant la haute saison, d'avril à juillet et entre Noël et le Nouvel An. Une mi-saison dure de septembre à fin octobre. Le reste de l'année, attendez-vous à des réductions d'au moins 50%.

Petits budgets

Youth Hostel Dalhousie (☎ 242189 ; yh_dalhousie@rediffmail.com ; dort 60 Rs, ch 200 Rs ; 💻). En face de la gare routière, parcourez 200 m jusqu'au bout d'une petite allée pour arriver à l'auberge de jeunesse de Dalhousie, accueillante et parfaitement tenue. Elle dispose de dortoirs séparés hommes/femmes, de douches avec eau chaude, d'une salle à manger et offre l'accès Internet et le Wi-Fi gratuit. Les chambres doivent être libérées entre 10h et 12h30 pour le ménage. Des groupes scolaires bruyants sont parfois présents. Alcool interdit, couvre-feu à 22h et prix fixes toute l'année.

Hotel Aarti (☎ 242433 ; d 350-500 Rs). Au bout d'une allée près de Garam Sarak, l'Aarti est un établissement sympathique aux chambres sans prétention et propres, avec TV, sdb carrelée et vue sur la vallée.

Hotel Crags (☎ 242124 ; Garam Sarak ; ch 400-700 Rs, cottage 800 Rs). Avec son cachet colonial et une vue splendide, le Crags est le meilleur choix de cette catégorie et baisse ses tarifs de moitié la majeure partie de l'année. De Subhash Chowk, descendez quelques marches au bout de Garam Sarak pour arriver à cette vaste demeure qui possède des chambres immenses et une grande terrasse en façade ; celles du dernier étage, avec salon à l'avant, sont les plus belles. Un cottage équipé est également à disposition.

Catégories moyenne et supérieure

Hotel Ark (☎ 240605 ; www.hotelarkdalhousie.com ; Panchkula Rd ; ch 700-1 600 Rs). Cette folie coloniale, bâtie en 1941, ressemble à un mausolée moghol. Des escaliers en colimaçon conduisent à de faux minarets et à de grandes chambres modernes. Celles des étages supérieurs, avec tapis, sont un peu poussiéreuses ; préférez une chambre carrelée.

Aroma-n-Claire Hotel (☎ 242199 ; Court Rd ; ch 900-1 350 Rs). Semblable à un petit musée,

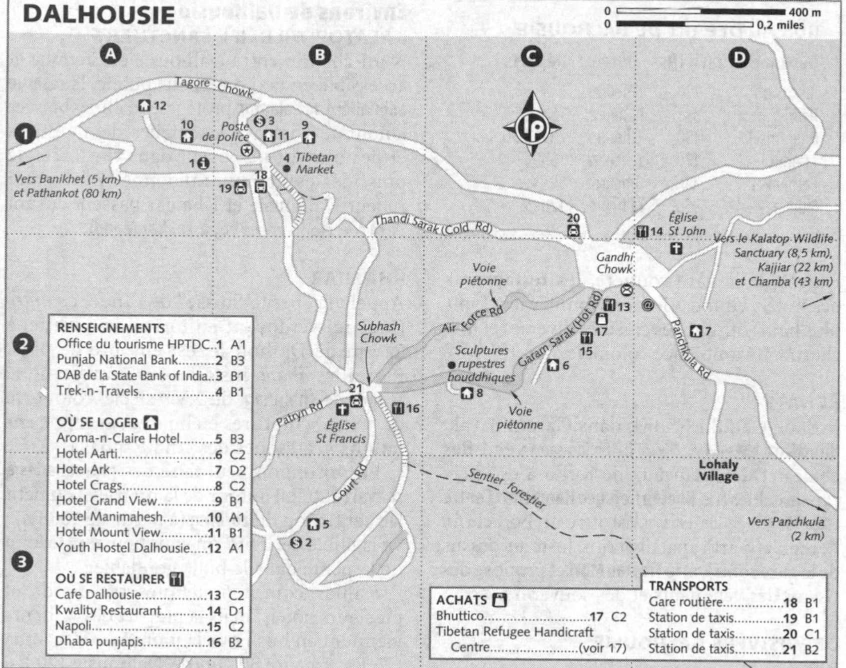

cet hôtel de 1939, en contrebas de Subash Chowk, est rempli de peintures, de sculptures et d'objets hétéroclites. Les chambres, avec TV et réfrigérateur, sont vieillottes mais spacieuses et ouvrent sur le jardin et la vallée. Un bon restaurant complète l'offre.

Hotel Manimahesh (☎ 242793 ; ch 1 500-2 400 Rs). À courte distance à pied de la gare routière, le meilleur des deux hôtels HPTDC semble un peu abandonné, mais toutes ses vastes chambres bénéficient d'une vue sublime sur le Pir Panjal.

Hotel Grand View (☎ 240760 ; www.grandviewdalhousie.in ; d 1 800-2 000 Rs, ste 2 500-4 500 Rs). Moins chic que le Mount View, cet hôtel imposant des années 1920 évoque le Raj avec ses grandes chambres ouvrant sur des vérandas ensoleillées. Le jardin permet d'admirer les pics du Pir Panjal.

Hotel Mount View (☎ 242120 ; www.hotelmountview.com ; Club Rd ; ch 2 000-2 200 Rs, ste 2 800-3 800 Rs). Les boiseries et les meubles d'époque contribuent au charme colonial de cet hôtel ravissant. Il offre des chambres rustiques et douillettes – celle de la suite est mansardée – et une belle vue sur la vallée.

OÙ SE RESTAURER

Des restaurants sont installés dans Subhash Chowk et Gandhi Chowk et ouvrent, pour la plupart, de 9h à 22h. Aucun hôtel de Dalhousie ne sert d'alcool.

Cafe Dalhousie (Gandhi Chowk ; plats 35-120 Rs ; à partir de 8h). En dessous de l'Hotel Dalhousie, ce petit café propose des *dosa* et d'autres en-cas, ainsi que des plats indiens et chinois, tous affichés sur un tableau.

Kwality Restaurant (Gandhi Chowk ; plats 40-160 Rs). Réputé pour la qualité de sa cuisine, le Kwality possède un cadre attrayant et confortable. La longue carte comprend des plats indiens et chinois végétariens ou non, plus des burgers, des pizzas et des grillades.

Napoli (Garam Sarak ; plats 45-200 Rs). À courte distance en contrebas de Ghandi Chowk, le Napoli mitonne de savoureuses spécialités indiennes et chinoises, ainsi que des plats plus originaux comme le poulet à la mexicaine.

Du côté sud de Subhash Chowk, plusieurs *dhaba* punjabis, dont les noms commencent par Sher-E, servent de bons repas pour 70 Rs ou moins.

BUS AU DÉPART DE DALHOUSIE

Destination	Tarif (Rs)	Durée	Départs
Amritsar	120	6 heures	6h
Delhi	335	12 heures	15h
Dharamsala	130	6 heures	7h, 11h50, 14h
Jammu	120	6 heures	10h
Pathankot	60	3 heures	10/jour
Shimla	350	12 heures	12h45

Près de la gare routière, les restaurants des hôtels Grand View et Mount View (voir plus haut) offrent des cuisines diverses et une charmante ambiance coloniale.

ACHATS

Près de Gandhi Chowk dans Garam Sarak, **Bhuttico** (☎240440 ; ⏲ 10h-18h lun-sam) vend des châles et des chapeaux de Kullu à des prix raisonnables et le **Tibetan Refugee Handicraft Centre** (☎240607 ; ⏲ 10h-19h mer-lun) offre un bon choix de tapis et d'artisanat tibétains. Juste au-dessus de la gare routière, le **Tibetan Market** propose des tissus, des vêtements et des souvenirs.

DEPUIS/VERS DALHOUSIE

Bus

La billetterie de la gare routière est fermée en permanence. L'office du tourisme voisin vous renseignera sur les horaires. Pour les services longue distance, prenez n'importe quel bus en direction du sud jusqu'à la gare routière de Banikhet (5 Rs, 10 min), plus importante. Des bus partent le matin pour Chamba (50 Rs, 2 heures) et deux passent par Khajjiar (20 Rs, 1 heure). Banikhet offre des services plus fréquents pour Chamba. Consultez le tableau ci-dessus pour des liaisons directes.

Taxi

Des stations de taxis de syndicats, avec des prix fixes, sont installées dans Subhash Chowk, Gandhi Chowk et à la gare routière. De cette dernière, comptez 50 Rs pour Subhash Chowk et 70 Rs pour Gandhi Chowk. Voici quelques exemples de tarifs (aller simple) :

Destination	Tarif (Rs)
Bharmour	2 050
Chamba	1 020 (1 250 aller-retour)
Dharamsala	1 750
Kalatop	510
Khajjiar	620
Pathankot	1 150

Environs de Dalhousie

KALATOP WILDLIFE SANCTUARY

À mi-chemin entre Dalhousie et Chamba et accessible en taxi ou en bus public, la **réserve animalière de Kalaptop** protège les collines boisées autour de Khajjiar. Des entelles, des muntjacs et des ours bruns vivent dans ces forêts de pins, idéales pour une randonnée. Les bus qui relient Dalhousie et Khajjiar passent devant l'entrée de la réserve, à **Lakkar Mandi**.

KHAJJIAR

Appelé la "petite Suisse" de l'Inde, ce *marg* (prairie) verdoyant en forme de cuvette, à 22 km de Dalhousie, est entouré de pins. Parmi les *dhaba* installés sur un versant, le **temple de Khajjinag**, du XVIe siècle, comporte de belles sculptures en bois et des représentations grotesques des cinq Pandava.

En saison, on peut faire des **promenades à cheval** (100 Rs) autour de la prairie et du petit lac central ou du **zorbing** (à partir de 100 Rs) ; vu la faible déclivité, on vous poussera le long de la pente dans la bulle gonflable !

Kajjiar compte quelques fast-foods et plusieurs hôtels, mais la plupart des visiteurs viennent en bus pour la journée de Chamba (25 Rs, 1 heure 30) ou de Dalhousie (20 Rs, 1 heure) ; les bus desservent Khajjiar environ 5 fois par jour.

Sur place, l'**HPTDC Hotel Davdar** (☎ 236333 ; 1 100-2 000 Rs) constitue la meilleure solution. Les grandes chambres en façade donnent sur la prairie et, de l'autre côté de la route, de jolis bungalows s'agrémentent de larges vérandas, idéales pour se détendre.

Chamba

☎ 01899 / 20 700 habitants / altitude 996 m

Au cœur de la vallée où coule la Ravi, la charmante capitale du district de Chamba est dominée par les anciens palais des maharajas locaux. La principauté de Chamba, fondée en 920 par le raja Sahil Varman, survécut jusqu'à l'arrivée des Britanniques en 1845. Tous les ans depuis 935, Chamba célèbre les moissons lors de la **fête de Minjar** (p. 335), en juillet-août, dédiée à Raghuvira (un avatar de Rama).

Bien que située sur la route de Bharmour dans une région renommée pour le trekking, Chamba demeure en dehors des circuits touristiques et reste plus typique. Le Chowgan, une grande pelouse où se déroulent festivités, matchs de cricket improvisés et pique-niques, marque le centre de la ville. La plupart des sites se nichent dans les ruelles du Dogra Bazar, qui grimpent vers le palais du maharaja.

RENSEIGNEMENTS

Le DAB de la State Bank of India, près du tribunal, accepte les cartes internationales.

Cyberia (30 Rs/h ; 9h-20h lun-sam). Près de l'Hotel Aroma Palace ; connexions ADSL et personnel serviable.

Office du tourisme de l'Himachal (224002 ; Court Rd ; 10h-17h lun-sam). Occupe un bâtiment jaune dans la cour de l'Hotel Iravati ; informations limitées et nombreuses brochures.

Poste (Museum Rd ; 9h30-17h30 lun-sam)

À VOIR ET À FAIRE

Temple de Lakshmi Narayan

En face du palais d'Akhand Chandi, six **sikhara** couverts de sculptures ont été édifiés entre le Xe et le XIXe siècle dans le style des huttes de pierre de l'Himachal. Le plus grand et le plus ancien est dédié à Lakshmi Narayan (Vishnu). Devant, une colonne de style népalais est surmontée d'une statue de Garuda, la monture de Vishnu. Les autres temples sont consacrés à Radha Krishna, Shiva, Gauri Shankar, Triambkeshwar Mahdev et Lakshmi Damodar. Dans le complexe, un petit **musée** (entrée libre ; 11h-17h lun-sam) présente des objets religieux.

Autres temples

Au sommet de la colline qui surplombe le Rang Mahal, le **temple de Chamunda Devi** est accessible par un escalier qui part près de la gare routière, ou en taxi par la route de Jhumar. Ce sanctuaire en pierre comporte d'impressionnantes sculptures de Chamunda Devi (Durga sous son aspect courroucé) et offre une vue superbe sur Chamba et le Dhauladhar. À 500 m au nord sur la route de Saho, le **temple de Bajreshwari Devi** est un beau mandir de style hutte avec de ravissantes effigies de Bajreshwari (une incarnation de Durga) sculptées en bas-reliefs.

Entre les deux temples, un petit sanctuaire est dédié à **Sui Mata**, une princesse qui s'immola pour sauver Chamba d'une terrible sécheresse. Elle est particulièrement vénérée par les femmes ; la **Sui Mata Mela** (p. 335) est célébrée en avril durant quatre jours sur le Chowgan en son honneur.

Près du Chowgan, le **Harirai Mandir**, du XIe siècle, est consacré à Vishnu. Près du palais d'Akhand Chandi, d'autres temples en pierre sont dédiés à **Radha Krishna**, à **Sitaram** (Rama) et à **Champavati**, une fille du raja Sahil Varman, vénérée en tant qu'incarnation de Durga.

Bâtiments anciens

Au-dessus du Chowgan et dominant la ville, le **palais d'Akhand Chandi**, un imposant bâtiment blanc, est l'ancienne demeure du raja de Chamba. Le Durbar Hall (salle des audiences) central, édifié en 1764, rappelle de nombreux édifices publics de Katmandou. Il abrite une université, ouverte aux visiteurs pendant la période scolaire.

À quelques pâtés de maisons au sud-est, le **Rang Mahal** (ancien palais), couleur rouille et semblable à une forteresse, abritait autrefois le grenier et le trésor royaux. Il accueille désormais l'**Himachal Emporium** (222333 ; 10h-17h lun-sam), qui vend les fameux *rumal* de Chamba, des tissus aux broderies de soie si fines que l'on ne peut distinguer l'endroit de l'envers (à partir de 300 Rs).

Bhuri Singh Museum

Ce **musée** (222590 ; Museum Rd ; Indiens/étrangers 10/50 Rs, appareil photo 50 Rs ; 10h-17h mar-dim, fermé 2e sam du mois), fondé en 1908 et portant le nom du seigneur de l'époque, présente une fabuleuse collection de miniatures des écoles de Chamba, Kangra et Basohli, des sculptures sur bois, des armes, des *rumal*, de curieuses inscriptions sur cuivre, des souvenirs des rajas et des dalles de pierre sculptées provenant de fontaines de la région. Légendes détaillées en anglais.

CIRCUITS ORGANISÉS

Près du complexe de Lakshmi Narayan, **Mani Mahesh Travels** (222507, 9816620401 ; manimaheshtravels@yahoo.com) organise des treks avec guides et porteurs dans les contreforts du Pir Panjal et du Dhauladhar (de 1 200 à 1 800 Rs par personne et par jour selon l'altitude), ainsi que des visites des temples de Chamba (à partir de 550 Rs).

OÙ SE LOGER

Contrairement à Dalhousie, Chamba n'est pas une ville touristique et les tarifs des hôtels varient peu selon la saison.

Jimmy's Inn (224748 ; dort 50 Rs, ch 200-400 Rs). En face de la gare routière, cette pension chaulée se niche dans une petite cour, à côté d'une vieille maison à toit d'ardoise. Dotée d'un certain cachet, elle offre des chambres spacieuses avec eau chaude et TV, correctes pour le prix.

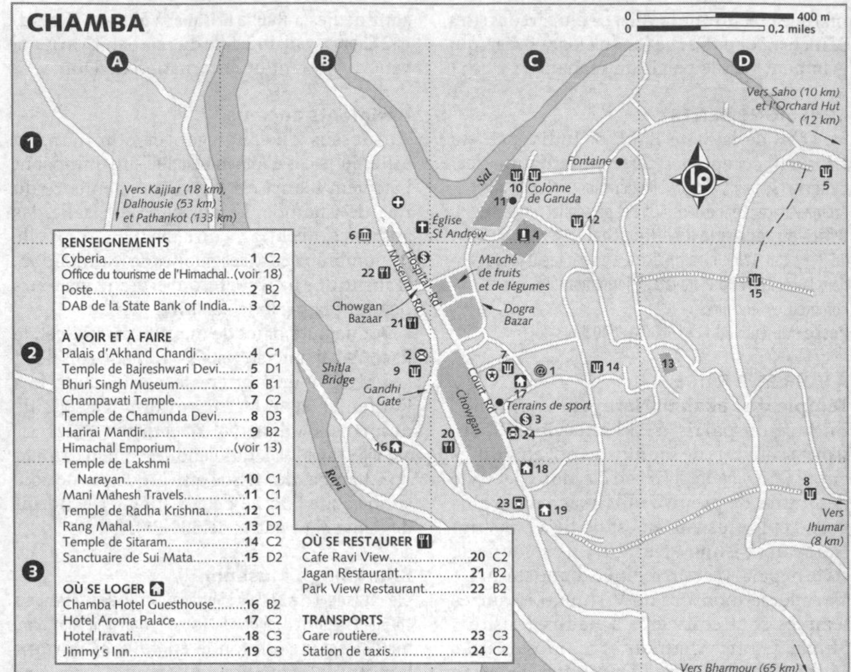

Chamba House Guesthouse (☎ 222564 ; Gopal Nivas ; d 550 Rs). Bonne adresse pour les petits budgets, cette maison ancienne, proche de Gandhi Gate, s'agrémente d'un balcon avec vue sur la Ravi. L'accueil est chaleureux et les chambres pittoresques quoiqu'un peu exiguës.

Hotel Aroma Palace (☎ 225177 ; www.hotelaromapalacechamba.com ; dort 100 Rs, s/d à partir de 400/500 Rs, ch deluxe 800-3 000 Rs ; 💻). Au-dessus de la station de taxis et après le tribunal, cet hôtel moderne possède des chambres propres, un cybercafé, un restaurant et une terrasse ensoleillée donnant sur le Chowgan. Évitez les chambres les moins chères, minuscules ou avec une sdb à l'extérieur.

Hotel Iravati (☎ 222671 ; Court Rd ; d 700-1 500 Rs). Cet établissement du HPTDC propose des chambres impeccables, vastes et lumineuses, et un restaurant au-dessus de la moyenne.

Orchard Hut (☎ 9418020401 ; orchardhut@hotmail.com ; ch 500-850 Rs). À 12 km de Chamba dans la paisible vallée de la Saal, cette sympathique pension de village séduira les amoureux de la nature ; elle prépare des repas sur demande et vous suggérera de belles promenades dans les alentours. Réservez auprès de Mani Mahesh Travels à Chamba (voir plus haut *Circuits organisés*), qui organisera le transfert.

OÙ SE RESTAURER ET PRENDRE UN VERRE

Chamba est réputée pour sa *chukh*, une sauce forte à base de piments rouges et verts, de citron et d'huile de moutarde, servie en accompagnement dans la plupart des restaurants. Les meilleures adresses se regroupent au sud du musée.

Cafe Ravi View (Chowgan ; en-cas 20-45 Rs ; 🕒 9h-21h). Dans une cabane circulaire qui surplombe la Ravi, ce snack-bar du HPTDC vaut pour sa cuisine autant que pour sa terrasse. Il propose un bon choix de plats végétariens indiens et chinois, dont des *dosa* et des *thali* (40 Rs).

Park View Restaurant (Museum Rd ; plats 30-110 Rs ; 🕒 8h-23h). Avec un plafond bas et des meubles branlants, ce petit restaurant en étage ressemble à un grenier. Il est renommé pour sa cuisine, végétarienne ou non ; essayez un riz *jheera* (cumin), servi avec du yaourt et du dhal, ou l'une des sept recettes de poulet (dont une au citron).

Jagan Restaurant (Museum Rd ; plats 30-180 Rs). Ce restaurant standard propose une délicieuse spécialité de Chamba, le *chamba madhra* (haricots rouges avec yaourt et beurre clarifié ; 65 Rs), ainsi que divers curries de légumes et plats de poulet. Au dernier étage, le Madhusala Bar est un endroit sans prétention pour prendre un verre en contemplant la ville à travers des fenêtres sans vitres.

DEPUIS/VERS CHAMBA

Chaque jour, 6 bus empruntent la route vertigineuse de Bharmour (65 Rs, 3 heures), parfois coupée par des chutes de pierres. Des bus partent toutes les 2 heures pour Dalhousie (50 Rs, 2 heures 30), certains via Khajjiar (25 Rs, 1 heure 30). Des bus rallient également Dharamsala (160 Rs, 8 heures).

Parmi les tarifs officiels des taxis, citons Khajjiar (800 Rs aller-retour), Bharmour (1 100/1 250 Rs aller/aller-retour), Dalhousie (900 Rs) et Dharamsala (2 000 Rs).

Bharmour

☎ 01895 / altitude 2 195 m

Une périlleuse route de montagne serpente sur 65 km à l'est de Chamba pour rejoindre Bharmour, perchée au bord d'une vallée apparemment sans fond. Cette charmante bourgade aux toits d'ardoise, dotée de temples sublimes, fut la capitale de la principauté de Chamba jusqu'en 920. Des treks conduisent aux cols environnants et un itinéraire rejoint même McLeod Ganj. Les villages alentour sont habités par des Gaddi, des bergers semi-nomades qui conduisent leurs troupeaux dans les alpages en été et descendent à Kangra, Mandi et Bilaspur en hiver.

À VOIR ET À FAIRE

Traversez le bazar qui s'étend au-dessus de la station des 4x4 pour rejoindre les **temples de Chaurasi**, parmi les plus beaux de l'Himachal. *Sikhara* classique en pierre, avec de larges auvents en ardoise, ces temples shivaïtes dédiés à Shiva sont répartis autour d'une cour pavée, qui fait office de salle de classe en plein air. Les plus beaux édifices du complexe sont le haut **temple de Manimahesh**, du VIe siècle, et le **temple de Lakshna Devi**, trapu et orné d'un porche en bois érodé, superbement sculpté.

L'**Himalayan Travelling Agency** (☎ 225059), près de la HP State Coop Bank dans le bazar, et le **Directorate of Mountaineering & Allied Sports** (☎ 225036), sur la piste au-dessus de la station des 4x4, organisent des treks à partir de Bharmour. Comptez environ 1 200 Rs par jour, guide, porteurs, tentes et nourriture compris. La saison de trekking dure de mai à fin octobre.

Parmi les destinations de treks figurent Keylong et Udaipur au Lahaul, Baijnath et McLeod Ganj dans la vallée de Kangra, et le trek prisé de 3 jours (35 km) au lac sacré de **Manimahesh**, au-dessus de Bharmour. Lors du **Maimahesh Yatra** (p. 335), en août-septembre, des pèlerins se baignent dans l'eau glacée du lac en l'honneur de Shiva.

OÙ SE LOGER ET SE RESTAURER

Chamunda Guest House (☎ 225056 ; ch avec/sans sdb 300/200 Rs). La moins attrayante des pensions de Bharmour, cette maison jaune citron offre des chambres spartiates en ciment avec seau d'eau chaude. N'hésitez pas à négocier les prix. Elle se situe sur la route, en contrebas de la station des 4x4.

Soma Sapan Guesthouse (☎ 225337 ; ch à partir de 200 Rs). Sur la piste qui s'éloigne des temples au-dessus de la station des 4x4, cette pension jaune et mauve propose des chambres correctes, bercées par le bruit d'un torrent. Elle bénéficie d'une vue splendide sur la ville et les montagnes.

Chaurasi Hotel & Restaurant (☎ 225615 ; ch 300-500 Rs, plats 35-160 Rs). Malgré un aspect quelque peu délabré, cet hôtel en briques et en bois sur la route des temples présente un bon rapport qualité/prix. Ses grandes chambres ont une vue dégagée sur la vallée (en particulier celle avec balcon au dernier étage) et son restaurant est le meilleur de Bharmour.

Plusieurs *dhaba* bordent le chemin menant aux temples de Chaurasi.

DEPUIS/VERS BHARMOUR

Des bus entament toutes les quelques heures le trajet accidenté vers Chamba (65 Rs, 3 heures) ; attendez-vous à des retards à cause des glissements de terrain. Les taxis demandent 1 100 Rs, un prix négociable.

LAHAUL ET SPITI

Ce vaste secteur désolé de l'Himachal Pradesh est aussi l'une des régions les moins peuplées au monde. Le Lahaul est une vallée relativement verdoyante au nord du Rohtang La, puis le paysage se transforme en un réseau de vallées fluviales déchiquetées à mesure que l'on avance dans le Spiti à l'est, caché dans l'ombre de l'Himalaya. C'est un territoire de 12 000 km² de montagnes enneigées et de déserts de haute altitude, ponctué de petites taches de verdure et de villages en terre aux murs chaulés, accrochés au-dessus des torrents et des rivières.

Comme au Zanskar et au Ladakh, le bouddhisme est la religion dominante. Le Lahaul compte cependant quelques communautés hindoues et de nombreux temples sont consacrés à des divinités révérées par les bouddhistes et les hindous. Selon la légende, des monastères du Lahaul auraient été fondés par Padmasambhava, le moine indien qui introduisit le bouddhisme au Tibet au VIIIe siècle.

Manali constitue la principale porte du Lahaul et du Spiti. Une nationale, ouverte une partie de l'année, court au nord en franchissant le Rohtang La (3 978 m) jusqu'à Keylong, la capitale du Lahaul, puis continue vers le Ladakh via le Baralacha La (4 950 m) et le Tanglang La (5 328 m). Des routes secondaires partent à l'ouest vers la vallée de Pattan, peu visitée, et à l'est vers le Spiti au-delà du Kunzum La (4 551 m). Un nombre croissant de voyageurs visite le Lahaul et le Spiti au cours du Great Himalayan Circuit, qui relie le Cachemire au Kinnaur. La neige bloque tous les cols en hiver. Le Rohtang La, le Baralacha La et le Tanglang La sont habituellement ouverts de juin à fin octobre, tandis que le Kunzum La est accessible de juillet à octobre. Les dates exactes dépendent de l'enneigement. En dehors de ces périodes, la région est pratiquement coupée du monde ; la seule voie d'accès est l'Hindustan-Tibet Hwy, une route accidentée qui part du Kinnaur.

Pour plus d'informations sur le Lahaul et le Spiti, consultez le site Internet du gouvernement local : http://hplahaulspiti.gov.in.

Losar, le Nouvel An tibétain, est célébré dans tous les villages du Lahaul et Spiti en janvier ou février, selon le calendrier lunaire.

Histoire

Le bouddhisme fut introduit au Lahaul et au Spiti au VIIIe siècle par le moine indien Padmasambhava. Au Xe siècle, le Lahaul supérieur, le Spiti et le Zanskar faisaient partie du vaste royaume de Gugé, dans le Tibet occidental. Au XIe siècle, Ringchen Zangpo, le Grand Traducteur, fonda plusieurs centres d'enseignement bouddhiste dans la vallée de la Spiti, dont celui de Tabo, l'un des plus remarquables monastères bouddhiques d'Inde du Nord.

Après la défaite des rois du Ladakh devant les armées tibéto-mongoles au XVIIIe siècle, la région fut divisée entre diverses puissances. Le Lahaul inférieur fut attribué aux rajas de Chamba, le Lahaul supérieur revint aux rajas de Kullu et le Spiti, géographiquement isolé, devint une partie du Ladakh.

En 1847, les rajas Dogra du Cachemire conquirent le Ladakh et le Spiti, tandis que le Kullu et le Lahaul, intégrés au royaume de Kangra, passaient sous administration britannique ; le Spiti rejoignit le Kangra deux ans plus tard. En dépit des changements de pouvoir, la région conserva des liens étroits avec le Tibet jusqu'à l'invasion chinoise en 1949.

Depuis, la vie cultuelle et religieuse du Spiti a repris de la vigueur, aidée par le travail du gouvernement tibétain en exil à Dharamsala. Les *gompa* du Lahaul et du Spiti ont été rénovés. Par ailleurs, l'argent apporté par le tourisme et l'industrie hydroélectrique améliore les conditions de vie des villages agricoles, bloqués par la neige en hiver.

Climat

Le climat du Lahaul et du Spiti diffère fortement de celui des autres régions de l'Himachal Pradesh. Des précipitations limitées et une altitude moyenne supérieure à 3 000 m assurent des hivers rudes avec des températures qui peuvent descendre en dessous de - 30°C. En été, le thermomètre grimpe rarement au-dessus de 15°C.

La région n'est accessible aux voyageurs que lorsque les cols sont ouverts, de juin ou juillet à fin octobre. Quelle que soit la saison, prévoyez des vêtements très chauds. Consultez l'encadré p. 300 pour des conseils sur le voyage en haute altitude.

LAHAUL

Séparé de la vallée de Kullu par le Rohtang La (3 978 m) et du Spiti par le Kunzum La (4 551 m), le Lahaul est plus vert et plus développé que le Ladakh et le Spiti. Cependant, de nombreux voyageurs le traversent rapidement entre Manali et Leh et manquent tout ce qu'il offre. Keylong, la capitale, constitue une étape facile sur le trajet en bus Leh-Manali. De là, vous pouvez explorer des villages de montagne et des monastères médiévaux encore ignorés des touristes.

Des bus publics relient Manali et Leh de mi-juillet à mi-septembre ; les bus privés et les 4x4 collectifs circulent jusqu'à mi-octobre. Keylong reste desservie jusqu'à la fermeture du Rohtang La, en novembre. Les bus pour Kaza, à l'est, s'arrêtent en octobre, quand le Kunzum La est fermé. En fin de saison, renseignez-vous sur l'état des routes avant de partir ; une fois la neige arrivée, vous serez bloqué pour l'hiver !

De Manali à Keylong

De Manali, la route de Leh file vers le nord le long de la vallée de la Beas, monte doucement à travers des forêts de pins et grimpe en lacets les pentes rocheuses en dessous du **Rohtang La** (3 978 m) enneigé. Le nom du col signifie littéralement "tas de cadavres", en référence aux centaines de voyageurs morts de froid au fil des siècles. De nombreux touristes indiens font l'excursion d'une journée de Manali au Rohtang La pour voir la neige, et font une halte aux *dhaba* de **Marhi** et du col pour se réchauffer avec un thé et des *aloo paratha* (pain plat aux pommes de terre). Au col, remarquez le petit temple en forme de coupole qui marque la source de la Beas.

De l'autre côté du col, la route plonge dans la verdoyante **vallée du Lahaul**, un paysage d'éperons rocheux et de prairies. À 66 km au nord-ouest de Manali, l'embranchement vers le Spiti part du hameau de **Gramphu**. Il se résume à un rustique *dhaba* en pierre au bord d'un cours d'eau, où l'on attend le bus pour Kaza en provenance de Keylong.

Khoksar, à 5 km au nord-ouest de Gramphu, compte plusieurs *dhaba* et un poste de police où les étrangers doivent présenter leurs passeports. La route longe une vallée encaissée, encadrée de parois rocheuses et de langues glaciaires. Une cascade spectaculaire fait face au petit village de **Sissu**, où vous pourrez passer la nuit à la PWD Rest House.

Gondla, 18 km avant Keylong, est connu pour son fort de 8 étages, construit avec des couches alternées de bois et de pierre. Autrefois habité par le *thakur* local, il est aujourd'hui déserté, mais reste imposant. Essayez de le visiter durant la **foire de Gondla**, en juillet. De Gondla, une marche de 4 km mène au village de **Tupchiling**, où le **Guru Ghantal Gompa** aurait été fondé par Padmasambhava. Bien qu'en très mauvais état, il contient d'anciennes peintures murales et des statues en bois de bodhisattva. Gondla possède un hôtel spartiate et une PWD Rest House, qui accepte parfois les voyageurs.

Vallée de Pattan

À 8 km au sud de Keylong, à Tandi, une route secondaire part vers le nord-ouest et longe la vallée de Pattan jusqu'à **Udaipur**. Surplombant la Chenab (une rivière), ce village paisible compte quelques hôtels sommaires et le **temple de Markula Devi** ; derrière une façade banale, il cache de splendides panneaux en bois décrivant des scènes du *Mahabharata* et du *Ramayana*, sculptés au XIIe siècle.

D'Udaipur, vous pouvez rebrousser chemin sur 9 km jusqu'à **Triloknath**, où un temple en pierre trapu dédié à Shiva fut converti en sanctuaire bouddhique par Padmasambhava. Il renferme une statue hautement vénérée, qui représente Shiva pour les hindous et Avalokitesvara pour les bouddhistes. Triloknath est un site de pèlerinage majeur pour ces deux religions lors de la **fête de Pauri** (voir l'encadré p. 335), en août.

Keylong

☎ 01900 / altitude 3 350 m

La capitale du Lahaul s'étire dans la verdoyante vallée de la Bhaga, juste en dessous de la nationale ralliant Manali à Leh. Bien qu'isolée, son emplacement sur la route du Ladakh en fait une étape majeure, d'autant que Keylong est la dernière ville avant Leh. Tous les bus s'y arrêtent pour la nuit, mais beaucoup de voyageurs repartent tôt le matin sans voir autre chose que la gare routière. S'attarder quelques jours permet d'admirer de spectaculaires paysages de montagne, de faire de superbes promenades et d'apprécier le rythme tranquille de la localité.

La gare routière se situe près de la route principale, à 5 min de marche du bazar principal. À l'extrémité sud de la ville, le **Lahaul & Spiti Tribal Museum** (musée tribal du Lahaul et du Spiti ; 🕓 10h-17h mar-dim), d'un intérêt limité, présente des costumes traditionnels, d'anciens masques de danse et des trésors provenant de *gompa* locaux.

En juillet, Keylong célèbre la **fête du Lahaul** (p. 335) avec un grand marché animé et diverses manifestations culturelles.

OÙ SE LOGER ET SE RESTAURER

Hotel Dupchen (☎ 222205 ; d 250 Rs). Un restaurant fréquenté qui sert des plats indiens et tibétains (20-80 Rs) et quelques chambres impeccables à l'étage.

Hotel Tashi Deleg (☎ 222450 ; ch 650-1 200 Rs). De l'autre côté du bazar principal, cette grande bâtisse blanche offre le meilleur rapport qualité/prix. Le prix des chambres augmente avec les étages, mais toutes disposent d'un balcon avec vue sur les montagnes et la vallée. Le restaurant propose de bons plats indiens, chinois et tibétains (repas 40-100 Rs), ainsi que des bières fraîches.

Quelques pensions sont regroupées près de la gare routière, dont la **Drabla Guesthouse** (250-450 Rs). Elles sont pratiques pour un départ tôt le matin, mais les hôtels, plus plaisants, ne sont qu'à 5 min de marche à travers le bazar.

Outre les restaurants des hôtels, de nombreux *dhaba* sont installés dans le bazar et le long de la nationale.

DEPUIS/VERS KEYLONG

Les bus publics qui relient Manali et Leh font étape à Keylong pour la nuit et des services réguliers circulent dans les deux sens quand les cols sont ouverts, généralement de juin à octobre. Les réservations ne s'effectuent qu'à Manali ; retenez une place la veille si vous interrompez le trajet.

Les bus pour Leh (475 Rs, 15 heures) partent à 5h et arrivent le soir vers 20h.

Chaque jour, environ 5 bus rejoignent Manali (108 Rs, 6 heures). Aucun bus direct ne dessert Kaza, au Spiti ; prenez celui de 5h30 et changez à Gramphu (45 Rs, 2 heures). Le bus de Manali à Kaza passe vers 8h30.

Quatre bus desservent tous les jours Udaipur (52 Rs, 2 heures) dans la vallée de Pattan.

Environs de Keylong

SHASHUR GOMPA

À 3 km au-dessus de Keylong, ce monastère est dédié au lama zanskari Deva Gyatsho. Un bâtiment moderne entoure l'édifice d'origine, du XVIe siècle, et offre une vue superbe sur la vallée. D'énergiques *chaam* (danses rituelles masquées exécutées par les bonzes pour célébrer la victoire du bien sur le mal et celle du bouddhisme sur les religions antérieures) ont lieu en juin ou juillet, selon le calendrier tibétain. Le chemin qui mène au *gompa* passe derrière l'ancienne gare routière ; restez sur la piste jusqu'à ce que vous aperceviez les chörten blancs sur la crête.

KHARDONG GOMPA

Construit sur pilotis de l'autre côté de la vallée, ce monastère vieux de 900 ans se situe à Khardong, à 2 heures de marche de Keylong. Entretenu par des bonzes et des nonnes de l'école Drukpa Kagyud, il renferme un énorme moulin à prières qui contiendrait un million de bandes de papier portant le célèbre mantra : *"om mani padme hum"* (Saluez le joyau dans le lotus). Le paysage environnant est splendide et de belles fresques ornent le *gompa* ; demandez à un religieux de vous ouvrir les portes. Pour rejoindre le *gompa*, traversez le bazar, descendez les marches jusqu'à l'hôpital, franchissez le pont sur la Bhaga, puis grimpez sur 4 km.

TAYUL GOMPA

Juché à flanc de vallée au-dessus du village de Satingri, l'ancien Tayul Gompa possède de belles peintures murales et une statue de Padmasambhava haute de 4 m, encadrée de deux de ses avatars, Sighmukha and Vijravarashi. Tayul, à 6 km de Keylong, constitue une longue randonnée d'une journée.

JISPA

À 20 km au nord-est de Keylong, le joli village de Jispa est une halte prisée des cyclistes et des motards pour la nuit. Un petit **musée folklorique** (25 Rs ; 9h-18h) intéressant borde la route principale. Une marche de 2 km au sud conduit au **Ghemur Gompa**, du XVIe siècle, où se déroule une célèbre danse masquée en juillet.

L'**Hotel Ibex Jispa** (☎ 01900-233203 ; s/d 1 600/1 800 Rs), sur la grand-route, est une excellente adresse.

SPITI

Séparée de la fertile vallée du Lahaul par le vertigineux Kunzum La (4 551 m), le Spiti forme une autre enclave tibétaine en Inde. Dans ce paysage lunaire, les villages, rares et espacés, ressemblent à des mirages – des groupes de maisons chaulées, nichés au fond de la vallée aride. Encore plus impressionnants, les monastères bouddhiques se perchent en hauteur sur les flancs de la vallée et semblent minuscules parmi les reliefs démesurés. Les paysans cultivent l'étroite bande fertile qui longe les rives de la Spiti.

Par endroits, le paysage évoque le Grand Canyon, ailleurs, d'étranges formations rocheuses ressemblent à des cierges fondus, mais l'échelle est toujours gigantesque. Le Spiti est par bien des aspects plus accidenté et isolé que le Ladakh. Cependant, les bus en provenance de Manali franchissent le Kunzum La de juillet à octobre, et l'Hindustan-Tibet Hwy reste théoriquement ouverte toute l'année jusqu'à Tabo. Un flux régulier de motards et de cyclistes emprunte l'un des itinéraires les plus difficiles du pays. Beaucoup partent de Manali ou de Keylong, et sortent de la vallée à Rekong Peo, au Kinnaur. Quelques-uns circulent en sens inverse et se dirigent vers l'ouest jusqu'à Keylong ou au Ladakh. Des tronçons de la route sont régulièrement coupés par des inondations ou des glissements de terrain, notamment entre Nako et Rekong Peo, et des ouvriers travaillent toute l'année pour maintenir la nationale praticable.

Dans un sens ou dans l'autre, vous aurez besoin d'un permis (*Inner Line Permit*) pour circuler entre Tabo et Rekong Peo ; voir l'encadré p. 337.

De Gramphu à Kaza

Du *dhaba* de **Gramphu**, la route du Spiti suit la gorge de la Chandra, taillée par des glaciers lors de la formation de l'Himalaya il y a 50 millions d'années. Les villages sont rares et les bus s'arrêtent pour un thé à **Chattru**, où quelques *dhaba* se regroupent près du premier pont sur la Chandra.

On parvient à un second pont et à un *dhaba* occupant une hutte en pierre à **Battal**, où une piste court sur 14 km au nord jusqu'au ravissant **Chandratal** (lac de la Lune), à 4 270 m, entouré de pics enneigés. De juin à septembre, le **Dewachen EcoCamp** (pension complète 550 Rs/pers) offre des tentes confortables au bord du lac ; réservez auprès d'Ecosphere à Kaza (☎ 01906-222724). C'est aussi le point de départ du trek jusqu'au **Bara Shigri** (Grand Glacier), l'un des plus longs glaciers de l'Himalaya. L'itinéraire est dangereux et mieux vaut partir avec un guide expérimenté.

À Battal, la route quitte la rivière et grimpe vers le **Kunzum La** (4 551 m), qui sépare les vallées de la Spiti et du Lahaul. Les bus font respectueusement le tour des stupas couverts de drapeaux de prière au sommet avant de descendre dans la vallée de la Spiti. Un autre chemin de 10,5 km jusqu'au Chandratal part du col et rejoint le Baralacha La, sur la route de Manali à Leh, en trois jours de marche exténuante.

Losar, le premier véritable village, regroupe des maisons en ciment et en briques crues parmi les broussailles au fond de la vallée. Les bus s'arrêtent pour le déjeuner aux *dhaba* qui bordent la nationale et pour un contrôle des passeports. Normalement, vous aurez le temps de découvrir les collections ethnologiques du **Musée rural** (🕑 9h-18h ou sur demande), rassemblées dans une salle, avant que le bus ne reparte pour Gramphu ou Kaza. Quelques pensions sommaires permettent de passer la nuit sur place ; l'accueillant **Samsong Café & Guesthouse** (s/d sans sdb 100/200 Rs) propose des chambres sans prétention et propres, ainsi que des repas chauds.

Le dernier tronçon jusqu'à Kaza suit la rive de la Spiti et passe devant le grand couvent de **Yangchen Choling**, à Pangmo, qui comprend une école de filles. À quelques kilomètres, le monastère de **Sherab Choling**, à Morang, possède également une école. La **Jamyang Foundation** (www.jamyang.org), basée aux États-Unis, propose parfois des emplois bénévoles dans ces deux écoles pour des professeurs expérimentés parlant anglais.

À **Rangrik**, juste avant le pont qui rejoint Kaza, un temple renferme un bouddha assis, haut de 5 m.

Kaza

☎ 01906 / altitude 3 640 m

Avec ses toits multicolores, Kaza ressemble presque à une ville en Lego quand on entame la longue descente du Kunzum La. Plus importante bourgade de cette région quasi déserte, la capitale du Spiti s'étend sur la plaine alluviale érodée de la Spiti au cœur d'un paysage époustouflant : la rivière serpente paresseusement au fond de la vallée, encadrée de montagnes déchiquetées. La localité d'origine, aux maisons chaulées, est séparée par un cours d'eau du centre administratif moderne, New Kaza (Nouveau Kaza). Récent, le pittoresque **Sakya Gompa** surplombe la nationale dans New Kaza, tandis que le bazar d'Old Kaza (Vieux Kaza) s'étire de l'autre côté du cours d'eau.

La plupart des voyageurs passent au moins une nuit sur place afin d'obtenir le permis pour continuer au-delà de Tabo. Kaza est aussi le point de départ pour des excursions au Ki Gompa (p. 408) et à Kibber (p. 409), et pour des treks dans les montagnes. La gare routière bien organisée et la station de 4x4 se situent en contrebas du bazar, dans Old Kaza.

En août, les villageois du Spiti viennent à Kaza pour la **foire de Ladarcha** (p. 335). Parés de leurs plus beaux atours, les marchands vendent toutes sortes d'objets et de produits locaux.

RENSEIGNEMENTS

Kaza ne compte aucun établissement de change. Quelques cybercafés sont installés dans le bazar, à Old Kaza. La poste se tient en dessous du *gompa*, dans New Kaza. Les permis pour le Kinnaur s'obtiennent facilement ; voir l'encadré p. 410.

Ecosphere (☎ 222724 ; www.spitiecosphere.com). Organise l'hébergement dans des villages, des circuits et des séjours au Dewachen EcoCamp, à Chandratal.

Spiti Holiday Adventures (☎ 222711 ; www.spitiholidayadventure.com ; Main Bazar). Propose des treks en montagne de 2 à 9 jours pour 2 500 Rs par personne et par jour tout compris, ainsi que des safaris en 4x4 et des visites de monastères.

OÙ SE LOGER ET SE RESTAURER

De nombreuses pensions se regroupent près de la gare routière et de la station de taxis dans Old Kaza. Quelques établissements bordent la route principale et d'autres sont installés dans New Kaza. La plupart des hébergements ferment à partir de novembre.

Mahabudha Guest House (☎ 222232 ; ch sans sdb 200-300 Rs). Juste en dessous de l'artère principale, en haut d'Old Kaza, cette maison accueillante offre des grandes chambres, d'épaisses couvertures et une sdb commune avec chauffe-eau. Les repas sont servis dans la cuisine traditionnelle. Dispensaire *amchi* sur place.

Hotel Mandala (☎ 222757 ; d 500 Rs). À côté de la station de taxis et tenu par une famille, cet hôtel impeccable de 2 étages comporte un bon restaurant.

Snow Lion Hotel (☎ 222525 ; ch 500-800 Rs). Sur la nationale au bout d'Old Kaza, cet hôtel moderne possède 6 chambres réparties sur 2 étages, avec des balcons surplombant le cours d'eau. Huit autres étaient en construction lors de notre passage. Une adresse fiable, avec un restaurant correct.

Banjara Kunphen Retreat (☎ 222236 ; www.banjaracamps.com ; s/d avec repas 3 900/4 400 Rs ; 🕑 mai-oct). Cet établissement moderne, proche du poste de police dans New Kaza, séduira ceux qui recherchent plus de confort. Lumineuses et joliment meublées, les chambres sont néanmoins trop chères.

Yak Cafe (Old Kaza ; 40-100 Rs). Juste au-dessus du bazar, ce petit restaurant sympathique prépare les habituels *momo*, pizzas et plats chinois, ainsi que du poulet à la Kiev et des steaks de buffle.

Mahabudha Restaurant (plats 30-100 Rs). Près du Yak Cafe, cet autre restaurant de voyageurs offre un grand choix de plats et une ambiance joyeuse.

Plusieurs restaurants accueillants sont installés dans le vieux bazar.

DEPUIS/VERS KAZA

Bus

La gare routière se situe en bas de la vieille ville, près de la route principale ou accessible à pied en traversant le bazar. Des bus partent pour Manali (190 Rs, 10 heures) à 4h30 et 7h. Pour Keylong (150 Rs, 8 heures), changez à Gramphu. Un bus part pour Rekong Peo (205 Rs, 12 heures) à 9h et passe par Sichling (pour Dhankar ; 25 Rs, 1 heure) et Tabo (45 Rs, 2 heures). Un autre bus dessert Tabo à 14h.

Un seul bus se rend chaque jour à Kibber (20 Rs, 50 min, 17h) via Ki (15 Rs, 30 min), et revient à 19h30, ce qui laisse le temps de visiter le monastère de Ki pendant qu'il fait l'aller-retour jusqu'à Kibber. Cependant, mieux vaut faire l'excursion d'une journée en taxi pour visiter les deux endroits, ou passer la nuit à Kibber.

Pour la vallée de la Pin, le bus pour Mud (50 Rs, 2 heures) part à 16h.

Taxi

Le syndicat local de taxis se tient à quelques mètres de la gare routière ; vous pouvez demander à votre hôtel de réserver un taxi. Parmi les tarifs fixes, citons Tabo (1 250 Rs, 1 heure 30), Keylong (5 500 Rs, 7 heures), Manali (6 000 Rs, 9 heures) et Rekong Peo (5 000 Rs, 10 heures). Les excursions d'une journée comprennent Ki et Kibber (700 Rs) Dhankar et la vallée de la Pin (1 500 Rs). S'il est généralement facile de trouver une place en 4x4 collectif pour rejoindre Manali, le retour est souvent moins simple. Renseignez-vous à la station de taxis et partez tôt.

Ki

Sur la route qui grimpe vers Kibber, à 12 km de Kaza, le petit village de Ki est dominé par les bâtiments chaulés du **Ki Gompa** (🕑 6h-19h). Construit sur une butte à 4 116 m d'altitude, le plus grand monastère du Spiti offre une vue splendide. Environ 300 moines, dont de nombreux étudiants des villages alentour, vivent ici. Une puja a lieu le matin dans la nouvelle salle de prière vers 7h (8h en hiver). Sur demande, les moines ouvrent les anciennes salles médiévales, ornées d'innombrables *thangka*, et la chambre où a dormi le dalaï-lama lors de ses visites en 1960 et en 2000. Des danses masquées ont lieu pour la fête annuelle de **Ki chaam** (juin-juillet) et pour **Losar** en février-mars.

Le monastère propose des **chambres** (☎ 01906-262201 ; dort sans sdb 150 Rs) spartiates à 4 lits, avec eau froide et repas compris.

Kibber

☎ **01906**

À 8 km au-dessus de Ki, ce charmant village de maisons chaulées traditionnelles était jadis une étape sur la route du sel. À 4 205 m d'altitude, Kibber se proclamait "le plus haut village au monde avec une route carrossable et l'électricité", mais à présent, le minuscule village de Gada, à quelques centaines de mètres plus haut dans la gorge, possède lui aussi une route et le courant électrique ; le titre revient de toute manière à un village tibétain ! Les sommets environnants, couverts de neige, composent un paysage désolé d'une beauté spectaculaire. Vous pourrez rejoindre à pied des villages encore plus isolés, sans route, le long des parois de la gorge.

Les villageois sont accueillants mais les groupes en circuit organisé ont encouragé la mendicité chez les enfants. Résistez aux demandes de bonbons, de stylos ou d'argent et faites plutôt un don à l'école du village.

OÙ SE LOGER ET SE RESTAURER

Plusieurs pensions offrent l'hébergement et les repas. Le seau d'eau chaude coûte de 10 à 15 Rs. La plupart ferment début octobre pour l'hiver.

Rainbow Guest House (☎ 226309 ; ch sans sdb 200 Rs). Près de l'école du village, elle propose des chambres sans prétention et de copieux repas.

Serkong Guesthouse (☎ 226222 ; ch 150-200 Rs). Elle comprend des chambres soignées et une terrasse en façade, avec des fauteuils et des vieilles photos du Spiti.

Norling Guest House (☎ 226242 ; d 200-300 Rs). Sur la route menant au village, cette pension accueillante possède les meilleures chambres et le meilleur restaurant. Les meubles plaisants et les petites peintures murales lui confèrent une ambiance douillette.

Spittian Guest House (☎ 262264 ; ch 150-200 Rs). Au bout du village, cette pension traditionnelle comporte 4 grandes chambres et un salon avec une cheminée.

Dhankar

Au sud-est de Kaza, la Spiti se jette dans la Pin pour former un ruban bleuté parmi des terres desséchées. Haut perché au-dessus de la confluence, le petit village de Dhankar est l'ancienne capitale des rois Nono du Spiti.

Vieux de 1 200 ans, le **Dhankar Gompa** (25 Rs ; 🕑 8h-18h) s'élève parmi des éperons rocheux au sommet du village et jouit d'une vue époustouflante. Le bâtiment inférieur du monastère contient une statue en argent de Vajradhara (l'Être de diamant). Au sommet, une autre salle de prière est ornée de ravissantes peintures murales médiévales représentant Sakyamuni, Tsongkhapa et Lama Chodrag.

En contrebas, un petit **musée** (25 Rs ; 🕑 8h-18h) renferme des costumes, des instruments, d'anciennes selles et des objets de culte bouddhiques. En novembre, les moines de Dhankar célèbrent la **fête de Guktor** (p. 335) par d'énergiques danses masquées.

Au-dessus du *gompa* se dressent les ruines d'un **fort** en briques crues, qui abritait jadis la population du royaume des Nono durant les conflits. Une heure de grimpée conduit au **Dhankar Tso** (lac Dhankar), qui offre une vue spectaculaire sur les deux pics du **Mane Rang** (6 593 m).

Dhankar est accessible à pied par une montée escarpée de 10 km ou en voiture du village de Sichling, sur la route nationale qui mène de Kaza à Tabo. Vous pouvez séjourner au monastère dans de simples **chambres de moine** (dort sans sdb 100 Rs, ch 300-400 Rs).

Les bus alliant Kaza à Tabo passent par Sichling (25 Rs, 1 heure). En taxi, comptez 800 Rs pour l'excursion d'une journée depuis Kaza.

Pin Valley National Park

Balayé par les vents, le parc national de la vallée de la Pin (1 875 km^2) s'étend vers le sud de la vallée de la Spiti. Bien que proclamé le "territoire de l'ibex [bouquetin] et du léopard des neiges", il est rare d'apercevoir un de ces animaux. De juillet à octobre, un trek de 8 jours part de ce parc, franchit le col de Pin-Parvati (5 319 m) et rejoint la vallée de la Parvati, près de Kullu (p. 355).

La route de la vallée de la Pin part de la nationale qui va de Kaza à Tabo, 10 km avant Sichling et grimpe à travers des prairies jusqu'aux fermes chaulées de **Gulling**. À Kungri, à 2 km au-dessus de Gulling, l'**Ugyen Sanag Choling Gompa** date de 600 ans. Il comprend d'anciennes salles de prière et un nouveau monastère immense, orné de peintures murales représentant des divinités protectrices comme Rahula, l'archer aux yeux multiples,

PERMIS (INNER LINE PERMITS)

Pour circuler entre Tabo, au Spiti, et Rekong Peo, au Kinnaur, les voyageurs ont besoin d'un permis (Inner Line Permit). À Kaza, l'**Assistant District Commissioner's Office** (Bureau de l'assistant du commissaire du district ; ☎ 222202 ; New Kaza ; ⏲ 10h30-17h lun-sam, fermé 2e sam du mois) le délivre gratuitement en 2 heures ; repérez le grand bâtiment à toit vert derrière l'hôpital. Vous devrez remplir des formulaires et fournir 2 photos d'identité et les photocopies de vos passeport et visa – pour les photos et les photocopies, rendez-vous au vieux bazar. Officiellement, les voyageurs doivent former un groupe de 4 personnes, mais ce bureau octroie habituellement des permis aux voyageurs indépendants. Vous pourrez également obtenir ce permis à Rekong Peo et à Shimla.

ou Ekajati, le gardien borgne des mantras. Un petit **musée** (25 Rs ; ⏲ 10h-18h) possède des collections ethnologiques et religieuses. Le monastère loue des **chambres** (ch sans sdb 250 Rs) simples et propres.

Au sud-ouest de Gulling, **Sagnam** marque l'embranchement vers le village de Mud, point de départ du trek vers le col de Pin-Parvati. Le vent mugit entre les maisons chaulées et de courtes promenades offrent des vues splendides sur la vallée. Quelques pensions bon marché bordent la route et la **PWD Rest House** (ch sans sdb 150-300 Rs), moderne, se situe en contrebas de l'hôpital.

Des bus circulent tous les jours entre Kaza et Mud (50 Rs, 2 heures), via Gulling (30 Rs, 1 heure 15) et Sagnam (38 Rs, 1 heure 30). En taxi depuis Kaza, comptez 900 Rs pour Sagnam et 1 500 Rs pour Mud.

Tabo

☎ 01906

À 47 km à l'est de Kaza, Tabo est la seule autre ville de la vallée de la Spiti. Encadrée de versants couverts d'éboulis, la bourgade est balayée par les vents. La crête qui la surplombe est criblée de **grottes** où les lamas viennent méditer. Le **Tabo Gompa** (don à l'entrée ; ⏲ 6h-22h), inscrit au patrimoine mondial de l'Unesco, domine la localité et contient d'exceptionnelles œuvres d'art indo-tibétaines anciennes ; voir l'encadré p. 411.

Le **Tabo Cyber Café** (60 Rs/h ; ⏲ 7h-21h), près de la gare routière, offre d'irrégulières connexions à Internet et un service téléphonique.

OÙ SE LOGER ET SE RESTAURER

Les pensions se regroupent autour du *gompa* et le long de la route principale.

Millennium Monastery Guesthouse (☎ 223315 ; dort 50 Rs, ch avec/sans sdb à partir de 300/200 Rs). Gérée par le monastère, cette pension défraîchie mais néanmoins populaire propose des chambres correctes, avec eau chaude, réparties autour d'une cour centrale lumineuse. Les hôtes doivent s'abstenir de fumer, de boire de l'alcool et de toute autre activité contraire aux règles du monastère.

♥ **Zion Cafe** (☎ 223419 ; repas 40-70 Rs). Tenu par l'accueillant Angel, le Zion est un café rasta où règne la musique reggae qui offre une bonne cuisine et 4 chambres confortables (de 250 à 300 Rs la double).

Maitreya Guesthouse (☎ 223329 ; d 400-500 Rs). Au bout d'une ruelle à côté de la pension du monastère, la Maitreya est une adresse bien tenue et confortable avec un petit jardin, une terrasse ensoleillée et le bon Third Eye Restaurant.

Banjara Tabo Retreat (☎ 233381 ; www.banjaracamps.com ; s/d pension complète 3 900/4 400 Rs ; ⏲ mai-oct). L'hébergement le plus luxueux de Tabo loue ses jolies chambres aux voyageurs de passage quand il n'est pas réservé pour des groupes. L'excellent restaurant est ouvert aux non-résidents.

Cafe Kunzum Top (plats 25-80 Rs). Tenu par le dynamique Sonam, un voyageur au long cours, ce café chaleureux sert de délicieux *momo*, des expressos et de la compote préparée avec des pommes de la région.

DEPUIS/VERS TABO

Lors de notre passage, la route était ouverte de Tabo jusqu'à Rekong Peo, avec d'éventuelles interruptions en raison d'un glissement de terrain ou d'une inondation. Des bus partent le matin et l'après midi pour Kaza (45 Rs, 2 heures). Un bus dessert quotidiennement Rekong Peo (160 Rs, 10 heures) à 11h ; cependant, il arrive de Kaza et peut être complet. En saison (de juin à octobre), vous trouverez peut-être une place dans un 4x4 collectif en provenance de Kaza. Les taxis facturent 1 250 Rs pour Kaza (1 heure 30) et 4 000 Rs pour Rekong Peo (9 heures).

De Tabo à Rekong Peo

La route qui relie Tabo à Rekong Peo, au Kinnaur, est l'une des plus spectaculaires et dangereuses du pays. En théorie, elle est ouverte toute l'année et constitue le seul accès à la vallée de la Spiti en hiver. Cependant, la Sutlej déborde fréquemment de son lit, emportant des tronçons de route, et il arrive que des chutes de neige la bloquent. Plusieurs installations hydroélectriques aident à dompter la rivière ; renseignez-vous toutefois sur l'état de la route avant de continuer à l'est de Tabo. Vous devrez présenter votre passeport et votre permis à Sumdo et à Jangi. Certains des endroits suivants se situent au Kinnaur, mais sont décrits ici car ils font partie du circuit du Spiti.

De Tabo, la route suit l'étroite vallée de la Spiti et traverse des villages entourés de pommiers avant de franchir la crête et de pénétrer dans la vallée de la Sutlej. C'est l'une des routes les plus périlleuses du pays et même les voyageurs les plus intrépides frémissent dans les virages en lacets, quand les roues du bus frôlent le précipice ! La vue sur la Spiti, à des centaines de mètres en contrebas, et sur la route qui zigzague à flanc de montagne, est fantastique.

Les voyageurs disposent de 7 jours pour effectuer le circuit. Les permis sont contrôlés à **Sumdo**, puis la route commence à grimper dans les montagnes vers **Chango**, qui compte plusieurs temples bouddhiques.

Première localité dotée d'hébergements, **Nako** est un joli village de maisons chaulées à 1 km de la route et une étape prisée des motards. Vous pouvez également y passer la nuit si vous vous déplacez en bus. Le village s'étend autour d'un petit lac sacré, entouré par les bâtiments du **Nako Gompa** (XIe siècle) qui contient de belles peintures murales et sculptures de style tabo.

Plusieurs pensions sommaires offrent des chambres sans sdb pour 200 Rs environ. Le **Reo Purgil Hotel** (☎ 01785-236339 ; d 600-800 Rs) est plus confortable. Encore plus plaisante, la **Lake View Guest House** (ch 400-500 Rs) surplombe le lac à courte distance du village.

La dernière étape traverse une campagne plus verdoyante dans l'étroite gorge de la Sutlej. Le village de **Puh** marque la frontière avec le Kinnaur et comprend deux pittoresques *gompa* d'obédience Drukpa.

D'autres temples et monastères, fondés par Ringchen Zangpo au Xe siècle, se dressent à **Khanum**, près de Spillo. **Jangi**, la limite de la zone du permis, est le point de départ du *parikrama* (circumambulation) autour du Kinner Kailash (6 050 m) et compte plusieurs temples de style kinnauri. Vous aurez besoin d'un permis pour visiter le monastère bouddhique de **Lippa**, à 14 km dans les montagnes, même si vous venez de Rekong Peo pour la journée.

LE TABO GOMPA

Le *choskhor* (enceinte sacrée) de Tabo, en briques crues et en bois, fut fondé en 996 par le Grand Traducteur, Ringchen Zangpo, qui fit venir les meilleurs muralistes bouddhistes du Cachemire pour décorer l'intérieur. Pour admirer ces peintures, vous devez fixer un rendez-vous avec les moines du monastère moderne, à côté.

Le *gompa* s'organise autour de l'immense **Tsug Lha-Khang** (salle des Assemblées), une salle obscure ornée de splendides peintures murales et de 33 statues de bodhisattva en stuc, grandeur nature. Avec la statue à quatre faces de Vairocana, au fond de la salle, les statues composent un mandala en trois dimensions.

À gauche du temple principal, le **Brom-Ston Lha-Khang**, avec d'autres peintures murales de style cachemiri, est accessible par une porte en bois finement sculptée. Toujours à gauche, le **Ser-Khang** (Temple d'or) comprend un grand bouddha assis et des peintures détaillées de divinités au plafond et sur les murs. Derrière le Ser-Khang, le **Kyil-Khar-Khang** (temple du Mandala mystique) contient une frise géante de Vairocana, entourée de gigantesques mandalas.

À droite du Tsug Lha-Khang, le **Byams-pa Chenpo Lha-Khang**, plus petit, renferme une statue de Maitreya haute de 6 m et des peintures murales représentant le temple de Tashi-Chunpo, de Shigatsé et le palais du Potala au Tibet. Dans le **Brom-Ston Lha-Khang**, les peintures murales figurent Sakyamuni et ses disciples.

Le *gompa* moderne, à l'extérieur de l'enceinte, attire de nombreux fidèles pour la puja de 6h30. La pension du monastère comporte une **bibliothèque bouddhique** (entrée libre ; 🕘 10h-12h et 14h-16h juin-sept) et un petit **musée** (20 Rs, appareil photo/caméra 25/50 Rs ; 🕘 8h30-17h lun-sam) d'art sacré.

Uttar Pradesh

Grâce au Taj Mahal, l'Uttar Pradesh figure sur l'itinéraire de presque tous les voyageurs qui se rendent en Inde du Nord. Aussi fabuleuse que soit cette merveille de marbre blanc, sa visite n'occupe qu'un jour ou deux. Mais l'État le plus peuplé du pays possède bien d'autres attraits.

Varanasi (Bénarès), sur les rives du Gange, le fleuve le plus sacré de l'hindouisme, est une autre destination fascinante. L'une des plus anciennes cités constamment habitées au monde, elle séduit par l'atmosphère d'intense spiritualité qui règne autour de ses temples et de ses ghats en bord de fleuve.

La religion joue un rôle essentiel dans ce vaste État. Chitrakut, la "mini-Varanasi", possède également des ghats sacrés, de même que Mathura, le lieu de naissance de Krishna, et Allahabad, le plus révéré des quatre sites du Kumbh Mela. Ayodhya, la ville natale de Rama, attire aussi d'innombrables pèlerins hindous. Les bouddhistes se pressent à Sarnath, où le Bouddha fit son premier sermon sur la Voie du Milieu, et à Kushinagar, où il mourut.

Agra demeure cependant la principale destination touristique ; outre le fameux Taj Mahal, vous pourrez y découvrir le fort d'Agra, l'un des plus beaux du pays, et les fascinants vestiges de Fatehpur Sikri, aux alentours. Les nababs et le Raj britannique ont également laissé un superbe héritage architectural dans la majestueuse Lucknow.

À NE PAS MANQUER

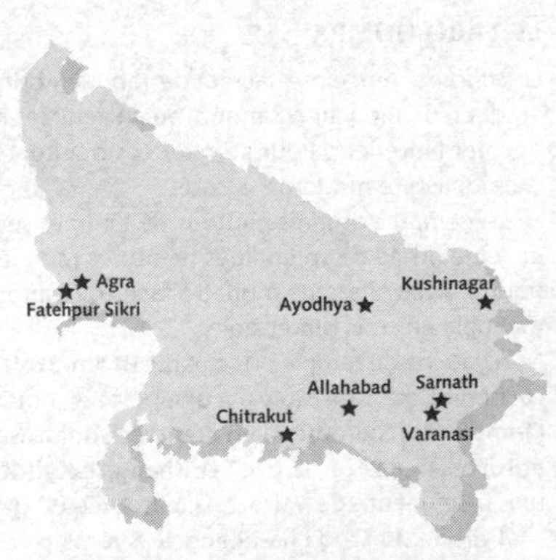

- Une promenade en bateau à l'aube sur le Gange pour découvrir la magie de **Varanasi** et de ses ghats (p. 447)
- Le lever du soleil qui illumine le marbre blanc du **Taj Mahal** (p. 418), à Agra, avant de revenir pour le coucher du soleil, tout aussi romantique
- Les imposants monuments moghols de la cité abandonnée de **Fatehpur Sikri** (p. 429)
- Une balade en barque jusqu'au Sangam, le confluent des deux fleuves les plus sacrés du pays à **Allahabad** (p. 440), où déferlent 70 millions de pèlerins durant le Kumbh Mela
- Les paisibles centres de pèlerinage bouddhiques de **Kushinagar** (p. 461) et de **Sarnath** (p. 459), à mille lieues du chaos urbain
- Les ghats sereins de **Chitrakut** (p. 444), pour la même atmosphère baignée de spiritualité qu'à Varanasi, l'effervescence en moins
- Un circuit de temple en temple dans les ruelles piétonnes d'**Ayodhya** (p. 439), lieu de naissance de Rama

EN BREF

- Population : 166,1 millions d'habitants
- Superficie : 231 254 km²
- Capitale : Lucknow
- Langue principale : hindi
- Meilleure période : octobre à mars

Histoire

Il y a plus de 2 000 ans, l'Uttar Pradesh faisait partie de l'empire bouddhiste d'Ashoka, dont des vestiges subsistent dans le centre de pèlerinage de Sarnath, près de Varanasi. Les incursions musulmanes en provenance du nord-ouest commencèrent au XIe siècle. Au XVIe siècle, la région faisait partie de l'Empire moghol, qui établit successivement sa capitale à Fatehpur Sikri, à Agra, puis à Delhi.

Après le déclin de l'Empire moghol, les envahisseurs perses l'occupèrent brièvement avant que les nababs d'Oudh (ou Avadhi) montent en puissance au cœur de la région, transformant Lucknow, capitale de l'Uttar Pradesh, en un centre artistique florissant. Leur empire connut une fin tragique, lorsque la Compagnie britannique des Indes orientales déposa le dernier nabab, déclenchant la révolte des Cipayes (première guerre d'indépendance) de 1857. Agra fut ensuite rattachée à Avadhi et l'État devint l'United Province (Province unie). Renommé Uttar Pradesh après l'Indépendance, il est depuis l'État prépondérant de la vie politique indienne et a fourni au pays la moitié de ses Premiers ministres, originaires pour la plupart d'Allahabad. La population n'en a guère bénéficié : une mauvaise gestion, une natalité galopante, un faible taux d'alphabétisation et un approvisionnement en électricité erratique entravent le développement économique de l'Uttar Pradesh depuis 60 ans.

En 2000, la partie montagneuse du Nord-Ouest a été découpée pour former le nouvel État de l'Uttaranchal.

AGRA

☎ 0562 / 1 321 410 habitants

Si le Taj Mahal, somptueux monument d'une grâce inouïe, attire les touristes par milliers, il ne constitue pas la seule curiosité d'Agra. L'Empire moghol a laissé un fort magnifique et de nombreux tombeaux et mausolées fascinants. Il est aussi amusant de se promener dans les *chowk* (marchés) animés et désordonnés.

Toutefois, l'insistance des innombrables rabatteurs, rickshaw-wallahs, guides improvisés

FÊTES ET FESTIVALS EN UTTAR PRADESH

Magh Mela (jan-fév ; Allahabad, p. 440). Cette fête religieuse a lieu au Sangam, sur les rives du Gange à Allahabad. Des pèlerins hindous viennent de tout le pays pour un bain purificateur au moment propice. Tous les 12 ans, la fête est remplacée par le gigantesque Kumbh Mela (le prochain en 2013), et tous les six ans par l'Ardh Mela (le prochain en 2019).

Taj Mahotsav (18-27 fév ; Agra, p. 413). À Shilpgram, où se tient d'ordinaire un marché de souvenirs kitsch à 1 km à l'est de la porte est du Taj Mahal, cette fête s'accompagne de musique, de danses, de dégustation de nourriture et d'une procession moghole.

Holi (fév-mars ; Barsana, près de Vrindavan, p. 433). Cette fête nationale est célébrée avec une ferveur particulière à Mathura et Vrindavan, demeure spirituelle de Krishna.

Purnima (avr-mai ; Sarnath, p. 459). Également appelé Vesak, Buddha Jayanti ou anniversaire du Bouddha, Purnima célèbre la naissance, l'éveil et la mort du Bouddha. Sarnath, près de Varanasi, devient alors particulièrement festif ; des bouddhistes viennent de nombreux pays participer à la procession et à la foire.

Janmastami (août-sept ; Mathura, p. 431). La célébration de l'anniversaire de Krishna attire une foule immense au temple de Dwarkadhish, qui disparaît sous les décorations. Des représentations musicales retracent la vie de Krishna.

Ram Lila (sept-oct ; Varanasi, p. 443). Chaque année depuis le début des années 1800, le *Ram Lila*, version longue du *Ramayana*, est représenté à côté du fort de Ramnagar à Varanasi. L'épopée du mariage de Rama et de Sita et de son combat contre le roi-démon Ravana est jouée par de jeunes brahmanes masqués, à grand renfort de musique, de danses et de géants en papier mâché.

Lucknow Mahotsav (fin nov-déc ; Lucknow, p. 434). L'esprit des nababs renaît durant ces 10 jours de fête qui s'accompagnent de processions, de représentations théâtrales, de *kathak* (danse classique d'Inde du Nord), de récitals de ghazal (chants ourdous) et de sitar, de concours de cerfs-volants et de courses de *tonga (carrioles à cheval)*.

Id al-Fitr (déc-jan ; Fatehpur Sikri, p. 429). Une foule joyeuse converge vers le bazar et la mosquée de Fatehpur Sikri, près d'Agra, pour les festivités de la fin du ramadan.

UTTAR PRADESH

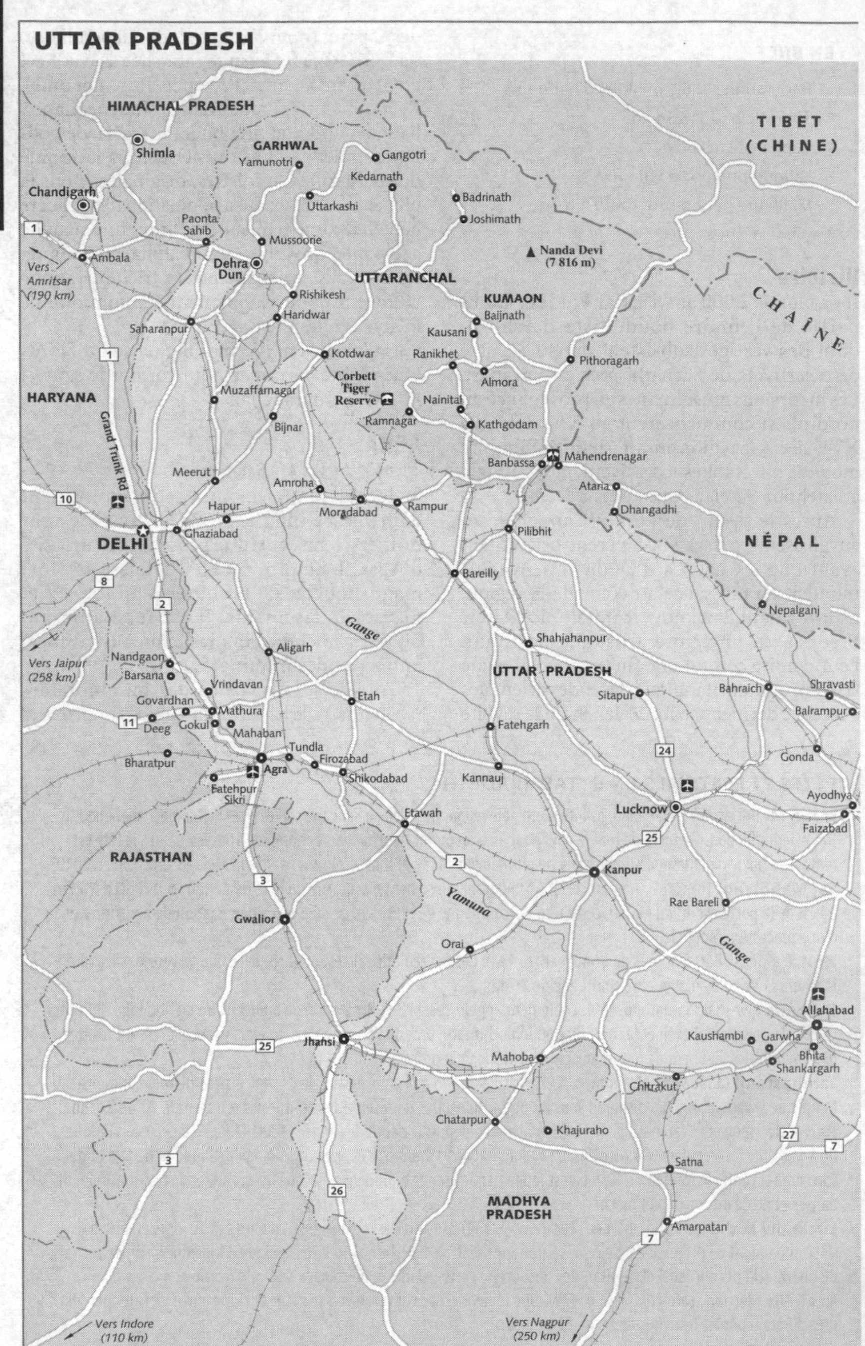

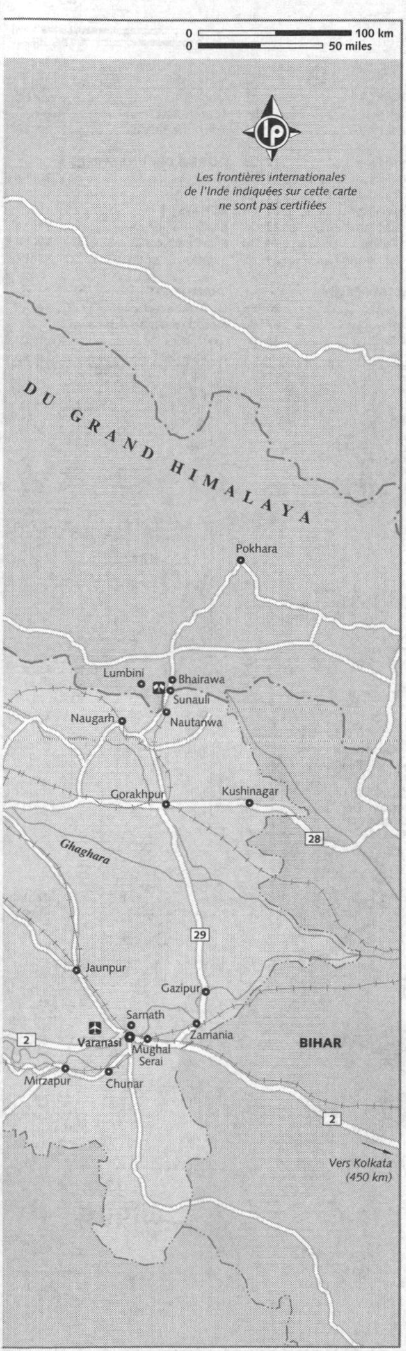

et vendeurs finit par altérer la bonne humeur des visiteurs les plus patients !

Nombre de touristes viennent de Delhi pour la journée, ce qui ne leur permet pas de découvrir les multiples splendeurs d'Agra. Vous pouvez en fait lui consacrer plusieurs jours, avec des excursions à la superbe cité en ruine de Fatehpur Sikri et au centre de pèlerinage hindou de Mathura.

Histoire

En 1501, le sultan Sikandar Lodi fit d'Agra sa capitale, puis la cité tomba aux mains des Moghols en 1526, quand l'empereur Babur défit le dernier sultan Lodi à Panipat. La ville connut son apogée entre le milieu du XVIe et le milieu du XVIIe siècle, sous les règnes d'Akbar, de Jehangir et de Shah Jahan. Le fort, le Taj Mahal et les principaux mausolées datent de cette époque. En 1638, Shah Jahan bâtit une nouvelle cité à Delhi et son fils, Aurangzeb, y transféra la capitale 10 ans plus tard.

En 1761, Agra tomba aux mains des Jat, des guerriers qui pillèrent ses monuments sans épargner le Taj Mahal. Les Marathes s'en emparèrent en 1770, puis les Britanniques en 1803. Ces derniers transférèrent l'administration de la province à Allahabad après la révolte des Cipayes en 1857. Privée de cette activité, Agra devint un centre d'industrie lourde et fut bientôt réputée pour ses usines chimiques et sa pollution, avant que le Taj et le tourisme ne deviennent sa principale source de revenus.

Orientation

Agra s'étend sur un large méandre de la Yamuna. Le fort et le Taj Mahal surplombent ce fleuve sacré, à 2 km l'un de l'autre. Les principales gares ferroviaire et routière se situent à quelques kilomètres au sud-ouest.

Les ouvriers et artisans qui construisirent le Taj Mahal s'installèrent au sud du mausolée, créant le dédale de ruelles surpeuplées appelé Taj Ganj, un quartier très fréquenté par les voyageurs à petit budget.

Renseignements

Vous trouverez un guide de la ville sur le site www.agra-india.net.

ACCÈS INTERNET

Les succursales suivantes d'iway disposent toutes de Skype :

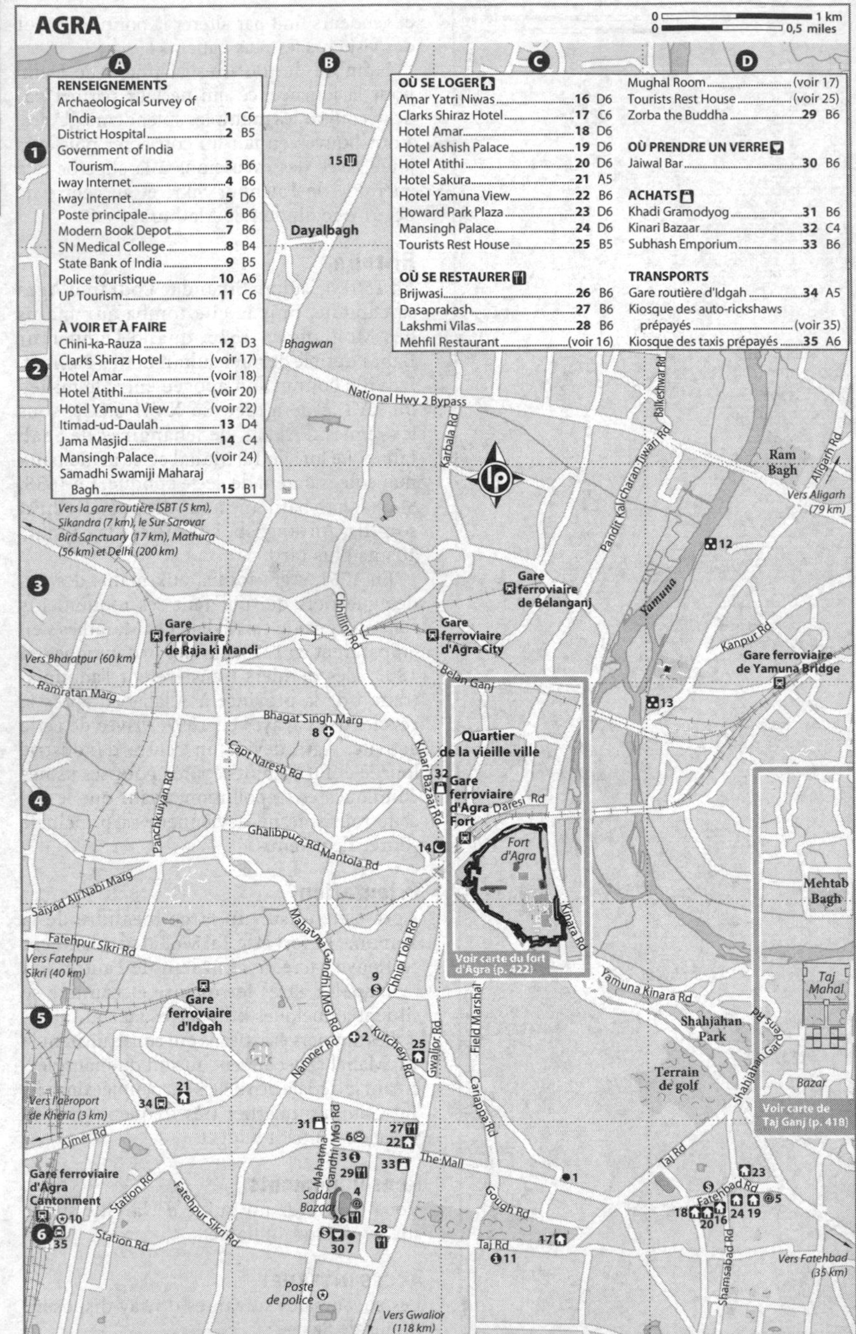

AGRA
0 1 km
0 0,5 miles
RENSEIGNEMENTS
Archaeological Survey of India 1 C6
District Hospital 2 B5
Government of India Tourism 3 B6
iway Internet 4 B6
iway Internet 5 D6
Poste principale 6 B6
Modern Book Depot 7 B6
SN Medical College 8 B4
State Bank of India 9 B5
Police touristique 10 A6
UP Tourism 11 C6
À VOIR ET À FAIRE
Chini-ka-Rauza 12 D3
Clarks Shiraz Hotel (voir 17)
Hotel Amar (voir 18)
Hotel Atithi (voir 20)
Hotel Yamuna View (voir 22)
Itimad-ud-Daulah 13 D4
Jama Masjid 14 C4
Mansingh Palace (voir 24)
Samadhi Swamiji Maharaj Bagh 15 B1
OÙ SE LOGER
Amar Yatri Niwas 16 D6
Clarks Shiraz Hotel 17 C6
Hotel Amar 18 D6
Hotel Ashish Palace 19 D6
Hotel Atithi 20 D6
Hotel Sakura 21 A5
Hotel Yamuna View 22 B6
Howard Park Plaza 23 D6
Mansingh Palace 24 D6
Tourists Rest House 25 B5
OÙ SE RESTAURER
Brijwasi 26 B6
Dasaprakash 27 B6
Lakshmi Vilas 28 B6
Mehfil Restaurant (voir 16)
Mughal Room (voir 17)
Tourists Rest House (voir 25)
Zorba the Buddha 29 B6
OÙ PRENDRE UN VERRE
Jaiwal Bar 30 B6
ACHATS
Khadi Gramodyog 31 B6
Kinari Bazaar 32 C4
Subhash Emporium 33 B6
TRANSPORTS
Gare routière d'Idgah 34 A5
Kiosque des auto-rickshaws prépayés (voir 35)
Kiosque des taxis prépayés 35 A6
Dayalbagh
Bhagwan
National Hwy 2 Bypass
Karbala Rd
Balkeshwar Rd
Pandit Kalicharan Jiwari Rd
Ram Bagh
Aligarh Rd
Vers Aligarh (79 km)
Vers la gare routière ISBT (5 km), Sikandra (7 km), le Sur Sarovar Bird Sanctuary (17 km), Mathura (56 km) et Delhi (200 km)
Gare ferroviaire de Belanganj
Yamuna
Gare ferroviaire de Raja ki Mandi
Chhilint Rd
Gare ferroviaire d'Agra City
Vers Bharatpur (60 km)
Ramratan Marg
Belan Ganj
Kanpur Rd
Gare ferroviaire de Yamuna Bridge
Bhagat Singh Marg
Quartier de la vieille ville
Capt Naresh Rd
Kinari Bazaar Rd
Gare ferroviaire d'Agra Fort
Daresi Rd
Panchkuiyan Rd
Ghalibpura Rd
Mantola Rd
Fort d'Agra
Saiyad Ali Nabi Marg
Mahatma Gandhi (MG) Rd
Chhipi Tola Rd
Kinara Rd
Mehtab Bagh
Fatehpur Sikri Rd
Vers Fatehpur Sikri (40 km)
Voir carte du fort d'Agra (p. 422)
Yamuna Kinara Rd
Taj Mahal
Gare ferroviaire d'Idgah
Field Marshal Cariappa Rd
Shahjahan Park
Shahjahan Gardens Rd
Namner Rd
Kutchery Rd
Gwalior Rd
Terrain de golf
Bazar
Vers l'aéroport de Kheria (3 km)
Voir carte de Taj Ganj (p. 418)
Ajmer Rd
The Mall
Taj Rd
Gare ferroviaire d'Agra Cantonment
Station Rd
Fatehpur Sikri Rd
Sadar Bazaar
Gough Rd
Fatehbad Rd
Taj Rd
Shamsabad Rd
Vers Fatehbad (35 km)
Poste de police
Vers Gwalior (118 km)

iway Internet Fatehbad Rd (carte p. 416 ; 50 Rs/h ; 6h-23h) ; Sadar Bazaar (carte p. 416 ; 40 Rs/h ; 24h/24) ; Shahjahan Hotel (carte p. 418 ; 30 Rs/h ; 24h/24)

ARGENT

Des DAB sont installés dans toute la ville. Vous en trouverez notamment dans Sadar Bazaar, près des hôtels dans Fatehabad Rd, dans Chhipi Tola Rd et à côté de la porte est du Taj Mahal. Plusieurs bureaux de change privés sont établis dans Taj Ganj.

State Bank of India (carte p. 416 ; 10h-16h lun-ven, 10h-13h sam). Près de Chhipi Tola Rd ; change les espèces et les chèques de voyage.

CONSIGNES

Gare ferroviaire d'Agra Cantonment (carte p. 416 ; Quai n°1 ; 10 Rs/kg par jour ; 24h/24)

Yash Café (carte p. 418 ; Taj South Gate). Consigne et douche offertes aux visiteurs venus pour la journée (50 Rs les deux).

LIBRAIRIES

Imran Internet & Bookshop (carte p. 418 ; Taj South Gate ; 8h-22h). Livres et cartes de la ville, accès à Internet (30 Rs/h) et gravure de CD (75 Rs le disque).

Modern Book Depot (carte p. 416 ; ☎2225695 ; Sadar Bazaar ; 10h30-21h30 Rs, fermé mar). Grand choix de romans dans cette librairie existant depuis 60 ans.

OFFICES DU TOURISME

Government of India Tourism (Office du tourisme national ; carte p. 416 ; ☎ 2226378 ; www.incredibleindia.org ; 191 The Mall ; 9h-17h30 lun-ven, 9h-14h sam). Personnel très serviable. Des brochures sur les sites locaux et tout le pays ; peut vous procurer les services d'un guide (demi-journée/journée 450/600 Rs).

UP Tourism gare ferroviaire d'Agra Cantonment (carte p. 416 ; ☎ 2421204 ; 24h/24) ; Taj Rd (carte p. 416 ; ☎ 2226431 ; agrauptourism@gmail.com ; 64 Taj Rd ; 10h-17h lun-sam). Les deux succursales peuvent vous fournir les services d'un guide (demi-journée/journée 600/800 Rs). Celle de la gare ferroviaire, accueillante, vous mettra en contact avec la police touristique si besoin.

POSTE

Poste principale (carte p. 416 ; ☎ 2463886 ; The Mall ; 10h-17h lun-ven, 10h-15h sam)

SERVICES MÉDICAUX

District Hospital (carte p. 416 ; ☎ 2466099 ; Mahatma Gandhi (MG) Rd)

SN Medical College (carte p. 416 ; ☎ 2463318 ; Hospital Rd)

URGENCES

Police touristique (carte p. 416 ; ☎ 2421204 ; gare ferroviaire Agra Cantonment ; 24h/24). Les policiers en uniforme bleu ciel sont installés devant la gare ferroviaire. Mieux vaut les contacter via UP Tourism.

Désagréments et dangers

Rabatteurs, vendeurs et rickshaw-wallahs peuvent vous épuiser par leur insistance, surtout aux abords du Taj Mahal. De nombreux hôtels, boutiques et bureaux de change reversent de subtantielles commissions aux chauffeurs de taxi et aux rickshaw-wallahs qui leur amènent des clients. Si vous réservez un hôtel, essayez d'organiser le transfert de la gare routière ou ferroviaire, ou adressez-vous au guichet des transports prépayés. Une course en rickshaw gratuite ou bon marché aboutit inévitablement dans une boutique de pierres précieuses ou de souvenirs. Sachez par ailleurs que nombre d'objets "en marbre" sont en albâtre ou en stéatite. Évitez les agents de voyages installés dans de minuscules échoppes.

Quand vous prenez un auto-rickshaw ou un cyclo-pousse pour rejoindre le Taj Mahal, précisez bien à quelle porte vous souhaitez être déposé lorsque vous négociez le tarif. Faute de quoi, le chauffeur vous emmènera immanquablement au rond-point à l'extrémité sud de Shahjahan Gardens Rd, où des *tonga* (carrioles à cheval) et des chameaux attendent pour conduire les groupes jusqu'à la porte ouest moyennant des tarifs prohibitifs. Les voitures ne peuvent pas aller jusqu'au Taj en raison des règles anti-pollution, mais peuvent s'en approcher davantage.

ESCROQUERIES

Ne vous laissez pas avoir par l'escroquerie de l'importation des pierres précieuses, qui a cours depuis des décennies. On demande au voyageur naïf d'aider une boutique à ne pas payer les taxes douanières en emportant lui-même les pierres dans son pays, où un représentant du magasin le remboursera de ses frais et ajoutera un dédommagement substantiel. Le voyageur doit payer une somme minime par carte de crédit "en signe de bonne foi". Invariablement, les pierres n'ont aucune valeur, le représentant n'existe pas, et le voyageur découvre un débit de 1 000 $US ou plus sur son relevé bancaire. Gardez votre carte bien au chaud dans votre poche !

À voir et à faire

Les tarifs d'entrée des cinq principaux sites d'Agra – le Taj, le fort, Fatehpur Sikri, le mausolée d'Akbar et le Baby Taj – sont fixés par deux organismes distincts, l'Archaeological Survey of India (ASI) et l'Agra Development Association (ADA). Le droit d'entrée de 750 Rs pour le Taj Mahal comprend un billet de l'ADA à 500 Rs qui donne droit à de modestes réductions valables le même jour aux quatre autres sites : 50 Rs au fort d'Agra et 10 Rs dans chacun des trois autres sites. Ce billet ADA peut s'acheter sur les cinq sites ; précisez que vous visiterez le Taj plus tard dans la journée.

Tous les autres monuments d'Agra sont gratuits ou dépendent uniquement de l'ASI.

Tous les sites sont gratuits pour les moins de 15 ans.

TAJ MAHAL

Rabindranath Tagore l'a décrit comme “une larme sur le visage de l'éternité”, Rudyard Kipling y voyait “l'incarnation de la pureté” et son créateur, l'empereur Shah Jahan, disait qu'il “faisait verser des larmes au soleil et à la lune”. Chaque année, des touristes presque deux fois plus nombreux que la population d'Agra franchissent les portes du Taj et repartent éblouis par cet édifice, considéré comme le plus beau du monde.

Le Taj Mahal fut édifié par Shah Jahan pour recevoir le corps de sa deuxième épouse, Mumtaz Mahal, morte en mettant au monde leur 14e enfant en 1631. Son trépas brisa le cœur de l'empereur, dont les cheveux seraient devenus gris en une nuit. La construction du Taj, entreprise la même année, ne s'acheva qu'en 1653 ; celle du bâtiment principal aurait demandé huit ans. Peu après, Shah Jahan fut renversé par son fils Aurangzeb et emprisonné au fort d'Agra, d'où il ne put qu'apercevoir sa création à travers une fenêtre le restant de sa vie. À sa mort, en 1666, il fut inhumé aux côtés de Mumtaz.

Au total, 20 000 ouvriers et artisans d'Inde et d'Asie centrale participèrent à la construction. Des spécialistes furent amenés d'Europe pour concevoir les délicats treillis de marbre et les panneaux en *pietra dura*, faits de milliers de pierres semi-précieuses incrustées dans le marbre.

Inscrit au patrimoine mondial de l'humanité en 1983, le Taj Mahal semble aussi immaculé aujourd'hui qu'à l'époque de sa construction – il a connu une restauration majeure au début du XXe siècle. En 2002, après avoir été progressivement sali par la pollution urbaine, il a retrouvé sa splendeur grâce à une ancienne recette de masque de beauté, le *multani mitti* – un mélange de terre, de céréales, de lait et de chaux utilisé jadis par les femmes indiennes pour

TAJ GANJ

0 — 200 m
0 — 0,1 miles

RENSEIGNEMENTS
Imran Internet & Bookshop 1 B5
iway Internet .... (voir 9)

À VOIR ET À FAIRE
Billetterie de la porte est 2 B4
Jawab 3 B3
Mosquée 4 A3
Musée 5 A4
Billetterie de la porte sud 6 B4
Billetterie de la porte ouest 7 A4

OÙ SE LOGER
Hotel Kamal 8 B5
Hotel Shahjahan 9 A5
Hotel Sheela 10 B4
Hotel Sidartha 11 A5
Saniya Palace Hotel 12 B5
Shanti Lodge 13 B5

OÙ SE RESTAURER
Gulshan Restaurant 14 A5
Hotel Sheela .... (voir 10)
Joney's Place 15 A5
Saniya Palace Hotel .... (voir 12)
Shankara Vegis Restaurant 16 B5
Shanti Lodge Restaurant .... (voir 13)
Stuff Makers .... (voir 8)
Taj Cafe .... (voir 16)
Yash Cafe 17 B5

OÙ PRENDRE UN VERRE
Beer Shop 18 A5
Wine Shop .... (voir 16)

TRANSPORTS
Station des cyclo-pousse et des auto-rickshaws 19 A5
Raja Bicycle Store 20 A5

Yamuna
Taj Mahal
Vers le fort d'Agra (2 km)
Vers le fort d'Agra (2 km)
Shahjahan Park
Shahjahan Gardens Rd
Taj East Gate Rd
Vers l'Oberoi Amar Vilas (500 m), le Bellevue (500 m), l'Amar Vilas Bar (500 m), le Taj Plaza (600 m) et Shilpgram (1 km)

LES MYTHES DU TAJ MAHAL

Un temple hindou

Selon une théorie assez répandue, développée par Purushottam Nagesh Oak, le Taj serait un temple du XIIe siècle dédié à Shiva, transformé par la suite en mausolée pour Mumtaz Mahal. En 2000, la Cour suprême indienne a rejeté la demande d'Oak d'ouvrir les salles scellées du sous-sol pour prouver sa théorie. Oak prétend également que la Kaaba, Stonehenge et la Papauté auraient des racines hindoues.

Un Taj Mahal noir

Selon une légende, Shah Jahan aurait prévu de construire une réplique du Taj Mahal en marbre noir sur la rive opposée du fleuve pour en faire son mausolée et aurait commencé les travaux avant que son fils Aurangzeb ne l'emprisonne au fort d'Agra. Les fouilles effectuées au Mehtab Bagh n'ont révélé aucune trace d'un tel projet.

Ouvriers mutilés

Selon une autre légende, Shah Jahan aurait ordonné, une fois le Taj achevé, que l'on tranche les mains des artisans afin qu'ils ne puissent jamais reconstruire pareille merveille. Certains affirment même que l'empereur leur aurait fait arracher les yeux. Aucun élément historique ne corrobore ces atrocités.

Le Taj s'enfonce

D'après certains experts, le Taj pencherait doucement vers le lit du fleuve et s'enfoncerait à cause de la modification du sol au bord de la Yamuna, de plus en plus asséchée. L'Archaeological Survey of India a démenti toute modification significative dans l'élévation du monument, ajoutant qu'aucune détérioration structurelle de sa base n'a été constatée depuis la première étude scientifique en 1941.

embellir leur peau. Aujourd'hui, seuls les véhicules non polluants peuvent s'approcher du mausolée.

Accès et renseignements

On peut accéder au **Taj** (carte p. 418 ; ☎2330498 ; Indiens/étrangers 20/750 Rs, caméra 25 Rs ; 🕑 aube-crépuscule sam-jeu) par les portes ouest, sud et est, qui débouchent dans une cour extérieure. La porte sud, l'entrée principale, est la plus facilement accessible de Taj Ganj. Les files d'attente, séparées pour les hommes et les femmes, sont généralement plus courtes à la porte est. Les groupes se concentrent à la porte ouest et arrivent habituellement après 9h. Les objets interdits – nourriture, tabac, allumettes, téléphones portables, trépied photographique – peuvent être déposés gratuitement dans des vestiaires ; commencez par là afin de ne pas faire la queue une seconde fois.

Les appareils photo sont autorisés, mais vous ne pouvez pas photographier les tombes dans le mausolée ; l'usage des caméras est limité à certaines parties. Bien qu'il n'existe pas d'interdiction officielle, certains lecteurs n'ont pas pu entrer avec un livre.

Conservez votre billet d'entrée pour bénéficier d'une modeste réduction en visitant le même jour le fort d'Agra, Fatehpur Sikri, le mausolée d'Akbar et le Baby Taj.

Le vendredi, le Taj Mahal est réservé aux fidèles qui se rendent à la mosquée.

De la porte sud, on entre dans l'enceinte intérieure par un imposant **porche** en grès rouge, haut de 30 m et gravé de versets du Coran.

Le Taj Mahal est particulièrement beau au lever du soleil, avant l'arrivée des cohortes de touristes. Le crépuscule est un autre moment magique. Vous pouvez également l'admirer de nuit cinq fois par mois, durant la pleine lune ; le nombre d'entrées est limité et il faut acheter les billets la veille au **bureau d'Archaeological Survey of India** (carte p. 416 ; ☎ 2227263 ; www.asi.nic.in ; 22 The Mall ; Indiens/étrangers 510/750 Rs). Consultez son site Internet.

Visite du Taj

Les **jardins ornementaux** sont dessinés selon le modèle moghol du *charbagh* (jardin persan classique) – un carré quadrillé de canaux, avec une plinthe en marbre au centre. Quand les fontaines ne coulent pas, le Taj se reflète dans les canaux.

LES PLUS BELLES VUES SUR LE TAJ

Dans les jardins du Taj

J'avais vu d'innombrables photos du Taj Mahal mais ce n'est qu'une fois sur la plate-forme que j'ai pris conscience de sa splendeur. Il est beaucoup plus imposant que je ne l'imaginais. De loin, il ne semblait pas aussi magnifique que lorsque j'ai pu m'en approcher et le toucher. Il ressemblait à ce à quoi je m'attendais, mais de près, j'ai été ébahi.

Brady, Canada

De la rive nord de la Yamuna, devant le Mehtab Bagh

Admirer l'un des monuments les plus célèbres et les plus visités au monde depuis un terrain vague, au milieu des buffles, est un contraste saisissant ! En fait, nous nous sentions plus proches du Taj Mahal parce que nous étions loin des foules et en pleine nature. Il y avait du vent ce jour-là et le reflet du Taj dans la Yamuna n'était pas parfait, mais la vue différait de toutes les photos que nous avions pu voir. C'était notre moment, unique.

Marion et Geoffroy, France

De la rive sud

J'ai eu la chance de me trouver sur la rive au coucher du soleil, loin des foules de touristes. J'ai regardé le Taj s'effacer lentement dans l'ombre croissante de la mosquée voisine et ce fut l'un des moments les plus apaisants de tout mon séjour en Inde. Le lendemain, j'ai visité le parc sur la rive opposée mais, après le spectacle de la veille, j'ai été déçu.

Greg, Canada

D'un café sur un toit à Taj Ganj

Il n'y a pas de meilleur endroit pour siroter un *lassi*, surtout au coucher du soleil ! À l'écart du tumulte et à un jet de pierre du Taj, on regarde sa silhouette se fondre dans l'obscurité.

Stuart, UK

Du fort d'Agra

C'est du fort, de la tour où Shah Jahan a passé les huit dernières années de sa vie, que j'ai pris ma plus belle photo du Taj. Je suis arrivé au fort à l'ouverture et j'ai tambouriné à la porte jusqu'à ce qu'on m'ouvre (il était 6h01 !). Je me suis précipité dans la tour : le soleil se levait juste entre deux minarets, presque au-dessus du dôme. À travers le brouillard et la brume, sa lueur orange éclairait la Yamuna. Magique ! Grâce à un objectif de 200 mm, j'ai pu faire une photo spectaculaire.

Scott, États-Unis

Le Taj Mahal lui-même se dresse sur une plate-forme en marbre surélevée à l'extrémité nord des jardins, dos à la Yamuna. Cette situation en hauteur ne laisse que le ciel en toile de fond, un coup de génie du concepteur. Des **minarets** blancs hauts de 40 m, purement décoratifs, ornent les angles du soubassement. Après plus de trois siècles, ils ne sont pas parfaitement perpendiculaires, mais pourraient avoir été construits légèrement penchés vers l'extérieur afin de ne pas s'effondrer sur le précieux Taj en cas de séisme. La **mosquée** de grès rouge, à l'ouest, est un important lieu de culte pour les musulmans d'Agra. Le **jawab**, un bâtiment identique à l'est, fut érigé par souci de symétrie.

La structure centrale du Taj est constituée de marbre blanc semi-translucide, sculpté de fleurs et incrusté de milliers de pierres semi-précieuses formant de superbes motifs. Parfait hommage à la symétrie, les quatre façades identiques comportent d'impressionnantes arches voûtées ornées de décorations en *pietra dura* et de citations du Coran en jaspe incrusté. La structure est coiffée de quatre petits dômes entourant le dôme central.

Sous ce dernier se trouve le **cénotaphe de Mumtaz Mahal**, un faux tombeau élaboré, entouré de ravissants treillis de marbre incrustés de 43 variétés de pierres semi-précieuses. À côté, le **cénotaphe de Shah Jahan**, enterré ici sans cérémonie par son fils Aurangzeb en 1666, perturbe la symétrie du monument.

LE TRÔNE DU PAON

Si le Taj Mahal, avec ses sculptures délicates et son marbre blanc incrusté de pierres précieuses, reste la réalisation la plus célèbre de l'empereur Shah Jahan, ce ne fut pas la plus coûteuse. Ce titre revient au légendaire trône du Paon, jadis dans le fort d'Agra.

Des marches en argent conduisaient à ce trône haut de près de 2 m, avec des pieds dorés incrustés de pierres précieuses. Derrière, deux queues de paon déployées, dorées, émaillées et incrustées de diamants, de rubis et d'autres pierres précieuses, pesaient au total 230 kg. Parmi ces pierres figurait le diamant Koh-i-noor de 191 carats, jadis le plus gros diamant au monde. La pierre fut acquise par les Britanniques en 1849, puis retaillée en un diamant de 109 carats qui rejoignit les joyaux de la couronne de la reine Victoria.

Selon des archives, Shah Jahan aurait dépensé deux fois plus pour le trône que pour le Taj Mahal. Des experts estiment qu'il vaudrait aujourd'hui 1 milliard de dollars US. Malheureusement, il n'existe plus. Aurangzeb, le fils de Shah Jahan, l'emporta à Delhi, d'où il fut transporté en Perse en 1739 par Nadir Shah après la mise à sac de Delhi, puis démantelé après l'assassinat de ce dernier en 1747.

La lumière pénètre dans la salle centrale par des claires-voies de marbre finement ciselées. Les véritables **tombeaux** de Mumtaz Mahal et de Shah Jahan reposent au sous-sol dans une crypte fermée au public.

À l'ouest des jardins, un petit **musée** (5 Rs ; ⌚ 10h-17h sam-jeu) renferme les plans originaux du Taj et quelques jolies assiettes en céladon, réputées se briser ou changer de couleur au contact d'aliments empoisonnés.

FORT D'AGRA

Agra possède l'un des plus beaux forts moghols du pays. Vous bénéficierez d'une réduction de 50 Rs en le visitant le même jour que le Taj Mahal. La construction de cet imposant **fort** (cartes p. 416 et 422 ; ☎ 2364512 ; Indiens/étrangers 20/300 Rs, caméra 25 Rs ; ⌚ aube-crépuscule) de grès rouge, au bord de la Yamuna, fut entreprise par l'empereur Akbar en 1565. Il fut agrandi par la suite, notamment par son petit-fils Shah Jahan, qui utilisa le marbre blanc, son matériau de prédilection. Bâtiment militaire à l'origine, le fort fut transformé en palais par Shah Jahan, puis devint sa prison dorée pendant 8 ans après que son fils Aurangzeb l'eut détrôné en 1658.

Les doubles remparts massifs, de plus de 20 m de haut, mesurent 2,5 km de circonférence. La Yamuna coulait à l'origine le long de la muraille est, où des ghats étaient réservés aux empereurs. À l'intérieur, un dédale de bâtiments forme une ville dans la ville, avec de vastes sections souterraines. De nombreux édifices ont été détruits au fil des ans par Nadir Shah, les Marathes, les Jat et enfin par les Britanniques, qui le transformèrent en lieu de garnison.

L'**Amar Singh Gate** (porte d'Amar Singh), au sud, est l'unique entrée et abrite la billetterie. Sa structure coudée visait à dérouter les attaquants qui avaient franchi la première ligne de défense, les douves remplies de crocodiles.

Le **Diwan-i-Am** (pavillon des Audiences publiques) servait à Shah Jahan pour la gestion des affaires intérieures et comprend une salle du Trône où l'empereur écoutait les requêtes. Devant, la petite **tombe de John Colvin**, un lieutenant-gouverneur des provinces du Nord-Ouest mort de maladie dans le fort pendant la révolte des Cipayes de 1857, semble plutôt incongrue. La **Moti Masjid** (mosquée de la Perle), habituellement fermée aux visiteurs, était en rénovation lors de notre passage. Ne manquez pas la petite et ravissante **Nagina Masjid** (mosquée du Joyau), édifiée par Shah Jahan en 1635 pour les dames de la cour. Elles pouvaient faire leurs achats au **Ladies' Bazaar** (marché des Dames), en contrebas.

OUBLIER LES RICKSHAWS

Si la chaleur n'est pas écrasante, oubliez un matin les rickshaw-wallahs et faites cette marche paisible de 2 km entre le Taj et le fort d'Agra. De la porte ouest du Taj, dépassez le chemin immédiatement à droite tout en restant sur la droite, traversez le parc, passez devant un temple au bord de l'eau et quelques ghats de crémation avant de suivre le fleuve qui longe un petit cimetière. Une fois sur la route principale, dirigez-vous vers le rond-point, puis suivez la route sur quelques centaines de mètres jusqu'à la porte sud du fort.

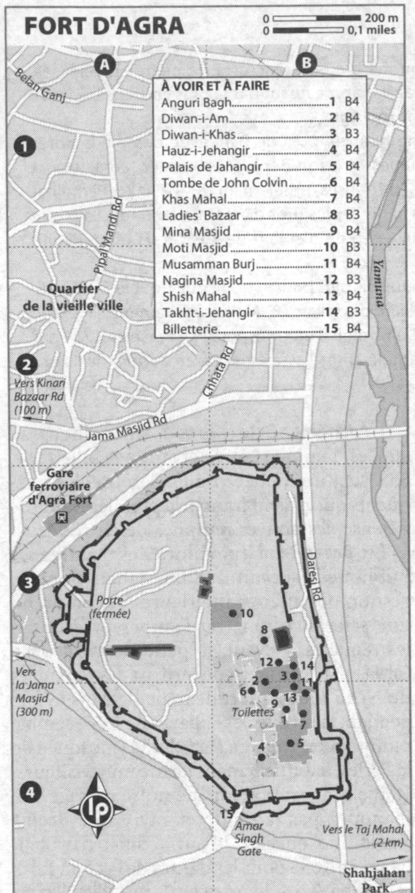

Le **Diwan-i-Khas** (pavillon des Audiences privées) était réservé aux grands dignitaires et aux ambassadeurs étrangers, et contenait le légendaire trône du Paon (p. 421). Surplombant le fleuve et le Taj Mahal au loin, le **Takhti-i-Jehangir**, un énorme bloc de roche noire, porte une inscription sur le pourtour. Le trône jadis installé ici fut réalisé pour Jahangir alors qu'il était le prince Salim. Une intéressante illusion d'optique se produit si vous regardez le Taj depuis cet endroit puis de l'autre côté de la cour ; bien que plus éloigné, il semble plus grand.

Le **Shish Mahal** (palais des Miroirs), aux murs incrustés de miroirs minuscules, était fermé pour restauration lors de notre passage. Vous pouvez toutefois regarder l'intérieur à travers les fentes des portes.

La **Musamman Burj** et le **Khas Mahal** sont, respectivement, la superbe tour octogonale et le palais de marbre blanc où Shah Jahan fut emprisonné pendant huit ans, et d'où il pouvait contempler le mausolée de sa bien-aimée. À sa mort en 1666, son corps fut transporté en bateau jusqu'au Taj. La **Mina Masjid** était sa mosquée privée.

Dans la cour du vaste harem, l'**Anguri Bagh** a récemment retrouvé sa beauté de jardin moghol. Dans la cour, une porte insignifiante, désormais verrouillée, donne sur un escalier qui descend vers un labyrinthe souterrain de pièces et de couloirs, aménagés sur deux niveaux, où Akbar gardait son harem de 500 femmes.

L'immense **palais de Jahangir**, en grès rouge, fut probablement érigé par Akbar pour son fils Jahangir ; il mêle les styles indien et d'Asie centrale, rappelant les racines culturelles afghanes des Moghols. Devant le palais, le **Hauz-i-Jehangir**, une énorme cuvette sculptée dans un bloc de pierre, était utilisé pour les ablutions.

MAUSOLÉE D'AKBAR

Ce fabuleux **mausolée** (☎2641230 ; Indiens/étrangers 10/110 Rs, caméra 25 Rs ; ⏲ aube-crépuscule), en grès et marbre, commémore le grand empereur moghol. Une porte splendide donne sur l'immense cour. Construite en grès rouge incrusté de motifs géométriques en marbre blanc, elle est flanquée à chaque angle de minarets à trois étages.

Le mausolée se tient à Sikandra, à 10 km au nord-ouest du fort d'Agra. De la gare routière d'Idgah, des bus à destination de Mathura passent par le mausolée (10 Rs, 45 min). Du centre-ville, l'aller-retour en auto-rickshaw revient à 150 Rs, attente et courte excursion au Swami Bagh (p. 423) voisin comprises.

ITIMAD-UD-DAULAH

Surnommé le **Baby Taj** (carte p. 416 ; ☎2080030 ; Indiens/étrangers 10/110 Rs, caméra 25 Rs ; ⏲ aube-crépuscule), le ravissant mausolée de Mizra Ghiyas Beg mérite une visite. Ce noble persan était le grand-père de Mumtaz Mahal et le *wazir* (ministre en chef) de l'empereur Jahangir. Sa fille Nur Jahan, qui épousa l'empereur, fit construire ce tombeau entre 1622 et 1628, dans un style similaire à celui qu'elle avait édifié pour Jahangir près de Lahore (Pakistan).

Bien qu'il n'ait pas la beauté spectaculaire du Taj, ce mausolée offre un aspect plus raffiné, grâce à ses *jali* (treillis de marbre) d'une remarquable délicatesse. Ce fut le premier édifice moghol entièrement en marbre, le premier utilisant largement la *pietra dura*, et le premier mausolée construit sur les rives de la Yamuna, auparavant occupées par de somptueux jardins d'agrément.

Vous pouvez combiner sa visite avec celles du Chini-ka-Rauza, du Mehtab Bagh et du Ram Bagh, tous sur la rive est. Du Taj Mahal, l'aller-retour en cyclo-pousse avec les quatre sites revient à un peu plus de 100 Rs, attente comprise. Comptez au moins le double en auto-rickshaw.

CHINI-KA-RAUZA

Au bord du fleuve, le **tombeau** (carte p. 416 ; aube-crépuscule) d'Afzal Khan, poète et ministre en chef de Shah Jahan, fut érigé dans le style persan entre 1628 et 1639. Ce mausolée peu visité se cache au bout d'une avenue bordée d'arbres, sur la rive est de la Yamuna. Les faïences bleu vif, qui jadis le couvraient entièrement, sont encore visibles sur des parties des murs extérieurs ; des motifs floraux ornent l'intérieur.

MEHTAB BAGH

Conçu par l'empereur Babur pour clore une succession de 11 parcs sur la rive est de la Yamuna longtemps avant l'édification du Taj Mahal, ce **parc** (carte p. 416 ; Indiens/étrangers 5/100 Rs ; aube-crépuscule) fut laissé à l'abandon jusqu'à ne plus être qu'une énorme butte de sable. Il a été reconstruit ces dernières années afin de protéger le Taj de l'érosion due au sable projeté par le vent par-dessus la rivière et offre à présent l'un des meilleurs points de vue sur le splendide mausolée. Ses jardins sont parfaitement alignés sur ceux du Taj et la vue de la fontaine devant l'entrée est spectaculaire.

Il est possible de longer le parc jusqu'à la rive et d'admirer le Taj dans une ambiance paisible, parmi les buffles et les échassiers. Pour des raisons de sécurité, mieux vaut partir avant le crépuscule.

SAMADHI SWAMIJI MAHARAJ BAGH

Appelé simplement Swami Bagh, cet immense **mausolée** (8h-17h) de marbre blanc, qui contient la tombe de Sri Shiv Dayal Singh Seth, le fondateur du courant religieux Radhasoami, est toujours en construction depuis plus de 80 ans ! À l'intérieur, une

SAUVER LES OURS

Il y a encore quelques années, les touristes qui empruntaient la route d'Agra à Fatehpur Sikri pouvaient voir des ours lippus contraints de danser en échange de quelques pièces. Grâce aux efforts remarquables d'un groupe local de défense de la faune, vous ne verrez plus ce spectacle affligeant. Bien qu'elle soit interdite en Inde depuis 1972, cette pratique barbare n'a pas complètement disparu et on estime à 160 le nombre d'ours qui en sont victimes.

L'Agra Bear Rescue Facility, la première du pays et la plus grande réserve au monde pour les ours "danseurs", a été fondée en 2002 par **Wildlife SOS** (9917190666, 9837790369 ; www.wildlifesos.org) et s'étend sur près de 65 ha dans le Sur Sarovar Bird Sanctuary, à 17 km à l'ouest d'Agra. Elle offre refuge, réhabilitation et soins vétérinaires à plus de 283 ours lippus, et possède d'autres réserves à Bengaluru (Bangalore), Bhopal et dans le Bengale Occidental.

Les braconniers capturent les oursons dans les forêts pour les vendre illégalement aux Kalandar, qui gagnent leur vie depuis des siècles grâce aux ours danseurs. Ils percent leur truffe avec une tige métallique chauffée à blanc pour y fixer une corde ou un anneau et les ours passent ensuite leur vie attachés à un piquet. Leurs canines sont arrachées et ils sont battus pour apprendre à "danser".

Ayant été captifs la majeure partie de leur vie, ils ne peuvent pas être relâchés dans la nature. Le but principal de Wildlife SOS est de mettre un terme à cette pratique et au braconnage des oursons. Un aspect important du projet consiste à trouver une autre source de revenus pour les Kalandar ; plusieurs sont aujourd'hui formés et employés dans les réserves et aident à soigner les ours.

L'Agra Bear Rescue Facility accueille de petits groupes de visiteurs intéressés par ce projet. Pour organiser une visite, contactez d'abord Wildlife SOS par téléphone ou par e-mail. Pour rejoindre la réserve (les chauffeurs de taxi l'appellent Keetham Jheel ou Bhalu Park), vous devrez entrer dans le Sur Sarovar Bird Sanctuary. Le droit d'entrée (350 Rs) est destiné aux services des forêts et non à la réserve des ours, où il sera bienvenu d'effectuer un don. Consultez le site Internet pour plus d'informations.

peinture de 1904 le représente tel qu'il devrait être une fois achevé, avec un dôme en or treillissé. Actuellement, des fidèles s'emploient à poursuivre les travaux. Le plan de l'édifice incorpore des styles d'autres religions et comprend des sculptures florales d'un raffinement extraordinaire.

Le Swami Bagh se situe dans le district de Dayalbagh. À la gare routière d'Idgah, prenez un auto-rickshaw collectif jusqu'à Bhagwan (10 Rs), puis un cyclo-pousse (10 Rs). L'aller-retour en auto-rickshaw de Taj Ganj, avec la visite du mausolée d'Akbar, revient au moins à 150 Rs.

JAMA MASJID

Cette belle **mosquée** (carte p. 416), construite dans le Kinari Bazaar par la fille de Shah Jahan en 1648 et autrefois reliée au fort d'Agra, se distingue par les splendides motifs en marbre de ses dômes.

KINARI BAZAAR

Derrière la Jama Masjid, un dédale d'étroites ruelles surpeuplées abrite des **marchés** (carte p. 416) pittoresques ; chacun sa spécialité : vêtements, chaussures, tissus, bijoux, épices, objets en marbre, étals d'en-cas, etc. Malgré la cohue, des buffles et parfois même un éléphant parviennent à se frayer un chemin ! Ce quartier est généralement appelé Kinari Bazaar, car la plupart des rues partent de Kinari Bazaar Rd. Même si vous n'achetez rien, flâner dans ces rues constitue une expérience unique. Remarquez les anciens balcons en bois au-dessus de certaines devantures et, comme dans tous les marchés bondés, faites attention à vos objets de valeur.

NATATION

Les non-résidents peuvent accéder à la piscine avec toboggan de l'Hotel Amar (250 Rs), ainsi qu'à celles de l'Hotel Atithi (250 Rs), de l'Hotel Yamuna View (350 Rs), du Mansingh Palace (adulte/enfant 300/50 Rs), du Clarks Shiraz Hotel (450 Rs) et du Howard Park Plaza (500 Rs).

Circuits organisés

UP Tourism propose des **circuits quotidiens** (Indiens/étrangers 400/1 700 Rs droits d'entrée inclus) qui partent de la gare ferroviaire d'Agra Cantonment à 10h30, après l'arrivée du *Taj Express* en provenance de Delhi. Ce circuit, en bus climatisé, comprend le Taj Mahal, le fort d'Agra et Fatehpur Sikri, avec 1 heure 15 de visite à chaque site. Le bus revient à la gare à temps pour prendre le *Taj Express* de 18h55 à destination de Delhi. Réservez auprès d'un des bureaux d'UP Tourism (p. 417).

Où se loger

La plupart des hôtels bon marché se concentrent dans le quartier animé de Taj Ganj, juste au sud du Taj Mahak. De nombreux hôtels de catégorie moyenne sont installés plus au sud, le long de Fatehabad Rd.

Le bureau d'UP Tourism possède une liste fiable des chambres chez l'habitant.

PETITS BUDGETS

Quartier de Taj Ganj

Hotel Shahjahan (carte p. 418 ; ☎3200240 ; Taj South Gate ; s 80 Rs, avec sdb 100 Rs, d 150-200 Rs, avec clim 500-600 Rs ; ✇). Les chambres propres et spacieuses, dont certaines sont accessibles par un étroit escalier en marbre, donnent sur une petite cour intérieure. Quelques-unes bénéficient de la vue sur le Taj, comme le restaurant sur le toit. Les deux simples sont assez sinistres mais leur tarif défie toute concurrence.

Hotel Sidhartha (carte p. 418 ; ☎ 22309011 ; www.hotelsidhartha.com ; Taj West Gate ; s 120-150 Rs, d 300 Rs, avec rafraîchisseur/clim 450/600 Rs ; ✇ 💻). Ouvert depuis 1986 et toujours apprécié, le Sidhartha compte 18 doubles attrayantes (et deux simples affreuses) autour d'une petite cour verdoyante. Le toit-terrasse, un peu exposé, permet d'admirer le Taj et les facéties des singes du quartier.

Shanti Lodge (carte p. 418 ; ☎ 2231973 ; shantilodge2000@yahoo.co.in ; Taj South Gate ; s 200 Rs, d 250-300 Rs, ch avec clim 500 Rs ; ✇). Les chambres négligées aux sdb douteuses nous empêchent de recommander cette adresse, bien qu'elle en offre de plus spacieuses et plus propres dans la nouvelle aile, derrière le vieux bâtiment. Le restaurant sur le toit jouit d'une vue superbe sur le Taj.

Hotel Kamal (carte p. 418 ; ☎ 2330126 ; hotelkamal@hotmail.com ; Taj South Gate ; s/d à partir de 300/400 Rs, avec clim à partir de 600/700 Rs ; ✇). Sans prétention et propres, les chambres disposent presque toutes d'une TV et les plus chères s'agrémentent d'un canapé. Le restaurant sur le toit permet d'apercevoir le Taj, derrière un arbre.

Saniya Palace Hotel (carte p. 418 ; ☎ 3270199 ; Taj South Gate ; d 300-600 Rs). Au bout d'une ruelle en retrait de l'artère principale, cet hôtel a plus de caractère que ses concurrents avec ses sols en marbre et ses tapis de style moghol accrochés aux murs. De bonnes dimensions, les chambres sont bien tenues, mais les sdb sont minuscules. Le restaurant sur le toit offre une vue sur le Taj qui rivalise avec celle du Shanti.

Hotel Sheela (carte p. 418 ; ☎ 2331194 ; www.hotelsheelaagra.com ; Taj East Gate Rd ; s 350-550 Rs, d 400-600 Rs ;). Excellente adresse dans cette catégorie, le Sheela propose des chambres d'une propreté irréprochable, sans TV mais avec serviettes de toilette, savon et papier toilette, réparties autour d'un joli jardin ombragé et peuplé d'oiseaux. Un agréable restaurant (p. 426) complète l'offre.

Autres quartiers

Tourists Rest House (carte p. 416 ; ☎ 2463961 ; dontworrychickencurry@hotmail.com ; Kutchery Rd ; d 200-300 Rs, avec clim 450 Rs ;). Cette institution d'Agra se tient à l'écart du tohu-bohu de Taj Ganj. Sa cour centrale ombragée est un havre de paix, idéale pour rencontrer d'autres voyageurs. Les chambres sont impeccables, avec sol carrelé, TV et eau chaude (petite réduction pour les voyageurs solitaires). Les propriétaires, très serviables et bien informés, proposent transferts et réservation de transports gratuits. Un excellent choix.

Hotel Sakura (carte p. 416 ; ☎ 2420169 ; www.hotelsakuraagra.com ; 49 Ajmer Rd ; d 250-550 Rs ;). Proche de la gare routière d'Idgah, cet hôtel est tenu par des gérants sympathiques et connaissant bien la ville. Hautes de plafond, les chambres propres sont agrémentées de sols en marbre. Le restaurant, très correct, est ouvert à tous (repas 50-100 Rs). Les bus deluxe pour Jaipur partent au bout de l'allée d'accès.

CATÉGORIE MOYENNE

Taj Plaza (hors carte p. 418 ; ☎ 2232515 ; www.hoteltajplaza.com ; Taj East Gate Rd ; d 800 Rs, avec clim 1 200 Rs, avec vue Taj 1 600 Rs, ste 4 000 Rs ;). Cet hôtel simple et bien tenu propose des chambres propres avec TV, et vue sur le Taj pour certaines. Il est bien plus proche du mausolée que la plupart des établissements à des prix identiques.

Amar Yatri Niwas (carte p. 416 ; ☎ 2233030 ; www.amaryatriniwas.com ; Fatehabad Rd ; s 1 200-2 500 Rs, d 1 500-2 800 Rs ;). Malgré la profusion de marbre – sols, murs, panneaux décoratifs et dessus de table –, les corridors étroits et les sdb minuscules sont un peu étouffants. L'hôtel possède un bon restaurant, le Mehfil (p. 427).

Hotel Ashish Palace (carte p. 416 ; ☎ 22 30032 ; www.hotelashishpalace.com ; Fatehabad Rd ; s 1 200-1 700 Rs, d 1 500-2 000 Rs, ste 2 500-3 500 Rs ;). Chichement meublées, les chambres spacieuses disposent toutes d'une TV et d'un réfrigérateur. Du marbre couvre le sol jusque dans les sdb.

Hotel Atithi (carte p. 416 ; ☎ 2330880 ; www.hotelatithiagra.com ; Fatehabad Rd ; s 1 750-2 100 Rs, d 2 100-2 750 Rs ;). Si le décor vert et bleu laisse à désirer, les chambres bien tenues s'agrémentent de sdb carrelées et les résidents ont gratuitement accès à la ravissante piscine à côté.

Hotel Amar (carte p. 416 ; ☎ 4008402 ; www.hotelamar.com ; Fatehabad Rd ; s 3 000-4 500 Rs, d 3 400-4500 Rs, ste 6 000-8 000 Rs ;). Ici aussi la décoration n'est pas le point fort et des meubles dépareillés équipent les chambres, toutes vastes et propres. Entourée d'une pelouse, la piscine avec toboggan constitue le principal atout de l'établissement. Un Costa Coffee est installé dans le hall.

Hotel Yamuna View (carte p. 416 ; ☎ 2462989 ; www.hotelyamunaviewagra.com ; 6B The Mall ; s 3 000-3 900 Rs, d 3 795-4 995 Rs ;). Une piscine dans le jardin, des jeux d'eau dans la belle réception, un somptueux restaurant chinois, un café ouvert 24h/24 et des grandes chambres avec sdb rutilantes justifient les prix de cet hôtel accueillant, dans un coin tranquille de Sadar Bazaar.

CATÉGORIE SUPÉRIEURE

Clarks Shiraz Hotel (carte p. 416 ; ☎ 2226121 ; www.hotelclarksshiraz.com ; 54 Taj Rd ; s 4 000-5 500 Rs, d 4 500-5 800 Rs, avec vue Taj s/d 6 200/6 500 Rs ;). Récemment rénové, l'un des premiers cinq-étoiles d'Agra offre des doubles sans rien d'exceptionnel, d'excellentes chambres deluxe avec sol en marbre et des sdb impeccables. Il compte deux très bons restaurants, trois bars, une salle de gymnastique, une piscine dans le jardin ombragé et un centre de massage ayurvédique.

Mansingh Palace (carte p. 416 ; ☎ 2331771 ; www.mansinghhotels.com ; Fatehabad Rd ; s 5 000-5 500 Rs, d 6 000-6 500 Rs, ch avec vue Taj 7 500 Rs, ste 12 500 ;). Cet hôtel élégant propose des chambres somptueuses au décor de style moghol, avec marbre vert, boiseries et meubles exotiques. Une piscine originale et un coin barbecue sont installés dans le jardin. Une salle de gymnastique est à disposition. L'excellent restaurant Sheesh Mahal offre des récitals de ghazal (chants ourdous) tous les soirs.

Howard Park Plaza (carte p. 416 ; ☎ 2331870 ; www.sarovarhotels.com ; Fatehabad Rd ; s/d/ste 6 000/7 000/12 000 Rs ;). Très accueillant, cet hôtel possède des chambres aux beaux meubles en bois sombre et aux carrelages raffinés. Un peu petites, les sdb sont néanmoins élégantes. Il comprend une piscine d'une forme inhabituelle à l'arrière et une petite salle de gymnastique. Un spa offre un éventail complet de soins ayurvédiques.

Oberoi Amar Vilas (hors carte p. 418 ; ☎ 2231515 ; www.oberoihotels.com ; Taj East Gate Rd ; d 29 500-32 000 Rs, ste 53 000-93 500 Rs, présidentielle 136 000 Rs ;). Si votre budget le permet, séjournez dans le plus bel hôtel d'Agra, voire du pays, et profitez d'un cadre et d'un luxe sans faille. Le décor intérieur, de style moghol, se prolonge dans la cour avec fontaine et autour de la piscine, toutes deux installées dans un ravissant jardin quadrillé de canaux. Toutes les chambres (et même certaines baignoires) donnent sur le Taj, de même que l'excellent restaurant (p. 427) et le bar sélect, ouverts aux non-résidents.

Où se restaurer

Le *dalmoth* est la version locale du *namkin* (amuse-bouche épicé). Le *peitha* est une pâtisserie carrée à base de potiron et de glucose, parfumée à l'eau de rose, à la noix de coco ou au safran. D'octobre à mars, goûtez le *gajak*, un biscuit légèrement épicé aux grains de sésame.

QUARTIER DE TAJ GANJ

Dans ce quartier animé, au sud du Taj, de nombreux restaurants bon marché sont installés sur les toits et proposent des cartes similaires. Aucun ne peut officiellement servir d'alcool, mais certains contournent discrètement l'interdiction. Des gargotes moins chères et plus authentiques se regroupent près de la station des auto-rickshaws et des cyclo-pousse ; elles disposent rarement d'une carte en anglais.

Joney's Place (carte p. 418 ; plats 20-80 Rs ; 5h-22h30). Institution prisée des voyageurs depuis 1978, ce petit établissement, peint de couleurs vives, sert dès l'aube des *lassi*, des en-cas végétariens, des crêpes et des sandwichs toastés.

Gulshan Restaurant (carte p. 418 ; plats 25-80 Rs ; 6h-23h). Grimpez jusqu'au toit-terrasse pour vous régaler d'un *thali* végétarien à 25 Rs, ou d'un petit-déjeuner à l'indienne à 15 Rs.

Taj Cafe (carte p. 418 ; plats 35-190 Rs ; 6h30-23h). En haut d'un escalier et surplombant une rue animée de Taj Ganj, ce restaurant sympathique, tenu par une famille, propose des plats d'Inde du Sud, des curries de viande, des pizzas et des spécialités coréennes, ainsi que des *thali* d'un excellent rapport qualité/prix.

Shankara Vegis Restaurant (carte p. 418 ; repas 40-90 Rs ; 8h-22h30). Autre institution de Taj Ganj, ce restaurant végétarien perché sur un toit mitonne de savoureux *thali* (90 Rs). L'ambiance détendue, la vue sur le Taj (tout juste) et les jeux de société invitent à s'attarder.

Stuff Makers (carte p. 418 ; repas 40-100 Rs ; 6h-22h30). Le toit-terrasse de l'Hotel Kamal, éclairé de guirlandes électriques, offre la vue sur le Taj ou sur un arbre, selon les tables. La carte comprend les habituels plats indiens, chinois et occidentaux.

Yash Cafe (carte p. 418 ; plats 40-110 Rs ; 7h-22h). Installé au 1er étage, ce café sans prétention, agrémenté de fauteuils en osier, possède une TV branchée sur un chaîne sportive, projette des films en soirée et sert un bon choix de plats, des *thali* aux pizzas. Il offre aussi consigne et douche (50 Rs les deux) aux visiteurs venus pour la journée.

Shanti Lodge Restaurant (carte p. 418 ; plats 40-100 Rs ; 7h-22h). La vue superbe sur le Taj fait de ce restaurant sur un toit un endroit idéal au petit-déjeuner et très fréquenté au coucher du soleil. Dans la journée, des endroits ombragés permettent de supporter la chaleur. Bien que correcte, la carte manque totalement d'imagination.

Saniya Palace Hotel (carte p. 418 ; plats 40-100 Rs). La vue sur le Taj depuis le toit-terrasse est aussi belle qu'au Shanti et la cuisine, tout aussi banale, avec l'habituel assortiment de plats occidentaux et indiens.

Hotel Sheela (carte p. 418 ; plats 50-180 Rs ; 7h-22h). Merveilleuse retraite dans un jardin, son calme surprend si près du Taj Mahal. Par contre, la carte ne diffère guère de la concurrence.

SADAR BAZAAR

Brijwasi (carte p. 416 ; Sadar Bazaar ; repas 30-90 Rs ; 7h30-23h ;). Une sélection alléchante de fruits secs et de pâtisseries indiennes au rez-de-chaussée et un restaurant d'un bon rapport qualité/prix à l'étage.

Lakshmi Vilas (carte p. 416 ; Taj Rd ; repas 35-70 Rs ; 9h-22h ;). Ce restaurant sans prétention au décor banal est la meilleure adresse d'Agra pour savourer des spécialités d'Inde du Sud à des prix raisonnables : *idli* (gâteau de riz fermenté), *vada* (en-cas frits à base de lentilles), *uttapam* (épaisse crêpe de riz salée) et plus de 20 variétés de *dosa* (grandes crêpes salées, 46-250 Rs), dont une familiale de 1,20 m de long !

Tourists Rest House (carte p. 416 ; ☎ 2363961 ; Kutchery Rd ; repas 40-75 Rs). Prisé par les voyageurs, le restaurant est installé dans le jardin autour d'une fontaine et éclairé aux bougies. Il propose une carte correcte, uniquement végétarienne.

Zorba the Buddha (carte p. 416 ; Gopi Chand Shivhare Rd ; repas 90-120 Rs ; 🕐 12h-22h, fermé juin ; ❄). Dans ce restaurant végétarien sympathique, les tables sont réparties autour d'une colonne en marbre. Parmi les spécialités, citons les *kofta* (boulettes de purée de pommes de terre) et le *paneer* (fromage frais).

Dasaprakash (carte p. 416 ; ☎ 2363535 ; 1 Gwalior Rd ; repas 80-190 Rs ; 🕐 11h-22h45). Chaudement recommandé par des habitants pour la qualité constante de sa cuisine végétarienne d'Inde du Sud, il propose de succulents *thali* et *dosa*, ainsi que quelques plats occidentaux. Les glaces sundaes sont délicieuses mais chères (à partir de 90 Rs). Des box confortables et des paravents treillissés garantissent l'intimité.

AUTRES QUARTIERS

Mehfil Restaurant (carte p. 416 ; ☎ 2233030 ; plats 60-200 Rs ; 🕐 6h-23h ; ❄). Le restaurant de l'hôtel Amar Yatri Niwas sert des plats chinois et occidentaux ainsi qu'une savoureuse cuisine indienne, recommandée par des lecteurs.

Mughal Room (carte p. 416 ; ☎ 2226121 ; 54 Taj Rd ; plats 175-700 Rs ; 🕐 6h-10h, 12h30-14h30 et 19h30-23h). Au dernier étage du Clarks Shiraz Hotel, cet élégant restaurant offre la vue sur le Taj et le fort d'Agra au loin (invisibles la nuit) et de la musique classique indienne live tous les soirs. Vous vous régalerez de plats indiens, chinois et occidentaux soigneusement préparés.

Bellevue (hors carte p. 418 ; ☎ 2231515 ; Taj East Gate Rd ; plats 800-1 950 Rs ; 🕐 6h30-22h30). Seul restaurant de l'Oberoi Amar Vilas ouvert aux non-résidents, le Bellevue est une adresse sélecte pour déguster un déjeuner somptueux – soupes, salades, viandes grillées et pâtes – en contemplant le Taj à travers les grandes fenêtres.

Où prendre un verre et sortir

Beer Shop (carte p. 418 ; 🕐 10h-23h). Dans Taj Ganj, une adresse pratique pour acheter une bouteille de Kingfisher (75 Rs) à siroter sur un toit.

Wine Shop (carte p. 418 ; 🕐 9h-23h). Cette boutique de spiritueux propose divers whiskies, à partir de 150 Rs la petite bouteille.

Jaiwal Bar (carte p. 416 ; 3 Taj Rd ; 🕐 10h-23h). Un petit bar climatisé agrémenté d'une terrasse. Change agréablement des bars d'hôtel impersonnels. Bières à partir de 80 Rs et des en-cas.

Amar Vilas Bar (Taj East Gate Rd ; 🕐 12h-24h). Le bar du meilleur hôtel d'Agra offre un cadre opulent pour boire une bière (200 Rs) ou un cocktail (450 Rs) et comporte une terrasse avec vue sur le Taj.

Plusieurs restaurants et des hôtels haut de gamme proposent des récitals de ghazal et des concerts de musique indienne classique.

Achats

Agra est réputée pour ses objets en marbre incrustés de pierres colorées, semblables aux décors en *pietra dura* du Taj Mahal. De nombreux emporiums parsèment **Sadar Bazaar** (carte p. 416), la vieille ville et les alentours du Taj Mahal. Les maquettes du Taj sont pour la plupart en stéatite, une pierre qui se raye facilement, et non en marbre.

Parmi les souvenirs appréciés figurent aussi les tapis, les articles en cuir et les pierres précieuses ; ces dernières proviennent du Rajasthan et sont moins chères à Jaipur.

Kinari Bazaar (p. 424). L'un des nombreux marchés installés dans les rues de la vieille ville, où se vendent toutes sortes de produits, des textiles et de l'artisanat aux fruits et aux légumes.

Subhash Bazaar. Au nord de la Jama Masjid, ce *bazaar* est particulièrement intéressant pour les soieries et les saris.

Subhash Emporium (carte p. 416 ; ☎ 2850749 ; 18/1 Gwalior Rd ; 🕐 10h-18h30). Cette boutique propose des objets en marbre depuis plus de 35 ans ; ses prix élevés reflètent la qualité. Regardez les artisans au travail dans l'entrée avant de découvrir leurs œuvres dans le magasin derrière.

Khadi Gramodyog (carte p. 416 ; ☎ 2421481 ; MG Rd ; 🕐 10h30-19h). Pour des vêtements indiens en khadi, simples et de bonne qualité. Le Mahatma Gandhi recommandait l'utilisation de cette étoffe, tissée dans les foyers (voir l'encadré p. 457).

Depuis/vers Agra

AVION

L'aéroport de Kheria se situe à 5 km au sud-ouest du centre-ville. **Kingfisher Airlines** (☎2400693 ; aéroport ; ⌚ arrivée des vols) propose des vols quotidiens pour Delhi et Jaipur, à partir de 4 500 Rs.

BUS

La municipalité tente de transférer les bus longue distance à l'Inter State Bus Terminal (ISBT), mais la plupart partent de la **gare routière d'Idgah** (carte p. 416 ; ☎2603536). Des bus fréquents desservent Fatehpur Sikri (22 Rs, 1 heure, 6h-16h), Gwalior (75 Rs, 3 heures, 5h-23h30), Jaipur (137 Rs, 6 heures, 4h30-22h) et Delhi (117 Rs, 4 heures 30, 4h-23h30), via Mathura (37 Rs, 1 heure 30). Deux bus partent pour Khajuraho (230 Rs, 10 heures) à 5h et 6h.

De l'**ISBT** (☎ 2603536 ; près de National Hwy 2, à côté de Sikandra), des bus rejoignent Lucknow (200 Rs, 10 heures, 4h30-22h30) et Dehra Dun (250 Rs, 12 heures, 6h-22h), via Haridwar pour Rishikesh (225 Rs, 10 heures). Les bus à destination de Delhi s'arrêtent à l'ISBT en quittant Agra.

Pour rejoindre l'ISBT depuis Idgah, prenez un auto-rickshaw collectif jusqu'à Bhagwan (10 Rs), puis un autre (5 Rs) sur la Hwy 2. En auto-rickshaw privé, comptez 70 Rs.

TRAIN

Le train constitue le transport le plus rapide depuis/vers Delhi, Varanasi, Jaipur et maintenant Khajuraho (voir le tableau des trains Delhi-Agra p. 429). La plupart des trains partent de la **gare ferroviaire d'Agra Cantonment (Cantt)** (carte p. 416 ; ☎2421204), et quelques trains est-ouest de celle d'Agra Fort. Des trains express permettent de faire l'excursion dans la journée depuis/vers Delhi (voir le tableau ci-dessous), mais des trains desservent la capitale toute la journée. Si vous ne parvenez pas à réserver une place, achetez un "general ticket" pour le prochain train (environ 60 Rs) puis régularisez votre situation à bord. Il reste presque toujours des places dans le sens Agra-Delhi.

Depuis longtemps espérée, la liaison ferroviaire jusqu'à Khajuraho devrait fonctionner quand vous lirez ces lignes. Dans ce cas, le 2448 *Nizamuddin-Khajuraho Express* partira d'Agra Cantonment vers minuit les mardi, vendredi et dimanche, et arrivera à Khajuraho vers 8h.

Comment circuler

AUTO-RICKSHAW

Devant la gare ferroviaire d'Agra Cantonment, le **kiosque des auto-rickshaws prépayés** (carte p. 416 ; ⌚ 24h/24) donne de précieuses indications pour négocier une course ailleurs. Ses prix s'élèvent à 50 Rs pour le Taj Mahal, 50 Rs pour Fatehbad Rd, 40 Rs pour le Sadar Bazaar et 140 Rs l'aller-retour à Sikandra. Une excursion de 8 heures coûte 300 Rs. Les auto-rickshaws ne sont pas autorisés à se rendre à Fatehpur Sikri.

Les auto-rickshaws jaune et vert d'Agra roulent au GNC (gaz naturel comprimé) et sont moins polluants.

BICYCLETTE

Raja Bicycle Store (carte p. 418 ; Taj Ganj ; ⌚ 8h-20h30) loue des vélos pour 10/80 Rs par heure/jour.

CYCLO-POUSSE

Comptez 40 Rs d'Agra Cantonment à Taj Ganj, 30 Rs de Taj Ganj à Sadar Bazaar et 20 Rs de Taj Ganj au fort d'Agra. Louer un cyclo-pousse pour la demi-journée revient à 150 Rs environ, selon la distance.

TAXI

Devant la gare ferroviaire d'Agra Cantonment, le **kiosque des taxis prépayés** (⌚ 24h/24) permet de se faire une idée précise des tarifs : 150 Rs pour le

TRAINS DELHI-AGRA – EXCURSIONS D'UNE JOURNÉE

Itinéraire	N° et nom du train	Tarifs (Rs)	Durée	Départ
New Delhi-Agra	2001 *Shatabdi Exp*	370/700*	2 heures	6h15
Agra-New Delhi	2002 *Shatabdi Exp*	400/745*	2 heures	20h30
Hazrat Nizamuddin-Agra	2080 *Taj Exp*	76/266**	3 heures	7h10
Agra-Hazrat Nizamuddin	2079 *Taj Exp*	76/266**	3 heures	18h55

*chair/1AC ; **2e classe/chair

AUTRES TRAINS AU DÉPART D'AGRA

Destination	N° et nom du train	Tarifs (Rs)	Durée	Départ
Jaipur*	4853/4863 *Marudhar Exp*	131/355/482	5 heures	6h15
Kolkata (Howrah)**	3008 *UA Toofan Exp*	401/1 009	31 heures	12h10
Mumbai (CST)	2134 *Punjab Mail*	417/1 118/1 528	23 heures	8h55
Varanasi*	4854/4864 *Marudhar Exp*	250/712/976	11-12 heures	21h15

départ de la gare d'Agra Fort ; **sleeper/3AC uniquement

Taj Mahal, 700 Rs l'aller-retour à Fatehpur Sikri et 300 Rs pour un circuit d'une demi-journée (4 heures). Un circuit de 8 heures comprenant Fatehpur Sikri revient à 950 Rs.

FATEHPUR SIKRI

☎ 05613 / 28 750 habitants

Cette magnifique cité fortifiée, à 40 km à l'ouest d'Agra, fut la capitale de l'Empire moghol de 1571 à 1585, sous le règne d'Akbar. L'empereur vint au village de Sikri pour consulter Shaikh Salim Chishti, un saint soufi qui lui prédit la naissance d'un héritier. Lorsque la prophétie se réalisa, Akbar fit construire ici sa nouvelle capitale, avec une mosquée splendide, toujours en activité, et trois palais pour ses épouses favorites, une hindoue, une musulmane et une chrétienne. Chef-d'œuvre d'architecture indo-musulmane, cette cité fut édifiée dans un endroit insuffisamment irrigué et fut abandonnée peu après la mort d'Akbar.

Inscrit au patrimoine mondial de l'humanité, le site peut se visiter d'Agra dans la journée. Il compte néanmoins quelques hôtels convenables et les murs en grès rouge des palais sont particulièrement beaux au coucher du soleil. Le bazar pittoresque du village de Fatehpur, juste en dessous des ruines, et le village de Sikri, à quelques kilomètres au nord, méritent le détour.

Orientation et renseignements

L'ensemble palatial (entrée payante) se dresse à côté de la Jama Masjid (accès gratuit) sur une crête qui s'étend entre les villages de Fatehpur (juste au sud) et de Sikri (à quelques kilomètres au nord). Des guides officiels (125 Rs) attendent près de la billetterie. D'autres vestiges, éparpillés aux alentours, se découvrent sans billet. Ne manquez pas de flâner dans Fatehpur Bazaar.

La gare routière, à l'extrémité est du bazar, offre des bus pour Agra et Bharatpur. Une courte marche au nord-est conduit à Agra Gate et au carrefour de la route Agra-Jaipur, où vous pourrez prendre un bus pour l'une ou l'autre ville 24h/24.

Désagréments et dangers

Dans le bus Fatehpur Sikri-Agra, ignorez quiconque cherche à vous convaincre de descendre avant le terminus à la gare routière d'Idgah, prétextant que vous êtes arrivé au centre-ville ou au Taj Mahal. Vous êtes encore très loin et celui désireux de vous sortir du bus n'est autre qu'un rickshaw-wallah !

À voir

JAMA MASJID

Immense et splendide, cette mosquée fut achevée en 1571 et comprend des éléments perses et indiens. Des marches en pierre grimpent vers l'entrée principale, la spectaculaire **Buland Darwaza** (porte de la Victoire), haute de 54 m, qui commémore la victoire d'Akbar au Gujarat.

Dans la cour, le somptueux **tombeau de Shaikh Salim Chishti**, en marbre blanc avec une porte en ébène, fut terminé en 1581. Des peintures de fleurs aux couleurs vives ornent les murs intérieurs et la voûte est incrustée de nacre. À l'instar d'Akbar qui vint implorer le saint pour avoir un fils il y a plus de quatre siècles, des femmes sans enfant se rendent aujourd'hui au tombeau et attachent un fil aux *jali*, qui comptent parmi les plus beaux du pays. Les pierres tombales à droite du mausolée couvrent les sépultures de membres de la famille de Shaikh Salim Chishti. Elles avoisinent l'entrée d'un tunnel (fermée par une porte verrouillée) qui rejoindrait le fort d'Agra. Derrière cette entrée, sur le mur du fond, trois cavités faisaient partie de l'ancien système de ventilation : on peut encore sentir l'air frais qui s'y engouffre. À l'est du tombeau de Shaikh Salim Chishti se dresse le mausolée en grès rouge d'Islam

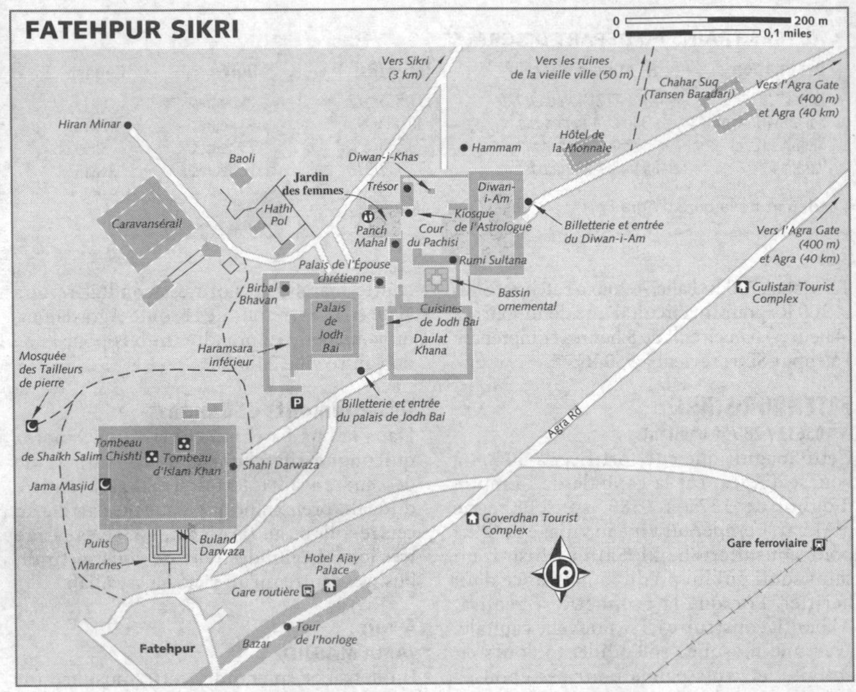

Khan, le petit-fils de Shaikh Salim Chishti qui fut gouverneur du Bengale.

Dans le mur est de la cour, une entrée plus petite vers la mosquée, la Shahi Darwaza (porte du Roi), mène au palais.

PALAIS ET PAVILLONS

En entrant par le sud, le premier et le plus grand des **bâtiments du palais** (Indiens/étrangers 20/260 Rs, caméra 25 Rs ; aube-crépuscule) est le **palais de Jodh Bai**, l'épouse hindoue d'Akbar, réputée sa favorite. Construit autour d'une cour immense, il mêle des colonnes indiennes classiques, des coupoles musulmanes et des tuiles persanes bleu turquoise.

À l'extérieur, à gauche des cuisines du palais de Jodh Bai, le **palais de l'Épouse chrétienne** était habité par Mariam, l'épouse goannaise d'Akbar et la mère de Jahangir, qui naquit ici en 1569. Comme de nombreux édifices du complexe, il contient des éléments de différentes religions, reflets de la tolérance d'Akbar envers les diverses croyances. Le plafond à coupole est de style islamique, tandis que des vestiges d'une peinture murale représentent le dieu hindou Shiva.

En poursuivant dans le sens inverse des aiguilles d'une montre, on arrive au **bassin ornemental**, où chanteurs et musiciens se produisaient sur la plate-forme au-dessus de l'eau. Akbar les regardait du pavillon de ses appartements privés, le **Daulat Khana** (demeure de la Chance). Derrière le pavillon se dresse la **Khwabgah** (maison des Rêves), un bâtiment réservé au sommeil avec un énorme lit en pierre et aujourd'hui rempli de chauves-souris.

Au nord du bassin ornemental, le petit **Rumi Sultana**, le palais construit pour l'épouse turque d'Akbar, est la structure la plus finement sculptée du complexe.

Derrière s'étend la **cour du Pachisi**, où Akbar aurait joué au *pachisi* (sorte de jeu d'échecs), avec de jeunes esclaves en guise de pions.

De là, des marches descendent vers le **Diwan-i-Am** (pavillon des Audiences publiques), une grande cour (aujourd'hui un jardin) où Akbar rendait la justice et où l'on procédait à des exécutions publiques ; des éléphants piétinaient les criminels jusqu'à ce que mort s'ensuive.

Le **Diwan-i-Khas** (pavillon des Audiences privées) se tient à l'extrémité nord de la cour du Pachisi. Sa façade banale cache une architecture intérieure exceptionnelle, dominée par une colonne de pierre centrale superbement ouvragée. La colonne s'évase pour former un plateau, relié aux quatre coins de la pièce par d'étroites passerelles de pierre. La légende dit qu' Akbar s'installait au sommet de cette colonne pour discuter avec des érudits et des ministres, qui se tenaient au bout des quatre passerelles.

Près du Diwan-i-Khas, le **Trésor** recélait des coffres-forts secrets en pierre dans des recoins (l'un d'eux est ouvert pour les visiteurs). Des monstres marins sculptés sur les traverses du plafond protégeaient les fabuleuses richesses conservées ici. Devant, le **kiosque de l'Astrologue** comporte des supports de toit de style jaïn.

Dans un angle du **jardin des Dames** s'élève l'imposant **Panch Mahal**, un pavillon de cinq étages décroissants. Le premier niveau compte 84 colonnes, toutes différentes, et le dernier se résume à un kiosque minuscule.

En longeant de nouveau le palais de l'Épouse chrétienne, on rejoint le **Birbal Bhavan** à l'ouest, délicatement sculpté à l'intérieur et à l'extérieur, et sans doute la demeure d'un des principaux ministres d'Akbar. Le **Haramsara inférieur**, au sud, abritait les écuries royales.

Parmi les innombrables ruines disséminées derrière le complexe figurent le **caravansérail**, une vaste cour entourée de pièces où logeaient les marchands de passage, et le **Hiran Minar**, une étrange tour haute de 21 m, ornée de centaines de défenses d'éléphant en pierre ; ce serait l'endroit où mourut l'éléphant favori d'Akbar. Des sculptures d'éléphants très endommagées gardent toujours la **Hathi Pol** (porte de l'Éléphant), à courte distance des vestiges de la petite **mosquée des Tailleurs de pierre** et d'un **hammam**. Vous découvrirez d'autres ruines au nord de l'édifice appelé hôtel de la Monnaie, qui serait en fait une écurie, et dans le joli village de Sikri, au nord.

Où se loger et se restaurer

Hotel Ajay Palace (☎ 282950 ; Agra Rd ; d 200 Rs). Récemment rénové, il offre des chambres sommaires mais correctes, agrémentées d'un sol en marbre. Sur le toit, une longue table en marbre permet de déjeuner en contemplant la Jama Masjid (repas à partir de 50 Rs). Les non-résidents peuvent déposer leurs bagages à l'hôtel durant la visite de la cité.

Goverdhan Tourist Complex (☎ 282643 ; www.hotelfatehpursikriviews.com ; Agra Rd ; d 300 Rs, avec rafraîchisseur/clim 400/800 Rs ;). À 200 m de la Jama Masjid, le Goverdhan propose des chambres peintes de couleurs vives, réparties autour d'un jardin soigné, un balcon commun et une terrasse. L'accès à Internet est gratuit pour les hôtes durant les 20 premières minutes. Le restaurant prépare une cuisine décente et utilise de l'eau purifiée (repas 40-80 Rs).

Gulistan Tourist Complex (☎ 282490 ; s/d 325/400 Rs, avec rafraîchisseur 525/575 Rs, avec clim 775/900 Rs ;). Premier hôtel en venant d'Agra Gate, à 500 m à l'est de Fatehpur Bazaar, cet hôtel en grès rouge d'UP Tourism possède des chambres aux hauts plafonds voûtés, aménagées autour d'une grande cour verdoyante, un restaurant, un bar et même une table de billard.

Les *khataie*, des biscuits disposés en hautes piles au bazar, sont une spécialité de Fatehpur Sikri.

Depuis/vers Fatehpur Sikri

Le dernier bus pour Agra quitte le bazar à 17h30. Si vous le ratez, marchez jusqu'à Agra Gate et faites signe à un bus Jaipur-Agra sur la grande route. Ils circulent régulièrement, jour et nuit.

Du bazar, des bus partent régulièrement pour Bharatpur (15 Rs, 40 min) de 10h à 17h. Pour Jaipur (100-150 Rs, 4 heures 30), changez à Bharatpur ou prenez un bus direct sur la route principale, près d'Agra Gate.

MATHURA

☎ 0565 / 319 235 habitants

Réputée être le lieu de naissance du dieu hindou Krishna, Mathura est l'une des sept villes sacrées du pays et attire d'innombrables pèlerins, notamment durant **Janmastami** (anniversaire de Krishna) en août-septembre. La ville est parsemée de temples de diverses époques et 25 ghats bordent la Yamuna ; découvrez-les de préférence à l'aube, lors du bain rituel, ou juste après le crépuscule, quand des centaines de bougies flottent sur le fleuve pour la cérémonie de l'*aarti*.

Mathura fut jadis un centre bouddhique et 20 monastères abritaient alors quelque 3 000 moines. L'essor de l'hindouisme puis les pillages des envahisseurs afghans et moghols ont provoqué leur disparition. Il n'en reste que de splendides sculptures retrouvées dans les ruines et aujourd'hui exposées au musée d'Archéologie.

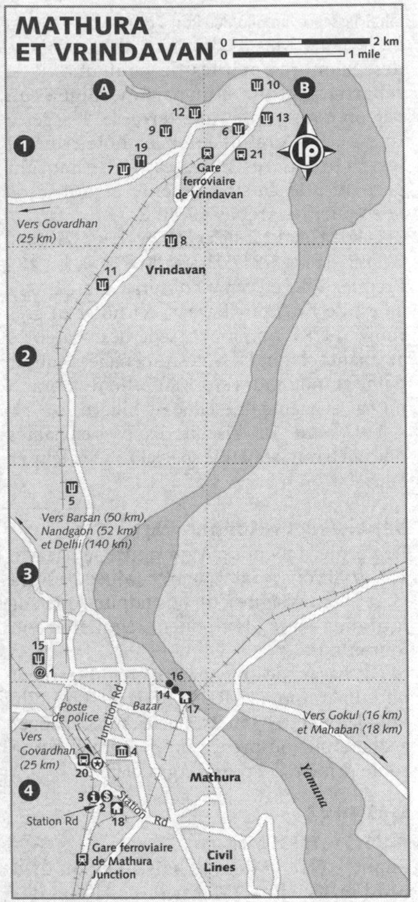

RENSEIGNEMENTS
Bureau d'information ....(voir 7)
Cybercafé 1 A3
State Bank of India 2 A4
UP Tourism 3 A4

À VOIR ET À FAIRE
Musée d'Archéologie 4 A4
Temple de Gita 5 A3
Temple de Govind Dev 6 B1
Katra Masjid ....(voir 15)
Temple de Kesava Deo ....(voir 15)
Complexe du temple de Krishna Balaram 7 A1
Temple de Krishna 8 A1
Temple de Madan Mohan 9 A1
Temple de Nidhivan 10 B1
Temple de Pagal Baba 11 A2
Temple de Radha Ballabh 12 A1
Temple de Rangaji 13 B1
Sati Burj 14 A4
Shri Krishna Janmbhoomi 15 A3
Vishram Ghat 16 A4

OÙ SE LOGER
Agra Hotel 17 A4
Hotel Brijwasi Royal 18 A4
International Guest House ....(voir 15)
Complexe du temple de Krishna Balaram ....(voir 7)

OÙ SE RESTAURER
Gargotes 19 A1
Complexe du temple de Krishna Balaram ....(voir 7)

TRANSPORTS
Nouvelle gare routière 20 A4
Gare routière de Vrindavan 21 B1

Renseignements

Près de la nouvelle gare routière, un **bureau d'UP Tourism** (☎2505351 ; Station Rd ; 🕒 10h-17h lun-sam, fermé 2e sam du mois), sympathique mais peu efficace, avoisine une **State Bank of India** (Station Rd ; 🕒 10h-17h lun-sam, fermée déj) qui change les chèques de voyage, les espèces et dispose d'un DAB. Un petit **cybercafé** (25 Rs/h ; 🕒 9h-21h) fait face à l'entrée principale du Sri Krishna Janmbhoomi.

À voir

SRI KRISHNA JANMBHOOMI

Parmi les fondations du **temple de Kesava Deo** (🕒 5h-21h30, 5h30-20h30 en hiver), orné de peintures murales, une petite pièce nue contient une dalle sur laquelle serait né Krishna il y a 3 500 ans.

Le temple est entouré de jardins et de boutiques de souvenirs. À côté, la **Katra Masjid** fut bâtie par Aurangzeb en 1661 sur le site d'un temple qu'il fit raser. Cette mosquée est surveillée en permanence par des soldats afin que ne se reproduisent pas les tragiques événements survenus à Ayodhya en 1992 (p. 439).

MUSÉE ARCHÉOLOGIQUE

Ce grand **musée** (☎2500847 ; Museum Rd ; Indiens/étrangers 5/25 Rs, appareil photo 20 Rs ; 🕒 10h30-16h30 mar-dim) possède une superbe collection de sculptures religieuses de l'école de Mathura, qui prospéra du IIIe siècle av. J.-C. au XIIe siècle.

VISHRAM GHAT ET ENVIRONS

Un chapelet de ghats et de temples borde la Yamuna au nord du principal pont routier. Le **Vishram Ghat**, où Krishna se serait reposé après avoir tué le tyrannique roi Kansa, est le plus central et fréquenté. Des bateaux s'alignent le long des berges pour promener les touristes sur la Yamuna (50 Rs la demi-heure). À côté du ghat, la **Sati Burj**, une tour de 4 étages haute de 17 m, fut construite par le fils de Behari Mal de Jaipur en 1570 pour commémorer le sati (immolation d'une veuve dans le bûcher funéraire de son époux) de sa mère.

TEMPLE DE GITA

Sur la route de Vrindavan, ce paisible **temple** (aube-crépuscule) en marbre possède un pilier rouge dans le jardin sur lequel est inscrite toute la *Bhagavad Gita*.

Où se loger, se restaurer et prendre un verre

International Guest House (☎ 2423888 ; d 75-150 Rs). À l'est du Sri Krishna Janmbhoomi, cette pension spartiate offre des chambres propres. Prisée par les pèlerins, elle affiche souvent complet.

Agra Hotel (☎ 2403318 ; Bengali Ghat ; s 150-200 Rs, d 250-350 Rs, avec clim 650 Rs, tr 350-400 Rs ;). Dans le quartier le plus séduisant de Mathura, avec ses étroites ruelles qui serpentent jusqu'aux ghats et aux temples en bord de fleuve. Les chambres sans prétention de cet hôtel ne manquent pas de cachet et certaines donnent sur la Yamuna. L'accueil est chaleureux et l'établissement sert des repas simples (*thali* 50 Rs).

Hotel Brijwasi Royal (☎ 2401224 ; www.brijwasiroyal.com ; Station Rd ; s/d/ste à partir de 1 500/1 700/3 600 Rs ;). Récemment rénovées, les chambres possèdent un sol en marbre ou sont agrémentées de tapis ; toutes disposent d'une TV, d'un réfrigérateur et d'une baignoire, certaines surplombent un étang à buffles à l'arrière. Prisé à juste titre et orné d'un superbe portrait de Krishna, le restaurant propose toutes sortes de plats végétariens (repas 75-110 Rs). Le bar sert de la bière (à partir de 110 Rs).

Comment s'y rendre et circuler

Les bus longue distance peuvent vous déposer au croisement sur la nationale Delhi-Agra, à 3 km à l'ouest de Mathura, où des cyclo-pousse vous conduiront en ville (10 Rs).

De la nouvelle gare routière, des bus réguliers partent pour Delhi (82 Rs, 4 heures), Agra (37 Rs, 1 heure 30) et Vrindavan (10 Rs, 15 min). Les *tempo* (grands auto-rickshaws) facturent 10 Rs de Mathura à Vrindavan (10 km).

Des trains desservent régulièrement Delhi (2e/chair 53/68 Rs, 2 heures 30, 7h-19h40), Agra (35/50 Rs, 1 heure, 6h10-0h49) et Bharatpur (25/40 Rs, 45 min, 5h30-0h30). Les trains pour Bharatpur continuent jusqu'à Sawai Madhopur (pour le Ranthambore National Park, 2 heures) et Kota (5 heures 30).

VRINDAVAN

☎ 0565 / 56 618 habitants

Krishna aurait grandi dans la bourgade de Vrindavan, où des pèlerins viennent de tout le pays, voire du monde entier dans le cas des membres de la secte Hare Krishna. La ville compte des dizaines de temples, anciens et modernes, particulièrement intéressants du fait de leur diversité.

Dans le complexe du temple de Krishna Balaram, un **bureau d'information** (10h-13h et 17h-20h30) possède une liste d'hébergements et vous aidera à vous inscrire à un cours sur la *Bhagavad Gita*. Une banque, un DAB, une poste et un cybercafé sont installés à proximité.

La plupart des temples ouvrent de l'aube au crépuscule et l'entrée est libre. Ils sont cependant assez éloignés les uns des autres et mieux vaut louer un cyclo-pousse pour les visiter ; comptez 80 Rs la demi-journée.

L'**International Society for Krishna Consciousness**, plus connue sous le nom de Hare Krishna, occupe le complexe du temple de Krishna Balaram.

Vaste édifice en grès rouge, le **temple de Govind Dev**, construit en 1590 par le raja Man Singh d'Amber, se distingue par ses jolies cloches sculptées dans les piliers. Méfiez-vous des singes chapardeurs !

Avec ses 10 étages, le **temple de Pagal Baba** (2 Rs) ressemble à un château de conte de fées. Au rez-de-chaussée, une amusante série de marionnettes animées et de dioramas représente des scènes de la vie de Rama et de Krishna.

À l'entrée de la ville, le rutilant **temple de Krishna** est un édifice moderne orné de miroirs, d'émaux et de lustres. Sur la droite, dans un faux **passage souterrain** (3 Rs), une longue succession de tableaux légèrement mobiles décrit des épisodes de la vie de Krishna.

Le **temple de Rangaji**, de 1851, le **temple de Radha Ballabh**, de 1626, le **temple de Madan Mohan** et le **temple de Nidhivan** méritent également la visite.

Les *tempo* et les bus facturent 10 Rs de Vrindavan à Mathura.

LUCKNOW

☎ 0522 / 2,27 millions d'habitants

Les nombreux bâtiments de l'époque du Raj, dont la Residency, et deux superbes mausolées font de la capitale de l'Uttar Pradesh une destination privilégiée pour les passionnés d'histoire, sans l'affluence touristique parfois pénible dans d'autres sites.

La ville acquit de l'importance grâce aux nababs d'Avadhi (ou Oudh), gourmets et grands protecteurs des arts, en particulier de la danse et de la musique. Ils firent de Lucknow la cité culturelle et policée qu'elle demeure, réputée pour son excellente cuisine.

En 1856, les Britanniques annexèrent le royaume d'Avadhi et exilèrent le nabab Wajid Ali Shah dans un palais de Kolkata (Calcutta). Cet événement fut l'un des facteurs qui déclenchèrent la révolte des Cipayes en 1857 et le siège de la Residency à Lucknow.

Orientation

La plupart des hôtels et des restaurants se regroupent dans le centre marchand de Lucknow, appelé Hazratganj, qui s'étend autour de Mahatma Gandhi (MG) Rd.

Désagréments et dangers

Les mendiants se montrent particulièrement insistants dans Mahatma Gandhi (MG) Rd ; malheureusement, beaucoup sont de jeunes enfants.

Renseignements

ACCÈS INTERNET

Cyber Cafe (Buddha Rd ; 20 Rs/h ; ⌚ 8h-22h)

Cyber City (25 Rs/h ; ⌚ 10h-22h). Au bout d'une ruelle proche de MG Rd.

ARGENT

Les DAB sont indiqués sur la carte. Vous en trouverez un autre à la gare ferroviaire de Charbagh.

ICICI (MG Rd, Hazratganj ; ⌚ 10h-17h lun-sam). Change les chèques de voyage (du lundi au vendredi) et les espèces ; dispose d'un DAB.

LIBRAIRIE

Ram Advani Bookshop (☎ 2223511 ; Mayfair Bldg, MG Rd ; ⌚ 10h-19h30 lun-sam). Institution de Lucknow, elle mérite la visite, ne serait-ce que pour rencontrer le propriétaire, M. Advani, qui connaît parfaitement la ville ; il est habituellement absent entre 12h et 16h.

OFFICE DU TOURISME

UP Tours (☎ 2615005 ; Hotel Gomti, 6 Sapru Marg ; ⌚ 9h30-19h lun-sam). Agence de voyages gérée par le gouvernement ; brochures, visites de la ville et informations.

POSTE

Poste d'Hazratganj (☎ 2222887 ; ⌚ 9h-18h lun-sam). Près de MG Rd.

Poste principale (☎ 2253165 ; MG Rd ; ⌚ 10h-18h lun-sam). Superbe architecture de l'époque du Raj.

SERVICES MÉDICAUX

Balrampur District Hospital (☎ 2224040 ; Hospital Rd). Le service d'urgence est sur la droite après l'entrée.

À voir

RESIDENCY

Les jardins et les ruines de la **Residency** (Indiens/étrangers 5/100 Rs, caméra 25 Rs ; ⌚ aube-crépuscule) offrent un aperçu fascinant des signes annonciateurs de la fin du Raj britannique. Construite en 1800, la Residency fut le théâtre du siège de Lucknow, l'un des événements les plus dramatiques de la révolte des Cipayes de 1857 ; il dura 147 jours et fit des milliers de morts. Le domaine est resté en l'état depuis la fin du siège et les murs portent les marques des impacts des balles et des obus. En face, se dresse un **mémorial aux martyrs indiens**, érigé après l'Indépendance.

Dans le bâtiment principal, le **musée** (5 Rs ; ⌚ 10h-16h30 mar-dim), bien agencé, renferme une maquette à l'échelle des constructions d'origine de la Residency. Au sous-sol, on découvre les salles immenses où se réfugièrent les nombreuses femmes et enfants britanniques durant le siège.

Le **cimetière** de l'église St Mary, en ruine, contient les sépultures de 2 000 défenseurs, dont celle de Sir Henry Lawrence qui "essaya de faire son devoir", selon l'inscription figurant sur sa tombe.

BARA IMAMBARA

Cet énorme **tombeau** (Hussainabad Trust Rd ; Indiens/étrangers 20/300 Rs, guide 75 Rs ; ⌚ aube-crépuscule) mérite à lui seul la visite, mais le curieux dédale de corridors dans les étages supérieurs ajoute à son attrait. Le billet d'entrée donne accès au Chota Imambara, à la tour de l'Horloge et au *baradari* (palais d'été).

Deux portes monumentales débouchent sur une cour immense, avec une jolie mosquée d'un côté et de l'autre un grand

LUCKNOW

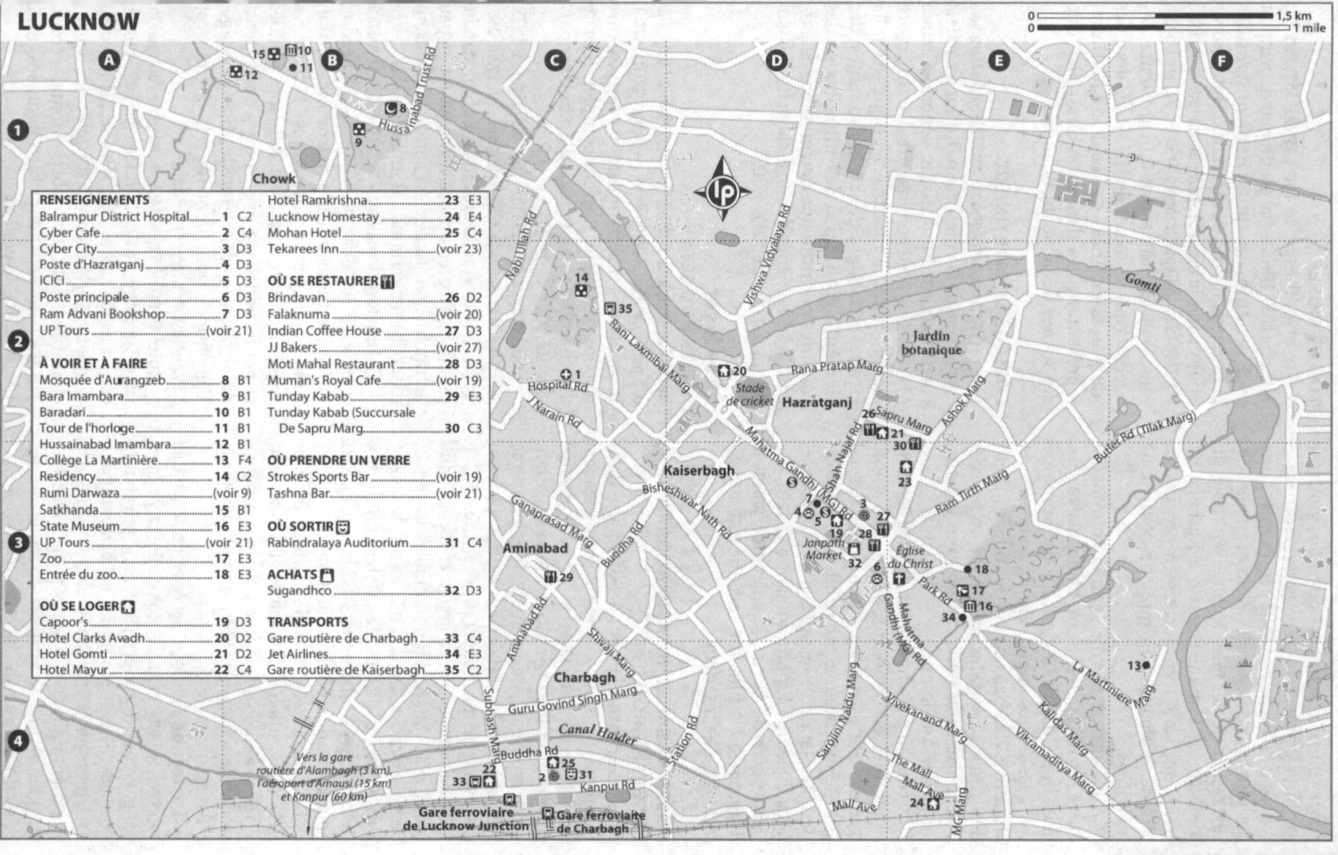
0 1,5 km
0 1 mile
A
B
C
D
E
F
1
2
3
4
RENSEIGNEMENTS
Balrampur District Hospital 1 C2
Cyber Cafe 2 C4
Cyber City 3 D3
Poste d'Hazratganj 4 D3
ICICI 5 D3
Poste principale 6 D3
Ram Advani Bookshop 7 D3
UP Tours (voir 21)
À VOIR ET À FAIRE
Mosquée d'Aurangzeb 8 B1
Bara Imambara 9 B1
Baradari 10 B1
Tour de l'horloge 11 B1
Hussainabad Imambara 12 B1
Collège La Martinière 13 F4
Residency 14 C2
Rumi Darwaza (voir 9)
Satkhanda 15 B1
State Museum 16 E3
UP Tours (voir 21)
Zoo 17 E3
Entrée du zoo 18 E3
OÙ SE LOGER
Capoor's 19 D3
Hotel Clarks Avadh 20 D2
Hotel Gomti 21 D2
Hotel Mayur 22 C4
Hotel Ramkrishna 23 E3
Lucknow Homestay 24 E4
Mohan Hotel 25 C4
Tekarees Inn (voir 23)
OÙ SE RESTAURER
Brindavan 26 D2
Falaknuma (voir 20)
Indian Coffee House 27 D3
JJ Bakers (voir 27)
Moti Mahal Restaurant 28 D3
Muman's Royal Cafe (voir 19)
Tunday Kabab 29 E3
Tunday Kabab (Succursale De Sapru Marg 30 C3
OÙ PRENDRE UN VERRE
Strokes Sports Bar (voir 19)
Tashna Bar (voir 21)
OÙ SORTIR
Rabindralaya Auditorium 31 C4
ACHATS
Sugandhco 32 D3
TRANSPORTS
Gare routière de Charbagh 33 C4
Jet Airlines 34 E3
Gare routière de Kaiserbagh 35 C2
Chowk
Hussainabad Trust Rd
Nabi Ullah Rd
Vishwa Vidyalaya Rd
Gomti
Jardin botanique
Rana Pratap Marg
Stade de cricket
Hazratganj
Rani Laxmibai Marg
Hospital Rd
J Narain Rd
Sapru Marg
Ashok Marg
Butler Rd (Tilak Marg)
Shah Najaf Rd
Mahatma Gandhi (MG) Rd
Kaiserbagh
Bisheshwar Nath Rd
Ram Tirth Marg
Ganaprasad Marg
Aminabad
Buddha Rd
Janpath Market
Église du Christ
Park Rd
Aminabad Rd
Shivaji Marg
Charbagh
Guru Govind Singh Marg
Canal Haider
Subhash Marg
Buddha Rd
Station Rd
Sarojini Naidu Marg
Vivekanand Marg
Vikramaditya Marg
Kalidas Marg
La Martinière Marg
Kanpur Rd
Vers la gare routière d'Alambagh (3 km), l'aéroport d'Amausi (15 km) et Kanpur (60 km)
Gare ferroviaire de Lucknow Junction
Gare ferroviaire de Charbagh
The Mall
Mall Ave
MG Marg

baori (puits à marches) que vous pourrez explorer ; prévoyez une torche électrique. Au fond de la cour, la salle centrale est l'une des plus grandes galeries voûtées au monde. Elle renferme des *tazia* (petites répliques du tombeau de l'imam Hussain à Karbala, en Irak), qui sont transportées en procession lors de Muharam, un mois de deuil pour les chiites.

À gauche de la salle centrale, une petite entrée banale mène au **Bhulbhulaiya**, un labyrinthe d'étroits couloirs qui serpente dans les étages supérieurs du mausolée et conduit à des balcons sur le toit. En dépit des affirmations des guides, vous pouvez vous y aventurer seul ; comme pour le puits, emportez une lampe.

À côté du Bara Imambara, le **Rumi Darwaza**, inhabituel et imposant, serait une copie d'une porte d'Istanbul. "Rumi" (de Rome) est le terme employé par les musulmans pour désigner Istanbul lorsqu'elle était Byzance, la capitale de l'Empire romain d'Orient. De l'autre côté de la rue, la splendide **mosquée d'Aurangzeb** est plus impressionnante à l'extérieur qu'à l'intérieur.

HUSSAINABAD (CHOTA) IMAMBARA ET SES ENVIRONS

Plus haut dans la rue, à 500 m du Bara Imambara, un autre **tombeau** (Hussainabad Trust Rd ; entrée avec billet du Bara Imambara ; aube-crépuscule) fut édifié en 1832 par Mohammed Ali Shah, qui y repose près de sa mère. Plus petit que le Bara Imambara et orné de calligraphies, il est aussi plus paisible et plus intime.

Il contient le trône d'argent et la couronne rouge d'Ali Shah, d'innombrables lustres et quelques *tazia*. Orné d'un bassin, le jardin abrite deux copies du Taj Mahal, tombeaux de la fille de Mohammed Ali Shah et de son époux, et un hammam traditionnel.

De l'autre côté de la rue, la tour de guet délabrée appelée **Satkhanda** (tour à Sept Étages) ne compte que quatre niveaux car sa construction fut interrompue à la mort d'Ali Shah, en 1840.

La **tour de l'Horloge** (entrée avec billet du Bara Imambara ; aube-crépuscule), construite en briques rouges dans les années 1880, est la plus haute du pays (67 m). Non loin, un **baradari** (palais d'été ; entrée avec billet du Bara Imambara ; 7h-18h30), imposant édifice en briques rouges de 1842, surplombe un lac artificiel et renferme des portraits des nababs.

ZOO ET MUSÉE

Vaste et ombragé, le **zoo** (☎2239588 ; Park Rd ; 15 Rs ; 8h30-18h mar-dim) est un peu déprimant avec ses animaux qui s'ennuient dans des petits enclos. Vous devez néanmoins y entrer pour visiter le beau **State Museum** (musée de l'État ; ☎2206158 ; Indiens/étrangers 5/50 Rs, appareil photo 20 Rs ; 10h30-16h mar-dim), qui présente des chefs-d'œuvre datant du IIIe siècle, dont des sculptures raffinées de l'école de Mathura, représentant des danseuses aussi bien que des scènes de la vie du Bouddha.

COLLÈGE LA MARTINIÈRE

Ce prestigieux **pensionnat** (☎2223863 ; La Martiniere Marg), à l'est de la ville, occupe un ancien palais conçu par un Français, le général Claude Martin. Ses goûts en matière d'architecture étaient pour le moins éclectiques : sur la façade, cohabitent des arches romanes, des éléments gothiques, des tourelles et des colonnes corinthiennes surmontées de gargouilles ! Le général repose dans le sous-sol de son palais depuis 1800.

Où se loger

PETITS BUDGETS

Hotel Ramkrishna (☎2451824 ; 17/2 Ashok Marg ; s/d/tr à partir de 250/300/400 Rs, d avec clim 700 Rs ;). Bien situé et très fréquenté par les visiteurs indiens, il affiche souvent complet. Il offre des chambres bien tenues, d'un bon rapport qualité/prix.

Hotel Mayur (☎2451824 ; Subhash Marg ; s/d 275-350/350-450 Rs, sans sdb 225/300 Rs, avec clim 550/650 Rs ;). L'une des meilleures adresses bon marché près de la gare ferroviaire, le Mayur est un peu défraîchi, mais toutes les chambres disposent d'une TV et certaines, d'immenses sdb.

Lucknow Homestay (☎2235460 ; naheed2k@gmail.com ; 110D Mall Ave ; ch 400 Rs ;). Naheed et sa famille tiennent cette charmante pension dans un quartier verdoyant. Les 11 chambres sans prétention, dont 2 avec sdb, sont grandes et confortables. Le prix comprend le petit-déjeuner, le dîner et le blanchissage. Téléphonez pour demander le chemin car l'avenue est un vrai dédale.

Hotel Gomti (☎2611463 ; hotelgomti@up-tourism.com ; 6 Sapru Marg ; s/d 550/650 Rs, s avec clim 1 000-1 700 Rs, d avec clim 1 100-1 800 Rs ;). L'impeccable réception en marbre contraste avec les vastes chambres, plutôt sombres et mal aérées. Toutes sont cependant bien équipées, avec TV, sofa, table et chaises.

CATÉGORIE MOYENNE

Capoor's (☎ 2623958 ; www.hotelcapoors.com ; 52 MG Rd ; s 1 000-1 300 Rs, d 1 200-1 500 Rs, ste 2 200 Rs ; ❄). Très bien situé au cœur de Hazratganj, le Capoor's aurait besoin d'une rénovation. Malgré une ambiance désuète et des chambres plaisantes, les tapis sont sales et les sdb laissent à désirer. Le restaurant (plats 80-240 Rs) est très fréquenté et vous pourrez prendre un verre au Strokes Sports Bar.

Mohan Hotel (☎ 4035555 ; www.mohanhotel.com ; Buddha Rd ; s/d 1 050/1 250 Rs ; ❄). Meilleure adresse près de la gare ferroviaire, cet hôtel élégant possède des couloirs en marbre, des grandes chambres propres avec clim, TV et réfrigérateur, un bon restaurant (plats 70-140 Rs) et un bar (bières à partir de 70 Rs). Les chambres sont louées pour 24 heures.

Tekarees Inn (☎ 4016241 ; www.tekareesinn.com ; 17/3 Ashok Marg ; s/d/ste 1450/1 900/2 400 Rs ; ❄). Sans grand caractère, cet hôtel d'affaires loue de belles chambres bien tenues, avec TV, réfrigérateur et sdb spacieuse.

CATÉGORIE SUPÉRIEURE

Hotel Clarks Avadh (☎ 2620131 ; www.clarksavadh.com ; 8 MG Rd ; d/ste 7 000-8 000/12 000 Rs ; ❄ 💻 🏊). Le meilleur hôtel de Lucknow se distingue par une élégance discrète et un décor sobre. Les chambres raffinées, toutes avec baignoire, donnent sur la Gomti ou sur le stade de cricket. À la superbe piscine en plein air surélevée s'ajoutent une salle de gymnastique, un bar jazzy et un excellent restaurant au dernier étage, le Falaknuma (ci-contre).

Où se restaurer

RESTAURANTS

Les nababs, fins gourmets, ont laissé à Lucknow une riche tradition culinaire mughlaie. La ville est réputée pour la diversité de ses kebabs et pour le *dum pukht*, l'art de cuire viande et légumes à la vapeur dans un pot d'argile scellé. Les nombreux petits restaurants musulmans de la vieille ville préparent de grands *rumali roti* (chapati très fins), servis pliés et accompagnés d'un curry de chèvre ou d'agneau, comme le *bhuna ghosht* ou le *rogan josh*.

Plusieurs établissements d'Aminabad proposent du *kulfi faluda* (glace avec des nouilles de farine de pois chiches), un dessert très apprécié. Le *zarda*, un riz sucré orangé, est également prisé.

JJ Bakers (☎ 2288284 ; Ashok Marg ; en-cas à partir de 5 Rs ; 🕑 9h15-22h). Recommandée par des lecteurs, cette boulangerie vend des gâteaux, des biscuits et des sandwichs.

Indian Coffee House (Ashok Marg ; café à partir de 15 Rs ; ☎ 8h-22h). Très prisé par les habitants, ce café évoque le Raj. Il sert des en-cas et quelques plats, dont des *thali* (40 Rs).

Tunday Kabab (☎ 5524046 ; Aminabad Rd ; plats 15-40 Rs). Restaurant de kebabs réputé, Niché au bout d'une ruelle dans le quartier animé d'Aminabad, ce restaurant prépare de délicieux kebabs, *biryani* au mouton et poulets tandoori. Avant le repas, flânez dans le bazar, l'endroit idéal pour acheter un *chikan* (une mousseline finement brodée). Les conducteurs de rickshaws connaissent le restaurant. Il possède une succursale plus centrale dans Sapru Marg, avec une carte identique à des prix un peu plus élevés, et bien moins fréquentée.

Moti Mahal Restaurant (MG Rd ; repas 50-150 Rs ; ☎ 11h-23h ; ❄). Une boutique de pâtisseries et d'en-cas salés occupe le rez-de-chaussée. À l'étage, le restaurant climatisé, à l'éclairage tamisé, propose une cuisine savoureuse et bien présentée. Dégustez un *dum aloo* (pommes de terre farcies de noix et de *paneer* en sauce tomate), puis un *kulfi faluda*.

Muman's Royal Cafe (MG Rd ; *chaat* 10-40 Rs, plats 70-150 Rs). Même si vous n'entrez pas dans ce restaurant apprécié des familles, faites halte à son stand de *chaat* (en-cas épicés) en façade, où les *chaat* sont servis dans un panier en *aloo* (pomme de terre). À l'intérieur, vous pourrez vous régaler d'un poulet mughlai, de kebabs tandoori ou d'une pizza.

Brindavan (☎ 3918418 ; Sapru Marg ; plats 40-75 Rs ; 🕑 11h-23h). Ne vous laissez pas rebuter par l'escalier sale : au 1er étage, le restaurant, élégant et propre, possède une grande baie vitrée qui donne sur la rue et mitonne des spécialités d'Inde du Sud d'un excellent rapport qualité/prix, dont plus de 20 variétés de *dosa*.

Falaknuma (Hotel Clarks Avadh, 8 MG Rd ; plats 200-450 Rs). Le plus bel hôtel de Lucknow possède aussi le meilleur restaurant de la ville. Installé sur le toit, il jouit d'une vue panoramique et sert de somptueuses spécialités locales, comme les kebabs *kakori* (mouton) et *galawat* (chèvre).

Où prendre un verre et sortir

Strokes Sports Bar (Capoor's, MG Rd ; bière à partir de 125 Rs ; 🕑 12h-23h, 12h-3h sam). Avec son décor métallique, ses chaises aux motifs zèbre et son éclairage ultra-violet, c'est sans doute l'endroit le plus étrange du pays pour regarder un match de cricket à la TV !

Tashna Bar (Hotel Gomti ; Sapru Marg ; bière à partir de 100 Rs ; 🕒 11h-23h). Ce bar d'hôtel climatisé sans grand charme est agrémenté d'une terrasse sur une pelouse soignée.

Rabindralaya Auditorium (☎ 2635670 ; Kanpur Rd). En face des deux gares ferroviaires, cet auditorium accueille divers spectacles culturels, dont des concerts de musique classique, des représentations de danse et de théâtre, toujours gratuits mais souvent réservés aux écoles. Téléphonez pour vous renseigner.

Achats

Lucknow est réputée pour le *chikan*, un tissu brodé porté par les hommes et les femmes. Vous en trouverez dans les bazars proches du Tunday Kebab (p. 437) et dans le Janpath Market, au sud de MG Rd, à Hazratganj.

Également dans le Janpath Market, **Sugandhco** (☎ 9335248633 ; www.sugandhco.com ; D-4 Janpath Market), une affaire familiale créée en 1850, vend de l'*attar*, une huile essentielle extraite de fleurs selon une méthode traditionnelle.

Depuis/vers Lucknow

AVION

L'aéroport d'Amausi se situe à 15 km au sud-ouest de Lucknow. **Jet Airlines** (☎ 2239612 ; Park Rd ; 🕒 9h30-18h lun-sam) assure des vols quotidiens pour Delhi (à partir de 3 000 Rs), Kolkata (à partir de 5 000 Rs) et Mumbai (Bombay ; à partir de 5 000 Rs).

BUS

Les bus longue distance partent plutôt de la nouvelle **gare routière d'Alambagh** (☎ 2453096 ; Alambagh), à 4 km au sud-ouest du centre-ville, que de la gare routière de Charbagh, proche de la gare ferroviaire. Parmi les destinations figurent Faizabad (75 Rs, 3 heures), Allahabad (110 Rs, 5 heures), Gorakhpur (150 Rs, 8 heures 30), Varanasi (165 Rs, 8 heures 30) et Agra (200 Rs, 10 heures).

Des bus réguliers (5 Rs) circulent entre les gares routières de Charbagh et d'Alambagh.

De la **gare routière de Kaiserbagh** (☎ 2222503 ; J Narain Rd), près de la Residency, des bus partent pour Delhi (ordinaire/AC 277/465 Rs, 14 heures), Faizabad et Gorakhpur.

TRAIN

Les deux principales gares ferroviaires, **Charbagh** (☎ 2635841 ; Kanpur Rd) et **Lucknow Junction** (☎ 2635877), se côtoient. Les trains desservant la plupart des destinations principales partent de Charbagh, avec plusieurs départs quotidiens pour Agra, Varanasi, Faizabad, Gorakhpur et New Delhi. Le seul train quotidien pour Mumbai (Bombay) part de Lucknow Junction. Voir le tableau ci-dessous.

Comment circuler

DEPUIS/VERS L'AÉROPORT

La course de 15 km jusqu'à l'aéroport d'Amausi revient à 300 Rs en taxi et à 150 Rs en auto-rickshaw.

TRANSPORTS LOCAUX

Un court trajet en cyclo-pousse coûte 10 Rs ; de la gare ferroviaire à la Residency, comptez 30 Rs. En auto-rickshaw, prévoyez 60 Rs de la gare ferroviaire au Bara Imambara. À la station des taxis prépayés de la gare ferroviaire, un circuit d'une demi-journée (4 heures)

PRINCIPAUX TRAINS AU DÉPART DE LUCKNOW

Destination	N° et nom du train	Tarifs (Rs)	Durée	Départ
Agra	3237/4201 *PNBE-MTJ Exp*	166/437/596	6 heures	23h50
Allahabad*	4210 *Intercity Exp*	248	4 heures	7h30
Faizabad	3010 *Doon Exp*	121/241/324	2 heures 30	8h35
Gorakhpur	5708 *ASR-KIR Exp*	146/382/518	5 heures	0h55
Jhansi	1016 *Kushinagar Exp*	152/399/543	6 heures 30	0h35
Kolkata (Howrah)	ASR-HWH *Exp*	353/964/1 326	21 heures	10h55
Mumbai (CST)**	2533 *Pushpak Exp*	429/1 151/1 575	24 heures	19h45
New Delhi	2229 *Lucknow Mail*	224/604/816	9 heures	10h
Varanasi	0141 *JAT-BSB Exp*	169/420/561	5 heures 30	7h25

Tous les tarifs correspondent aux classes sleeper/3AC/2AC ; *uniquement classe chair ; **départ de Lucknow Junction en auto-rickshaw avec les principaux sites revient à 205 Rs, et un circuit d'une journée à 405 Rs.

FAIZABAD ET AYODHYA

☎ 05278 / 208 164 et 49 593 habitants

La paisible et charmante ville d'Ayodhya, lieu de naissance de Rama, est l'une des sept villes saintes de l'hindouisme. Elle a également vu naître cinq des 24 tirthankaras, grands maîtres jaïns.

Le nom d'Ayodhya est devenu synonyme du fanatisme hindou en 1992, quand des fidèles ont détruit la Babri Masjid, une mosquée construite par les Moghols au XVe siècle sur le site d'un ancien temple de Rama. À la place de la mosquée, les hindous ont édifié le Ram Janam Bhumi, enclenchant ainsi un cycle de représailles. Depuis le problème demeure. La Cour suprême a ordonné des fouilles archéologiques pour déterminer l'origine religieuse du site.

Faizabad, une ville un peu plus grande à 7 km, constitue une base pratique pour visiter Ayodhya et offre plus de choix pour les hébergements.

Orientation

De la gare routière de Faizabad, tournez à gauche dans l'artère principale où vous trouverez des *tempo* pour Ayodhya (8 Rs). Dans l'artère principale, prenez la première à droite pour rejoindre la gare ferroviaire ou continuez tout droit pour l'Hotel Shan-e-Avadh, le cybercafé Cyber Zone et des panneaux indiquant l'Hotel Krishna Palace.

Bien plus petite, Ayodhya possède une artère principale d'où partent des rues piétonnes. Les temples se situent dans ces dernières.

Renseignements

Un **UP Tourism** (☎ 05278-223214 ; ⏲ 10h-17h lun-sam) et deux DAB se tiennent près de l'Hotel Krishna Palace. **Cyber Zone** (20 Rs/h ; ⏲ 10h-17h), près de l'artère principale après l'Hotel Shan-e-Avadh, offre des connexions lentes.

À voir

À Faizabad, prenez un cyclo-pousse jusqu'au **Bahu Begum ka Maquabara** (⏲ aube-crépuscule), le mausolée de la Begum. Doté de trois dômes superposés, il comporte des murs et des plafonds superbement décorés.

Un trajet de 20 min en *tempo* (8 Rs) conduit à Ayodhya, où l'on peut commencer la visite des temples par le plus fréquenté, l'**Hanumangarhi** (⏲ aube-crépuscule), proche de l'artère principale, sur la gauche. Grimpez les 76 marches jusqu'à la porte sculptée et les murs extérieurs semblables à des remparts, puis rejoignez la foule qui dépose des *prasaad* à l'intérieur.

Remontez la rue sur 100 m jusqu'à l'entrée pittoresque du **Dashrath Bhavan** (⏲ aube-crépuscule), un temple à l'atmosphère paisible où jouent des musiciens et où des sadhus vêtus d'orange lisent des textes sacrés.

À quelques minutes de marche, l'imposant **Kanak Bhavan** (palais d'Or ; ⏲ 8h30-11h30 et 16h30-19h), un ancien palais et temple, a été reconstruit plusieurs fois.

Le **Ram Janam Bhumi** (⏲ 7h-11h et 14h-18h), le temple controversé qui marque le lieu de naissance de Rama, se dresse à 300 m. La sécurité est impressionnante. Vous devez présenter votre passeport et déposer toutes vos possessions, sauf votre passeport et votre argent, dans des casiers fermés. Vous serez fouillé plusieurs fois avant d'être escorté le long d'un passage grillagé jusqu'à un endroit à 20 m d'un sanctuaire sous une tente, où Rama serait né.

Une marche de 5 min de l'autre côté de l'artère principale conduit au **musée Ramkatha** (entrée libre ; ⏲ 10h30-16h30 mar-dim), un grand bâtiment jaune et rouge qui contient d'anciennes sculptures et représentations de Rama et de Sita. Tous les soirs, sauf le lundi, le musée offre des représentations gratuites du *Ram Lila* (la bataille de Rama et de Ravana, décrite dans l'épopée hindoue du *Ramayana*).

Où se loger et se restaurer

Ramdhan Guest House (☎ 232791 ; Ayodhya ; s sans sdb 150 Rs, d 200-300 Rs, avec clim 700 Rs ; ⊠). Cet hôtel rose, à l'intérieur vert et bleu pastel, est la meilleure adresse d'Ayodhya. Il offre des chambres spartiates (robinet et seau pour la douche, toilettes à la turque), de bonnes dimensions et propres. Il ne compte pas de restaurant, mais le personnel sympathique vous préparera un *thali* (30-70 Rs) et du thé. Du chemin qui grimpe vers l'Hanumangarhi, parcourez 200 m en direction de Faizabad puis suivez les panneaux.

Hotel Shan-e-Avadh (☎ 223586 ; shane_avadh@yahoo.com ; Faizabad ; s 180-300 Rs, d 200-350 Rs, s/d avec clim 600/700 Rs ; ⊠). Pour plus de confort, séjournez à Faizabad. Cet hôtel propose des chambres bien tenues, d'un bon rapport qualité/prix, et affiche souvent complet.

Hotel Krishna Palace (☎ 221367 ; hotelkrishnapalace@gmail.com ; Faizabad ; s 500-600 Rs, avec clim 990-1 200 Rs, d 700-850 Rs, avec clim 1 250-1 600, ste s/d 2 400/3 000 Rs ; ❄). Cet hôtel accueillant, avec un personnel serviable, possède des chambres propres et confortables avec TV, un bon restaurant (plats 50-150 Rs ; ouvert de 7h à 22h30) et un bar (bière 70 Rs ; ouvert de 13h à 22h30).

Depuis/vers Faizabad et Ayodhya

De la gare routière de Faizabad, des bus desservent Ayodhya (10 Rs, 20 min), Lucknow (74 Rs, 4 heures), Gorakhpur (84 Rs, 4 heures) et Allahabad (170 Rs, 6 heures).

Des trains partent tous les jours pour Lucknow (3307 *Gangasutlej Express*, sleeper/2AC 121/324 Rs, 4 heures, 11h), Varanasi (3010 *Doon Express*, sleeper/3AC/2AC 121/311/420 Rs, 5 heures, 11h15) et Delhi (4205 *Faizabad-Delhi Express*, 244/690/946 Rs, 12 heures, 18h30).

ALLAHABAD

☎ 0532 / 1 049 579 habitants

Malgré son importance dans la mythologie hindoue, dans l'histoire du pays et la vie politique moderne, Allahabad est une ville étonnamment décontractée, dotée de nombreux sites d'intérêt.

Brahma, le dieu hindou de la création, serait arrivé sur terre à Allahabad, ou Prayag du premier nom de la ville, et l'aurait désignée comme le plus grand centre de pèlerinage. Le Sangam, un confluent à la périphérie de la ville, est le plus prisé des quatre sites du Kumbh Mela (voir p. 372). Tous les six ans, des dizaines de millions de pèlerins affluent sur ses berges pour le Kumbh Mela ou l'Ardh Mela (demi-mela), et chaque année a lieu le Magh Mela, un rassemblement moins important.

Dans l'intervalle, les visiteurs découvriront les majestueux édifices du Raj, le fort et les tombeaux moghols, et l'héritage historique de la famille Nehru.

Orientation

Civil Lines, un quartier de larges avenues, abrite des villas de l'époque du Raj, des hôtels, des restaurants, des cafés et la gare routière principale. La voie ferrée le sépare du Chowk, la vieille ville densément peuplée. Le Sangam se situe à 4 km au sud-est du centre-ville.

Renseignements

Plusieurs DAB sont installés dans le quartier de Civil Lines, dont un à côté de l'Apollo Clinic.

Apollo Clinic (☎ 3290507 ; MG Marg ; 🕒 8h-20h). Clinique privée moderne avec une pharmacie ouverte 24h/24.

i-way Internet MG Marg (1er ét. au-dessus des boutiques de MG Marg ; 26 Rs/h ; 🕒 10h-21h) ; Sardar Patel Marg (50 Rs/h ; 🕒 8h-20h) ; Hotel Prayag (26 Rs/h ; 🕒 8h-22h).

Poste (Sarojini Naidu Marg ; 🕒 10h-16h lun-sam)

UP Tourism (☎ 2601873 ; rtoalld_upt@yahoo.co.in ; 35 MG Marg ; 🕒 10h-17h lun-sam). Au Rahi Ilawart Tourist Bungalow. Personnel très serviable.

À voir et à faire

SANGAM

Le Sangam marque la confluence des deux fleuves les plus sacrés de l'Inde, le Gange et la Yamuna, avec la Saraswati, l'une des rivières mythiques de l'hindouisme. Toute l'année, des pèlerins se rendent en barque jusqu'à cet endroit sacré et leur nombre augmente fortement durant le **Magh Mela**, une fête annuelle de six semaines qui se déroule entre janvier et mars et culmine avec six "bains sacrés" collectifs (p. 442). Tous les 12 ans, le **Kumbh Mela** (p. 372) voit déferler des millions de fidèles, tandis que l'**Ardh Mela** a lieu tous les 6 ans.

Au début des années 1950, 350 pèlerins périrent piétinés lors de la ruée vers l'eau pour le bain rituel (un événement relaté dans le roman de Vikram Seth, *Un garçon convenable*). Le dernier Ardh Mela, en 2007, a attiré plus de 70 millions de dévots, le plus important rassemblement humain jamais enregistré. Le prochain Kumbh Mela aura lieu en 2013.

À l'angle du Sangam, un *aarti* (cérémonie avec lumières et bougies) se déroule tous les soirs sur les **ghats** Saraswati et Nehru.

FORT D'AKBAR ET TEMPLE DE PATALPURI

Construit par l'empereur moghol Akbar au XVIe siècle, le **fort** se dresse sur la rive nord de la Yamuna. Trois portes, flanquées de tours, percent ses épais remparts. Occupé en majeure partie par l'armée, il ne peut se visiter. Toutefois, une petite porte dans le mur est, près du Sangam, permet d'accéder au **temple de Patalpuri** (don à l'entrée ; 🕒 7h-17h), un sanctuaire souterrain rempli de multiples effigies de divinités ; faites de la monnaie à l'extérieur auprès des changeurs pour laisser des offrandes. Même si l'on vous réclame

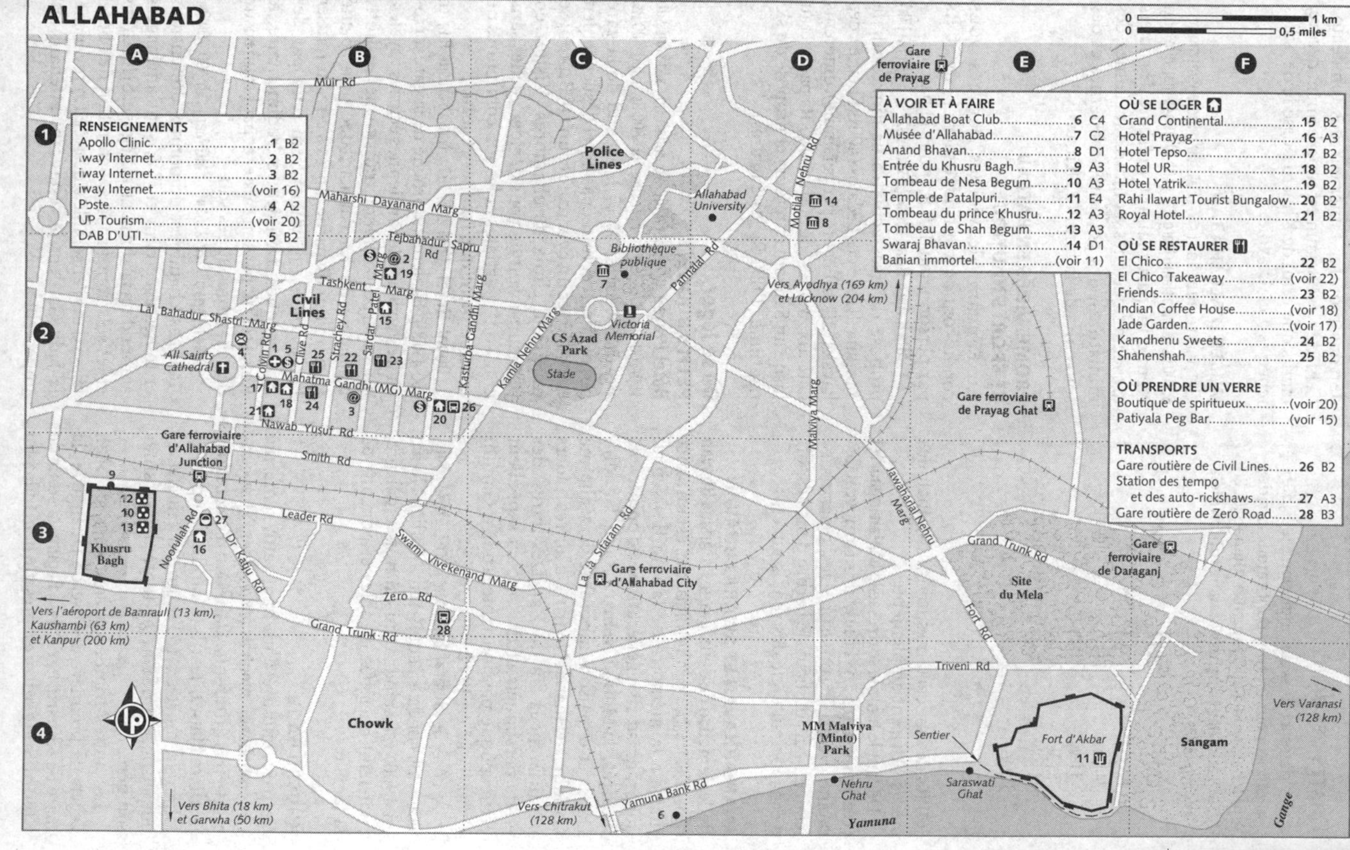
ALLAHABAD
0 1 km
0 0,5 miles
A
B
C
D
E
F
1
2
3
4
RENSEIGNEMENTS
Apollo Clinic....1 B2
iway Internet....2 B2
iway Internet....3 B2
iway Internet....(voir 16)
Poste....4 A2
UP Tourism....(voir 20)
DAB D'UTI....5 B2
À VOIR ET À FAIRE
Allahabad Boat Club....6 C4
Musée d'Allahabad....7 C2
Anand Bhavan....8 D1
Entrée du Khusru Bagh....9 A3
Tombeau de Nesa Begum....10 A3
Temple de Patalpuri....11 E4
Tombeau du prince Khusru....12 A3
Tombeau de Shah Begum....13 A3
Swaraj Bhavan....14 D1
Banian immortel....(voir 11)
OÙ SE LOGER
Grand Continental....15 B2
Hotel Prayag....16 A3
Hotel Tepso....17 B2
Hotel UR....18 B2
Hotel Yatrik....19 B2
Rahi Ilawart Tourist Bungalow....20 B2
Royal Hotel....21 B2
OÙ SE RESTAURER
El Chico....22 B2
El Chico Takeaway....(voir 22)
Friends....23 B2
Indian Coffee House....(voir 18)
Jade Garden....(voir 17)
Kamdhenu Sweets....24 B2
Shahenshah....25 B2
OÙ PRENDRE UN VERRE
Boutique de spiritueux....(voir 20)
Patiyala Peg Bar....(voir 15)
TRANSPORTS
Gare routière de Civil Lines....26 B2
Station des tempo
et des auto-rickshaws....27 A3
Gare routière de Zero Road....28 B3
Muir Rd
Gare ferroviaire de Prayag
Police Lines
Allahabad University
Motilal Nehru Rd
Maharshi Dayanand Marg
Tejbahadur Sapru Rd
Bibliothèque publique
Pannalal Rd
Vers Ayodhya (169 km) et Lucknow (204 km)
Tashkent Marg
Civil Lines
Lal Bahadur Shastri Marg
Colvin Rd
Clive Rd
Strachey Rd
Sardar Patel Marg
Kasturba Gandhi Marg
Kamla Nehru Marg
CS Azad Park
Stade
Victoria Memorial
All Saints Cathedral
Mahatma Gandhi (MG) Marg
Malviya Marg
Gare ferroviaire de Prayag Ghat
Nawab Yusuf Rd
Gare ferroviaire d'Allahabad Junction
Smith Rd
Jawaharlal Nehru Marg
Khusru Bagh
Noorullah Rd
Leader Rd
Dr Katju Rd
Swami Vivekenand Marg
Lala Sitaram Rd
Gare ferroviaire d'Allahabad City
Grand Trunk Rd
Gare ferroviaire de Daraganj
Site du Mela
Vers l'aéroport de Bamrauli (13 km), Kaushambi (63 km) et Kanpur (200 km)
Zero Rd
Fort Rd
Triveni Rd
Vers Varanasi (128 km)
Chowk
MM Malviya (Minto) Park
Sentier
Fort d'Akbar
Sangam
Vers Bhita (18 km) et Garwha (50 km)
Vers Chitrakut (128 km)
Yamuna Bank Rd
Nehru Ghat
Saraswati Ghat
Yamuna
Gange

DATES DES BAINS

Les dates ci-dessous indiquent les jours propices pour un bain purificateur lors des prochains mela au Sangam, à Allahabad. En 2013 aura lieu l'impressionnant Kumbh Mela (voir p. 372).

2011	2012	2013
19 jan	9 jan	27 jan
14 jan	14 jan	14 jan
3 fév	23 jan	10 fév
8 fév	28 jan	15 fév
18 fév	7 fév	25 fév
3 mars	20 fév	10 mars

100 Rs devant certaines divinités, quelques pièces suffisent amplement.

Devant le temple se dresse le **banian immortel** (Undying Banyan Tree), dont on voit les racines dans le sous-sol. Des pèlerins se jetaient jadis du haut de l'arbre dans l'espoir d'échapper au cycle des renaissances.

ANAND BHAVAN ET SWARAJ BHAVAN

Belle demeure de deux étages, l'**Anand Bhavan** (☎ 2467071 ; 5 Rs ; ⏲ 9h30-17h mar-dim) est un sanctuaire à la mémoire de la famille Nehru, qui produisit cinq générations de politiciens illustres, de Motilal Nehru à Rahul Gandhi. Dans cette maison imposante, le Mahatma Gandhi, Jawaharlal Nehru et d'autres leaders planifièrent la fin du Raj. Des livres, des effets personnels et des photos rappellent cette époque passionnante. Indira Gandhi se maria ici en 1942.

À côté, le **Swaraj Bhavan** (☎ 2467674 ; 5 Rs ; 9h30-17h30 mar-dim), acquis par Motilal Nehru en 1900, est aujourd'hui un musée délabré, contenant quelques meubles et portraits de la famille.

KHUSRU BAGH

Ce parc, entouré d'un haut mur, renferme trois **tombeaux moghols** (entrée libre ; ⏲ aube-crépuscule) très différents. Dans l'un d'eux repose le **prince Khusru**, le fils aîné de l'empereur Jahangir, mort en 1622, qui fut énucléé et emprisonné pour avoir tenté d'assassiner son père.

Les autres tombeaux sont ceux de **Shah Begum**, la première épouse de Jahangir et la mère de Khusru, et de **Nesa Begum**, la sœur de Khusru. Si le gardien est présent, demandez-lui de vous montrer l'intérieur des tombeaux. Celui de Nesa Begum est superbement décoré, tandis que celui de Khusru possède de belles fenêtres à claire-voie.

MUSÉE D'ALLAHABAD

Ce vaste **musée** (☎ 2601200 ; Indiens/étrangers 5/100 Rs ; Kamla Nehru Marg ; ⏲ 10h30-16h45 mar-dim), au cœur d'un parc plaisant, présente des objets archéologiques, des sculptures anciennes, des miniatures, des peintures modernes et des souvenirs de la famille Nehru.

PROMENADES EN BATEAU ET SPORTS NAUTIQUES

Au Sangam, de vieilles barques vous conduiront au confluent sacré pour 50 Rs par personne ou 250 Rs pour le bateau.

L'**Allahabad Boat Club** (☎ 6598277 ; ⏲ 11h-17h) propose diverses activités nautiques sur la Yamuna. Il loue des pédalos (40 Rs l'heure), des kayaks (20 Rs l'heure par personne), différents bateaux rapides (de 500 à 2 000 Rs par bateau jusqu'au Sangam et retour) et propose du ski nautique (1 000 Rs les 2 heures).

Où se loger

PETITS BUDGETS

Hotel Prayag (☎ 2656416 ; Noorullah Rd ; s/d sans sdb 150/200 Rs, s 275-350 Rs, avec clim 700-800 Rs, d 300-400 Rs, avec clim 750-850 Rs ; ❄ 💻). Au sud de la gare ferroviaire, cet immense hôtel désuet et bien équipé, avec un cybercafé et un DAB, propose un grand choix de chambres. Visitez-en plusieurs avant de vous décider ; celles sans clim sont spartiates et les sdb communes ne comprennent que robinet et seau.

Royal Hotel (☎ 2427201 ; Nawab Yusuf Rd ; ch 250-450 Rs). Également proche de la gare ferroviaire, il occupe les anciennes écuries royales, un superbe bâtiment transformé en hôtel par le roi du Kalakankar, une principauté aujourd'hui disparue, après s'être vu refuser l'accès dans un hôtel voisin tenu par des Britanniques. Défraîchi et rudimentaire, le Royal séduit par son cachet et par l'immensité des chambres et des sdb.

Hotel Tepso (☎ 2561409 ; MG Marg ; ch 600/700 Rs ; ❄). Les chambres, de bonnes dimensions et toutes avec clim et TV, sont aménagées autour d'un jardin central négligé. Si les draps et les sols sont propres, l'entretien de l'hôtel laisse dans l'ensemble à désirer. En revanche, le Jade Garden, le restaurant attenant, est impeccable.

Rahi Ilawart Tourist Bungalow (☎ 2601440 ; 35 MG Marg ; dort 120 Rs, q 900 Rs, s 600-650 Rs, avec clim 1 000-1 600 Rs, d 650-750 Rs, avec clim 1 100-1 800 Rs ; ❄). L'établissement était en cours de rénovation lors de notre passage et les vastes chambres, mal entretenues, devraient être améliorées. Il possède un bon restaurant et un bar rutilant et animé.

CATÉGORIES MOYENNE ET SUPÉRIEURE

Hotel UR (☎ 2427334 ; mj1874@gmail.com ; angle MG Marg et Clive Rd ; d 795-995 Rs). Bien situé, il offre des chambres propres et confortables, toutes avec clim, TV et sdb soignées.

Grand Continental (☎ 2260631 ; www.birhotel.com ; Sardar Patel Marg ; s 1 900-2 500 Rs, d 2 200-2 800 Rs, ste 3 500 Rs ; ❄ 🏊). Malgré l'élégante réception et la superbe cour en marbre agrémentée d'une piscine, cet hôtel semble un peu vieillot avec des chambres moquettées et un mobilier dépareillé. Il comprend un bon bar-restaurant, avec récitals de ghazals tous les soirs.

Hotel Yatrik (☎ 2260921 ; hotelyatrik.com ; 33 Sardar Patel Marg ; s 2 200 Rs, d 2 400-3 010 Rs, ste 4 000 Rs ; ❄ 🏊). Dans le meilleur hôtel haut de gamme d'Allahabad, des œuvres d'art et des meubles anciens ornent la réception en marbre, les couloirs et les cages d'escalier. Joliment décorées et d'une propreté impeccable, les chambres comportent des sdb carrelées vert olive. Le soir, vous pouvez dîner sur la pelouse, devant la belle piscine.

Où se restaurer

Les habitants d'Allahabad ont une prédilection pour les douceurs et MG Marg est bordé de glaciers et de pâtisseries. De nombreuses échoppes installent des tables sur le trottoir en soirée.

Kamdhenu Sweets (MG Marg ; en-cas 5-25 Rs). Cette boutique d'en-cas très prisée vend de délicieux samosas, sandwichs, gâteaux, et glaces maison.

Indian Coffee House (MG Marg ; plats 15-30 Rs ; 🕗 8h-22h). Établi depuis 50 ans, ce café spacieux est une excellente adresse pour un petit-déjeuner, des en-cas d'Inde du Sud – *dosa*, *idli* et *uttapam* – ou des œufs et des toasts.

Shahenshah (MG Marg ; plats 20-80 Rs ; 🕗 11h-22h30). Vous pouvez regarder les jeunes cuisiniers préparer les plats dans ce restaurant ouvert, avec des tables et des chaises en plastique sous un toit en tôle ondulée. Détendu, bon marché et apprécié par les habitants, le Shahenshah propose, entre autres, des *uttapam*, des *paratha* (pain plat avec du beurre clarifié, cuit sur une plaque), quelques plats chinois, des pizzas et de succulents *dosa*.

Friends (Sadar Patel Marg ; plats 70-195 Rs ; 🕗 10h-23h ; ❄). La jeunesse locale aime se retrouver dans ce café-restaurant lumineux, qui offre une longue carte de plats végétariens ou non – tandoori, grillades, pizzas, etc. – et des desserts alléchants. Café à partir de 25 Rs.

Jade Garden (☎ 2561408 ; Hotel Tepso, MG Marg ; plats 100-200 Rs ; 🕗 7h-23h ; ❄). Plats indiens et chinois, salades, grillades et tandoori figurent sur la carte de ce restaurant d'hôtel impeccable, au service attentif.

El Chico (MG Marg ; plats 90-280 Rs ; 🕗 9h-23h ; ❄). Ce restaurant sélect mitonne de bonnes spécialités indiennes, chinoises et occidentales, y compris poisson et grillades. À côté, El Chico Takeaway (en-cas 15-45 Rs) vend des glaces, des gâteaux et des en-cas salés à emporter.

Où prendre un verre

Le Patiyala Peg Bar, dans le Grand Continental (ci-contre), offre des récitals de ghazals tous les soirs à partir de 19h30. La ville compte quelques boutiques de spiritueux, dont une dans MG Marg, près du Rahi Ilawart Tourist Bungalow, qui possède un bar.

Depuis/vers Allahabad

AVION

L'aéroport de Bamrauli se situe à 15 km à l'ouest d'Allahabad sur la route de Kanpur. **Air India** (☎ 2581370 ; aéroport ; 🕗 arrivée des vols) propose des vols pour Delhi tous les jours sauf le dimanche (à partir de 4 500 Rs). La course jusqu'à l'aéroport coûte de 150 à 200 Rs en auto-rickshaw et 350 Rs en taxi.

BUS

De la **gare routière de Civil Lines** (☎ 2601257 ; MG Marg), des bus réguliers partent pour Varanasi (ordinaire/AC 70/110 Rs, 3 heures), Lucknow (110/210 Rs, 5 heures), Faizabad (110/210 Rs, 5 heures) et Gorakhpur (240 Rs, 10 heures). Pour rejoindre Delhi ou Agra, changez à Lucknow ou prenez le train.

Des bus partent toutes les heures pour Chitrakut (75 Rs, 4 heures, 3h-19h) de la **gare routière de Zero Road**.

TRAIN

D'Allahabad Junction, la principale gare ferroviaire, des trains desservent Lucknow, Varanasi, Delhi et Kolkata. Chaque jour

PRINCIPAUX TRAINS AU DÉPART D'ALLAHABAD

Destination	N° et nom du train	Tarifs (Rs)	Durée	Départ
Kolkata (Howrah)	2312 *Kalka Mail*	323/855/1 162	14 heures	17h30
Lucknow*	4307 *Ald-Be Pass*	84	7 heures 30	23h05
New Delhi	2559 *Shiv Ganga Exp*	281/735/996	9 heures	22h30
Satna**	152 *Gorakhpur-Dadar Spec*	121/291	3 heures	7h20
Varanasi	1107 *Bundelkhand Exp*	121/251/378	3 heures 30	7h10

Tous les tarifs correspondent aux classes sleeper/3AC/2AC ; *uniquement sleeper ; **uniquement sleeper/3AC

un express part pour Agra (2403 *Alt-Mtg Exp* ; sleeper/3AC/2AC 223/570/768 Rs, 7 heures 30, 23h30). Des trains fréquents rallient Satna, où vous pouvez prendre un bus pour Khajuraho. Voir aussi le tableau ci-dessus.

Comment circuler

Les cyclo-pousse (10 Rs le court trajet) sont innombrables. Rendez-vous à la gare ferroviaire pour trouver un auto-rickshaw ; vous pourrez en louer un pour explorer la plupart des sites en une demi-journée (300 Rs les 4 heures) ou pour l'aller-retour au Sangam (150 Rs).

CHITRAKUT

☎ 05198 / 22 294 habitants

Surnommée mini-Varanasi en raison de ses nombreux temples et ghats, cette bourgade paisible, sur les rives de la Mandakini, est le cadre de plusieurs mythes hindous. C'est ici que la trinité de l'hindouisme – Brahma, Vishnu et Shiva – se serait incarnée. C'est aussi l'endroit où Rama aurait passé la majeure partie de ses 14 années d'exil après avoir été banni d'Ayodhya, sa ville natale, par une belle-mère jalouse.

Aujourd'hui, d'innombrables pèlerins affluent à Chitrakut, et se pressent au Ram Ghat et sur la colline sacrée de Kamadgiri, à 2 km.

Des dizaines voire des centaines de fidèles descendent au **Ram Ghat** pour un bain sacré à l'aube puis reviennent le soir pour l'*aarti*. Des **barques à rames** transportent les visiteurs sur la rive opposée (5 Rs), au Madhya Pradesh, ou vers des sites pittoresques le long de la rivière. Une excursion prisée mène au **Janaki Kund** (100 Rs aller-retour). De nombreux pèlerins se rendent à **Kamadgiri** (5 Rs en tempo), une colline révérée comme l'incarnation de Rama. Un circuit de 5 km (90 min) autour du pied de la colline permet de découvrir quantité de temples où se prosternent les dévots parmi des bandes de singes facétieux.

Hébergement le plus séduisant de Chitrakut, le **Pitra Smiviti Vishramgrah** (☎ 9450223214 ; Ram Ghat ; ch 150 Rs, avec sdb 200 Rs) se dresse devant le Bada Math, un palais en pierre rouge vieux de 300 ans. Très sommaires, les chambres ouvrent sur un grand balcon commun qui surplombe le Ram Ghat. L'**UP Tourist Bungalow** (☎ 224219 ; dort 100 Rs, avec clim 250 Rs, s/d/tr avec clim 700/750/925 Rs ; ❄) offre des chambres plus confortables et un restaurant correct (plats 25-50 Rs).

Des minibus collectifs et des *tempo* font la navette entre la gare ferroviaire et le Ram Ghat (10 km, 8 Rs), en passant par la gare routière (à 2 km de la gare ferroviaire) et l'UP Tourist Bungalow (à 1 km du Ram Ghat).

Des bus desservent notamment Khajuraho (76 Rs, 4 heures, 7h-13h) via Satna, et Allahabad (75 Rs, 4 heures, 7h-18h30). Des trains rallient, entre autres, Allahabad (sleeper/3AC/2AC 141/286/375 Rs, 3 heures), Gwalior (192/484/650 Rs, 7 heures) et Agra (229/587/793 Rs, 9 heures). Un train part à 3h46 pour Varanasi (145/377/512 Rs, 7 heures).

JHANSI

☎ 0510 / 420 665 habitants

Jhansi constitue essentiellement une étape sur la route d'Orchha, Gwalior ou Khajuraho, tous au Madhya Pradesh. Hormis son fort, la ville n'offre guère d'intérêt.

Histoire

À la mort du raja en 1853, sa veuve qui devait lui succéder, la rani Lakshmibai, fut destituée par les Britanniques ; une loi controversée les autorisait à prendre le pouvoir dans un État princier quand le souverain décédait sans laisser d'héritier mâle. Quatre ans plus tard, lors de la révolte des Cipayes, la rani Lakshmibai prit la tête de la rébellion de Jhansi. Le contingent britannique fut massacré, mais les Britanniques reprirent Jhansi l'année suivante, et la rani se réfugia à Gwalior. Au cours d'un ultime combat qui lui fut fatal, elle s'élança à cheval contre l'occupant, habillée en homme, et devint par la suite une héroïne de l'Indépendance indienne.

Orientation

La route est-ouest qui relie Shivpuri et Khajuraho constitue l'épine dorsale de la ville. Le fort se situe à 1 km au nord, la gare ferroviaire à 2 km au sud-ouest et la gare routière à 3 km à l'est.

Renseignements

Bunty Cyber Cafe (Elite Rd ; 20 Rs/h ; 🕓 10h-22h). Sous la National Bakery.

Madhya Pradesh Tourism (☎ 2442622 ; 🕓 10h-18h). Sur le quai n°1 de la gare ferroviaire ; informations sur Orchha et Khajuraho.

State Bank of India (☎ 2330319 ; Elite Rd ; 🕓 10h-16h lun-ven, 10h-13h sam). Change espèces et chèques de voyage ; DAB devant la gare ferroviaire.

Uttar Pradesh Tourism (☎ 2442622 ; 🕓 10h-17h lun-sam, fermé 2e sam du mois). À côté de Madhya Pradesh Tourism.

À voir

Érigé en 1613 par le maharaja Bir Singh Deo d'Orchha, le **fort de Jhansi** (☎ 2442325 ; Indiens/étrangers 5/100 Rs, caméra 25 Rs ; 🕓 aube-crépuscule) conserve des traces des batailles sanglantes qui se déroulèrent derrière ses doubles remparts et ses douves, jadis peuplées de crocodiles. Aujourd'hui, ses pelouses ombragées invitent à la promenade et offrent une belle vue sur la ville et les affleurements rocheux alentour.

Près de la tourelle du drapeau s'élève un parapet d'où la rani Lakshmibai se serait élancée à cheval, avec son fils adoptif en croupe. Le cheval aurait péri, mais l'histoire semble néanmoins incroyable quand on découvre la pente rocailleuse escarpée à 15 m en contrebas.

Où se loger et se restaurer

Hotel Samrat (☎ 2444943 ; Elite Rd ; s 300-400 Rs, avec clim 625-875 Rs, d 350-450 Rs, avec clim 675-925 Rs ; ❄). Cet hôtel bien tenu, à 2 km de la gare ferroviaire, propose des chambres correctes, toutes avec sdb et TV. Des lecteurs se sont plaints des draps douteux ; vérifiez leur propreté avant de vous décider.

National Bakery (Shivpuri Rd ; plats 30-120 Rs ; 🕓 9h-23h). Ce café-restaurant propose café, jus de fruits et en-cas, sucrés et salés, ainsi que des plats divers, tels que *dosa*, nouilles, pizzas et burgers.

Red Tomato (Hotel Samrat ; Elite Rd ; plats 45-135 Rs ; 🕓 7h-22h30 ; ❄). Propre et plaisant, le nouveau restaurant de l'Hotel Samrat prépare des plats végétariens ou non, dont d'excellents kebabs.

Depuis/vers Jhansi

BUS

Des bus express pour Khajuraho (110 Rs, 4 heures) partent de la gare routière à 5h30, 8h30, 11h30 et 14h30. Quelques autres bus locaux rallient Khajuraho (100 Rs) jusqu'à 15h30.

Des bus réguliers desservent Gwalior jour et nuit (60 Rs, 3 heures).

Des bus se rendent à Orchha (10 Rs) toute la journée, mais se raréfient dans l'après-midi. Les *tempo* effectuent le trajet pour un prix identique et circulent plus tardivement.

TRAIN

Plusieurs trains quotidiens desservent Gwalior, Agra et Delhi. Voir le tableau p. 445.

PRINCIPAUX TRAINS AU DÉPART DE JHANSI

Destination	N° et nom du train	Tarifs (Rs)	Durée	Départ
Agra	2137 *Punjab Mail*	148/360/478	3 heures 30	14h30
Delhi	2614 *Grand trunk Exp*	207/527/709	7 heures	23h37
Gwalior	2137 *Punjab Mail*	141/243/313	1 heure 30	14h30
Mumbai	2138 *Punjab Mail*	385/1 028/1 403	19 heures	12h35
Varanasi	1107 *Bundelkhand Exp*	232/625/857	12 heures	22h30

Tous les tarifs correspondent aux classes sleeper/3AC/2AC

Comment circuler

Les *tempo* circulent sur toutes les grandes artères de Jhansi. Comptez 5 Rs de la gare ferroviaire à la gare routière, 2 Rs de la gare ferroviaire à l'Hotel Samrat, 5 Rs de la gare routière au fort de Jhansi et 10 Rs de la gare routière à Orchha. Les auto-rickshaws demandent jusqu'à dix fois plus.

VARANASI (BÉNARÈS)

☎ 0542 / 1 211 749 habitants

Peu d'endroits en Inde sont aussi bigarrés, chaotiques et imprégnés de spiritualité que Varanasi. Si la ville réserve des moments âpres, elle laisse aussi des souvenirs impérissables.

Appelée au fil des siècles Kashi (cité de la Vie) puis Bénarès, Varanasi est l'une des plus anciennes cités constamment habitées au monde et l'une des grandes villes saintes du pays. Les pèlerins hindous viennent sur les ghats pour se laver de leurs péchés dans le Gange ou pour la crémation de leurs proches. Passer ici de vie à trépas permettrait d'atteindre le moksha (libération du cycle des réincarnations), ce qui fait de Varanasi le cœur de l'univers hindou. Cette ville magique, parfois oppressante, voit se côtoyer sur ses célèbres ghats les rites les plus intimes de la vie et de la mort. La sollicitation constante des rabatteurs peut être exaspérante, mais ne saurait vous détourner de cette cité unique. Une promenade à pied le long des ghats ou en barque sur le fleuve est une expérience inoubliable.

Histoire

Fondée sans doute vers 1200 av J.-C., Varanasi prit de l'importance au VIIIe siècle quand Shankaracharya, un réformateur de l'hindouisme, fit du culte de Shiva la secte principale. Les Afghans la détruisirent vers 1300, après avoir saccagé Sarnath ; l'empereur moghol Aurangzeb, surpassant ses prédécesseurs, pilla et rasa pratiquement tous les temples. Malgré l'aspect antique de la vieille ville, peu de bâtiments datent de plus de deux siècles.

Orientation

La vieille ville de Varanasi s'étire sur la rive ouest du Gange et déploie son dédale de ruelles étroites, appelées *gali*, derrière les ghats. Ce labyrinthe peut dérouter, mais les hôtels et les restaurants sont bien indiqués ; si vous vous perdez, vous aboutirez forcément à un ghat, duquel vous pourrez vous repérer. Il est possible de marcher tout au long des ghats, sauf pendant et juste après la mousson, quand le fleuve est trop haut.

La plupart des sites et des hôtels se regroupent dans la vieille ville. Juste au sud de la gare ferroviaire, les quartiers moins surpeuplés de Lahurabir et Chetganj offrent d'autres hébergements. Les hôtels de luxe se concentrent dans le paisible quartier de Cantonment, derrière la gare.

Renseignements

Vous trouverez des informations intéressantes, en anglais, sur le site Internet www.varanasi.nic.in.

ACCÈS INTERNET

iway Internet Assi Ghat (carte p. 448 ; 20 Rs/h ; ⌚ 8h30-22h) ; Hotel Surya (carte p. 448 ; 25 Rs/45 min ; ⌚ 7h30-22h) ; Vidyapeeth Rd (carte p. 448 ; 30 Rs/h ; ⌚ 9h-21h)

Messenger (carte p. 450 ; 20 Rs/h ; ⌚ 8h-22h). À côté du Mona Lisa Restaurant.

ARGENT

Plusieurs DAB sont installés à travers la ville.

State Bank of India (carte p. 448 ; ☎ 2343742 ; The Mall ; ⌚ 10h-14h et 14h30-16h lun-ven, 10h-13h sam). Change les chèques de voyage et les espèces.

CONSIGNE

Gare ferroviaire de Varanasi Junction (carte p. 448 ; 10 Rs/bagage par jour ; ⌚ 24h/24)

LIBRAIRIES

Les librairies ci-dessous vendent des livres sur le yoga, la méditation et la spiritualité, de la littérature indienne, des guides de voyage et des cartes.

Indica Books (carte p. 460 ; ☎ 2450818 ; www.indicabooks.com ; Mandapur Rd, Godaulia ; ⌚ 9h-20h lun-sam). Cette excellente librairie possède une succursale près du l'Assi Ghat (carte p. 448).

Universal Book Company (carte p. 460 ; ☎ 2450042 ; universalvns@sify.com ; Mandapur Rd ; ⌚ 10h-20h30). Vend également des livres d'art et de photos.

OFFICES DU TOURISME

GITO (carte p. 448 ; ☎ 343744 ; indtourvns@sify.com ; 15B The Mall ; ⌚ 9h-17h30 lun-ven, 9h-14h sam). Personnel serviable, informations et brochures sur tout le pays.

UP Tourism Tourist Bungalow (carte p. 448 ; ☎ 2206638 ;

Parade Kothi ; 🕑 9h-17h lun-sam) ; gare ferroviaire Varanasi Junction (carte p. 448 ; ☎ 2506670 ; 🕑 9h-17h). Dans le bureau de la gare ferroviaire, M. Umashankar fournit depuis des années des informations impartiales et connaît parfaitement la ville et ses alentours.

POSTE

Vous trouverez des bureaux de poste dans Cantonment (carte p. 448), près du Dasaswamedh Ghat (carte p. 450) et au sud du temple de Vishwanath (carte p. 450). La **poste principale** (carte p. 448 ; ☎ 2331398 ; Kabir Chaura Rd ; 🕑 10h-19h lun-sam, expédition colis 10h-16h) est connue sous le nom de GPO par les rickshaw-wallahs.

SERVICES MÉDICAUX

Heritage Hospital (carte p. 448 ; ☎ 2368888 ; www.heritagehospital.in ; Lanka). Un hôpital privé moderne avec une pharmacie ouverte 24h/24 à la réception et une International Travellers Clinic au 1er étage.

URGENCES

Police touristique (carte p. 448 ; ☎ 2506670 ; UP Tourism, gare ferroviaire Varanasi Junction ; 🕑 6h-19h). La police touristique est reconnaissable à son uniforme bleu ciel.

À voir

GHATS

Les ghats, longs chapelets de marches descendant jusqu'au fleuve sur la berge ouest du Gange, sont le centre de la vie spirituelle à Varanasi. La plupart servent au bain et plusieurs sont réservés aux crémations, comme Manikarnika, le principal ghat de crémation ; on croise souvent des processions funéraires dans les ruelles avoisinantes. Les meilleurs moments pour découvrir les ghats sont l'aube, lorsqu'une douce lumière nimbe le fleuve et que les pèlerins viennent accomplir une *puja* (littéralement "respect" ; offrande ou prière), et le crépuscule, quand la cérémonie de *ganga aarti* se déroule au Dasaswamedh Ghat.

Quelque 80 ghats bordent le fleuve. Le groupe principal s'étend vers le nord de l'Assi Ghat, près de l'université, au Raj Ghat, près du pont routier et ferroviaire.

Une promenade en bateau le long du fleuve constitue une introduction parfaite. La majeure partie de l'année, le niveau de l'eau est suffisamment bas pour permettre de marcher tout au long des ghats. Au fil

ESCROQUERIES À VARANASI

Si l'insistance des rabatteurs et des rickshaw-wallahs vous a semblé pénible à Agra, attendez-vous à pire à Varanasi. Ce harcèlement, surtout dans la vieille ville et près des ghats, ne doit toutefois pas gâcher votre séjour dans cette ville unique.

La première difficulté consiste à rejoindre l'hôtel de votre choix, et non celui où le chauffeur tente de vous emmener. Si vous réservez, essayez d'organiser le transfert avec votre hôtel ou dites au chauffeur que vous devez retrouver des amis à un point de repère proche et terminez le chemin à pied. N'indiquez pas le nom de l'hôtel au conducteur, même s'il le devine, car il ne manquera pas d'affirmer qu'il est fermé, complet, détruit par un incendie ou autres balivernes.

En vous promenant dans les *gali* (ruelles) et le quartier des ghats, vous tomberez sur des rabatteurs et rickshaw-wallahs qui ne cesseront de vous proposer promenades en bateau, guides, tour-opérateurs, agences de voyages, boutiques de soie ou bureaux de change invariablement "meilleurs et moins chers". Prenez ces propositions avec humour et n'en acceptez aucune. Pour un guide officiel, adressez-vous à India Tourism ou à UP Tourism. Il est plus sûr et moins coûteux d'effectuer une promenade en bateau en groupe et il revient toujours moins cher de s'adresser directement au batelier. Ne prenez pas de photos aux ghats de crémation et n'écoutez pas ceux qui vous diront de les suivre pour une meilleure vue ; ils exigeront ensuite de l'argent et vous vous trouverez peut-être dans une situation déplaisante.

Tout cela est un peu pénible mais supportable. En revanche, Varanasi, comme toutes les villes, compte de vrais délinquants, notamment aux abords des gares routières et ferroviaires. Faites particulièrement attention à vos affaires dans ces endroits. Évitez également de vous promener seul le soir.

Enfin, sachez que tout le monde n'a pas pour seul but de vous escroquer. Rencontrer les habitants est un plaisir. Faites preuve de patience, de bon sens et d'humour, et ne vous laissez pas gagner par la paranoïa !

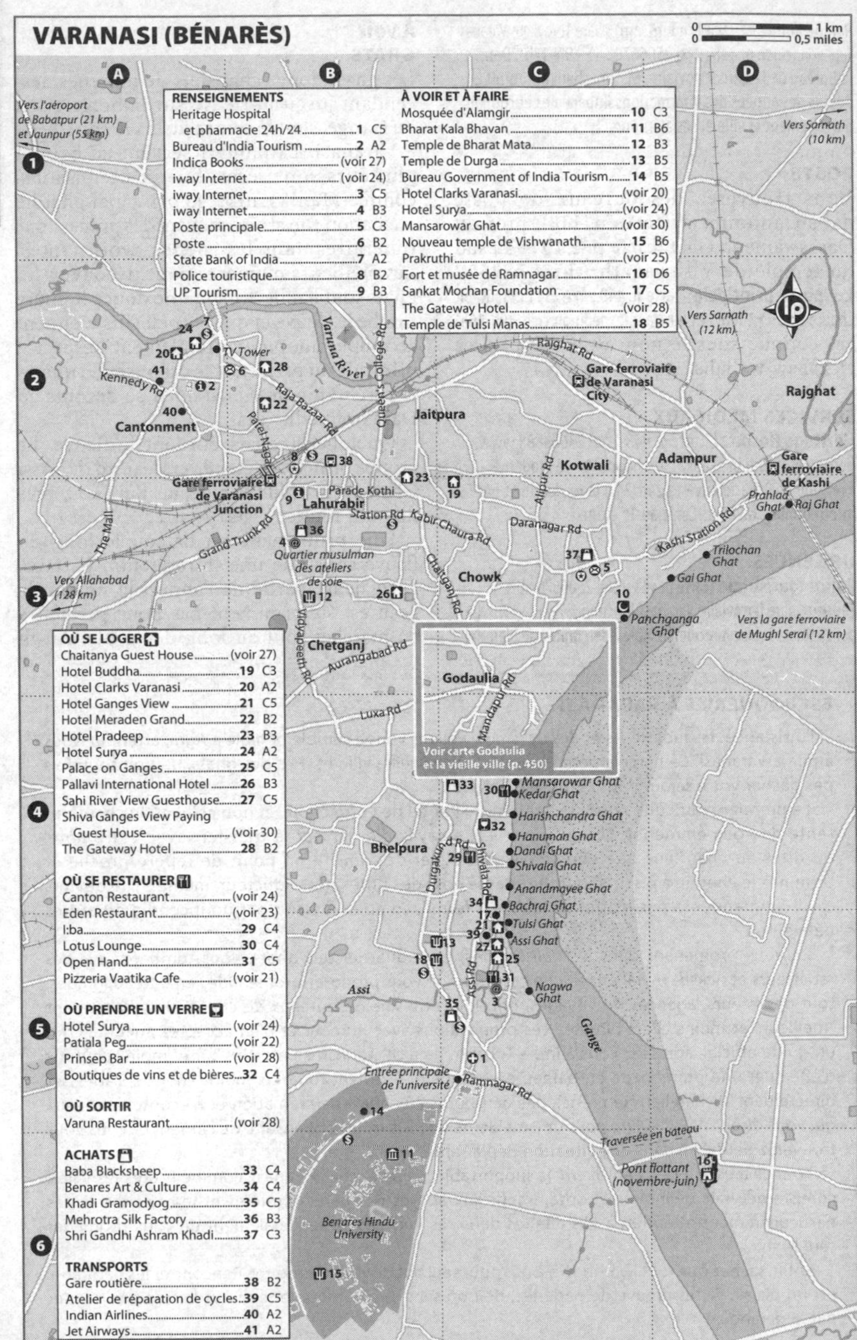
VARANASI (BÉNARÈS)
0 1 km
0 0,5 miles
RENSEIGNEMENTS
Heritage Hospital et pharmacie 24h/24 ... 1 C5
Bureau d'India Tourism ... 2 A2
Indica Books ... (voir 27)
iway Internet ... (voir 24)
iway Internet ... 3 C5
iway Internet ... 4 B3
Poste principale ... 5 C3
Poste ... 6 B2
State Bank of India ... 7 A2
Police touristique ... 8 B2
UP Tourism ... 9 B3
À VOIR ET À FAIRE
Mosquée d'Alamgir ... 10 C3
Bharat Kala Bhavan ... 11 B6
Temple de Bharat Mata ... 12 B3
Temple de Durga ... 13 B5
Bureau Government of India Tourism ... 14 B5
Hotel Clarks Varanasi ... (voir 20)
Hotel Surya ... (voir 24)
Mansarowar Ghat ... (voir 30)
Nouveau temple de Vishwanath ... 15 B6
Prakruthi ... (voir 25)
Fort et musée de Ramnagar ... 16 D6
Sankat Mochan Foundation ... 17 C5
The Gateway Hotel ... (voir 28)
Temple de Tulsi Manas ... 18 B5
OÙ SE LOGER
Chaitanya Guest House ... (voir 27)
Hotel Buddha ... 19 C3
Hotel Clarks Varanasi ... 20 A2
Hotel Ganges View ... 21 C5
Hotel Meraden Grand ... 22 B2
Hotel Pradeep ... 23 B3
Hotel Surya ... 24 A2
Palace on Ganges ... 25 C5
Pallavi International Hotel ... 26 B3
Sahi River View Guesthouse ... 27 C5
Shiva Ganges View Paying Guest House ... (voir 30)
The Gateway Hotel ... 28 B2
OÙ SE RESTAURER
Canton Restaurant ... (voir 24)
Eden Restaurant ... (voir 23)
I:ba ... 29 C4
Lotus Lounge ... 30 C4
Open Hand ... 31 C5
Pizzeria Vaatika Cafe ... (voir 21)
OÙ PRENDRE UN VERRE
Hotel Surya ... (voir 24)
Patiala Peg ... (voir 22)
Prinsep Bar ... (voir 28)
Boutiques de vins et de bières ... 32 C4
OÙ SORTIR
Varuna Restaurant ... (voir 28)
ACHATS
Baba Blacksheep ... 33 C4
Benares Art & Culture ... 34 C4
Khadi Gramodyog ... 35 C5
Mehrotra Silk Factory ... 36 B3
Shri Gandhi Ashram Khadi ... 37 C3
TRANSPORTS
Gare routière ... 38 B2
Atelier de réparation de cycles ... 39 C5
Indian Airlines ... 40 A2
Jet Airways ... 41 A2
Vers l'aéroport de Babatpur (21 km) et Jaunpur (55 km)
Vers Sarnath (10 km)
Vers Sarnath (12 km)
Vers Allahabad (128 km)
Vers la gare ferroviaire de Mughl Serai (12 km)
Cantonment
Kennedy Rd
TV Tower
Patel Nagar
Raja Bazaar Rd
Varuna River
Queen's College Rd
Jaitpura
Rajghat Rd
Gare ferroviaire de Varanasi City
Rajghat
Kotwali
Adampur
Gare ferroviaire de Kashi
Alipur Rd
Gare ferroviaire de Varanasi Junction
Parade Kothi
Lahurabir
Station Rd
Kabir Chaura Rd
Daranagar Rd
The Mall
Grand Trunk Rd
Quartier musulman des ateliers de soie
Chaitganj Rd
Chowk
Kashi Station Rd
Prahlad Ghat
Raj Ghat
Trilochan Ghat
Gai Ghat
Panchganga Ghat
Vidyapeeth Rd
Chetganj
Aurangabad Rd
Godaulia
Mandapur Rd
Luxa Rd
Voir carte Godaulia et la vieille ville (p. 450)
Mansarowar Ghat
Kedar Ghat
Harishchandra Ghat
Hanuman Ghat
Dandi Ghat
Shivala Ghat
Anandmayee Ghat
Bachraj Ghat
Tulsi Ghat
Assi Ghat
Nagwa Ghat
Bhelpura
Durgakund Rd
Shivala Rd
Assi Rd
Assi
Gange
Entrée principale de l'université
Ramnagar Rd
Traversée en bateau
Pont flottant (novembre-juin)
Benares Hindu University

du parcours, vous découvrirez les multiples activités des pèlerins et des riverains : bain rituel, pratique du yoga, dépôt d'une offrande, vente de fleurs, lessive ou lavage des buffles, massages, parties de cricket ou distribution d'aumônes pour améliorer le karma.

L'**Assi Ghat** (p. 448), le plus au sud des ghats principaux et l'un des plus grands, est particulièrement important car proche de la confluence de l'Assi et du Gange. Les pèlerins viennent y vénérer un lingam de Shiva sous un banian. Le ghat est particulièrement animé en soirée, quand saltimbanques et colporteurs envahissent la vaste plateforme bétonnée. L'Assi Ghat est un point de départ pour les promenades en bateau et d'excellents hôtels sont installés à proximité. Non loin, le **Tulsi Ghat** (carte p. 448), du nom d'un poète hindou du XVIe siècle, a glissé vers le fleuve, mais accueille néanmoins une fête dédiée à Krishna durant le mois de Kartika (octobre-novembre). L'organisation non gouvernementale qui fait campagne pour améliorer la propreté du Gange possède ici un laboratoire de recherche (voir l'encadré p. 452). Vient ensuite le **Bachraj Ghat** (carte p. 448), avec trois temples jaïns. Un petit temple de Shiva et une demeure du XIXe siècle érigée par un roi népalais se dressent derrière le **Shivala Ghat** (carte p. 448), construit par le maharaja de Bénarès. Le **Dandi Ghat** (carte p. 448), où se regroupent des ascètes appelés Dandi Panth, précède l'**Hanuman Ghat** (carte p. 448), très fréquenté.

L'**Harishchandra Ghat** (carte p. 448), un ghat de crémation plus petit et moins important que Manikarnika, est l'un des plus anciens de Varanasi. Le suivant, le **Kedar Ghat** (carte p. 448), abrite un sanctuaire vénéré par les Bengalis et les Indiens du Sud. Le **Mansarowar Ghat**, construit par le raja Man Singh d'Amber, porte le nom d'un lac tibétain situé au pied du mont Kailash, la demeure himalayenne de Shiva. Le **Someswar Ghat** (ghat du dieu de la Lune ; carte p. 448) aurait des pouvoirs curatifs. Le **Munshi Ghat** (carte p. 450), très photogénique, précède l'**Ahalya Bai's Ghat** (carte p. 450), du nom de la reine marathe d'Indore.

Le **Dasaswamedh Ghat** (carte p. 450), le plus animé et pittoresque, est facilement accessible au bout de l'artère principale qui part de Godaulia Crossing. Son nom indique que Brahma y sacrifia *(medh)* dix *(das)* chevaux *(aswa)*. Malgré l'insistance des bateliers, des marchands de fleurs et des rabatteurs qui chercheront à vous emmener dans une boutique de soieries, c'est un endroit fabuleux pour s'imprégner de l'atmosphère et observer la foule. Tous les soirs, une *ganga aarti*, avec puja, feux de joie et danses, s'y déroule à 19h.

Un peu plus au nord, le **Man Mandir Ghat**, bâti en 1600 par le raja Man Singh, fut maladroitement restauré au XIXe siècle. Un beau balcon en pierre orne son angle nord.

Le **Meer Ghat** (carte p. 450) conduit à un temple népalais, orné de sculptures érotiques. Le **Manikarnika Ghat** (carte p. 450), principal ghat de crémation, est le lieu préféré des hindous pour une incinération. Les corps sont transportés à travers les ruelles de la vieille ville par des hors-caste, appelés *dom*, sur des brancards de bambou recouverts d'un linge et plongés dans le Gange avant la crémation. D'énormes tas de bois s'empilent au sommet du ghat et chaque bûche est pesée pour calculer le prix du bûcher. Les prix diffèrent selon les essences, le bois de santal étant le plus coûteux. Vous pouvez assister aux crémations à condition de vous comporter respectueusement. Les photos sont interdites. Invariablement, un prêtre ou un guide vous proposera de grimper au dernier étage d'un bâtiment proche pour voir les crémations, et vous demandera ensuite une contribution (en dollars) pour le bûcher. Si vous ne voulez pas payer, ne le suivez pas !

En haut des marches, le **Manikarnika Well** (puits de Manikarnika) marque l'endroit où Parvati aurait laissé tomber une boucle d'oreille. Shiva aurait creusé ce bassin pour la retrouver, le remplissant de sa sueur. Le **Charanpaduka**, une dalle de pierre entre le puits et le ghat, porte les empreintes des pieds de Vishnu. Les hauts dignitaires sont incinérés à cet endroit, où s'élève un temple dédié à Ganesh.

Au **Dattatreya Ghat** (carte p. 450), un petit temple renferme l'empreinte des pieds d'un saint brahmane du même nom. Le **Scindhia Ghat** (carte p. 450), construit en 1830, était si grandiose qu'il s'effondra et dut être reconstruit. Le **Ram Ghat** (carte p. 450) fut érigé par un maharaja de Jaipur.

Le **Panchganga Ghat** (carte p. 448), comme son nom l'indique – *panch* signifie cinq –, serait au confluent de cinq rivières. Au-dessus du ghat, la petite mosquée d'Aurangzeb, ou **mosquée d'Alamgir** (carte p. 448), fut construite sur le site d'un grand temple dédié à Vishnu. Une vache en pierre orne le **Gai Ghat** (carte p. 448). Le **Trilochan Ghat** (carte p. 448) comporte deux

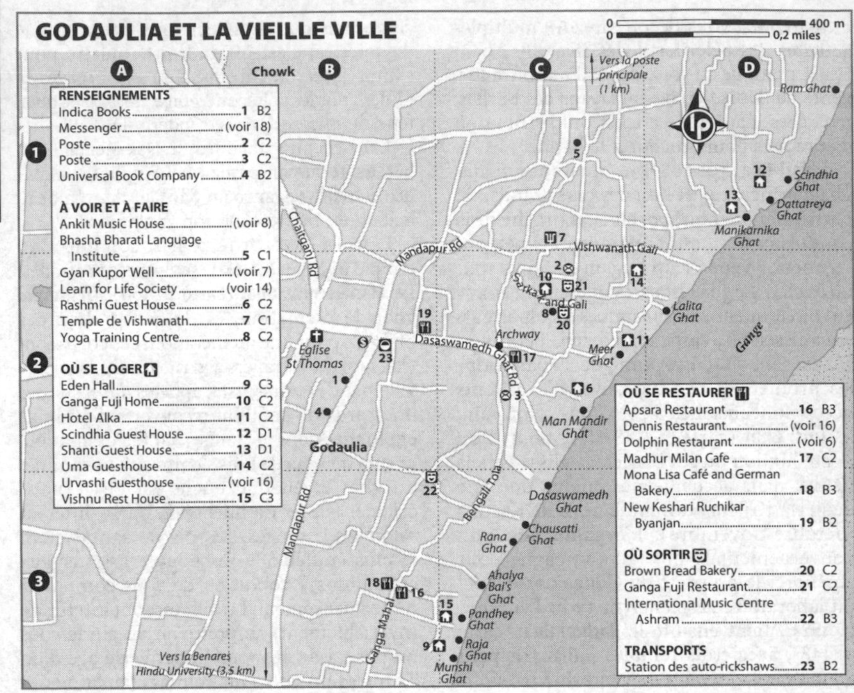

tourelles sortant du fleuve ; l'eau qui coule entre elles est particulièrement sacrée. Le **Raj Ghat** (carte p. 448) était l'embarcadère des ferries jusqu'à la construction du pont routier et ferroviaire.

TEMPLE DE VISHWANATH

Également appelé Temple d'or (Golden Temple ; carte p. 450), le temple hindou le plus fréquenté de Varanasi est dédié à Vishveswara – Shiva en tant que dieu de l'Univers. L'édifice actuel fut construit en 1776 par Ahalya Bai d'Indore. Les 800 kg d'or qui couvrent la tour et la coupole furent offerts par le maharaja Ranjit Singh de Lahore 50 ans plus tard.

Des soldats surveillent étroitement le secteur en raison des tensions communautaires. Sacs, appareils photo et téléphones portables doivent être déposés dans des casiers (10 Rs) avant d'emprunter l'allée d'accès. Les non-hindous ne peuvent pas entrer dans le temple et il est donc inutile de subir les tracasseries liées à la sécurité.

Près du temple, le **Gyan Kupor Well** (puits de la Connaissance ; carte p. 450) contient une eau qui procurerait un niveau de conscience supérieur. Un important dispositif de sécurité empêche les fidèles d'en boire.

BENARES HINDU UNIVERSITY

Depuis longtemps considérée comme un centre d'enseignement, Varanasi perpétue cette tradition à la **Benares Hindu University** (BHU , université hindoue de Bénarès ; carte p. 448 ; www.bhu.ac.in), fondée en 1916. Si vous souhaitez étudier dans cet établissement, contactez l'**International Centre** (carte p. 448 ; ☎ 2307639 ; internationalcentrebhu@gmail.com).

Avec ses larges allées ombragées et ses espaces verts, le campus constitue une oasis de 5 km², à des années-lumière de la ville bruyante. À l'intérieur, le **Bharat Kala Bhavan** (carte p. 448 ; ☎ 316337 ; Indiens/étrangers 10/100 Rs, appareil photo 50 Rs ; 🕓 10h30-16h30 lun-sam, 7h30-13h mai-juin), un musée spacieux, présente une superbe collection de miniatures, des manuscrits sur palmes du XIIe siècle, des sculptures et des expositions sur l'histoire locale.

Contrairement à de nombreux sanctuaires de Varanasi, le **nouveau temple de Vishwanath** (carte p. 448 ; 🕓 4h-12h et 13h-21h) est ouvert à tous.

FORT ET MUSÉE DE RAMNAGAR

Délabré et imposant, ce palais fortifié du XVIIe siècle (carte p. 448), situé sur la berge orientale du Gange, est un endroit merveilleux pour contempler le coucher du soleil sur le fleuve. Il abrite un **musée** (carte p. 448 ; ☎2339322 ; 7 Rs ; 🕑 9h-12h et 14h-17h30) éclectique, avec de vieilles voitures américaines, des chaises à porteurs incrustées de pierres précieuses, une superbe collection d'armes et une horloge astrologique très originale. L'actuel maharaja, Anant Narayan Singh – toujours appelé maharaja de Bénarès malgré l'abolition des titres royaux en 1971 –, poursuit la tradition familiale en assistant chaque année au **festival d'art dramatique de Ram Lila** (p. 413), qui se déroule pendant un mois dans les rues derrière le fort.

Des bateaux font la navette sur le fleuve entre 5h et 20h (10 Rs aller-retour, 10 min). De novembre à juin, on peut le traverser sur un pont flottant assez instable. L'aller-retour en bateau jusqu'au Dasawamedh Ghat revient à 200 Rs.

AUTRES CURIOSITÉS

Le petit **temple de Durga** (carte p. 448 ; Durgakund Rd ; 🕑 aube-crépuscule), couvert d'ocre rouge, fut érigé au XVIIIe siècle par une maharani bengalie. Non loin, le **temple de Tulsi Manas** (carte p. 448 ; Durgakund Rd ; 🕑 5h-12h et 16h-21h), un sanctuaire en marbre moderne de style *sikhara*, comporte des versets et des scènes du *Ram Charit Manas* (version hindi du *Ramayana*) gravés sur les murs.

Le **temple de Bharat Mata** (carte p. 448 ; Vidyapeeth Rd ; appareil photo/caméra 10/20 Rs ; 🕑 aube-crépuscule), construit en 1918, renferme une carte en relief du sous-continent, taillée dans le marbre.

À faire

PROMENADES SUR LE FLEUVE

Une promenade en barque à l'aube sur le Gange constitue une expérience unique. La lumière est splendide, et les pèlerins qui se baignent et accomplissent une puja offrent un spectacle fascinant. Particulièrement prisé, un circuit d'une heure aller-retour part vers le sud du Dasaswamedh Ghat jusqu'au Harishchandra Ghat, où ont lieu des crémations. Le crépuscule est aussi un bon moment pour une promenade sur le fleuve, quand on allume une bougie en forme de fleur de lotus (10 Rs) pour la laisser dériver avant de regarder du bateau la *ganga aarti* quotidienne au Dasaswamedh Ghat (à 19h).

Disponibles devant la plupart des ghats, les barques se louent 50 Rs par personne et par heure, à condition de marchander ferme.

Un autre plaisant circuit d'une heure part du Dasaswamedh Ghat pour arriver au fort de Ramnagar (200 Rs).

De nombreuses pensions proposent des excursions en bateau – plus chères que celles qui sont proposées par les bateliers.

NATATION ET SOINS

L'**Hotel Surya** (carte p. 448 ; ☎2508466 ; www.hotelsuryavns.com ; The Mall ; 🕑 9h-23h) propose d'excellents massages à partir de 500 Rs. **Prakruthi** (carte p. 448 ; Palace on the Ganges ; ☎2315050 ; Assi Ghat ; 🕑 8h-19h) et la Rashmi Guesthouse (p. 454) offrent des massages kéralais thérapeutiques, plus onéreux.

Les non-résidents peuvent profiter des piscines en plein air de l'Hotel Surya (150 Rs), de l'Hotel Clarks Varanasi (200 Rs) et du Gateway Hotel Ganges (350 Rs).

BÉNÉVOLAT

Learn for Life Society (carte p. 450 ; ☎2403566 ; www.learn-for-life.org), que l'on peut contacter par l'intermédiaire de la Brown Bread Bakery (p. 456) voisine, a fondé une petite école pour les enfants défavorisés et accepte volontiers l'aide de voyageurs. L'organisme a récemment créé une sorte de coopérative de femmes, leur procurant une rémunération équitable ; certaines sont les mères des écoliers. Elles fabriquent divers produits, dont des confitures et des pickles vendus dans la Brown Bread Bakery. Consultez le site Internet.

La **Sankat Mochan Foundation** (carte p. 448 ; ☎ 2313884 ; vmbganga@satyam.net.in ; Tulsi Ghat), une institution caritative œuvrant au nettoyage du Gange à Varanasi (voir l'encadré p. 452), recrute en permanence des bénévoles pour aider aux travaux de recherche et d'administration.

Cours

HINDI

Établi de longue date, le **Bhasha Bharati Language Institute** (carte p. 450 ; ☎9839076805 ; www.bhashabharati.com ; 19/8 Thatheri Bazaar, Chowk), près du poste de police de Chowk, propose des sessions de 30 heures en une semaine, en petits groupes, à 250 Rs l'heure. L'hébergement en pension complète chez l'habitant revient à 1 350 Rs. Il faut réserver les cours deux semaines à l'avance.

NETTOYER LE GANGE

L'actuelle insalubrité du Gange à Varanasi permet de douter que le fleuve sacré puisse un jour être propre. Ce miracle pourrait intervenir prochainement grâce à l'obstination d'un homme, au terme de 40 années d'efforts.

Le professeur Veer Bhadra Mishra, qui plaide pour le nettoyage du Gange depuis les années 1970, estime que cette portion du fleuve sacré pourrait être assainie d'ici à 2014 à condition que le gouvernement tienne ses promesses.

Cette affirmation semble incroyable, compte tenu de l'actuel niveau de pollution. Une eau sûre pour la baignade doit contenir moins de 500 bactéries *Escherichia coli* par litre, alors que les échantillons prélevés dans le Gange en révèlent 1,5 million ! Par endroits, le fleuve est tellement pollué que l'eau est septique, sans trace d'oxygène.

Après des années d'atermoiements, le gouvernement de l'État a décidé de financer un système de traitement des eaux usées spécialement conçu pour Varanasi par la **Sankat Mochan Foundation** (SMF ; carte p. 448 ; ☎ 2313884 ; vbmganga@satyam.net.in ; Tulsi Ghat) du professeur Mishra.

"Bien entendu, j'étais très heureux" dit-il en parlant du jour de juillet 2008 où il a reçu la lettre du gouvernement annonçant son soutien total. "Je demeure toutefois sceptique en raison des problèmes rencontrés par le passé. J'espère simplement qu'il tiendra ses promesses."

"Je suis un hindou pratiquant et je considère le Gange comme la Mère. Ce fleuve sacré apporte le bonheur dans notre monde et le salut quand nous le quittons. J'y prends des bains rituels et je ne pourrais pas vivre sans lui, comme tous les hindous qui viennent se baigner dans le Gange à Varanasi. Pour eux, le fleuve est un mode de vie et, grâce à ces fidèles, les traditions associées au Gange perdurent. Quel est le sens des traditions si on ne peut les pratiquer ?"

Mais cela devient impossible sans mettre en péril sa santé. Les dévots croient qu'il faut contempler, toucher cette eau sacrée, s'y baigner et en boire. Des pratiques aujourd'hui risquées.

Certains rendent les fidèles responsables. Des gens se baignent fréquemment dans le fleuve, y déposent d'innombrables offrandes et, tous les jours, des corps incinérés dérivent vers l'aval.

Téléphonez pour qu'on vous indique le chemin car l'institut est difficile à trouver.

Des lecteurs recommandent Rajeswar Mukherjee au **Pragati Hindi** (☎ 9335376488 ; pragatihindi@yahoo.co.in ; B-7/176 Kedar Ghat), qui offre des cours particuliers à partir de 200 Rs l'heure.

Les étrangers qui souhaitent étudier à la **Benares Hindu University** (carte p. 446 ; ☎ 2307639 ; internationalcentrebhu@gmail.com ; International Centre, BHU) doivent s'inscrire au moins pour une année. Les cours coûtent un peu plus de 13 000 Rs pour l'année universitaire (de juillet à juin). Les demandes d'inscription doivent parvenir au plus tard en mars.

MUSIQUE ET DANSE

Entreprise familiale, l'**International Music Centre Ashram** (carte p. 450 ; ☎ 2452303 ; keshavaraonayak@hotmail.com), caché dans le dédale de ruelles près du Rana Ghat, mérite qu'on le déniche. Les cours de sitar, de tabla, de flûte et de danse classique coûtent 150 Rs l'heure ; des concerts ont lieu tous les mercredis et samedis à 20h (50 Rs).

L'**Ankit Music House** (carte p. 450 ; ☎ 9336567134 ; ankitmusichouse@hotmail.com ; Sakarkand Gali), installée dans le même bâtiment que le Yoga Training Centre près du Meer Ghat, propose aussi des cours de musique classique à 100 Rs l'heure. Les professeurs Bablu et Vijay peuvent vous conseiller pour l'achat d'un instrument.

YOGA ET MÉDITATION

Méfiez-vous des soi-disant professeurs de yoga aux mains baladeuses ! Les adresses suivantes sont fiables.

Sunil Kumar dispense des cours de 2 heures trois fois par jour (8h, 10h et 16h ; 200 Rs) au **Yoga Training Centre** (carte p. 450 ; ☎ 9919857895 ; yoga_sunil@hotmail.com ; Sakarkand Gali), au 3e étage dans une petite rue proche du Meer Ghat. Il enseigne un mélange de yoga hatha, iyengar, pranayama et ashtanga et les étudiants intéressés peuvent continuer jusqu'au diplôme. Ce centre est vivement recommandé par des voyageurs.

La **Benares Hindu University** (carte p. 448 ; ☎ 2307639 ; internationalcentrebhu@gmail.com ; International Centre, BHU) organise une session de yoga physique de 4 semaines (2 500 Rs) sanctionnée par un certificat, ainsi qu'une formation diplômante de 4 mois (5 500 Rs).

Il serait surprenant que le Gange ne soit pas pollué ! "Ce malentendu est très répandu", affirme le professeur Mishra. "Nos recherches ont prouvé que ces activités provoquent 5% de la pollution. Les 95% restants sont causés par les égouts. Aucune des 116 villes qui bordent le Gange n'a cessé de déverser ses eaux usées dans le fleuve."

À Varanasi, on compte 32 sources de déversement d'égoûts. "Les eaux usées coulent directement là où les hindous prennent leurs bains rituels", ajoute le professeur.

Le gouvernement s'y est intéressé un temps et a lancé en 1986 un Plan d'action pour le Gange (Ganga Action Plan, GAP), puis la politique a repris le dessus. Le GAP a cessé de consulter le professeur Mishra et a proposé sa propre solution. "L'appétit de pouvoir", estime Mishra.

Si les buts du GAP étaient irréprochables, les solutions se révélaient inadaptées. Malgré les 32 sites d'émission, le gouvernement n'a installé que cinq pompes, et électriques alors que Varanasi subit régulièrement des coupures de courant.

"C'est un cautère sur une jambe de bois" déclare Mishra. Sa fondation, avec l'aide de spécialistes en Amérique, a conçu un réseau d'assainissement par gravité, qui intercepte les eaux usées avant qu'elles ne se déversent dans le fleuve et les détourne par des conduites jusqu'à un centre de traitement non électrique, à 7 km en aval.

Le conseil municipal a accepté le projet, puis le gouvernement de l'État a opposé son véto (l'affaire est toujours en litige devant la Cour suprême). Le professeur Mishra a finalement reçu un courrier autorisant la Sankat Mochan Foundation à réaliser une unité d'essai, qui devrait être achevée en 2010. Quatre années seront ensuite nécessaires pour créer le nouveau système d'épuration et le professeur Mishra aura 75 ans. Il pourra alors se reposer ?

"Sûrement pas", insiste-t-il. "Nous ne voulons pas nous borner à Varanasi, mais nettoyer tout le Gange. Nous voulons que la ville soit un modèle pour l'ensemble du fleuve."

La fondation SMF accepte volontiers les dons ou la participation de bénévoles. Contactez le bureau au Tulsi Ghat.

Envoyez un e-mail à l'International Centre pour des informations sur l'inscription.

Circuits organisés

Si votre temps est compté, contactez le **bureau d'UP Tourism** (carte p. 448 ; ☎2506670 ; gare ferroviaire Varanasi Junction ; 7h-19h), qui organise un circuit guidé d'une journée en taxi passant par les principaux sites (1 400 Rs par personne), avec une promenade en bateau à 5h30 et une excursion à Sarnath l'après-midi. Une visite d'une demi-journée coûte 900 Rs.

Où se loger

La plupart des hôtels pour petits budgets, et quelques établissements de catégorie moyenne, sont regroupés dans le dédale de ruelles derrière les ghats, le quartier le plus intéressant de la ville. Certains sont concentrés autour de l'Assi Ghat et d'autres dans un réseau de rues effervescentes plus au nord, entre le Scindhia Ghat et le Meer Ghat.

Plus de 100 maisons familiales proposent une chambre chez l'habitant pour 200 à 2 000 Rs la nuit. UP Tourism en possède la liste complète.

PETITS BUDGETS

Vieille ville et ghats

Uma Guesthouse (carte p. 450 ; ☎2403566 ; brownbreadbakery@yahoo.co.in ; dort/s 50/100 Rs, d 150-200 Rs). Tenue par l'excellente Brown Bread Bakery, cette pension aux chambres spartiates et propres appartient à la Learn for Life Society (p. 456) ; 20% des revenus sont reversés à l'organisation qui dirige l'école, derrière la pension. Réservez auprès de la boulangerie, où vous pourrez vous renseigner sur le bénévolat ou les dons.

Vishnu Rest House (carte p. 450 ; ☎2455238 ; Pandhey Ghat ; dort 60 Rs, s sans sdb 70-120 Rs, d 150-800 Rs). Accessible par une cour entourée de maisons familiales ou par le Pandhey Ghat, cette pension sans prétention ne manque pas de cachet. L'ambiance sympathique et la terrasse donnant sur le ghat compensent les chambres exiguës et quelque peu négligées.

Shanti Guest House (carte p. 450 ; ☎392568 ; varanasishanti@yahoo.com ; Manikarnika Ghat ; s sans sdb 70-100 Rs, s/d 150/200 Rs, ch avec clim 500-1 000 Rs ;). Prisée depuis longtemps, cette grande pension jaune vif offre des chambres banales.

Son restaurant sur le toit, avec une vue fabuleuse sur le Gange et ouvert 24h/24, constitue son principal atout.

Urvashi Guesthouse (carte p. 450 ; ☎ 3258534 ; Ganga Mahal ; s sans sdb 100 Rs, d 200-250 Rs). Au-dessus de l'Apsara Restaurant et gérée par la même équipe, cette pension possède des doubles spacieuses, propres et douillettes, d'un bon rapport qualité/prix.

Ganga Fuji Home (carte p. 450 ; ☎ 3093949 ; raj327333@yahoo.com ; Sakarkand Gali ; s/d sans sdb à partir de 150/400 Rs, s/d à partir de 300/350 Rs, d avec clim à partir de 700 Rs ;). En retrait des ghats dans un secteur relativement tranquille, il propose des chambres plaisantes dans les étages supérieurs ; les moins chères sont petites et sombres. Le restaurant du dernier étage (à ne pas confondre avec le Ganga Fuji Restaurant voisin) jouit d'une vue panoramique sur la ville et accueille des artistes en soirée.

Eden Hall (carte p. 450 ; ☎ 2454612 ; Raja Ghat ; ch 160-200 Rs). Cette pension compte 4 chambres sommaires et spacieuses, dont 2 avec sdb et 2 avec vue sur le fleuve. Toutes sont agrémentées d'alcôves. Le toit-terrasse suplombe le paisible Raja Ghat.

Sahi River View Guesthouse (carte p. 448 ; ☎ 2366730 ; sahi_rvgh@sify.com ; Assi Ghat ; d 200-1 000 Rs, avec clim 800-1 200 Rs ;). Cette pension accueillante offre une grande variété de chambres, pour la plupart propres et bien équipées, avec balcon pour certaines. À chaque étage, un agréable salon donne sur le Gange.

Scindhia Guest House (carte p. 450 ; ☎ 2420319 ; www.scindhiaguesthouse.com ; Scindhia Ghat ; ch sans sdb 250-350 Rs, ch 450-550 Rs, avec clim 900 Rs ;). Bien tenue et proche d'un ghat, cette pension dispose de chambres propres, avec balcon et vue sur le fleuve pour les plus chères, climatisées.

Hotel Alka (carte p. 450 ; ☎ 2401681 ; www.hotelalkavns.com ; Meer Ghat ; ch sans sdb 300 Rs, ch 350-1 100 Rs, avec clim 700-1 500 Rs ;). Excellente adresse proche d'un ghat, l'Alka possède des chambres impeccables autour d'une grande cour remplie de plantes. Au fond, une terrasse surplombe le Meer Ghat et offre une vue superbe, dont bénéficient les balcons des chambres les plus chères. Bien que des lecteurs se soient plaints de la cuisine, l'adresse reste excellente.

Chaitanya Guest House (carte p. 448 ; ☎ 2313686 ; Assi Ghat ; s/d 350/400 Rs, d avec clim 800 Rs ;). À côté de la Sahi River View Guesthouse, la Chaitanya ne compte que 4 chambres : une simple et trois doubles dont une climatisée. Toutes sont confortables, hautes de plafond et dotées de sdb propres. Un personnel sympathique veille au bon entretien de l'établissement.

Autres quartiers

Hotel Buddha (carte p. 448 ; ☎ 2203686 ; www.visitvaranasi.com/hotelbuddha ; s/d sans sdb 250/350 Rs, s/d 450-500/550-600 Rs, avec clim 770-880/880-990 Rs, ste 1 650 Rs ;). Accueillant mais sans caractère, surtout depuis l'ajout d'une immense salle de mariage, le Buddha dispose de chambres spacieuses, dotées de rutilantes sdb modernes et ouvrant sur une cour centrale. Évitez les 2 minuscules chambres les moins chères.

CATÉGORIE MOYENNE

Vieille ville et ghats

Hotel Ganges View (carte p. 448 ; ☎ 2313218 ; www.hotelgangesview.com ; Assi Ghat ; ch 1 500 Rs, avec clim 2 500-3500 Rs ;). Cette somptueuse maison coloniale, superbement restaurée et entretenue, surplombe l'Assi Ghat. Remplie de livres, d'antiquités et d'œuvres d'art, elle offre de vastes chambres, d'une propreté irréprochable, et de charmants espaces communs pour la détente. Les succulents repas maison constituent un atout supplémentaire. Réservation indispensable.

Rashmi Guest House (carte p. 450 ; ☎ 2402778 ; rashmiguesthouse@sify.com ; Man Mandir Ghat ; d 1 575 Rs, avec vue fleuve 2 625-4 420 Rs ;). D'étincelants couloirs carrelés de blanc et des escaliers en marbre mènent aux petites chambres élégantes, propres et modernes. Beaucoup donnent sur le Man Mandir Ghat, mais la vue est encore plus belle depuis l'excellent Dolphin Restaurant (sur le toit). Massages ayurvédiques à disposition (1 250 Rs).

Shiva Ganges View Paying Guest House (carte p. 448 ; ☎ 2450063 ; www.varanasiguesthouse.com ; Mansarowar Ghat ; ch 2 000-2 500 Rs, avec clim 3 000 Rs, ste 5 000 Rs ;). À côté du Lotus Lounge Restaurant, ce charmant bâtiment en briques rouges fait partie des hébergements chez l'habitant. Pleines de caractère et joliment décorées, les chambres comportent des lits doubles, de hauts plafonds, des portes massives et des fenêtres avec volets. Toutes comprennent une sdb impeccable et donnent sur le fleuve. Possibilité de repas maison.

Autres quartiers

Hotel Surya (carte p. 448 ; ☎ 2508465 ; www.hotelsuryavns.com ; 20/51 The Mall ; s/d 550/750 Rs, avec clim à partir de 900/1 200 Rs ;). Malgré la forte augmentation de ses tarifs, cet hôtel demeure un excellent choix si l'éloignement des ghats ne vous gêne pas. Les chambres modernes sont réparties autour d'une immense pelouse, avec un café oriental où l'on peut fumer le narguilé en sirotant une bière. Une superbe piscine, un bon restaurant et un centre de massage recommandé (p. 451) ajoutent à ses attraits.

Hotel Pradeep (carte p. 448 ; ☎ 2204963 ; www.hotelpradeep.com ; Kabir Chaura Rd ; s 1 100-2 100 Rs, d 1 400-2 600 Rs ;). Décorées avec goût dans les tons marron et crème, les chambres climatisées sont élégantes et confortables, avec un balcon pour certaines. L'Eden, le restaurant-jardin sur le toit, reste l'atout majeur de l'établissement.

Pallavi International Hotel (carte p. 448 ; ☎ 2393012 ; www.pallavinternationalhotel.com ; Hathwa Pl ; ch 1 700-2 000 Rs, ste 2 500/4 000 Rs ;). Rempli d'antiquités, l'ancien palais du maharaja de Bahadur est aujourd'hui un hôtel excentrique, avec des chambres relativement modernes et d'autres défraîchies et surévaluées. Le jardin, la cour intérieure dotée d'une fontaine et la petite piscine contribuent à créer une atmosphère paisible.

CATÉGORIE SUPÉRIEURE

Hotel Meraden Grand (carte p. 448 ; ☎ 2509952 ; www.meradengrand.com ; 57 Patel Nagar ; s 3 000-3 900, d 3 500-4 500 Rs, ste 6 200-8 000 Rs ;). Superbement conçu, l'atrium central, avec jardin et restaurant, compose une entrée majestueuse. Les chambres sont élégantes et confortables plutôt que luxueuses. La suite splendide comprend un bar privé et les services d'un majordome. L'hôtel possède un restaurant sur le toit et un bar.

Palace on Ganges (carte p. 448 ; ☎ 2315050 ; www.palaceonganges.com ; Assi Ghat ; d 3 500 Rs ;). Dans un sublime édifice classé, chaque chambre est décorée dans le style d'une région indienne, avec des meubles anciens et des couleurs différentes. Les chambres Rajasthan et Jodhpur comptent parmi les plus belles.

Hotel Clarks Varanasi (carte p. 448 ; ☎ 2501011 ; www.clarkshotels.com ; The Mall ; s 5 000-6 500 Rs, d 5 500-7 000 Rs, ste 8 500-9 500 Rs ;). Si les chambres "executive" sont immenses, avec une salle à manger privée, celles de catégorie standard semblent quelconques pour de tels prix. Un merveilleux restaurant, un café ouvert 24h/24 et une charmante piscine ombragée de bambous et de palmiers complètent l'offre.

Gateway Hotel Ganges (carte p. 448 ; ☎ 2503001 ; www.tajhotels.com ; Raja Bazaar Rd ; ch 8 500-9 500 Rs, ste 11 000-13 000 Rs ;). Le meilleur hôtel de Varanasi se tient dans un superbe parc de 5 ha avec arbres fruitiers, court de tennis, piscine, centre de yoga en plein air et l'ancien pavillon des invités du maharaja. Vous pouvez vous y promener à pied, à vélo ou en calèche. À l'intérieur, les chambres sont luxueuses, le service parfait et l'établissement compte deux restaurants raffinés et deux bars.

Où se restaurer

Dans la vieille ville, achetez des *langda aam* (variété locale de mangues) en été et des *sitafal* (anones) en automne. Le *singhara* est une racine noirâtre dont le goût rappelle la châtaigne d'eau.

VIEILLE VILLE ET GHATS

Mona Lisa Cafe and German Bakery (carte p. 450 ; plats 20-100 Rs ; 7h-22h30 ;). Ce petit café sert du pain et du café frais, ainsi que les spécialités indiennes et internationales habituelles.

Madhur Milan Cafe (carte p. 450 ; Dasaswamedh Ghat Rd ; plats 25-60 Rs ; 4h-23h). Apprécié par les habitants, ce restaurant sans prétention propose des plats d'un bon rapport qualité/prix, essentiellement d'Inde du Sud, dont des *dosa*, des *idli*, des *uttapam*, et des *paratha*. *Thali* à partir de 25 Rs et *lassi*.

Apsara Restaurant (carte p. 450 ; ☎ 3258554 ; 24/42 Ganga Mahal ; plats 25-60 Rs). Ce confortable restaurant climatisé, avec sièges douillets, bonne musique et service sympathique, offre une carte diverse avec des plats indiens, chinois, occidentaux, japonais, israéliens et coréens. Une petite terrasse est installée sur le toit.

Open Hand (carte p. 448 ; ☎ 2369751 ; www.openhandonline.com ; café 30-50 Rs ; 8h-20h lun-sam ;). Dans ce café-boutique, vous savourerez un café, des pâtisseries ou des en-cas et achèterez des vêtements et des tissus de qualité à prix fixes.

Lotus Lounge (carte p. 448 ; Mansarowar Ghat ; plats 40-140 Rs ; 8h-22h). Cet agréable restaurant, avec sol en mosaïque et fauteuils en osier, possède une terrasse qui surplombe le Mansarowar Ghat. Sur la carte figurent des salades, des pâtes, des curries et des *momo* (raviolis tibétains). Vous pouvez aussi vous contenter d'un café.

Dennis Restaurant (carte p. 450 ; 25/49 Ganga Mahal ; pizza 45-70 Rs ; 🕑 12h-22h). Ce restaurant original rouge vif se spécialise dans les pizzas, mais sert également des plats indiens et chinois.

New Keshari Ruchikar Byanjan (carte p. 450 ; Dasaswamedh Ghat Rd ; plats 50-100 Rs ; 🕑 8h30-22h30). Au 1er étage, ce restaurant végétarien mitonne des plats d'Inde du Nord et du Sud. Prisé des familles locales, c'est le plus agréable de cette rue animée.

Ganga Fuji Restaurant (carte p. 444 ; Kalika Gali ; plats 50-120 Rs ; 🕑 7h30-23h). Ce restaurant banal de cuisine indienne et internationale vaut le détour pour ses concerts gratuits de musique classique indienne tous les soirs à 19h30. Ne le confondez pas avec le restaurant du Ganga Fuji Home, à côté.

Dolphin Restaurant (carte p. 444 ; Rashmi Guest House, Man Mandir Ghat ; plats 50-170 Rs ; 🕑 7h-22h30). Haut perché au-dessus du Man Mandir Ghat, le restaurant sur le toit de la Rashmi Guest House est parfait pour un petit-déjeuner ou un dîner. La cuisine vitrée permet de regarder la préparation des plats avant de s'installer sur le balcon.

Pizzeria Vaatika Cafe (carte p. 448 ; Assi Ghat ; pizza 65-100 Rs ; 🕑 7h-22h). Asseyez-vous sur la terrasse ombragée qui surplombe l'Assi Ghat pour savourer une excellente pizza cuite au feu de bois et gardez un peu de place pour la délicieuse tarte aux pommes.

♥ **Brown Bread Bakery** (carte p. 450 ; 17 Tripura Bhairavi ; plats 75-230 Rs ; 💻). Outre son engagement social et caritatif, cette boulangerie remplit vos bouteilles d'eau potable (5 Rs) et utilise autant que possible des produits bio pour mitonner une cuisine succulente. La carte comporte plus de 20 sortes de fromages et 30 types de pain, des biscuits, des pâtisseries et des plats du monde entier. L'ambiance est également séduisante, avec des coussins autour des tables basses et des concerts de musique classique en soirée. Les prix sont plus élevés que chez la plupart des concurrents, mais une partie des bénéfices est reversée à Learn for Life (p. 451).

I:ba (p. 448 ; plats 75-200 Rs ; 🕑 7h-23h). Le décor chic et les meubles confortables font de ce restaurant un endroit branché. Spécialisé dans la cuisine japonaise et thaïe, il sert également des pâtes et de savoureux en-cas.

AUTRES QUARTIERS

Eden Restaurant (carte p. 448 ; Hotel Pradeep, Kabir Chaura Rd ; plats 100-195 Rs). Le restaurant sur le toit de l'Hotel Pradeep, avec jardin, pelouse et mobilier en fer forgé, est idéal pour un dîner aux chandelles. Les serveurs apprécieront que vous passiez commande au restaurant du rez-de-chaussée, derrière la réception, avant de monter sur le toit. Les deux restaurants proposent les mêmes bons plats indiens.

Canton Restaurant (carte p. 448 ; Hotel Surya, The Mall ; plats 110-240 Rs). Profitez de l'élégance coloniale de la salle climatisée ou, par une chaude soirée, installez-vous dans le jardin. L'excellent restaurant de l'Hotel Surya offre une carte ambitieuse, avec des spécialités indiennes, chinoises, occidentales, coréennes et même mexicaines, toutes réussies.

Varuna Restaurant (carte p. 448 ; Gateway Hotel Ganges, Raja Bazaar Rd ; plats 185-845 Rs ; 🕑 déj et 19h-22h30). Le plus bel hôtel de la ville possède aussi l'un des meilleurs restaurants de Varanasi, élégant sans être guindé. Sur la carte figurent des plats classiques d'Inde du Nord et d'Afghanistan, le somptueux *thali* du maharaja et des kebabs tandoori. Concerts de sitar et de tabla tous les soirs.

Où prendre un verre et sortir

Des **boutiques de vins et de bières** (carte p. 448 ; 🕑 10h-22h) se jouxtent dans Shivala Rd et d'autres sont éparpillées dans la ville, loin du fleuve. Il est mal vu de boire de l'alcool sur le Gange ou à proximité. Vous trouverez des bars dans les hôtels de catégories moyenne et supérieure éloignés des ghats.

Prinsep Bar (carte p. 448 ; Gateway Hotel Ganges, Raja Bazaar Rd). Dans ce petit bar à l'ambiance paisible, une Kingfisher coûte 180 Rs et les cocktails 200 Rs.

Moins cher et décontracté, le café installé dans le jardin de l'Hotel Surya (p. 455) est aussi un bon endroit pour un verre. Citons également le Patiala Peg de l'Hotel Meraden Grand (p. 455).

Le Ganga Fuji Restaurant donne des **concerts de musique classique** tous les soirs, de même que la Brown Bread Bakery et le Varuna Restaurant du Gateway Hotel Ganges (p. 455).

L'International Music Centre Ashram (carte p. 450 ; p. 452) organise des **concerts** (50 Rs) les mercredi et samedi soir.

Achats

Varanasi est renommée à juste titre pour ses brocarts et ses saris en soie. Les rabatteurs et les rickshaw-wallahs essaieront invariablement de vous entraîner dans une boutique de soieries où l'entourloupe est une pratique courante. Ne croyez pas un mot de ce que disent les marchands, même dans les emporiums du gouvernement. Faites le tour des boutiques et jugez par vous-même.

Varanasi est aussi un bon endroit pour acheter sitars (à partir de 3 000 Rs) et tablas (à partir de 2 500 Rs), mais demandez d'abord conseil à des musiciens, au Ganga Fuji Restaurant ou à l'Ankit Music House par exemple. Le prix dépend surtout du bois utilisé. Le bois de manguier est le moins cher, le teck et le vijaysar (une plante sauvage dont l'écorce est utilisée en médecine ayurvédique) offrent la meilleure qualité.

Jouets ingénieux, tapis de Bhadohi, objets décoratifs en cuivre, parfums et tissus sont d'autres achats prisés.

Mehrotra Silk Factory (carte p. 448 ; ☎ 2200189 ; www.mehrotrasilk.com ; 🕑 10h-20h). Nichée au bout d'une ruelle proche de la gare ferroviaire de Varanasi Junction, cette petite boutique vend des foulards (à partir de 250 Rs), des saris (à partir de 1 500 Rs) et des couvre-lits (à partir dc 5 000 Rs) en soie de bonne qualité à prix fixes. Tournez à droite en sortant de la gare, prenez la première grande rue à gauche, puis tournez à gauche juste avant le cybercafé iway. La boutique se trouve au bout d'une ruelle sur la gauche.

Baba Blacksheep (carte p. 448 ; ☎ 2454342 ; Bhelpura). Autre bonne adresse pour les soieries, avec des prix identiques à ceux de la Mehrotra Silk Factory.

Shri Gandhi Ashram Khadi (carte p. 448 ; Khabir Chaura Rd ; 🕑 10h30-19h). Au 1er étage de la rangée de boutiques qui fait face à la poste, ce magasin sans prétention vend des chemises, des kurta *pyjama* (longue chemise et pantalon), des saris et des foulards, tous en khadi (voir l'encadré ci-dessous) et offre un service de confection sur mesure. Une autre succursale, le Khadi Gramodyog, est installée près de l'université.

Benares Art & Culture (carte p. 448 ; Shivala Rd ; 🕑 10h-20h lun-sam). Ce *haveli* (demeure traditionnelle ornementée) pluriséculaire vend à des prix fixes des gravures, des sculptures et d'autres œuvres d'art réalisées par des artistes locaux.

Depuis/vers Varanasi

AVION

De l'aéroport de Babatpur, **Indian Airlines** (carte p. 448 ; ☎2502527 ; 🕑 9h30-17h lun-sam) propose des vols quotidiens pour Delhi (à partir dc 3 675 Rs), Mumbai (Bombay ; à partir de 7 705 Rs) et Katmandou (à partir de 7 275 Rs). **Jet Airways** (carte p. 448 ; ☎2506444 ; Krishnayatan Bldg, Kennedy Rd, Cantonment ; 🕑 9h30-18h lun-sam) dessert Delhi (à partir de 3 885 Rs) et Khajuraho (à partir de 4 765 Rs).

L'ÉTOFFE DE GANDHI

Il y a plus de 80 ans, le Mahatma Gandhi s'assit devant son rouet et exhorta les Indiens à soutenir le mouvement pour la liberté en abandonnant leurs vêtements fabriqués à l'étranger pour utiliser le khadi – une étoffe tissée chez soi. Comme le rouet, le khadi devint un symbole de la lutte pour l'Indépendance et demeure étroitement associé à la politique. Organisme public à but non lucratif, la Khadi and Village Industries Commission (☎ 022-26714320 ; www.kvic.org.in ; Gramodaya, 3 Irla Rd, Vile Parle (West), Mumbai) œuvre à la promotion du khadi, toujours porté par de nombreux politiciens. Le drapeau indien serait réalisé uniquement dans cette étoffe. Ces dernières années, l'univers de la mode a manifesté un intérêt croissant pour ce tissu simple, habituellement en coton et parfois en soie ou en laine.

Nous indiquons des magasins de khadi à Varanasi (p. 457), à Agra (p. 427), à Bhopal (p. 684) et Delhi (p. 148), mais vous en trouverez dans tout le pays. Ces boutiques sans prétention vendent d'authentiques vêtements indiens comme les kurta (longue chemise sans col), les pyjamas, les foulards et les saris. Certains établissements, comme celui de Connaught Pl à Delhi, proposent aussi des objets artisanaux en khadi. Les prix sont raisonnables – environ 150 Rs pour une kurta – et, durant les 90 jours qui suivent l'anniversaire de Ghandi (2 octobre), tous les khadi sont soldés, généralement de 30%. La plupart des magasins possèdent un service de confection sur mesure.

PRINCIPAUX TRAINS AU DÉPART DE VARANASI

Destination	N° et nom du train	Tarifs (Rs)	Durée	Départ
Agra	4853/4863 *Marudhar Exp*	250/712/976	13 heures	17h20
Allahabad	4005 *Lichchavi Exp*	121/241/317	3 heures 15	15h45
Gorakhpur	5003 *Chaurichaura Exp*	134/345/468	6 heures 30	0h30
Jabalpur	1062/1066 *MFP/DBG-LTT Exp*	215/574/786	10 heures	23h20
Kolkata (Howrah)*	2334 *Vibhuti Exp*	315/831	14 heures	18h
Lucknow**	4235 *BSB-BE Exp*	163/429/481	7 heures 30	23h45
New Delhi	2559 *Shiv Ganga Exp*	311/820/1 114	12 heures	19h15
Satna	1062/1066 *MFP/DBG-LTT Exp*	157/411/560	7 heures	23h20

Tous les tarifs correspondent aux classes sleeper/3AC/2AC ; *sleeper/3AC/1re classe ; **sleeper/3AC

BUS

Chaotique, la petite **gare routière** (carte p. 448 ; ☎2203476) se situe à quelques centaines de mètres à l'est de la gare ferroviaire de Varanasi Junction. Des bus express rejoignent fréquemment Allahabad (ordinaire/AC 76/112 Rs, 3 heures), Gorakhpur (121/191 Rs, 7 heures) et Lucknow (165/272 Rs, 8 heures 30). Chaque jour, quatre bus partent pour Faizabad (132 Rs, 7 heures) entre 6h30 et 13h30. Un bus direct rallie Khajuraho (259 Rs, 12 heures) à 5h.

Les bus à destination de Sarnath (10 Rs, 40 min) stationnent devant la gare ferroviaire de Varanasi Junction (préparez-vous à une longue attente), tout comme les Jeep collectives pour la gare ferroviaire de Mughal Serai (20 Rs).

TRAIN

Des vols de bagages ont été signalés dans les trains depuis/vers Varanasi ; surveillez bien vos affaires. Il y a quelques années, des voyageurs s'étaient vu offrir des boissons ou de la nourriture drogués ; mieux vaut refuser poliment toute offre d'un inconnu.

La **gare ferroviaire de Varanasi Junction** (carte p. 448 ; ☎ 132), aussi appelée Varanasi Cantonment (Cantt), est la gare principale. Les billets réservés aux touristes étrangers sont en vente au **Foreign Tourist Centre** (🕑 8h-20h lun-sam, 8h-14h dim), une billetterie juste après le bureau d'UP Tourism, sur la droite en sortant de la gare.

Chaque jour, plusieurs trains desservent Allahabad (hormis celui de 5h, tous partent l'après-midi), Gorakhpur et Lucknow, quelques trains partent pour New Delhi et Kolkata, et un seul pour Agra. Seul le train de nuit pour Satna (23h20) permet la correspondance avec les bus directs à destination de Khajuraho. Voir le tableau ci-dessus.

Certains trains rapides Delhi-Kolkata et les trains en provenance de Darjeeling s'arrêtent à la **gare ferroviaire de Mughal Serai** (☎ 255703), à 12 km au sud-est de Varanasi. Les Jeep collectives (20 Rs, 40 min) constituent le meilleur moyen de transport entre les deux gares.

DEPUIS/VERS LE NÉPAL

De la gare routière de Varanasi, des bus réguliers partent pour Sunauli (ordinaire/AC 172/215 Rs, 10 heures) jusqu'à 20h.

En train, allez jusqu'à Gorakhpur, puis prenez un bus pour Sunauli.

Indian Airlines propose des vols directs pour Katmandou (7 275 Rs). Le Népal délivre des visas à l'arrivée.

Comment circuler

DEPUIS/VERS L'AÉROPORT

L'**aéroport de Babatpur** (☎2622081) se situe à 22 km au nord-ouest de la ville. Comptez 150 Rs en auto-rickshaw et 350 Rs en taxi.

BICYCLETTE

Vous pouvez louer un vélo (20 Rs par jour) auprès d'un petit atelier de réparation de cycles (carte p. 448), près de l'Assi Ghat.

CYCLO-POUSSE

De Godaulia Crossing, comptez 20 Rs jusqu'à l'Assi Ghat, 30 Rs jusqu'à la Benares Hindu University et 20 Rs jusqu'à la gare ferroviaire de Varanasi Junction. Préparez-vous à marchander ferme.

TAXI ET AUTO-RICKSHAW

Des kiosques de taxis et auto-rickshaws prépayés sont installés devant la gare ferroviaire de Varanasi Junction. Les tarifs affichés vous donneront une indication pour marchander ailleurs. La course en auto-rickshaw/taxi coûte 60/200 Rs pour l'Assi Ghat, 90/250 Rs pour la Benares Hindu University, 80/200 Rs pour Sarnath, 200/360 Rs pour la gare ferroviaire de Mughal Serai ; un circuit revient à 300/500 Rs la demi-journée et 500/800 Rs la journée.

SARNATH

☎ 0542

Bouddha vint à Sarnath pour prêcher la Voie du Milieu après avoir atteint l'Éveil à Bodhgaya et fit ici son célèbre sermon. Au IIIe siècle av J.-C., Ashoka fit ériger de splendides stupas et monastères, ainsi qu'une colonne gravée. Quand le voyageur chinois Xuan Zang arriva à Sarnath en 640, la ville possédait un stupa haut de 100 m et 1 500 moines vivaient dans les grands monastères. Peu après, le bouddhisme déclina, puis les envahisseurs musulmans détruisirent et profanèrent les sanctuaires, et Sarnath disparut. Le site fut "redécouvert" par des archéologues britanniques en 1835.

Aujourd'hui, c'est l'un des quatre sites importants du bouddhisme (avec Bodhgaya, Kushinagar et Lumbini au Népal). Il attire des adeptes du monde entier. Facile à visiter depuis Varanasi dans la journée, Sarnath est aussi un lieu paisible où séjourner.

Renseignements

iway Internet (25 Rs/h ; 7h30-21h)
Modern Reception Centre (MRC ; Ashoka Marg ; 10h-17h lun-sam). Informations touristiques ; en face du musée.
Poste (8h-16h lun-sam)

À voir

DHAMEKH STUPA ET RUINES BOUDDHIQUES

Dans un paisible **parc** (Indiens/étrangers 5/100 Rs, caméra 25 Rs ; aube-crépuscule), parmi les ruines d'un monastère, l'imposant **Dhamekh Stupa**, haut de 34 m, marque l'endroit où Bouddha fit son premier sermon. Les sculptures géométriques et florales remontent au Ve siècle, mais des éléments en briques datent de 200 av. J.-C.

Non loin, la **colonne d'Ashoka,** du IIIe siècle av. J.-C., comporte un édit gravé

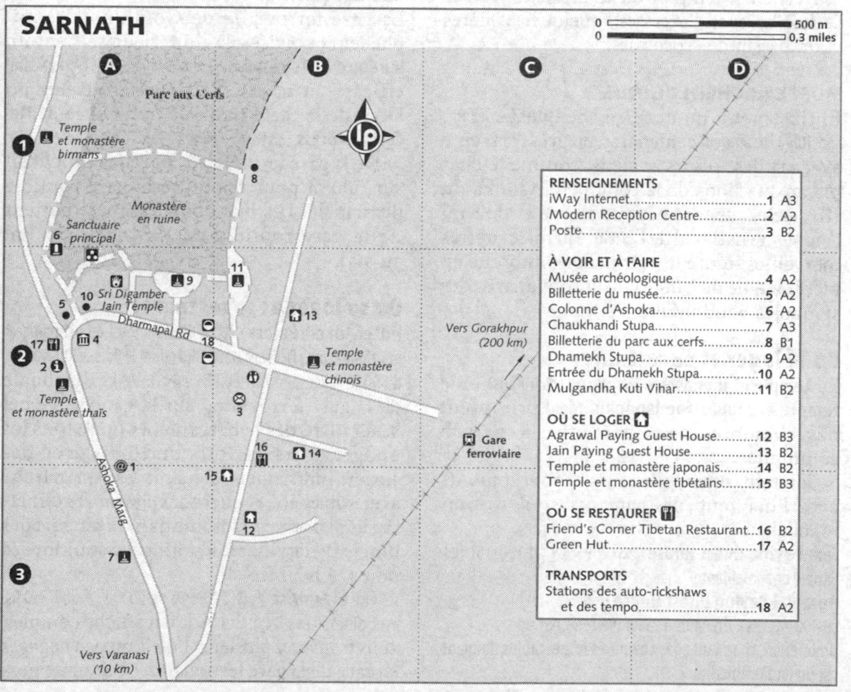

dans la pierre. Elle mesurait autrefois 15 m de haut et était coiffée du fameux chapiteau à quatre lions, désormais dans le musée ; il n'en reste aujourd'hui que cinq fragments du socle.

CHAUKHANDI STUPA

Ce grand **stupa** (aube-crépuscule) en ruine, du Ve siècle, fut érigé à l'endroit où Bouddha rencontra ses premiers disciples. La tour moghole incongrue, qui surmonte le stupa, fut ajoutée au XVIe siècle pour commémorer la visite de l'empereur Humayun.

MULGANDHA KUTI VIHAR ET PARC AUX CERFS

Ce **temple** (☎2585595 ; appareil photo 20 Rs, caméra 50 Rs ; 4h-11h30 et 13h30-20h) moderne fut bâti en 1931 par la Mahabodhi Society. Le premier sermon du Bouddha est psalmodié quotidiennement, à partir de 18h ou 19h selon la saison. À l'extérieur, l'**arbre de la Bodhi**, planté en 1931, est une pousse de l'arbre d'Anuradhapura (Sri Lanka), qui serait lui-même une bouture de l'arbre de Bodhgaya sous lequel Bouddha parvint à l'Éveil.

Derrière le temple s'étend un vaste **parc aux Cerfs** (2 Rs ; aube-crépuscule), quelques volières et un bassin de crocodiles.

MUSÉE ARCHÉOLOGIQUE

Entièrement modernisé, ce **musée** (2 Rs ; 10h-17h sam-jeu) centenaire, en grès, présente avec art des trésors anciens, comme le chapiteau aux lions de la colonne d'Ashoka du IIIe siècle, superbement conservé et devenu l'emblème national de l'Inde. Parmi les autres merveilles figure une immense ombrelle en pierre vieille de 2 000 ans où sont gravés des symboles bouddhiques.

Où se loger et se restaurer

Le **temple et monastère tibétains** (ch 100 Rs) et le **temple et monastère japonais** (don) proposent des chambres très spartiates, avec sdb communes.

Sarnath offre plusieurs hébergements chez l'habitant ; les suivants sont recommandés :

Jain Paying Guest House (☎ 2595621 ; d 100-350 Rs). Simple et accueillante.

Agrawal Paying Guest House (☎ 22 1007 ; ch 400-500 Rs). Un endroit magique tenu par un propriétaire charmant ; des chambres impeccables donnant sur un jardin superbe.

Où se restaurer

Friend's Corner Tibetan Restaurant (plats 25-40 Rs ; 7h-20h30). Dans ce charmant café-restaurant, proche de l'Agrawal Guest House, un personnel souriant prépare de savoureux *momo*.

Green Hut (repas 15-60 Rs ; 7h-21h). En face du musée, ce restaurant aéré sert des *dosa*, des en-cas et du poulet.

Depuis/vers Sarnath

Des bus locaux pour Sarnath (10 Rs, 40 min) passent devant la gare ferroviaire de Varanasi Junction, mais vous risquez d'attendre longtemps. De la gare ferroviaire, comptez 70 Rs en auto-rickshaw.

GORAKHPUR

☎ 0551 / 624 570 habitants

Gorakhpur n'offre guère d'intérêt ; néanmoins, ce carrefour de transports bien desservi se situe à courte distance du centre de pèlerinage de Kushinagar, l'endroit où mourut Bouddha, et peut constituer une étape entre Varanasi et le Népal.

Renseignements

La gare ferroviaire de Gorakhpur réunit plusieurs services : à l'intérieur se tient un **bureau d'UP Tourism** (☎2335450 ; 10h-17h lun-sam) efficace, et à l'extérieur vous trouverez un DAB de la State Bank of India et le **Railtel Cyber Express** (23 Rs/h ; 9h-21h).

De la gare ferroviaire, marchez tout droit sur 300 m pour rejoindre la gare routière principale. Les bus pour Varanasi partent de la gare routière de Katchari, à 3 km au sud.

Où se loger et se restaurer

Hotel Adarsh Palace (☎2201912 ; hotel.adarshpalace@rediffmail.com ; Railway Station Rd ; dort 150 Rs, s 300-400 Rs, d 500 Rs, avec clim 700-800 Rs ;). À la diagonale de la gare ferroviaire, sur la gauche, ce bel hôtel offre des hébergements pour tous les budgets : des dortoirs de 10 lits avec des casiers individuels, des simples bon marché avec sdb et TV, et quelques chambres climatisées plaisantes. Comme dans la plupart des hôtels de la ville, les chambres sont louées pour 24 heures.

Hotel Sunrise (☎2209076 ; s 200 Rs, d 300-350 Rs, avec clim 550 Rs ;). Si l'Adarsh affiche complet, vous trouverez plusieurs hôtels un peu négligés en face de la gare ferroviaire. Le Sunrise propose des chambres plus propres que chez ses concurrents et un restaurant sur le toit (plats 30-70 Rs ; ouvert de 11h à 23h).

New Varden Restaurant (8h-22h ; plats 25-60 Rs). À côté de l'Hotel Sunrise, ce restaurant prisé par les voyageurs prépare des repas à emporter.

Depuis/vers Gorakhpur

Des bus fréquents partent de la gare routière principale pour Faizabad (84 Rs, 5 heures), Kushinagar (30 Rs, 2 heures) et Sunauli (56 Rs, 3 heures). Les bus pour Varanasi (120 Rs, 7 heures) partent de la gare routière de Katchari.

Chaque jour, six trains desservent Varanasi (sleeper/3AC, 134/345 Rs, 5 heures 30), dont un train de nuit plus lent et moins cher (n°549, 7 heures, 23h10). Plusieurs trains quotidiens rallient Lucknow (sleeper/3AC 166/412 Rs, 6 heures) et Delhi (317/837 Rs, 14 heures) et un train part pour Kolkata (n°3020, 312/848 Rs, 24 heures, 13h). Le guichet n°811 vend les billets pour les étrangers.

KUSHINAGAR

☎ 05564 / 17 982 habitants

L'un des quatre grands sites de pèlerinage sur les pas du Bouddha – avec Lumbini (Népal), Bodhgaya et Sarnath –, Kushinagar cst le lieu où Bouddha mourut. La ville compte plusieurs temples modernes paisibles, où l'on peut loger, bavarder avec les moines ou simplement méditer, et trois sites historiques, dont le stupa, simple et merveilleusement serein, où Bouddha aurait été incinéré.

Lors de notre visite, il était prévu d'édifier ici la plus haute statue au monde – un bouddha en bronze de 152 m de haut –, ainsi qu'un centre d'enseignement, un hôpital, des temples, un musée et une bibliothèque. Consultez le site www.maitreyaproject.org.

Renseignements

Le petit **UP Tourism** (10h-17h lun-sam) fait face à la pagode Mahasulhamdadachan Thargyi. Kushinagar compte quelques bureaux de change privés, mais pas de DAB.

À voir

Ces dernières années, les principales communautés bouddhiques internationales ont construit des temples à Kushinagar, tous ouverts aux visiteurs. Les trois sites historiques majeurs, en accès libre, ouvrent de l'aube au crépuscule.

RAMABHAR STUPA

Très endommagé, ce stupa de briques rouges en forme de coupole, haut de 15 m, se dresse sur le site présumé de la crémation du Bouddha. Une exceptionnelle sérénité règne dans cet endroit, où des moines et des pèlerins méditent près du chemin ombragé de palmiers qui fait le tour du stupa.

TEMPLE DE MAHAPARINIRVANA

Ce temple modeste, entouré de vastes pelouses et d'un chemin circulaire, renferme un bouddha couché du Ve siècle, mis au jour en 1876. Longue de 6 m, cette statue du Bouddha sur son lit de mort est l'une des effigies bouddhiques les plus émouvantes de la planète. Derrière le temple s'élève un ancien stupa haut de 19 m et, dans le parc, figure une grande cloche érigée par le dalaï-lama.

TEMPLE DE MATHAKUAR

Parmi les ruines d'un monastère, ce petit sanctuaire se situe à l'endroit où Bouddha aurait prononcé son dernier sermon. Il contient une statue du Bouddha en pierre bleue haute de 3 m, qui daterait du Xe siècle.

Promenade à pied

Une promenade de 2,5 km (aller) le long de Buddha Marg permet de découvrir les principaux sites ; elle commence à l'arche triple où s'arrêtent les bus et s'achève au Ramabhar Stupa, le site le plus sacré de Kushinagar.

Le premier temple sur la gauche est celui de **Linh Son**, un imposant complexe chinois avec une salle de méditation et un jardin.

Juste après le Yama Cafe à gauche et le bureau d'UP Tourism à droite, le complexe birman se reconnaît à la **pagode Mahasukhamdadachan Thargyi**, un édifice doré qui abrite quatre représentations du Bouddha. Dans le complexe, une école accueille les enfants de Kushinagar.

Un peu plus loin sur la gauche, l'immense domaine du **temple de Mahaparinirvana**, du Ve siècle, fait face à l'hôtel Pathik Niwas.

La route tourne ensuite vers la gauche et l'on découvre le **temple de Mathakuar** (gauche), à la diagonale du petit **temple tibétain**.

À côté de ce dernier, le **Buddha Museum** (musée du Bouddha ; 🕑 10h30-16h30 mar-dim) présente des reliques, des sculptures et des objets en terre cuite bouddhiques mis au jour dans la région, ainsi que quelques *thangka* (peintures sur tissu) tibétains et des miniatures mogholes.

En face du musée, le **Japan-Sri Lanka Buddhist Centre** possède un superbe centre de méditation dans le stupa en briques rouges en façade.

Un peu plus loin, après trois hôtels rutilants, l'imposant **complexe du vat thaï** (🕑 9h-11h30 et 13h30-16h) comporte deux temples dont l'un contient un bouddha doré, un jardin soigné avec des arbres de style bonsaï, un monastère, ainsi qu'une école religieuse et un centre de soins tous deux ouverts aux visiteurs.

De là, une marche plaisante de 10 min parmi les rizières et les champs de canne à sucre conduit au **Ramabhar Stupa** (p. 461). Un cyclo-pousse vous ramènera à la route principale pour 10 Rs.

Où se loger et se restaurer

Les trois hôtels haut de gamme ferment du 1er avril au 1er octobre.

Pathik Niwas (☎ 273045 ; s 500-600 Rs, avec clim 1 400-1 500 Rs, d 600-700 Rs, avec clim 1 700-1 800 Rs ; ❄). En face de la pagode Mahasukhamdadachan Thargyi, cet hôtel d'UP Tourism offre des chambres réparties autour d'un joli jardin. Seule la climatisation les différencie. L'établissement sert des repas (40-125 Rs).

Lotus Nikko Hotel (☎ 274403 ; s/d 3 800/4 500 Rs ; ❄). Le meilleur des trois hôtels de luxe, le Lotus Nikko possède des chambres immenses, avec coin salle à manger, canapé et fauteuils, un restaurant (repas 500 Rs) et des bains japonais.

Yama Cafe (plats 25-50 Rs ; 🕑 7h-20h). Tenue par un couple accueillant, cette institution de Kushinagar propose une carte qui séduit les voyageurs, avec toasts, omelettes, riz sauté et *thukpa* (soupe de nouilles tibétaine), et fournit de précieuses informations sur la région.

De nombreux temples, dont les suivants, disposent d'hébergements spartiates pour les pèlerins et accueillent également les touristes.

Temple tibetain (don pour ch sans sdb). Des chambres défraîchies, mais un accueil chaleureux.

Temple Linh Son (ch 250 Rs). Des chambres triples sans prétention et propres, avec sdb et eau chaude.

Japan-Sri Lanka Buddhist Centre (☎ 273044 ; tr/q 375/500 Rs). Accueille essentiellement des groupes dans des chambres bien tenues.

Depuis/vers Kushinagar

Des bus fréquents à destination de Gorakhpur (30 Rs, 2 heures) s'arrêtent à l'arche triple.

ENTRER AU NÉPAL

Heures d'ouverture

La frontière, ouverte 24h/24, ferme pour les véhicules à 22h. Si vous arrivez en pleine nuit, vous devrez peut-être réveiller quelqu'un pour faire tamponner votre passeport du côté indien.

Change

Une **State Bank of India** (🕑 10h-16h lun-ven, 10h-13h sam) est installée à Sunauli ainsi que des bureaux de change du côté népalais. Ce sont les derniers endroits au Népal où vous pourrez changer des billets indiens de 500 et 1 000 Rs. Des petites coupures en roupies indiennes sont acceptées du côté népalais pour payer les bus.

Transports

Des bus partent toute la journée jusqu'à 20h environ du côté népalais pour Katmandou (600 NRs, 6 heures) et Pokhara (500 NRs, 6 heures). Un taxi jusqu'à Katmandou revient à 15 000 NRs environ. Des auto-rickshaws (50 NRs) peuvent vous conduire de la frontière à Bhairawa, à 4 km, où des bus rallient Katmandou et Pokhara pour les mêmes tarifs, ainsi que Lumbini (20 NRs, 30 min), le lieu de naissance du Bouddha.

Visa

Des visas à entrées multiples (15/30/90 jours 25/40/100 $US, payables en dollars et en espèces) sont délivrés par l'immigration à la frontière ; vous devrez fournir deux photos d'identité récentes.

SUNAULI ET FRONTIÈRE NÉPALAISE

☎ 05522

Cette bourgade poussiéreuse se résume à un arrêt de bus, quelques hôtels et boutiques et un poste-frontière. Ce dernier ouvre 24h/24 et les formalités s'effectuent facilement (voir l'encadré p. 462), si bien que de nombreux voyageurs continuent vers le Népal sans s'arrêter. Le côté népalais de Sunauli compte plus d'infrastructures. Bhairawa, à 4 km au nord, est une ville plus importante.

Les bus vous déposent à 200 m du bureau de l'immigration indien ; vous n'aurez pas besoin d'un cyclo-pousse.

Si vous manquez le dernier bus pour Gorakhpur en arrivant du Népal, vous pourrez passer la nuit à l'**Hotel Indo-Nepal** (☎ 238142 ; ch sans sdb 250 Rs, ch 315-425 Rs) ; il offre des chambres très spartiates, mais une ambiance plus chaleureuse que le sinistre **Rahi Tourist Bungalow** (☎ 238201 ; rahiniranjana@up-tourism.com ; dort 75 Rs, s/d à partir de 250/300 Rs, avec clim 550/650 Rs ; ❄), à deux pas. Le Rahi possède un restaurant. Les deux établissements se situent juste après l'arrêt de bus.

Si vous quittez l'Inde, le **centre d'information du Nepal Tourism Board** (☎ 0977 1520197 ; 🕑 10h-17h dim-ven), très serviable, se tient sur la droite dans le no man's land.

Du côté népalais, Sunauli compte quelques hôtels bon marché et des restaurants en plein air. L'ambiance est plus joyeuse, mais le plupart des voyageurs préfèrent loger à Bhairawa, ou prendre un bus pour Katmandou ou Pokhara.

Des bus réguliers relient Sunauli et Gorakhpur (56 Rs, 3 heures, jusqu'à 21h), où vous pouvez prendre un train pour Varanasi. Des bus directs partent en début de matinée (6h et 6h30) et dans l'après midi (15h30 et 18h30) pour Varanasi (172 Rs, 11 heures).

Évitez d'acheter un billet "direct" de Katmandou ou Pokhara à Varanasi. Des lecteurs ont été quasiment forcés d'acheter un autre billet une fois passée la frontière. Dans l'un ou l'autre sens, mieux vaut prendre un bus local jusqu'à la frontière, la franchir à pied, puis prendre un autre bus (en payant le billet au chauffeur).

Uttarakhand

Sommets vertigineux, fleuves sacrés, réminiscences du Raj britannique et ashrams réputés : le petit État de l'Uttarakhand n'a décidément rien à envier à certaines de ses grands voisins. Parmi les nombreuses activités, vous pourrez opter pour une séance de yoga dans un ashram de Rishikesh, une descente en rafting sur le Gange ou une randonnée himalayenne. L'Uttarakhand donne aussi l'occasion de se joindre aux pèlerins en route vers les sources du Gange et de la Yamuna, ou de faire une puja, à l'instar des milliers de fidèles qui se réunissent sur les ghats de Haridwar. D'autres choix plus prosaïques s'offrent à vous, tels un séjour détente dans les stations climatiques de l'époque du Raj, ou une balade à dos d'éléphant parmi les tigres de la Corbett Tiger Reserve et du Rajaji National Park.

Dans cette région de collines boisées et de montagnes coiffées de neige et de glace, coulent certains des fleuves sacrés de l'hindouisme. Le plus vénéré, le Gange, naît du glacier de Gaumukh, à l'extrême nord de l'État. Il serpente à travers les plaines en traversant les centres de pèlerinage de Gangotri, de Rishikesh et de Haridwar.

Les hautes montagnes voient défiler les pèlerins du Char Dham et du Hem Kund, mais aussi les amateurs de randonnée, de ski ou d'alpinisme. La spirituelle Rishikesh, avec ses ashrams, ses cours de yoga et de méditation, attire plus de touristes que tout autre lieu. Quels que puissent être vos envies, l'Uttarakhand saura sûrement les satisfaire.

À NE PAS MANQUER

- Une **randonnée** (p. 465) sac sur le dos à travers les cols et les glaciers de la plus imposante chaîne de montagnes du monde
- Les pèlerinages aux temples du **Char Dham** (p. 491) et au lac **Hem Kund** (p. 493)
- Une promenade à dos d'éléphant parmi les tigres du Bengale de la **Corbett Tiger Reserve** (p. 494)
- Le yoga et la méditation à **Rishikesh** (p. 482)
- Les stations climatiques de **Mussoorie** (p. 472) et de **Nainital** (p. 497), bâties au temps du Raj sur les contreforts himalayens
- Un trek dans la mosaïque de couleurs de la sublime **Valley of Flowers** (p. 493) et la visite du charmant **village de Mana** (p. 493), au pied de l'Himalaya

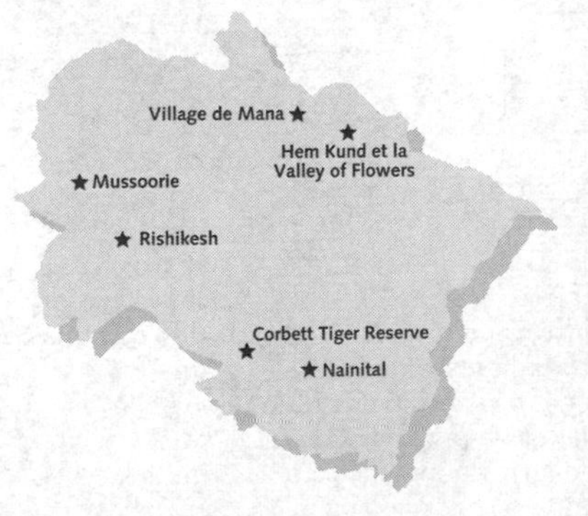

EN BREF

- Population : 8 479 570 habitants
- Superficie : 51 125 km²
- Capitale : Dehra Dun
- Langues principales : hindi, garhwali et kumaoni
- Meilleures périodes : de mai à juillet et de septembre à novembre. Dans les plaines (à Rishikesh, à la Corbett Tiger Reserve ou au Rajaji National Park) : d'octobre à mars

Histoire

L'Uttarakhand est formé de deux régions culturellement distinctes : Garhwal (à l'ouest) et Kumaon (à l'est). Au fil des siècles, la contrée fut dominée par plusieurs dynasties, dont les Gupta et les rajas Kuturyi et Chand. Au XVIIIe siècle, les Gurkha népalais attaquèrent le royaume du Kumaon, puis celui du Garhwal. En réaction, les Britanniques investirent la quasi-totalité de la région, en application du traité de Sigauli (1817).

Après l'Indépendance, la région fut rattachée à l'Uttar Pradesh. L'État d'Uttaranchal fut créé en 2000, dans le but d'apaiser un virulent mouvement séparatiste. En 2007, il fut officiellement rebaptisé Uttarakhand, un nom traditionnel signifiant "pays du Nord".

Climat

Les stations climatiques se visitent toute l'année. Cependant, les hivers (décembre-février) sont très froids. Plus au nord, la saison du trekking et des pèlerinages s'étale d'avril à fin octobre-début novembre, avec une coupure en juillet-août, du fait des pluies de la mousson qui peuvent provoquer des glissements de terrain et bloquer les routes. Comme dans toutes les régions montagneuses, la météo se montre capricieuse et connaît de grandes variations, quelle que soit la saison. La prise en compte de l'altitude permet d'avoir une idée des températures. Si l'on peut visiter Rishikesh et Haridwar toute l'année, la meilleure saison s'étend toutefois d'octobre à mars. Concernant la Corbett Tiger Reserve et le Rajaji National Park, la saison principale court de novembre à mai.

Renseignements

Un office du tourisme de l'Uttarakhand opère dans la majorité des destinations touristiques. La gestion du tourisme régional revient cependant essentiellement au **Garhwal Mandal Vikas Nigam** (GMVN ; www.gmvnl.com) et au **Kumaon Mandal Vikas Nigam** (KMVN ; www.kmvn.org), qui couvrent respectivement le Garhwal, à l'ouest, et le Kumaon, à l'est.

À faire

TREKKING

Que l'on choisisse les collines et forêts du Kumaon ou un col de montagne à 3 500 m d'altitude, l'Uttarakhand offre des randonnées parmi les plus accessibles et les plus belles de l'Inde. Dans le Garhwal, les routes du pèlerinage au Char Dham sont très bien desservies par les transports publics. D'aucuns préfèreront les lieux isolés, comme la vallée du Har-ki-Dun au nord de l'État ou le fascinant Nanda Devi Sanctuary, au nord-est. À l'est, le Kumaon, frontalier du Tibet, réserve des treks plus ardus dans les glaciers de Pindari et de Milam. N'oubliez pas qu'il existe certaines restrictions sur les itinéraires de trekking dans le Garhwal et que la plupart des treks doivent être organisés par une agence agréée.

Les mois les plus propices et les plus sûrs pour le trekking sont ceux qui précèdent la mousson (mi-mai à fin juin) ou la suivent (mi-septembre à mi-octobre). En juillet-août, les glissements de terrain coupent souvent les accès aux sentiers et sont sources d'importants retards. Différents chemins d'altitude sont fermés pendant l'hiver (fin novembre-mars), comme celui menant au Char Dham.

Les organismes gouvernementaux **GMVN** (www.gmvnl.com) et **KMVN** (www.kmvn.org) proposent des formules à 1 000-3 000 Rs/jour par personne. De nombreux opérateurs privés fiables demandent 1 000-4 000 Rs/jour pour des prestations similaires, selon le nombre de participants, la nourriture et le service fournis. Pour organiser votre propre trek, comptez environ 500 Rs/jour pour le guide, 500 Rs/jour pour les cuisiniers et 300 Rs/jour pour les porteurs. Vous pourrez louer des poneys pour certaines randonnées. Un guide n'est pas indispensable sur les chemins de *yatra* (pèlerinage) et les parcours fréquentés. Ailleurs, sa présence est recommandée, pour des raisons de sécurité et pour soutenir l'économie locale. Pour vous procurer des cartes de randonnée, contactez **Survey of India** (www.surveyofindia.gov.in).

RAFTING ET KAYAK

Le rafting dans les eaux tumultueuses du Gange et de l'Alaknanda fait de plus en plus d'émules. D'octobre à mai, plus d'une dizaine d'opérateurs installent des camps sur les rives. Rishikesh est l'endroit le plus commode pour organiser une excursion (p. 486). Des agences de Joshimath proposent des prestations similaires, souvent depuis Rudraprayag. Le kayak est aussi en plein essor, avec un bon opérateur à Rishikesh.

SKI

La principale station de ski du pays, Auli, est située à côté de Joshimath, dans le nord du Garhwal. Les infrastructures sont limitées (seulement un télésiège et un remonte-pente) mais l'enneigement est satisfaisant de janvier à mars.

YOGA ET MÉDITATION

Yoga et méditation sont des activités florissantes à Rishikesh (p. 484). Au programme : séjours en ashram ou cours dans l'un des innombrables centres de yoga. Haridwar compte des ashrams moins touristiques que d'autres.

Depuis/vers l'Uttarakhand

Jolly Grant, près de Dehra Dun, est le principal aéroport de l'Uttarakhand. Il n'accueille toutefois que quelques vols en provenance de Delhi. Dehra Dun, Haridwar, Ramnagar

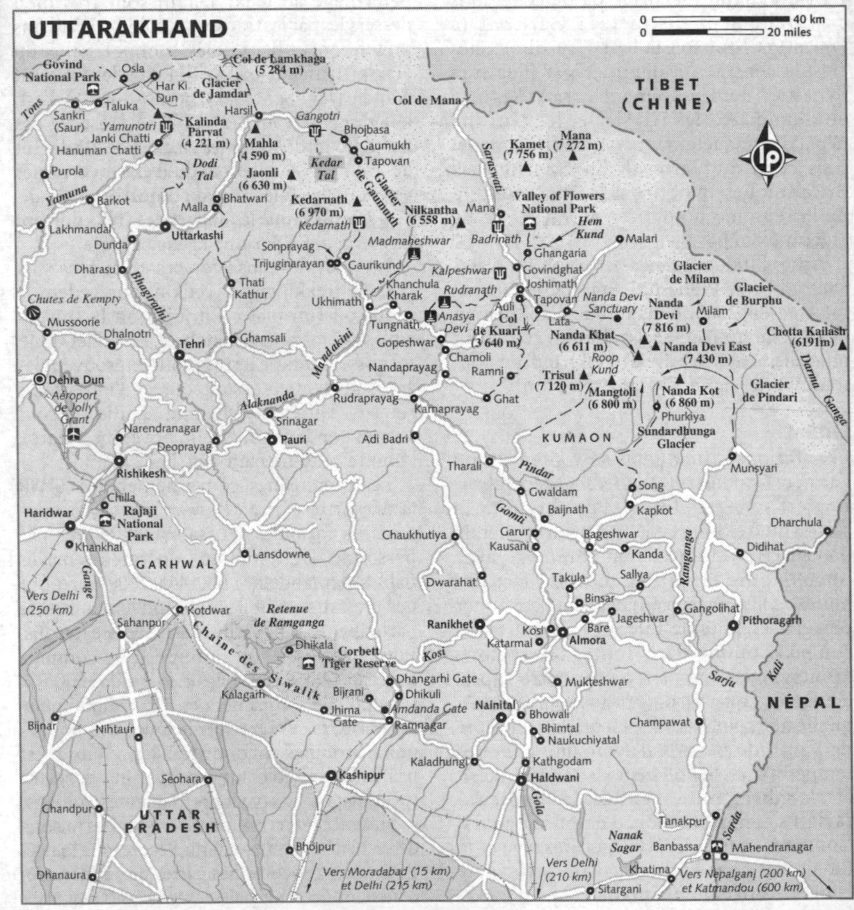

FÊTES ET FESTIVALS EN UTTARAKHAND

Makar Sakranti (jan ; Uttarkashi, p. 489). Des effigies religieuses sont transportées en ville sur des palanquins depuis les villages alentour.
Magh Mela (jan-fév ; Haridwar, p. 476). À l'occasion de cette immense manifestation religieuse, une foule de pèlerins se purifient dans les eaux du Gange. L'Ardh Kumbh Mela se déroule tous les 6 ans et le Kumbh Mela, qui attire des millions de pèlerins, tous les 12 ans. Le prochain aura lieu en 2010.
International Yoga Festival (fév/mars ; Rishikesh, p. 482). Des maîtres du yoga et de la méditation viennent du monde entier pour faire des démonstrations et donner des conférences.
Shivaratri (habituellement en mars ; Tapkeshwar Temple, p. 469). La fête a lieu dans une grotte-sanctuaire au bord du fleuve, à la périphérie de Dehra Dun, autour de laquelle sont installés des stands et des attractions foraines.
Nanda Devi Fair (sept ; Almora, p. 503). Cinq jours durant, des milliers de fidèles promènent l'effigie de Nanda Devi et assistent à des danses et autres spectacles.

et Haldwani (pour rejoindre Nainital) sont accessibles en train depuis Delhi, et il existe des correspondances ferroviaires vers d'autres villes telles que Varanasi (Bénarès) et Amritsar. Rallier la plupart des autres villes de l'État nécessite de longs trajets en bus.

Comment circuler

Dehra Dun, Haridwar, Rishikesh et Ramnagar sont accessibles par le train. Toutefois, les vieux autobus publics restent le principal moyen de transport en Uttarakhand. L'importante fréquentation des chemins de pèlerinage, les encourage à desservir même des points reculés du Garhwal himalayen, et ce, le plus clair de l'année. Par ailleurs, un réseau de Jeep collectives sillonne l'État, reliant les localités isolées aux grands carrefours routiers. Ces véhicules attendent le chaland le long de la route menant à la ville ou au nœud de transports voisin. Ils ne partent généralement qu'une fois pleins (les Jeep disposent de 10 places, mais quelques passagers supplémentaires s'y entassent souvent). Ce moyen de transport revient grosso modo au même prix que le bus. Pour un montant dix fois supérieur, vous pourrez louer la Jeep pour vous seul et voyager confortablement.

Certaines routes de montagne avec leurs virages en épingle à cheveux, sont assez effrayantes – surtout si le chauffeur du bus est de nature impatiente. Elles subissent régulièrement des glissements de terrain, en particulier après la mousson. Sur la majorité de ces routes, n'espérez pas rouler à plus de 25 km/h.

DEHRA DUN

☎ 0135 / 527 900 habitants / altitude 700 m

Connue pour les institutions laissées par les Britanniques – notamment le gigantesque Forest Research Institute Museum, l'Indian Military Academy, le Wildlife Institute of India et le Survey of India –, la capitale de l'Uttarakhand est une ville chaotique et embouteillée qui s'étend dans la Doon Valley entre les contreforts de l'Himalaya et la chaîne du Shivalik.

Jadis plaisante et verdoyante ville de rizières et de plantations de thé, Dehra Dun a perdu beaucoup de son charme, mais il suffit de s'écarter un peu du centre-ville pour échapper à la circulation automobile. Beaucoup de voyageurs ne s'y arrêtent pas, d'autant que Rishikesh ou Mussoorie ne sont qu'à une heure de route. Elle mérite pourtant une visite pour son animation, son Paltan Bazaar et sa communauté tibétaine à Clement Town au sud de la ville. C'est aussi un point de transit pour l'Himachal Pradesh.

Renseignements

ACCÈS INTERNET

Cyber Park (15 Rs/h ; 🕙 10h30-20h). À côté de la tour de l'horloge.
iWay (Hotel Grand, Shri Laxmi Plaza, 64 Gandhi Rd ; 30 Rs/h ; 🕙 10h-20h)

ARGENT

Les banques de Rajpur Rd changent les espèces et les chèques de voyage. Leurs nombreux DAB acceptent les cartes étrangères.

LIBRAIRIES

English Book Depot (☎ 2655192 ; www.englishbookdepot.com ; 15 Rajpur Rd ; 🕙 9h30-20h30). CD, guides et cartes de trekking ; le café Barista jouxte la librairie.
Natraj Booksellers (17 Rajpur Rd ; 🕙 10h30-13h30 et 15h-20h tlj sauf dim). Une boutique spécialisée dans l'écologie, la spiritualité et les auteurs régionaux, comme Ruskin Bond.

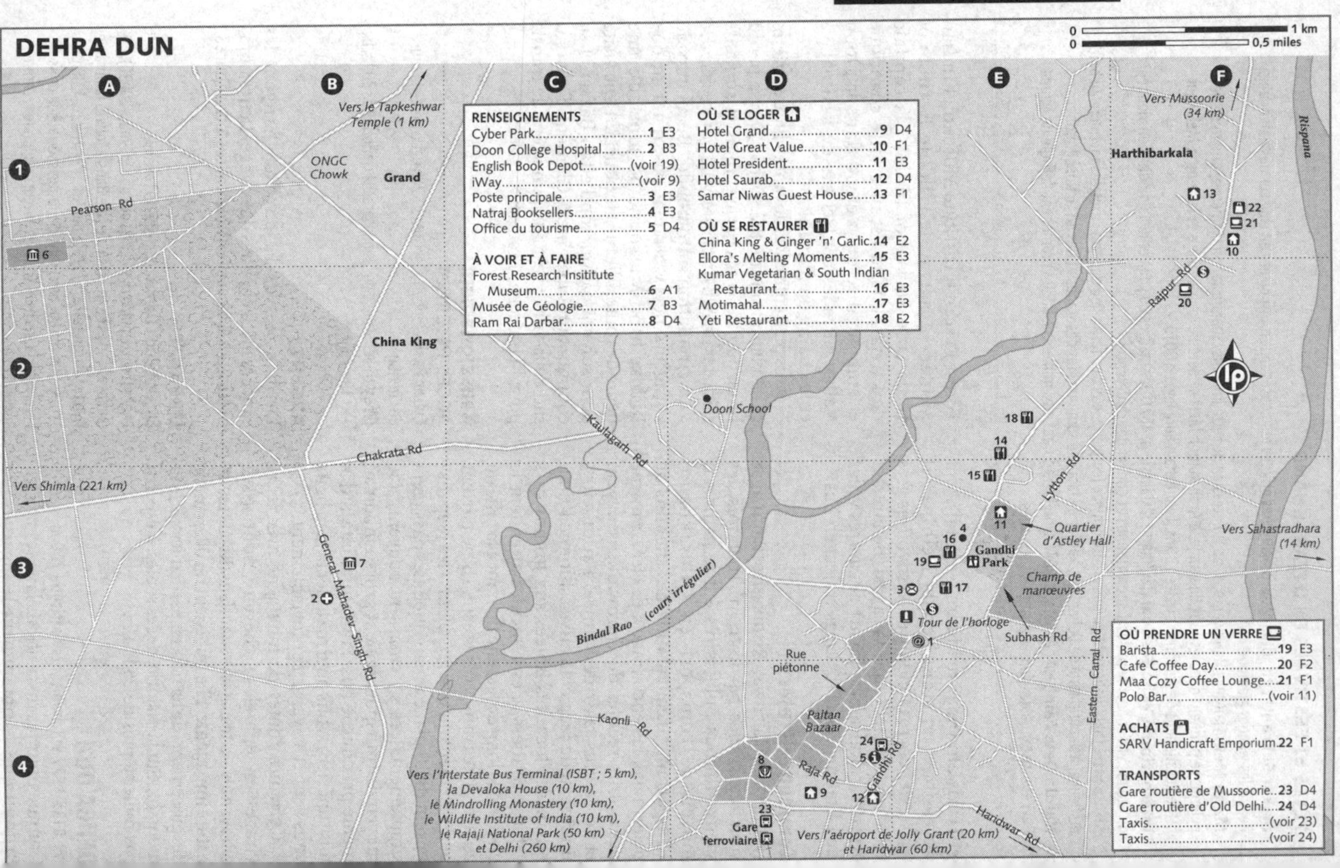
DEHRA DUN
0 1 km
0 0,5 miles
RENSEIGNEMENTS
Cyber Park.....1 E3
Doon College Hospital.....2 B3
English Book Depot.....(voir 19)
iWay.....(voir 9)
Poste principale.....3 E3
Natraj Booksellers.....4 E3
Office du tourisme.....5 D4
À VOIR ET À FAIRE
Forest Research Insititute Museum.....6 A1
Musée de Géologie.....7 B3
Ram Rai Darbar.....8 D4
OÙ SE LOGER
Hotel Grand.....9 D4
Hotel Great Value.....10 F1
Hotel President.....11 E3
Hotel Saurab.....12 D4
Samar Niwas Guest House.....13 F1
OÙ SE RESTAURER
China King & Ginger 'n' Garlic.14 E2
Ellora's Melting Moments.....15 E3
Kumar Vegetarian & South Indian Restaurant.....16 E3
Motimahal.....17 E3
Yeti Restaurant.....18 E2
OÙ PRENDRE UN VERRE
Barista.....19 E3
Cafe Coffee Day.....20 F2
Maa Cozy Coffee Lounge.....21 F1
Polo Bar.....(voir 11)
ACHATS
SARV Handicraft Emporium.22 F1
TRANSPORTS
Gare routière de Mussoorie..23 D4
Gare routière d'Old Delhi....24 D4
Taxis.....(voir 23)
Taxis.....(voir 24)
Vers le Tapkeshwar Temple (1 km)
ONGC Chowk
Grand
Pearson Rd
China King
Chakrata Rd
Vers Shimla (221 km)
General Mahadev Singh Rd
Kaulagarh Rd
Doon School
Bindal Rao (cours irrégulier)
Kaonli Rd
Vers l'Interstate Bus Terminal (ISBT ; 5 km), la Devaloka House (10 km), le Mindrolling Monastery (10 km), le Wildlife Institute of India (10 km), le Rajaji National Park (50 km) et Delhi (260 km)
Rue piétonne
Paltan Bazaar
Raja Rd
Gandhi Rd
Gare ferroviaire
Vers l'aéroport de Jolly Grant (20 km) et Haridwar (60 km)
Haridwar Rd
Tour de l'horloge
Subhash Rd
Gandhi Park
Champ de manœuvres
Quartier d'Astley Hall
Lytton Rd
Eastern Canal Rd
Rajpur Rd
Harthibarkala
Vers Mussoorie (34 km)
Rispana
Vers Sahastradhara (14 km)

OFFICE DU TOURISME
Office du tourisme de l'Uttarakhand (☎ 2653217 ; 45 Gandhi Rd ; 10h-17h tlj sauf dim). Office du tourisme local ; dépend de l'hôtel Drona. Succursale également à la gare ferroviaire.

POSTE
Poste principale (Rajpur Rd ; 10h-18h lun-ven, 10h-13h sam)

SERVICES MÉDICAUX
Doon College Hospital (☎ 2760330 ; General Mahadev Singh Rd)

URGENCES
Ambulance ☎ 2650102
Police ☎ 2653333

À voir et à faire

FOREST RESEARCH INSTITUTE MUSEUM

Le principal intérêt de ce **musée** (musée de l'Institut de recherche sur la forêt ; ☎2759382 ; www.icfre.org ; 10 Rs, guide 50 Rs ; 9h30-13h et 13h30-17h30) réside dans le bâtiment lui-même. Sis au cœur d'un parc de 500 ha, l'institut, qui forme la plupart des gardes forestiers indiens, occupe un gigantesque édifice. Ce dernier forme un somptueux témoignage architectural de l'époque du Raj. Construit entre 1924 et 1929, conçu par C. G. Blomfield, ce colosse de briques rouges orné de tours mogholes et d'arcades parfaites est formé d'une série de bâtiments rectangulaires bordés de galeries à colonnades de style romain. Six immenses salles un peu désuètes abordent les divers aspects de la sylviculture en Inde. Elles renferment de belles peintures de plantes et d'animaux d'Afshan Zaidi, des explications sur l'usage médical des arbres et la coupe transversale d'un cèdre déodar vieux de 700 ans. Le trajet aller-retour en auto-rickshaw depuis le centre-ville coûte environ 150 Rs, temps d'attente sur le site compris.

RAM RAI DARBAR

Ce **mausolée** (Paltan Bazaar ; entrée libre ; aube-crépuscule) unique est tout en marbre blanc. La cour renferme les tombes, plus petites, des quatre épouses de Ram Rai. Le porche d'entrée est orné de peintures aux couleurs vives. Ram Rai, fils dévoyé du 7e gourou sikh Har Rai, fut excommunié par son père. Il forma la secte des udasi, qui dirige aujourd'hui encore des écoles et des hôpitaux. À sa mort, en 1687, l'empereur moghol Aurangzeb, au nombre de ses adeptes, lui fit ériger un mausolée. Comme dans les autres gurdwaras (temples sikhs, maisons du gourou), un repas communautaire à base de dhal, de riz et de chapati est offert gratuitement à ceux qui le souhaitent (les dons restent appréciés).

MUSÉE DE GÉOLOGIE

Le Wadia Institute of Himalayan Geology possède un petit **musée** (☎2627387 ; 37 General Mahadev Singh Rd ; entrée libre ; 9h30-13h et 14h15-17h15 lun-ven) consacré aux roches, glaciers et séismes locaux. Un œuf et des dents de dinosaure figurent parmi les fossiles.

GRAND STUPA ET STATUE DU BOUDDHA

Une communauté bouddhiste tibétaine florissante vit autour de Dehra Dun, organisée autour du **Mindrolling Monastery** (☎2640556 ; www.mindrolling.org), dans la partie sud du centre de Clement Town. Tout dans ce monastère semble à grande échelle : son vaste collège, ses jardins bien entretenus et son **Grand Stupa** (entrée libre ; 5h-21h) de 5 étages. Du haut de ses 60 m, il s'agirait du plus haut stupa du monde. Ses salles réunissent reliques, fresques et exemples d'art tibétain. Surplombant le monastère, une impressionnante **statue du Bouddha**, dorée et haute de 35 m, est dédiée au dalaï-lama.

Les rues encadrant le monastère regroupent plusieurs pensions et cafés gérés par des Tibétains. Prenez le *vikram* n°5 (sorte de minibus spacieux) depuis le centre-ville (5 Rs). En auto-rickshaw, comptez environ 150 Rs.

TAPKESHWAR TEMPLE

Joliment niché dans une petite grotte, au bord de la rivière Tons Nadi, ce curieux **sanctuaire** (aube-crépuscule) est assez fréquenté. Le temple accueille la populaire fête annuelle de **Shivaratri** (voir encadré p. 467). À gauche en bas de l'escalier menant au sanctuaire principal, après le pont, vous découvrirez une autre grotte. Faufilez-vous dans le passage étroit pour contempler la représentation de Mata Vaishno Devi. Le temple est situé à environ 5 km au nord de la ville.

Où se loger

Les établissements bon marché sont légion le long de la route d'Haridwar au sortir de la gare ferroviaire. Certains ne facturent que 150 Rs la chambre double, mais les meilleures adresses se situent dans Gandhi Rd et Rajpur Rd. Vous trouverez également des pensions bon marché dans le quartier tibétain de Clement Town.

UTTARAKHAND

Hotel Grand (☎ 2726563 ; Shri Laxmi Plaza, 64 Gandhi Rd ; dort 80 Rs, s/d 300/550 Rs). Adresse pratique pour accéder à la gare ferroviaire. Les chambres de cet hôtel passable ont la TV ; douches avec seau d'eau chaude.

Devaloka House (☎ 9759862769 ; Clement Town ; s/d/tr 250/350/450 Rs). Cet établissement, qui fait partie de l'ensemble monastique de Mindrolling, propose des chambres impeccables aux murs blancs, disposées au-dessus de l'arcade en demi-cercle donnant directement sur le Grand Stupa et les jardins. Elles ont la TV, l'eau chaude, un petit balcon et des sols carrelés. L'accueil s'effectue au Norjin Restaurant.

Hotel Saurab (☎ 2728042 ; hotelsaurab@hotmail.com ; 1 Raja Rd ; s/d à partir de 550/660 Rs, avec clim à partir de 1 200/1 550 Rs ;). Ce petit hôtel joliment meublé et confortable, juste à côté de Gandhi Rd, offre un excellent rapport qualité/prix. Toutes les chambres ont l'eau chaude et la TV. Sur place également, un restaurant proposant une cuisine très variée.

Samar Niwas Guest House (☎ 2740299 ; M-16 Chanderlok Colony ; d 800-1 000 Rs, avec clim 1 000-1 500 Rs ;). Charmante pension de 4 chambres, aussi douillette qu'accueillante. Les propriétaires descendent de la famille royale Tehri, aussi leur demeure est-elle emplie d'antiquités, d'œuvres d'art et d'objets de collection. Chambres modernes et décorées avec goût, possibilité de prendre ses repas, de recevoir des massages et de faire du yoga. La pension est dans un quartier résidentiel paisible juste à côté de Rajpur Rd.

Hotel President (☎ 2657082 ; www.hotelpresidentdehradun.com ; 6 Astley Hall, Rajpur Rd ; s 1 650-1 950 Rs, d 1 900-2 200 Rs ;). Hôtel moderne installé dans l'ensemble très fréquenté de boutiques, restaurants et fast-foods appelé Astley Hall. Les chambres sont petites mais bien aménagées. Deux bons restaurants et le Polo Bar complètent l'offre.

Hotel Great Value (☎ 2744086 ; www.greatvaluehotel.com ; 74C Rajpur Rd ; s 1 750-2 750 Rs, d 2 500-3 500 Rs, ste 5 700 Rs ;). Hôtel chic et stylé, avec déco en marbre, mobilier ancien, plantes vertes dans la réception et dans le salon, et jardin. Les chambres ont la TV, un réfrigérateur et la connexion Wi-Fi. Vous trouverez aussi un bon restaurant, bar et café.

Où se restaurer

Dehra Dun offre un large choix de restaurants. Les meilleurs sont dans Rajpur Rd, au nord-est de la tour de l'horloge. Le complexe d'Astley Hall est très prisé pour ses établissements de restauration rapide. Il compte aussi quelques bars haut de gamme.

Ellora's Melting Moments (29 Rajpur Rd ; plats 15-70 Rs). Véritable institution, cette adresse souvent bondée accueille pour l'essentiel une clientèle familiale. Au menu : pizzas, sandwichs, burgers, pâtisseries et *lassis* (boissons à base de yaourt liquide et d'eau glacée).

Kumar Vegetarian & South Indian Restaurant (15B Rajpur Rd ; repas 25-75 Rs ; déj et dîner). Excellents *dosa* (crêpes à la farine de lentilles) et *thali* (sorte de repas "à volonté") d'Inde du Sud servis dans une salle de restaurant propre et animée.

China King & Ginger 'n' Garlic (☎ 2655773 ; 33 Rajpur Rd ; plats 35-180 Rs ; 11h30-23h30 ;). Ce fast-food pimpant et d'une propreté irréprochable réunit deux restaurants en un seul. On y savoure toutes sortes de spécialités chinoises, des *dim sum* aux ailes de poulet en passant par le *chow mein*. À l'étage, le Ginger 'n' Garlic propose des saveurs d'Inde du Nord (plats végétariens ou non). Au-dessous, vous trouverez une enseigne du glacier New Zealand Natural Ice-cream.

Yeti Restaurant (☎ 2652256 ; 55A Rajpur Rd ; plats 55-260 Rs ; déj et dîner). Petit restaurant à l'atmosphère intime spécialisé dans les cuisines thaï et chinoise épicées, avec entre autres un savoureux *tom yum*, du curry vert et des crevettes sautées. Jolie petite terrasse dans la cour devant l'établissement.

Motimahal (7 Rajpur Rd ; plats 65-225 Rs ; 10h-23h ;). La clientèle locale considère ce restaurant comme l'un des meilleurs établissements de catégorie moyenne de Rajpur Rd. Au menu : choix intéressant de plats végétariens ou non, notamment un curry de poisson de Goa et du *murg* (poulet) afghan, ainsi que les spécialités chinoises et du sud de l'Inde.

Où prendre un verre

Maa Cozy Coffee Lounge (76 Rajpur Rd ; 11h-23h). Allongez-vous sur les coussins ou les tapis pour fumer un narguilé aromatisé aux fruits (150-185 Rs) dans un décor arabisant. Thés, cafés et boissons fraîches, et chicha dont les arômes vont du cola au jasmin.

Polo Bar (6 Astley Hall, Rajpur Rd ; 11h-23h). Le bar de l'Hotel President est l'un des meilleurs bars d'hôtel de Dehra Dun.

Barista (Rajpur Rd ; boissons et en-cas 10-50 Rs ; 9h-22h) est un café moderne très fréquenté. Les jeux de société et l'excellente librairie voisine fournissent de quoi se distraire. Le **Cafe Coffee Day** (Rajpur Rd ; 9h-22h) sert de savoureux cafés et en-cas.

Achats

SARV Handicraft Emporium (☎2742141 ; 78 Rajpur Rd ; 10h-19h lun-sam). Cette petite boutique présente un large choix d'artisanat et de vêtements à des prix raisonnables. Les bénéfices reviennent aux femmes qui travaillent dans des villages himalayens où les sources de revenus sont rares.

La rue presque piétonnière qui traverse le Paltan Bazaar, au sud de la tour de l'Horloge, constitue un lieu de promenade apprécié en soirée. Vous pourrez dénicher des vêtements bon marché, des souvenirs ou du matériel de randonnée et de camping.

Depuis/vers Dehra Dun

AVION

Kingfisher Airlines (www.flykingfisher.com) vole de Delhi à l'aéroport Jolly Grant de Dehra Dun, à environ 20 km à l'est de la ville, sur la route de Haridwar. Il y a un vol quotidien (1 heure) le matin, ainsi qu'un vol supplémentaire en après-midi du mercredi au samedi. Sur Internet, les tarifs démarrent à 980 Rs. Un taxi pour l'aéroport coûte environ 500 Rs.

BUS

Quelques bus partent encore de la gare routière d'Old Delhi, mais la plupart des bus longue distance démarrent et arrivent à l'énorme et moderne Interstate Bus Terminal (ISBT) de Majra, à 5 km au sud du centre-ville. Pour vous y rendre, prenez un bus local (4 Rs), le *vikram* n°5 (4 Rs) ou un auto-rickshaw (50 Rs). Quelques bus pour Mussoorie partent de là, mais la plupart démarrent de la gare routière de Mussoorie, à côté de la gare ferroviaire. Pour les horaires, reportez-vous au tableau ci-dessous.

TAXI

Un taxi jusqu'à Mussoorie coûte 450 Rs, alors qu'un taxi collectif revient à 90 Rs/pers. Les deux types de véhicules stationnent devant la gare ferroviaire. Les taxis demandent 700 Rs pour Rishikesh et 860 Rs pour Haridwar.

TRAIN

De nombreux trains partent de Dehra Dun à destination de Delhi. Quelques autres desservent Lucknow, Varanasi (Bénarès), Chennai (Madras) et Kolkata (Calcutta). Le train Dehra Dun-Delhi le plus rapide est le *Shatabdi Express* (470/920 Rs chair/executive). Il quitte la gare de New Delhi tous les jours à 6h50, rejoint Dehra Dun à 12h40 et repart à Dehra Dun à 17h.

Le service quotidien *Mussoorie Express* (130/365/508 Rs, sleeper/3AC/2AC ; 11 heures) quitte la gare de Delhi Sarai Rohilla à 21h05 et rejoint Dehra Dun à 8h. Dans l'autre sens, le train part de Dehra Dun à 21h30.

Le train de nuit *Dehradun-Amritsar Express* (127/356 Rs sleeper/3A, 12 heures) à destination d'Amritsar part chaque jour à 19h40.

BUS AU DÉPART DE DEHRA DUN

Destination	Tarifs (Rs)	Durée	Départs
Chandigarh	130	6 heures	toutes les heures entre 5h30 et 17h
Delhi (deluxe)	240/300 AC	7 heures	toutes les heures entre 6h15 et 12h15
Delhi (normal)	160	7 heures	toutes les heures entre 6h30 et 22h30
Dharamsala	295	14 heures	12h30 et 17h
Haridwar	38	2 heures	toutes les 30 min
Manali	395	14 heures	15h
Mussoorie (A)	33	1 heure 30	toutes les 30 min entre 6h et 20h
Nainital	270	12 heures	8/jour
Ramnagar	160	7 heures	4h30, 5h30, 12h30, 17h30 et 20h30
Rishikesh	29	1 heure 30	toutes les 30 min
Shimla	202	10 heures	6h, 8h, 10h, 23h30
Uttarkashi	135	8 heures	5h30

A – les bus partent de la gare routière de Mussoorie, à Dehra Dun. Certains arrivent à la gare routière de Picture Palace, d'autres à celle de Library, à l'autre bout de Mussoorie.

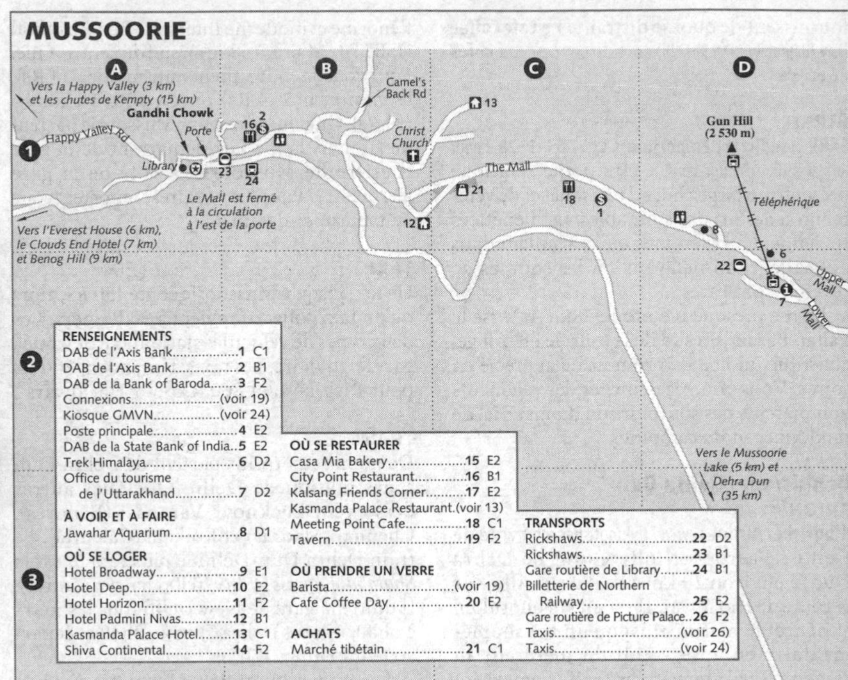

Comment circuler

Des centaines de *vikram* (auto-rickshaws collectifs ; 3-5 Rs/trajet) à 8 places parcourent 5 itinéraires fixes (numéro à l'avant du véhicule). Le *vikram* n°5, qui circule entre la gare routière ISBT, la gare ferroviaire et Rajpur Rd, et pousse au sud jusqu'au quartier tibétain de Clement Town, est le moyen de transport le plus pratique. Un court trajet en auto-rickshaw coûte 30 Rs ; comptez 80 Rs entre la gare ISBT et le centre-ville, et 120 Rs de l'heure pour une promenade guidée en ville.

MUSSOORIE

☎ 0135 / 29 500 habitants / altitude 2 000 m

Perchée sur une crête à 2 000 m d'altitude, la reine des stations climatiques – rivalisant avec Nainital – passe la majeure partie de l'année sous les nuages. Lorsque le ciel s'éclaircit, la vue sur la verdoyante vallée de la Doon et les sommets enneigés de l'Himalaya est superbe. Pendant les mois les plus torrides, l'air frais de la montagne contraste agréablement avec la touffeur des plaines. Les marchés de Mussoorie semblent de prime abord envahis par les vacanciers et les amoureux. Toutefois, il est bon de flâner parmi les édifices de l'époque du Raj ou de partir en promenade dans les environs.

Fondée par les Britanniques en 1823, Mussoorie devint un refuge privilégié des fonctionnaires du Raj. L'architecture des églises, bibliothèques, hôtels et résidences d'été témoigne de ce temps révolu. Les visiteurs affluent de mai à juillet. Loin d'afficher complet, sur les 300 hôtels, bon nombre d'entre eux réduisent considérablement leurs tarifs hors saison.

Orientation

Le centre-ville compte deux quartiers : Gandhi Chowk (appelé aussi Library Bazaar) à l'ouest et le Kulri Bazaar (Picture Palace), plus animé, à l'est. Tous deux sont reliés par le Mall, une promenade de 2 km pratiquement exempte de circulation. Au-delà du Kulri Bazaar, une étroite route de 5 km mène à Landour.

Renseignements

ACCÈS INTERNET

Connexions (The Mall, Kulri Bazaar ; 60 Rs/h ; 🕔 10h30-22h30). Au-dessus de The Tavern.

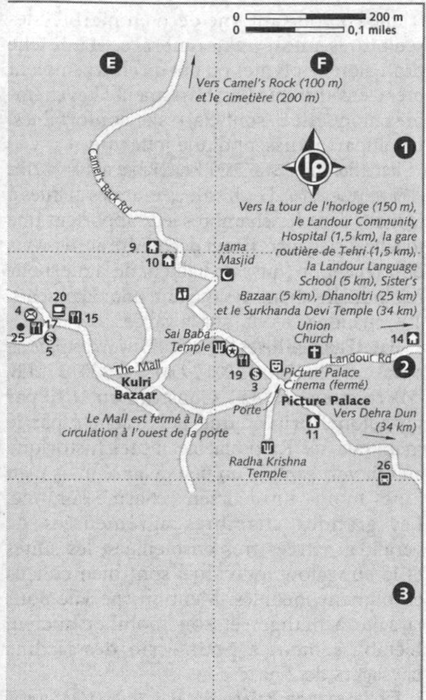

ARGENT

DAB de l'Axis Bank (le long du Mall, à Gandhi Chowk)
DAB de la Bank of Baroda (Kulri Bazaar)
DAB de la State Bank of India (The Mall, Kulri Bazaar)
Trek Himalaya (☎ 2630491 ; Upper Mall ; 9h30-20h). Change les principales devises et les chèques de voyage.

OFFICE DU TOURISME

Kiosque du GMVN (☎ 2631281 ; gare routière de Library ; 10h-17h tlj sauf dim). Excursions aux alentours, treks et hébergement dans des pensions retirées.
Office du tourisme de l'Uttarakhand (☎ 2632863 ; Lower Mall ; 10h-17h tlj sauf dim). Près de la station du téléphérique.

POSTE

Poste principale (☎ 2632206 ; le Mall, Kulri Bazaar ; 9h-17h tlj sauf dim)

À voir et à faire

GUN HILL

Partant du milieu du Mall, un **téléphérique** (aller-retour 55 Rs ; 8h-21h mai-juil et oct, 10h-18h30 août-sept et fin nov-avr) monte à Gun Hill (2 530 m) où, par temps clair, la perspective embrasse plusieurs pics, dont le Bandarpunch. Un sentier escarpé mène au point de vue. Les promeneurs affluent une heure avant le coucher du soleil. En saison, manèges, étals de nourriture, échoppes d'amulettes et de magie et jeunes mariés venus se faire tirer le portrait en costume garhwali composent une ambiance de carnaval.

JAWAHAR AQUARIUM

Juste au-dessus de la station du téléphérique, cet **aquarium** (The Mall ; 10 Rs ; 9h-21h) est la toute dernière attraction de Mussoorie. C'est un escalator – peut-être le seul de tout l'Uttarakhand – qui conduit aux huit petits aquariums, bien conçus, dans lesquels évoluent poissons tropicaux, petits requins et piranhas rouges.

PROMENADES À PIED

Lorsque les nuages daignent s'effacer, les promenades autour de Mussoorie donnent à contempler de superbes panoramas. La **Camel's Back Road**, qui s'étire sur 3 km de Gandhi Chowk au Kulri Bazaar, longe une formation rocheuse évoquant un chameau. Le parcours réserve de beaux points de vue et vous pouvez l'emprunter à cheval (aller/aller-retour 120/150 Rs) au départ de Gandhi Chowk. Une randonnée plus longue (5 km aller) débute à Picture Palace Cinema et rejoint Landour et le Sisters' Bazaar via Union Church et la tour de l'Horloge.

À l'ouest de Gandhi Chowk, une marche plus ardue conduit au Jwalaji Temple, sur **Benog Hill** (environ 18 km aller-retour) en passant par le Clouds End Hotel. Cette balade traverse une épaisse forêt et dévoile de beaux paysages. Une marche un peu moins longue mène à l'**Everest House** (12 km aller-retour), ancienne résidence, aujourd'hui abandonnée, de sir George Everest, officier et géophysicien britannique qui donna son nom au toit du monde. **Trek Himalaya** (☎ 2630491 ; Upper Mall ; 9h30-20h) organise des randonnées guidées jusqu'à ces deux sites pour environ 650 Rs/jour.

Cours

Mussoorie compte de nombreuses écoles, dont la **Landour Language School** (☎ 2631487 ; www.landourlanguageschool.com ; Landour ; 1er lun de fév-2e ven de déc), l'un des meilleurs établissements indiens d'enseignement de l'hindi (du niveau débutant à avancé). Les tarifs s'élèvent à 275 Rs/h pour les cours particuliers et à 175 Rs/h pour les cours collectifs. Les livres

UTTARAKHAND

(2 000 Rs) et les droits d'inscription (250 Rs) sont en supplément.

Circuits organisés

Kiosque du GMVN (☎ 2631281 ; gare routière de Library ; ⏲ 10h-17h tlj sauf dim). Le GMVN organise des excursions, dont l'une aux chutes de Kempty (3 heures, 70 Rs), l'autre englobant Dhanoltri, le Surkhanda Devi Temple et le Mussoorie Lake (journée complète, 160 Rs). Circuits à réserver également à l'office du tourisme de Mall Rd.

Trek Himalaya (☎ 2630491 ; www.trekhimalaya.com ; Upper Mall ; ⏲ 9h30-20h). Randonneur chevronné originaire de la région, Neelambar Badoni organise des treks de 3 jours à destination de Nagtibba pour environ 2 500 Rs/pers par jour, des circuits sur mesure pour Dodital, Har-ki-Dun ou le glacier de Gaumukh et des expéditions pouvant mener jusqu'au Ladakh.

Où se loger

Pendant la saison haute (mai-juillet), les tarifs sont exorbitants. À la moyenne saison, en octobre-novembre (saison des lunes de miel) et entre Noël et le Nouvel An, la fréquentation est légèrement moindre. En dehors de ces périodes, les prix sont souvent négociables. Sauf mention contraire, les prix indiqués sont ceux de la moyenne saison.

PETITS BUDGETS

Les établissements pour petits budgets sont rares. Nombre d'hôtels baissent leurs tarifs en saison creuse.

Hotel Broadway (☎ 2632243 ; Camel's Back Rd, Kulri Bazaar ; d 600-1 200 Rs, -50% en basse saison). De loin la meilleure adresse pour voyageurs à petit budget, ce vieil hôtel en bois des années 1880, avec bacs à fleurs aux fenêtres, a conservé tout son cachet sans que le confort en pâtisse. Installé dans un quartier tranquille, il reste toutefois proche du Mall. La chambre n°1 bénéficie d'une jolie vue et de baies vitrées.

Hotel Deep (☎ 2632470 ; deephotel@hotmail.com ; Camel's Back Rd ; ch à partir de 990 Rs, basse saison 300-900 Rs). Emplacement pratique, juste à côté de Broadway, pour ce véritable labyrinthe offrant un immense choix de chambres. En basse saison, celles-ci sont d'un assez bon rapport qualité/prix (c'est moins vrai en haute saison). Agréable terrasse avec vue.

CATÉGORIES MOYENNE ET SUPÉRIEURE

Shiva Continental (☎ 2632174 ; www.shivacon.com ; Landour Rd ; ch 1 800-3 500 Rs, basse saison 1 250-2 500 Rs). Sur la route de Landour, hôtel un peu excentrique comportant une déco en marbre, des sculptures, une terrasse ombragée et une telle profusion de plantes en pot qu'elles semblent près d'envahir tout l'établissement ! Les chambres moquettées sont claires et confortables. La plupart jouissent d'une jolie vue.

Hotel Horizon (☎ 2632899 ; Picture Palace ; d 2 000-2 200 Rs, -40% en basse saison). Les fresques murales peintes à la main dans les chambres leur apportent une touche d'élégance. Il faut descendre au-dessous de la réception (qui est à hauteur de la rue) pour rejoindre les chambres qui ont, pour la plupart, TV, chauffage et vue sur la vallée.

Hotel Padmini Nivas (☎ 2631093 ; www.hotelpadmininivas.com ; The Mall ; d 2 000-2 700 Rs, ste 3 300-3 700 Rs, -50% en basse saison ; 💻). Construit en 1840 par un colonel britannique puis racheté par le maharaja de Rajpipla, cet hôtel historique au toit vert semble un peu délabré mais n'en a pas moins un délicieux charme suranné. Les grandes chambres agrémentées de vérandas vitrées très ensoleillées, les suites et le bungalow individuel sont bien conçus et joliment meublés. Mention spéciale pour la salle à manger et son mobilier ancien. L'établissement a pour écrin des jardins paysagers de 2 ha.

♥ **Kasmanda Palace Hotel** (☎ 2632424 ; www.kasmandapalace.com ; d 4 000-6 000 Rs, -20% en basse saison). Situé à deux pas du Mall, voici l'hôtel le plus romantique de Mussoorie. Ce château blanc tout à fait romanesque fut construit en 1836 pour un officier britannique et racheté par le maharaja de Kasmanda en 1915. Le hall moquetté de rouge comporte un superbe escalier flanqué de trophées de chasse mangés aux mites (on regrette toutefois de voir des peaux de tigre et de léopard). Toutes les chambres ont du charme mais la Maharaja Room, chambre lambrissée avec mobilier ancien, est véritablement royale. Vous trouverez aussi un cottage individuel abritant 6 chambres rénovées dans le style contemporain. Une salle à manger, classique, et un ravissant jardin complètent le tableau.

Où se restaurer

En matière de plaisirs culinaires, les meilleurs coins de Mussoorie sont Kulri Bazaar et l'extrémité de la ville, du côté de Picture Palace. Pour rester dans l'ambiance vacances, on trouve quantité d'établissements de restauration rapide. La plupart des hôtels disposent aussi d'un restaurant. Les populaires cafés Barista ont des enseignes à Picture Palace et à Gandhi Chowk. On trouve aussi un Cafe Coffee Day à Kulri Bazaar.

Casa Mia Bakery (The Mall, Kulri Bazaar ; en-cas 15-50 Rs). La meilleure des petites boulangeries de la ville propose un choix impressionnant de croissants, gâteaux, muffins, tourtes à la pomme et boissons glacées.

Meeting Point Cafe (The Mall ; repas 25-50 Rs). À l'écart des bazars et à mi-hauteur du Mall, agréable petit établissement pour savourer un expresso et de la nourriture tibétaine.

City Point Restaurant (The Mall, Gandhi Chowk ; repas 30-120 Rs). L'un des nombreux restaurants qui se pressent les uns contre les autres sur la route au-dessus de la gare routière. Parfait pour le petit-déjeuner ou un en-cas, il propose aussi d'excellents curries et plats comme le poulet *kadhai* (curry de poulet sauté dans un wok) au dîner.

Kalsang Friends Corner (☎ 2633710 ; The Mall, Kulri Bazaar ; repas 45-130 Rs). Bien que géré par des Tibétains, ce restaurant fait la part belle à la cuisine thaïlandaise. Il doit sa popularité à ses curries au lait de coco, à sa salade de papaye thaïe, à ses *momo* (raviolis tibétains) et à ses nouilles.

Kasmanda Palace Restaurant (☎ 2632424 ; repas 60-250 Rs). Le restaurant de cet hôtel de l'époque du Raj (à proximité du Mall) est l'endroit idéal pour échapper à l'animation touristique de Mussoorie. La salle à manger aux murs lambrissés dégage une délicieuse atmosphère et les tables en terrasse sont idéales pour s'attarder au déjeuner ou un soir d'été. Les plats (spécialités d'Inde du Nord et du Sud, moussaka, pâtes, et plats chinois) sont à la hauteur du cadre.

Tavern (☎ 2632829 ; The Mall, Picture Palace ; repas 90-250 Rs). Adresse très courue offrant un large éventail de plats internationaux (agneau rôti croustillant, curry de poisson de Goa, etc.). La déco évoque vaguement un pub britannique. Personnel accueillant, concerts le soir, bière (120 Rs) et cocktails servis au bar.

Achats

Vous trouverez divers articles, dont des vêtements bon marché, sur le **marché tibétain** (The Mall ; 🕒 à partir de 9h). Mussoorie compte quantité de magasins de magie où l'on peut dénicher des accessoires simples mais étonnants – de bons cadeaux pour les enfants. Ils se concentrent principalement le long du Mall et à Gun Hill.

Ancient Palace (☎ 2631622 ; Landour Rd ; 🕒 10h-21h). Une profusion d'antiquités et de bibelots.

Depuis/vers Mussoorie

BUS

Des bus rejoignent fréquemment Mussoorie (31 Rs, 1 heure 30) depuis la gare routière de Mussoorie située à Dehra Dun (près de la gare ferroviaire). Certains bus desservent la **gare routière de Picture Palace** (☎ 2632259), d'autres la **gare routière de Library** (☎ 2632258), à l'extrémité opposée de la ville. Si vous connaissez l'endroit où vous séjournez, il est pratique de prendre le bon bus. Le trajet du retour ne prend qu'une heure. Il n'y a pas de bus direct pour Rishikesh ou Haridwar – il faut changer à Dehra Dun.

Mussoorie permet d'accéder aux villes de montagne de l'ouest du Garhwal, mais les bus directs sont rares. Pour trouver des bus et 4x4 en direction du nord, allez à la gare routière de Library. Pour rallier Yamunotri, il faut prendre un bus local jusqu'à Barkot (90 Rs, 3 heures 30), puis un autre bus jusqu'à Hanuman Chatti (40 Rs, 2 heures 30), où vous trouverez des 4x4. Le trajet jusqu'à Sankri pour effectuer le trek de Har-ki-Dun nécessite aussi de prendre bus et 4x4 collectifs. Les bus locaux, pour Tehri Dam par exemple, partent de la gare routière de Tehri, sur le chemin de Landour. Prenez les mêmes bus qui se dirigent vers Chamba puis changez à Uttarkashi.

TAXI

Vous trouverez des taxis pour Dehra Dun (450 Rs) et Rishikesh (1 200 Rs) et des 4x4 pour Uttarkashi (2 500 Rs) aux stations des deux gares routières. Un taxi collectif pour Dehra Dun coûte 70 Rs/pers.

TRAIN

La **billetterie de la Northern Railway** (☎ 2632846 ; The Mall, Kulri Bazaar ; 🕒 8h-11h et 12h-15h lun-sam, 8h-14h dim) vend des billets pour les trains en provenance de Dehra Dun et Haridwar.

Comment circuler

Le centre de Mussoorie se parcourt très facilement à pied. Si l'on songe que l'on se trouve dans une station de montagne, le Mall et Camel's Back Rd sont étonnamment plats. Sur le Mall, les rickshaws demandent 20 Rs, toutefois ils ne circulent qu'entre Gandhi Chowk et la station du téléphérique. Une journée de visites en taxi autour de Mussoorie (chutes de Kempty et Dhanoltri compris) revient à environ 1 800 Rs.

ENVIRONS DE MUSSOORIE

Site le plus fréquenté des alentours de Mussoorie, les **chutes de Kempty** sont situées à 15 km au nord-ouest. Malheureusement, la beauté du paysage est ternie par les stands de bibelots et babioles, les *dhaba* (gargotes) et une musique tonitruante. Un **téléphérique** (70 Rs ; ⌚ 10h-17h), fort peu utile, couvre le court trajet qui mène au pied des chutes, mais il est tout aussi simple de descendre les marches qui partent de la route principale. L'été, il n'est pas désagréable de piquer une tête pour se rafraîchir dans le bassin naturel empli de baigneurs.

À 25 km au nord-est de Mussoorie, **Dhanoltri** offre une vue panoramique sur les sommets himalayens enneigés et constitue un charmant lieu de pique-nique au milieu des forêts de cèdres. Environ 9 km plus au nord, le **Surkhanda Devi Temple**, à 3 030 m d'altitude, se dresse à 2 km de la route.

HARIDWAR

☎ 01334 / 220 500 habitants / altitude 249 m

La position privilégiée de Haridwar (ou Hardwar), là où le Gange sourd de l'Himalaya, en fait une ville sacrée de l'hindouisme. Toute l'année, d'innombrables pèlerins viennent se baigner dans le cours rapide du fleuve. Les foules massées autour du ghat Har-ki-Pairi confèrent à Haridwar une ambiance tout à la fois chaotique et révérencieuse – comme à Varanasi (Bénarès), on se laisse aisément porter par la vague spirituelle. En matière d'architecture religieuse, Haridwar est bien plus représentative que Rishikesh, à une heure de route au nord. Chaque soir, les fidèles déposent des offrandes sur le Gange, qui s'illumine d'autant de flammes vacillantes.

D'imposants temples, anciens et modernes, émaillent la cité, de même que des *dharamsala* (refuges pour pèlerins) et des ashrams, dont certains sont grands comme des villages. Haridwar est particulièrement animée pendant le *yatra* d'avril à novembre. C'est là également que se déroule chaque année la fête religieuse de Magh Mela (voir l'encadré p. 467). En 2010, Haridwar accueillera l'immense Kumbh Mela, événement qui attire des millions de pèlerins aux mois de mars et avril.

Orientation

Railway Rd, l'artère principale de Haridwar, devient Upper Rd et longe le canal du Gange (le fleuve coule plus à l'est). D'ordinaire, seuls les rickshaws sont autorisés entre les ponts de Laltarao et Bhimgoda Jhula ; les autres véhicules passent par l'autre rive. Les allées du Bara Bazaar s'étendent au sud du ghat Har-ki-Pairi.

Renseignements

ACCÈS INTERNET

Internet Zone iWay (Upper Rd ; 30 Rs/h ; ⌚ 10h-21h)

Mohan's Adventure Tours (Railway Rd ; 40 Rs/h ; ⌚ 8h-22h30)

ARGENT

Canara Bank (Railway Rd). L'agence change les espèces et les chèques de voyage.

Sai Forex (Upper Rd ; ⌚ 10h-21h). Change les espèces et les chèques de voyage (commission de 1%).

DAB de la State Bank of India (Railway Rd)

OFFICES DU TOURISME

Office du tourisme du GMVN (☎ 2244240 ; Railway Rd ; ⌚ 10h-17h tlj sauf dim)

Office du tourisme de l'Uttarakhand (☎ 265304 ; Rahi Motel, Railway Rd ; ⌚ 10h-17h tlj sauf dim)

POSTE

Poste principale (Upper Rd ; ⌚ 10h-18h tlj sauf dim)

SERVICES MÉDICAUX

Rishikul Ayurvedic Hospital (☎ 221003 ; Railway Rd). Doublé d'un internat, il jouit d'une réputation bien établie.

À voir et à faire

GHAT DE HAR-KI-PAIRI

Har-ki-Pairi (l'empreinte de Dieu) marque l'endroit où Vishnu aurait fait tomber un nectar céleste et où le sol aurait épousé l'empreinte de son pied. En ce lieu hautement sacré, les pèlerins viennent se laver de leurs péchés dans le fleuve au cours souvent rapide et donner de l'argent aux institutions religieuses.

Le ghat se tient sur la berge occidentale du canal du Gange, là où des centaines de fidèles se réunissent chaque soir pour la cérémonie du *ganga aarti* (adoration du fleuve). Des agents en uniforme bleu collectent alors les dons en échange d'un reçu. Au coucher du soleil, les cloches se mettent à sonner en rythme, on allume des torches et des corbeilles en feuilles garnies de pétales de fleurs et d'une bougie allumée (5 Rs) sont déposées sur le flot.

Les touristes peuvent se mêler à la foule pour vivre ce rituel ancestral qui conserve

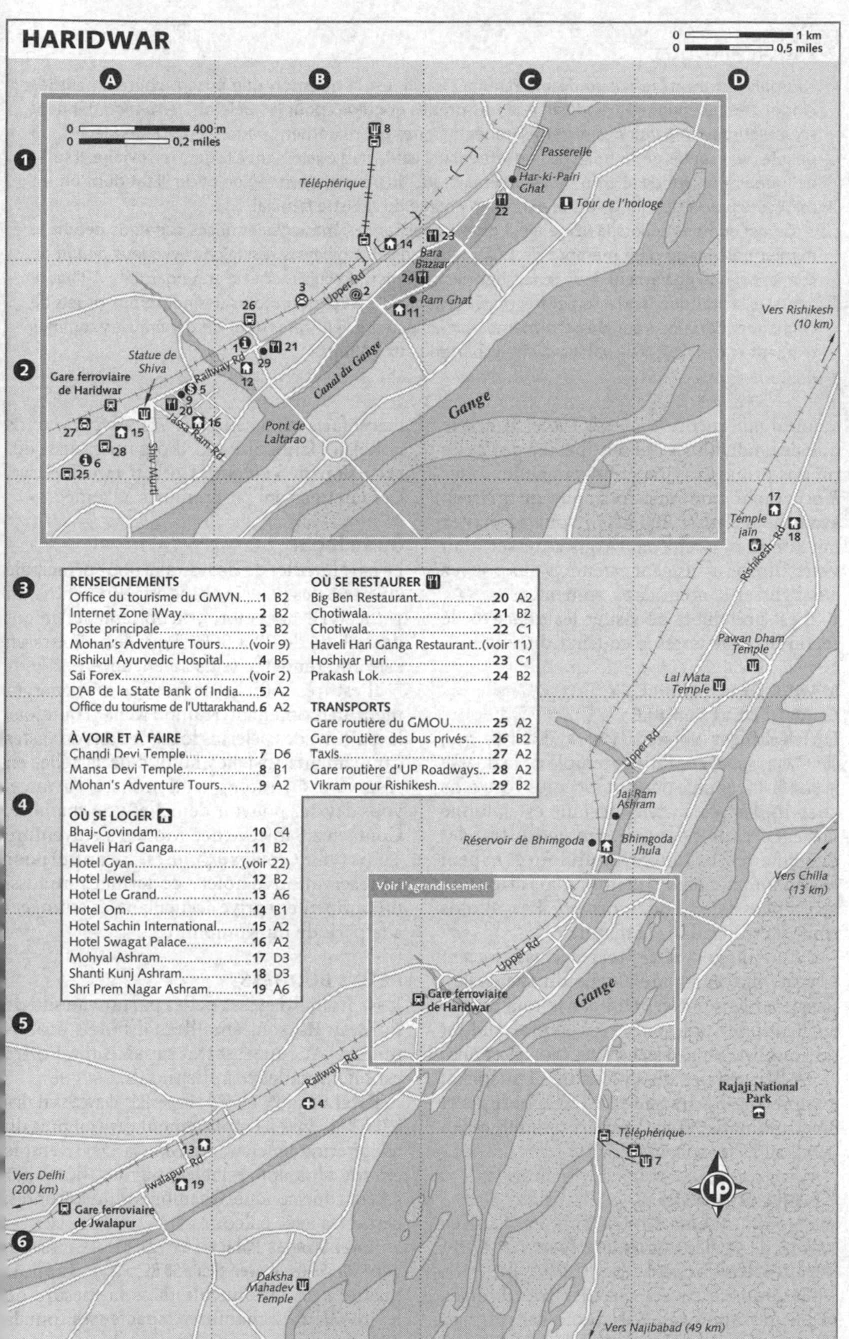

UTTARAKHAND

PANDA HINDOUS

"Où puis-je trouver le *panda* de ma famille ?", telle est la question que posent couramment les hindous en pèlerinage à Haridwar. À la fois prêtres et guides pour les pèlerins, les *panda* tiennent scrupuleusement à jour des registres généalogiques qui remontent parfois à plusieurs siècles. On peut les voir sur les ghats (marches ou jetées sur l'eau), mais également à la gare ferroviaire. Il suffit de fournir à un *panda* le nom du clan, de la caste, du village, de la région et de l'État dont on est originaire pour être dirigé vers le *panda* en charge du registre familial.

Ce *panda* notera alors la visite ainsi que les naissances, mariages et décès survenus depuis le dernier pèlerinage d'un membre de la famille. Jadis, les pèlerins résidaient avec leur *panda* de confiance, qui, également, leur tenait lieu de banquier, de cuisinier et d'ange gardien. À l'heure actuelle, la pratique tend à se perdre, mais les *panda* s'occupent toujours des nombreux rituels de crémation. Certains s'enrichissent même, car les pèlerins leur remettent de généreuses sommes d'argent et des objets de valeur ayant appartenu aux défunts.

aujourd'hui encore toute sa force. Il arrive que des individus se faisant passer pour des prêtres proposent aux étrangers de les aider à accomplir une puja (offrande ou prière), avant de réclamer 200 Rs. Si vous souhaitez faire un don, mieux vaut vous adresser à un vrai prêtre ou à un agent patenté. Vous pouvez aussi glisser l'argent dans un tronc.

Il est préférable de visiter les ghats tôt le matin ou juste après le coucher du soleil.

MANSA DEVI TEMPLE ET CHANDI DEVI TEMPLE

Un **téléphérique** (aller-retour 48 Rs ; 7h30-19h avr-oct, 8h30-18h nov-mars) conduit au temple de la déesse **Mansa Devi**, réputée pour exaucer les vœux. Le chemin d'accès au téléphérique est jalonné d'éventaires proposant des *prasaad* (offrandes alimentaires) destinées à la divinité. On peut aussi monter à pied (1,5 km), mais attention aux singes friands de *prasaad*. Les photos sont interdites dans le temple.

De nombreux visiteurs et pèlerins associent la visite du sanctuaire à celle du **Chandi Devi Temple**, érigé sur Neel Hill par le raja Suchet Singh du Cachemire en 1929, à 4 km au sud-est de Haridwar. Un **téléphérique** (aller-retour 70 Rs ; 8h-18h) permet de s'y rendre. Un forfait comprenant les transferts en téléphérique et en bus climatisé entre les deux temples est en vente au Mansa Devi (155 Rs).

Circuits organisés

À côté du cinéma Chitra Talkies, Sanjeev Mehta de **Mohan's Adventure Tours** (☎ 220910, 9837100215 ; www.mohansadventure.in ; Railway Rd ; 8h-22h30) propose divers circuits (randonnée, pêche, ornithologie, vélo, moto ou rafting). Photographe expérimenté, Sanjeev organise des safaris de 5 heures (1 750 Rs/pers) dans le Rajaji National Park. Il organise aussi des excursions de 3 jours à la Corbett Tiger Reserve. Ces circuits sont programmés à l'année.

Où se loger

Le parc hôtelier de Haridwar a pour principale clientèle des pèlerins hindous. En dehors du *yatra* (avril-novembre), on obtient facilement des rabais de 20 à 50%. Pour les séjours en ashram, reportez-vous à l'encadré p. 479.

Il est très difficile de trouver un hébergement au moment du Kumbh Mela. Toutefois, la majorité des pèlerins logeant dans de vastes campements installés autour de la ville, en réservant au moins trois mois à l'avance, vous devriez pouvoir dénicher une chambre. Contactez Sanjeev chez Mohan's Adventure Tours (voir *Circuits organisés*, ci-contre) pour les réservations d'hôtel – ce dernier gère aussi un campement privé accueillant les étrangers à la période du Kumbh Mela.

PETITS BUDGETS

Jassa Ram Rd et les ruelles partant au sud de Railway Rd sont émaillées d'hôtels économiques. Aucun n'est très satisfaisant. L'offre est bien meilleure à Rishikesh.

Hotel Om (☎ 226639 ; Upper Rd ; d avec/sans clim 850/400 Rs ;). L'emplacement central près du téléphérique menant au Mansa Devi Temple est un plus appréciable pour cet hôtel par ailleurs quelconque. Chambres plutôt propres, certaines avec balcon.

Hotel Swagat Palace (☎ 221581 ; Jassa Ram Rd ; d/tr 450/550 Rs, d avec clim 950 Rs ;). Rapport qualité/prix raisonnable dans la mesure où les meilleures chambres, spacieuses, ont la TV et des sols carrelés impeccables.

Hotel Jewel (☎ 266500 ; www.hoteljewel.in ; Railway Rd ; d/tr à partir de 850/1 100 Rs ; ❄). Dans l'artère animée de Railway Rd, hôtel bien géré et sympathique offrant un choix de chambres modernes et bien tenues avec TV. Les réductions permettent de classer l'établissement dans la catégorie petits budgets.

CATÉGORIES MOYENNE ET SUPÉRIEURE

Vers les ghats, on trouve plusieurs hôtels installés dans de hauts immeubles. Tous à peu près identiques, ils valent surtout par leur emplacement et leur vue et sont très prisés par les pèlerins de la classe moyenne.

Hotel Gyan (☎ 225348 ; Subhash Ghat ; d 700-1 000 Rs, avec clim 1 400 Rs ; ❄). Au-dessus du restaurant Chotiwala, pratique pour accéder au ghat de Har-ki-Pairi. Parmi les hôtels installés au bord du fleuve, celui-ci offre l'un des meilleurs rapports qualité/prix. Chambres bien tenues ; celles qui donnent sur le fleuve sont plus difficiles à obtenir.

Hotel Sachin International (☎ 222655 ; starhotel@rediffmail.com ; Railway Rd ; s/d 750/950 Rs, avec clim 1 600/1 800 Rs ; ❄). En face de la gare ferroviaire, grand hôtel sans charme mais propre dont les chambres sont disposées autour d'un parking central et d'un restaurant auquel on accède par une voie surélevée. Les chambres situées à l'arrière sont plus calmes.

Bhaj-Govindam (☎ 261682 ; haridwar@usnl.com ; près de Bhimgoda Jhula ; huttes avec/sans clim 1 200/800 Rs ; ❄). Emplacement superbe, sur les berges du Gange, pour ces confortables huttes en bambou nichées dans un agréable jardin, et équipées de ventilateurs, de rafraîchisseurs d'air ou de clim. Toutes possèdent une sdb carrelée. L'hôtel n'est pas facile à dénicher. Demandez à vous faire déposer à "Bhimgoda Jhula", puis, en venant du pont, prenez la première ruelle qui s'enfonce dans ce quartier et suivez les panneaux.

Hotel Le Grand (☎ 2429250 ; www.hotellegrand.com ; Jwalapur Rd ; d 1 600-2 000 Rs ; ❄). Réception immense pour cet hôtel haut de gamme à 2 km au sud-est de la gare ferroviaire. Les chambres, douillettes et tout confort, sont agrémentées de balcons. Restaurant végétarien sur place.

♡ **Haveli Hari Ganga** (☎ 226443 ; www.havelihariganga.com ; 21 Ram Ghat ; ch 100-125 $US ; ❄ 💻). Nichée dans Bara Bazaar mais située au bord du Gange, ce superbe *haveli* (résidence traditionnelle richement ornementée) de 1918 est l'hôtel le plus

UTTARAKHAND

SÉJOURS EN ASHRAM À HARIDWAR

Les voyageurs affluent du monde entier à Rishikesh pour pratiquer le yoga et séjourner en ashram. Pourtant, Haridwar offre aussi d'excellents ashrams où les étrangers, moins nombreux, sont encadrés par des ashramites sérieux. Le logement, les repas et les pratiques religieuses sont généralement gratuits, mais on s'attend à ce que vous fassiez un don.

Shanti Kunj Ashram (☎ 260602 ; www.awgp.org ; Rishikesh Rd). Dans un grand ashram entouré de beaux jardins sur la route de Rishikesh, cette communauté fondée en 1971 offre des hébergements modestes. L'enseignement du *sadhana* (éveil spirituel) s'adresse aux personnes motivées : les séances de méditation et de mantras débutent à 5h, suivies par un *yagyar* (cérémonie du feu) et une méditation devant une représentation de l'Himalaya. Pour de plus amples détails, contactez le bureau des étrangers (Abroad Cell). L'ashram a créé sa propre université et organise des "camps spirituels" (en hindi et en anglais), allant de 9 jours à un mois.

Très étendu, le **Shri Prem Nagar Ashram** (☎ 226345 ; www.manavdharam.com ; Jwalapur Rd) fut créé par Hansji Maharaj, décédé en 1966 – son extraordinaire mausolée arbore un plafond bleu pyramidal dont les huit degrés symbolisent les sept fleuves sacrés et la mer. Les sessions de méditation et de chant ont lieu chaque jour à 5h et à 19h30. L'ashram comporte des logements simples avec ventilateur, salle de bains et eau chaude, ainsi qu'une immense salle de réunion sans pilier et un ghat face au Gange. Il possède un troupeau de vaches, une fabrique de médicaments ayurvédiques et une librairie.

Mohyal Ashram (☎ 261337 ; mohans_india@yahoo.com ; Rishikesh Rd ; d 600-1 050 Rs, avec clim 1 100 Rs ; ❄). Avec ses pelouses et ses sols en marbre, ce paisible ashram tient plus de la retraite de yoga que de l'ashram. Sa salle de méditation et de yoga est pourvue d'une excellente acoustique. L'hébergement impeccable comprend les repas et les cours. Cet ashram ne compte pas parmi les plus stricts (le tabac, l'alcool et la viande sont néanmoins prohibés) et les personnes extérieures sont les bienvenues.

raffiné de Haridwar. Avec ses cours spacieuses, ses sols en marbre, ses paniers de fleurs suspendus et ses balcons donnant sur le fleuve, il a un charme fou. Le prix des chambres inclut le petit-déjeuner, les bains de vapeur, les cours de yoga et la cérémonie du *ganga aarti* sur le ghat privé de l'hôtel. Les eaux du Gange viennent lécher l'une des terrasses. Au rez-de-chaussée, un spa ayurvédique propose soins et cours de yoga. L'établissement étant difficile à trouver, téléphonez pour qu'on vienne vous chercher.

Où se restaurer et prendre un verre

Vous ne trouverez nulle part de viande ou d'alcool, ils sont prohibés dans cette ville sainte.

Chotiwala (repas 20-60 Rs). Ce restaurant végétarien très populaire compte plusieurs succursales, notamment une dans Upper Rd et une autre plus bas au bord du fleuve à Subhash Ghat. La mascotte du restaurant (le *chotiwallah*), à l'air triste, est parfois assise à l'entrée. Les en-cas végétariens et les plats chinois sont simples mais bons.

Hoshiyar Puri (Upper Rd ; repas 20-70 Rs ; 🕑 11h-16h et 19h-4h). Fondé en 1937, cet établissement fait toujours un malheur : haricots rouges, *lacha paratha* (pain fourré et frit), *aloo gobi* (curry de chou-fleur et pomme de terre) et *kheer* (gâteau de riz) sont délicieux.

Big Ben Restaurant (Hotel Ganga Azure, Railway Rd ; repas 45-125 Rs ; 🕑 8h30-22h30). Un cadre confortable, des miroirs, de la musique, un personnel attentionné et de grandes baies vitrées pour regarder le défilé des pèlerins tout en savourant une excellente cuisine. Mention spéciale pour le petit-déjeuner, les soupes, ou le savoureux *thali* (120 Rs).

Haveli Hari Ganga Restaurant (☎ 226443 ; 21 Ram Ghat ; buffet dînatoire 350 Rs ; 🕑 20h30-23h). Le buffet de plats indiens végétariens servi le soir dans ce ravissant hôtel historique est le plus raffiné d'Haridwar.

Ne manquez pas de vous offrir un *lassi* crémeux chez **Prakash Lok** (Bara Bazaar ; *lassis* 20 Rs), véritable institution d'Haridwar connue pour ses *lassis* glacés et son lait d'amande servis dans des tasses en fer-blanc. Aucune enseigne en anglais mais les gens du coin sauront très bien vous l'indiquer.

Depuis/vers Haridwar

Haridwar est bien desservie par les bus et les trains. En période de pèlerinage, pensez à réserver le train.

BUS

Pour plus de détails sur les principaux bus au départ de Haridwar, consultez le tableau p. 481.

Des bus privés deluxe et des bus de nuit se rendent à Delhi (deluxe/Volvo 175/400 Rs), Agra (seat/sleeper 240/295 Rs), Jaipur (375/475 Rs) et Pushkar (400/500 Rs). Ils partent tous d'une gare routière à l'angle de l'office du tourisme du GMVN, près du gurdwara (temple sikh). Toutes les agences de voyages en ville effectuent les réservations.

TAXI ET VIKRAM

La principale station de taxis se trouve à l'extérieur de la gare ferroviaire, dans Railway Rd. Parmi les tarifs officiels, citons Chilla (pour le Rajaji National Park, 410 Rs), Rishikesh (600 Rs, 1 heure) et Dehra Dun (800 Rs). Notez qu'il est généralement possible de négocier des tarifs plus avantageux.

Des *vikram* collectifs desservent Rishikesh (20 Rs, 1 heure) depuis le pont de Laltarao dans Upper Rd, mais les bus sont plus confortables. Vous pourrez louer le véhicule entier jusqu'à Lakshman Jhula (quartier de Rishikesh) moyennant 350 Rs.

TRAIN

De nombreux trains circulent entre Haridwar et Delhi. Le seul service de nuit est assuré par le *Mussoorie Express* (sleeper/3A/2A 130/365/508 Rs, 8 heures 30), qui part à 23h20 et arrive à la gare d'Old Delhi à 7h45. La liaison la plus rapide est effectuée par le *Shatabdi Express* (chair car/executive 390/780 Rs, 4 heures 30). Le train de nuit *Doon Express* va chaque jour à Kolkata/Howrah (sleeper/3AC/2AC 405/1 138/1 581 Rs, 32 heures) via Lucknow (195/548/761 Rs, 10 heures) et Varanasi (282/792/1 101 Rs, 18 heures). Deux trains conduisent à Amritsar – le plus simple pour aller à Dharamsala : le *Jan Shatabdi* (tlj sauf jeudi, 2e classe/chair car 120/385 Rs, 7 heures) et le train de nuit *Amritsar Passenger* (sleeper/3AC 139/391 Rs, 12 heures).

Comment circuler

Les rickshaws demandent 10 Rs sur les courtes distances, 25 Rs sur les trajets plus longs (de la gare ferroviaire à Har-ki-Pairi, par exemple). Un taxi pour visiter les temples et les ashrams revient à environ 500 Rs pour 3 heures. Comptez 250 Rs en auto-rickshaw.

BUS AU DÉPART DE HARIDWAR

Les bus suivants partent de la gare routière d'UP Roadways.

Destination	Tarif (Rs)	Durée	Départs
Agra	193	12 heures	tôt le matin
Almora	250	10 heures	tôt le matin et l'après-midi
Chandigarh	120	10 heures	tôt le matin
Dehra Dun	38	2 heures	toutes les 30 min
Delhi	116	6 heures	toutes les 30 min
Dharamsala	275	15 heures	14h
Jaipur	275-300	12 heures	tôt le matin
Nainital	186	8 heures	tôt le matin et le soir
Ranikhet	190	10 heures	6h et 17h
Rishikesh	19	1 heure	toutes les 30 min
Shimla	215	14 heures	tôt le matin et le soir
Uttarkashi	184	10 heures	7h30 et 9h30

Pendant la saison du *yatra* (pèlerinage ; avril-octobre), les horaires des bus au départ de la gare routière du GMOU sont les suivants :

Destination	Tarif (Rs)	Durée	Départs
Badrinath (via Joshimath)	300	15 heures	entre 3h30 et 7h
Gangotri	280	10 heures	entre 3h et 5h
Hanuman Chatti	220	10 heures	entre 3h et 5h
Kedarnath	225	10 heures	entre 3h et 5h

UTTARAKHAND

RAJAJI NATIONAL PARK

altitude 300-1 000 m

Ce **parc** (Indiens/étrangers 40/350 Rs/j, appareil photo gratuit/50 Rs, caméra 2 500/5 000 Rs ; 15 nov-15 juin) préservé, qui couvre 820 km^2 de contreforts boisés proches de Haridwar, doit sa renommée à une population d'éléphants sauvages d'environ 450 à 500 individus.

Outre les pachydermes, l'endroit abrite 32 tigres et 250 léopards – difficiles à apercevoir –, des milliers de chitals (cerfs tachetés), des centaines de sambars (les plus grands cervidés indiens) et quelques discrets ours lippus. Le parc est aussi égayé par les chants de plus de 300 espèces d'oiseaux.

Le village de **Chilla**, à 13 km au nord-est de Haridwar, sert de base pour explorer le parc. Des **promenades à dos d'éléphant** (400 Rs/pers, jusqu'à 4 pers) sont proposées à l'aube et à 15h, les premiers arrivés étant les premiers servis (il n'y a actuellement que 2 éléphants). Adressez-vous au bureau du Forest Ranger, près de la Tourist Guesthouse de Chilla, où se paie l'entrée. Le bureau fournit une brochure et assure la location de 4x4. Ces derniers peuvent transporter jusqu'à 8 passagers et coûtent 700 Rs pour un safari standard (plus 100 Rs de droit d'entrée pour le véhicule).

Avant d'entreprendre la visite, contactez l'**office du tourisme du GMVN** (carte p. 477 ; ☎ 2244240 ; Railway Rd, Haridwar ; 10h-17h lun sam) et le **Mohan's Adventure Tours** (carte p. 477 ; ☎ 220910 ; www.mohansadventure.in ; Railway Rd, Haridwar ; 8h-22h30), qui organise des safaris même pendant la période de fermeture officielle du parc. Il propose notamment un circuit de 5 heures (1 750 Rs/pers) incluant un petit safari, l'observation des éléphants sauvages et une visite du village adivasi de Gujjar, où vivent des éleveurs de buffles. Avec un peu de chance, Sanjeev vous présentera l'éléphant orphelin qu'il a adopté légalement.

Où se loger et se restaurer

Chilla Guesthouse (☎ 0138-226678 ; dort 200 Rs, huttes 500-650 Rs, ch avec clim 1 200-1 600 Rs ;). C'est la pension du GMVN et l'hébergement le plus confortable de Chilla. Bon restaurant et jardin plaisant.

Le parc compte neuf **gîtes** (rest houses ; Indiens/étrangers 500/1 000 Rs). Ces refuges rudimentaires et anciens, installés en forêt, sont à Asarohi, Beribara, Chilla, Kansrao, Kunnao, Motichur, Phandowala, Ranipur et Satyanarayan. Si vous logez dans l'un d'eux, le droit d'entrée du parc est valable 3 jours. Celui de Chilla, qui date de

1883, comporte 3 chambres au rez-de-chaussée et une suite avec balcon à l'étage. Celui de Satyanarayan est également recommandé ; celui de Kansrao a conservé tous ses éléments d'origine. Dans tous, sauf à Chilla, vous devrez apporter votre nourriture et vous arranger avec un conducteur de 4x4 si vous n'avez pas de moyen de locomotion. Pour réserver un refuge en forêt, contactez le directeur du **bureau du Rajaji National Park** (☎ /fax 0135-2621669 ; 5/1 Ansari Marg, Dehra Dun). Mohan's Adventure Tours (voir *Circuits organisés*, p. 478) peut également réserver des lodges en forêt.

Depuis/vers le Rajaji National Park

Les bus pour Chilla (15 Rs, 1 heure) partent de la gare routière du GMOU à Haridwar toutes les heures de 7h à 14h. En sens inverse, le dernier bus quitte Chilla à 17h30. Les taxis facturent 410 Rs l'aller simple (13 km).

RISHIKESH

☎ 0135 / 79 600 habitants / altitude 356 m

Depuis le séjour des Beatles dans l'ashram du Maharishi Mahesh Yogi à la fin des années 1960, Rishikesh est synonyme de haut lieu de spiritualité pour les Occidentaux. Son surnom de "capitale mondiale du yoga" est justifié : les ashrams, comme les cours de yoga et de méditation, sont légion. La plupart des activités se tiennent au nord de la ville, où la situation avantageuse au bord du Gange et au milieu des bois invite au voyage intérieur. Le soir, le vent s'engouffre dans la vallée ; les cloches des temples tintent, tandis que sadhus (ascètes), pèlerins et touristes se préparent pour la cérémonie du *ganga aarti*.

Il se dégage de la ville une ambiance très New Age. Vous pourrez vous initier au sitar ou au tabla sur le toit d'un hôtel, vous essayer au yoga du rire ou à la méditation au son du gong, découvrir les vertus curatives des cristaux et les différents massages, psalmodier des mantras ou écouter de la musique spirituelle en sirotant un thé ayurvédique avec un repas végétarien.

Mais ce n'est pas tout. Rishikesh est désormais une destination de prédilection pour les amateurs de rafting, des voyageurs à petit budget et des randonneurs en partance pour l'Himalaya.

Orientation

Rishikesh compte deux secteurs principaux. Le centre, bondé et peu attrayant, englobe les gares routière et ferroviaire et le Triveni Ghat. À 2 km, les quartiers au bord du fleuve, au niveau de Ram Jhula et Lakshman Jhula, attirent beaucoup de voyageurs. Ils concentrent la plupart des hébergements, ashrams et restaurants. Les deux *jhula* (ponts suspendus) sont piétonniers. Sur la rive est, le Swarg Ashram, centre spirituel de Rishikesh, est interdit à la circulation. High Bank, à l'ouest de Lakshman Jhula, est une petite enclave prisée des voyageurs à petit budget.

Renseignements

ACCÈS INTERNET

Il est aisé de se connecter à Internet partout en ville, généralement pour 20-30 Rs/h.

Blue Hills Travels (Swarg Ashram ; 30 Rs/h)

Lucky Internet (Lakshman Jhula ; 30 Rs/heure ; ⌚ 8h30-22h). Connexion Wi-Fi.

Red Chilli Adventure (Lakshman Jhula Rd ; 30 Rs/h ; ⌚ 9h-21h). Consultez Internet en profitant de la vue !

ARGENT

Plusieurs agences de voyages de Lakshman Jhula et de Swarg Ashram changent les espèces et les chèques de voyage.

DAB de l'Axis Bank (Swarg Ashram)

DAB de la Bank of Baroda (Dehra Dun Rd)

DAB de la State Bank of India (Swarg Ashram et Dehra Dun Rd)

OFFICE DU TOURISME

Office du tourisme de l'Uttarakhand (☎ 2430209 ; Dhalwala Bypass Rd ; ⌚ 10h-17h tlj sauf dim). Un emplacement guère commode, sur la route d'Haridwar, dans le bâtiment du GMVN de Yatra. Quelques brochures ; réservation d'excursions.

POSTE

Poste principale (Ghat Rd ; ⌚ 10h-16h lun-ven, 10h-13h sam). Près du Triveni Ghat.

Poste (Swarg Ashram ; ⌚ 10h-16h lun-ven, 10h-13h sam)

SERVICES MÉDICAUX

Himalayan Institute Hospital (☎ 2471133 ; ⌚ 24h/24). Le grand hôpital le plus proche, à 17 km sur la route de Dehra Dun et à 1 km au-delà de l'aéroport Jolly Grant.

Shivananda Ashram (☎ 2430040 ; www.sivanandaonline.org ; Lakshman Jhula Rd). Soins gratuits et pharmacie.

Désagréments et dangers

Méfiez-vous des sadhus rencontrés à Rishikesh. Si beaucoup suivent une quête

RISHIKESH

RENSEIGNEMENTS
- DAB de l'Axis Bank 1 D2
- DAB de la Bank of Baroda 2 B3
- Blue Hills Travels 3 D2
- Lucky Internet .... (voir 38)
- Poste principale 4 C4
- Poste 5 D2
- Red Chilli Adventure .... (voir 17)
- DAB de la State Bank of India 6 D2
- Shivananda Ashram .... (voir 15)
- Office du tourisme de l'Uttarakhand 7 A3

À VOIR ET À FAIRE
- Adventure Journey 8 C2
- De-N-Ascent Expeditions 9 E1
- Garhwal Himalayan Explorations 10 C2
- GMVN Trekking & Mountaineering Division 11 C3
- Himalayan Language Institute 12 E2
- Maharishi Mahesh Yogi Ashram 13 D3
- Om Rudra Cultural Society 14 D2
- Omkarananda Ganga Sadan 15 D2
- Parmarth Niketan Ashram 16 D2
- Red Chilli Adventure 17 D1
- Sachdeva Language Service 18 E2
- Shivananda Ashram .... (voir 15)
- Shri Trayanbakshwar Temple 19 E1
- Sri Sant Seva Ashram 20 E2
- Sri Ved Niketan Ashram 21 D3
- Swarg Niwas Temple 22 E1
- Vina Maharaj Music School .... (voir 17)
- Yoga Niketan Ashram 23 C2
- Yoga Study Centre 24 B4

OÙ SE LOGER
- Aggarwal House 25 E2
- Bhandari Swiss Cottage 26 D1
- Bombay Guest House 27 E1
- Green Hills Cottage 28 E1
- Green View 29 D2
- High Bank Peasants Cottage 30 D1
- Hotel Ishan 31 E1
- Hotel Rajpalace 32 D2
- Jaipur Inn 33 E1
- Mount Valley Mama Cottage .... (voir 26)
- New Bhandari Swiss Cottage .... (voir 26)
- Tapovan Resort 34 E1
- Vasundhara Palace 35 C2

OÙ SE RESTAURER
- Bhandari Swiss Cottage Restaurant .... (voir 26)
- Chotiwala 36 D2
- Devraj Coffee Corner 37 E1
- Ganga Beach Restaurant 38 E2
- Green Italian Restaurant 39 D2
- Little Buddha Cafe 40 E2
- Lucky Restaurant .... (voir 38)
- Maa Cozy 41 E2
- Madras Cafe 42 D2
- Oasis Restaurant .... (voir 26)

TRANSPORTS
- Gare routière principale 43 B4
- Bus privés pour Delhi 44 C2
- Ferry 45 D2
- Jeep collectives 46 A2
- Taxis et auto-rickshaws .... (voir 42)
- Taxis et Jeep collectives .... (voir 38)
- Taxis 47 E1
- Taxis 48 D2
- Taxis 49 B4
- Gare routière du Yatra et bus locaux 50 B3

spirituelle authentique, la tunique orange sert aussi, depuis l'époque médiévale, à dissimuler les malfaiteurs. Les femmes seules doivent se montrer particulièrement prudentes.

De par la force du courant dans certaines parties du Gange, des noyades surviennent tous les ans. Restez aux endroits où vous avez pied.

À voir et à faire

LAKSHMAN JHULA ET SES ALENTOURS

Une image résume Rishikesh : la vue, depuis le pont suspendu de Lakshman Jhula, sur les gigantesques temples à 13 étages de **Swarg Niwas** et de **Shri Trayanbakshwar**. Érigés par le mouvement du gourou Kailashanand, ils semblent tout droit sortis d'un conte. Ils renferment à chaque niveau des dizaines de sanctuaires consacrés aux divinités hindoues, ainsi que des échoppes de bijoux et de vêtements. Le coucher de soleil est idéal pour les photographier. Le matin et le soir, le carillon des cloches et le chant des fidèles se font entendre. Les boutiques vendant des CD de chants religieux ajoutent encore à la cacophonie qui règne sur cette rive-ci du fleuve. Ces dernières années, les marchés, restaurants, ashrams et auberges au bord du fleuve ont fait de ce quartier l'un des plus animés de Rishikesh.

SWARG ASHRAM

Sur la rive est du Gange, une agréable balade de 2 km au sud de Lakshman Jhula mène à la communauté spirituelle de **Swarg Ashram**. Celle-ci est faite de temples, d'ashrams, d'un bazar animé, de sadhus et de ghats. Des cérémonies religieuses ont lieu au lever et au coucher du soleil. La célébration du *ganga aarti* (assez touristique) est donnée dans le temple du Parmarth Niketan Ashram, chaque soir au bord du fleuve. Musiciens et fidèles chantent alors des mélopées et allument des bougies.

PROMENADES ET PLAGES

Une promenade aisée (15 min) mène à deux **cascades**. Elle débute 3 km au nord du pont de Lakshman Jhula, sur la rive sud du fleuve. Le chemin est simple à repérer, grâce aux vendeurs de boissons et au sanctuaire situés au bord de la route. Un taxi 4x4 coûte 100 Rs depuis Lakshman Jhula. Le trajet est ponctué de plusieurs **plages** de sable. En retrait de la route, elles attirent les amateurs de tranquillité. Ne vous baignez pas dans le Gange, car le courant est très fort. De l'autre côté du fleuve, il faut parcourir environ 2 km en direction du nord pour rejoindre le sentier balisé qui mène à la ravissante **cascade de Neer Garh** (entrée 30 Rs) – de là comptez 20 minutes de montée pour atteindre la cascade.

Pour une escapade plus longue, emboîtez le pas aux dévots qui puisent l'eau du fleuve pour l'offrir au **Neelkantha Mahadev Temple**, à 7 km – soit 3 heures de marche dans la forêt, sur un chemin partant de Swarg Ashram. Neelkanth (Gorge bleue) est l'un des noms de Shiva. Celui-ci aurait en effet bu le poison extrait de la mer par les dieux et les démons et sa gorge serait devenue bleue. Une route plus longue (17 km) mène au temple via Lakshman Jhula. Comptez 600 Rs aller-retour en taxi 4x4.

MAHARISHI ASHRAM

Juste au sud de Swarg Ashram, l'ancien **ashram du Maharishi Mahesh Yogi** est peu à peu envahi par la végétation. Abandonné en 1997, il a été pris en main par le service d'entretien des forêts. On distingue les vestiges de salles de lecture et de méditation et d'autres bâtiments, comme la maison du Maharishi et l'auberge où séjournèrent les Beatles, qui y auraient écrit une grande partie de leur *White Album*.

YOGA, MÉDITATION ET ASHRAMS

Rishikesh s'autoproclame capitale mondiale du yoga et de la méditation. Beaucoup en font leur gagne-pain et la qualité des cours est inégale. Faites un essai avant de vous inscrire à un stage. Pour une première initiation, la majorité des hôtels proposent des cours de yoga d'une heure moyennant 100 Rs. Toutefois, les séjours en ashram sont le meilleur moyen de s'imprégner véritablement de la spiritualité indienne. Nombre d'établissements proposent aussi des massages ayurvédiques.

Adresses recommandées :

Sri Sant Seva Ashram (☎ 2430465 ; www.santsewaashram.com ; d 150-600 Rs, avec clim 1 000 Rs ; 💻). Ces chambres spacieuses donnant sur le Gange à Lakshman Jhula sont prises d'assaut, si bien qu'il faut réserver tôt. Les plus chères sont pourvues de balcons avec vue sur le fleuve. Les cours, où sont enseignées diverses techniques de yoga, sont ouverts à tous. Des cours de niveau débutant (100 Rs), intermédiaire et avancé (200 Rs) ont lieu tous les jours. Également : cours de reiki, de massage ayurvédique et de cuisine.

LES BEATLES ET LE GOUROU

En février 1968, Rishikesh fit la une des journaux du monde entier, quand les quatre Beatles et leurs compagnes séjournèrent à Swarg Ashram dans l'ashram du Maharishi Mahesh Yogi, quelque temps après une première visite de George Harrison. Ringo et son épouse, qui n'appréciaient pas la nourriture végétarienne et souffraient d'être loin de leurs enfants, s'en allèrent après deux semaines. Les autres restèrent un mois ou deux et composèrent un grand nombre de chansons, dont beaucoup furent enregistrées sur le double album *White Album*. L'appât du gain manifesté par le gourou et son attitude envers certains disciples du sexe féminin leur ôtèrent cependant leurs illusions. "*You make a fool of everyone*" ("Tu te moques du monde"), chanta même John Lennon à propos du Maharishi. Toutefois, des années plus tard, Harrison et McCartney déclarèrent que les rumeurs étaient infondées. L'ashram d'origine est désormais abandonné, mais plus de 40 ans plus tard, des Occidentaux idéalistes affluent toujours à Rishikesh pour suivre l'enseignement spirituel dispensé par des professeurs et autres guérisseurs, dans de paisibles retraites au bord du Gange.

Omkarananda Ganga Sadan (☎ 2430763 ; www.iyengaryoga.in ; Lakshman Jhula Rd ; ch 200-400 Rs, avec/sans clim 850/280 Rs ; 3 jours minimum). Au bord du fleuve également, à Muni-ki-Reti, l'ashram dispose de chambres confortables. Sa spécialité ? Le yoga iyengar, à pratiquer au centre de Patanjala Yoga Kendra, en cours (tlj sauf dimanche ; 250 Rs) ou en stage intensif de 7 à 10 jours (octobre-mai, 800 Rs). L'ashram possède son propre ghat et une cérémonie du *ganga aarti* s'y déroule le soir.

Shivananda Ashram (☎ 2430040 ; www.sivanandaonline.org ; Lakshman Jhula Rd). Fondé par Swami Shivananda, et géré par la Divine Life Society, l'ashram offre des cours de yoga et de méditation gratuits tous les matins. Réservez l'hébergement 2 mois à l'avance sur Internet.

Yoga Niketan Ashram (☎ 2430227 ; www.yoganiketanashram.org ; Lakshman Jhula Rd ; ch 500-750 Rs ; ✖). Un séjour dans cet austère ashram garantit : une chambre douillette, des repas, des cours de hatha-yoga, des séances de méditation, des conférences et l'accès à la bibliothèque. Réservé aux personnes motivées (séjour de 15 jours minimum et réveil chaque jour à 4h30).

Yoga Study Centre (☎ 2433837 ; Koyalgati). Selon les habitants, ce petit centre installé au bord du fleuve au sud de la ville, près de Haridwar Rd, est l'une des meilleures écoles de Rishikesh. Les stages de yoga iyendar visent tous les niveaux (2-3 semaines, paiement par don).

Parmarth Niketan Ashram (☎ 244008 ; www.parmarth.com ; Swarg Ashram ; ch 600 Rs). Dominant le centre de Swarg Ashram, Parmarth Niketan organise chaque soir des cérémonies *aarti* au bord du fleuve. Le jardin est splendide. Les tarifs incluent une chambre avec sdb, les repas et les cours de hatha yoga.

Sri Ved Niketan Ashram (☎ 2430279 ; viedniketan@gmail.com ; s/d 150/250 Rs). Au bout de la route de Swarg Ashram, cet immense centre (appelé aussi International Vishwaguru Meditation and Yoga Institute) possède une vaste cour intérieure et de grandes salles de méditation et de yoga. Au programme : classes de hatha, pranayama, méditation et philosophie. Les chambres, spartiates, sont dotées de sdb. Séjour de 3 jours minimum.

Phool Chatti Ashram (☎ 2440022 ; www.phoolchattiyoga.com ; s 5 000 Rs/pers, d 5 500 Rs/pers). Cette retraite moderne, à 5 km en amont de Lakshman Jhula, propose des cours de yoga de 7 jours (niveaux débutant et intermédiaire) dans un cadre paisible et champêtre. Le tarif comprend l'hébergement et les repas.

MOTO

Motos (Enfield et Yamaha) et vélomoteurs sont en location pour 200-350 Rs/jour à Lakshman Jhula. Toutefois, il n'cxiste pas de magasin spécifique. Vous ne trouverez que des propriétaires privés et vous ne pourrez bénéficier d'aucune assurance. Mesurez bien les risques avant de vous engager.

COURS DE MUSIQUE, DANSE ET LANGUE

À Lakshman Jhula, Swarg Ashram et High Bank, des prospectus annoncent les cours de musique et les concerts.

Tenue par un couple plein d'allant, la **Om Rudra Cultural Society** (☎ 2434425 ; rudradance@rediffmail.com ; Swarg Ashram ; 🕑 sept-mai) offre des cours de *kathak* danse (classique de l'Inde), de flûte, de tabla et d'hindi.

À Lakshman Jhula, la **Vina Maharaj Music School** (☎ 9412029817) organise des concerts et des cours de sitar, de tabla, d'harmonium et de flûte moyennant 200 Rs/h.

L'**Himalayan Language Institute** (☎ 9917892959 ; www.himalayanlanguageinstitute.com ; Lakshman Jhula) propose des cours d'hindi, collectifs (80-150 Rs/h) ou particuliers (250 Rs/h). Pour des cours d'hindi plus informels, adressez-vous à **Sachdeva Language Service** (☎ 9897103808 ; Lakshman Jhula ; 100 Rs/h).

RAFTING, KAYAK ET TREKKING

Plusieurs agences proposent des sorties de rafting d'une demi-journée ou d'une journée complète, avec départ en amont de Rishikesh pour y revenir en pagayant. Certaines agences proposent des sorties de rafting de plusieurs jours, avec nuit dans des camps au bord du fleuve. La saison officielle s'étale du 15 septembre au 30 juin. Une séance d'une demi-journée coûte environ 700 Rs/pers. Pour une journée complète, comptez au moins 1 300 Rs. La plupart des agences ont des forfaits tout compris pour des treks dans l'Himalaya, au col de Kuari, à Har-ki-Dun ou à Gangotri (à partir de 2 000 Rs/j).

Voici quelques agences de rafting et de trekking recommandées :

Adventure Journey (☎ 653791 ; www.theadventurejourney.com ; Ram Jhula). Excursions en rafting et campement privé.

De-N-Ascent Expeditions (☎ 2442354 ; www.kayakhimalaya.com ; Tapovan Sarai, Lakshman Jhula). Spécialiste du kayak. Propose des cours avec un instructeur confirmé à partir de 1 000 Rs/j ; excursions en kayak à partir de 2 400 Rs/j. Également, rafting et trek.

Garhwal Himalayan Explorations (☎ 2433478 ; www.thegarhwalhimalayas.com ; Lakshman Jhula Rd, Muni-ki-Reti ; 8h-20h). Randonnées dans l'Himalaya et rafting. L'agence gère 3 campements au bord du fleuve : Ganga Nature Camp, Himalayan Retreat et Himalayan Heights.

GMVN Trekking & Mountaineering Division (☎ 2430799 ; www.gmvnl.com ; Lakshman Jhula Rd ; 10h-17h). Randonnées d'altitude dans l'Himalaya du Garhwal. Location de matériel, guides et porteurs.

Red Chilli Adventure (☎ 2434021 ; www.redchilliadventure.com ; Lakshman Jhula Rd ; 9h-21h). Une agence fiable ; trek dans l'Himalaya et rafting dans l'Uttarakhand, l'Himachal Pradesh et le Ladakh.

Fêtes et festivals

La première semaine de mars, Rishikesh accueille l'**International Yoga Festival** (www.internationalyogafestival.com), qui attire des *swami* et des maîtres de yoga venus du monde entier pour les conférences. Les activités se concentrent surtout dans le Parmarth Niketan Ashram (p. 485), à Swarg Ashram. Vous trouverez les dates précises sur le site Internet.

Où se loger

La plupart des hébergements sont disséminés sur les deux rives de Lakshman Jhula. Quelques hôtels sont installés parmi les ashrams à Swarg Ashram et en bordure du fleuve, autour de Ram Jhula. High Bank renferme quelques bonnes adresses économiques. Pour les séjours en ashram, consultez la p. 479.

PETITS BUDGETS

High Bank

À 20 min à pied à flanc de colline de Lakshman Jhula, ce quartier verdoyant recèle certaines des meilleures adresses bon marché de Rishikesh. Les établissements répertoriés ici sont tous propres, sympathiques et d'un bon rapport qualité/prix. Le quartier se fait bruyant en haute saison (novembre à mars) lorsque les voyageurs parlent et s'amusent jusque tard dans la nuit.

Bhandari Swiss Cottage (☎ 2432939 ; www.bhandariswisscottage.com ; ch 150-600 Rs, ste avec clim 1 500 Rs ;). C'est le premier établissement sur lequel on tombe. Adresse favorite des globe-trotters, ses chambres bien tenues entrent dans diverses catégories de prix. Plus on grimpe en étage, plus elles sont chères. Celles avec balcon jouissent d'une vue dégagée sur le fleuve avec les montagnes verdoyantes en arrière-plan. Excellent petit restaurant, cybercafé et cours de yoga.

Mount Valley Mama Cottage (☎ 2432817 ; d 250-400 Rs, sans sdb 150 Rs). Bon rapport qualité/prix pour cette petite auberge modeste et conviviale. Mama, qui cuisine de délicieux *thali*, s'occupe de ses hôtes avec grand soin.

New Bhandari Swiss Cottage (☎ 2431322 ; d 300-800 Rs, bungalows climatisés 1 200-1 500 Rs ;). Situé plus haut sur la colline par rapport au Bhandari Swiss Cottage, cet autre établissement vaste et très fréquenté propose un choix d'hébergements bien tenus. Centre de massage et bon restaurant.

High Bank Peasants Cottage (☎ 2431167 ; d 600-800 Rs, avec clim 1 500-2 000 Rs ;). L'hôtel le plus chic de High Bank (plus proche de la catégorie moyenne que petits budgets). Au programme : un beau jardin avec arbres en fleurs et cactus gigantesques, des chaises en rotin sur les balcons, et de grandes chambres joliment meublées.

Lakshman Jhula

De nombreux hôtels bon marché sont installés sur les deux rives, dans l'un des quartiers les plus animés de Rishikesh.

Bombay Guest House (☎ 3250038 ; s/d 100/130 Rs). Au nord du pont, les chambres de cette grande maison rouge de style moghol sont très sommaires, mais l'ensemble a le charme des établissements pour petits budgets à l'ancienne.

Aggarwal House (☎ 2433435 ; s 150 Rs, d 200-350 Rs). Cette petite pension gérée en famille donne sur le fleuve et une plage de sable. La terrasse supérieure et les chambres côté fleuve bénéficient d'une vue magnifique au couchant.

Green Hills Cottage (☎ 2433060 ; Badrinath Rd ; d 200-250 Rs, avec clim 800 Rs ;). Sur la rive nord du fleuve, jardin soigné, ambiance décontractée, et chambres quelconques mais d'un bon rapport qualité/prix.

Hotel Ishan (☎ 2431534 ; narendra_u@hotmail.com ; ch 250-700 Rs ;). Installé de longue date au bord du fleuve près de Lakshman Jhula, cet établissement d'apparence un peu austère dispose d'un large choix de chambres propres, certaines avec balcon donnant sur l'eau. Celle du dernier étage, avec TV et balcon, jouit d'une vue splendide.

Swarg Ashram

Si vous nourrissez un véritable intérêt pour le yoga, mieux vaut séjourner dans l'un des nombreux ashrams de Swarg. Sinon, il existe quelques pensions à un pâté de maisons du fleuve, en direction de l'extrémité sud de Swarg.

Hotel Rajpalace (☎ 2440079 ; rajholidays@hotmail.com ; s 450-650 Rs, d 450-650 Rs, avec clim 1 050 Rs ;). Un petit hôtel bien tenu doté de chambres propres. Belle vue depuis la terrasse sur le toit, salle de yoga et agence de voyages pour les excursions et diverses activités.

CATÉGORIES MOYENNE ET SUPÉRIEURE

Les hôtels sont plutôt rares dans ces catégories.

Lakshman Jhula

Jaipur Inn (☎ 2440221 ; www.jaipur-inn.com ; d 990 Rs ;). Bien situé à côté du pont. Les chambres propres et élégantes aux tons pastel sont pourvues de TV et de balcons avec vue. Un bon choix surtout l'été, car alors la clim justifie amplement les tarifs. Optez de préférence pour les chambres en étage situées sur l'avant.

Tapovan Resort (☎ 2442091 ; www.tapovanresort.com ; s/d à partir de 1 350/1 850 Rs, ste 3 000 Rs ;). Du côté ouest de Lakshman Jhula, cet établissement impeccable aux airs de complexe hôtelier manque de charme, mais les chambres sont luxueuses. Les plus chères ont un balcon avec vue sur le fleuve. Terrasse agréable, jardin, cours de yoga, et restaurant à la forme ronde peu ordinaire.

Swarg Ashram et Ram Jhula

Green View (☎ 2434948 ; www.hotelgreen.com ; Swarg Ashram ; d avec/sans clim 1 650/1 100 Rs). Niché dans une petite enclave comptant plusieurs hôtels au fond d'une ruelle, le Green View abrite des chambres pimpantes avec douches chaudes et TV. Les tarifs baissent de moitié en basse saison (d'avril à mai et d'août à septembre). Son homologue, le Green Hotel, était fermé pour travaux de rénovation lors de notre passage.

Vasundhara Palace (☎ 2442345 ; www.vasundhara-palace.com ; Muni-ki-Reti ; s/d 2 950/3 550 Rs, ste 5 500 Rs ;). Le plus bel hôtel en bord de fleuve de Rishikesh est un gratte-ciel moderne abritant des chambres luxueuses et aménagées avec goût, un restaurant chic, une piscine sur le toit ainsi qu'un spa avec vue sur le fleuve. Dommage que des immeubles obstruent la vue des chambres.

Où se restaurer

La plupart des restaurants servent des plats végétariens. Certains revisitent les plats occidentaux, israéliens, indiens ou chinois.

LAKSHMAN JHULA

Devraj Coffee Corner (repas 30-100 Rs ; 8h-21h). Perché au-dessus du pont de l'autre côté du fleuve, face au temple Shri Trayanbakshwar, ce café offre un cadre absolument parfait pour le petit-déjeuner, mais il ne désemplit pas de toute la journée. Pain complet au fromage de yak, croissants et strudel aux pommes côtoient soupes, pizzas, enchiladas et *sizzlers* (plats grésillants) végétariens. Une bonne librairie se trouve à côté ; eau purifiée mise à disposition gratuitement.

Sur la rive orientale du fleuve, quelques restaurants proposent aux voyageurs des menus internationaux. Le **Ganga Beach Restaurant** (repas 30-100 Rs) ne dispose pas d'une véritable plage mais son emplacement au bord du fleuve, sa terrasse spacieuse et son coin détente empli de coussins en font une adresse très plaisante. Le menu varié propose entre autres des pizzas au feu de bois et des crêpes. Quant aux *lassis*, ils sont délicieusement glacés. Chez **Maa Cozy** (plats 30-110 Rs), tapis persans et coussins éparpillés sur le sol s'évertuent à donner une ambiance orientale à l'établissement, moderne et installé

UTTARAKHAND

au 1er étage. On vient ici pour fumer le narghilé (à partir de 130 Rs), avec du tabac parfumé aux fruits, à la menthe ou au cola. Bon cafés et smoothies (jus de fruits crémeux).

D'autres adresses :

Lucky Restaurant (plats 20-80 Rs). Superbe jardin au bord du fleuve à l'ombre d'un grand arbre ; coin détente garni de coussins.

Little Buddha Cafe (plats 40-100 Rs). Restaurant insolite du style cabane dans les arbres. Salon du dernier étage ultraconfortable, nourriture savoureuse.

SWARG ASHRAM ET RAM JHULA

Chotiwala (Swarg Ashram ; repas 20-80 Rs, *thalis* 65-120 Rs). Il y a deux restaurants de la même enseigne, ouverts sur le devant et installés côte à côte, mais ils se livrent une concurrence féroce. Au menu : *thali,* plats d'Inde du Sud, glaces et citronnade. Rien ne permet de les distinguer vraiment. On les repère en tout cas sans problème grâce aux mascottes à la coiffure hérissée (*choti*) assises à l'entrée.

Green Italian Restaurant (Swarg Ashram ; plats 40-110 Rs). La clientèle fidèle apprécie les pizzas végétariennes au feu de bois et les pâtes d'importation (surtout gnocchis et cannellonis) servies dans ce restaurant vitré et très propre, en plein cœur de Swarg.

Madras Cafe (Ram Jhula ; repas 50-100 Rs). Cette institution concocte de savoureux plats végétariens du Nord et du Sud, des *thali*, un curry aux champignons divin, des crêpes au blé complet, un étonnant riz pilaf himalayen et des *lassis* épais à souhait.

HIGH BANK

Les voyageurs à petit budget fréquentent volontiers les restaurants de High Bank, le seul quartier où la viande figure au menu.

Bhandari Swiss Cottage Restaurant (repas 40-100 Rs). Agréable restaurant en plein air servant des pâtisseries, des pizzas (y compris à la viande), du thé ayurvédique, de plantureux petits-déjeuners et un choix de plats internationaux.

Oasis Restaurant (repas 40-130 Rs). Installé au New Bhandari Swiss Cottage, ce restaurant est plus raffiné (chandelles sur les tables dans le jardin, et jolies lanternes suspendues à l'intérieur). La carte est un tour du monde où le Mexique, la Thaïlande, Israël et le Tibet figurent en bonne place. Mention spéciale pour les plats de poulet, notamment le poulet au piment, succulent. Les desserts sont également délicieux, surtout le crumble aux pommes.

Achats

Swarg Ashram est le lieu idéal pour acheter livres, remèdes ayurvédiques, vêtements, artisanat et babioles (bijoux, bols chantants tibétains, etc.). Beaucoup d'échoppes sont installées à Lakshman Jhula. De nombreux éventaires vendent des *rudraksh mala* – colliers faits de noix de rudraksh, utilisées pour les puja, censées pousser là où tombèrent les larmes de Shiva. Quant aux perles à plusieurs faces (*mukhi*), elles porteraient bonheur.

Depuis/vers Rishikesh

BUS

Des bus réguliers circulent entre Haridwar et Dehra Dun. Pour Mussoorie, changez à Dehra Dun. Certains desservent les centres de pèlerinage plus au nord pendant la saison du *yatra* (mai-novembre), et Joshimath et Uttarkashi toute l'année. Pour plus de détails sur les bus au départ de Rishikesh, reportez-vous au tableau p. 489.

Les bus privés deluxe pour Delhi (250 Rs, 7 heures) partent de Kailash Gate, immédiatement au sud de Ram Jhula, à 13h30 et 21h30. Les bus de nuit privés pour Jaipur (seat/sleeper 375/475 Rs, 13 heures), Agra (240/295 Rs, 12 heures) et Pushkar (400/500 Rs, 16 heures) peuvent se réserver chez les agents de voyages de Lakshman Jhula, Swarg Ashram et High Bank, mais attention, ils partent d'Haridwar (voir p. 480).

JEEP COLLECTIVE ET TAXI

Quand elles ont fait le plein de passagers, des Jeep collectives pour Uttarkashi (180 Rs, 5 heures) et Joshimath (250 Rs, 8 heures) partent du coin de Dehra Dun Rd et Dhalwala Bypass Rd. La plupart partent tôt le matin, à partir de 4h.

Parmi les tarifs officiels des taxis, depuis la station de taxis près de la gare routière, citons Haridwar (500 Rs), Dehra Dun (650 Rs, 1 heure 30) et Uttarkashi (pour Gangotri ; 2 000 Rs, 7 heures).

Vous trouverez aussi des stations de taxi à Ram Jhula et à Lakshman Jhula (rive ouest) ; comptez 550 Rs pour Haridwar, 800 Rs pour Dehra Dun, 2 300 Rs pour Uttarkarshi et 3 500 Rs pour Joshimath. S'il s'agit de tarifs fixes, il est généralement possible d'obtenir des prix plus avantageux sur les trajets longue distance en se renseignant auprès des agences de voyages et des pensions.

BUS AU DÉPART DE RISHIKESH

Destination	Tarifs (Rs)	Durée	Départs
Dehra Dun (A)	29	1 heure 30	toutes les 30 min
Delhi (A)	130/200 normal/deluxe	7 heures	toutes les 30 min
Gangotri (B)	235	12 heures	entre 3h et 7h ou 9h
Haridwar (A)	19	1 heure	toutes les 30 min
Joshimath (B)	220	10 heures	entre 3h et 7h ou 9h
Kedarnath (B)	190	12 heures	entre 3h et 7h ou 9h
Nainital (A)	175	11 heures	9h30 (en provenance de Ramnagar)
Uttarkashi (B)	150	7 heures	entre 3h et 7h ou 9h

A – bus partant de la gare routière principale
B – les bus au départ de la gare routière du yatra (pèlerinage) démarrent quand ils sont pleins

Les *vikram* réclament 300 Rs pour faire le trajet jusqu'à Haridwar.

TRAIN

Les réservations se font à la **billetterie** (8h-18h lun-sam, 8h-14h dim) de la gare ferroviaire ou dans les agences de voyages de Lakshman Jhula et Swarg Ashram, moyennant une commission. Seuls quelques trains lents circulent entre Rishikesh et Haridwar. Mieux vaut rallier cette ville en bus ou en taxi.

Comment circuler

Les *vikram* collectifs circulent depuis l'intersection de Ghat Rd, en centre-ville, jusqu'à Ram Jhula (8 Rs/pers), la bifurcation pour High Bank et Lakshman Jhula. Louer un *vikram* entier du centre-ville à Lakshman Jhula revient à 80 Rs, de Ram Jhula à High Bank ou Laksham Jhula, comptez 40 Rs.

Pour rejoindre la rive est, traversez à pied par une passerelle suspendue ou prenez le **ferry** (aller/aller-retour 10/15 Rs ; 7h30-18h45) à Ram Jhula. Vous trouverez alors des taxis et des Jeep collectives qui conduisent aux cascades et au temple Neelkantha. Passer d'une rive à l'autre en voiture requiert un trajet de 16 km.

ENVIRONS DE RISHIKESH

Le luxueux complexe de remise en forme **Ananda Spa** (01378-227500 ; www.anandaspa.com ; Badrinath Rd ; s/d à partir de 252/575 $US, ste 920-1 440 $US, villa 1 440-2 025 Rs ;) est le summum en matière de confort. En haut des collines, à 18 km au nord de Rishikesh, l'Ananda Spa occupe une partie du palace du maharaja de Tehri-Garhwal. Le domaine comprend un parc magnifique avec hôtel de luxe, parcours de golf de 6 trous, piste de jogging, restaurants en plein air, amphithéâtre et piscine.

Au spa vous attendent bains de vapeur, traitements ayurvédiques, cours de yoga et soins de beauté. Complexe et spa réservés aux clients.

UTTARKASHI

01374 / 16 300 habitants / altitude 1 158 m

À 155 km de Rishikesh, Uttarkashi est la plus grande ville du nord du Garhwal. Elle constitue une étape importante sur la route du Gangotri Temple et du trek du glacier de Gaumukh. Vous pourrez vous approvisionner au marché et trouver un guide et des porteurs.

Il y a un DAB de la State Bank of India à la gare routière.

La ville est réputée pour son **Nehru Institute of Mountaineering** (222123 ; www.nimindia.org), qui forme beaucoup de guides de randonnée et de haute montagne. Le centre renferme un musée et un mur d'escalade intérieur. Les cours pour débutants et confirmés sont ouverts à tous. Consultez le site Internet.

Uttarkashi accueille également chaque année la **fête de Makar Sakranti** (voir l'encadré p. 467) en janvier.

La ville regorge de *dhaba* bon marché, mais vous mangerez mieux dans les hôtels.

Sur la route de Gangotri, à 3 km au nord de la ville, la **Monal Guest House** (222270 ; d à partir de 600 Rs), gérée par un guide de montagne enthousiaste, se distingue parmi les nombreux hôtels pour petits budgets d'Uttarkashi.

Le **Mahima Resort** (222252 ; s/d 700/850 Rs) est une excellente adresse à 7 km au nord d'Uttarkashi sur la route de Gangotri. Ses chambres impeccables sont très confortables.

Des bus partent le matin pour Gangotri (110 Rs, 6 heures) et Rishikesh (150 Rs, 7 heures).

TREKS DES TEMPLES DU GARHWAL

Temple de Gangotri et glacier de Gaumukh

☎ 01377 / altitude 3 042 m

Dans un cadre magnifique à 3 042 m d'altitude, le **temple** fut édifié par le commandant gurkha Amar Singh Thapa au XVIIIe siècle. Les dévots et les courageux se baignent dans les eaux glacées du Gange. Le rocher sur lequel Shiva aurait vu le Ganga (Gange) couler entre ses cheveux se dresse à côté. Le village de Gangotri compte des auberges, des ashrams, des *dharamsala* et un **GMVN Tourist Bungalow** (☎ 22221 ; dort 150 Rs, d 400-900 Rs).

Gangotri, situé à la source du Gange (appelé Bhagirathi jusqu'à Deoprayag), est l'un des lieux les plus sacrés du pays. Vous aurez désormais besoin d'un permis pour faire le trek (38 km aller-retour) de Gangotri jusqu'à la source du fleuve au Gaumukh (la "gueule de la vache"), à se procurer auprès du **District Forest Officer** (☎ 222444) à Uttarkashi. Ce permis coûte 50/350 Rs (Indiens/étrangers) et reste valable 2 jours. L'itinéraire n'est accessible qu'à 150 marcheurs par jour. En partant du temple de Gangotri, il y a 14 km à parcourir (6 heures) jusqu'à **Bhojbasa** (3 790 m), qui compte, entre autres hébergements basiques, un **GMVN Tourist Bungalow** (dort 250 Rs). Il reste ensuite 5 km (3 heures) jusqu'au majestueux **glacier de Gaumukh**, entouré d'un périmètre d'exclusion de 500 m.

Des bus partent de Gangotri pour Uttarkashi (110 Rs, 6 heures) et Rishikesh (250 Rs, 12 heures). Des Jeep collectives (150 Rs) circulent entre Gangotri et Uttarkashi.

Trek du temple de Yamunotri

altitude 3 185 m

Le temple de Yamunotri se niche dans une vallée près de la source de la Yamuna, second fleuve sacré après le Gange pour les hindous. Yamunotri est le temple du Char Dham le moins fréquenté par les pèlerins ; il dispose de peu d'infrastructures.

La randonnée commence à Janki Chatti, au bout de la route, 7 km après le village de Hanuman Chatti (2 400 m). Vous trouverez des sources chaudes, puis le joli village de Kharsali, 1 km plus loin. De là, comptez 2 heures pour couvrir les 5 km menant au temple de Yamunotri (3 185 m). Devant le sanctuaire entouré de hautes montagnes jaillissent des sources chaudes. Certains bassins sont réservés à la baignade. Dans d'autres, les pèlerins cuisent du riz et des pommes de terre qui servent pour les *prasaad* (offrande alimentaire). La Yamuna naît 1 km au-dessus du temple, à 4 421 m d'altitude, d'un lac gelé et des glaciers du Kalinda Parvat. La montée, ardue, requiert la maîtrise de techniques d'alpinisme.

Vous pourrez loger dans des auberges de pèlerins rudimentaires ou aux **GMVN tourist lodges** (www.gmvnl.com) de Yamunotri, Janki Chatti et Hanuman Chatti.

Pendant la saison du *yatra*, des bus partent de Dehra Dun, Mussoorie et Rishikesh à destination de Hanuman Chatti. D'autres bus desservent Uttarkashi (70 Rs, 6 heures), pour les voyageurs gagnant l'étape suivante du Char Dham : Gangotri.

Trek de la vallée du Har-ki-Dun

Merveilleusement isolé, le mont **Har-ki-Dun** (3 510 m) est un véritable Eden parcouru de torrents et cerné de forêts et de pics enneigés. Le **Govind Wildlife Sanctuary & National Park** (Indiens/étrangers 50/350 Rs pour 3 jours, 20/175 Rs pour les jours suivants) protège ce secteur, où vit le léopard des neiges, que vous aurez peut-être la chance rare d'apercevoir au-dessus de 3 500 m.

Le trek débute à Sankri (ou Saur), qui compte plusieurs **GMVN Tourist Bungalow** (dort/d 150/450 Rsr), de même que Sankri, Taluka et Osla. Dans la vallée proprement dite, il vous faudra loger dans la pension du Forest Department ou bien camper. L'itinéraire de 38 km demande 3 jours de marche, 2 si vous prenez une Jeep collective jusqu'à Taluka. Comptez un jour de plus pour faire un détour par le glacier de Jamdar. Vous risquez de rencontrer pas mal de monde en juin et en octobre.

Pour rallier Sankri, prenez un bus ou une Jeep collective au départ de Gandhi Chowk, à Mussoorie. À défaut de véhicule direct, allez le plus loin possible et cherchez une correspondance en bus ou en Jeep.

Trek du temple de Kedarnath

☎ 01364 / altitude 3 584 m

Kedarnath est révéré comme source de la Mandakini. Son joli **temple** est avant tout dédié à la bosse que Shiva, incarné en taureau, laissa derrière lui lorsqu'il plongea dans le sol pour échapper aux Pandava. D'autres parties du corps de la divinité sont vénérées dans les

LE CHAR DHAM

Le Char Dham du Garhwal se réfère aux quatre temples anciens marquant les sources spirituelles des quatre fleuves sacrés : la Yamuna (Yamunotri), le Gange (Gangotri), la Mandakini (Kedarnath) et l'Alaknanda (Badrinath). Tous les ans, pendant la saison du *yatra* (pèlerinage), d'avril à novembre, des centaines de milliers de dévots hindous se lancent à l'assaut des chemins – la date exacte d'ouverture des temples est annoncée chaque année par les moines locaux.

Le tourisme religieux représente une véritable manne et de nombreux bus, Jeep, porteurs, poneys et palanquins assurent le transport des fidèles. L'hébergement est assuré par un réseau performant d'auberges bon marché, d'ashrams et de refuges gouvernementaux (*rest houses*). L'accès aux temples ne nécessite pas de guide ou de logistique particulière. Pour plus de détails, reportez-vous aux rubriques *Trek du temple de Yamunotri* (p. 490), *Temple de Gangotri et glacier de Gaumukh* (p. 490), *Trek du temple de Kedarnath* (p. 490) et *Badrinath et le village de Mana* (p. 493). Seuls les temples de Gangotri et Badrinath sont accessibles sans entreprendre de trek.

quatre autres sanctuaires du Panch Kedar : les bras à Tungnath, le visage à Rudranath, le nombril à Madmaheshwar et les cheveux à Kalpeshwar (d'un accès difficile, ces sanctuaires peuvent néanmoins se visiter). La véritable source de la Mandakini se trouve 12 km après Kedarnath.

Le temple fut érigé au VIIIe siècle par le gourou Shankara, inhumé derrière le sanctuaire. L'environnement est superbe, et le pèlerinage à Kedarnath très populaire. Cent mille pèlerins envahissent chaque année le village, laissant derrière eux moult détritus. Le site est placé sous de si bons auspices que certains se jetaient jadis d'une falaise derrière le temple dans l'espoir d'accéder instantanément au moksha (salut).

La rude ascension de 14 km jusqu'au temple (3 584 m) prend 6 heures (5 à dos de poney). Elle débute à Gaurikund, qui possède des hébergements sommaires et un **GMVN Tourist Bungalow** (☎ 269202 ; dort/d 150/600-900 Rs). Vous pourrez laisser vos bagages dans une consigne, trouver des porteurs et louer des poneys. La large voie goudronnée menant au temple est bordée de *dhaba* (petits restaurants) et d'échoppes de thé.

Une réserve naturelle couvre toute la zone. Un **élevage de chevrotains porte-musc** a été créé à Khanchula Kharak, à 32 km de Gopeshwar, sur la route d'Ukhimath. Ces petits cervidés à grandes oreilles ont été chassés presque jusqu'à l'extinction.

Vous trouverez des hébergements aux abords du temple, dont le **GMVN Tourist Bungalow** (☎ 263218 ; dort 150 Rs, d 400-950 Rs).

Des bus circulent entre Gaurikund et Rishikesh (190 Rs, 12 heures). Des Jeep collectives effectuent le même trajet. Pour rallier Joshimath, Badrinath et le Kumaon, prenez une correspondance à Rudraprayag.

JOSHIMATH

☎ 01389 / 13 200 habitants / altitude 1 845 m

Joshimath étant le point d'accès au temple de Badrinath, à la Valley of Flowers et à l'Hem Kund, elle accueille un flux régulier de pèlerins hindous et sikhs d'avril à octobre. Comme elle constitue aussi une excellente base pour les treks du Kuari Pass (col de Kuari) et du Nanda Devi, ainsi que pour la station de ski d'Auli, elle attire de nombreux voyageurs toute l'année.

Depuis Rishikesh, une route en épingles à cheveux franchit des vallées escarpées jusqu'à Joshimath, centre administratif plutôt morne, avec ses toits rouillés, ses coupures d'électricité et ses rares restaurants. La ville s'organise autour de deux rues. Si, depuis ses rues, on ne voit pas les montagnes, il suffit d'un court trajet en téléphérique pour pouvoir admirer le magnifique Nanda Devi.

Renseignements

L'**office du tourisme du GMVN** (☎ 222181 ; 🕒 10h-17h tlj sauf dim) se situe juste au-dessus de la ville (suivez le panneau "Tourist Rest House" près d'Upper Bazar Rd). Le DAB de la State Bank of India accepte les cartes étrangères.

À faire

TREKKING

Au départ de Joshimath, les treks du Kuari Pass et du Nanda Devi sont les plus populaires. Pour les effectuer, il faut un permis et un guide agréé. Vous trouverez en ville 3 excellentes agences de voyages qui organiseront des treks tout compris :

Adventure Trekking (☎ 222446 ; www.adventuretrekking.org ; Main Bazar). Toutes les formules de treks entre 2 et 10 jours peuvent s'organiser moyennant environ 45 $US/pers et par jour ; également : sorties rafting, ski et alpinisme. Le propriétaire, Santosh, est très serviable ; il dirige une pension sur le chemin qui monte vers Auli (ch 1 000 Rs à 2 000 Rs).

Eskimo Adventures (☎ 222630 ; eskimoadventures@rediffmail.com). Propose des treks et des sorties d'escalade à partir de 1 500 Rs/j, loue du matériel de trekking et de ski, et organise du rafting sur le Gange.

Himalayan Snow Runner (☎ 222252 ; www.himalayansnowrunner.com ; Main Bazar). Agence recommandée pour le trekking (à partir de 1 900 Rs/j), le ski et les sports d'aventure. Le propriétaire, Ajay, organise aussi des circuits culturels à Bhotia et dans les villages garhwali de la région. Sa propre maison, dans le village de Mawari, à 5 km de Josimath, abrite une pension (d 1 060 Rs).

Où se loger et se restaurer

Quantité d'établissements économiques et quelques hôtels sont disséminés dans Joshimath. Les agences de trekking de la ville assurent aussi un hébergement haut de gamme en pension "chez l'habitant". À ne pas négliger.

Hotel Snow Crest (☎ 222344 ; dort 200 Rs, d 1 450-1 650 Rs). Juste derrière le Kamet (voir ci-dessous), chambres propres et douillettes mais affichant des tarifs excessifs. Celles situées à l'avant sont les plus coquettes. Bon restaurant servant un menu végétarien de plats du Nord et du Sud, ainsi que des spécialités chinoises. Jusqu'à 40% de rabais sur les tarifs (sauf en mai et juin). Sur place également : un dortoir de 10 places.

Hotel Kamet (☎ 222155 ; Main Bazar ; d 250-900 Rs). Bonne adresse dans le centre-ville aux tarifs économiques. Les chambres, légèrement défraîchies, ont la TV et sont pourvues en seaux d'eau chaude pour la toilette. Lors de notre passage, une nouvelle annexe était en construction.

Dans le grand bazar, plusieurs *dhaba* servent des *thali* et *dosa* végétariens plus ou moins identiques moyennant 20 à 90 Rs.

Depuis/vers Joshimath

La principale voie d'accès à Joshimath est entretenue par l'armée indienne. La construction d'une centrale hydroélectrique sur la route de Badrinath a amélioré la situation. Toutefois, la région reste sujette aux glissements de terrain, surtout pendant la mousson (mi-juin à fin août).

Des bus (45 Rs, 2 heures) partent à proximité du Narsingh Temple sur Lower Bazar Rd à destination de Badrinath à 6h30, 9h, 11h30, 14h et 16h30. Les mêmes bus mènent à Govindghat (20 Rs, 1 heure), point de départ des treks pour la merveilleuse Valley of Flowers et le fascinant Hem Kund. Des Jeep collectives (60 Rs) effectuent le même trajet ; elles partent, une fois au complet, de l'arrêt situé tout en haut d'Upper Bazar Rd. Pour mettre toutes les chances de son côté, mieux vaut les emprunter le matin. Louer le véhicule entier coûte 600 Rs.

Des bus quittent Joshimath pour Rishikesh (230 Rs, 10 heures) et Haridwar (250 Rs, 11 heures 30) toutes les heures environ, entre 4h et 7h. Ils partent à l'extérieur du **guichet GMOU** (Upper Bazar Rd ; ⌚ 4h-20h), où vous pourrez réserver les billets. Pour vous rendre dans la région de Kumaon, plus à l'est, prenez n'importe quel bus en provenance de Rishikesh et allant à Karnaprayag (75 Rs, 3 heures 30), d'où des bus locaux et des Jeep collectives vous mèneront (lentement) à Kausani, Bageshwar ou Almora. Des bus directs relient Karnaprayag à Gwaldam (60 Rs, 3 heures 30), où vous pourrez prendre une correspondance (bus ou Jeep collective).

ENVIRONS DE JOSHIMATH

Auli

☎ 01389 / altitude 3 019 m

À 14 km de Joshimath par la route – 4 km par le téléphérique –, Auli est la première station de ski du pays. Cependant, vous n'avez pas besoin de venir en hiver pour pratiquer la randonnée et profiter d'une vue imprenable sur le Nanda Devi (le plus haut sommet du pays).

Auli reste une station modeste : 5 km de pistes, un remonte-pente de 500 m (100 Rs) longeant la piste principale et un télésiège de 800 m (200 Rs) reliant les pistes les plus hautes et les plus basses. Le cadre est splendide et, en règle générale, l'enneigement est bon. La saison s'étale de janvier à mars. La location du matériel et l'organisation des cours se font sur place ou à Joshimath.

Le **téléphérique** (aller-retour 400 Rs ; ⌚ ttes les 20 min 8h-18h50) dernier cri est le plus long du pays. Il relie Joshimath aux pistes les plus hautes d'Auli. Un café servant du *chai* et de la soupe aux tomates est situé au sommet.

Les deux hébergements d'Auli louent du matériel et proposent des cours de ski.

GMVN Tourist Rest House (☎ 223208 ; www.gmvnl.com ; dort 150-200 Rs, cabanon 900 Rs, d 1 500-1 700 Rs). Au pied du télésiège. Les chambres ne jouissent d'aucune vue mais les dortoirs (4 pers) sont économiques et les minuscules cabanons assez douillets. Restaurant et bar.

Cliff Top Club Resort (☎ 223217, à Delhi 011-25616679 ; www.nivalink.com/clifftop ; studio 4 500 Rs, ste 7 500-9 500 Rs). Les boiseries, la convivialité et les chambres spacieuses (certaines donnent sur le Nanda Devi) évoquent un chalet suisse. Repas et forfaits de ski disponibles.

VALLEY OF FLOWERS ET HEM KUND

L'alpiniste britannique Frank Smythe découvrit avec éblouissement la Valley of Flowers en 1931. Ses hautes prairies (*bugyal*), tapissées de fleurs sauvages ondulant sous la brise, offrent au soleil un spectacle merveilleux, avec en toile de fond des pics de 6 000 m coiffés de glaciers et de neiges éternelles.

Les 300 espèces de fleurs répertoriées font de la vallée une ressource pharmaceutique unique et précieuse, qui pourrait bientôt figurer au Patrimoine mondial de l'humanité. Malheureusement, la floraison coïncide le plus souvent avec la mousson, en juillet-août, période à laquelle les pluies rendent l'accès au site difficile et dangereux. La sérénité et la beauté des lieux s'apprécient en revanche tout au long de l'année. Septembre dévoile de superbes tapis de fleurs.

Le **Valley of Flowers National Park** (Indiens/étrangers pour 3 jours 40/350 Rs, pour les jours suivants 20/175 Rs ; 🕒 6h-18h mai-oct, dernière entrée 15h) s'étend sur 87 km². Il faut prévoir une journée entière de trek de Govindghat jusqu'au village de Ghangaria, à moins de 1 km du parc. La vallée, qui s'étend sur 5 km, débute à 2 km seulement de la billetterie. Les sentiers sont faciles à suivre. Il est interdit de passer la nuit sur place. Les visiteurs doivent loger à Ghangaria.

Au départ de Ghangaria, un itinéraire de trekking plus ardu permet de se joindre aux centaines de pèlerins sikhs qui grimpent jusqu'au **Hem Kund**, le lac sacré (4 300 m) où le gourou Gobind Singh aurait médité dans une vie antérieure. La saison de pèlerinage s'étend du 1er juin au 1er octobre. Ceux qui préfèrent emprunter le chemin de 6 km en lacets peuvent louer des poneys (350 Rs). Là aussi, il est interdit de passer la nuit sur place.

Blotti au milieu d'une forêt de cèdres, le village de **Ghangaria** (ou Govinddham) se résume à une seule rue. Il comprend un marché animé, une poignée d'hôtels et de restaurants aux tarifs peu élevés, une pharmacie, un médecin et des centaines de poneys à louer. L'alimentation en eau et en électricité s'avère sporadique. Le **Nature Interpretation Centre** (🕒 15h-20h 1er juin-5 oct) projette à 19h un film consacré à la Valley of Flowers.

L'**Hotel Priya** (d à partir de 250 Rs) est l'un des meilleurs hébergements pour les voyageurs à petit budget. À défaut, essayez le **Nanda Lokpal Palace** (☎ 9412909307 ; d à partir de 200 Rs).

Depuis Govindghat, un trek magnifique mais difficile de 14 km (7 heures) atteint Ghangaria. Soutenez l'économie locale en sollicitant un porteur (350 Rs) ou un poney (450 Rs). Le trajet aller-retour dure 4-5 heures. Il est inutile d'emporter des provisions, des *dhaba* et stands de boissons sont installés tout le long de l'itinéraire afin de sustenter la foule des pèlerins qui vont au Hem Kund.

À **Govindghat**, les chambres VIP de l'énorme **gurdwara** (don requis) sont rudimentaires. Celles du nouvel **Hotel Bhagat** (☎ 01381-225226 ; d 600 Rs) sont impeccables ; repas possibles.

Tous les bus et Jeep collectives entre Joshimath et Badrinath s'arrêtent à Govindghat. Vous n'aurez aucun problème de transport.

BADRINATH ET LE VILLAGE DE MANA

☎ 01381 / altitude 3 133 m

Le **Badrinath Temple** détonne dans le simple village de montagne où il se trouve. Consacré à Vishnu, il est le plus populaire des temples du Char Dham et bénéficie d'un cadre exceptionnel, à l'ombre du Nilkantha couronné de neige. Il fut fondé au VIIIe siècle par le gourou Shankara. L'édifice actuel aux couleurs vives est beaucoup plus récent. En dessous du temple, les sources chaudes atteignent 40°C et servent de laveries pour les habitants.

Une superbe promenade le long du fleuve Alaknanda (traversez du côté du temple pour rejoindre le sentier), à travers des champs enclos de murets de pierre sèche, mène au **village de Mana**, 3 km après Badrinath. Les ruelles pavées sont ici ponctuées de maisons traditionnelles – avec murs et toits en ardoise pour certaines, en bois et agrémentées de charmants balcons pour d'autres. En flânant, observez les villageoises occupées à tricoter des pulls ou à tisser couvertures et tapis. Les hommes s'occupent des moutons, quand ils ne jouent pas aux cartes ou au carrom. Des tapis (150 Rs les petits, 2 000 Rs les grands), des couvertures, des pulls, des chapeaux et des gants sont vendus sur place.

À la sortie du village, une modeste grotte renferme le minuscule **Vyas Temple**, âgé de 500 ans. À proximité se dresse le **Bhima's Rock**, une arche de pierre naturelle enjambant le fleuve. Celle-ci serait l'œuvre de Bhima, le plus fort des Pandava, dont le *Mahabharata* conte l'histoire. La **cascade de Vasudhara**, haute de 145 m, est visible du village. Elle est accessible par une marche de 4 km le long du fleuve. De novembre à avril, les villageois migrent vers des lieux moins froids et moins reculés, le plus souvent à Joshimath.

Depuis la grande gare routière à l'entrée de Badrinath, des bus partent pour Govindghat et Joshimath durant la saison du *yatra*. Vérifiez les horaires pour ne pas vous retrouver bloqué.

Où se loger et se restaurer

Badrinath peut aisément se visiter en une journée depuis Joshimath. Elle invite aussi à passer une nuit paisible. Quantité d'hébergements et de restaurants sont ouverts pendant la saison des pèlerinages. Pour une auberge à petits budgets, comptez 100 Rs la nuit, sauf en mai-juin.

Jagirdar Guest House (☎ 9412935549 ; ch 400 Rs). Hébergement dans un beau bâtiment de pierre, de l'autre côté du fleuve, à environ 100 m du temple.

Brahma Kamal (repas 30-80 Rs). En face du temple, un restaurant populaire donnant sur le fleuve.

TREK DU KUARI PASS

Également appelée Curzon Trail (bien que Lord Curzon et son équipe aient renoncé à franchir le col après une attaque d'abeilles), la randonnée du **col de Kuari** (3 640 m), populaire à l'époque du Raj, présente des vues splendides sur les pics enneigés autour du Nanda Devi. La piste part d'Auli. L'itinéraire de 5 jours (75 km) rejoint Ghat à travers un paysage de lacs, de cascades, de forêts, de prairies et de petits villages. Une version plus courte de 3 jours est envisageable, avec arrivée à Tapovan. Prévoyez une tente, un guide, un permis et de la nourriture. Vous pourrez prendre toutes ces dispositions à Joshimath.

La station de sports d'hiver d'Auli est accessible en bus ou en téléphérique depuis Joshimath. De Ghat, des Jeep collectives (40 Rs, 1 heure 30) desservent Nandprayag, d'où des bus se rendent à Joshimath ou, au sud-ouest, à Rishikesh et à Haridwar.

TREK DU NANDA DEVI SANCTUARY

Classé au patrimoine mondial de l'humanité, cet époustouflant parc naturel (630 km²) fut fermé au public en 1983. De petits groupes de randonneurs sont admis depuis peu dans le sanctuaire : seuls 20 visiteurs par semaine peuvent découvrir ces splendeurs himalayennes entre le 1er mai et le 31 octobre. Renseignez-vous auprès du GMVN ou des agences de trekking de Joshimath. Une portion de 27 km du parc extérieur est ouverte au public, mais il faut néanmoins en organiser l'accès et la visite avec le concours d'agences de trekking agréées. L'accès se fait par le village de Lata, près de Joshimath.

CORBETT TIGER RESERVE

☎ 05947 / altitude 400-1 210m

Cette célèbre **réserve** (🕑 15 nov-15 juin) devint le premier parc national du pays en 1936. Appelée Hailey National Park puis Ramganga National Park, elle fut rebaptisée en 1957, d'après le légendaire chasseur de tigres Jim Corbett (1875-1955), qui fit connaître la région à travers son livre *Les Mangeurs d'hommes de Kumaon*. L'homme s'attira l'estime des populations locales en abattant des tigres qui avaient pris goût à la chair humaine, mais il utilisa en réalité davantage son appareil photo que son fusil.

Jim Corbett fonda une première réserve, qui inspira le programme Project Tiger. D'ampleur nationale, celui-ci débuta en 1973 et vit la création de 22 autres réserves. Apercevoir un grand félin est une question de hasard car les quelque 168 spécimens de la réserve ne sont ni appâtés, ni suivis à la trace. Toutefois, en vous attardant suffisamment dans le parc, vous avez toutes les chances de voir évoluer à l'état sauvage l'un de ces superbes animaux menacés. La période la plus propice s'étend d'avril à mi-juin, lorsque la végétation n'est pas trop dense et que les animaux s'aventurent davantage près des points d'eau.

Quoi qu'il en soit, vous ne repartirez pas déçu. Les 1 318 km² du domaine abritent une faune variée, qui se partage entre prairies, forêts de sal et cours d'eau, dans le cadre somptueux des contreforts himalayens baignés par la Ramganga. On rencontre communément des éléphants sauvages (200 à 300 individus vivent dans la réserve), des ours lippus, des langurs (singes au visage noir et à la longue queue), des macaques rhésus (visage et derrière rouges), des paons, des loutres et plusieurs espèces de cervidés, dont le chital (tacheté), le sambar, le cerf cochon et le muntjac. Le parc accueille aussi des léopards, des crocodiles agressifs, des gavials, des varans, des sangliers et des chacals. La retenue de Ramganga attire de nombreux oiseaux migrateurs, notamment de mi-décembre à fin mars. Plus de 600 espèces ont été dénombrées.

Si la zone qui se trouve au cœur du parc (la Dhikala Zone) est fermée du 15 juin au 15 novembre, certains secteurs sont ouverts toute l'année. La jungle autour de Jhirna Gate, à 25 km de Ramnagar au sud de la réserve, peut être visitée toute l'année. De courts safaris en 4x4 ou à dos d'éléphant sont organisés à Ramnagar. Depuis 2004, le parc autorise les safaris d'une journée (60 véhicules maximum par jour) à partir du 15 octobre via Amdanda Gate. Cette date a été avancée au 1er octobre en 2008, et la Durga Devi Gate, au nord-est du parc, était également ouverte à partir du 1er novembre. Ne manquez donc pas de vous renseigner au centre d'accueil des visiteurs.

N'oubliez pas vos jumelles (également en location à l'entrée du parc), un antimoustique et de l'eau minérale. Pour en savoir plus sur Jim Corbett, visitez son ancienne maison transformée en **musée** (10 Rs ; 🕗 8h-17h) à Kaladhungi, à 26 km au sud-est de Ramnagar.

Orientation et renseignements

Le principal **centre d'accueil** (☎ 251489 ; Ranikhet Rd ; 🕗 6h-16h) se trouve en bordure de la route principale à Ramnagar, pratiquement en face de la gare routière. C'est principalement là que s'organisent les safaris en 4x4 et l'achat du permis.

Les principales entrées du parc sont Amdanda Gate (pour le centre des visiteurs de Bijrani), à 2 km au nord de Ramnagar, Dhangarhi Gate (pour Dhikala), à 18 km au nord de Ramnagar et Durga Devi Gate (pour la zone de Domunda) à 26 km au nord de Ramnagar, de même que Jhirna Gate (appelé aussi Khara Gate), à 25 km à l'ouest de Ramnagar.

Les infrastructures de Dhikala, à 49 km au nord-ouest de Ramnagar à l'intérieur de la réserve, sont destinées aux visiteurs passant la nuit sur place ou faisant partie d'un circuit organisé par le centre d'accueil de Ramnagar. Dhikala possède une bibliothèque qui projette à 19h des documentaires animaliers. Si vous venez en excursion pour la journée, vous devrez vous contenter du centre de Bijrani (à 11 km de Ramnagar), plus proche de l'entrée de la réserve, qui comprend un point d'information et un restaurant.

Des **promenades à dos d'éléphant** (Indiens/étrangers 150/250 Rs, 4 pers/bête) de 2 heures sont proposées à Dhikala, Khinnanauli, Gairal et Jhirna Gate à 6h et à 16h ; les premiers arrivés sont les premiers servis.

Situé dans l'angle sud-est du parc, Ramnagar est la ville la mieux pourvue en infrastructures : on y trouve des hôtels, des restaurants, des cybercafés (30 Rs/heure), des DAB (State Bank of India à la gare ferroviaire et Bank of Baroda dans Ranikhet Rd) ainsi que des correspondances de transport – principalement dans Ranikhet Rd. À part ça, c'est une ville animée mais sans attrait.

PERMIS, TARIFS ET 4X4

Les permis s'achètent au centre d'accueil. Hors saison (15 juin-15 novembre), le parc n'est accessible que par Jhirna (Khara) Gate. Du 15 octobre au 15 novembre, des visites à la journée sont néanmoins autorisées via Amdanda Gate et Durga Devi Gate (200 Rs, 4x4 et guide en sus, 6h30-11h et 15h-17h30).

Entre le 15 novembre et le 15 juin, le billet d'entrée (Indiens/étrangers 50/450 Rs) est valable 3 jours. Comptez 100 Rs pour entrer en 4x4 à Bijrani et 150 Rs à Dhikala ; le guide, obligatoire, est en supplément (200 Rs).

Vous pourrez louer un 4x4 ou une Maruti Gypsy (véhicule plus petit) au centre d'accueil de Ramnagar, ou bien encore en passant par votre hôtel ou par une agence de circuits organisés. Les propriétaires de 4x4 s'étant rassemblés en syndicat, en théorie, les tarifs sont fixes (calculés sur une base journalière pour un 4x4 transportant jusqu'à 6 personnes). Les safaris d'une demi-journée (départ le matin et l'après-midi) coûtent dans les 800 Rs jusqu'à Bijrani, 900 Rs jusqu'à Jhirna ou 1 200 Rs jusqu'au Durga Devi, droits d'entrée non inclus. Il faut compter le double pour les safaris d'une journée complète. Le transport jusqu'à Dhikala revient à 1 500 Rs. Renseignez-vous sur les tarifs au centre d'accueil et à votre hôtel avant de louer un 4x4.

Des permis de pêche (au bord de la Ramnagar, à l'extérieur du parc) sont délivrés par le centre d'accueil.

Circuits organisés

Le centre d'accueil de Ramnagar organise une **excursion en bus** (Indiens/étrangers 600/1 200 Rs) à Dhikala. Départ tous les jours à 8h30.

Où se loger et se restaurer

Dhikala, au cœur de la réserve, est le lieu idéal pour observer les animaux dans des conditions optimales – abstraction faite des prix élevés. Sauf mention contraire, veillez à réserver auprès du centre d'accueil. Effectuez cette démarche à l'avance, car les places sont limitées et il est indispensable d'avoir réservé pour séjourner dans le parc. Ramnagar offre des options économiques. Des hôtels plus haut de gamme bordent la route entre Dhikuli et Dhangarhi Gate, à l'est du parc.

DHIKALA

De loin l'hébergement le plus économique du parc, les **Log Huts** (dort Indiens/étrangers 100/200 Rs) ressemblent à des trains-couchettes de classe 3AC. Il s'agit en fait de 24 lits sommaires sans draps ni couvertures. Les **Tourist Hutments** (Indiens/étrangers 800/1 800 Rs), plus chers mais moins spartiates, offrent le meilleur rapport qualité/prix de Dhikala. Ils logent jusqu'à 6 personnes. Dhikala compte quelques restaurants servant des plats végétariens. L'alcool est interdit dans le parc.

Pour un hébergement beaucoup plus luxueux, optez pour l'**Old Forest Rest House** (ch 800/2 000 Rs ou 1 300/2 800 Rs), la **New Forest Rest House** (ch 800/1 800 Rs) ou les trois **bungalows** (800/1 800 Rs) ; possibilité de réserver ces trois hébergements au centre d'accueil de Ramnagar. Pour l'**Annexe** (ch 600/1 400 Rs) passer par l'**Uttarakhand Tourism Development Board** (UTDB ; ☎ 011-23319835) à Delhi.

AILLEURS DANS LA RÉSERVE

Vous trouverez de petites pensions (*rest houses*) à Kanda, Sultan Mailini et Jhirna (Indiens/étrangers 600/1 400 Rs), Lohachaur, Halduparao, Morghatti, Sendhikal, Mudiapani, Rathuadhab, Pakhro et Dhela (400/800 Rs). Voici d'autres adresses :

Bijrani Rest House (s/d Indiens 400/600 Rs, étrangers 800/1 400 Rs). Le premier établissement après Amdanda Gate ; repas et balades à dos d'éléphant.

Gairal Rest House (ch Indiens/étrangers 600/1 400 Rs). Au bord de la Ramnagar, accessible depuis Dhangarhi Gate ; possibilité de repas.

Sarapduli Rest House (ch Indiens/étrangers 1 300/2 800 Rs). Un bon emplacement au cœur de la réserve.

Khinnanauli Rest House (ch Indiens/étrangers 1 300/2 800 Rs). Proche de Dhikala, au plus profond de la réserve.

RAMNAGAR

Hotel Anand (☎254385 ; Ranikhet Rd ; s/d 250/450 Rs). Adresse bon marché mais bruyante, située à 100 m de la gare routière. Chambres de standing moyen avec seaux d'eau chaude et TV. Attention : de nombreuses fenêtres donnent sur un couloir.

Corbett Motel (☎ 9837468933 ; karansafaris@yahoo.co.in ; tente 400 Rs, d/tr 500/600 Rs). Installée dans un magnifique verger planté de manguiers, à seulement quelques centaines de mètres de la gare ferroviaire, voici la meilleure adresse bon marché de Ramnagar. En outre, elle se tient véritablement à l'écart du centre et de ses embouteillages. On loge au choix dans de solides tentes ou dans des chambres sommaires mais impeccables. Le restaurant sert une délicieuse cuisine typique du Kumaon. Le propriétaire, Karan, est un naturaliste réputé. Il organise des safaris en 4x4 dans le parc. Téléphonez pour qu'on vienne vous chercher.

Krishna Nidhi Corbett Inn (☎ 251755 ; Ranikhet Rd ; d avec/sans clim 990/590 Rs ; ⊠). Chambres propres et spacieuses, avec balcons ou vérandas, pour cette bonne adresse de catégorie moyenne située à l'extrémité nord de l'artère principale de Ramnagar. Le gérant peut vous aider à organiser des safaris.

Govind Restaurant (Ranikhet Rd ; repas 45-160 Rs). Un intérieur un peu lugubre mais une nourriture savoureuse et un choix très varié : *thali* gargantuesques, *biryani*, poulet *tikka*, délicieuses tomates farcies et curry aux champignons. Une pâtisserie est installée en façade.

NORD DE RAMNAGAR

Des complexes touristiques haut de gamme jalonnent la route Ramnagar-Ranikhet, à la lisière est de la réserve. Au regard des prix pratiqués à Dhikala, ils offrent une bonne alternative. Du 15 juin au 15 novembre, une importante partie de la réserve est fermée et les rabais de 50% deviennent monnaie courante. Les tarifs indiqués valent pour les chambres ; de nombreux établissements proposent aussi des forfaits avec repas et safari. Toutes ces enseignes disposent d'installations ludiques, de bars et de restaurants.

Tiger Camp (☎ 2551963 ; www.tiger-camp.com ; ch 2 050/2 500 Rs, maisonnettes 3 050 Rs ; ❄). Atmosphère feutrée pour ce complexe d'un excellent rapport qualité/prix niché au milieu d'un jardin luxuriant, au bord de la Kosi, à 8 km de Ramnagar. Maisonnettes et bungalows ont tout le confort moderne. Des circuits sont organisés dans la nature et dans les villages.

Corbett Hideaway (☎ 284132 ; www.corbetthideaway.com ; Dhikuli ; maisonnettes 6 750-8 250 Rs ; ❄). Luxueuses maisonnettes de couleur ocre à l'ambiance intimiste, paisible jardin au bord de l'eau, bar jouxtant la piscine, et restaurant au toit de chaume pour ce complexe de standing, à 12 km au nord de Ramnagar.

Infinity Resorts (☎ 251279 ; www.infinityresorts.com ; Dhikuli ; s/d avec petit-déj à partir de 7 000/9 000 Rs ; ❄). Le plus impressionnant complexe hôtelier du coin : des chambres luxueuses, un bâtiment rond avec bar et restaurant, et une piscine creusée dans un ravissant jardin donnant sur la Kosi, où évoluent des bancs de carpes (*Tor putitora*).

Depuis/vers la Corbett Tiger Reserve

Des bus partent presque toutes les heures pour Delhi (150 Rs, 7 heures), Haridwar (113 Rs, 6 heures) et Dehra Dun (150 Rs, 7 heures). Pour rallier Nainital (71 Rs, 3 heures 30), il y a 4 bus directs et un qui passe par Kaladhungi. Des bus à destination de Ranikhet (77 Rs, 4 heures 30) démarrent toutes les 2 heures le matin ; certains continuent jusqu'à Almora. Haldwani (35 Rs, 2 heures) est fréquemment desservie.

La gare ferroviaire de Ramnagar se trouve à 1,5 km au sud du centre d'accueil principal. Le train de nuit *Corbett Park Link Express* (sleeper/2AC 107/417 Rs) quitte Delhi à 22h40 et atteint Ramnagar à 4h55. En sens inverse, il part à 21h40 et arrive à Old Delhi à 4h15. Pour les autres destinations, changez à Moradabad.

NAINITAL

☎ 05942 / 39 900 habitants / altitude 1 938 m

Charmante station climatique, la plus grande ville du Kumaon attire une foule de personnes. Elle occupe une abrupte vallée boisée encerclant les eaux vertes et profondes du lac volcanique Naini. Fondée par des Britanniques nostalgiques du Cumbrian Lake District, elle fut le théâtre d'un terrible glissement de terrain en décembre 1880. Lors de ce drame, un hôtel fut enseveli et 150 personnes périrent. Le site est devenu un terrain de jeu (baptisé *The Flats*) dédié aux victimes.

Autour du lac, les collines boisées sont émaillées d'hôtels et un entrelacs de sentiers mène à des panoramas himalayens. L'étape est idéale pour se reposer, ripailler, pratiquer l'équitation ou s'adonner au canotage. En haute saison (de mai à mi-juillet et octobre), la ville est bondée – les familles et les jeunes mariés en lune de miel affluent – et les prix des hôtels doublent.

Orientation

Tallital ("pied du lac") se situe à la pointe sud-est du lac. Vous y trouverez la gare routière et la rue principale qui file vers l'est en direction de Bhowali. Le Mall, une promenade de 1,5 km, mène à Mallital ("tête du lac"), à l'extrémité nord-ouest du plan d'eau. La plupart des hôtels, auberges et restaurants sont disséminés le long du Mall, entre Mallital et Tallital.

Renseignements

BD Pandey Government Hospital (☎ 235012 ; Mallital). Près du Mall.

Cyberia (Mallital ; 30 Rs/h ; 🕘 9h30-21h). Derrière le Swad Restaurant, voici le meilleur cybercafé de Nainital. Impression, gravure de CD, Wi-Fi. Près du Mall.

DAB de la Bank of Baroda (The Mall, Tallital). Accepte les cartes internationales.

HDFC Bank (The Mall ; 🕘 10h-16h lun-ven, jusqu'à 13h sam). Change devises et chèques de voyage ; DAB 24h/24.

Narains (The Mall, Mallital ; 🕘 10h-19h30). Un bon choix de livres, qui comprend de nombreux ouvrages sur le héros local Jim Corbett, jadis fidèle client de la librairie.

Office du tourisme de l'Uttarakhand (☎ 235337 ; The Mall ; 🕘 10h-17h tlj sauf dim). Demandez la brochure sur Nainital, très utile.

Poste (Tallital ; 🕘 10h-17h tlj sauf dim). Dans une rue latérale menant à Fairhavens.

Poste principale (Mallital ; 🕘 10h-17h tlj sauf dim)

State Bank of India (The Mall, Mallital ; 🕘 10h-16h lun-ven, 10h-13h sam). Change les principales devises et les chèques de voyage. Le DAB accepte les cartes internationales.

À voir et à faire

NAINI LAKE

Ce beau lac, emblématique de Nainital, serait en fait l'un des yeux vert émeraude de Sati, l'épouse de Shiva (*naina* signifie œil

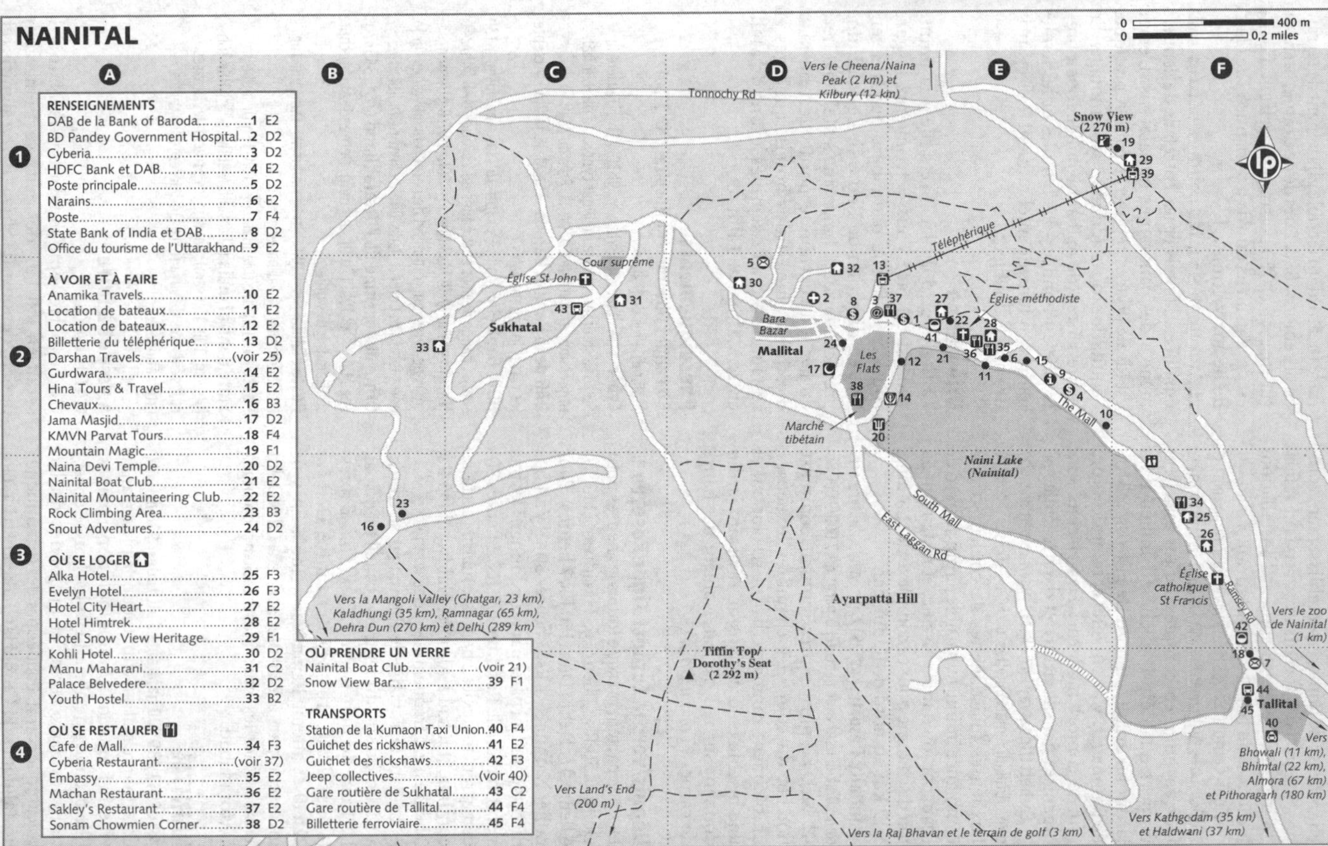

UTTARAKHAND
NAINITAL
0 400 m
0 0,2 miles
A
B
C
D
E
F
1
2
3
4
RENSEIGNEMENTS
DAB de la Bank of Baroda....1 E2
BD Pandey Government Hospital...2 D2
Cyberia....3 D2
HDFC Bank et DAB....4 E2
Poste principale....5 D2
Narains....6 E2
Poste....7 F4
State Bank of India et DAB....8 D2
Office du tourisme de l'Uttarakhand..9 E2
À VOIR ET À FAIRE
Anamika Travels....10 E2
Location de bateaux....11 E2
Location de bateaux....12 E2
Billetterie du téléphérique....13 D2
Darshan Travels....(voir 25)
Gurdwara....14 E2
Hina Tours & Travel....15 E2
Chevaux....16 B3
Jama Masjid....17 D2
KMVN Parvat Tours....18 F4
Mountain Magic....19 F1
Naina Devi Temple....20 D2
Nainital Boat Club....21 E2
Nainital Mountaineering Club....22 E2
Rock Climbing Area....23 B3
Snout Adventures....24 D2
OÙ SE LOGER
Alka Hotel....25 F3
Evelyn Hotel....26 F3
Hotel City Heart....27 E2
Hotel Himtrek....28 E2
Hotel Snow View Heritage....29 F1
Kohli Hotel....30 D2
Manu Maharani....31 C2
Palace Belvedere....32 D2
Youth Hostel....33 B2
OÙ SE RESTAURER
Cafe de Mall....34 F3
Cyberia Restaurant....(voir 37)
Embassy....35 E2
Machan Restaurant....36 E2
Sakley's Restaurant....37 E2
Sonam Chowmien Corner....38 D2
OÙ PRENDRE UN VERRE
Nainital Boat Club....(voir 21)
Snow View Bar....39 F1
TRANSPORTS
Station de la Kumaon Taxi Union....40 F4
Guichet des rickshaws....41 E2
Guichet des rickshaws....42 F3
Jeep collectives....(voir 40)
Gare routière de Sukhatal....43 C2
Gare routière de Tallital....44 F4
Billetterie ferroviaire....45 F4
Tonnochy Rd
Vers le Cheena/Naina Peak (2 km) et Kilbury (12 km)
Snow View (2 270 m)
Téléphérique
Cour suprême
Église St John
Sukhatal
Bara Bazar
Mallital
Les Flats
Église méthodiste
Marché tibétain
The Mall
Naini Lake (Nainital)
South Mall
East Laggan Rd
Ayarpatta Hill
Église catholique St Francis
Ramsey Rd
Vers le zoo de Nainital (1 km)
Tallital
Vers Bhowali (11 km), Bhimtal (22 km), Almora (67 km) et Pithoragarh (180 km)
Vers Kathgodam (35 km) et Haldwani (37 km)
Vers la Raj Bhavan et le terrain de golf (3 km)
Vers Land's End (200 m)
Tiffin Top/ Dorothy's Seat (2 292 m)
Vers la Mangoli Valley (Ghatgar, 23 km), Kaladhungi (35 km), Ramnagar (65 km), Dehra Dun (270 km) et Delhi (289 km)

en sanskrit). Le **Naina Devi Temple**, reconstruit après le glissement de terrain de 1880, se dresse à l'endroit précis où serait tombé l'œil de la déesse. La **Jama Masjid** et un **gurdwara** sikh s'élèvent à proximité. On peut faire le tour du lac à pied en 1 heure ; le côté sud est plus paisible et offre une jolie vue sur la ville.

Les familles ne manqueront pas un tour du lac en canot. Les bateliers vous baladeront pour 125 Rs (aller 85 Rs) dans leurs embarcations aux couleurs vives, qui évoquent des gondoles. Le **Nainital Boat Club** (Mallital ; 10h-16h) effectue le même circuit (130 Rs). On peut également louer des barques et des pédalos (60-80 Rs/h).

SNOW VIEW ET TÉLÉPHÉRIQUE

Un **téléphérique** ("cable car" ; adulte/enfant 100/60 Rs ; 8h-19h mai-juin, 10h30-18h juil-nov, 10h30-16h déc-avr) conduit à Snow View, un site populaire à 2 270 m d'altitude, qui dévoile par temps clair un panorama de l'Himalaya, dominé par le Nanda Devi. Ce point de vue offre une ambiance de carnaval et les habituelles échoppes de nourriture et de souvenirs. Le parc d'attractions **Mountain Magic** (manèges 30-100 Rs) est plébiscité par les enfants, avec ses auto-tamponneuses, ses trampolines, etc.

Si vous faites une excursion à Snow View, ne ratez pas les randonnées jusqu'aux belvédères comme celui du **Cheena/Naina Peak**, à 4 km de là. Les guides locaux vous proposeront peut-être de vous emmener. L'un d'eux, Sunil Kumar (☎ 9411196837), est très expérimenté en matière de randonnée et d'observation des oiseaux. Il pourra vous proposer des marches à la journée (375 Rs), ou des randonnées avec nuit dans les villages du coin (950 Rs).

Si vous souhaitez rejoindre Snow View pour assister au lever du soleil, il vous en coûtera 150 Rs en taxi.

RAJ BHAVAN ET TERRAIN DE GOLF

À 4 km au sud de Tallital, **Raj Bhavan** (adulte/enfant 50/20 Rs ; 11h-13h et 14h-16h lun-sam) est la résidence officielle du gouverneur de l'Uttarakhand. Cet impressionnant édifice, dans le style de Buckingham Palace, est érigé au milieu d'un immense parc. Il est possible de faire une visite guidée dans le parc mais la résidence n'est ouverte au public que lorsque le gouverneur est absent. Dans l'enceinte du parc se trouve un superbe **parcours de golf** (étrangers 800 Rs) de 18 trous. Possibilité de louer clubs et caddies.

TIFFIN TOP ET LAND'S END

Une marche de 4 km à l'ouest du lac mène à Tiffin Top (2 292 m), appelé aussi Dorothy's Seat, d'où une charmante promenade d'une demi-heure conduit à Land's End (2 118 m) à travers une forêt de chênes, de cèdres et de pins. Des chevaux sont rassemblés à l'extrémité ouest de la ville sur la route de Ramnagar pour emmener les touristes jusqu'à ces deux sites. La promenade de 3 heures coûte environ 450 Rs, mais il est possible d'opter pour un trajet plus court (par exemple jusqu'à Tiffin Top ; 70 Rs). Les rabatteurs qui proposent ces excursions vous accosteront sans aucun doute à Mallital, près du téléphérique.

ZOO DE NAINITAL

Ce petit **zoo** (☎236536 ; 20 Rs ; appareil photo 25 Rs ; 10h-17h mar-dim) à flanc de colline renferme de vastes enclos où s'ébattent des animaux himalayens, des tigres de Sibérie, des léopards et moult espèces de faisans. À 20 minutes à pied de Tallital (la montée est dure) ou 50 Rs en taxi.

ESCALADE ET TREKKING

Au **Nainital Mountaineering Club** (☎235051 ; Mallital), des passionnés dispensent des cours sur le site d'escalade, un promontoire rocheux de 15 m de hauteur à l'ouest de la ville.

L'agence **Snout Adventures** (☎ 231749 ; www.snoutadventure.com ; Ashok Cinema Bldg, Mallital), réputée, propose des treks dans les montagnes du Kumaon et du Garhwal (à partir de 2 200 Rs/j tout compris), des cours d'escalade (400 Rs/j) et des camps "aventure".

Pour des renseignements sur des treks et des séjours en pensions du KMVN, contactez **KMVN Parvat Tours** (☎ 235656 ; www.kmvn.org ; Tallital).

Circuits organisés

Le long du Mall, des agences comme **Hina Tours & Travel** (☎237126), **Anamika Travels** (☎235186) et **Darshan Travels** (☎235035) organisent des circuits en bus vers les lacs de la région ou le Corbett National Park.

Où se loger

Les innombrables hôtels se remplissent vite en saison et il devient alors difficile de négocier les prix. Les tarifs indiqués s'appliquent à la saison haute (rabais de 50% quasiment systématique hors saison). La saison haute se situe du 1er mai au 30 juin ; une moyenne saison concerne octobre, Diwali (octobre-novembre) et Noël.

PETITS BUDGETS

Hormis l'auberge de jeunesse, Nainital ne dispose pas véritablement d'hôtels pour voyageurs à petit budget, sauf en basse saison.

Youth Hostel (☎ 236353 ; dort 60 Rs). Auberge de jeunesse. Dortoirs sans sdb.

Hotel Himtrek (☎ 235578 ; The Mall, Mallital ; d/tr/q 500/800/1 200 Rs). À courte distance du Mall, choix de chambres de bonnes dimensions avec TV ; dans certaines, les lambris font penser à un chalet. Évitez les chambres sombres dépourvues de fenêtres.

Hotel Snow View Heritage (☎ 238570 ; Snow View Peak ; d 990 Rs). Emplacement imbattable pour ce bungalow de 4 chambres datant du Raj et géré par le KMVN. Il est en effet perché sur les hauteurs de Snow View et offre un accès facile à de superbes balades. Une fois le téléphérique arrêté et la foule dispersée, il règne un calme délicieux. Le tarif comprend la montée en téléphérique. Les spacieuses chambres d'époque, avec TV et eau chaude, ont beaucoup de charme. Les tarifs baissent à 600 Rs hors saison.

Kohli Hotel (☎ 236368 ; The Mall, Mallital ; d 1 000-1 200 Rs, q 1 800 Rs). Cet hôtel dont les chambres en étage et la terrasse ont vue sur le lac et l'animation de Bara Bazaar est une assez bonne affaire hors saison. Chambres claires et propres avec TV, sdb privatives alimentées en eau chaude.

CATÉGORIE MOYENNE

Hors saison, la plupart de ces hôtels pratiquent des tarifs petits budgets.

Evelyn Hotel (☎ 235457 ; www.hotelevelynnainital.com ; The Mall, Tallital ; d 1 200-2 100 Rs, ste 2 400-5 000 Rs). Ce grand hôtel de style victorien donnant sur le lac incarne la quintessence de Nainital : du charme et une pointe d'excentricité. Ses dimensions impressionnent quelque peu. Les chambres, étagées à flanc de colline, sont agrémentées de plantes en pot et de balcons.

♡ **Hotel City Heart** (☎ 235228 ; www.cityhearthotel.netfirms.com ; Mallital ; d 1 450-3 500 Rs). Tout près du Mall. Le restaurant sur le toit en terrasse jouit d'une belle vue sur le lac, quant aux plantes en pot et à la déco colorée, elles confèrent beaucoup de charme à l'ensemble. Chambres variées, de la petite pièce coquette à la fabuleuse chambre de luxe avec vue. Les rabais sont plus intéressants que dans la majorité des autres établissements, de sorte que c'est l'une des meilleures affaires hors saison à Nainital (chambres à partir de 500 Rs). L'adorable propriétaire gère aussi un refuge écologique d'observation des oiseaux appelé Wild Ridzz dans le village de Ghatgar.

Alka Hotel (☎ 235220 ; www.alkahotel.com ; The Mall ; d 2 800-3 800 Rs, ste 5 000-7 000 Rs). Toutes les chambres de cet hôtel moderne et haut de gamme donnent sur le lac. Les parties communes opulentes sont agrémentées d'œuvres d'art et de fontaines. Les chambres sont petites mais très soignées. Non loin, une annexe pour petits budgets abrite des chambres à 990 Rs.

CATÉGORIE SUPÉRIEURE

Palace Belvedere (☎ 237434 ; www.palacebelvedere.com ; Mallital ; s/d/ste à partir de 4 000/4 700/6 000 Rs). Construit en 1897, cet hôtel était jadis la résidence d'été des rajas d'Awagarh. Les peaux d'animaux et les gravures anciennes qui ornent les murs lui confèrent le charme suranné de l'époque du Raj. Chambres sombres mais confortables, et salle à manger/salon/véranda de style. L'hôtel est à deux pas du Mall.

Manu Maharani (☎ 237341 ; www.manumaharanihotel.com ; Mallital ; ch 6 000-7 500 Rs, ste 11 000 Rs ; ✲ 💻). Le plus beau des hôtels haut de gamme de Nainital tient son rang. La luxueuse réception en marbre ouvre sur une grande terrasse et une pelouse avec vue sur le lac. Les chambres claires et ultramodernes ont des TV à écran plat et un mobilier de qualité. Vous pourrez faire du sport dans le très sélect centre de remise en forme, ou vous détendre grâce aux sauna et bain de vapeur. Sur place également : restaurant, bar et discothèque.

Où se restaurer

Nainital compte une pléthore de restaurants, notamment le long du Mall, sur le côté nord du lac. Pour manger à prix doux, rendez-vous sur les étals de nourriture du marché tibétain ou dans les *dhaba* de Bara Bazaar.

Sonam Chowmein Corner (The Flats, Mallital ; repas 10-25 Rs). Situé dans une allée couverte du marché tibétain, cet authentique *dhaba* concocte de divins *chow mein* et *momo* (raviolis tibétains) à des prix dérisoires.

Cyberia Restaurant & Pastry Shop (Mallital ; repas 40-140 Rs, pâtisseries et chocolats à partir de 15 Rs). *Thali*, *momo*, appétissants chocolats maison et gâteaux assurent un franc succès à cet établissement qui sert aussi un choix varié de plats chinois, indiens et occidentaux (végétariens ou non). Connexion Wi-Fi. L'endroit est très proche du Mall.

Embassy (☎ 235597 ; The Mall, Mallital ; repas 45-195 Rs ; ⌚ 10h30-23h). Dans un décor lambrissé de chalet, le personnel élégamment vêtu propose une carte de 5 pages depuis plus de 40 ans. N'hésitez pas à goûter au "dancing coffee" ou au *lassi* à l'eau de rose. Il est agréable d'observer les passants depuis la terrasse.

Machan Restaurant (☎ 237672 ; The Mall, Mallital ; repas 45-110 Rs ; ⌚ 10h-23h). Déco sur le thème de la jungle et façade en bambou rappellent l'ambiance de la Corbett Tiger Reserve. Au menu : une excellente cuisine familiale du type pizzas et burgers, et des plats indiens. Vous pourrez regarder les cuisiniers travailler dans la cuisine ouverte.

Cafe de Mall (☎ 235527 ; The Mall, Tallital ; repas 80-135 Rs ; ⌚ 9h-16h et 17h30-22h30). Café en bord de lac avec devanture ouverte, situé à peu près au milieu du Mall et idéal pour un petit-déjeuner ou un cappuccino en terrasse. Le menu propose aussi du curry de poisson, du poulet au *kali mirch* (poivre noir), des pizzas et d'impressionnants *sizzlers* végétariens.

Sakley's Restaurant (☎ 235086 ; Mallital ; plats 85-375 Rs ; ⌚ 9h-22h). Restaurant impeccable proche du Mall, servant un choix original de plats internationaux : curries thaïlandais, poulet au miel, agneau rôti, steak au poivre, nombreux plats chinois, pizzas et *sizzlers*. Au dessert, vous aurez notamment des pâtisseries et de la forêt noire.

Prendre un verre

Nainital Boat Club (The Mall, Mallital ; adhésion temporaire homme/femme/couple 340/170/340 Rs ; ⌚ 10h-22h). Cette discothèque au bord du lac remonte à l'époque du Raj. Les poutres, les fauteuils en osier et les barmans stylés et moustachus participent de l'ambiance. L'après-midi, la terrasse extérieure est idéale pour prendre un verre. L'adhésion temporaire, onéreuse, donne accès aux salles de jeu et de billard (40 Rs), aux tables de ping-pong et à la bibliothèque. Shorts et tongs sont proscrits ; de nombreuses pancartes invitent au respect des convenances.

Snow View Bar (Snow View ; ⌚ 10h-19h). Cet établissement ne jouit d'aucun panorama, mais vous apprécierez d'y prendre une bière et un en-cas à l'issue d'une balade passée à contempler les montagnes. En dessous de la station du téléphérique.

Achats

Nainital ne manque pas de boutiques de souvenirs et de magasins de tissus, de vêtements et d'artisanat provenant de différentes régions du pays. Les bougies sculptées multicolores constituent la spécialité locale. Au sud-ouest du lac, non loin des Flats, le marché tibétain offre un grand choix de vêtements et d'artisanat bon marché.

Depuis/vers Nainital

BUS

Pour plus de détails sur les bus au départ de la gare routière de Tallital, reportez-vous au tableau p. 502.

S'il y a des bus directs au départ de Nainital, ils sont beaucoup plus nombreux à partir de Haldwani et Bhowali. Depuis Haldwani, des bus desservent régulièrement Ramnagar, Delhi et Banbassa, à la frontière népalaise. Haldwani est également un grand nœud ferroviaire.

En direction du nord, prenez un bus ou une Jeep collective jusqu'à Bhowali (10 Rs, 20 min), puis une des nombreuses correspondances pour Almora, Kausani et Ranikhet.

De la gare routière de Sukhatal, 3 bus quotidiens vont à Ramnagar (71 Rs, 3 heures 30) via Kaladhungi.

Des agences de voyages vendent des billets pour des bus deluxe privés (sièges inclinables) de nuit à destination de Delhi (250 Rs, 9 heures). Départ à 21h30 environ.

TAXI ET JEEP COLLECTIVE

Depuis la station de la Kumaon Taxi Union à Tallital, les chauffeurs facturent 300 Rs pour Kathgodam (1 heure 30), 700 Rs pour Ramnagar (3 heures) et 800 Rs pour Almora (3 heures) ou Ranikhet.

Les Jeep collectives partent une fois complètes à destination de Bhowali (10 Rs, 20 min) et Kathgodam/Haldwani (60 Rs, 1 heure 30).

TRAIN

La gare ferroviaire la plus proche se trouve à Kathgodam (35 km au sud de Nainital). Haldwani, la gare suivante en direction du sud, est en réalité le nœud des transports de la région. La **billetterie ferroviaire** (⌚ 9h-12h et 14h-17h lun-ven, 9h-14h sam), près de la gare routière de Tallital, dispose d'un quota de places pour Dehra Dun, Delhi, Moradabad, Lucknow, Gorakhpur et Kolkata. Le *Ranikhet Express* (sleeper/3AC/2AC 121/339/472 Rs) quitte tous les jours Kathgodam à 20h40 et arrive à la gare d'Old Delhi à 4h15. Dans l'autre sens, il part de Delhi à 22h15 et arrive à 5h45.

BUS AU DÉPART DE NAINITAL

Les bus suivants partent de la gare routière de Tallital.

Destination	Tarif (Rs)	Durée	Départs
Almora	60	3 heures	7h
Dehra Dun	220	10 heures	6/jour ; tôt le matin et le soir
Delhi	191	9 heures	3/jour
Haldwani	35	2 heures	toutes les 30 min
Haridwar	180	8 heures	plusieurs tôt le matin
Kathgodam (A)	31	1 heure 30	toutes les 30 min
Rishikesh	195	9 heures	5 h

A – prendre le bus pour Haldwani

Comment circuler

Le tarif officiel pour se rendre en rickshaw d'un bout à l'autre du Mall s'élève à 10 Rs ; vous pourrez en héler un ailleurs aussi. Une course de taxi en ville coûte entre 80 et 200 Rs.

RANIKHET

☎ 05966 / 19 000 habitants / altitude 1 829 m

Ranikhet accueille le régiment du Kumaon. Empreinte d'une ambiance martiale surannée, elle s'étend sur des collines offrant une belle vue sur l'Himalaya. Le secteur du marché avec sa rue unique est très animé, mais longez Mall Rd et vous vous retrouverez vite à marcher au calme sous de grands arbres. Le musée militaire, les balades et le panorama des sommets enneigés constituent les seules distractions de Ranikhet. De fait, la cité est particulièrement reposante. En saison creuse (de décembre à mars et d'août à septembre), les hébergements sont vraiment intéressants.

Renseignements

MP Cyber Cafe (Sadar Bazaar ; 30 Rs/h ; 9h-20h)

Office du tourisme de l'Uttarakhand (☎ 220227 ; gare routière d'UP ; 10h-17h tlj sauf dim)

Poste principale (The Mall ; 9h-17h lun-ven). Une autre poste est située dans le Sadar Bazaar (mêmes horaires).

Ranikhet Cyber Cafe (Gandhi Chowk ; 25 Rs/heure ; 9h30-18h30). Le meilleur cybercafé de Ranikhet est à côté du Ranikhet Inn.

State Bank of India (Sadar Bazaar ; 10h-16h lun-ven, 10h-13h sam). Change les chèques de voyage mais pas les espèces. Le DAB d'une autre State Bank of India, à côté du Ranikhet Inn, accepte les cartes étrangères.

À voir et à faire

Vous trouverez nombre de photos et de souvenirs militaires au **Kumaon Regimental Centre Museum** (près du Mall ; 10 Rs ; 9h-17h lun-sam et 9h-12h30 dim), et notamment des armes récupérées lors de diverses batailles, ainsi que le cercueil du général TN Raina.

Le **KRC Community Centre** (☎ 220567 ; The Mall ; entrée libre ; 8h-18h30, fabrique fermée mer et dim), centre communautaire géré par une association caritative destinée aux veuves de militaires, occupe une ancienne église. La moitié du bâtiment a été reconvertie en fabrique. Devant des métiers à tisser artisanaux, des femmes travaillent à la fabrication de châles et de tissus. L'autre moitié est devenue une boutique moderne où l'on vend ces produits artisanaux, ainsi que des bougies, des condiments et des chaussures.

En partant de Sadar Bazaar, le Mall serpente sur 3 km vers le sud et le quartier général de l'armée. Le sentier qui part du terrain de sport offre un charmant raccourci qui passe devant un petit bassin et une église catholique en pierre. Au sud du Mall, une agréable promenade de 1 km conduit au **Jhula Devi Temple**, tout de cloches orné.

Où se loger, se restaurer et prendre un verre

En dehors de la haute saison (en général de mi-avril à mi-juillet et du 1er octobre à début novembre), les prix indiqués baissent de 30 à 50%.

Hotel Rajdeep (☎ 220017 ; Sadar Bazar ; d 500-1 800 Rs). Le plus agréable des établissements modestes du quartier. Large éventail de chambres, des plus économiques (et décrépies) à l'arrière aux plus spacieuses avec véranda et vue.

Hotel Meghdoot (☎ 220475 ; The Mall ; s 600-900 Rs, d 1 100-1 300 Rs, ste 1 600 Rs). Juste après les cantonnements de l'armée, à 3 km du bazar, ce vieil hôtel imposant loue des chambres spacieuses et propres, agrémentées de touches historiques et d'une véranda emplie de plantes. Une bonne affaire en basse saison.

Ranikhet Inn (☎ 221929 ; ranikhetinn@gmail.com ; Gandhi Chowk ; d 1 800 Rs, ste 2 400 Rs). Élégant hôtel de charme à la façade de château, la meilleure adresse parmi les établissements de catégorie

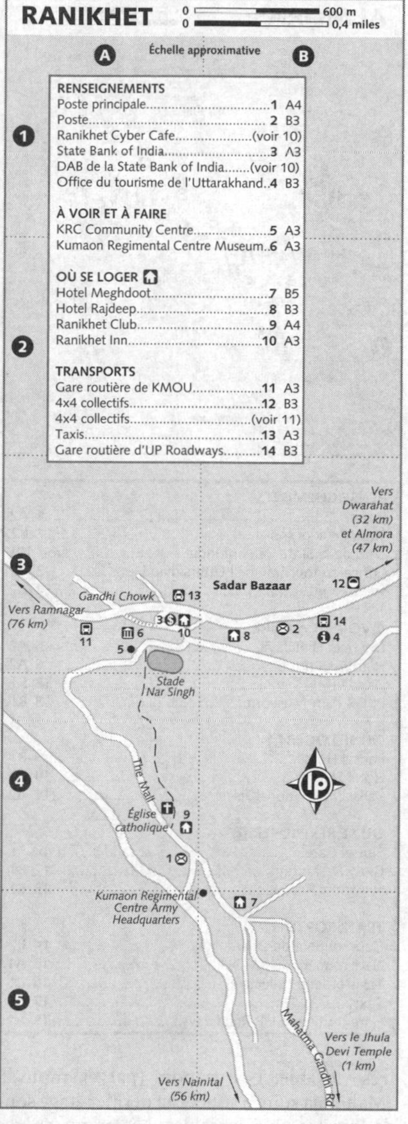

moyenne du quartier de Sadar Bazar. Malgré les outrages du temps, les chambres carrelées sont immaculées (eau chaude et TV) et les meilleures possèdent des balcons jouissant des plus belles vues en ville. Le restaurant en terrasse (plats 35-120 Rs) bénéficie d'une jolie vue. Il propose un bon choix de plats, des pizzas au poulet *tikka* et autres *biryani*.

Ranikhet Club (☎ 226011 ; The Mall ; d tte l'année 2 400-3 000 Rs, ste 4 200 Rs). Pour vous imprégner de l'époque du Raj, 4 chambres classiques vous attendent dans ce bâtiment en bois de 1860. L'ambiance est un rien bourgeoise, comme en témoignent le bar, les salles de billard et de jeux de cartes, le court de tennis et le restaurant raffiné. Le Seven Peaks Bar a gardé son charme de style colonial – tenue chic exigée après 19h.

Depuis/vers Ranikhet

Depuis la gare routière d'UP Roadways, à l'extrême est du *bazaar*, les bus partent pour Delhi (ordinary/deluxe 235/430 Rs, 12 heures) à 16h, 16h30 et 17h, pour Ramnagar (80 Rs, 4 heures 30) à 8h30 et pour Haridwar (265 Rs, 10 heures) à 8h30. Des bus rallient fréquemment Haldwani et Kathgodam via Bhowali (40 Rs, 2 heures), non loin de Nainital. Vers la région du Garhwal, des bus vont à Karnaprayag (190 Rs, 6 heures) à 11h30.

Depuis la gare routière de KMOU, à Gandhi Chowk, des bus desservent Almora (45 Rs, 2 heures). D'autres vont à Ramnagar (77 Rs, 4 heures 30) toutes les heures entre 6h30 et 14h. Un bus pour Nainital (77 Rs, 2 heures 30) démarre à 9h30.

Après avoir fait le plein de passagers, des Jeep collectives partent pour Dwarahat (50 Rs, 1 heure 30), Almora (80 Rs, 2 heures), Nainital (100 Rs, 1 heure 30) et Haldwani (80 Rs, 2 heures), à proximité de l'une ou l'autre des gares routières.

ALMORA

☎ 05962 / 32 400 habitants / altitude 1 650 m

Accrochée sur le versant d'une vallée abrupte, cette capitale régionale étendue, fondée en 1560 pour servir de résidence d'été aux rajas chand du Kumaon, jouit d'un climat frais et de jolies perspectives sur les montagnes. Si l'axe principal, au sortir de la gare routière, est dénué d'attrait, le Lalal Bazaar piétonnier, plus au sud et bordé de devantures richement sculptées et peintes, constitue, lui, un lieu de promenade agréable. L'endroit est idéal pour flâner et faire des emplettes. La ville compte des édifices de l'époque britannique et des entreprises de tissage communautaires. Vous trouverez aussi du matériel de trekking fiable. De nombreux Occidentaux hantent les abords du temple Kasar Devi, où l'ambiance est devenue très néo-hippie.

Renseignements

Des accès à Internet sont disponibles dans différentes boutiques de Lalal Bazaar et du Mall, à partir de 25 Rs/h.

DAB de la State Bank of India (Hotel Shikhar, The Mall). Ce DAB situé devant l'hôtel accepte les cartes étrangères.

Office du tourisme de l'Uttarakhand (☎ 230180 ; Upper Mall ; 🕑 10h-17h tlj sauf dim)

Poste (The Mall ; 🕑 10h-17h lun-ven, 10h-13h sam)

State Bank of India (The Mall ; 🕑 10h-16h lun-ven, 10h-13h sam). Un DAB accepte les cartes étrangères.

Web Zone (The Mall ; 25 Rs/h ; 🕑 9h-20h30). Accès Internet et réservations de train.

À voir et à faire

Dans le Lalal Bazaar, le **Nanda Devi Temple**, qui date de la période chand, est couvert de sculptures, dont certaines à caractère érotique. Cet édifice accueille une grande fête en septembre (voir l'encadré p. 467).

Le petit **Pt GB Pant Museum** (The Mall ; entrée libre ; 🕑 10h30-16h30 tlj sauf lun) présente une collection d'art populaire et de sculptures hindoues.

L'intéressante **Panchachuli Weavers Factory** (☎ 232310 ; près de Bageshwar Rd ; entrée libre ; 🕑 10h-17h tlj sauf dim) emploie 300 femmes qui tissent à la main des châles. Sa boutique offre un choix plus vaste que celle du Mall. Comptez 120 Rs aller-retour en taxi ; il est néanmoins aisé d'aller à pied à la fabrique (3 km) : suivez Mall Rd au nord-est et demandez la direction.

Les treks aux glaciers de Pindari et de Milam peuvent s'organiser à Almora. **High Adventure** (☎ 9012354501 ; highadventure@rediffmail.com ; The Mall) propose des treks de 6 jours jusqu'au Pindari et des treks de 10 jours jusqu'au Milam moyennant environ 1 700 Rs par personne et par jour. **Discover Himalaya** (☎ 236890 ; discoverhimalaya@sancharnet.in ; The Mall) organise des excursions similaires.

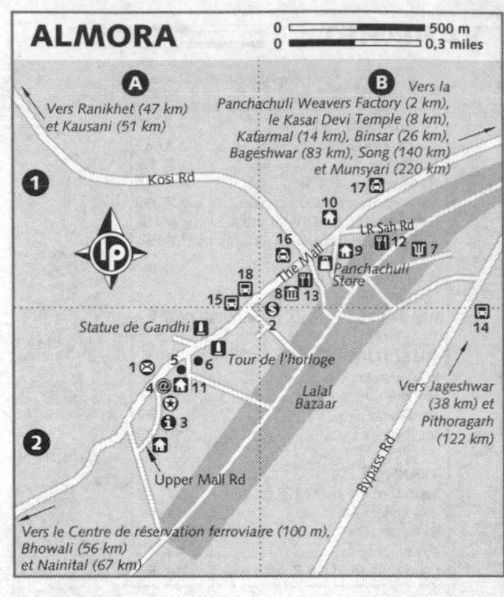

RENSEIGNEMENTS
Poste....1 A2
State Bank of India....2 B2
DAB de la State Bank of India....(voir 10)
Office du tourisme de l'Uttarakhand....3 A2
Web Zone....4 A2

À VOIR ET À FAIRE
Discover Himalaya....5 A2
High Adventure....6 A2
Nanda Devi Temple....7 B1
Pt GB Pant Museum....8 B1

OÙ SE LOGER
Bansal Hotel....9 B1
Hotel Shikhar....10 B1
Kailas International Hotel....11 A2

OÙ SE RESTAURER
Bansal Cafe....(voir 9)
Glory Restaurant....12 B1
New Soni Restaurant....13 B1

TRANSPORTS
Gare routière de Dharanaula....14 B2
Gare routière de KMOU....15 A1
Taxis et Jeep collectives....16 B1
Taxis....17 B1
Gare routière d'UP Roadways....18 A1

Où se loger

À Almora, les tarifs ne varient pas en fonction des saisons. Il reste toutefois possible de négocier quand l'affluence est moindre.

Kailas International Hotel (☎ 230624 ; jawaharlalsah@india.com ; dort 80 Rs, d 120-360 Rs). Un peu défraîchi mais haut en couleurs, cet hôtel est tenu par le vieux M. Shah, sympathique retraité qui vous régalera d'histoires sur Almora et les temples. On a l'impression de loger dans le grenier d'un musée, mais les chambres sont rudimentaires et de qualité très variable. Les grandes (par exemple la "Maharaja suite") situées au dernier étage sont de loin les plus agréables. Les moins chères se partagent des sdb communes. L'hôtel est proche du Mall.

Hotel Shikhar (☎ 230253 ; www.hotelshikhar.com ; The Mall ; d 300-990 Rs, sans sdb 150-300 Rs, ste 1 500 Rs ; ❄ 💻). Construit à flanc de colline pour profiter de la vue, ce vaste hôtel de forme cubique domine le centre-ville. Son dédale de chambres s'adresse étonnamment à tous les budgets. Une chambre spacieuse et confortable avec balcon, douche chaude et TV revient à 600 Rs. Sur place également : le Mount View Restaurant, correct.

Bansal Hotel (☎ 230864 ; Lalal Bazaar ; d 300-400 Rs). Au-dessus du Bansal Cafe dans l'animation du bazar, mais aisément accessible depuis le Mall, une bonne adresse pour voyageurs à petit budget avec chambres bien tenues (certaines avec TV) et terrasse sur le toit.

Où se restaurer

La spécialité locale, les *ball mithai* (caramels recouverts de sucre), est en vente dans toutes les confiseries (3 Rs) le long du Mall et du bazar.

Bansal Cafe (Lalal Bazaar ; boissons et en-cas 15-30 Rs). Dans une ruelle entre le Mall et le Lalal Bazaar, ce modeste café propose boissons et en-cas : cafés, *lassis*, *chaat* (en-cas servi avec chutney) et samosas.

New Soni Restaurant (The Mall ; plats 25-100 Rs). Ce *dhaba* sikh populaire sert du *paneer* (fromage non fermenté), des plats de poulet et de mouton et des œufs au curry.

Glory Restaurant (☎ 230279 ; LR Sah Rd ; plats 30-110 Rs). Installé de longue date, ce restaurant familial propre et moderne mitonne de bons plats végétariens (et de viande) du nord et du sud de l'Inde, incluant des *biryani* et du poulet au citron.

Depuis/vers Almora

Environ toutes les heures à partir de 15h, des bus partent des gares routières d'UP Roadways et de KMOU (sur le Mall) pour Ranikhet (40 Rs, 2 heures), Kausani (42 Rs, 2 heures 30) et Bhowali (45 Rs, 2 heures). Depuis Bhowali, un court trajet en bus ou en Jeep collective vous mènera à Nainital. Toutes les heures, des bus partent pour Bageshwar (67 Rs, 2 heures), d'où des bus et des Jeep collectives gagnent Song et Munsyari pour les treks aux glaciers de Pindari et de Milam. Tôt le matin, les bus pour Pithoragarh (96 Rs, 5 heures), et plusieurs autres bus, démarrent de la gare routière de Dharanaula, dans Bypass Rd. Pour rejoindre Banbassa à la frontière népalaise, montez dans un bus pour Haldwani et là, prenez une correspondance. Les bus pour Delhi (300 Rs, 12 heures) partent en matinée et en soirée.

Vous trouverez un **centre de réservation ferroviaire** (🕑 9h-12h et 14h-17h lun-sam) au KMVN Tourist Holiday Home.

Au Mall, il est possible de prendre des taxis ou des Jeep à destination de Ranikhet (700 Rs, 2 heures), Kausani (800 Rs, 2 heures 30), Bageshwar (1 000 Rs, 2 heures), Nainital (1 000 Rs), Pithoragah (1 500 Rs, 5 heures) et Munsyari (3 500 Rs, 10 heures).

ENVIRONS D'ALMORA

Le **Kasar Devi Temple**, où Swami Vivekananda médita jadis, se dresse à 8 km au nord d'Almora ; vous pourrez vous y rendre en Jeep collective (15 Rs) ou en taxi (400 Rs). Vieux de 800 ans, le **Surya Temple** (temple du soleil) de Katarmal (à 14 km d'Almora puis à 2 km de marche de la route principale) est desservi par les Jeep à destination de Ranikhet (20 Rs, 30 min). Très pittoresque, **Binsar** (2 420 m), à 26 km d'Almora, était jadis la capitale d'été des rajas chand. Il s'agit désormais d'une destination prisée pour les randonnées en forêt. Elle offre de très belles vues sur les sommets himalayens. L'entrée au sanctuaire revient à 100 Rs, le retour en taxi d'Almora, à 800 Rs.

À 38 km au nord-est d'Almora, l'immense ensemble de **Jageshwar** s'inscrit dans une forêt de cèdres. Ses 124 édifices religieux du VIIe siècle varient du tombeau à hauteur de la taille aux vastes *sikhara* (temples hindous). Le complexe se situe à 4 km à pied de Jageshwar, qui est accessible en taxi (800 Rs aller-retour).

KAUSANI

☎ 05962 / 4 000 habitants / altitude 1 890 m

Perché en haut d'une crête boisée, ce village bénéficie d'un climat doux et vivifiant, d'une atmosphère décontractée et d'une vue imprenable sur les pics enneigés dans le lointain. Dans ce cadre paisible, le Mahatma Gandhi se retira quelque temps pour écrire *Anasakti Yoga*, son commentaire de la *Bhagavad Gita*. Un ashram lui est dédié.

Renseignements

Vous trouverez un DAB de la State Bank of India dans le bazar principal, mais pas de service de change.

Hill Queen Cyber Cafe (Anasakti Ashram Rd ; 40 Rs/h ; 🕑 6h-21h30). Accès Internet.

Office du tourisme de l'Uttarakhand (☎ 258067 ; The Mall ; 🕑 10h-17h)

À voir et à faire

Le **Kausani Tea Estate** (☎ 258330 ; www.uttaranchaltea.com ; entrée libre ; 🕑 9h-18h mi-mars à mi-nov) est une plantation de thé qui implique une entreprise privée, l'État et des agriculteurs locaux. Vous pourrez faire des emplettes à l'issue de la visite. La fabrique exporte le thé partout dans le monde. Située à 3,5 km au nord du village, sur la route de Baijnath, elle peut faire l'objet d'une agréable promenade à travers de beaux paysages.

Sur la colline, à 1 km de la gare routière, l'**Anasakti Ashram** accueillit le Mahatma Gandhi pendant deux semaines en 1929. C'est ici qu'il rédigea *Anasakti Yoga*. Un petit **musée** (entrée libre ; 5h30-12h et 14h-19h) retrace la vie de Gandhi à travers des photos et des textes. Une prière à sa mémoire est prononcée à 18h.

Un peu plus haut que le Hill Queen Restaurant se déroule tous les soirs une séance d'**observation des étoiles** (entrée 20 Rs ; 19h30 et 20h30 mai, juin et oct/nov, 18h15 l'hiver) qui permet de voir divers astres et planètes grâce à un télescope très puissant.

Où se loger et se restaurer

En dehors des deux périodes de pointe (mai-juin et octobre-novembre), les prix indiqués baissent de moitié.

Kausani Village Resort (258353 ; Bajnath Rd ; ch 300 Rs, hutte 500/700 Rs). Dominant la plantation de thé à 3 km au nord du village, ces petites huttes de style machan constituent un hébergement insolite, paisible et douillet ; sdb carrelées et vue sur les montagnes.

Hotel Uttarakhand (258012 ; www.uttarakhandkausani.zoomshare.com ; d 750-1 550 Rs ;). À une volée de marches de la gare routière, cet hôtel tranquille jouit d'un panorama sur l'Himalaya (dans la véranda) et offre un excellent rapport qualité/prix. Au choix : petite chambre économique ou plus d'espace à l'étage (douches chaudes et TV dans toutes les chambres). Le gérant est sympathique et serviable. Cartes de crédit acceptées.

Krishna Mountview (258008 ; www.kumaonindia.com ; Anasakti Ashram Rd ; d 2 200-4 500 Rs, ste 5 500 Rs). Juste après l'Anasakti Ashram, voici l'un des hôtels les plus chic de Kausani : jardins bien entretenus (très belle vue sur la montagne), bon restaurant (le Vaibhav), salle de sport et billard. Les chambres sont nettes et confortables. Celles de l'étage, spacieuses et dotées de balcons, de baies vitrées et de rocking-chairs, sont idéales.

On peut loger à l'**Anasakti Ashram** (258028 ; Anasakti Ashram Rd) en échange d'une petite contribution mais il faut respecter les règles de l'ashram, ce qui implique notamment d'assister aux prières. Les repas coûtent 30 Rs.

Les *dhaba* bon marché sont nombreux au grand bazar et sur la route qui part de la gare routière pour grimper la colline.

Garden Restaurant (Hotel Uttarakhand ; repas 40-300 Rs ; 24h/24). Devant l'Hotel Uttarkhand, ce restaurant en bambou au toit de chaume avec vue sur l'Himalaya est le plus agréable de Kausani. Le menu propose un choix excellent de plats tels que *rösti* suisses, poulet *tikka*, pâtes d'importation, et spécialités du Kumaon, le tout concocté avec des ingrédients d'une grande fraîcheur.

Depuis/vers Kausani

Les bus et les Jeep collectives partent du centre du village. Les bus démarrent presque toutes les heures pour Almora (42 Rs, 2 heures 30) ; ceux de l'après-midi s'arrêtent généralement à Karbala, sur une route secondaire. De là, prenez une Jeep collective (5 Rs). En direction du nord, des bus partent toutes les 2 heures pour Bageshwar via Baijnath (40 Rs, 1 heure 30). Des Jeep collective (25 Rs, 30 min) rejoignent Garur, à 16 km au nord de Kausani, d'où d'autres véhicules mènent à Gwaldam. De Gwaldam, des bus et des Jeep vont au Garhwal via Karnaprayag. En taxi, comptez 800 Rs pour Almora.

ENVIRONS DE KAUSANI

À quelque 19 km au nord de Kausani, le **village de Baijnath** est connu pour ses deux petits *sikhara* du XIIe siècle. Le groupe principal, dédié à Shiva et à son épouse Parvati, est joliment situé à l'ombre des arbres, au bord de la Gomti. L'ancien village, à 10 minutes de marche au nord de Baijnath, abrite plusieurs sanctuaires shivaïtes.

De Kausani, prenez un bus pour Bageshwar ou bien une Jeep collective pour Garur (25 Rs), puis une autre jusqu'à Baijnath (25 Rs). Pour Kausani, un taxi aller-retour coûte 400 Rs.

Vous pourrez randonner jusqu'aux **chutes de Rudradhari** et à un petit temple de Shiva situé dans les collines, à environ 10 km de Kausani. Le plus simple consiste à prendre un taxi (300 Rs aller-retour) jusqu'au départ du sentier ; ensuite, il faut parcourir 1,5 km le long d'un sentier balisé pour atteindre le temple.

BAGESHWAR

05963 / 7 800 habitants / altitude 975 m

Cette charmante ville de pèlerinage se situe au confluent de la Gomti et de la Sarju. Toute l'année, des pèlerins indiens se recueillent au **Bagnath Temple**, un ancien temple de pierre consacré à Shiva, orné de cloches de toutes tailles et d'impressionnantes sculptures. Les rivières sont bordées de ghats. Bageshwar est un bon point de départ pour le trek du glacier de Pindari. Pour un guide, contactez le **bureau du KMVN** (☎220034 ; www.kmvn.org ; Tarcula Rd) à la Bageshwar Tourist Rest House, où le gérant peut organiser des treks de 6 jours. À la gare routière, l'**Annapurna Communication & Cafe** (50 Rs/h ; 8h30-21h30) vous permettra d'accéder à Internet. Vous trouverez un DAB de la State Bank of India dans le bazar principal.

L'**Hotel Annapurna** (☎ 220109 ; ch 200-400 Rs, s/d sdb commune 70/150 Rs), à côté de la gare routière, dispose d'une agréable terrasse à l'arrière, au bord de la rivière, et de chambres simples et fonctionnelles.

De l'autre côté de la rivière, à environ 1 km de la gare routière, la **Bageshwar Tourist Rest House** (☎ 220034 ; Tarcula Rd ; dort 100 Rs, d 250/600 Rs) loue de grandes chambres (et dortoirs) correctes. Le personnel vous trouvera un guide.

Plusieurs bus quotidiens desservent Almora (67 Rs, 3 heures) et Ranikhet (81 Rs, 3 heures) via Kausani (32 Rs, 1 heure 30). Des bus rallient fréquemment Bhowali (105 Rs, 6 heures) et Haldwani (140 Rs, 7 heure 30). Des bus (40 Rs, 2 heures) ou des Jeep collectives (60 Rs) rejoignent Gwaldam, d'où des correspondances partent vers le Garhwal. Pour le trek du glacier de Pindari, prenez l'un des 2 bus pour Song (33 Rs, 2 heures) ; pour le glacier de Milam, empruntez celui de Munsyari (125 Rs, 6 heures) à 9h. La station de Jeep est proche de la gare routière : les Jeep collectives vont à Garur (20 Rs, 30 min), Kausani (50 Rs, 1 heure 30) et Gwaldam (60 Rs, 2 heures). Un taxi pour Song coûte 800 Rs (2 heures).

PITHORAGARH

☎ 05964 / 41 200 habitants / altitude 1 815 m

Pithoragarh, la principale ville de la région frontalière avec le Tibet et le Népal, conserve des temples de la période chand et un ancien fort. Au cœur d'une vallée surnommée "Little Kashmir", elle se prête à de belles randonnées, à l'instar de celle qui grimpe jusqu'à **Chandak** (7 km) et offre un panorama sur le massif du Panchachuli (Cinq Cheminées).

À l'**office du tourisme** (☎ 225527) de la ville, vous pourrez glaner des informations et trouver un guide de randonnée ainsi que le refuge de la **KMVN Rest House** (☎ 225434 ; dort 100 Rs, d 500-990 Rs).

Plusieurs bus partent le matin pour Almora (96 Rs, 5 heures). D'autres desservent régulièrement Haldwani et Delhi. Des bus, de même que des Jeep collectives, se rendent vers le nord à Munsyari (110 Rs, 8 heures), où débute le sentier du glacier de Milam.

TREK DU GLACIER DE PINDARI

Ce trek de 6 jours (94 km) traverse un paysage totalement vierge, habité seulement par quelques bergers. Il offre des vues splendides sur

TRAVERSER LA FRONTIÈRE NÉPALAISE

Heures d'ouverture des frontières

La frontière est ouverte 24h/24. Néanmoins, avant 7h et après 17h, vous risquez d'avoir du mal à trouver les douaniers pour faire tamponner votre passeport dans chacun des pays. Le personnel de la frontière travaille officiellement de 9h à 17h.

Change des devises

À Banbassa et à Mahendranagar, les banques changent la monnaie indienne en roupies népalaises, mais pas les devises étrangères. Pas de DAB.

Transports locaux

À la frontière, prenez un rickshaw pour Mahendranagar. La gare routière est à environ 1 km du centre-ville, sur la Mahendra Hwy. De là, des bus partent pour Katmandou (800 Rs, 16 heures) trois fois par jour. Un seul bus dessert Pokhara (750 Rs, 16 heures), départ à 10h30.

Visas

On peut obtenir un visa à la frontière népalaise moyennant 30 $US (espèces seulement), entre 9h et 17h.

le Nanda Kot (6 860 m) et le Nanda Khat (6 611 m), à la lisière sud du parc national du Nanda Devi. Long de 3 km et large de 365 m, le glacier de Pindari se situe à 3 353 m d'altitude – d'où l'importance de se prémunir contre le mal des montagnes. Aucun permis n'est requis ; munissez-vous de votre passeport.

L'itinéraire débute et s'achève au village de **Song** (1 140 m), à 36 km au nord de Bageshwar. Vous trouverez guides et porteurs dans ces deux localités, de même que des circuits organisés à Bageshwar et Almora. Autre possibilité : le KMVN organise des treks tout compris de 6 jours au départ de Bageshwar (5 000 Rs/pers avec nuit dans les refuges *rest houses* de l'État). Des dortoirs du KMVN (matelas à même le sol 150 Rs), des *guesthouses* spartiates et des *dhaba* (50-200 Rs) jalonnent le parcours. On trouve également de quoi se restaurer.

Des bus (33 Rs, 2 heures) et des Jeep collectives (50 Rs, 1 heure 30) circulent entre Song et Bageshwar.

TREK DU GLACIER DE MILAM

Le trek difficile (118 km) qui rejoint en 8 jours cet imposant glacier à 3 450 m d'altitude emprunte une ancienne route commerciale vers le Tibet (fermée en 1962 après la guerre sino-indienne). Il passe par une magnifique région escarpée à l'est du **Nanda Devi** (7 816 m) et longe les gorges du **Gori Ganga**, impressionnantes par endroits. Un détour ardu mais apprécié de 30 km (2 jours) conduit au camp de base de la façade est du Nanda Devi.

Le permis (gratuit, passeport requis) est disponible au District Magistrate de Munsyari. Il vous faudra aussi une tente et des provisions, car les villages le long du parcours peuvent être désertés.

Le KMVN propose des treks tout compris de 8 jours partant de Munsyari (8 000 Rs).

Le départ du sentier se situe dans le cadre prodigieux du village de **Munsyari** (2 290 m), où vous rencontrerez guides, cuisiniers et porteurs. Une **KMVN Rest House** (☎ 05961-222339 ; dort/d 100/600-900 Rs) figure parmi les nombreuses possibilités d'hébergement.

Un bus quotidien relie Munsyari à Almora (190 Rs, 11 heures) ; comptez 3 000 Rs (10 heures) environ en taxi-4x4. Des bus et des Jeep collectives partent depuis/vers Pithoragarh (140 Rs, 8 heures) et Bageshwar (125 Rs, 6 heures).

BANBASSA

7 140 habitants

Banbassa est le village indien le plus proche du poste-frontière népalais de Mahendranagar, situé à 5 km. Bien que très reculé et peu fréquenté par rapport au poste-frontière de Sunauli dans l'Uttar Pradesh, il voit passer quelques voyageurs qui vont au Népal et se lancent sur le long chemin jusqu'à Pokhara ou Katmandou. Renseignez-vous sur la situation du mouvement maoïste dans l'ouest du Népal. Même si au moment de notre passage tout allait bien, des troubles peuvent survenir à tout moment. Dans tous les cas, mieux vaut éviter ce secteur durant la mousson et juste après, car les glissements de terrain et les ponts emportés par les crues rendent souvent les routes impraticables.

Banbassa possède une gare ferroviaire, mais seuls des trains locaux à voie métrique vont jusqu'à Bareilly, la tête de ligne principale. Le bus reste le meilleur moyen de rejoindre Almora et Delhi. Sinon, prenez un train de Delhi à Bareilly, puis un bus de Bareilly à Banbassa.

Kolkata (Calcutta)

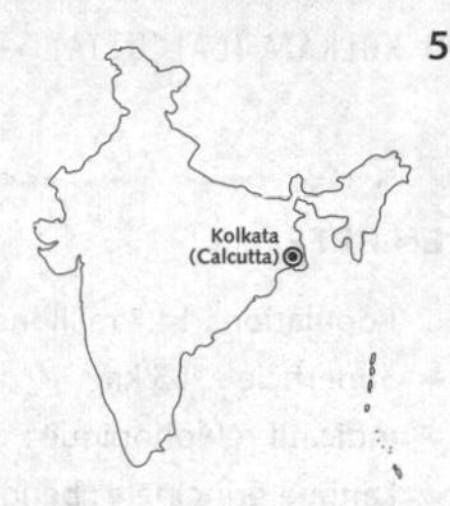

À la fois noble et délabrée, brillante et désespérée, Kolkata est un kaléidoscope de la condition humaine, dont chaque mètre de rue reflète un aspect. Autrefois orthographiée Calcutta, la deuxième ville d'Inde évoque aux Occidentaux l'image d'une misère atroce. Les Bengalis n'apprécient guère cette représentation tronquée de leur capitale, pourtant dynamique. Nombre d'Indiens considèrent Kolkata comme le cœur intellectuel et culturel du pays. Plusieurs grandes figures des XIXe et XXe siècles en étaient d'ailleurs originaires, tels le philosophe Ramakrishna, le poète nobélisé Rabindranath Tagore et le célèbre réalisateur Satyajit Ray. Danse bengalie, poésie, art, musique, cinéma et théâtre s'y épanouissent. Et si la pauvreté demeure hélas flagrante, la gentry bengalie, elle, continue de fréquenter les luxueux *gentlemen's clubs*, de parier sur les chevaux à l'hippodrome et de jouer au golf sur l'un des parcours les plus chic du sous-continent.

Un temps capitale de l'Inde britannique, Kolkata conserve une abondante architecture coloniale ; et l'état de semi-décrépitude de quantité d'édifices tient lieu d'instantané d'une grandeur impériale enfuie. Côtoyant les taudis, la ville voit désormais apparaître de nouvelles banlieues, dotées de centres commerciaux climatisés. La cité est par ailleurs un merveilleux endroit pour découvrir la saveur épicée et fruitée de la cuisine bengalie.

Différente des autres grandes métropoles indiennes, Kolkata est une ville que l'on "ressent" davantage qu'on ne la visite. À moins d'être prêt à essuyer de très grosses averses, évitez d'y venir entre mai et septembre.

KOLKATA (CALCUTTA)

À NE PAS MANQUER

- Les déesses qui prennent vie dans les étranges ruelles de **Kumartuli** (p. 526) ou dans **Kalighat Rd** (p. 524)
- L'éclectisme du magnifique **Victoria Memorial** (p. 517), qui reste le plus bel édifice de Kolkata 60 ans après la fin de la présence coloniale
- La dégustation des meilleures spécialités bengalies au **Bhojohari Manna** (p. 532)
- L'idéalisme universaliste éclairé de **Ramakrishna** (p. 526) et de **Tagore** (p. 525), qui font la fierté des habitants de Kolkata
- Le **bénévolat** (p. 780) pour aider les plus démunis

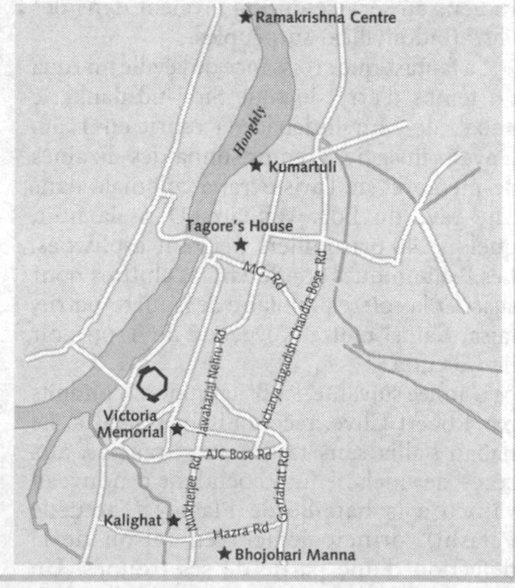

EN BREF

- Population : 14,7 millions d'habitants
- Superficie : 185 km²
- Indicatif téléphonique : ☎ 033
- Langue principale : bengali
- Meilleure période : octobre à mars

HISTOIRE

Dans les épopées hindoues, Shiva, accablé de découvrir le corps calciné de Sati (avatar de Kali), sa première épouse, se lança dans une course effrénée et destructrice. Vishnu, chargé par les autres dieux d'arrêter cette "danse de la destruction", démembra la dépouille de Sati, que Shiva portait sur son dos. Les 51 parties du corps churent en différents points de l'Inde. L'un des orteils tomba à Kalikata (aujourd'hui Kalighat, p. 524) où fut érigé un temple des plus vénérés.

Malgré son origine prestigieuse, Kalikata/Kalighat n'était qu'un simple village lorsque Job Charnock, un marchand britannique, arriva en 1686. Charnock vit dans ce coude de la Hooghly l'endroit idéal pour fonder une ville. En 1698, les villages de Sutanuti, Gobindapur et Kalikata furent officiellement cédés à la Compagnie britannique des Indes orientales. Les Britanniques bâtirent une version miniature de Londres, avec d'imposants édifices, de larges boulevards, des églises et de superbes jardins. Cette majestueuse illusion s'arrêtait net aux limites de Calcutta, où les Indiens au service du Raj vivaient dans des *basti* (bidonvilles) surpeuplés.

La fantastique croissance de la ville marqua un temps d'arrêt lorsque Siraj-ud-daula, le nabab de Murshidabad, la reprit en 1756. L'ayant investie, il emprisonna des dizaines de membres de l'aristocratie coloniale dans une cave du Fort William. Dans la nuit, quelque 40 prisonniers périrent asphyxiés. Les Britanniques gonflèrent les chiffres pour susciter la colère populaire de la mère-patrie, faisant ainsi naître la légende du Trou noir de Calcutta.

L'année suivante, les Britanniques, conduits par Robert Clive, reconquirent Calcutta. Le nabab s'allia sans tarder aux Français, aux côtés desquels il fut cependant à nouveau vaincu à la bataille de Plassey (l'actuelle Palashi), principalement en raison de la défection d'une partie de ses troupes. Un fort plus imposant fut érigé, et la cité acquit progressivement le statut de capitale officielle des Indes britanniques. Pour l'anecdote : à la fin du XVIIIe siècle, il était encore possible de chasser le tigre dans les bambouseraies qui s'étendaient à l'emplacement de l'actuel quartier de Sudder St.

La fin du XIXe siècle vit l'émergence d'un mouvement de Renaissance bengalie, illustré par un incroyable renouveau culturel dans la classe moyenne de Calcutta. Ce mouvement fut encouragé par la division du Bengale de 1905, qui sema les ferments du mouvement pour l'indépendance. Le Bengale fut réunifié en 1911, mais les Britanniques transférèrent rapidement la capitale à Delhi, plus calme.

Tout d'abord, la perte du pouvoir politique n'eut guère d'effet sur l'économie de Calcutta. Mais la Partition occasionna à terme son lot de drames. Si le déplacement des populations entre le Pakistan occidental et le Punjab fut à peu près équilibré (quoique sanglant), la migration au Bengale se fit pratiquement à sens unique : près de 4 millions d'hindous quittèrent le Bengale-Oriental pour se réfugier à Calcutta, engorgeant de fait des *basti* déjà surpeuplés. Des gens moururent un temps de faim dans les rues de la ville, terrible image qui participa de la durable réputation de misère de Kolkata. À peine ces réfugiés furent-ils absorbés, qu'un nouvel afflux d'immigrés submergea la ville pendant la guerre indo-pakistanaise de 1971.

Après la Partition, le port de Calcutta fut fortement touché par la perte de son arrière-pays naturel, passé derrière l'hermétique frontière du Bangladesh. Les agitations ouvrières devinrent incontrôlables, à l'heure où le premier parti de la ville (Parti communiste indien) se préoccupait surtout de mettre fin au système féodal de la propriété foncière. Bien que partant d'une louable intention, les tentatives de mise en place d'un contrôle strict des loyers et des droits des résidents ont depuis eu l'effet inverse de celui escompté. Avec des loyers de 1 Rp par mois, nombre de propriétaires, faute de réaliser un profit sur leur bien, se trouvent incapables de l'entretenir. Aussi de nombreux édifices anciens tombent-ils en ruine.

En 2001, Calcutta adopta officiellement l'orthographe Kolkata, plus phonétique. Vers la même époque, la municipalité adopta une politique plus favorable aux entreprises, qui a encouragé une reprise économique sensible.

ORIENTATION

Le quartier administratif occupe plusieurs rues bordées de bâtiments coloniaux autour de BBD Bagh. Au nord, les rues, étroites, sont remarquablement animées. Les banlieues plus huppées se situent plus au sud, à Alipore et autour du Rabindra Sarovar. Les voyageurs à petit budget se dirigent vers le quartier de Sudder St, où se trouvent des agences de voyages, des bureaux de change et les quelques cafés pour voyageurs de la ville. Les restaurants et boutiques de luxe se concentrent principalement autour d'Elgin Rd, Camac St et Park St. Le quartier des affaires s'étire autour de Shakespeare Sarani. Toutefois, de plus en plus de bureaux sont transférés dans le secteur 5 de Salt Lake City, une importante banlieue nouvelle située au nord-est du centre.

Cartes

Nombre de cartes du commerce sont peu fiables. L'*Inside India Series: Kolkata* (90 Rs chez Crossword, voir p. 514) est meilleure que la plupart, mais manque de détails. Vous trouverez sur Internet des cartes plus complètes.

RENSEIGNEMENTS

Accès Internet

La plupart des cybercafés facturent au minimum 30 minutes de connexion.

Cyber Indya (carte p. 518 ; 6 Ballygunge Circular Rd ; 15-20 Rs/h ; 9h-22h ;)

Cyber Zoom (carte p. 518 ; 27B Park St ; 15 Rs/h ; 9h-23h ;)

E-Merge (iWay) (carte p. 518 ; 59B Park St ; 30 Rs/h ; 10h-22h lun-sam, 11h30-22h dim ;). Cadre vieillot, mais bonne climatisation et connexion rapide.

Enternet (carte p. 518 ; Chowringhee Lane ; 20 Rs/h ; 10h-21h30). Connexion correcte.

Hotline/Saree Palace (carte p. 518 ; 7 Sudder St ; 15 Rs/h ; 8h30-23h30). Écrans plats, accueil agréable et horaires étendus. Vente de tissus.

Nav-Softyn (carte p. 520 ; 3 Khetra Das Rd ; 20/30 Rs 30 min/1 heure ; 11h-20h lun-sam ;). Une salle bondée mais bien climatisée, au fond d'une étroite ruelle.

Sky@ber (Aéroport, terminal international ; 60 Rs/30 min ; 24h/24)

Agences de voyages

Pour les circuits organisés dans la ville, voir p. 527.

Help Tourism (carte p. 512 ; ☎ 24549682 ; www.helptourism.com ; 67A Kali Temple Rd, Kalighat). Circuits écotouristiques sur mesure.

STIC Travel (carte p. 518 ; ☎ 22265989 ; www.stictravel.com ; 3C Camac St ; 9h-13h et 14h-17h30 lun-ven, 9h-14h sam)

Super Travel (carte p. 518 ; Super Guesthouse). L'une des nombreuses agences de Sudder St et Chowringhee Lane.

Thomas Cook (carte p. 518 ; ☎ 22830473 ; www.thomas cook.in ; 19B Shakespeare Sarani ; 9h30-18h)

Argent

Les DAB sont très répandus. De nombreux agents de change proches de Sudder St affichent des taux beaucoup plus intéressants que les banques et certains changent les chèques de voyage. Renseignez-vous dans plusieurs endroits et vérifiez les opérations.

Camara Bank (carte p. 518 ; Kyd St). DAB pratique près de Sudder St.

Globe Forex (carte p. 518 ; ☎ 22828780 ; 11 Ho Chi Minh Sarani ; 9h30-18h30 lun-ven, 9h30-14h30 sam). Bons taux pour les espèces et les chèques de voyage ; 25 Rs de commission.

Hilson Hotel (carte p. 518 ; Sudder St ; 9h-21h). D'excellents taux et des horaires étendus. Dans le hall d'une pension ; 20 Rs de commission.

FÊTES ET FESTIVALS À KOLKATA

Dover Lane Music Conference (www.thedoverlanemusicconference.org/schedule.php ; fin jan). Musique classique indienne au Rabindra Sarovar.

Kolkata Boi Mela (www.kolkatabookfaironline.com ; fin jan-début fév). La plus grande foire aux livres d'Asie.

Saraswati Puja (début fév). Les étudiants vêtus de jaune prient la déesse pour la réussite de leurs études.

Rath Yatra (juin-juil). La principale fête dédiée à Krishna, avec défilé de chars.

Durga Puja (www.durga-puja.org ; oct). La plus importante fête de Kolkata, voir p. 515.

Lakshmi Puja (oct), lors de la pleine lune après Durga Puja, et **Kali Puja** (Diwali, nov). Immersions d'effigies de divinités.

Kolkata Film Festival (www.kff.in ; mi-nov). Un festival d'une semaine où sont présentés des films du Bengale et du reste du monde.

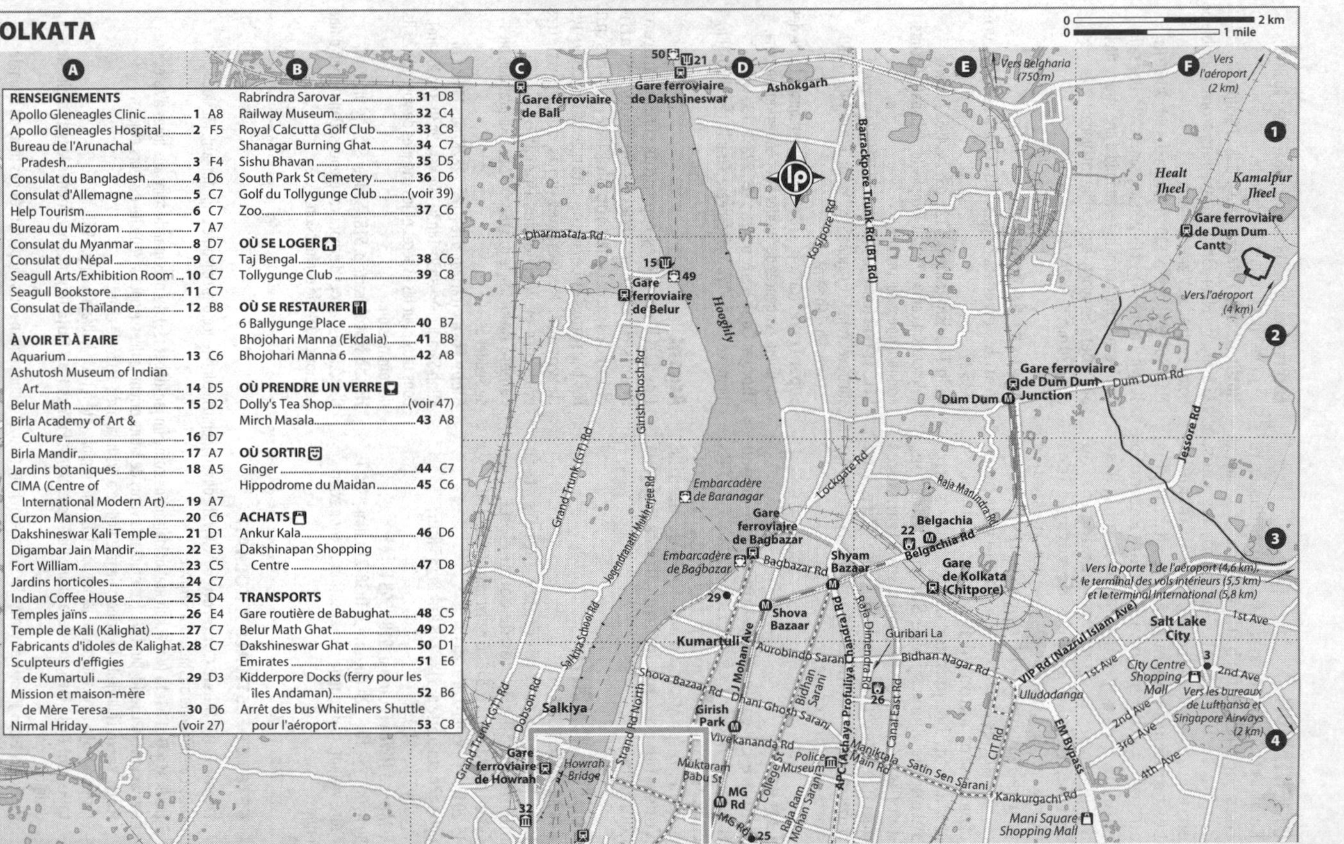
KOLKATA
0 2 km
0 1 mile
RENSEIGNEMENTS
Apollo Gleneagles Clinic 1 A8
Apollo Gleneagles Hospital 2 F5
Bureau de l'Arunachal Pradesh 3 F4
Consulat du Bangladesh 4 D6
Consulat d'Allemagne 5 C7
Help Tourism 6 C7
Bureau du Mizoram 7 A7
Consulat du Myanmar 8 D7
Consulat du Népal 9 C7
Seagull Arts/Exhibition Room 10 C7
Seagull Bookstore 11 C7
Consulat de Thaïlande 12 B8
À VOIR ET À FAIRE
Aquarium 13 C6
Ashutosh Museum of Indian Art 14 D5
Belur Math 15 D2
Birla Academy of Art & Culture 16 D7
Birla Mandir 17 A7
Jardins botaniques 18 A5
CIMA (Centre of International Modern Art) 19 A7
Curzon Mansion 20 C6
Dakshineswar Kali Temple 21 D1
Digambar Jain Mandir 22 E3
Fort William 23 C5
Jardins horticoles 24 C7
Indian Coffee House 25 D4
Temples jaïns 26 E4
Temple de Kali (Kalighat) 27 C7
Fabricants d'idoles de Kalighat 28 C7
Sculpteurs d'effigies de Kumartuli 29 D3
Mission et maison-mère de Mère Teresa 30 D6
Nirmal Hriday (voir 27)
Rabrindra Sarovar 31 D8
Railway Museum 32 C4
Royal Calcutta Golf Club 33 C8
Shanagar Burning Ghat 34 C7
Sishu Bhavan 35 D5
South Park St Cemetery 36 D6
Golf du Tollygunge Club (voir 39)
Zoo 37 C6
OÙ SE LOGER
Taj Bengal 38 C6
Tollygunge Club 39 C8
OÙ SE RESTAURER
6 Ballygunge Place 40 B7
Bhojohari Manna (Ekdalia) 41 B8
Bhojohari Manna 6 42 A8
OÙ PRENDRE UN VERRE
Dolly's Tea Shop (voir 47)
Mirch Masala 43 A8
OÙ SORTIR
Ginger 44 C7
Hippodrome du Maidan 45 C6
ACHATS
Ankur Kala 46 D6
Dakshinapan Shopping Centre 47 D8
TRANSPORTS
Gare routière de Babughat 48 C5
Belur Math Ghat 49 D2
Dakshineswar Ghat 50 D1
Emirates 51 E6
Kidderpore Docks (ferry pour les îles Andaman) 52 B6
Arrêt des bus Whiteliners Shuttle pour l'aéroport 53 C8
Gare ferroviaire de Bali
Gare ferroviaire de Dakshineswar
Ashokgarh
Vers Belgharia (750 m)
Vers l'aéroport (2 km)
Healt Jheel
Kamalpur Jheel
Gare ferroviaire de Dum Dum Cantt
Vers l'aéroport (4 km)
Barrackpore Trunk Rd (BT Rd)
Kosipore Rd
Dharmatala Rd
Gare ferroviaire de Belur
Hooghly
Girish Ghosh Rd
Grand Trunk (GT) Rd
Gare ferroviaire de Dum Dum Junction
Dum Dum
Dum Dum Rd
Jessore Rd
Embarcadère de Baranagar
Jogendranath Mukherjee Rd
Lockgate Rd
Raja Manindra Rd
Belgachia
Belgachia Rd
Gare ferroviaire de Bagbazar
Embarcadère de Bagbazar
Bagbazar Rd
Shyam Bazaar
Gare de Kolkata (Chitpore)
Vers la porte 1 de l'aéroport (4,6 km), le terminal des vols intérieurs (5,5 km) et le terminal international (5,8 km)
Salkiya School Rd
Shova Bazaar
Kumartuli
J Mohan Ave
Aurobindo Sarani
Raja Dimendra Rd
Guribari La
Bidhan Nagar Rd
VIP Rd (Nazrul Islam Ave)
Salt Lake City
1st Ave
City Centre Shopping Mall
2nd Ave
Vers les bureaux de Lufthansa et Singapore Airways (2 km)
Uludadanga
Shova Bazaar Rd
Dhani Ghosh Sarani
Bidhan Sarani
APC (Achaya Profuliya Chandra) Rd
Canal East Rd
Salkiya
Dobson Rd
Strand Rd North
Girish Park
Vivekananda Rd
CIT Rd
EM Bypass
3rd Ave
4th Ave
Gare ferroviaire de Howrah
Howrah Bridge
Muktaram Babu St
College St
Police Museum
Maniktala Main Rd
Satin Sen Sarani
MG Rd
Raja Ram Mohan Sarani
Kankurgachi Rd
Mani Square Shopping Mall

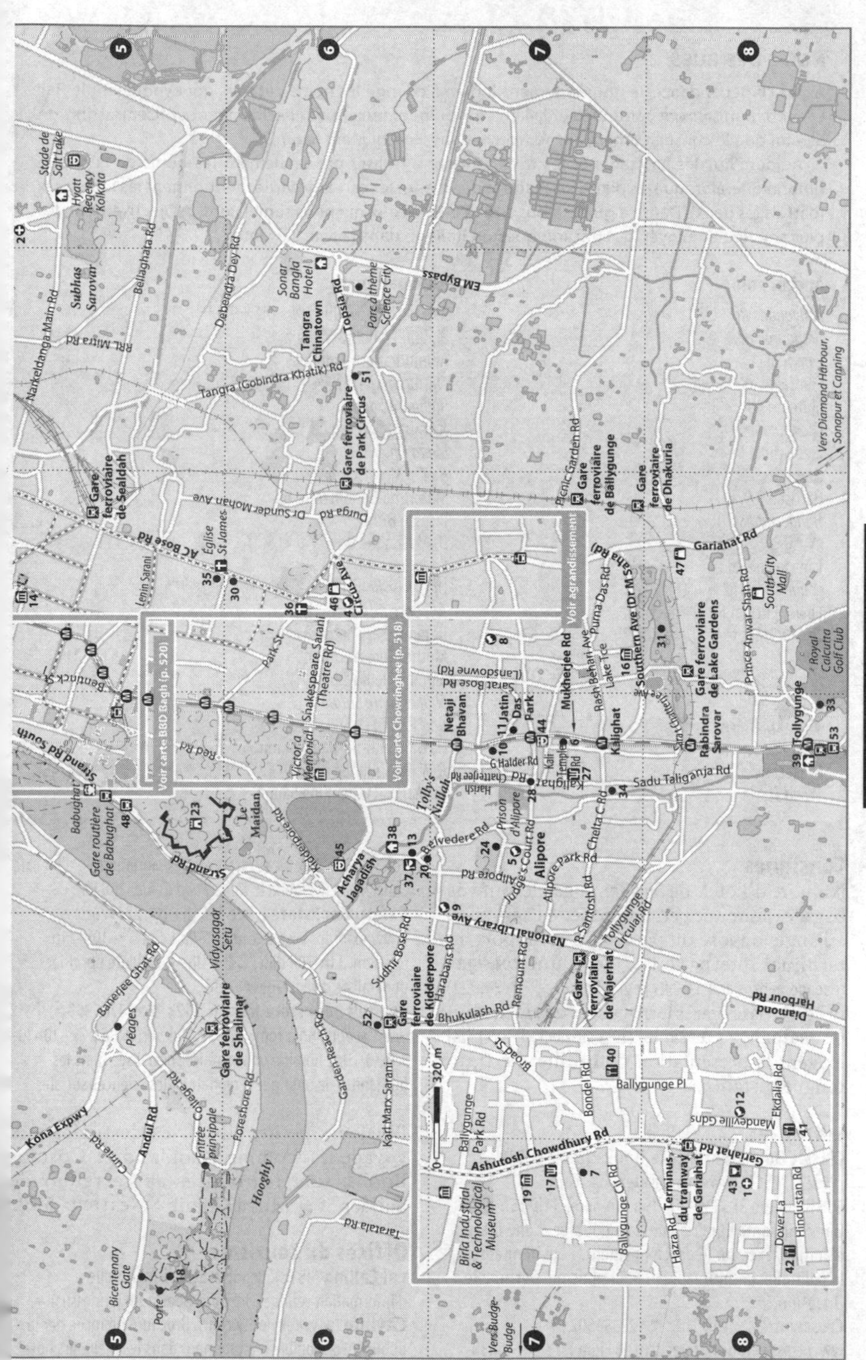

KOLKATA (CALCUTTA)

NOMS DES RUES

Après l'Indépendance, le gouvernement indien a changé les noms des rues qui évoquaient le Raj. Les communistes ont continué sur la lancée. Ironiquement, ils ont décidé de rebaptiser Harrington St, afin que le consulat américain se trouve dans Ho Chi Minh Sarani.

Aujourd'hui, les habitants et les taxis tendent à utiliser principalement les noms de l'époque britannique, alors que les plans, les plaques des rues et les cartes de visite mentionnent les nouveaux (parfois les deux). Dans ce guide, nous avons utilisé ceux qui nous semblaient, subjectivement, les plus souvent employés. Ils sont indiqués en italique dans la liste suivante :

Ancien nom	Nouveau nom
Ballygunge Rd	Ashutosh Chowdhury Ave *(AC Rd)*
Brabourne Rd	Biplabi Trailokya Maharaja Rd
Camac St	Abinindranath Tagore St
Central Ave	*Chittaranjan (CR) Ave*
Chitpore Rd	*Rabindra Sarani*
Chowringhee Rd	Jawaharlal Nehru Rd
Free School St	*Mirza Ghalib St*
Harrington St	*Ho Chi Minh Sarani*
Harrison Rd	Mahatma Gandhi *(MG)* Rd
Hungerford St	Picasso Bithi
Kyd St	Dr M Ishaque Rd
Lansdowne Rd	*Sarat Bose Rd*
Loudon St	Dr UM Bramhchari St
Lower Circular Rd	*AJC Bose Rd*
Old Courthouse St	Hemant Basu Sarani
Park St	Mother Teresa Sarani
Rowden St	Sarojini Naidu Sarani
Theatre Rd	*Shakespeare Sarani*
Victoria Terrace	*Gorky Terrace*
Waterloo St	Nawab Siraj-ud-Daula Sarani
Wellesley St	*RAK* (Rafi Ahmed Kidwai) *Rd*
Wood St	Dr Martin Luther King Sarani

Consignes

Nombre d'hôtels de Sudder St garderont vos bagages pour une petite somme. À l'aéroport, à l'angle opposé du parking par rapport au terminal international, il y a une **consigne** (bagage petit/grand 5/10 Rs pour 24 heures ; 24h/24) utile. Dans les gares ferroviaires de Howrah et de Sealdah, les **consignes** (10-15 Rs/jour ; 24h/24) exigent la présentation d'un billet de train longue distance.

Librairies

Classic Books/Earthcare Books (carte p. 518 ; ☎ 22296551 ; www.earthcarebooks.com ; 10 Middleton St ; 11h-19h lun-sam, 11h-15h dim). Une charmante librairie familiale doublée d'une maison d'édition, axée sur le développement, l'environnement, la politique, la spiritualité et le féminisme. Derrière le Drive-Inn.

Crossword (carte p. 518 ; ☎ 22836502 ; www.crosswordbookstores.com ; 8 Elgin Rd ; 10h30-20h30). Une librairie sur trois étages, agrémentée d'un café (café 18-44 Rs). Vend le *Times Food Guide* (100 Rs).

Oxford Bookstore (carte p. 518 ; ☎ 22297662 ; www.oxfordbookstore.com ; 17 Park St ; 10h-21h lun-sam, 11h-20h dim ;). Une excellente librairie généraliste, avec sièges et café.

Seagull Bookstore (carte p. 512 ; ☎ 24765869 ; www.seagullindia.com ; 31A SP Mukherjee Rd ; 10h30-19h30). Une librairie universitaire spécialisée dans les humanités, la politique régionale et les sciences sociales.

Plusieurs petites librairies destinées aux voyageurs, comme Bookland et Cosmos Books, sont regroupées au carrefour de Sudder St et Mirza Ghalib St (carte p. 518).

Offices du tourisme

Cal Calling (45 Rs). Bonne brochure mensuelle d'information vendue à l'Oxford Bookstore (ci-dessus).

CityInfo (www.explocity.com). Brochure financée par la publicité, disponible gratuitement dans les meilleurs hôtels

India Tourism (carte p. 518 ; ☎ 22825813 ; 4 Shakespeare Sarani ; ⏲ 10h-18h lun-ven, 10h-13h sam). Jeune personnel efficace ; cartes gratuites de Kolkata.

West Bengal Tourism (carte p. 520 ; ☎ 22437260 ; www.wbtourism.com ; 3/2 BBD Bagh ; ⏲ 10h30-13h30 et 14h-17h30 lun-ven, 10h30-13h sam). Des bureaux confortables et récemment rénovés, spécialisés dans la vente de circuits (avant 16h30).

Permis

Pour toute demande de permis, apportez votre passeport, des photos d'identité et des copies de la page d'identification du passeport et du visa indien.

BUREAU D'ENREGISTREMENT DES ÉTRANGERS

De l'extérieur, le **Foreigners' Registration Office** (FRO ; carte p. 518 ; ☎ 22837034 ; 237 AJC Bose Rd ; ⏲ 11h-17h lun-ven) ressemble à un beau cinéma des années 1930. Il délivre gratuitement des permis pour le Sikkim en une journée et des permis pour le Manipur, l'Arunachal Pradesh (sauf Tawang) et le Nagaland (Mon et Phek uniquement) aux groupes de 4 personnes (1 350 Rs/pers), en un jour ouvrable si vous êtes arrivé par l'aéroport de Kolkata ; il faut beaucoup plus de temps si vous être entré par une autre ville (les documents d'arrivée sont vérifiés). Le FRO ne délivre pas de permis pour le Mizoram.

BUREAUX DES AUTRES ÉTATS

Les bureaux suivants délivrent des permis spéciaux aux ressortissants indiens ; mais, hormis pour le Sikkim, les étrangers ne recevront aucune aide pour les permis.

Arunachal Pradesh (carte p. 512 ; ☎ 23341243 ; Arunachal Bhawan, Block CE 109, secteur 1, Salt Lake City)

Manipur (carte p. 518 ; ☎ 24758163 ; Manipur Bhawan, 26 Rowland Rd)

Mizoram (carte p. 512 ; ☎ 24617887 ; Mizoram Bhawan, 24 Old Ballygunge Rd). Prenez la ruelle près du 23 AC Rd.

Nagaland (carte p. 518 ; ☎ 22825247 ; Nagaland House, rez-de-chaussée ; 11 Shakespeare Sarani)

Sikkim (carte p. 518 ; ☎ 22817905 ; Sikkim House, 4/1 Middleton St ; ⏲ 10h30-16h lun-ven, 10h30-14h sam). Les permis sont généralement délivrés en 24 heures.

Photo

Electro Photo-Lab (carte p. 518 ; ☎ 22498743 ; 14 Sudder St ; ⏲ 10h30-21h30 lun-sam, 12h-19h dim). Photos d'identité instantanées (60 Rs/8 photos), développement, impressions numériques et transfert sur CD (60 Rs/disque).

Summer Photographic (carte p. 520 ; Moti Lal Market ; ⏲ 10h-21h). Pellicules diapositives Sensia 100 (180 Rs).

Poste

L'immense **General Post Office** (GPO ; carte p. 520 ; BBD Bagh ; ⏲ 6h-20h lun-sam, 10h-15h30 dim, service colis à partir de 10h) est une curiosité en soi (voir p. 522). Des bureaux de poste sont installés dans Park St (carte p. 518), CR Ave (carte p. 520) et Mirza Ghalib St (carte p. 518).

Services médicaux

Apollo Gleneagles Clinic (carte p. 512 ; ☎ 24618028 ; www.apollogleneagles.in ; 48/1F Lila Roy Sarani, Gariahat

DURGA PUJA

À l'instar du carnaval à Rio, le Durga Puja plonge Kolkata dans un monde de chaos et de couleurs. Pendant cinq jours, les habitants rendent hommage à des effigies de Durga, la déesse à dix bras, et de son entourage (voir p. 526), peintes de couleurs vives. Les statues sont exposées sous des *pandal* (pavillons) dressés sur les pelouses, au bord des routes ou dans des parcs. Au cours des 30 dernières années, les rivalités esthétiques et le soutien croissant des entreprises ont permis la création de *pandal* toujours plus complexes et ornementés. Certains portent un message politique ou d'actualité, comme ce *pandal* de 2008 en forme d'usine automobile (à l'époque où le Bengale-Occidental négociait avec Tata sur le projet controversé de la Nano).

West Bengal Tourism (p. 515) fait découvrir aux touristes une sélection des meilleurs *pandal*, mais il faut parfois plusieurs heures pour s'approcher des plus beaux. Après cinq jours, la fête atteint son apogée lorsque d'innombrables effigies de Durga sont plongées dans l'eau sacrée de la Hooghly au milieu des chants, des jets d'eau, des feux d'artifice et de la foule. Pour photographier les *pandal* sans vivre la fête, venez juste après le Durga Puja, lorsque les pavillons vides n'ont pas encore été démontés.

De nombreux Bengalis installés à l'étranger reviennent à Kolkata pour ces festivités et les hôtels affichent donc souvent complet. Juste après, tant de gens partent en vacances que les billets de train ou d'avion se font très rares pendant plusieurs semaines.

KOLKATA EN…

Deux jours

Le premier jour, visitez l'**Indian Museum** (p. 517), admirez le **Victoria Memorial** (p. 517) et les sites alentour, puis demandez un permis pour le Marble Palace pour le lendemain auprès d'India Tourism (p. 515), avant d'aller dîner et danser sur Park St ou Camac St. Le deuxième jour, marchez du **Maidan** (p. 517) au quartier colonial délabré de **BBD Bagh** (p. 521), puis prenez le tramway n°6 pour remonter Rabindra Sarani jusqu'au fascinant **Kumartuli** (p. 526). Revenez en métro vers l'étrange **Marble Palace** (p. 525) ou en ferry jusqu'à Howrah, puis traversez le célèbre pont vers le chatoyant **marché aux fleurs du Mullik Ghat** (p. 523).

Deux semaines

Voici quelques approches thématiques de la ville.

Kolkata traditionnelle. Les rickshaws tirés à bras d'homme (p. 540), les fabricants d'effigies à Kumartuli (p. 526) et les sacrifices de chèvres à Kalighat (p. 524).

Kolkata coloniale. Le General Post Office (p. 515), le parcours de golf du Tollygunge Club (p. 527), une course hippique au Maidan (p. 536) et une bière fraîche au Fairlawn Hotel (p. 529).

Kolkata moderne. Danser au Tantra (p. 535), un café au Barista (p. 534), un cocktail au Roxy (p. 535) et les livres de l'Oxford Bookstore (p. 514).

Kolkata multiculturelle. Les synagogues, mosquées et églises de Barabazaar (p. 522), le Belur Math (p. 526), les soirées de méditation (p. 527), la lecture de Tagore (p. 525), et une séance de yoga du rire au Rabindra Sarovar (p. 525).

Kolkata, c'est aussi les enfants des rues de la gare de Howrah et les abris de fortune de l'ancien Chinatown. Vous pouvez aider les plus démunis en vous portant volontaire. Reportez-vous p. 780.

Rd ; ⌚ 8h-20h). Bilans de santé et soins dentaires. L'hôpital affilié (carte. 512 ; ☎ 23203040 ; EM Bypass) assure un service d'ambulance 24h/24.

Bellevue Clinic (carte p. 518 ; ☎ 22872321 ; www.bellevueclinic.com ; 9 Loudon St). Établissement hospitalier central haut de gamme de bonne réputation.

Mission of Mercy Hospital (carte p. 518 ; ☎ 22296666 ; www.momhospital.org ; 2/7 Sarat Bose Rd). Consultations externes peu onéreuses (75 Rs).

Wockhardt Medical Centre (carte p. 518 ; ☎ 24754320 ; www.wockhardhospitals.net ; 2/7 Sarat Bose Rd ; ⌚ 10h30-12h). Fiable pour une consultation (300 Rs).

Pour une liste plus exhaustive, vous pouvez consulter www.kolkatainformation.com/diagnostic.html ou www.calcuttaweb.com/doctor.php.

Sites Internet

Quelques sites utiles sur Kolkata (en anglais) :

http://kolkata.clickindia.com
www.calcuttaweb.com
www.wbtourism.com/kolkata/index.htm

Téléphone

Le **Central Telegraph Office** (carte p. 520 ; ⌚ 24h/24) était en cours de reconstruction lors de nos recherches, mais les appels sont bon marché dans les innombrables kiosques PCO/STD/ISD. De nombreux étals de Sudder St vendent des cartes SIM Vodafone (200 Rs avec un crédit de 10 Rs) sur présentation d'une photo d'identité et des copies de votre passeport. Il est beaucoup plus difficile de se procurer une carte SIM ailleurs dans Kolkata.

DÉSAGRÉMENTS ET DANGERS

Kolkata est une ville plutôt sûre. La mendicité autour de Sudder St n'est qu'un désagrément mineur. La circulation frénétique se révèle en revanche dangereuse, surtout pour les piétons. Les jours de grève (*bandhs*), d'une régularité étonnante, les boutiques ferment et aucun transport (hormis les avions !) ne circule, pas même les taxis pour l'aéroport. Même pendant la mousson, les rickshaw-wallahs parviennent souvent à transporter les passagers dans les rues inondées.

À VOIR

Les photographies sont interdites dans la plupart des monuments qui ne demandent pas un droit spécifique à l'entrée.

Chowringhee

Sauf mention contraire, les sites apparaissent sur la carte p. 518.

VICTORIA MEMORIAL

Le **Victoria Memorial** (VM ; ☎22235142 ; intérieur Indiens/étrangers 10/150 Rs ; 🕑 10h-17h tlj sauf lun, dernière entrée 16h30) évoque un Panthéon mâtiné de Taj Mahal. Cette immense construction, magnifiquement proportionnée et coiffée de dômes de marbre blanc, se dresse dans un **parc** (4 Rs ; 🕑 5h30-19h) bien entretenu. Conçu pour commémorer le 60e anniversaire de la reine Victoria, l'édifice fut achevé presque 20 ans après sa mort.

L'édifice garantit des clichés magnifiques lorsqu'il est photographié depuis le nord-est, par-delà les bassins où il se reflète. La salle centrale est très impressionnante, mais dans les galeries du rez-de-chaussée, les gravures et les peintures sont présentées sur des panneaux en aggloméré blanc qui jurent avec la magnificence des lieux. La Kolkata Gallery abrite une exposition très objective de l'histoire de la ville, tandis que des manuscrits et des portraits sont joliment présentés à l'étage. Ne manquez pas les statues dans le hall d'entrée principal (nord) : le roi George V, dans une pose efféminée, fait face à son épouse Mary. Photos interdites à l'intérieur.

En journée, l'entrée se fait par les portes nord et sud du parc, mais on peut sortir par la porte est. Pour assister au **sons et lumières** (Indiens/étrangers 10/20 Rs ; 🕑 19h15 tlj sauf lun nov-fév, 19h45 tlj sauf lun mars-juin, pas de spectacle l'été) à vocation informative (en anglais), entrez par la porte est.

ENVIRONS DU VICTORIA MEMORIAL

Le **Birla Planetarium** (☎22231516 ; Chowringhee Rd), l'un des plus vastes du monde, en impose sous les projecteurs. Il évoque vaguement le stupa bouddhique de Sarnath (p. 459). Sa galerie périphérique, bien aménagée, présente des bustes et de vieilles photos d'astronomes. Les **spectacles d'étoiles** (30 Rs ; 🕑 13h30 et 18h30 en anglais) constituent une introduction un peu lente et pesante à la voûte céleste.

Agrémentée d'une tour à créneaux centrale, la **cathédrale Saint-Paul** (☎ 22230127 ; Cathedral Rd ; 🕑 9h-12h et 15h-18h), érigée en 1847, ne détonnerait pas en Angleterre. À l'intérieur, la très large nef, non soutenue par des arcs-boutants, résonne de pépiements d'oiseaux. Les bancs en bois sont d'origine. Ne manquez pas le vitrail ouest du maître préraphaélite sir Edward Burne-Jones.

La lumineuse galerie du rez-de-chaussée de l'**Academy of Fine Arts** (☎ 22234302 ; 2 Cathedral Rd ; entrée libre ; 🕑 15h-20h) accueille des expositions temporaires d'artistes indiens contemporains. À l'étage, le **musée** était en cours de rénovation lors de notre passage.

LE MAIDAN

Après le fiasco du Trou noir de Calcutta, un second **Fort William** (carte p. 512 ; fermé au public), de forme octogonale et entouré de douves, fut construit à la Vauban (1758). Le village de Gobindapur fut entièrement rasé afin de dégager la ligne de tir des canons, créant ainsi le **Maidan**, un vaste parc long de 3 km, très cher au cœur des habitants de Kolkata. Le Fort William est une zone militaire interdite.

INDIAN MUSEUM

Ce **musée** (☎22499979 ; Chowringhee Rd ; Indiens/étrangers/appareil photo 10/150/50 Rs ; 🕑 10h-16h30 tlj sauf lun, visites guidées 10h30, 12h30 et 15h15, dernière entrée 16h) désuet, le principal de Kolkata, occupe un luxueux palais à colonnades autour d'une pelouse centrale. Ses vastes collections comprennent de fabuleuses sculptures hindoues datant d'un millénaire, des minerais, un squelette de baleine, d'innombrables insectes épinglés, des embryons humains (salle 19) et un étonnant glyptodon (salle 11). Ne manquez pas la reproduction grandeur nature de la porte de Barhut (IIe siècle av. J.-C.). Sacs interdits ; les sacs à main sont contrôlés à l'entrée, mais les sacs à dos sont refusés.

PARK STREET

Park St est aujourd'hui l'une des principales artères commerciales de Kolkata. Lorsqu'elle fut tracée, dans les années 1760, elle n'était qu'une simple chaussée traversant des marécages inhabités, destinée à permettre aux cortèges funèbres d'accéder au nouveau **South Park Street Cemetery** (carte p. 512 ; angle Park St et AJC Bose Rd ; dons bienvenus ; 🕑 7h30-16h30 lun-ven, 7h30-11h sam). Ce cimetière demeure un fantastique havre de paix, où des tombes moussues de diverses formes (de la rotonde à la pyramide), datant de l'ère du Raj, pointent dans une jungle vaguement paysagée. Pour participer à l'entretien des lieux, vous pouvez faire un don de 30 Rs ou acheter le guide du cimetière (100 Rs) auprès du gardien.

En allant vers le sud depuis Park St, admirez les œuvres d'art moderne dans la salle paisible et lumineuse de l'**Aakriti Gallery** (carte p. 518 ; 1er ét., 12/3 Hungerford St ; entrée libre ; 🕑 11h-19h lun-sam).

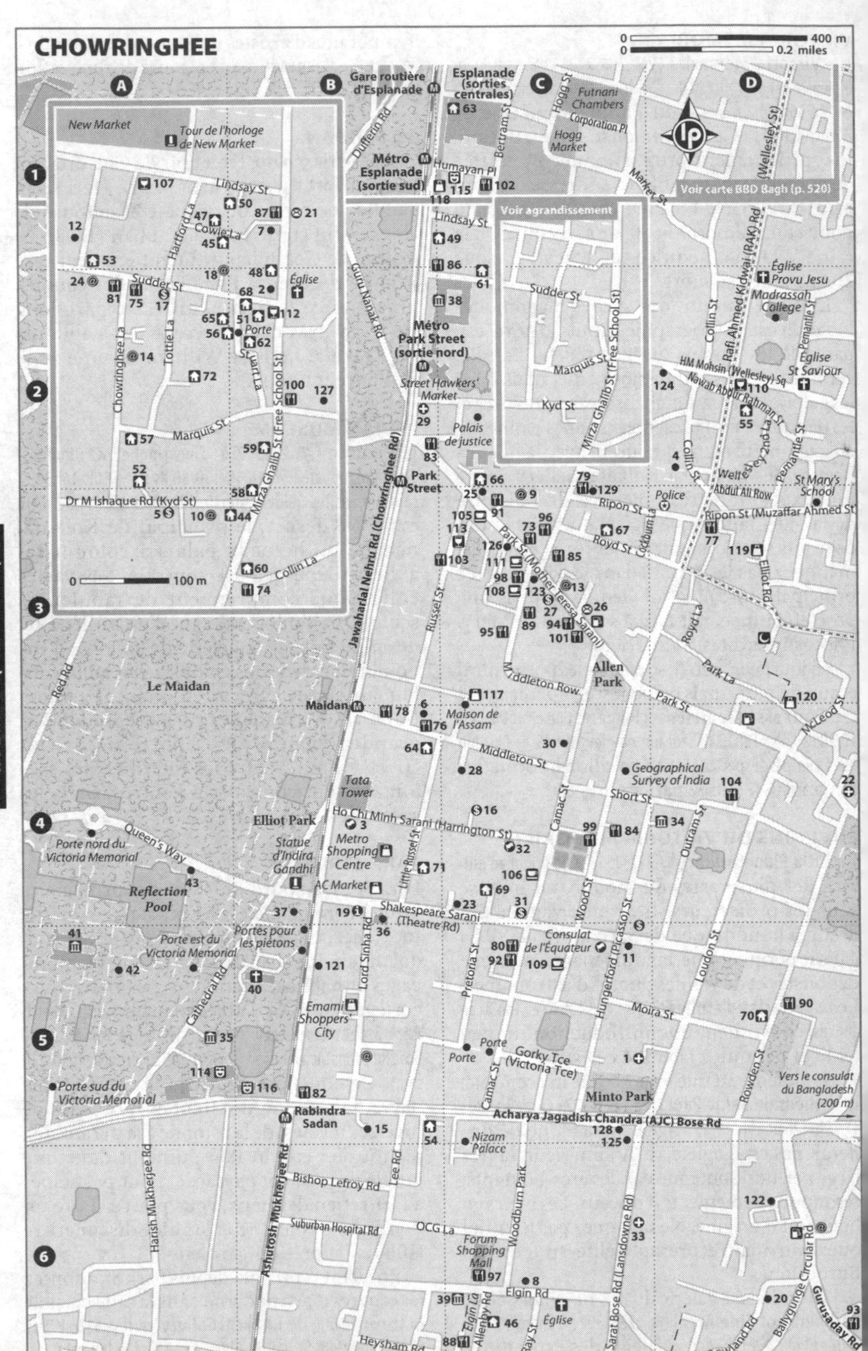
CHOWRINGHEE
Voir agrandissement
Voir carte BBD Bagh (p. 520)
Le Maidan
Elliot Park
Allen Park
Minto Park
Reflection Pool
New Market
Tour de l'horloge de New Market
Gare routière d'Esplanade
Esplanade (sorties centrales)
Métro Esplanade (sortie sud)
Métro Park Street (sortie nord)
Street Hawkers' Market
Palais de justice
Park Street
Maidan
Maison de l'Assam
Tata Tower
Statue d'Indira Gandhi
Metro Shopping Centre
AC Market
Emami Shoppers' City
Rabindra Sadan
Nizam Palace
Forum Shopping Mall
Porte nord du Victoria Memorial
Porte est du Victoria Memorial
Portes pour les piétons
Porte sud du Victoria Memorial
Geographical Survey of India
Consulat de l'Équateur
Vers le consulat du Bangladesh (200 m)
Église Provu Jesu
Madrassah College
Église St Saviour
St Mary's School
Police
Hogg Market
Futnani Chambers
Jawaharlal Nehru Rd (Chowringhee Rd)
Acharya Jagadish Chandra (AJC) Bose Rd
Park St (Mother Teresa Sarani)
Mirza Ghalib St (Free School St)
Ho Chi Minh Sarani (Harrington St)
Shakespeare Sarani (Theatre Rd)
Rafi Ahmed Kidwai (RAK) Rd
Dr M Ishaque Rd (Kyd St)
Sarat Bose Rd (Lansdowne Rd)
Hungerford (Picasso) St
Gorky Tce (Victoria Tce)
Ashutosh Mukherjee Rd
Ripon St (Muzaffar Ahmed St)
HM Mohsin (Wellesley) Sq
Nawab Abdur Rahman St
Sudder St
Marquis St
Kyd St
Lindsay St
Middleton Row
Middleton St
Queen's Way
Cathedral Rd
Red Rd
Royd St
Ripon St
Elliot Rd
Park La
McLeod St
Short St
Moira St
Elgin Rd
Heysham Rd
Bishop Lefroy Rd
Suburban Hospital Rd
OCG La
Lord Sinha Rd
Russel St
Little Russel St
Camac St
Wood St
Loudon St
Outram St
Rowden St
Harish Mukherjee Rd
Guru Nanak Rd
Dufferin Rd
Woodburn Park
Lee Rd
Pretoria St
Ballygunge Circular Rd
Gurusaday Rd
Rowland Rd
Collin St
Collin La
Marquis St
Chowringhee La
Tottie La
Hartford La
Stuart La
Cowie La
Hogg St
Bertram St
Corporation Pl
Humayan Pl
Market St
Wellesley St
Wellesley 2nd La
Pemantle St
Abdul Ali Row
Cockburn La
Royd La
Ray St
Allenby Rd
Elgin La
Porte
0 400 m
0 0.2 miles
0 100 m

RENSEIGNEMENTS

Bellevue Clinic	**1**	C5
Bookland Bookstall	**2**	B2
British Deputy High Commission	**3**	B4
Calcutta Rescue	**4**	D2
DAB Camara Bank	**5**	A3
Classic Books/Earthcare Books	**6**	B4
Cosmos Books	**7**	B1
Crossword Bookstore	**8**	C6
Cyber Zoom	**9**	C3
Cyberia	**10**	A3
DHL	**11**	C5
Electro Photo-Lab	**12**	A1
E-Merge (I-Way)	**13**	C3
Enternet	**14**	A2
FedEx	(voir 128)	
FRO	**15**	B5
Globe Forex	**16**	C4
Hilson Hotel	**17**	A2
Hotline/Saree Palace	**18**	A2
India Tourism	**19**	B4
Manipur Bhawan	**20**	D6
Poste de Mirza Ghalib St	**21**	B1
Mission of Mercy Hospital	**22**	D4
Bureau du Nagaland	**23**	C4
Netfreaks	**24**	A2
Oxford Bookstore	**25**	C3
Poste de Park St	**26**	C3
DAB SBI	**27**	C3
Sikkim House	**28**	C4
Bibliothèque Sri Aurobindo	(voir 36)	
SRL Ranbaxy Path Lab	**29**	B2
STIC Travel	**30**	C4
Super Travel	(voir 68)	
Thomas Cook	**31**	C4
Consulat des États-Unis	**32**	C4
Wockhardt Medical Centre	**33**	C6

À VOIR ET À FAIRE

Aakriti Gallery	**34**	D4
Academy of Fine Arts	**35**	A5
Aurobindo Bhawan	**36**	B4
Birla Planetarium	**37**	B4
Indian Museum	**38**	C2
Netaji Bhawan	**39**	C6
Cathédrale Saint-Paul	**40**	B5
Victoria Memorial (VM)	**41**	A5
Son et lumière du VM	**42**	A5
Point de vue du VM	**43**	A4

OÙ SE LOGER

Aafreen Tower	**44**	B3
Afridi International	**45**	A1
Allenby Inn	**46**	C6
Ashreen Guest House	**47**	A1
Centrepoint Guest House	**48**	B2
Chowringhee YMCA	**49**	C1
CKT Inn	**50**	B1
Continental Guesthouse	**51**	B2
Dee Empressa Hotel	**52**	A2
Fairlawn Hotel	**53**	A1
HHI	**54**	B5
Hotel Aafreen	**55**	D2
Hotel Maria	**56**	A2
Hotel Pioneer International	**57**	A2
Hotel Pushpak	**58**	B3
Hotel VIP InterContinental	**59**	B2
Housez 43	**60**	B3
Lytton Hotel	**61**	C2
Modern Lodge	**62**	B2
Oberoi Grand	**63**	C1
Old Kenilworth Hotel	**64**	B4
Paragon Hotel	**65**	A2
Park Hotel	**66**	C2
Sikkim House	(voir 28)	
Sunflower Guest House	**67**	C3
Super Guesthouse	**68**	B2
The Astor	**69**	C4
The Bigboss	**70**	D5
The Kenilworth	**71**	B4
Timestar Hotel	**72**	A2

OÙ SE RESTAURER

Bar-B-Q	**73**	C3
Beef Hotel	**74**	B3
Blue Sky Cafe	**75**	A2
Drive Inn	**76**	B4
Dustarkhwan	**77**	D3
Fire and Ice	**78**	B4
Flamez	**79**	C3
Food First	**80**	C5
Fresh & Juicy	**81**	A2
Gangaur	(voir 103)	
Gupta Brothers	(voir 85)	
Haldiram Bhujiwala	**82**	B5
Hot Kati Rolls	**83**	B2
Jalapenos	**84**	C4
Jarokha	**85**	C3
Jong's	**86**	C1
Kathleen Confectioners	**87**	B1
Kewpies	**88**	C6
KFC	**89**	C3
Kookie Jar	**90**	D5
Kuzums	**91**	C3
Little Italy	**92**	C5
Mainland China	**93**	D6
Marco Polo	**94**	C3
Midway	**95**	C3
Mocambo	**96**	C3
Oh! Calcutta	**97**	C6
Peter Cat	**98**	C3
Radhuni	**100**	B2
Riviera	**101**	C3
États d'en-cas	**102**	C1
Super Chicken	(voir 68)	
Teej	**103**	C3
The Heritage	**104**	D4

OÙ PRENDRE UN VERRE

Ashalayam	(voir 59)	
Barista	(voir 115)	
Barista	**105**	C3
Barista	**106**	C4
Blue & Beyond Rooftop Restaurant	**107**	A1
Café Coffee Day (bar)	**108**	C3
Café Coffee Day	(voir 90)	
Cha Bar	(voir 25)	
Coffee Day Lounge	**109**	C5
Extasy Wine Shop	**110**	D2
Fairlawn Hotel	(voir 53)	
Flury's	**111**	C3
National Stores (boutique de spiritueux)	**112**	B2
Roxy	(voir 66)	
Scotts (spiritueux)	**113**	C3
Shaw Brothers (spiritueux)	(voir 96)	

OÙ SORTIR

Inox Elgin Rd	(voir 97)	
Marrakech	(voir 101)	
Nandan Complex	**114**	A5
New Empire Cinema	**115**	C1
Sisir Mancha	**116**	B5
Someplace Else	(voir 66)	
Tantra	(voir 66)	
Venom	(voir 92)	

ACHATS

Ashalayam	(voir 59)	
Assam Craft Emporium	**117**	C3
Hawkers' Market	**118**	C1
Tailleurs	**119**	D3
Nagaland Emporium	(voir 23)	
Women's Friendly Society	**120**	D3

TRANSPORTS

Air India	**121**	B5
Biman Bangladesh Airlines	(voir 61)	
China Eastern Airlines	(voir 125)	
Druk Air	**122**	D6
GMG Airlines	**123**	C3
GreenLine	**124**	D2
Gulf Air	**125**	C5
IndiGo	(voir 125)	
Jet Airways	**126**	C3
Shohagh Paribahan	**127**	B2
Thai Airways International	**128**	C5
United Airways Bangladesh	**129**	C3

MISSION DE MÈRE TERESA

La **maison-mère** (carte p. 512 ; ☎ 22172277 ; www.mothert eresa.org ; 54A AJC Bose Rd ; ⏲ visites 8h-12h et 15h-18h ven-mer) des missionnaires de la Charité est accessible par la première ruelle au nord de Ripon St. Les pèlerins affluent pour se recueillir sur la grande **tombe** dépouillée de mère Teresa. Un petit **musée** adjacent présente ses sandales et son bol émaillé. À l'étage, la **Mother's Room**, où elle a travaillé et dormi de 1953 à 1997, a conservé sa simplicité et son modeste lit de camp surmonté d'une couronne d'épines.

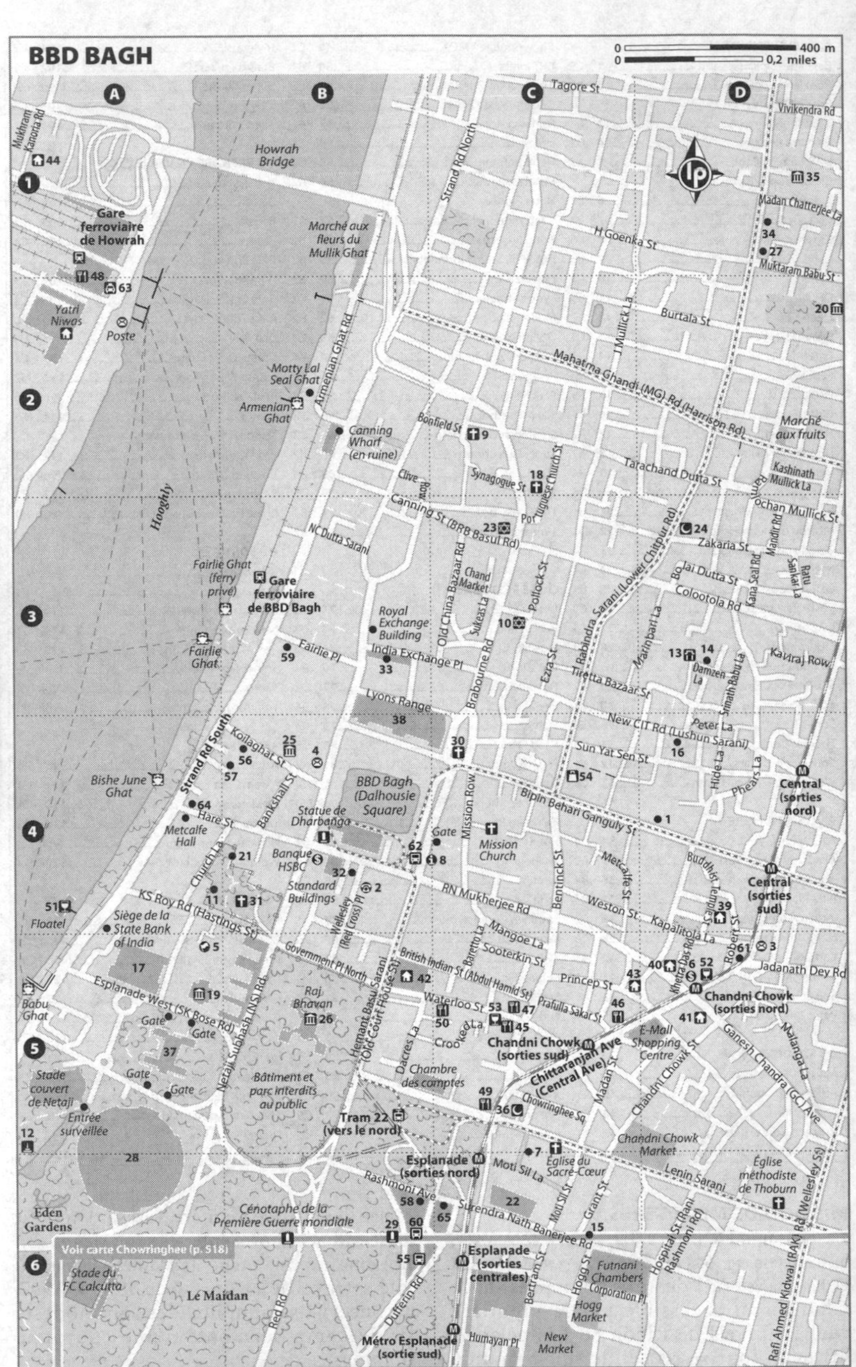
BBD BAGH
0 400 m
0 0,2 miles
Howrah Bridge
Gare ferroviaire de Howrah
Yatri Niwas
Poste
Hooghly
Marché aux fleurs du Mullik Ghat
Armenian Ghat Rd
Motty Lal Seal Ghat
Armenian Ghat
Canning Wharf (en ruine)
Strand Rd North
Tagore St
H Goenka St
Burtala St
Mahatma Ghandi (MG) Rd (Harrison Rd)
Marché aux fruits
Madan Chatterjee La
Muktaram Babu St
Vivikendra Rd
J Mullick La
Bonfield St
Synagogue St
Portuguese Church St
Clive Row
Canning St (BRB Basu Rd)
NC Dutta Sarani
Tarachand Dutta St
Kashinath Mullick La
Rabindra Sarani (Lower Chitpur Rd)
Zakaria St
Jai Dutta St
Colootola Rd
Fairlie Ghat (ferry privé)
Gare ferroviaire de BBD Bagh
Fairlie Ghat
Royal Exchange Building
Fairlie Pl
India Exchange Pl
Old China Bazaar Rd
Chand Market
Sukeas La
Pollock St
Ezra St
Brabourne Rd
Tiretta Bazaar St
Marinbari La
Damzen La
Kaviraj Row
Lyons Range
New CIT Rd (Lushun Sarani)
Peter La
Sun Yat Sen St
Strand Rd South
Koilaghat St
Bishe June Ghat
Bankshall St
BBD Bagh (Dalhousie Square)
Statue de Dharbanga
Mission Row
Bipin Behari Ganguly St
Central (sorties nord)
Central (sorties sud)
Metcalfe Hall
Hare St
Church La
Banque HSBC
Standard Buildings
Gate
Mission Church
Wellesley (Red Cross) Pl
RN Mukherjee Rd
Metcalfe St
Bentinck St
Weston St
Buddhist Temple St
Kapalitola La
Floatel
Siège de la State Bank of India
KS Roy Rd (Hastings St)
Government Pl North
Mangoe La
Sooterkin St
Baretto La
British Indian St (Abdul Hamid St)
Princep St
Jadanath Dey Rd
Chandni Chowk (sorties nord)
Babu Ghat
Esplanade West (SK Bose Rd)
Netaji Subhash (NS) Rd
Raj Bhavan
Hemant Basu Sarani (Old Court House St)
Waterloo St
Prafulla Sakar St
Crooked La
Chandni Chowk (sorties sud)
Chittaranjan Ave (Central Ave)
E-Mall Shopping Centre
Ganesh Chandra (GC) Ave
Malanga La
Stade couvert de Netaji
Entrée surveillée
Bâtiment et parc interdits au public
Dacres La
Chambre des comptes
Chowringhee Sq
Madan St
Chandni Chowk St
Tram 22 (vers le nord)
Esplanade (sorties nord)
Moti Sil La
Église du Sacré-Cœur
Chandni Chowk Market
Lenin Sarani
Église méthodiste de Thoburn
Rashmoni Ave
Surendra Nath Banerjee Rd
Cénotaphe de la Première Guerre mondiale
Eden Gardens
Voir carte Chowringhee (p. 518)
Stade du FC Calcutta
Le Maidan
Red Rd
Dufferin Rd
Esplanade (sorties centrales)
Bertram St
Hogg St
Futnani Chambers
Corporation Pl
Hogg Market
Hospital St (Rani Rashmoni Rd)
Rafi Ahmed Kidwai (RAK) Rd (Wellesley St)
Humayan Pl
New Market
Métro Esplanade (sortie sud)

RENSEIGNEMENTS
Société pour la prévention des actes de cruauté envers les animaux 1 D4
Central Telegraph Office 2 B4
Poste de CR Ave 3 D5
General Post Office (poste principale) 4 B4
Consulat honoraire des Maldives 5 A5
DAB SBI 6 D5
Summer Photographic 7 C5
West Bengal Tourism 8 B4

À VOIR ET À FAIRE
Église arménienne 9 C2
Synagogue BethEl 10 C3
Mémorial du Trou noir de Calcutta 11 A4
Pagode birmane 12 A5
Temple chinois 13 D3
Porte pour les éléphants 14 D3
Elite Cinema 15 C6
Ancien Nangking Restaurant 16 D4
High Court (Cour suprême) 17 A5
Cathédrale du Saint-Rosaire 18 C2
Kolkata Panorama 19 A5
Marble Palace 20 D2
Mausolée de Job Charnock 21 B4
Metropolitan Building 22 C6
Synagogue Moghan David 23 C3
Mosquée Nakhoda 24 D3
Musée philatélique 25 B4
Raj Bhavan 26 B5
Officine d'apothicaire Ram Prasad 27 D1
Stade Ranji 28 A6
Sahid Minar 29 B6
Église St Andrew 30 C4
Église St John 31 B4
Standard Buildings 32 B4
Standard Chartered Building 33 B3
Ateliers de sculpture sur pierre 34 D1
Tagore's House 35 D1
Mosquée de Tipu Sultan 36 C5
West Bengal Assembly Building 37 A5
Writers' Building 38 B4

OÙ SE LOGER
Bengal Buddhist Association 39 D4
Broadway Hotel 40 D5
Esplanade Chambers 41 D5
Great Eastern Hotel 42 B5
Hotel Embassy 43 C5
Howrah Hotel 44 A1

OÙ SE RESTAURER
Amber/Essence 45 C5
Anand 46 C5
Bayleaf 47 C5
Crystal Chimney ...... (voir 46)
Food Plaza 48 A1
Gypsy Restaurant ...... (voir 41)
KC Das 49 C5
Song Hay 50 C5

OÙ PRENDRE UN VERRE
Broadway Bar ...... (voir 40)
Floatel 51 A4
Republic Stores 52 D5
Rocks 53 C5

ACHATS
Central Cottage Industries Emporium ...... (voir 22)
Mondal & Sons 54 C4

TRANSPORTS
Bus 55A pour les jardins botaniques 55 B6
Bureau de réservations informatisées 56 B4
Bureau de réservations informatisées 57 B4
Billetterie CSBC 58 B6
Foreign Tourist Bureau d'Eastern Railways 59 B3
Gare routière d'Esplanade (pour Siliguri) 60 B6
Indian Airlines 61 D5
Minibus vers la porte 1 de l'aéroport via Dum Dum 62 B4
Guichet des taxis prépayés 63 A2
Shipping Corporation of India (billets de ferry pour Andaman) 64 A4
Billetterie des Bhutan Postbus 65 C6

Les nombreux centres de la mission à Kolkata accueillent des bénévoles (qualifiés ou non) pour de courts séjours. Une réunion d'information a lieu au **Sishu Bhavan** (carte p. 512 ; 78 AJC Bose Rd ; 15h lun, mer et ven), à deux rues au nord.

BBD Bagh

Sauf mention contraire, les sites apparaissent sur la carte p. 520.

NORD DU MAIDAN

Parmi les sites dignes d'intérêt des environs de New Market (voir p. 536), citons les superbes, bien que délabrées, **Futani Chambers**, la façade de l'**Elite Cinema**, typique des années 1950, le somptueux **Metropolitan Building** de l'époque coloniale et l'originale **mosquée de Tippu Sultan**, masquée par une rangée presque impénétrable d'étals de marché.

S'élevant au-dessus de la gare routière d'Esplanade, le **Sahid Minar** est un obélisque rond de 48 m de haut érigé en 1828 pour célébrer une victoire britannique sur le Népal en 1814.

Rappelant un peu la Maison Blanche, le somptueux **Raj Bhavan** (http://rajbhavankolkata.nic.in/) fut en fait conçu en 1799 sur le modèle de Kedleston Hall, le manoir de la famille Curzon au Derbyshire. L'un de ses plus célèbres occupants, un siècle plus tard, fut, par une étrange coïncidence, lord Curzon. L'édifice est aujourd'hui le lieu de résidence du gouverneur du Bengale-Occidental et les visiteurs doivent se contenter de l'admirer depuis ses belles portes.

Le vaste **stade Ranji**, où se déroulent les matchs de cricket, est souvent désigné par le nom des **Eden Gardens** (entrée libre ; 13h-18h), situés juste derrière. Ces jardins recèlent un lac et une pittoresque **pagode birmane**. L'accès est généralement limité à la porte sud, mais l'entrée plus commode située au nord, près de la porte 12 du stade, est parfois ouverte. Passeport requis.

Le bâtiment de la **High Court** (Cour suprême ; 1872) est une merveille architecturale qui serait inspirée de la halle aux Draps d'Ypres (Flandres). Pour profiter de la meilleure vue, arrivez par le sud en longeant la façade ouest de l'**édifice de la West Bengal Assembly**, au dôme peu élevé. À côté se dresse l'imposant bâtiment à colonnades de **l'ancien hôtel de ville** (Town Hall Building ; 4 Esplanade West). À l'intérieur, le **Kolkata Panorama** (☎ 22483085 ; semaine/week-end 10/15 Rs ; 11h-18h tlj sauf lun) présente le patrimoine de la ville avec une collection de maquettes animées et d'expositions interactives. Bien conçu, il se montre un peu sélectif en matière de faits historiques, et de nombreux voyageurs devront lutter pour apprécier à leur juste valeur les sections consacrées à la culture populaire bengalie. La présence du guide ne permet pas d'y échapper rapidement.

ÉGLISE ST JOHN

Datant de 1787, l'**église St John** (☎22436098 ; KS Roy Rd ; 🕑 8h-17h) arbore une flèche étayée de colonnades. La petite salle ornée de portraits sur la droite de l'entrée servit jadis de bureau à Warren Hastings, premier gouverneur général britannique du Bengale.

Son **cimetière** (10 Rs) plus ou moins à l'abandon abrite deux étranges monuments octogonaux, le **mausolée de Job Charnock**, fondateur controversé de Kolkata, et un **mémorial du Trou noir de Calcutta** de 1902, remisé ici en 1940.

ENVIRONS DE BBD BAGH

Les plus beaux exemples d'architecture coloniale trônent sur BBD Bagh. Jadis nommée Tank Square, la place conserve en son centre le réservoir (*tank*) bordé de palmiers qui alimentait autrefois la ville en eau. Comme à l'époque coloniale, certains habitants l'appellent encore **Dalhousie Square**, du nom d'un lieutenant-gouverneur britannique. Ironie du sort, la place fut par la suite rebaptisée du nom des trois nationalistes qui avaient tenté de l'assassiner en 1930. L'attentat manqué de Binoy, Badal et Dinesh (BBD) conduisit à la mort d'un malheureux inspecteur des prisons. Il n'en prit pas moins valeur de symbole fort en ces temps de lutte pour l'autodétermination. L'événement eut lieu à l'intérieur du **Writers' Building** (1780), renommé pour sa splendide façade sud. Bâti à l'origine pour les clercs (*writers*) de la Compagnie des Indes orientales, il reste le domaine de la bureaucratie.

Quantité d'autres imposants bâtiments coloniaux subsistent. Les **Standard Buildings** (32 BBD Bagh) en briques rouges arborent des nymphes sculptées et de magnifiques balcons en fer forgé à l'arrière. L'ancien **Standard Chartered Building** (Netaji Subhash Rd) est d'inspiration vaguement mauresque, tandis que l'**église St Andrew** possède une belle flèche rappelant les réalisations de sir Christopher Wren. La General Post Office (poste principale ; p. 515) est surmontée d'un dôme somptueux. Il fut construit en 1866 sur les ruines du premier Fort William, lieu du tristement célèbre Trou noir de Calcutta (voir p. 510). Sous sa vaste coupole centrale, de petites expositions se tiennent parfois autour d'une statue d'un coureur de poste bengali. Dans un bâtiment voisin se trouve un charmant **musée philatélique** (☎ 22437331 ; Koilaghat St ; entrée libre ; 🕑 11h-16h lun-sam).

BARABAZAAR

De nombreux édifices religieux s'élèvent au nord et au nord-est de BBD Bagh. Aucun ne mérite à lui seul la visite, mais tous offrent un bon prétexte pour explorer certaines des rues les plus animées de Kolkata. Semblable à une église surmontée d'une haute flèche, la **synagogue Moghan David** (Canning St) est un peu plus imposante que la **synagogue Bethel** (Pollock St). Bâtie par les Portugais en 1797, la **cathédrale du Saint-Rosaire** (Brabourne Rd ; 🕑 6h-11h) est flanquée de tours coiffées d'une couronne. Perdue dans l'agitation d'Old China Bazaar St, l'**église arménienne** (Armenian St ; 🕑 9h-11h dim), de 1707, serait le plus ancien lieu de culte chrétien de Kolkata. Sa flèche blanche joliment proportionnée se voit mieux depuis Bonfield Lane. À l'est, la **mosquée Nakhoda** (1 Zakaria St), en grès rouge (1926), s'élève au-dessus des vitrines des magasins de la fascinante Rabindra Sarani. Son toit, hérissé de dômes et de minarets, fut construit librement sur le modèle du mausolée d'Akbar à Sikandra (p. 422).

ANCIEN CHINATOWN

La petite ruelle Damzen abrite une **église chinoise** et un vieux **temple chinois** (devenu une école), ainsi qu'une maison de couleur turquoise dont l'énorme **porte** (10 Damzen Lane) fut construite pour laisser passer les éléphants domestiques. Pendant près de deux siècles, le quartier a principalement accueilli une communauté chinoise christianisée, dont la grande majorité a fui ou a été emprisonnée lors de troubles anti-chinois pendant la guerre de 1962. Il existe désormais un nouveau Chinatown sans charme à Tangra et l'ancien quartier chinois est délabré. À côté des façades décrépites du **Nangking Restaurant**, un édifice de 1924, jadis majestueux, un tas d'ordures (qui doit être retiré) nourrit une communauté de chiffonniers installés dans un bidonville.

MÈRE TERESA

Pour beaucoup, mère Teresa (1910-1997) est l'incarnation du don de soi. Née Agnes Gonxha Bojaxhiu de parents albanais à Üsküp (une ville alors ottomane, aujourd'hui Skopje, en Macédoine), elle entra dans l'ordre religieux irlandais de Loreto et travailla plus de dix ans comme enseignante à la **St Mary's High School** (☎ 22298451 ; 92 Ripon St) de Kolkata. Horrifiée par la misère endémique de la ville, elle fonda un nouvel ordre, les **missionnaires de la Charité** (www.motherteresa.org), et ouvrit en 1952 le Nirmal Hridy (Sacré Cœur ; voir p. 524). Ce fut le premier refuge à offrir un abri gratuit et un peu de dignité aux indigents et aux mourants ; de nombreux autres devaient suivre. Bien que l'ordre ait essaimé dans le monde entier, mère Teresa continua de vivre dans le dénuement. Elle reçut le prix Nobel de la paix en 1979 et fut béatifiée par le Vatican en octobre 2003.

Mais la "Sainte des caniveaux" n'est pas appréciée de tous. Certains habitants sont irrités de savoir que leur ville, cultivée et principalement hindouiste, est associée dans le monde entier à une catholique dont l'œuvre a mis en relief la facette la moins attrayante de Kolkata. Beaucoup ont aussi reproché aux missionnaires de la Charité leur manque de connaissances médicales et à mère Teresa son opposition à la contraception, difficilement défendable dans une ville marquée par les maladies et la surpopulation. Il est vrai que l'organisation n'a jamais eu pour but premier de sauver des vies, mais de dispenser de l'amour aux mourants. Un "luxe" que les plus démunis se voyaient même refuser avant l'intervention de la religieuse.

Rives de la Hooghly

Ce fleuve boueux est sacré pour les hindous de Kolkata, qui viennent y immerger des représentations de divinités lors des grandes fêtes (p. 511). Les **ghats** de la Hooghly méritent une visite, surtout le matin et le soir, lorsque les fidèles s'y baignent et déposent des offrandes. Très photogénique – quoiqu'en ruines –, le **Babu Ghat** (carte p. 512) se niche derrière une porte pseudo-grecque, près des Eden Gardens.

HOWRAH (HAORA)

Le **Howrah Bridge** (Rabindra Setu ; carte p. 520), merveille architecturale de 705 m de longueur, est un prodigieux mélange d'acier, de gaz d'échappement et de sueur. Construit pendant la Seconde Guerre mondiale, il demeure sans doute le pont le plus emprunté du monde. Il est strictement interdit de le photographier. À l'extrémité est, le **marché aux fleurs du Mullik Ghat** offre un festival visuel et olfactif. De nombreux ferries traversent la Hooghly jusqu'à la célèbre **gare ferroviaire de Howrah**. Cet édifice, achevé en 1906 et doté de nombreuses tours couvertes de tuiles, est devenu l'une des plus grandes gares d'Asie. Mais il est aussi un lieu de convergence des enfants des rues. À l'arrivée des trains, des hordes de bambins "nettoient" les wagons. Des organisations caritatives œuvrent pour leur porter assistance. De nombreux écrits poignants témoignent de leur vie.

À 500 m au sud, en plein air, le **Railway Museum** (musée des Chemins de fer ; 5 Rs ; 🕒 13h-20h tlj sauf jeu) présente la maquette de 2 étages de la gare de Howrah et plusieurs locomotives à vapeur du XIXe siècle. Il propose un tour (10 Rs) en petit train.

Ouest de Kolkata

BOTANICAL GARDENS

Aménagés en 1786 sur 109 ha, les **jardins botaniques** (carte p. 512 ; ☎ 26685357 ; Indiens/étrangers 5/50 Rs ; 🕒 5h30-17h oct-fév, 5h-17h30 mars-sept) ont joué un rôle déterminant dans la culture du thé bien avant qu'il ne devienne une boisson courante. Aujourd'hui, ils donnent sur la rivière et abritent une serre de cactus, une collection de palmiers et un lac de plaisance avec de splendides nénuphars géants de l'Amazone. Ils abritent aussi un **banian** vieux de 250 ans, réputé le plus gros de la planète (140 m de diamètre). Le tronc central a pourri dans les années 1920, laissant une étrange "forêt" de branches entrecroisées et de racines entrelacées.

Le banian se dresse à 5 min de marche de la Bicentenary Gate (Andul Rd) et à 25 min de l'entrée principale, devant laquelle s'arrête le bus n°55 et le minibus n°6 en provenance de Howrah/Esplanade (7 Rs). La course en taxi depuis Shakespeare Sarani coûte environ 90 Rs par l'élégant **Vidyasagar Setu** (un pont suspendu qui enjambe la Hooghly).

SUBHAS CHANDRA BOSE

Au début des années 1940, les deux figures les plus importantes du mouvement anticolonial indien étaient Gandhi (qui prônait la non-violence) et Subhas Chandra Bose (à l'opposé). D'une intelligence remarquable, Bose, qui avait fait ses études à Cambridge, parvint à devenir haut fonctionnaire à Kolkata, malgré des séjours en prison pour attentat et terrorisme. Pendant la Seconde Guerre mondiale, il fuit tout d'abord en Allemagne, puis au Japon. Avec l'aide de Rash Behari Bose, il fonda l'Armée nationale indienne (INA) en recrutant essentiellement des soldats indiens dans les camps de prisonniers de guerre japonais, qui furent armés par Hitler. L'INA marcha ensuite avec les forces armées japonaises vers le nord-est de l'Inde, et fut vaincue au Manipur et au Nagaland. Bose s'enfuit ; il décéda quelque temps plus tard dans un mystérieux accident d'avion.

Aujourd'hui, son image est ambivalente dans la majeure partie du pays. Au Bengale, en revanche, Bose demeure un héros. Il est même surnommé Netaji (chef vénéré). Des chants patriotiques sont entonnés devant ses nombreuses statues et l'aéroport de Kolkata porte son nom.

Sud de Kolkata

KALIGHAT

L'ancien **temple de Kali** (carte p. 512 ; ☎22231516 ; 🕔5h-14h et 16h-22h nov-fév, 4h-14h et 15h-22h30 avr-oct), le lieu le plus saint de Kolkata pour les hindous, est sans doute à l'origine du nom de la ville (p. 510). La structure actuelle, une reconstruction de 1809, ressemble davantage à un édifice victorien avec ses motifs de fleurs et de paons. Le toit à double niveau est peint en gris argent avec des éléments multicolores. D'impressionnantes files de pèlerins serpentent jusqu'à la salle principale pour lancer des fleurs d'hibiscus à une représentation de Kali à trois yeux. Les prêtres du temple vous feront passer en tête de file moyennant un "don" obligatoire (une somme significative). Derrière le pavillon de la cloche mais toujours dans l'enceinte du *mandir* (temple hindou), des chèvres sont aujourd'hui encore sacrifiées pour honorer la terrible déesse, ou, comme le disait un guide pour acheter le pouvoir divin.

Le temple est caché dans un dédale de ruelles où d'innombrables étals vendent des fleurs votives, des pièces de dinanderie, des objets religieux et des images de Kali. Depuis la station de métro de Kalighat (et son immense mosaïque de mère Teresa) marchez vers la Tolisnala, un cours d'eau putride, où le **Shanagar Burning Ghat** compte une impressionnante enfilade de monuments élevés en l'honneur des célébrités qui y furent incinérées. Tournez vers le nord dans Tollygunge Rd, qui devient Kalighat Rd au carrefour suivant. Le temple est sur la droite, au bout d'une allée située juste avant le **Nirmal Hriday** (251 Kalighat Rd). C'est la demeure, étonnamment petite, où mère Teresa accueillait les mourants (voir p. 523). Les angles de son toit sont agrémentés de petits dômes néo-moghols.

En continuant dans la bouillonnante Kalighat Rd vers le nord, vous verrez des artisans peindre des pots dans l'allée partant vers l'ouest, juste avant le **marché de Kalighat**. Après une courbe qui croise Hazra Rd, le haut de Kalighat Rd est jalonné de fabricants d'effigies ; moins réputés que ceux de Kumartuli (voir p. 526), leurs réalisations sont néanmoins surprenantes.

ALIPORE

Le **zoo** (carte p. 512 ; ☎24791152 ; Alipore Rd ; 10 Rs ; 🕔9h-17h tlj sauf jeu), ouvert en 1875, s'étend sur 16 ha. Le week-end, les habitants viennent pique-niquer sur les pelouses et les promenades autour du lac (et y abandonner des déchets…). Il est difficile de distinguer les tigres du Bengale dans les hautes herbes de leur enclos, mais c'est toujours mieux que les cages exiguës et les volières au grillage épais. De l'autre côté de la route, un **aquarium** (3 Rs ; 🕔10h30-17h ven-mer) abrite quelques tristes bassins. Accès avec le bus n°230 depuis Rabindra Sadan.

Juste au sud de l'entrée du zoo, la route (privée) qui conduit à la **National Library** (www.nlindia.org), la plus grande bibliothèque nationale, contourne la majestueuse **Curzon Mansion**, ancienne résidence coloniale du vice-roi – qui n'est pas (encore) un musée.

À environ 1 km au sud-est, les pelouses, les essences tropicales et les arbustes fleuris des jolis **jardins horticoles** (Horticultural Gardens ; carte p. 512 ; 10 Rs ; 🕔6h-10h et 14h-19h) offrent un peu de tranquillité.

ELGIN ROAD ET GARIAHAT

Le **Netaji Bhawan** (carte p. 518 ; ☎24756139 ; www.netaji.org ; 38/2 Elgin Rd ; adulte/enfant 5/2 Rs ; 🕑 11h-16h15 tlj sauf lun) est un musée intéressant qui célèbre la vie et la vision de Subhas Chandra Bose (p. 524), le héros controversé de l'Indépendance. Plusieurs pièces sont décorées dans le style des années 1940. La maison était la demeure du frère de Bose, d'où il orchestra sa "grande évasion" en janvier 1941, alors qu'il était assigné à résidence par les Britanniques. La voiture qui l'emmena est garée dans l'allée.

Avec ses six salles bien éclairées et sa boutique de cadeaux éclectique, le **CIMA** (Centre for International Modern Art ; carte p. 512 ; ☎ 24858509 ; Sunny Towers, 2e ét., 43 Ashutosh Chowdhury Rd ; entrée libre ; 🕑 11h-19h mar-sam, 15h-19h lun) est l'endroit idéal pour découvrir l'art contemporain bengali.

À proximité, le **Birla Mandir** (carte p. 512 ; Gariahat Rd ; 🕑 6h-11h30 et 16h30-21h nov-mars, 5h30-11h et 16h30-21h avr-oct), édifié au XXe siècle, est un vaste temple de Lakshmi Narayan en grès crème, qui possède trois tours en forme d'épi de maïs, plus remarquables par leur taille que par leurs sculptures.

RABINDRA SAROVAR

À l'aube, la classe moyenne afflue dans le parc qui entoure le **Rabrindra Sarovar** (carte p. 512), un lac qui reflète joliment le lever du soleil, pour faire du jogging, de l'aviron et de la méditation, ainsi que des exercices collectifs de yoga qui s'achèvent sur une séance de rires. Des **Laughing Clubs** (🕑 6h-7h) informels tiennent des séances de thérapie par le rire.

Sur les pelouses immaculées de la **Birla Academy of Art & Culture** (carte p. 512 ; ☎ 24666802 ; 109 Southern Ave ; 2 Rs ; 🕑 16h-19h mar-dim) se dresse une statue androgyne de **Krishna**, haute de trois étages. À côté, le **Lake Kalibari** est un petit sanctuaire très révéré de Kali.

Nord de Kolkata

Sauf indication contraire, les sites suivants apparaissent sur la carte p. 512.

QUARTIER DE L'UNIVERSITÉ DE KOLKATA

Situé derrière la bibliothèque centrale de l'université de Kolkata, l'**Asutosh Museum of Indian Art** (musée Asutosh d'art indien ; ☎22410071 ; www.caluniv.ac.in ; Centenary Bldg, 87/1 College St ; 10 Rs ; 🕑 11h30-16h30 lun-ven) possède une collection inestimable de merveilleuses sculptures indiennes anciennes, d'objets en cuivre et de poteries bengalies. Le musée se trouve dans la première rue donnant sur College St en quittant Colootola Rd vers le nord.

Non loin, la mythique **Indian Coffee House** (1er ét., 15 Bankim Chatterjee St ; café 8 Rs, repas léger 20-35 Rs ; 🕑 9h-21h lun-sam, 9h-12h30 et 17h-21h dim) fut autrefois le lieu des rendez-vous des défenseurs de l'indépendance, de la jeunesse bohème et des révolutionnaires. Aujourd'hui, ses hauts plafonds décrépits et ses murs noircis résonnent des conversations d'étudiants, mais le cadre reste fascinant (en dépit du mauvais café). À une rue au sud de MG Rd, marchez 20 m à l'est de College St : l'Indian Coffee House se trouve en haut sur la gauche.

De là, la partie de MG Rd qui rejoint Sealdah Station recèle un remarquable chaos de vieilles boutiques minuscules, de vendeurs de remèdes et de fabricants de cartes, au pied de vieilles façades parfois magnifiques.

MARBLE PALACE

Cette imposante **demeure** (☎22393310 ; 46 Muktaram Babu St ; 🕑 10h-16h mar-mer et ven-dim) construite en 1853 est emplie de statues, d'objets d'époque victorienne, de verrerie belge et de belles peintures – le Rubens serait, dit-on, un original. Le salon de musique arbore un luxueux sol en marbre. Malheureusement, le mobilier ancien est parfois recouvert de vieux draps déchirés.

L'entrée est gratuite, mais les gardiens, les "guides" et le préposé aux toilettes attendent tous un pourboire. Pour accéder au palais, une autorisation de West Bengal Tourism ou d'India Tourism (voir p. 515) est nécessaire.

De la station de métro MG Rd, partez vers le nord, puis prenez la seconde rue vers l'ouest, au niveau du 171 Chittaranjan Ave. Pour la Tagore's House, continuez dans Muktaram Babu St vers l'ouest, tournez à droite dans Rabindra Sarani et continuez vers le nord sur deux pâtés de maisons. Remarquez la magnifique et rétro **officine d'apothicaire Ram Prasad** (carte p. 520 ; 204 Rabindra Sarani) et plusieurs **ateliers de sculpture sur pierre**.

TAGORE'S HOUSE

Dans l'enceinte de l'université Rabindra Bharati, la maison familiale de Rabindranath Tagore (p. 75), érigée en 1784, a été transformée en un **musée** (Rabindra Bharati Museum ; carte p. 520 ; ☎22181744 ; 246D Rabindra Sarani ; Indiens/

étrangers 10/50 Rs, étudiants 5/25 Rs ; 10h30-16h30 tlj sauf lun) dédié à celui qui reste le plus grand poète moderne indien. Il présente des effets personnels sans grand intérêt et quelques citations bien choisies qui éveilleront la curiosité des visiteurs pour la philosophie universaliste de Tagore. Il possède aussi une galerie de peintures réalisées par sa famille et ses contemporains.

Le tram 6 rejoint Kumartuli.

KUMARTULI

Ce fascinant quartier tire son nom des *kumar* (sculpteurs), fabricants d'**effigies** géantes des divinités, qui sont rituellement plongées dans les eaux sacrées de la Hooghly (p. 515) à l'occasion des pujas. Les différents ateliers sont spécialisés dans la constitution des formes en paille, l'ajout d'argile, ou la peinture des effigies. Les artisans travaillent à plein régime d'août à novembre, pour les fêtes de Durga et de Kali (p. 515).

Pour explorer le quartier, suivez l'étroite ruelle à l'ouest du 499 Rabindra Sorani, puis tournez vers le nord dans Banamali Sakar St. Une courte marche vers l'ouest dans Charan Banerjee St vous conduira à l'endroit où est livrée l'argile et, en longeant la berge pendant 5 min vers le nord, le long du Kashi Mitra Burning Ghat, vous atteindrez l'embarcadère de Bagbazar. Des ferries (4 Rs) font la traversée vers Howrah (4 bateaux/heure) et Baranagar (2 bateaux/heure), et des *túk-túk* collectifs suivent Bagbazar Rd jusqu'au métro de Shova Bazaar.

TEMPLES JAÏNS

Trois splendides **temples jaïns** (Badridas Temple St ; dons bienvenus ; 6h-12h et 15h-19h) sont regroupés à l'est de Raja Dinendra Rd (à 1,6 km du métro Shyam Bazaar, deux rues au sud d'Aurobindo Sarani). Le plus réputé, le **Sheetalnathji Jain Mandir**, date de 1867. Son ensemble éblouissant de mosaïques colorées, de flèches, de colonnes et de statuettes scintillantes évoque un peu une œuvre de Gaudi. Juste au sud, le **Sri Sri Channa Probhuji Mandir**, plus paisible, possède un beau porche d'entrée et beaucoup de verdure. Moins décoré, le **Dadaji Jain Mandir** (1810) abrite un temple funéraire de marbre, orné de clous argentés.

Dans un jardin peuplé d'oiseaux, à 250 m à l'ouest de la station de métro de Belgachia, le **Digambar Jain Mandir** (6h-12h et 17h-19h) est flanqué d'une haute tour aux allures de phare, renfermant une effigie en méditation.

DAKSHINESWAR KALI TEMPLE

Au cœur de cet ensemble animé de 14 temples, le **temple de Kali** (☎25645222 ; 6h30-12h et 15h-20h30) est un édifice jaune et rouge de 1847 aux airs de Sacré-Cœur indien. C'est l'endroit où Ramakrishna débuta son remarquable voyage spirituel, et sa petite salle, dans l'angle nord-ouest de l'enceinte du temple, est devenue un lieu de méditation. Le dimanche, les fidèles viennent nombreux.

Le bus DN9/1 depuis la station de métro Dum Dum (5 Rs) s'arrête à l'entrée de la voie d'accès au temple (400 m envahis de colporteurs). Pour continuer jusqu'à Belur Math, prenez l'un des bateaux qui partent une fois pleins (7 Rs, 20 min) – prévoyez un chapeau.

BELUR MATH

Agréablement paysagé, ce **centre religieux** (☎26545892 ; www.sriramakrishna.org/belur.htm ; Grand Trunk Rd ; 6h30-12h et 15h30-20h30) au bord de l'eau est le siège de la Ramakrishna Mission. Nichée au milieu de palmiers et de pelouses impeccables, la pièce maîtresse, l'exceptionnel **Ramakrishna Mandir** (6h30-12h30 et 15h30-20h), bâti en 1938, évoque à la fois une cathédrale, un palais indien et la basilique Sainte-Sophie d'Istanbul. Cette architecture reflète la pensée de **Ramakrishna Paramahamsa**, philosophe du XIXe siècle qui prêchait l'unité de toutes les religions.

Derrière le principal *mandir*, près des rives de la Hooghly, se trouvent plusieurs petits **sanctuaires** (6h30-11h30 et 15h30-17h15), notamment le **Sri Sarada Devi Temple**, dédié à la femme du gourou.

Accessible depuis le parking, le joli **musée** (3 Rs ; 8h30-11h30 et 15h30-17h30 tlj sauf lun) sur deux niveaux retrace la vie et les voyages de Ramakrishna, avec des maquettes des bâtiments dans lesquels il séjourna depuis le Rajasthan jusqu'à New York.

Prenez le minibus n°10 – ou le bus n°54/1 – depuis la gare d'Esplanade ou le bus n°56 depuis la gare de Howrah. Les bateaux pour Dakshineswar remontent le cours de la rivière et il vaut mieux les emprunter en sens inverse. Le week-end, ils desservent huit fois par jour Bagbazar, près de Kumartuli (ci-contre).

À FAIRE

Bénévolat

Plusieurs organisations accueillent volontiers les bénévoles étrangers (voir p. 780).

Cours de cuisine

Plusieurs fois par semaine, le Kali Travel Home (ci-contre) organise d'excellents **cours de cuisine bengalie** (www.traveleastindia.com/cooking_classes/cooking_classes.html ; 500-700 Rs ingrédients compris) de 3 heures, donnés chez elles par des Indiennes.

Golf

Le superbe parcours du **Tollygunge Club** (carte p. 512 ; ☎ 24732316 poste 142 ; www.thetollygungeclub.com/home.htm ; SP Mukherjee Rd) revient à 1 740 Rs aux visiteurs et à seulement 175 Rs aux clients de l'hôtel. La location de clubs coûte environ 300 Rs.

Le superbe **Royal Calcutta Golf Club** (carte p. 512 ; ☎ 24731288 ; www.royalCalcuttagolfclub.com/his tory.htm ; 18 Golf Club Rd), fondé en 1829, est le plus vieux club de golf du monde, en dehors de la Grande-Bretagne. Les étrangers doivent payer 50 $US pour le parcours, 300 Rs pour la location de clubs et 125 Rs pour les services d'un caddie.

Méditation, yoga et danse

L'**Aurobindo Bhawan** (carte p. 518 ; ☎ 22822162 ; 8 Shakespeare Sarani ; 8h-20h) offre une oasis de verdure en plein centre, avec un espace de méditation extérieur où l'on peut s'installer librement ou suivre des **méditations collectives** (19h jeu et dim) d'une demi-heure. Renseignez-vous sur les **cours de méditation** (gratuits ; 17h mar) et les **cours de danse indienne classique** de divers styles : **Odissi** (100 Rs ; 17h lun), **Bharata natyam** (100 Rs ; 16h30 jeu), **Kathak** (150 Rs ; 17h ven et sam). Programmes de yoga sur mesure à la demande.

Art of Living (www.artofliving.org ; aolkol@vsnl.net) propose des stages de yoga de 5 jours en divers lieux.

CIRCUITS ORGANISÉS

West Bengal Tourism propose un **circuit touristique en bus** (200 Rs ; 8h30) d'une journée à prix très correct, mais qui ne donne qu'un rapide aperçu des sites, avec une visite éclair de Belur Math et de Dakshineswar (une demi-heure maximum). Le bureau (BBD Bagh, p. 515) ouvre à 7h pour vendre les places restantes, mais le circuit est annulé si les participants sont moins de 15 (annulations moins fréquentes le dimanche).

Le Blue Sky Cafe (p. 531) organise des **circuits en minivan** (550 Rs/pers ; 8h30 jeu, sam et dim) de 5 heures incluant Kalighat et le Marble Palace (minimum 3 pers).

Kali Travel Home (☎/fax 25587980 ; www.traveleastindia.com), géré par des expatriés enthousiastes, organise des promenades accompagnées, très personnelles, dans la ville et des circuits sur mesure au Bengale, à Darjeeling et dans le Sikkim.

Pour les excursions à la Sunderbans Tiger Reserve, voir p. 543.

OÙ SE LOGER

L'été (basse saison) certaines enseignes accordent des réductions importantes, mais la climatisation est quasiment indispensable. L'hiver, les chambres avec ventilateur suffisent. Toutefois, la demande étant forte, vous n'aurez pas toujours le choix. Les édifices se dégradent rapidement sous un tel climat et, avant de réserver, il vaut mieux vérifier que l'hôtel a été récemment rénové.

Bien que l'on trouve de nombreux établissements à petit prix dans d'autres secteurs (notamment près de la gare de Sealdah), le quartier de Sudder St est le seul où les étrangers sont acceptés partout. Le confort varie énormément, mais les meilleures adresses bon marché n'échappent pas aux peintures défraîchies et aux taches d'humidité. Pensez à mettre un tapis de sol sur le lit pour vous protéger des punaises. Les meubles sont souvent éraflés, même dans la catégorie moyenne. La plupart des hôtels ferment leurs portes vers minuit ; prévenez le personnel si vous comptez rentrer tard.

Les établissements de la catégorie supérieure sont très onéreux, mais certains sites Internet (comme www.yatra.com) peuvent offrir jusqu'à 50% de remise.

La plupart des hôtels ajoutent une taxe de luxe (5%) et certains facturent aussi des frais de service (jusqu'à 25%). Nous les incluons dans les prix ci-dessous.

Sudder St et Park St

Les apparences sont parfois trompeuses : de belles façades cachent des chambres peu reluisantes et humides, alors que de très bonnes adresses occupent des édifices qui semblent délabrés. Les adresses suivantes apparaissent sur la carte p. 518.

PETITS BUDGETS

Si vous voulez une chambre à moins de 400 Rs, c'est possible, mais n'espérez pas une expérience agréable.

> Le gérant borgne grimpa l'escalier en boitant pour nous montrer la misérable chambre. Au-dessus du lit, quelqu'un avait écrit "c'est la plus mauvaise nuit de toute ma vie". Alors que nous repartions en courant, il hurla des prix toujours plus bas. Mais même pour rien, cela aurait été trop cher. Nous avons alors compris que l'hébergement "bon marché" de Kolkata n'était qu'une clique de bouges répugnants.
>
> *Maud Hennessy, voyageuse à Sudder St*

Un bon point pour les hôtels Paragon, Maria et Modern Lodge : un toit-terrasse (complètement décrépit) équipé de chaises, où se retrouvent les clients. Les chambres les moins chères n'ont parfois ni prise électrique ni fenêtre.

Hotel Maria (☎ 22520860, 22224444 ; 5/1 Stuart Lane ; d/q 300/450 Rs, dort/s/d sans sdb 70/150/200 Rs ; 💻). Vieille demeure décrépite mais paisible, dans une agréable cour verdoyante. Les dortoirs, sans aucune intimité, sont spacieux. Connexion Internet (15 Rs/h).

Paragon Hotel (☎ 22522445 ; 2 Stuart Lane ; dort 90 Rs, ch sans sdb 150-330 Rs). Chambres minuscules et tristes ; des dortoirs bondés sans fenêtre. Prévoyez un cadenas.

Modern Lodge (☎ 22524960 ; 1 Stuart Lane ; ch 250 Rs, sans sdb à partir de 100 Rs). Un bon rapport qualité/prix pour un établissement qui n'a de moderne que le nom. Chambres à plafond haut défraîchies, mais vieux salon pittoresque au 1er étage et paisible toit-terrasse.

Centrepoint Guest House (☎ 22520953 ; ian_rashid@yahoo.com ; 20 Mirza Ghalib St ; dort 100 Rs, s/d sans sdb à partir de 300/350 Rs, avec clim s/d 500/600 Rs). Des chambres minuscules et rudimentaires, mais repeintes et moins humides qu'ailleurs. Au 4e étage, trois grands dortoirs (non mixtes), équipés de lits superposés et de coffres (prévoyez un cadenas). Douches et toilettes communes sur la terrasse.

Continental Guesthouse (☎ 22520663 ; Sudder St ; s/d sans sdb à partir de 150/200 Rs, d avec WC 350 Rs). Des chambres plus jolies que la moyenne, mais basses et étouffantes. Un seul WC commun pour une douzaine de chambres.

Timestar Hotel (☎ 22528028 ; 2 Tottie Lane ; s/d à partir de 200/325 Rs). Maison coloniale aux murs épais et délabrés, avec des sols carrelés récents et des plafonds assez hauts à l'étage.

Hotel Pioneer International (☎ 22520557 ; 1er ét., 1 Marquis St ; d sans/avec clim 450/650 Rs). L'escalier branlant d'une vieille demeure conduit à ces six chambres propres (sol carrelé neuf et TV multilingue). Personnel accueillant et serviable. Certains voyageurs ont souffert de démangeaisons.

♥ Hotel Aafreen (☎ 22654146 ; afreen-cal@yahoo.co.in ; Nawab Abdur Rahman St ; d avec ventil/clim 450/700 Rs ; ❄). Un confort de catégorie moyenne à petit prix. Peintures en bon état, personnel serviable, ascenseur et sdb rénovées avec eau chaude.

Ashreen Guest House (☎ 22520889 ; ashreen_guesthouse@yahoo.com ; 2 Cowie Lane ; d 495 Rs, d/tr avec clim 840/960 Rs ; ❄). L'une des meilleures pensions de Kolkata. Chambres petites mais impeccables, décorées de touches joyeuses et équipées d'un chauffe-eau. Service attentif et dynamique. Il y a souvent une liste d'attente. Si c'est complet, on vous enverra sans doute vers l'Afridi International, tenu par le même gérant juste en face, dont six chambres sont rénovées tandis que les autres sont typiques du quartier.

Aafreen Tower (☎ 22293280 ; aafreen_tower@yahoo.co.in ; 9A Kyd St ; d avec ventil/clim 600/900 Rs ; ❄). Un ascenseur de verre et des couloirs lumineux mènent à des chambres assez grandes et bien ventilées. Excellent rapport qualité/prix, malgré certains équipements fatigués.

Super Guesthouse (☎ 22520995 ; super_guesthouse@hotmail.com ; Sudder St 6 ; d 660-2 500 Rs ; ❄). Une pension entièrement climatisée aménagée dans trois bâtiments proches. Bar, restaurant et agent de voyages très serviable. Les doubles à 660 Rs sont humides, mais les nouvelles (1 100 Rs) sont très intéressantes. Certaines manquent de lumière naturelle.

Chowringhee YMCA (☎ 22492192 ; 25 Chowringhee Rd ; s/d 600/900 Rs plus 50 Rs de "cotisation", avec clim suppl de 250-300 Rs ; ❄). La plus ancienne YMCA d'Asie paraît vraiment délabrée en montant vers la minuscule réception (8h-20h), mais au-dessus du court de badminton à colonnades, une cour est entourée de chambres avec sdb à prix très correct (clim en option, petit déj inclus).

Hotel Pushpak (☎ 22265841 ; www.hotelpushpakinternational.com ; 10 Kyd St ; s/d avec ventil 700/900 Rs, avec clim 1 050/1 260 Rs, deluxe 1 400/1 600 Rs ; ❄). Peintures et statues confèrent un peu d'humanité aux couloirs et les chambres agréables possèdent une belle petite sdb (chauffe-eau). Deux chambres deluxe avec grand lit et réfrigérateur.

Sunflower Guest House (☎ 22299401 ; 5e ét., 7 Royd St ; d/tr à partir de 750/850 Rs, avec clim 950/1 000 Rs). Dans un vieil immeuble, ces chambres à plafond haut, peu décorées mais bien tenues, possèdent une sdb rénovée (chauffe-eau). Prenez l'ascenseur des années 1940 jusqu'au dernier étage des Solomon Mansions (1865) et repérez le personnel derrière le petit jardin du toit.

CKT Inn (☎ 22520130 ; cktinn_kolkata@yahoo.co.in ; 3e ét., 12/1 Lindsay St ; s/d 825/1 100 Rs ; ❄). Ameublement aux touches Art déco, chambres paisibles orientées sud, bonne clim mais moquettes fatiguées. Entrez par le côté d'un immeuble de bureaux et prenez l'ascenseur bondé.

CATÉGORIE MOYENNE

Hotel VIP InterContinental (☎ 22520150 ; vipintercontinental@rediffmail.com ; 44 Mirza Ghalib St ; s/d à partir de 1 150/1 205 Rs, ch super-deluxe 1 790 Rs ; ❄). Derrière son étroite réception, cet hôtel convivial propose des petites chambres bien climatisées toutes différentes, avec sdb correcte (eau chaude) et sol en pierre. Les "super-deluxe" sont étonnamment tendance. À ne pas confondre avec l'Hotel VIP Continental voisin, dont le beau hall dissimule des couloirs tristes et des chambres surestimées.

Fairlawn Hotel (☎ 22521510 ; www.fairlawnhotel.com ; 13A Sudder St ; s/d 2 215/2 658 Rs ; ❄). Ouverte en 1936, cette adresse pittoresque de l'époque du Raj (1783) se cache derrière un jardin tropical. Les couloirs et le salon sont ornés de photos, souvenirs de famille et articles sur le propriétaire nonagénaire. Chambres sans luxe mais récemment rénovées. Bouilloire, réfrigérateur et fauteuils dans la plupart. Petit-déjeuner et thé inclus.

Dee Empressa Hotel (☎ 40021888 ; www.deeempresa.com ; 12/2A Kyd St ; s/d/ste 3 780/4 410/4 830 Rs ; ❄). L'atrium et les jetés de lit en soie confèrent une douce élégance à cette tour récente de 48 chambres. Chambres petites mais très propres (sol en marbre et écran plat). Ascenseur laborieux.

Housez 43 (☎ 22276020 ; www.housez43.com ; 43 Mirza Ghalib St ; s/d à partir de 4 000/4 500 Rs ; ❄). Couleurs vives, lampes et miroirs originaux donnent beaucoup de caractère à cet hôtel de charme très central. Certaines chambres sont plus à la page que d'autres.

Lytton Hotel (☎ 22491872/3 ; www.lyttonhotelindia.com ; 14 Sudder St ; s/d/ste standard 4 350/5 550/6 825 Rs ; ❄). Cet hôtel un peu démodé est bien tenu. Panneaux de style Tiffany dans les escaliers, touches anciennes dans les chambres (de tailles très variables) et élégants lavabos dans les petites sdb.

CATÉGORIE SUPÉRIEURE

Park Hotel (☎ 22499000 ; www.theparkhotels.com ; 17 Park St ; d 12 600-17 850 Rs ; ❄ 💻 🏊). Un hôtel central, moteur de la vie nocturne de Kolkata. Élégant décor noir à l'un des étages les plus chers, mais certains lavabos modernes paraissent déjà usés. Les chambres les moins chères, décevantes, résonnent des concerts donnés dans le petit hall bondé (jusqu'à 4h) les week-ends et mercredis.

♥ **Oberoi Grand** (☎ 22492323 ; www.oberoikolkata.com ; 15 Chowringhee Rd ; s/d/ste 19 950/21 525/36 750 Rs ; ❄ 💻 🏊). Cette merveilleuse oasis de tranquillité offre la perfection des cinq-étoiles. Grand lustre ancien, colonnes dorées, musique classique et parfum des lys vous accueillent dans le hall somptueux. Chambres immaculées et pleines de charme ; lit à baldaquin dans les plus chères. Piscine transparente bordée de palmiers, personnel attentionné et massages au spa Banyan Tree.

Sud de Chowringhee

La plupart des hôtels de Chowringhee (carte p. 518) offrent un hébergement haut de gamme pour hommes d'affaires.

Sikkim House (☎ 22815328 ; 4/1 Middleton St ; d/ste 1 200/1 500 Rs ; 🕑 réception 8h-22h ; ❄). Les Sikkimais ont un accès prioritaire aux chambres fonctionnelles, spacieuses et propres, mais les touristes sont acceptés s'il y a de la place.

Old Kenilworth Hotel (Purdey's Inn ; ☎ 22825325 ; 7 Little Russell St ; d sans/avec clim 2 250/2 940 Rs ; ❄). Tenu par une famille anglo-arménienne depuis 1948, il ressemble à une vaste pension chez l'habitant. Chambres peu nombreuses mais très grandes, avec meubles des années 1950 et ventilateurs originaux à cordelette au plafond. Pelouse privée ; ni restaurant ni ascenseur.

Allenby Inn (☎ 24869984 ; allenbyinn@vsnl.net ; 1/2 Allenby Rd ; s/d/ste 3 150/3 675/4 200 Rs ; ❄). Aménagé sur plusieurs étages d'un immeuble, il offre une déco branchée avec plus d'une touche d'art abstrait. Certaines des 25 chambres sont spacieuses. Au 5e étage, deux "suites" partagent une grande salle à manger et une petite cuisine.

The Astor (☎ 22829950 ; http://astorkolkata.com ; 15 Shakespeare Sarani ; s/d/ste 5 250/5 775/8 925 Rs ;). Des projecteurs mettent en valeur l'architecture imposante de cet hôtel de 1905. Certains étages sont joliment irréguliers et les escaliers conservent les rampes d'origine en fer forgé. Belles boiseries tricolores et dessus-de-lit à fleurs dans les chambres. Certaines simples (4 725 Rs) n'ont pas de fenêtre.

The Bigboss (☎ 22901111 ; www.bigbosspalace.com ; 11/1A Rowden St ; s/d/ste/deluxe 5 775/6 300/7 140/7 875 Rs ;). Au-dessus d'un café-restaurant ouvert 24h/24. Chambres pour hommes d'affaires, pratiques et récentes pour la plupart. Jacuzzi pour deux dans les suites deluxe.

The Kenilworth (☎ 22823939 ; www.kenilworthhotels.com/kolkata/index_g.htm ; 1 Little Russell St ; s/d 10 500/11 550 Rs ;). Le grand hall en marbre clair et boiseries sombres contraste avec le café moderne, qui s'ouvre sur une agréable pelouse. Chambres plaisantes et bien équipées (variateurs de lumière, couleurs lumineuses et grands miroirs). Les suites occupent une vieille demeure juste en face.

HHI (Hotel Hindusthan International ; ☎ 40018000 ; www.hhihotels.com ; 235/1 AJC Bose Rd ; d sur place/par Internet à partir de 11 550/6 786 Rs ;). L'intérieur de cette grande tour en béton des années 1960 a été élégamment aménagé, notamment le luxueux étage pour hommes d'affaires "The Colony" (8e ét., doubles 18 900 Rs). Les chambres standard du 3e étage ont été bien rénovées, mais certains couloirs sont humides, vieillots et bas de plafond. Attention au bruit de la circulation du côté nord.

BBD Bagh

La plupart des établissements, proches du métro Chandni Chowk, apparaissent sur la carte p. 520. Ce n'est pas un quartier de voyageurs mais les hôtels y sont d'un bon rapport qualité/prix.

Bengal Buddhist Association (Bauddha Dharmankur Sabha ; ☎ 22117138 ; bds1892@dataone.in ; Buddhist Temple Rd ; lits jum sans/avec clim 250/600 Rs ;). Tout le monde peut louer ces chambres sobres et propres destinées aux étudiants bouddhistes. Chauffe-eau dans les sdb communes et clim dans les trois chambres (rudimentaires) avec sdb attenante. Cadre paisible dans une cour. Fermeture des portes de 22h30 à 5h.

Broadway Hotel (☎ 22363930 ; http://business.vsnl.com/broadway ; 27A Ganesh Chandra Ave ; s/d/tr à partir de 475/575/730 Rs). Excellent rapport qualité/prix pour ce vieil hôtel bien tenu qui rappelle un peu les années 1950. Des chambres spacieuses et hautes de plafond pour la plupart ; celles des angles sont inondées de lumière. Journal gratuit glissé sous la porte.

Esplanade Chambers (☎ 22127101 ; GC Ave ; s/lits jum/d à partir de 880/1 210/1 430 Rs ;). Au 2e étage dans une étroite ruelle, un choix de chambres très différentes, de la simple exiguë aux "mini-suites" charmantes avec sdb. Bonne clim et eau chaude.

Hotel Embassy (☎ 22129702 ; ssspareworld@hotmail.com ; 27 Princep St ; s/d à partir de 1 000/1 100 Rs ;). Des chambres généralement bien rénovées (sans originalité) dans le style du Flatiron Building de New York. Le bar-restaurant de l'hôtel est bruyant le soir.

Howrah

Howrah Hotel (carte p. 520 ; ☎ 26413878 ; www.thehowrahhotel.com ; 1 Mukhram Kanoria Rd ; s/d/tr/q à partir de 250/355/445/585 Rs, s/d/tr sans sdb à partir de 165/280/400 Rs). Bien que très délabrée, cette demeure de 1890 conserve son caractère et une partie du carrelage et des sols en marbre italien d'origine. La cour intérieure accueille des oiseaux et la réception, délicieusement vieillotte, est apparue dans trois films. Ses petites chambres fatiguées ne sont pas pires que dans Sudder St. À 2 min de la sortie nord de la gare ferroviaire de Howrah. Entrez en tournant à l'angle de l'Hotel Bhimsain – aux chambres décevantes malgré une façade plus séduisante. Réception ouverte 24h/24.

Grand Kolkata

Ces adresses apparaissent sur la carte p. 512.

Tollygunge Club (☎ 24732316 ; www.tollygungeclub.org ; d/ste 3 090/3 764 Rs ;). Ce club sélect de l'époque coloniale loue de bonnes chambres de style motel dans un cadre idyllique et paisible, parmi les arbres vénérables et les méandres du parcours de golf. Les hôtes deviennent membres temporaires et ont accès au superbe bar d'époque, le Wills Lounge (tenue correcte exigée), et aux installations sportives (sauf le lundi), dont le beau golf à tarif raisonnable (p. 527). Pensez à réserver.

Hyatt Regency (☎ 23351235 ; http://kolkata.regency.hyatt.com ; EM Bypass ; d week-end/semaine à partir de 11 025/12 075 Rs ;). Dominant une allée bordée de palmiers, le plus impressionnant des hôtels modernes de Kolkata joue la carte des baies vitrées pour ses restaurants paysagés et offre des chambres luxueuses aux sdb tout en marbre.

Taj Bengal (☎ 22233939 ; www.tajhotels.com/Luxury/taj%20bengal,Kolkata ; 34B Belvedere Rd, Alipore ; s/d à partir de 18 961/20 597 Rs, Taj Club s/d 23 686/25 322 Rs ;). Ce vaste hôtel de classe internationale arbore un atrium de huit étages animé par des violoncellistes et des peintres. Son architecture des années 1990 est adoucie par d'innombrables antiquités indiennes et panneaux sculptés. Majordome 24h/24, blanchisserie gratuite, restaurant privé et bar réservé (boissons gratuites durant l'happy-hour) à l'étage (indépendant) du Taj Club.

Environs de l'aéroport

Le guichet hôtelier situé au terminal des vols intérieurs suggère beaucoup d'établissements "du secteur", qui se trouvent en fait à plus de 2 km, par VIP Rd. Les adresses suivantes, accessibles à pied de l'aéroport, sont idéales en cas de grève des transports.

Hotel Airways (☎ 25127280 ; www.hotelairways.com ; Jessore Rd ; s/d/tr/q à partir de 300/450/550/650 Rs, avec clim 650/750/900/1 000 Rs ;). Des chambres ventilées, minuscules et étouffantes, souffrant du bruit de la circulation. Celles avec clim sont fraîches, avec un décor agréable. Le petit restaurant couvert du toit (plats 40-70 Rs) donne sur l'aéroport. À 100 m au nord-est de la porte 2 de l'aéroport (accès piétonnier), il se repère aisément la nuit grâce aux guirlandes électriques.

Sheela's Guesthouse (☎ 25129381 ; 1/1 Jessore Rd ; s/d à partir de 500/700 Rs, avec clim 987/1 523 Rs ;). Décoration rose et turquoise de mauvais goût et moquettes usées, mais meubles corrects et eau chaude pour les chambres climatisées. À 200 m au nord-est de l'Hotel Airways.

OÙ SE RESTAURER

Cafés pour voyageurs

Quelques cafés proches de Sudder St servent des en-cas à petits prix (crêpes à la banane, muesli et sandwichs toastés), des fruits pressés et quelques plats indiens. Le cadre n'a rien de spécial.

Blue Sky Cafe (carte p. 518 ; Chowringhee Lane ; plats 22-165 Rs ; 6h30-22h30 ;). Clim correcte, cuisine convenable et serveurs pleins d'esprit. Un endroit presque élégant avec des chaises en zinc et de longues tables en verre.

Fresh & Juicy (carte p. 518 ; Chowringhee Lane ; plats 25-60 Rs ; 6h30-22h). De bons plats peu onéreux et un excellent *lassi* à la banane (20 Rs) compensent l'absence de charme de ce modeste café de cinq tables.

Super Chicken (carte p. 518 ; Sudder St ; plats 35-100 Rs ; 20h-23h ;). Succulent poulet *tikka* et belle carte alléchante, dans une salle neuve bien climatisée.

Restaurants

La plupart des restaurants appliquent une taxe de 12,5%. Quelques enseignes plus chic ajoutent parfois des "frais de service". Les pourboires sont bienvenus dans les établissements bon marché et attendus dans les plus onéreux. Le *Times Food Guide* (100 Rs), peu critique dans ses descriptions, recense des centaines de restaurants.

CUISINE BENGALIE

Fruitée et légèrement épicée, la cuisine bengalie dégage les notes riches et douces du *jaggery* (sucre de palme), du *daab* (jeune noix de coco), du *malaikari* (lait de coco) et du *posto* (graines de pavot). Parmi les curries typiquement bengalis, le *jhol* est léger et parfumé à la coriandre, le *jhal* est plus sec, plus épicé et plus riche, et le *kalia* est à base de gingembre. Un parfum de moutarde caractérise les curries *shorshe* et les plats *paturi*, cuits à la vapeur dans une feuille de banane. Les *chingri* (crevettes de rivière) et les excellents poissons (notamment le *bhekti*, l'*ilish* et l'*aier*, proche de l'espadon) sont plus employés que la viande ou le poulet (*murgir*). Il existe de succulents plats végétariens, dont le *mochar ghonto* (fleur de banane en purée, pomme de terre et noix de coco) et le *doi begun* (aubergine dans une sauce crémeuse). *Gobindobhog bhaat* (riz vapeur) ou *luchi* (petites galettes *puri*) constituent l'accompagnement habituel.

Les desserts et sucreries bengalis sont légendaires. Le plus caractéristique est le *mishti dhoi* (lait caillé adouci avec du *jaggery*). Il est encore meilleur quand la croûte sèche et prend une texture de caramel, laissant le reste délicieusement moelleux.

Pour ceux qui lisent l'anglais, un grand nombre de recettes et une carte bengalie très pratique figurent sur http://sutapa.com.

KOLKATA (CALCUTTA)

CUISINE BENGALIE

La cuisine bengalie est à découvrir, dans toute la singularité de ses saveurs (voir p. 531) et de son vocabulaire. Les portions sont généralement petites. Dans les restaurants bon marché, mieux vaut commander deux ou trois plats, avec du riz/*luchi* et du chutney sucré tomate-*khejur* (datte).

Radhuni (carte p. 518 ; 17G Mirza Ghalib St ; plats 15-90 Rs, riz 10 Rs ; 7h30-23h ;). Une adresse simple pour un petit-déjeuner typique et une cuisine bengalie honorable.

Flamez (carte p. 518 ; ☎ 22264251 ; Mirza Ghalib St ; plats 40-130 Rs, riz 45 Rs ; 12h-23h ;). Distrayez vos papilles avec du *sukto*, un curry végétarien qui oscille entre salé et sucré. Spécialités d'autres régions de l'Inde.

Bhojohari Manna (Ekdalia) (carte p. 512 ; ☎ 24401933 ; www.bhojohorimanna.org ; 9/18 Ekdalia Rd/PC Sorcan Sarani ; plats 20-190 Rs ; 12h-21h ;). Ce petit restaurant (service à emporter) qui sert des plats bengalis divins est à l'origine d'une chaîne en plein essor. Choisissez sur le tableau blanc renouvelé chaque jour. C'est l'endroit idéal pour se régaler d'un *chingri malaikari* à la noix de coco, avec d'énormes crevettes. Les croquis sur les murs sont l'œuvre du père du célèbre réalisateur Satyajit Ray.

Bhojohari Manna 6 (carte p. 512 ; ☎ 24663941 ; www.bhojohorimanna.org ; 18/1 Hindustan Rd ; plats 45-190 Rs, riz 30 Rs, *thali* 145-170 Rs ; 12h-21h ;). La dernière et la plus spacieuses des enseignes de la chaîne est moins intimidante pour ceux qui ne parlent pas bengali. Décor élégant et copieux *thali*.

Kewpies (carte p. 518 ; ☎ 24861600 ; 2 Elgin Lane ; plats 58-125 Rs, crevettes 325 Rs, riz 30, *thali* 195-415 Rs ; 12h30-15h et 19h30-23h tlj sauf lun ;). Le cadre évoque la demeure éclectique et vieillotte d'un grand chef. Une cuisine de qualité, servie en petites portions à prix modérés (220 Rs/pers minimum).

6 Ballygunge Place (carte p. 512 ; ☎ 24603922 ; 6 Ballygunge Pl ; plats 95-245 Rs, crevettes 255-355 Rs, riz 65 Rs ; 12h30-15h30 et 19h30-22h30 tlj sauf lun ;). Dans une imposante maison coloniale sans raideur excessive, on vous propose des déjeuners-buffets composés de six plats principaux, de desserts, de chutneys et de riz, couvrant bien la diversité de la cuisine bengalie. Le minibus n°118 depuis le métro Jatin Das Park s'arrête à une rue au nord, dans Bondel Rd.

Oh! Calcutta (carte p. 518 ; ☎ 22837161 ; 4e ét., Forum Mall, Elgin Rd ; plats 180-625 Rs, riz 120 Rs, bière 216 Rs ; 12h30-15h et 19h-23h ;). "Fenêtres" miroirs, étagères à livres et photos en noir et blanc confèrent une élégance décontractée à ce séduisant restaurant de cuisine fusion bengalie. *Luchi* légers et *koraishatir dhokar dalna* (gâteaux de pois au gingembre) parfumés au citron vert.

CUISINE INDIENNE RÉGIONALE

En plus des adresses suivantes, vous trouverez de nombreux restaurants à petit prix autour du marché Hogg (carte p. 518).

Anand (carte p. 520 ; ☎ 22129757 ; 19 CR Ave ; *dosa* 30-73 Rs ; 9h-21h30 jeu-mar ;). Excellents *dosa* entièrement végétariens servis dans un restaurant familial vieillot mais bien tenu.

Dustarkhwan (carte p. 518 ; ☎ 22275596 ; 6 Ripon St ; plats 35-110 Rs ; 12h-23h30 ;). Bons curries, copieux *biryani* (100 Rs) et boulettes au poulet à l'ail à prix modérés pour ce modeste restaurant de quartier (bonne climatisation). Restaurant moins cher à côté.

Crystal Chimney (carte p. 518 ; CR Ave ; 12h-22h mar-dim). À côté d'Anand, cet endroit minuscule prépare de savoureux *momo* et du poulet au piment.

Jarokha (carte p. 518 ; www.guptabros.com ; 1er ét., Gupta Brothers, Mirza Ghalib St ; plats 75-110 Rs, riz 60 Rs, *thali* 110 Rs ; 12h30-16h et 19h-22h30). Le *thali* est une bonne affaire dans cette adresse végétarienne conviviale au décor librement inspiré de l'histoire indienne. Accès par un escalier en spirale depuis le Gupta Brothers (p. 534).

Teej (carte p. 518 ; ☎ 22170730 ; www.teej.in ; 1er ét., 2 Russell St ; plats 110-175 Rs, riz 120 Rs, *thali* 265-350 Rs, bières 140 Rs ; 12h-15h30 et 19h-22h30 ;). Avec ses magnifiques fresques mogholes, ce restaurant original rappelle un *haveli* (résidence traditionnelle très décorée) rajasthani. Excellente cuisine végétarienne du Rajasthan.

Riviera (carte p. 518 ; ☎ 22274974 ; 1er ét., 24 Park St ; plats 165-320 Rs, riz 60 Rs ; 12h-15h et 19h-23h30). Sa cuisine "côtière" offre le meilleur des gastronomies régionales : crevettes farcies de Puducherry, curry *bhekti* de Mangalore, plats kéralais à la noix de coco et poulet de Chettinad. Les végétariens peuvent commander sur la carte de l'Angaar Restaurant attenant.

CUISINE SINO-INDIENNE

Gypsy Restaurant (carte p. 520 ; GC Ave ; plats 25-55 Rs, riz 15 Rs ; 12h-22h). Une salle étonnamment claire, propre et bien meublée pour ce restaurant très bon marché, ouvert sur un côté.

The Heritage (carte p. 518 ; ☎ 22900940 ; 9A Short St ; plats 45-75 Rs, riz 30 Rs, en-cas de petit-déj 30-60 Rs ; 12h-23h). Décoration banale, mais personnel attentif. La cuisine, 100% végétarienne, offre un savant mélange de saveurs pour un prix très raisonnable. À l'arrière, une ancienne galerie d'art abrite l'un des rares salons à narguilé (pipe à eau 160-230 Rs, cocktails sans alcool 45-75 Rs) ayant survécu à l'interdiction de fumer.

Midway (carte p. 518 ; ☎ 22290487 ; 2C Middleton Row ; plats 55-145 Rs, *momo* 20 Rs, riz 40 Rs ; 12h-23h ;). Un nouveau restaurant au design moderniste et attrayant proposant des *thali* d'un rapport qualité/prix exceptionnel (végétarien/non-végétarien 55/65 Rs).

Bar-B-Q (carte p. 518 ; ☎ 22299078 ; 1er ét., 43 Park St ; plats 115-160 Rs, riz 70 Rs, bières 120 Rs ; 12h-16h et 19h-22h45). Les trois salles à manger communicantes de cette enseigne familiale réputée affichent des cartes légèrement différentes. Cadre confortable et sans prétention.

CUISINE EST-ASIATIQUE

Song Hay (carte p. 520 ; ☎ 22480974 ; 3 Waterloo St ; plats déj 21-75 Rs, plats dîner 44-160 Rs, riz 16 Rs, bière 75 Rs ; 11h-22h30 ;). Ce modeste restaurant renommé prépare d'authentiques spécialités chinoises. Tarifs particulièrement intéressants avant 17h (demi-portions à moitié prix).

Bayleaf (carte p. 520 ; ☎ 64542244 ; Waterloo St ; plats 50-85 Rs, crevettes 120-150 Rs, riz 30 Rs ; 11h30-23h ;). Quelques plats tibétains, birmans et thaïs complètent la cuisine chinoise inventive (succulents "délices aux champignons"). Chaises noires et tables en verre noir.

Mainland China (carte p. 518 ; ☎ 22837964 ; www.mainlandchinaindia.com/contact_kolkata.html ; 3A Gurusaday Rd ; plats 210-675 Rs, riz 120 Rs, bière 216 Rs ; 12h30-15h30 et 19h-23h30). De copieux plats chinois de qualité dans un cadre sophistiqué. Réservations recommandées.

Jong's (carte p. 518 ; ☎ 22490369 ; Sudder St ; plats 290-590 Rs, riz 125 Rs, bière 160 Rs ; 12h30-15h et 19h30-23h tlj sauf mar). Magnifique salle lambrissée de style colonial, décorée d'ombrelles et de carillons. Des amuse-gueules sont offerts avant le repas, mais les plats thaïs et coréens manquent de caractère et le *teppanyaki* n'est pas grillé devant vous.

CUISINE VARIÉE

Les établissements suivants servent un choix de plats européens et indiens.

Food First (carte p. 518 ; 5 Camac St ; plats 35-110 Rs ; 11h-22h30 ;). Une salle aux allures de fast-food chic avec un service à table et un large éventail de plats préparés dans des cuisines ouvertes.

Drive Inn (carte p. 518 ; 10 Middleton St ; plats 46-82 Rs, riz 31 Rs, jus 18-25 Rs ; 11h15-22h). Sandwichs, *chaat* (en-cas) et succulentes spécialités végétariennes servis dans un modeste "jardin", autour de tables ventilées. Bon poivron farci.

Mocambo (carte p. 518 ; ☎ 22290095 ; Mirza Ghalib St ; plats 83-210 Rs, bière 108 Rs ; 11h-23h ;). En dépit de son mobilier démodé, il séduit une clientèle fidèle avec ses grillades (189 Rs), son poisson Wellington (192 Rs), son poulet à la Kiev (181 Rs) et son *bhekti* meunière.

Peter Cat (carte p. 518 ; ☎ 22298841 ; Middleton Row ; plats 85-250 Rs, riz 89 Rs, bières/cocktails à partir de 108/81 Rs ; 11h-23h ;). Face au KFC, cette institution sert des *sizzlers* (plats grésillants), d'excellents kebabs *chelo* (agneau haché et épicé, grillé au barbecue) et des bières dans des chopes en étain. Les serveurs en costume rajasthani déambulent dans une ambiance de restaurant-grill des années 1970.

Amber/Essence (carte p. 520 ; ☎ 22483477 ; 2e ét., 11 Waterloo St ; plats 102-193 Rs, bière 110 Rs ; 13h30-23h ;). Cet agréable restaurant apprécié de la classe moyenne est joliment aménagé, mais le curry maison (à la cervelle) n'est pas du goût de tous.

Marco Polo (carte p. 518 ; ☎ 22273939 ; 24 Park St ; plats 170-395 Rs, riz 125 Rs, bière 120 Rs, vin 1 100 Rs ; 13h30-23h ;). Ce restaurant sur deux niveaux, moderne et spacieux, propose un alléchant tour du monde gastronomique, du Bengale à l'Italie via Goa, la Chine et la Hongrie.

CUISINE ITALIENNE ET TEX-MEX

Jalapenos (carte p. 518 ; ☎ 22820204 ; 10 Wood St ; plats 85-250 Rs ; 11h30-22h15 ;). Une cuisine correcte qui ne rappelle guère les saveurs tex-mex ou méditerranéennes promises par l'appellation des plats. Salle plaisante agrémentée de petites alcôves.

Fire and Ice (carte p. 518 ; ☎ 22884073 ; www.fireandicepizzeria.com ; Kanak Bldg, Middleton St ; pizzas 210-320 Rs, pâtes 240-300 Rs, bières 130 Rs ; 11h-23h30 ;). Un personnel charmant en chemise noire sert d'authentiques pâtes et pizzas italiennes. La meilleure pâte fine de Kolkata.

Little Italy (carte p. 518 ; ☎ 22825152 ; 8e ét., Fort Knox Tower, Camac St ; pizzas 230-465 Rs, pâtes 315-435 Rs, petites bières 145 Rs ; 12h15-15h30 et 19h-22h45). Un restaurant branché mais décontracté proposant un remarquable choix de plats italiens savoureux 100% végétariens. Réservations conseillées.

Sur le pouce

FAST-FOOD

Beef Hotel (carte p. 518 ; Tegiya Darbar Hotel, Collin Ln ; plats 5-20 Rs ; 19h-23h45). On peut manger du riz et un curry végétarien pour seulement 8 Rs dans cette affreuse gargote jonchée de détritus (nous n'avons pas été malades).

Haldiram (carte p. 518 ; 58 Chowringhee Rd ; 30-85 Rs ; 7h-22h). *Thali* végétariens (60-66 Rs), *dosa* (30-42 Rs), hamburgers (28-48 Rs) et douceurs bengalies d'un excellent rapport qualité/prix (payez avant de faire la queue).

Étals d'en-cas (carte p. 518 ; Humayan Pl ; 10h-21h). Des stands de pâtisseries et un Barista Coffee sont installés devant le cinéma New Empire. De l'autre côté de la rue, une succession de boutiques-étals typiques vend des *dosa*, du *chow mein* et de savoureux fruits pressés à petits prix. D'autres stands jalonnent Bertram St et la Madge Lane voisine.

KATI ROLL

Le *kati roll* est l'en-cas vedette du Bengale. Prenez un *paratha roti*, faites-le frire avec de l'œuf, garnissez-le d'oignons, de piment et d'ingrédients de votre choix (poulet au curry, viande grillé ou *paneer*) et enroulez-le dans du papier. Le tout est prêt à être mangé dans la rue. Parmi les minuscules enseignes qui les servent, nous vous recommandons **Hot Kati Rolls** (carte p. 518 ; 1/1 Park St ; rolls 12-50 Rs ; 11h-22h30) et **Kuzums** (carte p. 518 ; 27 Park St ; rolls 12-45 Rs ; 12h-23h30).

DOUCEURS, GÂTEAUX ET PÂTISSERIES

Sauf mention contraire, les adresses suivantes ne pratiquent que la vente à emporter.

KC Das (carte p. 520 ; Lenin Sarani ; douceurs 3-16 Rs ; 7h30-21h30). Ancienne mais sans grand cachet, cette confiserie bengalie a inventé les *rasgulla* (boulettes de fromage frais à l'eau de rose) en 1868. Places assises.

Gupta Brothers (carte p. 518 ; www.guptabros.com ; Mirza Ghalib St ; douceurs 3-10 Rs ; 7h30-22h30 ;). Cette confiserie classique a donné naissance à une chaîne d'en-cas. Les boulettes végétariennes (6 Rs) sont parfumées.

Kathleen Confectioners (carte p. 518 ; 12 Mirza Ghalib St ; en-cas 9-30 Rs ; 8h-20h ;). Les gâteaux très sucrés ne sont pas exceptionnels, mais les pâtisseries salées sont délicieuses. On mange debout autour de tables équipées d'eau filtrée (tasse commune). Nombreuses succursales, dont une dans AJC Bose Rd.

Kookie Jar (carte p. 518 ; Rowden St ; pâtisseries 20-60 Rs ; 8h-22h ;). Les gâteaux et brownies (32 Rs) les plus divins de Kolkata, du pain multicéréales (50 Rs), des *wraps* mexicains au poulet (55 Rs) et des pâtisseries moelleuses.

Gangaur (carte p. 518 ; http://gangaur.org ; 2 Russell St ; douceurs 9-25 Rs ; 7h30-20h ;). Confiserie bengalie huppée.

OÙ PRENDRE UN VERRE

Cafés

Ashalayam (carte p. 518 ; www.ashalayam.org ; 1er ét., 44 Mirza Ghalib St ; café 6-15 Rs ; 10h30-19h lun-ven, 10h30-15h30 sam ;). Jouez aux échecs sur les tables basses en sirotant un Nescafé mousseux à petit prix, dans cette boutique d'artisanat caritative, calme et lumineuse (voir p. 536).

Flury's (carte p. 518 ; Park St ; cafés 60-145 Rs, sandwichs 40 Rs ; 7h30-21h45 ;). Savoureux expresso (60 Rs) et thé glacé (60 Rs) dans un séduisant palais Art déco.

Avec son jardin-terrasse, le **Cafe Coffee Day** (carte p. 518 ; Wood St ; cafés 40-75 Rs ; 10h30-23h ;) est, avec sa terrasse, la meilleure enseigne de cette chaîne de cafés. Sur Humayan Pl, le **Barista** (carte p. 518 ; Humayan Pl ; cafés 24-50 Rs ; 9h-22h ;) appartient à une chaîne dont les succursales (voir cartes) – certaines moins chères – offrent le confort de la climatisation.

Salons de thé

Dolly's Tea Shop (carte p. 512 ; ☎ 24237838, mobile 9830115787 ; Unit G62, Dakshinapan Shopping Centre ; thés 15-100 Rs, en-cas 20-70 Rs ; 10h30-19h30 tlj sauf dim). Le décor et la présence de Dolly, la patronne, font de cette enseigne du centre commercial Dakshinapan une charmante oasis qui séduit une clientèle éclectique. Pour accompagner l'une des 50 variétés de thé, commandez un sandwich toasté ou une tarte aux pommes.

ChaBar (carte p. 518 ; Oxford Bookshop, Park St ; thés 25-75 Rs, cafés 40-120 Rs ; 6h30-23h30). Une longue carte de thés à savourer devant un livre.

Bars

Les meilleurs bars se trouvent dans les hôtels ou les restaurants. Les endroits bon marché sont souvent peu engageants et essentiellement fréquentés par des hommes qui apprécient la musique forte.

Broadway Bar (carte p. 520 ; Broadway Hotel ; bières 70 Rs ; 11h-22h30). Ce vieux pub sombre et sans prétention est inclassable. Alcool bon marché, 20 ventilateurs, murs défraîchis et sols en marbre. Le plus : pas de musique.

Fairlawn Hotel (carte p. 518 ; 13A Sudder St ; bières 90 Rs ; ⏲ 11h30-14h et 14h30-21h). Le petit jardin tropical de cet édifice historique est décoré de guirlandes électriques et de fruits en plastique : un cadre original pour une bière fraîche (pas d'alcools forts).

Mirch Masala (carte p. 512 ; ☎ 24618900 ; Monoronjan Roy Sarani ; plats 75-220 Rs, bières 95 Rs, cocktails 110 Rs ; ⏲ 12h-15h et 19h-22h30). La carte d'Inde du Nord (présentée comme un magazine) et le décor (horloges, faux arbres et demi-châssis de taxi) créent une atmosphère distrayante qui évoque un bar tex-mex à Bollywood. Entrez par la ruelle voisine du grand magasin Pantaloons.

Rocks (carte p. 520 ; 9 Waterloo St ; bières à partir de 100 Rs ; ⏲ rez-de-chaussée 11h-0h, 2e ét. 19h-24h). Ses trois niveaux offrent chacun une expérience particulière. Le rez-de-chaussée est un bouge humide à l'ancienne ; le 2e étage accueille de bons musiciens bengalis (qui jouent très fort).

Blue & Beyond Restaurant (carte p. 518 ; ☎ 22521039 ; 9e ét., Lindsay Hotel, Lindsay St ; bières 110 Rs, plats 95-175 Rs ; ⏲ 11h-23h). Le toit-terrasse jouit d'un panorama inhabituel sur le New Market.

Floatel (carte p. 520 ; www.floatelhotel.com ; Strand Rd ; buffet déj/dîner 399/499 Rs, bières 150 Rs ; ⏲ bar 12h-24h ; ❄). Ce restaurant profite d'une belle vue sur la rivière : un endroit parfait pour prendre un verre au crépuscule.

Roxy (carte p. 518 ; Park Hotel ; petites bières 175 Rs ; ⏲ 18h-24h dim-mar, 18h-4h mer, ven et sam ; ❄). Avec sa musique douce et son décor rétro-futuriste, c'est le plus sympathique des bars proches du Park Hotel (qui en abrite lui-même un).

Plusieurs magasins de spiritueux, tels que **Scotts**, **National Stores** et **Republic Stores** (⏲ en général 10h-22h ; bière 47 Rs) sont indiqués sur les cartes p. 518 et p. 520.

OÙ SORTIR

Les événements et manifestations culturelles sont annoncés dans la rubrique *Metro* du *Telegraph* et les brochures touristiques (p. 516).

Clubs et discothèques

Les soirées sont animées le mercredi, le vendredi et le samedi, lorsque les clubs restent ouverts jusqu'à 4h. Les autres soirs, la plupart sont à moitié vides et ferment à minuit. Le prix d'entrée est différent du *cover charge*, qui donne droit à des boissons ou des en-cas pour une valeur équivalente. Les tarifs valent pour un couple et les hommes seuls sont généralement refusés.

Tantra (carte p. 518 ; Park Hotel ; entrée 500-1 000 Rs, petites bières 225 Rs). La discothèque la plus prisée de Kolkata diffuse de la musique contemporaine sur son unique piste de danse. Zone de repos (assez bruyante) autour du bar central, surmonté d'un pont d'observation.

Marrakech (carte p. 518 ; Cinnamon Restaurant, 1er ét., 24 Park St ; cover 500 Rs, bières 135 Rs). Un bar-club au thème marocain, avec des alcôves agrémentées de coussins autour d'une petite piste de danse animée.

Venom (carte p. 518 ; 8e ét., Fort Knox, 6 Camac St ; cover 500 Rs, 1 000 Rs sam). Les rayons lumineux verticaux évoquent un gigantesque ampli des années 1970. Musique variée.

Ginger (carte p. 512 ; ☎ 24863052 ; 104 SP Mukherjee Rd ; entrée libre, petites bières 120 Rs ; ⏲ 21h-tard mer, ven et sam). La meilleure option de Kolkata pour les hommes seuls. La clientèle, essentiellement masculine, se trémousse sur les hits des années 1990.

Sorties culturelles

Kolkata est réputée pour la poésie, la musique, l'art, le cinéma et la danse, souvent à l'honneur au **Nandan Complex** (carte p. 518 ; 1/1A AJC Bose Rd. Ce dernier comprend les salles de théâtre **Rabindra Sadan** (☎22239936) et **Sisir Mancha** (☎22235317), ainsi qu'un cinéma d'art et d'essai, le **Nandan Cinema** (☎22231210).

Cinémas

Les cinémas ne manquent pas. Il en existe au moins neuf près du New Market, dont le plus confortable est le **New Empire Cinema** (carte p. 518 ; ☎22491299 ; 1-2 Humayan Pl ; billets 50-150 Rs). L'**Inox Elgin Rd** (carte p. 518 ; ☎23584499 ; www.inoxmovies.com ; 4e ét, Forum Shopping Mall, 10/3 Elgin Rd ; billets 140-230 Rs) est un multiplexe moderne, proposant des réservations en ligne.

Concerts

Des bars comme le Rocks (p. 518) accueillent des groupes locaux qui jouent de la musique indienne à plein tube. D'autres programment des chanteuses pour une clientèle masculine. Des groupes de rock spécialisés dans les reprises se produisent tous les soirs au pub **Someplace Else** (carte p. 518 ; Park Hotel ; bières 200 Rs ; ⏲ à partir de 21h30) ; entrée libre.

Sports

Les clubs de sport abondent au Maidan. Ils proposent diverses activités, du cricket au *kabaddi* (jeu traditionnel). L'atmosphère d'un match de **cricket** au Ranji Stadium (p. 521) a de quoi électriser même les plus néophytes. Pré-réservations des billets en ligne avec **ICL** (http://indiancricketleague.in/tickets.html).

Le Victoria Memorial compose une belle toile de fond pour l'**hippodrome du Maidan** (☎ 22291104 ; www.rctconline.com ; Acharya Jagdish Rd ; à partir de 14 Rs), où l'on peut assister à plus de 40 rencontres annuelles depuis les magnifiques tribunes du XIXe siècle.

ACHATS

Le New Market est un enfer tant les rabatteurs sont nombreux. Venez avant 8h, avant leur arrivée, pour admirer la belle tour de l'Horloge coloniale et profiter du Hogg Market adjacent (produits frais et volailles vivantes), dont les allées surpeuplées s'étirent confusément au nord de BBD Bagh. À Rabindra Sarani, les marchands se rassemblent de manière thématique en divers points.

Artisanat et souvenirs

EMPORIUMS D'ÉTAT

Les magasins d'État proposent des souvenirs de bonne qualité à des prix corrects. Beaucoup sont regroupés dans le **Dakshinapan Shopping Centre** (carte p. 512 ; Gariahat Rd ; 🕑 11h-19h lun-ven, jusqu'à 14h sam), à l'architecture des années 1970 pour le moins controversée que vient un peu tempérer Le Dolly's Tea Shop (p. 534). Les étoffes sont de qualité et **Purbasha** (Unit F4/5 à l'étage) offre des prix intéressants sur les articles en bambou et en rotin du Tripura.

Des rotins semblables, des perles, des étoffes et du thé de l'Assam sont disponibles à l'**Assam Craft Emporium** (carte p. 518 ; ☎ 22298331 ; Assam House, 8 Russell St ; 🕑 10h30-18h lun-ven, 10h30-14h30 sam). Le **Nagaland Emporium** (carte p. 518 ; 11 Shakespeare Sarani ; 🕑 10h-18h lun-ven, 10h-14h sam) vend de l'artisanat naga, notamment des châles et des colliers pour apprentis chasseurs de têtes.

L'impressionnant **Central Cottage Industries Emporium** (carte p. 520 ; www.cottageemporiumindia.com ; Metropolitan Bldg, 7 Chowringhee Rd ; 🕑 10h-19h lun-ven, jusqu'à 14h sam), assez onéreux, propose de l'artisanat de tout le pays.

COOPÉRATIVES CARITATIVES

Pour un cadeau à bon escient :

Ankur Kala (carte p. 512 ; ☎ 22878476 ; www.ankurkala.org ; 3 Meher Ali Rd). Une coopérative doublée d'un centre de formation à destination des femmes nécessiteuses. La petite boutique vend du batik, des ouvrages de couture, de belles cartes de vœux et des articles en cuir. Sur Park Street, franchissez deux carrefours à l'est d'AJC Bose Rd, tournez vers le sud et passez le Tiger Inn, puis traversez Shakespeare Sarani ; repérez le gros "3" sur la porte de la ruelle.

Ashalayam (carte p. 518 ; www.ashalayam.org ; Mirza Ghalib St). Des cartes de vœux, des papiers et des tissus artisanaux superbes, pour soutenir les (ex-)enfants des rues qui les fabriquent (voir p. 534).

Women's Friendly Society (carte p. 518 ; ☎ 22295285 ; 29 Park Lane ; 🕑 8h-13h et 14h-17h lun-ven, 8h-13h sam). Cette coopérative créée il y a 120 ans pour les femmes démunies vend du linge de table brodé main, des tissus et des vêtements pour enfants, dans une ancienne maison coloniale.

Vêtements

Kolkata est l'endroit idéal pour s'habiller à petit prix, sur mesure ou non. Une belle chemise ne coûtera que 100 Rs au **Hawkers' Market** (carte p. 518) de Chowringhee Rd. Du côté du New Market, le choix est infini, tandis que les **tailleurs** (carte p. 518) d'Elliot Rd ont une clientèle moins touristique.

Instruments de musique

Les magasins et ateliers de Rabindra Sarani offrent un vaste choix. Pour des percussions, notamment des tablas, essayez les n°248, 264 et 268B près de la Tagore's House (p. 525). Pour les sitars (à partir de 4 000 Rs) et les violons (à partir de 2 000 Rs), préférez **Mondal & Sons** (carte p. 520 ; ☎ 22349658; 8 Rabindra Sarani ; 🕑 10h-18h lun-ven, 10h-14h30 sam), une enseigne, familiale depuis les années 1850, qui a compté Yehudi Menuhin parmi ses clients.

DEPUIS/VERS KOLKATA

Avion

L'**aéroport international Netaji Subhash Bose** (NSBIA ; ☎ 25118787) assure des vols directs avec Londres et Francfort et plusieurs villes d'Asie.

VOLS INTERNATIONAUX

Compagnies internationales circulant au départ de Kolkata :

Air India (carte p. 518 ; ☎ 22822356/59 ; 50 Chowringhee Rd)

Air India Express (www.airindiaexpress.in). Vols à petits prix vers Bangkok, Dhaka et Singapour.

Biman Bangladesh Airlines (carte p. 518 ; ☎ 22491879 ; www.bimanair.com ; Room 126, Lytton Hotel, Sudder St). Dessert Dhaka.

VOLS INTÉRIEURS AU DÉPART DE KOLKATA

Destination	Compagnie aérienne (et fréquence inférieure à quotidienne)	Durée
Agartala	IC, IT, 6E, 9W	55 min
Ahmedabad	6E tlj, IC jeu et dim	2 heures 45
Aizawl	IC, IT	1 heure 30
Bagdogra (Siliguri)	IT, SG, 9W tlj, IC mar, jeu et sam	55 min
Bengaluru (Bangalore)	IC, IT, SG, S2, 9W	2 heures
Bhubaneswar	IT, 9W	55 min
Chennai (Madras)	IC, IT, SG, 6E, 9W	2 heures
Delhi	IC, IT, SG, S2, 6E, 9W	2 heures
Dibrugarh	IC mar, mer, jeu, sam et dim, S2/9W lun-sam	1 heure 30
	IT lun, mer, ven et dim via Guwahati	3 heures
Dimapur	IC, généralement indirect	1-2 heures
Gaya	IC ven	1 heure
Goa	6E via Bangalore	6 heures
	IT via Mumbai	4 heures 30
Guwahati	IC, IT, SG, S2, 6E, 9W	1 heure 15
Hyderabad	IT, 6E, 9W tlj, IC mar, mer, jeu, sam et dim	2 heures
Imphal	IC, IT, 6E	1 heure 15
	S2/9W lun, mar, mer, ven et sam via Guwahati	2 heures 45
Indore via Raipur	IT	4 heures 30
Jaipur	6E, IC	2 heures 30
Jammu via Delhi	IT	4 heures
Jamshedpur (Jharkand)	IT	55 min
Jorhat	9W lun, mer et ven	1 heure 30
	IC mar, jeu et sam via Shillong	3 heures
via Guwahati	IT mar, jeu et sam, S2 jeu et dim	2 heures 45
Lilabari (nord du Lakhimpur)	IT mar et jeu via Guwahati	3 heures
Lucknow	S2	1 heure 30
Mumbai (Bombay)	IC, IT, SG, S2, 9W	2 heures 30
Nagpur	6E, S2	1 heure 45
Patna	IT, S2	1 heure
Port Blair	IC, IT, S2	2 heures
Raipur	IT	2 heures
Ranchi	IT, S2	1 heure 15
Shillong	IC mar, jeu et sam	1 heure 45
Silchar	IC, IT	1 heure 30
Visakhapatnam (Vizag)	IT, S2	1 heure 30

British Airways (☎ 98-31377470). Pour Londres.

China Eastern Airlines (carte p. 518 ; ☎ 40448887 ; c/o InterGlobe, rdc, Landortark Bldg, 228A AJC Bose Rd). Dessert Kunming (Yunnan).

Druk Air (carte p. 518 ; ☎ 22902429 ; 51 Tivoli Court, 1A Ballygunge Circular Rd). Vols vers le Bhoutan et Bangkok.

Emirates (carte p. 512 ; ☎ 40099555 ; Trinity Tower, 83 Topsia Rd). Pour Dubaï.

GMG Airlines (carte p. 518 ; ☎ 30283030 ; www.gmgairlines.com ; 20H Park St). Dessert Chittagong (5 930 Rs) et Dhaka (4 580 Rs), au Bangladesh.

Gulf Air (carte p. 518 ; ☎ 22901522 ; 3e ét., Landortark Bldg, 228A AJC Bose Rd). Vols pour le Bahreïn.

Indian Airlines (p. 538). Dessert Katmandou (Népal) et Yangon (Myanmar).

Jet Airways (p. 538). Pour Bangkok et Dhaka.

Lufthansa (hors carte p. 512 ; ☎ 22299365 ; 8e ét., IT Park Tower, DN62, Sector 5, Salt Lake City). Dessert Francfort.

Singapore Airlines (hors carte p. 512 ; ☎ 23675422 ; 9e ét., IT Park Tower, DN62, Sector 5, Salt Lake City)

Thai Airways International (carte p. 518 ; ☎ 22838865 ; 8e ét., Crescent Towers, 229 AJC Bose Rd). Pour Bangkok.

United Airways Bangladesh (carte p. 518 ; ☎ 93-3999 8587 ; www.uabdl.com ; 55B Mirza Ghalib St). Vols pour Dhaka, Chittagong et Barisal.

VOLS INTÉRIEURS

Indian Airlines (IC ; carte p. 520 ; ☎ 22114433 ; 39 Chittaranjan Ave ; 🕑 9h-20h)
IndiGo (6E ; carte p. 518 ; http://book.goindigo.in)
Jet Airways (9W ; carte p. 518 ; ☎ 39840000 ; www.jetairways.com ; 18D Park St; 🕑 8h-20h lun-sam, 9h-17h30 dim)
JetLite (S2 ; www.jetlite.com)
Kingfisher (IT ; www.flykingfisher.com)
spiceJet (SG ; www.spicejet.com)

Bateau

Des ferries partent, de temps à autre, pour Port Blair (îles Andaman) des **Kidderpore Docks** (carte p. 512 ; Karl Marx Sarani) ; entrée par la porte 3, en face de la gare ferroviaire de Kidderpore. Les billets (1 700-7 640 Rs) sont vendus 10 jours avant le départ à la **Shipping Corporation of India** (carte p. 520 ; ☎22484921 ; Hare St ; 🕑 10h-13h et 14h30-17h lun-ven).

Bus

LIAISONS INTERNATIONALES

Plusieurs agences de Marquis St proposent des liaisons vers le Bangladesh avec un changement de bus à la frontière de Benapol. **Shohagh Paribahan** (carte p. 518 ; ☎22520757 ; 21A Marquis St ; 🕑 5h-21h30) assure six départs quotidiens pour Dhaka (660 Rs, 13 heures). **GreenLine** (carte p. 518 ; ☎22520757 ; 12B Marquis St ;

PRINCIPAUX TRAINS AU DÉPART DE KOLKATA

Départs quotidiens sauf mention contraire.

Pratique pour	N° et nom du train	Durée (heures)	Départs	Tarifs (Rs)
Bhubaneswar	2073 *Shatabdi*	7	13h40 lun-sam (HWH)	2S/CC 142/460
Chennai (Madras)	2841 *Coromandal*	26 heures 30	14h50 (HWH)	SL/3A/2A 469/1 264/1 731
	2839 *Chennai Mail*	28	23h45 (HWH)	
	via Bhubaneswar	6 heures 45		217/553/745
Delhi	2381 *Poorva* via Gaya	23	8h05/8h20 (HWH)	SL/3A/2A
	0231	22 heures 30	11h45 mar, mer et sam (HWH)	433/1 163/1 590
	2329 *Sam. Kranti*	23	13h lun et ven (SDAH)	
Gorakhpur	5047 *Purbanchal*	17 heures 45	14h30 lun, mar, jeu et sam (CP)	SL/3A/2A 312/848/1 165
Guwahati	2345 *Saraighat*	17½	16h (HWH)	SL/3A/2A 365/971/1 325
	5657 *Kanchenjunga*	22	6h45 (SDAH)	
	via Malda	7		
Jammu	3151 *Tawi Exp*	45 heures 30	11h45 (CP)	SL/3A/2A 501/1 380/1 904
	via Lucknow	23		345/941/1 295
Malda	3465 *Howrah-Malda*	5	15h15 lun-sam (HWH)	2S/CC 96/342
Mumbai (Bombay) CST	2810 *Mumbai Mail*	33	20h15 (HWH)	SL/3A/2A 490/1 399/1 918
New Jalpaiguri	2343 *Darjeeling Mail*	10	22h05 (SDAH)	SL/3A/2A
	3147 *CoochBehar*	12	19h35 lun, mer et sam (SDAH)	263/684/926
Patna	3111 *Delhi Lal Quila*	10 heures 30	20h10 (CP)	SL/3A 235/633
Puri	2837 *Howrah-Puri*	9 heures 15	22h35 (HWH)	SL/3A/2A
	8409 *SriJagannath*	9 heures 30	19h tlj (HWH)	247/641/866
Siliguri Jctn	3149 *Kanchankaya*	12	19h35 mar, jeu, ven et dim (SDAH)	SL/3A/2A 245/684/926
Varanasi (Bénarès)	3005 *Amritsar Mail*	15	19h10 (HWH)	SL/3A/2A 293/796/1 092

2S=siège, CC=AC chair-car (sièges ordinaires, clim), 2AC=AC two-tier (couchettes sur 2 niveaux, clim), 3AC=AC three-tier (couchettes sur 3 niveaux, clim), SL=non-AC sleeper (couchette sans clim), HWH=départ de Howrah, SDAH=départ de Sealdah, CP=départ de Chitpur

KOLKATA (CALCUTTA)

(⌚ 4h-23h) propose une liaison à 5h et 6h pour Dhaka (700 Rs) et des bus pour Chittagong (1 080 Rs, 22 heures) à 10h et 13h.

Un **Bhutan Postbus** part à 7h pour Phuentsholing de la gare routière d'Esplanade, où vous trouverez une **billetterie** (⌚ 9h30-13h et 14h-18h lun-sam) spéciale.

LIAISONS NATIONALES

D'Esplanade

Pour rejoindre Darjeeling ou le Sikkim, prenez un des nombreux bus de nuit pour Siliguri (325-650 Rs, 12 heures) de la **gare routière d'Esplanade** (carte p. 520) ; départs 18h-20h. Pour Malda, les bus CSTC partent à 7h, 8h30, 9h30 et 10h45, et le bus de nuit LNB à 21h45 (120 Rs, 9 heures).

De Babughat

La **gare routière de Babughat** (carte p. 512) se trouve à côté de la gare ferroviaire d'Eden Gardens. De nombreuses compagnies, dont **Whiteliners** (☎ 40195000 ; www.whiteliners.in), proposent des services de nuit pour Ranchi (210 Rs, 10 heures) et Puri (330 Rs, 12 heures) via Bhubaneswar (295 Rs, 9 heures 30). Arrivez vers 17h si vous avez des bagages.

Train

LIAISONS INTERNATIONALES

Pour Dhaka, au Bangladesh, le **Maitree Express** (368-920 Rs, 12 heures) part les samedi et dimanche de la gare de Kolkata à 7h20, et repart de Dhaka Cantt à 8h30. Votre visa bangladais doit mentionner Darsana. Achetez vos billets à la **billetterie spéciale** (⌚ 10h-17h lun-jeu, 10h-15h ven-sam, 10h-14h dim), à l'intérieur du Foreign Tourist Bureau d'Eastern Railways (ci-dessous).

LIAISONS NATIONALES

Vérifiez si votre train longue distance part de Howrah (Haora ; HWH, carte p. 512), de Sealdah (SDAH, carte p. 512) ou de la gare de Kolkata (Chitpore, CP, p. 512).

RÉSERVATIONS

Le plus simple consiste souvent à acheter les billets par Internet ou auprès des agences de Sudder St. Le **Foreign Tourist Bureau d'Eastern Railways** (carte p. 520 ; ☎ 22224206 ; 6 Fairlie Pl ; ⌚ 10h-17h lun-sam, 10h-14h dim) dispose d'un quota pour les touristes sur la plupart des trains au départ de Kolkata, mais il faut montrer un reçu de change ou payer dans une devise étrangère (€ ou $US). Des **bureaux de réservations informatisées** (carte p. 520 ; 14 Strand Rd South et Koilaghat St ; ⌚ 8h-20h lun-sam, 8h-14h dim) vendent des billets sur le réseau ferroviaire étendu – pas de quota pour les touristes.

COMMENT CIRCULER

Les billets coûtent entre 4 et 8 Rs dans la plupart des transports publics. Les hommes veilleront à ne pas prendre les sièges réservés aux femmes (*Ladies*).

Depuis/vers l'aéroport

L'aéroport NSBIA se situe à 5 km à l'est de la station Dum Dum, elle-même à 20 min de métro (6 Rs) du centre de Kolkata.

TRAIN DE BANLIEUE

De Biman Bandar, la gare ferroviaire de l'aéroport, des trains desservent Sealdah à 22h45, Majerhat (carte p. 512) via la gare ferroviaire de BBD Bagh (carte p. 520) à 7h40 et 13h54, et Majerhat via Ballygunge (carte p. 512) à 10h40 et 18h45. Ces services, plus le train de 6h30, s'arrêtent au métro Dum Dum Junction (à ne pas confondre avec Dum Dum Cantt).

TAXI

Des taxis à prix fixe desservent le métro Dum Dum/Sudder St/Howrah pour 140/230/255 Rs. Payez la course à l'avance dans le terminal, puis rejoignez la station de taxis jaunes en ignorant les rabatteurs.

BUS

Les bus urbains bondés circulent régulièrement, mais ne sont pas commodes avec des bagages. De la porte 1 de l'aéroport (900 m au sud-ouest des terminaux), le minibus n°151 dessert BBD Bagh, le bus n°46 rejoint Esplanade via VIP Rd et la Whiteliners Shuttle se rend au métro Tollygunge.

Les bus DN9/1 et 30B (à destination de Babughat) prennent des passagers dans Jessore Rd et passent par le métro Dum Dum (25 min). Du terminal international, Jessore Rd se trouve à 400 m au nord-ouest : sortez du terminal en gardant le temple hindou sur votre gauche et quittez l'enceinte de l'aéroport par la porte 2½, réservée aux piétons (face à une confiserie juste à l'est d'Ankur Travel).

Du terminal des vols intérieurs, faites 700 m vers le nord-ouest en sortant par la porte 2 (face à l'Ahaar Restaurant).

Bus

Les bus locaux, monstres mécaniques surchargés, circulent à une vitesse démente quand le trafic le permet. La plupart des numéros d'itinéraire sont en chiffres arabes, même lorsque les panneaux ne sont pas en anglais. Paiement à bord.

Ferry

Le moyen le plus rapide de circuler entre le centre-ville et la gare de Howrah est le **ferry** (4 Rs ; 8h-20h, tlj sauf dim) qui traverse la Hooghly ; départs toutes les 15 min des ghats Bagbazar, Armenian, Fairlie, Bishe June et Babu.

Métro

La seule ligne de **métro** (4-8 Rs ; 7h-21h45 lun-sam, 14h-21h45 dim) de Kolkata constitue le transport public le moins stressant de la ville. Pour BBD Bagh, descendez à Central ou Chandni Chowk. Pour le quartier de Sudder St, arrêtez-vous à Esplanade ou à Park St.

Rickshaw

Kolkata – et notamment le quartier du New Market – est le dernier bastion des "*tana* rickshaws", tirés à bras d'homme. Pendant la mousson, les rickshaws à roues hautes sont les transports les plus aptes à circuler dans les rues les plus bondées. Les conducteurs demandent parfois aux étrangers des tarifs disproportionnés, mais la plupart sont très démunis et dorment sur le trottoir à côté de leur véhicule de location. Un pourboire sera donc toujours le bienvenu.

Les auto-rickshaws s'utilisent comme des taxis collectifs (pour 5 passagers serrés), sur des itinéraires fixes.

Taxi

Les taxis jaunes Ambassador, très courants, facturent environ 10 Rs le kilomètre (minimum 22 Rs). Pour calculer le prix d'une petite course, doublez le montant figurant sur le compteur et ajoutez deux roupies. Il manquera environ deux roupies pour les longues courses, d'après le tableau de conversion du chauffeur. Assurez-vous que le compteur est allumé. C'est en général plus facile avec un taxi de passage qu'avec un véhicule garé.

Sachez que vers 13h, la direction de la circulation s'inverse dans beaucoup de grandes artères à sens unique ! On comprend que les taxis n'aiment pas prendre une course à cette heure là.

Vous trouverez des stations de taxis prépayés aux gares de Howrah et de Sealdah, ainsi qu'aux deux terminaux de l'aéroport.

Tram

Les lignes n°20 et n°26 relient la gare ferroviaire de Sealdah, la maison-mère des missionnaires de la Charité et Park Circle, le n°26 continuant vers le sud jusqu'au terminus de Gariahat. La ligne 6 dessert Kumartuli et les sites en haut de Rabindra Sarani.

Bengale-Occidental

Peu d'États offrent une telle richesse de destinations et d'expériences que cette région qui s'étire des sommets dentelés du Nord aux rizières des plaines du Gange, puis à la luxuriante mangrove du golfe du Bengale.

Le Darjeeling Himalayan Railway ("petit train") s'élance vers les anciennes stations d'altitude britanniques, avant de redescendre à Darjeeling, villégiature estivale héritée du Raj. Des sentiers de randonnée sillonnent les géants himalayens et les plantations de thé, tandis que les rivières tumultueuses invitent au rafting. Ces retraites de montagne offrent un premier contact avec les cultures du Sikkim, du Bhoutan, du Népal et du Tibet.

Dans la plaine, un océan de rizières verdoyantes recèle des villes commerçantes animées, des villages en torchis et les vestiges d'un passé glorieux : temples hindous ornementés aux murs d'argile et monumentales ruines des nababs musulmans. Plus loin vers le sud, les rivières deltaïques des Sundarbans irriguent la plus grande mangrove de la planète, domaine du vigoureux martin-pêcheur, du chital (cerf tacheté) et de l'insaisissable tigre du Bengale.

Berceau de la Renaissance indienne et du mouvement d'indépendance, célèbre pour ses écrivains, poètes, artistes, mystiques et révolutionnaires, le Bengale-Occidental fut longtemps considéré comme le centre culturel du pays. Pourtant, comme éclipsé par sa capitale, Kolkata (Calcutta), il reçoit peu de visiteurs étrangers. Peut-être devraient-ils pourtant marcher sur les traces des Bengalis, voyageurs infatigables qui ne se lassent jamais d'explorer leur région fascinante aux paysages si divers.

À NE PAS MANQUER

- La vue panoramique sur le Népal, le Sikkim et le Bengale-Occidental depuis les crêtes montagneuses du **trek de Singalila Ridge** (p. 569)
- Un trajet en **toy train** (p. 553) entre Kurseong et Darjeeling, au pays du thé
- Le cours sinueux de la **Hooghly** (p. 546) à la découverte des vestiges coloniaux et moghols de Serampore, Chandernagor et Hooghly
- Une descente en rafting sur les rapides de la Teesta depuis **Teesta Bazaar** (p. 575)
- Les façades de terre cuite relatant les épopées hindoues sur les temples de **Bishnupur** (p. 546)

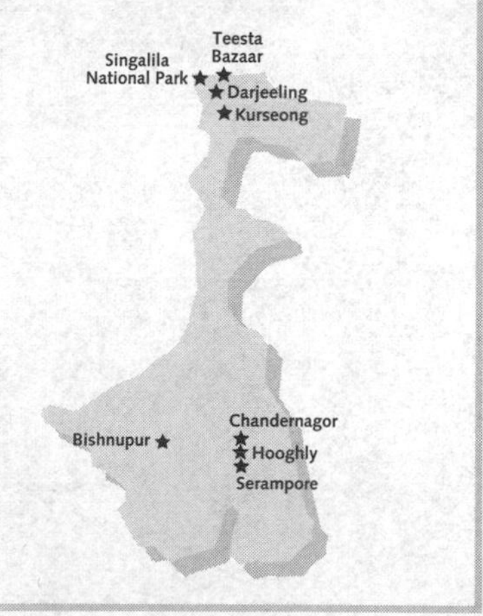

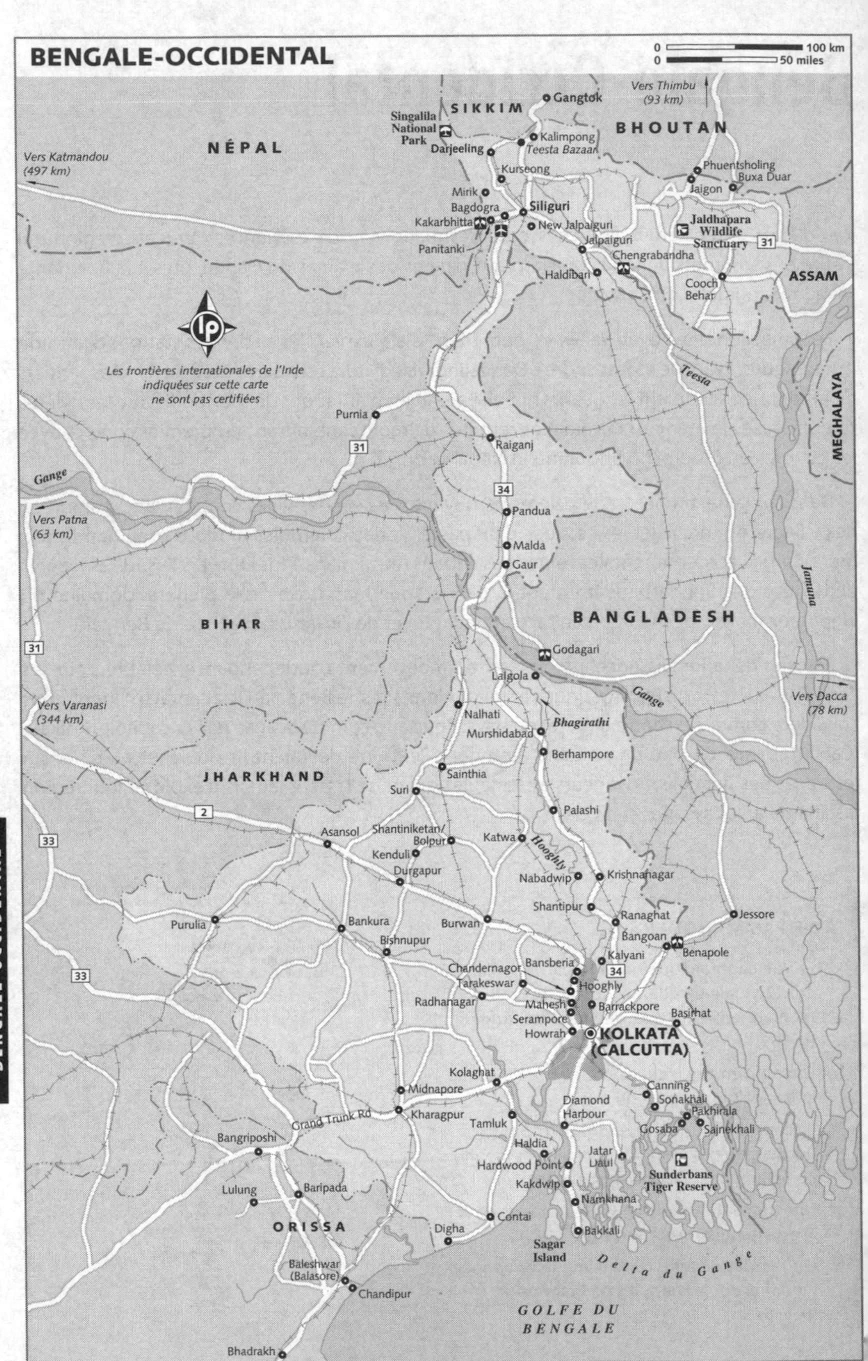
BENGALE-OCCIDENTAL
0 100 km
0 50 miles
SIKKIM
Gangtok
Vers Thimbu (93 km)
BHOUTAN
NÉPAL
Singalila National Park
Kalimpong
Teesta Bazaar
Darjeeling
Vers Katmandou (497 km)
Kurseong
Phuentsholing
Buxa Duar
Jaigon
Mirik
Bagdogra
Siliguri
Kakarbhitta
New Jalpaiguri
Jaldhapara Wildlife Sanctuary
Panitanki
Jalpaiguri
Chengrabandha
Haldibari
Cooch Behar
ASSAM
Les frontières internationales de l'Inde indiquées sur cette carte ne sont pas certifiées
Teesta
MEGHALAYA
Purnia
Raiganj
Gange
Vers Patna (63 km)
Pandua
Malda
Gaur
Jamuna
BIHAR
BANGLADESH
Godagari
Lalgola
Gange
Vers Dacca (78 km)
Vers Varanasi (344 km)
Nalhati
Bhagirathi
Murshidabad
Berhampore
JHARKHAND
Sainthia
Suri
Palashi
Asansol
Shantiniketan/ Bolpur
Katwa
Hooghly
Kenduli
Nabadwip
Krishnanagar
Durgapur
Shantipur
Ranaghat
Jessore
Purulia
Bankura
Burwan
Bangoan
Benapole
Bishnupur
Bansberia
Kalyani
Chandernagor
Tarakeswar
Hooghly
Radhanagar
Mahesh
Barrackpore
Basirhat
Serampore
Howrah
KOLKATA (CALCUTTA)
Kolaghat
Midnapore
Canning
Sonakhali
Diamond Harbour
Pakhirala
Kharagpur
Tamluk
Gosaba
Sajnekhali
Grand Trunk Rd
Bangriposhi
Haldia
Jatar Daul
Hardwood Point
Sunderbans Tiger Reserve
Kakdwip
Lulung
Baripada
Namkhana
Contai
ORISSA
Digha
Bakkali
Sagar Island
Delta du Gange
Baleshwar (Balasore)
Chandipur
GOLFE DU BENGALE
Bhadrakh
31
34
2
33

Histoire

L'histoire de la région, appelée Vanga dans le *Mahabharata*, débuta bien avant les invasions aryennes. Partie intégrante de l'Empire maurya au IIIe siècle av. J.-C., elle passa par la suite sous la domination des Gupta. Du IXe au XIIe siècle, la dynastie Pala contrôlait à partir du Bengale un vaste territoire, qui comprenait une partie de l'Orissa, du Bihar et de l'actuel Bangladesh.

À la fin du XIIe siècle, Qutb-ud-din, le premier sultan de Delhi, plaça le Bengale sous domination musulmane. Celui-ci devint un État musulman indépendant en 1707, après la mort d'Aurangzeb.

Établi par les Britanniques en 1698, le comptoir commercial de Kolkata prospéra rapidement. Flairant de riches prises, le nabab du Bengale, Siraj-ud-daula, quitta sa capitale, Murshidabad, et s'empara de Kolkata en 1756. Il fut battu l'année suivante par Robert Clive lors de la bataille de Plassey, à la suite de la trahison de son oncle, Mir Jafar, qui commandait la majeure partie de son armée. Mir Jafar fut remercié en se voyant offrir le trône de son neveu mais en 1764, les Britanniques finirent par étendre leur contrôle sur l'ensemble du Bengale après la bataille de Buxar.

En 1947, après l'Indépendance et la partition de l'Inde, le Bengale fut divisé pour des motifs religieux, ce qui provoqua le déplacement de millions de Bengalis (reportez-vous p. 47).

Climat

La mousson provoque des pluies torrentielles dans le Bengale-Occidental de mi-juin à fin septembre. Les inondations ravagent les routes et les voies de chemins de fer qui relient la plaine aux collines.

Renseignements

Les sites Internet de l'**État** (www.wbgov.com) et du **département du tourisme** (www.wbtourism.com) contiennent des informations utiles.

À faire

TREKKING

La région offre de belles randonnées le long de sentiers qui embaument le pin. Les meilleurs treks de plusieurs jours partent de Kalimpong (voir p. 570) et de Darjeeling (p. 557).

RAFTING

D'impressionnantes descentes en rafting sur les puissantes Teesta et Rangeet au départ de la petite ville de Teesta Bazaar (p. 575) peuvent être organisées à Darjeeling (p. 557).

> **EN BREF**
>
> - Population : 80,2 millions d'habitants
> - Superficie : 87 853 km²
> - Capitale : Kolkata (Calcutta)
> - Langue principale : bengali
> - Meilleures périodes : montagnes du Bengale-Occidental, octobre-décembre et mars-mai ; plaines, octobre-mars

Comment s'y rendre et circuler

La plupart des visiteurs arrivent de Kolkata. L'aéroport Bagdogra, à Siliguri, propose des vols pour Kolkata, Delhi et Guwahati, ainsi qu'un hélicoptère quotidien pour Gangtok.

La plupart de ceux qui viennent par voie terrestre le font par le train : les grandes lignes rallient Bhubaneswar et Chennai (Madras), au sud, ainsi que Gaya, Varanasi (Bénarès) et Delhi, à l'ouest. D'autres lignes relient le Bengale à l'Assam, au nord-est, et au Jharkhand, au sud-ouest. De nombreux bus longue distance desservent aussi les États voisins.

Des bus et des trains assurent la liaison entre les grandes villes de l'État. Les Jeep collectives, souvent bondées, circulent sur les routes sinueuses des montagnes du Bengale-Occidental.

SUD DE KOLKATA

SUNDERBANS TIGER RESERVE

Habitée par l'une des plus importantes populations de tigres de la planète, la **réserve de tigres des Sundarbans** (☎03218-55280 ; 15 Rs/j) de 2 585 km², véritable dédale de canaux et de mangroves à moitié immergées, est englobée dans le plus vaste delta du monde. Les tigres royaux du Bengale (estimés à 289 individus) sont tapis dans les profondeurs impénétrables de la mangrove et traversent à la nage les innombrables bras du delta. Même s'ils tuent parfois des villageois travaillant dans les Sundarbans, ces félins timides se laissent très rarement observer. Quoi qu'il en soit, naviguer dans les étroits canaux de la plus grande mangrove du monde permet de découvrir une nature superbe (cerfs tachetés, varans, martins-pêcheurs…) à des années-lumière du tumulte de Kolkata.

La meilleure période pour en profiter s'étend d'octobre à mars. Venir en indépendant se révèle compliqué et coûteux : aucun transport direct, d'éventuels permis et une location de bateau à assumer seul. Il est plus simple de participer à un circuit organisé (voir plus bas).

À Sajnekhali, l'entrée officielle de la réserve, le **Mangrove Interpretation Centre** (8h30-17h) renferme un petit élevage de tortues et de crocodiles. Il présente une exposition sur la protection de l'environnement, divers animaux en bocaux et un tableau noir avec la date de la dernière apparition d'un tigre. On peut louer un **bateau** (3 heures à partir de 700 Rs, guide Indiens/étrangers 150/200 Rs, permis 100 Rs) à Sajnekhali.

Permis

Au moment de notre visite, les étrangers n'avaient pas besoin de permis pour visiter la réserve. Renseignez-vous au centre de West Bengal Tourism (p. 515) à Kolkata, ou chez votre agent de voyages.

Circuits organisés

Les tarifs des circuits varient énormément. Habituellement, ils comprennent l'aller-retour à Kolkata et les droits d'entrée. Vérifiez bien ce qui est inclus et ce qui ne l'est pas.

West Bengal Tourism (p. 515) peut organiser des croisières hebdomadaires en haute saison (sept-jan) à partir de 2 150 Rs/pers pour 1 nuit et 2 demi-journées, repas et hébergement à bord compris. Vivement conseillé, le circuit avec 1 journée supplémentaire coûte au minimum 3 000 Rs.

Le **Sunderbans Tiger Camp** (☎ 033-32935749 ; www.sunderbantigercamp.com ;) propose des guides chevronnés, un hébergement de qualité (sur la terre ferme), d'excellents repas et même un bar. L'observation des tigres se fait depuis un confortable bateau, à l'ombre. Des spectacles traditionnels sont organisés en soirée. Par personne, comptez 2 750/4 440 Rs tout compris pour 1/2 nuits dans des tentes confortables, 3 500/5 650 Rs dans des cabanes avec ventilateur ou 4 050/7 450 Rs dans des maisonnettes climatisées un peu plus luxueuses.

Les agences suivantes organisent de bons circuits dans les Sundarbans en petits

AFFRONTER LE TIGRE *Niranjan Raptan*

Mon village des Sundarbans s'appelle Jamespur et un autre village porte le nom d'Annpur : ce sont les prénoms des enfants de Daniel Hamilton (un marchand anglais qui développa la région à la fin du XIXe siècle).

À 18 ans, j'étais dans la mangrove et je recueillais du miel avec mon oncle. Tout à coup, un tigre nous bondit dessus. Mon oncle se jeta sur moi pour me protéger. Le tigre s'enfuit, mais mon oncle mourut de ses blessures. C'était il y a 42 ans, il est mort en me sauvant.

Les années suivantes, j'ai continué à récolter du miel et à pêcher, et j'ai vu beaucoup d'autres tigres. Un jour, j'ai rencontré le responsable local de la forêt, M. Sandal, et il m'a posé des questions sur mes rencontres avec les tigres. Il m'a ensuite demandé : "Veux-tu devenir guide ?" Et moi j'ai dit : "C'est quoi un guide ?"

Je viens d'une famille pauvre, je n'ai pas été à l'école, je ne parlais pas l'anglais, mais maintenant, 28 ans plus tard, je connais tous les noms scientifiques des plantes et des animaux de la mangrove, tous leurs noms en anglais et en bengali, et les touristes ont été mes professeurs d'anglais.

Je vais vous parler du tigre des Sundarbans. Il est très intelligent, il attaque toujours par derrière. Le tigre n'est pas un mangeur d'homme par nature, mais le manque de proies l'a poussé à s'attaquer à tout ce qu'il peut manger : des cochons sauvages, et même des crabes et des hommes. Les vieux tigres qui meurent de faim traversent la rivière à la nage et vont prendre une chèvre, ou un homme.

J'ai vu beaucoup de tigres. Vous savez, si vous fermez les yeux, vous pouvez revoir votre maison chez vous. Moi, je ferme les yeux et je vois les tigres. Je n'ai pas besoin d'un appareil photo. Quand vous voyez une mère avec ses petits, ils veulent jouer mais ils n'ont pas de balle de cricket, pas de poupée ! Alors la tigresse leur dit "regardez derrière moi" et elle bouge sa queue ; les petits courent après et s'amusent. Bien sûr, elle les entraîne aussi à chasser.

Niranjan Raptan est guide à la Sunderbans Tiger Reserve

FÊTES ET FESTIVALS AU BENGALE-OCCIDENTAL

Nouvel An lepcha et bhutia (jan ; montagnes du Bengale-Occidental, p. 550). Foires et danses traditionnelles à Darjeeling et dans les environs.

Gangasagar Mela (mi-jan ; île de Sagar, ci-dessous). La plus grande fête du Bengale-Occidental : des centaines de milliers de pèlerins hindous convergent vers l'embouchure du Gange.

Magh Mela (6-8 fév ; Shantiniketan, p. 547). Fête de l'artisanat.

Nouvel An bengali (Naba Barsha ; mi-avr ; dans tout l'État). Célèbre le premier jour du calendrier bengali.

Rath Yatra (fête des chars ; juin et juil ; Mahesh). Le char du temple du seigneur Jagannath, à Mahesh, est tiré sur 3 km depuis Serampore (p. 546).

Fête de Jhapan (mi-août ; Bishnupur, p. 546). Des charmeurs de serpents honorent la déesse Manasa, principale divinité du culte du serpent.

Fulpati (sept et oct ; Darjeeling, p. 557). Associée au Durga Puja, cette fête essentiellement népalaise est aussi célébrée par les Lepcha avec des processions et des danses, de Ghoom à Darjeeling.

Durga Puja (oct ; dans tout l'État). Dans tout le Bengale-Occidental, plus particulièrement à Kolkata, des *pandal* (pavillons provisoires) sont érigés, et Durga est fêtée avec ferveur. Après quatre journées hautes en couleur, de superbes représentations de la déesse à dix bras sont immergées dans les rivières.

Carnaval de Darjeeling (7-16 nov ; Darjeeling, p. 557). La célébration de l'unité de la région : spectacles culturels, activités, fêtes pour les enfants, jazz et même concours du plus gros mangeur de *momo* (raviolis tibétains).

Jagaddhatri Puja (nov ; Chandernagor, p. 546). En l'honneur de la déesse Jagaddhatri.

Rash Mela (nov ; Cooch Behar et les Sunderbans). Commémore l'union de Krishna et de Radha.

Fête du Thé et du Tourisme à Teesta (nov ; montagnes du Bengale-Occidental, p. 550). Événements culturels.

Paush Mela (déc ; Shantiniketan, p. 547). Musique et danses folkloriques, théâtre et chants baul dans toute la ville.

Festival de Bishnupur (fin déc ; Bishnupur, p. 546). Artisanat et musique locale.

groupes, centrés sur l'environnement et la culture. Ils incluent le transport depuis l'hôtel à Kolkata.

Help Tourism (p. 550 ; 1/2 nuits pour 2 pers tout compris à partir de 11 400/18 900 Rs). Possibilité de circuits plus longs.

Kali Travel Home (☎ /fax 25587980 ; www.traveleastindia.com ; 1/2 nuits pour 2 pers tout compris à partir de 14 000/18 500 Rs).

Où se loger et se restaurer

Sajnekhali Tourist Lodge (☎ 03218-214960 ; dort/d demi-pension 250/700 Rs). Une bonne situation, à Sajnekhali, mais des chambres sombres et humides. Certaines agences privées utilisant cet hébergement, il est préférable de réserver. Pas de réservation pour le dortoir.

Depuis/vers les Sundarbans

Du Babu Ghat, à Kolkata, prenez un bus pour Sonakhali (40 Rs, 3 heures, ttes les heures) – visez le premier départ à 6h30 –, puis un bateau jusqu'à Gosaba (11 Rs, 1 heure 30, ttes les heures). De là, un rickshaw collectif vous conduira à Pakhirala (8 Rs, 40 min), d'où des bateaux rejoignent Sajnekhali, de l'autre côté de la rivière (4 Rs, 10 min). En sens inverse, le dernier bus pour Kolkata part à 16h30 de Sonakhali.

DIAMOND HARBOUR

☎ 03174 / 37 238 habitants

Diamond Harbour (port du Diamant) était autrefois le plus grand port de la Compagnie britannique des Indes orientales. Il se trouve à 51 km au sud de Kolkata, dans le coude de la Hooghly, près de son embouchure. Il constitue une bonne étape avant de continuer vers le sud.

Lieu de pique-nique apprécié des habitants de Kolkata, la ville n'offre guère d'intérêt. De l'autre côté du port se dressent les cheminées des usines de Haldia Island.

Le **Diamond Harbour Tourist Centre** (Sagarika Tourist Lodge ; ☎ /fax 255246 ; dort 150 Rs, d à partir de 300 Rs, avec clim à partir de 700 Rs ; ❄), plutôt humide, est acceptable pour une nuit. Préférez les chambres à l'arrière donnant sur l'océan. Immense restaurant de style cafeteria.

Des bus circulent depuis/vers la gare d'Esplanade à Kolkata (27 Rs, 1 heure 30) toutes les 30 min.

ÎLE DE SAGAR

Selon la légende, après que le sage Kapil eut brûlé les 60 000 fils du roi Sagar, le Gange ranima leurs âmes sur l'île de Sagar en balayant leurs cendres. Chaque année, la **Gangasagar Mela** (voir l'encadré ci-dessus) célèbre cette légende près du Kapil Muni Temple. Les hôtels de l'île affichent complet bien avant la mela et le meilleur moyen de découvrir la fête est le circuit en bateau (2 jours, 1 nuit) organisé depuis Kolkata par West Bengal Tourism (p. 515), avec hébergement à bord (en couchette/cabine 6 500/8 000 par pers).

À Diamond Harbour, prenez un bus pour Hardwood Point (20 Rs, 1 heure), puis un ferry (8 Rs, 25 min) sur la Hooghly jusqu'à l'île de Sagar. Des bus relient le débarcadère et le temple (25 Rs, 45 min).

BAKKALI

☎ 03210

La station balnéaire de Bakkali se trouve à 132 km au sud de Kolkata. Déserte et ouverte au large, la plage, d'un blanc immaculé, invite à la promenade. Le joli village de pêcheurs de Namkhana est à 1 heure au nord. Un ferry assure la traversée des voitures, mais l'attente peut durer jusqu'à deux heures.

À quelques minutes à pied de la plage, le **Bakkali Tourist Lodge** (☎ 225260 ; dort/d/tr 126/499/790 Rs, d avec clim 893 Rs ; ⊠) est géré par l'État. Il est assez mal entretenu, mais suffisamment confortable et convivial. Le restaurant est correct.

Non loin de Bakkali, **Henry Island** (d 600-1 200 Rs ; ⊠) est un projet d'aquaculture doté de quelques chambres (certaines avec balcon) et de bungalows propres. Le toit-terrasse donne sur la mangrove et les Sundarbans, au loin. Il n'y a pas de restaurant, mais vous pouvez commander à manger (et de la bière). Réservation indispensable auprès du **service des pêcheries** (☎ 033-23376470 ; sfdcltd@yahoo.com) à Kolkata. Un auto-rickshaw vous y conduira depuis Bakkali (60 Rs).

Tous les jours, un bus public relie la gare d'Esplanade (Kolkata) à Bakkali à 7h (75 Rs, 4 heures 30).

BENGALE-OCCIDENTAL

NORD DE KOLKATA

EN AMONT DE LA HOOGHLY

À 25 km au nord de Kolkata sur les rives de la Hooghly, **Serampore** fut un comptoir danois jusqu'en 1845, date à laquelle le Danemark céda ses possessions indiennes à la Compagnie britannique des Indes orientales. Le **Serampore College** fut fondé par le premier missionnaire baptiste d'Inde, William Carey, et abrite une bibliothèque qui compta parmi les plus grandes du pays.

Plus en amont, l'ancien comptoir français de **Chandernagor** (ou Chandarnagar) conserve une **église du Sacré-Cœur** et, à proximité, une demeure du XVIIIe siècle transformée en **Institut culturel de Chandernagor** (entrée libre ; ⏲ 11h-17h30, fermé jeu et sam), qui abrite des collections dédiées à l'ancien avant-poste colonial. À quelques rues au nord s'étend le **cimetière du Sacré-Cœur**, délabré mais pittoresque.

En 1537, les Portugais installèrent une fabrique à **Hooghly**, à 41 km au nord de Kolkata. La ville devint un important port marchand bien avant l'essor de la capitale du Bengale-Occidental. Le romantique **Imambara** (5 Rs ; ⏲ 8h-18h déc-juil, jusqu'à 17h30 août-nov) fut érigé en 1806 pour accueillir la procession chiite de Muharram. Du haut du clocher, la vue sur la rivière est à couper le souffle (tout comme la montée d'ailleurs). À 1 km au sud de Hooghly, **Chinsura** fut échangée par les Hollandais contre les possessions britanniques sur l'île indonésienne de Sumatra, en 1825. Un fort et un cimetière hollandais se dressent 1 km à l'ouest.

À 6 km au nord de Hooghly, **Bansberia** possède deux beaux temples. Les 13 *sikhara* (flèches) de l'**Hansheswari Temple** ne dépareraient pas à Saint-Pétersbourg. Les carreaux de terre cuite ouvragés qui ornent le **Vasudev Temple** évoquent ceux des temples de Bishnupur.

BISHNUPUR

☎ 03244 / 61 943 habitants

Célèbre pour ses superbes temples, Bishnupur fut la florissante capitale des rois Malla, entre le XVIe et le début du XIXe siècle. L'architecture de ces **temples** fascinants (Indiens/étrangers 5/100 Rs ; ⏲ aube-crépuscule) mêle les styles bengali, islamique et orissais. Les façades de terre cuite représentent des scènes détaillées du *Ramayana* et du *Mahabharata*, les épopées hindoues. Le Jor Bangla, le Madan Mohan, le Ras Mancha – à plusieurs arches – et le très élaboré Shyam Rai sont les plus remarquables. Le billet s'achète au Ras Mancha et doit être présenté à l'entrée des autres temples. Des rickshaw-wallahs proposent pour 150 Rs des circuits, qui constituent le meilleur moyen de se déplacer dans le dédale de ruelles.

Le petit **musée** (10 Rs ; ⏲ 11h-19h tlj sauf lun) mérite une visite. Vous admirerez les couvertures peintes des manuscrits, les frises

LOGER À LA FERME PAR MONTS ET PAR VAUX

Pour sortir des sentiers battus et profiter du panorama et de la solitude, voici deux hébergements (très différents) dans des fermes du Bengale-Occidental. Tous deux doivent être réservés.

Perché à flanc de montagne à 3 heures de Jeep de Darjeeling (p. 557) par une route cahoteuse ou à 2 heures de voiture de Rimbik, au bout du trek de Singalila Ridge (p. 569 ; c'est un bon endroit pour se détendre juste après la randonnée), la **Karmi Farm** (☎ au Royaume-Uni 0208 903 3411 ; www.karmifarm.com ; karmifarm@yahoo.co.uk ; pension complète 1 500 Rs/pers) occupe un cadre idyllique donnant sur le Sikkim d'un côté et le Népal de l'autre. Elle est tenue par Andrew Pulger, dont les grands-parents sikkimais dirigeaient un domaine depuis la maison principale. Les visiteurs peuvent aujourd'hui déguster de savoureux repas maison (souvent à base de produits cultivés sur place) à l'ancienne table de cuisine. La double et les chambres familiales, simples mais très confortables (eau chaude 24h/24), sont joliment décorées d'étoffes colorées. La ferme gère aussi un petit dispensaire pour les villageois, ce qui permet aux étudiants en médecine et aux médecins d'offrir leurs services bénévolement. Il est aussi possible d'organiser des randonnées et diverses activités, mais vous aurez sans doute du mal à redescendre du toit-terrasse : on pourrait facilement y passer des journées entières avec un livre et une théière, en admirant le jardin fleuri au premier plan et les sommets au loin.

Dans la plaine, au centre de l'État, des kilomètres de rizières verdoyantes s'étirent autour de la modeste bâtisse en pisé de la **Basudha Farm** (☎ à Kolkata 033-25928109, 9434062891 ; www.cintdis.org/basudha.html ; pension complète 300 Rs/pers), à moins d'une heure de route de Bishnupur (p. 546). Basudha a été créée par un écologiste, le docteur Debal Deb, qui gère une banque de semences de variétés de riz endémiques. À Basudha, il plante et teste ces semences, en employant des méthodes de culture biologique, et enseigne ces techniques aux autres agriculteurs, comme une alternative au riz génétiquement modifié. Les visiteurs doivent s'intéresser à son projet et à la culture locale. Les membres de WWOOF (World Wide Opportunities on Organic Farms ; travailleurs bénévoles dans des fermes biologiques) sont logés gratuitement en échange de leur travail à la ferme. L'hébergement est rudimentaire, l'électricité (solaire) limitée et toute l'eau doit être pompée du puits ; les hommes sont encouragés à se soulager dans le jardin pour enrichir le sol en nitrates. La nourriture, entièrement végétarienne, est principalement cultivée dans la ferme, et préparée à la manière locale.

en pierre, les instruments de musique et la galerie d'art populaire.

Bishnupur se trouve dans le district de Bankura, renommé pour la poterie (particulièrement les chevaux stylisés de Bankura) et les saris de soie baluchari. Vous trouverez partout des reproductions des carreaux en terre cuite des temples.

Le **Bishnupur Tourist Lodge** (☎ 252013 ; College Rd ; d à partir de 300 Rs, avec clim à partir de 600 Rs ; ❄) est un hôtel d'État doté de chambres correctes et d'un restaurant. Proche du musée, il est accessible en rickshaw depuis la gare ferroviaire (40 Rs). Souvent complet : mieux vaut réserver.

Des bus réguliers desservent Kolkata (70 Rs, 5 heures). Pour Shantiniketan (65 Rs, 5 heures), vous devrez peut-être changer à Durgapur (voir p. 548). Deux trains se rendent chaque jour à Howrah (2e classe/chair 81/285 Rs, 4 heures) ; le *Rupashi Bangla Express* 2884 part à 17h23 et le *Howrah Express* 2828 à 7h33.

SHANTINIKETAN

☎ 03463

Shantiniketan incarne bien son nom de "paisible *(shanti)* demeure *(niketan)*". En 1901, le poète Rabindranath Tagore (1861-1941) fonda ici une école. Elle devint par la suite la Visvabharati University, une université tournée vers les relations de l'homme avec la nature. C'est un lieu décontracté qui accueille des étudiants venus de toute l'Inde et du monde entier.

La **poste** (Santiniketan Rd ; 🕘 9h-17h lun-sam) se trouve dans la rue principale, face à l'embranchement pour l'université. La **State Bank of India** (Santiniketan Rd ; 🕘 10h-15h lun-ven), sur la même route, possède un DAB et change les devises étrangères et les chèques de voyage Amex.

Le campus verdoyant abrite des **statues** éclectiques, les fameuses **fresques de Shantiniketan** et le remarquable **Tagore Prayer Hall** (salle de prière de Tagore). Le **musée et**

la galerie d'art (adulte/étudiant 5/3 Rs ; ⌚ 10h30-13h et 14h-16h30 jeu-lun, 10h30-13h mar), situés dans le complexe d'Uttarayan (l'ancienne maison de Tagore), méritent le coup d'œil si vous vous intéressez au poète. Des reproductions de ses croquis et de ses peintures y sont en vente. À l'entrée principale, la librairie vend nombre de ses œuvres (80-250 Rs) en anglais.

Où se loger et se restaurer

Hotel Santiniketan (☎ 254434 ; Bhubandanga ; s/d à partir de 250/300 Rs, d avec clim 700 Rs ;). Cet hôtel de couleur saumon (intérieur et extérieur), doté de balcons, offre des chambres propres d'un bon rapport qualité/prix (draps et serviettes sont usés). Celles du rez-de-chaussée sont fraîches. Agréable jardin et quelques plats indiens standard au restaurant (plats 35-80 Rs).

Hotel Rangamati (☎ 252305 ; Hwy 31, Bhubandanga ; s/d à partir de 550/700 Rs, avec clim à partir de 650/850 Rs). Thème original : un refuge dans la jungle, avec fausses branches, équipement en bois et nombreux bassins à poissons à l'entrée. Chambres propres avec grande sdb et ameublement sombre. Restaurant sommaire.

Camellia Hotel & Resort (☎ 262042 ; Prantik ; d 1 150 Rs, avec clim à partir de 1 450 Rs ;). Dans un agréable cadre champêtre à 1 km de l'université, il offre un jardin verdoyant et de belles pelouses. La décoration et les meubles de goût rendent les chambres très confortables ; réfrigérateur et baignoire dans les suites. On viendra vous chercher à la gare ferroviaire.

Green Chilli (☎ 9832277095 ; Bhubandanga ; plats 20-55 Rs, *thali* 30 Rs). Bons petits-déjeuners indiens et un choix de savoureux curries et plats chinois. Avec son élégant décor de couleurs vives, c'est un bel endroit pour manger un morceau. Tout près de la grande route, en direction de l'Hotel Santiniketan.

Depuis/vers Santiniketan

Plusieurs trains quotidiens relient la gare de Bolpur, à 2 km au sud de l'université, à Kolkata. Privilégiez le *Shantiniketan Express* 2337/8 (2ᵉ classe/chair 69/235 Rs, 2 heures 30), qui part à 10h10 de Howrah et à 13h10 de Bolpur. Le *Kanchenjunga Express* 5657 (sleeper/3AC 190/505 Rs, 8 heures) de 9h40 et le *Kolkata Haldibari Superfast Express* 2563 (2ᵉ classe/chair 126/425 Rs) de 11h31 (les mardi, jeudi et samedi) desservent New Jalpaiguri. Une **billetterie ferroviaire** (Santiniketan Rd ; ⌚ 8h-12h et 12h30-14h jeu-mar) jouxte la poste.

La gare routière de Jambuni se trouve à Bolpur. Les bus desservent Berhampore/Murshidabad (55 Rs, 4 heures) et Bishnupur (65 Rs, 5 heures), mais les services directs sont rares ; vous devrez sans doute changer de bus à Durgapur pour Bishnupur et à Suri pour Berhampore.

NABADWIP ET MAYAPUR

☎ 03472 / 115 036 habitants

À 114 km au nord-ouest de Kolkata, Nabadwip, un ancien centre de culture sanskrite, est un important lieu de pèlerinage dédié à Krishna. Des foules de dévots se pressent dans les temples. Le dernier roi hindou du Bengale, Lakshman Sen, transféra sa capitale de Gaur à Nabadwip.

Mayapur, sur l'autre rive du fleuve, est le fief de la secte Iskcon (Hare Krishna). Elle possède un grand temple coloré et les Iskcon Guest Houses.

MURSHIDABAD ET BERHAMPORE

☎ 03482 / 36 894 habitants

À Murshidabad, la vie rurale et l'architecture du XVIIIᵉ siècle se rencontrent sur les rives verdoyantes de la Bhagirathi. Lorsque Siraj-ud-daula devint nabab du Bengale, il fit de Murshidabad sa capitale – il y fut assassiné après la défaite de Plassey (actuelle Palashi).

Le principal centre d'intérêt, ici, est le **Hazarduari** (Indiens/étrangers 5/100 Rs ; ⌚ 10h-16h30 sam-jeu), un palais de style classique, renommé pour ses 1 000 portes (vraies et fausses). Érigé pour les nababs en 1837, il renferme une remarquable collection d'antiquités des XVIIIᵉ et XIXᵉ siècles. Le Grand Imambara, dans l'enceinte du palais, était en cours de rénovation lors de notre passage ; s'il est fermé, jetez-y un coup d'œil depuis les portes.

Murshid Quli Khan, qui fit de la ville sa capitale en 1705, est inhumé, sous les escaliers des belles ruines de la **mosquée Katra**. Siraj-ud-daula fut assassiné à la **Nimak Haram Deohri** (porte du Traître). Les **Kathgola Gardens** (7 Rs ; ⌚ 6h30-17h30) englobent le Parswanath Temple, un sanctuaire jaïn digne d'intérêt, ainsi qu'un musée.

À 11 km au sud de Murshidabad, Berhampore sert de carrefour pour les transports routier et ferroviaire.

Où se loger et se restaurer

Hotel Samrat (☎ 251147 ; fax 253091 ; NH34 Panchanantala ; s/d à partir de 175/250 Rs, avec clim à partir de 600/700 Rs ;). La meilleure adresse de Berhampore (qui n'en compte pas beaucoup) : un excellent rapport qualité/prix pour des chambres repeintes et équipées de meubles neufs. Le personnel, serviable, peut organiser des visites touristiques. Le nouveau restaurant (plats 30-80 Rs), tout en faux marbre et éclairage doux, propose un bar et une vaste sélection de plats, principalement indiens.

Hotel Manjusha (☎ 270321 ; Murshidabad ; d 300-400 Rs). Un cadre merveilleux sur la berge de la Bhagirathi, derrière le Grand Imambara. Les chambres du rez-de-chaussée sont les moins chères, tandis que les n°201 à 203 donnent à la fois sur la rivière et le Hazarduari. Une adresse remarquable pour l'emplacement et le charme d'époque, mais les chambres sont vraiment défraîchies, voire parfois nauséabondes.

Comment s'y rendre et circuler

Le train express quotidien *Bhagirati Express* 3103/4 circule vers/depuis Kolkata (2e classe/chair 67/236 Rs, 4 heures) ; départ de la gare de Sealdah (Kolkata) à 18h25 et de Berhampore à 6h34. Des bus réguliers desservent Kolkata (65 Rs, 6 heures) et Malda (55 Rs, 4 heures). Des bus se rendent parfois directement à Shantiniketan/Bolpur (55 Rs, 4 heures), mais il faut souvent changer à Suri.

Des auto-rickshaws collectifs font fréquemment la navette entre Murshidabad et Berhampore (10 Rs). Des rickshaws-wallahs/taxis proposent des circuits guidés d'une demi-journée (150/400 Rs) pour découvrir les sites éloignés les uns des autres.

MALDA

☎ 03512 / 161 448 habitants

Malda, à 347 km de Kolkata, constitue une base pratique pour explorer les ruines des anciennes capitales du Bengale, à Gaur et à Pandua. Malda est renommée pour ses mangues Fajli, qui mûrissent au printemps ; et même en dehors de la saison vous en aurez, marinées, accompagnant tous les plats que vous pourrez commander dans les environs.

Les DAB de la State Bank of India et d'ICICI se trouvent sur la grand-route, près de l'embranchement pour la gare routière. **i-Zone** (20 Rs/h ; 🕒 8h-19h), derrière la gare routière sur la route du musée, offre une connexion Internet rapide. Le **Malda Museum** (2 Rs; 🕒 10h30-17h jeu-mar), à côté de la bibliothèque, expose quelques sculptures et pièces de monnaie venant de Gaur et de Pandua.

Continental Lodge (☎ 252388 ; fax 251505 ; 22 KJ Sanyal Rd ; s/d à partir de 150/250 Rs, d avec clim à partir de 650 Rs ; ❄). Une adresse sympathique, presque en face de la gare routière. Chambres assez propres et curieusement meublées, pour tous les budgets.

Hotel Kalinga (☎ 284503 ; www.hotelkalingamalda.com ; NH34, Ram Krishna Pally ; d sans/avec clim à partir de 425/800 Rs ; ❄ 💻). Un grand bâtiment sur la route principale, à mi-chemin entre les gares routière et ferroviaire. Les chambres climatisées sont belles, les moins chères nues et négligées. Le restaurant du dernier étage propose une carte indienne, chinoise et européenne (plats 40-90 Rs), avec une belle vue sur la ville.

De Kolkata (gare de Sealdah), empruntez de préférence le train *Kolkata Haldibari Superfast Express* 2563 (2e classe/chair 111/372 Rs, 6 heures, départ 9h05 mar, jeu et dim), qui continue jusqu'à New Jalpaiguri (91/301 Rs, 4 heures, 15h20). Au retour, prenez l'*Intercity Express* 3466 à destination de la gare de Howrah (2e classe/chair 96/342 Rs, 7 heures, 6h10 tlj sauf dim). Des bus partent régulièrement pour Siliguri (120 Rs, 6 heures), Berhampore/Murshidabad (55 Rs, 4 heures) et Kolkata (à partir de 140 Rs, 10 heures).

GAUR ET PANDUA

À 16 km au sud de Malda, parmi les rizières inondées, divers vestiges, dont des mosquées, rappellent le passé de Gaur, capitale des nababs du XIIIe au XVIe siècle. Il reste en revanche peu de choses de l'époque préislamique (VIIe-XIIe siècle), durant laquelle Gaur fut successivement la capitale de la dynastie bouddhiste Pala et des hindous Sena.

Promenez-vous dans les ruines de l'imposante **mosquée Baradwari** et dans l'allée à arcades, puis au pied de la porte de **Dakhil Darwaza** (1425), aux allures de forteresse. La **mosquée Qadam Rasul** renferme une "empreinte" du pied de Mahomet. Sur le **tombeau de Fath Khan** (1707), juste à côté, une inscription précise qu'il "vomit du sang et rendit l'âme à cet endroit". Des fleurs de lotus ornent la façade de terre cuite de la **mosquée Tantipara** (1480), tandis que des fragments d'émaux colorés égaient les **mosquées Lattan** et **Chamkati**.

Les vastes ruines de l'**Adina Masjid**, qui était jadis la plus grande mosquée du pays, se trouvent au nord de Pandua, à 18 km au nord de Malda. Le tombeau de Sikander Shah, bâtisseur de la mosquée (XIVe siècle), se trouve dans une section intacte de niches cintrées et coiffées de dômes. Le **mausolée Eklakhi**, à 2 km, doit son nom au coût de sa construction : 1 lakh de roupies (100 000 Rs).

Les monuments, disséminés dans Gaur et Pandua, bordent certaines des plus mauvaises routes du pays. Louer un taxi à Malda (600 Rs/demi-journée) est une bonne solution.

MONTAGNES DU BENGALE-OCCIDENTAL

SILIGURI ET NEW JALPAIGURI

☎ 0353 / 655 935 habitants / altitude 119 m

Surpeuplée, la métropole commerçante qui regroupe les villes jumelles de Siliguri et de New Jalpaiguri (NJP) est le point de départ vers Darjeeling, Kalimpong, Sikkim, les États du Nord-Est, le Népal oriental et le Bhoutan. Silguri ne présente que peu d'intérêt touristique et, pour la plupart des voyageurs, elle n'est qu'une étape pour une nuit, dotée de belles vues sur les sommets enneigés.

Orientation

La plupart des hôtels, restaurants et services bordent Tenzing Norgay Rd, plus connue sous son ancien surnom, Hill Cart Rd. NJP Station Rd mène, vers le sud, à la gare de NJP. Les autres grandes artères, Sevoke Rd et Bidhan Rd, s'élancent vers l'est depuis Hill Cart Rd.

Renseignements

ACCÈS INTERNET

Cyber Space (Hotel Vinayak, Hill Cart Rd ; 🕘 10h-20h). Internet (30 Rs), connexion USB et gravure de CD (25 Rs).

iWay (Hill Cart Rd ; 30 Rs/h ; 🕘 9h-21h). Une salle au décor orange, derrière une boutique.

Netcafe (☎ 9434020017 ; Hospital Rd ; 15 Rs/h ; 🕘 10h-22h). Petit, chaud et bondé, mais deux fois moins cher que les autres.

AGENCES DE VOYAGES

Les agences privées de réservation des transports jalonnent Hill Cart Rd.

Help Tourism (☎ 2433683 ; www.helptourism.com ; 143 Hill Cart Rd). Recommandé en raison de son fort intérêt pour l'environnement et le développement communautaire. Peut vous trouver des chambres chez l'habitant et des bungalows en montagne ; organise des circuits et des treks très appréciés.

ARGENT

Vous trouverez des DAB de la Standard Chartered Bank, de la State Bank of India (SBI) et de l'UBI Bank dans Hill Cart Rd.

Delhi Hotel (☎ 2516918 ; Hill Cart Rd ; 🕘 9h-20h). Change les espèces et les chèques de voyage.

Multi Money (☎ 2535321 ; 143 Hill Cart Rd ; 🕘 9h30-19h lun-sam). Change les devises et les chèques de voyage Amex. Agent Western Union.

OFFICES DU TOURISME

Office du tourisme de l'Assam (Pradhan Nagar Rd ; 🕘 10h-16h lun-ven). Pas de téléphone, six brochures que l'on vous remettra après trois signatures.

Office du tourisme du Bengale-Occidental (☎ 2511979 ; Hill Cart Rd ; 🕘 10h-17h lun-ven). Réservation d'hébergements dans le Jaldhapara Wildlife Sanctuary. Comptoirs – moins utiles – à l'aéroport et à la gare ferroviaire de NJP.

Office du tourisme du Darjeeling Gorkha Hill Council (DGHC ; ☎ 2518680 ; Hill Cart Rd ; 🕘 8h-17h lun-ven, 8h-13h sam-dim). Un service sympathique et efficace et des brochures sur Darjeeling, Kalimpong, Kurseong et Mirik.

Office du tourisme du Sikkim (☎ 2512646 ; Terminal SNT, Hill Cart Rd ; 🕘 10h-16h tlj sauf dim). Délivre les permis pour le Sikkim. Les demandes du matin sont généralement traitées pour l'après-midi – apportez votre passeport et une photo d'identité.

POSTE

Poste principale (GPO ; ☎ 2538850 ; Hospital Rd ; 🕘 7h-19h lun-sam, 10h-15h dim). Pas de service colis en fin d'après-midi ou le dimanche.

SERVICES MÉDICAUX

Sadar Hospital (☎ 2436526, 2585224 ; Hospital Rd)

Où se loger

PETITS BUDGETS

Conclave Lodge (☎ 2514102 ; Hill Cart Rd ; s/d à partir de 200/350 Rs). Caché derrière l'Hotel Conclave, cet établissement est la meilleure adresse à petit prix. Chambres propres et calmes avec TV.

Hotel Hill View (☎ 2519951 ; Hill Cart Rd ; d 400 Rs, s/tr sans sdb 200/350 Rs). Cet établissement de 1951 a conservé un peu de son charme colonial (à l'extérieur), mais le sympathique gérant ne surestime pas ses chambres, très sommaires et en mauvais état.

Hotel Chancellor (☎ 2432372 ; angle Sevoke Rd et Hill Cart Rd ; d 285 Rs, avec TV 335 Rs). Un hôtel convivial sans prétention, tenu par des Tibétains, qui souffre du bruit de la circulation. Les chambres

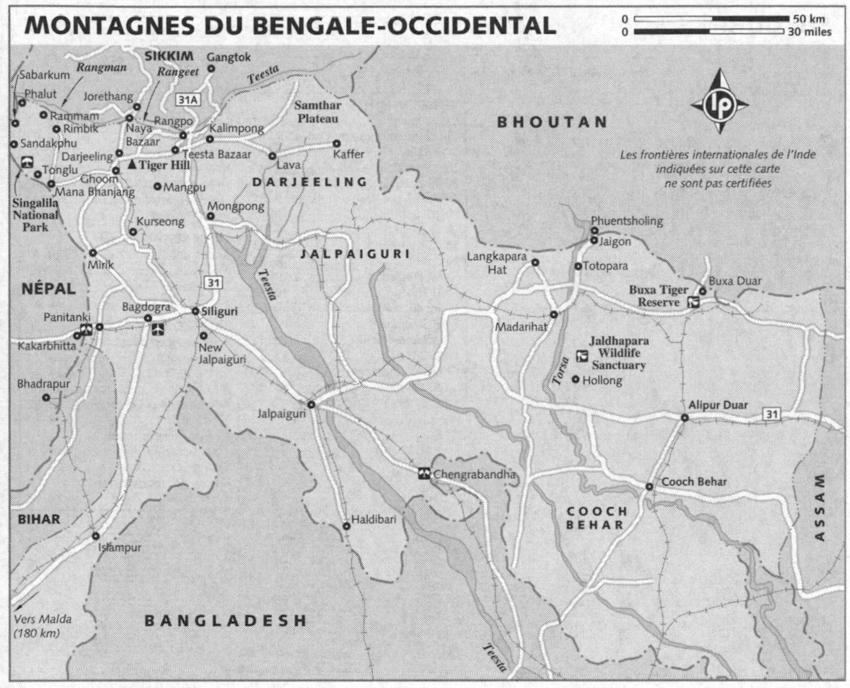

sont propres, mais les travaux (en cours au moment de notre passage) n'en facilitent pas l'accès.

Hotel Mount View (☎ 2512919 ; Hill Cart Rd ; d à partir de 500 Rs). Un curieux mélange de meubles de plus ou moins bonne qualité pour des chambres à la décoration très inégale. Visitez-en plusieurs : certaines (surtout à l'étage) sont bien plus belles.

CATÉGORIES MOYENNE ET SUPÉRIEURE

Hotel Conclave (☎2516144 ; www.hotelconclave.com ; Hill Cart Rd ; s/d à partir de 500/600 Rs, avec clim à partir de 750/900 Rs ;). Cette bonne enseigne moderne compte de belles boiseries et œuvres d'art, des matelas de qualité et un ascenseur en verre extérieur. Chambres impeccables, et excellent Eminent Restaurant au rez-de-chaussée.

Hotel Himalayan Regency (☎ 650 2955 ; Hill Cart Rd ; s/d à partir de 500/600 Rs, avec clim à partir de 1 100/1 200 Rs ;). Des chambres confortables avec de grandes sdb propres. Design et couleurs ont été soigneusement choisis, mais ne sont pas du meilleur goût.

Hotel Sinclairs (☎ 2517674 ; www.sinclairshotels.com ; près de la NH31 ; d à partir de 2 900 Rs ;). À 2 km au nord de la gare routière, ce confortable trois-étoiles est loin de la bruyante Hill Cart Rd. Chambres spacieuses, un peu défraîchies ; excellent bar-restaurant et piscine propre.

TOUT SAVOIR SUR LE THÉ

De nombreuses formations pour les futurs spécialistes du thé sont proposées dans les montagnes du Bengale-Occidental. Les plantations ci-dessous ont bonne réputation et emploient des méthodes de production biologiques.

Lochan Tea Limited (www.lochantea.com, www.doketea.com ; Siliguri). Trois mois de formation dans le négoce international du thé qui comprend des dégustations et une expérience pratique dans l'achat de thé aux enchères. Les étudiants sont hébergés dans la pension de l'entreprise à Siliguri.

Makaibari Tea Estate (www.makaibari.com ; Kurseong). Cours intensifs de cinq jours (10 000 Rs) sur la production de thé et la biodynamique ; hébergement sur la plantation ou au Cochrane Place (p. 556) voisin. Pour des informations complémentaires sur Makaibari, voir l'encadré p. 556.

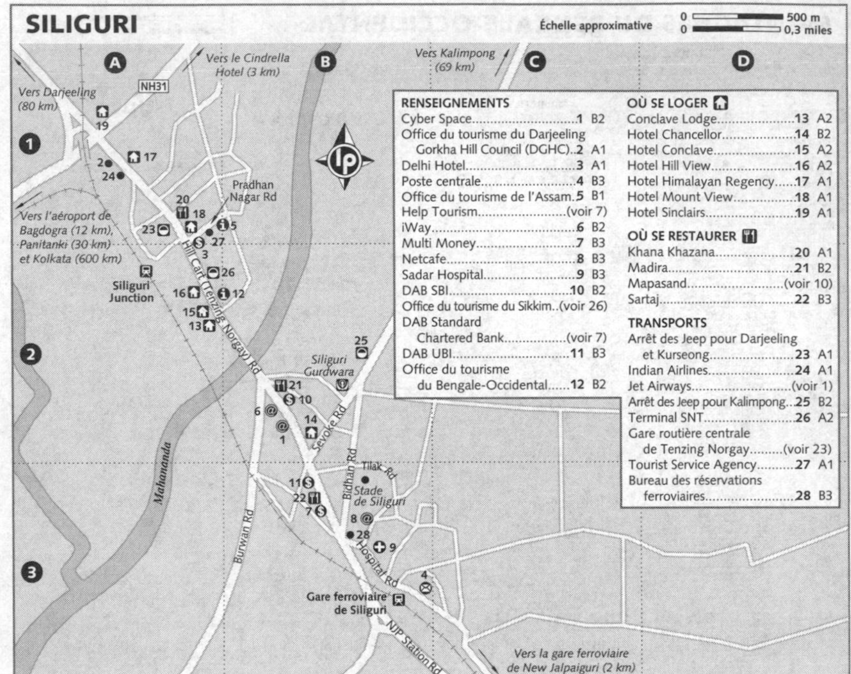

Cindrella Hotel (☎ 2544130 ; 3rd Mile, Sevoke Rd ; www.cindrellahotels.com ; s/d à partir de 3 300/3 500 Rs ;). Le meilleur hôtel de la ville offre le comble du luxe. Parquets lustrés, canapés confortables, grands lits, minibar et éclairage chic dans les chambres. Petite piscine et salle de gym ; accès Wi-Fi gratuit.

Où se restaurer

Mapasand (☎ 2778704 ; Mangaldeep Blg, Hill Cart Rd ; douceurs à partir de 5 Rs ; 8h-21h). Au contraire des boulangeries qui imitent les pâtisseries occidentales, cette boutique propre vend d'alléchantes confiseries indiennes, comme les *barfi* (bonbons ressemblant aux caramels) et les *ladoo* (confiserie ronde à base de farine de légumineuses et de semoule).

Madira (☎ 2435980 ; Hill Cart Rd ; plats 25-150 Rs). Un petit bar-restaurant, accessible par un tunnel à côté de l'Airview Lodge. Décoré de couleurs vives, il sert un choix de plats et d'en-cas d'Inde du Nord, plus quelques spécialités chinoises.

Khana Khazana (☎ 2517516 ; Hill Cart Rd ; plats 40-90 Rs). Le paisible patio est idéal pour déjeuner. À découvrir sur la longue carte : pizzas, spécialités chinoises et d'Inde du Sud, en-cas de Mumbai et nombreuses préparations végétariennes.

Sartaj (☎ 2431759 ; Hill Cart Rd, plats 45-180 Rs ;). Un restaurant sophistiqué et décontracté (avec une clim bien fraîche) qui offre un incroyable choix d'excellents tandooris et curries d'Inde du Nord et de bons plats chinois. Service haut de gamme. Il y a un bar et l'alcool peut être servi à table.

Depuis/vers Siliguri et New Jalpaiguri

AVION

L'aéroport de Bagdogra se trouve à 12 km à l'ouest de Siliguri. **Indian Airlines** (☎ 2511495 ; www.indianairlines.in ; Hill Cart Rd ; 10h-13h et 13h45-16h30 tlj sauf dim) propose 3 vols/semaine pour Kolkata (1 heure), 5 pour Delhi (4 heures) et 2 pour Guwahati (50 min). **Jet Airways** (☎ 2538001 ; www.jetairways.com ; Hill Cart Rd ; 9h-17h30 tlj sauf dim) dessert Kolkata (tlj), Delhi (tlj ; certains vols via Guwahati) et Guwahati (4/semaine). **Kingfisher Airlines** (☎ 39008888 ; www.flykingfisher.com) propose des vols quotidiens pour Kolkata et

BUS NBSTC AU DÉPART DE SILIGURI

Destination	Tarif (Rs)	Durée	Fréquence
Darjeeling	80	3 heures 30	ttes les 30 min
Guwahati	280	12 heures	17h seulement
Kalimpong	50	3 heures	ttes les 2 heures
Kolkata	266	12-16 heures	5/jour
Kurseong	42	2 heures	ttes les 30 min
Madarihat	65	3 heures	ttes les heures
Malda	115	6 heures 30	ttes les 30 min
Mirik	50	2 heures 30	ttes les 2 heures

Delhi, et 3 avions/semaine pour Guwahati. Vérifiez les tarifs (changeants) sur les sites Internet.

Des hélicoptères (3 000 Rs, 30 min, bagages 10 kg maximum) relient quotidiennement Bagdogra à Gangtok à 14h. Réservez à la **Tourist Service Agency** (TSA ; ☎ 2531959 ; tsaslg@sancharnet.in ; Pradhan Nagar Rd), près du Delhi Hotel.

BUS

La plupart des bus de la North Bengal State Transport Corporation (NBSTC) partent de la **gare routière centrale de Tenzing Norgay** (Hill Cart Rd), comme de nombreux bus privés suivant les mêmes itinéraires.

Les bus de la Sikkim Nationalised Transport (SNT) à destination de Gangtok (96 Rs, 4 heures 30) partent à 9h30, 11h30, 12h30 et 13h30 du **terminal SNT** (Hill Cart Rd). Un bus deluxe (110 Rs) démarre au même endroit à 12h30. Pour aller au Sikkim, vous devrez demander un permis auprès de l'office du tourisme du Sikkim, juste à côté (p. 550).

JEEP

Les Jeep collectives constituent le moyen le plus rapide et le plus confortable de circuler dans les montagnes. Elles partent de divers points : près, et en face, de la gare routière pour Darjeeling (120 Rs, 2 heures 30) et Kurseong (60 Rs, 1 heure 30), dans Sevoke Rd pour Kalimpong (80 Rs, 2 heures 30) et près du terminal SNT pour Gangtok (140 Rs, 4 heures). Les Jeep privées ou collectives pour toutes ces destinations partent aussi directement de la gare ferroviaire NJP.

Louer une Jeep revient 10 fois plus cher qu'une place dans une Jeep collective. Les voyageurs de forte corpulence peuvent payer pour occuper les 3 places à côté du conducteur.

TRAIN

Le *Darjeeling Mail* 2344 (sleeper/3AC 263/684 Rs, 13 heures, 17h25), le plus rapide des 4 trains quotidiens pour Kolkata, s'arrête à Malda). Pour Malda, le *New Jalpaiguri Sealdah Express* 2504 (2e classe/chair 111/372 Rs, 4 heures, 9h45 lun, mer et sam) est toutefois plus pratique. Le *North East Express* 2505, le plus rapide pour Delhi (sleeper/3AC 437/1 174 Rs, 27 heures, 17h05), passe par Patna (229/587 Rs, 11 heures). En direction de l'est, le train 2506 rallie Guwahati (sleeper/3AC 207/527 Rs, 8 heures, 8h40).

Il existe un **bureau des réservations ferroviaires** (☎ 2537333 ; angle Hospital Rd et Bidhan Rd ; 🕑 8h-11h30 et 12h-20h lun-sam, 8h-14h dim) à Siliguri.

Toy Train

Le *toy train* (petit train) diesel parcourt les 88 km entre New Jalpaiguri et Darjeeling en 8 longues heures (2e/1re classe 42/247 Rs, 9h). Réservez (frais de réservation 15/30 Rs) 2-3 jours à l'avance à la gare ferroviaire de NJP ou au bureau de réservation ferroviaire. Les amateurs de trains à vapeur emprunteront le Darjeeling-Kurseong (p. 556).

Comment circuler

De la gare routière à la gare ferroviaire de NJP, comptez environ 200/90 Rs en taxi/autorickshaw et 50 Rs en cyclo-pousse (35 min). La course en taxi de l'aéroport de Bagdogra à Siliguri revient à 300 Rs.

JALDHAPARA WILDLIFE SANCTUARY

☎ 03563 / altitude 61 m

Cette **réserve** (☎ 262239 ; Indiens/étrangers 25/100 Rs, appareil photo/caméra 5/2 500 Rs ; 🕑 mi-sept à mi-juil) peu visitée préserve 114 km² de forêts luxuriantes et de prairies le long de la Torsa, et abrite plus de 50 rhinocéros indiens unicornes *(Rhinoceros unicornis)*.

La meilleure période pour la visiter s'étend de mi-octobre à mai, plus particulièrement en mars-avril lorsque la repousse de l'herbe attire les éléphants sauvages, les cerfs et les tigres (rarement aperçus). Les promenades à dos d'éléphant (Indiens/étrangers 120/200 Rs/h) offrent les meilleures chances de voir des rhinocéros. Ces safaris sont organisés par les *tourist lodges.* Sachez que si vous logez ailleurs, vous serez en dernière position pour y participer. Comme il est impossible de réserver

BENGALE-OCCIDENTAL

ces promenades, vous risquez d'être lésé si un éléphant tombe malade ou si un VIP se présente.

West Bengal Tourism à Kolkata (p. 515) et l'office du tourisme du Bengale-Occidental de Siliguri (p. 550) organisent des **excursions** (2 050 Rs/pers ; sam) de 2 jours Siliguri-Jaldhapara ; promenade à dos d'éléphant, transport, hébergement au Hollong Tourist Lodge et repas compris.

Où se loger et se restaurer

Les deux *lodges* se réservent longtemps à l'avance auprès des offices du tourisme du Bengale-Occidental (West Bengal Tourism) de Siliguri, Darjeeling et Kolkata ; ils ne prennent aucune réservation en direct.

Jaldhapara Tourist Lodge (☎ 262230 ; dort 300 Rs, bungalow 650 Rs, d 1 000 Rs). Cet hôtel de la WBTDC est situé à l'extérieur de la réserve, près de Madarihat. Tous les repas sont inclus. Vérifiez l'état des chambres dans les deux bâtiments.

Hotel Relax (☎ 262304 ; Madarihat ; d 350 Rs). Une option très basique, face au Jaldhapara Tourist Lodge. Lits corrects, sols en ciment, toilettes à la turque et odeurs parfois désagréables.

Hollong Tourist Lodge (☎ 262228 ; d 1 000 Rs, petit déj et dîner obligatoires 175 Rs/pers). Un établissement plus petit et plus confortable, à l'intérieur de la réserve. Déjeuner en supplément (75 Rs).

Depuis/vers Jaldhapara

Jaldhapara est à 124 km à l'est de Siliguri. Des bus relient Siliguri et Madarihat (65 Rs, 3 heures, toutes les heures de 6h à 16h), à 9 km de Jaldhapara. De Madarihat, un taxi pour Hollong, dans la réserve, coûte 150 Rs.

MIRIK

☎ 0354 / 9 179 habitants / altitude 1 767 m

Nichée près de la frontière népalaise, à mi-chemin entre Siliguri et Darjeeling, Mirik est une station discrète. Entourée de forêts de cèdres du Japon et de plantations de théiers, d'orangers et de cardamome, elle jouit d'un charme tranquille et d'une atmosphère détendue qui en font une destination très différente de Darjeeling ou de Kalimpong. Au lever du soleil, certains des sommets les plus élevés offrent une vue magnifique sur le Khangchendzonga (8 598 m) éclairé par les premiers rayons.

Renseignements

Le **Krishnanagar Cyber Cafe** (Main Rd, Krishnanagar ; 30 Rs/h), face à l'Hotel Jagjeet, propose une connexion filaire très lente. Vous ne trouverez aucun service de change, mais un DAB fiable de la State Bank of India à côté de l'Hotel Jagjeet.

Pour passer la nuit sur place, les étrangers doivent s'enregistrer (sur simple présentation du passeport) au **Frontier Check Post** (Main Rd, Krishnanagar). Ce bureau des frontières se trouve sur la droite en descendant vers le lac, au pied de la colline ; les employés sont décontractés et bavards.

À voir et à faire

La ville s'étend autour des eaux troubles du **Sumendu Lake**, un lac artificiel de 3,5 km de circonférence, dont les berges invitent à la promenade. Sur la rive ouest, un escalier mène au minuscule **temple hindou de Devi Sthan**. Le **Bokar Gompa**, un monastère très coloré où l'on peut voir des fresques, surplombe la ville. Offrez-vous une marche tonifiante en remontant Monastery Rd, cela vous évitera de débourser pas moins de 80 Rs pour la course en taxi.

Vous pourrez louer un **pédalo** (60 Rs/30 min) près du pont ou faire une **promenade à cheval** (80/160 Rs pour le demi-tour/tour du lac).

Où se loger et se restaurer

Les réductions peuvent atteindre 50% hors saison (octobre-novembre et mars-mai).

Lodge Ashirvad (☎ 2243272 ; s 180 Rs, d 250-350 Rs). Dans une ruelle donnant sur la rue principale, un hôtel familial accueillant et bon marché, aux chambres propres (seau d'eau chaude 10 Rs). Le toit-terrasse offre une belle vue sur le monastère. En haute saison, la cuisine maison est servie dans une salle un peu sombre et humide du sous-sol.

Buddha Lodge (☎ 2243515 ; d 300-400 Rs). Des chambres impeccables et charmantes, avec TV et de beaux meubles. Séduisantes boiseries à l'étage.

Hotel Ratnagiri (☎ 2243243 ; www.hotelratnagiri.com ; d 600-800 Rs). Des doubles lambrissées chaleureuses à l'étage et des suites familiales plus vastes. TV et eau chaude dans toutes les chambres ; balcon avec vue sur le Sumendu Lake pour certaines. Bon restaurant dans le jardin à l'arrière (plats 30-90 Rs).

Hotel Jagjeet (☎ 2243231 ; www.jagjeethotel.com ; d à partir de 1 000 Rs). Le meilleur hôtel de la

TRAVERSER LA FRONTIÈRE : LE BANGLADESH, LE BHOUTAN ET LE NÉPAL

Depuis/vers le Bangladesh

Plusieurs agences privées de Siliguri, dont **Shyamoli** (☎ 9932627647 ; complexe de l'Hotel Central Plaza, Hill Cart Rd) proposent des liaisons régulières et directes en bus climatisé pour Dhaka (650 Rs) ; vous devrez descendre et remonter dans le bus à la frontière (Chengrabandha).

Des bus réguliers démarrent de la gare routière centrale de Tenzing Norgay pour Chengrabandha (42 Rs), à partir de 7h30. Le poste-frontière est ouvert de 8h à 18h tous les jours. À proximité, des bus partent pour Rangpur, Bogra et Dhaka. Les visas pour le Bangladesh s'obtiennent à Kolkata et à New Delhi (voir p. 806).

Depuis/vers le Bhoutan

Les Bhutan Transport Services possèdent un guichet à la gare routière centrale de Tenzing Norgay. Tous les jours, 2 bus desservent Phuentsholling (75 Rs, 7h et 14h). Les services indiens d'immigration se trouvent à Jaigon, entre le poste de police et l'Hotel Kasturi. Les ressortissants étrangers doivent présenter un visa délivré par un tour-opérateur bhoutanais pour entrer au Bhoutan. Pour de plus amples détails, consultez le site Internet www.tourism.gov.bt (en anglais).

Depuis/vers le Népal

Pour le Népal, des bus locaux passent par la gare routière centrale de Tenzing Norgay toutes les 15 min à destination de la ville frontalière de Panitanki (20 Rs, 1 heure). Des Jeep collectives assurent aussi la liaison entre Siliguri et Kakarbhitta (70 Rs). Le poste-frontière indien de Panitanki est officiellement ouvert 24h/24 ; du côté népalais, celui de Kakarbhitta fonctionne de 7h à 19h. Pour les bus Darjeeling-Katmandou, reportez-vous p. 567. De Kakarbhitta, de nombreux bus se rendent dans différentes villes, dont Katmandou (17 heures). L'aéroport de Bhadrapur, à 23 km au sud-ouest de Kakarbhitta, accueille des vols réguliers pour Katmandou. Les visas pour le Népal s'obtiennent à la frontière, à Kolkata et à New Delhi (voir p. 807).

ville propose diverses chambres propres et confortables, la plupart avec balcon. Service prévenant. Le restaurant (plats 30-115 R) est réputé pour ses excellents plats indiens, chinois et européens. Un comptoir vend de succulentes confiseries.

Sukh Sagar Restaurant (plats 15-60 Rs). Au pied de la montagne près du lac, cette sorte de cafétéria végétarienne propose de bons en-cas et des spécialités d'Inde du Sud aux excursionnistes du lac (*thali* 70 Rs).

Depuis/vers Mirik

Des bus desservent Darjeeling et Siliguri (les deux 50 Rs, 3 heures). Des Jeep collectives partent aux mêmes horaires pour Darjeeling, Siliguri (les deux 55 Rs, 2 heures 30) et Kurseong (60 Rs, 3 heures).

Mirik Out Agency (Main Rd, Krishnanagar ; 🕒 9h-12h et 13h-16h), face à l'Hotel Ratnagiri, vend un nombre limité de billets pour les trains venant de NJP.

KURSEONG

☎ 0354 / 40 067 habitants / altitude 1 458 m

À 32 km au sud de Darjeeling au milieu des plantations de théiers, Kurseong – du mot lepcha *kurson-rip,* qui désigne une petite orchidée blanche commune dans cette région – est la petite sœur de la "reine des montagnes", en amont. Paisible étape pour qui cherche à échapper aux foules de Darjeeling, elle est le terminus sud du *toy train* à vapeur du Darjeeling Himalayan Railway.

Hill Cart Rd (Tenzing Norgay Rd) – la principale route Siliguri-Darjeeling, bordée de boutiques – et la voie ferrée qui la longe de près se fraie un chemin à travers la ville.

Parmi les belles promenades alentour, celle de l'Eagle's Crag (pic de l'Aigle ; 2 km aller-retour) dévoile un splendide panorama sur la Teesta et les plaines du sud. Dans Pankhabari Rd, le cimetière de St Andrews, envahi par la végétation, forme un vestige poignant de l'époque coloniale ; la plantation bio Makaibari Tea Estates (voir l'encadré p. 556) et l'**Ambootia Tea Estate** (☎ 9434045602) accueillent les visiteurs dans leurs usines odoriférantes. Le **Kunsamnamdoling Gompa** est un joli monastère tenu par des *ani* (nonnes bouddhistes) qui appartiennent à l'ordre des Bonnets rouges.

LE "RAJAH TONNERRE"

Rajah Banerjee, l'un des personnages les plus reconnaissables de la région de Darjeeling et véritable gourou de l'industrie du thé, est le quatrième descendant de la famille Banerjee à régner sur le **Makaibari Tea Estate** (Pankhabari Rd ; www.makaibari.com), près de Kurseong. Vêtu d'une tenue de safari qu'il a créée lui-même, on l'aperçoit souvent en train de parcourir à cheval les forêts de son domaine. Premier producteur à avoir introduit les méthodes de culture biologiques et biodynamiques dans la région, c'est aussi l'un des très rares propriétaires de plantations à vivre et à travailler dans la montagne.

Il y a plus de 30 ans, Banerjee est revenu voir son père au domaine après des études en Angleterre. "Je n'avais pas l'intention de vivre à Makaibari, je venais pour des vacances, mais l'homme propose et Dieu dispose", explique-t-il. Un jour qu'il se promenait dans le domaine, son cheval s'est cabré ; alors qu'il tombait, il a eu la vision des arbres appelant à l'aide. "J'ai su alors que je devais passer le restant de mes jours à Makaibari."

La permaculture, le goût du thé, le bien-être des employés du domaine, la biodiversité et la philosophie biodynamique de Rudolf Steiner ne sont que quelques-unes des passions qui animent le "Rajah tonnerre" (un surnom qui lui vient de la signification de Darjeeling en tibétain : "pays de la Foudre"). L'usine de Makaibari est ouverte aux visiteurs, ainsi qu'aux bénévoles et aux étudiants. Peut-être croiserez-vous, parmi les énormes trieuses et machines à sécher ou au milieu des immenses plantations de théiers, le gourou du thé en personne.

Pour Internet, tentez **Kashyup Computers & Systems** (Hill Cart Rd ; 30 Rs/h) et **Kay Deez** (25 Rs/h), non loin de Hill Cart Rd, sur la gauche quand on entre en ville en venant de la gare ferroviaire.

Où se loger et se restaurer

Plusieurs hôtels proches de la gare proposent des chambres décevantes à prix excessif, alors que les établissements suivants, situés un peu plus loin, sont intéressants.

Hotel Delhi Darbar (☎ 2345862 ; delhidarbarinn@yahoo.com ; Hill Cart Rd ; d/tr 300/400 Rs). Une option bon marché à quelques rues de la gare ferroviaire, accueillante et assez propre (évitez les chambres avec moquette). Eau chaude au seau et TV. Vous pouvez commander de bons plats peu onéreux au restaurant du rez-de-chaussée (plats 20-45 Rs), dont un excellent *aloo paratha* (pain farci aux pommes de terre).

Kurseong Tourist Lodge (☎ 2344409 ; Hill Cart Rd ; d 800-900 Rs). Le personnel n'est pas très attentif, mais le bâtiment très agréable, avec des chambres chaleureuses agrémentées de superbes vues. Le *toy train* passe devant le café qui sert des *momo* (raviolis). Bons repas indien, chinois et européen au restaurant (plats 30-80 Rs) qui offre de beaux paysages.

♡ **Cochrane Place** (☎ 2330703 ; www.imperialchai.com ; 132 Pankhabari Rd ; s/d à partir de 2 250/2 650 Rs). Au cœur des plantations de théiers dominant Siliguri, avec l'Himalaya en toile de fond, cet hôtel de charme excentrique mérite à lui seul le détour. Les chambres, toutes différentes et décorées d'antiquités, jouissent d'une belle vue ou d'un balcon. Cuisine délicieuse et bon choix de thés. L'hôtel est accessible aux fauteuils roulants. Possibilité de transfert depuis l'aéroport Bagdogra (à Siliguri) ou la gare ferroviaire. Le personnel vous renseignera sur les sentiers et les sites de la région. Dégustations de thé, massages et soins de beauté. Remises importantes en basse saison.

Zimba's (Hill Cart Rd ; plats 10-20 Rs). Pour manger en plein air, dans le cadre original d'un dépôt de bus et de Jeep à la lisière de la ville, en direction de Darjeeling. En-cas indiens et tibétains frais et savoureux à prix imbattable ; bons *momo* (10 Rs).

Depuis/vers Kurseong

De nombreuses Jeep collectives rallient Darjeeling (40 Rs, 1 heure 30), Siliguri (60 Rs, 1 heure 30), Kalimpong (100 Rs, 3 heures 30-4 heures) et Mirik (60 Rs, 2 heures 30). Des bus vont à Darjeeling (25 Rs, 2 heures) et Siliguri (40 Rs, 2 heures 30) ; les départs s'effectuent près de la gare ferroviaire.

Quand le temps le permet, le *toy train* à vapeur part pour Darjeeling à 15h (2e/1re classe 18/159 Rs, 4 heures) ; la version diesel (en provenance de New Jalpaiguri) démarre vers 13h35. Le train diesel Darjeeling-Siliguri (2e/1re classe 27/182 Rs, 4 heures) est à 12h05.

La gare de Kurseong dispose d'un nombre limité de billets pour les grandes liaisons au départ de NJP, à réserver entre 9h et 11h. Les trains concernés sont affichés à la gare.

DARJEELING

☎ 0354 / 109 160 habitants / altitude 2 134 m

Juchée sur une crête montagneuse abrupte, entourée de plantations de théiers, avec, en toile de fond, les pics enneigés de l'Himalaya auxquels s'accrochent de lointains nuages, Darjeeling, station d'altitude par excellence, est la première destination touristique du Bengale-Occidental. Dotée d'une belle vue sur le Khangchendzonga (8 598 m), elle possède aussi des bâtiments coloniaux, des temples bouddhiques et hindous, un jardin botanique et un zoo dédié à la faune locale. Les ruelles escarpées sont bordées de boutiques de souvenirs et d'artisanat ; quantité d'échoppes servent des infusions et de savoureux plats tibétains et indiens. Les marcheurs suivront les anciennes routes de commerce au cœur de panoramas somptueux.

La plupart des touristes arrivent après la mousson (octobre-novembre) et au printemps (mi-mars à fin mai), lorsqu'il ne pleut pas, que le ciel est dégagé et que les températures sont agréables. Les sites touristiques et les divers établissements élargissent souvent leurs horaires pendant ces périodes (appelées "haute saison" ci-après), mais il vaut mieux vérifier les heures d'ouverture indiquées, car elles peuvent fluctuer.

Histoire

La région resta sous la domination des *chogyal* (rois) bouddhistes du Sikkim jusqu'en 1780, avant d'être annexée par les Gurkha venus du Népal. La Compagnie britannique des Indes orientales finit par prendre le contrôle du territoire en 1816, avant d'en restituer la majeure partie au Sikkim – contre le droit de régler tout différend frontalier dans le futur.

Lors d'un conflit de ce type en 1828, deux officiers britanniques découvrirent le monastère de Dorje Ling, sur une paisible crête boisée. Ils signalèrent à Calcutta l'intérêt du site pour établir un sanatorium et soulignèrent son importance stratégique sur le plan militaire. Le *chogyal* du Sikkim, reconnaissant d'avoir récupéré son royaume, céda volontiers ces terres inhabitées à la Compagnie britannique des Indes orientales en 1835. Une station climatique était née.

La forêt céda rapidement la place à des demeures coloniales et à des plantations de théiers. En 1857, Darjeeling comptait déjà 10 000 habitants, principalement grâce à l'afflux de travailleurs Gurkha venus du Népal.

Après l'Indépendance, les Gurkha devinrent la première force politique de Darjeeling. Dans les années 1980, des désaccords avec le gouvernement du Bengale-Occidental les menèrent à revendiquer un État autonome du Gorkhaland. En 1986, des émeutes orchestrées par le Gurkha National Liberation Front (GNLF) paralysèrent Darjeeling. Un compromis fut trouvé, qui accordait une large autonomie au Darjeeling Gorkha Hill Council (DGHC).

Les appels à la sécession totale ont continué et, en 2007, des membres du GNLF formèrent un nouveau parti politique, le Gorkha Janmukti Morcha (GJM). Dirigé par Bimal Gurung, celui-ci a encouragé la population à soutenir la création de l'État indépendant du Gorkhaland d'ici 2010 par diverses tactiques : grèves (voir p. 561) et non-paiement des factures et des impôts, mais aussi soutien actif au concurrent gurkha d'*Indian Idol* (la version indienne de la *Star Academy*).

Orientation

Darjeeling s'étend le long d'une arête montagneuse orientée est-ouest, en un réseau complexe de rues et d'escaliers abrupts. La place du nom de Chowrasta se situe dans les hauteurs de la ville. Plus au nord s'élève Observatory Hill. Bhanu Bhakta Sarani est une route qui la contourne. Le zoo se trouve plus loin au nord-ouest.

Hill Cart Rd (ou Tenzing Norgay Rd), la principale artère ouverte à la circulation, traverse Darjeeling dans toute sa longueur. Du tentaculaire Chowk Bazaar, elle file au nord vers le zoo et l'Himalayan Mountaineering Institute et se dirige au sud vers la gare ferroviaire et Ghoom. Nehru Rd (ou the Mall), la grande rue commerçante, part vers le sud à partir de Chowrasta et croise Laden La Rd (qui mène à Hill Cart Rd) et Gandhi Rd au carrefour nommé Clubside.

Renseignements

ACCÈS INTERNET

Darjeeling compte des dizaines de cybercafés, qui facturent environ 30 Rs l'heure de connexion (minimum de 10-15 Rs). Celui du Glenary's (p. 560) est le plus pratique du Mall.

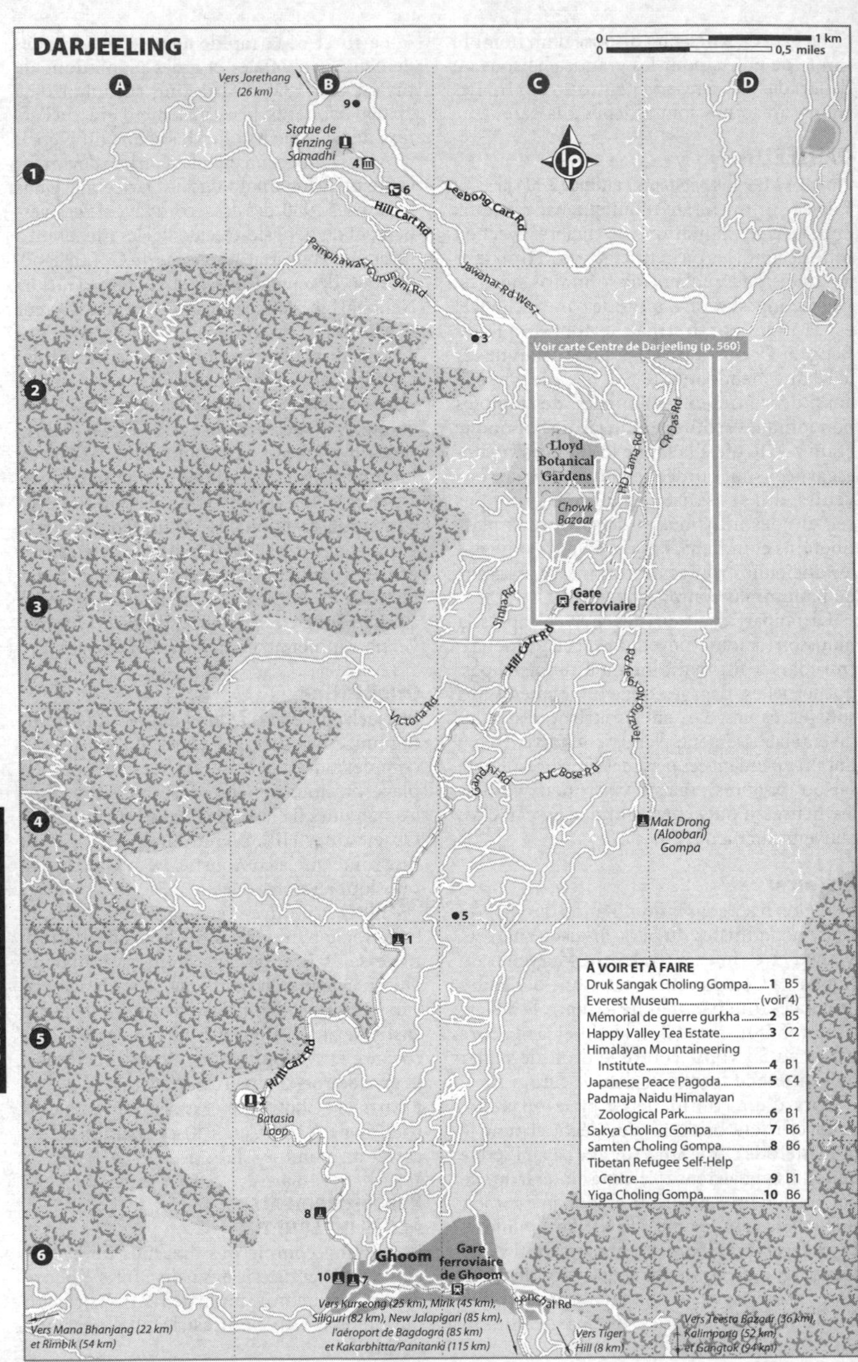

BENGALE-OCCIDENTAL

Compuset Centre (carte p. 560 ; Gandhi Rd ; 30 Rs/h ; 8h-20h). Équipé pour les appareils photo numériques. Impressions et photocopies.

Loyang Cyber Zone (carte p. 560 ; Gandhi Rd ; 10 Rs/30 min ; 9h-19h30). Scans et impressions en couleur, plus Skype.

Pineridge Cybercafe (carte p. 560 ; Dr Zakir Hussain Rd ; 15 Rs/30 min ; 9h30-20h). Petite salle conviviale, sur la crête près des hôtels bon marché.

AGENCES DE VOYAGES

La plupart des agences de voyages organisent des circuits dans la région. Certaines proposent diverses activités, dont des randonnées et du rafting. Les agences qui couvrent le Sikkim s'occupent en général de l'obtention des permis. Le DGHC (voir p. 560) et la Darjeeling Transport Corporation (p. 560) organisent aussi des circuits dans la région. Quelques bonnes adresses :

Diamond Tours & Travels (carte p. 560 ; ☎ 9832094275 ; Old Super Market Complex ; 8h-19h). Billets de bus pour diverses destinations au départ de Siliguri. Peut organiser les transferts depuis/vers l'aéroport.

Himalayan Travels (carte p. 560 ; ☎ 2252254 ; kkgurung@cal.vsnl.net.in ; 18 Gandhi Rd ; 8h30-19h). Organise depuis des années des treks et de l'alpinisme à Darjeeling et au Sikkim. Fourniture de tentes et autres équipements.

Kasturi Tours & Travels (carte p. 560 ; ☎ 2254430 ; Old Super Market Complex ; 8h-19h). Billets de bus pour diverses destinations au départ de Siliguri.

Samsara Tours, Travels & Treks (carte p. 560 ; ☎ 2252874 ; samsara1@sancharnet.in ; 7 Laden La Rd). Une agence très compétente qui organise du rafting et des treks.

Somewhere Over the Rainbow Treks & Tours (carte p. 560 ; ☎ 9832025739, 9775955105 ; kanadhi@yahoo.com ; HD Lama Rd ; 8h-18h, plus tard en haute saison). Organise des randonnées hors des sentiers battus autour de Darjeeling, ainsi que du rafting, de l'escalade et du trekking au Sikkim (surtout l'ouest).

ARGENT

De nombreux magasins et hôtels peuvent changer les devises et les chèques de voyage à des taux assez intéressants ; renseignez-vous.

DAB ICICI Bank (carte p. 560 ; Laden La Rd). Accepte les principales cartes internationales ; autre DAB dans HD Lama Rd.

Poddar's (carte p. 560 ; Laden La Rd ; 8h30-21h, plus tard en haute saison). À l'intérieur d'un magasin de vêtements, à côté de la State Bank. Meilleurs taux que cette dernière. Change la plupart des devises et les chèques de voyage ; cartes de crédit acceptées. Agent de la Western Union.

State Bank of India (carte p. 560 ; Laden La Rd ; 10h-16h lun-ven, 10h-13h sam). Change les dollars US, les euros et les livres sterling, ainsi que les chèques de voyage Amex ($US) et Thomas Cook ($US, € et £). Commission de 100 Rs/transaction. Possède un DAB juste à côté, un dans le *bazaar* et un autre sur Chowrasta (les trois prennent la carte Visa).

LIBRAIRIE

Oxford Book & Stationery Company (carte p. 560 ; ☎ 2254325 ; Chowrasta ; 9h30-19h30 lun-sam, tlj en haute saison). La meilleure librairie de Darjeeling. Grand choix de livres (et de cartes) sur le Tibet, le Népal, le Sikkim, le Bhoutan et l'Himalaya. Envois dans le monde entier.

OFFICES DU TOURISME

Centre d'accueil des touristes du Darjeeling Gorkha Hill Council (DGHC ; carte p. 560 ; ☎ 2255351 ; Jawahar Rd West ; 9h-18h lun-ven, 9h-13h tous les 2ᵉ sam, 9h-13h dim en haute saison). La meilleure source d'information en ville. Personnel sympathique et organisé ; 2 autres guichets à la gare ferroviaire et sur Laden La Rd.

Office du tourisme du Bengale-Occidental (carte p. 560 ; ☎ 2254102 ; Chowrasta ; 10h-17h lun-ven). Peu d'informations mais un plan de la ville basique (3 Rs). Réservation dans les différents *lodges* d'État, y compris au Jaldhapara Wildlife Sanctuary (p. 553).

PHOTO

Das Studios (carte p. 560 ; ☎ 2254004 ; Nehru Rd ; 9h30-18h30 lun-ven, 9h30-14h30 sam, tlj en haute saison). Pellicules et développement, matériel photo, photos d'identité (50 Rs/6), gravure de CD (75 Rs).

Joshi Studio (carte p. 560 ; ☎ 9832346413 ; HD Lama Rd ; 9h-19h tlj sauf dim). Photos d'identité, développement et traitement, gravure de CD (50 Rs) et de DVD (100 Rs).

POSTE

Poste principale (carte p. 560 ; ☎ 2252076 ; Laden La Rd ; 9h-17h). Services fiables d'expédition de colis et de poste restante.

SERVICES MÉDICAUX

Planter's Hospital (D&DMA Nursing Home ; carte p. 560 ; ☎ 2254327 ; Nehru Rd). La meilleure clinique privée.

Yuma Nursing Home (carte p. 560 ; ☎ 2257651 ; Ballen Villa Rd)

URGENCES

Kiosque d'assistance de la police (carte p. 560 ; Chowrasta)

Poste de police de Sadar (carte p. 560 ; ☎ 2254422 ; Market Rd)

CENTRE DE DARJEELING

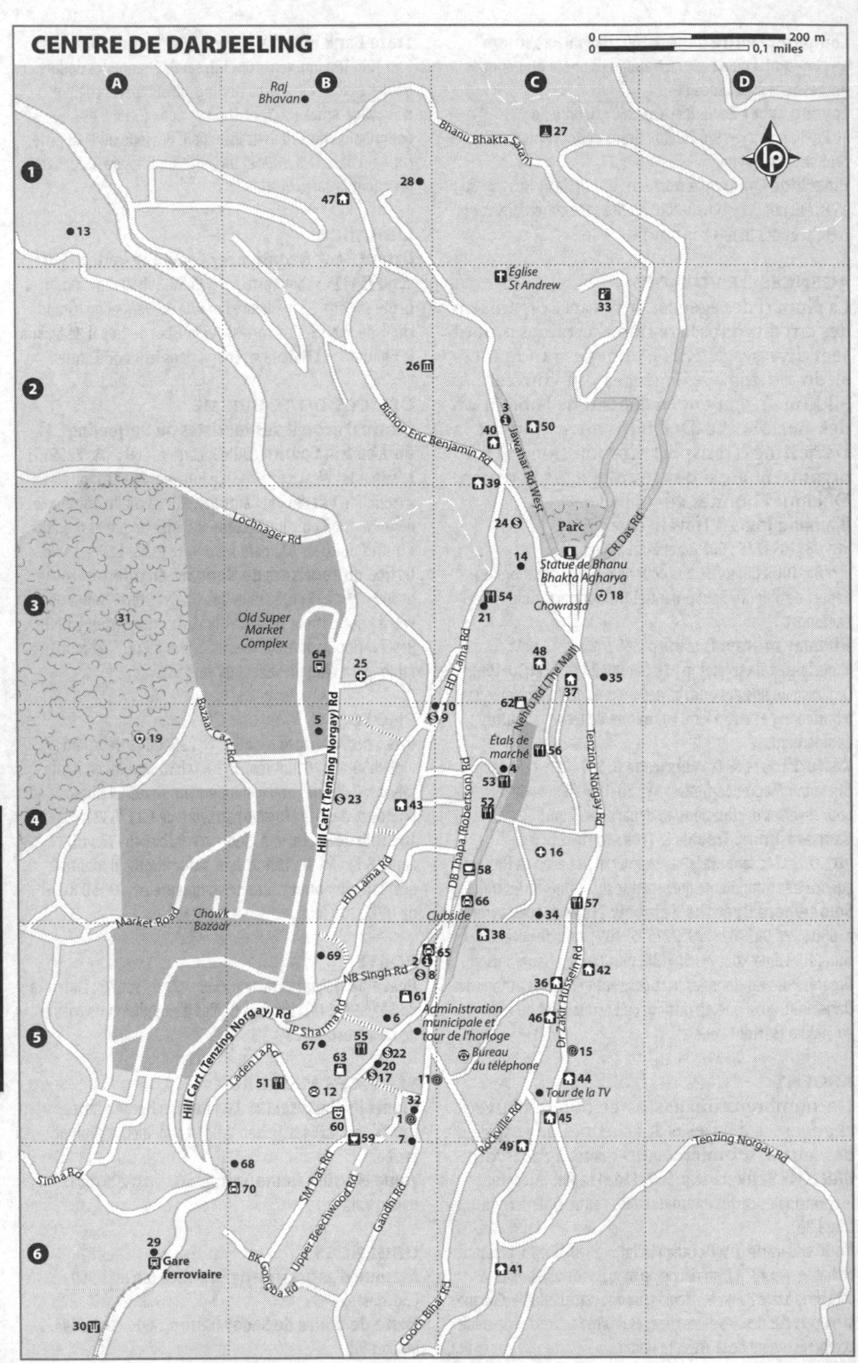

RENSEIGNEMENTS
- Compuset Centre 1 B5
- Kiosque du Darjeeling Gorkha Hill Council 2 B5
- Centre d'accueil des touristes du Darjeeling Gorkha Hill Council 3 C2
- Das Studios 4 C4
- Diamond Tours & Travels 5 B4
- Bureau d'enregistrement des étrangers 6 B5
- Hayden Hall (voir 61)
- Himalayan Travels 7 B5
- DAB ICICI Bank 8 B5
- DAB ICICI Bank 9 B4
- Joshi Studio 10 C4
- Kasturi Tours & Travels (voir 5)
- Loyang Cyber Zone 11 C5
- Poste principale 12 B5
- Bureau du District Magistrate (ODM) 13 A1
- Oxford Book & Stationery Company 14 C3
- Pineridge Cybercafe 15 C5
- Planter's Hospital 16 C4
- Poddar's 17 B5
- Kiosque d'assistance de la police 18 C3
- Poste de police de Sadar 19 A4
- Samsara Tours, Travels & Treks 20 B5
- Somewhere Over the Rainbow Treks & Tours 21 C3
- State Bank of India 22 B5
- DAB State Bank of India 23 B4
- DAB State Bank of India 24 C3
- Office du tourisme du Bengale-Occidental (voir 37)
- Yuma Nursing Home 25 B3

À VOIR ET À FAIRE
- Bengal Natural History Museum 26 B2
- Bhutia Busty Gompa 27 C1
- Darjeeling Gymkhana Club 28 B1
- Darjeeling Himalayan Railway (toy train) 29 A6
- Dhirdham Mandir 30 A6
- Lloyd Botanical Gardens 31 A3
- Manjushree Centre of Tibetan Culture 32 B5
- Observatory Hill 33 C2
- Planters' Club Darjeeling 34 C4
- Poneys 35 C3
- Trek Mate (voir 58)

OÙ SE LOGER
- Andy's Guesthouse 36 C5
- Bellevue Hotel 37 C3
- Dekeling Hotel 38 C5
- Elgin 39 C2
- Hotel Alice Villa 40 C2
- Hotel Aliment 41 C6
- Hotel New Galaxy 42 C5
- Hotel Seven Seventeen 43 B4
- Hotel Tower View 44 C5
- Hotel Tranquility 45 C5
- Hotel Valentino 46 C5
- Mayfair Darjeeling 47 B1
- Pineridge Hotel 48 C3
- Travellers Inn 49 C6
- Windamere Hotel 50 C2

OÙ SE RESTAURER
- Big Bite 51 B5
- Danfay Munal (voir 2)
- Frank Ross Café 52 C4
- Frank Ross Pharmacy (voir 52)
- Glenary's 53 C4
- Hot Pizza Place 54 C3
- Park Restaurant 55 B5
- Shangrila 56 C4
- Sonam's Kitchen 57 C4

OÙ PRENDRE UN VERRE
- Buzz (voir 53)
- Elgin (voir 39)
- Glenary's (voir 53)
- Goodricke, the House of Tea 58 C4
- Joey's Pub 59 B5
- Windamere Hotel (voir 50)

OÙ SORTIR
- Inox Theatre 60 B5

ACHATS
- Hayden Hall 61 B5
- Life & Leaf Fair Trade Shop 62 C3
- Nathmull's Tea Room 63 B5
- Trekking Shop (voir 58)

TRANSPORTS
- Gare routière/station de Jeep de Chowk Bazaar 64 B3
- Station de taxis de Clubside 65 B5
- Station de taxis de Clubside 66 C4
- Clubside Tours & Travels 67 B5
- Darjeeling Himalayan Railway (toy train) (voir 29)
- Darjeeling Transport Corporation 68 B6
- Arrêt des Jeep de Hill Cart Rd 69 B5
- Bureau d'Indian Airlines (voir 37)
- Pineridge Travels (voir 48)
- Station de taxis 70 B6

Désagréments et dangers

Lors de la rédaction de ce guide, des grèves générales plus ou moins régulières étaient programmées suite aux appels du GJM pour un État gurkha indépendant. Elles n'ont guère provoqué de violences et ne visaient pas les touristes, mais tout était fermé (banques y compris) et les transports ne circulaient plus.

À voir et à faire

Pour les randonnées autour de Darjeeling, reportez-vous p. 568.

VUE SUR LES SOMMETS

Naturellement, la vue sur la chaîne himalayenne est l'un des grands attraits de Darjeeling. L'horizon est dominé par le Khangchendzonga, le point culminant de l'Inde et le troisième plus haut sommet du monde. Son nom, dérivé du tibétain, signifie "grande forteresse de neige aux cinq sommets". Le long de Bhanu Bhakta Sarani, qui part de Chowrasta et suit le versant nord d'Observatory Hill, des points de vue dévoilent de splendides panoramas par temps clair.

TIGER HILL

Curieux de découvrir – par temps clair – une spectaculaire étendue himalayenne de 250 km, comprenant l'Everest (8 848 m), le Lhotse (8 501 m), le Makalu (8 475 m), le Khangchendzonga (8 598 m), le Kabru (6 691 m) et le Janu (7 710 m) ? Levez-vous de bonne heure et rejoignez **Tiger Hill** (hors carte p. 558 ; 2 590 m), à 11 km au sud de Darjeeling, au-dessus de Ghoom.

Le lever du soleil sur l'Himalaya est devenu une attraction touristique majeure. En haute saison, des files de Jeep partent de Darjeeling pour Tiger Hill tous les matins vers 4h30. Au sommet, vous pourrez rester à l'extérieur du pavillon (10 Rs) ou vous installer dans un salon chauffé (20-40 Rs). Attendez-vous à une véritable cohue, même en basse saison, car tout le monde se bouscule pour profiter des meilleurs points de vue.

Pour réserver une excursion organisée au lever du soleil (habituellement avec un détour par Batasia Loop au retour), adressez-vous à une agence de voyages (p. 559) ou directement à un chauffeur de Jeep à la station de taxis de Clubside. Vous pouvez aussi sauter dans une Jeep pour Tiger Hill dans Gandhi Rd ou Laden La Rd entre 4h et 4h30, ce qui permet de vérifier si le ciel est dégagé avant de partir. Pour l'aller-retour, comptez 70/600 Rs par pers/Jeep.

Certains visiteurs montent en Jeep à Tiger Hill et redescendent à pied, dans la journée, à Darjeeling, explorant en chemin les *gompa* (monastères bouddhiques tibétains) de Ghoom.

TOY TRAIN

Le **Darjeeling Himalayan Railway** (carte p. 560), affectueusement surnommé *toy train*, ou petit train, circula pour la première fois sur sa voie de 60 cm frôlant le précipice en septembre 1881. Construit pour transporter le thé mais aussi les colons désireux de fuir la touffeur de la ville, c'est l'une des rares lignes de montagne indiennes encore en service. En dehors des dessertes diesel depuis/vers New Jalpaiguri et des trains à vapeur depuis/vers Kurseong (p. 568), des *joy ride* (balades ; 250 Rs) ont lieu en haute saison. Départ de Darjeeling à 10h40 et à 13h20 pour un aller-retour en locomotive à vapeur jusqu'à Ghoom. Réservez au moins la veille à la **gare ferroviaire** (carte p. 560 ; Hill Cart Rd).

PLANTATIONS DE THÉIERS

Le **Happy Valley Tea Estate** (carte p. 558 ; Pamphawati Gurungni Rd ; 8h-16h tlj sauf dim), en contrebas de Hill Cart Rd, mérite une visite pendant la cueillette et le traitement des feuilles. La meilleure période s'étend de mars à mai, mais des cueillettes peuvent aussi avoir lieu entre juin et novembre. En dehors de la haute saison, il n'y a pas de cueillette le dimanche, ce qui signifie que la plupart des machines sont à l'arrêt le lundi. Un employé vous guidera dans l'usine odorante et vous montrera les différentes étapes avant de demander poliment un pourboire (20 Rs/pers). Prenez l'embranchement à 500 m au nord-ouest du bureau du District Magistrate ou la Lochnager Rd depuis Chowk Bazaar.

OBSERVATORY HILL

C'est sur cette **colline** (carte p. 560), sacrée pour les bouddhistes et les hindouistes, que se dressait jadis le Dorje Ling, le *gompa* qui donna son nom à la ville. Aujourd'hui, des adeptes viennent au temple installé dans une petite grotte en contrebas de l'arête montagneuse pour vénérer Mahakala, redoutable personnification d'une forme de Shiva convertie au bouddhisme. Plusieurs sanctuaires, d'innombrables drapeaux colorés et de nombreuses cloches de prière marquent le sommet. Un sentier mène à la colline à travers les cèdres du Japon géants depuis Bhanu Bhakta Sarani, à 300 m de Chowrasta. Gare aux singes chapardeurs.

GOMPA ET PAGODES

Darjeeling et Ghoom comptent plusieurs superbes monastères bouddhiques. Avec le Khangchendzonga en toile de fond, le **Bhutia Busty Gompa** (carte p. 560) est le plus spectaculaire. Érigé à l'origine sur Observatory Hill, il fut rebâti à l'emplacement actuel par les *chogyal* du Sikkim au XIXe siècle. Le *gompa* renferme une belle fresque soulignée d'or et l'original du *Bardo Thödol* (Livre des morts tibétain, visible uniquement avec une autorisation). De Chowrasta, descendez CR Das Rd sur 400 m et prenez à droite à l'embranchement.

Le **Yiga Choling Gompa** (Ancien Monastère ; carte p. 558 ; appareil photo 10 Rs/cliché), le plus célèbre monastère de la région, est dirigé par des moines de la secte des Bonnets jaunes. On peut y admirer de belles fresques. Construit en 1850, il contient une statue de 5 m de haut du bouddha Maitreya (le bouddha du futur) et 300 textes tibétains superbement reliés. Il se trouve à l'ouest de Ghoom, à 10 min à pied de Hill Cart Rd. Parmi les autres *gompa* du secteur figurent le **Sakya Choling Gompa** (carte p. 558), une sorte de forteresse, et le **Samten Choling Gompa** (Nouveau Monastère ; carte p. 558), où un Garuda protecteur domine la toile de fond ornementée derrière la statue du Bouddha. Les deux temples se dressent dans Hill Cart Rd ; ils sont accessibles en Jeep collective depuis Darjeeling (12 Rs) ; certains choisissent de les visiter au retour de Tiger Hill.

À mi-chemin entre Ghoom et Darjeeling, le vaste **Druk Sangak Choling Gompa** (carte p. 558) a été inauguré par le dalaï-lama

BENGALE-OCCIDENTAL

en 1993. Renommé pour ses fresques chatoyantes, il abrite 300 moines qui étudient la philosophie, la littérature bouddhique, l'astronomie, la méditation, les danses et les musiques sacrées.

Perchée à flanc de colline à l'extrémité d'AJC Bose Rd, la **Japanese Peace Pagoda** (pagode de la Paix japonaise ; carte p. 558 ; ⌚ puja 4h30-6h, 16h30-18h30), d'une blancheur éclatante, est l'une des 70 pagodes construites dans le monde par l'organisation japonaise bouddhiste Nipponzan Myohoji. Pendant la puja (prières), le son des tambours résonne dans l'enceinte boisée. De Clubside, comptez 35 min à pied via Gandhi Rd et AJC Bose Rd.

PADMAJA NAIDU HIMALAYAN ZOOLOGICAL PARK

Ce **zoo** (carte p. 558 ; Indiens/étrangers avec le Himalayan Mountaineering Institute 30/100 Rs ; ⌚ 8h30-16h30 tlj sauf jeu, dernière entrée 16h), un des meilleurs du pays, a été créé en 1958 pour l'étude et la préservation de la faune himalayenne. Dans un cadre rocheux et boisé, il accueille l'unique population de tigres de Sibérie du pays, des ours noirs himalayens, de rares pandas roux, des léopards des neiges et des loups du Tibet.

Le zoo est accessible par une agréable marche de 30 min le long de Jawahar Rd West au départ de Chowrasta. En Jeep collective (10 Rs, 10 min) ou en taxi (70 Rs), le départ se fait depuis la gare routière/station de Jeep de Chowk Bazaar.

HIMALAYAN MOUNTAINEERING INSTITUTE

Niché dans l'enceinte du parc zoologique, le prestigieux **Institut d'alpinisme himalayen** (HMI ; carte p. 558 ; ☎ 2254087 ; Indiens/étrangers avec le zoo 30/100 Rs ; ⌚ 8h30-16h30 tlj sauf jeu), fondé en 1954, a formé quelques-uns des plus grands alpinistes indiens. Il abrite le fascinant **Everest Museum** (musée de l'Everest), qui retrace les tentatives d'escalade du plus haut sommet du monde. En plus des biographies et des premiers drapeaux plantés en haut de l'Everest, il expose divers objets se rapportant à l'ascension.

La **statue de Tenzing Samadhi** se dresse au sommet d'une colline voisine, sur le site où fut incinéré Tenzing Norgay. Le célèbre alpiniste passa la majeure partie de sa vie à Darjeeling et dirigea longtemps l'institut.

L'institut propose des cours d'alpinisme ; voir p. 564.

TIBETAN REFUGEE SELF-HELP CENTRE

Créé en 1959, le **Centre d'entraide des réfugiés tibétains** (carte p. 558 ; Lebong Cart Rd ; ⌚ aube-crépuscule tlj sauf dim) comprend une résidence pour les personnes âgées, une école, un orphelinat, une clinique, un **gompa** et des **ateliers d'artisanat** qui produisent des tapis, des sculptures en bois et des articles en cuir et en laine. Il présente une intéressante **exposition photo** (vous devrez peut-être demander qu'on vous ouvre la salle) sur le fonctionnement du centre.

Accueillants, les réfugiés laissent les visiteurs se promener dans les ateliers. Les objets d'artisanat sont en vente dans la **salle d'exposition** (☎ 2252552 ; ⌚ 8h-16h30), moins fournie que les boutiques de la ville. Les bénéfices reviennent à la communauté tibétaine. Pour des informations sur les tapis tibétains, reportez-vous p. 567.

De la gare routière/station de Jeep de Chowk Bazaar, des Jeep collectives longent Lebong Cart Rd et passent à proximité du centre (20 Rs, 20 min environ). L'aller-retour en taxi revient à 300 Rs.

LLOYD BOTANICAL GARDENS

Cet agréable **jardin botanique** (carte p. 560 ; ☎ 2252358 ; entrée libre ; ⌚ 8h-16h30) abrite une impressionnante collection de plantes himalayennes, notamment des orchidées et des rhododendrons, ainsi que des arbres du monde entier. De la gare routière/station de Jeep de Chowk Bazaar, suivez les panneaux dans Lochnager Rd. Carte et guide au bureau du jardin.

AUTRES SITES DIGNES D'INTÉRÊT

Le plus beau temple hindou de Darjeeling, le **Dhirdham Mandir** (carte p. 560), est une réplique du célèbre Pashupatinath Temple de Katmandou. Facile à trouver, en contrebas de la gare ferroviaire, il offre une vue superbe sur Darjeeling.

À bord du *toy train* ou en revenant à pied de Tiger Hill, remarquez l'émouvant **mémorial de guerre gurkha** (carte p. 558 ; 5 Rs ; ⌚ aube-crépuscule), au niveau de **Batasia Loop** (boucle de Batasia). Certains circuits viennent ici après l'excursion à Tiger Hill au lever du soleil ; le panorama est presque aussi beau et l'atmosphère beaucoup plus sereine.

Le **Bengal Natural History Museum** (Muséum d'histoire naturelle du Bengale ; carte p. 560 ; Bishop Eric Benjamin Rd ; adulte/enfant 5/2 Rs ; ⌚ 9h-17h), fondé en 1903, renferme une collection poussiéreuse d'animaux du Bengale et de l'Himalaya. Perdu dans une enceinte, près de Bishop Eric Benjamin Rd, il est très fréquenté. L'étiquetage y est bien fait. Les bocaux remplis d'énormes sangsues font froid dans le dos.

RAFTING

Darjeeling est l'endroit idéal pour organiser des sorties de rafting sur la Rangeet et la Teesta. Les excursions de rafting partent de Teesta Bazaar (p. 575), sur la route de Kalimpong. Les rapides sont classés de niveau II à IV. Les meilleures périodes pour cette activité s'étendent de septembre à novembre et de mars à juin.

Le DGHC organise des expéditions pour des groupes de 4-6 personnes au minimum (rapides moyens 11/18/25 km 350/450/700 Rs, rapides sportifs 500/600/800 Rs). Il peut s'occuper du transport jusqu'à Teesta Bazaar (350 Rs) et de l'hébergement à la Chitrey Wayside Inn (p. 575). Des organismes privés, comme Samsara Tours, Travels & Treks (p. 559) proposent des circuits similaires (4 pers min), comprenant le déjeuner et le transport.

AUTRES ACTIVITÉS

Au programme du **Darjeeling Gymkhana Club** (carte p. 560 ; ☎2254341 ; Jawahar Rd West ; adhésion par jour/sem/mois 50/250/600 Rs) : tennis, squash, badminton, roller et tennis de table ; horaires par téléphone.

Au **Planters' Club Darjeeling** (carte p. 560 ; ☎ 2254348 ; 100 Rs/jour), prélassez-vous dans le salon ou démontrez votre adresse au billard (100 Rs/pers par heure).

Au départ de Chowrasta, les enfants peuvent faire une **balade à poney** jusqu'à l'Observatory Hill (50 Rs), ou dans les plantations de théiers pour visiter un monastère (90 Rs/h).

Cours

ALPINISME

L'Himalayan Mountaineering Institute (p. 563) organise des cours-aventures de 15 jours (Indiens/étrangers 2 000 Rs/325 $US), comprenant escalade, survie dans la jungle et canoë-kayak, ainsi que des cours d'alpinisme de 28 jours, pour débutants ou confirmés (Indiens/étrangers 4 000 Rs/650 $US), de mars à décembre. Certains cours sont réservés aux femmes. Les étrangers doivent s'inscrire au centre, au moins 30 mois à l'avance.

LANGUE

Des cours de tibétain écrit et parlé pour débutants et confirmés sont proposés au **Manjushree Centre of Tibetan Culture** (carte p. 560 ; ☎2256714 ; www.manjushree-culture.org ; 12 Ghandi Rd ; cours 3/6/9 mois 9 030/13 760/18 490 Rs, frais d'inscription 1 350 Rs ; 🕑 mars-déc), qui offre aussi un hébergement en pension aux étudiants.

Circuits organisés

En haute saison, le DGHC et des agences de voyages proposent des circuits autour de Darjeeling, qui incluent habituellement le zoo, l'Himalayan Mountaineering Institute, le Tibetan Refugee Self-Help Centre et des points de vue. Pour le lever du soleil à Tiger Hill, voir p. 561.

Louer un taxi pour un circuit personnalisé revient à environ 750 Rs/demi-journée.

Où se loger

Darjeeling possède plusieurs établissements d'un très bon rapport qualité/prix ; une petite sélection est présentée ici. Les tarifs indiqués correspondent à la haute saison (octobre-début décembre et mi-mars à juin), durant laquelle il est préférable de réserver. En basse saison, les prix peuvent chuter de 50%.

PETITS BUDGETS

Hotel Tower View (carte p. 560 ; ☎2254452 ; Dr Zakir Hussain Rd ; dort 70 Rs, d avec/sans douche 350/250 Rs). Des chambres sommaires mais propres ; préférez l'étage car le rez-de-chaussée peut être froid et humide. Le véritable attrait de cet hôtel accueillant tenu par un Tibétain est l'agréable salle de restaurant, qui sert aussi de cuisine familiale et de salon (livres et jeux). Cuisine copieuse et délicieuse (plats 20-40 Rs, bonne soupe végétarienne) ; vue fabuleuse sur les sommets.

Hotel New Galaxy (Hotel Kanika ; carte p. 560 ; ☎ 5520771 ; Dr Zakir Hussain Rd ; ch 150 Rs, d 250-400 Rs, tr 500 Rs). Une adresse bon marché propre et correcte, presque en face d'Andy's. Murs lambrissés dans les petites chambres (seau d'eau chaude 10 Rs). La n°104 offre le meilleur panorama de la montagne.

Hotel Aliment (carte p. 560 ; ☎ 2255068 ; alimentwe@sify.com ; 40 Dr Zakir Hussain Rd ; d 250-400 Rs ; 💻). Apprécié des voyageurs pour la cuisine savoureuse, les bières fraîches, la bibliothèque, le patio sur le toit, les gérants chaleureux et les chambres douillettes lambrissées. Toutes ont l'eau chaude (1 heure le soir) ; TV et vue sur la vallée pour celles à l'étage.

Andy's Guesthouse (carte p. 560 ; ☎ 2253125 ; Dr Zakir Hussain Rd ; s/d à partir de 250/300 Rs). Un établissement simple et immaculé aux murs de pierre. Chambres spacieuses avec moquette, salon commun confortable et toit-terrasse dévoilant un beau panorama. Les propriétaires sont très sympathiques. Meilleur rapport qualité/prix de la ville.

Hotel Tranquility (carte p. 560 ; ☎ 2257678 ; hoteltranquility@yahoo.co.in ; Dr Zakir Hussain Rd ; ch 300 Rs, d à partir de 400 Rs). Un nouvel hôtel aux tarifs intéressants. Chambres impeccables dans des tons turquoise clair (eau chaude 24h/24). Un restaurant était en construction sur le toit-jardin lors de notre passage. Les gérants, des enseignants de Darjeeling, sont serviables et vous donneront de multiples informations sur la région.

CATÉGORIE MOYENNE

Dekeling Hotel (carte p. 560 ; ☎ 2254159 ; www.dekeling.com ; 51 Gandhi Rd ; d 650-1 400 Rs ; 💻). Une adresse immaculée et décorée de touches charmantes : fenêtres à carreaux en losange, *bukhari* (poêle à bois) traditionnel dans le salon, boiseries et plafonds inclinés. Les parties communes sont douillettes, les chambres très confortables (Wi-Fi) et la vue exceptionnelle. Bonnes remises en basse saison pour ce havre de netteté et de convivialité.

Pineridge Hotel (carte p. 560 ; ☎ 2254074 ; pineridgehotel@yahoo.com ; Nehru Rd ; s/d/tr à partir de 700/850/950 Rs). Malgré son potentiel et son emplacement, cet hôtel s'avère décevant – couloirs vides, chambres délabrées et livrées aux courants d'air. Il a conservé quelques jolies touches coloniales et la cheminée (200 Rs/seau de charbon) vous fera peut-être oublier les fenêtres cassées.

Hotel Alice Villa (carte p. 560 ; ☎ 2254181 ; hotelalicevilla@yahoo.com ; 41 HD Lama Rd ; d/tr à partir de 750/850 Rs). Ce joli bungalow ancien, proche de Chowrasta, offre un hébergement bon marché dans un lieu historique. Chambres spacieuses, parfois froides pour les plus anciennes (aux plafonds hauts). Une mezzanine a été installée dans l'une d'elles, ce qui la rend agréable et intéressante pour les familles.

Hotel Valentino (carte p. 560 ; ☎ 2252228 ; 6 Rockville Rd ; d 800-1 500 Rs, q 1 200 Rs). À l'exception du nom, tout est chinois dans cet hôtel : la décoration des chambres confortables (ventilateur, vases et peintures), tout comme la carte du bar-restaurant, qui propose de nombreuses spécialités régionales de l'empire du Milieu (60-80 Rs).

Bellevue Hotel (carte p. 560 ; ☎ 2254075 ; pulger@rediffmail.com ; Chowrasta ; d 800-1 600 Rs). Ce complexe sous gestion tibétaine, plein de coins et de recoins, renferme différentes chambres lambrissées. La plupart sont vastes, avec natte au sol et *bukhari*. L'amabilité des employés, la salle du petit-déjeuner/salon, l'emplacement et la vue sur le Khangchendzonga, par-delà Chowrasta, en font une adresse appréciée. À ne pas confondre avec l'Olde Bellevue Hotel situé plus haut.

Travellers Inn (carte p. 560 ; ☎ 2258497 ; Dr Zakir Hussain Rd ; travellersinn2000@gmail.com ; s/d/ste 1 100/1 500/2 600 Rs). Un hôtel de charme joliment décoré, agrémenté d'une cheminée en pierre, de boiseries lustrées, de vieilles photos de Darjeeling et d'un restaurant avec une terrasse profitant d'une vue exceptionnelle (plats 40-80 Rs). Les chambres, élégantes et confortables, rappellent un chalet de montagne. Le dimanche, de la musique gospel s'échappe de l'église voisine.

Hotel Seven Seventeen (carte p. 560 ; ☎ 2252017 ; www.hotel717.com ; 26 HD Lama Rd ; s/d/ste à partir de 1 300/1 500/2 000 Rs). Un agréable décor tibétain, un service chaleureux et des chambres propres. Ne le confondez pas avec l'Hotel Heritage Seven Seventeen, plus ancien, installé plus haut dans la rue. Le bar-restaurant coloré sert un vaste choix de plats indiens, chinois, tibétains et européens (50-90 Rs).

CATÉGORIE SUPÉRIEURE

Ces hôtels proposent des chambres en pension complète ("*American Plan*") ; taxes et service ajoutent 15-20% à la note.

Windamere Hotel (carte p. 560 ; ☎ 2254041 ; www.windamerehotel.com ; Jawahar Rd West ; s/d à partir de 6 650/7 750 Rs). Dans cet immense vestige du Raj au charme pittoresque perché sur Observatory Hill, le personnel en livrée est aux petits soins et ne vous laissera pas partir le ventre vide. Les chambres, dont certaines accusent leur âge, n'en sont pas moins confortables, propres et spacieuses. Le thé-goûter fera le bonheur des amateurs de la culture britannique.

Elgin (carte p. 560 ; ☎ 2257226 ; elgin@elginhotels.com ; HD Lama Rd ; s/d/ste 6 800/5 800/6 800 Rs). Un vieil hôtel colonial, grandiose mais néanmoins convivial. La plupart des chambres élégamment meublées ont un salon séparé, une cheminée et une sdb en marbre ; la chambre sous les combles est douillette et charmante. Restaurant authentique et jolis jardins, parfaits pour se détendre et déguster un thé dans l'après-midi.

Mayfair Darjeeling (carte p. 560 ; ☎ 2256376 ; www.mayfairhotels.com ; Jawahar Rd West ; d à partir de 9 000 Rs). Ancien palais d'été d'un maharaja, aujourd'hui rénové, cet établissement luxueux se dresse au milieu d'un jardin soigneusement entretenu avec une étrange collection de sculptures. Tapis moelleux et poêles à charbon renforcent l'accueil chaleureux ; bibliothèque de DVD et bar confortable. Les parties communes et l'extérieur n'ont pas autant de charme qu'à l'Elgin, mais les chambres sont joliment décorées (couleurs chaudes et œuvres d'art).

Où se restaurer

La plupart des restaurants ferment vers 20h ou 21h.

Danfay Munal (carte p. 560 ; ☎ 9434380444 ; Clubside Motor Stand ; plats 20-70 Rs). Une table classique de Darjeeling : cadre simple, vues somptueuses et carte de savoureux plats indiens, chinois et tibétains (excellents *momo*) à petit prix. En plein centre-ville. Pique-niques à emporter.

Frank Ross Café (carte p. 560 ; ☎ 2258194 ; 14 Nehru Rd ; plats 20-105 Rs, petit déj complet 85 Rs). Une enseigne 100% végétarienne proposant une carte internationale – pizzas, hamburgers, en-cas d'Inde du Sud et même enchiladas, tacos et nachos. La Frank Ross Pharmacy adjacente vend de l'épicerie.

Big Bite (Laden La Rd ; plats 30-80 Rs, *thali* 80 Rs). Darjeeling compte quelques bonnes adresses végétariennes qui servent des spécialités d'Inde du Sud, telles que *dosa* (crêpe à la farine de lentilles) et *idli* (gâteau de riz), ainsi que des burgers végétariens, pizzas et autres en-cas. Celle-ci se reconnaît à son entrée rose vif.

Hot Pizza Place (Le Casse Croute ; carte p. 560 ; ☎ 2257594 ; HD Lama Rd ; plats 35-120 Rs). Une seule table pour déguster pizzas, pâtes, panini, salades et sandwichs savoureux. Venez aussi pour le petit-déjeuner, les pancakes et le bon café, sans oublier l'introuvable bacon. Service chaleureux mais lent.

♥ **Sonam's Kitchen** (carte p. 560 ; Dr Zakir Hussein Rd ; plats 40-90 Rs ; ⏲ à partir de 7h30). Pour siroter un véritable café au pays du thé. Sonam et sa famille népalaise proposent de bons petits-déjeuners, pancakes, soupes et pâtes. Les sandwichs au pain complet, copieux et délicieux, peuvent être emballés pour un pique-nique. Commandez vos plats au moins 1 heure 30 à l'avance, le temps de s'approvisionner en produits frais aux étals de la rue. La meilleure adresse pour une cuisine familiale.

Park Restaurant (carte p. 560 ; ☎ 2255270 ; Laden La Rd ; plats 40-140 Rs). Le restaurant est vite comble grâce à sa popularité auprès des touristes indiens. Au programme : de savoureux curries d'Inde du Nord et une carte "Lemon Grass" qui fait la part belle aux plats thaïs de poulet et de poisson. Le nouveau bar est une merveille, avec des en-cas et des cocktails (90-100 Rs), dont d'étonnantes versions sans alcool (25-80 Rs).

Shangrila (carte p. 560 ; ☎ 2254149 ; Nehru Rd ; plats 45-145 Rs). Ce bar-restaurant confortable en haut du Mall sert une cuisine indienne, chinoise et européenne haut de gamme, dans un cadre séduisant (sols parquetés et nappes propres). Service agréable. Au mur, on peut admirer une *Cène* en version bouddhique.

Glenary's (carte p. 560 ; Nehru Rd ; entrées 35-120 Rs, plats 50-155 Rs ; ⏲ 11h30-21h, plus tard en haute saison). Au-dessus de la célèbre pâtisserie-café, cette enseigne est surtout réputée pour ses grillades européennes, ses plats chinois, ses spécialités tandoori et son succulent gratin végétarien (non épicé). Il a subi quelques critiques, mais reste généralement très apprécié.

Où prendre un verre

Existe-t-il un meilleur endroit pour savourer une tasse de thé de Darjeeling ? Les amateurs de bière trouveront aussi leur bonheur.

THÉ

Glenary's (carte p. 560 ; Nehru Rd ; petite théière 25 Rs, gâteaux et biscuits 10-20 Rs ; ⏲ 7h30-20h, 7h30-21h haute saison). Sous le restaurant, ce café possède de grandes baies vitrées et jouit d'une belle vue. Commandez un thé, choisissez un gâteau et installez-vous avec un livre dans un fauteuil en osier. Accès Internet (30 Rs/h). Une succursale propose un service à emporter sur le bazaar.

Goodricke, the House of Tea (carte p. 560 ; Nehru Rd). Sirotez diverses variétés de thés de la région, avant d'en acheter.

Pour un *high tea* (thé-goûter) servi avec des thés locaux, rendez-vous chez **Elgin** (p. 565 ; 460 Rs) et au **Windamere Hotel** (p. 565 ; 426 Rs).

BENGALE-OCCIDENTAL

BARS

Joey's Pub (carte p. 560 ; SM Das Rd ; ☎ 2258216 ; bière 80 Rs ; ⏲ 12h-22h). Près de la poste, un pub classique idéal pour rencontrer d'autres voyageurs. Télévision diffusant une chaîne sportive, rhum chaud et bière fraîche. L'ambiance est habituellement très bonne, bien que certaines femmes seules aient subi les taquineries douteuses du personnel. En cours d'agrandissement lors de notre passage.

Buzz (carte p. 560 ; ⏲ 11h-21h). Un bar "hollywoodien" très kitsch, au sous-sol du Glenary's.

Tous les hôtels huppés possèdent des bars ; celui du Windamere est le plus agréable pour se détendre en début de soirée.

Où sortir

Inox Theatre (carte p. 560 ; ☎ 2257226 ; www.inoxmovies.com ; Rink Mall, angle Laden La Rd et SM Das Rd ; billets 80-180 Rs). Trois cinémas et différents types de places. Succès hindis et productions hollywoodiennes assez récentes.

Achats

THÉ DE DARJEELING

Ce thé, l'un des meilleurs du monde, constitue un souvenir apprécié et léger. Avec plus de 50 variétés, le meilleur fournisseur est **Nathmull's Tea Room** (carte p. 560 ; ☎ 2256437 ; www.nathmulltea.com ; Laden La Rd ; ⏲ 9h-19h30 lun-sam, tlj haute saison). Comptez 80 à 150 Rs/100 g pour un thé correct et jusqu'à 1 400 Rs/100 g pour les grands crus. Vous pouvez demander une dégustation (la préparation sera parfaite) et acheter de jolies théières et couvre-théières. La famille gère le magasin depuis 80 ans et maîtrise parfaitement le sujet – le Nathmull's du Rink Mall est une boutique récente, sans aucun rapport avec cette vieille enseigne.

Vous pouvez aussi déguster avant d'acheter au Goodricke, The House of Tea (p. 566).

Au Chowk Bazaar, vous trouverez du thé en vrac meilleur marché. Évitez les jolies boîtes : le thé est souvent assemblé et emballé à Kolkata.

TAPIS TIBÉTAINS

Le Tibetan Refugee Self-Help Centre (p. 563) crée de somptueux tapis sur commande et peut les expédier à votre domicile (avec/sans expédition 370/200 $US). **Hayden Hall** (carte p. 560 ; ☎ 2253228 ; Laden La Rd ; ⏲ 9h-18h tlj sauf dim) vend des tapis dans le cadre d'activités caritatives (5 000 Rs le tapis de 90 par 180 cm). Vous trouverez des tapis dans de nombreuses boutiques de souvenirs, mais la plupart n'ont pas été confectionnés sur place.

MATÉRIEL DE RANDONNÉE

Le **Trekking Shop** (carte p. 560 ; Singalila Market, Nehru Rd ; ⏲ 10h30-18h) vend des vêtements imperméables et des vestes, ainsi que des chaussures chinoises et russes (grandes tailles rares).

AUTRES SOUVENIRS

De nombreuses boutiques de souvenirs sont installées sur Chowrasta et dans Gandhi Rd et Nehru Rd. Vous trouverez des sculptures népalaises sur bois (dont des masques), des *thangka* (peintures tibétaines sur tissu), des objets religieux et des bijoux.

Les voyageurs frileux auront l'embarras du choix en matière de lainages (châles notamment) et pourront en négocier le prix. En saison, des étals en vendent tout le long de Nehru Rd.

Vous trouverez deux enseignes de commerce équitable qui commercialisent des vêtements et de l'artisanat fabriqués sur place. Hayden Hall (ci-contre) vend de bons tricots et sacs confectionnés par des femmes. **Life & Leaf Fair Trade Shop** (carte p. 560 ; ☎ 93333551831 ; 19 Nehru Rd) soutient les artisans locaux et des projets écologiques, en proposant de beaux produits : sacs, écharpes, jouets et thés biologiques.

Depuis/vers Darjeeling

AVION

L'aéroport le plus proche se trouve à Bagdogra, à 90 km de Darjeeling et à 12 km de Siliguri. Pour des détails sur les vols depuis/vers Bagdogra, reportez-vous p. 552.

Indian Airlines (carte p. 560 ; ☎ 2254230 ; ⏲ 10h-17h30 tlj sauf dim) est installée à Chowrasta. **Clubside Tours & Travels** (carte p. 560 ; ☎ 2254646 ; www.clubside.in ; JP Sharma Rd ; ⏲ 9h30-18h) effectue des réservations sur les vols intérieurs. **Pineridge Travels** (carte p. 560 ; ☎ 2253912, 2253036 ; pineridge@mail.com ; ⏲ 10h-17h lun-sam) représente plusieurs compagnies nationales et est l'unique agence de Darjeeling habilitée à prendre les réservations sur les vols internationaux.

BUS

De la gare routière/station de Jeep de Chowk Bazaar (carte p. 560), des bus réguliers desservent Mirik (40 Rs, 3 heures) et Siliguri (60 Rs, 3 heures). Les billets sont disponibles au guichet du rez-de-chaussée de l'Old Super Market Complex, derrière la gare.

PERMIS POUR LE SIKKIM

Les formulaires (p. 598) sont délivrés par le **bureau d'enregistrement des étrangers** (carte p. 560 ; ☎ 2254203 ; Laden La Rd ; 🕑 10h-19h), et doivent être ensuite apportés au **bureau du District Magistrate** (ODM ; carte p. 560 ; ☎ 2254233 ; Hill Cart Rd ; 🕑 11h-13h et 14h30-16h lun-ven), en contrebas de la gare routière/station de Jeep de Chowk Bazaar. Comptez 1 heure 30 pour l'ensemble de la procédure, gratuite. Prenez votre passeport. Vous n'aurez pas besoin de suivre cette procédure si vous traversez à Rangpo ; il suffit de demander un permis gratuit de 15 jours en arrivant à la frontière, moyennant trois photos d'identité. Ces règles sont susceptibles de changer d'ici votre arrivée ; renseignez-vous auprès du bureau d'enregistrement des étrangers.

Kasturi Tours & Travels (p. 559) et Diamond Treks, Tours & Travels (p. 559) vendent des billets pour des bus "deluxe" entre Siliguri et diverses destinations, dont Kolkata (900 Rs, 12 heures). Samsara Tours, Travels & Treks (p. 559) offre des services similaires. Ces billets ne comprennent pas le trajet jusqu'à Siliguri.

JEEP ET TAXI

À l'extrémité sud de la gare routière/station de Jeep de Chowk Bazaar, de nombreux taxis et Jeep collectives partent pour Siliguri (80 Rs, 3 heures) et Kurseong (40 Rs, 1 heure 30). Des Jeep rallient Mirik (50 Rs, 2 heures 30) toutes les 1 heure 30 environ. Les billetteries au rez-de-chaussée de l'Old Super Market Complex délivrent à l'avance des billets pour les Jeep à destination de Kalimpong (90 Rs, 2 heures) et Gangtok (130 Rs, 4 heures).

De l'extrémité nord de la gare routière, 3 ou 4 Jeep partent chaque jour pour Jorenthang (80 Rs, 2 heures). Permis obligatoire pour entrer au Sikkim (voir l'encadré ci-dessus) par cet itinéraire.

La **Darjeeling Transport Corporation** (carte p. 560 ; ☎ 9832081338 ; Laden La Rd) propose des Jeep pour Gangtok (collectives/location 130/1 300 Rs, 4 heures, Jeep collectives toutes les heures) et Siliguri (collectives/location 90/900 Rs, 3 heures, toutes les heures).

Pour New Jalpaiguri ou Bagdogra, changez à Siliguri ou louez une Jeep ou un taxi à Darjeeling (1 000 Rs pour NJP, 1 200 Rs pour Bagdogra).

TRAIN

La grande gare ferroviaire la plus proche se trouve à New Jalpaiguri (NJP), près de Siliguri. La **gare ferroviaire de Darjeeling** (carte p. 560 ; ☎ 2252555 ; 🕑 8h-14h) délivre des billets pour les principaux trains au départ de NJP.

Darjeeling Himalayan Railway

Ce petit train diesel (carte p. 560) part de Darjeeling à 9h15 pour NJP (2e/1re classe 42/247 Rs, 7 heures) ; il dessert Ghoom (21/96 Rs, 50 min), Kurseong (37/159 Rs, 3 heures) et Siliguri (48/232 Rs, 6 heures 30). Le trajet jusqu'à NJP est épuisant. Si vous souhaitez simplement découvrir le train, contentez-vous de la liaison vapeur avec Kurseong ou de la *joy ride* (p. 562).

DEPUIS/VERS LE NÉPAL

Les étrangers ne peuvent traverser la frontière népalaise qu'à Kakarbhitta-Panitanki (et non à Pasupati).

Kasturi Tours & Travels (p. 559) et Diamond Treks, Tours & Travels (p. 559) vendent des billets pour les bus Darjeeling-Katmandou (800 Rs) – correspondances à Siliguri et à la frontière et autant de problèmes potentiels. Le trajet est facile et meilleur marché en indépendant. Pour les liaisons Siliguri-Panitanki, le passage de la frontière et les bus népalais, voir l'encadré p. 555.

Comment circuler

La ville compte plusieurs stations de taxis, mais les tarifs sont excessifs pour les petites courses. De Chowk Bazaar à Chowrasta, un porteur peut transporter vos bagages pour 60 Rs.

Les Jeep collectives qui desservent le nord de la ville (North Point par exemple pour 7 Rs), partent de l'extrémité nord de la gare routière/station de Jeep de Chowk Bazaar. Celles qui rallient Ghoom (15 Rs) partent de l'arrêt de Hill Cart Rd, au Chowk Bazaar (carte p. 560).

TREKKING AUTOUR DE DARJEELING

Les alentours de Darjeeling offrent nombre de belles randonnées. Le ciel dégagé et la douceur du climat les rendent particulièrement agréables en octobre-novembre, tout comme en mai et début juin, quand les jours sont longs et les rhododendrons en fleur. Le Darjeeling Gorkha Hill Council (DGHC ; p. 559) publie l'excellente brochure *Himalayan Treks* (25 Rs), qui comprend une carte et la description des principales randonnées.

La plus appréciée, le **trek de Singalila Ridge**, de Sandakphu à Phalut, traverse le superbe **Singalila National Park** (100 Rs, appareil photo/caméra 25/250 Rs) et dévoile des vues fantastiques sur l'Himalaya. Il est désormais obligatoire d'être accompagné d'un guide (environ 350 Rs/j) à l'intérieur du parc (l'entrée du parc se trouve près de Tumling). On peut louer leurs services auprès du DGHC, des agences de voyages ou au départ de la randonnée, à Mana Bhanjang, à 26 km de Darjeeling ; vous aurez plus de chance de trouver un bon guide si vous vous y prenez à l'avance. De la gare routière/station de Jeep de Chowk Bazaar, des Jeep collectives régulières et un bus (30 Rs, 3 heures, 7h) partent pour Mana Bhanjang. L'itinéraire habituel du trek est décrit dans l'encadré p. 570. Certains voyageurs se sont contentés (avec bonheur) de la première étape : le parcours est aisé et il n'est pas nécessaire de louer les services d'un guide (même si cela reste préférable).

De Rimbik, deux bus rallient Darjeeling le matin (80 Rs, 5 heures, 6h et 12h30) ; il y a aussi des Jeep régulières. Si vous avez moins de 5 jours, empruntez les raccourcis à Sandakphu et Sabarkum. Lors de notre passage, les refuges sommaires installés le long de la randonnée étaient fermés pour travaux ; renseignez-vous auprès du DGHC (p. 559). Vous trouverez de meilleures chambres dans les petites "pensions" familiales ; le Shikhara Lodge de Tumling nous a été recommandé par des randonneurs. Les agences de Darjeeling (p. 559) proposent des treks guidés sur cet itinéraire, porteurs, repas et hébergement compris, pour 1 200-2 000 Rs/j, selon le niveau des prestations et le nombre de participants.

Plus près de Kalimpong, le trek de Rochela donne un aperçu du fabuleux plateau de

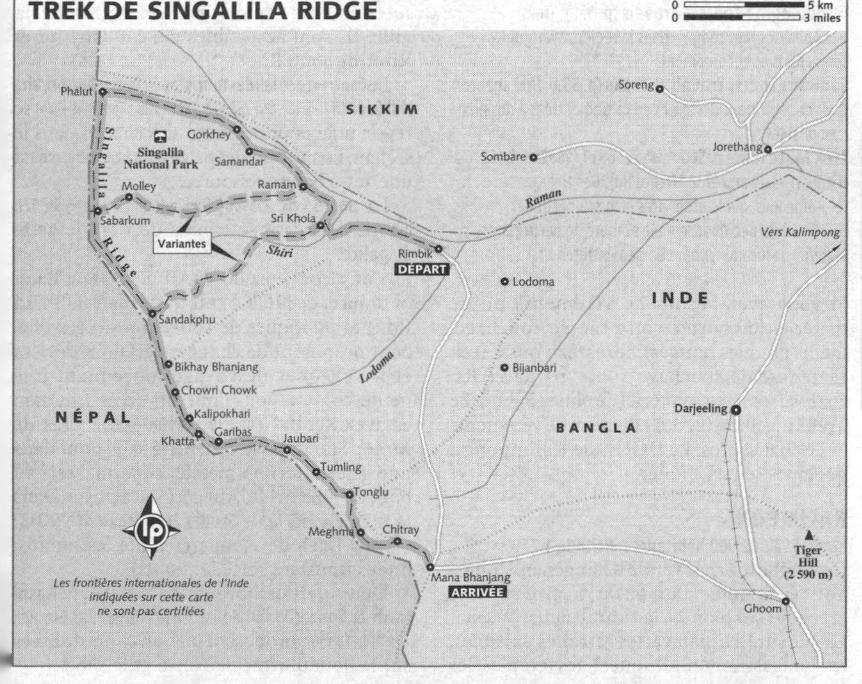

TREK DE SINGALILA RIDGE

Jour	Itinéraire	Distance
1	De Mana Bhanjang (2 130 m) à Tonglu (3 100 m) via Meghma Gompa	14 km
2	De Tonglu à Sandakphu (3 636 m) via Kalipokhri et Garibas	17 km
3	De Sandakphu à Phalut (3 600 m) via Sabarkum	17 km
4	De Phalut à Rammam (2 530 m) via Gorkey	16 km
5	De Rammam à Rimbik (2 290 m) via Srikhola	19 km

Samthar. Vous marcherez 4 à 8 jours dans des forêts denses, visiterez des villages isolés et passerez un col à 3 000 m d'altitude. Rejoindre Rochela depuis Kalimpong demande 4 jours de marche, camping inclus.

Agences de trek recommandées :

Centre d'accueil des touristes du Darjeeling Gorkha Hill Council (Darjeeling p. 559 ; Kalimpong ci-contre). Facture environ 2 000 Rs/j (tout compris) pour le Singalila Ridge et propose les services de guides/porteurs (350 Rs/j) pour le trek de Rochela.

Gurudongma Tours & Travels (p. 572). Treks personnalisés tout compris dans la région, avec guides compétents et hébergement.

Samsara Tours, Travels & Treks (p. 559). Une agence chevronnée offrant descentes en rafting et treks à des prix raisonnables.

Trek Mate (carte p. 560 ; ☎ 2256611, 9832083241 ; chagpori@satyam.net.in ; Nehru Rd). Des treks recommandés, guide et services inclus, à partir de 950-1 450 Rs/pers/jour selon le nombre de participants. Matériel de location propre et bien entretenu.

Si vous avez besoin de vêtements ou de matériel (emportez votre sac de couchage, même pour les refuges), adressez-vous à Trek Mate (sac de couchage 30 Rs, parka 20 Rs, chaussures 30 Rs, matériel de pluie 15 Rs/j). Le Trekking Shop (p. 567) dispose de vêtements et de chaussures. Le DGHC de Kalimpong a quelques tentes à louer.

KALIMPONG

☎ 03552 / 42 980 habitants / altitude 1 250 m

Cette ville tournée vers le Khangchendzonga, animée et dotée d'un bazar, s'étire sur une crête qui surplombe la tumultueuse Teesta. La vue sur l'Himalaya, les retraites paisibles, les "magasins bouddhiques", les temples, les églises et les fascinantes pépinières incitent à prolonger le séjour.

Kalimpong se développa tout d'abord grâce au commerce de la laine avec le Tibet, de l'autre côté du col de Jelepla.

Comme Darjeeling, Kalimpong appartint un temps aux *chogyal* (rois) du Sikkim, avant de tomber aux mains des Bhoutanais au XVIIIe siècle, puis de passer sous domination britannique. Elle fut intégrée à l'Inde lors de l'Indépendance. Les missionnaires écossais – et les jésuites –, s'efforcèrent de convertir les bouddhistes locaux à la fin du XIXe siècle. L'orphelinat-école du Dr Graham fonctionne toujours.

Le mouvement pour le Gorkhaland autonome est actif à Kalimpong. Le leader gurkha C. K. Pradhan fut abattu ici en octobre 2002 ; un petit sanctuaire s'élève à l'endroit où il est tombé.

Orientation et renseignements

Le carrefour chaotique de Motor Stand marque le centre de Kalimpong. Restaurants, hôtels bon marché et commerces se concentrent aux alentours. La plupart des sites intéressants et des hôtels haut de gamme se trouvent à quelques kilomètres de la ville. Ils sont accessibles par DB Giri Rd et Rinkingpong Rd.

Le **Centre d'accueil des touristes du Darjeeling Gorkha Hill Council** (DGHC ; ☎ 257992 ; DB Giri Rd ; 9h30-17h) se révèle utile pour organiser des circuits dans le secteur. Le site Internet privé www.kalimpong.org est une autre bonne ressource.

La **poste** (☎ 255990 ; Rinkingpong Rd ; 9h-17h lun-ven, 9h-16h sam) se trouve derrière le **poste de police**.

Vous trouverez des DAB de la State Bank of India et de l'ICICI côte à côte dans DB Giri Rd. Les boutiques de souvenirs situées plus haut proposent de changer certaines devises et les chèques de voyage moyennant une petite commission. Pour un accès Internet, essayez **Net Hut** (30 Rs/h ; 9h30-20h), près de Motor Stand, ou le cybercafé sans nom dans une galerie surnommée le "supermarket" au bout de DB Giri Rd, du côté de la poste. Dans la même galerie, le **Studio Foto Max** (☎ 260113 ; 7h30-19h30) développe et traite les photos, ou les transfère sur CD (50 Rs).

Deux petites librairies attenantes, **Kashi Nath & Sons** (DB Giri Rd) et **Blessings** (DB Giri Rd ; 10h-18h30), proposent un bon choix de livres sur le bouddhisme, le Népal et le Tibet.

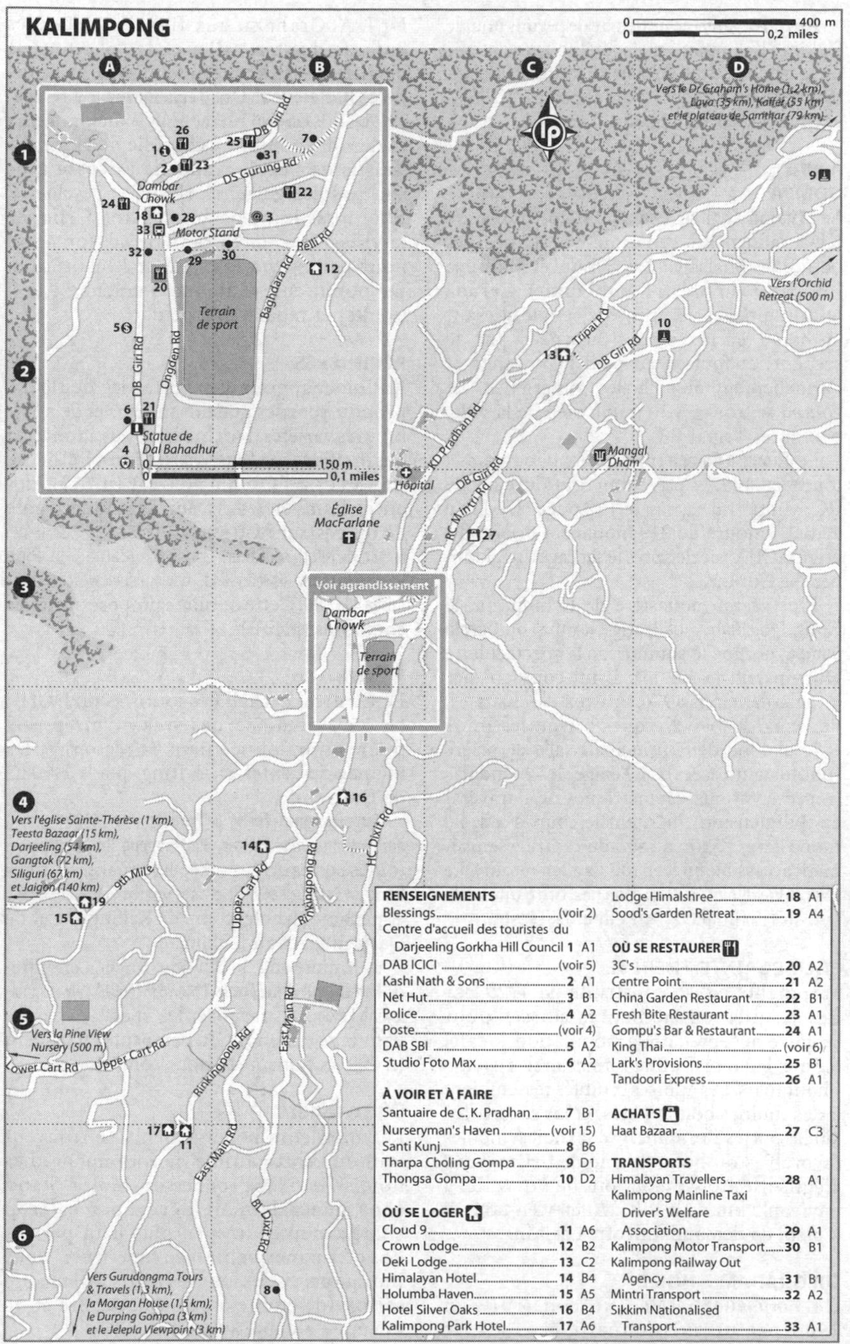
KALIMPONG
0 400 m
0 0,2 miles
A
B
C
D
1
2
3
4
5
6
Vers le Dr Graham's Home (1,2 km), Lava (35 km), Kaffer (55 km) et le plateau de Samthar (79 km)
Vers l'Orchid Retreat (500 m)
Tripai Rd
DB Giri Rd
KD Pradhan Rd
RC Mintri Rd
Mangal Dham
Hôpital
Église MacFarlane
Voir agrandissement
Dambar Chowk
Terrain de sport
DS Gurung Rd
Relli Rd
Baghdara Rd
Motor Stand
Ongden Rd
Statue de Dal Bahadhur
0 150 m
0 0,1 miles
HC Dixit Rd
Rinkingpong Rd
Upper Cart Rd
9th Mile
East Main Rd
Lower Cart Rd
BL Dixit Rd
Vers l'église Sainte-Thérèse (1 km), Teesta Bazaar (15 km), Darjeeling (54 km), Gangtok (72 km), Siliguri (67 km) et Jaigon (140 km)
Vers la Pine View Nursery (500 m)
Vers Gurudongma Tours & Travels (1,3 km), la Morgan House (1,5 km), le Durping Gompa (3 km) et le Jelepla Viewpoint (3 km)
RENSEIGNEMENTS
Blessings (voir 2)
Centre d'accueil des touristes du Darjeeling Gorkha Hill Council 1 A1
DAB ICICI (voir 5)
Kashi Nath & Sons 2 A1
Net Hut 3 B1
Police 4 A2
Poste (voir 4)
DAB SBI 5 A2
Studio Foto Max 6 A2
À VOIR ET À FAIRE
Santuaire de C. K. Pradhan 7 B1
Nurseryman's Haven (voir 15)
Santi Kunj 8 B6
Tharpa Choling Gompa 9 D1
Thongsa Gompa 10 D2
OÙ SE LOGER
Cloud 9 11 A6
Crown Lodge 12 B2
Deki Lodge 13 C2
Himalayan Hotel 14 B4
Holumba Haven 15 A5
Hotel Silver Oaks 16 B4
Kalimpong Park Hotel 17 A6
Lodge Himalshree 18 A1
Sood's Garden Retreat 19 A4
OÙ SE RESTAURER
3C's 20 A2
Centre Point 21 A2
China Garden Restaurant 22 B1
Fresh Bite Restaurant 23 A1
Gompu's Bar & Restaurant 24 A1
King Thai (voir 6)
Lark's Provisions 25 B1
Tandoori Express 26 A1
ACHATS
Haat Bazaar 27 C3
TRANSPORTS
Himalayan Travellers 28 A1
Kalimpong Mainline Taxi Driver's Welfare Association 29 A1
Kalimpong Motor Transport 30 B1
Kalimpong Railway Out Agency 31 B1
Mintri Transport 32 A2
Sikkim Nationalised Transport 33 A1

Aucun organisme ne délivre de permis pour le Sikkim à Kalimpong, mais vous pourrez obtenir un permis gratuit valable 15 jours au poste-frontière de Rangpo (voir l'encadré p. 568). Munissez-vous de 3 photos d'identité.

À voir

GOMPA

Le **Tharpa Choling Gompa** (1926), près de KD Pradhan Rd, renferme des statues des bouddhas Bhaisajya, Sakyamuni et Maitreya (du passé, du présent et du futur). Garuda les domine et les protège, engloutissant la haine et la colère (incarnées par le serpent) et foulant au pied l'ignorance et l'attachement aux choses matérielles. Le *gompa* se trouve à 30 min à pied de la ville, peu après Tripai Rd.

Le **Thongsa Gompa** (monastère bhoutanais), fondé en 1692, s'élève non loin du haut de RC Mintri Rd, après le JP Lodge. L'édifice actuel, entouré de 219 moulins à prière, fut érigé au XIXe siècle après le saccage du Sikkim par les Gurkha.

Plus grand monastère de Kalimpong, le Zong Dog Palri Fo-Brang Gompa, ou **Durpin Gompa**, occupe le sommet de la spectaculaire Durpin Hill (1 372 m). Il fut consacré par le dalaï-lama en 1976. Au rez-de-chaussée, de remarquables fresques ornent les murs et le plafond de la principale salle de prière (photos autorisées). À l'étage, les mandalas (représentations géométriques de l'univers) en 3 dimensions méritent le coup d'œil. Le monastère, à 5 km au sud du centre, est aisément accessible en Jeep (80 Rs aller-retour). Le **Jelepla Viewpoint**, 300 m plus bas, offre une belle vue sur l'Himalaya, la Relli et la Teesta.

ÉGLISE SAINTE-THÉRÈSE

Fascinante église construite en 1929 par des jésuites missionnaires suisses pour se faire accepter de la population locale, Sainte-Thérèse est une imitation des *gompa* bhoutanais. Les apôtres sculptés ressemblent à des moines bouddhistes, et les sculptures sur les portes aux *tashi tagye*, les huit symboles favorables du bouddhisme de l'Himalaya. L'église se trouve non loin de 9th Mile, à environ 2 km de la ville. Allez-y en taxi ou à pied, en demandant votre chemin.

DR GRAHAM'S HOME

Cet **orphelinat-école** fut construit en 1900 par un missionnaire écossais, le Dr J. A. Graham, aux fins d'éduquer les enfants des travailleurs des plantations de théiers. Il accueille aujourd'hui plus de 1 300 élèves. Un petit **musée** (entrée libre ; ⌚ 9h-15h30 lun-ven) retrace la vie du fondateur et de son épouse. La chapelle de 1925, au-dessus de l'école, rappelle l'Écosse avec son ardoise grise, sa flèche et sa cloche. Elle possède de beaux vitraux. Grimpez la très raide KD Pradhan Rd sur 4 km pour parvenir à la porte de l'institution. De nombreux visiteurs viennent en taxi (90 Rs) et repartent à pied.

PÉPINIÈRES

Kalimpong, grande exportatrice de fleurs, produit 80% des glaïeuls indiens et de nombreuses variétés d'orchidées. Vous admirerez des orchidées au **Nurseryman's Haven** (☎ 256936 ; 9th Mile) et à l'Orchid Retreat (p. 573), des anthuriums et des oiseaux de paradis (vente de bulbes) au **Santi Kunj** (BL Dixit Rd ; ⌚ 8h30-12h et 13h30-16h tlj sauf sam) et des cactus à la **Pine View Nursery** (☎ 255843 ; www.pineviewcactus.com ; Atisha Rd ; 5 Rs). Cette dernière propose quelques chambres (p. 573).

À faire

Le Centre d'accueil des touristes du DGHC (p. 559) organise des treks (voir p. 569 pour la randonnée dans la région) et les mêmes descentes en rafting que le DGHC de Darjeeling.

Gurudongma Tours & Travels (☎ 255204 ; www.gurudongma.com ; Hilltop, Rinkingpong Rd) propose toutes sortes de circuits personnalisés – trekking, rafting, VTT, observation des oiseaux et pêche – aux alentours de Kalimpong et de Darjeeling, et au Sikkim.

À Kalimpong, le Suédois Roger Lenngren d'**Himalayan Bike Tours** (☎ 9635156911 ; www.himalayanbiketours.se) propose des sports extrêmes dans la région, dont du parapente en tandem (2 000 Rs transport retour compris).

Où se loger

Les meilleurs hébergements se trouvent loin du centre animé de Kalimpong. Les hôtels les plus proches du Motor Stand sont généralement décevants et trop chers ; monter un peu plus haut permet de s'offrir une qualité bien supérieure. Nous indiquons ci-dessous les tarifs de la haute saison (d'octobre à début décembre et de mi-mars à début juin).

PETITS BUDGETS

Lodge Himalshree (☎255070 ; Ongden Rd ; dort/d sans sdb 100/200 Rs, tr 250 Rs). Tenu par un gérant affable, ce petit *lodge* très rudimentaire occupe le dernier étage d'un immeuble, dans le quartier le plus animé de la ville. Escalier raide ; chambres banales et propres. Le dortoir est presque installé dans le hall de l'hôtel. Sdb humides avec seau d'eau chaude pour 10 Rs.

Deki Lodge (☎ 255095 ; www.geocities.com/deki-lodge ; Tripai Rd ; s/d/tr 250/550/900 Rs, d deluxe 950 Rs). Proche des monastères Thongsa et Tharpa Choling sans être trop éloignée de la ville, cette adresse tenue par une sympathique famille tibétaine occupe un jardin et compte un agréable café et un toit-terrasse. Chambres impeccables et attrayantes. Il faut grimper une pente raide pour y parvenir, mais vous y serez beaucoup mieux qu'en logeant à proximité du Motor Stand.

Crown Lodge (☎ 255846 ; près de Baghdara Rd ; s/d 350/600 Rs). Un vaste établissement aux chambres spacieuses avec TV et eau chaude, au mobilier abîmé. L'endroit est très bruyant la nuit, mais c'est probablement la meilleure adresse dans le quartier du Motor Stand.

Pine View Nursery (☎ 255843 ; pineviewnursery@yahoo.co.in ; Atisha Rd ; d/tr 550/750 Rs). Quelques grandes chambres simples, assez propres, pour ceux qui rêvent de dormir dans une pépinière de cactus !

CATÉGORIES MOYENNE ET SUPÉRIEURE

♡ **Holumba Haven** (☎256936 ; www.holumba.com ; 9th Mile ; s/d à partir de 700/1 600 Rs, maisonnette à partir de 4 500 Rs). Une pension familiale tenue par de chaleureux propriétaires, au cœur d'une superbe plantation d'orchidées à 1 km de la ville. Les chambres, impeccables et confortables, occupent des maisonnettes joliment décorées (alimentées à l'eau de source) réparties dans un jardin verdoyant. D'excellents repas maison (réservés aux hôtes) sont servis dans la salle à manger. Mieux vaut aimer les animaux : chiens, canards et lapins courent partout.

Cloud9 (☎ 259554 ; cloud9kpg@yahoo.com ; Rinkingpong Rd ; d 800-1 000 Rs). Une option charmante, aux chambres lambrissées, salon TV confortable et bon restaurant (cuisines bhoutanaise, tibétaine et chinoise). Les guitares du salon témoignent de longues soirées musicales.

Sood's Garden Retreat (☎ 260321 ; www.soodsgardenretreat.com ; 9th Mile ; s/d à partir de 900/1 200 Rs). Les propriétaires très serviables de ce nouvel hôtel peuvent organiser divers circuits et sorties, notamment du rafting. Chambres propres et accueillantes, décorées de boiseries et de couleurs chaudes. Demandez-en une avec vue.

Orchid Retreat (☎ 274489 ; www.theorchidretreat.com ; Ganesh Villa ; s/d à partir de 1 400/2 000 Rs ; 💻). Une belle retraite familiale, dont les bungalows soigneusement décorés sont éparpillés dans une vaste pépinière d'orchidées. Par souci de tranquillité, il n'y a ni téléphone, ni TV dans les chambres. Un menu de plats maison est servi dans la vaste salle à manger. Il est conseillé de réserver.

Kalimpong Park Hotel (☎ 255304 ; www.kalimpongparkhotel.com ; s/d à partir de 1 500/2 000 Rs). Cette ancienne demeure d'un maharaja a conservé beaucoup de son charme colonial. Fauteuils en osier et fleurs bordent la véranda et un adorable bar-restaurant complète l'offre. Les chambres de la nouvelle aile manquent de caractère mais restent charmantes (les grandes sdb neuves sont les meilleures de la ville).

Himalayan Hotel (☎ 254043 ; www.himalayan hotel.co.in ; Upper Cart Rd ; s/d 1 700/2 700 Rs, pension complète 2 600/4 500 Rs). Un établissement créé par David MacDonald, un interprète de la mission de Francis Younghusband à Lhassa en 1904 et l'un de ceux qui aida le 13e dalaï-lama à s'enfuir du Tibet en 1910. Les chambres d'origine, sous des plafonds inclinés en chêne de l'Himalaya, rappellent le Raj, tandis que les nouvelles suites allient charme désuet et confort moderne ; les terrasses donnent sur le Khangchendzonga. Un chef-d'œuvre de rénovation intelligente.

Hotel Silver Oaks (☎ 255296 ; silveroaks@sancharnet.in ; Rinkingpong Rd ; s/d 4 800/5 100 Rs). Au centre-ville, cette propriété de l'époque coloniale a été transformée en un hôtel moderne et très confortable. Chambres somptueusement meublées, offrant une vue grandiose sur la vallée. Les prix incluent les repas dans l'excellent restaurant. Bar animé.

Où se restaurer

RESTAURANTS

Fresh Bite Restaurant (☎274042 ; DB Giri Rd ; plats 30-140 Rs). À l'étage, face au DGHC, il propose une très longue carte de bonne qualité, dont quelques plats difficiles à trouver comme la soupe *miso* et les sandwichs au bacon.

BENGALE-OCCIDENTAL

China Garden Restaurant (☎ 257456 ; Lal Gulli ; plats 35-90 Rs). Le meilleur restaurant chinois de la ville, dans le China Garden Hotel, près du Motor Stand. D'authentiques soupes, nouilles et autre poulet épicé au gingembre font sa réputation. Quelques curries indiens.

Tandoori Express (DB Giri Rd ; plats 40-90 Rs). Une nouvelle table propre qui comble un manque avec un bon choix de curries du nord de l'Inde et de spécialités tandoori.

Gompu's Bar & Restaurant (☎ 257456 ; près de DB Giri Rd ; plats 45-90 Rs). Réputé pour ses gros *momo* (porc, poulet et légumes), il ravit depuis longtemps habitants et voyageurs avec des plats tibétains, bhoutanais, indiens, chinois et européens. Dans l'hôtel du même nom.

King Thai (3e ét. du "supermarket", DB Giri Rd ; plats 50-170 Rs). Un lieu multiculturel qui associe nom thaïlandais, cuisine chinoise, posters de Bob Marley, drapeaux de clubs de foot britanniques et chansons en hindi/népalais. Excellente cuisine, chinoise pour l'essentiel, avec quelques plats thaïs et indiens. Bar avec des fauteuils confortables et une boule lumineuse. Clientèle régulière d'expatriés, de moines, d'hommes d'affaires et de jeunes Tibétains.

SUR LE POUCE

La production de fromage à Kalimpong remonte à la création d'une laiterie par les jésuites au XIXe siècle. Les sucettes sont également fabriquées dans la laiterie, avec du lait, du sucre et du beurre.

3C's (DB Giri Rd ; gâteaux et en-cas 10-30 Rs). Une boulangerie et un restaurant appréciés proposant un choix alléchant de gâteaux et de pâtisseries.

Lark's Provisions (DB Giri Rd). La meilleure adresse pour le fromage (180 Rs/kg) et les sucettes (25 Rs/paquet). Vente de produits variés et délicieux pickles maison.

Achats

Dans RC Mintri Rd, des boutiques de tissus vendent des étoffes tibétaines et des brocarts de soie indiens ou chinois, de meilleure qualité et moins chers qu'à Darjeeling.

Haat Bazaar (entre Relli Rd et RC Mintri Rd). Les mercredi et samedi, ce bazar d'ordinaire calme voit affluer les habitants des villages alentour venus faire leurs emplettes.

Depuis/vers Kalimpong

Les bus et les Jeep partent de Motor Stand, où sont installées les compagnies ci-dessous.

BUS ET JEEP

Les bus publics du Bengale desservent régulièrement Siliguri (55 Rs, 2 heures 30). Un bus Sikkim Nationalised Transport (SNT ; 70 Rs, 3 heures 30) part pour Gangtok à 13h.

Himalayan Travellers (☎ 9434166498) propose des minibus et des Jeep collectives pour Gangtok (80 Rs, 3 heures, 4/j) et Lava (50 Rs, 1 heure 30, départs réguliers).

La **Kalimpong Mainline Taxi Driver's Welfare Association** (KMTDWA ; ☎ 257979) possède des Jeep collectives régulières qui desservent Siliguri (70 Rs, 2 heures 30), Gangtok (80 Rs, 2 heures 30), Lava (50 Rs, 1 heure 30) et Kaffer (60 Rs, 2 heures 30) ; une par jour dessert Jorenthang (60 Rs, 2 heures, 7h15). Des Jeep régulières de la **KS & AH Taxi Driver's Welfare Association** (☎ 259544) vont à Ravangla, au Sikkim (100 Rs, 3 heures 30). **Kalimpong Motor Transport** (☎ 255719) assure un service régulier pour Darjeeling (80 Rs, 2 heures 30).

Vous pourrez aussi louer une Jeep pour aller à Darjeeling (900 Rs), Siliguri (800 Rs) ou Gangtok (850 Rs).

TRAIN

La **Kalimpong Railway Out Agency** (☎ 259954 ; Mani Rd ; 10h-16h lun-sam, 10h-13h dim) et **Mintri Transport** (☎ 2556997 ; DB Giri Rd ; 10h30-18h) disposent d'un petit quota de billets pour les trains au départ de la gare ferroviaire de New Jalpaiguri.

DEPUIS/VERS LE BHOUTAN ET LE NÉPAL

Un bus d'État dessert la frontière bhoutanaise à Jaigon (95 Rs, 5 heures 30), à 8h40, et la KMTDWA propose une Jeep collective (130 Rs, 5 heures), à 7h30. La KMTDWA assure des services réguliers en Jeep pour la frontière népalaise à Panitanki (90 Rs, 3 heures) et Himalayan Travellers propose une Jeep à 7h30 pour Pashupati (100 Rs, 3 heures 30).

Pour des informations sur les frontières, voir l'encadré p. 555.

Comment circuler

Vous pouvez louer un taxi dans DB Giri Rd pour visiter Kalimpong. Comptez une demi-journée (700 Rs) pour explorer la plupart des sites.

ENVIRONS DE KALIMPONG

Teesta Bazaar

☎ 03552

Teesta Bazaar, à 16 km à l'ouest de Kalimpong, est un important centre de rafting. La plupart des visiteurs organisent leur descente avec une agence de voyages de Darjeeling (p. 559) ou au DGHC de Kalimpong (p. 570). Le **DGHC** local (☎ 268261 ; Chitrey Wayside Inn, NH-31A), à 1,5 km de Teesta Bazaar sur la route de Kalimpong, offre le même service.

La charmante **Chitrey Wayside Inn** (☎ 213520 ; dort 100 Rs, d/ste 450/600 Rs) possède un bar, un restaurant et un balcon surplombant la rive luxuriante de la Teesta. Chambres spacieuses (avec eau chaude) et propres, bien que spartiates. Bons repas.

Teesta Bazaar se trouve à une demi-heure de route de Kalimpong. Prenez un bus ou une Jeep collective (25 Rs) en direction de Darjeeling.

Lava et Kaffer

À 35 km à l'est de Kalimpong, le petit village de Lava (2 353 m) abrite un **gompa** kagyupa et accueille un **marché** animé le mardi. De Kaffer (aussi appelé Lolaygaon ; 1 555 m), à 30 km à l'est, on découvre le sommet du Khangchendzonga. Peu visités, ces deux villages constituent de belles et paisibles échappées. De Kalimpong, la route, particulièrement belle, traverse de vénérables forêts moussues et embrumées.

Daffey Munal Tourist Lodge (☎ 03552-277218 ; Kaffer ; dort 100 Rs, d/tr 600/700 Rs). Ce grand et vieil hôtel géré par le DGHC loue des chambres immenses et bien tenues avec cheminée et eau chaude.

De Lava (50 Rs, 1 heure 30) et de Kaffer (60 Rs, 2 heures 30), des Jeep et un bus desservent quotidiennement Kalimpong.

Plateau de Samthar

Ce plateau isolé, parsemé de villages traditionnels, offre une vue époustouflante sur la chaîne himalayenne, côté Bhoutan. **Gurudongma Tours & Travels** (☎ 255204 ; www.gurudongma.com ; Hilltop, Rinkingpong Rd, Kalimpong ; s/d pension complète à partir de 3 800/4 800 Rs) gère la confortable Farm House de Samthar. Organise le transport depuis Kalimpong pour ses clients.

Bihar et Jharkhand

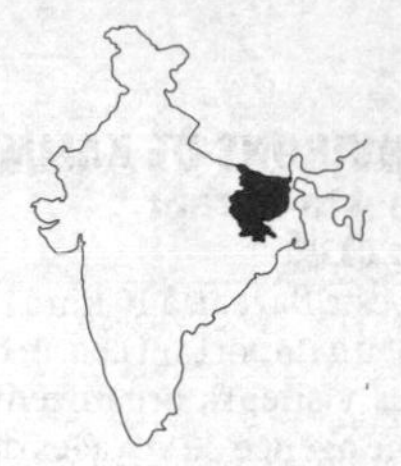

Berceau du bouddhisme, le Bihar tient une place importante dans l'histoire culturelle et spirituelle de l'Inde. Siddhartha Gautama, le Bouddha, passa ici la majeure partie de sa vie. Il atteignit l'Éveil sous un arbre dit de la Bodhi, à Bodhgaya, devenue de ce fait la destination de pèlerinage bouddhique la plus importante au monde. Au fil d'un périple à la découverte des sites anciens et modernes, vous pourrez contempler les vastes ruines de Nalanda, la plus grande université de l'Antiquité, mais aussi les temples et sanctuaires de Rajgir et le superbe pilier d'Ashoka, à Vaishali.

En août 2000, le Bihar a été divisé suivant le tracé des frontières ethniques, de manière à créer le nouvel État du Jharkhand. Région de cascades et de forêts luxuriantes, le Jharkhand constitue l'un des principaux lieux de pèlerinage jaïn de l'Inde du Nord. Les profanes, eux, se rendent au Betla (Palamau) National Park, où ils s'aventurent à dos d'éléphant dans les profondeurs de la forêt, en quête des insaisissables tigres.

Le Bihar et le Jharkhand sont probablement plus représentatifs de l'Inde traditionnelle que n'importe quel État du Nord. À l'extérieur des grandes villes, la majorité des panneaux sont en hindi et les hommes portent davantage la kurta et le *dhoti* que des tenues occidentales.

La région compte parmi les plus pauvres et les plus agitées du pays. Le Bihar est ravagé par la corruption endémique et l'incompétence des autorités, les enlèvements, l'extorsion, le banditisme et la violence des naxalites. La vie des Biharis est un concentré de misère, ce qui a conduit nombre d'entre eux à quitter l'État pour chercher du travail ailleurs. La situation s'améliore cependant : un nouveau gouvernement tente de contrôler la corruption et l'anarchie, et les infrastructures sont en plein développement.

Tant de fléaux éloignent les visiteurs de la région. C'est pourtant un territoire à découvrir, d'autant plus intéressant qu'il est préservé du tourisme de masse.

À NE PAS MANQUER

- Le crépuscule au paisible **Mahabodhi Temple** (p. 588) de Bodhgaya, quand les moines et les nonnes font leur puja (prière)
- Les ruines de l'université de **Nalanda** (p. 592), qui accueillait jadis 10 000 étudiants issus de toute l'Asie
- La plus grande foire aux bestiaux du pays, lors de **Sonepur Mela** (p. 584) – à côté, même la foire aux chameaux de Pushkar fait pâle figure
- Une balade à dos d'éléphant au cœur de la forêt du **Betla (Palamau) National Park** (p. 594), et – qui sait ? – un face-à-face avec un tigre

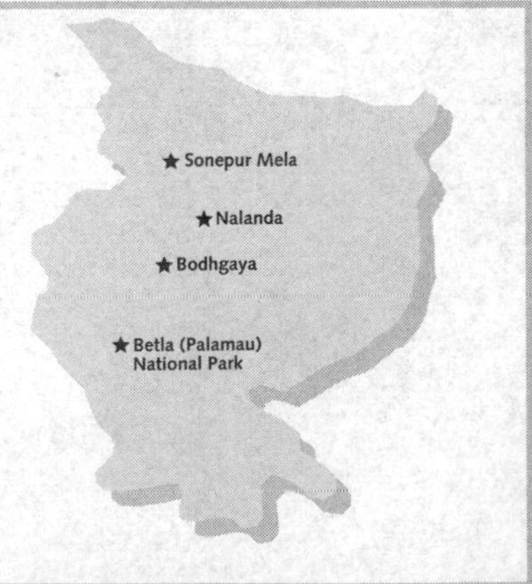

BIHAR ET JHARKHAND
0 100 km
0 50 miles
Vers Pokhara (47 km)
Mugling
Naubise
KATMANDOU
Narayanghat
Hwy
Tribhuban
Les frontières internationales de l'Inde indiquées sur cette carte ne sont pas certifiées
SIKKIM
Valmiki Nagar Wildlife Sanctuary
Amlekhganj
NÉPAL
Bayaha
Birganj
Raxaul
Lalbiti
Dharan Bazaar
Kakarbhitta
Gandak
Bettiah
Sagauli
Kushinagar
28
Jaleshwar
Motihari
Sitamarhi
Jaynagar
Biratnagar
Jogbani
Vers Gorakhpur (10 km)
Gopalganj
Chakia
Madhubani
Kesariya
Siwan
Muzaffarpur
Darbhanga
Ghaghara
Vaishali
Saharsa
34
UTTAR PRADESH
Lalganj
28
Samastipur
Purnia
Chapra
Sonepur
31
Hajipur
Katihar
Maner
Arrah
Patna
Gange
30
Buxar
Gange
Munger
Bhagalpur
Bihar Sharif
Grottes de Barabar
Nalanda
Rajgir
Pawapuri
Son
BIHAR
Vers Varanasi (44 km)
Sources chaudes
Bela
Godda
Sasaram
Dehri
Gaya
Temples des grottes de Dungeshwari
Bodhgaya
Grand Trunk Rd (GTR)
31
Deoghar
Gare ferroviaire de Hazaribagh Road
Giridih
Sikayi
2
Madhuban
Hazaribagh National Park
Parasnath
Daltonganj
Hazaribagh
Dhanbad
Betla (Palamau) National Park
33
JHARKHAND
Asansol
Macluskiganj
Netarhat
Lohardaga
Ranchi
Chutes de Hundru
Bankura
Vers Kolkata (113 km)
23
Khunti
33
BENGALE-OCCIDENTAL
CHHATTISGARH
Jamshedpur
Chaibasa
Kharagpur
Rourkela
ORISSA
23
Kendujhargarh
6
Baleshwar
Golfe du Bengale

EN BREF

- Population : 82,9 millions (Bihar) et 26,9 millions (Jharkhand) d'habitants
- Superficie : 173 877 km^2
- Capitales : Patna (Bihar) et Ranchi (Jharkhand)
- Langue principale : hindi
- Meilleure période : octobre-mars

Histoire

C'est au VIe siècle av. J.-C. que le prince Siddhartha Gautama arriva au Bihar, où il devait passer de nombreuses années avant d'atteindre l'Éveil et devenir ainsi le Bouddha. L'existence de son contemporain, Mahavira, fondateur du jaïnisme, est également étroitement liée à la région. Au IVe siècle av. J.-C., Chandragupta Maurya s'empara du Magadha et de sa capitale Pataliputra (Patna). Il étendit ensuite son territoire jusqu'à la vallée de l'Indus, créant ainsi le premier grand empire indien. Son petit-fils, Ashoka, lui succéda. Il gouverna l'empire de Maurya depuis Pataliputra, qui aurait alors été la plus grande ville du monde. Ayant embrassé le bouddhisme (voir p. 39), l'empereur Ashoka fit érigé des stupas, divers monuments et les fameux piliers qui portent son nom dans tout le nord de l'Inde, notamment à Sarnath (Uttar Pradesh) et à Sanchi (Madhya Pradesh). Au Bihar, il fit bâtir le sanctuaire sur le site duquel se dresse aujourd'hui le Mahabodhi Temple, à Bodhgaya (p. 586), et un pilier surmonté d'un lion à Vaishali (p. 584).

Le Bihar fut convoité par plusieurs grands empires, avant que la dynastie Magadha ne retrouve sa gloire déchue sous le règne des Gupta (VIIe et VIIIe siècles).

En 1193, Muhammad Khilji, un général de Qutb-ud-din, envahit le Bihar, détruisit l'université de Nalanda (p. 592) et fit massacrer les moines. La région déclina et devint une province sans importance gouvernée depuis Delhi, jusqu'à l'arrivée au pouvoir de Sher Shah. Établi à Sasaram, dans l'ouest du Bihar, cet empereur belliqueux était aussi un administrateur compétent. Il fit construire une route transcontinentale reliant l'est de Calcutta (Kolkata) à Peshawar (dans l'actuel Pakistan), et instaura un système de collecte des impôts toujours en usage aujourd'hui. Avec le déclin de l'Empire moghol, le Bihar passa sous le contrôle du Bengale jusqu'en 1912, date à laquelle fut créé un État séparé. Ce dernier fut à son tour divisé, pour donner naissance à l'Orissa et, en 2000, au Jharkhand.

Renseignements

Les offices du tourisme d'État, présents dans les grandes villes, ne sont pas d'un grand secours et se bornent souvent à distribuer des brochures. Mieux vaut s'adresser au bureau d'India Tourism à Patna (p. 580), qui délivre de bonnes informations pratiques sur la région. Quelques sites Internet dignes d'intérêt :

Bihar State Tourism Development Corporation (BSTDC ; http://bstdc.bih.nic.in)
Bihar Tourism (http://discoverbihar.bih.nic.in)
Site officiel du Jharkhand (http://jharkhand.nic.in)

Désagréments et dangers

La situation s'est améliorée dans les deux États depuis l'élection du gouvernement de Nitish Kumar, qui a réduit le chaos. L'attaque des voitures et des bus par les dacoïts (bandits) n'est toutefois pas à exclure, tandis que les groupes naxalites (maoïstes) demeurent actifs (en dehors cependant des zones touristiques). La prudence reste donc de mise. Les touristes ne sont pas la cible spécifique des attaques et vous n'avez que peu de risques de rencontrer des problèmes. Néanmoins, mieux vaut répartir vos objets de valeur avant un long trajet et toujours éviter de voyager de nuit. Renseignez-vous sur la situation avant de partir. Vous trouverez

LA RIVIÈRE DU CHAGRIN

Les inondations sont un fléau au Bihar, où de nombreuses routes deviennent impraticables, notamment dans les plaines inondables du Nord, pendant la mousson (généralement de juin à septembre). En août 2008, la rupture d'un barrage sur la Kosi, au Népal, provoqua une importante montée des eaux au Bihar et déplaça le cours de la rivière à plus de 150 km vers l'est. Les inondations noyèrent la majeure partie de l'est de l'État, faisant plusieurs centaines de morts et des dizaines de milliers de sans-abri. Ce n'est donc pas sans raison que l'on surnomme la Kosi "rivière du chagrin".

des informations dans le *Bihar Times* (www.bihartimes.com) et le *Patna Daily* (www.patnadaily.com), publiés en anglais. Pour plus de renseignements sur les problèmes de sécurité, reportez-vous p. 786.

BIHAR

PATNA

☎ 0612 / 1 285 470 habitants

Très étendue et animée, la capitale du Bihar trône sur la rive sud d'un Gange aux eaux polluées, gonflé d'avoir rencontré, plus à l'ouest, trois grands affluents. Contrairement à celles de Varanasi, les rives ici ne présentent aucun intérêt et la ville ne compte que quelques sites qui méritent le détour. Toutefois, c'est le principal nœud de transports de l'État, et la ville constitue une bonne base pour visiter les sites bouddhiques de Vaishali et Kesariya. Le Mahatma Gandhi Setu, le plus long pont du continent asiatique (7,5 km), relie Patna et Hajipur.

Patna fut jadis une ville puissante. Au début du Ve siècle av. J.-C., Ajatasatru transféra la capitale de son royaume Magadha de Rajgir à Pataliputra (Patna), concrétisant ainsi la prophétie du Bouddha selon laquelle une grande cité verrait le jour en ce lieu. Les empereurs Chandragupta Maurya et Ashoka régnèrent depuis Pataliputra, qui demeura près d'un millénaire durant l'un des principaux ensembles urbains du pays.

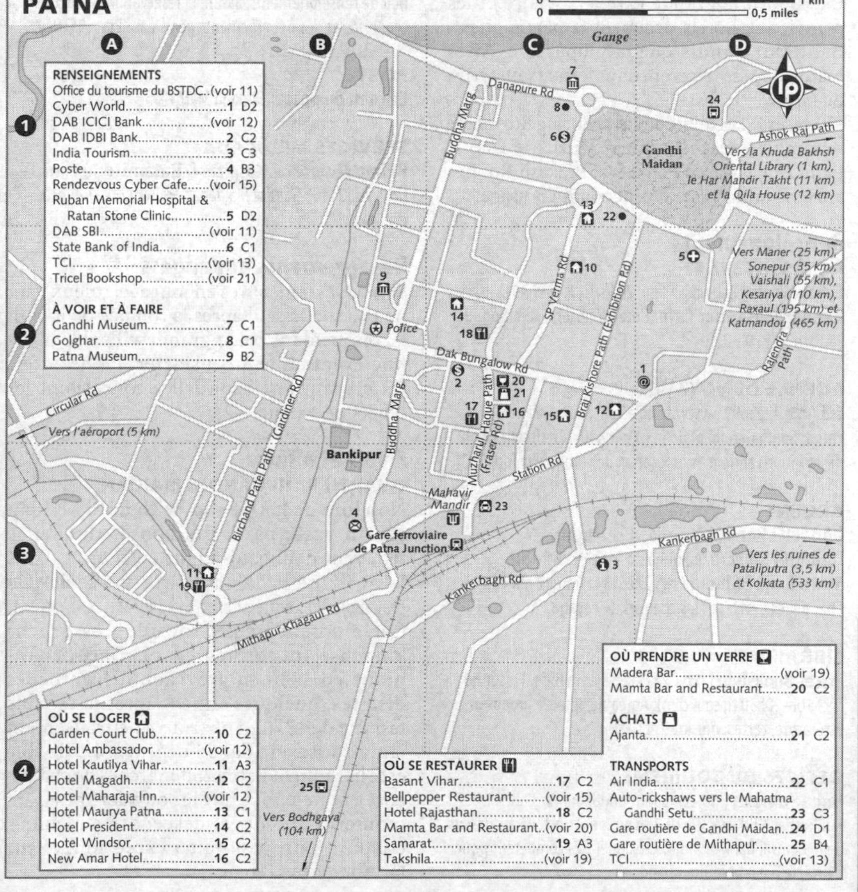

FÊTES ET FESTIVALS AU BIHAR ET AU JHARKHAND

Pataliputra Mahotsava (mars ; Patna, p. 579). Patna célèbre son passé : parades, sport, danse et musique au programme.

Rajgir Mahotsava (oct ; Rajgir, p. 591). Un festival des arts du spectacle indiens classiques qui réunit danses traditionnelles, chants religieux et musique instrumentale.

Chhath Festival (oct/nov ; dans tout le Bihar et le Jharkhand). À l'occasion de cette fête, les habitants se retrouvent au bord des cours d'eau et s'aspergent pour célébrer le dieu du Soleil, Surya. Le 6e jour après la fête de Diwali, au coucher du soleil, les femmes mariées, après avoir jeûné durant 36 heures, s'immergent et offrent des fleurs et des fruits à cette divinité. Le lendemain, à l'aube, les dévots retournent sur les berges pour de nouvelles célébrations avec prières et musique traditionnelle.

Sonepur Mela (nov/déc ; Sonepur, p. 584). Avec quelque 700 000 dévots et plusieurs milliers d'animaux, cette fête gigantesque de trois semaines est quatre fois plus grande que la foire aux chameaux de Pushkar.

Orientation

La vieille et la nouvelle Patna s'étendent sur la rive sud du Gange sur près de 15 km. L'aéroport, la grande gare ferroviaire et les principaux hôtels occupent la partie ouest, Bankipur, tandis que la plupart des sites historiques se trouvent dans le vieux quartier de Chowk, à l'est.

Fraser Rd, Exhibition Rd et Boring Rd ont été renommées respectivement Muzharul Haque Path, Braj Kishore Path et Jal Prakash Rd. Les anciens noms restent cependant en usage.

Renseignements

ACCÈS INTERNET

Cyber World (Rajendra Path ; 20 Rs/h ; 9h30-21h)
Rendezvous Cyber Cafe (Hotel Windsor, Exhibition Rd ; 25 Rs/h ; 9h-22h)

AGENCE DE VOYAGES

TCI (2221699 ; www.tcindia.com ; Hotel Maurya Patna, South Gandhi Maidan ; 9h30-18h tlj sauf dim). Réservations aériennes et location de voitures (voir p. 583).

ARGENT

DAB ICICI Bank (Station Rd ; 24h/24)
DAB IDBI bank (Dak Bungalow Rd ; 24h/24)
State Bank of India (2226134 ; Gandhi Maidan). Change les devises et les chèques de voyage.

LIBRAIRIES

Tricel Bookshop (2221412 ; Ajanta Bldg, Fraser Rd ; 10h-20h30 tlj sauf dim). Agréable librairie proposant littérature, cartes, musique et DVD.

OFFICES DU TOURISME

India Tourism (2348558 ; Sundama Pl, 3e ét., Kankerbagh Rd ; 9h30-18h lun-ven). Installé au-dessus de la Central Bank of India. Personnel très compétent pour Patna, le Bihar et le Jharkhand.

Office du tourisme du BSTDC (2225411 ; bstdc@sancharnet.in ; Hotel Kautilya Vihar, Birchand Patel Path ; 10h-17h tlj sauf dim). Ce bureau, qui ne fournit que peu de renseignements, assure la réservation de circuits organisés et des hébergements gérés par l'État (BSTDC).

POSTE

Bureau de poste (Buddha Marg)

SERVICES MÉDICAUX

Ruban Memorial Hospital & Ratan Stone Clinic (2320446 ; Gandhi Maidan ; 24h/24). Urgences, clinique et pharmacie.

Désagréments et dangers

Si les rues sont sûres en journée, mieux vaut ne pas sortir seul après la tombée de la nuit – comme dans toute grande ville, le vol est une éventualité à considérer. Prenez donc les précautions habituelles concernant les objets de valeur.

À voir et à faire

QUARTIER DU GANDHI MAIDAN

Non loin de la rive sud, le Gandhi Maidan est un vaste parc, aux abords duquel se trouvent deux sites dignes d'intérêt. Pour jouir d'une belle vue, direction le **Golghar** (Danapure Rd ; entrée libre ; 24h/24), à l'ouest. Cet imposant grenier, sorte de grosse ruche bulbeuse, fut construit par l'armée britannique en 1786 en prévision d'éventuelles disettes, quelques années après la terrible famine de 1770. Il ne trouva heureusement jamais à servir dans l'urgence. Le double escalier tournant (de 250 marches de chaque côté), conçu pour que les ouvriers puissent monter d'un côté et descendre de l'autre, conduit à un panorama exceptionnel sur la ville et le Gange.

À proximité, le petit **Gandhi Museum** (☎ 2225339 ; Danapure Rd ; entrée libre ; ⏲ 10h-18h tlj sauf sam) retrace à l'aide de photos la vie du Mahatma et présente quelques-unes de ses rares possessions personnelles.

PATNA MUSEUM

L'architecture extérieure impressionnante du vieux **musée de Padma** (☎2235731 ; Buddha Marg ; Indiens/étrangers 10/250 Rs ; ⏲ 10h30-16h30 tlj sauf lun) cache une splendide collection de sculptures en pierre des dynasties Maurya et Gupta. Il expose aussi des armes d'époque, dont la dague de Humayun, et une collection de superbes miniatures du Rajasthan. Dans une autre galerie, figure une collection disparate d'animaux empaillés, parmi lesquels des tigres, un grand gavial, un étrange spécimen de chevreau à trois oreilles et huit jambes et un wombat australien. Il vous faudra ajouter 500 Rs pour pénétrer dans la galerie fermée, à l'étage, et jeter un coup d'œil à un minuscule coffret qui renfermerait un peu des cendres du Bouddha, recueillies à Vaishali (p. 584).

HAR MANDIR TAKHT

Cet important **sanctuaire sikh** (☎2642000) se dresse derrière une grande porte, qui le tient isolé du chaos du quartier de Chowk. Dômes en marbre miniatures, grands escaliers et treillis délicats marquent le lieu de naissance de Gobind Singh (1666), le dixième et dernier gourou sikh. Le sanctuaire se situe à 11 km à l'est du Gandhi Maidan. Un guide vous accompagnera gratuitement ; vous pouvez le remercier en laissant un don dans l'urne du temple.

QILA HOUSE (JALAN MUSEUM)

D'un éclectisme étonnant, le **musée Jalan** (ou maison Qila ; ☎2641121 ; Jalan Ave ; entrée libre ; ⏲ sur rendez-vous) déborde d'antiquités, des riches objets en argent et des armes de la période moghole au lit de Napoléon III, sans oublier la porcelaine de Sèvres de Marie-Antoinette et le service de table coloré Crown Derby choisi (avec un goût discutable…) par le roi George III. Pour visiter, il faut téléphoner à l'avance et fournir une photocopie des pages identité et visa de votre passeport.

RUINES DE PATALIPUTRA

Les **ruines de Pataliputra** (Kankerbagh Rd ; Indiens/étrangers 5/100 Rs ; ⏲ 9h-coucher du soleil), l'ancienne capitale, sont hélas souvent immergées. Des fouilles ont mis au jour des vestiges des époques d'Ajatasatru (491-459 av. J.-C.), de Chandragupta (321-297 av. J.-C.) et d'Ashoka (274-237 av. J.-C.). Les ruines/bassins sont entourés de beaux jardins. Un **musée** détaille l'histoire du site.

KHUDA BAKHSH ORIENTAL LIBRARY

Créée en 1900, cette fascinante **bibliothèque orientale** (☎2300209 ; Ashok Raj Path ; entrée libre ; ⏲ 9h30-17h tlj sauf ven) renferme une collection réputée de manuscrits arabes et persans,

LALU, SEIGNEUR DU BIHAR

Un chapitre sur le Bihar ne serait pas complet si le nom de Lalu Prasad Yadav, l'un des politiciens les plus haïs et les plus adulés du pays, n'y était évoqué. Né dans une famille de bergers d'une caste inférieure, dans un État où les propriétaires terriens des castes supérieures détenaient traditionnellement le pouvoir, Lalu parvint à mobiliser sa caste et devint Premier ministre du Bihar en 1990. S'il s'autoproclama défenseur des pauvres, il n'améliora de fait guère leurs conditions de vie. Il vida les caisses de l'État et laissa juste de quoi satisfaire ses électeurs, plongeant le Bihar dans un chaos dont il tente toujours de s'extraire aujourd'hui.

Il resta en poste jusqu'en 1997, date à laquelle il fut accusé d'avoir détourné des millions de dollars destinés à un programme d'élevage et arrêté. Il démissionna et, dans un geste qui stupéfia la nation, plaça son épouse analphabète, Rabri Devi, au poste de Premier ministre. Après un court séjour derrière les barreaux, il revint sur le devant de la scène et retrouva sa popularité d'antan. Bien que sa femme ait été remplacée en 2005 par Nitish Kumar, Lalu continua à mener grand train et obtint le poste de ministre des Chemins de fer du gouvernement indien aux couleurs du Congrès. Par un étrange coup du sort, il remplaçait Nitish Kumar, ministre des Chemins de fer au sein du gouvernement du BJP (Bharatiya Janata Party) ; tous deux d'ailleurs furent complimentés pour les améliorations réalisées à leurs nouveaux postes. Lalu conserve sa demeure palatiale à Patna, d'où il continue à s'immiscer dans les affaires politiques de l'État.

des peintures mogholes et rajput et même un coran de 25 mm de large seulement. On peut y voir l'épée de Nadir Shah, peut-être celle qui fut levée à la Sunehri Masjid, à Delhi, en 1739, pour ordonner le massacre des habitants.

Fête

Patna rend hommage à son passé en mars, lors de la **Pataliputra Mahotsava**. Au programme : parades, sport, danse et musique.

Où se loger

La plupart des hébergements sont concentrés autour de Fraser Rd et Station Rd. Il faut ajouter une taxe de 5% aux tarifs inférieurs à 1 000 Rs, et 10% au-delà.

PETITS BUDGETS

Hotel Kautilya Vihar (☎ 2225411 ; bstdc@sancharnet.in ; Birchand Patel Path ; dort 100 Rs, d 600-1 000 Rs, avec clim 800-1 200 Rs ; ❄). Un vaste hôtel des services touristiques de l'État (BSTDC) aux chambres spacieuses et propres, qui mériteraient d'être repeintes. Il manque de cachet, mais offre un restaurant, un bar et un personnel diligent. Les dortoirs de 6 lits sont exigus.

New Amar Hotel (☎ 2224157 ; s/d 260/400 Rs). Arborant une façade verte au bout d'une ruelle donnant sur Fraser Rd, c'est le meilleur des hôtels bon marché (certains ne reçoivent pas les étrangers à cause de la paperasserie). Chambres sans fioritures, avec ventil ; pas d'eau chaude.

Les trois bons hôtels suivants, installés côte à côte dans Station Rd, louent des chambres similaires (style, meubles et tarifs). Tous proposent un accueil 24h/24, un ascenseur et un service en chambre, à défaut de restaurant.

Hotel Magadh (☎ 2321278 ; s/d 550/700 Rs, avec clim 800/995 Rs ; ❄). Bon rapport qualité/prix pour les chambres sans clim.

Hotel Ambassador (☎ 2321903 ; s/d 550/700 Rs, avec clim 800/1 050 Rs ; ❄). Simples exigus mais confortables ; très bonnes doubles climatisées avec moquette propre.

Hotel Maharaja Inn (☎ 2321292 ; s/d 550/700 Rs, avec clim 950/1 050 Rs ; ❄). Toilettes à la turque dans certaines sdb.

CATÉGORIES MOYENNE ET SUPÉRIEURE

Garden Court Club (☎ 3202279 ; www.gardencourtclub.com ; SP Verma Rd ; s/d 400/500 Rs, avec clim à partir de 700/900 Rs ; ❄). Prenez l'ascenseur dans un petit centre commercial pour rejoindre ces 13 chambres douillettes, toutes différentes (certaines ont une vue, d'autres des toilettes à la turque ; il y a la clim dans 11 d'entre elles) ; les deluxe sans moquette sont les meilleures. Une jolie "forêt" entoure le restaurant extérieur sur le toit.

Hotel President (☎ 2209203 ; s/d à partir de 450/500 Rs, avec clim 750/900 Rs ; ❄). Cet hôtel familial jouit d'un emplacement relativement calme, non loin de Fraser Rd et près du Patna Museum. Chambres simples et propres (TV et seau d'eau chaude) à prix raisonnable ; essayez la n°103.

♥ **Hotel Windsor** (☎ 2203250 ; www.hotelwindsor-patna.com ; Exhibition Rd ; s/d/ste 1 000/1 200/1 500 Rs ; ❄ 💻). La meilleure adresse de la catégorie moyenne : chambres bien conçues, sdb impeccables, service prompt et agréable, restaurant et connexion Internet. Il ne manque qu'un bar.

Hotel Maurya Patna (☎ 2203040 ; www.maurya.com ; South Gandhi Maidan ; s/d à partir de 4 500/5 000 Rs ; ❄ 💻 🏊 📶). Un bon hôtel d'affaires de Patna grâce à ses excellents équipements et à son cadre luxueux. Belle piscine dans le vaste jardin (350 Rs pour les non-résidents), deux bons restaurants et un bar. Chambres meublées avec goût, climatisées et équipées du Wi-Fi.

Où se restaurer et prendre un verre

La bouillonnante Fraser Rd, principale artère commerçante de la ville, est bordée de restaurants et de bars.

Basant Vihar (Fraser Rd ; plats 30-70 Rs). Rien ne vaut un délicieux *dosa* (crêpe à la farine de lentilles) au déjeuner. Dirigez-vous vers le restaurant du 1er étage et non vers celui du rez-de-chaussée.

Hotel Rajasthan (Fraser Rd ; glaces 35-115 Rs, plats 50-105 Rs). Les enfants attirent leurs parents ici pour savourer 16 sortes de glaces et des sundaes simple/double/triple. Bonne cuisine d'Inde du Nord ; goûtez à la soupe aux amandes.

Mamta Bar and Restaurant (angle Fraser Rd et Dak Bungalow Rd ; plats 50-120 Rs). Une adresse agréable pour boire un verre et manger. Cuisine et service hors pair.

Bellpepper Restaurant (Hotel Windsor, Exhibition Rd ; plats 55-220 Rs ; 🕑 12h-15h30 et 19h-23h ; ❄). Un restaurant moderne et confortable prisé pour ses tandooris. Le *murg tikka lababdar* (poulet tandoori avec ail, gingembre, piments verts et pâte aux pistaches et noix de cajou) est divin. Également sur la carte : plats afghans et *biryani* hyderabadi. Pas d'alcool.

L'Hotel Chanakya, dans Birchand Patel Path, possède deux bons restaurants. Au rez-de-chaussée, le **Samarat** (plats 130-225 Rs ; 12h-23h ;) est une table familiale qui sert une cuisine variée. À l'étage, le **Takshila** (plats 125-375 Rs ; 12h-15h30 et 19h30-23h ;) rappelle l'atmosphère de la frontière du Nord-Ouest avec ses briques apparentes et ses meubles solides. Spécialités mughlaies, afghanes et tandoories riches en viande. Les végétariens essaieront le *Diwan-i-Handi*, un *masala* de légumes variés onctueux, accompagné de *naan* au beurre (une demi-portion suffit). Vous pouvez commander de la bière au Madera Bar, ou boire une Kingfisher fraîche sur place, avec des *pappad* et un *masala* de cacahuètes.

Achats

Ajanta (Hotel Satka Arcade, Fraser Rd ; 10h30-20h tlj sauf dim). Un choix de peintures *mithila* (voir ci-dessous) inégalé à Patna. Bien que le propriétaire expose surtout des bronzes, il possède aussi de nombreuses toiles non montées (à partir de 300 Rs).

Depuis/vers Patna

AVION

Air India (☎2222554 ; Gandhi Maidan) et **Jet Airways** (☎3298224 ; aéroport de Patna) desservent quotidiennement Delhi, à partir de 4 425 Rs et 5 496 Rs respectivement. **Kingfisher Red** (☎18002093030 ; aéroport de Patna) relie tous les jours Delhi (à partir de 4 584 Rs) et Kolkata (à partir de 4 232 Rs).

BUS

La nouvelle gare routière de Mithapur occupe un vaste terrain poussiéreux, à environ 1 km au sud de la gare ferroviaire. Des bus partent pour Gaya (50 Rs, 3 heures, toutes les heures), Ranchi (182 Rs, 8 heures, 21h) et Raxaul (110 Rs, 8 heures, 9h15 et 21h30).

De la gare routière de Gandhi Maidan, des bus d'État vont à Ranchi (184 Rs, 10 heures, 6h, 7h, 19h30, 21h, 21h30 et 22h) et Raxaul (114 Rs, 8 heures, 22h).

TRAIN

Le désordre règne dans la gare de Patna Junction, mais il y a un **comptoir pour les touristes étrangers** (guichet n°7 ; 8h-20h) dans le bureau des réservations, à l'étage, dans l'aile droite de la gare.

Des trains rejoignent la gare de Howrah à Kolkata (sleeper/3AC/2AC 173/485/673 Rs, 8-13 heures, 4/j), Delhi (sleeper/3AC/2AC 301/845/1 174 Rs, 12-28 heures, 10/j) et New Jalpaiguri/Siliguri – pour Darjeeling et le Sikkim – (sleeper/3AC/2AC 203/569/791 Rs, 10-14 heures, 3/j).

Il existe un ou plusieurs services quotidiens pour Varanasi (2e classe/sleeper/3AC 59/102/285 Rs, 5 heures, 11h50), Gaya (sleeper/chair 54/122 Rs, 2 heures 30, 11h40 et 21h25) et Ranchi (sleeper/chair/3A/2A 160/350/450/626 Rs, 10-12 heures, 11h40, 15h30 et 21h15).

VOITURE

Louer une voiture avec chauffeur est pratique pour des excursions à la journée au départ de Patna. La plupart des hôtels et l'office du tourisme du BSTDC (p. 580) organisent ce service à partir de 6,5 Rs/km (minimum 200 km). Prévoyez de partir tôt, car peu de conducteurs circulent de nuit.

L'agence de voyages **TCI** (☎2221699 ; www.tcindia.com ; Hotel Maurya Patna, South Gandhi Maidan ; 9h30-18h tlj sauf dim) loue des voitures. Les tarifs pour un usage local s'élèvent à 370/670/870 Rs pour 4/8/12 heures ; pour les longues distances, comptez un minimum de 6,5 Rs/km et 225 Rs/jour.

PEINTURES MITHILA

La peinture *mithila* (ou *madhubani*) est le plus célèbre et le plus original des arts populaires du Bihar. Traditionnellement, les femmes de Madhubani et des villages environnants commençaient, le premier jour de leur mariage, à orner de dessins les murs de leur demeure. À l'aide de pigments naturels (épices, charbon de bois, matières minérales et végétales), elles représentaient des divinités locales et des scènes mythologiques, auxquelles elles mêlaient des événements particuliers et certains aspects de la vie courante.

Ces peintures, qui marient le noir, le blanc et les tons vifs des couleurs primaires, sont désormais exécutées par des professionnels, sur papier, toile ou tissu, puis vendues. Il est possible d'admirer des peintures originales dans certaines maisons des environs de Madhubani, à 160 km au nord-est de Patna.

Comment circuler

L'aéroport se trouve à 7 km à l'ouest du centre-ville. Comptez 80 Rs en auto-rickshaw et 200 Rs en taxi prépayé pour relier les deux.

Des auto-rickshaws font la navette entre la gare ferroviaire et la gare routière de Gandhi Maidan (5 Rs). Pour les courts trajets, le rickshaw est le meilleur moyen de transport.

ENVIRONS DE PATNA

Les sites de Vaishali étant très dispersés et les transports vers Vaishali et Kesariya sporadiques, il vaut mieux louer une voiture avec chauffeur (voir p. 583) pour la journée complète.

Vaishali

☎ 06225

La plupart des sites de Vaishali entourent un vaste réservoir. La silhouette moderne et étincelante de la **Japanese Peace Pagoda** (pagode de la Paix japonaise) se détache sur l'horizon. Juste en face, un petit **musée** (☎229404 ; 2 Rs ; 10h-17h tlj sauf ven) présente une collection de personnages en argile et en terre cuite, ainsi qu'une étonnante cuvette de toilettes (Ier-IIe siècle). Tout près s'étendent les vestiges du rez-de-chaussée d'un **stupa** qui abrita les cendres du Bouddha, aujourd'hui exposées au Patna Museum (p. 581).

Mahavira, 24e et dernier *tirthankar* (maître) jaïn, est né à 3 km de là. Une pierre gravée indique l'endroit sur une parcelle plantée de fleurs. Un impressionnant temple jaïn est en construction juste à côté.

Encore 3 km plus loin, les ruines du **Kolhua Complex** (Indiens/étrangers 5/100 Rs ; 7h-17h) comprennent un stupa en brique hémisphérique gardé par un fier lion, installé au sommet d'une colonne d'Ashoka datant de 2 300 ans. Le pilier ne porte aucun des édits d'Ashoka habituellement gravés sur les colonnes. D'autres ruines de stupas plus modestes et de bâtiments monastiques s'étendent autour. Selon la légende, le Bouddha aurait reçu ici un bol de miel des mains de singes, qui auraient aussi creusé un réservoir pour lui offrir de l'eau de pluie.

Dans un endroit paisible donnant sur le réservoir, l'**Hotel Amrapali Vihar** (☎ 9431441655 ; ch 350 Rs), géré par le BSTDC, dispose de chambres rudimentaires (pas d'eau chaude et toilettes à la turque). C'est le seul hôtel des environs ; réservez en haute saison.

Kesariya

Dressé à l'endroit où le Bouddha à l'agonie aurait fait don de son bol à aumône, ce **stupa** (24h/24) offre un exemple saisissant de la manière dont la nature peut s'emparer d'un monument abandonné. En partie extirpé de son rideau de verdure et de branchages, l'édifice serait le deuxième plus grand (38 m de hauteur) stupa bouddhique (de la période Pala) du monde. Le piédestal d'une circonférence de 425 m porte cinq terrasses aux formes exceptionnelles qui composent un gigantesque mandala tantrique. Chaque terrasse comporte plusieurs niches abritant des statues du Bouddha, décapitées par les envahisseurs musulmans.

Sonepur

☎ 06654

Selon la légende de la Gajendra Moksha, c'est à Sonepur que Vishnu aurait mis un terme au conflit entre les seigneurs de la forêt (les éléphants) et les seigneurs des eaux (les crocodiles). Tous les ans en novembre-décembre, à la pleine lune de Kartik Purnima, la fête de **Sonepur Mela** (p. 580)

TRAVERSER LA FRONTIÈRE INDE-NÉPAL

Heures d'ouverture de la frontière

La frontière est ouverte de 6h à 22h.

Change de devises

Aucune banque ne change les devises à Raxaul, mais il existe de nombreux agents de change privés de chaque côté de la frontière. La State Bank of India de Raxaul possède un DAB.

Transports

Prenez un rickshaw, un auto-rickshaw ou un *tonga* (carriole à deux roues tirée par un cheval ou un poney) de la gare routière ou ferroviaire de Raxaul jusqu'à Birganj, 5 km plus loin. De Birganj, vous trouverez des bus de jour/de nuit réguliers vers Katmandou (225/280 Rs, 8 heures) et Pokhara (225/270 Rs, 7 heures).

Visas

Les visas népalais (40 $US et deux photos d'identité) sont délivrés de 6h à 18h uniquement, du côté népalais.

commémore, trois semaines durant, cette légende. Pendant cette période propice, les dévots se baignent dans le Gange, au confluent de la Gandak et de la Mehi, tandis que se tient au Haathi Bazaar, non loin de là, la plus grande foire aux bestiaux d'Asie. On y vend des bovins, mais aussi des chameaux, des oiseaux et sans doute aussi un ou deux éléphants (même si leur vente est illégale). Mark Shand y a trouvé Tara, la vedette de son livre *Voyages sur mon éléphant* ; l'éléphant vit désormais au Kipling Lodge du Kanha National Park (p. 709).

Pendant la foire, le BSTDC de Patna installe des refuges temporaires en chaume, appelés **Swiss Cottages** (☎ 2225411 ; d 2 000 Rs), dotés de lits jumeaux et d'une sdb alimentée en eau.

Sonepur se situe à 25 km au nord de Patna, de l'autre côté du pont Mahatma Gandhi Setu. Un auto-rickshaw direct pour Sonepur devrait coûter environ 250 Rs.

Maner

À 30 km à l'ouest de Patna, ne manquez pas le **Chhoti Dargah** (🕑 24h/24), un mausolée de trois étages à l'architecture élégante devant lequel s'étend un large réservoir. Le vénérable saint musulman Makhdum Shah Daulat y fut enterré en 1619 dans un tombeau couvert. Il est bénéfique de reposer près d'un saint ; aussi, plusieurs tombes recouvertes de tissu ont été creusées devant le mausolée. Le grand bassin est un lieu de baignade apprécié des enfants et ses marches servent à la lessive.

Maner est réputé pour ses confiseries. Arrêtez-vous au retour pour un *chai* et un *ladoo* (bonbon jaune à base de farine et de sucre) ou un *jalebi* (beignet rond).

RAXAUL

☎ 06255 / 41 347 habitants

Raxaul est une ville frontalière sinistre, sale et surpeuplée. C'est par ici, et par sa jumelle népalaise, Birganj, que transitent la plupart des produits à destination du Népal. C'est pourquoi la route de Raxaul, parcourue par des millions de camions lourdement chargés, n'est plus qu'une piste de terre. En d'autres termes, ce n'est pas un endroit où l'on a envie de s'attarder. Ceux qui devront rester une nuit opteront pour l'**Hotel Kaveri** (☎ 221148 ; Main Rd ; d à partir de 300 Rs), qui possède les chambres les plus propres de la ville.

La gare routière de Karai Tala se situe à 200 m en bas d'une route transversale qui part vers l'ouest, à 2 km au sud de la frontière. Il existe trois services de nuit pour Patna (110 Rs, 6 heures, 21h). Le *Mithila Express* relie quotidiennement Kolkata (train n°3022, SL/3AC/2AC 210/591/821 Rs, 18 heures, 10h).

GAYA

☎ 0631 / 383 197 habitants

Gaya, lieu de pèlerinage hindouiste, est une ville bruyante située à une centaine de kilomètres au sud de Patna. Elle présente peu d'intérêt pour les visiteurs, mais constitue un point de transit sur le chemin (ou au retour) de Bodhgaya, située à 13 km de là. Les pèlerins viennent pour déposer des *pinda* (gâteaux funéraires) sur les ghats au bord du fleuve. Ils accomplissent également le long circuit des lieux saints de la ville pour délivrer leurs ancêtres de leurs attaches terrestres.

Renseignements

L'**office du tourisme du Bihar** (☎ 2155420 ; 🕑 10h-20h tlj sauf dim) et un DAB de la State Bank of India sont implantés dans la gare ferroviaire. Vous trouverez un DAB de l'ICICI Bank à côté de l'Hotel Heritage Inn. Le service de change le plus proche se trouve à Bodhgaya. Plusieurs **cybercafés** (30 Rs/h) jalonnent Swarajayapur Rd.

À voir et à faire

Proche de la Falgu, au sud de la ville, le **Vishnupad Temple**, coiffé d'un *sikhara* (flèche), fut érigé en 1787 par la reine Ahilyabai de Maheshwar au Madhya Pradesh. Il abrite une roche marquée de l'empreinte supposée (longue de 40 cm) du pied de Vishnu. Les non-hindous ne sont pas admis, mais il est possible de voir le temple depuis la plate-forme rose près de l'entrée. Le long des ghats, au bord du fleuve, les hindous se baignent et allument des bûchers funéraires ; sachez vous montrer discret. Sans doute serez-vous abordé par des pandits proposant des prières (500 Rs) pour vos proches disparus.

À 1 km au sud-ouest du Vishnupad Temple, 1 000 marches de pierre conduisent au faîte de la **Brahmajuni Hill**, où le Bouddha aurait prêché le sermon du feu.

Où se loger et se restaurer

Si vous arrivez tard ou partez tôt, il est plus commode de loger ici qu'à Bodhgaya.

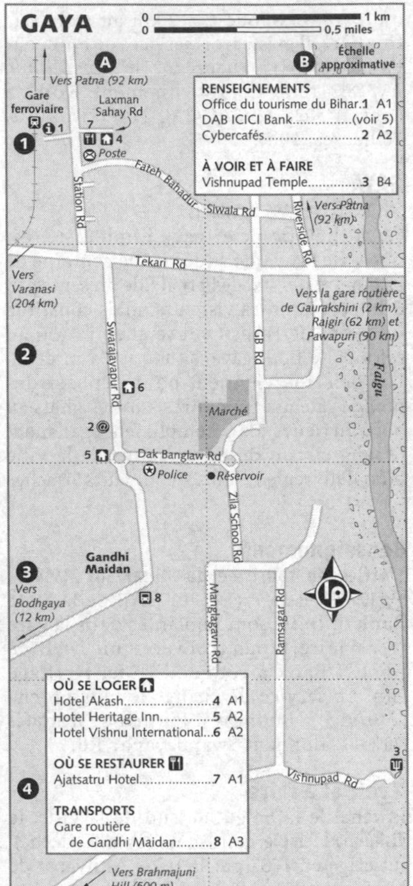

Hotel Akash (☎ 2222205 ; Laxman Sahay Rd ; s/d 200/250 Rs). La meilleure option pour petits budgets. La façade en bois turquoise ouvre sur une cour intérieure entourée de chambres basiques et propres (TV). Agréable terrasse en plein air à l'étage. Rafraîchisseur d'air en sus (150 Rs).

Hotel Vishnu International (☎ 2431146 ; Swarajayapur Rd ; s 300 Rs, d 400-700 Rs, avec clim 1 000 Rs ;). Avec sa façade de château, cet hôtel offre le meilleur rapport qualité/prix de Gaya. Chambres nettes et bien tenues, la plupart avec TV (seau d'eau chaude 10 Rs).

Hotel Heritage Inn (☎ 2431009 ; Swarajayapur Rd ; ch 600 Rs, avec clim 1 200-1 500 Rs). Au croisement avec Dak Bungalow Rd, cet endroit convivial propose un choix de chambres propres. Seules les plus onéreuses ont un drap de dessus et certaines des moins chères n'ont pas de fenêtre sur l'extérieur.

Ajatsatru Hotel (Station Rd ; plats 35-70 Rs). Le restaurant international de cet hôtel est agréable pour manger un morceau en attendant le train.

Depuis/vers Gaya

Les bus pour Patna (50 Rs, 3 heures, toutes les heures) et Ranchi (101 Rs, 7 heures, toutes les heures) partent de la gare routière de Gandhi Maidan. Certains bus pour Patna circulent depuis une gare proche de la gare ferroviaire. Vous trouverez ceux pour Rajgir (40 Rs, 2 heures 30, toutes les 30 min) à la gare routière de Gaurakshini, sur l'autre rive.

Gaya se trouvant sur la ligne Delhi-Kolkata, des trains rallient régulièrement Delhi (sleeper/3AC/2AC 329/924/1 284 Rs, 12-13 heures) et Kolkata (sleeper/3AC/2AC 176/493/685 Rs, 8 heures), et, une fois par jour, Varanasi (sleeper 102/310 Rs, 4 heures, 4h15). D'autres desservent Patna (sleeper/chair 54/122 Rs, 2 heures 30, 4/j). Une liaison Gaya-Goa devrait bientôt voir le jour.

La course en auto-rickshaw pour Bodhgaya peut habituellement se négocier à 80 Rs.

SASARAM

Si vous circulez en voiture de Gaya à Varanasi, n'hésitez pas à faire un détour par le **mausolée de Sher Shah** (Indiens/étrangers 5/100 Rs ; aube-crépuscule). Ce tombeau qui semble flotter au milieu d'un vaste réservoir est celui de l'empereur Sher Shah (p. 42), qui joua un rôle important dans l'histoire du pays. Le musée d'une incroyable sobriété architecturale doit sa beauté à ses proportions très esthétiques, de la coupole à la rangée de *chhatri* (pavillons ou dais soutenus par des piliers) et au piédestal massif. D'un style similaire à celui du tombeau d'Isa Khan à Delhi (p. 129), il comporte encore des vestiges de carreaux perses bleu foncé. Le mausolée abrite la tombe de Sher Shah, de son fils et de leur famille. À 200 m de là se dresse le tombeau plus modeste d'Hasan Shah, le père de Sher Shah.

BODHGAYA

☎ 0631 / 30 883 habitants

Les pèlerins bouddhistes du monde entier affluent vers le grand centre spirituel que constitue cette ville sereine pour prier, étudier

et méditer. C'est ici, il y a 2 600 ans, que le prince Siddhartha Gautama atteignit l'Éveil sous l'arbre de la Bodhi et devint le Bouddha. Un joli temple s'élève sur le site et un arbre de la Bodhi est enraciné dans le même sol que son illustre "ancêtre".

Des monastères et des temples, bâtis dans leur style national par des communautés bouddhistes de divers pays, sont éparpillés dans les bucoliques environs. Naturellement, Bodhgaya possède le meilleur choix d'hôtels et de restaurants du Bihar, ainsi que les habituels étals de souvenirs à destination des touristes.

La période d'octobre à mars est idéale pour une visite ; les pèlerins tibétains viennent alors en nombre de McLeod Ganj (Dharamsala). Le dalaï-lama se rend souvent à Bodhgaya en décembre-janvier. La haute saison va de mi-novembre à février.

Renseignements

ACCÈS INTERNET

Magadh Internet Dhaba (Bodhgaya Rd ; 40Rs/h ; 🕑 8h-21h)

Vishnu Cyber Cafe (Bodhgaya Rd ; 30Rs/h ; 🕑 8h-21h30)

AGENCE DE VOYAGES

Middle Way Travels (☎ 2200648 ; Bodhgaya Rd ; 🕑 9h-22h). Le succès est attesté quand d'autres enseignes ouvrent sous un nom similaire, mais la bonne adresse est celle-ci. Située presque en face de l'entrée du temple, l'agence change les devises et les chèques de voyage, vend ou échange des livres, effectue des réservations et s'occupe de location de voitures.

ARGENT

State Bank of India (☎ 2200852 ; Bodhgaya Rd). Les meilleurs taux de la ville pour les espèces et les chèques de voyage. DAB.

LIBRAIRIES

Kundan Bazaar (Bodhgaya Rd ; www.kundanbazar.com ; 🕑 7h30-22h). Romans et ouvrages sur le bouddhisme. Échange et emprunt de livres.

Mahabodhi Bookshop (Mahabodhi Temple ; 🕑 5h-21h). Dans l'entrée du temple ; livres sur le bouddhisme.

OFFICE DU TOURISME

Complexe touristique du BSTDC (☎ 2200672 ; angle Bodhgaya Rd et Temple St ; 🕑 10h30-17h mar-sam). Guère plus que quelques brochures poussiéreuses.

POSTE

Poste centrale (☎ 2200472 ; angle Bodhgaya Rd et Godam Rd)

SERVICES MÉDICAUX

Verma Health Care Centre (☎ 2201101 ; 🕒 24h/24). Urgences et clinique.

À voir et à faire

MAHABODHI TEMPLE

Centre spirituel de Bodhgaya, le magnifique **temple Mahabodhi** (entrée libre, appareil photo/caméra 20/500 Rs ; 🕒 5h-21h) est inscrit au patrimoine mondial. C'est là que le Bouddha atteignit l'Éveil et délivra son enseignement.

Surmonté d'une flèche pyramidale de 50 m de haut, l'édifice, richement orné, abrite une représentation dorée du Bouddha assis. Autour du temple, quatre balustrades en pierre sculptée de l'époque des Sunga (184-72 av. J.-C.) ont, par miracle, survécu aux outrages du temps et aux restaurations successives.

L'**arbre de la Bodhi** originel fut détruit par l'épouse d'Ashoka, jalouse de l'intérêt que son mari portait à l'arbre. Par chance, la fille de celui-ci, Sanghamitta, avait auparavant prélevé un rejet qu'elle avait emporté et planté à Anuradhapura, à Sri Lanka. C'est de ce dernier que provient l'arbre réintroduit à Bodhgaya, là où son "ancêtre" se tenait jadis. La plaque de grès rouge placée entre l'arbre et le temple par Ashoka marque le lieu où le Bouddha atteignit l'Éveil. On l'appelle habituellement Vajrasan (trône du Diamant).

Pèlerins et visiteurs de tous horizons et confessions viennent se recueillir ou simplement profiter de l'atmosphère sacrée du site. Une excellente manière de débuter ou d'achever la journée consiste à se promener autour du temple, en regardant l'océan de bures bordeaux et jaune onduler au rythme des interminables prosternations des moines.

MONASTÈRES ET TEMPLES

Les différents monastères donnent une occasion unique d'aborder les cultures bouddhistes dans toute leur diversité et de comparer les styles architecturaux. L'**Indosan Nipponji Temple** (🕒 5h-12h et 14h-18h), par exemple, est un chef-d'œuvre de dépouillement japonais comparé à son voisin richement orné du **Bhoutan**. Le plus impressionnant est le **monastère thaï**, un *wat* aux couleurs vives et dorures étincelantes, installé dans un jardin bien entretenu. Des séances de méditation s'y déroulent en matinée. Le **Karma Temple** et le **monastère de Namgyal** tibétains renferment de grandes roues de prière, et le tout nouveau **monastère de Tergar** du Karmapa (secte des Bonnets noirs) est un hymne aux arts décoratifs du Tibet. Les monastères **chinois**, **birman**, **vietnamien** et **népalais** justifient également un détour. Les monastères sont ouverts du lever au coucher du soleil.

AUTRES SITES

Une **grande statue du Bouddha** (🕒 7h-12h et 14h-17h) haute de 25 m se dresse au milieu d'un agréable jardin, au bout de Temple St. Inaugurée par le dalaï-lama en 1989, elle est entourée de 10 sculptures plus petites de ses disciples. La statue, partiellement creuse, contiendrait quelque 20 000 bouddhas en bronze.

Le **musée d'Archéologie** (☎ 2200739 ; 2 Rs ; 🕒 10h-17h tlj sauf ven) renferme une petite collection de sculptures du Bouddha et s'enorgueillit de posséder une partie de la balustrade et des piliers d'origine du Mahabodhi Temple.

Cours

Très appréciées, les sessions de 10 jours d'initiation à la méditation du **Root Institute for Wisdom Culture** (☎ 2200714 ; www.rootinstitute.com ; 🕒 bureau 8h30-11h30 et 13h30-16h30), de fin octobre à mars, sont adaptées aux débutants. Les 7 020 Rs demandées couvrent le prix des cours, de l'hébergement et des repas. Des cours de niveau intermédiaire sont organisés de décembre à février. La session de méditation de 6h45 (45 minutes) est ouverte à tous et, moyennant un don, les visiteurs peuvent rester pour le petit-déjeuner. Informations complémentaires sur le site Internet.

Le **Bodhgaya Vipassana Meditation Centre** (Dhamma Bodhi ; ☎ 220437 ; www.dhamma.org) propose des sessions intensives de 10 jours 2 fois/mois, toute l'année. Ce petit centre de méditation est installé à 4 km à l'ouest de la ville, et ne fonctionne que grâce aux dons.

Les cours dispensés à l'**International Meditation Centre** (☎ 2200707 ; 100 Rs/j) sont plus souples. Le centre accueille des participants toute l'année, aux dates et pour la période de leur choix.

Le **monastère de Tergar** (☎ 2201256 ; www.tergar.org) propose divers cours sur le bouddhisme tibétain et accueille des professeurs d'anglais bénévoles (et qualifiés) pour de longues durées.

CHOISIR LA BONNE ORGANISATION CARITATIVE

Le centre du Bihar est l'une des régions les plus pauvres de l'Inde. Avec l'afflux de voyageurs et de pèlerins, Bodhgaya accueille nombre d'organisations caritatives et d'écoles dépendant des dons et des bénévoles. Certaines d'entre elles sont fondées par des gens malhonnêtes, désireux d'escroquer les touristes. Méfiez-vous des personnes qui vous approchent dans la rue à la recherche de dons, et notamment des enfants qui assiègent les voyageurs et demandent de l'argent pour n'importe quoi, des livres scolaires à la nouvelle batte de cricket. Ces enfants peuvent parler plusieurs langues mais sont le plus souvent analphabètes. Les véritables organisations caritatives conseillent de ne jamais leur donner d'argent directement. Si vous souhaitez les aider, faites des dons aux organismes officiels ou engagez-vous dans le bénévolat. Les organisations suivantes agissent localement :

- **Maitreya School** (☎ 2200620 ; www.maitreyaeducation.org). L'un des principaux projets éducatifs de Bodhgaya. Plus de 500 élèves suivent les cours du jour et du soir. Outre l'éducation, l'école fournit gratuitement uniformes, livres, repas et soins. Vous pouvez parrainer un enfant pour un an (240 $US).
- **Niranjana Public Welfare School** (☎ 9934057511 ; www.npws.org). Cette école, qui dispense un enseignement à 270 enfants, gère aussi un orphelinat dans le village de Sujata. Dons, mécénat et bénévolat bienvenus. Contactez le curateur, Siddhartha Kumar.
- **Prajna Vihar School**. Des bénévoles sont parfois demandés dans cette école de village à but non lucratif, au sud du Mahabodhi Temple. Pour toute information, contactez le **vihara birman** (☎ 2200721).
- **Root Institute for Wisdom Culture** (☎ 2200714 ; www.rootinstitute.com). Ce centre de méditation bouddhiste (voir p. 588) gère depuis longtemps un programme de santé caritatif et fournit des soins gratuits aux villageois, grâce à l'hôpital et à la clinique mobile. Les visiteurs peuvent passer pour voir son fonctionnement. Des bénévoles expérimentés (infirmières, kinésithérapeutes, etc.) sont parfois requis pour former des professionnels de santé locaux. Consultez la page bénévolat du site Internet.
- **Samanvay Ashram** (☎ 09934463202 ; samanvayashram@hotmail.com). Cet ashram gandhien est géré depuis de longues années par Dwarko Sundrani. Il aide les enfants défavorisés en leur offrant une éducation, des vêtements et des médicaments. Il pratique aussi désormais des opérations gratuites des yeux. Les bénévoles sont les bienvenus pour aider mais aussi pour apprendre.
- **Sujata Children's Welfare Foundation** (☎ 9934145989, 9431207949 ; www.sujatachildren.dk). Sujata aide les orphelins et les enfants démunis en leur fournissant une éducation, des vêtements et des soins gratuits. Vous pouvez parrainer un enfant sur le site Internet de l'organisation, ou participer à l'enseignement (si vous avez les qualifications requises) ou à des constructions dans le village de Sujata, près de Bodhgaya.

D'autres cours sont parfois annoncés dans les restaurants locaux et au *vihara* birman.

Où se loger

Les tarifs ci-dessous sont appliqués de novembre à mars et peuvent chuter de 50% hors saison si vous négociez.

PETITS BUDGETS

Mohammad's House (☎ 9934022691, 9431085251 ; s/d mars-sept à partir de 100/150 Rs, oct-fév à partir de 200/300 Rs). Une merveilleuse occasion de vivre dans un village. Chambres sommaires mais appréciées des visiteurs en long séjour. Mohammad est une mine d'informations et de conseils. Le toit-terrasse offre de superbes vues sur les rizières, le crépuscule et les monastères. Cuisine ouverte aux résidents de novembre à février.

Plusieurs pensions donnent sur le Kalachakra Maidan. À la **Rahul Guest House** (☎ 2200709 ; s/d 150/250 Rs), les jolies chambres de l'étage, blanchies à la chaux et meublées sobrement, sont meilleures que celles du rez-de-chaussée. La **Shanti Guest House** (☎ 2200129 ; www.shanti-guesthouse.com ; s/d à partir de 200/250 Rs, avec clim 450/650 Rs ;) loue des chambres similaires, avec sdb commune pour les moins chères.

Si vous êtes prêt à respecter quelques règles simples, vous pouvez loger dans certains monastères. Le **monastère bhoutanais** (☎ 2200710 ; Buddha Rd ; d 250 Rs, avec sdb 300 Rs) offre un cadre paisible et coloré, avec un jardin et de grandes chambres. Le **Karma Temple** (☎ 2200795 ; Temple St ; d avec sdb commune 250 Rs) tibétain est assez similaire. Le **vihara birman** (☎ 2200721, 06112-696464 ; Bodhgaya Rd ; ch 50 Rs) est prisé des étrangers ; séjour maximum de trois jours, à moins de suivre des études sur le *dharma*.

CATÉGORIE MOYENNE

Hotel Siddartha (☎ 2200127 ; Bodhgaya Rd ; d 400 Rs, avec clim 600 Rs). Le meilleur hôtel du BSTDC, même s'il est un peu austère. Les chambres occupent un bâtiment circulaire dominant un paisible jardin.

Kirti Guest House (☎ 2200744 ; kirtihouse744@yahoo.com ; Bodhgaya Rd ; s/d 800/1 100 Rs). L'une des meilleures adresses de la catégorie, tenue par le monastère tibétain. Chambres propres et claires, derrière une façade monacale. Préférez celles sur l'avant, ouvrant sur le balcon. TV et eau chaude dans chacune.

Hotel Embassy (☎ 2200711 ; embassyhotelbodhgaya@yahoo.com ; Bodhgaya Rd ; s/d 1 050/1 350 Rs, avec clim 1 200/1 500 Rs ; ❄). Un hôtel central ordinaire, un peu suranné et défraîchi. Chambres avec TV et eau chaude. Direction accueillante. Les prix baissent de février à octobre.

Hotel Tathagat International (☎ 2200106 ; www.hoteltathagatbodhgaya.net ; Bodhgaya Rd ; s/d 1 400/1 700 Rs, avec clim 1 700/2 000 Rs ; ❄). Cet établissement bien géré loue des chambres simples et propres, à l'ameublement conventionnel. Balcon dans certaines ; TV et eau chaude dans toutes. Évitez celles du côté du Mahabodhi Temple, situées au-dessus du groupe électrogène.

CATÉGORIE SUPÉRIEURE

Hotel Sujata (☎ 2200761 ; www.hotelsujata.com ; Buddha Rd ; s/d/ste 3 200/3 600/4 800 Rs ; ❄ 💻). Des chambres aux lits douillets, spacieuses et chics, l'excellent restaurant et les *o-furo* (bains collectifs japonais ; réservés aux groupes de 10 pers minimum) font de cet hôtel, face au monastère thaï, la meilleure adresse de la catégorie.

Royal Residency (☎ 2200124 ; www.theroyalresidency.net/bodhgaya ; Bodhgaya Rd ; s/d/tr/ste 6 000/6 500/7 500/8 500 Rs ; ❄ 💻). L'établissement le plus luxueux de Bodhgaya est installé au calme, à 1,5 km à l'ouest du centre. Belles boiseries, marbre, jardin agréable et chambres confortables, très onéreuses.

Où se restaurer et prendre un verre

Pendant la haute saison, lorsque les pèlerins tibétains affluent à Bodhgaya, des restaurants sous tente s'installent temporairement près du Tibetan Refugee Market (marché des réfugiés tibétains) pour servir des plats tibétains et des douceurs.

Malheureusement, la qualité de la cuisine baisse dans certains établissements une fois qu'ils figurent dans nos guides ; méfiez-vous si une adresse annonce fièrement qu'elle est recommandée par Lonely Planet, alors qu'elle ne figure pas dans la liste qui suit.

Les deux premiers restaurants mentionnés ci-dessous sortent du lot.

Mohammad's Restaurant (Kalachakra Maidan ; plats 20-60 Rs). Un petit établissement sous tente derrière les lumières du Fujia Green. Il n'a rien de luxueux mais sert l'une des meilleures cuisines indiennes de la ville et attire une clientèle bien informée. Mohammad tient aussi un restaurant temporaire.

Tibetan Om Cafe (plats 20-60 Rs ; 🕐 7h-21h). Dans la cour ouest du monastère de Namgyal, les sympathiques propriétaires tibétains savent séduire les voyageurs : *momo* (raviolis), pancakes, pain complet, tartes et gâteaux. Cuisine délicieuse et bon marché, à savourer sans se presser. Pour 5 Rs, vous remplirez votre bouteille d'"eau filtrée bouillie". Une petite boutique vent des objets et des vêtements tibétains.

Gautam (Bodhgaya Rd ; plats 20-80 Rs). Face au vihara birman, une enseigne sommaire à moitié sous tente avec un jardin doté de tables. Carte classique pour les voyageurs et meilleurs pancakes à la banane de Bodhgaya.

Swagat Restaurant (Hotel Tathagat International, Bodhgaya Rd ; plats 50-150 Rs). Un très bon choix proposant une carte inventive de plats végétariens ou non : *mutton badam pasanda* (mouton farci aux amandes), poisson à la portugaise et *malai kofta* (boulettes de fromage frais à la sauce tomate épicée) crémeux.

Harri Om Cafe (plats 80-150 Rs). À l'extrémité nord du Kalachakra Maidan, c'est le seul endroit de Bodhgaya qui sert du vrai café. Bonnes pâtes et plats coréens. Profitez de l'attente pour tester le centre de massages.

Siam Thai (Bodhgaya Rd ; plats 80-400 Rs). Un nouveau restaurant qui sert des plats thaïs authentiques, présentés sur les murs, sous le regard énigmatique d'un gros Bouddha. Service chaleureux et efficace.

Le **Royal Residency** (Bodhgaya Rd ; plats 70-150 Rs) et l'**Hotel Sujata** (Buddha Rd ; plats 65-200 Rs) sont les restaurants chics de deux hôtels huppés de Bodhgaya. Ils sont les seuls autorisés à servir de l'alcool (bière 240 Rs).

Sont aussi recommandés :

Gautam Lassi Corner (Bodhgaya Rd). Face au Mahabodhi Temple, *lassi* onctueux et jus de fruits.

Sewak Tea Corner (en-cas 10-30 Rs). Au bout du parking des bus, douceurs indiennes, *thali*, *lassi* et *chai*.

Achats

Tibetan Refugee Market (⌚ 8h-20h oct-jan). Idéal pour faire le plein de laine ou d'autres étoffes, ce marché apporte un soutien aux réfugiés tibétains. Ailleurs, les étals de souvenirs ne manquent pas.

Depuis/vers Bodhgaya

Des auto-rickshaws collectifs (20 Rs) bondés et des bus occasionnels (5 Rs) vont à Gaya, à 13 km, depuis le vihara birman. Comptez 80 Rs en auto-rickshaw privé.

L'aéroport de Gaya est à 8 km à l'ouest de la ville. **Indian Airlines** (☎ 2201155 ; aéroport) assure une liaison par semaine avec Kolkata. En haute saison, il y a des vols internationaux directs depuis Bangkok (Thaïlande), Thimphu (Bhoutan) et Yangon (Myanmar).

TEMPLES DES GROTTES DE DUNGESHWARI

Les temples des grottes de Dungeshwari, où le Bouddha passa plusieurs années d'ascétisme avant de rejoindre Bodhgaya, se trouvent à 12 km au nord-est de la ville. Le site n'étant pas indiqué en anglais, il vaut mieux prendre un auto-rickshaw à Bodhgaya (200 Rs), qui vous conduira à un chemin goudronné au pied de la colline. Des hommes vendent des biscuits aux visiteurs pour qu'ils les donnent à une foule de jeunes mendiants.

RAJGIR

☎ 06112 / 33 691 habitants

L'ancienne capitale du Magadha, aujourd'hui Rajgir, est entourée de cinq collines rocheuses bordées de vestiges de murs cyclopéens. Le Bouddha et Mahivara y ayant séjourné un temps, Rajgir est devenue un important lieu de pèlerinage bouddhiste et jaïn. Sa mention dans le *Mahabharata* lui assure également un flot important de pèlerins hindous qui viennent se baigner dans les sources chaudes du Lakshmi Narayan Temple.

Pour les voyageurs, deux jours à explorer les nombreux monuments bouddhiques des environs de Rajgir et l'ancienne université de Nalanda (p. 592), à 12 km au sud, complètent parfaitement la visite de Bodhgaya, à 80 km de là.

Pendant trois jours, la fête de la ville, **Rajgir Mahotsava** (en octobre), met à l'honneur la musique et la danse, classiques et populaires, de l'Inde.

Renseignements

Le centre se trouve à 500 m à l'est de la route principale, où sont situées les gares routière et ferroviaire, ainsi que de nombreux hôtels. Un office du tourisme du BSTDC est installé dans l'Hotel Gautam Vihar, à 1 km au sud de la gare ferroviaire. Vous trouverez un **DAB de la State Bank of India** (Bank Rd) à 200 m à l'ouest de la gare routière.

À voir et à faire

Un peu branlant, un **télésiège** (aller-retour 30 Rs ; ⌚ 8h15-13h et 14h-17h) pour une personne monte au sommet de Ratnagiri Hill, à 5 km au sud de la ville, où se dresse l'immense **Vishwashanti Stupa** blanc (40 m). Des alcôves abritent des statues dorées du Bouddha aux quatre âges de la vie (naissance, éveil, prédication et mort). Une vue panoramique révèle quelques-uns des 26 sanctuaires jaïns qui émaillent les collines à l'horizon. En redescendant à pied, faites un détour par les vestiges d'un stupa et le **Griddhakuta** (sommet du Vautour), où le Bouddha prêchait devant ses disciples.

Divers sites dignes d'intérêt parsèment la ville : les ruines de l'ancienne cité, des grottes et des lieux associés à Ajatasatru et Bimbisara (voir encadré p. 592). Les pèlerins hindous viennent en nombre au très rose **Lakshmi Narayan Temple**, à 2 km environ au sud de la ville, pour profiter des propriétés curatives des sources chaudes. Brahmakund, la source la plus chaude, est à 45°C. Des prêtres vous feront la visite, vous aspergeront d'eau chaude et réclameront des dons généreux (100 à 200 Rs feront l'affaire).

Le meilleur moyen de visiter les sites éparpillés de Rajgir est de louer un *tonga* – une carriole à deux roues tirée par des chevaux. Comptez environ 400 Rs/demi-journée.

Où se loger et se restaurer

Hotel Gautam Vihar (☎ 255273 ; Nalanda Rd ; dort 75 Rs, d 450 Rs, avec clim 700 Rs ; ❄). Parmi les trois hôtels

AJATASATRU : CELUI DONT L'ENNEMI N'EST PAS NÉ

Selon la légende, au VIe siècle av. J.-C., le vieux souverain du royaume Magadha, Bimbisara, qui était sans héritier, convoqua un voyant. Ce dernier révéla qu'un vieil ermite, vivant dans de lointaines collines, féconderait l'épouse de Bimbisara, Vaidehi, de son esprit à l'instant de sa mort, qui ne devait survenir que trois ans plus tard. Bimbisara, impatient, fit tuer l'ermite sur-le-champ et Vaidehi se trouva enceinte.

Mais Bimbisara ne devait pas trop se réjouir. L'ermite, dans son dernier souffle, avait en effet lancé une malédiction sur le futur héritier. Mauvais présages et prophéties se multiplièrent, certains affirmant que le fils de Bimbisara tuerait son père pour prendre son trône. Bimbisara s'en inquiéta et nomma son fils Ajatasatru, ou "Celui dont l'ennemi n'est pas né".

Bimbisara aurait tenté à plusieurs reprises de faire disparaître Ajatasatru. Pourtant, celui-ci atteignit l'âge adulte, renversa son père et le laissa mourir de faim dans une geôle.

du Bihar Tourism (BSTDC), celui-ci est bien situé, entre les gares routière et ferroviaire. Chambres spacieuses et propres, avec fauteuils, TV et eau chaude.

Hotel Siddharth (☎ 255616 ; s/d 450/650 Rs, d avec clim 750 Rs ; ❄). Au sud des gares routière et ferroviaire, près des sources chaudes, il possède une jolie cour fermée, des chambres de taille correcte et un agréable restaurant.

Rajgir Residency (☎ 255404 ; www.rajgir-residency.com ; s/d 95/115 $US). Une option haut de gamme au luxe onéreux pour les groupes de touristes.

Centaur Hokke Hotel (☎ 255245 ; centaur@dte.vsnl.net.in ; s/d 6 000/6 500 Rs ; ❄ 💻). Entouré de jolis jardins, c'est l'hébergement le plus original du Bihar. La plupart des chambres sont meublées dans le style japonais (tatamis, meubles en teck et décoration orientale). Rien de tel qu'un bain japonais avant une méditation dans la haute salle de prière ronde.

Green Restaurant (plats 24-68 Rs). En face du temple et des sources chaudes, au sud, ce modeste restaurant sert l'une des meilleures cuisines indiennes de la ville.

Lotus Restaurant (repas 2-22 $US). Avec ses chaises aux dossiers hauts et ses longues tables, l'élégant restaurant du Centaur Hokke Hotel est moitié japonais, moitié indien. Carte japonaise avec nouilles *soba*, *teriyaki* et tempura ; produits frais et saveurs authentiques. Un repas inoubliable.

Célèbre pâtisserie vendue dans tout le Bihar, le *khaja* trouve son origine à Silao, un minuscule village situé au nord de Rajgir.

Comment s'y rendre et circuler

Des bus fréquents se rendent à Gaya (50 Rs, 2 heures 30) et Patna (70 Rs, 3 heures) depuis la gare routière située sur la route de Nalanda. Des Jeep collectives incroyablement bondées circulent entre Rajgir et Nalanda (12 Rs). Trois trains quotidiens relient Rajgir (SL/CC/3AC/2AC 30/122/158/218 Rs, 2 heures 30, 8h10, 14h50, 23h) à Patna.

ENVIRONS DE RAJGIR

Nalanda

☎ 061194

Fondée au Ve siècle av. J.-C., Nalanda fut dans l'Antiquité l'une des plus grandes universités du monde et un important centre bouddhiste. Lors du passage du moine-pèlerin chinois Xuan Zang, à une date indéterminée entre 685 et 762, 10 000 moines et étudiants vivaient ici, se consacrant à l'étude de la théologie, de l'astronomie, de la métaphysique, de la médecine et de la philosophie. On raconte que les trois bibliothèques de Nalanda étaient si vastes, qu'elles brûlèrent durant 6 mois après la mise à sac de l'université au XIIe siècle.

Accordez-vous une heure ou deux pour visiter les vastes **ruines** (Indiens/étrangers 5/100 Rs ; 🕒 9h-17h30), dans un espace serein et bien entretenu, où flotte le parfum des roses et des arbustes. Vous gagnerez à louer les services d'un guide (50 Rs/heure) pour découvrir ce dédale de bâtiments et leur histoire. Les ruines de briques rouges forment un ensemble de neuf monastères et quatre grands temples. L'édifice le plus impressionnant, le **Grand Stupa**, conserve un escalier, des terrasses quelques stupas votifs, et les cellules des moines.

En face de l'entrée, on pourra visiter le **Musée archéologique** (2 Rs ; 🕒 10h-16h45 tlj sauf ven), un petit musée fascinant qui renferme le sceau de l'université de Nalanda, ainsi que des sculptures et bronzes trouvés à Nalanda et Rajgir. Outre les nombreuses représentations du Bouddha et le *Kirtimukha* (gargouille) du IXe siècle, remarquez les vases étranges aux multiples becs.

Environ 2 km plus loin, on parvient à l'immense **Xuan Zang Memorial Hall** (entrée libre ; 🕑 9h-17h), construit par les Chinois comme une pagode de la paix en l'honneur du célèbre moine qui étudia et enseigna plusieurs années à Nalanda. Une statue le représentant trône devant.

Des Jeep collectives circulent régulièrement entre Rajgir et le village de Nalanda (15 Rs), d'où des *tonga* collectifs (20 Rs) mènent au site (3 km).

Pawapuri

Mahavira, dernier *tirthankara* et fondateur du jaïnisme, mourut et fut incinéré ici vers 500 av. J.-C., ce qui fait de Pawaburi un lieu de pèlerinage jaïn majeur. L'histoire rapporte que le nombre de fidèles voulant emporter un peu de ses cendres sacrées fut tel, que la terre fut largement creusée autour du bûcher funéraire et qu'ainsi naquit un grand bassin souvent rempli de lotus. Bâti sur le lieu de la crémation de Mahavira, le temple de marbre de Jalmandir, richement orné, semble flotter sur ce bassin.

JHARKHAND

Le Jharkhand a été détaché du Bihar voisin en 2000 pour répondre aux demandes d'autonomie de la population *adivasi* (communautés ethniques). Le Jharkand possède un potentiel exceptionnel : 40% des ressources minérales du pays (principalement du charbon, du cuivre et du fer), de riches forêts, plusieurs centres industriels majeurs et un budget encore sain. Pour autant, l'État pâtit de la pauvreté, de l'incompétence, de la corruption et des poussées de violence naxalites (maoïstes). Pour les voyageurs, les principaux attraits du Jharkhand sont ses parcs nationaux, les cascades des environs de Ranchi et l'opportunité d'explorer une région de l'Inde du Nord où les touristes ne sont pas encore légion.

RANCHI

☎ 0651 / 846 454 habitants

Capitale d'été du Bihar au temps des Britanniques, l'actuelle capitale du Jharkhand est perchée sur un plateau à 700 m environ et demeure donc légèrement plus fraîche que les plaines. En retrait des grands itinéraires, elle ne présente que peu d'intérêt pour les voyageurs, si ce n'est en tant qu'étape vers le Betla (Palamau) National Park (p. 594).

Renseignements

L'**office du tourisme** (☎ 2332179 ; samridhi travels@rediffmail.com ; Main Rd ; 🕑 8h-20h) situé dans le complexe touristique Birsa Vihar s'occupe des réservations de train et d'hébergement. La **State Bank of India** (Main Rd ; 🕑 10h-15h30 lun-ven) change les devises et les chèques de voyage, et dispose d'un DAB. Le **Simmer Broadband Cafe** (Gurunanak Market, Station Rd ; 20 Rs/h ; 🕑 8h-23h), dans un petit centre commercial à côté de l'Hotel Embassy, propose une connexion Internet.

Dans le même centre commercial, **Suhana Tour and Travels** (☎ 3293808, 9431171394 ; suhana_jharkhandtour@yahoo.co.in ; 🕑 10h-20h) organise des excursions vers les cascades de la région (à partir de 175 Rs), des circuits de trois jours au Betla National Park (à partir de 4 200 Rs pour 4 pers), et réserve les transports.

À voir et à faire

Le **Jagannath Temple**, à environ 12 km au sud-ouest de la ville (100 Rs en auto-rickshaw), est une version en modèle réduit du grandiose Jagannath Mandir de Puri ; il est ouvert aux non-hindous. Chaque année, à la même période qu'à Puri (et de la même manière), Jagannath et les divinités qui l'accompagnent sont conduits dans leur résidence de vacances, un petit temple situé 500 m plus loin.

Le **Tribal Research Institute Museum** (musée de l'Institut de recherche sur les communautés ethniques ; ☎ 2541824 ; Murabadi ; entrée libre ; 🕑 8h-18h lun-ven, 8h-13h sam) offre une plongée dans l'histoire des nombreuses ethnies du Jharkhand, dont les Asur, les Munda et les Gond. Le musée (qui n'est pas indiqué en anglais) se trouve à 200 m du stade Murabadi.

Plusieurs belles cascades se visitent facilement depuis Ranchi. Les plus spectaculaires, surtout après la mousson, sont les **chutes de Hundru**, à 45 km au nord-est de la ville.

Où se loger et se restaurer

Station Rd, qui relie les gares routière et ferroviaire, est bordée d'hôtels de plus ou moins bonne qualité. Peu acceptent les étrangers. Des hôtels et des restaurants sont implantés dans Main Rd, qui est perpendiculaire à Station Rd.

Hotel Birsa Vihar (☎ 2331828 ; Main Rd). L'hôtel géré par Jharkhand Tourism était en rénovation lors de notre passage.

Hotel Amrit (☎ 2461952 ; Station Rd ; ch à partir de 300 Rs, avec clim 900/1 150 Rs ; ❄). Une option bon marché proche de l'Embassy, aux chambres banales. Accueil 24h/24.

Hotel Embassy (☎ 2460449 ; embassyhotel@rediffmail.com ; Station Rd ; s/d 600/700 Rs, avec clim à partir de 700/850 Rs ; ❄). L'un des rares hôtels à petit prix de Station Rd qui accepte les étrangers. Ses confortables chambres climatisées sont modernes et assez propres. Bonne adresse.

♥ **BNR Guesthouse** (☎ 2461481 ; chanakyabnrranchi@hotmail.com ; Station Rd ; ch 2 000 Rs ; ❄). Le meilleur rapport qualité/prix de Ranchi. Ce vestige du Raj coiffé d'un toit en tuiles rouges constitue un havre agréable, presque en face de la gare ferroviaire. Ses chambres spacieuses et ses sdb, joliment rénovées, offrent un ameublement et un équipement modernes. Service très sympathique. L'établissement s'agrandit mais conserve les anciennes chambres qui s'ouvrent sur une véranda et de belles pelouses.

Hotel Capitol Hill (☎ 2331330 ; www.hotelcapitolhill.com ; Main Rd ; s/d 4 000/4 500 Rs ; ❄ 💻 📶). Un hôtel huppé et luxueux, dans le centre commercial de Capitol Hill. Au 3e étage, le hall ultramoderne, doté de fauteuils de cuir crème, donne accès à des chambres tout aussi modernes de style scandinave (accès Wi-Fi). Le restaurant et le bar sont les plus élégants de Ranchi.

Planet Masala (☎ 3291765 ; 56C Main Rd ; plats 50-85 Rs). Adresse impeccable au cadre original (plafonds hauts et étage supérieur vitré climatisé), ce café moderne permet d'oublier l'animation de Main Rd. Outre une gamme complète de *dosa*, *thali*, pizzas végétariennes et plats chinois, la carte propose café, sundaes et gâteaux au chocolat.

The Nook (☎ 2460128 ; Station Rd ; plats 55-140 Rs). Meilleure table autour de la gare ferroviaire, le restaurant de l'Hotel Kwality Inns est confortable. Service attentif sans exagération. Bonne cuisine – riche en saveurs sans excès de piment – et bière.

Depuis/vers Ranchi

Kingfisher Red (☎ 18002093030 ; aéroport) dessert quotidiennement Kolkata (à partir de 2 828 Rs), Delhi (à partir de 5 087 Rs) et Patna (à partir de 2 828 Rs). **Air India** (☎ 2331342 ; Main Rd) assure des vols quotidiens vers Delhi (à partir de 4 925 Rs) et Mumbai (à partir de 5 825 Rs).

Les bus pour Gaya (130 Rs, 7 heures, toutes les heures) et Patna (200 Rs, 8 heures, toutes les heures) partent de la gare routière principale à partir de 6h ; ceux pour Daltonganj (pour le Betla National Park) circulent depuis la gare de Ratu Rd (95 Rs, 6 heures, toutes les heures). Depuis le complexe touristique Birsa Vihar situé dans Main Rd, des bus deluxe partent pour Patna à 8h (170 Rs, 9 heures) et 20h (200 Rs).

Le *Hatia-Patna Express* (train n°8626, 6h25) s'arrête à Gaya (CC 291 Rs, 6 heures 30) et à Patna (CC 476 Rs, 10 heures). Pour Kolkata, prenez le *Shatabdi* (train n°2020, CC 474 Rs, 7 heures 30, 13h45) ou le train de nuit *Howrah-Hatia Express* (n°8616, SL/3AC/2AC 164/459/638 Rs, 8 heures, 22h45).

BETLA (PALAMAU) NATIONAL PARK

☎ 06562

Ce joyau naturel de l'État, à 140 km à l'ouest de Ranchi, est l'un des sites indiens les plus propices à l'observation des éléphants sauvages ; en comparaison, les tigres se font assez rares. Le parc entier couvre une superficie d'environ 1 026 km², mais c'est le centre (232 km²) qui a été déclaré parc national en 1989. Forêt de sals, arbres à feuilles persistantes, tecks et bambous abritaient, au dernier recensement (2007), 17 tigres, 52 léopards, 216 éléphants et seulement 4 *nilgai* (taureaux bleus). Pour les plus courageux, le parc compte plusieurs frêles plates-formes d'observation. Ce secteur constituait le siège du pouvoir des rois *adivasi* de la dynastie Chero, dont les ruines des forts du XVIe siècle et 10 km de murs subsistent dans la jungle.

La meilleure saison pour visiter le **parc** (☎ 222650, 9973819242 ; 100 Rs/véhicule, appareil photo/caméra 60/80 Rs ; 🕔 5h-19h), ouvert toute l'année, s'étend d'octobre à avril. Si vous supportez la chaleur, mai est une bonne période pour voir des tigres car la végétation n'y est pas trop abondante et les animaux sortent en quête de points d'eau. Des **safaris photo en Jeep** (200 Rs/h) peuvent être organisés à l'entrée du parc. Vous devez aussi engager un **guide local** (25 Rs/h) pour vous accompagner.

Le parc propose des **balades à dos d'éléphant** (100 Rs/h, jusqu'à 4 pers) pour arpenter la jungle d'un pas nonchalant et profiter d'un aperçu exceptionnel de la faune et de la flore.

Le **Van Vihar** (☎ 06567-226513 ; dort 100 Rs, d à partir de 400 Rs, avec clim 900 Rs ; ❄), géré par l'État, est la meilleure adresse parmi l'offre limitée près de l'entrée du parc ; il est ouvert toute l'année. Ses chambres spacieuses étaient en cours de rénovation lors de notre passage. La **Tree House** (☎ bureau du parc 9973819242 ; ch 500 Rs) offre toutefois un hébergement plus intéressant dans deux bâtiments surélevés en teck qui regroupent deux chambres, une sdb et une plate-forme d'observation. Vous pouvez aussi loger au **Forest Lodge** (☎ 222282 ; ch 250 Rs) voisin, aux chambres plus petites mais convenables (sdb communes sans eau chaude).

La ville la plus proche de l'entrée du parc est Daltonganj, à 25 km. Cinq bus circulent quotidiennement entre Betla et Daltonganj (18 Rs, 1 heure) ; le trajet en taxi coûte environ 300 Rs. D'autres bus assurent la liaison Daltonganj-Ranchi (98 Rs, 6 heures, toutes les heures). Vous pouvez également organiser un circuit en passant par une agence de voyages de Ranchi qui vous conduira directement au parc. Suhana Tour and Travels (p. 593) propose des circuits de 2 jours, ou plus, à partir de 3 200 Rs/pers, avec transport, hébergement et safari inclus. Ils constituent une solution intéressante, au vu de l'insuffisance des transports et des problèmes de sécurité inhérents à cette partie isolée et parfois anarchique de l'État. Dans tous les cas, il est impératif d'appeler le parc avant de partir afin d'obtenir des conseils en matière de sécurité.

PARASNATH

☎ 06532

Parasnath, dans l'est du Jharkhand, est la tête de la ligne ferroviaire menant au plus grand lieu de pèlerinage jaïn de l'Inde orientale. Le site, perché sur le point culminant de l'État, **Parasnath Hill** (1 366 m), abrite de nombreux temples. C'est au sommet de l'éminence, désormais occupée par le Parasnath Temple, que 23 des 24 *tirthankara* jaïns ont atteint le nirvana, et notamment Parasnath, à l'âge de 100 ans.

L'accès sud se fait par Isri Bazar, en transport sur les 2 premiers kilomètres, puis à pied sur les 8 km restants. L'accès le plus aisé se fait depuis Madhuban, à 13 km au nord-est de Parasnath, d'où on peut couvrir une première portion de 9 km en transport. La randonnée à travers la forêt verdoyante est magnifique, de même que la vue du sommet. Si vous ne voulez pas marcher, louez un *dandi* (chaise à porteurs).

Il faut environ 8 heures pour faire le circuit complet sur la montagne (29 km), ce qui rend indispensable un départ avant l'aube. Emportez suffisamment d'eau.

Pour dormir sur place, vous trouverez quelques *dharamsala* (refuges pour pèlerins) à Madhuban et un **qfr lodge** (pension pour touristes ; ☎ 0658232378). À Isri Bazar, vous aurez le choix entre l'Hotel Bhavan et d'autres *dharamsala*.

Parasnath se trouve sur la ligne ferroviaire Kolkata-Gaya-Delhi. Quelques trains partent tous les jours pour Gaya (SL/3AC/2AC 75/211/293 Rs, 3 heures) et Kolkata (SL/3AC/2AC 176/493/685 Rs, 6 heures). Des minibus vont régulièrement à Madhuban depuis la gare routière de Parasnath.

Sikkim

Si la chaleur, la saleté et l'agitation urbaine vous insupportent, un séjour dans l'ancien petit royaume du Sikkim vous ravira. L'État, balayé par le bon air de la montagne, offre suffisamment d'espace pour bouger librement et même se sentir seul, et ses habitants charmants et discrets, sont parmi les plus accueillants d'Inde.

Les montagnes plongeant dans des vallées profondes sont couvertes de végétation et parsemées de rizières en terrasses et de massifs de rhododendrons en fleurs. Des monastères de style bouddhiste (*gompa*) émaillent leurs crêtes verdoyantes de taches blanches, rouges et dorées.

Le majestueux Khangchendzonga (Kanchenjunga, 8 598 m), troisième plus haut sommet du monde, est à cheval sur la frontière entre le Sikkim et le Népal. Ses magnifiques pics enneigés sont visibles d'un peu partout dans l'État et l'aube est le meilleur moment pour l'admirer, quand sa face orientale est illuminée par le soleil. Plusieurs fêtes spectaculaires ont lieu à l'automne, en l'honneur de l'esprit de la montagne.

Royaume indépendant jusqu'en 1975, le Sikkim a longtemps été vu comme le dernier paradis terrestre himalayen. Cependant, ces dernières années ont vu croître le nombre de touristes, Indiens pour la plupart, désireux d'échapper à la chaleur des plaines. Tous les ans, de nouveaux hôtels poussent dans les petits villages autrefois isolés, et la plupart des villes sont déjà défigurées par des immeubles disgracieux.

Le Sikkim est un État minuscule qui s'étend sur 80 km d'est en ouest et sur 100 km du nord au sud, mais son terrain accidenté en rend la traversée difficile. Il vous faudra parfois 3 ou 4 heures pour passer d'un côté à l'autre d'une vallée.

À NE PAS MANQUER

- L'étonnante diversité des paysages entre **Lachung** et la **Yumthang Valley** (p. 618)
- L'enchantement d'une danse masquée, *chaam*, au **Rumtek Gompa** (p. 605)
- Le lever du soleil sur le Khangchendzonga depuis votre lit douillet à **Pelling** (p. 610)
- Un *tongba* (bière de millet) partagé avec les habitants de **Thanggu** (p. 620), un village reculé
- Une promenade parmi les chortens couverts de drapeaux de prières de l'antique **Tashiding Gompa** (p. 617) et l'occasion d'expier vos péchés d'un regard sur le chorten de Thong-Wa-Rang-Dol

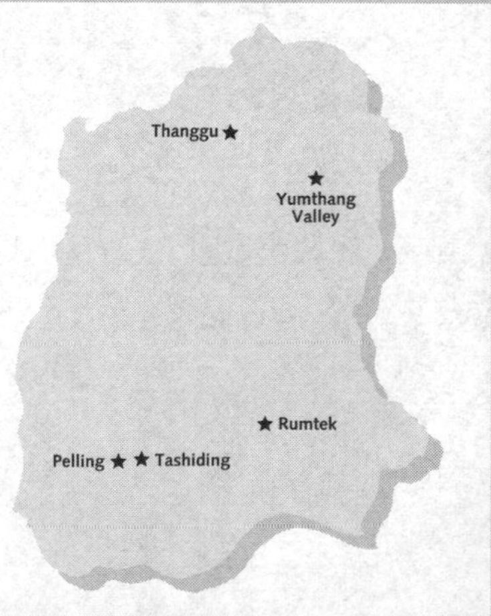

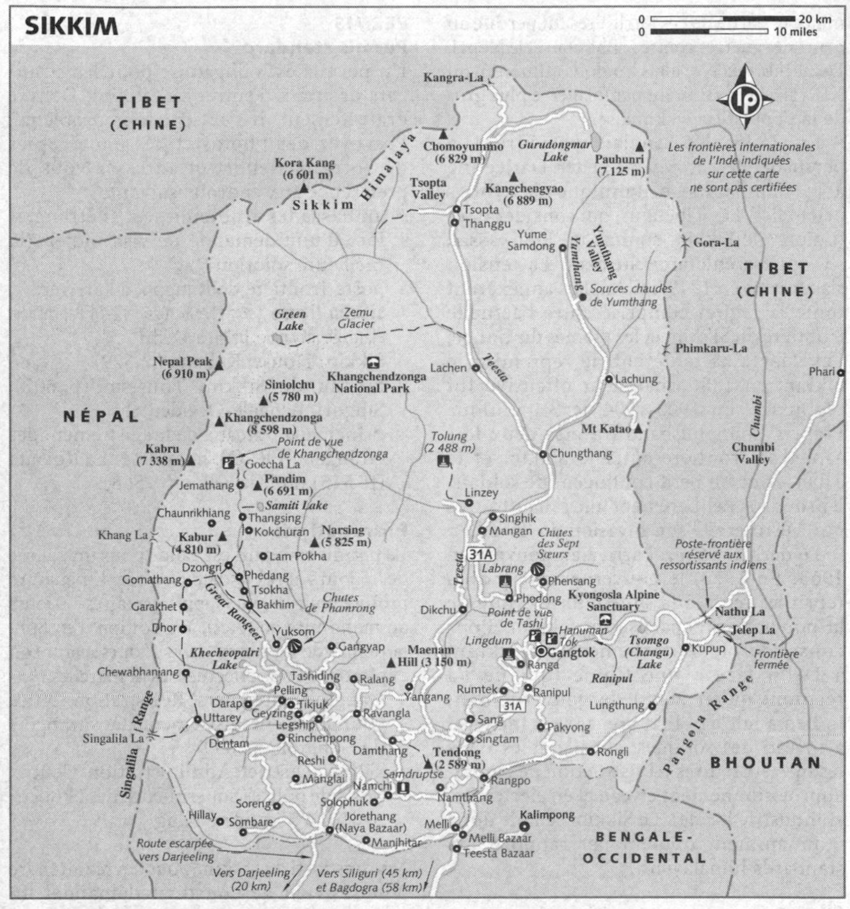

EN BREF

- Population : 540 500 habitants
- Superficie : 7 096 km²
- Capitale : Gangtok
- Langue principale : népalais
- Meilleures périodes : fin septembre à mi-novembre et avril-mai

Histoire

La région fut d'abord peuplée par les Lepcha, des Tibéto-Birmans qui auraient migré de l'Assam ou du Myanmar au XIIIᵉ siècle. Ils furent suivis du peuple bhutia (khamba), qui arriva du Tibet au cours du XVᵉ siècle, afin d'échapper aux violences entre ordres bouddhistes rivaux. L'ordre bouddhiste nyingmapa fut introduit au Sikkim par trois lamas tibétains – Kathok Rikzin Chempo, Ngadak Sempa Chempo et Lhatsun Chempo –, qui se rencontrèrent sur le site de l'actuel Yuksom. C'est là qu'ils consacrèrent, en 1641, le premier *chogyal* (roi) du Sikkim, Phuntsog Namgyal. La capitale fut ensuite transférée à Rabdentse, près de Pelling, puis à Tumlong, près de Phodong, avant de s'établir définitivement à Gangtok.

À son apogée, le royaume des *chogyal* s'étendait à l'est du Népal, à Darjeeling et aux montagnes du Bengale-Occidental. La majeure partie de ces territoires fut perdue au cours des guerres contre le Bhoutan et le Népal. De nombreux Népalais hindous affluèrent au XIXe siècle ; ils finirent par former le plus gros de la population sikkimaise.

En 1835, les Anglais parvinrent à persuader le *chogyal* de céder Darjeeling à la Compagnie britannique des Indes orientales. Les Tibétains, qui considéraient toujours le Sikkim comme un État vassal, s'y opposèrent farouchement. La tension s'accrut et, en 1849, les Anglais annexèrent toute la région comprise entre l'actuelle frontière du Sikkim et les plaines du Gange. Les Tibétains tentèrent de reprendre le Sikkim en 1886, mais leur offensive fut repoussée. En 1903-1904, le Britannique Francis Younghusband traversa deux fois à pied la frontière entre le Sikkim et le Tibet. Avec un petit contingent de soldats, il provoqua délibérément une échauffourée qui "justifierait" son invasion du Tibet.

Le dernier *chogyal* arriva au pouvoir en 1963. En 1975, le gouvernement indien reprit les rênes à la suite d'une révolte de la population népalaise du Sikkim. Pour consolider le rattachement du Sikkim à Delhi face à une Chine (qui ne l'a reconnu qu'en 2005), le gouvernement indien a fait de l'État une zone franche. Il a investi des sommes considérables dans les infrastructures (construction de routes, approvisionnement en eau et en électricité, et industrie locale). Le Sikkim semble donc étonnamment opulent par rapport aux standards himalayens.

Climat

Ne partez pas n'importe quand au Sikkim. L'été, la mousson masque les montagnes. Dans les vallées de Yumthang et de Tsopta, les températures chutent dès octobre, pour devenir glaciales de décembre à février.

Renseignements

Les meilleures périodes pour visiter le Sikkim s'échelonnent de fin septembre à mi-novembre et de mars à mai. Octobre et mai font partie de la haute saison pour les touristes bengalis ; les tarifs doublent et les monastères, habituellement calmes, sont envahis. La foule est particulièrement dense pendant et après le Durga Puja (début octobre). Juste avant, la région est au contraire paisible.

PERMIS

Permis standard

Un permis est obligatoire pour les étrangers désireux d'entrer au Sikkim. Délivré gratuitement, il s'obtient sans problème. Prévoyez des photos et des photocopies de votre passeport et adressez-vous de préférence aux endroits suivants :

- ambassades indiennes à l'étranger, lors d'une demande de visa indien (la meilleure solution)
- poste-frontière de Rangpo, à l'arrivée
- **Sikkim House** (☎ 1126883026 ; 12-14 Panchsheel Marg, Chankyapuri, Delhi) à Delhi
- Sikkim House, Kolkata (p. 529)
- bureau de Sikkim Tourism (p. 602), Siliguri, Bengale-Occidental
- principaux bureaux d'enregistrement des étrangers (FRRO), notamment à Kolkata (p. 515) ou Darjeeling (p. 568).

Prorogations

Le permis standard est valide pour une durée de 15 jours après la date d'entrée. Il peut être prorogé pour 15 jours supplémentaires (60 jours au maximum au total), à condition d'en faire la demande au moins 1 ou 2 jours avant son expiration. Pour effectuer les démarches :

- Gangtok Foreigners' Registration Office (Bureau d'enregistrement des étrangers de Gangtok ; p. 600)
- Tikjuk District Administration Centre, poste de police (Superintendent of Police ; p. 610) à 5 km de Pelling.

Une fois sorti du Sikkim, vous devrez attendre 3 mois avant de pouvoir redemander un

> **SACS PLASTIQUE INTERDITS**
>
> Le front démocratique du Sikkim (SDF), à la tête du gouvernement de l'État, est réputé comme étant le plus écologique d'Inde. Il interdit les sacs plastique et verbalise ceux qui polluent les rivières. Mais ceci ne règle qu'une partie du problème car de nombreux articles sont désormais vendus dans des emballages plastiques (comme les en-cas et les *paan* – feuille et noix de bétel à chiquer). Inciter les industriels à changer leurs emballages, encourager l'élimination convenable des déchets et exhorter le public à ne pas jeter d'ordures sont les vraies réponses au problème.

FÊTES ET FESTIVALS AU SIKKIM

Les Sikkimais célèbrent des dizaines de fêtes. Beaucoup sont présentées sur www.sikkiminfo.net/fairs&festivals.htm. La plupart donnent lieu à des danses masquées hautes en couleur, appelées *chaam,* qui décrivent des histoires tirées de la mythologie bouddhiste. Les festivités suivent souvent le calendrier lunaire. Dates exactes sur le lien "Government Holiday" du site www.sikkim.gov.in.

Bumchu (jan-fév ; Tashiding Gompa, p. 617). *Bum* signifie pot ou vase et *chu* signifie eau. Les lamas ouvrent un pot d'eau sacrée pour prédire les événements de l'année à venir.

Losar (fév-mars ; Pemayangtse, p. 612 et Rumtek, p. 605). Les plus importantes représentations de *chaam* ont lieu avant le Losar (Nouvel An tibétain).

Khachoedpalri Mela (mars-avr ; Khechoepalri Lake, p. 613). Des lampes à beurre sont déposées sur le lac.

Drupchen (mai-juin ; Rumtek, p. 605). Des *chaam* complètent la cérémonie annuelle de méditation de groupe. Tous les deux ans, des danses sont exécutées en l'honneur de Padmasambhava.

Saga Dawa (mai-juin ; toutes les villes abritant un monastère). Les textes bouddhistes sont présentés lors d'une procession.

Diwali (oct-nov ; un peu partout). Fête des lumières et nombreux feux d'artifice.

Mahakala Dance (nov ; Ralang, p. 609)

Losoong (déc-jan ; dans de nombreuses villes dont Old Rumtek, p. 606, Lingdum, p. 606 et Phodong, p. 618). Nouvel An sikkimais, précédé de *chaam*.

permis. Votre permis reste valide si vous traversez le Bengale-Occidental à l'occasion d'un trajet en transport public d'un point du Sikkim à un autre (Rangpo-Melli).

Validité des permis

Un permis standard permet de visiter :

- Gangtok, Rumtek et Lingdum
- le sud du Sikkim
- la région située sur la route Gangtok-Singhik
- une grande partie de l'ouest du Sikkim, desservi par des routes bitumées.

Les étrangers doivent se procurer un permis supplémentaire au-delà de Singhik et jusqu'à Yumthang, au nord de Lachung, ainsi que pour la vallée de Tsopta au nord de Lachen. Les zones les plus proches de la frontière chinoise sont absolument interdites. Les citoyens indiens n'ont pas besoin de permis sauf pour aller au nord de Singhik, où les mêmes restrictions s'imposent. Ils peuvent également aller plus loin, jusqu'à Yume Samdong, au nord de Yumthang, et Gurudongmar, au nord de Thangu ou encore à l'est de Tsomgo Lake, jusqu'à la frontière tibétaine à Nathu La.

Permis spéciaux

Les treks en haute altitude, notamment ceux du Goecha La et de Singalila Ridge, nécessitent un permis de trekking valable 15 jours. Les agences s'en chargent.

Les permis spécifiques pour le Tsomgo (Changu) Lake (circuit d'une journée) et le nord du Singhik sont délivrés localement, par certaines agences de voyages. Vous devrez participer à des "circuits" organisés, lesquels n'impliquent en temps normal que de louer une Jeep et les services d'un guide pour suivre un itinéraire convenu à l'avance. Presque toutes les agences de Gangtok organisent de tels circuits en 24 heures. Un minimum de 2 personnes est souvent exigé. Munissez-vous d'une photo d'identité et des photocopies de votre permis actuel, de votre visa et de la page d'information de votre passeport.

Désagréments et dangers

Le Sikkim est généralement sûr. Le seul ennui, ce sont les sangsues, nombreuses dans l'herbe humide, mais elles ne sont pas dangereuses malgré leur triste réputation. Restez sur les sentiers larges et secs. Dans les endroits infestés, les retirer à l'arrivée est souvent plus simple que de marquer moult arrêts pour s'en débarrasser.

À faire

Le Sikkim offre la possibilité de faire d'innombrables **treks.** Les randonnées d'une journée d'un village à l'autre sur des sentiers anciens ne requièrent généralement pas de permis spécial : les plus connus suivent le circuit des monastères, surtout entre Yuksam et Tashiding (p. 616). Les treks en groupe de plusieurs jours permettent de s'aventurer en haute montagne vers le Goecha La, au pied du Khangchendzonga. Là, permis et guides sont obligatoires. Il existe plusieurs itinéraires, mais la plupart des groupes suivent le même (p. 602).

Les agences de voyages (p. 602) s'efforcent d'accéder à de nouveaux secteurs, et notamment à la fabuleuse voie qui traverse le glacier de Zemu vers le Green Lake, dans le Khangchendzonga National Park. Toutefois, les permis demeurent très chers et leur obtention prend plusieurs mois. D'autres lieux intéressants, proches de la frontière, restent pour l'heure interdits.

EST DU SIKKIM

GANGTOK

☎ 03592 / 31 100 habitants / altitude 1 400-1 700 m

La capitale du Sikkim compte principalement de hauts immeubles en béton. Comme l'indique son nom, qui signifie "sommet de la colline", elle s'étend sur le sommet d'une montagne escarpée. Sitôt dissipés les nuages (en général à l'aube), elle dévoile un panorama magnifique, avec, à l'horizon, le sommet enneigé du Khangchendzonga. Si les sites intéressants sont rares, Gangtok reste un lieu agréable où l'on peut passer un jour ou deux, le temps d'organiser un trek ou un circuit dans le Nord.

Orientation

Gangtok s'étire le long de la tortueuse autoroute 31A (appelée 31ANHWay), qui relie Rangpo à Mangan. L'office du tourisme, les banques et de nombreuses boutiques sont implantés dans Mahatma Gandhi (MG) Marg, centrale et largement piétonne. Non loin, Tibet Rd est ce qui évoque le plus un quartier touristique.

Renseignements

ACCÈS INTERNET

Connexion parfois lente et capricieuse.

Big Byte (Tibet Rd ; 30 Rs/h ; ⏲ 8h30-20h)
ComShop (Tibet Rd ; 30 Rs/h ; ⏲ 9h-20h)
New Light (Tibet Rd ; 30 Rs/h ; ⏲ 9h-19h)

ARGENT

Mieux vaut changer vos devises à Gangtok, car cela devient presque impossible ailleurs. Des DAB – dont ceux de l'UTI Bank et de HDFC, dans MG Marg – acceptent les cartes étrangères.

State Bank of India (SBI ; ☎ 202666 ; MG Marg). Change les espèces et les principaux chèques de voyage.

LAVERIE

Deepak Dry Cleaners (☎ 227073 ; Tibet Rd ; ⏲ 7h-20h ven-mar). Vêtements prêts pour le lendemain.

LIBRAIRIES

Jainco Booksellers (☎ 203774 ; 31ANHWay ; ⏲ 9h-20h tlj sauf dim). Petite mais centrale.

Rachna Bookshop (☎ 204336 ; www.rachnabooks.com ; Development Area). La mieux fournie et la plus conviviale des librairies de Gangtok. Films (ciné-club) et concerts occasionnels prévus à l'étage.

OFFICE DU TOURISME

De nombreux livres et brochures basiques sont disponibles. Un des meilleurs est *Sikkim*, d'Arundhati Ray (à ne pas confondre avec l'auteur du *Dieu des petits riens*). Vous trouverez ce livre abondamment illustré à Rachna Bookshop (ci-dessus) et Golden Tips (p. 604). Les cartes, en revanche, sont très peu fiables.

Office du tourisme du Sikkim (☎ 221634, appel gratuit 204408 ; www.sikkimtourism.travel ; MG Marg ; ⏲ 8h-16h déc-fév et juin-août, 10h-20h sept-nov et mars-mai) propose d'intéressantes brochures gratuites, organise des tours d'hélicoptère et vous renseignera sur les permis. Pour des questions concernant le trekking et le séjour dans les zones soumises à autorisation, adressez-vous à une agence de voyages.

POSTE

Poste principale (☎ 203085 ; PS Rd, Gangtok 737101). Service de poste restante.

PROROGATION DES PERMIS

Bureau d'enregistrement des étrangers (Foreigners' Registration Office ; ☎ 223041 ; Kazi Rd ; ⏲ 10h-16h, 10h-12h les jours fériés). Dans la ruelle jouxtant l'Indian Overseas Bank.

URGENCES

Police (☎ 202033 ; 31ANHWay)
STNM Hospital (☎ 222059 ; 31ANHWay)

À voir

NAMGYAL INSTITUTE OF TIBETOLOGY ET ENVIRONS

Érigé en 1958 dans le style traditionnel tibétain, cet **Institut de tibétologie** (☎ 281642 ;

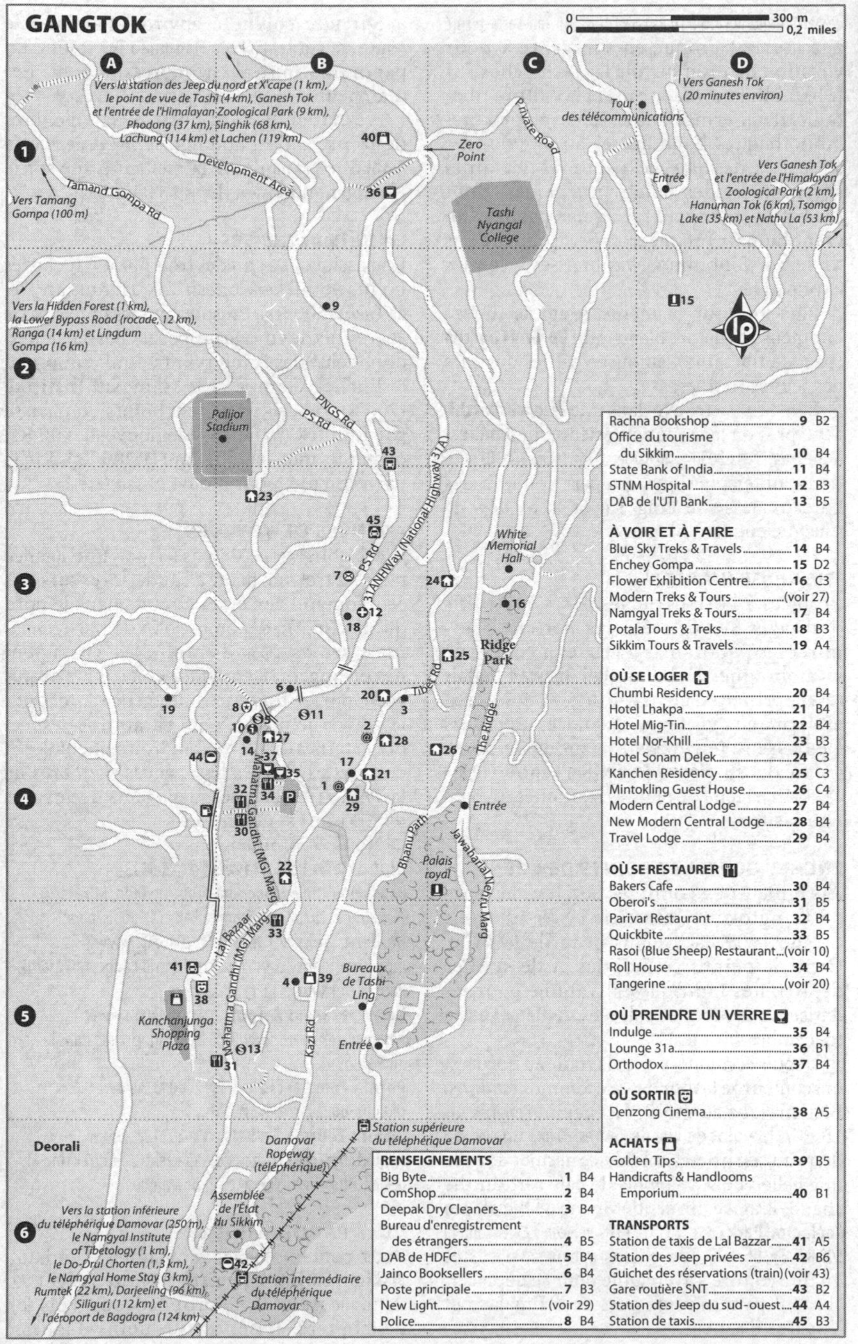
GANGTOK
0 300 m
0 0,2 miles
Vers la station des Jeep du nord et X'cape (1 km), le point de vue de Tashi (4 km), Ganesh Tok et l'entrée de l'Himalayan Zoological Park (9 km), Phodong (37 km), Singhik (68 km), Lachung (114 km) et Lachen (119 km)
Vers Ganesh Tok (20 minutes environ)
Tour des télécommunications
Private Road
Zero Point
Development Area
Tamand Gompa Rd
Vers Tamang Gompa (100 m)
Entrée
Vers Ganesh Tok et l'entrée de l'Himalayan Zoological Park (2 km), Hanuman Tok (6 km), Tsomgo Lake (35 km) et Nathu La (53 km)
Tashi Nyangal College
Vers la Hidden Forest (1 km), la Lower Bypass Road (rocade, 12 km), Ranga (14 km) et Lingdum Gompa (16 km)
Paljor Stadium
PNGS Rd
PS Rd
31A NHWay (National Highway 31A)
White Memorial Hall
Ridge Park
Tibet Rd
The Ridge
Entrée
Bhanu Path
Palais royal
Jawaharlal Nehru Marg
Mahatma Gandhi (MG) Marg
Lal Bazaar
Bureaux de Tashi Ling
Kazi Rd
Entrée
Kanchanjunga Shopping Plaza
Deorali
Station supérieure du téléphérique Damovar
Damovar Ropeway (téléphérique)
Assemblée de l'État du Sikkim
Station intermédiaire du téléphérique Damovar
Vers la station inférieure du téléphérique Damovar (250 m), le Namgyal Institute of Tibetology (1 km), le Do-Drul Chorten (1,3 km), le Namgyal Home Stay (3 km), Rumtek (22 km), Darjeeling (96 km), Siliguri (112 km) et l'aéroport de Bagdogra (124 km)
RENSEIGNEMENTS
Big Byte 1 B4
ComShop 2 B4
Deepak Dry Cleaners 3 B4
Bureau d'enregistrement des étrangers 4 B5
DAB de HDFC 5 B4
Jainco Booksellers 6 B4
Poste principale 7 B3
New Light (voir 29)
Police 8 B4
Rachna Bookshop 9 B2
Office du tourisme du Sikkim 10 B4
State Bank of India 11 B4
STNM Hospital 12 B3
DAB de l'UTI Bank 13 B5
À VOIR ET À FAIRE
Blue Sky Treks & Travels 14 B4
Enchey Gompa 15 D2
Flower Exhibition Centre 16 C3
Modern Treks & Tours (voir 27)
Namgyal Treks & Tours 17 B4
Potala Tours & Treks 18 B3
Sikkim Tours & Travels 19 A4
OÙ SE LOGER
Chumbi Residency 20 B4
Hotel Lhakpa 21 B4
Hotel Mig-Tin 22 B4
Hotel Nor-Khill 23 B3
Hotel Sonam Delek 24 C3
Kanchen Residency 25 C3
Mintokling Guest House 26 C4
Modern Central Lodge 27 B4
New Modern Central Lodge 28 B4
Travel Lodge 29 B4
OÙ SE RESTAURER
Bakers Cafe 30 B4
Oberoi's 31 B5
Parivar Restaurant 32 B4
Quickbite 33 B5
Rasoi (Blue Sheep) Restaurant (voir 10)
Roll House 34 B4
Tangerine (voir 20)
OÙ PRENDRE UN VERRE
Indulge 35 B4
Lounge 31a 36 B1
Orthodox 37 B4
OÙ SORTIR
Denzong Cinema 38 A5
ACHATS
Golden Tips 39 B5
Handicrafts & Handlooms Emporium 40 B1
TRANSPORTS
Station de taxis de Lal Bazzar 41 A5
Station des Jeep privées 42 B6
Guichet des réservations (train) (voir 43)
Gare routière SNT 43 B2
Station des Jeep du sud-ouest 44 A4
Station de taxis 45 B3

www.tibetology.com ; 10 Rs ; ⌚ 10h-16h lun-sam, fermé 2e sam du mois) unique en son genre a pour vocation de promouvoir les recherches sur le bouddhisme mahayana et la culture tibétaine. Il renferme l'une des plus importantes bibliothèques bouddhistes au monde, des statuettes, des *thangka* (peintures tibétaines sur tissu) et des objets liturgiques, dont un *kapali* (bol sacré fabriqué à partir d'un crâne humain) et une trompette taillée dans un fémur d'homme. Nombreuses légendes explicatives.

Plus loin sur la même route se dresse l'immense structure blanche du **Do-Drul Chorten** (pagode tibétaine), entourée par les dortoirs des jeunes moines.

L'institut se trouve dans une **réserve d'orchidées**, près de la station inférieure du **Damovar Ropeway** (☎ 280587 ; 60 Rs/pers ; ⌚ 9h30-16h30). Ce nouveau téléphérique, qui part non loin des bureaux de Tashi Ling, sur la crête, dévoile une vue époustouflante.

THE RIDGE (L'ARÊTE)

Propices à la flânerie, les parcs et jardins ombragés sur la crête permettent d'admirer les panoramas à l'est et à l'ouest de la montagne. Hélas, le **Raj Bhawan (palais royal)**, principal centre d'intérêt des lieux, est fermé aux visiteurs. Quand les orchidées fleurissent (en mars), la modeste serre tropicale du **Flower Exhibition Centre** (10 Rs ; ⌚ 9h-17h), riche de plantes exotiques, mérite une visite.

ENCHEY GOMPA ET POINTS DE VUE

Au milieu des conifères sur les hauteurs de Gangtok, ce **monastère** (⌚ 6h-16h tlj sauf dim) de 1909 est le plus beau de la ville. Orné de peintures murales et de statues de divinités tantriques, il s'anime pour les danses masquées et colorées de **Detor Chaam** (décembre-janvier).

Depuis le *gompa*, suivez la route au nord-est qui contourne la tour des télécommunications. Bien marqué au début, un chemin rejoint en 15 min le **point de vue de Ganesh Tok**. Égayé de drapeaux de prières colorés, ce dernier dévoile une belle vue sur la ville ; le café sert du thé chaud. En face, un sentier mène à l'**Himalayan Zoological Park** (☎ 223191 ; 10 Rs, véhicules 25 Rs, caméra 500 Rs ; ⌚ 9h-16h). Ses enclos arborés, si vastes qu'une voiture s'avère utile pour se déplacer, abritent pandas roux, ours de l'Himalaya et léopards des neiges.

Sur une colline à environ 4 km par la route de Ganesh Tok, **Hanuman Tok** jouit d'un panorama tout aussi impressionnant. Les marcheurs trouveront des raccourcis.

À l'extrémité nord-ouest de la ville, près de la route de Phodong, le **point de vue de Tashi** offre sans doute la meilleure vue sur le Khangchendzonga depuis Gangtok.

Circuits organisés

Le classique "circuit des trois points" inclut les points de vue de Ganesh Tok, Hanuman Tok et Tashi (500 Rs). Presque tous les hôtels, taxis et agences de voyage proposent des variantes, dont celui des "cinq points", qui comprend le Enchey Gompa et le Namgyal Institute (700 Rs), et celui des "sept points", qui passe par Rumtek (l'ancien et le nouveau, 900 Rs) ou par Rumtek et Lingdum (1 200 Rs). Tarifs par véhicule, pour 3 ou 4 passagers.

AGENCES DE VOYAGES

Il est obligatoire de passer par une agence pour les treks en haute altitude, les excursions au Tsomgo Lake et les circuits dans le nord du Sikkim. On dénombre plus de 180 agences mais seules 10% d'entre elles s'occupent des étrangers. Demandez conseil à d'autres voyageurs. Choisissez une agence agréée par le gouvernement, ce qui garantit le respect de certaines directives environnementales et culturelles. Toutes les agences membres de la TAAS (Association des agents de voyages du Sikkim) sont agréées.

Nous recommandons :

Blue Sky Treks & Travels (☎ 205113 ; blueskytourism@yahoo.com ; Tourism Bldg, MG Marg). Trekking et circuits au Tsomgo Lake (1 600 Rs/pers).

Modern Treks & Tours (☎ 204670 ; www.modernresidency.com ; Modern Central Lodge, MG Marg). Pour le trekking.

Namgyal Treks & Tours (☎ 203701 ; www.namgyaltreks.net ; Tibet Rd). Trekking, circuits dans le nord du Sikkim.

Potala Tours & Treks (☎ 200043 ; www.sikkimhimalayas.com ; PS Rd)

Sikkim Tours & Travels (☎ 202188 ; www.sikkimtours.com ; Church Rd). Spécialistes du trekking et des circuits ornithologiques et botaniques.

VOLS PANORAMIQUES

Pour contempler les montagnes d'en haut, **Sikkim Tourism Information Centre** (☎ 281372 ; stdcsikkim@yahoo.co.in) propose des vols en hélicoptère. Réservez au moins 3 jours à l'avance. Les tarifs suivants valent pour 5 passagers maximum (4 pour la crête du Khangchendzonga) : survol de Gangtok (7 590 Rs, 15 min) ; circuit dans l'ouest du Sikkim (82 500 Rs, 55 min) ; circuit dans le nord du Sikkim (97 500 Rs, 65 min) et crête du Khangchendzonga (112 500 Rs, 1 heure 15).

Où se loger

Les tarifs baissent de 15 à 30% à la saison creuse (novembre à février et juin à août), voire plus si la demande est particulièrement faible et que vous savez négocier. La pleine saison dure de mars à mai et de septembre à novembre.

PETITS BUDGETS

La plupart de ces hôtels demandent environ 500 Rs. Certains les valent ; d'autres s'attendent à voir les clients proposer 200 Rs seulement. Vérifiez les chambres attentivement, car le confort varie dans un même hôtel. Les étrangers affluent autour de Tibet Rd (centrale), seul quartier où une chambre à 200 Rs se révélera habitable.

New Modern Central Lodge (☎ 201361 ; Tibet Rd ; d 300 Rs, sans sdb s 100 Rs, d 150-250 Rs). Cette adresse appréciée de longue date est toujours aussi prisée malgré une propreté relative et un service qui laisse à désirer. Avec ses nombreuses chambres bon marché et son café pour les voyageurs, elle devrait rester en vogue chez les voyageurs à petit budget.

Modern Central Lodge (☎ 221081 ; info@modernhospitality.com ; 31ANHWay ; dort 100 Rs, d 250-500 Rs). Pour quelques roupies de plus, choisissez une chambre plus spacieuse à l'étage supérieur, loin du bruit de la rue. Doubles avec sdb. Dortoirs avec sanitaires séparés. Cuisine savoureuse servie sur la terrasse sur le toit.

Hotel Mig-Tin (☎ 204101 ; Tibet Rd ; d 300-600 Rs). Art naïf tibétain sur les murs et petit café accueillant au rez-de-chaussée. La plupart des chambres sont défraîchies mais deviennent intéressantes après négociation hors saison. Les moins chères sont humides et étouffantes.

CATÉGORIES MOYENNE ET SUPÉRIEURE

Les chambres des établissements ci-dessous ont une sdb avec douche chaude et la TV câblée. Ajoutez 10% de taxe pour la plupart, et parfois 10% supplémentaires pour le service.

Kanchen Residency (☎ 9732072614 ; kanchenresidency@indiatimes.com ; Tibet Rd ; d arrière/côté/avant 450/600/700 Rs). Au-dessus du morne Hotel Prince (aucun lien entre eux), cette adresse aérée et impeccable est spacieuse, lumineuse et bien tenue. Belle vue depuis les chambres situées à l'avant.

Namgyal Home Stay (☎ 203701 ; www.namgyaltreks.net ; s/d 800/1 200 Rs). Cette pension spacieuse, simple et sympathique est à 3 km au sud, sur la 31ANHWay. Pension complète possible. Réservations à Namgyal Treks & Tours (p. 602).

Mintokling Guest House (☎ 204226 ; www.mintokling.com ; Bhanu Path ; s/d à partir de 950/1 250 Rs). Entourée d'un jardin paisible, cette pension familiale très accueillante est une vraie oasis. Tissus bhoutanais, plafond en bois et décoration locale.

Travel Lodge (☎ 203858 ; Tibet Rd ; d 1 000-1 200 Rs). Pension populaire aux prix élevés en saison haute, qui peuvent baisser de 50 à 60% en saison creuse. Rapport qualité/prix particulièrement avantageux avec TV câblée (BBC World) et douches chaudes avec serviettes et savon. Cloisons très minces dans les chambres bon marché du rez-de-chaussée et odeur de renfermé dans quelques-unes du haut.

Hotel Sonam Delek (☎ 202566 ; www.hotelsonamdelek.com ; Tibet Rd ; d 1 100-1 500 Rs). Apprécié depuis longtemps, cet hôtel offre un bon service et une cuisine correcte. Les chambres deluxe ont un matelas confortable et une jolie vue. Les super-deluxe, plus spacieuses, disposent d'un balcon avec une meilleure vue. Les standard, au sous-sol, sont très inférieures.

♡ **Hidden Forest** (☎ 205197 ; Middle Sichey ; s/d 1 500/1 700 Rs). Merveilleuse pension familiale aux abords de la ville, isolée sur plus d'un hectare d'orchidées et d'arbres fruitiers peuplés d'oiseaux et de papillons. Les maisonnettes sont superbement décorées avec motifs tibétains, parquet et orchidées. Hidden Forest est soucieux de l'environnement et concocte ses plats délicieux à l'énergie solaire. Les produits laitiers proviennent de la vache de la propriété et tous les déchets organiques sont compostés.

Chumbi Residency (☎ 226618 ; www.thechumbiresidency.com; Tibet Rd ; s/d à partir de 2 250/2 950 Rs). Cet hôtel 3 étoiles très central propose des chambres confortables mais petites. Murs blancs, mobilier de qualité et possibilité de se faire du thé ou du café. Les deux catégories de chambres sont similaires, préférez celles avec vue. Le bar-restaurant, Tangerine, est vivement recommandé.

Hotel Nor-Khill (☎ 205637 ; norkhill@elginhotels.com ; PS Rd ; s/d en pension complète 5 600/5 900 Rs). Ancienne pension royale du souverain du Sikkim, cette somptueuse "maison des joyaux" a gardé son charme des années 1930. Photos d'époque et œuvres d'art émaillent ce lieu au hall décoré d'antiquités et d'immenses miroirs. Les chambres spacieuses et luxueuses du bâtiment ancien attirent les célébrités.

Où se restaurer

RESTAURANTS ET CAFÉS

Les hôtels bon marché abritent souvent des cafés-restaurants servant des plats sino-tibétains, des repas indiens classiques et des petits-déjeuners occidentaux.

Parivar Restaurant (MG Marg ; plats 25-70 Rs). Cuisine végétarienne d'Inde du Sud d'un bon rapport qualité/prix. Goûtez les divers *masala dosa* au petit-déjeuner ou le *thali* à 70 Rs. En dessous de la banque HDFC.

Bakers Cafe (MG Marg ; plats 50-125 Rs ; 🕑 8h-20h). Parfait pour le petit déjeuner. Bons cafés (35 Rs), pâtisseries croustillantes et gâteaux gluants.

♡ **Tangerine** (rdc, Chumbi Residency, Tibet Rd ; plats 50-150 Rs). Cuisine divine, en-cas occidentaux savoureux et cocktails servis dans le bar de style japonais, avec coussins au sol. Décor élégant et décontracté, et serveur/origamiste qui transforme les serviettes en oiseaux. Goûtez des spécialités du Sikkim comme le *sochhya* (ragoût aux orties).

Rasoi (Blue Sheep) Restaurant (MG Marg ; plats 50-110 Rs ; 🕑 8h30-21h30). Toujours flambant neuf, ce restaurant familial sert une bonne cuisine. Service rapide, pas d'alcool.

SUR LE POUCE

Roll House (MG Marg ; rolls 15-30 Rs ; 🕑 8h-20h). Dans une ruelle donnant dans MG Marg. Les délicieux *rolls kati* (voir p. 534) éclipsent même ceux de Kolkata.

Quickbite (MG Marg ; en-cas 20-40 Rs ; 🕑 8h-20h). En-cas à emporter – *dosa*, pizzas, desserts indiens, etc.

Oberoi's (MG Marg ; en-cas 25-60 Rs ; 🕑 7h30-20h30). *Momo* (raviolis tibétains), *chow mein* (nouilles sautées), sandwichs, en-cas indiens et pizzas.

Où prendre un verre

Lounge 31a (Zero Point ; bières 70 Rs ; 🕑 10h-19h30). Architecture tout en verre et atmosphère zen pour une vue baignée de lumière au coucher du soleil. Quatre étages au-dessus de la Sikkim State Bank.

Indulge (Tibet Rd ; bières 70 Rs ; 🕑 11h-23h). Ce café-bar (en-cas de 40 à 120 Rs) aux murs blancs ornés de dessins est doté de grandes fenêtres donnant sur MG Marg.

Orthodox (MG Marg ; bières 55 Rs ; 🕑 7h-22h). Les tables se touchent presque dans ce bar confortable et agréable pour un verre entre amis ou en amoureux. Néon ultraviolet pénible le soir. Plats de 60 à 170 Rs. Petit-déjeuner jusqu'à 10h.

Où sortir

Denzong Cinema (☎ 202692 ; Lal Bazaar ; billets à partir de 25 Rs). Les derniers succès de Bollywood en hindi.

X'cape (☎ 228636 ; Vagra Cinema Hall ; entrée 400 Rs ; 🕑 19h30-23h30 jeu-dim). La principale discothèque de Gangtok.

Achats

Des magasins de souvenirs sur MG Marg et PS Rd vendent de l'artisanat tibétain et sikkimais à des prix élevés. Plusieurs étals du Lal Bazaar vendent des choppes à *tongba* (bière au millet) en bois, des drapeaux de prière et des couteaux de style népalais.

Quelques alcools sikkimais sont vendus dans des fioles souvenirs fantaisie : bouteille de rhum Old Monk (220 Rs), à ouvrir en dévissant la tête du moine ! et Fireball dans une grosse boule rouge.

Handicrafts & Handloom Emporium (☎ 9434137131 ; Zero Point ; 🕑 10h-16h lun-sam, tlj de juil à mars) enseigne l'artisanat traditionnel et vend les réalisations de ses étudiants : sacs (75 Rs), tapis tissés à la main (à partir de 4 200 Rs), *thangka* (125 à 6 800 Rs) et costumes traditionnels féminins (2 000 Rs).

Golden Tips (www.goldentipstea.com ; Kazi Rd ; thé à partir de 25 Rs ; 🕑 12h30-21h30). Boutique de thé avec vaste sélection de mélanges à déguster et à acheter.

Depuis/vers Gangtok

Les glissements de terrain et les déviations peuvent allonger la durée des trajets. Si vous partez de Bagdogra en avion, mieux vaut faire le trajet Gangtok-Siliguri la veille.

AVION

L'aéroport le plus proche est à Bagdogra, à 124 km de Gangtok près de Siliguri dans le

Bengale-Occidental. Des vols vont à Kolkata, Delhi et Guwahati. **TSA Helicopters** (☎0353-2531959 ; www.mountainflightindia.com) circule entre Gangtok et Bagdogra (3 000 Rs, 35 min) ; départ quotidien à 11h et retour vers 14h30. Ce service peut être annulé si le temps est instable et les réservations insuffisantes. À Gangtok, **Sikkim Tourist Information Centre** (☎221634) vend les billets.

Des vans/sumos (Jeep) Maruti à prix fixe se rendent directement à Gangtok (1 450 Rs) depuis Bagdogra (1 500/1 700 Rs, 4 heures 30). Les Jeep garées sur le parking proposent parfois de meilleurs prix : cherchez les plaques d'immatriculation du Sikkim (SK).

BUS

Le tableau ci-dessous indique les bus partant de la **gare routière SNT** (☎202016 ; PS Rd).

JEEP ET MINIBUS COLLECTIFS

Les horaires de départ sont fixés pour diverses destinations. En réalité, le nombre de véhicules augmente en fonction de l'affluence. Les premiers départs se font généralement vers 6h30 pour les trajets les plus longs et les derniers, vers 15h.

De la **station des Jeep privées** (31ANHWay), assez bien organisée, des Jeep/minibus collectifs partent pour Darjeeling (125 Rs, 5 heures), Kalimpong (90 Rs, 3 heures) et Siliguri (125 Rs, 4 heures). Certains continuent jusqu'à la gare ferroviaire de New Jalpaiguri (135 Rs, 4 heures 30). Une seule Jeep dessert Kakarbhitta (140 Rs, 4 heures 30, 6h30), à la frontière népalaise, et Phuentsholing (220 Rs, 6 heures, 8h30), à la frontière bhoutanaise. Achetez les billets à l'avance.

Les services pour l'ouest du Sikkim partent de la **station des Jeep du Sud-Ouest** (☎203862 ; Church Rd) à destination de Geyzing (120 Rs, 4 heures 30), Ravangla (80 Rs, 3 heures), Namchi (90 Rs, 3 heures) et Jorethang (100 Rs, 3 heures). Les Jeep pour Yuksom, Tashiding et Pelling (120-150 Rs, 5 heures) se mettent en route vers 7h et 12h30. En petit groupe, la location d'un véhicule est envisageable.

Pour rejoindre le nord du Sikkim, rendez-vous à la **station des Jeep du Nord** (31ANHWay), à 3 km au nord du centre. Des véhicules rallient Mangan (80 Rs), Singhik (100 Rs) et Phodong (50 Rs).

BUS AU DÉPART DE GANGTOK

Destination	Tarifs (Rs)	Durée	Départs
Jorethang	70	4 heures	7h
Kalimpong	70	4 heures	7h15
Namchi	68	3 heures	7h30
Pelling	90	5 heures 30	7h
Siliguri (via Rangpo)	85-110	5 heures	ttes les heures de 6h30 à 13h30

TRAIN

La gare la plus proche se trouve à 120 km, à New Jalpaiguri (NJP). La gare routière SNT possède un **guichet des réservations** (☎220201 ; 🕒8h-14h tlj sauf dim, 8h-11h dim et jours fériés), informatisé.

Comment circuler

Arrêtez un taxi dans la rue ou prenez-en un à l'une des stations de taxis de la ville, par exemple dans Lal Bazaar, en face du Denzong Cinema ou sur PS Rd, juste au nord de la poste.

ENVIRONS DE GANGTOK

Rumtek et le Lingdum Gompa se découvrent aisément au fil du "circuit des sept points" (p. 602). La visite de chacun des temples nécessite environ une demi-heure. La route tortueuse qui les relie ne manque pas d'attrait, donnant à découvrir des forêts moussues en surplomb de vallées et de superbes rizières en terrasses.

Rumtek

☎03592 / altitude 1 690 m

Face à Gangtok, par-delà une vallée verdoyante, Rumtek est dominée par un immense *gompa*. Ce monastère est particulièrement important sur le plan spirituel, car il abrite le siège de l'ordre kagyu (bonnets noirs). Toutefois, son architecture n'est pas la plus spectaculaire du Sikkim et, en haute saison, il est souvent affreusement bondé. Pour découvrir Rumtek sous un jour plus paisible, restez une nuit et partez dès l'aube en randonnée dans les collines environnantes.

À VOIR

Rumtek Gompa

Réunissant des bâtiments religieux, des écoles et plusieurs petits hôtels, cet immense **monastère** (☎252329 ; www.rumtek.org ; entrée gratuite) fortifié est un village dans le village. Les

ANGÉLIQUES BONNETS NOIRS

L'ordre des bonnets noirs (kagyu ou Black Hat) porte ce nom par allusion au précieux chapeau surmonté d'un rubis porté par le Karmapa (chef spirituel) lors des grandes cérémonies. Tissé avec des cheveux d'anges, ce bonnet doit être conservé sous clé pour l'empêcher de s'envoler au paradis ! En tout cas, personne ne l'a vu depuis 1993, date de la mort du 16e Karmapa. C'est seulement à l'occasion du couronnement du 17e Karmapa que sera ouvert le coffre.

étrangers doivent présenter leur passeport et leur permis. Fait étrange pour un monastère, celui-ci est surveillé par la police. Des altercations violentes ont eu lieu, ainsi qu'une manifestation de moines qui contestaient l'accession du Karmapa.

Le principal **bâtiment** (5 Rs ; 6h-17h) fut érigé entre 1961 et 1966 pour remplacer le monastère de Tsurphu (Tibet), détruit pendant la Révolution culturelle. L'énorme trône attend le couronnement du chef spirituel (controversé) de l'ordre kagyu, le **17e Karmapa** (Ogyen Trinley Dorje ; www.kagyuoffice.org). Ce jeune lama, qui a fui le Tibet en 2000, vit actuellement à Dharamsala : le gouvernement indien, craignant de se mettre à dos les autorités chinoises, lui a interdit de prendre ses fonctions officielles. Pour en savoir plus sur le 17e Karmapa, lisez *Une musique venue du ciel* (éd. Claire Lumière, 2005) de Dorjé Ogyen Trinle.

L'escalier arrière monte au **Golden Stupa** (Stupa doré), une minuscule salle en béton où les cendres du 16e Karmapa sont conservées dans un reliquaire serti de pierreries. Les pèlerins viennent lui rendre hommage. S'il est fermé, quelqu'un du Karma Shri Naland Institute of Buddhist Studies (en face) pourra vous ouvrir.

D'impressionnantes danses *chaam* masquées sont organisées chaque année durant le **Drupchen** (méditation en groupe) en mai-juin, ainsi que deux jours avant Losar (Nouvel An tibétain), au cours duquel on peut aussi assister à des représentations traditionnelles de *lhamo* (opéra tibétain).

Ancien Rumtek Gompa

À 1,5 km du *gompa*, vers Sang, un long chemin de drapeaux de prières blancs mène à l'**ancien Rumtek Gompa**, de couleur bleue, dont la jolie salle de prière principale a été rénovée au point de paraître neuve. L'intérieur offre une explosion de couleurs et l'emplacement du bâtiment est idyllique – magnifique vue sur l'ouest. Deux jours avant *Losoong* (Nouvel An sikkimais), ce monastère accueille les fameuses danses **Kagyed Chaam**.

Lingdum Gompa

Terminé en 1998, le paisible Lingdum Gompa a plus de style que celui de Rumtek. Le bâtiment, flanqué de tours latérales, trône majestueusement parmi les arbres de la forêt. Les peintures extérieures n'ont cependant rien de vraiment élaboré. La principale salle de prière, dotée de murs peints, abrite un grand bouddha Sakyamuni (historique) couronné d'une aura dorée. Les chants retentissants des puja de 7h30 et 15h30 (prières/offrandes) ajoutent à la magie du lieu.

OÙ SE LOGER ET SE RESTAURER

La **Sungay Guesthouse** (☎ 252221 ; dechenb@dte.vsnl.net.in ; d/tr 400/250 Rs) est le seul lieu d'hébergement ouvert. Il loue des chambres lambrissées et confortables, bien que spartiates, avec sdb privatives (eau chaude). Plus chères, les doubles ont une superbe vue depuis le balcon.

Plus loin, là où la route du monastère tourne, le **Sangay Hotel** était en reconstruction au moment de notre passage. À l'extérieur du *gompa*, à 300 m en direction de Gangtok, le **Shambhala Mountain Resort** (☎ 252240 ; resort_shamhala@sify.com) était lui aussi en travaux mais pourrait être ouvert lorsque vous lirez ces lignes.

Le complexe de Lingdum Gompa renferme un café et le **Zurmang Tara Hotel** (☎ 9933008818 ; s 600 Rs, d 1 000 Rs), qui propose des chambres correctes en pension complète, avec parquet et sdb privative.

DEPUIS/VERS RUMTEK

Rumtek est à 26 km de Gangtok par une route sinueuse. Le Lingdum Gompa se situe à 2 km à pied du village de Ranga (ou Ranka), qui est accessible par des routes cahoteuses depuis Gangtok. Les Jeep collectives sont trop irrégulières pour faire l'aller-retour en une journée. Il vous faudra un véhicule ou vous joindre à un circuit.

VERS LE TIBET

Tsomgo (Changu, Tsangu) Lake

altitude 3 780 m

Ce lac pittoresque fait figure d'escale incontournable pour les voyageurs indiens. Pour obtenir un permis (obligatoire), inscrivez-vous à un "circuit" vers 14h – la plupart des agences de Gangtok recevront votre permis pour le lendemain (fournir 2 photos). Les circuits (taxis collectifs guidés) coûtent environ 700/450 Rs par personne (2/3 passagers). Les voyageurs indépendants ne peuvent généralement pas obtenir de permis.

Au bord du lac, des étals de restauration vendent thé, *chow mein* et *momo*. Des **promenades à dos de yak** (environ 100 Rs) autour du lac sont possibles. Les plus sportifs graviront les hauteurs environnantes, avec pour récompense un panorama inoubliable.

Nathu La

Les Indiens (uniquement) peuvent poursuivre sur 18 km la fantastique route reliant le Tsomgo Lake au **Nathu La** (littéralement "la passe de l'oreille qui écoute", 4 130 m). Le poste-frontière pour le sud-est du Tibet a rouvert en grande pompe en 2006. Seuls les villageois des environs peuvent le traverser, et uniquement pour aller au premier marché tibétain, à 8 km. Peut-être pourra-t-on, un jour, se rendre à Yatung (52 km), dans la mythique **Chumbi Valley,** où les rois sikkimais possédaient autrefois leur palais d'été. De là, la route sinueuse de Lhasa (525 km) mène au plateau tibétain via la vieille ville fortifiée de **Phari**, l'une des plus hautes du monde (4 350 m).

À quelques kilomètres au sud-est de Nathu La, le **Jelep La**, plus connu, est le col qu'emprunta Francis Younghusband lors de sa fameuse expédition jusqu'à Lhassa en 1904. Jusqu'en 1962, le Jelep La tint lieu de route de commerce entre Kalimpong et Lhassa. Sa réouverture semble peu probable.

SUD DU SIKKIM

Les gigantesques statues de Namchi constituent le site phare du sud du Sikkim. La région, très peu touristique, dévoile de nombreux panoramas d'exception. Pourtant, la plupart des visiteurs ne font que la traverser pour rejoindre Pelling. Ravangla (p. 609) est rattachée au sud du Sikkim. Il nous a toutefois semblé plus logique de l'intégrer dans la section *De Gangtok à Pelling* (p. 609).

NAMCHI

☎ 03595 / altitude 1 524 m

Lorsque la statue de Shiva sur la colline de Solophuk sera achevée, deux statues géantes se dresseront face à face sur les deux collines qui dominent cette ville prospère. La statue bouddhique, sur Samdruptse, est terminée. **Super Computer Point** (Main Bazaar ; 30 Rs/h ; 🕑 8h-20h) a un point Internet au premier étage de l'immeuble de l'Anapurna Restaurant, bien indiqué. Vous trouverez un DAB d'Axis Bank en face de l'entrée du Main Bazaar.

À voir

SAMDRUPTSE

Peinte dans des tons cuivre et bronze, l'immense **statue de Padmasambhava** de 45 m de hauteur (Indiens/étrangers 10/100 Rs ; 🕑 7h-17h), dont la première pierre fut posée par le dalaï-lama, fut achevée en 2004. Située à 7 km de Namchi et à 2 km de la route de Damthang et brillant parmi les arbres de la colline de Samdruptse, on peut la voir à des kilomètres à la ronde. Elle serait visible depuis Darjeeling. Elle l'est assurément depuis la colline d'en face et de sa statue, Shiva.

Comptez 300 Rs aller-retour en taxi. Si vous préférez retourner à Namchi à pied, prenez l'escalier et passez par un **jardin de rochers** (10 Rs), ou descendez la pointe de Samdruptse jusqu'au **Ngadak Gompa** (un itinéraire plus intéressant). L'**ancien dzong** (temple) délabré de Ngadak date de 1717. Il paraît authentique, malgré les piliers en acier peu esthétiques qui l'empêchent de s'écrouler. L'extérieur, en pierre brute, conserve d'anciens montants de portes sculptés. À l'étage, de remarquables fragments de peinture, très abîmés, affleurent par endroits sous le vieux revêtement de toile des murs.

SOLOPHUK

Une immense **statue de Shiva** de 33 m de hauteur est en construction sur la colline de Solophuk, entourée de temples hindous de styles variés. Ce complexe deviendra un énorme lieu de pèlerinage. Les autorités de Namchi s'y préparent en construisant un centre commercial et en réorganisant le Main Bazaar de la ville. Aux dernières nouvelles, et après plusieurs reports, les travaux devaient se terminer courant 2010. Renseignez-vous à Namchi.

Où se loger et se restaurer

Dungmali Guest House (☎263272, 9434126992 ; Solophuk Rd, Km4 ; d 500 Rs, sans sdb 350-400 Rs). Cette pension familiale ne loue que 3 chambres pour l'instant, la meilleure avec sdb et fenêtre panoramique. Il est prévu d'y ajouter 3 bungalows de styles népalais, lepcha et bhoutanais, plus un étage supplémentaire à la maison. La famille cultive déjà un potager bio et propose des promenades ornithologiques dans sa "jungle privée" de 2,4 hectares, ainsi qu'une rencontre avec un guérisseur traditionnel.

Hotel Samdruptse (☎ 264708 ; Jorethang Rd ; d 100-1 000 Rs). À 300 m à l'ouest du centre, face au carrefour pour Solophuk, le Samdruptse abrite le meilleur restaurant de Namchi. Ne vous laissez pas dissuader par la peinture écaillée et les taches d'humidité. Si les chambres les moins chères au rdc sont à éviter, les meilleures ont une vue superbe sur le Khangchendzonga.

Hotel Mayel (☎ 9434127322 ; Jorethang Rd ; d 500-1 500 Rs). Face au Samdruptse, il n'en a pas la vue mais fera l'affaire si ce dernier est complet.

Le Main Bazaar compte plusieurs hôtels, mais lors de notre visite, il était en cours de réhabilitation. La plupart de ses hôtels et boutiques étaient donc fermés. Une fois les travaux terminés, l'**Hotel Zimkhang** (☎ 263625) devrait être une bonne adresse.

Comment s'y rendre et circuler

À 200 m à l'est, en contrebas de la route de Rangpo, se trouvent le marché principal, l'arrêt des Jeep et la **gare routière SNT** (☎263847). Des bus relient Jorethang (26 Rs, 1 heure, 7h, 11h30 et 13h) et Ravangla (26 Rs, 2 heures, 11h30 et 14h).

Une fois pleines, les Jeep collectives desservent Jorethang (25 Rs, 1 heure), Ravangla (30 Rs, 1 heure), Gangtok (90 Rs, 3 heures 30, 6h30, 7h, 7h30, 8h30 et 15h), Darjeeling (110 Rs, 4 heures, 7h30) et Siliguri (100 Rs, 4 heures, 6h30, 7h, 7h30, 8h et 15h). Des Jeep partent fréquemment pour Geyzing (70 Rs, 3 heures).

BUS AU DÉPART DE JORETHANG

Destination	Tarif (Rs)	Durée	Départs
Gangtok	72	4 heures	12h30
Namchi	20	1 heure	8h30, 12h, 16h30
Pelling (via Geyzing)	50	3 heures	15h
Ravangla (via Namchi)	45	2 heures 30	12h
Siliguri	71	3 heures 30	9h30

JORETHANG (NAYA BAZAAR)

☎ 03595 / altitude 518 m

Nœud des transports entre l'ouest du Sikkim, Namchi et Darjeeling/Siliguri, Jorethang est une bonne base pour explorer des villages méconnus mais néanmoins dignes d'intérêt, comme **Rinchenpong** (escapade bucolique) et **Reishi** (sources chaudes et grotte sacrée).

Le site le plus remarquable de Jorethang est le **pont suspendu d'Akar**, situé à l'extrême ouest du village, à 400 m au nord des alcôves de Shiva de **Sisne Mandir** (Legship Rd).

L'adresse la plus accueillante reste l'**Hotel Namgyal** (☎ 276852 ; d 450 Rs), sur la rue principale, à 70 m à l'est du pont juste avant la gare routière SNT. Les chambres sont propres, celles à l'arrière donnent sur la rivière et les toilettes de la 101 ont une vue plongeante. Vous trouverez en face, à côté de l'arrêt des Jeep pour Darjeeling, un **office du tourisme** (⏲ 8h-1h lun-sam déc-fév et juin-août, 10h-20h sept-nov et mars-mai) particulièrement efficace et plusieurs autres hôtels.

Des liaisons assurées au départ de la gare routière SNT sont présentées dans le tableau ci-contre.

De l'arrêt principal des Jeep, plusieurs services collectifs partent régulièrement pour Darjeeling (90 Rs, 2 heures) et Geyzing (55 Rs, 2 heures). Pour Gangtok, des Jeep passent par Melli (100 Rs), Geyzing (55 Rs, 2 heures), Namchi (30 Rs, 1 heure), Siliguri (100 Rs, 3 heures), Tashiding (100 Rs, 1 heure 30) et Yuksom (150 Rs, 3 heures). À 7h du matin, des Jeep relient Kakarbhitta (150 Rs, 4 heures), au Népal. Achetez votre billet avant de monter.

OUEST DU SIKKIM

La vue sur le Khangchendzonga depuis Pelling est d'une telle beauté qu'elle justifierait à elle seule de venir au Sikkim. Outre ce spectacle, les visiteurs profitent habituellement des excursions vers les cascades et les monastères voisins. Le charmant village de Yuksom est le point de départ de jolies randonnées d'une journée et de treks en groupe de plusieurs jours jusqu'à Dzongri (permis de trek en groupe nécessaire).

DE GANGTOK À PELLING

Trois itinéraires relient la capitale du Sikkim à son principal centre touristique. Le plus long (et le moins intéressant) fait une grande boucle vers le sud jusqu'à Rangpo, puis revient vers Melli, Jorethang et Legship. Il n'est d'ailleurs généralement emprunté que par les services collectifs publics, ou lorsque les glissements de terrain bloquent les deux itinéraires possibles via Singtam et Ravangla. Tous deux sont très agréables, notamment le plus long et le moins fréquenté, qui passe par Yangyang (avec Jeep de location uniquement) et approche de Ravangla par une route spectaculaire qui longe une falaise autour du Maenam Hill.

Ravangla (Rabongla)

☎ 03595 / altitude 2 009 m

Ravangla domine remarquablement l'ouest du Sikkim, les *gompa* d'Old Ralang, Tashiding, Pemayangtse et Sangachoeling, le tout sur fond de pics enneigés.

La ville, moderne et peu esthétique, constitue une bonne base pour visiter Ralang. Près de la route principale se déploie Main Bazaar où se concentrent plusieurs magasins, échoppes, hôtels, la station de Jeep et le **Cyber Cafe** (☎ 9933003225 ; 30 Rs/h ; 8h15-17h).

Au carrefour, l'**Hotel 10-Zing** (☎ 260705 ; d 150-500 Rs), est ouvert toute l'année. Chambres avec sdb privative et chauffe-eau pour celles à 300-500 Rs ou seau d'eau chaude (gratuit) pour les autres.

Hotel Snow White (☎ 9434864915 ; d 600-800 Rs). Chambres petites mais propres avec sdb et chauffe-eau. La moquette, dans certaines des moins chères, sent mauvais. Jolie vue partielle pour celles à l'arrière. Le restaurant (plats 20-60 Rs) est sympathique, avec alcôves fermées par un rideau pour les rdv coquins.

Plusieurs autres hôtels, dont beaucoup avec vue, bordent la route principale sur 1 km.

L'esseulé **Mt Narsing Resort** (☎ 226822 ; www.yuksom-tours.com ; bungalows s/d 600/700 Rs, bungalows à partir de 1 400/1 600 Rs) est un ensemble rustique de bungalows à 5 km de Ravangla. La vue sur les montagnes, encadrée d'arbres, est magnifique.

Le bureau de réservation des bus est dans l'hôtel 10-Zing. Les bus relient Namchi (25 Rs, 1 heure, 9h et 14h) et Siliguri (89 Rs, 5 heures, 6h30). De 8h à 12h, des Jeep collectives partent pour Gangtok (80 Rs, 3 heures), Namchi (40 Rs, 1 heure), Pelling (80 Rs, 3 heures) et Legship (30 Rs, 1 heure). Pour Yuksom, changer à Legship.

Environs de Ravangla

RALANG

À Ralang, à 13 km en dessous de Ravangla, le splendide **Palchen Choeling Monastic Institute** (nouveau *gompa* de Ralang, 1995) accueille quelque 200 moines de l'ordre kagyu. Arrivez tôt le matin ou vers 15h pour les entendre chanter en chœur. La salle principale renferme une statue dorée du Bouddha haute de 9 m. Le *gompa* est célèbre dans la région pour ses sculptures en beurre. En novembre, l'impressionnante **danse de Mahakala** voit les danseurs porter des masques du Grand Protecteur et chasser les énergies négatives. Demandez à voir la pièce où ces étonnants costumes sont entreposés.

À 1,5 km sur la même route, le paisible **Old Ralang Gompa** fut fondé en 1768.

Un taxi jusqu'à Ralang coûte environ 350 Rs depuis Ravangla (retour avec 2 heures d'attente).

MONASTÈRE BON

Près de la route principale de Legship, à 5,5 km du centre de Ravangla, le **Yung Drung Kundrak Lingbon**, petit mais digne d'intérêt, est le seul monastère bon (religion prébouddhique) du Sikkim. Le culte bon a précédé le bouddhisme au Tibet. Fait inhabituel dans le Sikkim, les photos sans flash sont autorisées à l'intérieur (demandez avant). Pujas quotidiennes à 5h et à 16h.

MAENAM HILL

Une randonnée abrupte de 3-4 heures conduit de la route Ravangla-Ralang au sommet du **Maenam Hill** (3 150 m), à travers les rhododendrons et les magnolias du **Maenam Wildlife Sanctuary**. La vue est magnifique et vous apercevrez peut-être un panda roux ou un lophophore resplendissant (oiseau emblématique du Sikkim). Il est utile de prendre un guide pour éviter de se perdre en forêt lors du retour. Des randonnées plus longues continuent jusqu'au village de **Borong**.

GEYZING, TIKJUK ET LEGSHIP

☎ 03595

Les trois villes suivantes ont peu à offrir au visiteur, si ce n'est une extension de permis à Tikjuk et des correspondances à Geyzing. Geyzing se trouve à l'ouest de Gangtok, la capitale du Sikkim. Les extensions de permis pour poursuivre votre voyage se font à Tikjuk, à mi-chemin sur la route de Pelling.

Tikjuk

C'est le centre administratif (District Administrative Centre) de l'ouest du Sikkim. Les permis peuvent être prorogés auprès du **Superintendent of Police office** (superintendant du poste de police ; ☎250763 ; aile latérale 3e ét. ; 10h-16h lun-sam, fermé 2e sam du mois).

Geyzing (Gyashaling)

altitude 1 552 m

Geyzing, qui possède un marché dominical d'un intérêt relatif, est bien placé pour rejoindre l'ouest du Sikkim.

Des bus SNT relient Jorethang (50 Rs, 2 heures, 8h) et Siliguri (105 Rs, 5 heures, 8h). Des Jeep collectives partent fréquemment pour Jorethang (55 Rs, 1 heure 30), Legship (25 Rs, 30 min), Pelling (20 Rs, 20 min), Tashiding (55 Rs, 1 heure 30) et Yuksom (60 Rs, 2 heures 30). Plusieurs départs pour Gangtok (120 Rs, 7 à 9 heures, 6h15), Ravangla (60 Rs, 1 heure, 11h30) et Siliguri (135 Rs, 4 heures, 7h et 12h30).

Legship

Lorsqu'aucun autre transport n'est disponible, notamment depuis/vers Tashiding, vous pouvez essayer de trouver une correspondance à Legship. Si vous êtes bloqué, l'**Hotel Trishna** (☎250887 ; d/tr 200/300 Rs), sans prétention, avec sdb privative et seau d'eau chaude, offre un beau cadre de verdure et une terrasse au dernier étage.

PELLING

☎ 03595 / altitude 2 083 m

Pelling jouit à l'aube d'une vue extraordinaire sur le Khangchendzonga, mais tient davantage d'une enfilade de 2 km d'hôtels touristiques que d'une vraie ville. Ne vous laissez pourtant pas rebuter : le spectacle de l'aurore vaut vraiment le détour. Malgré les hordes de visiteurs, les habitants restent étonnamment accueillants, et les meilleurs hôtels bon marché sont idéals pour rencontrer d'autres voyageurs. Ne manquez pas l'ascension jusqu'à l'**héliport**, pour profiter du panorama.

Orientation et renseignements

Pelling se partage entre les villes haute (*Upper*), moyenne (*Middle*) et basse (*Lower*), mais les trois secteurs se confondent. L'un des principaux points de convergence de la ville haute est le petit rond-point où la route principale de Geyzing tourne à 180 degrés devant l'Hotel Garuda. Au même endroit, des routes mineures partent vers Dentam, au sud, ainsi que vers l'héliport et l'**office du tourisme** (☎9434630876 ; 9h-17h déc-fév et juin-août, 8h-20h sept-nov et mars-mai). Un site Internet utile : www.gopelling.com. Face à l'Hotel Garuda, on trouve un DAB et, un peu plus bas, un **cybercafé** (30 Rs/h ; 7h-19h).

Circuits organisés

L'**Hotel Garuda** (ci-dessous ; circuits 1 500-1 600 Rs/jour/Jeep 8-10 pers), **Simvo Tours & Travels** (☎258549 ; circuit à la journée 175/1 600 Rs par pers/Jeep), **Dolphin Tours** (☎250621 ; Hotel Parodzong ; circuits en Jeep déc-fév et juin-août/sept-nov et mars-mai 1 200/2 000 Rs) ainsi que de nombreux autres hôtels et agences proposent des excursions à la journée. L'une des plus prisées mène à Yuksom via Khecheopalri Lake et trois cascades.

Où se loger

PETITS BUDGETS

Le Garuda et le Kabur sont les grands spécialistes des voyageurs sac au dos. Les autres sont de simples hôtels bon marché.

Hotel Garuda (☎258319 ; dort 60 Rs, d 250-350 Rs). Une adresse prisée des voyageurs à petit budget. Chambres basiques et propres, et vue imprenable sur Khangchendzonga depuis le toit-terrasse. Bar-restaurant de style tibétain, idéal pour rencontrer d'autres voyageurs. Les circuits (voir plus haut) sont d'un bon rapport qualité/prix et chaque participant repart avec un plan schématique pratique.

♥ **Hotel Kabur** (☎9735945598, 258504 ; ch 150-600 Rs). L'entrée se fait par l'étage le plus élevé, occupé par un restaurant charmant

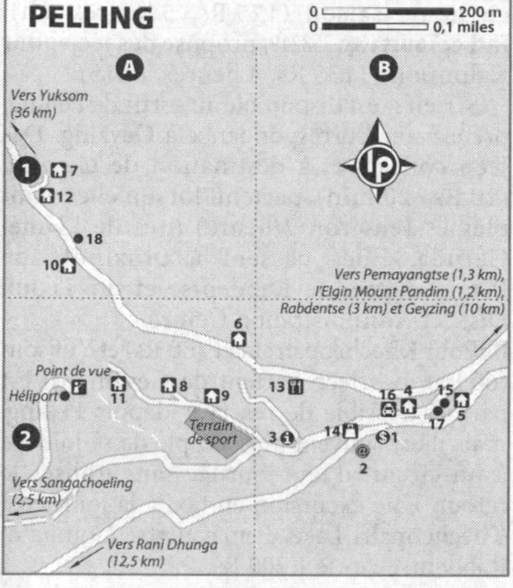

RENSEIGNEMENTS
DAB 1 B2
Cybercafé 2 B2
Office du tourisme 3 B2

À VOIR ET À FAIRE
Dolphin Tours .... (voir 6)
Simvo Tours & Travels .... (voir 17)

OÙ SE LOGER
Hotel Garuda 4 B2
Hotel Kabur 5 B2
Hotel Parodzong 6 A2
Hotel Rabdentse Residency 7 A1
Hotel Simvo 8 A2
Hotel Sonamchen 9 A2
Newa Regency 10 A1
Norbu Ghang Resort 11 A2
Touristo Hotel 12 A1

OÙ SE RESTAURER
Taatopani Bar and Restaurant 13 B2

ACHATS
Rural Artisan Marketing Centre 14 B2

TRANSPORTS
Father Tours 15 B2
Jeep collectives pour Geyzing 16 B2
Simvo Tours & Travels 17 B2
Guichet SNT 18 A1

avec grand balcon couvert de plantes. Quelques étages plus bas, une véranda avec vue sur les montagnes est équipée de chaises longues. Chambres d'un excellent rapport qualité/prix avec serviettes, savon, papier toilette, chauffage l'hiver (inhabituel pour ce prix) et TV. Le propriétaire, Deepen, répondra à toutes vos questions. Excursions dans les environs à 1 800 Rs/véhicule (6 pers maximum).

Hotel Parodzong (☎ 258239 ; ch 400-1 000 Rs). Chambres pratiques d'un bon rapport qualité/prix, avec toilettes turques et chauffe-eau. Celles qui ont une vue au nord, vous pouvez admirer depuis votre lit Khangchendzonga, de l'autre côté de la terrasse commune. Réduction de 50% en saison creuse.

CATÉGORIES MOYENNE ET SUPÉRIEURE

La plupart des hôtels de Pelling sont de catégorie moyenne et accueillent principalement des touristes indiens. Réduction d'environ 30% en basse saison et négociation possible en période creuse. Compter 10% supplémentaires pour le service.

Hotel Simvo (☎ 258347 ; d 500-1 400 Rs). En bas des marches de l'Hotel Sonamchen, avec une belle vue également. Les meilleures chambres sont aux étages supérieurs. Les moins chères sont correctes, contrairement à ce que le couloir peut laisser penser.

Hotel Sonamchen (☎ 258606 ; www.sikkiminfo.net/sonamchen ; s/d à partir de 750/1 000 Rs). La réception très joliment décorée ne reflète pas les chambres, quelconques, qui ont malgré tout une superbe vue sur le Khangchendzonga pour la plupart. Prix excessifs pour les chambres à l'étage.

Newa Regency (☎ 258596 ; www.hotelnewaregency.com ; s/d à partir de 2 000/2 150 Rs). Ce bâtiment triangulaire moderne est l'établissement le plus chic de Pelling. Décoration d'inspiration sikkimaise, notamment dans le salon du 1er étage. Bar avec terrasse extérieure. Les chambres à l'avant, comme la 201, disposent d'un balcon et de la meilleure vue.

Norbu Ghang Resort (☎ 258272 ; www.norbu-ghangresort.com ; s/d à partir de 2 500/2 700 Rs ; ❄). De jolis petites maisonnettes émaillent les collines de ce complexe. Toutes donnent sur le Khangchendzonga, que l'on peut admirer depuis son lit au lever du soleil.

Elgin Mount Pandim (☎ 250756 ; mtpandim@elginhotels.com ; s/d à partir de 4 800/5 100 Rs ; ❄ 💻). L'hôtel le plus aristocratique de Pelling est à 10 min de marche de Pemayangtse Gompa. Son panorama sur les montagnes est sans doute le plus beau de tout le Sikkim. Cet hôtel, autrefois propriété de l'État, resplendit à nouveau grâce à des rénovations. Préparez-vous à vous faire dorloter.

D'autres adresses :

Touristo Hotel (☎ 258206 ; s 350-700 Rs, d 475-900 Rs). Les meilleures chambres jouissent d'une belle vue sur le Khangchendzonga.

Hotel Rabdentse Residency (☎ 258612 ; rabdentse.pelling@yahoo.co.in ; s/d à partir de 750/850 Rs). Au rdc, derrière le Touristo. Personnel serviable et grand sens du détail.

Où se restaurer et prendre un verre

Les meilleurs restaurants sont ceux des hôtels. Le Norbu Ghang, le Kabur et le Rabdentse Residency proposent une cuisine particulièrement savoureuse, tandis que le Garuda est excellent pour prendre un verre entre voyageurs.

Taatopani Bar and Restaurant (Middle Pelling ; plats 50-90 Rs ; 🕑 10h-22h déc-fév et juin-août, jusqu'à 0h30 sept-nov et mars-mai). Un long bar-terrasse borde le restaurant. Les cocktails sans alcool coûtent 90 Rs, avec alcool 165 Rs et les bières de 70 à 80 Rs. Concerts en saison haute.

Achats

Rural Artisan Marketing Centre (🕑 8h-19h), juste en contrebas de l'office du tourisme, vend de l'artisanat local, des costumes traditionnels et des produits bio (thé, cardamome, noix).

Depuis/vers Pelling

À 7h et 12h30, des bus SNT quittent Pelling pour Gangtok (85 Rs, 5 heures 30) via Ravangla (70 Rs, 2 heures) et pour Siliguri (150 Rs, 4 heures 30) via Jorethang (40 Rs, 2 heures 30). Réservation conseillée au **guichet SNT** (☎ 250707 ; Hotel Pelling ; 🕑 7h-18h déc-fév et juin-août, 7h-21h sept-nov et mars-mai) de la ville basse, d'où les bus prennent leur départ.

La fréquence des Jeep collectives augmente à mesure que la saison avance, mais des départs ont lieu toute l'année tôt le matin et vers midi pour Gangtok (160 Rs, 5 heures), et à 8h pour Siliguri (155 Rs, 4 heures 30). Simvo Tours & Travels (p. 610) assure également des liaisons vers Darjeeling en haute saison (175 Rs, 5 heures, 8h). **Father Tours** (☎ 258219) propose des Jeep pour Kalimpong (135 Rs, 4 heures, 6h15).

Si rien n'est disponible au sortir de Pelling, prenez une correspondance à Geyzing. Des Jeep collectives à destination de Geyzing (20 Rs, 20 min) partent lorsqu'elles sont pleines (environ 2/heure) près de l'Hotel Garuda. Elles passent à proximité de Pemayangtse, de Rabdentse et du Tikjuk District Administration Centre.

Pour Khecheopalri Lake (60 Rs) et Yuksom (60 Rs), des Jeep partent de Geyzing. Il est parfois possible de réserver depuis Pelling, mais il est souvent plus simple de se joindre à un circuit d'une journée sans utiliser le retour. Une excursion en taxi à la journée à Khecheopalri Lake, Pemayangtse Gompa et Rabdentse coûte 1 200 Rs.

ENVIRONS DE PELLING

Pemayangtse Gompa

altitude 2 105 m

"Lotus sublime et parfait", **Pemayangtse** (Indiens/étrangers 10/20 Rs ; 🕑 7h-16h déc-fév et juin-août, 7h-18h sept-nov et mars-mai) est l'un des *gompa* nyingmapa les plus anciens (1705) et les plus importants du Sikkim. Magnifiquement situé sur une hauteur dominant les ruines de Rabdentse, l'ensemble est entouré par des jardins et les maisons traditionnelles des moines, en pierre brute. La salle de prière, aux proportions harmonieuses, est très colorée, et comporte des motifs tibétains sur les portes et les fenêtres. La statue représente Padmasambhava dans son affreuse incarnation Dorje Bhurpa Vajrakila, aux têtes et aux bras multiples. À l'étage, trônent des statues à l'effigie des huit incarnations de Padmasambhava (voir p. 607). Installé tout en haut, **Zandog Palri** est une étonnante maquette à sept niveaux

PADMASAMBHAVA

Appelé Guru Rinpoche en tibétain, Sibaji en népalais/hindi et Padmasambhava en sanskrit, ce "Second Bouddha" du VIIIe siècle aurait introduit le tantrisme au Tibet. Les statues et peintures de Padmasambhava sont répandues dans tout le Sikkim. Dans sa forme la plus classique, il est souvent représenté assis jambes croisées, avec de grands yeux ouverts et un *tirsul* (bâton en forme de trident) coincé dans sa manche gauche retroussée, transperçant trois têtes à différents stades de décomposition, qui figurent les trois *kaya* (aspects de l'Éveil). De sa main droite, Padmasambhava fait un salut à deux doigts, derrière un *dorje* (mini-sceptre).

Padmasambhava possède sept autres manifestations. La plus étonnante, Dorje Bhurpa Vajrakila, le représente avec trois têtes effrayantes et une jeune fille.

de la demeure céleste de Padmasambhava. Un lama consacra cinq longues années à sa fabrication.

En février-mars, les impressionnantes danses *chaam* célébrant Losar culminent avec le déploiement d'une immense banderole brodée et la chasse aux démons menée au moyen d'un grand feu.

Pemayangtse se situe à 25 min de marche (1,3 km) de la ville haute de Pelling. Elle est bien indiquée depuis la route Pelling-Geyzing (près d'un stupa impossible à manquer).

Rabdentse

Capitale royale du Sikkim de 1670 à 1814, **Rabdentse** (entrée libre ; aube-crépuscule), désormais en ruines, se résume à des vestiges de murs épais couverts de quelques inscriptions. L'intérêt du site serait limité s'il ne jouissait d'un tel panorama. L'entrée du site est à 3 km de la ville haute de Pelling. Les ruines sont à 15 min de marche du portail jaune du site – vous devrez contourner un étang et traverser une forêt.

Sangachoeling Gompa

Deuxième plus ancien *gompa* du Sikkim, **Sangachoeling** comprend de belles fresques et bénéficie d'une magnifique situation au sommet d'une crête. On y parvient au terme d'une ascension assez raide de 3 km depuis Pelling, qui démarre sur la piste partant vers la gauche, là où la route goudronnée monte vers le nouvel héliport de la ville.

Une randonnée dans la jungle continue 10 km au-delà de Sangachoeling jusqu'à **Rani Dhunga** (pierre de la Reine), site présumé d'une bataille épique entre Rama et le démon à dix têtes Ravana. Louez les services d'un guide.

Darap

Pour une agréable excursion d'une journée au départ de Pelling, descendez à pied jusqu'au **village de Darap** par les sentiers qui traversent des petits hameaux. Le Khangchendzonga devrait être visible sur votre droite durant une grande partie du trajet, si les nuages sont peu nombreux. L'Hotel Garuda (p. 610) propose des randonnées guidées avec retour à l'hôtel.

TREK DES MONASTÈRES

☎ 03595

Le "trek des Monastères" (3 jours) entre Pelling et Tashiding via Khecheopalri Lake reste envisageable. Toutefois, en raison de l'amélioration de la route Pelling-Yuksom, les nuages de poussière soulevés par les Jeep sont devenus plus fréquents sur le parcours. Vous pourrez vous rendre à la merveilleuse Yuksom (via Khecheopalri Lake par des circuits en Jeep), puis rejoindre Tashiding à pied (une journée, pas de permis requis). Même sans aller plus loin que le Yak Restaurant, Yuksom reste un merveilleux endroit où se faire halte.

De Pelling à Yuksom

Des Jeep de touristes s'arrêtent à plusieurs sites assez quelconques. **Rimbi** et les **chutes de Khangchendzonga** sont belles après la pluie, mais les **chutes de Phamrong** sont impressionnantes en tout temps. Bien que Khecheopalri se trouve à plusieurs kilomètres au bout d'une voie sans issue, quasiment tous les circuits vers Yuksom y passent, vous déposant pour 30 min environ à un parking situé à 5 min de marche du petit lac.

KHECHEOPALRI LAKE

altitude 1 951 m

Ce lac sacré est hautement révéré par les bouddhistes du Sikkim qui pensent que les oiseaux ôtent avec diligence toute feuille tombant à sa surface. Durant le **Khachoedpalri Mela** (mars-avril), des lampes à beurre sont déposées sur les eaux. Des moulins à prières longent la jetée, sur fond de drapeaux de prières et d'inscriptions tibétaines. Le cadre, entouré de hauteurs boisées, est serein à défaut d'être impressionnant. Pour mieux l'apprécier, passez-y la nuit pour le visiter une fois les touristes partis. En montant jusqu'au point de vue de **Dupok** (demandez au Trekkers Hut), vous pourrez voir la forme du lac en empreinte de pas.

Trekkers Hut Guest House (☎ 9733076995 ; dort/lits jum sans sdb 50/150 Rs) est un bâtiment vert pâle isolé à environ 300 m en contrebas de la route d'accès depuis le parking. L'établissement appartient au gouvernement qui n'investit pas suffisamment dans son entretien ; mais le gérant, l'aimable M. Teng fait tout son possible. Les chambres modestes mais propres se partagent plusieurs sdb. Vous y bénéficierez de repas copieux (50 Rs), de *tongba* (bière à base de millet fermenté ; 30 Rs), d'informations sur les randonnées et parfois de circuits culturels ou ornithologiques. En dormant sur place, vous pourrez faire une marche jusqu'au **Khecheopalri Gompa**, au-dessus du lac.

Vous trouverez un couvent bouddhiste (derrière une porte évoquant un sanctuaire), un petit magasin et le très basique **Jigme Restaurant** (thé, *momo* et *chow mein*) près du parking. Il n'y a pas de village. On nous a signalé que le *gompa* gère le **Palas Guest House** (☎ 9832471253), qui enseigne également la méditation. Quand vous êtes face à l'extrémité du parking, prenez le petit chemin qui monte sur la gauche.

Des Jeep collectives pour Geyzing (70 Rs, 2 heures) via Pelling (23 km) partent du lac vers 6h.

La piste de Yuksom (9 km, 3 à 5 heures) descend jusqu'à la route principale et ressort au niveau des chutes de Khangchendzonga. Après le pont suspendu, suivez le raccourci qui monte pour retrouver la route de Yuksom, à 2 km environ en dessous de Yuksom. Détails auprès du Trekkers Hut.

Yuksom

☎ 03595 / altitude 1 780 m

Le ravissant village historique de Yuksom est resté préservé. Faute de vue directe sur les montagnes, les touristes indiens le boudent et il n'est pas encore devenu un ghetto pour touristes comme Hampi ou Manali. C'est le principal point de départ du trek vers le Khangchendzonga (p. 615) et un excellent endroit pour des randonnées d'une journée. Le **Community Information Centre** (50 Rs/h ; 🕑 10h-13h et 15h-17h) dispose de connexions Internet dans une hutte près du Kathok Lake. En face, une petite boutique de souvenirs vend des chaussettes en laine de style tibétain.

De nombreuses agences de trekking, dont **Mountain Tours & Treks** (☎ 241248 ; www.sherpatreks.in), organisent des circuits sur le Khangchendzonga. Comptez environ 40 $US/pers/jour pour un groupe de quatre.

À VOIR

Yuksom signifie "lieu de rencontre des trois lamas", en référence aux moines tibétains qui couronnèrent ici le premier *chogyal* du Sikkim en 1641. Le site accueille désormais le **Norbugang Park**, qui abrite une maison de prières, un grand moulin de prières, un *chorten* (stupa) et le **Coronation Throne** (Norbugang), supposé être d'origine. Situé sous un grand pin, ce trône du couronnement évoque un podium. En face, une empreinte de pas a été coulée dans la pierre. Elle aurait été laissée par l'un des lamas couronneurs ; soulevez la trappe en bois pour la voir.

En marchant vers Norbugang Park après l'Hotel Tashi Gang, vous passerez devant le **Kathok Lake**, dont les eaux furent utilisées lors du couronnement.

Lorsque Yuksom était la capitale du Sikkim, un ensemble royal connu sous le nom de **Tashi Tenka** occupait une crête légèrement au sud, avec une superbe vue à presque 360 degrés. Aujourd'hui, il n'en reste cependant quasiment rien… hormis le panorama. Pour trouver le site, prenez le sentier marqué par deux anciens petits stupas blancs près de l'école du village. Le site est à moins de 5 min de marche via **Gupha Dara**, minuscule hameau composé d'une dizaine de maisons semi-traditionnelles.

Haut perché au-dessus de Yuksom, le **Dubdi Gompa** est installé dans des jardins bien tenus, derrière trois stupas photogéniques. Datant de 1701, ce serait le plus ancien monastère du Sikkim ; la maison de prières semble toutefois beaucoup plus récente. Aucun moine ne vivant sur place, un gardien assure l'intendance durant la journée. Vous entamerez l'ascension abrupte depuis la clinique de Yuksom (45 min), à travers une belle forêt. Prenez garde aux sangsues.

Yuksom compte deux nouveaux *gompa*. **Kathok Wodsallin Gompa**, près de l'hôtel Tashi Gang, abrite une statue particulièrement sévère de Guru Padmasambhava, entourée de yogis, de gurus et de lamas dans des vitrines. Le **Ngadhak Changchub Choling**, qui est accessible par un portail décoré face à l'Hotel Yangri Gang, est tout aussi coloré. Un bouddha aux mains et têtes multiples regarde avec bienveillance les moines qui y font la puja à 6h et à 19h.

Le sentier de Dzongri et du Goecha La monte au-delà de l'allée de l'Hotel Tashi Gang, en passant par un poste de police où les permis sont inspectés attentivement.

OÙ SE LOGER ET SE RESTAURER

Nombre de petits hôtels sont répartis le long de la modeste rue principale.

Hotel Demazong (☎ 241215, 9775473687 ; dort 100 Rs, ch sans sdb 200-500 Rs). Une adresse bon marché avec sdb communes et réductions hors saison.

Hotel Wild Orchid (☎ 241212 ; d/tr sans sdb 150/225 Rs). Cette maison propre et bien rangée est un peu défraîchie mais c'est la plus charmante de cette catégorie. Sdb communes, seau d'eau chaude à 10 Rs.

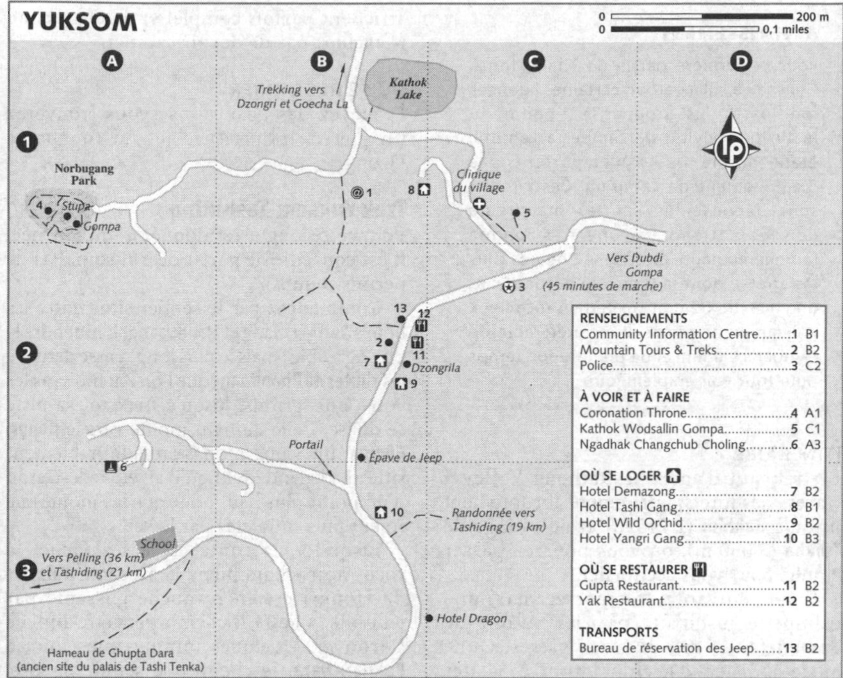

Hotel Yangri Gang (☎ 241217 ; d 350-800 Rs, sans sdb 200 Rs). Les chambres au sous-sol ressemblent à des cubes de béton mais celles du haut sont spacieuses avec beaux parquets, lambris et douches chaudes.

Hotel Tashi Gang (☎ 241202 ; s/d à partir de 850/1 100 Rs). Les couleurs des dessus-de-lit, les tentures jaunes et rouges du restaurant et les *thangka* dans certaines chambres font référence à l'art monastique sikkimais. Chambres spacieuses, avec parquet et sdb bien équipées. En négociant bien, les réductions hors-saison en font l'adresse la plus attrayante de la ville.

Bières, *chow mein* (nouilles sautées), curries, cornflakes et *thukpa* bon marché sont servis dans deux charmants restaurants côte à côte, **Yak** et **Gupta**, à l'arrêt des bus et des Jeep. Tous deux disposent d'une grande table ronde favorisant la convivialité, sous un toit de chaume. L'intérieur du Gupta est le plus agréable. Plats de 35 à 70 Rs, fermeture à 20h.

DEPUIS/VERS YUKSOM

Vers 6h30, plusieurs Jeep collectives partent en direction de Jorethang (90 Rs, 4 heures) via Tashiding (40 Rs, 1 heure 30). D'autres Jeep vont à Gangtok (150 Rs, 6 heures) et Geyzing via Pelling (60 Rs, environ 2 heures 30). Un conseil : réservez au bureau face au restaurant Yak la veille.

Dzongri et Goecha La : le trek de Khangchendzonga

Pour les groupes avec guide et permis, Yuksom est le départ du trek jusqu'au Goecha La, col de 4 940 m avec de belles vues sur le Khangchendzonga.

Pour un trek de 7 à 10 jours, comptez 40-55 $US/personne minimum par jour (4 pers), alimentation, guides, porteurs et yaks compris. Lire *Itinéraire* ci-dessous et l'encadré p. 616 pour plus d'information.

Les agences s'occupent des permis. Les formalités se font à Gangtok, mais si vous prévoyez un délai de 2-3 jours, les agences de Pelling et de Yuksom s'en chargeront également.

Ne sous-estimez pas la difficulté du trek. Ne montez pas trop vite : le mal des montagnes frappe souvent les plus rapides (voir p. 824). Mieux vaut partir à l'aube, car il pleut souvent l'après-midi, ce qui gâche la vue et rend le chemin boueux.

AVERTISSEMENT

Pour la dernière partie de Thangsing à Goecha La, aller-retour, certaines agences font partir les groupes à 1 heure du matin pour éviter de camper à Lamuni, étant donné qu'ils n'emportent pas d'équipement de camping. Ces circuits sont déconseillés car les marcheurs doivent s'attendre à une très longue journée en haute altitude (12 heures plus les arrêts), dont la première partie inclut une marche de nuit sur terrain rocailleux à la lampe de poche. Il est préférable de camper à Lamuni et de prendre son temps pour tout voir en plein jour.

ITINÉRAIRE

Le trek suit d'abord la Rathong Valley à travers des forêts, puis monte abruptement jusqu'à **Bakhim** (2 740 m) et au village de **Tsokha** (3 050 m), où vous pourrez passer 2 nuits pour vous acclimater.

Étape suivante : démarrez par une grimpette jusqu'aux prairies autour de **Dzongri** (4 025 m), où vous passerez une autre journée d'acclimatation à visiter **Dablakang** ou **Dzongri La** (4 550 m, 4 heures aller-retour) – merveilleuses vues sur le mont Pandim (6 691 m).

Après Dzongri, la piste s'arrête à **Kokchuran** puis suit la rivière jusqu'à **Thangsing** (3 840 m). Le lendemain, campez à **Lamuni**, 15 min avant **Samiti Lake** (4 200 m), d'où vous partirez le lendemain matin à l'assaut de l'époustouflant **Goecha La** (4 940 m) pour une vue époustouflante sur le Khangchendzonga. Des lecteurs recommandent un autre point de vue, accessible après une ascension d'une heure depuis la rive gauche du Samiti Lake.

Le retour suit le même chemin, avec des raccourcis parfois mal définis. Depuis Dzongri, vous pouvez aussi bifurquer vers le sud en suivant le **Singalila Ridge** durant une semaine environ le long de la frontière Népal-Sikkim pour arriver à **Uttarey**, d'où les transports publics desservent Jorethang.

OÙ SE LOGER

Il existe des refuges à Bakhim, Tsokha, Dzongri, Kokchuran et Thangsing. La plupart n'ont ni mobilier, ni matelas. Apportez un tapis et un bon sac de couchage car vous devrez dormir sur le sol. Les refuges affichent parfois complet en haute saison. N'excluez pas de devoir camper.

OÙ SE RESTAURER

Prévoyez des provisions ; vous trouverez un peu de nourriture (et du tongba) à Dzongri.

Trek Yuksom-Tashiding

Pour cette longue randonnée d'une journée, il est conseillé de partir de Yuksom. Pas de permis requis.

Commencez par le sentier situé entre les hôtels Yangri Gang et Penathang. L'itinéraire le plus agréable (mais le plus long) passe derrière les **chutes de Phamrong** (que l'on entend sans les voir), puis grimpe jusqu'à **Tsong**, où la piste se divise. Celle du haut monte vers le **Hongri Gompa**, un vieux monastère admirablement situé. La légende veut qu'il ait été redescendu d'un point plus haut pour que les moines ne soient plus inquiétés par le yeti.

Jusqu'ici, la route est assez facile, la roche accrochant bien ; la descente à partir de Hongri est en revanche glissante par endroits. À **Nessa**, le chemin peut être difficile à trouver. Quelques minutes plus loin, à **Pokhari Dara**, le chemin se scinde encore, près du magasin. En optant pour la descente, vous emprunterez le trajet le plus direct vers Tashiding. En montant sur la crête, vous rejoindrez le **Sinon Gompa**, très haut au-dessus de Tashiding. La dernière portion du chemin avant le monastère permet d'admirer d'anciens murs à *mani* (murs de pierre recouverts d'inscriptions sacrées), mais la descente vers Tashiding est longue et abrupte par les raccourcis ou s'étend sur 10 km en empruntant la route.

TREK DE KHANGCHENDZONGA

Étape	Itinéraire	Durée
1	Yuksom-Tsokha, via Bakhim	6-7 heures
2	Journée d'acclimatation à Tsokha	1 journée
3	Tsokha-Dzongri	4-5 heures
4	Journée d'acclimatation à Dzongri ou continuer vers Kokchuran	1 journée
5	Dzongri (ou Kokchuran)-Lamuni via Thangsing	6-7 heures
6	Lamuni-Goecha La, puis vers Thangsing	8-9 heures
7	Thangsing-Tsokha	6-7 heures
8	Tsokha-Yuksom	5-6 heures

Tashiding

altitude 1 490 m

Tashiding se résume à une petite rue en pente qui part vers le nord depuis la route Yuksom-Legship. Elle dévoile un panorama époustouflant en direction du sud. À 400 m au sud du carrefour en direction de Legship, vous passerez par une série de **murs à mani** et d'inscriptions tibétaines, avant d'atteindre un **portail** coloré. Un chemin carrossable de 2,4 km monte jusqu'à un parking. De là, un sentier abrupt et parfois glissant, bordé de drapeaux de prières, mène au **Tashiding Gompa**, à environ 15 min de marche.

Fondé en 1641 par l'un des trois lamas de Yuksom (voir p. 614), ce monastère comprend cinq édifices religieux, répartis entre des bâtiments plus fonctionnels. Remarquez le moulin à prières géant. Joliment proportionnée, la **principale salle de prière**, de 4 étages, est très belle vue de loin – de plus près, le décor extérieur est assez grossier. Le jardin de fleurs semi-sauvages offre de belles vues sur la vallée en direction de Ravangla.

Derrière le dernier monument monastique trônent plus d'une dizaine de chortens (stupas) blancs, dont le **Thong-Wa-Rang-Dol**, réputé laver de ses péchés quiconque le regarde. Le stupa **Kench Chorgi Lorde**, plus petit et doré, est aussi plus harmonieux. Il est étayé de pierres couvertes de prières bouddhistes. L'atelier du graveur se trouve à l'arrière de l'ensemble.

En janvier ou en février, durant la fête du **Bumchu**, les lamas ouvrent délicatement un pot sacré. Selon le niveau de l'eau qu'il contient, ils font ensuite des augures sur l'année à venir.

Les trois hôtels basiques et sympathiques de Tashiding ont des sdb communes. L'**Hotel Blue Bird** (☎ 243248 ; ch sans sdb 100 Rs), en bas de la rue, est le moins cher mais le plus décrépit. Le **Mt Siniolchu Guest House** (☎ 243211, 9733092480 ; ch sans sdb 100-200 Rs) lui est préférable. **New Tashiding Lodge** (☎ 243249 ; Legship Rd ; tr sans sdb 200 Rs) est à 300 m au sud du marché. Belle vue depuis les chambres 3, 4 et 5 et encore meilleure depuis les sdb communes.

Les Jeep collectives vers Gangtok (120 Rs, 4 heures) via Legship (30 Rs, 1 heure) passent par le carrefour principal, la plupart entre 6h30 et 8h. Quelques Jeep pour Yuksom circulent en début d'après-midi, mais il est préférable d'y aller en passant par Legship ou Geyzing si vous voulez partir tôt le matin.

NORD DU SIKKIM

☎ 03592

Les vallées de Yumthang et de Tsopta sont les principales curiosités de cette région. Un permis spécial est nécessaire pour rejoindre toute destination au nord de Singhik, mais il est facile à obtenir (voir p. 598) – les visiteurs étrangers doivent impérativement voyager par groupe de deux au minimum. Il est parfaitement possible de visiter Phodong et Mangan/Singhik de façon indépendante grâce aux Jeep publiques. On peut aussi en avoir un aperçu lors de brefs arrêts durant n'importe quel circuit autour de Yumthang.

DE GANGTOK À SINGHIK

Étroite mais assez bien goudronnée, la 31ANHWay s'accroche à des pentes raides et boisées au-dessus de la Teesta, descendant parfois en épingles à cheveux jusqu'à un pont festonné de drapeaux de prières, pour remonter ensuite de l'autre côté. Si vous êtes en voiture, vous pourrez vous arrêter au point de vue de Tashi (p. 602), à Kabi Lunchok, Phensang et aux chutes des Sept Sœurs.

Kabi Lunchok

Cette agréable clairière décorée de plaques commémoratives, à 17 km au nord de Gangtok, est le site du traité de paix entre les chefs des peuples lepcha et bhutia au XIIIe siècle. Ils se jurèrent fraternité jusqu'à l'assèchement de la rivière Rangit et la disparition du Khangchendzonga.

Phensang

Ce petit monastère de 240 ans appartenant à la secte Nyingmapa abrite deux salles de prière magnifiquement décorées (en bas et en haut). Tout est récent, le monastère ayant été reconstruit après un incendie en 1957. Le **Chaam Festival** se tient les 28e et 29e jours du 10e mois du calendrier tibétain (en général décembre).

Chutes des Sept Sœurs

Une cascade à plusieurs étages creuse une gorge au-dessus d'une plantation de cardamome en bord de route, avant de plonger dans un bassin rocheux puis dans un ravin. Un ancien pont en bois enjambe le ravin à 30 km au nord de Gangtok, et un stand de *chai* vous accueille côté sud.

CIRCUITS DANS LE NORD DU SIKKIM

- Un groupe de 4 à 5 personnes est idéal pour allier tarifs intéressants et place dans la Jeep.
- Pour trouver des compagnons de voyage, essayez de vous rendre au café du New Modern Central Lodge (Gangtok ; p. 600) vers 18h, quelques jours avant votre départ et demandez aux autres voyageurs.
- Un circuit de moins de 4 jours est un peu court pour visiter tranquillement Yumthang/Lachung et Lachen. Les circuits de 4 jours/3 nuits commencent à 2 500 Rs/pers pour les groupes de 5 personnes, selon la catégorie de l'hébergement.
- Le premier jour, quittez Gangtok tôt : il serait dommage d'arriver de nuit.
- Votre guide (obligatoire) sera davantage un traducteur. N'espérez pas qu'il marquera de lui-même l'arrêt à chaque point potentiellement intéressant.
- Emportez une lampe électrique pour les inévitables coupures de courant.
- Ne manquez pas de goûter au *tongba* (bière de millet ; avec un petit supplément).

Phodong

altitude 1 814 m

Les restaurants de Phodong sont pris d'assaut le midi. Des chambres simples sont disponibles, notamment à l'**Hotel Yak and Yeti** (☎9434357905 ; dort 100 Rs, d sdb commune 200-250 Rs), où le personnel parle anglais.

À 1 km environ au sud-est, près du Km 39, une marche de 15 min le long d'une ancienne route très détériorée mène au **Phodong Gompa** (1740), appartenant au culte kagupa. La salle de prière, à 2 étages renferme de vastes fresques et une grande statue du 9e Karmapa. Une pièce à l'arrière renferme une statue cachée de Mahakla, une divinité protectrice du monastère.

Plus serein et évocateur, le **Labrang Gompa** (1884) peut être atteint après une demi-heure de marche. Les fresques de la salle de prière répètent la même pose de Padmasambhava 1 022 fois. À l'étage, la divinité de Guru Padmasambhava arbore un collier de têtes tranchées. Des danses *chaam* sont organisées début décembre.

De Phodong à Singhik

Chef-lieu du district du nord du Sikkim, **Mangan** (Km 67) s'autoproclame "grande capitale mondiale de la cardamome". À 1,5 km de la ville, des stupas noircis par le temps trônent dans un virage, marquant l'entrée d'un sentier. Une descente de 3 min conduit à un **point de vue** panoramique.

Outre le paysage époustouflant, il n'y a rien de spécial à voir entre Mangan et Lachen ou Lachung, villages où les voyageurs passent la nuit.

APRÈS SINGHIK

Avec le permis approprié et un circuit organisé, vous pouvez continuer plus au nord après Singhik. Au village suivant, Chungthang, la Teesta se sépare entre Lachung Chu (dans la vallée) et Lachen Chu.

Vous trouverez des hébergements à Lachung et à Lachen, ainsi que des options basiques à Thanggu. Nous en avons recensé plusieurs, mais votre agence se chargera sans doute de la sélection. Certaines adresses familiales restent ouvertes en espérant attirer les touristes indiens, mais la plupart des *lodges* ont coutume de fermer lorsqu'ils n'attendent aucun groupe.

Les hôtels les moins chers proposent des chambres variées. Les prix sont les mêmes avec ou sans chauffe-eau, douche, chauffage, fenêtre et balcon. Essayez de comparer les chambres de votre hôtel.

Les villages de Lachen et de Lachung témoignent d'un grand sens de la démocratie. Le *pipon* (chef) est élu chaque année.

Lachung Chu

LACHUNG

altitude 3 000 m

Nichée dans une vallée, la minuscule Lachung est entourée de hauts murs rocheux agrémentés çà et là de cascades. Pour apprécier pleinement le cadre, prenez le pont suspendu au-dessus de la Yumthang (côté Sanchok), puis montez sur 1,5 km par la route de Katao jusqu'au **Lachung Gompa** (1880), pour admirer la vue. Parmi les fresques du *gompa*, l'une est d'origine (sur le mur de gauche en entrant). Les deux moulins à prières géants sonnent périodiquement. Deux grands dragons montent la garde devant l'entrée. Vous pourrez vous connecter à **Internet** (30 Rs/h ; 10h-16h lun-sam) dans une salle de l'école secondaire, de l'autre côté du terrain de foot.

Le **mont Katao**, 30 km plus loin, est prisé par les touristes indiens amateurs de sports d'hiver. Il est hors d'accès pour les étrangers.

Les hôtels sont répartis autour de Lachung. Les plus pratiques se situent autour du Faka Bazaar, au-dessus du pont. Les prix des chambres débutent à 300 Rs pour les plus basiques, mais ils doublent en haute saison. Beaucoup de lieux d'apparence moderne continuent d'utiliser des poêles à bois tibétains et peuvent vous préparer du thé au beurre salé dans une baratte traditionnelle.

Sila Inn Lodge (☎ 214808 ; ch 300-500 Rs, sdb commune). Cette adresse familiale ouverte toute l'année offre un choix de chambres standards au-dessus d'une sympathique auberge-restaurant ; les meilleures sont au dernier étage.

Le Coxy (www.nivalink.com/lecoxyresort) et le **Sonam Palgey**, deux hôtels voisins, sont plus élégants.

Dans une allée à 3 km au sud de Lachung, le **Modern Residency** (Tagsing Retreat ; ☎ 214888 ; Singring Village ; d 2 500 Rs) est un ensemble de bâtiments colorés évoquant un monastère de conte de fées ! Il est l'une des curiosités des circuits de Modern Treks & Tours (p. 602). Les chambres, confortables, sont décorées "couleur locale" ; les prix sont très élevés. Même sans être client, le bâtiment mérite le détour. L'un des étages comprend un mini-musée et le toit, au-dessus de la salle de prière, offre une vue splendide sur la vallée.

YUMTHANG VALLEY

La principale raison d'un passage par Lachung est de continuer au nord sur 23 km pour admirer la majestueuse Yumthang Valley, à une dizaine de kilomètres de là. C'est aussi l'entrée du **Singba Rhododendron Sanctuary**, dont la végétation et le paysage diffèrent de ceux de l'abrupt Lachung Chu. La vallée qui s'élargit et s'aplanit est émaillée de bosquets de conifères festonnés de filaments laineux de lichen. La route est bordée de souches, résultat de l'abattage inconsidéré, les pierres sont recouvertes de mousse et des massifs de rhododendrons fleurissent de toutes parts. De mars à début mai, cette vallée est fidèle à son ancien nom de Vallée des Fleurs quand primevères, rhododendrons et une multitude d'autres plantes en fleurs tapissent son sol.

Au Km 23, plusieurs échoppes vendent des en-cas en haute saison et les autorités touristiques du Sikkim sont en train de construire une pension (*guest house*). De l'autre côté de la rivière, un triste bassin de 2 m^2 dans une hutte non-éclairée et jonchée d'ordures fait office de **source chaude**. Le vrai spectacle commence à 1 km au nord environ, au bord de la rivière. Si le temps est dégagé, vous aurez une vue à 360 degrés sur un superbe paysage montagneux de glaciers, pics rocheux et montagnes déchiquetées s'élevant vers le Tibet. Les touristes indiens ont la chance de pouvoir s'aventurer 23 km plus loin, jusqu'à Yume Samdong.

Lachen Chu

LACHEN

altitude 2 750 m

Lachen était encore récemment un village de pêcheurs lepcha traditionnel. Les choses changent et les jolies maisons au bord de la route sont progressivement remplacées par des hôtels en béton. Cependant, les rues secondaires restent bordées de vieilles maisons en bois aux solides fondations de pierre et de constructions tibétaines. Partout, du bois est stocké en prévision de l'hiver.

Lachen Gompa se trouve à une quinzaine de minutes à pied en amont de la ville. Si l'extérieur en briques est peu attrayant, l'intérieur est entièrement recouvert de représentations des différentes incarnations de Guru Padmasambhava.

Lachen est le point de départ des expéditions au **Green Lake**, le long du **glacier Zemu**, vers la face nord-est du Khangchendzonga. Elles nécessitent une longue préparation et des permis très chers.

Sinolchu Lodge (☎ 9434356189 ; d 300-400 Rs) présente l'avantage d'être ouvert toute l'année. Les chambres petites mais confortables sont garnies d'épaisses couvertures (sans drap, il est préférable d'apporter un sac à viande). Les chambres ont une sdb privative mais seules les plus chères sont équipées d'un chauffe-eau (seaux d'eau chaude à disposition pour les autres).

Excellent hébergement bon marché, le **Bayul Lodge** (lits jum 250 Rs, sdb commune) arbore une façade supérieure décorée de motifs tibétains ; au-dessus du petit vidéo-cinéma, à côté de la poste.

THANGGU ET TSOPTA

altitude 4 267 m

Situé après un grand camp militaire à 32 km au nord de Lachen, **Thanggu** a quelque chose d'un "bout du monde". L'endroit est trop élevé pour craindre les sangsues, on n'y trouve aucun téléphone, la frontière de la Chine n'est qu'à 15 km et l'électricité est d'origine solaire.

Le **Thanggu Resort** (d et tr 500 Rs, sdb commune) occupe une simple maison familiale. Au programme : cuisine traditionnelle, salle à manger et bar à *tongba* (10 Rs). Les chambres sont simples, deux d'entre elle ont des toilettes à la turque et une vue sur la rivière. Ouvert de mai à novembre.

Un ruisseau jonché de galets mène au minuscule **Tsopta** (2 km). Les yaks, dzho (croisement de bovins et de yak) et dindons que vous croiserez servent à ravitailler les différents postes militaires indiens des environs. Les ressortissants indiens peuvent continuer 30 km vers le nord en direction du **Gurudongmar Lake** jusqu'à la Tsopta Valley, mais la seule option pour les étrangers est de stationner près du poste militaire à l'endroit où le chemin, qui forme une courbe, mène à la vallée. Vous ne vous ennuierez pas pour autant. Un lac asséché verdoyant est situé en contrebas, et à sa gauche, s'élève une longue chaîne de montagnes couverte de rhododendrons et de conifères. C'est cette moraine abandonnée par un glacier qui a endigué la Tsopte River et a créé le lac. De retour sur Thanggu, vous remarquerez qu'à un endroit, la rivière endiguée a fait une percée et descend dans la moraine en une série de cascades scintillantes.

États du Nord-Est

En 1947, la Partition fit des États du Nord-Est une curieuse excroissance rattachée seulement par un fil ténu à l'Inde, et qui semble bien oubliée par le reste du pays. Les États du Nord-Est ne semblent ainsi se rappeler au souvenir de l'Inde qu'à travers des événements dramatiques. C'est sans doute l'une des raisons pour lesquelles cette région reste fort peu visitée par les touristes étrangers, sans compter qu'elle ne possède pas de site célèbre. Et pourtant, elle ne manque pas d'attraits.

Les grandes plaines qui bordent le Brahmapoutre sont traditionnellement le bastion des hindous et servent de cadre à plusieurs récits mettant en scène Krishna. Cette vallée qui s'étend principalement dans l'Assam abrite de superbes plantations de thé et des parcs nationaux peuplés de rhinocéros, d'éléphants et de tigres. Par contraste, les États montagneux alentour sont le berceau d'une mosaïque d'ethnies, plus proches par leur culture et leur physique de la Birmanie, de la Chine et du Tibet que du reste de l'Inde.

Les tracasseries administratives attachées à l'obtention de permis (sauf pour l'Assam, le Meghalaya et le Tripura) et les problèmes de sécurité dissuadent la plupart des voyageurs de visiter le Nord-Est. Voilà qui devrait séduire les plus audacieux qui cherchent à connaître une autre facette de l'Inde. Vous croiserez en effet peu d'étrangers dans les parcs nationaux et profiterez dans une quasi-solitude des paysages de rizières, de plantations de thé et de montagnes. Si des insurrections se produisent de temps à autre (pour les conseils de sécurité, voir p. 623), la population dans son ensemble est l'une des plus avenantes du sous-continent.

À NE PAS MANQUER

- Une balade à dos d'éléphant pour observer les rhinocéros dans les prairies marécageuses du **Kaziranga National Park** (p. 631)
- Toucher les nuages du doigt en franchissant le Se La (un col à 4 176 m) avant de descendre dans la **Tawang Valley** (p. 640), le "Petit Tibet" de l'Arunachal Pradesh
- Les villages traditionnels des environs de **Ziro** (p. 637) et une rencontre avec les dernières femmes apatani portant tatouages et piercings
- La vue sur les plaines du Bangladesh du haut de l'escarpement rocheux des environs de **Cherrapunjee** (Sohra ; p. 656), ponctué de cascades et de grottes
- La sensation étrange de quitter l'Inde et de découvrir une culture différente à **Mon** (p. 644), au Nagaland

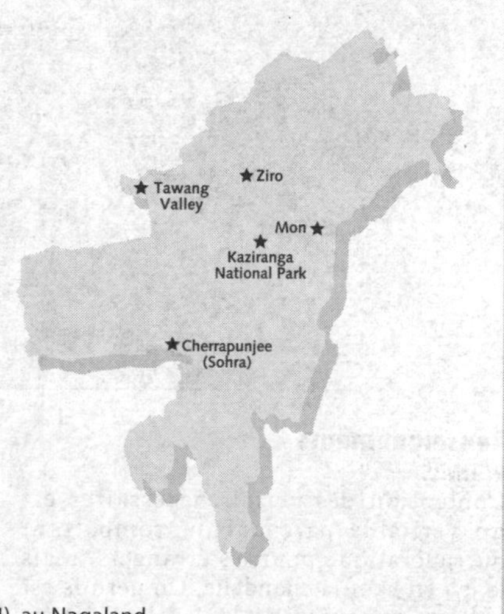

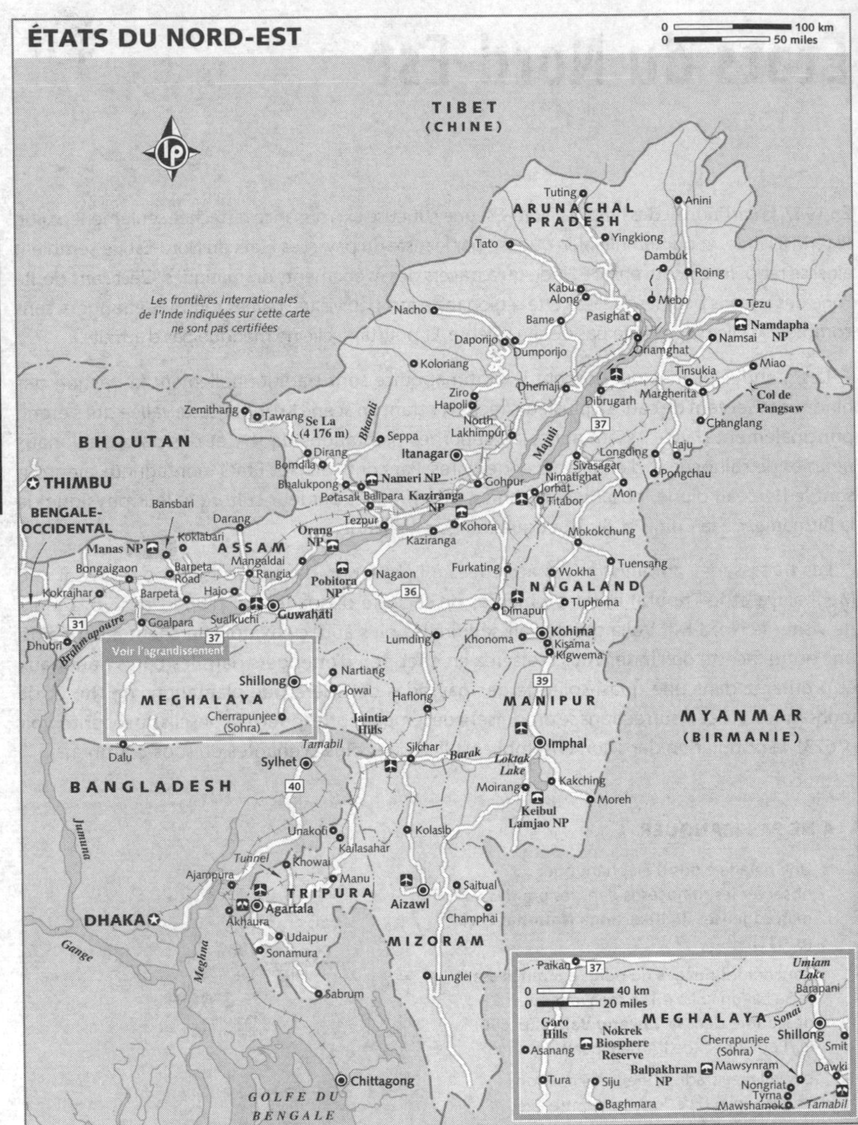

Renseignements

PERMIS

L'obtention des permis nécessaires est un véritable parcours du combattant bureaucratique pour les étrangers, mais le jeu en vaut la chandelle. Un permis est obligatoire pour visiter le Nagaland, l'Arunachal Pradesh, le Mizoram et le Manipur – entrer dans ces États sans permis est une affaire grave. Pour les citoyens indiens, il s'agit d'un permis intérieur facilement délivré à Guwahati ou à Kolkata (Calcutta ; p. 515). Pour les ressortissants étrangers (voir ci-après), il s'agit d'un Restricted Area Permit, ou RAP (permis pour les zones à accès réservé).

VOYAGER SANS RISQUE DANS LES ÉTATS DU NORD-EST

Ces dernières décennies, de nombreux groupes ethnolinguistiques se sont manifestés, souvent violemment, pour rappeler leurs droits face à l'immigration illégale des Bangladais, à la négligence du gouvernement central et à la répression policière. Certains réclament leur indépendance par rapport à l'Inde, d'autres revendiquent l'autonomie. Beaucoup sont engagés dans des luttes de clan et des guerres de territoire. De nombreux gouvernements occidentaux déconseillent actuellement les voyages au Manipur, au Tripura, au Nagaland et en Assam (vérifiez que votre assurance voyage les couvre), mais la situation n'est pas la même dans ces différents États. Lors de notre passage, l'Arunachal Pradesh, la majeure partie de l'Assam, le Meghalaya, le Mizoram, et les zones touristiques du Nagaland et du Tripura semblaient tout à fait paisibles.

Reste que des troubles peuvent éclater à tout moment de façon imprévisible. Des attentats à la bombe ont frappé les villes de Guwahati (2008), Agartala (2008) ou Dimapur (2004), normalement sûres, comme ils ont frappé Londres ou Madrid. Il est donc difficile d'apprécier les risques encourus. Des violences ont éclaté en 2008 dans le nord de l'Assam entre les Bodo et les immigrants bangladais. Toutefois, la plupart des sites touristiques se trouvant au sud du Brahmapoutre, les visiteurs n'ont pas été affectés.

Toujours est-il qu'il est sage de se tenir au courant des dernières nouvelles en consultant l'*Assam Tribune* (www.assamtribune.com) ; et, si vous faites partie d'un circuit organisé, vérifiez que votre guide est au fait des derniers développements de la situation.

Taille minimale du groupe

Les permis ne sont en général accordés que pour des groupes de 4 personnes minimum. Il existe des exceptions : au Nagaland, ils sont aussi donnés aux couples présentant un certificat de mariage ; en Arunachal Pradesh, les groupes de deux personnes minimum y ont également accès.

Au Nagaland et au Manipur les autorités pourraient se montrer intraitables s'il "manque" une personne indiquée sur le permis. Au Mizoram, en revanche, cela ne semble pas poser de problème. L'Arunachal Pradesh se montre désormais beaucoup plus souple.

Validité et enregistrement

Le permis est valide 10 jours à compter de la date de départ spécifiée, mais l'Arunachal étend cette validité à 30 jours. Il *devrait* être possible de le proroger, mais seulement dans les capitales des États, au Secretariat (Home Department). Seules les destinations figurant sur les permis sont accessibles au visiteur, tout changement peut poser problème.

Faites plusieurs copies de votre permis pour les postes de contrôle, la police et les hôtels. Il est obligatoire de vous faire enregistrer à l'arrivée, mais aussi dans chacun des endroits où vous passerez la nuit. Dans le cadre d'un circuit organisé, le guide s'en chargera. Voyager sans guide (ou "gardien") peut troubler les autorités du Nagaland et de l'Arunachal, qui risquent de vous refuser l'entrée – dans la pratique, la situation varie d'un poste de contrôle à l'autre, voire d'une personne à l'autre.

Où faire sa demande

Les demandes présentées au **Ministry of Home Affairs** (ministère des Affaires intérieures ; carte p. 116 ; ☎ 011-23385748 ; Jaisalmer House, 26 Man Singh Rd, Delhi ; ⌚ demandes 9h-11h lun-ven) ou à la State House (siège de la législature) de l'État concerné à Delhi peuvent prendre des semaines et ne pas aboutir. À Kolkata (Calcutta), le **Foreigners' Registration Office** (FRO, bureau d'enregistrement des étrangers ; carte p. 518 ; ☎ 22837034 ; 237 AJC Bose Rd ; ⌚ 11h-17h lun-ven) est habilité à délivrer des permis, qui semblent toutefois exclure Tawang (dans l'Arunachal), restreindre l'accès au Nagaland et interdire d'entrer au Mizoram.

Le plus sûr pour obtenir un permis reste de passer par une agence réputée ; reportez-vous à la rubrique *Renseignements* de chaque État.

CLIMAT

Jusqu'au début octobre, une bonne climatisation s'avère préférable sinon indispensable partout, sauf en altitude. Dès décembre, même à Guwahati, les nuits peuvent être froides. À Tawang, où la température peut chuter jusqu'à -15°C en janvier, prévoyez des vêtements chauds toute l'année.

FÊTES ET FESTIVALS DANS LES ÉTATS DU NORD-EST

Des danses ethniques, en relation avec le cycle des récoltes, ont lieu tout au long de l'année.

Torgya (jan) et **Losar** (jan/fév). Les *chaam* tibéto-bouddhiques (danses masquées rituelles exécutées par les moines bouddhistes dans les *gompa* afin de célébrer la victoire du bien sur le mal, et celle du bouddhisme sur les religions préexistantes), les plus spectaculaires ont lieu au Tawang Gompa (p. 640).

Chapchar Kut (mars ; tout le Mizoram ; http://mizotourism.nic.in/festival.htm). Fête du printemps, chansons et danses.

Rongali Bihu (fin avr ; tout l'Assam). Le printemps est célébré par des chansons et des danses.

Ambubachi Mela (juin ; Kamakhya Mandir, Guwahati p. 625). Rituels tantriques et sacrifices d'animaux encore plus nombreux que d'habitude.

Kang (Rath Yatra ; juil ; tout le Manipur et l'Assam). Défilé de chars le jour de la naissance de Krishna.

Durga Puja (oct ; toutes les régions hindoues). Plus grande fête de la région.

Buddha Mahotsava (variable ; Tawang ; http://tawang.nic.in/tawangbm/main.html). Une fête organisée par l'État mettant en valeur la culture bouddhiste.

Diwali (oct/nov ; toutes les régions hindoues). Cette fête, qui se déroule dans la bonne humeur générale, se caractérise notamment par les lampes allumées sur des tiges de bananiers devant les maisons et l'immersion dans les rivières d'effigies de Kali.

Kwak Tenba (oct/nov ; Imphal ; p. 644). Le 4e jour de la Durga Puja, cérémonies religieuses et représentations mettant en scène les batailles du passé.

Wangala (oct/nov ; tout le Meghalaya). Fête des récoltes garo, sur 4 jours. Danses impressionnantes.

Nongkrem (nov ; Smit, p. 655). Fête royale khasi, sur 5 jours.

Ras Mahotsav Festival (3e semaine de nov ; Majuli Island, p. 633). Grande fête de Vishnu marquée par de nombreuses récitations et spectacles de danse-théâtre faisant référence à l'épopée de Krishna.

Pawl Kut (nov/déc ; tout le Mizoram). Fête des récoltes du Mizoram.

Hornbill Festival (déc ; Kohima, p. 641). Principal événement du Nagaland, où toutes les grandes ethnies naga viennent danser dans leurs costumes hauts en couleur.

QUAND PARTIR

La saison touristique s'étend d'octobre à avril, mais la plupart des parcs nationaux n'ouvrent qu'à partir de novembre et vous verrez davantage de gros animaux en février.

ASSAM

L'Assam (Asom ou Axom), qui s'étend de part et d'autre de la fertile vallée du Brahmapoutre, est de ce fait le plus accessible des États du Nord-Est. Ses paysages typiques sont composés de rizières aux reflets vert et or à perte de vue, émaillées de palmiers et de bambouseraies, se détachant sur les lointaines montagnes bleutées de l'Arunachal. Entre rizières et montagnes, s'étalent les plantations de thé, méticuleusement entretenues.

Les Assamais ressemblent physiquement aux autres Indiens, mais s'en distinguent par la culture, ce dont ils tirent fierté. Leur façon de concevoir le culte de Vishnu est quasiment une religion régionale (voir l'encadré, p. 634) et le *gamosa* (un foulard rouge et blanc que portent la plupart des hommes), une subtile forme de costume régional.

Cependant, sur le plan ethnique, tout l'Assam n'est pas assamais. Avant les invasions ahom des XIIIe et XVe siècles, une grande partie de l'Assam actuel était gouverné depuis Dimapur (aujourd'hui au Nagaland) par une dynastie kachari-dimasa. Plus à l'ouest, le royaume de Chutiaya (deori-bodo) constituait une force majeure. Or, les Dimasa et les Bodo n'ont pas disparu. Au cours du XXe siècle, l'éveil de leur conscience ethnique a entraîné un ressentiment à l'égard des Assamais similaire à celui que ces derniers éprouvent à l'égard des bangladais et de l'Inde en général. La grande insurrection bodo qui en est résultée ne s'est calmée qu'avec la création, en 2004-2005, d'un "Bodoland" autonome dans le nord-ouest de l'Assam.

L'ASSAM EN BREF

- Population : 26,6 millions d'habitants
- Superficie : 78 438 km²
- Capitale : Guwahati
- Langues principales : assamais, bengali et bodo
- Meilleure période : octobre-mars

Que cela ne vous dissuade pas de venir en Assam, région dotée d'une riche civilisation et très hospitalière. Les parcs nationaux abritent une faune variée.

Pour plus de renseignements, consultez le site, en anglais, www.assamtourism.org. La fête appelée Rongali Bihu célèbre le début de la saison des semailles, qui tombe aux alentours de l'équinoxe de printemps ou à la mi-avril. À cette occasion, les Assamais portent des habits neufs aux couleurs vives, rendent visite à leurs familles, amis et voisins et s'offrent bonbons et sucreries. Il arrive parfois également que l'on organise de grandes fêtes pour marquer l'événement.

GUWAHATI

☎ 0361 / 964 000 habitants

De prime abord, Guwahati ne se distingue guère de n'importe quelle ville indienne. Il suffit toutefois de flâner dans les ruelles autour des Jorpulkuri Ponds, à l'écart de la jungle de béton que constitue le quartier commerçant du centre, pour se croire dans un village où se côtoient bassins, palmiers, petites maisons traditionnelles à un étage et vieilles demeures coloniales. La ville offre en tout cas la possibilité d'organiser toutes sortes de circuits dans les États du Nord-Est.

Histoire

Guwahati passe pour le site de Pragjyotishpura, ville semi-mythique fondée par le roi *asura* (démon) Naraka, qui allait être tué par Krishna pour une paire de boucles d'oreilles magiques. Important foyer culturel bien avant l'arrivée des Ahom, la cité fut ensuite le théâtre de violents affrontements ahom-moghols. Jusqu'en 1681, elle changea huit fois de main en 50 ans. Une grande partie de la vieille ville fut dévastée en 1897 par un violent tremblement de terre, suivi d'une série d'inondations.

Orientation

L'intense activité commerciale des quartiers centraux du Fancy Bazaar et du Panbazar se poursuit durant 10 km au sud-est du Paltan Bazaar (quartier de la gare routière), le long de Guwahati Shillong (GS) Rd.

Renseignements

ACCÈS INTERNET

i-way (Lamb Rd ; 25 Rs/h ; ⌚ 9h-dernier client)

ARGENT

Les DAB sont partout. Mieux vaut changer devises et chèques de voyage ici, dans la mesure où les possibilités de le faire sont rares ailleurs.

State Bank of India (SBI ; ☎ 2544264 ; 3e ét., MG Rd). DAB ; change les principales devises et les chèques de voyage.

Thomas Cook (☎ 2664450 ; J Borooah Rd ; ⌚ 9h30-18h tlj sauf dim). Installé derrière l'agence Jet Airways. Change 26 devises différentes, à l'exception notable du taka bangladais, et chèques de voyage.

OFFICE DU TOURISME

Assam Tourism (☎ 2547102 ; www.assamtourism.org ; Station Rd). Bureau de renseignements informel dans le Tourist Lodge et guichet de vente de circuits organisés juste devant.

PERMIS

Les citoyens indiens peuvent se procurer un Inner Line Permit dans les bureaux ci-dessous. Les étrangers n'ont rien à espérer de ces services (pour les permis pour les étrangers, voir p. 622).

Arunachal House (☎ 2229506 ; Rukmini Gao, GS Rd)
Manipur Bhawan (☎ 2540707 ; Rajgarh Rd)
Mizoram House (☎ 2529411 ; GS Rd, Christian Basti)
Nagaland House (☎ 2332158 ; Sachel Rd, Sixth Mile, Khanapara)

POSTE

Poste principale. Chaotique. Dans Ananda Ram Barua (ARB) Rd.

SERVICES MÉDICAUX

Downtown Hospital (☎ 2331003 ; GS Rd, Dispur). Le meilleur de la région.

URGENCES

Police (☎ 2540126). Dans Hem Barua (HB) Rd.

À voir

KAMAKHYA MANDIR

Lorsque le corps de Sati se désagrégea, ses orteils tombèrent sur Kolkata (voir p. 510) et son *yoni* (sexe féminin) sur le mont Kamakhya. D'où l'importance du **Kamakhya Mandir** (file d'attente/petite file/pas d'attente gratuit/100/500 Rs ; ⌚ 8h-13h et 15h-crépuscule) pour le culte tantrique de l'énergie féminine (*shakti*). On y sacrifie rituellement des chèvres, des pigeons et occasionnellement des buffles dans un pavillon, et le sanctuaire, sombre et étouffant, est peint en rouge pour rappeler le sang sacrificiel. En juin/juillet, la grande

ÉTATS DU NORD-EST

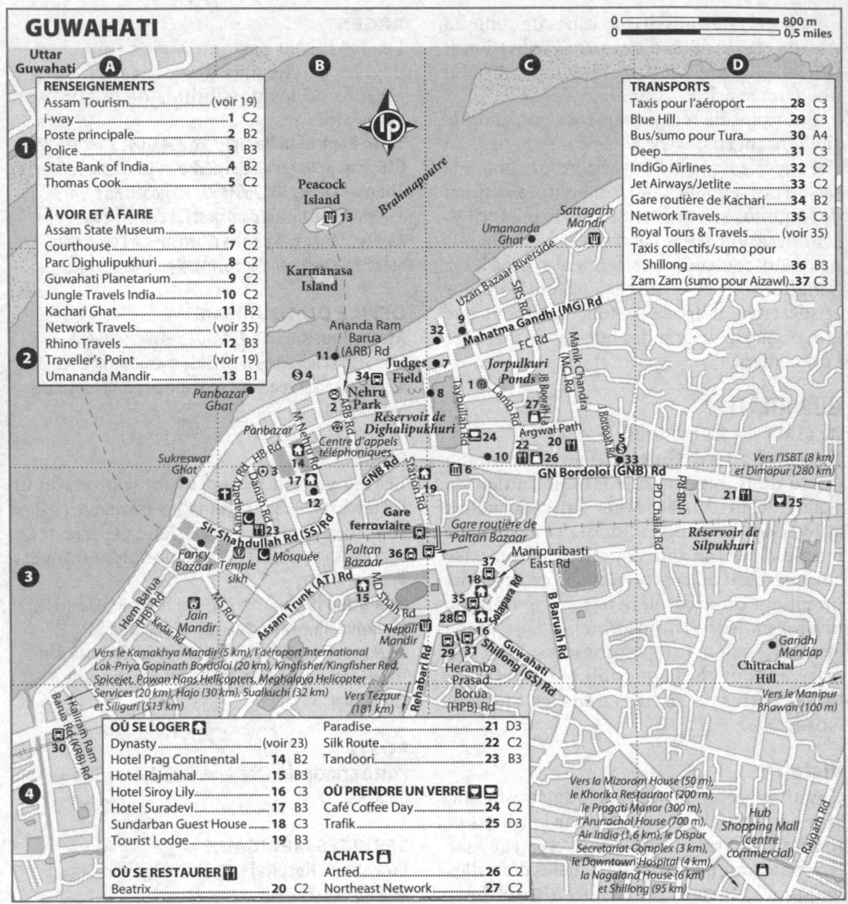

fête de l'**Ambubachi Mela** célèbre la fin du cycle menstruel de la déesse-mère par un regain de sacrifices.

Situé à 7 km à l'ouest du centre de Guwahati, et à 3 km en haut d'une route transversale qui monte en spirale, le Kamakhya est desservi par des bus occasionnels au départ de la gare routière de Kachari (5 Rs, 20 min). Pour profiter d'une belle vue sur le Brahmapoutre, poursuivez sur 1 km.

RIVES DU FLEUVE

L'**Umananda Mandir** s'étend sur une jolie île boisée desservie par un trajet en ferry de 15 min (10 Rs aller-retour ; toutes les 30 min, 8h-16h30) depuis le **Kachari Ghat**. Celui-ci offre une belle vue sur le fleuve l'après-midi.

ASSAM STATE MUSEUM

Tout à fait intéressant, le **musée de l'État de l'Assam** (☎2540651 ; adulte/appareil photo/caméra 5/10/100 Rs ; 🕑 10h-16h tlj sauf lun) situé dans GN Bordoloi (GNB) Road, présente une importante collection de sculptures. Les étages supérieurs sont consacrés aux expositions traitant des cultures ethniques ; vous pourrez ainsi visiter des maisons reconstituées.

VIEILLE VILLE

Le dôme du **Courthouse** (tribunal ; MG Rd) surplombe le réservoir du **parc Dighulipukhuri** (HB Rd ; 5 Rs, bateau 25/15 Rs par adulte/enfant ; 🕑 9h30-20h). Non loin de là, se dresse le **Guwahati Planetarium** (☎2548962 ; MG Rd ; séance 15 Rs ; 🕑 12h et 16h, fermé le 1er et le 15 du mois).

Circuits organisés

Traveller's Point (☎2604018 ; www.assamtourism.org ; Tourist Lodge, Station Rd), le guichet commercial d'Assam Tourism, propose des excursions à la journée à Hajo via le centre de tissage de la soie de Sualkuchi (adulte/enfant 450/375 Rs, 5 pers minimum), ainsi que des excursions de 2 jours tout compris au Kaziranga National Park (Indiens/étrangers à partir de 1 280/2 280 Rs).

Network Travels (☎ 2605335 ; www.networktravelsindia.net ; GS Rd ; 5h-21h). Agence chevronnée dont les circuits à la carte et à itinéraires fixes couvrent tout le Nord-Est. Elle gère l'Eco-Camp (p. 631) du Nameri National Park et est également spécialisée dans l'obtention des permis.

Jungle Travels India (☎ 2660890 ; www.jungletravelsindia.com ; 1er ét., Mandovi Apt, GNB Rd), une autre agence chevronnée, offre des circuits à la carte couvrant le Nord-Est et des départs à date fixe pour le Nagaland et l'Arunachal Pradesh. Elle se charge d'obtenir tous les permis nécessaires. Propriétaire de deux bateaux, elle organise des croisières sur le Brahmapoutre (voir www.assambengalnavigation.com) de 4 à 10 nuits moyennant 320 $US par personne et par nuitée, et gère également le Bansbari Lodge du Manas National Park (p. 630).

Rhino Travels (☎ 2540666). Située dans M Nehru (MN) Road, cette agence vend des circuits dans l'Assam et l'Arunachal Pradesh, à partir de 52 000 Rs pour 2 pers (séjour de 7 jours et 6 nuits). Elle gère aussi le Mou Chapori River Resort (p. 633).

Où se loger

PETITS BUDGETS

Hotel Suradevi (☎2545050 ; MN Rd ; s/d 250/350 Rs, sans sdb 100/250 Rs). Un dédale bien organisé de chambres spartiates ; présentez-vous tôt pour en obtenir une.

Sundarban Guest House (☎ 2730722 ; s/d à partir de 200/300 Rs, d avec clim 700-800 Rs ;). Cette pension à l'allure gaie et pimpante est la meilleure adresse pour petits budgets de la ville. Chambres inhabituellement propres et bien tenues, gérance serviable. Les chambres sans clim à 500 Rs offrent le meilleur rapport qualité/prix. La pension est à deux pas de Manipuribasti East (ME) Road, dans la première allée sur le côté. Nombre d'hôtels bon marché nettement moins plaisants sont installés dans les ruelles alentour.

Tourist Lodge (☎ 2544475 ; Station Rd ; s/d à partir de 330/440 Rs ;). Proche de la gare ferroviaire. Chambres correctes mais le personnel pourrait se montrer un peu plus accueillant. Côté prix, c'est une véritable affaire mais il ne faut pas craindre le bruit des trains ni les 5 étages sans ascenseur.

CATÉGORIES MOYENNE ET SUPÉRIEURE

Tous les hôtels ci-dessous disposent de chambres avec TV câblée et sdb privatives alimentées en eau chaude. Beaucoup appliquent une taxe de 15% et un supplément de 10% pour le service.

Hotel Siroy Lily (☎ 2608492 ; Solapara Rd ; s/d 700/900 Rs, avec clim 1 100/1 300 Rs ;). Hôtel bien tenu et géré avec professionnalisme, doté d'un ascenseur et d'une agréable réception climatisée. Petit-déjeuner inclus et journaux gratuits livrés à la porte de la chambre.

Hotel Prag Continental (☎ 2540850 ; M Nehru Rd ; s 850-1 600 Rs, d 1 200-2 000 Rs ;). Très prisé, cet hôtel agréablement tenu est installé dans une rue calme du centre. Pour satisfaire sa clientèle, d'affaires essentiellement, il possède un salon de beauté pour hommes et un bon restaurant.

Hotel Rajmahal (☎ 2549141 ; www.rajmahalhotel.com ; s/d avec ventil à partir de 1 200/1 800 Rs, avec clim à partir de 1 900/2 500 Rs ;). Hôtel d'Assam Trunk (AT) Road dont la longue réception pourvue d'un appétissant étal de gâteaux conduit à la tour de 10 étages abritant les chambres. Un café est installé au bord de l'agréable piscine en terrasse du toit.

Dynasty (☎ 2516021 ; www.hoteldynastyindia.com ; s/d à partir de 3 400/3 800 Rs, ste 6 000-15 000 Rs ;). L'hôtel le plus chic de Guwahati offre tout le confort et les prestations d'un établissement de cette catégorie. On pourrait pourtant croire le contraire au vu de son emplacement, en plein cœur de l'animation frénétique de Fancy Bazaar, et de sa façade peu attrayante. Vous le trouverez dans Sir Shahdullah (SS) Road.

Où se restaurer

Beatrix (plats 30-70 Rs). Cet établissement gai et pimpant est juste un cran au-dessus du café pour étudiants. À son menu éclectique : *fish and chips*, *momo* (raviolis tibétains), cuisine *hakka* et un mystérieux "con est soir". Vous le trouverez dans Manik Chandra (MC) Road.

Silk Route (GNB Rd ; plats 30-80 Rs ; 11h-21h). Bon rapport qualité/prix pour les cuisines

ÉTATS DU NORD-EST

indienne, chinoise et thaïlandaise servies dans cet établissement confortable réparti sur 2 étages. Pour étancher la soif, rien de tel que la bière fraîche aux fruits (sans alcool).

Khorika Restaurant (GS Rd ; plats 50-120 Rs ; 10h30-16h et 18h-22h30). Tirant son nom du *khorika* assamais (plats cuits au barbecue), ce restaurant aux airs de cantine propose une cuisine authentique. Offrez-vous un *khorika* complet (500 Rs) entre amis afin de goûter à plusieurs spécialités.

Tandoori (2516021 ; Dynasty, SS Rd ; plats 100-300 Rs ; 12h-15h et 19h-23h). Venez déguster une superbe cuisine d'Inde du Nord, servie sur de belles tables basses par des serveurs en tenue moghole, au doux son du tabla. Les plats aux crevettes, un peu onéreux, sont divins.

Paradise (1er ét., GNB Rd ; plats 110-280 Rs). Restaurant réputé pour son authentique cuisine assamaise, dont les *thali* vous permettront de goûter quantité de petites portions de plats variés. La gastronomie assamaise n'est pas aussi percutante que la cuisine indienne classique, certains la trouvant même assez fade, mais il vaut mieux parfois rechercher la subtilité des saveurs plutôt que les sensations fortes.

Où prendre un verre

Café Coffee Day (Taybullah Rd ; expresso 23 Rs ; 10h-22h). Ce café à l'américaine, central, où joue à plein volume une musique en vogue, attire les étudiants et la jeunesse dorée avec ses *macchiati* délicieux, quoiqu'un peu lents à arriver sur la table. Succursale à l'aéroport.

Trafik (GNB Rd ; bière 60 Rs ; 10h-22h). Ce bar à peine éclairé est équipé d'un grand écran diffusant les matchs de cricket ou des clips musicaux *filmi* (terme argotique désignant tout ce qui a trait de près ou de loin aux films indiens, en l'occurrence la musique des films de Bollywood).

Achats

Northeast Network (2631582 ; www.northeastnetwork.org ; JN Borooah Lane ; 11h-16h lun-ven). Cette ONG développe des projets d'entraide dans les villages, notamment des coopératives de tissage à la main. Acheter ses cotonnades, superbes et pas trop chères, encourage ce travail de qualité.

Artfed (GNB Rd ; 10h-20h). Un beau choix de vannerie et d'articles artisanaux en bambou à prix doux. Plusieurs boutiques voisines sont spécialisées dans les soies dorées de l'Assam.

Depuis/vers Guwahati

AVION

L'aéroport "international" Lok-Priya Gopinath Bordoloi de Guwahati doit son qualificatif aux vols occasionnels d'Indian Airlines vers Bangkok. Pour venir en ville, comptez 450/100/70 Rs en taxi/taxi collectif/navette d'aéroport. Les compagnies aériennes suivantes assurent des vols au départ de Guwahati :

Air India (Indian Airlines, IC ; 2264425, Ganeshguri)
IndiGo Airlines (6E ; 9954890345 ; Brahmaputra Ashok Hotel, MG Rd)
Jet Airways/Jetlite (9W ; 2668255 ; GNB Rd)
Kingfisher/Kingfisher Red (IT ; appel gratuit 18001800101 ; aéroport)
SpiceJet (SG ; appel gratuit 18001803333 ; aéroport)

Hélicoptère

Pawan Hans Helicopters (2229501 ; www.pawahans.nic.in ; airport) dessert Shillong (945 Rs, 45 min, 2 vols/j), Tura (Garo Hills, 1 750 Rs, 50 min, 3 vols/sem), Naharlagun près d'Itanagar (3 400 Rs, 1 heure 15, 6 vols/sem) et Lumla (3 400 Rs, 2 vols/sem) pour Tawang. Réservez par téléphone ; vous paierez à l'aéroport si le vol est confirmé (en fonction de la météo et du nombre de passagers). **Meghalaya Helicopter Service** (09435145033 ; aéroport) propose 2 vols/jour jusqu'à Shillong (945 Rs, 20 min, 9h et 12h30) ; les vols retour sont programmés à 9h40 et 13h10.

Les voyages en hélicoptère en Inde ne sont pas réputés pour leurs conditions de sécurité.

BUS ET SUMO

Les bus longue distance partent de l'Interstate Bus Terminal (ISBT), nouvelle gare

VOLS AU DÉPART DE GUWAHATI

Destination	Compagnies aériennes
Agartala	IC, 9W, IT
Aizawl	IC
Bagdogra	IC, 9W, IT, SG
Delhi	IC, 6E, 9W, IT, SG
Dibrugarh	IC, IT
Dimapur	IC, IT
Imphal	IC, 6E, 9W, IT
Jorhat	IC, IT
Kolkata (Calcutta)	IC, 6E, 9W, IT, SG
Lilabari	IC
Silchar	IC

BUS AU DÉPART DE GUWAHATI

Destination	Tarifs (Rs)	Durée
Agartala (Tripura)	480-500	24-26 heures
Dibrugarh	300-350	12 heures
Dimapur via Numaligarh	250	10 heures
Imphal (Manipur) via Mao	600	18-20 heures
Jorhat	210-250	8 heures
Kaziranga	150-210	6 heures
Kohima (Nagaland)	330	13 heures
Shillong (Meghalaya)	100	3 heures 30
Silchar	310	12-15 heures
Siliguri (Bengale-Occidental)	350	13 heures
Sivasagar	250	9 heures 30
Tezpur	110	5 heures

routière située à 8 km à l'est de Guwahati. Les compagnies de bus privés assurent des navettes entre leurs bureaux et l'ISBT. Parmi celles qui possèdent un réseau étendu, citons **Network Travels** (☎2739634 ; GS Rd), **Royal Tours & Travels** (☎2739768 ; GS Rd), **Deep** (☎2152937) dans Heramba Prasad Borua (HPB) Rd et **Blue Hill** (☎2607145 ; HPB Rd). Toutes les compagnies pratiquent les mêmes tarifs régulés.

Les taxis/*sumo* (des Jeep ainsi nommées par allusion à la Sumo, un 4x4 populaire de Tata) collectifs pour Shillong (110/150 Rs) démarrent de l'Hotel Tibet. Aizawl (Mizoram) est desservie (650 Rs, 16 heures) plusieurs fois par jour via Silchar (350 Rs, 11 heures) par les *sumo* de **Zam Zam** (☎ 2639617 ; ME Rd, 2e ruelle). Des bus/*sumo* pour Tura (175/230 Rs, 6/10 heures), dans l'ouest du Meghalaya, partent de Kaliram Ram Barua (KRB) Rd.

TRAIN

Sur les 4 trains quotidiens pour Delhi, le *Guwahati New Delhi Rajdhani* (nos 2423/35 ; 3AC/2AC 1 481/2 079 Rs, 31 heures, 7h05) est le plus rapide ; les autres mettent près de 43 heures. Le meilleur train quotidien pour Kolkata (Calcutta, gare de Sealdah) est le *Kanchenjunga Express* (n°5658 ; sleeper/3AC/2AC 301/845/1 174 Rs, 21 heures, 22h30). Ce même train est également le plus pratique à destination de New Jalpaiguri (pour Darjeeling et le Sikkim ; sleeper/3AC/2AC 164/459/638 Rs, 9 heures).

Plusieurs trains desservent Dimapur (sleeper/3AC/2AC 109/305/425 Rs, 5 heures), Jorhat (sleeper/3AC/2AC 148/416/578 Rs, 7 à 11 heures) et Dibrugarh (sleeper/3AC/2AC 203/569/791 Rs, 14 heures). Les trains pour Jorhat et Dibrugarh traversent le Nagaland, sans qu'on ait besoin de permis si on ne descend pas du train (ce qui n'est pas le cas en bus).

Comment circuler

Des taxis collectifs (100/500 Rs par pers/voiture, 23 km) partent pour l'aéroport devant le médiocre Hotel Mahalaxmi, dans GS Rd. Des bus urbains desservent le Kamakhya Mandir, Hajo (bus 25 ; 20 Rs, 1 heure) et Sualkuchi (bus 22 ; 18 Rs, 1 heure) depuis la gare routière de Kachari. Une petite course en auto-rickshaw coûtera 25-50 Rs.

ENVIRONS DE GUWAHATI

Hajo

Située à une trentaine de kilomètres au nord-ouest de Guwahati, la plaisante bourgade de Hajo comporte cinq temples anciens érigés sur plusieurs buttes proches les unes des autres. Ceux-ci attirent les pèlerins hindous et bouddhistes. Le temple Haigriv Madhav, le principal, est accessible par une longue volée de marches qui fait franchir une porte ornementée évoquant le style moghol. Les représentations de Madhav, un avatar de Krishna, que l'on voit à l'intérieur, auraient 6 000 ans.

Poa Mecca

Deux kilomètres à l'est de Hajo se tient une **mosquée** (🕑 24h/24) abritant le tombeau de Hazarat Shah Sultan Giasuddin Aulia Rahmatullah Alike, mort il y a près de 800 ans. Les musulmans doivent parcourir à pied (ou en voiture pour les moins pieux) les 4 km de route montant en spirale jusqu'à la mosquée, un édifice à l'architecture très quelconque.

Pobitora National Park

À seulement 40 km de Guwahati, ce petit parc national abrite le plus grand nombre de rhinocéros au monde. Le droit d'entrée est le même que celui du Kaziranga National Park (p. 631). Pour pénétrer dans le parc, il faut franchir la rivière en bateau et rejoindre le poste où sont regroupés les éléphants. De là, on fait ensuite une heure de trajet à dos d'éléphant, à travers un terrain bourbeux, qui permet d'apercevoir des rhinocéros. Un garde armé guide la randonnée au cas où un rhinocéros s'approcherait de trop près. Mais un barrissement d'éléphant fait tout aussi bien l'affaire pour éloigner les importuns.

NORD-OUEST DE L'ASSAM (BODOLAND)

Manas National Park

☎ 03666

Le **parc national de Manas** (www.manas100.com ; ⏲ oct-mars) est inscrit sur la liste du patrimoine mondial de l'Unesco. Il englobe deux zones (*ranges*) – Bansbari et Koklabari – avec des points d'accès différents. Les droits d'entrée sont identiques à ceux du Kaziranga (p. 631).

BANSBARI RANGE

Célèbre pour ses tigres (dont vous ne verrez sans doute que les traces), cette zone, plus accessible par comparaison, peut s'apprécier en logeant au **Bansbari Lodge** (☎ 3612602223 ; www.assambengalnavigation.com/bansbari.htm ; d 1 250 Rs, formule "séjour en jungle" 6 000 Rs), une enseigne merveilleusement confortable. La formule "séjour en jungle" comprend la pension complète, un safari tôt le matin à dos d'éléphant, un safari en Jeep, un guide et les droits d'entrée du parc. Renseignez-vous sur les possibilités de rafting. Pour ceux qui restent deux jours ou plus, le lodge organise des excursions dans la zone de Koklabari. Réservez auprès de Jungle Travels India à Guwahati (p. 627). On accède au parc par Barpeta Road.

MOTHANGURI LODGE

Le summum consiste à loger à Mothanguri, où vous attendent deux **lodges** (200 Rs/pers) simples, isolés à 20 km au nord de Bansbari, près d'une frontière non gardée avec le Bhoutan. Demandez le lodge supérieur (7 chambres) pour sa vue enchanteresse sur la rivière Beki. Apportez de la nourriture (que le *chowkidar* – gardien – cuisinera pour vous) et du fuel (pour le générateur). Réservez des semaines à l'avance auprès du **Manas Field Director's Office** (☎ 260289, 9435080508 ; abhijitrabha@hotmail.com ; Main Rd, Barpeta Road).

DEPUIS/VERS LE MANAS NATIONAL PARK

Les bus Guwahati-Kokrajhar desservent l'embranchement vers Pathsala et passent à 3 km de Barpeta Road. Deux bus quotidiens vont de Pathsala à Koklabari (15 Rs, 2 heures, 13h30 et 14h30). Les bus Barpeta Road-Bansbari (15 Rs, 1 heure 30) circulent depuis le nord de la voie ferrée, à raison de deux par heure, jusqu'à 17h.

Le *Kamrup Express* (n°5960 ; sleeper 121 Rs, 2 heures 15, 7h45) et le *Brahmaputra Mail* (n°4055 ; sleeper 121 Rs, 2 heures 15, 12h15) relient Guwahati et Barpeta Road.

Pour rejoindre Mothanguri, on peut louer une Jeep à Koklabari, à Barpeta Road ou (pour les résidents) au Bansbari Lodge.

TEZPUR

☎ 03712 / 59 000 habitants

Ses parcs soignés, ses jolis lacs et la présence de l'imposant Brahmapoutre font de Tezur la ville la plus attrayante de l'Assam. **Cinex Computers** (Santa Plaza ; 20 Rs/h ; ⏲ 10h-21h), dans Shyama Charan (SC) Rd, offre un accès Internet, à 250 m au nord des restaurants du Baliram Building.

À voir

Au **Chitralekha Udyan** (Cole Park ; Jenkins Rd ; adulte/enfant/appareil photo/caméra 10/5/10/100 Rs ; ⏲ 9h-19h), de belles **sculptures anciennes**, dont un Banasura barbu, se dressent sur d'impeccables pelouses bordées par un étang. Un pâté de maisons à l'est puis vers le sud, l'arrière du **Ganeshgarh Temple** donne sur un ghat qui surplombe le Brahmapoutre ; un bel endroit pour le coucher du soleil. Moins de 1 km à l'est, par une étroite ruelle qui serpente le long du fleuve, l'**Agnigarh Hill** (Padma Park ; adulte/enfant/appareil photo/caméra 10/5/20/100 Rs ; ⏲ 8h30-19h30) serait le lieu où se dressait la forteresse de feu de Banasura. Du haut de la colline, où l'on trouve un snack-bar, la vue sur le fleuve est splendide ; l'abondante statuaire tout autour illustre de façon très vivante la légende d'Usha.

De l'autre côté de la ville, sur **Bhamuni Hill**, une colline parsemée de blocs de roche, se tiennent les ruines de temples dédiés à Vishnu, qui n'ont été découvertes qu'après le séisme de 1889.

Où se loger et se restaurer

Hotel Luit (☎ 222083 ; luit@rediffmail.com ; Ranu Singh Rd ; s/d ancienne aile 200/300 Rs, nouvelle aile 600/700 Rs, avec clim 1 000/1 200 Rs ; ❄). Proche de la gare routière, dans une petite ruelle reliant Jenkins Road et Main Road. Réception professionnelle et chambres pour petits budgets très raisonnables. Un ascenseur conduit aux chambres climatisées du 5e étage. Les chambres de

SANGLANTE TEZPUR

Banasura, le roi-démon aux mille bras, était si soucieux de protéger la vertu de sa fille Usha, d'une grande beauté, qu'il l'avait enfermée dans une "forteresse de feu" (Agnigarh). En vain. Un prince au grand panache, Aniruddha, trouva magiquement son chemin et l'épousa en secret. Furieux, Banasura voulut punir Aniruddha en le donnant en pâture à ses serpents. Or, celui-ci se révéla être le petit-fils de Krishna, qui envoya son armée pour le sauver. Une terrible bataille s'ensuivit, qui fit un tel carnage que son site allait être à jamais connu sous le nom de Tezpur (ou Sonitpur), la cité du Sang.

l'"ancienne aile", qui accusent vraiment leur âge, devaient être rénovées au moment de la rédaction de ce guide.

Indralay Hotel (☎ 232918 ; s 250 Rs, d 450-800 Rs). Dans Naren Chandra (NC) Rd. La peinture blanche toute fraîche donne une allure spacieuse et plaisante à cet hôtel. Les chambres bon marché sont un peu petites mais très correctes, particulièrement la n°102.

Tourist Lodge (☎ 221016 ; Jenkins Rd ; dort 100 Rs, ch avec/sans clim 550/330 Rs ; ❄). Face au Chitralekha Udyan, à deux pâtés de maisons au sud de la gare routière, chambres spacieuses d'un bon rapport qualité/prix avec sdb (certaines avec W-C à la turque) et moustiquaires. Oubliez le dortoir, à moins de désespérer de trouver un endroit où dormir.

Moderne tour en verre, le Baliram Building, à l'angle de Naren Bose (NB) Road et NC/SC Road, abrite plusieurs étages de bons restaurants. Au rez-de-chaussée, la **Dosa House** (en-cas à partir de 25 Rs ; 🕒 6h-21h) où l'on mange debout sert de la cuisine d'Inde du Sud et des petits-déjeuners à petits prix. Le **China Villa** (repas à partir de 275 Rs ; 🕒 10h-22h30), climatisé et un peu chic, propose des plats indiens et chinois. La **Chat House** (en-cas à partir de 20 Rs ; 🕒 8h-21h30), sur le toit, est une terrasse abritée mais ouverte sur les côtés. En plus de la vue, on y savoure des en-cas indiens, des nouilles, des pizzas et des *momo*.

Depuis/vers Tezpur

Air India est représenté par **Anand Travels** (☎220083 ; Jenkins Rd), voisin du Tourist Lodge. L'aéroport de Tezpur était en travaux lors de notre passage.

Les billetteries des *sumo* sont dans Jenkins Road. Dans la même rue, vous pourrez marchander une course en taxi à destination de Guwahati (1 700 Rs), de l'Eco-Camp de Potasali (400 Rs) et de Kaziranga (1 300 Rs). Un peu plus loin, à la **gare routière** (☎ 225140 ; Jenkins Rd), il y a des bus fréquents pour Guwahati (115 Rs, 5 heures), Jorhat (115 Rs, 4 heures) et Kohora (pour le Kaziranga ; 80 Rs, 2 heures).

La délicieuse petite gare ferroviaire de Tezpur dispose d'un **bureau de réservations** (☎ 2737155 ; 🕒 8h-14h et 14h30-20h) informatisé.

ENVIRONS DE TEZPUR

Le pittoresque **Nameri National Park** (Indiens/étrangers 20/250 Rs ; 🕒 nov-avr) se prête essentiellement à l'observation des oiseaux. On y accède depuis **Potasali**, à 2 km de la route Tezpur-Bhalukpong (tournez vers l'est à l'unique maison du hameau de Gamani, à 12 km au nord de Balipara).

Le délicieux **Eco-Camp** (☎ 9435250052 ; dort/d 100/1 250 Rs plus 60 Rs d'adhésion/pers) de Potasali organise toutes les visites dans ce parc, notamment une expédition ornithologique en raft (2 heures ; 1 305 Rs/bateau). L'hébergement se fait dans des "tentes" relativement luxueuses avec sdb privées, lits solides et abris à toit de chaume. Une "tente" plus grande abrite un dortoir à prix intéressant et le restaurant ouvert sur les côtés ne manque pas de charme. À l'aube, marchez pendant 1,3 km pour rejoindre les rives idylliques de la Bharali et voir le soleil se lever sur un magnifique paysage à l'horizon.

KAZIRANGA NATIONAL PARK

☎ 03776

Les prairies de ce **parc national** (🕒 1er nov-30 avr, promenade à dos d'éléphant 5h30-8h30, accès en Jeep 7h30-12h et 14h30-crépuscule) sont l'un des derniers refuges des rhinocéros unicornes indiens, l'attraction reine de l'Assam. Le parc compte 1 900 individus (pour à peine 200 en 1904), soit les 2/3 de la population mondiale. Le Kaziranga se répartit en trois zones (occidentale, centrale et orientale). Sa partie centrale ("central range"), la plus accessible, offre le maximum de chances de voir rhinocéros, éléphants et cerfs des marais, ainsi qu'une foule d'oiseaux (emportez des jumelles). Les safaris d'une heure à dos d'éléphant – limités à la zone centrale pour les étrangers – deviennent particulièrement intéressants quand ceux-ci encerclent les rhinocéros sans les effrayer.

Renseignements

Le village de Kohora est le plus proche de la zone centrale du Kaziranga. Immanquable, sa Rhino Gate (porte du Rhinocéros) conduit au Kaziranga Tourist Complex situé 800 m au sud. C'est à Kohora que vous trouverez le **range office** (bureau de la zone ; ☎262428 ; 🕑 24h/24), le **bureau de réservation des promenades à dos d'éléphant** (🕑 18h-19h, réservation la veille au soir) et le **stand de location de Jeep** (à partir de 600 Rs). Acquittez les droits d'entrée au Range Office avant de pénétrer dans le parc, situé à 2 km plus au nord.

Les meilleurs hôtels du Tourist Complex se chargent de toute l'organisation (réservation, formalités, etc.).

Les tarifs du parc national pour les visiteurs Indiens/étrangers sont les suivants : entrée 20/250 Rs par jour ; appareil photo 50/500 Rs ; caméra 500/1 000 Rs ; promenade à dos d'éléphant 280/750 Rs ; et péage pour les véhicules 150/150 Rs, incluant une escorte armée (pourboire de 50 Rs d'usage).

Où se loger et se restaurer

Les prix baissent d'au moins 30% quand le Kaziranga National Park est fermé.

TOURIST COMPLEX

Tous les hébergements ci-dessous sont à moins de 5 min à pied du Range Office. Il est conseillé de réserver, et un paiement anticipé est souvent demandé.

Aranya Lodge (☎ 262429 ; ch 690 Rs, avec clim 863 Rs, bungalows climatisés 863 Rs ; ✖). Rien de particulier ne distingue ce lodge en béton devant lequel s'étend un jardin. Un bar et un restaurant correct complètent l'offre.

Prashanti Cottage (d 863 Rs). Agréable établissement regroupant 6 logements modernes à 2 niveaux donnant sur une petite rivière, le long de laquelle s'affairent les lavandières (*dhobi*) et les pêcheurs avec leurs filets. L'établissement est géré par l'Aranya Lodge.

Jupuri Ghar (☎ 9435196377, 9435843681 ; 1 600 Rs/bungalow ; ✖). Nouvel établissement composé de bungalows de style traditionnel disposés autour d'une étendue herbeuse et d'un restaurant en plein air.

Les logements ci-après se réservent auprès du **Bonani Lodge** (☎ 262423) qui les gère. Le **Kunjaban Lodge** (dort 50 Rs, ch 150 Rs) abrite des dortoirs convenables de 3 et 12 places, ainsi que des chambres doubles. Le **Bonoshree Lodge** (ch 260 Rs) propose des chambres défraîchies mais correctes donnant sur une longue véranda ombragée. Les chambres fraîches et claires du **Bonani Lodge** (ch rdc/ét. 380/410 Rs), avec mobilier en osier, sont installées dans un édifice à 2 étages.

AU-DELÀ DU TOURIST COMPLEX

Des logements banals et sans attrait jalonnent la route aux abords de la Rhino Gate. Aucun ne soutient la comparaison avec ceux du Tourist Complex, à l'exception d'une bonne adresse.

Wild Grass Resort (☎ 262085 ; www.oldassam.com ; s mai-oct/nov-avr négociable/900 Rs, d mai-oct/nov-avr 1 250/1 850 Rs ; 🏊). Ce délicieux complexe soucieux d'écologie est si populaire qu'il n'a pas besoin de se signaler par un panneau. En revanche, tous les arbres sont soigneusement étiquetés. La déco évoquant le Raj donne l'impression de remonter dans le temps. Dans la salle à manger, qui a beaucoup de cachet, on sert une savoureuse cuisine assamaise. La piscine, ouverte uniquement l'été, est creusée en lisière de la jungle. L'entrée du Wild Grass est en face de la borne du Km 373 sur la National Highway (NH) 37. Réservation indispensable en saison.

Depuis/vers le Kaziranga National Park

Les bus Network Travel se rendent à Guwahati (230-300 Rs, 5 heures, toutes les heures de 7h30 à 16h30), Dibrugarh (230-300 Rs, 5 heures, 11h30, 12h30 et 14h), Tezpur (60 Rs, 2 heures, toutes les heures de 7h30 à 15h) et Shillong (400 Rs, 9 heures, 21h). De nombreux bus Network font un détour de 800 m jusqu'au Tourist Complex pour la pause déjeuner. Un petit **Public Call Office** (PCO ; bureau téléphonique ; ☎09864779028) à l'ouest de la Rhino Gate, se charge de réserver les places de bus.

HAUT-ASSAM

Jorhat

☎0376 / 70 000 habitants

Localité animée, Jorhat est le point de passage pour l'île de Majuli. La rue commerçante (Gar Ali) de Jorhat débouche dans la principale artère est-ouest – l'Assam Trunk (AT) Rd ou NH37 –, devant le quartier du

marché central. En allant 200 m à l'ouest, vous trouverez le grand centre commercial Unnayan Bhawan, qui abrite un **cybercafé** (20 Rs/h ; 9h-22h). En face, l'agence de la SBI Bank dispose d'un DAB.

En suivant AT Rd pendant encore 200 m vers l'ouest puis le sud, vous arriverez à un petit **musée** (☎ 9435247058 ; entrée libre ; Postgraduate Training College, MG Rd ; 10h-16h30 tlj sauf lun) présentant des objets ahom et à l'**Assam Tourism** (10h-17h lun-sam, fermé les 2e et 4e sam) voisin, situé dans le **Tourist Lodge** (☎ 2321579 ; MG Rd ; s/d 210/330 Rs) – qui offre un bon rapport qualité/prix, avec ses sols carrelés et ses moustiquaires.

Derrière la gare routière de l'Assam State Transport Corporation (ASTC) d'AT Rd, Solicitor Rd abrite une demi-douzaine d'hôtels corrects. L'**Hotel Janata Paradise** (☎ 2320610 ; Solicitor Rd ; d 280-450 Rs) dispose de chambres bon marché avec ventilateur. Est-ce à cause des tapis à fleurs, des tableaux dans les chambres ou encore de la collection de chaises installées dans le couloir ? En tout cas, l'endroit ne manque pas d'âme. Son **restaurant** (11h-16h et 20h-21h) sert d'excellents *thali* assamais de 10 plats (40 Rs).

Malgré sa façade à la déco surchargée, l'**Hotel Heritage** (☎ 2327393 ; Solicitor Rd ; s/d à partir de 250/425 Rs, d avec clim 800 Rs ;) est une sympathique adresse de catégorie moyenne, dotée d'un ascenseur. Les chambres non climatisées offrent le meilleur rapport qualité/prix.

À côté, dans l'Hotel Paradise, vous trouverez les agences d'**Air India** (☎ 2320011) et **Jet Airways** (☎ 2325652). Les deux compagnies desservent Kolkata, et Air India assure aussi la liaison avec Guwahati. **Kingfisher Red** (☎ 2310854 ; aéroport) assure également des vols pour Guwahati et Kolkata. Des bus très fréquents partent de la **gare routière ASTC** (☎ 2301896 ; AT Rd) pour Sivasagar (30 Rs, 1 heure 30) et Tezpur (70-115 Rs, 4 heures). Les bus à destination de Guwahati (210 Rs, 8 heures, 8 bus de 6h à 12h) passent par Kaziranga.

Le *Jorhat Guwahati Jan Shatabdi* (n°2068, CC 209 Rs, 6 heures 45, 13h55 du lundi au samedi) va à Guwahati.

Environs de Jorhat

PLANTATIONS DE THÉ

Les bungalows des plantations de thé datant de l'époque coloniale permettent une escapade au calme dans un cadre au charme suranné. Réservation indispensable.

Sangsua (☎ 2385075, réservations 9954451548 ; s/d 2 400/2 700 Rs). Ce vestige des années 1870 ouvre par des vérandas sur de belles pelouses surplombant une plantation. Du mobilier ancien agrémente le décor, notamment deux "Bombay fornicators", des chaises longues au dossier inclinable et dont les accoudoirs extensibles permettent d'y faire reposer les jambes… Le site se trouve à 7 km de piste du Km 442 de la NH37 (la route Jorhat-Deragaon).

Avec son portique de style classique et ses vastes pelouses immaculées, le **Thengal Manor** (☎ 2339519, réservations 2304267 ; Jalukanburi ; s/d 2 700/3 300 Rs) en impose. Photos anciennes, lits à baldaquin et certificat du roi George VI ajoutent à l'atmosphère de cette demeure d'époque. À 15 km au sud de Jorhat par la MG Rd (direction Titabor).

NIMATIGHAT

Ce banc de sable ponctué de cabanes à *chai*, balayé par les vents, est le point de départ des ferries bondés pour l'île de Majuli.

Une île fluviale presque déserte, accessible par des bateaux privés (50 Rs), sert de cadre aux huttes en bambou traditionnelles du **Mou Chapori River Resort** (☎ 9435357171 ; camprhino@gmail.com ; 2 jours/1 nuit depuis Guwahati 5 500 Rs/pers). Il propose des excursions à la journée à Majuli (800 Rs/pers), particulièrement sympathiques. Réservation auprès de Rhino Travels (p. 627).

À 12 km de Jorhat par une route cahoteuse, Nimatighat est desservi par des auto-rickshaws collectifs (70 Rs, 40 min). Si vous possédez un moyen de locomotion, faites une halte 2 km avant le ferry au restaurant du Green View Resort pour vous régaler de poisson fraîchement pêché à travers un trou dans le plancher.

Majuli Island

☎ 03775 / 54 000 habitants

Au milieu des bancs de sable toujours mouvants du puissant Brahmapoutre, s'étend la plus vaste île fluviale du monde : **Majuli**. Outre ses paysages de rizières, de prairies humides et de nasses de pêche, l'attrait de cette île tient à ses 22 anciens *satra*, des monastères et centres d'art néovishnouites (voir l'encadré p. 634). La population mising participe aussi beaucoup à son charme.

Les ferries accostent à 3 km au sud de **Kamalabari** ; le principal village, **Garamur**, est

SATRA

Un *satra* est un monastère dédié au culte de Vishnu. Cette forme de l'hindouisme, caractéristique de l'Assam, fut instituée au XVe siècle par Sankardeva, philosophe assamais qui refusa l'idolâtrie et le système des castes pour ne vénérer que le seul dieu Vishnu, en particulier sous son incarnation de Krishna. Le culte fait une large part à la représentation dansée et mélodramatique de scènes de la *Bhagavad Gita*. Au cœur de tout *satra* se trouve un *namghar*, vaste salle de prière sans fioritures, généralement ouverte sur les côtés, ressemblant à un bateau pétrolier retourné. Sous son extrémité est, un saint des saints renferme une flamme éternelle, la Gita, et éventuellement une foule d'images instructives (non pas divines). Les *satra* possèdent une charge spirituelle intense, mais ne vous attendez pas à des scènes particulièrement photogéniques.

situé 5 km plus au nord. Les *satra* les plus intéressants et les plus accessibles sont l'**Uttar Kamalabari** (1 km au nord, puis 600 m à l'est de Kamalabari) et l'**Auniati** (5 km à l'ouest de Kamalabari), où les moines se feront un plaisir de vous montrer les objets royaux ahom de leur petit **musée**. Les meilleurs moments pour observer des spectacles de danse, de musique et de poésie sont l'aube et le crépuscule, sans oublier bien sûr la grande **fête de Ras Mahotsav** (3e semaine de novembre).

Adressez-vous à **Jyoti Naryan Sarma** (☎ 9435657282 ; jyoti24365@gmail.com, majulitourism@rediffmail.com ; 500 Rs/jour) pour trouver un guide, un hébergement ou encore louer des vélos. **Danny Gam** (☎ 9435205539) offre des prestations similaires.

OÙ SE LOGER ET SE RESTAURER

L'hébergement est très rudimentaire : emportez un sac de couchage.

Donipolo (☎ 9435205539 ; dort 120 Rs). Dans la même ruelle que La Maison de Ananda, cette habitation très semblable abrite 4 lits.

Hotel Island (☎ 274712 ; s/d/tr sans sdb 120/240/350 Rs). Au carrefour de Garamur. Établissement des plus quelconques avec sdb communes, W-C à la turque mais pas d'eau chaude. Les moustiquaires sont toutefois un plus appréciable.

La Maison de Ananda (☎ 9435205539 ; dort 200 Rs). Dans une petite rue de Garamur, maison au toit de chaume sur pilotis en bambou, de style traditionnel, comportant 3 lits, également en bambou, et agrémentée de tissus artisanaux fabriqués localement. Elle est tenue par Danny Gam, un guide local débrouillard.

Seuj Bilas (☎ 27345 ; ch 600-750 Rs). En face du poste de police, voici le seul hébergement de Kamalabari. Les chambres sont fonctionnelles, les plus chères étant pourvues d'un salon. Le restaurant sommaire est aussi le seul du village.

Ceux qui s'intéressent vraiment à la philosophie néovishnouite devraient pouvoir loger dans un *satra*.

DEPUIS/VERS MAJULI

Les ferries bondés (adulte/Jeep 15/550 Rs, 2 heures 30) quittent Nimatighat à 10h30, 13h15 et 15h et repartent de Majuli à 7h15, 10h et 14h. Les horaires ne permettent pas de faire l'excursion dans la journée – il faudrait pour ce faire affréter un bateau privé (5 000 Rs) ; renseignez-vous auprès de la **capitainerie** (☎ 9854022724).

COMMENT CIRCULER

Des bus attendent à l'arrivée des bateaux et repartent bondés pour Garamur (10 Rs) via Kamalabari – où il est plus facile de louer des tricycles motorisés. Si vous restez quelques jours, vous avez tout intérêt à louer un vélo. Adressez-vous à Jyoti ou à Danny, ou bien renseignez-vous sur place.

Sivasagar

☎ 03772 / 64 000 habitants

Bien qu'elle compte des installations pétrolières, Sivasagar n'en a pas moins conservé son élégance d'antan, lorsqu'elle était la capitale de la dynastie ahom qui régna sur l'Assam pendant plus de six siècles. Elle doit son nom ("eaux de Shiva") à son joli lac rectangulaire creusé en 1734 par la reine ahom Ambika. Au-dessus de sa rive sud partiellement boisée se dressent trois **temples en forme de tour**, typiques de l'architecture ahom – à l'ouest le **Devidol**, à l'est le **Vishnudol** et, au centre, le **Shivadol Mandir**, le plus haut temple indien (33 m) dédié à Shiva. Le trident du sommet surmonte un chapiteau ovoïde dont le revêtement doré intéressait, dit-on, les Britanniques qui auraient tenté (en vain) de s'en emparer en 1823. Des sadhus sont postés le long du chemin qui mène au temple, dont l'intérieur est un peu lugubre et le sol glissant. Au lieu de l'habituelle pierre fièrement dressée, son lingam se résume à un trou dans le sol.

À l'angle sud-ouest de la pièce d'eau, l'agréable **Tourist Lodge** (☎ 222394 ; s/d 210/260 Rs) abrite l'Assam Tourism et six grandes chambres propres au sol carrelé d'un très bon rapport qualité/prix.

À 500 m du Shivadol, une série d'hôtels bordent AT Rd. Parmi eux, le plus attrayant est l'étonnamment chic **Hotel Shiva Palace** (☎ 222629 ; hotelshivapalace@rediffmail.com ; s/d économique 450/550 Rs, avec clim 850/950 Rs ;), qui abrite un restaurant correct (plats 50 Rs à 180 Rs).

L'**Hotel Siddhartha** (☎ 222276 ; e7safari@rediffmail.com ; s/d à partir de 174/200 Rs, ch avec clim à partir de 620 Rs ;), bonne adresse de catégorie moyenne, abrite des chambres plus belles que ne le laissent penser ses couloirs. Le propriétaire, multi-instrumentiste talentueux, compose et joue ses propres morceaux de musique indienne fusion.

Des bus partent régulièrement de la **gare routière ASTC** (☎ 222944 ; angle AT Rd et Temple Rd) pour Jorhat (30 Rs, 1 heure) et Dibrugarh (40 Rs, 2 heures), ainsi que Tezpur (150 Rs, 5 heures, 9h30 et 10h30) et Guwahati (249 Rs, 8 heures, bus fréquents de 7h à 9h30).

De nombreux bus privés ont leur billetterie à proximité dans AT Rd. Pour Kareng Ghar, prenez les bus de Gargaon (12 Rs, 45 min), qui partent d'un arrêt non signalisé dans Bhuban Gogoi (BG) Rd (suivre AT Rd sur 300 m vers le nord, puis à droite sur 50 m).

Environs de Sivasagar

Une kyrielle de temples et de ruines, datant de l'apogée du règne des Ahom (XVIIe et XVIIIe siècles), émaille les environs de Sivasagar.

TALATALGHAR

Ces fameuses (mais pas très spectaculaires) ruines ahom se situent à 4 km du centre de Sivasagar par AT Rd. Environ 2 km après un pont levant métallique datant de la Seconde Guerre mondiale, vous verrez sur la droite le joli **Rang Garh** (Indiens/étrangers 5/100 Rs ; aube-crépuscule), un "pavillon" ovale sur 2 niveaux, d'où les souverains ahom assistaient aux combats de buffles et d'éléphants.

Juste après, tournez à gauche pour passer devant le **Golaghar** (dépôt de munitions), dont les pierres sont cimentées par un mélange de dhal, de chaux et d'œufs. Au-delà du dépôt se dressent les ruines du **Talatalghar** (Indiens/étrangers 5/100 Rs ; aube-crépuscule), vaste palais à deux étages érigé par le roi ahom Rajeswar Singha au milieu du XVIIIe siècle.

KARENGHAR

Imposant mais dépouillé, ce **palais** (Indiens/étrangers 5/100 Rs ; aube-crépuscule) de brique datant de 1752 est le dernier vestige de la capitale ahom qui précéda Sivasagar. Ses 4 étages forment une sorte de pyramide à degrés qui surplombe un joli paysage de forêts et de rizières, un peu dénaturé par des installations électriques. À 900 m au nord de la route Sivasagar-Sonari ; tournez juste avant Gargaon (14 km) depuis Sonari.

GAURISAGAR

Annonçant Sivasagar, Gaurisagar possède un joli réservoir et trois temples datant des années 1720 – le **Vishnudol**, le **Shivadol** et le **Devidol** – construits par Phuleswari, la "Reine danseuse". Le plus imposant, le Vishnudol, n'atteint pas la hauteur du Shivadol de Sivasagar mais est, en revanche, orné de jolies sculptures, assez érodées toutefois. Gaurisagar se trouve à 50 m de la NH37, au Km 501,5.

Dibrugarh

☎ 0373 / 122 000 habitants

Rejoindre Dibrugarh (la "cité du Thé") permet de boucler la boucle entre Kaziranga et la route Ziro-Along-Pasighat. La ville est en pleine expansion : un nouveau pont routier et ferroviaire est en construction au Bogibeel Ghat (ouverture prévue en 2010). Celui-ci permettra d'étendre le réseau ferré au nord du Brahmapoutre.

Depuis la gare ferroviaire de Dibrugarh Town, Radha Kanta Borgohain (RKB) Path suit la voie ferrée vers le nord-est en passant par Hanuman Singhania Road (HS) Road, qui mène au quartier du marché. Après 800 m, RKB Path croise Mancotta Road à hauteur de Thana Charali. Près de ce carrefour, vous trouverez de nombreux endroits où manger, des hôtels et des cybercafés, par exemple **Ajmera** (Sachit Studio, Mancotta Rd ; 20 Rs/h ; 9h-21h) et **Internet Cafe** (HS Rd ; 9h-19h30 lun-sam, 9h-14h dim) au bout d'une ruelle située juste à côté du Grand Hotel. La **SBI Bank** (☎ 2321999 ; RKB Path) change les chèques de voyage et les devises étrangères. Son DAB (dans RKB Path) est à côté de l'hôtel City Regency.

Purvi Discovery (☎ 2301120 ; www.purviweb.com ; Medical College Rd, Jalan Nagar) organise des circuits dans la région, des journées de kayak (3 000 Rs) et des randonnées à cheval (7 800 Rs/j, repas inclus). En prévenant 3 jours à l'avance, cette agence propose des **visites de plantations de thé** (400 Rs ; ⏲ mar-sam avr-nov) de 2 heures. Elle s'occupe aussi de la réservation de 2 bungalows de l'époque coloniale au cœur des plantations : le délicieux **Mancotta Chang Bungalow** (Mancotta Rd, Mancotta ; s/d bât. principal 2 600/5 200 Rs ; ❄) qui date de 1849 et se situe à 4 km de la ville, et le **Jalannagar South Bungalow** (Convoy Rd ; s/d 1 500/2 600 Rs, avec clim 3 200/3 700 Rs ; ❄), à 700 m de la gare routière. Dans les deux cas, préférez les chambres à l'étage.

Pratique car central, l'**Hotel East End** (☎ 2322698 ; New Market ; s/d à partir de 375/550 Rs, avec clim 625/780 Rs ; ❄), juste à côté de HS Rd, abrite des chambres pour petits budgets rudimentaires mais propres, avec douches (froides) attenantes. Les chambres deluxe méritent le supplément (75 à 100 Rs).

Le **City Regency** (☎ 2326805 ; city_regency@sify.com ; RKB Path ; s/d à partir de 1 350/1 600 Rs ; ❄), hôtel de catégorie moyenne aux tarifs corrects, est bien meublé (mais sans opulence) et possède un ascenseur. Quelques chambres n'ont aucune vue. Son bar-lounge aux lumières tamisées s'appelle l'El Dorado.

H20 (Mancotta Rd ; plats 50-110 Rs, bière 65 Rs) est un bar-restaurant à l'étage décoré sur le thème du vaisseau spatial. Le **Flavours** (Mancotta Rd ; plats 30-70 Rs ; ⏲ 10h-22h), petit établissement gai situé juste avant le pont ferroviaire, sert des en-cas et un Soda Sikanji (20 Rs) très rafraîchissant – idéal les jours de très grosse chaleur.

DEPUIS/VERS DIBRUGARH

JetLite (☎ 0361-39893333 ; aéroport) dessert Kolkata, **Kingfisher Red** (☎ appel gratuit 18002093030 ; aéroport) assure la liaison avec Guwahati et **Air India** (☎ 2300658 ; Paltan Bazaar, Circuit House Rd) propose des vols pour Guwahati, Imphal et Kolkata au départ de l'aéroport de Mohanbari, à 16 km au nord-est de Dibrugarh et à 4 km de la route de Tinsukia.

Des bus ASTC quittent la principale **gare routière** (Mancotta Rd) pour Sivasagar (60 Rs, 2 heures, fréquents de 6h à 9h), Jorhat (90 Rs, 3 heures, fréquents de 6h à 9h), Tezpur (207 Rs, 6 heures, 7h45 et 8h15) et Guwahati (355 Rs, 10 heures, 9h). Divers bus de nuit privés pour Guwahati (310-355 Rs, 12 heures, 18h à 22h) circulent depuis Mancotta Rd ou la gare ferroviaire.

Le *Kamrup Express* de 16h est le train de nuit le plus pratique pour Guwahati (n°5960; sleeper/3AC/2AC 203/569/791 Rs, 14 heures, 18h).

Le **Kusum Hotel** (☎ 2320143 ; Talkiehouse Rd) vend un billet combiné Jeep-ferry-Jeep pour Pasighat (280 Rs) dans l'Arunachal Pradesh ; départ de l'hôtel à 7h30, départ du bateau à 8h15, arrivée du bateau au Majibari Ghat à 10h30 et arrivée à Pasighat à 13h30.

Le **ferry DKO** (passager 67 Rs, véhicule 2 500-3 100 Rs) dessert quotidiennement Oriamghat où l'attend un bus pour Pasighat. Rudimentaire, il ne transporte que 2 Jeep et n'offre guère d'abri pour une traversée d'environ 8 heures (5 heures 30 vers l'aval). Emportez eau, ombrelle et crème solaire. De brèves escales permettent d'apercevoir de jolis hameaux isolés sur les rives. Le point d'embarquement exact varie selon le niveau du Brahmapoutre.

ARUNACHAL PRADESH

Le "pays des Montagnes illuminées par l'aube" dresse ses collines abruptes couvertes d'épaisses forêts en bordure de l'Assam. Le paysage gagne en altitude, érigeant des pics majestueux, couronnés de neige, aux abords de la frontière chinoise. Pas moins de 25 groupes ethniques différents vivent dans des villages traditionnels dans les vallées de l'Arunachal Pradesh. La superbe vallée de Tawang abrite plusieurs magnifiques monastères-villages *monpa* perchés sur les hauteurs. La Chine, qui n'a jamais reconnu officiellement la souveraineté de l'Inde sur la région, fit une invasion surprise en 1962 avant de se retirer de son plein gré. Aujourd'hui, une importante présence militaire assure la garde des frontières, mais dans l'ensemble un grand calme règne.

Arunachal Tourism (office du tourisme de l'Arunachal ; www.arunachaltourism.com) peut fournir des informations complémentaires.

L'ARUNACHAL PRADESH EN BREF

- Population : 1,1 million d'habitants
- Superficie : 83 743 km²
- Capitale : Itanagar
- Langues principales : hindi et assamais
- Meilleure période : octobre-mars

ITANAGAR

☎ 0360 / 38 000 habitants

Fondée en 1972, la capitale de l'Arunachal Pradesh doit son nom au mystérieux **Ita Fort**, dont les mornes **ruines** en brique couronnent une colline au-dessus de la ville. Itanagar est pratique pour ses liaisons avec le centre de l'Arunachal Pradesh. Vous trouverez plusieurs DAB et cybercafés dans Mahatma Gandhi Marg. **Abor Country Travels** (☎ 2211722 ; B Sector) organise des treks, des sorties de rafting, de pêche à la ligne, ainsi que des visites dans les villages traditionnels de l'ouest et du centre de l'État.

Doté d'une immense réception, l'**Hotel Arun Subansiri** (☎ 2212806 ; Zero Point ; s/d 900/1 000 Rs) comporte des chambres spacieuses et confortables équipées de lits douillets. Il permet de rejoindre à pied le **State Museum** (musée de l'État ; ☎ 2222518 ; Indiens/étrangers 10/75 Rs ; 9h30-16h dim-jeu), un musée tout à fait correct, et le *gompa* superbement décoré qui abrite le **Centre de la culture bouddhiste**, installé dans des jardins sur une colline. Le **Poong Nest** (VIP Rd, plats 30-100 Rs ; 8h-21h ;) est une adresse sympathique pour boire une bière fraîche et se restaurer de spécialités des ethnies locales – poulet ou porc bouilli aux pousses de bambou et aux légumes.

Trois kilomètres plus à l'ouest dans Mahatma Gandhi Marg, le **Ganga Market** se repère à un temple rouge à trois flèches et à la tour de l'horloge voisine. D'un excellent rapport qualité/prix, l'**Hotel Blue Pine** (☎ 2211118 ; dort 100 Rs, s 200-300 Rs, d 300-450 Rs, avec clim 750 Rs ;) propose des chambres bien tenues avec sdb et W-C à la turque. Le réceptionniste est très serviable.

Depuis la **gare routière APST** (☎ 2212338 ; Ganga Market), des bus partent pour Along (230 Rs, 8 heures, 5h30 du mardi au dimanche), Tezpur (110 Rs, 4 heures, 5h30), Pasighat (170 Rs, 8 heures, 6h30 du jeudi au mardi), Lilabari où se trouve l'aéroport (80 Rs, 1 heure 30, 7h15 du lundi au samedi), et Guwahati (190 Rs, 11 heures, 6h).

En face, **Royal Sumo Counter** (☎ 2290455) assure des liaisons quotidiennes avec Ziro (250 Rs, 4 heures, 5h30 et 14h50), Daporijo (480 Rs, 14 heures, 5h30), Along (400 Rs, 12 heures, 5h30), Pasighat (300 Rs, 8 heures, 5h30), Lilabari (250 Rs, 3 heures 30, 6h30) et Bhalukpong (250 Rs, 4 heures, 6h30).

Les billets d'hélicoptère ne sont en vente qu'au **Naharlagun Helipad** (☎ 2243262 ; 7h30-16h tlj sauf dim), à 16 km à l'est d'Itanagar. Il propose des vols quotidiens (sauf le dimanche) pour Guwahati (3 400 Rs) et hebdomadaires pour diverses destinations, dont Along (3 400 Rs), Ziro (1 500 Rs), Daporijo (1 700 Rs) et Pasighat (2 700 Rs).

CENTRE DE L'ARUNACHAL PRADESH

Ziro Valley

☎ 03788

Vallée aux allures de plateau, cette région est plantée de rizières et de bambouseraies et ponctuée de collines parsemées de pins. Hauts *babo* (poteaux) et *lapang* (plates-formes de réunion) ajoutent à l'intérêt des villages resserrés des **Apatani**, connus pour les **tatouages faciaux** et les **piercings dans le nez** dont se parent les femmes âgées (voir p. 638).

La plupart des habitants travaillant dans les champs, la fin d'après-midi est le meilleur moment pour voir de près la vie des villages. Les plus authentiques sont **Hong** (le plus grand et le plus connu), **Hijo** (plus pittoresque), **Hari**, **Bamin** et **Dutta**, tous situés à moins de 10 km les uns des autres.

Hapoli (New Ziro), qui s'étire 7 km plus au sud que **Ziro**, regroupe des hôtels et des transports routiers. Vous trouverez un DAB SBI au-dessous du bureau du Commissioner (préfet de police) dans un virage de MG Rd. Le **Mom & Dot's Cyber Cafe** (Hapoli ; 50 Rs/h ; 9h-21h) est dans une allée situé sous l'Hotel Pine Ridge. L'**Emporium Crafts Centre**, organisme gouvernemental où l'on enseigne les techniques artisanales des ethnies locales (tissage, fabrication des tapis et fonte de cloches), vend tous ces produits dans sa **boutique** (☎ 225327 ; Hapoli ; 9h30-13h et 14h30-16h lun-ven).

Semblable à un labyrinthe, l'**Hotel Pine Ridge** (☎ 224725 ; MG Rd ; s 350 Rs, d 500-700 Rs) installé dans une cour proche de la route principale, est une bonne adresse. Ses chambres à 500 Rs offrent le meilleur rapport qualité/prix. Le réceptionniste, serviable, parle bien anglais.

L'**Hotel Blue Pine** (☎ 224812 ; s/d 300/450 Rs) est le meilleur hébergement de la ville, mais paraît un peu loin quand il faut marcher la nuit sans lumière. Le restaurant vaut le détour mais le service est parfois lent. Si vous logez sur place, commandez vos repas à l'avance.

Des *sumo* (Jeep) partent de MG Rd (près du DAB SBI), à Hapoli, pour Itanagar (250 Rs, 5 heures, 5h30, 6h, 10h30, 11h et 11h30) et Lakhimpur (170 Rs, 4 heures) ; pensez à réserver. Le trajet offre de beaux paysages de forêt. Une Jeep en provenance d'Itanagar continue vers Daporijo (250 Rs, vers 9h30) ; elle démarre devant le Nefa Hotel, en face du lycée ("high school") sur la route Hapoli-Ziro.

De Ziro à Pasighat

Un paisible chemin serpente à travers les collines boisées et les villages pour relier Ziro à Pasighat via Along. En chemin, on pourra admirer de vertigineux ponts suspendus et des villages adi à toits de chaume aux alentours d'Along.

DAPORIJO

☎ 03792 / 14 000 habitants / altitude 699 m

Cette ville, sans doute la plus sale et la moins sophistiquée de tout l'Arunachal Pradesh, est une étape obligatoire. Il y a peu de choix au niveau des hébergements. La **Circuit House** (☎ 223250 ; d 320 Rs), qui compte 4 chambres, est perchée sur une colline surplombant la ville ; attention : il faut au préalable rendre visite aux *babu* (employés) du bureau du District Commissioner pour obtenir le *chit* (permis de séjour) requis. L'autre possibilité est l'**Hotel Santanu** (☎ 223531 ; New Market ; s/d à partir de 300/400 Rs), qui bat des records en matière de dénuement, mais sert en revanche de délicieux plats locaux dans son restaurant tristounet

Les *sumo* quittent New Market à 6h à destination d'Itanagar (480 Rs, 12 heures) et Ziro (300 Rs, 6 heures). La **gare routière** (☎ 223107) assure une liaison nonchalante avec Along (110 Rs, 6 heures) à 6h un jour sur deux (en fonction du jour où le bus revient d'Along).

TATOUAGE FACIAL

Renommées pour leur beauté, les femmes apatani étaient par trop souvent enlevées par des guerriers nishi voisins. Pour les "protéger", on défigura délibérément les filles. On leur fit des tatouages sur le visage et des trous dans les narines destinés à supporter d'extraordinaires bijoux appelés *dat*. Certains hommes sont également tatoués.

L'établissement de la paix avec les Nishi dans les années 1960 mit fin à cette pratique brutale, mais de nombreuses femmes âgées portent encore des *dat*. En général, elles n'apprécient guère d'être photographiées et, en tout état de cause, il faut leur demander la permission. Certaines Atapani ont fait appel à la chirurgie esthétique pour supprimer leurs tatouages.

ALONG

☎ 03783 / 20 000 habitants / altitude 302 m

Ce bourg sympathique mais sans charme possède un **cybercafé** (☎ 9436632430 ; Abu-Tani Centre, Nehru Chowk ; 40 Rs/h ; 7h-19h) en face de la gare routière APST, un DAB SBI dans Main Rd juste en dessous de la Circuit House contiguë à un petit **musée du District** (☎ 222214 ; entrée libre ; 9h-16h lun-ven), à 300 m à l'est, qui vend des livres sur les Adi. Le **Crafts Centre** (☎ 222145 ; 9h-16h30), à 1 km au sud dans Main Road, est un centre d'apprentissage artisanal (tissage, fabrication de tapis, fonte des métaux et confection d'objets en bambou). C'est ici qu'il faut acheter son chapeau adi.

L'**Hotel Holiday Cottage** (☎ 222463 ; Hospital Hill ; ch 400-500 Rs), au sud-ouest de l'héliport, offre le meilleur hébergement de la ville. Payez le supplément de 100 Rs pour une chambre deluxe, si possible la n°104.

Il y a des *sumo* pour Itanagar (370 Rs, 12 heures, 5h30 et 17h) et Pasighat (200 Rs, 5 heures, 5h30 et 23h) mais Daporijo n'est pas desservie.

Le village adi de **Kabu**, à 2 km au nord d'Along, est aisément accessible. Il suffit d'oser traverser la rivière en empruntant le pont suspendu en bambou tressé.

Pasighat

☎ 0368 / 22 000 habitants

Au pied de contreforts montagneux couverts de luxuriantes forêts, Pasighat accueille les **fêtes de Solung** (1er-5 septembre) des Minyong-Adi. Le **cybercafé** (60 Rs/h ; 7h30-20h) est à 50 m de l'Hotel Aane. Vous trouverez un DAB SBI juste à côté de l'arrêt des *sumo* dans le quartier du marché central.

Le sympathique **Hotel Oman** (☎ 2224464 ; Main Market ; s 250-300 Rs, d 400-500 Rs) est central. L'**Hotel Aane** (☎ 2223333 ; d 1 000 Rs, d avec clim 1 500 Rs ; ❄), plus haut de gamme, offre des douches chaudes et possède une terrasse sur le toit.

DEPUIS/VERS PASIGHAT

Des hélicoptères décollent de l'**aérodrome de Pasighat** (☎2222088 ; 🕒 8h-12h tlj sauf dim), à 3 km au nord-est de la ville. Ils rallient Naharlagun (Itanagar) via Mohanbari (Dibrugarh) les lundi, mercredi et vendredi, Guwahati via Naharlagun le mardi et Along le vendredi.

De la gare routière APST, mal située (prenez un auto-rickshaw), des bus partent pour Along (100 Rs, 5 heures 30, 7h mercredi-lundi) et pour Itanagar (170 Rs 10 heures, 6h mardi-dimanche). Les *sumo* pour Along (220 Rs, 5 heures) démarrent à 6h et 12h ; ceux pour Itanagar (300 Rs, 6 heures) à 6h. L'**Hotel Siang** (☎ 2224559 ; quartier du marché central) vend des billets combinés Jeep-bateau-Jeep pour Dibrugarh (Assam ; 250 Rs, 5 heures 30, 5h30) via Majerbari Ghat.

ETHNIES DU CENTRE DE L'ARUNACHAL PRADESH

Les Adi (Abor), les Nishi, les Tajin, les Hill Miri et diverses autres ethnies tibéto-birmanes du centre de l'Arunachal Pradesh se considèrent comme très différentes les unes des autres. Cependant, elles sont souvent plus ou moins apparentées. Elles pratiquent presque toutes le culte traditionnel de Donyi-Polo (le Soleil et la Lune). Lors des cérémonies, les chefs de village portent habituellement des châles écarlates et un couvre-chef en bambou tressé garni de piquants de porc-épic ou de plumes de calao. Certains hommes âgés ont encore les cheveux longs, qu'ils portent noués en hauteur au-dessus du front. Les femmes aiment à s'envelopper dans des tissages faits main comme les sarongs du Sud-Est asiatique. L'architecture des maisons varie quelque peu. Les villages traditionnels adi sont particulièrement photogéniques avec leurs luxuriants toits en feuilles de borasse et leurs greniers en forme de boîte sur pilotis pour dissuader les rongeurs.

OUEST DE L'ARUNACHAL PRADESH

Un périple dans les montagnes jusqu'à Tawang, en traversant une région habitée par les Monpa (un peuple d'origine tibétaine, pratiquant le bouddhisme), constitue l'une des plus belles expériences d'un voyage dans le Nord-Est, tant sur le plan culturel que pour la beauté des paysages. Prévoyez au moins 5 jours aller-retour depuis Guwahati (ou Tezpur) en faisant étape dans les deux sens à Dirang ou à Bomdila (moins intéressant). Attendez-vous à un froid intense en hiver. Emportez des espèces car il n'y a pas de DAB.

De Bhalukpong à Dirang

Le contrôle des permis s'effectue à Bhalukpong. La route monte ensuite en serpentant sur des pentes densément boisées avant de descendre dans des vallées plus larges ponctuées de camps militaires. Puis elle grimpe de nouveau pour rejoindre Bomdila, situé au sommet d'une montagne.

BOMDILA

☎ 03782 / altitude 2 682 m

Ce bourg offre une alternative d'hébergement à Dirang. La **pension Doe-Gu-Khill** (☎223643 ; sonchuki@yahoo.com ; ch/ste 700/1 500 Rs), décorée dans le style traditionnel et meublée de neuf, est située en contrebas du monastère. Elle bénéficie d'une vue splendide. **Himalayan Holidays** (☎222017 ; www.himalayan-holidays.com ; ABC Bldg, Main Market ; 🕒 8h-18h), tour-opérateur fiable, organise des circuits et des treks dans l'Arunachal Pradesh. L'agence se charge également de se procurer des permis, vend des billets de *sumo* et offre l'accès à Internet (50 Rs/h).

Dirang

☎ 03780 / altitude 1 621 m

Avec sa **minicitadelle**, ses maisons blotties au bord du torrent et son **gompa** perché à flanc de falaise, **Old Dirang (Vieux Dirang)** offre une image particulièrement photogénique des villages monpa.

Tous les commerces se trouvent à **New Dirang (Nouveau Dirang)**, qui compte des hôtels bon marché, des petits restaurants et des billetteries de *sumo*, concentrés autour du carrefour central. Le **Dirang Resort** (☎ 242352 ; d 750 Rs), dans Inspection Bungalow (IB) Road, est un hôtel familial sommaire aux tarifs excessifs, mais sympathique dans l'ensemble. Il occupe une maison à l'ancienne sur la colline, dont un balcon en bois agrémenté d'une foule de plantes en pots fait tout le tour. L'accueillant **Hotel Pemaling** (☎ 242615 ; s/ste 750/3 000 Rs, d 1 000-2 000 Rs), à 1 km au sud en surplomb de New Dirang, est une adresse plus agréable. La nourriture est délicieuse, notamment le *paneer masala* (fromage blanc accompagné d'une sauce crémeuse et épicée). Dans le jardin à l'avant ainsi que dans les suites, des coins sont aménagés pour s'asseoir et admirer la vue sur le Se La parfois enneigé.

De Dirang à la Tawang Valley

En montée, la route décrit d'interminables virages en épingle à cheveux pour finir par laisser la forêt derrière elle. Le **Se La**, col à 4 176 m, sépare les montagnes en deux et donne accès à la vallée de Tawang. Au-delà, le paysage évoque un *glen* écossais, à ceci près que l'on y voit paître des yaks. À partir de là, la route redescend de façon vertigineuse le flanc de la montagne pour rejoindre la vallée de Tawang.

Tawang Valley

☎ 03794 / altitude 3 048 m

Parler de vallée pour Tawang n'est pas rendre justice à ses proportions. C'est plutôt une formidable balafre dans le manteau terrestre, entourée d'immenses montagnes. En bas, les flancs abrupts des collines sont tachetés de champs et émaillés de monastères bouddhistes et de villages monpa.

Le plus grand attrait touristique de la vallée est le magique **Tawang Gompa** (☎ 222243 ; entrée libre ; appareil photo/caméra 20/100 Rs ; 🕓 aube-crépuscule) et son écrin de pics enneigés. Fondé en 1681, ce monastère aux allures de citadelle serait le deuxième plus vaste ensemble monastique bouddhiste du monde ; il est par ailleurs célèbre dans les milieux bouddhistes pour sa bibliothèque. À l'intérieur de l'enceinte fortifiée, d'étroites ruelles mènent à la **salle de prière** superbement ornementée qui abrite une statue de 8 m représentant le **Bouddha Shakyamuni**. De l'autre côté de la place centrale, un intéressant petit **musée** (20 Rs ; 🕓 8h-17h) expose des images, des tuniques, des trompettes télescopiques et quelques effets personnels du sixième dalaï-lama. De spectaculaires *chaam* (danses masquées rituelles qu'accomplissent certains moines bouddhistes dans les *gompa* pour célébrer la victoire du bien sur le mal et celle du bouddhisme sur les religions préexistantes) ont lieu pendent les fêtes de Torgya, Losar et Buddha Mahotsava.

D'autres *gompa* et *anigompa* (nonneries) constituent de superbes buts de randonnée à la journée depuis Tawang. C'est dans l'un d'eux, le **Urgelling Gompa** que naquit le 6ᵉ dalaï-lama. Ce modeste monastère se trouve à 6 km de Tawang par la route, mais, situé en contrebas du Tawang Gompa, il est plus proche à pied.

TAWANG

☎ 03794 / altitude 3 048 m

Le bourg de Tawang est un carrefour pour les transports et le centre des services pour les villages de la vallée ; et son cadre est plus joli que la ville elle-même. Les **moulins à prières** donnent néanmoins de la couleur au quartier central du vieux marché (Old Market). Les pèlerins monpa qui les font tourner portent souvent des *gurdam*, des couvre-chefs en laine de yak noire qui évoquent d'énormes araignées. Le **Monyul Cyber Café** (50 Rs/h ; 🕓 8h30-20h) se trouve 50 m à l'est. **PL Traders** (☎ 222987 ; Old Market ; 🕓 7h-19h30), en face du virage qui mène au Tourist Lodge, vend des objets artisanaux et des vêtements traditionnels (notamment des *gurdam*).

Tawang compte plusieurs petits hôtels. Le **Tourist Lodge** (☎ 222359 ; lits jum 300-1 050 Rs), très délabré, reste pourtant le seul hébergement d'un bon rapport qualité/prix. Ses chambres assez correctes sont en effet les moins chères. Il est situé à 150 m au-dessus de l'artère principale. L'**office du tourisme** (☎ 222359 ; 🕓 5h-20h) est au même endroit. Il fournit une brochure illustrée sur Tawang assez intéressante.

L'**Hotel Gorichen** (☎ 224151 ; hotelgorichen@indiatimes.com ; s 600 Rs, d 500-1 800 Rs), à la façade pseudo-tibétaine, s'affiche ouvertement comme un hôtel chic. Situé dans le haut du vieux marché, il abrite des chambres traditionnelles lambrissées. Les moins chères, pour ceux qui aiment le confort douillet, sont parfaitement correctes. Les tarifs baissent de juin à septembre.

Accessible par une petite ruelle à 400 m au-dessus du marché, le **Tawang Inn** (☎ 224096 ; d à partir de 1 000-1 200 Rs, ste 1 500 Rs) est le plus raffiné du centre-ville.

Chacun de ces hôtels possède un bon restaurant, mais l'accueillant **Chinese Restaurant** (Old Market ; plats 35-80 Rs) et ses 14 couverts reste le meilleur établissement de la ville.

Ses délicieux plats chinois et indiens sont concoctés avec des ingrédients frais. Seul bémol : on attend un peu.

Depuis/vers Tawang

Au départ de Lumla (à 42 km de Tawang en direction de Zemithang), des hélicoptères desservent Guwahati (3 400 Rs, 2 heures) les lundi et mercredi. Les bus APST quittent Tawang à 5h30 les lundi et vendredi à destination de Tezpur (290 Rs, 12 heures), avec arrêt à Dirang (130 Rs, 6 heures), Bomdila (170 Rs, 7 heures) et Bhalukpong (240 Rs, 10 heures). Ils rentrent le lendemain. Des *sumo* publics plus fréquents pour Tezpur partent à l'aube de Tawang à destination de Dirang, Bomdila et Bhalukpong.

NAGALAND

Originaires du Sud-Est asiatique, les Naga se répartissent tout au long de la frontière Inde-Myanmar. Au Nagaland, ils sont majoritaires. Pendant des siècles, une vingtaine d'ethnies naga de chasseurs de tête lutta vaillamment contre toute intrusion. Le reste du temps, ces peuples s'affrontaient et développaient des langues inintelligibles l'une pour l'autre. Aujourd'hui, ils communiquent grâce à une lingua franca appelée nagamais. Parmi les principaux groupes naga figurent les Angami et les Rengma du district de Kohima, les Lotha du district de Wokha et les Konyak du district de Mon, dont les villages conservent une architecture traditionnelle étonnante. Lors des festivités, les femmes naga portent un châle tissé à la main caractéristique de chaque groupe, tandis que les hommes arborent leurs anciennes tenues guerrières.

Ce sont les festivals du Nagaland qui attirent la plupart des visiteurs. Et, de fait, le Hornbill Festival, qui se déroule à Kohima en décembre, justifie à lui seul le voyage. Le reste de l'année, les spectacles sont plus rares, mais la rencontre avec cette population dont la culture a franchi "1 000 ans en l'espace d'une vie" (selon les termes d'un journaliste indien) présente encore énormément d'intérêt.

LE NAGALAND EN BREF

- Population : 2 millions d'habitants
- Superficie : 16 579 km^2
- Capitale : Kohima
- Langues principales : nagamais, diverses langues naga, hindi et anglais
- Meilleure période : octobre-mars

Désagréments et dangers

Depuis 1947, les insurgés naga se battent pour l'indépendance du Nagaland, et certaines régions reculées sont en partie contrôlées par les rebelles. Étant donné la trêve actuelle, la plupart des grandes villes sont stables, même si la sécurité n'est jamais totalement garantie. Renseignez-vous sur les conditions de sécurité avant de voyager dans la région. Même à Kohima, presque tout ferme à 17h et il est vivement déconseillé de circuler la nuit.

DIMAPUR

☎ 03862 / 308 000 habitants / altitude 260 m

Dimapur, que les touristes ne visitent que sur le chemin de Kohima, fut la capitale d'un grand royaume kachari qui domina une bonne partie de l'Assam avant l'arrivée des Ahom. Il n'en subsiste que d'étranges piliers phalliques, vestiges d'un ancien palais dans le **parc Rajbari** (entrée libre), près d'un **marché** digne d'intérêt. Près de la gare routière NST, le **Tourist Lodge** (☎ 226355 ; Kohima Rd ; s/d 250/300 Rs) est sommaire mais acceptable.

Air India (☎ 229366, 242441) a des vols pour Kolkata, Guwahati et Imphal. L'aéroport est à 400 m de la route de Kohima, à 3 km de la ville. De la **gare routière NST** (☎ 227579 ; Kohima Rd), des bus partent pour Kohima (65 Rs, 3 heures, toutes les heures) et Imphal (190 Rs, 7 heures, 6h).

KOHIMA

☎ 0370 / 96 000 habitants / altitude 1 444 m

La capitale du Nagaland est une ville agréable, dispersée sur une série de collines et de crêtes boisées. Évitez Kohima le dimanche car, hormis les hôtels, tout est fermé. Pour des raisons de sécurité, une sorte de "couvre-feu" est établi à partir de 17h.

Renseignements

Alder Tours & Travels (☎ 9436011266 ; kevi_alder toursntravels@rediffmail.com ; AG Colony). Circuits culturels dans le Nagaland, circuits d'observation des oiseaux, permis.

Amizone (angle Dimapur Rd et Imphal Rd ; 30 Rs/h ; 🕓 10h-17h30 tlj sauf dim). Internet en bas du Dream Café.

ÉTATS DU NORD-EST

CULTURE NAGA

Les villages naga sont perchés au sommet d'escarpements inattaquables. Ils sont encore nombreux à être subdivisés en *khel* (quartiers) gardés par des *karu* (entrées cérémonielles). Certains de ces *karu* conservent leurs lourdes portes en bois ou en pierre sculptée. Les dessins varient beaucoup dans le détail, mais le motif central est généralement un guerrier naga au milieu des cornes d'un *mithun* (espèce locale de bovin), avec des représentations du Soleil, de la Lune, de seins (pour la fertilité) et d'armes. Les *kharu* sont aussi des entrées ornementées donnant accès aux villages. On trouve généralement derrière elles un arbre qui servait jadis à suspendre les têtes des ennemis de la tribu.

Signes de richesse, les crânes de *mithun* ornent les maisons traditionnelles naga, surtout aux environs de Mon, dont l'architecture se caractérise par des avant-toits arrondis. La christianisation a provoqué un déclin des traditions naga. Heureusement la chasse aux têtes a cessé, mais les *morung* (dortoirs de célibataires), où les jeunes gens vivaient en communauté pendant leur période d'apprentissage, ont également disparu.

La chasse aux têtes fut officiellement interdite en 1935 et le dernier cas recensé remonte à 1963. Les têtes coupées restent néanmoins un motif artistique archétypal que l'on retrouve notamment sur les *yanra* (pendentifs) qui indiquaient à l'origine le nombre de têtes qu'un guerrier avait coupées. Certains villages, comme Shingha Changyuo dans le district de Mon, conservent encore leur collection "cachée". Certaines guerres entre villages se perpétuèrent jusque dans les années 1980 et des "pierres de paix", rappelant les traités de paix entre communautés voisines, ont été érigées dans de nombreux villages modernes.

Visiter un village naga sans guide est forcément décevant, à cause de la barrière de la langue et de l'ignorance où l'on reste de la culture locale. Par ailleurs, les guides sont au courant du contexte et des conditions de sécurité.

ÉTATS DU NORD-EST

Axis Bank (Stadium Approach, Razhu Point). Un DAB parmi d'autres.

Secretariat, Home Department (☎ 2221406 ; Secretariat Bldg). Prorogation de permis.

Tribal Discovery (☎ 9436000759, 9856474767 ; yiese_neitho@rediffmail.com ; Science College Rd). Guide éloquent, Neithonuo Yeise ("Nitono") vous fera découvrir les sites locaux et peut s'occuper des permis.

À voir et à faire

Le **cimetière de la Guerre** (War Cemetery ; ⏲ aube-crépuscule) abrite les tombes de 1 200 soldats britanniques, du Commonwealth et indiens. Il est érigé au croisement des routes de Dimapur et Imphal, carrefour stratégique où se déroula une bataille contre les Japonais qui fit rage 64 jours pendant la Seconde Guerre mondiale.

À 3 km au nord, le **State Museum** (musée de l'État ; ☎ 2220749 ; 5 Rs ; ⏲ 9h30-15h30 mar-dim), très bien agencé, présente en particulier de nombreuses reconstitutions de scènes présentant le mode de vie traditionnel des Naga, ainsi que des objets de la vie quotidienne.

Sur le tout petit **marché central** (Stadium Approach ; ⏲ 6h-16h), les Naga vendent des friandises, comme les larves frétillantes de frelons (*borol*).

Où se loger et se restaurer

Les hébergements se faisant très rares des kilomètres à la ronde pendant le Hornbill Festival, il faut réserver longtemps à l'avance.

Hotel Pine (☎ 2243129 ; d 400-800 Rs). Au bout d'une ruelle proche de Phool Bari, petit hôtel parfait pour une étape d'une nuit car, outre son emplacement central, il est bien tenu et dans un état assez correct. Les draps de dessus ne sont fournis que dans les chambres les plus chères, mais l'on peut toujours en demander un.

Viewpoint Lodge (☎ 2241826, 9436002096 ; 3e ét., Keditsu Bldg, PR Hill ; s/d 700/1 000 Rs). Perché au-dessus de deux cybercafés à Police Station Junction (1 km au sud de la gare routière), le Viewpoint Lodge abrite des chambres d'une propreté étincelante aux jolis sols carrelés. Les chambres individuelles étant situées à l'avant, mieux vaut opter pour une double à l'arrière si l'on veut profiter de la vue.

Hotel Japfü (☎ 2240211 ; hoteljapfu@yahoo.co.in ; PR Hill ; s/d à partir de 1 000/1 400 Rs). Sur une petite butte surplombant Police Station Junction, cet hôtel de standing a des balcons vitrés, des douches chaudes et une déco pas trop défraîchie. La nourriture servie au restaurant est délicieuse mais le service est horriblement lent. Mieux vaut commander ses repas bien à l'avance.

Popular Bakery (PR Hill ; à partir de 5 Rs ; 🕑 5h30-20h30). En partant du Viewpoint Lodge, il suffit de descendre la colline pendant 2 minutes pour atteindre cette boulangerie proposant de délicieuses pâtisseries pour le petit-déjeuner et des douceurs et confiseries indiennes.

Dream Café (☎ 2290756 ; angle Dimapur Rd et Imphal Rd ; café instantané 10 Rs ; 🕑 10h-18h). Sous l'UCO Bank, ce lieu de rendez-vous de la jeunesse organise 2 fois par mois des mini-concerts et vend des CD de musique naga. L'endroit est assez plaisant pour qu'on s'y attarde : jolie vue depuis les baies vitrées de l'arrière, magazines à disposition et gâteaux maison.

Flaming Wok (40-90 Rs ; 🕑 10h-19h tlj sauf dim). Dans Nagaland State Transport (NST) Rd, un restaurant situé à l'étage, au-dessus de la station de taxis. Au menu : des plats chinois pour l'essentiel, et quelques plats indiens. Guitare à disposition pour ceux qui souhaiteraient en jouer.

Depuis/vers Kohima

De la **gare routière NST** (☎ 2291018 ; Main Rd), des bus partent pour Dimapur (65 Rs, 3 heures, toutes les heures du lundi au samedi, à 7h dimanche), Mokokchung (132 Rs, 7 heures, à 6h30 du lundi au samedi) et Imphal (123 Rs, 6 heures, à 7h30 lundi, mercredi et vendredi). À la station de taxis située en face, vous trouverez des véhicules pour Dimapur (150 Rs, 2 heures 30). Une voiture pour une excursion d'une journée à Kisama et Khonoma coûte de 600 Rs à 1 000 Rs. Une ligne ferroviaire est actuellement en construction entre Dimapur et Kohima.

ENVIRONS DE KOHIMA

Kisama Heritage Village

Ce **musée en plein air** (entrée 10 Rs ; 🕑 8h-18h mai-sept, 8h-16h30 oct-avr) donne à voir un choix de maisons traditionnelles naga et de *morung* (dortoirs de célibataires) pourvus de tambours dont la caisse de résonance est en rondins. C'est là que se tient la plus grande fête annuelle du Nagaland, le Hornbill Festival (du 1er au 7 décembre). Divers groupes de Naga se réunissent alors pour une semaine de danses et autres événements sportifs et culturels. Les hommes revêtent pour l'occasion leurs tenues guerrières. Simultanément, Kohima accueille un **festival de rock** (www.hornbillmusic.com). Kisama est à 10 km du centre de Kohima par la route d'Imphal, bien goudronnée.

KIGWEMA

Le village de Kigwema, à 3 km au sud de Kisama, abrite des demeures angami-naga traditionnelles pourvues de *kikeh* (pignon composé de cornes entrecroisées). Sur un bâtiment de la place principale, un écriteau indique que les troupes japonaises sont entrées dans Kigwema le "4-4-44 at 3pm" (4 avril 1944 à 15h). Certaines maisons sont encore coiffées d'un toit en plaques de tôle ondulée données par l'armée britannique suite à l'incendie du village pendant la bataille livrée contre les Japonais pour le leur reprendre.

Khonoma

Ce **village angami-naga** fut le théâtre de deux grandes batailles entre les Britanniques et les Angami, en 1847 et 1879. Érigé sur une crête facile à défendre (une nécessité à l'époque des chasseurs de têtes), il a conservé tout son charme traditionnel. Les maisons, qui vont de la cabane en tôle ondulée à l'habitation solide en béton, se dressent au milieu des fleurs, des pamplemoussiers, des courges et des mégalithes. Certaines arborent encore des crânes de *mithun* (espèce locale de bovin). Les vanniers travaillent tranquillement sur le pas de leur porte, les poubelles municipales sont régulièrement vidées et des sépultures jalonnent les montées d'escalier en pierre qui forment les artères principales du village. De la crête, le panorama sur les rizières nichées au flanc des montagnes boisées des alentours est splendide. Le musée du Patrimoine, en construction lors de notre passage, devrait avoir ouvert ses portes pour votre venue.

Parmi les trois modestes pensions, préférez la **Via Meru's House** (☎ 943619378, 9436011266 ; s/d 400/700 Rs, repas en suppl). Ses trois chambres avec lits jumeaux et plancher de bois sont bien tenues, et l'une d'elles est même dotée d'un ravissant balcon d'où l'on a une vue imprenable sur le haut du village. L'endroit a beaucoup de cachet et l'odeur du parquet ciré embaume dans toute la maison.

DE KOHIMA À MON

En raison de l'état des routes, on est contraint de parcourir une partie du trajet dans l'Assam. En principe, on s'arrête une nuit au **Tourist Lodge** (☎0369-2229343 ; touristlodgemkg@yahoo.com ; dort 200 Rs, ch 600-1 000 Rs ; 💻), établissement sympathique et bien tenu de **Mokokchung**, un lieu par ailleurs sans réel intérêt. Vous pouvez aussi dormir au **Tuophema Tourist Village** (☎0370-2270786 ; s/d/tr 800/1 200/1 200 Rs), qui possède de confortables bungalows dans le style naga traditionnel, au milieu d'un ravissant jardin fleuri. Vue superbe au couchant.

NORD DU NAGALAND

Dans cette région, la plus traditionnelle de l'État, nombre d'ethnies vivent dans des villages composés de longues maisons communautaires au toit de chaume. Le terrain y est très accidenté et seuls quelques villages sont aisément accessibles par la route.

Les villages où vivent les Konyak, dans les environs de Mon, sont les plus faciles d'accès. Ils comportent de nombreuses maisons traditionnelles, et dans certains, on trouve des *morung* et des reliques religieuses d'avant l'ère chrétienne. Les villageois les plus âgés portent parfois le costume traditionnel. Tous les Konyak, jeunes et vieux, ont encore sur eux le *dao*, la machette des coupeurs de tête qui servait encore au milieu du XXe siècle.

Situé dans les collines et assez pauvre, le bourg de **Mon** bénéficie d'un cadre splendide mais dégage une atmosphère de ville-frontière. Vous pourrez loger au ravissant **Helsa Cottage** (☎9436433782, 9436657434 ; ch 800 Rs), géré par Aunty, qui organise au besoin le transport et trouve des guides. Elle vous racontera à quel point Mon et le Nagaland ont changé. En effet, elle est arrivée à Mon à l'âge de 7 ans, au début des années 1960. À l'époque, il n'y avait pas de route et elle est venue des plaines à dos de porteur, pour être accueillie par une population qui vivait dans le plus simple appareil.

Le village de **Shingha Chingyuo** (20 km ; 5 900 habitants) comporte une longue maison communautaire ornée de crânes de *mithun* et de cervidés, trois tigres empaillés et une provision de vieux crânes humains. Le village comptait autrefois 10 *morung*. **Longwoa** (35 km), à la frontière indo-birmane, compte une longue maison communautaire construite sur la frontière même. La maison communautaire de **Chui** (8 km) s'orne entre autres d'un crâne d'éléphant. Le village de **Shangnyu** abrite un sanctuaire dédié à la fertilité et comportant toutes sortes d'éléments en rapport avec ce thème : les guerriers dotés d'énormes phallus côtoient un coq, un grand serpent, un homme et une femme représentés pendant l'acte sexuel, et un double arc-en-ciel.

MANIPUR

Ce "pays orné de joyaux" compte de nombreuses ethnies, dont les Thadou, les Tangkhul, les Kabul et les Mao Naga. Le groupe le plus important est celui des Meitei, majoritairement néovishnouites, qui luttent pour l'utilisation de l'écriture meitei dans les écoles locales. Les Manipuri sont réputés pour leurs danses traditionnelles, leur *thali* aux plats multiples et épicés et la pratique du polo, sport qu'ils affirment avoir inventé. Les collines boisées du Manipur abritent des oiseaux rares, des trafiquants de drogues et des bandes armées de guérilleros qui en font de loin l'État le plus dangereux du Nord-Est.

Les permis des étrangers ne leur donnent accès qu'au Greater Imphal (Imphal et son pourtour), qui est plus un périmètre de sûreté qu'une zone géographique à proprement parler. La plupart des touristes étrangers se rendent à Imphal en avion. Cependant, avec un guide, il est possible d'y aller par la route depuis Kohima (Nagaland) ou Silchar (Assam). Voyager à l'est de Kakching en direction de la frontière birmane est interdit.

IMPHAL

Orientation

Les grands axes, notamment Airport Road, se croisent à Kanglapat, qui contourne Kangla, l'ancien centre fortifié d'Imphal. MG Avenue part de Kanglapat au nord de NC Road. L'aéroport est à 9 km au sud-ouest.

LE MANIPUR EN BREF

- Population : 2,4 millions d'habitants
- Superficie : 22 327 km²
- Capitale : Imphal
- Langues principales : manipuri (meitei), assamais et bengali
- Meilleure période : octobre-mars

Renseignements

Click Communication (☎ 9862241707 ; MG Ave ; 20 Rs/h ; ⏲ 8h-19h lun-sam, 11h-14h dim). Internet.

DAB SBI (MG Ave). À 100 m de l'Hotel Nirmala.

Office du tourisme (☎ 224603 ; Jail Rd ; http://manipur.nic.in/tourism.htm). Brochures.

À voir

La ville fortifiée de **Kangla** (entrée libre ; ⏲ 9h-16h nov-fév, 9h-17h mars-oct) gagna et perdit plusieurs fois le statut de capitale royale du Manipur, du moins jusqu'à la guerre anglo-manipuri de 1891 à l'issue de laquelle le maharaja manipuri fut vaincu par les Britanniques. Avant cela, en 1869, un séisme avait détruit nombre de bâtiments anciens qui furent remplacés et consolidés sous le règne de Chandrakriti, l'avant-dernier maharaja. On entre dans la ville par une très haute porte située dans Kanglapat. Les bâtiments les plus anciens sont à l'arrière de la citadelle, gardée par trois grands *kangla sha* (dragons) blancs récemment restaurés.

Le **Manipur State Museum** (musée de l'État du Manipur ; ☎ 2450709 ; près de Kangla Rd ; Indiens/étrangers 3/20 Rs ; ⏲ 10h-16h mar-dim) abrite de superbes collections sur l'histoire, la culture et l'histoire naturelle. Le visiteur peut ainsi admirer des costumes ethniques, des vêtements royaux, du matériel de polo ancien, de grands prédateurs taxidermisés, ainsi que des serpents et un veau à deux têtes dans du formol.

Construit en 1776, le **Shri Govindajee Mandir**, pourvu de deux dômes, est un temple néovishnouite dédié à Radha et Govinda. À l'entrée du temple, Garuda (véhicule ou monture de Vishnu) et le dieu-singe Hanuman montent la garde. La puja (offrandes et prières) de l'après-midi, qui dure 1 heure, a lieu à 16h l'hiver, et à 17h l'été.

Attenant au *mandir*, le **Royal Palace** est fermé au public sauf pour la **fête de Kwak Tenba** qui a lieu tous les ans. À cette occasion, une procession bigarrée de gens en costumes traditionnels, emmenée par le maharaja, se rend au terrain de polo où ont lieu cérémonies religieuses et festivités. La fête se déroule le quatrième jour de la Durga Puja.

Le **Khwairamband Bazaar** (Ima Market ; ⏲ 7h-17h), où ne travaillent que des femmes, est un marché tenu par près de 3 000 *ima* (mères). Il est coupé en deux par une route : d'un côté, on vend des fruits, des légumes, du poisson et des produits d'épicerie, de l'autre, ce sont des étals d'articles ménagers, de tissus et de poteries.

L'**Imphal War Cemetery** (Imphal Rd ; ⏲ 8h-17h), un cimetière militaire, renferme les tombes de plus de 1 600 soldats britanniques et du Commonwealth tués pendant les batailles qui firent rage autour d'Imphal en 1944. Près de Hapta Minuthong Road, on trouve un cimetière militaire indien, l'**Indian War Cemetery** (⏲ 8h-17h).

Où se loger et se restaurer

La taxe actuellement prélevée par l'État augmente les tarifs de 20%.

Hotel White Palace (☎ 2452322 ; 113 MG Ave ; s/d 160/280 Rs, VIP 200/310 Rs, ste 450-700 Rs). Hôtel assez standard qui, bien qu'abusant des termes "VIP" et "suite", propose quelques chambres pour petits budgets (quelques-unes n'ont toutefois pas de fenêtre donnant sur l'extérieur). Toutes sont équipées de moustiquaires, certaines ont la TV. La n°14 nous a paru la plus confortable.

Hotel Nirmala (☎ 2459014 ; MG Ave ; s/d à partir de 250/400 Rs, avec clim à partir de 600/800 Rs ; ❄). Établissement sympathique dont le restaurant assure un service ultrarapide. Néanmoins, comme il n'ouvre qu'à 10h, il faut prendre le petit-déjeuner dans sa chambre. Ces dernières n'ont rien de bien spécial mais on finit par s'y sentir chez soi.

Anand Continental (☎ 2449422 ; Khoyathong Rd ; hotel_anand@rediff.com ; s/d à partir de 425/800 Rs, avec clim 675/1 000 Rs ; ❄). Chambres plutôt petites, un petit peu trop de mobilier, une gérance sympathique et… un aspirateur, voilà pour cet hôtel passable. Il y a de l'eau chaude au robinet de 6h à 11h. Ensuite, on vous fournit gratuitement des seaux d'eau.

Depuis/vers Imphal

Les bus privés allant à Guwahati (600 Rs, 20 heures, 10h) et Dimapur (330 Rs, 10 heures, fréquents entre 6h et 10h30) via Kohima (240 Rs, 6 heures) sont gérés par **Manipur Golden Travels** (☎ 9856247872 ; MG Ave ; ⏲ 5h30-19h). Juste à côté, Royal Tours fait circuler des bus à destination de Shillong (660 Rs, 20 heures, 10h). Il est question d'ouvrir une ligne ferroviaire jusqu'à Imphal.

Air India (☎ 2450999 ; aéroport) dessert Aizawl, Dimapur, Guwahati, Kolkata et Silchar. **IndiGo** (☎ appel gratuit 18001803838 ; aéroport) a des vols pour Agartala, Kolkata et Delhi. **Jetlite** (☎ 2455054 ; aéroport) assure des liaisons avec Guwahati et Kolkata. Les vols **Kingfisher Red** (☎ appel gratuit 18002093030 ; aéroport) desservent Dimapur, Guwahati, Kolkata et Silchar.

ENVIRONS D'IMPHAL

Le permis des étrangers donne accès à une zone s'étendant sur 48 km le long de la NH150, au sud du lac Loktak. Si vous participez à un circuit organisé, on vous emmènera sur plusieurs sites touristiques. Le **champ de bataille de Lokpaching** (Red Hill), à 16 km au sud d'Imphal, comporte un mémorial de guerre japonais assez peu intéressant, qui marque le lieu de la dernière bataille à s'être déroulée sur le sol indien.

Sur les eaux bleues scintillantes du **Loktak Lake** flottent des "îles" constituées d'un épais tapis d'herbes, parfois reliées par des passerelles en bambou. Des villages de huttes au toit de chaume y sont en quelque sorte amarrés, et leurs habitants se déplacent en pirogue. Le plus grand lac d'eau douce d'Inde justifie amplement le trajet depuis Imphal. Encore plus insolites que les villages flottants, les bassins à poissons circulaires circonscrits par des herbes flottantes laissent le visiteur songeur. Vous en aurez une vue superbe du haut de Sendra Island, qui tient plus du promontoire que d'une véritable île.

À Moirang, l'**INA Museum** (Indian National Army ; ☎ 0385-262186 ; entrée 2 Rs ; 10h-16h mar-dim) célèbre le rôle restreint mais symbolique qu'a joué la ville dans le mouvement d'indépendance indien. C'est ici que, le 14 avril 1944, l'armée indienne opposée aux colons déroula pour la première fois le drapeau Azad Hind (Inde libre) tout en marchant avec les troupes japonaises (la Seconde Guerre mondiale n'était pas achevée) sur Imphal, tenue par les Britanniques. Le musée est consacré pour l'essentiel au Netaji (chef bien-aimé) Subhash Chandra Bose, le chef de l'armée nationale indienne (INA).

MIZORAM

Le Mizoram est comme entaillé par des vallées suivant un axe nord-sud et nées il y a plusieurs millions d'années. En effet, lorsque le sous-continent indien heurta l'Asie, les contreforts himalayens furent repoussés sur le côté. C'est un État essentiellement chrétien dont la grande majorité de la population a des traits sino-thaïs.

Le Mizoram vit à son propre rythme. L'activité commence tôt et s'arrête généralement à 18h ; presque tout est fermé le dimanche. Les Mizo font deux repas principaux, le *zingchaw* (à 9h-10h) et le *tlaichaw* (à 16h-18h).

LE MIZORAM EN BREF

- Population : 895 000 habitants
- Superficie : 21 081 km²
- Capitale : Aizawl
- Langues principales : mizo et anglais
- Meilleure période : octobre-mars

La culture mizo n'établit pas de distinction de castes et les femmes semblent assez libérées. À Aizawl, les filles fument ouvertement, portent des jeans et se promènent en petits groupes sans chaperon pour retrouver leur petit ami aux concerts de rock.

Les deux grandes fêtes mizo, Chapchar Kut ("Kut" signifie "fête" en mizo) et Pawl Kut, célèbrent les cycles de la vie agricole. Chapchar Kut se déroule vers la fin du mois de février et annonce le début de la saison des semailles de printemps. Les réjouissances consistent en danses et chants traditionnels, et les participants revêtent le costume national, comme pour Pawl Kut qui a lieu à la fin novembre. Mais alors, il s'agit de fêter la saison des récoltes.

Renseignements

PERMIS

Des agences, dont Serow Travels et Omega Travels (p. 647), peuvent faire les démarches et vous faxer un permis de 10 jours. Les restrictions en vigueur au Mizoram sont peut-être les plus souples de tous les États du Nord-Est. À condition d'avoir vérifié que tous les lieux que vous souhaitez visiter figurent sur votre permis, vous devriez pouvoir aller partout dans l'État. Pour une prorogation de 10 jours, adressez-vous au Superintendent of Police, Criminal Investigation Department (SP-CID ; p. 647). Attention : le FRO (service d'enregistrement des étrangers) de Kolkata ne délivre pas de permis pour le Mizoram.

AIZAWL

☎ 0389 / 275 000 habitants

Perchée en équilibre sur une arête, Aizawl (prononcez "aïe-zole") ressemblerait presque de loin à un décor d'opéra. L'arrière des maisons construites au niveau de la route repose sur des pilotis trois fois plus hauts que leur toit.

ÉTATS DU NORD-EST

Les adresses font référence à des quartiers ou à des carrefours ("points" ou "squares"). Il est difficile de s'orienter dans le dédale de rues et d'escaliers escarpés. La rue qui suit la crête centrale, relativement plate, relie Zodin Square (ancienne gare routière), Upper Bazaar (boutiques), Zarkawt (hôtels et *sumo* longues distances) et Chandmari (*sumo* pour l'est du Mizoram).

Renseignements

DAB SBI (Raj Bhawan Junction)
Directorate of Tourism (☎ 2333475 ; www.mizotourism.nic.in ; PA-AW Bldg, Bungkawn)
Omega Travels (☎ 2322283 ; Zodin Sq ; 🕑 9h-17h lun-ven, 9h-15h sam). Peut s'occuper des permis touristiques et des circuits. Zova (📱 9436142938) parle bien anglais.
Serow Travels (☎ 2301509, 9436150484 ; D/74 Millennium Centre, Dawrpui ; www.serowtours.com ; 🕑 9h30-18h tlj sauf dim). Obtention de permis, circuits dans le Mizoram et hébergement chez l'habitant dans les villages. Très serviable, Ruati parle un anglais impeccable.
Serps Connection (Zarkawt ; 30 Rs/h ; 🕑 9h-22h30)
SP-CID (☎ 2333980 ; Maubawk Bungkawn ; 🕑 10h-16h lun-ven). Prorogation de permis.

À voir

En haut d'une ruelle qui monte depuis Sumkuma Point en passant devant l'**église** la plus caractéristique de la ville et son clocher moderne, l'intéressant **Mizoram State Museum** (musée de l'État du Mizoram ; ☎ 2340936 ; Macdonald Hill ; 5 Rs ; 🕑 9h30-17h lun-ven) est dédié à la culture mizo.

Dans la quiétude du dimanche matin, on peut entendre à travers toute la ville le carillon du **temple de l'Armée du salut** (Zodin Sq).

À 8 km de Zarkawt et à 1 km de la route Aizawl-Silchar par un étroit chemin, le **KV Paradise** (Durtlang ; 5 Rs ; 🕑 10h-21h tlj sauf dim) est un mausolée de trois étages édifié par un certain Khawlhring (d'où le K) pour son épouse Varte (d'où le V), disparue dans un accident de voiture en 2001. Le patio-fontaine en marbre offre une belle vue. À l'intérieur, on peut voir la tombe, en bas, tandis qu'à l'étage sont présentées la garde-robe et la collection de chaussures de Varte.

Le samedi, un **marché** (Mission Veng St) s'installe dans la rue. Les villageoises vendent des fruits, des légumes, parfois un cochon mort, du poisson, et des poules vivantes que l'on transporte dans des cages en osier.

Où se loger

ZARKAWT

Des hôtels de catégorie moyenne se concentrent autour de Sumkuma Point. Ils appliquent habituellement une taxe de 10% pour le service.

Hotel Tropicana (☎ 2346156 ; hotel_tropicana@rediffmail.com ; s 200-400 Rs, d 550-650 Rs). D'un vert resplendissant, cet hôtel, dont le nom disparaît sous la peinture, se trouve au rond-point de Sumkuma Point. Les plus belles doubles sont assez douillettes mais visitez-en quelques-unes avant de vous décider car certaines sont sans vue et sentent l'humidité.

Hotel Clover (☎ 2305736 ; www.davids-hotel-clover.com ; G-16 Chanmari ; s/d à partir de 750/1 500 Rs ; Wi-Fi). La partie hébergement de David's Kitchen comporte des chambres dont la déco et l'ameublement impressionnent, à ceci près qu'elles n'ont pas de fenêtres donnant sur l'extérieur. La connexion Wi-Fi gratuite et la réduction de 30% chez David's Kitchen sont des plus appréciables.

UPPER KHATLA

Hotel Arini (☎ 2301557 ; Upper Khatla ; s/d à partir de 460/720 Rs). Seul un petit panneau rouge signale cette nouvelle adresse aux airs d'hôtel de charme, portant le nom de la fillette du propriétaire, âgée de 3 ans. Les chambres sont gaies, coquettes et pimpantes. Personnel avenant et serviable. Optez pour une chambre à l'arrière et vous aurez une vue splendide sur la vallée.

ZEMABAWK

Tourist Home (☎ 2352067 ; Berawtlang ; d 350-500 Rs). Perché au-dessus de Zemabawk à 11 km de Zarkawt, cet hôtel calme a de belles chambres récentes et des cottages plus anciens quelque peu humides. Le cadre est idyllique et le meilleur point de vue d'Aizawl n'est qu'à 10 min à pied. Cela vaut la peine de dépenser 250 Rs de taxi pour venir profiter de la vue et grignoter un en-cas à la cafétéria.

Où se restaurer

David's Kitchen (☎ 2305736 ; Zarkawt ; plats 65-210 Rs ; 🕑 10h-21h30 lun-sam, 12h-21h30 dim). Tout le monde apprécie la délicieuse cuisine mizo, thaïe, indienne, chinoise et occidentale, les cocktails sans alcool, le personnel accueillant et la déco agréable de cet établissement situé à 200 m au sud de l'Hotel Chief.

SUMO AU DÉPART D'AIZAWL

Destination	Tarif (Rs)	Durée	Départs
Guwahati	550	14-18 heures	16h
Saitual	75	3 heures	13h, 15h
Shillong	435	15 heures	16h
Silchar	265	5 heures 30	6h30, 10h, 13h

Curry Pot (Upper Khatla ; repas 50-120 Rs ; 10h-21h lun-sam). À côté de l'Hotel Arini, savoureux plats indiens et chinois. Mention spéciale pour le *biryani* assez copieux.

Le dimanche, seuls les hôtels et David's Kitchen servent à manger.

Depuis/vers Aizawl

Pour rejoindre le petit aéroport de Lengpui, à 35 km à l'ouest d'Aizawl, il en coûte 500 Rs en taxi et 45 Rs en *sumo*. **Air India** (☎344733) dessert Guwahati, Kolkata et Imphal. Kingfisher Red assure des vols pour Kolkata.

Les billetteries des *sumo* longue distance sont regroupées autour du Sumkuma Point de Zarkawt. Pour Saitual, les plus centraux sont **RKV** (☎2305452) et Nazareth à Chandmari. Pour plus de détails, voir le tableau ci-dessus.

Comment circuler

Des bus urbains fréquents desservent la ligne Zodin Sq-Upper Bazaar-Zarkawt-Chandmari-Lower Chatlang-Zasanga Point avant de grimper vers Durtlang ou de tourner pour aller à Zemabawk via la nouvelle gare routière de Chunga (6 km). On trouve partout des taxis Maruti-Suzuki à prix raisonnables.

MIZORAM RURAL

Les jolies collines verdoyantes du Mizoram s'élèvent à mesure que l'on va vers l'est. **Champhai** passe pour le plus beau district. Mais **Saitual**, beaucoup plus accessible, donne déjà un aperçu de la vie d'une bourgade mizo. Dans un jardin perché sur les hauteurs, à 700 m au nord du marché de Saitual, le **Tourist Lodge** (☎2562395 ; d 250 Rs) s'avère formidable pour le prix et la vue. Il n'y a pas grand-chose à faire sinon aller à la rencontre des habitants et chercher des biscuits pour le dîner. À 10 km par une route défoncée, le **Tamdil Lake** est entouré de montagnes luxuriantes, de bosquets de poinsettias et de quelques **cottages** (☎94361449479 ; d 400 Rs), un peu humides mais joliment situés. Il y a des bateaux à louer (10 Rs), mais pas de café.

TRIPURA

Passionnant tant sur le plan culturel que politique, l'État du Tripura recèle des palais royaux et des temples qui attirent une foule de touristes indiens. Il ne justifie pas pour autant un long détour.

Histoire

Avant de rejoindre l'Inde en 1949, le Tripura (Twipra) fut gouverné pendant des siècles par sa propre famille royale (les Manikya), installée d'abord à Udaipur, puis à Old Agartala (Kayerpur), et finalement à Agartala. Dans les années 1880, le maharajah de Tripura devint un mécène du poète-philosophe bengali Rabindranath Tagore. Avec la partition de l'Inde et l'afflux de réfugiés bengalis, les Borok-Tripuri qui habitaient le Tripura se sont retrouvés minoritaires dans leur propre État.

Désagréments et dangers

Les régions d'Agartala, d'Udaipur et de Kailasahar sont en général sûres. Mais l'instabilité règne dans le centre-nord du Tripura. Sur deux sections de la route Agartala-Kailasahar, tous les véhicules doivent circuler en convoi armé. Si les attaques sont rares, elles existent.

AGARTALA

☎ 0381 / 189 330 habitants

La discrète capitale du Tripura s'organise autour de l'Ujjayanta Palace. Lorsqu'on arrive du Manipur, du Nagaland ou du Mizoram, où tous les commerces ferment très tôt, il est agréable de redécouvrir qu'il y a une vie après 18h. Et si l'on vient du Bangladesh, dont la frontière n'est qu'à 3 km à l'est, circuler

LE TRIPURA EN BREF

- Population : 3,2 millions d'habitants
- Superficie : 10 486 km²
- Capitale : Agartala
- Langues principales : bengali et kokborok
- Meilleure période : novembre-février

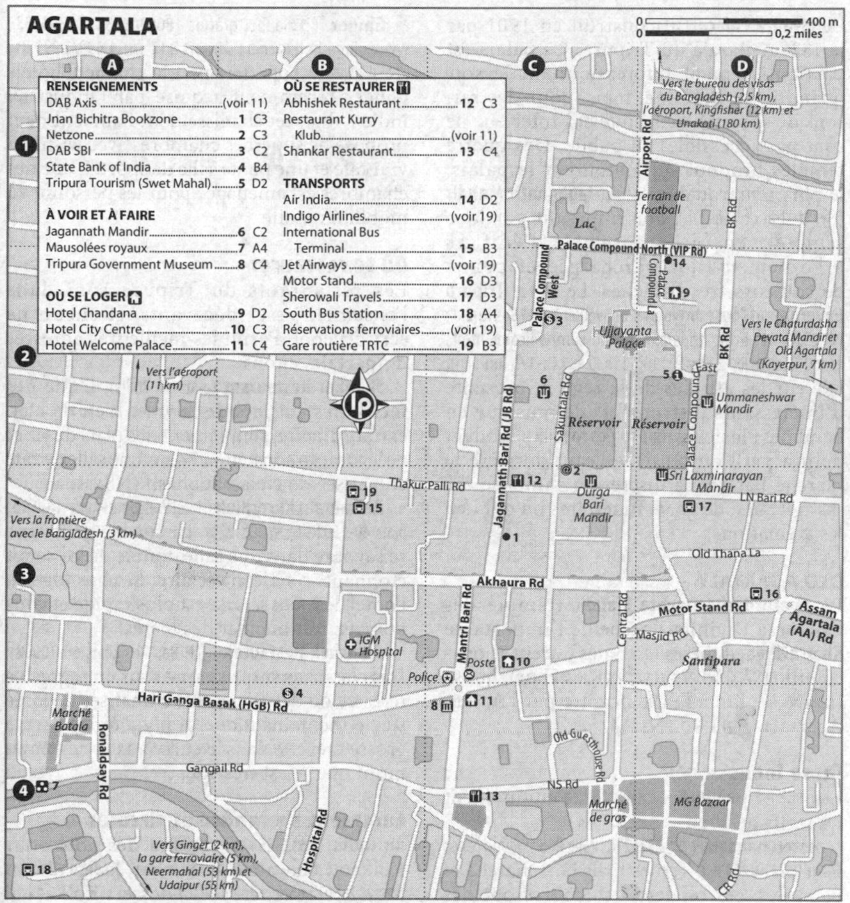

et vaquer à ses occupations en ville paraît extrêmement facile. La célébration de la **Durga Puja** est marquée par la construction d'immenses *pandal* (temples provisoires en bois et en tissu).

Renseignements

ACCÈS INTERNET

Netzone (6 Sakuntala Rd ; 20 Rs/h ; 8h-22h ;). Le meilleur cybercafé du secteur.

ARGENT

DAB Axis (Hotel Welcome Palace, HGB Rd)

SBI (2311364 ; dernier ét., SBI Bldg, HGB Rd). Dans Hari Ganga Basak (HGB) Road. Change les devises et les chèques de voyage mais il faut prévoir au moins 1 heure d'attente. DAB également.

LIBRAIRIE

Jnan Bichitra Bookzone (11 JB Rd ; 9h-21h ;). Une librairie accueillante et bien fournie. Cartes postales et musique.

OFFICES DU TOURISME

Tripura Tourism (office du tourisme du Tripura ; 2225930 ; http://tripura.nic.in/ttourism1.htm ; Swet Mahal, Palace Complex ; 10h-17h lun-sam, 15h-17h dim). Un personnel serviable et enthousiaste, qui organise d'excellents circuits à des prix intéressants.

TripuraInfo (2380566 ; www.tripurainfo.com). Dédié à l'information et au tourisme.

À voir

Coiffé de coupoles et flanqué de deux vastes pièces d'eau qui reflètent sa blancheur, l'**Ujjayanta Palace** fut construit en 1901 par le 182e maharaja du Tripura. Ce palais est particulièrement impressionnant le soir quand il est illuminé, mais, pour des raisons de sécurité, l'enceinte et l'intérieur ne sont pas accessibles au public. Des quatre temples hindous qui entourent le palais, le plus remarquable est le **Jagannath Mandir** (4h-14h et 16h-21h). Son imposant portique sculpté mène à un ensemble d'édifices à l'ornementation surchargée et peints de couleurs très franches. Le petit **Tripura Government Museum** (musée gouvernemental du Tripura ; 2326444 ; http://tripura.nic.in/museum/welcome.html ; Post Office Circle ; 2 Rs ; 10h-13h30 et 14h-17h lun-ven), axé sur les ethnies de la région, présente d'intéressants instruments de musique en bambou. Plusieurs **mausolées royaux** s'érodent petit à petit au bord de l'eau, derrière le marché Batala. La discrétion s'impose car il s'agit aussi de ghats funéraires où ont lieu les crémations.

OLD AGARTALA

Le **Chaturdasha Devata Mandir** (temple des Quatorze Divinités) accueille l'importante **Kharchi Puja**, dont les festivités durent 7 jours en juillet, à Old Agartala (Kayerpur), qui se trouve à 7 km à l'est du centre par l'Assam Agartala (AA) Rd (NH44).

Où se loger

Les taxes prélevées par l'État augmentent les tarifs de 10%.

Hotel Chandana (2311216 ; Palace Compound Lane ; s/d/tr 95/210/285 Rs). Ternes mais bon marché et passables, ces modestes chambres ont des moustiquaires et des douches froides. Central mais calme.

Hotel City Centre (2385092 ; www.hotelcitycentre.co.in ; 39 HGB Rd ; s/d à partir de 350/450 Rs, avec clim à partir de 650/1 000 Rs ;). Une gamme variée de chambres à choisir en fonction de ses goûts (selon que l'on veut un réfrigérateur, d'élégants tapis ou de luxueux canapés). Celles qui sont au milieu de la fourchette offrent le meilleur rapport qualité/prix. Internet à la réception.

Hotel Welcome Palace (2384940 ; HGB Rd ; s à partir de 500 Rs, d 700-1800 Rs ;). Personnel anglophone, *room service* zélé et cuisine délicieuse : difficile de faire mieux ! Les chambres, pas très grandes, sont soigneusement tenues. Certaines toutefois ne disposent pas de fenêtres donnant sur l'extérieur.

Ginger (appel gratuit 18002093333, 2303333 ; www.gingerhotels.com ; Airport Rd ; s/d 1 499/1 999 Rs ;). Appartenant à la chaîne d'hôtels Ginger récemment acquise par l'industriel indien Tata, cet établissement flambant neuf propose de superbes chambres avec wi-fi, du vrai café et une petite salle de sport. L'une des chambres est aménagée pour les personnes à mobilité réduite.

Où se restaurer

Les restaurants du Tripura sont dans l'ensemble assez décevants, et aucun ne sert d'alcool. Parmi les meilleures adresses d'Agartala, citons :

Shankar Restaurant (plats 30-70 Rs). L'une des meilleures cuisines de la ville. Rien de bien extraordinaire, simplement des plats de riz et de légumes à consommer dans une salle de café climatisée de Netaji Subhash (NS) Road.

Restaurant Kurry Klub (Hotel Welcome Palace, HGB Rd ; plats 40-150 Rs ; 10h-22h). La cuisine délicieuse se savoure dans une salle dont le décor serait étonnant… s'il était éclairé. Si vous logez à l'hôtel, le *room service* est plus rapide et vous pourrez commander des bières.

Abhishek Restaurant (LN Bari Rd ; plats 60-100 Rs). Des plats sans surprise servis sur une agréable terrasse ou dans une salle climatisée décorée sur le thème nautique. Il n'y a qu'une seule grosse crevette dans le curry aux crevettes au motif que "c'est très cher".

Comment s'y rendre et circuler

Air India (2325470 ; VIP Rd) a des vols pour Kolkata, Guwahati et Silchar, **Indigo Airlines** (2325602 ; gare routière TRTC) dessert Kolkata et Imphal, **Jet Airways** (2325602 ; gare routière TRTC) assure la liaison avec Guwahati et Kolkata, et **Kingfisher** (18002093030 ; aéroport) dessert Kolkata et Guwahati. L'aéroport d'Agartala est à 12 km au nord ; comptez 70/90/100 Rs en bus/auto-rickshaw/taxi collectif, et de 400 Rs à 500 Rs en taxi.

Parmi les compagnies de bus privées regroupées dans LN Bari Rd, signalons **Sherowali Travels** (2216608) ; d'autres bus partent de la **gare routière TRTC** (2325685 ; Thakur Palli Rd). Les *sumo* se regroupent au **Motor Stand** (Motor Stand Rd) et à la **South Bus Station** (SBS, gare routière sud ; 2376717 ; Ronaldsay Rd). Les destinations des bus et des *sumo* sont les suivantes :

Guwahati bus (530 Rs, 20 heures, 6h et 12h) ; sumo (500 Rs, 24 heures, 11h30)

Kailasahar bus (73 Rs, 8 heures, 6h) ; sumo (120 Rs, 7 heures, 7h, 10h et 12h)
Melagarh (pour Neermahal) bus (24 Rs, 1 heure 30)
Shillong bus (530 Rs, 18 heures, 6h et 12h) ; sumo (410 Rs, 20 heures, 11h30)
Silchar bus (250 Rs, 12 heures, 6h) ; sumo (136 Rs, 12 heures, 6h)
Udaipur bus (25 Rs, 1 heure 45)

En face de la gare routière TRTC se tient l'**International Bus Terminal** (gare routière internationale ; ☎9863045083). C'est de là que le bus de la Bangladesh Road Transport Corporation part tous les jours pour Dhaka (232 Rs, 6 heures, 13h).

La gare ferroviaire flambant neuve d'Agartala est à 5 km au sud sur la route d'Udaipur. Il n'y a actuellement que deux trains par jour, l'un pour Silchar (n°863 ; 67 Rs, 8 heures, 14h), l'autre pour Lumding (n°5696 ; 95 Rs, 18 heures, 13h15). Lors de notre passage, les trains étaient encore une telle nouveauté pour la population que les gens venaient à la gare simplement pour assister aux deux départs quotidiens.

Un **service des réservations ferroviaires** (🕑 8h-19h30 lun-ven, 8h-11h30 dim) informatisé est installé dans la gare routière TRTC d'Agartala.

ENVIRONS D'AGARTALA

D'Agartala, une (longue) journée vous suffira pour visiter les sites les plus connus du sud du Tripura, bien qu'il soit dommage de ne pas rester au Neermahal pour la nuit. N'importe quel hôtel d'Agartala saura vous trouver un taxi ou vous mettre en contact avec **Banti Bhattacharjee** (☎9856877883) ; l'excursion d'une journée pour 3 personnes en voiture climatisée coûte environ 1 800 Rs.

Tous les moyens de transport passent devant les portes du **Sepahijala Wildlife Sanctuary** (☎2361225 ; Km 23, extension de la NH44 ; entrée/appareil photo/caméra 5/10/500 Rs ; 🕑 8h-16h sam-mar), une réserve naturelle qui constitue un lieu de pique-nique et de canotage renommé pour ses singes à lunettes.

Udaipur

☎ 03821

L'ancienne capitale d'Udaipur est émaillée de temples anciens et de réservoirs. Désormais en ruine, mais relativement massif, le curieux **Jagannath Mandir** est envahi par la végétation à la manière d'Angkor Wat. Il se dresse – derrière un temple plus moderne – à la pointe sud-est du **Jagannath Digthi Tank**, un immense réservoir situé à environ 1 km de la gare routière d'Udaipur. La célèbre statue de Jagannath de Puri s'y trouvait autrefois mais elle a été remplacée par une autre idole qui, à l'instar de l'original, continue d'être emmenée en chariot une fois par an à sa résidence de vacances.

TRAVERSER LA FRONTIÈRE INDE-BANGLADESH À AGARTALA

Heures d'ouverture

La frontière à Agartala est ouverte de 7h à 18h.

Change

Il n'y a pas de bureau de change et les banques d'Agartala ne vendent pas de takas bangladais, le change se fait donc au petit bonheur ; renseignez-vous auprès des commerçants locaux ou des employés de la frontière.

Transports

La frontière se trouve à 3 km du centre d'Agartala par l'Akhaura Rd (25 Rs en rickshaw). Côté bangladais, la ville la plus proche, Akhaura, est à 5 km ; on s'y rend en *baby taxis* (auto-rickshaws). La gare d'Akhaura se trouve sur la ligne Dhaka-Comilla. Les trains Dhaka-Sylhet se prennent 3 km plus au nord, à la gare d'Ajampur. En revenant en Inde, n'oubliez pas de payer la taxe de sortie du Bangladesh à une banque Sonali avant de rejoindre la frontière.

Visa

L'unique **bureau des visas du Bangladesh** (☎ 2324807 ; Airport Rd, Kunjaban ; 🕑 demande de visa 9h-13h lun-jeu, 9h-12h ven, récupération du visa le jour même à 16h) du Nord-Est, au personnel peu serviable, est niché dans une petite ruelle d'Agartala, à 2 km au nord de l'Ujjayanta Palace.

MATABARI

Quand l'un des orteils de Sati tomba sur Kolkata (voir p. 510), sa jambe droite chuta sur Matabari. Telle est la légende pieusement célébrée dans le **Tripura Sundari Mandir** (🕑 4h30-13h30 et 15h30-21h30), bâti en 1501 et dédié à Kali. Un flot continu de pèlerins y pratique des sacrifices d'animaux qui laissent le sol rouge comme le *sikhara* (flèche) du temple. La grande **fête de Diwali** (octobre/novembre) attire une foule encore plus dense qui vient se baigner dans le proche bassin rempli de poissons. Le temple est à 100 m à l'est de la NH44, 4 km au sud d'Udaipur.

COMMENT S'Y RENDRE ET CIRCULER

De la gare routière d'Udaipur, des bus partent tous les quarts d'heure pour Agartala (23 Rs, 1 heure 15) et Melagarh (13 Rs, 45 min). Visiter Udaipur en auto-rickshaw coûte 300 Rs.

Neermahal et Melagarh

☎ 0381 / 21 750 habitants

Emblématique du Tripura, le miroitant Neermahal est un **palais aquatique** (3 Rs ; 🕑 9h-16h) rouge et blanc, tout en longueur, construit en 1930 sur une île marécageuse au milieu du lac de Rudra Sagar. Comme son homologue d'Udaipur au Rajasthan, ce luxueux palais d'été a été construit par les meilleurs artisans qui ont marié les styles architecturaux hindou et islamique. L'approche en bateau à moteur (passager/bateau 15/300 Rs) ou à rames (passager/bateau 15/75 Rs) est le moment le plus agréable de la visite.

L'embarquement s'effectue près du **Sagarmahal Tourist Lodge** (☎ 2544418 ; dort 60 Rs, d à partir de 160 Rs, d avec clim à partir de 300-400 Rs ; ❄), une enseigne très correcte, dont la plupart des chambres ont un balcon avec vue sur le lac. Bon restaurant au rez-de-chaussée. Les chambres non climatisées occupent le rez-de-chaussée. Celles de l'étage, outre qu'elles sont climatisées, bénéficient également de la vue. Le lodge se trouve à 1 km à l'écart de la route Agartala-Sonamura, à 1,3 km de la gare routière de Melagarh.

NORD DU TRIPURA

☎ 03824

À environ 180 km d'Agartala, **Kailasahar** est le centre de la région nord du Tripura. Il abrite l'excellent **Unakoti Tourist Lodge** (☎ 223635 ; d sans/avec clim 165/330 Rs), un nouvel établissement qui pratique des prix imbattables. **Unakoti** même, à 10 km de là, est un centre de pèlerinage ancien, célèbre pour ses sculptures rupestres du VIIIe siècle, dont un Shiva de 10 m de haut. Rejoindre Kailasahar depuis Agartala suppose de passer par les régions les plus sensibles du Tripura. Les touristes étrangers sont très rares et attirent les regards.

MEGHALAYA

Fondé en 1972 lors de la partition de l'Assam, le Meghalaya ("demeure des Nuages") est un État montagneux, où la fraîcheur et l'odeur des pins changent de la moiteur des plaines de l'Assam. Perchés sur de spectaculaires escarpements rocheux qui surplombent les plaines du Bengale, Cherrapunjee et Mawsynram détiennent le record de pluviosité de la planète. Les précipitations, qui ont surtout lieu entre avril et septembre, créent d'impressionnantes cascades et ont creusé des grottes qui sont parmi les plus profonde d'Asie. D'une grande importance dans la culture garo, les danses de Wangala ont lieu à l'époque des récoltes pour honorer Saljong, dieu-soleil de la Fertilité. Ces danses sont également au cœur de la fête des 100 tambours qui se déroule à Asanang, à 18 km au nord de Tura.

L'est et le centre du Meghalaya sont peuplés en majorité de Jaintia, de Pnar et de Khasi (voir p. 656), originaires du Sud-Est asiatique et étroitement apparentés. L'ouest du Meghalaya abrite les Garo, d'origine différente. Le système matrilinéaire en vigueur chez les uns et les autres fait que les enfants héritent du nom de famille de leur mère.

SHILLONG

☎ 0364 / 268 000 habitants

De 1874 à 1972, cette station de montagne fut la capitale de l'Assam tel qu'il avait été créé par les Britanniques. Depuis qu'elle est devenue capitale du Meghalaya, elle s'est

LE MEGHALAYA EN BREF

- Population : 2,3 millions d'habitants
- Superficie : 22 429 km²
- Capitale : Shillong
- Langues principales : khasi, garo, assamais, bengali
- Meilleure période : octobre-mars

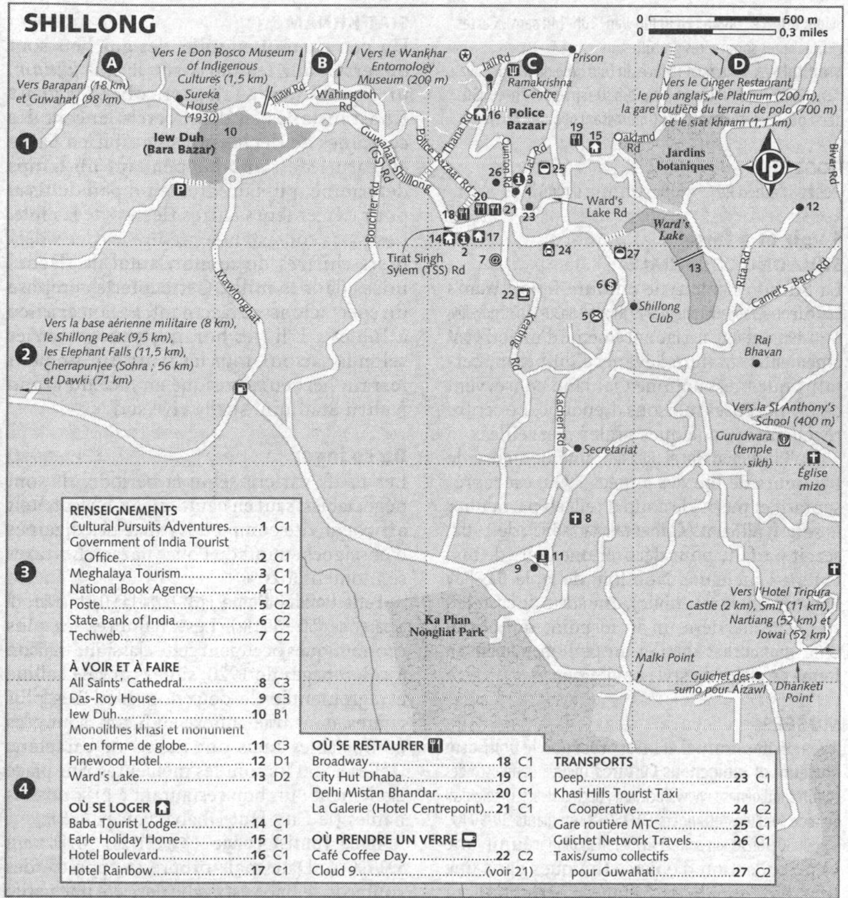

rapidement métamorphosée en une ville indienne moderne typique, un processus qui a vu la destruction de certains édifices parmi les plus anciens. En certains endroits, la ville a tout de même conservé son charme. En outre, il y règne une agréable fraîcheur et elle est aujourd'hui l'une des destinations préférées des touristes indiens.

Renseignements

ACCÈS INTERNET

Techweb (sous-sol de Zara's Arcade, Keating Rd ; 20 Rs/h ; 9h-20h30). Lumineux et relativement confortable.

ARGENT

Il est impossible d'acheter des takas bangladais. Les DAB sont nombreux.

SBI (☎ 2211439 ; Kacheri Rd). Change les devises étrangères et les chèques de voyage ; DAB à l'extérieur.

LIBRAIRIE

National Book Agency (OB Shopping Mall, Jail Rd). Guides Lonely Planet, ouvrages de fiction (indiens et en anglais).

OFFICES DU TOURISME

Cultural Pursuits Adventures (☎ 9436303978 ; www.culturalpursuits.com ; Hotel Alpine Continental, Thana Rd). Agence expérimentée dans les visites de grottes, le trekking, les séjours chez l'habitant dans les villages, ainsi que diverses activités sortant des sentiers battus.

Government of India Tourist Office (Office du tourisme gouvernemental ; ☎ 2225632 ; Tirat Singh

Syiem Rd ; 9h30-17h30 lun-ven, 10h-14h sam). Cartes et brochures sommaires gratuites.

Meghalaya Tourism (Office du tourisme du Meghalaya ; ☎ 2226220 ; Jail Rd ; 7h-20h30 sept-nov, 7h-19h30 déc-août). Vente de circuits (intéressants pour le prix).

POSTE

Poste (Kacheri Rd ; 10h-17h tlj sauf dim)

À voir et à faire

SHILLONG COLONIALE

La Shillong coloniale entoure le joli **Ward's Lake** (entrée/appareil photo 5/10 Rs ; 8h30-17h30 nov-fév, 8h30-19h mars-oct), un lac agrémenté d'un joli **pont ornemental**. Malgré l'avancée du béton, certains quartiers comme Oakland conservent de nombreuses maisons d'époque. Le centre recèle même quelques vraies merveilles.

Le **Pinewood Hotel** (Rita Rd), une demeure de planteurs de thé des années 1920, est représentatif et mérite le coup d'œil, en particulier le soir. L'**All Saints' Cathedral** (Kachari Rd), de 1902, serait parfaite pour décorer une boîte de biscuits à l'ancienne. Non loin de là, la **Das-Roy House** (fermée au public), une sorte de castelet, se cache derrière un rond-point qui abrite cinq **monolithes khasi** et un petit **monument en forme de globe** de style soviétique.

MUSÉES

Très professionnel et bien présenté, le **Don Bosco Museum of Indigenous Cultures** (musée Don Bosco des cultures indigènes ; www.dbcic.org ; Sacred Heart Theological College ; Indiens/étrangers 50/150 Rs, étudiants 30/90 Rs ; 9h30-16h30 lun-sam, 13h30-16h30 dim) réunit une vaste collection d'objets ethniques dans une tour hexagonale de 7 étages correspondant aux 7 États du Nord-Est. La visite guidée (obligatoire) part à la demie et dure plus d'une heure. Moyennant 50 Rs de plus, vous pourrez voir une vidéo sur la fête de Nongkrem (p. 655) ou choisir parmi divers autres films.

Le **Wankhar Entomology Museum** (musée d'Entomologie Wankhar ; ☎ 2544473 ; Riatsamthiah ; 25 Rs ; 11h-16h lun-ven ou sur rdv) abrite une remarquable collection de papillons et d'insectes dans une pièce de la maison de celui qui l'a rassemblée.

IEW DUH

Ce vaste **marché** (Bara Bazaar ; tlj sauf dim) est l'un des plus animés du Nord-Est. Des milliers de Khasi viennent de leurs villages vendre toutes sortes de produits (paniers, nasses pour la pêche, grenouilles comestibles, etc.).

SIAT KHNAM

Un peu partout en ville, des guichets sont ouverts pour les paris sur le *siat khnam*, un "sport" tout à fait particulier. De vieux Khasi installés en demi-cercle lancent des centaines de flèches sur une cible en paille en forme de tambour pendant un temps déterminé, puis on dresse un pan de tissu pour dévier leurs autres flèches de la cible. Les paris consistent à prédire les deux derniers chiffres du nombre total de flèches mises dans le mille. Cette loterie compose un spectacle assez fascinant. Le lancer a lieu à 16h et à 17h (les horaires peuvent varier selon la saison), tous les jours, sur un petit terrain herbeux, presque en face du grand Nehru Stadium, sur la rive sud.

Où se loger

Les tarifs varient selon la période. Ils sont négociables, sauf en haute saison, où les hôtels affichent vite complet. Il existe des dizaines d'enseignes autour du Police Bazaar. Les taxes se montent à 20%.

Earle Holiday Home (☎ 2228614 ; Oakland Rd ; ch à partir de 350-1 500 Rs). Les chambres les plus économiques occupent cette classique maison à colombages de 1920, située sur une colline et agrémentée de deux tourelles. Les plus chères, dans une annexe en béton, sont plus confortables mais ont moins de caractère. Celles à 750 Rs sont les meilleures. Sur place également : un bon restaurant à prix raisonnables (le City Hut Dhaba, voir p. 655).

Baba Tourist Lodge (☎ 2211285 ; GS Rd ; d/tr 500/700 Rs). Daté mais propre et apprécié des routards, le Baba est caché derrière une petite boutique PCO. Les plus belles chambres ont des fenêtres avec vue à l'arrière sur la verdure. Douches au seau d'eau chaude.

Hotel Rainbow (☎ 2222534 ; TSS Rd ; s/d/tr 500/875/975 Rs). Neuf chambres agréablement décorées avec panneaux lambrissés (mais pas de chauffe-eau), gérées par le sympathique Vicky. La plus belle (n°103) possède un petit balcon.

Hotel Boulevard (☎ 2229823 ; Thana Rd ; s/d à partir de 890/1 190 Rs). Parmi tous les hôtels à prix similaires, le Boulevard se distingue par un chic moderne et le luxe inhabituel des chambres, même les moins chères. Belle vue depuis l'élégant café-bar du dernier étage, où est servi le petit-déjeuner gratuit.

Hotel Tripura Castle (☎ 2501111 ; Cleve Colony ; s/d à partir de 1 680/2 160 Rs). Cachée dans les bois à flanc de colline, voici la résidence d'été des anciens maharajas du Tripura. Si ce castelet figure sur les brochures hôtelières, l'hébergement se fait dans un bâtiment pseudo-ancien situé à l'arrière. Les chambres à la charpente en pin, agrémentées de mobilier d'époque, ont un petit côté balinais. Service impeccable.

Où se restaurer et prendre un verre

City Hut Dhaba (Oakland Rd ; plats 50-140 Rs). Derrière l'Earle Holiday Home, ce restaurant à prix doux sert un choix de plats indiens, chinois, des grillades au barbecue et des glaces dans quatre salles différentes, dont une salle réservée aux familles, et un joli pavillon en chaume paré de fleurs.

Broadway (GS Rd ; plats 60-130 Rs). Restaurant sans prétention où l'on sert les classiques plats indiens et chinois, à ceci près que les deux influences se retrouvent parfois dans certaines spécialités comme le *paneer Szechwan* (fromage non fermenté servi accompagné d'une sauce au poivre du Sichuan).

La Galerie (☎ 2220480 ; Hotel Centrepoint, TSS Rd ; plats 60-170 Rs). Douillet restaurant dont les alcôves sont compartimentées par des photos montrant des paysages et scènes de la région. Au menu : excellente cuisine indienne. Réservation conseillée. Le Cloud 9, bar-restaurant du dernier étage, propose de savoureuses spécialités thaïlandaises, des bières fraîches et des cocktails.

Enfoncé dans des sièges en cuir crème, savourez des plats occidentaux (pâtes, crêpes, cannellonis, bœuf strogonoff, etc.) ou simplement un sundae aux fruits au **Ginger Restaurant** (☎ 2222341 ; Hotel Polo Towers, Polo Bazaar ; plats 65-200 Rs ; 🕑 11h-22h). Le bar **Platinum** (bière 120 Rs ; 🕑 13h-21h), à la déco métallique et futuriste, ainsi que le faux **pub anglais** (🕑 13h-21h), tous deux attenants au restaurant, ferment tôt en raison de restrictions gouvernementales.

Les étals de rue sont nombreux à Police Bazaar, et vous trouverez aussi beaucoup de restaurants fort peu reluisants mais bon marché dans Thana Road. Le **Café Coffee Day** (Keating Rd ; à partir de 5 Rs ; 🕑 9h-22h) sert un bon café et des gâteaux appétissants. La pâtisserie **Delhi Mistan Bhandar** (Police Bazaar Rd ; à partir de 5 Rs), très populaire, comporte quelques tables. On s'y régale de *lassi*, d'en-cas et de délicieux *gulab jamun* (boules de pâte frites imbibées d'eau de rose).

Depuis/vers Shillong

Au départ d'une base de l'armée de l'air située à 8 km en direction de Cherrapunjee, la **Meghalaya Transport Corporation** (☎ 2223129) assure des liaisons en hélicoptère avec Guwahati (725 Rs, 30 min, 2/j sauf le dimanche) et Tura (1 525 Rs, 1 heure 30, 3/sem). Réservez à la gare routière MTC.

La **gare routière MTC** (☎ 2540330 ; Jail Rd) dispose d'un comptoir de réservation ferroviaire informatisé (la gare la plus proche est celle de Guwahati). Il y a de fréquents minibus pour Guwahati (85 Rs, 3 heures 30) et Tura (268 Rs, 12 heures via Guwahati, 7h15 et 16h), et des bus de nuit pour Silchar (199 Rs, 10 heures, 19h) et Siliguri (393 Rs, 16 heures, 15h).

Des bus privés plus confortables desservent Agartala (480 Rs, 20 heures, 17h), Silchar (280 Rs, 10 heures, 21h), Dimapur (350 Rs, 14 heures, 15h30), Siliguri (390 Rs, 14 heures, 15h) et Aizawl (460 Rs, 15 heures, 19h30) au départ de Dhanketi Point ; les billets s'achètent dans des agences autour de Police Bazaar, notamment **Network Travels** (☎ 9863060458 ; Shop 44, MUDA Complex, Police Bazaar) et **Deep** (☎ 9836047198 ; Ward's Lake Rd).

Des taxis/*sumo* collectifs partent fréquemment pour Guwahati (190/140 Rs, 3 heures 30) depuis un parking de Kacheri Rd. Certains taxis collectifs continuent jusqu'à l'aéroport de Guwahati (220 Rs).

La **Khasi Hills Tourist Taxi Cooperative** (☎ 2223895 ; Kacheri Rd) facture 190/300 Rs pour un trajet en taxi collectif jusqu'à Guwahati/l'aéroport de Guwahati ; comptez 760/1 200 Rs si vous réservez le véhicule entier. L'excursion d'une journée à Cherrapunjee coûte 1 600 Rs ; se faire déposer à la frontière du Bangladesh près de Dawki revient à 1 500 Rs ; enfin, une journée de visite en ville s'élève à environ 1 000 Rs.

ENVIRONS DE SHILLONG

Smit

Smit, qui se veut le centre de la culture khasi, accueille la grande **fête de Nongkrem**, qui dure cinq jours en octobre. Elle s'accompagne de sacrifices d'animaux et d'une curieuse danse au pas lent en costume, face au "**palais**" en bambou et chaume du *syiem* (souverain traditionnel) local. Smit se trouve à 11 km de Shillong, 4 km à l'écart de la route de Jowai.

LA CULTURE KHASI

Le Meghalaya est émaillé de monolithes dressés à la mémoire des chefs des ethnies. Les "monarchies" khasi locales sont toujours gouvernées en titre par un *syiem* (souverain traditionnel). Même s'il n'a guère de pouvoir politique, le *syiem* de Mylliem conserve un pouvoir économique considérable en contrôlant le vaste marché Iew Duh de Shillong, tandis que le *syiem* de Khrim est fêté en grande pompe lors de la fête annuelle de Nongkrem, à Smit (p. 655).

Les femmes khasi portent souvent un *jaiñnkyrsha*, sorte de robe-tablier en coton à petits carreaux nouée sur une épaule, avec un châle écossais par-dessus. La plupart des Khasi considèrent que mâcher du *kwai* (bétel) est une pratique presque religieuse. Les marchés khasi tournent d'un village à l'autre tous les huit jours. On peut voir lors de certaines foires des *yaturmasi* (combats de taureaux). "Merci" se dit *kublei* en khasi.

Cherrapunjee (Sohra)

☎ 03637 / 11 000 habitants

Dès que l'on quitte les faubourgs de Shillong, la route de Cherrapunjee traverse de beaux paysages qui se font spectaculaires au niveau du **point de vue de Dympep** : la vallée en forme de V s'enfonce alors profondément dans le plateau et attire de nombreux touristes indiens et leurs appareils photo. Plusieurs boutiques à thé (*chai*) et à en-cas sont installées sur place.

Bien qu'étirée sur des kilomètres, Cherrapunjee (appelée localement Sohra) possède un centre compact. La station de *sumo* et un point Internet (un seul ordinateur) sont juste à côté de la place du marché.

À VOIR ET À FAIRE

Le paysage de landes qui s'étend aux alentours vaut au Meghalaya le surnom d'"Écosse de l'Orient", un peu abusif vu les monolithes khasi qui l'émaillent et les carrières qui le dénaturent. Beaucoup plus impressionnante est la série de "grands canyons", tapissée d'une dense forêt tropicale et jalonnée, pendant la mousson, de grandioses cascades. Les **chutes de Nohkalikai**, quatrièmes du monde par leur hauteur, sont particulièrement spectaculaires pendant la mousson, lorsque leur débit est multiplié par vingt. Elles sont parfaitement visibles sans avoir à accéder au **point de vue** (entrée/appareil photo 5/200 Rs ; 🕒 8h-17h) officiel, situé à 4,4 km au sud-ouest du marché de Sohra.

La **Ramakrishna Mission** (entrée libre ; 🕒 9h30-15h30) de Cherrapunjee comporte une intéressante salle d'exposition qui présente des objets ethniques du quotidien ainsi qu'une collection anachronique de 78 tours.

Les galeries basses de plafond de la **Mawsmai Cave** (entrée/appareil photo/caméra 5/15/50 Rs ; 🕒 9h30-17h30), longue grotte de 150 m, sont très appréciées des touristes indiens. La haute rangée de **monolithes** en bordure de la route de Mawsmai est aussi remarquable que la grotte, mais ne connaît pas le même succès.

Le plus intéressant reste la descente sur 14 km de l'étroite route de **Mawshamok**. Elle permet d'admirer les cascades en amont et un escarpement qui descend vers les plaines du Bangladesh, et constitue l'un des paysages les plus spectaculaires du Nord-Est.

En chemin, on peut découvrir d'incroyables **ponts-racines**, formés par les racines aériennes vivantes de caoutchouc (*Ficus elastica*) que les ingénieux Khasi ont fait grimper au-dessus des cours d'eau pour former des ponts naturels. Trois de ces ponts-racines (dont un étonnant pont double) se trouvent près de **Nongriat**. On y accède en 2 heures par un chemin très escarpé qui descend depuis **Tyrna**, charmant village au milieu des palmiers, à 2 km de Mawshamok. Cette randonnée épuisante, qui oblige à franchir un pont vertigineux, dévoile un paysage magnifique ; de plus, une piscine naturelle permet de se rafraîchir. Le Cherrapunjee Holiday Resort (ci-dessous) fournit des cartes.

OÙ SE LOGER ET SE RESTAURER

Sohra Plaza Hotel (☎ 235762 ; s/d 450/550 Rs). Établissement convivial de 2 chambres situé à côté du marché. L'hôtel est sommaire mais gai et il est question de l'agrandir. Son restaurant (plats 35 Rs à 100 Rs ; ouvert de 8h à 21h du lundi au samedi) sert les meilleurs *momo* qui soient.

♥ **Cherrapunjee Holiday Resort** (☎ 244218 ; www.cherrapunjee.com ; village de Laitkynsew ; d 1 300-1 400 Rs ; 💻). Cet établissement soucieux d'écologie comporte 6 chambres très confortables. Ses adorables gérants proposent un choix de randonnées, à faire seul (avec leurs cartes dessinées à la main) ou avec un guide local (150 Rs à 300 Rs). Construites sur une crête, les chambres donnent soit sur le Bangladesh, soit plus haut sur l'escarpement rocheux. En haute saison, un hébergement sous tente est proposé (500 Rs) avec sdb communes mais pas d'eau chaude. Pour venir en taxi de Cherrapunjee, comptez 250 Rs à 300 Rs.

Dawki

☎ 03653 / 5 500 habitants

Vous n'irez sans doute à Dawki que pour passer la frontière du Bangladesh. Pour autant, le trajet depuis Shillong comporte un passage de 10 km spectaculaire au bord du vaste et vert **Pamshutia Canyon**. Puis la route descend en traversant des villages khasi plus ou moins pittoresques au milieu des palmiers à bétel, avant de franchir un pont suspendu au-dessus de l'**Umngot Creek**, où de fragiles bateaux de pêche voguent sur des eaux d'un bleu-vert inouï.

Si vous arrivez du Bangladesh et remontez vers le nord, dormez à Sylhet pour partir tôt le lendemain matin car le seul hébergement de Dawki, l'Inspection Bungalow, refuse habituellement les touristes. Le trajet Shillong-Dawki-Sylhet est beaucoup plus facile à effectuer dans le sens nord-sud.

GARO HILLS

Situées dans le Meghalaya, les luxuriantes Garo Hills sont pourtant plus facilement accessibles depuis Guwahati que depuis Shillong. Ces verdoyantes collines présentent une mosaïque de paysages riants de rizières, de champs de manioc et d'orangeraies, qui alternent avec d'austères coteaux où les brûlis ont fait disparaître la jungle étouffée. Les bourgs n'ont pas d'attrait particulier, mais la plupart des maisons des petits hameaux conservent leur aspect traditionnel avec leurs nattes de bambou tressé et leur toit en palme.

Tura

☎ 03651 / 58 400 habitants

Vaste agglomération, Tura est le centre régional de l'ouest des Garo Hills, et un carrefour des transports assez tranquille. La plupart des infrastructures les plus importantes sont à 2 min à pied du marché central autour duquel Circular Road décrit une boucle tortueuse à sens unique. Un DAB de la SBI est installé dans Tura Bazaar, en face de l'agence bancaire du quartier de Tura Dala (TD) Rd Evening. L'**office du tourisme** (☎ 242394 ; 🕑 10h-17h lun-ven) est à 4 km de là en direction de Nazing Bazaar. Le personnel accueillant fournit des brochures et des cartes sommaires, et peut trouver un guide pour des excursions dans toute la région des Garo Hills, notamment un trek de 3 jours jusqu'à la **Nokrek Biosphere Reserve**. Là, vous pourrez observer des gibbons Hoolock depuis un *borang* (maison dans les arbres garo). Par la route, la réserve est à environ 50 km de Tura.

OÙ SE LOGER ET SE RESTAURER

Rikman Continental (☎ 220744 ; Circular Rd ; s/d à partir de 455/546 Rs, avec clim 1 364/1 582 Rs ;). Cet établissement fort sympathique est tout près du marché central et des billetteries de transport. Même si certaines des chambres les moins chères sont petites et défraîchies, les plus onéreuses ont d'immenses fenêtres, une baignoire avec eau chaude et la clim. Le restaurant du Rikman est sans doute la meilleure adresse où goûter à la cuisine

TRAVERSER LA FRONTIÈRE INDE-BANGLADESH

Heures d'ouverture

La frontière est ouverte de 6h à 17h.

Change

Il n'y a pas de bureau de change officiel, mais demandez au bureau des douanes du Bangladesh.

Transports

Le poste-frontière se situe à Tamabil, à 1,7 km du marché de Dawki, soit 40 Rs en taxi dans le sens nord-sud. Mais dans le sens inverse (vers le nord), soyez prêt à marcher. En allant vers le nord, sachez qu'il n'y a pas de banque Sonali à Tamabil. Vous devrez payer votre taxe de sortie du Bangladesh (300 Tk) à Sylhet ou à Jaintiapura. De fréquents minibus Tamabil-Sylhet prennent des passagers à la hauteur d'un carrefour triangulaire, à 350 m du poste de contrôle.

Visa

Les bureaux des visas du Bangladesh les plus proches se trouvent à Kolkata (Calcutta) et Agartala au Tripura.

garo ; le petit-déjeuner est offert. Bar sur place et Internet disponible à la réception (50 Rs/h).

À un pâté de maisons du Rikman, l'**Hotel Sundare** (☎ 224610 ; Circular Rd ; dort 250 Rs, s/d à partir de 450/600 Rs, d avec clim 900 Rs ; ❄) est un autre hébergement correct aux chambres semblables.

DEPUIS/VERS TURA

Les lundi, mercredi et vendredi, il y a des **vols en hélicoptère** (☎ 0364-2223206) jusqu'à Guwahati.

Les guichets qui vendent les billets de bus et de *sumo* sont disséminés autour du marché central. À destination de Guwahati, la plupart des *sumo* (250 Rs, 6 heures) partent à 6h30 et 14h. Ils sont plus rapides que les bus (175 Rs, 8 à 10 heures), qui démarrent généralement à 6h30 et 19h30. Les bus pour Shillong (230 Rs, 9 heures, vers 20h) passent près de l'aéroport de Guwahati. Le bus de nuit **Aashirwad** (☎ 9436322845), pratique mais terriblement lent, rallie Siliguri (280 Rs, 15 à 17 heures, 16h).

Pour rejoindre l'office du tourisme au départ de Dura Travels, à côté de l'Hotel Sundare, comptez 60/20 Rs en auto-rickshaw individuel/collectif.

Baghmara et Siju

☎ 03639

Presque sur la frontière du Bangladesh, **Baghmara** est la principale agglomération du sud des Garo Hills. En surplomb de la ville, le **Tourist Lodge** (☎ 222141 ; dort 200 Rs, ch 400-500 Rs), agréable et tranquille, jouit d'une vue splendide.

Depuis Baghmara, on peut visiter le **Balpakhram National Park** (entrée 50 Rs, appareil photo/caméra 50/500 Rs), à 45 km, mais il faut au préalable louer la Jeep (à partir de 1 200 Rs) et engager le guide (à partir de 500 Rs) à Tura. Traditionnellement, Balpakhram est considéré par les Garo comme la "demeure des âmes" où les défunts séjournent pendant quelque temps après leur mort. Au printemps, le parc est empli de fleurs sauvages et de papillons. Son "grand canyon" sépare les Garo Hills des Khasi Hills.

Les spéléologues peuvent visiter la **Siju Cave** (à 34 km de Baghmara) qui serait la troisième plus longue grotte du sous-continent indien. Cinq kilomètres de galeries ont déjà été explorés mais d'autres restent à découvrir. Apportez votre propre matériel et respectez les règles d'or de la spéléologie (ne jamais partir seul, et ne pas toucher les formations rocheuses). Les amateurs curieux pourront s'aventurer sur une centaine de mètres à travers l'entrée béante.

Madhya Pradesh et Chhattisgarh

Le Madhya Pradesh (MP) n'a peut-être pas autant la cote que les États voisins, mais son territoire immense laisse son charme agir avec discrétion, offrant surprises et merveilles à ceux qui s'aventurent à travers ses plaines et ses collines.

Les réserves de tigres restent son principal atout, et les parcs de Kanha, de Pench et de Bandhavgarh offrent de très bonnes chances de voir l'animal emblématique de l'Inde. Les fous d'activités sportives pourront rejoindre la station d'altitude de Pachmarhi pour faire du trek, se lancer dans des safaris en Jeep ou s'adonner au rafting dans la région d'Orchha.

Les rivières jouent ici un rôle spirituel majeur. Les ghats d'Ujjain sont l'un des quatre lieux où se tient le Kumbh Mela hindou. C'est la même aura de ferveur qui règne sur les temples et les ghats d'Omkareshwar et de Maheshwar. Mosquées et souks abondent dans la capitale, Bhopal, à majorité musulmane. Côté bouddhisme, ne manquez pas les fameux stupa de Sanchi.

Les sculptures érotiques de Khajuraho comptent parmi les plus belles réalisations des temples indiens dans cette région d'une grande richesse artistique et architecturale. De splendides monuments afghans sont à explorer sur les collines de l'ancienne cité de Mandu, des palais dominent le tranquille village d'Orchha, et des peintures rupestres vieilles de 12 millénaires vous attendent à Bhimbetka.

Les esprits les plus aventureux ne regretteront pas une incursion dans la région tribale du Chhattisgarh. L'État offre aux intrépides une découverte fascinante de la vie des ethnies autochtones du centre de l'Inde, aux antipodes de la culture indienne moderne.

À NE PAS MANQUER

- La découverte des réserves de tigres de **Bandhavgarh** (p. 711), de **Kanha** (p. 709) ou de **Pench** (p. 707) à dos d'éléphant
- Un séjour chez l'habitant dans les villages *adivasi* de la région de **Jagdalpur** (p. 714)
- Les sculptures érotiques des temples de **Khajuraho** (p. 671), classés au patrimoine mondial de l'humanité
- Une virée en rafting sur la Betwa à **Orchha** (p. 669), suivie d'une balade au milieu des palais sublimes du village
- Les peintures rupestres vieilles de 12 000 ans de **Bhimbetka** (p. 686), facilement accessibles en bus depuis les mosquées et bazars de **Bhopal** (p. 680)
- La fraîcheur au-dessus des plaines écrasées de chaleur qu'offrent les vestiges de **Mandu** (p. 701) ou la pittoresque station d'altitude de **Pachmarhi** (p. 690)

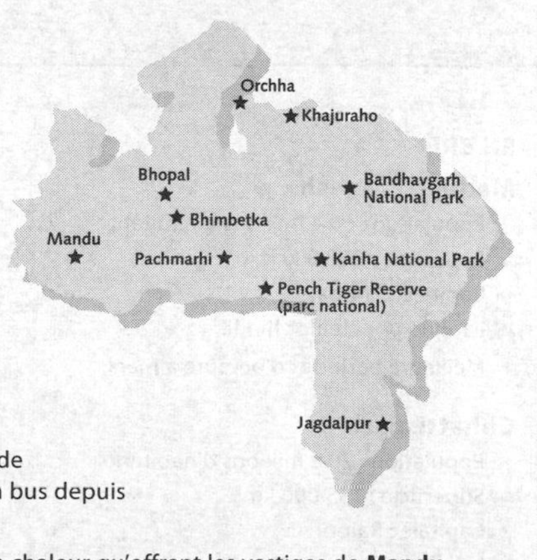

EN BREF

Madhya Pradesh

- Population : 60,4 millions d'habitants
- Superficie : 308 000 km²
- Capitale : Bhopal
- Langue principale : hindi
- Meilleure période : d'octobre à mars

Chhattisgarh

- Population : 20,8 millions d'habitants
- Superficie : 135 000 km²
- Capitale : Raipur
- Langue principale : hindi
- Meilleure période : d'octobre à mars

Histoire

Les grandes étapes de l'histoire indienne ont presque toutes laissé leurs marques dans le Madhya Pradesh, autrefois appelé Malwa. Les magnifiques peintures rupestres de Bhimbetka (p. 686) et de Pachmarhi (p. 690), vieilles de 12 000 ans, constituent les vestiges historiques les plus anciens. Elles témoignent d'une succession culturelle, qui se prolongea de la fin de l'âge de pierre, jusqu'au début du IIIe siècle av. J.-C., époque où l'empereur bouddhiste Ashoka (voir l'encadré p. 39), qui régna sur l'Empire maurya depuis Malwa, fit bâtir le Grand Stupa de Sanchi (p. 687).

Aux Maurya succédèrent les Sunga, les Gupta (p. 39) – Chandragupta II gouverna depuis Ujjain et fit creuser les grottes d'Udaigiri

(p. 690) –, puis les Huns, qui envahirent l'État. Il y a environ 1 000 ans, les Parmara imposèrent leur domination sur le sud-ouest du Madhya Pradesh – notamment Raja Bhoj, qui domina Indore, Mandu et Bhopal. C'est de son nom que provient celui de la capitale actuelle, dérivé de Bhojapal, qui faisait jadis référence au *pal* (barrage) que Bhoj fit construire pour créer les deux lacs de la ville.

De 950 à 1050, les habiles sculpteurs chandela ornèrent de scènes érotiques les façades de 85 temples de Khajuraho (p. 671). Entre le XIIe et le XVIe siècle, la région fut le théâtre de luttes incessantes entre hindous et musulmans (p. 40) – des batailles décisives se jouèrent en particulier à Mandu. Les Moghols durent finalement s'incliner devant les Marathes (p. 43), qui exercèrent le pouvoir à Malwa avant d'être vaincus par les Britanniques, alliés aux puissants maharajas scindia de Gwalior.

En 1956, le *States Reorganisation Act* (Loi de réorganisation des États) réunit plusieurs États préexistants pour créer le Madhya Pradesh. En 2000, Chhattisgarh devint finalement un État indépendant.

Climat

Les plaines du Madhya Pradesh passent l'essentiel de l'année sous une chaleur brûlante, les températures pouvant atteindre 48°C l'été (mars à mai), mais vous trouverez de la fraîcheur dans les stations d'altitude comme Pachmarhi. L'hiver (novembre à février) est bien plus agréable, même si la pluie tombe parfois dans le nord en décembre et janvier. Les principales réserves animalières, dont les grands parcs aux tigres, ferment pendant la saison des pluies (juin à septembre).

Depuis/vers le Madhya Pradesh

AVION

Des vols intérieurs desservent Gwalior, Khajuraho, Bhopal, Indore, Jabalpur et Raipur.

TRAIN

Le Madhya Pradesh a un excellent réseau ferroviaire. La principale voie ferrée, qui vient du nord-ouest du pays via Delhi et Agra, traverse l'État en passant par Jhansi et Bhopal, puis bifurque à Itarsi, pour continuer jusqu'à Mumbai (Bombay), Hyderabad et Chennai (Madras).

L'autre grande ligne, qui part de Mumbai, dessert Itarsi, Jabalpur, Katni et Satna, sur le chemin d'Allahabad, Varanasi et Howrah (Calcutta). De Katni, des lignes partent vers le Chhattisgarh, l'Orissa et le Jharkhand.

Deux lignes relient Indore à Jaipur au Rajasthan, l'une via Ujjain, avec un seul train direct par jour, l'autre via Agra.

FÊTES ET FESTIVALS AU MADHYA PRADESH ET AU CHHATTISGARH

Festival de danse (fév-mars ; Khajuraho, p. 671). Une semaine de manifestations. Les meilleurs danseurs classiques indiens dansent entre les temples illuminés de l'enceinte ouest.

Shivaratri Mela (fév-mars ; Pachmarhi, p. 690). Jusqu'à 100 000 pèlerins shivaïtes, sadhus (ascètes) et *adivasi* (membres des communautés ethniques) assistent aux cérémonies du Mahadeo Temple. Les participants gravissent la Chauragarh Hill, un trident symbolique à la main, afin de le planter à côté du sanctuaire de Shiva.

Magh Mela (avr-mai ; Ujjain, p. 693). Cette fête religieuse a lieu sur les rives de la Shipra, à Ujjain. En cette période propice d'environ 6 semaines, les pèlerins hindous viennent de toute l'Inde pour faire leurs ablutions dans la rivière. Tous les 12 ans, ces festivités sont remplacées par le grand rassemblement du Kumbh Mela (prochaine date en 2016), et tous les 6 ans par l'Ardh Mela ("demi-mela", prochaine date en 2010).

Anniversaire d'Ahilyabai Holkar (avr-mai ; Maheshwar, p. 700). Des processions d'étonnants palanquins parcourent toute la ville. Des manifestations culturelles telles que concerts et spectacles de danse sont organisés.

Navratri (fête des Neuf Nuits ; sept-oct ; Ujjain, p. 693). Fête hindoue célébrée avec grande ferveur jusqu'à la Dussehra. À cette occasion, les gros piliers du Harsiddhi Mandir sont illuminés.

Dussehra (oct ; Jagdalpur, p. 714). Cette fête, qui dure 75 jours, est dédiée à la déesse locale Danteshwari. À son paroxysme, 8 jours durant, d'immenses chars sont exhibés dans les rues.

Chethiyagiri Vihara Festival (nov ; Sanchi, p. 686). Moines bouddhistes et pèlerins affluent pour voir les reliques de deux des premiers disciples du Bouddha, Sari Puttha et Maha Moggallana (retrouvées dans le Stupa 3, en 1853).

Tansen Music Festival (nov-déc ; Gwalior, p. 662). En hommage au musicien et compositeur Tansen, 4 jours de fête, qui voient affluer musiciens classiques et chanteurs de tout le pays. Des spectacles gratuits sont donnés sur la tombe du grand musicien.

Sauf mention contraire, les prix indiqués s'appliquent aux sleeper/3AC/2AC.

Comment circuler

Les routes du Madhya Pradesh sont assez mauvaises, et celles du Chhattisgarh pires encore, mais vous n'aurez pas d'autre choix pour nombre de trajets (vers les réserves de tigres, Pachmarhi, dans la région de Mandu et la majeure partie du Chhattisgarh). Hors des grands axes, tablez sur une moyenne de 25 km/heure.

NORD DU MADHYA PRADESH

GWALIOR

☎ 0751 / 865 550 habitants

Célèbre pour son fort médiéval perché sur une colline, Gwalior constitue une halte intéressante sur le chemin de destinations plus connues dans cette partie de l'Inde. Elle abrite d'ailleurs l'excentrique Jai Vilas Palace, où se trouve le Scindia Museum, qui fut le siège historique des Scindia, l'une des familles les plus respectées du pays.

Le Tansen Music Festival, qui met à l'honneur la musique classique et attire des artistes de toute l'Inde, se tient pendant 4 jours en novembre-décembre (voir l'encadré p. 661).

Histoire

Selon la légende, la ville de Gwalior serait née de la rencontre entre un chef rajput, Suraj Sen, et un ermite, Gwalipa. Ce dernier aurait guéri Suraj Sen de la lèpre grâce à l'eau de la Suraj Kund, une citerne qui demeure dans la citadelle. Il aurait renommé son patient Suhan Pal, et prédit que les descendants de celui-ci conserveraient le pouvoir aussi longtemps qu'ils garderaient le patronyme de Pal. Suhan Pal eut 83 successeurs qui respectèrent la règle. Le 84e se fit appeler Tej Karan. Bien entendu, il perdit son royaume.

En 1398, la dynastie des Tomar prit le pouvoir. La forteresse de Gwalior devint alors la cible d'attaques constantes émanant des royaumes voisins. Elle prit une place prépondérante sous le raja Man Singh (1486-1516). Après sa mort, Ibrahim Lodi s'empara de la ville, inaugurant deux siècles de domination moghole. Gwalior tomba aux mains des Marathes en 1754.

Durant les 50 ans qui suivirent, le fort changea souvent de maître, passant deux fois sous contrôle britannique. Finalement, il échut aux Scindia.

Lors de la première guerre d'indépendance (révolte des Cipayes), en 1857, le maharaja resta loyal envers les Britanniques, mais son armée se mutina. En 1858, le fort fut le témoin des ultimes soubresauts de la révolte. Non loin de là, les Britanniques vainquirent le chef rebelle, Tantia Topi. C'est lors du dernier assaut contre le fort que périt la rani (épouse) de Jhansi (voir p. 444).

Orientation

À l'ouest, le fort, construit sur un éperon rocheux, domine Gwalior de sa masse imposante. La vieille ville s'étend sur son flanc nord-est, tandis qu'au sud se déploie Lashkar, la nouvelle ville, avec Jayaji Chowk, le quartier du marché. C'est autour de Station Rd que vous trouverez le plus d'hôtels et de restaurants.

Renseignements

Fun Stop Cyber Zone (MLB Rd ; 30 Rs/h ; ⌚ 9h-22h). Accès Internet et webcams pour l'utilisation de Skype.

MP Tourism Tansen Residency (☎ 2340370 ; 6A Gandhi Rd ; ⌚ 10h-17h) ; gare ferroviaire (☎ 4070777 ; ⌚ 9h-19h30). Réservation des hôtels MP Tourism et location de voitures.

Poste (☎ 4010555 ; Station Rd ; ⌚ 9h-17h lun-ven, 9h-13h30 sam)

State Bank of India (☎ 2336291 ; Bada Chowk ; ⌚ 10h30-16h lun-ven, 10h30-13h30 sam). Change les chèques de voyage ; DAB dans le hall de la gare ferroviaire.

À voir

FORT DE GWALIOR

Perché sur un majestueux plateau de 3 km de long surplombant Gwalior, ce **fort** (⌚ aube-crépuscule) est une construction aussi imposante qu'étonnante, offrant au regard les tours rondes et les mosaïques turquoise du Man Singh Palace.

On peut rejoindre le fort de deux façons, mais l'ascension est assez éprouvante dans les deux cas. Vous pouvez rejoindre Urvai, la porte ouest, en rickshaw, option plutôt tentante. Cependant, cette entrée ouest est assez décevante comparée au panorama formidable qu'on a sur le fort en arrivant par l'est, qui justifie largement la pénible marche. Ne manquez pas pour autant les sculptures dans la roche en contrebas du flanc ouest du complexe. L'ensemble supérieur, en particulier,

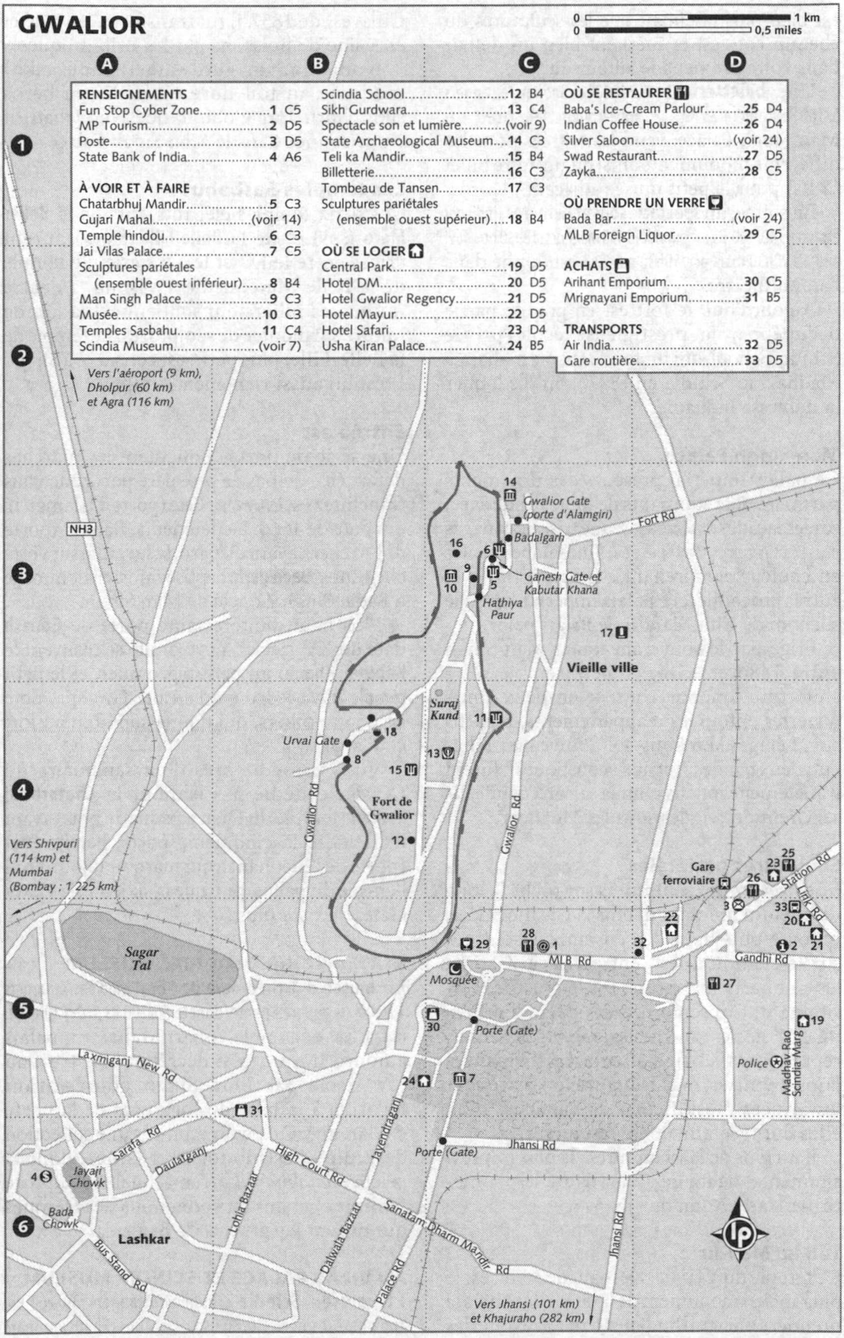

GWALIOR
0 1 km
0 0,5 miles
A
B
C
D
RENSEIGNEMENTS
Fun Stop Cyber Zone 1 C5
MP Tourism 2 D5
Poste 3 D5
State Bank of India 4 A6
À VOIR ET À FAIRE
Chatarbhuj Mandir 5 C3
Gujari Mahal (voir 14)
Temple hindou 6 C3
Jai Vilas Palace 7 C5
Sculptures pariétales (ensemble ouest inférieur) 8 B4
Man Singh Palace 9 C3
Musée 10 C3
Temples Sasbahu 11 C4
Scindia Museum (voir 7)
Scindia School 12 B4
Sikh Gurdwara 13 C4
Spectacle son et lumière (voir 9)
State Archaeological Museum 14 C3
Teli ka Mandir 15 B4
Billetterie 16 C3
Tombeau de Tansen 17 C3
Sculptures pariétales (ensemble ouest supérieur) 18 B4
OÙ SE LOGER
Central Park 19 D5
Hotel DM 20 D5
Hotel Gwalior Regency 21 D5
Hotel Mayur 22 D5
Hotel Safari 23 D4
Usha Kiran Palace 24 B5
OÙ SE RESTAURER
Baba's Ice-Cream Parlour 25 D4
Indian Coffee House 26 D4
Silver Saloon (voir 24)
Swad Restaurant 27 D5
Zayka 28 C5
OÙ PRENDRE UN VERRE
Bada Bar (voir 24)
MLB Foreign Liquor 29 C5
ACHATS
Arihant Emporium 30 C5
Mrignayani Emporium 31 B5
TRANSPORTS
Air India 32 D5
Gare routière 33 D5
1
2
3
4
5
6
Vers l'aéroport (9 km), Dholpur (60 km) et Agra (116 km)
NH3
Gwalior Gate (porte d'Alamgiri)
Badalgarh
Fort Rd
Ganesh Gate et Kabutar Khana
Hathiya Paur
Vieille ville
Suraj Kund
Urvai Gate
Fort de Gwalior
Gwalior Rd
Vers Shivpuri (114 km) et Mumbai (Bombay ; 1 225 km)
Gare ferroviaire
Station Rd
Link Rd
Sagar Tal
MLB Rd
Gandhi Rd
Mosquée
Porte (Gate)
Police
Madhav Rao Scindia Marg
Laxmiganj New Rd
Jhansi Rd
Sarafa Rd
Daulatganj
High Court Rd
Jayendraganj
Jayaji Chowk
Bada Chowk
Lashkar
Lohia Bazaar
Dalwala Bazaar
Sanatam Dharm Mandir Rd
Palace Rd
Bus Stand Rd
Vers Jhansi (101 km) et Khajuraho (282 km)

est bien plus fascinant que les sculptures du chemin côté est et méritent bien un détour dans votre promenade autour du fort.

Une **billetterie** (☎ 2480011 ; Indiens/étrangers 5/100 Rs, caméra 25 Rs ; ⏰ aube-crépuscule), près du Man Singh Palace, vend les entrées pour les différents monuments ainsi qu'un autre billet (2 Rs) pour le petit musée adjacent.

En soirée, un **spectacle sons et lumières** (Indiens/étrangers 40/100 Rs ; ⏰ hindi 19h30 mars-oct, 18h30 nov-fév, anglais 20h30 mars-oct, 19h30 nov-fév) est donné dans l'amphithéâtre.

Aujourd'hui, le fort est en grande partie occupé par la prestigieuse école privée Scindia School, qui fut fondée par le maharaja Madhavrao Scindia en 1897, afin d'éduquer la noblesse indienne.

Man Singh Palace

Ce palais impérial présente des ornements parmi les plus étonnants de toute l'Inde avec, sur les façades extérieures, une frise de canards jaunes ! Avec cette frise et ses mosaïques hautes en couleur comprenant éléphants, tigres et autres crocodiles, ce palais impérial a reçu le surnom de Chit Mandir, le Palais peint.

Érigé par le souverain tomar Man Singh entre 1486 et 1516, ce bel exemple d'architecture hindoue consiste en deux cours ouvertes entourées d'appartements, répartis sur 2 étages. En sous-sol, 2 niveaux, reliés entre eux par des "tuyaux acoustiques", furent initialement conçus pour la saison chaude. Ils servirent de cellules sous les Moghols.

Sculptures pariétales

Vous verrez des sculptures sur roche le long du chemin montant depuis la Gwalior Gate, mais le plus haut des ensembles sculptés sur le chemin ouest, entre l'Urvai Gate et les remparts intérieurs, est le plus impressionnant. Ces sculptures, taillées au milieu du XVe siècle à même les parois rocheuses, représentent les tirthankara, les 24 maîtres jaïns divinisés, nus. Défigurés et castrés par les armées musulmanes de Babur en 1527, elles ont récemment été restaurées.

Il y a plus de 30 sculptures ; la plus impressionnante, haute de 17 m, figure le premier tirthankara, Adinath.

Teli ka Mandir

Ce temple du VIIIe siècle, haut de 30 m, est le plus ancien monument de la citadelle. Après la première guerre d'indépendance (révolte des Cipayes) de 1857, il fut transformé en café et en usine de boissons par les Britanniques.

Non loin, un gurdwara (temple sikh) moderne au toit doré est dédié au héros sikh, Guru Har Gobind, que Nur Jahan fit emprisonner dans le Man Singh Palace.

Les temples Sasbahu

Ces deux temples élégants, dits de la **Belle-Mère** (*sas*) et de la **Belle-Fille** (*bahu*), furent érigés entre le IXe et le XIe siècle. Le temple de la Belle-Mère, dédié à Vishnu, a quatre immenses piliers qui soutiennent la lourde toiture surmontée de sculptures. Le temple de la Belle-Fille, plus petit, est consacré à Shiva. Il est lui aussi richement sculpté.

Entrée est

Une série de portes ponctuent les marches défoncées. En bas, la première porte que vous franchirez est la **Gwalior Gate** (porte d'Alamgiri), qui date de 1660. La deuxième, Bansur (porte de l'Archer), ayant disparu, la suivante sur votre chemin est **Badalgarh**, baptisée ainsi en hommage à Badal Singh, l'oncle de Man Singh.

Plus haut, l'intéressante porte de **Ganesh** date du XVe siècle. À proximité se trouvent le **Kabutar Khana**, un petit pigeonnier, et le petit **temple hindou** dédié à l'ermite Gwalipa, doté de quatre piliers, qui donna son nom au fort et à la ville.

Vous passerez près d'un sanctuaire du IXe siècle dédié à Vishnou, le **Chatarbhuj Mandir** (temple du Dieu aux quatre bras) avant d'atteindre la cinquième porte, **Hathiya Paur** (porte de l'Éléphant), qui marque aujourd'hui l'entrée du palais, puisque la sixième, la Hawa Gate, n'existe plus.

STATE ARCHAEOLOGICAL MUSEUM

Le **musée d'Archéologie de l'État** (Indiens/étrangers 10/100 Rs, appareil photo/caméra 50/200 Rs ; ⏰ 10h-17h tlj sauf lun) occupe le Gujari Mahal, un palais aujourd'hui un peu décrépit, construit au XVe siècle par Man Singh pour sa rani favorite, à la base du fort, près de la porte d'Alamgiri. On peut y admirer une collection de sculptures hindoues et jaïnes, dont la célèbre *Salabhanjika* (remarquable sculpture féminine) et des reproductions des fresques qui ornent les grottes de Bagh.

JAI VILAS PALACE ET SCINDIA MUSEUM

Le **musée Scindia** (Indiens/étrangers 30/200 Rs, app photo/caméra 30/80 Rs ; ⏰ 10h-17h30 jeu-mar) occupe 35 pièces de l'opulente demeure des Scindia, Jai Vilas, construite sous le maharaja Jayajirao en 1874 par les prisonniers de la citadelle. Ceux-ci mirent 12 ans à tisser le tapis du hall, l'un des plus grands d'Asie.

Une demi-tonne de feuilles d'or recouvre les murs du *durbar* (salle d'audience). Huit éléphants furent suspendus au plafond afin de vérifier qu'il supporterait le poids des deux gros lustres hauts de 12,50 m, qui seraient les plus gros du monde – chacun compte 250 bougies et pèse 3,5 tonnes.

Des objets insolites sont présentés, tels des meubles belges en verre taillé et des tigres empaillés. Une piscine est réservée aux femmes – avec un bateau. Clou de la visite, le petit train électrique en argent, qui servait à apporter alcool et cigares sur la table après le dîner, se trouve dans la salle à manger obscure.

À savoir : la porte au nord étant fermée, vous devrez entrer dans le palais par l'ouest.

TOMBEAU DE TANSEN

Caché dans les ruelles sinueuses de la Vieille Ville, dans le même complexe que l'impressionnante sépulture de Mohammed Gaus, vous trouverez le petit et moins somptueux tombeau de Tansen, chanteur considéré comme le père de la musique classique indienne. Tansen était très apprécié d'Akbar. Mâcher les feuilles du tamarinier poussant sur sa tombe est censé éclaircir la voix. Des chanteurs se produisent à l'occasion du festival de musique de Tansen (4 jours), en novembre-décembre, (voir l'encadré p. 661).

Où se loger

PETITS BUDGETS

Hotel Safari (☎2340638 ; Station Rd ; s/d 225/325 Rs, avec clim 600/675 Rs ; ❄). Il n'y a pas plus pratique lorsqu'on prend le train (vous pouvez libérer la chambre 24h/24), et le bar-restaurant est une adresse décente pour une bière (100 Rs), mais les chambres assez miteuses ne sont à envisager que si l'Hotel DM voisin affiche complet.

Hotel Mayur (☎ 2325559 ; Padav ; s 240-450 Rs, d 300-540 Rs, avec clim 480-920 Rs ; ❄). Chambres spacieuses sur 3 étages autour d'une cour. Les moins chères sont un peu lugubres, mais celles avec clim offrent marbre au sol, toilettes à l'occidentale et baignoire. Malheureusement, les lits en dortoir, à prix cassés, ne sont pas proposés aux étrangers. On peut quitter l'hôtel 24h/24.

Hotel DM (☎ 2342083 ; Link Rd ; ch 300-400 Rs). La meilleure option petits budgets a de charmantes petites chambres (celles à 400 Rs sont légèrement plus grandes), certaines dotées d'un banc à l'extérieur et donnant sur une petite pelouse à l'arrière. Chacune a une sdb bien tenue et une TV enfermée à clé dans un meuble.

CATÉGORIES MOYENNE ET SUPÉRIEURE

Hotel Gwalior Regency (☎2340670 ; Link Rd ; s/d avec petit déj 1 650-2 200/2 200-2 750 Rs, ste s/d 2 900/3 500 Rs ; ❄). Le hall tout de marbre détonne dans cet hôtel sympathique et somme toute modeste. Assez banales et décorées dans des couleurs douces, les chambres sont bien équipées, avec réfrigérateur, bouilloire, minibar et baignoire.

Central Park (☎ 2232440 ; www.thecentralpark.net ; Madhav Rao Scindia Marg ; s 2 700-4 000 Rs, d 3 200-4 500 Rs, ste 7 500 Rs ; ❄ 💻 📶 🏊). Le meilleur hôtel d'affaires de Gwalior offre des chambres vastes quoiqu'assez chichement meublées, et des prestations d'excellente qualité : change de devises, médecin, club de remise en forme, chiromancien et bar chic à l'éclairage tamisé. Petit-déjeuner inclus.

Usha Kiran Palace (☎ 2444000 ; www.tajhotels.com ; Jayendraganj ; ch 9 500-11 500 Rs, ste 13 000-15 500 Rs, villa 23 000-30 000 Rs ; ❄ 💻 🏊). Adoptez un train de vie princier dans cette bâtisse vieille de 120 ans qui reçut un jour la royale visite de George V. Chaque chambre est personnalisée (baignoire à mosaïques, coin salon doté de coussins en soie), et les villas de luxe ont une piscine privative. La piscine principale est accessible aux non-résidents (500 Rs), de même que le spa (soins à partir de 1 000 Rs), le restaurant et le bar (le Silver Saloon et le Bada Bar, respectivement ; voir ci-dessous).

Où se restaurer et prendre un verre

Baba's Ice-Cream Parlour (Station Rd ; glace 40-150 Rs, plats 30-110 Rs ; 🕑 11h-24h). Excellente adresse bien éclairée et d'une propreté impeccable, idéale pour un en-cas en attendant le train. À la carte, plats chinois et d'Inde du Sud, pizza et glaces.

Indian Coffee House (Station Rd ; plats 35-95 Rs ; 🕑 7h30-23h). Difficile de ne pas aimer l'Indian Coffee House, et la succursale de Gwalior (bien située entre les gares ferroviaire et routière) ne fait pas exception à la règle. On y propose les habituels délices du matin – vrai bon café, *dosa* (grandes crêpes salées), œufs brouillés – mais aussi une carte de plats consistants, dont un imbattable *thali* (repas à volonté ; 70 Rs), dans une salle séparée à l'étage.

Zayka (MLB Rd ; plats 40-110 Rs ; 🕑 10h-22h). Ce restaurant branché, avec tables à plateau de verre et murs peints de couleurs vives, séduit la jeunesse locale par sa carte internationale (nouilles, hamburgers, pizza), mais les plats indiens végétariens n'en sont pas moins bons. Laissez-vous tenter par le poivron farci.

Swad Restaurant (Hotel Landmark, 47 Manik Vilas Colony ; plats 90-230 Rs ; 🕑 7h-23h). Les chambres de cet hôtel de catégorie moyenne sont surévaluées, mais le restaurant est excellent et sert un choix étourdissant de plats indiens, chinois et occidentaux dans un cadre contemporain. Gardez de l'appétit pour les succulents *gulab jamuns* (beignets trempés dans du sirop à la rose).

Silver Saloon (☎ 2444000 ; Usha Kiran Palace, Jayendraganj ; plats 325-750 Rs ; 🕑 11h-23h). Le restaurant de ce superbe hôtel (p. 665) sert une appétissante cuisine indienne, népalaise et occidentale, soit dans le restaurant aux tons mandarine et magenta, soit à l'ombre des palmiers dans la cour.

MLB Foreign Liquor (MLB Rd ; bière 100 Rs ; 🕑 10h-23h). Comme la plupart des magasins d'alcool de Gwalior, MLB vend bières et autres spiritueux et se double à l'arrière d'un triste bar.

Bada Bar (☎ 2444000 ; Usha Kiran Palace, Jayendraganj ; bière 250 Rs ; 🕑 17h-23h). Pour jeter un œil à l'hôtel le plus luxueux de Gwalior (p. 665), commandez une bière ou un verre de vin français et faites quelques caramboles sur le billard vieux de 120 ans.

Achats

Arihant Emporium (Moti Mahal Rd ; 🕑 10h-19h tlj sauf dim). Installé tout près du Jai Vilas Palace, ce magasin a fait des boîtes en argent ornées de reproductions de céramiques du Man Singh Palace sa spécialité (à partir de 1 200 Rs).

Mrignayani Emporium (High Court Rd ; 🕑 11h-20h tlj sauf dim). Cette chaîne de magasins d'État diffuse la production artisanale et les textiles de l'État, dont des saris de Chanderi et Maheshwar.

Depuis/vers Gwalior

AVION

Air India (☎ 2376872 ; MLB Rd ; 🕑 10h-17h lun-sam) propose des vols pour Delhi (à partir de 4 515 Rs) et Jabalpur (à partir de 4 625 Rs) les lundi, mardi, jeudi et samedi.

BUS

Des bus réguliers rallient Agra (74-103 Rs, 3 heures 30, de 5h à 21h), Shivpuri (67-74 Rs, 2 heures, de 5h à 22h) et Jhansi (60 Rs, 3 heures, jour et nuit). Vous trouverez 3 bus quotidiens pour Orchha (75 Rs, 3 heures 30, 5h30, 12h30, 22h) et Khajuraho (160 Rs, 7 heures, 7h15, 8h30, 11h40) et 4 pour Jaipur (220 Rs, 10 heures, 6h30, 7h15, 18h30, 19h30). Il n'y a qu'un seul bus public par jour pour Indore (250 Rs, 12 heures, 7h15) et un bus de nuit pour Bhopal (230 Rs, 12 heures, 20h15), mais des compagnies privées proposent des dessertes régulières en soirée.

TRAIN

Plus de 20 trains rejoignent chaque jour la gare d'Agra Cantonment ainsi que Jhansi, pour des correspondances pour Orchha et Khajuraho, et une bonne dizaine rallient Delhi et Bhopal. Voir l'encadré (ci-dessous) pour en savoir plus.

La nouvelle ligne vers Khajuraho devrait être en service lorsque vous lirez ces lignes, mais les trains passeront à Gwalior à une heure scandaleusement matinale et uniquement les mercredi, samedi et lundi.

Comment circuler

Les rickshaws (5-10 Rs) et auto-rickshaws (10-30 Rs) abondent. Les *tempo* – de gros auto-rickshaws – suivent des itinéraires fixes (2-6 Rs). Un auto-rickshaw jusqu'à l'aéroport revient à 100-150 Rs.

TRAINS UTILES AU DÉPART DE GWALIOR

Destination	N° et nom du train	Tarifs (Rs)	Durée (heures)	Horaires
Agra	2617 *Mangala Ldweep*	141/268/340	2	8h23
Bhopal	2138 *Punjab Mail*	201/510/685	6	10h40
Delhi	2625 *Kerala Exp*	180/450/603	5	8h08
Indore	2920 *Malwa Exp*	286/749/1 016	13	0h40
Jhansi	2138 *Punjab Mail*	141/243/313	2	10h40
Mumbai	2138 *Punjab Mail*	401/1 073/1 466	21	10h40

ENVIRONS DE GWALIOR

Shivpuri

☎ 07492 / 146 900 habitants

Shivpuri, capitale d'été de l'ancien royaume des Scindia, peut faire l'objet d'une journée de visite depuis Gwalior. La ville abrite les *chhatri (*pavillons moghols à coupoles) de la famille, grandioses mémoriaux dédiés aux maharajas et aux maharanis. Vous pourrez aussi découvrir le Madhav National Park, ancien domaine de chasse des Scindia, devenu une réserve naturelle protégée.

Un DAB de la banque HDFC se tient près de la gare routière. Prenez à droite vers le centre-ville : vous le verrez depuis le rond-point.

À 2 km de la gare routière, dans de beaux jardins, les **chhatri** (40 Rs ; app photo/caméra 10/40 Rs ; 8h-12h et 15h-20h), magnifiques constructions en marbre dotées de pavillons moghols et de *sikhara* (flèches hindoues), sont construits de part et d'autre d'un bassin, au milieu d'un entrelacs d'allées. Celui de Madhorao, édifié entre 1926 et 1932, est orné de magnifiques décorations en *pietra dura* (incrustations de pierres précieuses dans le marbre).

Le **Madhav National Park** (☎ 280422 ; Indiens/étrangers avec véhicule 400/1 500 Rs, app photo/caméra 40/300 Rs, guide 150 Rs ; 7h-16h30), à 4 km des *chhatri*, est émaillé des vestiges de l'époque où les Scindia chassaient : pavillon de tir, *lodge* et club de voile. Le dernier tigre a été tué il y a plusieurs années, mais le parc de 355 km² est toujours peuplé de léopards, d'antilopes, de cerfs, de sangliers, de chiens sauvages et de crocodiles. Le circuit de 20 km dans le parc dure environ 2 heures.

Situé entre les *chhatri* et le Madhav National Park, le **Tourist Village** (☎ 223760 ; tvshivpuri@mptourism.com ; q 1 190 Rs, d avec clim 1 490 Rs ;) a de charmants bungalows dans des jardins bien tenus surplombant un immense lac à l'orée du parc national, avec piscine, ping-pong, billard et pédalos sur le lac (30 min 25 Rs/pers), mais aussi un bar (bière 110 Rs) et un restaurant (plats 45-130 Rs, 8h-22h30).

Des bus partent régulièrement pour Gwalior (68 Rs, 2 heures) et Jhansi (60 Rs, 3 heures). Depuis la gare routière, la course en auto-rickshaw coûte 15 Rs pour les *chhatri* et 30 Rs pour le Tourist Village. Il vous faudra une Jeep pour entrer dans le parc : vous pouvez en louer une pour 500 Rs (le tarif comprend un circuit de 2 heures dans le parc avec halte aux *chhatri*), mais il vous faudra demander à la ronde à la gare routière, car ni le parc ni le Tourist Village n'organise des prestations de transport dans le parc.

JHANSI

Cette ville assez commune joue le rôle de porte d'entrée vers Orchha, Khajuraho et Gwalior, mais elle se trouve dans l'Uttar Pradesh. Rendez-vous p. 444.

ORCHHA

☎ 07680 / 8 501 habitants

Comme son voisin Khajuraho, ce village paisible sur les rives rocheuses de la Betwa se targue d'une architecture somptueuse (aux sculptures moins impressionnantes toutefois), avec en prime une ambiance plus décontractée et moins de pagaille touristique : le séjour y est plus relaxant. La campagne environnante invite par ailleurs à d'agréables activités : marche, vélo, baignade ou encore rafting.

Histoire

Orchha fut la capitale des rajas bundela de 1501 à 1783, jusqu'à leur départ pour Tikamgarh. Souverain d'Orchha de 1605 à 1627, Bir Singh Deo fit bâtir le fort de Jhansi. Lorsque le prince Salim, dont il était l'allié, devint l'empereur Jahangir, il devint un homme puissant. L'année suivante, Bir Singh fit construire le Jehangir Mahal. Quand Shah Jahan succéda à Jehangir en 1627, Bir Singh, à nouveau écarté du pouvoir, fut l'instigateur d'une révolte réprimée par Aurangzeb, alors âgé de treize ans.

Orientation

L'activité se concentre autour du carrefour au niveau du petit marché, où se tiennent divers stands de souvenirs et magasins ainsi que quelques pensions et restaurants. C'est ici que vous laissent les *tempo*. À l'est se trouve l'ensemble palatial principal, situé en hauteur et flanqué d'un côté de la Betwa, de l'autre d'un affluent saisonnier de cette rivière.

Renseignements

Deux ou trois agences de voyages juste au sud du carrefour offrent un accès Internet à 30 Rs/h.

Canara Bank (☎ 252689 ; Jhansi Rd ; 10h30-14h30 et 15h-16h lun-ven, 10h30-13h sam). Change chèques de voyage et espèces.

Office du tourisme du MP (☎ 252624 ; Hotel Sheesh Mahal ; Jehangir Mahal ; 🕑 7h-22h)
Poste (☎ 252631 ; Jhansi Rd ; 🕑 9h-17h lun-ven, 9h-12h sam)

À voir

Le billet pour les **sites d'Orchha** (Indiens/étrangers 10/250 Rs, appareil photo 25 Rs) comprend l'accès à sept monuments – le Jehangir Mahal, le Raj Mahal, le Raj Praveen Mahal, les écuries à chameaux, les *chhatri*, le Chaturbhuj Temple et le Lakshmi Narayan Temple. Il est vendu uniquement à la **billetterie** (🕑 8h-18h). L'accès au domaine du palais est libre.

PALAIS

De l'autre côté du pont de granit qui enjambe le cours d'eau quasi-asséché se trouve un complexe fortifié que dominent deux palais du XVIIIe siècle aussi merveilleux qu'imposants, le Jehangir Mahal et le Raj Mahal. Des singes langurs jouent ici dans les ruines sous le regard des vautours campés sur les toits.

Le **Jehangir Mahal**, avec ses escaliers raides et ses allées vertigineuses incarne l'apogée de l'architecture islamique médiévale. Un petit **musée d'Archéologie** se trouve au rez-de-chaussée. Derrière le palais, des **écuries à chameaux** surplombent un paysage verdoyant émaillé de monuments.

Au **Raj Mahal**, à proximité, demandez au gardien de vous ouvrir les salles peintes où de fabuleuses fresques représentent Rama, Krishna et des membres de la famille royale d'Orchha en train de se battre, de chasser et de danser.

Un peu plus bas, le **Raj Praveen Mahal**, un pavillon plus petit, est entouré d'un jardin d'apparat moghol, et le **Khana Hammam** (bain turc) arbore de beaux plafonds voûtés.

De l'autre côté du bourg se dresse le **Palki Mahal**, ancien palais de Dinman Hardol, le fils de Bir Singh Deo, qui se suicida pour prouver qu'il n'entretenait pas de liaison avec la femme de son frère. Son mémorial, deux lits de pierre recouverts de tissu dans un pavillon, se trouve dans **Phool Bagh**, un *charbagh* (jardin traditionnel perse, divisé en quartiers). Le prince Hardol a le statut de héros dans la culture bundelkhand. Les femmes chantent ses louanges et nouent des fils dans le *jali* (écran ajouré en pierre ou en marbre) qui entoure son tombeau, en formulant des vœux qu'elles espèrent voir exaucés par le prince.

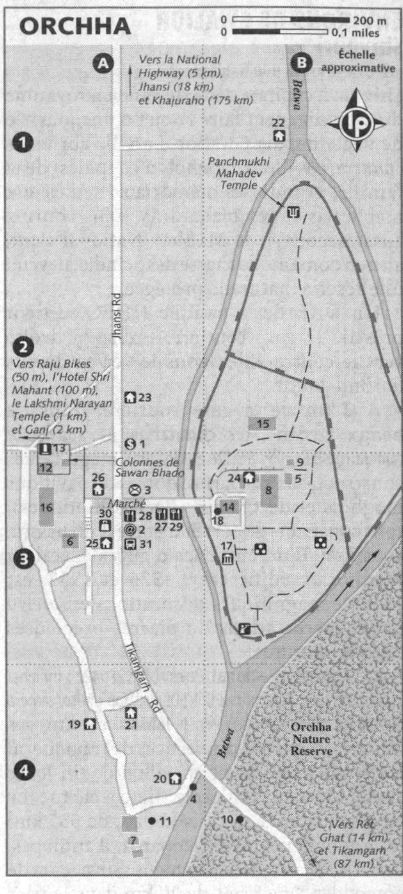

MUSÉE

Plus galerie d'art que musée, le **Saaket Museum** (entrée libre ; 🕑 10h-17h mar-dim) expose quelques beaux tableaux d'art populaire de différents États indiens. Les peintures de Madhubani, du Bihar, retiennent particulièrement l'attention.

TEMPLES

Les imposants temples du XVIe siècle continuent d'attirer des milliers de dévots hindous. Au centre d'une place animée se dresse le **Ram Raja Temple** (🕑 8h-12h et 20h-22h) aux coupoles rose et or, seul temple où Rama est vénéré comme un roi. Initialement palais de l'épouse de Shah Madhukar, il devint un temple lorsqu'une effigie de Rama, provisoirement installée par la rani, s'avéra impossible à déplacer.

RENSEIGNEMENTS		Orchha Resort	11 A4	Hotel Sheesh Mahal	24 B3
Canara Bank	1 A2	Palki Mahal	12 A3	Shiva Guesthouse	25 A3
Cybercafés	2 A3	Phool Bagh	13 A2	Shri Mahant Guest House	26 A3
MP Tourism	(voir 24)	Raj Mahal	14 B3		
Poste	3 A3	Raj Praveen Mahal	15 B2	**OÙ SE RESTAURER**	
DAB de la State Bank of India	(voir 2)	Ram Raja Temple	16 A3	Betwa Tarang	27 A3
		Saaket Museum	17 B3	Bhola Restaurant	28 A3
À VOIR ET À FAIRE		Billetterie	18 B3	Hotel Sheesh Mahal	(voir 24)
Club nautique	4 A4			Ram Raja	29 A3
Écuries à chameaux	5 B3	**OÙ SE LOGER**			
Chaturbhuj Temple	6 A3	Amar Mahal	19 A4	**ACHATS**	
Chhatri	7 A4	Betwa Retreat	20 A4	Rajasthan Emporium & Indian Art Gallery	30 A3
Jehangir Mahal	8 B3	Bhandari Guesthouse	21 A4		
Khana Hammam	9 B3	Bundelkhand Riverside	22 B1	**TRANSPORTS**	
Billetterie de l'Orchha Nature Reserve	10 B4	Fort View Guest House	23 A2	Tempos et gare routière	31 A3

Surplombant le temple, le colossal **Chaturbhuj Temple** est doté d'un très haut *sikhara*. Procurez-vous une lampe électrique au bazar pour gravir l'escalier qui mène au toit, d'où vous aurez une belle vue sur Orchha, entre les flèches moussues et les coupoles.

Sur la route menant au village de Ganj, le **Lakshmi Narayan Temple** a une vue imprenable depuis le toit et possède de belles peintures murales.

CHHATRI

Les **chhatri** surgis des gravats et de la végétation de sous-bois à 500 m au sud du village sont les cénotaphes des gouverneurs d'Orchha, dont Bir Singh Deo. Admirez-les au crépuscule, quand les oiseaux survolent les enfants qui jouent sur les ghats de la rivière.

VILLAGES

Pourquoi ne pas louer une bicyclette (voir p. 671) pour rejoindre les petits villages environnants ? Le plus ancien est le village de **Ganj**, à moitié en ruines mais encore partiellement habité, à environ 1 km après le Lakshmi Narayan Temple, dont vous sortirez par une arche du XVIe siècle marquant la limite occidentale de la vieille ville d'Orchha. Vous pouvez ici suivre un certain temps les remparts de la ville. Les villages de **Gundrai**, **Nakta** et **Aajadbura** méritent une petite visite.

À faire

RANDONNÉE

Vous pouvez déambuler dans l'immense domaine palatial. Certains sentiers, empruntant des ouvertures dans les remparts, descendent jusqu'à la rivière. S'offrent également à vous les 12 km du **sentier nature** dans l'Orchha Nature Reserve, une île de 44 km² entre les rivières Betwa et Jamni. Il vous faudra acheter un billet (150 Rs) à la billetterie (8h-18h) pour pénétrer dans la réserve, mais vous serez ensuite libre de l'explorer comme bon vous semblera, à moins que vous ne louiez les services d'un guide (200 Rs). Le sentier nature est bien balisé et les routes signalisées, facilitant la balade aux cyclistes. Sur le sentier de randonnée, vous apercevrez peut-être singes, cerfs, varans et paons. Pour avoir la chance de voir l'une des quatre espèces de tortues connues ici, pédalez jusqu'à Ret Ghat, à 14 km au sud de la billetterie, sur la Jamni.

MASSAGES ET YOGA

L'Amar Mahal (p. 670) et l'**Orchha Resort** (☎252222 ; www.orchharesort.com) offrent tous deux de bons massages ayurvédiques (500-2 000 Rs, de 8h30 à 20h30) ainsi que des cours de yoga (800 Rs) matin et soir.

RAFTING

Les sorties de **rafting** (par raft pour 1 heure 30/3 heures 1 200/2 500 Rs) partent du club nautique, mais les billets s'achètent auprès de MP Tourism à l'Hotel Sheesh Mahal ou au Betwa Retreat. Chaque raft accueille 1 à 6 personnes.

BAIGNADE

Les habitants se baignent tous les jours dans la **Betwa**. Les rives en face du club nautique, près du pont menant à l'Orchha Nature Reserve, sont particulièrement prisées. Autre point de baignade, la section pleine de gros rochers près de l'hôtel Bundelkhand Riverside : suivez le chemin jusqu'à l'hôtel mais au lieu de prendre à gauche vers l'établissement, continuez jusqu'à la rivière.

Les **piscines** des hôtels suivants sont ouvertes aux non-résidents : le Bundelkhand Riverside (100 Rs), l'Amar Mahal (300 Rs) et l'Orchha Resort (300 Rs).

Où se loger

PETITS BUDGETS

Shri Mahant Guest House (☎252715 ; ch 150-350 Rs, avec clim 600 Rs ; ❄). Au-dessus du marché aux souvenirs près de l'entrée du Ram Raja Temple et en dessous du sublime Chaturbhuj Temple, cette excellente adresse bon marché a un emplacement de choix, des chambres propres (certaines avec TV, d'autres avec balcon) et un personnel sympathique.

Shiva Guesthouse (☎ 252626 ; Tikamgarh Rd ; ch 200 Rs). Chambres simples et bien tenues avec table de chevet et sdb propre, souvent avec vue sur les palais.

Hotel Shri Mahant (☎ 252341 ; Lakshmi Narayan Temple Rd ; ch 300-600 Rs, avec clim 700-1 200 Rs ; ❄). Le petit frère de la Shri Mahant Guest House est une adresse décontractée, dans un coin calme, offrant une jolie vue depuis son toit.

Fort View Guest House (☎ 252701 ; Jhansi Rd ; ch 300-600 Rs, avec clim 1 000 Rs ; ❄). Chambres élégantes mais sommaires sur une charmante cour. Les 3 chambres climatisées ont d'immenses fenêtres donnant sur les palais, et une a un cadre de lit en marbre.

Bhandari Guesthouse (☎ 252745 ; en retrait de Tikamgarh Rd ; ch 400 Rs, sans sdb 200 Rs). Cette adresse qui vient d'ouvrir offre des chambres propres (avec grande sdb) autour d'une cour simple. La minuscule sdb commune se résume à une douche avec seau d'eau et toilettes à la turque.

MADHYA PRADESH ET CHHATTISGARH

CATÉGORIES MOYENNE ET SUPÉRIEURE

Betwa Retreat (☎252618 ; www.mptourism.com ; tente 990 Rs, bungalow 1 690 Rs, ste 4 990 Rs ; ❄). Dans un jardin apaisant et soigné, cet établissement MP Tourism surplombe la rivière et a une vue sur les *chhatri*. Les chambres joliment équipées, notamment de lits en fer forgé, sont aménagées dans des maisonnettes de style moghol ou sous de grandes tentes. Sur place, un nouveau restaurant (ci-contre), un bar et une terrasse, le tout à seulement 5 min à pied de la rue principale.

♥ **Hotel Sheesh Mahal** (☎ 252624 ; smorchha@mptourism.com ; Jehangir Mahal ; ch 1 190-1 490 Rs, ste 3 990-4 990 Rs ; ❄). Cet hôtel est quasiment un palais, installé dans une aile du Jehangir Mahal. L'architecture est Évidemment magnifique (arches, colonnes, fenêtres treillissées, cadres de porte sculptés), mais les chambres ne sont pas en reste, chacune personnalisée et dotée d'installations princières telles ces toilettes qui méritent bien ici leur surnom de trône. Si vous n'avez pas les moyens d'y loger, prétextez que vous l'envisagez, pour pouvoir y faire une visite.

Amar Mahal (☎ 252102 ; www.amarmahal.com ; s 1 900-2 700 Rs, d 3 150-4 050 Rs, ste 5 000 Rs ; ❄ 🏊). Des chambres majestueuses au joli mobilier de bois sculpté (lit à baldaquin, notamment) sont disposées autour d'une cour dont les colonnes blanches bordent une allée couverte. Le centre de massage ayurvédique et de yoga (voir p. 669) se trouve près de la piscine, grande mais mal exposée.

Bundelkhand Riverside (☎ 252612 ; s 2 600-3 600 Rs, d 3 000-5 000 Rs ; ❄ 🏊). Le doyen des hôtels d'Orchha est tenu par le petit-fils du dernier roi d'Orchha, Vir Singh, qui vendit ses palais à l'État après l'Indépendance de l'Inde. Une partie de la collection d'art personnelle du maharaja est exposée dans les couloirs. Les chambres exquises donnent soit sur la rivière soit sur le beau jardin, qui recèle plusieurs monuments du XVIe siècle et une petite piscine.

Où se restaurer et prendre un verre

Ne commettez pas le même blasphème qu'un de nos auteurs, qui dévora les bonbons aux caramels vendus à proximité du Ram Raja Temple : aussi bons qu'ils soient, ils sont destinés à être donnés en offrande au dieu Rama.

Bhola Restaurant (angle Jehangir Mahal Rd et Tikamgarh Rd ; plats 20-60 Rs ; 🕒 7h-23h30). Idéal pour regarder les passants, ce restaurant prépare surtout des mets indiens (dhal, *pakora, paneer*), mais aussi des plats coréens et néerlandais et de la pizza.

Ram Raja (Jehangir Mahal Rd ; plats 20-60 Rs). Sur la rue également, cette adresse sympathique et familiale offre de la cuisine végétarienne abordable à l'ombre d'un gros arbre.

Betwa Tarang (Jehangir Mahal Rd ; plats 25-70 Rs). Installé sur les toits surplombant le marché, entre le vieux palais sur votre droite et le Chaturbhuj Temple sur votre gauche, sirotez une bière (100 Rs) ou faites votre choix dans la carte végétarienne à petits prix.

Betwa Retreat Restaurant (Betwa Retreat ; plats 50-150 Rs ; 🕒 7h-22h). Dans la nouvelle salle climatisée ou sur la terrasse face à la rivière vous attendent des plats traditionnels du Madhya Pradesh, avec en plus du poisson *tikka*. L'adresse compte aussi un bar (bière 150 Rs) et de la musique classique indienne retentit en live tous les soirs.

Hotel Sheesh Mahal (☎ 252624 ; Jehangir Mahal ; plats 75-200 Rs ; 7h30-22h). Tandooris, plats chinois et cuisine européenne figurent tous sur la carte, mais c'est le cadre historique qui tient ici la vedette.

Turquoise Diner (☎ 252612 ; Bundelkhand Riverside ; plats 145-230 Rs, 7h-22h). Sur le beau domaine de cet hôtel prestigieux, ce fabuleux restaurant climatisé, tout de mosaïques vertes et bleues, sert une excellente cuisine indienne.

Achats

Des étals de souvenirs s'installent autour du carrefour.

Rajasthan Emporium & Indian Art Gallery (boutiques 12 et 13, Tikamgarh Rd ; 7h-21h30). Les broderies sont la spécialité de cette petite boutique.

Comment s'y rendre et circuler

Des bus réguliers (10 Rs) partent pour Orchha depuis la gare routière de Jhansi, mais ils se font rares dans l'après-midi. Des *tempo* parcourent ces 18 km pour le même prix toute la journée, et il vous en coûtera 150 Rs en auto-rickshaw. En venant de Khajuraho, demandez au chauffeur de bus de vous déposer à l'embranchement d'Orchha, sur la nationale, à 9 km à l'est de Jhansi – d'où vous pourrez arrêter un *tempo* ou un bus allant à Orchha.

Il n'y a pas de bus entre Khajuraho et Orchha. Vous devrez d'abord rallier Jhansi puis prendre un bus (100 Rs, 5h30 à 15h30), car les bus ralliant Jhansi à Khajuraho ne daignent généralement pas s'arrêter quand vous attendez sur le bas-côté de la nationale. Comptez au moins 1 500 Rs pour rejoindre Khajuraho en taxi.

Raju Bikes (Lakshmi Narayan Temple Rd) loue de vieux vélos à prix imbattables (5/25 Rs par heure/jour).

KHAJURAHO

☎ 07686 / 19 290 habitants

Les sculptures inspirées du Kama Sutra qui couvrent les trois groupes de temples de Khajuraho, classés au patrimoine mondial de l'humanité, comptent parmi les chefs-d'œuvre mondiaux de l'art religieux, et grâce à la nouvelle ligne ferroviaire, venir ici n'est plus le calvaire que ce fut. Nombre de voyageurs déplorent l'insistance des vendeurs de rue dans la ville, à laquelle ils préfèrent les charmes plus paisibles du village voisin d'Orchha. Ces plaintes sont certainement fondées, mais en refusant d'aller à Khajuraho, vous passerez à côté de quelques-uns des plus beaux temples indiens. Préférez février/mars, lorsque le groupe ouest de temples accueille la semaine du festival de la danse (voir l'encadré p. 661).

Histoire

D'après la légende, Khajuraho aurait été fondée par Chardravarman, fils du dieu de la Lune (Chandra), qui aurait jeté son dévolu sur une jolie vierge se baignant dans une rivière. Les temples ont été bâtis par la dynastie des Chandela, et beaucoup jaillissaient initialement d'un lac. Des 85 édifiés de 950 à 1050, il n'en reste plus que 25. Les temples sont demeurés actifs longtemps après que les Chandela eurent déplacé leur capitale à Mahoba.

L'éloignement des temples de Khajuraho a contribué à les sauver de l'iconoclasme des musulmans qui défigurèrent ailleurs ce qu'ils considéraient comme des temples idolâtres. La région fut peu à peu abandonnée, et la jungle reprit ses droits. Le monde ignora tout de leur existence jusqu'à ce qu'en 1838, un officier britannique, T.S. Burt, soit conduit aux ruines sur un palanquin.

Orientation

Un quartier d'hôtels, de restaurants et de boutiques s'est développé à proximité des trois principaux groupes de temples, à l'ouest. À environ 1,5 km à l'est se trouvent le vieux village et les temples de l'est, un autre groupe étant au sud.

Renseignements

Bookshop (Jain Temples Rd ; 8h-20h30). Une librairie qui offre aussi un accès Internet (40 Rs/h), vend de l'artisanat et des pellicules photo et grave les CD pour 100 Rs.

Centre de santé (☎ 272498 ; Link Rd 2 ; 9h-13h30 et 14h-16h)

Cyber Café (Jain Temples Rd ; 30 Rs/h, Skype 40 Rs/h ; 9h-21h). Sous le Bella Italia.

Igbal Shop (Main Rd ; 7h-22h30). Pellicules photos et cartes mémoire.

Office du tourisme du Government of India (☎ 272347 ; Main Rd ; 9h30-18h lun-sam). Très utile.

Police touristique (☎ 272690 ; Main Rd ; 6h-22h)

Poste (☎ 274022 ; 10h-17h lun-sam, colis 10h-14h)

Shiva Internet (Main Rd ; 30 Rs/h ; 8h-22h). Gravure de CD à 40 Rs par disque.

State Bank of India (☎ 272373 ; Main Rd ; 10h30-16h30 lun-ven, 10h30-13h30 sam). Change les espèces et les chèques de voyage ; DAB.

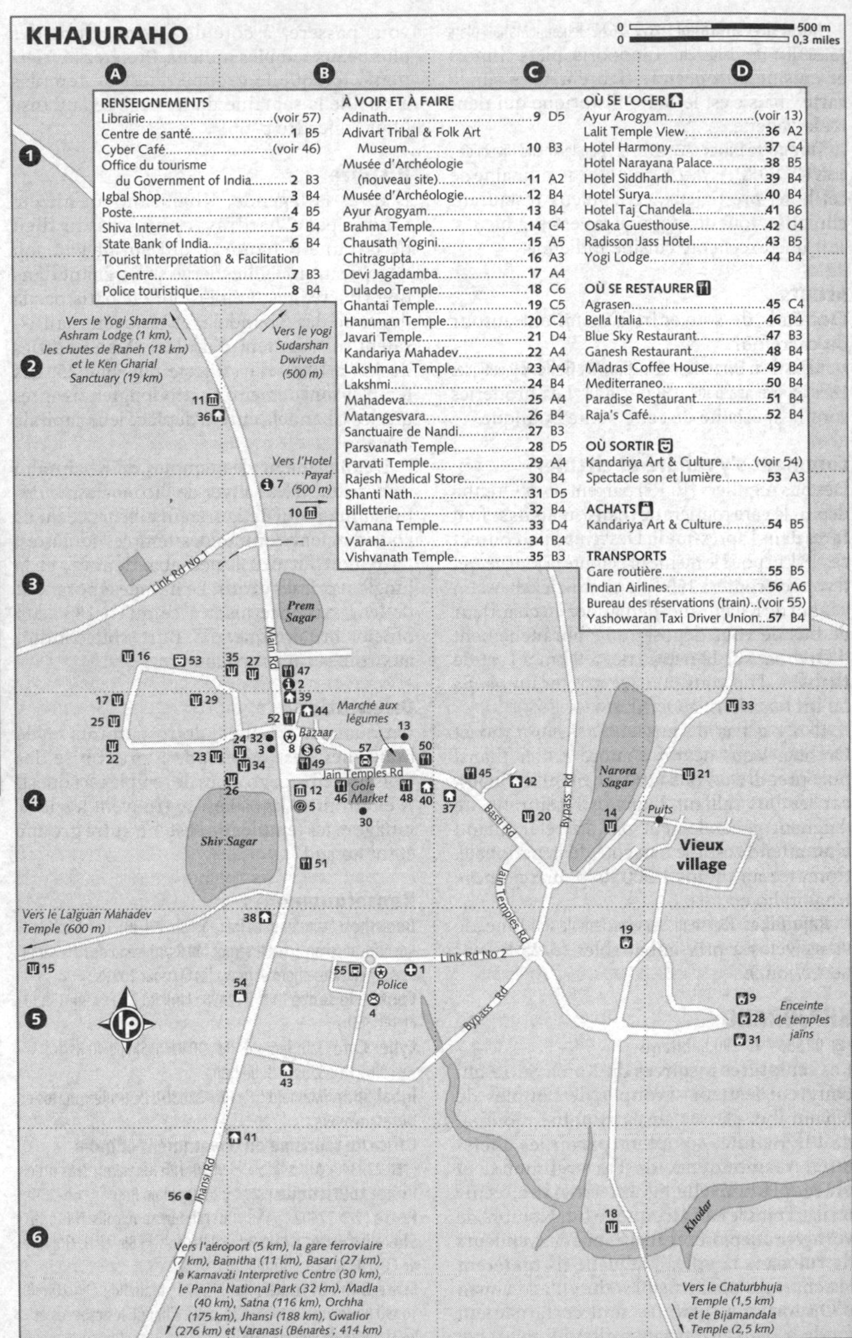
KHAJURAHO
0 500 m
0 0,3 miles
A
B
C
D
1
2
3
4
5
6
RENSEIGNEMENTS
Librairie........(voir 57)
Centre de santé........1 B5
Cyber Café........(voir 46)
Office du tourisme du Government of India........2 B3
Igbal Shop........3 B4
Poste........4 B5
Shiva Internet........5 B4
State Bank of India........6 B4
Tourist Interpretation & Facilitation Centre........7 B3
Police touristique........8 B4
À VOIR ET À FAIRE
Adinath........9 D5
Adivart Tribal & Folk Art Museum........10 B3
Musée d'Archéologie (nouveau site)........11 A2
Musée d'Archéologie........12 B4
Ayur Arogyam........13 B4
Brahma Temple........14 C4
Chausath Yogini........15 A5
Chitragupta........16 A3
Devi Jagadamba........17 A4
Duladeo Temple........18 C6
Ghantai Temple........19 C5
Hanuman Temple........20 C4
Javari Temple........21 D4
Kandariya Mahadev........22 A4
Lakshmana Temple........23 A4
Lakshmi........24 B4
Mahadeva........25 A4
Matangesvara........26 B4
Sanctuaire de Nandi........27 B3
Parsvanath Temple........28 D5
Parvati Temple........29 A4
Rajesh Medical Store........30 B4
Shanti Nath........31 D5
Billetterie........32 B4
Vamana Temple........33 D4
Varaha........34 B4
Vishvanath Temple........35 B3
OÙ SE LOGER
Ayur Arogyam........(voir 13)
Lalit Temple View........36 A2
Hotel Harmony........37 C4
Hotel Narayana Palace........38 B5
Hotel Siddharth........39 B4
Hotel Surya........40 B4
Hotel Taj Chandela........41 B6
Osaka Guesthouse........42 C4
Radisson Jass Hotel........43 B5
Yogi Lodge........44 B4
OÙ SE RESTAURER
Agrasen........45 C4
Bella Italia........46 B4
Blue Sky Restaurant........47 B3
Ganesh Restaurant........48 B4
Madras Coffee House........49 B4
Mediterraneo........50 B4
Paradise Restaurant........51 B4
Raja's Café........52 B4
OÙ SORTIR
Kandariya Art & Culture........(voir 54)
Spectacle son et lumière........53 A3
ACHATS
Kandariya Art & Culture........54 B5
TRANSPORTS
Gare routière........55 B5
Indian Airlines........56 A6
Bureau des réservations (train)..(voir 55)
Yashowaran Taxi Driver Union...57 B4
Vers le Yogi Sharma Ashram Lodge (1 km), les chutes de Raneh (18 km) et le Ken Gharial Sanctuary (19 km)
Vers le yogi Sudarshan Dwiveda (500 m)
Vers l'Hotel Payal (500 m)
Link Rd No 1
Prem Sagar
Main Rd
Marché aux légumes
Bazaar
Jain Temples Rd
Gole Market
Shiv Sagar
Basti Rd
Bypass Rd
Narora Sagar
Puits
Vieux village
Jain Temples Rd
Vers le Lalguan Mahadev Temple (600 m)
Link Rd No 2
Police
Bypass Rd
Enceinte de temples jaïns
Jhansi Rd
Khodar
Vers l'aéroport (5 km), la gare ferroviaire (7 km), Bamitha (11 km), Basari (27 km), le Karnavati Interpretive Centre (30 km), le Panna National Park (32 km), Madla (40 km), Satna (116 km), Orchha (175 km), Jhansi (188 km), Gwalior (276 km) et Varanasi (Bénarès ; 414 km)
Vers le Chaturbhuja Temple (1,5 km) et le Bijamandala Temple (2,5 km)

Tourist Interpretation & Facilitation Centre (☎ 274051 ; khajuraho@mptourism.com ; Main Rd ; 🕑 10h-18h lun-sam, fermé tous les 2e et 3e samedis). Un office du tourisme peu utile, mais de nouveaux services, dont un bureau de réservation ferroviaire et un bureau de change, étaient annoncés lors de notre passage.

Désagréments et dangers

Les touristes sont souvent harcelés par des demandes incessantes d'argent, de stylos et de commissions pour des photos, souvent de la part d'enfants. Prenez garde également aux propositions intéressées, notamment venant de guides qui vous conduiront dans une école ou une organisation caritative.

Nombre de yogis et de masseurs n'ont pas de qualification. Cela ne veut pas forcément dire qu'ils ne sont pas bons, mais ne l'oubliez pas.

À voir

TEMPLES

Ces splendides exemples d'architecture indo-aryenne doivent leur renommée mondiale à leur statuaire. Tout autour des temples, dieux, déesses, guerriers, musiciens et animaux réels ou mythologiques, se succèdent en frises superposées, admirablement sculptées dans la pierre.

Deux éléments sont omniprésents : le corps féminin et les postures érotiques. Les *mithuna* (figures d'hommes et de femmes sculptés reprenant des positions érotiques) attirent évidemment l'œil ; elles ne doivent toutefois pas faire oublier l'incroyable talent des sculpteurs. Les *surasundari* (nymphes célestes), *apsara* (*surasundari* dansantes) et *nayika* (*surasundari* mortelles) sont représentées de manière sensuelle, légèrement tournées et penchées de sorte qu'elles semblent danser, s'affranchissant de la façade. Exemple classique : la lavandière dont le sari mouillé souligne le corps dégage autant d'érotisme que n'importe lequel des couples.

Contournez les temples avec l'épaule droite face à la façade – le côté droit est considéré comme divin.

Groupe ouest

Les principaux temples sont ceux du **groupe ouest** (Indiens/étrangers 10/250 Rs, caméra 25 Rs ; 🕑 aube-crépuscule), le seul payant, mais aussi le plus intéressant. Vous trouverez à la billetterie le guide de Khajuraho (99 Rs) édité par l'Archaeological Survey of India (ASI) et un **audioguide** (50 Rs ; 2 heures).

Les temples sont décrits ici dans le sens des aiguilles d'une montre. Lire l'encadré p. 675 pour vous familiariser avec la terminologie utilisée pour les temples.

Tout d'abord, deux petits sanctuaires, celui de **Varaha** – dédié au troisième avatar de Vishnu incarné sous la forme d'un sanglier – et celui de **Lakshmi** (fermé), font face au grand temple de Lakshmana. Le premier abrite une impressionnante statue de sanglier en grès de 1,50 m datant de 900 et couverte de multiples figures représentant dieux et déesses.

Le grand **Lakshmana Temple** fut achevé vers 954, après 20 ans de chantier, sous le règne de Dhanga – selon une tablette gravée dans le *mandapa* (pavillon à colonnes devant un temple). L'un des nombreux sculpteurs anonymes s'est représenté dans un autel secondaire à l'angle sud-ouest. On voit aussi des sculptures de bataillons de soldats – les Chandela étaient souvent en guerre. Sur le mur sud, une scène très licencieuse montre des couples s'unissant dans des poses acrobatiques, ainsi qu'un homme s'accouplant avec une jument, tandis qu'une femme, choquée, l'observe en cachant son visage derrière ses mains. La frise du soubassement dévoile d'autres scènes sensuelles et des éléphants sculptés. D'autres sculptures superbes sont visibles autour du *garbhagriha* (sanctuaire intérieur).

Le temple de Lakshmana est l'un des plus anciens et des mieux conservés de son groupe. Bien que dédié à Vishnu, il ressemble aux temples Vishvanath et Kandariya-Mahadev, dédiés à Shiva.

Le **Kandariya-Mahadev**, édifié entre 1025 et 1050, est le plus grand temple de la ville (30,50 m de long). Il incarne l'apogée de l'architecture chandela. Nul autre ne compte un plus grand nombre de scènes érotiques, concentrées ici en trois frises centrales. On dénombre 872 statues, mesurant pour la plupart 1 m de haut – et donc plus grandes que celles des autres temples. Le *sikhara* de 31 m, comme le lingam, est un symbole phallique de Shiva, que les hindous vénèrent dans l'espoir d'être délivrés du cycle des réincarnations. Il est orné d'une spirale ascendante formée de 84 répliques de lui-même.

Le **Mahadeva**, petit temple en ruines, se situe sur la même plate-forme que le Kandariya-Mahadev et le Devi Jagadamba. Il est dédié à Shiva, que l'on retrouve sculpté sur le linteau de l'entrée. Il abrite l'une des plus belles sculptures du site, un soldat luttant avec un colossal *sardula* (créature mythique, moitié lion, moitié homme ou un autre animal), haut de 1 m.

Le **Devi Jagadamba** fut d'abord dédié à Vishnu, puis à Parvati et à Kali. On y voit des *sardula* accompagnés de Vishnu, des *surasundari* et des *mithuna*, sur la plus haute frise. Sa structure, en trois parties, est plus modeste que celles du Kandariya-Mahadev et du Chitragupta – il évoque d'ailleurs ce dernier, mais avec moins de sculptures, aussi est-il supposé plus ancien.

Au nord du Devi Jagadamba, le **Chitragupta** (1000-1025) est une pièce unique à Khajuraho – et rare parmi les temples d'Inde du Nord –, car dédié au dieu Soleil, Surya. Moins bien préservé que les autres, il comporte de très belles sculptures représentant des *apsara*, des *surasundari*, des combats d'éléphants, des scènes de chasse, des *mithuna* et une procession d'hommes charriant des pierres. Dans le sanctuaire intérieur, Surya mène les sept chevaux qui tirent son char. La niche centrale sur la façade sud contient une statue de Vishnu à onze têtes – le dieu et dix de ses vingt-deux incarnations.

En continuant, on arrive au **Parvati Temple**, sur la droite. Ce petit édifice fut à l'origine dédié à Vishnu et abrite maintenant une effigie de Gauri chevauchant un *godha* (iguane).

Probablement construits en 1002, le **Vishvanath Temple** et le sanctuaire de **Nandi** sont accessibles par des marches du côté nord et sud. Des éléphants bordent les marches du côté sud. Le Vishvanath annonce le Kandariya-Mahadev, avec lequel il partage les *saptamattrika* (sept mères), entourées de Ganesh et de Virabhandra. Il constitue un bel exemple d'architecture chandela. Ses sculptures montrent des *surasundari* sensuelles écrivant, berçant des nourrissons et jouant de la musique dans des attitudes encore plus lascives que dans les autres temples.

À l'autre bout de la plate-forme, une statue de Nandi, la monture de Shiva, longue de 2,20 m, fait face au temple. Le soubassement du sanctuaire à douze piliers est orné d'une frise d'éléphants qui évoque la façade du Lakshmana.

Le **Matangesvara**, en dehors de l'enclos, est le seul temple de Khajuraho encore actif. D'allure plus sobre (ce qui indiquerait qu'il est de construction plus ancienne), il abrite un lingam poli haut de 2,50 m. De sa terrasse, vous pouvez apercevoir une zone d'entreposage à ciel ouvert, mais fermée au public, où sont stockées des découvertes archéologiques.

Les ruines du **Chausath Yogini**, derrière le Shiv Sagar, remontent à la fin du IXe siècle et sont certainement les plus anciennes de Khajuraho. Entièrement en granit, ce temple était le seul à ne pas suivre une orientation est-ouest. Son nom signifie 64. Il comportait jadis 64 cellules abritant les *yogini* (servantes) de Kali, la 65e étant celle de la déesse. C'est peut-être le plus ancien temple de *yogini* en Inde.

À 600 m à l'ouest en descendant le sentier et de l'autre côté de champs (demander aux habitants) se dresse le **Lalguan Mahadev** (construit en 900), petit temple en grès et granit dédié à Shiva.

Groupe est

Le groupe comprend trois intéressants temples hindous dispersés dans le vieux village de Khajuraho et quatre autres temples jaïns, plus au sud, réunis dans une enceinte murée.

Le **Hanuman Temple**, dans Basti Rd, abrite une statue du dieu singe hindou mesurant 2,50 m. Ce temple, de couleur orange vif, porte une inscription sur son piédestal qui date de 922 ; c'est la plus ancienne inscription datable de Khajuraho.

Le **Brahma Temple** en granit, doté d'un *sikhara* en grès dominant le Narora Sagar, est l'un des plus anciens édifices de Khajuraho (aux environs de 900). Le lingam à quatre faces du sanctuaire lui valut ce nom erroné, mais l'effigie de Vishnu surmontant l'entrée du sanctuaire atteste qu'il lui était originellement dédié.

Semblable au Chaturbhuja du groupe sud, le **Javari Temple** (1075-1100) se tient à l'écart du vieux village. Dédié à Vishnu, il forme un bel exemple à petite échelle de l'architecture de Khajuraho, par son entrée ornée de crocodiles et son *sikhara* élancé.

Le **Vamana Temple** (1050-1075), à 200 m au nord, est dédié à l'avatar nain de Vishnu. Il comporte des éléments étonnants, tels que des têtes d'éléphants sortant des murs. Son *sikhara* est dépourvu de flèches secondaires et il ne comporte que peu de scènes érotiques. Le *mahamandapa* (salle principale) surmonté d'un toit, bizarrerie à Khajuraho, est typique des temples médiévaux de l'ouest du pays.

Entre le vieux village et le groupe de temples jaïns, le petit **Ghantai Temple** tient son nom des ornementations de *ghanta* (chaîne et cloche) sur ses piliers. Semblable à une époque au Parsvanath, seule subsiste la structure des piliers et le temple est généralement fermé.

POUR MIEUX CONNAÎTRE LES TEMPLES

Les temples de Khajuraho sont tous conçus selon un plan similaire. Ce petit guide vous aidera à mieux connaître leur architecture et sa terminologie.

Extérieur

- *torana* – portique donnant accès au temple, finement ciselé
- *adisthana* – haute terrasse sur laquelle repose le temple
- *urusringa* – petites tours surmontant les salles du temple, souvent de forme pyramidale
- *sikhara* – flèche curviligne plus haute couronnant le sanctuaire

Ces éléments verticaux sont équilibrés par des frises tout aussi richement ornementées, sculptées tout autour du temple.

Intérieur

- *ardhamandapa* – porche qui donne accès au temple
- *mandapa* – salle initiale
- *mahamandapa* – salle principale reposant sur des pilastres et entourée d'un corridor
- *garbhagriha* – sanctuaire intérieur, où se trouve la statue de la divinité à laquelle est dédié le temple. Un petit *antarala* (vestibule) conduit à ce sanctuaire.
- *pradakshina* – corridor qui entoure le sanctuaire

Les temples en trois parties ne possèdent ni *mandapa*, ni *pradakshina*.

Sculptures

- *mithuna* – motif emblématique de Khajuraho ; sculptures de couples enlacés dans des poses sensuelles
- *apsara* –nymphe céleste, représentée réalisant divers pas de danse
- *salabhanjika* – figure féminine représentée avec un arbre et servant de support architectural ; l'*apsara* exerce aussi cette fonction de console
- *surasundari* – une *surasundari* qui danse devient une *apsara*, sinon c'est une jeune femme qui sert les dieux et déesses en portant des fleurs, des miroirs et autres offrandes
- *nayika* – la différence entre une *surasundari* et une *nayika* est que la *surasundari* est une créature divine *tandis que la nayika* est humaine
- *sardula* – bête mythique, moitié lion, moitié homme ou animal. Les *sardula* portent généralement des hommes armés sur leur dos

Parsvanath Temple, le plus vaste des temples jaïns de l'enceinte, est aussi l'un des plus beaux. Sans rivaliser par ses dimensions ou son érotisme avec les temples du groupe ouest, il est remarquable pour la finesse de ses sculptures et pour la qualité et la précision de sa construction. Certaines des statues les plus connues de Khajuraho s'y trouvent, comme celle d'une femme s'enlevant une épine du pied et celle d'une autre se maquillant les yeux (les deux du côté sud). Ce temple porte aujourd'hui le nom de Parsvanath, dont une image noir de jais a remplacé il y a un siècle celle d'Adinath, à qui il était initialement dédié. L'inscription sur l'entrée du *mahamandapa* et des ressemblances avec le Lakshmana, légèrement plus sobre, permettent de le dater de 950-970.

À côté, **Adinath**, un temple plus petit, a été partiellement restauré au fil des siècles. Les magnifiques hauts-reliefs de ses trois frises l'apparentent aux temples hindous de Khajuraho, en particulier au Vamana. Seule, la remarquable effigie noire dans le sanctuaire intérieur rappelle qu'il s'agit d'un site jaïn.

Construit il y a environ un siècle, le **Shanti Nath** renferme des éléments provenant de temples plus anciens, dont une statue d'Adinath, haute de 4,50 m, dont l'inscription en plâtre du piédestal date de 1027 environ.

Groupe sud

Une piste conduit au temple isolé de **Duladeo**, à 1 km au sud de l'enceinte jaïne. Datant de 1100-1150, c'est le plus récent de tous. Le caractère répétitif de ses sculptures, telles celles de Shiva, indique que les sculpteurs de Khajuraho avaient atteint la limite de leur capacités artistiques.

Annonçant les défauts du Duladeo, le sanctuaire du temple en ruines de **Chaturbhuja** (construit en 1100) comporte une statue à quatre bras de Vishnu, haute de 2,70 m. C'est le seul temple de Khajuraho qui soit dépourvu de sculptures érotiques.

Juste avant le Chaturbhuja, un panneau indique la piste conduisant au **Bijamandala**. Il s'agit d'un temple du XIe siècle excavé d'un tumulus, et dédié à Shiva à en juger par le lingam de marbre blanc érigé au sommet de la butte. Outre d'exquises sculptures, on en a aussi extrait d'inachevées, ce qui indiquerait que la construction de ce temple, censé être le plus grand de Khajuraho, a été abandonnée faute de moyens.

MADHYA PRADESH ET CHHATTISGARH

MUSÉES

Le **musée d'Archéologie** (☎272320 ; Main Rd ; 5 Rs ; 🕑 10h-17h sam-jeu) est repérable à sa statue d'un Ganesh dansant (XIe siècle) devant un dieu à tête d'éléphant. Cette petite collection bien conservée de statues et de sculptures provenant des environs de Khajuraho va bientôt être transférée dans un bâtiment plus grand au nord des temples ouest.

Pour vous changer les idées, allez au **Adivart Tribal & Folk Art Museum** (musée Adivart d'art traditionnel et tribal ; ☎ 272721 ; Chandela Cultural Centre, Link Rd N°1 ; Indiens/étrangers 10/50 Rs ; 🕑 10h-17h tlj sauf lun). Ce musée donne un aperçu de l'art ethnique du Madhya Pradesh : peintures pointillistes bhili, sculptures en terre cuite de Jhoomar, masques, statues, flûtes en bambou, etc. Des peintures originales (signées) sont à vendre pour environ 5 500 Rs.

VIEUX VILLAGE

Si vous êtes prêt à affronter les demandes incessantes de stylos et d'argent venant des enfants, la promenade à pied ou à vélo dans les ruelles poussiéreuses du vieux village est intéressante. Les maisons sont blanchies à la chaux ou peintes dans de jolis tons pastel, et les rues sont jalonnées de petits sanctuaires, vieux puits et pompes à eau.

À faire

MASSAGES

De nombreux hôtels proposent des massages ayurvédiques de plus ou moins bonne qualité. Pour un massage dans les règles de l'art, direction **Ayur Arogyam** (☎272572 ; massage 15-35 $US ; 🕑 24h/24) : un charmant couple kéralais tient l'endroit et loue aussi deux modestes chambres doubles (100 Rs). Ils envisageaient de déménager dans des locaux plus grands sur Basti Rd lors de notre passage.

Les barbiers de Gole Market proposent des massages du cuir chevelu, simples mais revigorants, à 20 Rs.

YOGA

Le **yogi Sudarshan Dwiveda** (☎9993284940 ; Vidhya Colony ; don requis ; 🕑 6h) organise des séances à son domicile. On peut organiser votre hébergement. Il n'y a pas d'enseigne en anglais. Si vous peinez à contacter le yogi, passez par la **Rajesh Medical Store** (🕑 9h-21h), sur Gole Market.

BÉNÉVOLAT

L'ONG **Global Village** (☎272819 ; ajay.awasthi@gmail.com), installée à l'extérieur de Khajuraho, lutte essentiellement contre des problèmes écologiques, tels les sacs plastique qui jonchent la ville, mais elle soutient aussi l'enseignement et combat des fléaux plus douloureux comme la prostitution enfantine en organisant des campagnes locales de sensibilisation.

Les bénévoles sont plus que bienvenus, surtout s'ils ont une expérience dans la santé ou l'environnement, mais ils doivent d'abord contacter l'organisation par e-mail ou par téléphone.

BAIGNADE

Les piscines du Radisson Jass Hotel (300 Rs) et de l'Hotel Taj Chandela (500 Rs) sont ouvertes aux non-résidents.

Où se loger

L'hébergement est abondant et varié, et les remises (20 à 50%), conséquentes hors saison (avril-septembre). L'**office du tourisme du**

Government of India (☎272348 ; Main Rd ; 9h30-18h tlj sauf dim) organise des séjours chez l'habitant à Basari, village "ethnique" à 27 km à l'est de Khajuraho.

PETITS BUDGETS

Ayur Arogyam (☎272572 ; ch 100 Rs). Sous les salles de soin de cet établissement de massage ayurvédique (voir p. 676) se trouvent deux modestes chambres doubles avec sdb privative (toilettes à la turque).

Yogi Lodge (☎ 274158 ; ch 150-250 Rs). Les chambres sont sommaires (douche avec seau pour certaines), mais les petites cours, les couloirs étroits et les jolies tables en pierre du restaurant sur le toit font le charme de l'adresse. Comme dans l'autre hôtel du yogi Sharma, l'Ashram Lodge (ci-dessous), des cours de yoga sont proposés (7h30-8h30). Lors de notre passage, le yogi Sharma ouvrait une autre pension près de la nouvelle gare ferroviaire : il s'agira sans doute d'une autre bonne adresse pour voyageurs à petit budget.

Osaka Guesthouse (☎ 272839 ; en retrait de Basti Rd ; ch 150-350 Rs, avec clim 500 Rs ;). Si le lino et le mobilier en plastique ne vous rebutent pas, l'Osaka offre un bon rapport qualité/prix. Caché au fond d'une ruelle calme, il propose de grandes chambres propres.

Yogi Sharma Ashram Lodge (☎ 272273 ; Main Rd ; ch 200-400 Rs). Cette sublime maison blanchie à la chaux, à 1,5 km au nord de la ville, se dresse dans un jardin verdoyant avec fleurs, bananeraies et manguiers. Les chambres sont simples mais propres et spacieuses, la cuisine (plats 25-45 Rs) utilise les légumes du jardin autant que possible et l'ambiance est très apaisante. Le yogi Sharma propose des cours de yoga (7h30-8h30), ouverts aux non-résidents contre un don modeste.

Hotel Surya (☎ 274145 ; www.hotelsuryakhajuraho.com ; Jain Temples Rd ; ch 300-700 Rs, avec clim 800-900 Rs ;). Des chambres correctes, certaines avec TV et balcon, donnant sur des couloirs blancs, des escaliers de marbre et un immense jardin sous-exploité. Sur place, yoga (7h-8h) et massages, et une ambiance plutôt décontractée.

Hotel Harmony (☎ 244135 ; Jain Temples Rd ; ch 350-550 Rs, avec clim 850-950 Rs ;). Des couloirs en marbre desservent des chambres d'un excellent rapport qualité/prix, décorées avec un joli mobilier vert et brun et comprenant une TV (BBC). Yoga et massages sont proposés.

CATÉGORIE MOYENNE

Hotel Narayana Palace (☎272832 ; govindgautam@rediffmail.com ; Jhansi Rd ; s/d au sous-sol 450/550 Rs, s/d 700/800 Rs, avec clim 1 000/1 100 Rs ;). Ce nouvel hôtel merveilleusement kitsch, avec sa façade orange et blanche, vous met du rose, du violet, du rouge et du vert plein les yeux avec ses peintures, sa déco et ses ornements. Chambres propres, spacieuses et équipées de TV. Seul point noir, les 2 chambres au sous-sol à l'arrière, peu avenantes.

Hotel Siddharth (☎ 274627 ; hotelsiddharth@rediffmail.com ; Main Rd ; d/q 490/890 Rs, d avec clim 990-1 500 Rs ;). Les chambres climatisées de cet hôtel désuet ont une baignoire et une belle vue sur les temples ouest. Ce n'est pas le cas des moins chères, un peu tristes. Toutes sont cependant immenses, et l'adresse a un restaurant avec terrasse.

Hotel Payal (☎ 274064 ; payal@mptourism.com ; Link Rd 1 ; ch 690 Rs, avec clim 1 190 Rs ;). Cet hôtel MP Tourism a des chambres élégantes avec mobilier de bois foncé autour de cours plantées mal entretenues. Il offre aussi une petite piscine et des vélos à louer (50 Rs/j).

CATÉGORIE SUPÉRIEURE

Hotel Taj Chandela (☎272355 ; www.tajhotels.com ; Jhansi Rd ; d 5 000-6 000 Rs, ste 7 000-9 000 Rs ;). Dans de somptueux jardins avec tennis, volley-ball et golf miniature, cet hôtel d'excellente facture se targue de chambres modernes ornées d'œuvres et décorations traditionnelles. La piscine est charmante et les rabais fréquents.

Radisson Jass Hotel (☎ 272344 ; www.radisson.com ; Bypass Rd ; ch 6 000 Rs ;). Un escalier de marbre en colimaçon monte de la fontaine du lobby vers les chambres modernes et stylées du premier étage. Il y a un bar confortable (avec billard), un restaurant et une belle piscine.

Lalit Temple View (☎ 272111 ; www.thelalit.com/Khajuraho ; Main Rd ; ch 15 000 Rs, avec vue sur le temple 17 000 Rs, ste 35 000-50 000 Rs ;). Cet établissement caracole loin devant les autres prétendants aux cinq étoiles avec son luxe opulent, son service impeccable et ses prix astronomiques. Les chambres sont parfaites, avec grand écran plasma, mobilier de bois sculpté et belles œuvres d'art. Les hôtes qui n'ont pas de vue sur les temples depuis leur chambre pourront voir le groupe ouest depuis la piscine en forme de lotus.

Où se restaurer

Madras Coffee House (angle Main Rd et Jain Temples Rd ; plats 30-60 Rs ; 8h-21h30). Une bonne cuisine d'Inde du Sud – *dosa, idli* (gâteaux spongieux de riz fermenté), *uttapam* (épaisses crêpes de riz salées), *thali* –, mais aussi café et *chai* sont servis dans ce café-restaurant simple et épuré.

Raja's Café (Main Rd ; plats 30-140 Rs ; 8h-22h30). L'emplacement dans le centre est excellent, comme le design du restaurant, avec son bel escalier de fer forgé en colimaçon reliant une cour ombragée à la terrasse donnant sur les temples. Mais la cuisine éclipse tout le reste : les plats indiens sont succulents – en particulier les *kofta* de *paneer* (boulettes au fromage frais et légumes) et le *kababi* de poulet (morceaux de poulet grillés marinés dans du yaourt) – et relativement abordables. Les plats italiens et chinois sont bons.

Ganesh Restaurant (Jain Temples Rd ; plats 40-100 Rs ; 8h-22h30). Tenu par une équipe sympathique, ce restaurant sans chichi (déco minimale, chaises en plastique) sert une cuisine indienne et chinoise de qualité, végétarienne ou non, ainsi que les habituels petits-déjeuners à base de *curd* (yaourt) et de bananes.

Blue Sky Restaurant (Main Rd ; plats 40-150 Rs ; 6h-22h). Trois étages au-dessus du sol, une plate-forme en bois branlante conduit au restaurant le plus étonnant de tout Khajuraho : une seule table en haut d'un arbre avec vue imprenable sur les temples ouest. La vue de la terrasse sur le balcon ordinaire est belle aussi, et la carte déploie les habituelles saveurs indiennes et chinoises, ainsi que des petits-déjeuners à l'occidentale.

Paradise Restaurant (Main Rd ; plats 45-200 Rs ; 7h-21h30). Cette adresse et ses chaises en plastique n'ont rien d'époustouflant, mais la cuisine est bonne – surtout les *mulai kofta* (boulettes de pommes de terre avec oignons, épices et sauce curry) – et il y a de l'alcool (bière 130 Rs, cocktails à partir de 95 Rs).

Agrasen (Jain Temples Rd ; plats 50-200 Rs ; 6h30-22h30). Établissement élégant avec nappes vichy et terrasse à l'étage, pour des salades, pâtes et pizza correctes et un choix de plats indiens, végétariens ou non.

Bella Italia (Jain Temples Rd ; plats 70-195 Rs ; 7h-22h30). Version plus abordable du Mediterraneo, ce restaurant sur le toit surplombe le Gole Market, près de quelques arbres énormes – tous les soirs vers 18h, grand concours de caquetage entre perroquets.

Mediterraneo (Jain Temples Rd ; pizza 190-280 Rs ; 7h30-22h). Sur une jolie terrasse, on peut notamment commander poulet, salade et pâtes au blé complet bio, mais rien ne surpasse les pizzas au feu de bois. À accompagner de bière (130 Rs) ou de vin du Maharastra (bouteille 750 Rs).

Où sortir

On dit que les temples sont proprement magiques illuminés en technicolor, mais le **spectacle sons et lumières** (Indiens/étrangers 50/300 Rs ; hindi 20h20 nov-fév et 20h40 mars-oct, anglais 19h10 nov-fév et 19h30 mars-oct) qui retrace pendant une heure l'histoire de Khajuraho est trop long – d'au moins trois quarts d'heure.

Des spectacles de danse traditionnelle sont à voir confortablement installé à l'intérieur du théâtre de **Kandariya Art & Culture** (☎ 274031 ; Jhansi Rd ; entrée 350 Rs ; 19h-20h et 20h45-21h45).

Achats

Kandariya Art & Culture (☎ 274031 ; Jhansi Rd ; 9h-21h) Vous pouvez acheter des répliques grandeur nature de plusieurs sculptures de Khajuraho, à condition d'avoir 100 000 Rs de côté ! Des reproductions plus petites et plus abordables, ainsi que des tissus, bois sculptés et mosaïques de marbres sont proposés à l'intérieur.

Depuis/vers Khajuraho

AVION

Mieux vaut réserver, car les vols sont parfois complets plusieurs jours d'affilée à cause des groupes.

Jet Airways (☎ 274406 ; 9h30-16h30), à l'aéroport, a des vols quotidiens pour Delhi (à partir de 6 615 Rs, 3 heures 30) via Varanasi (à partir de 4 765 Rs, 40 min). **Indian Airlines** (☎ 274035 ; Jhansi Rd ; 10h-17h lun-sam), plus proche de la ville, offre des vols moins chers (Varanasi/Delhi à partir de 3 975/4 755 Rs) mais uniquement les lundi, mercredi et vendredi.

BUS

Si la **billetterie** (7h-12h et 13h-15h) de la gare routière est fermée, le propriétaire du stand de café Agrawal, non loin, est serviable et efficace.

Des bus réguliers rejoignent Jhansi (100-120 Rs, 5 heures, 8h à 15h45), Mahoba (40-50 Rs, 4 heures) et Madla (pour le Panna National Park ; 30 Rs, 1 heure 30). Il n'y a qu'un bus par jour pour Agra (270 Rs, 9 heures,

8h) et un pour Varanasi (250 Rs, 15 heures, 6h) via Mahoba, Chitrakut et Allahabad.

Trois bus rejoignent Satna (80-85 Rs, 3 heures 30, 8h, 14h et 15h), d'où vous prendrez le train pour Varanasi.

Au carrefour de Bamitha, à 11 km sur la Hwy 75, vous trouverez toute la journée des bus réguliers faisant la navette entre Gwalior, Jhansi et Satna. Pour aller à Bamitha, partagez une Jeep à plusieurs depuis la gare routière (10 Rs, 7h-19h).

TAXI

La **Yashowaran Taxi Driver Union** (☎9425143774) se trouve en face du Gole Market. Quelques tarifs : chutes de Raneh (400 Rs aller-retour), Panna National Park (1 000 Rs), Mahoba (1 100 Rs), Satna (1 500 Rs), Orchha (2 200 Rs), Allahabad (4 000 Rs), Varanasi (5 500 Rs) et Agra (5 500 Rs).

TRAIN

Longtemps attendue, la gare ferroviaire de Khajuraho devrait être en service lorsque vous lirez ces lignes. Un train – le *Khajuraho-Nizamuddin Express* 2447 – quittera Khajuraho à 18h15 les lundi, mercredi et samedi et fera halte à Mahoba (où vous pouvez avoir le train de 1h pour Varanasi), Harpalpur, Jhansi, Gwalior et Agra avant d'arriver à New Delhi à 5h25. Le train retour, le *Nizamuddin-Khajuraho Express* 2448, quittera Delhi à 21h35 les mardi, vendredi et dimanche, pour arriver à Khajuraho à 7h50 le lendemain matin.

Les billets de train s'achètent au **bureau des réservations** (☎274416 ; 🕒 8h-12h et 13h-16h tlj sauf dim) à la gare routière. Lors de notre passage, on annonçait l'ouverture d'un nouveau bureau de réservation ferroviaire au Tourist Interpretation & Facilitation Centre, juste au nord de la ville.

Comment circuler

Le vélo est un bon moyen de circuler dans Khajuraho. De nombreux magasins de location sont regroupés dans Jain Temples Rd (20 Rs/jour).

La course dans Khajuraho en rickshaw revient théoriquement à 10-20 Rs, et un circuit d'une demi-journée/journée à 100/200 Rs environ. Comptez environ le double en auto-rickshaw.

Pour l'aéroport, la course en taxi revient à 150 Rs ; 50 Rs en auto-rickshaw.

ENVIRONS DE KHAJURAHO

Chutes de Raneh

Ces **chutes** (☎07686-272622 ; Indiens/étrangers 15/150 Rs, moto 40/200 Rs, auto-rickshaw 80/400 Rs, voiture 200/1 000 Rs, guide obligatoire 40 Rs ; 🕒 6h-18h), situées à 18 km de Khajuraho, se fracassent 30 m plus bas. La billetterie se trouve à 2 km avant les cascades : si vous ne voulez pas débourser le prix d'entrée avec un véhicule, assez élevé, une bonne petite marche vous attend. Au niveau des chutes, des bateaux sont proposés à la location (à partir de 50 Rs), et vous pouvez voir des gavials du Gange (un crocodile gravement menacé) non loin, au **Ken Gharial Sanctuary** (🕒 9h-17h, fermé durant la mousson). Si vous voulez rejoindre le site à vélo, la route est signalisée depuis Khajuraho ; sinon, comptez 300/400 Rs l'aller-retour en auto-rickshaw/taxi.

Panna National Park

Malheureusement, les tigres de cette **réserve** (☎07732-252135 ; pour les tarifs, voir p. 708 ; sortie en bateau 150 Rs/h ; 🕒 aube-crépuscule oct-juin) ont quasiment disparu (voir l'encadré ci-dessous), mais c'est un endroit merveilleux pour observer des crocodiles voire, avec un peu de chance, un léopard. Sillonné par la rivière Ken, Panna est un parc paisible et pittoresque où il fait bon passer la journée en allant à Khajuraho ou en en revenant.

En venant de Khajuraho, à environ 300 m avant le pont sur la Ken sur votre

LES TIGRES DE PANNA : UNE VÉRITÉ DÉRANGEANTE

Il fut un temps où apercevoir un tigre était monnaie courante au Panna National Park, mais lors de notre visite, aucun n'avait été vu depuis près de deux ans.

"La population de tigres s'élève officiellement à 35 individus" déclare un guide sous le couvert de l'anonymat. "Mais honnêtement, je pense qu'il n'en reste aujourd'hui que quatre ou cinq. Il y a quelques années encore, nous voyions un tigre chaque fois que nous allions dans le parc. Aujourd'hui, plus rien."

La raison de ce déclin ? "La chasse et la mauvaise gestion du parc" assure-t-il. "La sécurité s'est largement améliorée : tout le parc est désormais clôturé, avec des miradors occupés par un garde 24h/24. Mais il est trop tard."

gauche se trouve le **Karnavati Interpretive Centre** (☎ 07732-275231 ; Indiens/étrangers 5/50 Rs ; 🕑 6h-18h), un centre d'accueil des visiteurs où est proposée une bonne introduction historique et écologique sur la région. Vous pouvez vous installer ici dans de grands bungalows au bord de l'eau (1 200 Rs) avec clim, TV, coin repas et véranda, ou bien, si vous êtes équipé, camper (100 Rs). Sur place, vous trouverez aussi un restaurant (plats 30-80 Rs) et pourrez organiser votre safari.

De l'autre côté du pont, Madla Gate, l'entrée la plus fréquentée du parc, se trouve à l'orée du village de Madla. Si vous ne passez pas la nuit ici, vous pouvez simplement y organiser votre safari. À quelques centaines de mètres dans le village se trouve la **Panna Tiger Reserve Tourist Hut** (☎ 09424791243 ; ch 500 Rs), avec 2 chambres spacieuses mais sommaires avec ventilateur.

Des bus réguliers relient Madla et Khajuraho (25 Rs, 1 heure). Pour Satna, prenez un bus direct (45 Rs, 2 heures 30) ou bien changez dans la ville voisine de Panna (10 Rs, 30 minutes).

MADHYA PRADESH ET CHHATTISGARH

SATNA

☎ 07672 / 229 300 habitants

Satna, sans intérêt pour les visiteurs, est néanmoins un carrefour pour les transports entre Khajuraho et les trois grandes réserves de tigres – Bandhavgarh, Kanha et Pench – dans la région de Jabalpur. Gares routière et ferroviaire sont distantes de 3 km (10/25 Rs en rickshaw/auto-rickshaw). Des DAB de la State Bank of India sont en face de la gare routière et à la gare ferroviaire, où vous trouverez également le comptoir **MP Tourism** (☎ 225471), parfois fermé.

L'**Hotel Savera** (☎ 407777 ; Rewa Rd ; s/d à partir de 950/1 050 Rs, avec clim à partir de 1 350/1 650 Rs ; ❄) est à 500 m de la gare routière. En face, **Maheshwari Bhoj** (plats 40-100 Rs), prépare une bonne cuisine.

En dehors des 4 bus qui vont à Khajuraho (75 Rs, 4 heures, 6h, 6h30, 9h, 14h30), vous pouvez passer par Panna (42 Rs, 2 heures, dernier bus 18h). Des bus partent aussi le matin pour Chitrakut (50 Rs, 3 heures, 6h à 10h30).

Il y a chaque jour 4 trains pour Varanasi (160/420/573 Rs, 7 heures), des trains fréquents pour Jabalpur (141/331/436 Rs, 3 heures) et 2 pour Umaria, pour le Bandhavgarh National Park (121/271/365 Rs ; 3 heures, 19h ; 4 heures, 22h15).

LA VOIX DU PARC

Nom Deepak

Lieu Panna National Park

Profession Naturaliste au Karnavati Interpretive Centre

Meilleur souvenir Assis avec trois visiteurs à l'ombre d'un arbre au bord de la rivière Ken dans l'espoir de voir des crocodiles, il a vu des gouttes de sang tomber sur sa chemise. Levant les yeux, il s'est aperçu qu'un léopard était assis dans les branches en train de dévorer un langur.

CENTRE DU MADHYA PRADESH

BHOPAL

☎ 0755 / 1,46 million d'habitants

Coupée en deux par un duo de lacs, Bhopal présente deux facettes étonnamment contrastées. Au nord se trouve la vieille ville, à majorité musulmane, quartier fascinant avec ses mosquées et souks bondés. La population de Bhopal est à 40% musulmane – l'une des plus fortes concentrations de musulmans en Inde. Les femmes portant le *niqab* (voile) noir rappellent que la ville fut gouvernée au XIXe siècle par des bégums musulmanes. L'usine Union Carbide, où se produisit la pire catastrophe industrielle de l'histoire mondiale (voir l'encadré p. 682), est au nord de la ville.

Au sud des lacs, Bhopal se révèle plus moderne, avec de larges artères, de grands centres commerciaux et des hôtels et restaurants haut-de-gamme nichés sur les collines Arera et Shamla qui dominent l'onde et la vieille ville.

Orientation

Les gares ferroviaire et routière sont à deux pas de Hamidia Rd – la principale artère hôtelière –, et le *chowk* très animé (marché ; carte p. 684) est un tout petit peu plus loin au sud-est. On accède à Hamidia Rd au bout du quai n°5 de la gare ferroviaire. Au bout du quai n°1, vous trouverez la consigne (vous devez avoir votre propre cadenas), MP Tourism, le bureau de poste et un DAB.

L'Upper Lake (6 km^2 ; voir carte p. 681) est séparé du Lower Lake (carte p. 681), plus petit, par une route reliant le dédale de ruelles de la vieille ville aux avenues ombragées de la ville nouvelle – appelée aussi TT Nagar ou

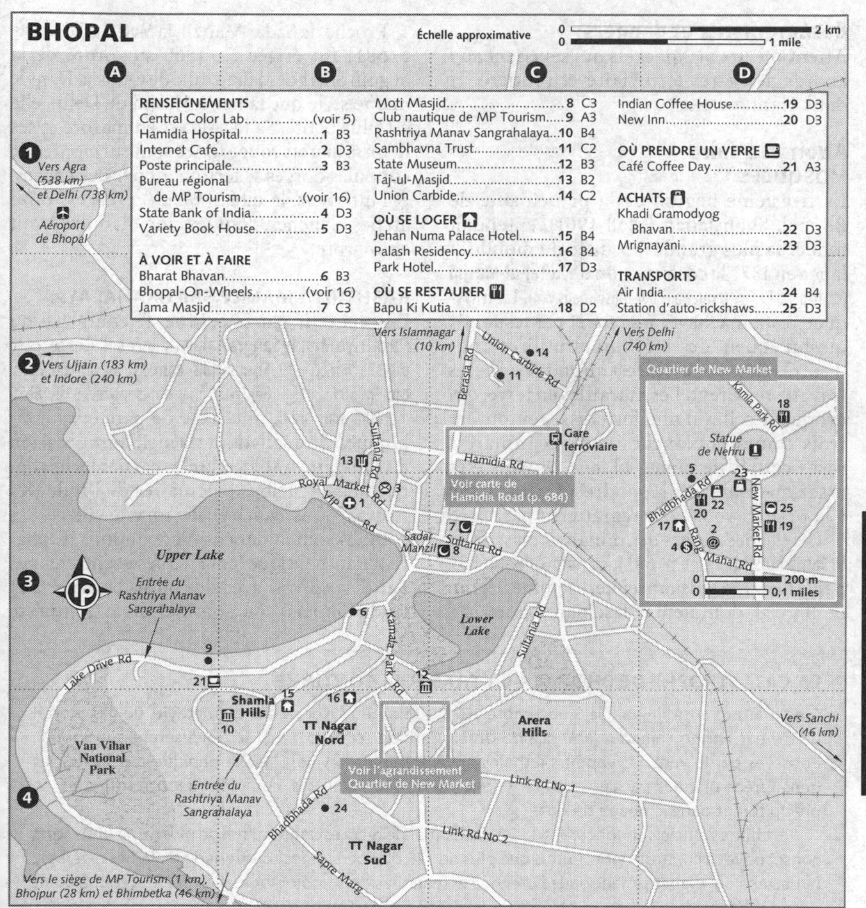

juste New Market. La plupart des boutiques, banques et prestataires de service se concentrent dans New Market, la zone commerçante de Bhopal.

Renseignements

Central Color Lab (carte p. 681 ; ☎ 4234000 ; GTB Complex, Bhadbhada Rd ; par CD 50 Rs ; 🕒 10h30-21h). Gravure de CD et développement de photos.

Hamidia Hospital (carte p. 681 ; ☎ 2540222 ; Royal Market Rd)

Internet Cafe (carte p. 681 ; Rang Mahal Rd ; 10 Rs/h ; 🕒 10h-22h). Bon marché, dans New Market.

MP Tourism aéroport (🕒 terminal des arrivées) ; siège (hors carte p. 681 ; ☎ 2774340, Bhadbhada Rd ; 🕒 10h-17h) ; bureau régional (carte p. 681 ; ☎ 3295040 ; Palash Residency, TT Nagar ; 🕒 10h-17h30) ; gare ferroviaire (p. 681 ; ☎ 2746827 ; 🕒 9h30-17h30). Réservations d'hôtels, de guides et de transports.

Poste principale (carte p. 690 ; ☎ 2531266 ; Sultania Rd ; 🕒 10h-19h tlj sauf dim). Autre guichet à la gare ferroviaire.

Raj Medical Store (pharmacie ; carte p. 684 ; ☎ 2744728 ; Hamidia Rd ; 🕒 9h-21h30)

Sainath Internet Cafe (carte p. 684 ; 15 Rs/h ; 🕒 9h-22h). Près de Hamidia Rd.

State Bank of India (carte p. 681 ; Rang Mahal Rd ; 🕒 10h30-16h30 lun-ven, 10h30-13h30 sam). Change les chèques de voyage et les espèces. D'autres DAB sont indiqués sur les cartes ; il y en a un à la gare ferroviaire.

Variety Book House (carte p. 681 ; 14-15 GTB Complex, Bhadbhada Rd ; 🕒 10h-21h30). Papeterie, cartes et guides Lonely Planet, mais aussi une belle sélection de romans en anglais.

Désagréments et dangers

Attention aux pickpockets qui sévissent aux abords des gares ferroviaire et routière, et dans Hamidia Rd.

À voir et à faire

MOSQUÉES

La troisième bégum de la principauté de Bhopal, Shah Jahan (1868-1901), entendait fonder la plus grande mosquée du monde et lança en 1877 la construction de la **Taj-ul-Masjid** (carte p. 681 ; fermée aux non musulmans ven). La mosquée resta inachevée à sa mort car les fonds qui lui étaient destinés furent utilisés pour d'autres chantiers. Ce n'est qu'en 1971 que les travaux reprirent. Les murailles en terre, qui évoquent celles d'une forteresse, entourent trois coupoles blanches et deux minarets roses coiffés de dômes blancs. Si vous êtes assez matinal pour répondre à l'*azan* (appel à la prière), vous ne le regretterez pas.

Les flèches dorées des minarets massifs de la **Jama Masjid** (carte p. 681), construite en 1837 par la bégum Qudsia, première femme bégum de Bhopal, dominent le fascinant bazar.

Proche de Sadar Manzil, la **Moti Masjid** (carte p. 681) fut érigée en 1860 sur ordre de la bégum Sikander Jahan, fille de Qudsia. Dans le même style que la Jama Masjid de Delhi, elle est plus petite. Sa façade est en marbre et ses deux minarets rouge foncé sont surmontés de coupoles dorées se terminant par des flèches. À l'intérieur, la qibla (*kiblah*) présente onze arches blanches, dont les cinq du milieu sont en marbre.

RASHTRIYA MANAV SANGRAHALAYA

En plein air sur la colline, le complexe du **Rashtriya Manav Sangrahalaya** (musée de l'Homme ; carte p. 681 ; ☎ 2661319 ; Shamla Hills ; entrée 10 Rs, véhicule 10 Rs, caméra 50 Rs ; 10h-17h30 mar-dim sept-fév, 11h-18h30 mar-dim mars-août), une sorte de parc ethnographique, offre sans doute la meilleure occasion de vous faire une idée sur les particularités des quelque 450 tribus originaires de l'Inde (les Adivasi) sans avoir à visiter un vrai village. Les collines sont jalonnées d'habitations d'apparence authentique (construites et entretenues par des Adivasi avec des outils et matériaux traditionnels). Au sommet de la colline se

LA CATASTROPHE DE BHOPAL – LA TRAGÉDIE CONTINUE

Cinq minutes après minuit, le 3 décembre 1984, 40 tonnes d'isocyanate de méthyle, un gaz mortel utilisé par l'usine chimique américaine Union Carbide (carte p. 681), se déversèrent sur Bhopal. Poussées par le vent, les vapeurs léthales enveloppèrent la ville. Dans la panique qui suivit, des gens furent piétinés par ceux qui tentaient de s'enfuir ; d'autres, complètement désorientés, se précipitèrent dans le nuage de gaz.

Les chiffres officiels annoncèrent 3 828 décès, mais le bilan est aujourd'hui de plus de 20 000 morts consécutives à la catastrophe, tandis que plus de 120 000 personnes souffrent de maladies diverses : hypertension, diabète, ménopause précoce et maladies dermatologiques. Les enfants connaissent des problèmes de croissance (cages thoraciques anormalement petites).

La fuite de gaz fut la conséquence de graves négligences au niveau de la maintenance et de mesures de restriction bugétaire. Des 3 milliards de dollars demandés en réparation, seuls 470 millions ont été versés par Union Carbide au gouvernement indien en 1989. Les nombreuses victimes ont reçu leurs dommages et intérêts au terme d'un long et difficile procès, ralenti par des manœuvres administratives pour écarter les "candidats" au titre de victime et par le rachat d'Union Carbide par Dow Chemical's en 2001. Acheteur et vendeur nient toute responsabilité.

L'Union Carbide a financé la construction d'un hôpital de plusieurs millions de dollars, et l'association caritative **Sambhavna Trust** (carte p. 681 ; ☎ 2730914 ; sambavna@sancharnet.in ; Bafna Colony, Berasia Rd ; 8h30-15h) traite plus de 200 patients par jour par le yoga, la médecine allopathique et panchakarmique (soin ayurvédique de désintoxication par massages aux huiles médicinales, bains de vapeur et lavements), et par des médicaments ayurvédiques préparés avec les herbes médicinales de son propre jardin. Les bénévoles peuvent travailler dans divers domaines, de l'administration au contrôle de la qualité de l'eau en passant par la recherche médicale ou la communication sur Internet. Ils sont nourris et logés dans l'excellent centre de l'organisation caritative. Les visiteurs et, évidemment, les dons sont toujours les bienvenus.

Pour en savoir plus, rendez-vous sur www.bhopal.org ou lisez *Il était minuit cinq à Bhopal,* de Dominique Lapierre et Javier Moro, ouvrage dont les droits sont reversés aux victimes.

trouvent un “sentier de la mythologie” et un musée plus classique.

STATE MUSEUM

Cet excellent **musée d'Archéologie** (carte p. 681 ; ☎2661856 ; Shamla Hills ; Indiens/étrangers 10/100 Rs, appareil photo/caméra 50/200 Rs ; ⏰ 10h30-17h30 mar-dim) expose notamment de magnifiques sculptures provenant de temples, ainsi que 87 bronzes jaïns découverts par hasard par un agriculteur dans l'ouest du Madhya Pradesh.

BHARAT BHAVAN

Le **centre culturel** (carte p. 681 ; ☎2660239 ; galeries/spectacles 10/20 Rs, entrée libre à la galerie ven ; ⏰ 14h-20h tlj sauf lun fév-oct, 13h-19h nov-jan) jouit d'une vue imprenable sur les lacs. Ce complexe, dédié à l'art moderne indien et aux sculptures et peintures ethniques, réunit une bibliothèque, des galeries d'art contemporain privées et un café. Fréquents spectacles (poésie, musique, théâtre) à 19h.

UPPER LAKE

Le club nautique **MP Tourism Boat Club** (carte p. 681 ; ☎3295043 ; Lake Drive Rd ; ⏰ 9h-18h30 hiver, 9h-19h30 été) propose sorties en bateau à moteur (40 Rs/pers pour 5 min, 3 pers minimum), pédalos (30 Rs/ pédalo, 30 min) et kayak (30 Rs/kayak, 30 min).

Circuits organisés

Bhopal-On-Wheels (adulte/enfant circuit 3 heures 60/30 Rs ; ⏰ 11h), une visite guidée à bord d'un petit bus ouvert, part de la **Palash Residency** (carte p. 681 ; ☎2553066 ; TT Nagar) et sillonne les collines et la vieille ville. Elle prévoit des arrêts, entre autres, au Lakshmi Narayan, au MP Tourism Boat Club et au Rashtriya Manav Sangrahalaya. Minimum 5 passagers.

Si le niveau du lac est suffisant, le **Lake Princess** (pont supérieur/inférieur climatisé 75/100 Rs ; ⏰ 18h30) croise sur l'Upper Lake pendant 45 minutes, au départ du MP Tourism Boat Club (ci-dessus).

Où se loger

Tous ces hôtels, y compris ceux pour les petits budgets, ajoutent 10 à 15% de taxe aux tarifs affichés.

HAMIDIA ROAD

Hotel Rama International (carte p. 684 ; ☎2740542 ; 2 Hamidia Rd ; s/d 275/325 Rs, avec clim 550/600 Rs ; ❄). Les chambres spacieuses de cet hôtel indien à l'ancienne présentent un sol carrelé propre et du bon mobilier en bois. Bien plus avantageux que ses voisins tournés vers la clientèle étrangère, mais attendez-vous à des incompréhensions liées à la langue.

Hotel Richa (carte p. 684 ; ☎ 4231980 ; 1 Hamidia Rd ; s 320-370 Rs, d 400-450 Rs, s/d avec clim 570/700 Rs, ste 900 Rs ; ❄). Les chambres les moins chères offrent un bon rapport qualité/prix, avec films hollywoodiens à la TV et mobilier correct. On regrette les tapis pas très nets.

Hotel Ranjit (carte p. 684 ; ☎ 2740500 ; ranjeethotels@sancharnet.in ; 3 Hamidia Rd ; s 350-500 Rs, d 500-650 Rs, avec clim s 550-650 Rs, d 700-800 Rs ; ❄). Chambres assez petites, mais même les moins chères sont propres et accueillantes, équipées de TV, de quelques œuvres d'art et de jolis couvre-lits. Le bar-restaurant (plats 72-126 Rs, bière 99 Rs) est très couru.

Hotel Sonali (carte p. 684 ; ☎ 2740880 ; sonalinn@san charnet.in ; Radha Talkies Rd ; s/d à partir de 450/495 Rs, avec clim et petit déj s 600-750 Rs, d 750-850 Rs, ste à partir de 1 000 Rs ; ❄ 💻). Un service excellent et de grandes chambres au carrelage éblouissant font de cette adresse le meilleur hôtel autour de Hamidia Rd. Certaines chambres sans clim ont des tapis plutôt élimés, mais toutes ont la TV, et vous avez accès à Internet 24h/24 dans le hall.

VILLE NOUVELLE

Park Hotel (carte p. 681 ; ☎4057711 ; Rang Mahal Rd ; s 500-650 Rs, d 600-750 Rs, avec clim s 700-800 Rs, d 900-1 000 Rs, ste 1 100/1 400 Rs ; ❄). Chambres élégantes avec marbre au sol, mobilier de bois sombre, TV et balcon, au cœur de New Market.

Palash Residency (carte p. 681 ; ☎ 2553066 ; palash@mptourism.com ; TT Nagar ; s 1 790-2 690 Rs, d 2 090-2 990 Rs ; ❄). Des couloirs blancs desservent 33 chambres propres, spacieuses et climatisées, toutes confortables mais sans grand charme, aux sdb petites pour cette gamme de prix. Sur place, bar et restaurant.

Jehan Numa Palace Hotel (carte p. 681 ; ☎ 2661100 ; www.hoteljehanumapalace.com ; 157 Shamla Hill ; avec petit déj, cottage s/d 2 950/3 550 Rs, s 3 950-5 950 Rs, d 4 850-6 850 Rs, ste 9 550-12 000 Rs ; ❄ 💻 📶 🏊). Transformé en hôtel haut de gamme, ce palais du XIXe siècle n'a rien perdu de son charme colonial. Des arcades et des pelouses tirées au cordeau vous conduiront dans des chambres merveilleusement décorées. La piscine est bordée de palmiers, le spa excellent et les restaurants au nombre de trois, dont un à l'ombre d'un énorme manguier.

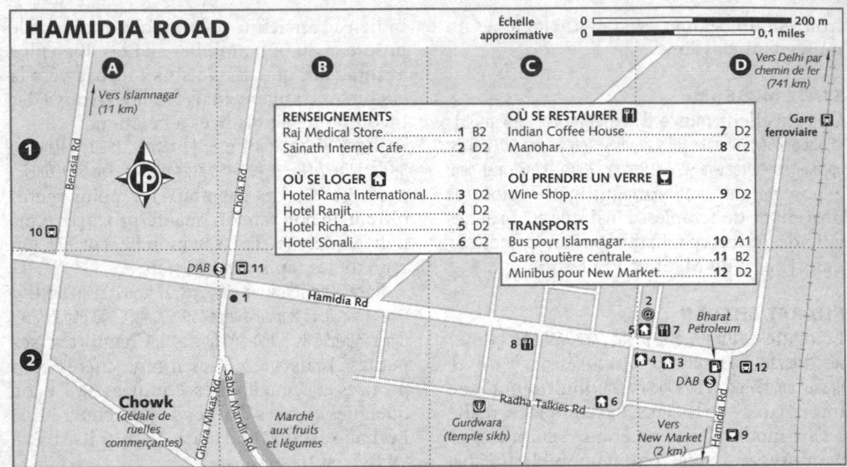

Où se restaurer et prendre un verre

Manohar (carte p. 684 ; 6 Hamidia Rd ; plats 24-74 Rs ; 6h-23h). Il n'y a que du *chhole* (pois chiches massala servis avec du *puri*, une crêpe salée qui gonfle à la friture) pour accompagner votre thé ou café matinal, mais les plats – pizza, cuisine chinoise et d'Inde du Sud – sont servis dès le midi. Un comptoir séparé offre un choix impressionnant de confiseries indiennes.

Bapu Ki Kutia (carte p. 681 ; Sultania Rd ; plats 35-70 Rs ; 10h-23h). La "cabane de papa" sert une délicieuse cuisine végétarienne indienne depuis les années 1960 et est si courue qu'il vous faudra peut-être partager une table. Il y a une carte en anglais, mais pas d'enseigne en anglais, simplement la photo d'une cabane de plage et d'un palmier au-dessus de la porte.

Indian Coffee House (carte p. 684 ; Hamidia Rd ; plats 35-85 Rs ; 7h-22h30). Moins propre que l'enseigne de New Market (carte p. 681), mais excellente adresse pour un petit-déjeuner avec café filtre et œufs brouillés. Tous les incontournables de l'Inde du Sud – *dosa*, *idli* et *vada* (beignet salé aux lentilles) – sont là, de même que les turbans blancs des serveurs.

New Inn (carte p. 681 ; Bhadbhada Rd ; plats 40-110 Rs ; 8h-22h30). Sur deux niveaux, ce restaurant propre a une carte à bons prix et des serveurs en gilet et nœud papillon. Les options pour le petit-déjeuner sont bonnes, notamment le café filtre (10 Rs), mais ce sont les plats, savoureux, qui raflent la mise : amateurs d'épices, ne partez pas sans avoir goûté au *mattar paneer* (curry de petit pois et fromage frais).

Café Coffee Day (carte p. 681 ; Lake Drive Rd ; café à partir de 28 Rs ; 8h30-22h30). Bon café frais, en-cas trop chers, et la meilleure vue de la ville, appréciée par la jeunesse de Bhopal.

Wine Shop (carte p. 684 ; Hamidia Rd ; bière pression 30 Rs ; 9h30-24h). Ce vendeur d'alcools (parmi d'autres) sur cette partie de Hamidia Rd a l'atout indéniable de fournir de la bière pression. Mais comme il n'y a ni table ni chaise, vous devrez la boire sur le trottoir.

Achats

New Market et ses petites boutiques et échoppes ainsi que le *chowk*, avec son dédale de ruelles, sont les deux principaux quartiers commerçants, non loin de la Jama Masjid (p. 682). On y trouve de délicats bijoux en or et en argent, des saris tissés, des jupes brodées à la main, et des sacs en *jari* (broderies incrustées d'éclats de miroir), typiques de Bhopal.

Mrignayani (carte p. 681 ; 23 New Market Shopping Centre ; 11h-14h30 et 15h30-20h tlj sauf lun). Cette boutique d'État vend des produits d'artisanat à prix fixes – ce qui évite d'avoir à négocier –, plus élevés qu'ailleurs.

Khadi Gramodyog Bhavan (carte p. 681 ; Bhadbhada Rd ; 11h-20h). Pyjamas, foulards et chemises en khadi de coton, et d'autres vêtements de qualité en khadi de soie. Service de tailleur sur mesure (vêtement prêt le lendemain).

Depuis/vers Bhopal

AVION

Air India (carte p. 681 ; 2770480 ; Bhadbhada Rd ; 10h-17h tlj sauf dim) dessert quotidienne-

TRAINS UTILES AU DÉPART DE BHOPAL

Destination	N° et nom du train	Tarifs (Rs)	Durée	Horaires
Agra	2627 *Karnataka Exp*	247/641/866	7 heures	23h50
Delhi	2621 *Tamil Nadu Exp*	299/785/1 066	10 heures 30	20h35
Gwalior	1077 *Jhelum Exp*	172/480/655	6 heures	9h15
Indore	2920 *Malwa Exp*	163/403/537	5 heures	7h50
Jabalpur	8233 *Narmada Exp*	166/418/596	7 heures	23h35
Jaipur*	491 *BPL JU Passenger*	168	16 heures 30	17h10
Mumbai	2138 *Punjab Mail*	330/872/1 188	14 heures 30	17h
Raipur	8238 *Chhattisgarh Exp*	273/709/1 016	14 heures 30	18h55
Ujjain	2920 *Malwa Exp*	141/326/430	3 heures 30	7h50

**Sleeper* uniquement

ment Delhi (à partir de 4 755 Rs, 1 heure) et Mumbai (à partir de 4 955 Rs, 2 heures) via Indore (4 000 Rs, 20 min).

BUS

De la **gare routière centrale** (carte p. 684 ; ☎ 4257602 ; Hamidia Rd), des bus partent pour Bhimbetka (30 Rs, 1 heure), Sanchi (25 Rs, 1 heure 30), Vidisha (35 Rs, 2 heures), Indore (110 Rs, 5 heures) et Ujjain (110 Rs, 5 heures). Chaque jour, 5 bus se rendent à Pachmarhi (113 Rs, 6 heures, 5h15, 6h15, 8h15, 10h15, 15h) et des bus privés réguliers rallient Jabalpur (180 Rs, 9 heures).

TRAIN

Plus de 20 trains rejoignent chaque jour Gwalior et Agra et plus de 10 vont à Ujjain et Delhi. Voir l'encadré ci-dessus.

Comment circuler

Des minibus et des bus (5 Rs les deux) partent en permanence pour New Market au coin de Hamidia Rd. Les auto-rickshaws demandent environ 40 Rs pour ce trajet. L'aéroport est à 16 km au nord-ouest du centre de Bhopal ; comptez 100/200 Rs en auto-rickshaw/taxi.

ENVIRONS DE BHOPAL

Islamnagar

À 11 km au nord de Bhopal, cette ville fortifiée, première capitale de l'État de Bhopal, fut bâtie sous le nom de Jagdishpur par les Rajput. Dost Mohammed Khan l'occupa et la rebaptisa au début du XVIIIe siècle. L'enceinte, toujours existante, renferme deux villages et des vestiges, dont deux **palais** (Indiens/étrangers 10/250 Rs ; ⏰ aube-crépuscule), le Chaman Mahal et le Rani Mahal.

Le **Chaman Mahal** (XVIIIe siècle) est une synthèse des architectures hindoue et islamique, l'influence bengalie s'exprimant par les avant-toits. Le jardin d'eau moghol est l'atout majeur du lieu. On trouve aussi un centre d'information des visiteurs – servant une version fragmentée de l'histoire régionale –, et un hammam sombre et frais, avec vestiaire et petits bassins.

À côté, se trouve le **Rani Mahal** (XIXe siècle) avec son Diwan-i-Am entouré d'une solide colonnade. Dehors, huit énormes coffres en fer furent sans doute rapportés des *hathi khana* (écuries à éléphants) voisines.

Prenez un *tempo* ou un bus (10 Rs les deux) en haut de Beresia Rd (carte p. 684) – prévoyez un changement – ou un auto-rickshaw (100 Rs).

Bhojpur

Bâtie par le fondateur de Bhopal, le raja Bhoj (1010-1053), Bhojpur fut autrefois dotée d'un lac artificiel de 400 km^{2}, détruit au XVe siècle par Hoshang Shah, souverain de Mandu et grand démolisseur de barrages. Heureusement, le magnifique **Bhojeshwar Temple** réchappa aux destructions.

De forme carrée et d'une grande sobriété, ce temple hindou vieux de mille ans ne paie pas de mine de l'extérieur, mais son intérieur, soutenu par quatre gigantesques piliers et abritant le plus haut lingam de Shiva (environ 6,60 m), dégage une authentique puissance. De belles sculptures voisinent désormais avec un plafond en nid-d'abeilles partiellement restauré.

C'est grâce à l'imposante rampe de pierre, située à l'arrière, que ces roches énormes ont sans doute été placées sur la plate-forme du temple, à plus de 5 m de haut. À l'écart sur le côté, des blocs de roche protégés laissent

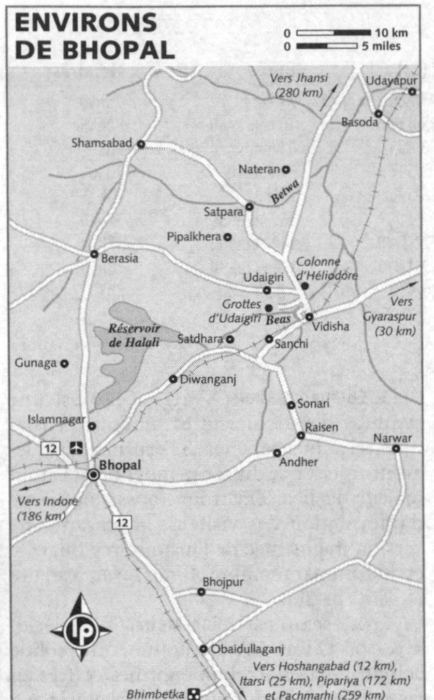

deviner un projet de temple plus grandiose encore qui n'a jamais été mené à terme.

Prenez le bus pour Bhimbetka jusqu'à l'embranchement de Bhojpur (10 Rs, 30 min), puis un *tempo* (10 Rs) pendant 11 km jusqu'au temple.

Bhimbetka

Plus de 700 **abris sous roche** (Indiens/étrangers 10/100 Rs, véhicule 50/200 Rs ; aube-crépuscule), dont environ 500 comportent des peintures préhistoriques, se cachent au beau milieu d'une forêt de tecks et de sals, au creux des falaises escarpées, à 46 km au sud de Bhopal.

Grâce à la qualité des pigments naturels rouges et blancs utilisés, les couleurs sont remarquablement bien conservées. Dans plusieurs grottes, les parois sont couvertes de peintures qui se superposent selon les périodes : buffles sauvages (gaurs), rhinocéros, ours, tigres, scènes de chasse, cérémonies d'initiation, naissances, rites religieux et inhumations.

De couleur rouge, les plus anciennes (du paléolithique supérieur) représentent des bêtes énormes remontant probablement à 12 000 ans. Sur celles des périodes postérieures, apparaissent des représentations d'armes de chasse, d'échanges avec les communautés d'agriculteurs des plaines Malwa, puis des scènes religieuses figurant des arbres divinisés. Les peintures les plus récentes ne sont que des formes banales, géométriques, datant certainement de l'époque médiévale.

Les grottes sont faciles à trouver. Quinze sont accessibles et il suffit de suivre les panneaux numérotés sur un sentier bétonné. Le **Zoo Rock Shelter** (Shelter 4), célèbre pour la diversité des animaux représentés, se trouve au début de la visite ; celle-ci se termine par la grotte **Shelter 15**, dans laquelle un gigantesque bison rouge s'attaque à un homme sans défense. Il n'y a pas de buvette sur place ; prévoyez de l'eau.

Highway Treat Bhimbetka (☎ 07480-281558 ; ch 890 Rs ;), doté d'un agréable café-restaurant (plats 60-100 Rs), d'une aire de jeux pour les enfants et de 5 chambres confortables et climatisées, se trouve près de l'embranchement pour Bhimbetka, à 3 km des abris. De là, la billetterie est à mi-chemin du site.

Demandez au chauffeur de bus de vous déposer à l'embranchement pour Bhimbetka, à 6,5 km d'Obaidullaganj. Les grottes sont à 45 minutes (3 km) de marche de l'embranchement. Autre solution : prendre un auto-rickshaw depuis Obaidullaganj.

Au retour, hélez n'importe quel véhicule de passage (les bus s'arrêtent rarement) allant jusqu'à Obaidullaganj (on devrait vous prendre pour 5 Rs), où vous trouverez des bus pour Bhopal (20 Rs).

SANCHI

☎ 07482 / 6 790 habitants

Au-dessus des plaines, à 46 km au nord-est de Bhopal, des constructions bouddhiques comptant parmi les plus anciennes du pays s'élèvent au sommet d'une colline.

En 262 av. J.-C., horrifié par les massacres qu'il avait infligés à la population de Kalinga (dans l'actuel Orissa), l'empereur maurya Ashoka (voir l'encadré p. 39) embrassa le bouddhisme. Pour faire pénitence, il construisit le Grand Stupa de Sanchi, près du lieu de naissance de son épouse. Cet immense dôme, premier monument bouddhique de la région, servait à conserver des reliques. De nombreux autres stupas furent construits par la suite.

Alors que l'hindouisme prenait peu à peu le pas sur le bouddhisme, le site se dégrada et tomba dans l'oubli. En 1818, un officier de l'armée britannique redécouvrit les trésors de Sanchi.

Bien qu'on puisse visiter Sanchi depuis Bhopal, il est agréable de passer la nuit dans ce village à la croisée des chemins ; en outre, plusieurs petits circuits peuvent y être organisés.

Orientation et renseignements

La route Bhopal-Vidisha passe par Monuments Road, qui relie la gare aux stupas sur la colline.

Canara Bank (Monuments Rd ; 10h30-16h lun-ven, 10h30-13h sam). Change les chèques de voyage et les devises.

Centre de santé (266724 ; Monuments Rd ; consultation 100 Rs ; 9h-13h, tlj sauf dim)

Internet (40 Rs/h ; 8h-22h30). Au marché.

Poste (Monuments Rd ; 9h-15h tlj sauf dim)

À voir

Sur la colline, vous rejoindrez les **stupas** (Indiens/étrangers 10/250 Rs, voiture 10 Rs, musée 5 Rs ; aube-crépuscule) par un sentier et des marches de pierre au bout de Monuments Rd, où se trouve la billetterie. Sur le site lui-même, au sommet de la colline, le Publication Sale Counter (guichet de vente des publications) vend des cartes postales et des guides.

Pour admirer les stupas au lever du soleil, achetez votre billet la veille. Les monuments bouddhiques se contournent dans le sens des aiguilles d'une montre.

STUPA 1

Le Grand Stupa, remarquable par ses proportions, est le principal édifice construit sur la colline. Érigé par Ashoka, il fut par la suite agrandi, et le stupa de briques d'origine, recouvert par un second en grès. Il fait aujourd'hui 16 m de haut et 37 m de diamètre. Entourant le stupa, un mur comporte quatre toranas (portiques sculptés situés à l'entrée d'un lieu sacré), qui comptent parmi les plus belles œuvres d'art bouddhiques de Sanchi, voire du pays.

TORANA

Les quatre portiques, érigés vers 35 av. J.-C., s'étaient effondrés avant la découverte du site. Les scènes sculptées sur les piliers et leur triple architrave sont essentiellement des épisodes du *Jataka*, recueil de contes décrivant les vies antérieures du Bouddha. À cette époque, l'art bouddhique ne représentait pas le Bouddha, sinon au travers de symboles. Ainsi, le lotus figure sa naissance ; l'arbre de la Bodhi (ficus ou pipal), son Éveil ; la roue, son enseignement ; enfin, son trône et l'empreinte de son pied, sa présence. Le stupa représente lui aussi le Bouddha.

Portique nord

Le portique nord, surmonté d'une roue du dharma brisée, est le torana le mieux préservé. On y voit un singe offrant un bol de miel au Bouddha, dont la présence est signalée par l'arbre de la Bodhi (colonne ouest). Sur le panneau du Miracle de Sravasti, le Bouddha – toujours symbolisé par l'arbre de la Bodhi – gravit une route dans les airs. Face aux quatre points cardinaux, des éléphants soutiennent les architraves au-dessus des colonnes, tandis que des *yakshi,* jeunes filles nonchalantes, délicatement sculptées, se tiennent de part et d'autre du portique.

Portique est

La sublime *yakshi* se détachant d'une architrave est l'une des plus célèbres sculptures de Sanchi. L'un des piliers, soutenu par des éléphants, montre des scènes de l'entrée du Bouddha dans le nirvana. Sur un autre est représenté le rêve de l'éléphant sur la Lune que fit Maya lorsqu'elle conçut le Bouddha. Sur l'architrave centrale figure la scène du Grand Départ, où le Bouddha (un cheval sans cavalier) renonce à la vie matérielle et part en quête de l'Éveil.

Portique sud

Ce portail, le plus ancien, présente des moments de la vie d'Ashoka après sa conversion au bouddhisme, des scènes de la naissance du Bouddha, ainsi qu'une représentation du Grand Départ. Les deux couples de lions dos à dos qui soutiennent l'arche sont aujourd'hui l'emblème national de l'Inde et figurent sur tous les billets. Vous y verrez aussi la représentation du Chhaddanta Jataka, qui raconte comment le Bodhisattva (Bouddha avant l'Éveil) prit la forme d'un roi-éléphant à six défenses. L'une des deux épouses de ce dernier, si jalouse de la favorite, décida de se laisser mourir de faim et fit le vœu de ressusciter en reine de Bénarès afin d'avoir le pouvoir de se venger de son époux. Son vœu fut exaucé, et, devenue reine, elle ordonna à des chasseurs de poursuivre et de tuer le roi-éléphant. L'un d'entre eux le

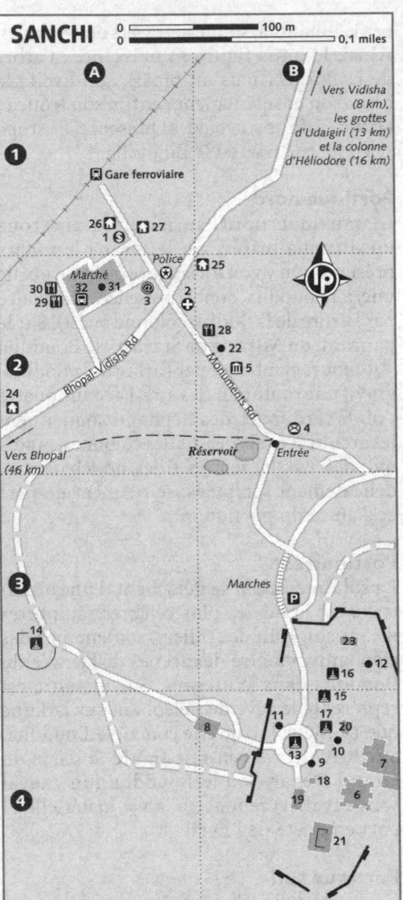

RENSEIGNEMENTS
Canara Bank....1 A1
Centre de santé....2 A2
Internet....3 A2
Poste....4 B2

À VOIR ET À FAIRE
Musée d'Archéologie....5 B2
Grand Bol....(voir 8)
Édifice médiéval....6 B4
Monastères 45 et 47....7 B4
Monastère 51....8 B4
Colonne 10....9 B4
Colonne 25....10 B4
Colonne 35....11 B4
Publication Sale Counter....12 B3
Stupa 1....13 B4
Stupa 2....14 A3
Stupa 3....15 B4
Stupa 4....16 B3
Stupa 5....17 B4
Temple 17....18 B4
Temple 18....19 B4
Temple 31....20 B4
Temple 40....21 B4
Billetterie....22 B2
Vihara....23 B3

OÙ SE LOGER
Gateway Retreat....24 A2
Krishna Hotel....25 B2
New Jaiswal Lodge....26 A1
Sri Lanka Mahabodhi Society Guest House....27 A1

OÙ SE RESTAURER
Gateway Cafeteria....28 B2
Pal Restaurant....29 A2
Pathak Restaurant....30 A2

TRANSPORTS
Location de vélos....31 A2
Gare routière....32 A2

trouva mais avant qu'il ne le tue, l'éléphant lui remit ses défenses, un acte si noble que la reine en mourut de remords.

Portique ouest

Des nains bedonnants soutiennent les architraves de ce portique, qui s'enorgueillit de quelques-unes des scènes les plus intéressantes du site. L'architrave du haut présente sept incarnations différentes du Bouddha, trois sous la forme d'un stupa et quatre sous celle d'un arbre. La face arrière de l'un des piliers montre le Bouddha résistant à la tentation de Mara (personnification du diable, souvent appelé le diable bouddhique), tandis que des démons s'enfuient et que des anges saluent sa résistance.

AUTRES STUPAS

Le **stupa 2** est à mi-hauteur sur le flanc ouest. Si on est monté par la route principale, on peut redescendre en passant devant le stupa 2. Aucun portique n'y donne accès. Des médaillons au dessin naïf, mais expressif et imaginatif, ornent la balustrade qui l'entoure.

Plus petit, le **stupa 3**, au nord-est du Grand Stupa, est construit sur le même plan et possède un portique finement sculpté. Il renfermait jadis les reliques de deux importants disciples du Bouddha, Sari Puttha et Maha Moggallana. Elles furent transférées à Londres en 1853, restituées en 1953 et sont maintenant conservées dans le moderne vihara. Le Chethiyagiri Vihara Festival se tient ici en novembre (voir l'encadré p. 661).

Seule la base du **stupa 4,** édifice du IIe siècle av. J.-C., est encore visible. Il se trouve juste derrière le stupa 3. Entre les stupas 1 et 3 se trouve le **stupa 5**, inhabituel parce qu'il abritait autrefois une image du Bouddha aujourd'hui exposée au musée.

COLONNES

Des colonnes, entières ou en fragments, sont disséminées sur tout le site. La plus importante est la **colonne 10** (Pillar 10), érigée par Ashoka, mais détruite par la suite. Deux tronçons du fût, de belles proportions et magnifiquement sculptés, sont sous un abri à 20 m de là ; le chapiteau (sommet de la colonne, généralement sculpté) est visible dans le musée (voir p. 689). La **colonne 25**, de la période Sunga (IIe siècle av. J.-C.), et la **colonne 35** (Ve siècle) n'ont pas la finesse de la colonne 10.

TEMPLES

Le **temple 18** est un *chaitya* (salle de prière ou de réunions) d'un style étonnamment proche de celui des temples grecs classiques à colonnes. Il fut construit vers le VIIe siècle, mais on a retrouvé la trace de bâtiments plus anciens dans les fondations. Tout près, le petit **temple 17** rappelle aussi l'architecture hellène. Certaines parties du grand **temple 40**, plus au sud-est, datent de l'époque d'Ashoka.

Le **temple 31** fut édifié au VIe ou VIIe siècle, puis reconstruit au Xe ou au XIe siècle. De forme rectangulaire, il abrite une statue du Bouddha.

MONASTÈRES

Les premiers monastères, construits en bois, ont disparu depuis longtemps. Le plan classique prévoit une cour centrale entourée par les cellules des moines. Les **monastères 45** et **47**, sur la crête orientale, datent de la période de transition du bouddhisme à l'hindouisme, comme en témoigne la nette présence d'éléments hindous dans leur architecture. Le monastère 45 renferme deux bouddhas assis, celui de l'intérieur est exceptionnel.

Derrière le **monastère 51**, à mi-hauteur de la colline en direction du stupa 2, le **Grand Bol** (Great Bowl), creusé dans un rocher, servait à recueillir la nourriture et les offrandes destinées aux moines. Le **vihara** (🕑 9h-17h) fut construit pour abriter les reliques du stupa 3 après leur restitution. Elles sont visibles le dernier dimanche du mois.

MUSÉE D'ARCHÉOLOGIE

Ce **musée** (5 Rs ; 🕑 10h-17h sam-jeu) contient une petite collection de sculptures du site, dont les pièces les plus remarquables sont un chapiteau à têtes de lions qui couronnait la colonne d'Ashoka, un *yakshi* suspendu à un manguier, et des effigies en grès rouge – étonnamment sereines – du Bouddha, parmi les plus anciennes jamais découvertes.

Où se loger et se restaurer

Sri Lanka Mahabodhi Society Guest House (☎ 2266699 ; Monuments Rd ; d et tr 100-150 Rs, avec clim et sdb 350 Rs ; ❄). Les bouddhistes séjournent ici dans le cloître autour d'un paisible jardin ; il y a même une salle de prière. Les moines sont sympathiques, et l'endroit très avantageux si vous acceptez le côté sommaire des chambres et les sdb communes.

Krishna Hotel (☎ 266610 ; Bhopal-Vidisha Rd ; dort 100 Rs, d 200-250 Rs). Les chambres simples, sur le toit, avec toilettes à l'occidentale, sont légèrement plus chères que celles du devant, plus sombres et plus bruyantes. Un grand hall sert parfois de dortoir. Au-dessus de la Jaiswal Medical Store.

New Jaiswal Lodge (☎ 266508 ; Monuments Rd ; d/tr 200/300 Rs). Juste devant la gare ferroviaire, cette adresse accueillante, autour d'une cour colorée, offre des chambres basiques avec toilettes à l'occidentale.

Gateway Retreat (☎ 266723 ; www.mptourism.com ; Bhopal-Vidisha Rd ; s/d avec petit déj 1 490/1 690 Rs, ste 1 990 Rs ; ❄). Cet hôtel MP Tourism est le plus élégant de Sanchi : chambres climatisées de bonne qualité autour de jardins bien tenus, bar (bière 120 Rs) et restaurant (plats 45-125 Rs, 7h-23h).

Gateway Cafeteria (☎ 266743 ; Monuments Rd ; plats 35-110 Rs ; 🕑 7h-22h30). MP Tourism gère également cet établissement doté de 2 chambres climatisées à 4 lits (par lit 150 Rs).

Près de la gare routière, **Pal Restaurant** (🕑 9h-22h) et son voisin Pathak Restaurant préparent des *thali* végétariens pour 30 Rs.

Comment s'y rendre et circuler

Des bus relient fréquemment Sanchi à Bhopal (25 Rs, 1 heure 30, de 6h à 20h) et Vidisha (5 Rs, 20 min, de 6h à 19h30). Mieux vaut attendre les bus au carrefour, certains ne daignant pas entrer dans la gare routière.

Quatre trains circulent quotidiennement de Bhopal à Sanchi (sleeper 121 Rs, 40 min) à 8h, 15h15, 17h10 et 18h. Seuls trois repartent dans le sens inverse (8h, 8h40 et 16h30) et ils mettent presque deux fois plus de temps.

Des vélos sont en location au marché pour environ 4 Rs/h (de 8h à 19h).

ENVIRONS DE SANCHI

Vidisha

☎ 07592 / 125 460 habitants

Cette bourgade petite mais très animée, à 8 km au nord-est de Sanchi, fut un grand centre marchand aux Ve-VIe siècles avant notre ère. De nos jours, c'est un bel endroit pour une balade ou une pause *chai* (thé) en chemin vers les grottes d'Udaigiri (ci-dessous).

Bordant les rues du marché que se partagent scooters, rickshaws et chariots tirés par des chevaux, nombre de charmants édifices blanchis à la chaux ou peints conservent de vieux balcons de bois. La vieille ville, qui s'étend sur la gauche de l'axe principal venant de Sanchi, est jalonnée de plusieurs temples aux couleurs vives.

Après la ville, de l'autre côté de la ligne de chemin de fer, se trouve le poussiéreux **District Museum** (musée du District, Sagar-Vidisha Rd ; Indiens/étrangers 5/50 Rs, appareil photo 50 Rs ; 🕑 10h-17h mar-dim), qui expose quelques belles sculptures découvertes dans la région. La plus impressionnante, haute de 3 m, date du IIe siècle av. J.-C. et représente Kuber Yaksha, le trésorier des dieux, juste à l'entrée.

Il suffit de 30 min à vélo depuis Sanchi pour atteindre Vidisha, mais il y a des bus fréquents (5 Rs, 20 min, jusqu'à 19h30).

MADHYA PRADESH ET CHHATTISGARH

Grottes d'Udaigiri

Une vingtaine de **sanctuaires troglodytiques gupta** (🕑 aube-crépuscule) sont creusés dans une colline de grès, à 5 km au nord-ouest de Vidisha. Ils dateraient, d'après une inscription, du règne de Chandragupta II (382-401). Tous sont hindous, sauf deux grottes jaïnes (n°1 et 20), près du sommet de la colline, toutes deux fermées à cause de la vétusté de leurs plafonds.

La grotte n°4 abrite un lingam orné du visage de Shiva avec un troisième œil. La grotte n°5 renferme un superbe Vishnu incarné en sanglier, surmonté d'une frise représentant des dieux que l'on retrouve à l'entrée de la grotte n°6. La grotte n°7, au plafond taillé en forme de lotus, fut érigée à l'intention exclusive de Chandragupta II. Les ruines au sommet de la colline sont celles d'un temple gupta du VIe siècle dédié au dieu du Soleil.

Pour venir de Sanchi à vélo, prenez la direction de Vidisha puis, 50 m après la gare routière (toujours sur la route principale depuis Sanchi), prenez à gauche après un petit temple blanc et continuez dans la fascinante vieille ville. Traversez tout le centre puis quittez la ville jusqu'à la rivière Betwa River, où un panneau indique les grottes sur votre gauche. En rickshaw, comptez 50 Rs l'aller-retour depuis Vidisha, 100 Rs depuis Sanchi.

Colonne d'Héliodore

Après les grottes d'Udaigiri, continuez tout droit sur 3 km jusqu'à la **colonne d'Héliodore** (Khamb Baba), édifiée vers 140 av. J.-C. et dédiée à Vasudeva. Les pêcheurs locaux vénèrent la colonne. Par les nuits de pleine lune, l'un d'eux se fait enchaîner à son fût. Pris de possession, il chasse les mauvais esprits qui se sont emparés des autres villageois. Quand une personne est enfin exorcisée, elle plante un clou dans le tamarinier, puis y accroche un citron vert, un morceau de noix de coco, un ruban rouge et le mauvais esprit. Ce grand arbre est planté d'une multitude de vieux clous.

PACHMARHI

☎ 07578 / 11 370 habitants / altitude 1 067 m

Cette petite station d'altitude, qui compte dans ses environs des cascades, des temples troglodytiques et les sommets boisés du Satpura National Park, offre un rafraîchissant contraste avec la chaleur torride du centre de l'Inde.

Même si vous ne prévoyez ni trek organisé ni safari en Jeep, vous pouvez passer quelques jours ici à visiter les nombreux sites à vélo ou à pied avant de faire un petit plongeon dans l'une des piscines naturelles qui parsèment la région.

Le capitaine J. Forsyth, explorateur, "découvrit" Pachmarhi en 1857 et y fonda le premier Forestry Department (département forestier) à Bison Lodge, en 1862. Peu après, l'armée britannique, toujours à la recherche de climats plus frais, y installa son QG régional, inaugurant ainsi un voisinage qui perdure entre la station et l'armée.

Orientation

La route principale qui rejoint Pachmarhi passe devant la gare routière à l'extrémité nord-ouest de la ville, où vous trouverez un bazar, plusieurs hôtels et d'adorables édifices blanchis à la chaux aux ornements (poutres, balcons) en bois. La rue bifurque ensuite au sud-ouest sur environ 2 km, conduisant au carrefour de Jaistambha, où sept routes se croisent. D'autres lieux d'hébergement sont regroupés à cet endroit.

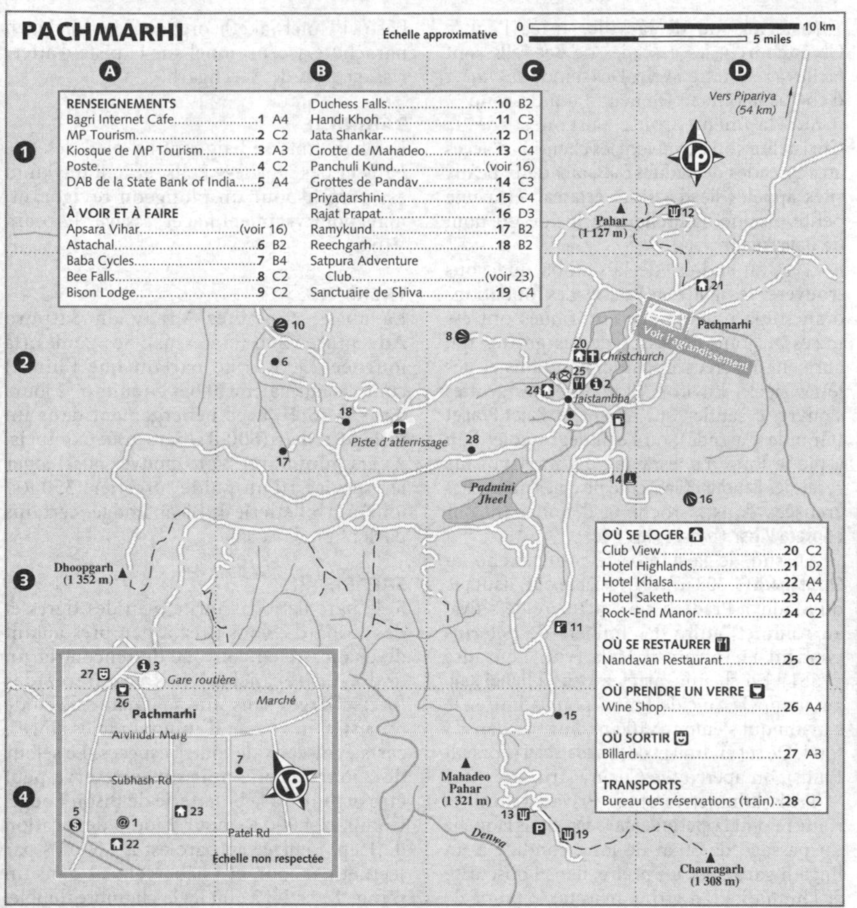

Renseignements

Bagri Internet Cafe (Patel Rd ; 30 Rs /h ; 11h-23h)

DAB de la State Bank of India (angle rue principale et Patel Rd)

MP Tourism (252100 ; 10h-17h lun-sam). Près de Jaistambha, également un petit kiosque à la gare routière.

Poste (252050 ; 10h-18h tlj sauf dim). Près de Jaistambha.

À voir et à faire

L'entrée au **Satpura National Park** (Indiens/étrangers la journée 20/200 Rs, avec Jeep 250/1 500 Rs ; aube-crépuscule) s'achète à la **billetterie** (8h-20h) près de Bison Lodge. Elle comprend l'accès au Bison Lodge Museum, aux Bee Falls et Duchess Falls, à Reechgarh, à Astachal, Ramykund et Rajat Prapat (avec le Panchuli Kund et l'Apsara Vihar). Les autres sites sont en accès libre. La plupart des treks d'une certaine longueur, ainsi que tous les safaris, nécessitent également un billet d'entrée au parc.

Après avoir aperçu un troupeau de bisons, le capitaine Forsyth donna le nom de **Bison Lodge** (225130 ; 8h-12h et 16h-19h tlj sauf lun avr-oct, 9h-13h et 15h-19h tlj sauf lun nov-mars) à ce *lodge* forestier. C'est aujourd'hui un musée intéressant consacré à l'histoire, à la flore et à la faune de la région de Satpura.

Le site le plus proche du village de Pachmarhi est **Jata Shankar**, un temple troglodytique creusé dans une belle gorge d'environ 2,5 km, le long d'un bon sentier indiqué juste au nord des limites de la ville. Le petit sanctuaire à Shiva est caché sous un énorme rocher en surplomb.

Juste au sud de la ville, après l'église Christchurch, les cascades de **Bee Falls** sont faciles à rejoindre à vélo. Des stands de *chai* et d'en-cas jalonnent le chemin qui descend.

Sur la même route, à l'ouest de la Christchurch, se trouvent les chemins d'accès aux cascades de **Duchess Falls**, aux deux beaux sites appelés **Reechgarh** et **Astachal**, et à une petite piscine naturelle translucide du nom de **Ramykund**.

C'est au sud-est de Jaistamba que vous trouverez les **grottes de Pandav**. Les fondations d'un stupa bouddhique en briques ont été mises au jour au-dessus de ces grottes qui auraient été creusées par les bouddhistes dès le IVe siècle. Environ 1 km après les grottes s'ouvre le sentier qui rejoint la **Rajat Prapat** (Grande Cascade), où l'eau dégringole d'un à-pic le long d'une ravine. La forêt voisine recèle les **Panchuli Kund**, cinq piscines naturelles creusées dans la roche et débouchant sur l'**Apsara Vihar** (bassin des Fées).

Au sud de Jaistamba la route mène au **Chauragarh** (1 308 m), le troisième plus haut pic du Madhya Pradesh. Le sanctuaire de Shiva, au sommet, attire des milliers de pèlerins pendant le Shivaratri Mela (voir l'encadré p. 661). En chemin, arrêtez-vous à **Handi Koh**, aussi appelé Suicide Point, pour admirer le canyon qui s'enfonce 100 m plus bas dans la forêt. De cet endroit et de **Priyadarshini** (Forsyth Point), on aperçoit le Chauragarh.

Trois kilomètres après Priyadarshini, la route rejoint la **grotte de Mahadeo**, dans laquelle un passage de 30 m de long conduit à un lingam gardé par un prêtre, dans l'obscurité et l'humidité. La grotte marque le point de départ des 1 365 marches que les pèlerins empruntent jusqu'au Chauragarh (5 heures aller-retour). Un kilomètre plus loin, un autre **sanctuaire de Shiva** se dresse tout au fond d'un étroit passage, peu rassurant – il s'agit d'une fissure de la falaise maintenue ouverte grâce à des bâtons enfoncés dans la roche.

VÉLO

Vous pouvez rejoindre à vélo tous les sites mentionnés ici, mais les vélos doivent être laissés au début des sentiers où commence la randonnée. **Baba Cycles** (Subhash Rd ; 5/40 Rs l'heure/la journée ; ⌚ 10h-21h) loue des bicyclettes.

PARACHUTE ASCENSIONNEL

Vinay Sahu, du **Satpura Adventure Club** (☎ 252256, 09425367365 ; par pers 250 Rs, minimum 2 pers ; ⌚ 9h-17h), basé à l'Hotel Saketh, organise des sorties en parachute ascensionnel sur la piste d'atterrissage près de Reechgarh.

BAIGNADE

Les habitants se baignent au pied des Bee Falls et des Duchess Falls, et le Ramykund est parfait pour un plongeon revigorant, mais pour vraiment nager, essayez l'Apsara Vihar.

TREKKING

Là aussi, contactez Vinay du Satpura Adventure Club (ci-dessus). Ses guides (la journée 250 Rs ; ne parlant que l'hindi) conduisent également des circuits de 2 jours dans la forêt, avec hébergement dans un village tribal (600 Rs/pers tout compris, 2 pers minimum). Vous pouvez aussi louer les services d'un guide forestier (350 Rs/jour) à la billetterie de Bison Lodge ; certains parlent anglais.

SAFARIS

Si le parc national abrite bien des tigres et des léopards, vous avez à peu près autant de chances d'en voir que de rencontrer un dodo. En revanche, vous admirerez des forêts vierges sans une seule autre Jeep de touristes en vue, et d'innombrables singes, cerfs et oiseaux de toutes espèces. Le séjour de 2 jours et une nuit sur la réserve peut être organisé à la billetterie de Bison Lodge. Comptez 4 000 Rs pour 2 jours de location de Jeep. L'entrée au parc est à 1 500 Rs par Jeep et par jour, et l'hébergement dans un refuge forestier à 600 Rs la chambre double. Les frais de bouche sont en sus.

Où se loger et se restaurer

Les hébergements affichent complet et les tarifs s'envolent en haute saison, soit d'avril à juillet et en décembre-janvier, mais aussi lors des vacances et jours fériés indiens et pendant les grandes fêtes. L'Hotel Saketh et l'Hotel Khalsa ont un restaurant correct ; celui du Khalsa est particulièrement bon.

VILLAGE DE PACHMARHI

Hotel Saketh (☎ 252165 ; hotelsaket2003@yahoo.com ; ch 200-500 Rs, avec clim 700 Rs ; ❄). Large choix de chambres, de l'option petit budget à la moyenne gamme avec clim et baignoire, dans cet hôtel sympathique situé dans une rue calme près de Patel Rd. Le restaurant Raj

MADHYA PRADESH ET CHHATTISGARH

Bhoj (plats 30-90 Rs) sert des plats gujarati, bengalis, chinois et du sud de l'Inde, dont de succulents *dosa* au petit-déjeuner.

Hotel Khalsa (☎ 252991 ; Patel Rd ; ch 350-400 Rs). Des portraits de gourous décorent cet hôtel tenu par des sikhs. Certaines chambres ont un matelas posé sur du béton, d'autres des lits-meubles très kitsch. Toutes ont TV, sdb et petit balcon. Le restaurant (plats 38-100 Rs), très bon, sert un succulent *thali* punjabi végétarien (60 Rs).

Hotel Highlands (☎ 252099 ; highland@mptourism.com ; Pipariya Rd ; ch 890 Rs, avec clim 1 290 Rs ;). Plusieurs bungalows de 5 chambres au toit de tôle ondulée verte parsèment des jardins soignés avec aire de jeux pour les enfants. Les chambres sont dotées de hauts plafonds, dressing, sdb moderne et véranda. Il y a un restaurant.

QUARTIER DE JAISTAMBA

Club View (☎ 252801 ; ch 1 200 Rs). Près de la Christchurch, cette demeure coloniale couleur menthe offre 6 chambres charmantes, toutes différentes. Certaines se trouvent dans une petite annexe, mais essayez d'en obtenir une dans le bâtiment principal aux superbes plafonds agrémentés de poutres en bois, aux cheminées de pierre et au mobilier d'époque. Les grandes sdb propres ont des toilettes à l'occidentale et une douche moderne.

Rock-End Manor (☎ 252079 ; mptremph@sancharnet.in ; ch 4 190 Rs ;). Ce sublime édifice historique, blanchi à la chaux, surplombe les fairways du terrain de golf militaire. Comme au Club View, les chambres spacieuses sont hautes de plafond, mais le mobilier est ici plus opulent, avec tissus de qualité et beaux tableaux. Belle vue depuis les sièges autour du passage couvert.

Nandavan Restaurant (plats 30-90 Rs ; 8h-23h). Ce restaurant de plein air renverse le concept de zoo, puisque des singes à l'extérieur observent les humains manger dans une cage. Plats d'Inde du Sud et du Gujarat, et *thali*.

Où prendre un verre et sortir

Le **Wine Shop** (Pipariya Rd ; 8h-23h) près de la gare routière vend bière (90 Rs) et alcools. En face se trouve un kiosque à *paan* (chique de bétel) doté d'un **billard** (80 Rs/h ; 8h-21h).

Depuis/vers Pachmarhi

Neuf bus vont à Bhopal (115 Rs, 6 heures, 7h, 8h, 9h, 13h, 13h30, 15h, 15h30, 18h30, 20h). Les deux du soir sont des trains-couchettes et vont jusqu'à Indore (seat/sleeper 270/320 Rs, 12 heures). Trois bus – sans couchettes – rejoignent Nagpur (190 Rs, 8 heures, 8h, 10h, 21h). Les sympathiques vendeurs de la billetterie des bus sont là de 7h à 21h environ.

Tous les bus pour Bhopal, ainsi que plusieurs autres bus locaux (6h30, 10h45, 12h30, 15h30, 17h), passent par Pipariya (40 Rs, 2 heures), d'où vous pouvez prendre des trains pour diverses destinations dont Jabalpur et Varanasi sans avoir à aller jusqu'à Bhopal. Les billets de train s'achètent au **bureau des réservations** (8h-14h) près du Woodlands Adventure Camp, abandonné. À Pipariya, les gares routière et ferroviaire sont voisines.

Comment circuler

Un siège dans une Jeep collective coûte environ 150 Rs la journée. Rouler à vélo (p. 692) vous donnera plus de liberté.

OUEST DU MADHYA PRADESH

UJJAIN

☎ **0734 / 431 160 habitants**

Même si les abords des gares ferroviaire et routière sont assez rébarbatifs, il suffit de descendre vers les ghats, en explorant chemin faisant un dédale de ruelles, pour découvrir la facette plus ancienne et empreinte de spiritualité de cette ville qui attire les pèlerins depuis des siècles. On ressent la formidable énergie qui se dégage des temples de cette ville, hauts lieux de l'hindouisme.

La ville est l'un des quatre sites qui accueillent le Kumbh Mela (p. 372), célébration pendant laquelle des millions de pèlerins se baignent dans la Shipra. Elle se déroule ici tous les 12 ans, pendant les mois d'avril et mai (voir l'encadré p. 361).

Histoire

Les Gupta, les sultans de Mandu, le maharaja Jai Singh (de Jaipur), les Marathes et les Scindia ont tous exercé leur emprise sur la ville. Ujjain a une histoire longue et tourmentée, qui remonte aux temps où, appelée Avantika, elle était un important carrefour commercial. Ujjain déclina rapidement quand les Scindia installèrent leur capitale à Gwalior, en 1810.

Orientation

La voie ferrée coupe la ville en deux : les nouveaux quartiers sont au sud-est, entourant la tour de l'Horloge. Plus intéressante, la vieille ville, au nord-ouest, regroupe la plupart des temples, des allées étroites et des ghats. Des ruelles bordées de bâtiments de bois et de petits sanctuaires serpentent du Gopal Mandir au Ram Ghat.

Renseignements

Vous trouverez des distributeurs de billets (DAB) un peu partout dans Ujjain, dont certains figurent sur notre carte, mais la ville la plus proche pour changer de l'argent est Indore.

MP Tourism (☎ 2561544 ; toujjain@mptourism.com ; 🕑 10h-17h tlj sauf dim). À la gare ferroviaire.

Net 2 Net (15 Rs/h ; 🕑 10h-23h). D'autres cybercafés moins confortables se trouvent près de la tour de l'Horloge.

À voir

TEMPLES

Mahakaleshwar Mandir

Si le temple n'est pas des plus remarquables sur le plan architectural, il offre l'occasion de suivre les pèlerins conga à travers ses salles souterraines – un moment magique. En dehors des pèlerinages, les allées en marbre sont un paisible préambule à la visite de la chambre souterraine qui abrite l'un des douze *jyoti linga* sacrés d'Inde. Ces lingams de formation naturelle sont supposés être source de *shakti* (énergie créatrice). Aussi ne sont-ils pas investis de *mantra-shakti* par les prêtres. Le temple fut détruit par Altamish en 1235, puis restauré par les Scindia au XIXe siècle. On vous demandera peut-être un don.

Gopal Mandir

Les Scindia édifièrent ce superbe exemple d'architecture marathe, surmonté de flèches en marbre, au XIXe siècle. Des pillards musulmans volèrent les portes couvertes d'argent du temple de Somnath, au Gujarat (p. 748). Ils les emportèrent à Ghazni, en Afghanistan, d'où Mohammed Shah Abdati les transféra plus tard à Lahore (dans l'actuel Pakistan), avant que le Scindia Mahadji ne les rapporte ici.

Harsiddhi Mandir

Ce temple de l'époque marathe abrite une représentation célèbre de la déesse Annapurna. À l'entrée, les deux grands pilastres de pierre noircis sont caractéristiques de l'art marathe. Ils sont ornés de lampes que l'on allume à l'occasion de **Navratri** (fête des Neuf Nuits, célébrée jusqu'à Dussehra), en septembre-octobre – un superbe spectacle.

Chintaman Ganesh Mandir

Ce temple, le seul sur la rive sud de la Shipra, est réputé très ancien. Les colonnes sculptées de la salle de réunion remontent à l'époque Paramara. Les fidèles viennent prier le dieu du temple, dont le nom signifie "celui qui libère des angoisses terrestres". On rejoint facilement le site à vélo depuis le centre, pour l'essentiel à travers champs.

GHATS

C'est à l'aube ou au crépuscule qu'il faut visiter les ghats. Le plus grand de tous, le **Ram Ghat**, où les adeptes jouent des cymbales et allument des feux, est alors impressionnant. Cependant, on se baigne ici à toute heure du jour. Vous pouvez aussi louer des **pédalos** (5 Rs).

VEDH SHALA (OBSERVATOIRE)

Ce petit **observatoire** (Jantar Mantar ; 5 Rs ; 🕑 8h-18h), intéressant, fut construit vers 1730 par le maharaja Jai Singh, qui fit aussi bâtir les observatoires de Jaipur, Delhi, Varanasi et Mathura. Seul, celui d'Ujjain fonctionne encore. Dans le petit jardin, on verra

LE CALENDRIER DES MELA

Le Kumbh Mela (p. 372) a lieu à Ujjain tous les 12 ans, et l'Ardh Mela (demi-mela) tous les 6 ans. Les festivités plus modestes de la Magh Mela se tiennent par ailleurs chaque année. Chaque mela, organisée généralement en avril et en mai, dure environ 6 semaines et comprend plusieurs dates propices aux bains purificateurs. Renseignez-vous à l'office du tourisme pour connaître les dates précises.

- 2010 – Ardh (demi) Kumbh Mela
- 2011 – Magh Mela
- 2012 – Magh Mela
- 2013 – Magh Mela
- 2014 – Magh Mela
- 2015 – Magh Mela
- 2016 – Kumbh Mela

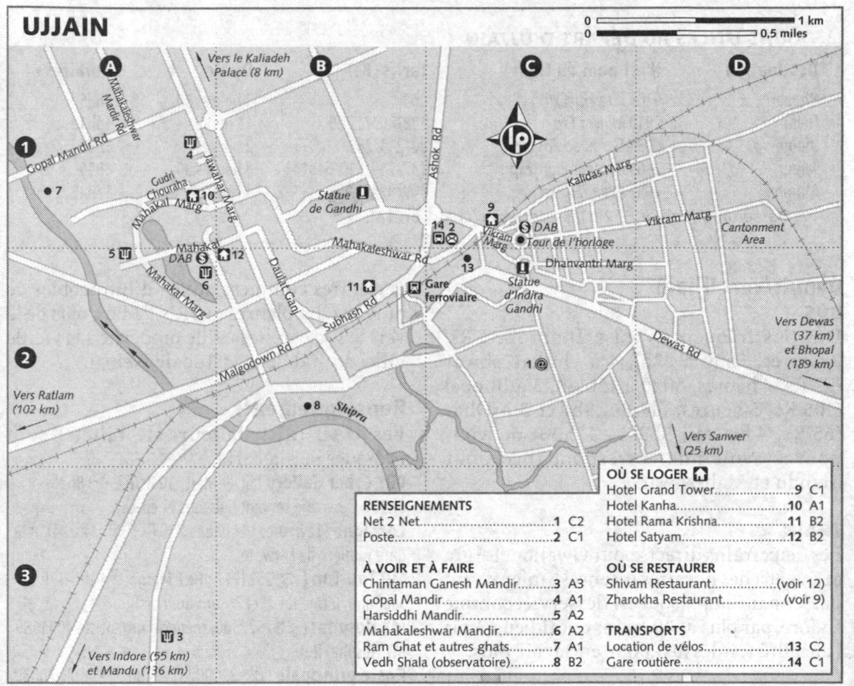

notamment deux cadrans solaires de marbre, l'un traditionnel, l'autre composé de deux imposants cadrans que sépare un haut escalier dont l'ombre donne l'heure.

KALIADEH PALACE

Les sultans mandu édifièrent ce **palais d'eau** en 1458 sur une île de la Shipra, sur le site d'un ancien temple du soleil. Nasir-ud-din y ajouta les citernes, par lesquelles les eaux de la rivière étaient déviées pour générer une brise rafraîchissante. Le dôme central est un bon exemple d'architecture perse. Vous pourrez venir ici à l'occasion d'une balade à vélo.

Où se loger et se restaurer

On trouve des chambres pour voyageurs à petit budget à seulement 150 Rs sur Subhash Rd, mais elles sont souvent assez sales. Des restaurants de *thali* bordent la route : d'un bon rapport qualité/prix (à partir de 20 Rs), ils n'ont cependant pas de carte en anglais et n'ouvrent pas avant 9h30.

Hotel Rama Krishna (☎ 2553017 ; Subhash Rd ; s/d 240/330 Rs, avec clim 540/660 Rs ; ❄). Plus propre que d'autres sur Subhash Rd, cet hôtel a des chambres avec carrelage blanc, TV et toilettes à l'occidentale. Le restaurant est correct lui aussi.

Hotel Satyam (☎ 9425917376 ; support@enjoyinfo.biz ; 125 Mahakal ; d/6 lits 600/1 100 Rs, d/6 lits avec clim 850/1 450 Rs ; ❄). Adresse bien tenue et très courue par les touristes indiens en raison de sa proximité avec le Mahakaleshwar Temple : réservez à l'avance.

Hotel Kanha (☎ 4041502 ; Gudri Chouraha ou Mahakal Marg ; d/q/5 lits 650/1 100/1 300 Rs, d avec clim 900-1 200 Rs ; ❄). Ce nouvel hôtel de catégorie moyenne, correct, est très bien situé dans les ruelles menant au Ram Ghat.

Hotel Grand Tower (☎ 2553699 ; 1 Vikram Marg ; s 600-1 300 Rs, d 700-1 500 Rs ; ❄). Des chambres confortables avec mobilier de bois clair mais des sdb exiguës.

Shivam Restaurant (plats 40-60 Rs ; 🕒 7h-23h). À côté de l'Hotel Satyam et tout aussi populaire ; excellent choix de plats végétariens savoureux.

Zharokha Restaurant (plats 45-70 Rs ; 🕒 7h-22h30). Le restaurant végétarien de l'Hotel Grand Tower sert une bonne cuisine cachemirie, punjabi et chinoise, avec tables sur le balcon à l'étage.

TRAINS UTILES AU DÉPART D'UJJAIN

Destination	N° et nom du train	Tarifs (Rs)	Durée	Horaires
Bhopal	9303 *Intercity Exp*	66*	3 heures 30	7h45
Delhi	2919 *Malwa Exp*	338/896/1 220	15 heures	14h12
Indore	8234 *Narmada Pas Exp*	80/213/283	2 heures	8h35
Jaipur	2465 *Ranthambore Exp*	137/239/510/648**	8 heures 30	8h15
Mumbai	2962 *Avantika Exp*	309/814/1 106	13 heures	17h35

*2e classe uniquement **2e classe/sleeper/chair car/3AC

Depuis/vers Ujjain

BUS

Des bus fréquents vont à Indore (33 Rs, 2 heures, 5h30 à 22h), 4 à Omkareshwar (72 Rs, 4 heures, 6h20 à 15h30), 3 à Bhopal (105 Rs, 5 heures, 6h, 8h, 9h) et 5 à Dhar (65 Rs, 4 heures, 5h30 à 13h30) où vous pouvez avoir une correspondance pour Mandu et Maheshwar.

MADHYA PRADESH ET CHHATTISGARH

TRAIN

Les deux trains directs pour Gwalior et Agra arrivent à des horaires insensés : mieux vaut passer par Bhopal, qui est desservie, comme Indore, par plus de 10 trains quotidiens. Voir l'encadré (ci-dessus) pour en savoir plus.

Comment circuler

Les *tempo* desservent les sites depuis le centre. Vous trouverez des auto-rickshaws (pour Ram Ghat 20 Rs) prépayés au comptoir de la gare ferroviaire. Un circuit de 4 heures vers tous les sites mentionnés ici coûte environ 300 Rs. Un loueur derrière la gare routière propose aussi des **vélos** (5/15 Rs l'heure/la journée ; 7h-23h) à la location à prix très bas.

Les plus romantiques pourront prendre un *tonga* (chariot à cheval, pour Ram Ghat 50 Rs). Vous les trouverez devant la gare ferroviaire.

INDORE

0731 / 1,52 million d'habitants

La modeste vieille ville mérite une balade, et la dynastie Holkar a laissé quelques beaux édifices, mais Indore – le grand centre d'affaires du Madhya Pradesh – est surtout utilisée par les touristes comme porte d'accès à Omkareshwar (p. 698), Maheshwar (p. 700) ou Mandu (p. 701).

Orientation

Mahatma Gandhi (MG) Rd, qui court d'est en ouest, est le grand axe d'Indore, bordé de centres commerciaux et d'immeubles de bureaux. En plein essor, RNT Marg part de là vers le sud et relie la ville moderne à la vieille ville, au sud de la statue de Nehru.

Renseignements

Les DAB (distributeurs de billets) sont indiqués sur la carte.

007 Cyber Gallery (Silver Mall ; 10 Rs/h ; 8h30-0h30). Cybercafé servant boissons et en-cas.

Consigne (12 heures par bagage 10 Rs ; 24h/24). À la gare routière de Sarwate.

MP Tourism (2521717 ; RNT Marg ; 10h-17h tlj sauf dim, fermé les 2e et 3e sam du mois)

MY Hospital (2527300, médecin urgentiste 4041689 ; MY Hospital Rd)

Poste principale (2700023 ; AB Rd ; 10h-20h30 tlj sauf dim, 10h-16h dim)

Royal Chemist (pharmacie, MY Hospital Rd ; 9h15-22h)

Rupayana (2531720 ; MG Rd ; 10h15-20h15). Librairie dont le propriétaire sympathique offre un choix original de livres sur l'Inde.

State Bank of India (AB Rd ; 10h30-16h30 lun-ven, 10h30-13h30 sam). Change les chèques de voyage et les espèces ; DAB.

Wintech Cyber (10 Rs/h ; 11h-22h). Cybercafé à l'écart d'Ushaganj Main Rd.

À voir

Construit entre 1886 et 1921, le **Lal Bagh Palace** (2473264 ; Indiens/étrangers 5/100 Rs, app photo/caméra 10/50 Rs ; 10h-17h tlj sauf lun) est l'édifice le plus raffiné qu'aient laissé les Holkar. Les grilles, répliques de celles de Buckingham Palace, s'ouvrent sur un jardin de 28 ha, où se dresse une statue de la reine Victoria. Le palais associe différents styles européens : salles à manger baroques et rococo, bibliothèque anglaise avec fauteuils en cuir, salon Renaissance aux canapés déchirés, et chambre de la reine de style palladien.

Le **Central Museum** (2700374 ; AB Rd ; Indiens/étrangers 10/100 Rs, app photo/caméra 20/50 Rs ; 10h-17h

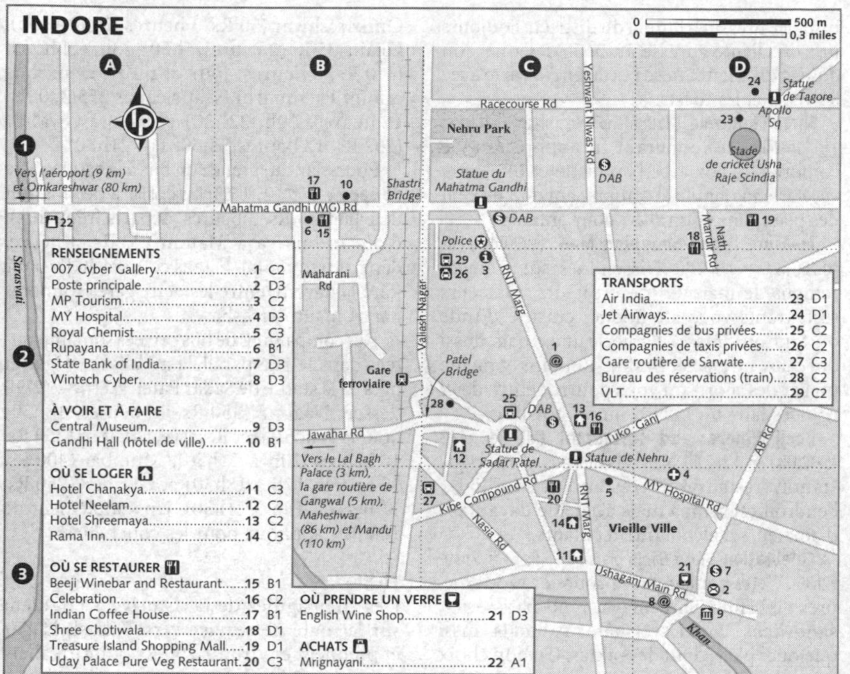

tlj sauf lun), autre œuvre des Holkar, réunit l'une des plus belles collections de sculptures hindoues médiévales et prémédiévales du Madhya Pradesh, des outils, des armes et des titres de propriété gravés sur cuivre. Des combats eurent lieu ici lors de la première guerre d'indépendance (révolte des Cipayes) et l'eau du puits dans le jardin fut empoisonnée.

Le **Gandhi Hall** (hôtel de ville), un édifice de style gothique construit en 1904, était initialement appelé King Edward's Hall. Il s'élève près de MG Rd.

Où se loger

Hotel Neelam (☎ 2466001 ; 33/2 Patel Bridge Corner ; s 200-250 Rs, d 300-350 Rs, avec clim 475 Rs ; ❄). C'est l'une des rares adresses pour petits budgets ouvertes aux touristes près des gares ferroviaire et routière, et sympathique de surcroît, avec des chambres simples mais propres sur une cour centrale.

Rama Inn (☎ 4043762 ; RNT Marg ; ch 350-450 Rs, avec clim 650 Rs ; ❄). Accueillant et simple, à la lisière de la vieille ville. Toutes les chambres sont quasi-identiques, TV et clim en prime dès lors que l'on monte dans la gamme de prix. Le hall rafraîchi par des ventilateurs abrite un restaurant végétarien (plats 40-80 Rs) ouvert de 7h à 21h.

Hotel Chanakya (☎ 2704497 ; swarup_chanaky@yahoo.com ; RNT Marg ; s 450-550 Rs, d 550-650 Rs, avec clim s 700-800 Rs, d 800-900 Rs ; ❄). L'intérieur tout en carrelages et pierre grise n'est pas très gai, mais le personnel, efficace, rend cette adresse de la vieille ville accueillante. Chambres de taille correcte, toutes avec TV, mais les moins chères sont aveugles.

Hotel Shreemaya (☎ 2515555 ; shree@shreemaya.com ; RNT Marg ; s 1 400-2 400 Rs, d 1 900-2 900 Rs ; ❄ 💻 📶). Très bien tenu et d'une qualité irréprochable. Les chambres modernes ont une TV grand écran.

Où se restaurer et prendre un verre

Uday Palace Pure Veg Restaurant (Hotel Uday Palace, Kibe Compound Rd ; plats 35-60 Rs ; 🕑 7h-1h). Bon marché et gai, contrairement à l'hôtel attenant (simplement bon marché), pour un choix correct de plats végétariens indiens et un bon *thali*.

Indian Coffee House (MG Rd ; plats 35-85 Rs ; 🕑 7h-22h). Buvez votre café aux côtés des magistrats d'Indore dans cette succursale installée près du tribunal du district. Toujours une excellente adresse au petit-déjeuner, où *dosa* et excellent *idli* se partagent la carte avec les œufs et les toasts.

Shree Chotiwala (Nath Mandir Rd ; plats 40-100 Rs ; 11h-24h). Ce restaurant très apprécié a de confortables box avec banquette et une carte végétarienne familiale comprenant notamment des plats jaïns et un *thali* pour enfants.

Treasure Island Shopping Mall (MG Rd ; plats 40-200 Rs ; 11h-23h). Disséminés sur 5 étages remplis de marques de créateurs, plusieurs restaurants vous attendent : cuisine d'Inde du Sud ou *diner* à l'américaine, mais aussi des cafés, un glacier Baskin-Robbins et même un bar des sports où vous pourrez entre deux courses faire un billard ou un bowling.

Beeji Winebar and Restaurant (MG Rd ; plats 45-120 Rs ; 11h-23h). Ne vous fiez pas à l'enseigne "family restaurant" (restaurant familial) : l'endroit est sympa mais accueille davantage d'amateurs d'alcool que d'enfants.

Celebration (Tuko Ganj ; plats 60-95 Rs ; 7h30-22h30). Cette boulangerie propre et moderne, près de l'Hotel Shreemaya, vend pâtisseries, sandwichs, cookies et gâteaux, mais aussi quelques plats, dont des pizzas. Un bon choix pour le petit-déjeuner si vous ne voulez pas aller jusqu'à l'Indian Coffee House.

English Wine Shop (Ushaganj Main Rd ; bière 70 Rs ; 8h30-24h). Ce bar couru de la vieille ville sert bières en bouteille et alcools.

Achats

Mrignayani (165 MG Rd ; 11h-13h30 et 14h30-20h tlj sauf dim). Cette boutique d'État pratique des prix fixes. Les 2 étages abondent en artisanat provenant de tout l'État, tels des animaux en cuir, spécialité d'Indore.

Depuis/vers Indore

AVION

Air India (☎ 2431595 ; Racecourse Rd ; 10h-13h et 14h-17h lun-sam) a des vols quotidiens pour Mumbai (à partir de 4 675 Rs) et Delhi (5 205 Rs).

Jet Airways (☎ 2544590 ; Racecourse Rd ; 9h30-18h tlj sauf dim) propose des vols quotidiens pour Mumbai (3 525 Rs), Delhi (5 225 Rs), Bhopal (4 385 Rs), Raipur (5 245 Rs) Ahmedabad (5 055 Rs) et Hyderabad (5 835 Rs, excepté le mardi).

BUS

Depuis la **gare routière de Sarwate** (☎ 2465688), des bus partent régulièrement pour Omkareshwar (50 Rs, 3 heures, 7h30 à 19h), Ujjain (35 Rs, 2 heures, 5h30 à 23h) et Bhopal (110 Rs, 5 heures, jour et nuit). Deux bus rejoint Pachmarhi (seat/sleeper 275/320 Rs, 12 heures, 20h, 22h30) et trois à Gwalior (252 Rs, 12 heures, 7h30, 11h 21h30).

Pour Mandu, prenez un bus à la **gare routière de Gangwal** (☎ 2380688 ; Jawahar Rd) à destination de Dhar (35 Rs, 3 heures, départs fréquents), d'où un bus va à Mandu (23 Rs, 1 heure, départs fréquents). Il vous coûtera 40 Rs pour faire la navette entre les deux gares routières dans un auto-rickshaw.

Des compagnies de bus privées sont implantées dans la rue parallèle à Valiash Nagar et près de la statue de Sadar Patel. **VLT** (☎ 2512791) dessert Nagpur (350 Rs, 14 heures, 18h30) pour la Pench Tiger Reserve, Udaipur (250 Rs, 10 heures, 20h à 21h30), Mumbai (400 Rs, 13 heures, 17h à 18h30) et Gwalior (250 Rs, 11 heures, 18h à 21h30). Un supplément de 100 Rs s'applique pour les couchettes.

TAXI

Des compagnies de taxis privées circulent sur la route de service vers Valiash Nagar et prennent environ 1 200 Rs pour un aller-retour vers Mandu, et autant pour un circuit passant par Omkareshwar et Maheshwar.

TRAIN

Sept trains par jour rallient Bhopal et plus de 10 Ujjain – voir l'encadré p. 699. Le **bureau des réservations** (8h-20h lun-sam, 8h-14h dim) est à 200 m à l'est de la gare ferroviaire.

Comment circuler

L'aéroport est situé à 9 km de la ville. En auto-rickshaw, la course revient à au moins 80 Rs et, en taxi, à environ 150 Rs. Pour circuler dans Indore en auto-rickshaw, comptez environ 10 à 20 Rs.

ENVIRONS D'INDORE

Omkareshwar

☎ 07280 / 6 620 habitants

L'un des nombreux lieux saints dotés de ghats et surnommé pour cela le "petit Varanasi", cette île en forme d'Om attire des foules de pèlerins mais est aussi devenue une destination prisée des voyageurs avec sac à dos.

Le barrage controversé (p. 99) a bouleversé l'apparence d'Omkareshwar, mais l'île conserve une partie de son charme empreint de spiritualité et reste un agréable lieu de séjour.

TRAINS UTILES AU DÉPART D'INDORE

Destination	N° et nom du train	Tarifs (Rs)	Durée	Horaires
Bhopal	2919 *Malwa Exp*	163/403/537	5 heures	12h25
Mumbai	2962 *Avantika Exp*	325/861/1 171	15 heures	15h50
Delhi	2919 *Malwa Exp*	355/943/1285	16 heures 30	12h25
Ujjain	9657 *Udaipur City Exp*	121/213/283	2 heures	8h05

ORIENTATION ET RENSEIGNEMENTS

L'animation se concentre sur les 500 m de Mamaleshwar Rd compris entre la gare routière et Getti Chowk, la place principale, d'où l'ancien pont conduit à l'îlot. Le nouveau pont, le barrage ainsi que les ghats, d'où l'on peut traverser la rivière en bateau (5 Rs), se situent au sud de l'ancien pont.

Le chemin allant du vieux pont au temple Shri Omkar Mandhata est le cœur de la vie de l'île.

Certains taxiphones sur Mamaleshwar Rd et sur l'île ont un ordinateur et une capricieuse **connexion Internet** (50-70 Rs/h). La **State Bank of India ATM** (Mamaleshwar Rd) se trouve près de la gare routière, et une **pharmacie** (9h-21h) en face.

À VOIR ET À FAIRE

Les visiteurs côtoieront des sadhus (ascètes) dans les étroites ruelles de l'île, musarderont devant les étals colorés où sont présentés chiloms et lingams souvenirs et se mêleront aux pèlerins assistant à la puja (prière) qui a lieu trois fois par jour au **Shri Omkar Mandhata**. Ce temple, ressemblant à une grotte, contient un *jyothi* lingam et fait partie des nombreux monuments hindous et jaïns de l'île.

Du vieux pont, au lieu de prendre à droite vers le Shri Omkar Mandhata, vous pouvez aussi prendre à gauche et monter 287 marches jusqu'au **Gaudi Somnath Temple**, du XIe siècle, d'où vous pourrez redescendre jusqu'à la pointe nord de l'île : ici se baignent les sadhus, au confluent des rivières sacrées Narmada et Keveri. On peut également monter l'étroit escalier intérieur du temple. Non loin, une **statue de Shiva** haute de 30 m était en construction lors de notre passage par la fondation Raj Rajeshwari Seva Sahsrhan. Le sentier qui passe devant la statue peut être emprunté pour repartir vers les ghats (45 min), promenade qui monte et descend les collines et donne à voir plusieurs temples en ruines. Ne manquez pas les belles sculptures du **Siddhanatha Temple** (à gauche au carrefour sur le chemin) et ses superbes éléphants.

OÙ SE LOGER ET SE RESTAURER

L'île offre pour seul hébergement des *dharamsala* (auberge de pèlerins). Le plus accueillant, le plus propre et le mieux situé est **Manu Guest House** (s/d 100/150 Rs). Sans enseigne, il est perché au-dessus du vieux pont : demandez aux habitants "Manu *dharamsala*". Les adresses ci-dessous sont toutes en face de l'île.

Maharaja Guesthouse (☎ 271237 ; ch 150-500 Rs, sans sdb 70 Rs). Comme tirée d'un livre d'aventures, sur les falaises dominant la rivière, cette bâtisse vieille de 6 siècles que l'on rejoint par un petit chemin partant de Getti Chowk, subit une lente invasion de la végétation. Ses 9 chambres sont extrêmement sommaires et ont seulement des douches avec seau et des toilettes à la turque, mais chacune a son charme : une porte en bois ici, une alcôve ciselée là. N'hésitez pas à demander la chambre n°1, avec portraits de famille et 2 portes conduisant à une vue sur la rivière rien que pour vous.

Ganesh Guest House (☎ 271370 ; ch 150-250 Rs, sans sdb 100 Rs). À l'écart du sentier qui descend vers les ghats depuis Mamaleshwar Rd, cette sympathique pension a des chambres pour voyageurs à petit budget impeccables et une ambiance paisible. Son restaurant (plats 40-120 Rs) dans un jardin ombragé surplombant les ghats est l'un des plus plaisants de la ville.

Geeta Shree Guest House (☎ 271560 ; ch 400 Rs, sans sdb 200 Rs, avec clim 700 Rs ;). Les chambres les moins chères sont lugubres, mais les climatisées sont correctes et passent à 500 Rs si vous acceptez de ne pas utiliser la clim.

Om Shiva Restaurant (Getti Chowk ; plats 30-60 Rs ; 8h30-21h30). C'est l'une des rares *dhabas* (gargotes) avec enseigne et carte en anglais, pour de vrais bons plats végétariens dont un savoureux *thali*.

Lassi & Juice Centre (Getti Chowk ; boissons 6-20 Rs ; 8h-21h). Excellente adresse pour s'asseoir et paresser.

Depuis/vers Omkareshwar

Des bus réguliers desservent Indore (45 Rs, 2 heures, 6h à 18h30), Maheshwar (40 Rs,

MADHYA PRADESH ET CHHATTISGARH

3 heures, 6h à 18h45) et Dhamnod (47 Rs, 3 heures, 6h à 17h) où vous pourrez prendre une correspondance pour Mandu (33 Rs, 3 heures), via Oonera (voir ci-contre). Il y a 4 bus quotidiens vers Ujjain (Rs70, 4 heures, 6h, 11h30, 14h30, 18h).

Maheshwar

☎ 07283 / 19 650 habitants

Maheshwar, paisible et agréable, est depuis longtemps liée à la spiritualité. La ville apparaît dans le *Mahabharata* et le *Ramayana* (p. 66) sous son ancien nom, Mahishmati. Aujourd'hui, elle attire encore sadhus et *yatri* (pèlerins) sur ses ghats et dans ses temples au bord de la Narmada. Maheshwar connut son âge d'or à la fin du XVIIIe siècle sous Ahilyabai, la reine holkar qui fit édifier le fort et de nombreux autres monuments. À l'écart des ghats et des édifices historiques, les rues pittoresques de Maheshwar sont bordées de portes en bois anciennes et de balcons en surplomb ornant des maisons aux couleurs vives.

ORIENTATION ET RENSEIGNEMENTS

La rivière et le fort qui la domine sont à environ 1,5 km au sud de la gare routière. En partant de cette dernière, traversez le carrefour tout droit et passez devant le **cybercafé** (20 Rs/h ; 🕒 10h-21h) et le DAB jusqu'à un rond-point très éclairé. Prenez l'embranchement à gauche pour rejoindre les ghats en passant par la pension Akash Deep, Labboo's Café et le fort. À droite, vous rejoindrez directement les ghats.

À VOIR ET À FAIRE

Outre la rivière sacrée, le site important de la ville est son **fort** du XVIe siècle. Ses imposants remparts furent bâtis par l'empereur Akbar, mais le **Maheshwar Palace** et plusieurs **temples** érigés dans son enceinte datent du règne de la reine Ahilyabai, de la famille Holkar (règne 1767-1795). La cour du palais est publique, le reste étant devenu un hôtel chic. Il réunit dans sa cour principale une collection de mousquets rouillés et de palanquins poussiéreux, au milieu desquels trône un portrait sous verre d'Holkar (1767-1795), vénéré comme le serait l'autel d'un saint. Tout près, le temple de Shiva abrite un lingam doré, point de départ des processions de palanquins organisées pour l'anniversaire de la reine Ahilyabai (voir l'encadré p. 661) et pour le Dussehra.

Depuis les remparts, on aperçoit les bateaux (aller-retour 10/100 Rs par pers/bateau) et les fumées d'encens qui se dirigent doucement vers le **Baneshwar Temple**, installé sur un îlot au milieu de la rivière. En descendant en direction des *dhobi wallahs* (lavandières), installées sur les **ghats**, on passe devant deux temples en pierre. Celui de droite, encadré par des sentinelles holkar en pierre et une frise d'éléphants, renferme des effigies d'Ahilyabai et deux tours de bougies, que l'on allume pour les fêtes.

Avant les temples, une petite entrée indique la **Rehwa Society** (☎ 273203 ; www.rehwasociety.org ; 🕒 10h-17h30 mer-lun), une ONG et coopérative artisanale qui réinvestit ses profits dans l'éducation, l'hébergement et l'action sociale en faveur des tisserands. Une école gérée intégralement par Rehwa se trouve à l'arrière de l'atelier. Les saris de Maheshwar sont célèbres pour leur trame unique et leurs motifs simples et géométriques (souvent à base de bandes). On peut regarder les artisans travailler, et acheter châles, saris, écharpes et tissus (à partir de 450 Rs) en soie, laine et coton. Les bénévoles ayant quelques connaissances en design textile sont les bienvenus.

OÙ SE LOGER ET SE RESTAURER

Akash Deep (Kila Rd ; ch 200 Rs). Les chambres propres et spacieuses de cet établissement accueillant sont sommaires mais ont toutes la TV. Trois, sur le toit, ont vaguement vue sur le fort. Chambres à libérer à 10h.

♥ **Labboo's Café** (☎ 09229125267 ; ch 1 000-1 500 Rs). Ce merveilleux café à la cour ombragée (ouvert de 8h à 20h) offre aussi 4 magnifiques chambres, toutes différentes mais décorées avec soin. Deux d'entre elles se trouvent dans les remparts extérieurs du fort, celle du haut, plus chère, ayant même sa propre véranda dans les fortifications. Le café ne sert que des en-cas (10-40 Rs), mais on vous préparera un succulent *thali* à volonté (100 Rs) si vous demandez. Le personnel organise aussi des sorties sur la rivière (200 Rs/h par bateau).

Narmada Retreat (☎ 273455 ; www.mptourism.com ; q 890 Rs, ch avec clim 1 290-1 590 Rs ; ❄). À environ 2 km du centre, le Narmada possède des bungalows dans un immense jardin bien tenu surplombant la rivière. Les quadruples, dites "family rooms" – dotées de 3 toilettes ! – sont très avantageuses, et les tentes climatisées ont une jolie vue sur l'onde. Le restaurant (plats 45-125 Rs) est ouvert de 8h à 22h30. Tournez à droite juste avant le rond-point éclairé et continuez tout droit, passez deux carrefours puis prenez à gauche au bout de la route.

Ahilya Fort (☎ 273329, Delhi 011-41551575 ; www.ahilyafort.com ; ch 185-240 € ;). Cet hôtel historique haut de gamme, propriété du prince Shivaji Rao Holka, descendant direct d'Ahilyabai, est installé dans une partie du Maheshwar Palace et a l'air vraiment magique sur la brochure. L'accueil, sur place, un peu moins : nous n'avons pas pu entrer, ni même jeter un coup d'œil, n'ayant pas organisé notre visite à l'avance auprès des bureaux de Delhi. Dites-nous ce que vous en avez pensé.

Depuis/vers Maheshwar

Des bus réguliers vont à Omkareshwar (40 Rs, 3 heures, 9h à 17h30) et à Dhamnod (8 Rs, 30 min, 7h à 23h) où vous pouvez changer pour rejoindre Indore (60 Rs, 3 heures). Pour Mandu, rejoignez d'abord Dhamnod puis prenez un bus direction Dhar jusqu'à un embranchement sur la route principale appelé Oonera (23 Rs, 2 heures). De là, hélez un bus (10 Rs, 30 min) ou faites les 14 km qui vous séparent de Mandu en auto-stop.

MANDU

☎ 07292 / 8 550 habitants / altitude 634 m

Perchée sur un plateau de 20 km² verdoyant et un peu boisé, la pittoresque Mandu possède l'un des plus beaux exemples d'architecture afghane en Inde. La région est parsemée de palais, sépultures, monuments et mosquées, à parcourir facilement à vélo. Certains sont perchés au bord des ravins, d'autres s'étendent au bord d'un lac, tandis que le pavillon de Rupmati, le plus romantique de tous, se dresse majestueusement à l'extrémité du plateau, dominant des plaines à perte de vue.

Histoire

Mandu, forteresse et retraite fondée au Xe siècle par le raja Bhoj, fut conquise par les musulmans qui régnaient sur Delhi en 1304. Quand les Moghols capturèrent Delhi en 1401, Dilawar Khan, gouverneur afghan de Malwa, fit de Mandu un royaume autonome.

Délaissant Dhar, son fils, Hoshang Shah, installa sa capitale à Mandu. La ville connut alors son âge d'or.

En 1526, Shah Bahadur, du Gujarat, conquit Mandu. Il fut détrôné en 1534 par le Moghol Humayun, qui perdit à son tour le royaume, au profit de Mallu Khan, un officier de la dynastie des Khalji. Au terme de dix années de querelles et d'invasions, Baz Bahadur prit finalement le pouvoir, mais préféra s'enfuir en 1561 plutôt que d'affronter les troupes d'Akbar.

Une fois annexée à l'Empire moghol par Akbar, Mandu conserva une large autonomie jusqu'à sa conquête par les Marathes, en 1732. Dhar retrouva alors son rang de capitale du Malwa et le déclin de Mandu, entamé avec la fuite de Baz Bahadur, se précipita.

PLONGEZ DANS LA SPIRITUALITÉ

Pour mieux apprécier la dimension spirituelle de Maheshwar, levez-vous avant l'aube et descendez les ghats pour un bain très matinal dans les eaux sacrées de la Narmada. L'eau est étonnamment chaude, même en hiver, et plus propre qu'à Varanasi ou à Omkareshwar. En vous baignant avant le lever du soleil, vous aurez le temps de vous laisser sécher, puis de trouver l'endroit idéal pour voir l'astre doré passer l'horizon : un moment empreint de beauté et de spiritualité, où vous verrez habitants et pèlerins descendre dans l'eau, allumer des bougies flottantes, jeter des fleurs en offrande et chanter des mantras.

Orientation et renseignements

Le quartier autour de la gare routière, qui abrite les monuments du Village Group (Mandu Village), concentre l'essentiel de l'activité. L'Enclave royale forme le plus impressionnant des trois groupes de monuments. Elle s'étend au nord-ouest de la gare routière. Le groupe de Rewa Kund se trouve à 4 km au sud du village.

Le seul établissement ayant **Internet** (Main Rd ; 80 Rs/h ; 8h30-21h30) a une connexion désespérément lente. À côté se trouve une petite **pharmacie** (8h-21h30) ; la **poste** (☎ 263222 ; Main Rd ; 9h-17h) est plus au sud. Vous ne pourrez pas changer d'argent ici. On pourra vous trouver un guide au Malwa Retreat.

À voir

ENCLAVE ROYALE

Ces **ruines** (Indiens/étrangers 5/100 Rs, caméra 25 Rs ; aube-crépuscule tlj sauf ven) sont les plus visitées de Mandu. Le **Publication Centre** (10h-18h) vend des guides près de l'entrée et un petit restaurant (canteen) à l'ombre d'un jardin sert des en-cas et du *chai* non loin du Hindola Mahal.

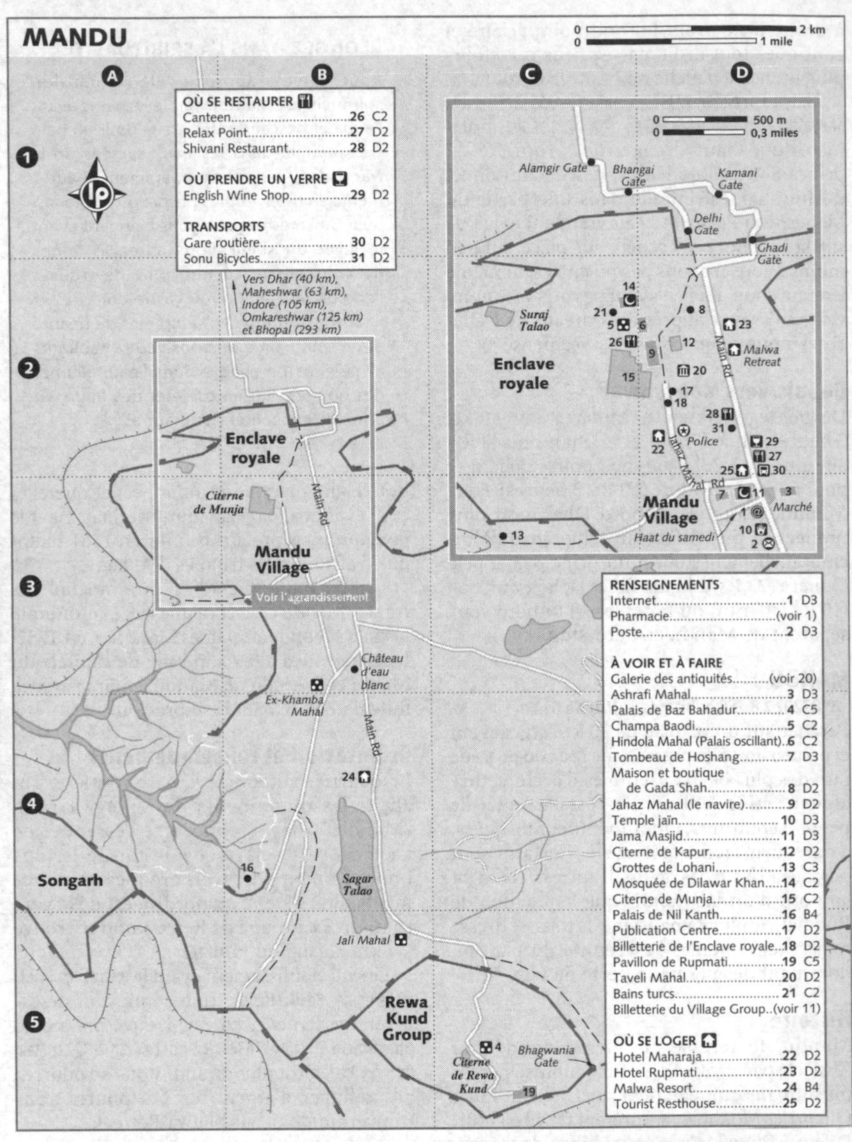

Jahaz Mahal

Surnommé le navire en raison de sa forme et de ses dimensions (120 m de long sur 15 m de large), le Jahaz Mahal est le palais le plus célèbre de Mandu. Il s'étire sur une étroite bande de terre, entre les citernes de Munja et de Kapur. Le petit étage supérieur évoque le pont d'un bateau. Ghiyas-ud-din (qui avait, dit-on, un harem de 15 000 jeunes femmes) fit construire les belvédères, les arches en forme de coquillages, les vastes salles ainsi que les ravissants bassins.

Taveli Mahal

Ces anciennes écuries abritent la **galerie des Antiquités** (9h-17h sam-jeu) de l'ASI, où sont exposés les objets trouvés sur le site, parmi lesquels des dalles gravées dans la pierre comportant des inscriptions coraniques datant du XVe siècle.

Hindola Mahal

Au nord de l'imposante coupole de Ghiyas se trouve l'Hindola Mahal (Palais oscillant), ainsi nommé parce que l'inclinaison de ses murs est censée donner l'illusion d'une ondulation. On n'aura peut-être pas cette impression, mais sa conception n'en est pas moins fascinante.

Maison et boutique de Gada Shah

La maison est située dans l'enclave ; la boutique se trouve sur la route menant à la Delhi Gate. Comme le suggèrent les dimensions et la qualité des ouvrages, le propriétaire était plus qu'un simple commerçant. Son nom, qui signifie "roi des mendiants", donne à penser qu'il se serait agi de Medini Ray, chef rajput et puissant laquais des sultans. La "boutique" servait à entreposer le safran et le musc, qui étaient importés afin d'être revendus au prix fort aux gens riches de passage.

Mosquée de Dilawar Khan

Bâtie par Dilawar Khan en 1405, la mosquée est le plus ancien monument musulman de Mandu. Comme il était d'usage à cette époque, elle comporte de nombreux éléments d'architecture hindoue, notamment au niveau des piliers et des plafonds.

Champa Baodi

Le Champa Baodi doit son nom au parfum exhalé par ses eaux, aussi doux, disait-on, que celui de la fleur de champak. Cet immense puits est pourvu d'un escalier menant à des salles souterraines voûtées, dont certaines peuvent être explorées.

Bains turcs

Le petit hammam, doté d'un système d'adduction d'eau chaude et d'eau froide et d'un sauna chauffé par hypocauste, est surmonté de coupoles percées d'étoiles et d'octogones.

GROTTES DE LOHANI

Les guides locaux ne sont pas d'accord sur l'âge de ces grottes sculptées, mais certains assurent qu'un tunnel aujourd'hui condamné en part et rejoint Dhar, à 35 km de là. Une chose est sûre : elles offrent un panorama spectaculaire sur le ravin, où vous pourrez randonner au retour.

VILLAGE GROUP

Un billet donne accès aux trois **monuments** (Indiens/étrangers 5/100 Rs, caméra 25 Rs ; ⏲ aube-crépuscule) suivants.

Jama Masjid

Accessible par un escalier conduisant à un porche à coupole de 17 m de haut, cette mosquée rouge désaffectée domine Mandu. Hoshang Shah en entreprit la construction en s'inspirant de la Grande Mosquée omeyyade de Damas, en Syrie. Achevée par Mohammed Khalji en 1454, elle est considérée comme l'édifice d'architecture afghane le plus raffiné et le plus vaste d'Inde – malgré un plan ordinaire.

Tombeau de Hoshang

L'imposant mausolée de Hoshang Shah est réputé le plus ancien monument en marbre du pays. Cet édifice est couronné d'un croissant de lune (symbole de l'islam), qui aurait été importé de Perse ou de Mésopotamie. Le jour filtre dans la coupole à travers les *jali* (écrans ajourés) en pierre, projetant une lumière tamisée sur les sépultures. Une inscription rappelle qu'en 1659, Shah Jahan envoya ses architectes – dont Ustad Hamid, qui travailla sur le Taj Mahal – rendre hommage aux bâtisseurs du mausolée.

Ashrafi Mahal

Shah Mohammed fit bâtir une madrasa (école coranique), avant de la convertir en tombeau et de l'agrandir. De par le caractère trop ambitieux de l'architecture, certaines parties s'effondrèrent, comme la tour de la Victoire, une tour ronde de 7 étages. Aujourd'hui, l'édifice n'est plus qu'une coque vide. Néanmoins, on peut toujours admirer, en haut du grand escalier, les magnifiques piliers d'influence musulmane.

TEMPLES JAÏNS

Cet ensemble, dans lequel on pénètre par une porte turquoise, paraît bien kitsch au milieu des monuments musulmans. Les temples, richement ornementés, abritent des sculptures des tirthankaras (grands maîtres jaïns) en marbre, argent et or, avec des yeux de jade. Un musée, aux faux airs de parc d'attractions, renferme une maquette à échelle humaine de Shatrunjaya (p. 740), un ensemble de temples qui couronne une colline à Palitana au Gujarat. Sur les fresques bigarrées, des ours dévorent les bras des pécheurs, des crocodiles croquent leur tête, et des démons scient un méchant personnage en deux.

REWA KUND GROUP

Une agréable balade à vélo de 4 km, au sud du village et via Sagar Talao, vous conduira à deux autres **vestiges** (Indiens/étrangers 5/100 Rs, video 25 Rs ; aube-crépuscule). Les billets pour l'un et l'autre s'achètent devant le palais de Baz Bahadur.

Palais de Baz Bahadur

Ce palais du dernier souverain indépendant de Mandu fut bâti vers 1509. Il se trouve à côté de la citerne Rewa Kund, qui approvisionnait jadis le palais en eau. Curieuse synthèse des styles rajasthani et moghol, l'édifice fut érigé bien avant l'accession de Baz Bahadur au pouvoir.

Pavillon de Rupmati

Perché au sommet d'une falaise haute de 366 m, le pavillon de Rupmati est d'une incomparable beauté. Les légendes malwa racontent que Baz Bahadur, féru de musique, le construisit pour convaincre une belle chanteuse hindoue, Rupmati, de quitter les plaines pour emménager avec lui. De ses terrasses et pavillons à coupoles, Rupmati aurait pu voir la Narmada scintiller dans le lointain.

En réalité, le pavillon fut sans doute bâti en deux ou trois étapes, et le style de ses arches et de ses piliers indique qu'il fut achevé 100 ans avant l'époque de Rupmati. L'histoire d'amour tragique a inspiré des chansons folkloriques malwa. Attisé par la beauté légendaire de Rupmati, Akbar aurait marché sur le fort. Baz Bahadur se serait alors enfui, tandis que sa bien-aimée s'empoisonnait.

Le site est encore plus romantique au coucher du soleil. Prévoyez une lampe électrique pour le retour.

PALAIS DE NIL KANTH

Pour rejoindre ce palais moghol, quittez Main Rd à hauteur du château d'eau blanc. Les 20 minutes à vélo en valent la chandelle. Dominant un ravin, sur le site d'un sanctuaire de Shiva plus ancien, le "dieu à la gorge bleue" est redevenu un lieu de culte. Un cours d'eau creusé par l'un des gouverneurs d'Akbar serpente dans un joli canal en spirale généralement rempli d'eau parfumée, donnant son nom au palais.

HAAT DU SAMEDI

Coloré, ce **marché hebdomadaire** (10h-crépuscule), derrière la Jama Masjid, ressemble à ceux de la région de Bastar, un bastion tribal du Chhattisgarh (p. 715). Les Adivasi parcourent des kilomètres pour venir acheter et vendre toutes sortes de produits, montagnes de piments rouges ou mahuwa séchée, une fleur dont on fait une liqueur homonyme très forte.

Où se loger et se restaurer

Tourist Resthouse (263264 ; Jahaz Mahal Rd ; ch 150 Rs). Ces 7 chambres en enfilade, identiques et extrêmement sommaires, avec toilettes à la turque et douches avec robinet et seau, sont l'adresse la moins chère du coin. Autres avantages : elles ont chacune une petite véranda et ne pourraient pas être plus centrales.

Hotel Maharaja (9981883767 ; Jahaz Mahal Rd ; s/d 200/300 Rs). Des chambres un peu plus grandes, plus propres et plus calmes, mais toujours sommaires.

Hotel Rupmati (263270 ; Main Rd ; ch 650 Rs, avec rafraîchisseur/clim 850/1 350 Rs ;). Ces bungalows propres et colorés, avec grande sdb, sont disposés dans des jardins bordant une falaise et ont, pour certains, une vue exceptionnelle sur la vallée. Vous pouvez avoir une chambre climatisée pour 825 Rs si vous n'utilisez pas la clim. Restaurant sur place.

Malwa Resort (263235 ; tcmandav@sancharnet.in ; Main Rd ; ch 1 090 Rs, avec clim 1 790 Rs ;). Cet établissement familial géré par MP Tourism, à 2 km au sud du village, est doté de grands jardins, d'aires de jeux pour enfants et d'une piscine. Les chambres sont aménagées dans des maisonnettes avec mobilier neuf et vérandas, les plus chères donnant sur le lac. Petit-déjeuner compris.

Relax Point (Main Rd ; plats 20-35 Rs ; 8h30-22h). Épicerie du village, point de rencontre et restaurant tout en un. La carte est très limitée, et le soir il n'y a que des *thali* (50 Rs, à volonté), mais le personnel est sympathique et les en-cas (fruits secs, fruits séchés, chocolat, samosas) parfaits à emporter pour les balades à vélo dans la campagne.

Shivani Restaurant (Main Rd ; plats 25-60 Rs ; 8h30-22h). Une adresse sans chichi, avec mobilier en plastique et une excellente carte dont un choix de *thali* et de spécialités locales, notamment des *Mandu kofta* (boulettes dans une sauce douce).

English Wine Shop (Main Rd ; bière 70 Rs ; 7h30-22h30). Près du Relax Point, vente de bières et alcools.

Mandu est l'un des rares endroits en Inde où l'on peut voir des baobabs, arbres qui semblent plantés à l'envers, les racines au ciel. Vous trouverez des graines de baobab, vertes et dures, qui se mangent – au goût de craie aigre-douce.

Depuis/vers Mandu

Trois bus directs vont à Indore (70 Rs, 3 heures 30, 9h, 9h30, 15h30), un à Ujjain (80 Rs, 4 heures, 6h) et des bus réguliers rejoignent Dhar (25 Rs, 1 heure, 6h à 17h), où vous pouvez prendre un bus pour Dhamnod (23 Rs, 2 heures) puis, là, pour Maheshwar (10 Rs, 30 min, dernier bus 23h) ou Omkareshwar (50 Rs, 3 heures, dernier bus 19h). Si vous faites ce trajet, vous irez plus vite en descendant à 14 km avant Dhar au carrefour appelé Oonera (10 Rs, 30 min), où vous pourrez faire signe aux bus allant vers Dhamnod.

Comment circuler

À vélo ! Le terrain est plat, l'air pur et la campagne, très belle. **Sonu Bicycles** (Main Rd ; 5/20 Rs l'heure/la journée ; 6h-22h) est l'une des quelques adresses où l'on peut louer un vélo. On peut visiter les monuments en une demi-journée en auto-rickshaw (à partir de 200 Rs).

EST DU MADHYA PRADESH

JABALPUR

☎ 0761 / 1,1 million d'habitants

Ce sont essentiellement des touristes indiens qui viennent ici pour admirer les Marble Rocks, les gorges d'une rivière voisine. Pour les étrangers, cette cité industrielle toute en *chowk* et en tavernes d'ouvriers sert essentiellement de base pour la visite des grands parcs à tigres que sont Kanha (p. 709), Pench (p. 707) et Bandhavgarh (p. 711).

Orientation

L'essentiel de l'animation se trouve au nord de la ligne de chemin de fer, dans les ruelles poussiéreuses du Vieux Bazar, sur Vined Talkies Road et loin au sud, jusqu'à Russell Chowk. Le quartier de Civil Lines, au sud des rails, est plus calme et de moindre intérêt pour les visiteurs.

Renseignements

Agrawal (☎ 2411056 ; Russell Chowk ; 10h-22h). Tirage de photos, cartes mémoire et gravure de CD.

City Hospital (☎ 4033111 ; North Civil Lines ; 24h/24). Centre médical privé, moderne.

Jai Medical Store (☎ 2610457 ; Malviya Chowk ; 10h-22h30)

MP Tourism (☎ 2677690 ; 7h-20h). À la gare ferroviaire, entrée sud. Renseignements fiables sur les parcs nationaux et réservation d'hôtels de MP Tourism et de voitures.

Net Space Cyber Café (Vined Talkies Rd ; 20 Rs/h ; 10h-22h). Au 1er étage.

Poste (Residency Rd ; 10h-17h lun-ven, 10h-17h lun-ven, 10h-14h sam)

State Bank of India (☎ 2677777 ; South Civil Lines ; 10h30-16h30 lun-ven, 10h30-12h30 sam). Change les chèques de voyage et les devises. Quelques DAB en ville, dont un à la gare ferroviaire.

Universal Book Service (☎ 2310591 ; 718 Malamya Marg ; 10h-20h30)

À voir et à faire

RANI DURGAVATI MUSEUM

À l'ouest de Russell Chowk, ce **musée** (Indiens/étrangers 5/30 Rs, app photo/caméra 20/50 Rs ; 10h-17h tlj sauf lun) réunit des sculptures du Xe siècle provenant de sites de la région, dont Chausath Yogini (p. 707). Le 1er étage abrite des lettres et des photos évoquant le Mahatma Gandhi et une galerie évoquant la culture *adivasi*.

SEAWORLD

À environ 14 km vers Marble Rocks, les enfants (et les grands) apprécient ce **complexe aquatique** (☎ 4917601 ; Bhedaghat Rd ; adulte/enfant 120/90 Rs ; 12h-17h) avec toboggans et piscines extérieures. Prenez n'importe quel bus (5-10 Rs) ou auto-rickshaw collectif pour Bhedaghat.

Où se loger

Lodge Shivalaya (☎ 2625188 ; Napier Town ; s/d 185/285 Rs). Ces chambres simples au sol de pierre, assez spacieuses, offrent le meilleur rapport qualité/prix. Beaucoup donnent sur un balcon commun surplombant la rue.

Hotel Vijan Palace (☎ 4063309 ; Vijan Market ; s 375-475 Rs, d 425-525 Rs, avec clim 700-1 000 Rs ;). Caché dans une ruelle qui part de Vined

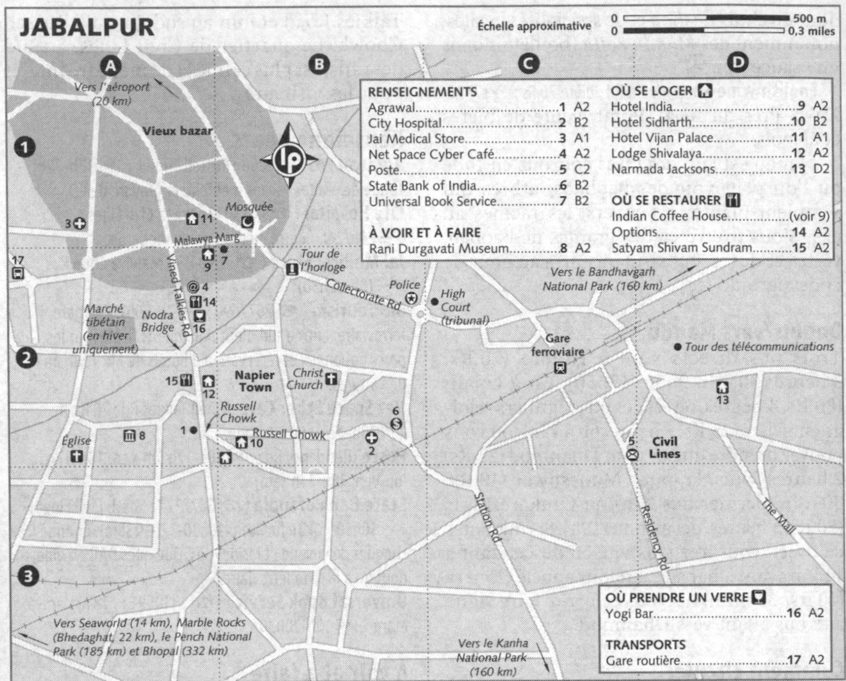

Talkies Rd, cet hôtel animé propose des chambres pour voyageurs à petit et moyen budgets. Service en chambre, eau chaude et possibilité de libérer la chambre 24h/24. Les moins chères ont des toilettes à la turque.

Hotel Sidharth (☎ 4007779 ; hotel_sidharth@hotmail.com ; Russell Chowk ; s/d 495/550 Rs, avec clim 675-995 Rs, ste 1 450-2 150 Rs ;). Un ascenseur vieillot conduit à des chambres compactes et confortables dans cet hôtel de catégorie moyenne sans chichi. Les chambres climatisées ne sont pas plus chic que les autres.

Hotel India (☎ 2480093 ; www.indiancoffeehouse-jabalpur.com ; s/d/ste à partir de 600/800/1 800 Rs ;). Dans cette nouvelle adresse, des escaliers de marbre desservent des chambres lumineuses et propres avec sdb étincelante. Le hall abrite un Indian Coffee House.

Narmada Jacksons (☎ 4001122 ; www.jacksons-hotel.com ; South Civil Lines ; s 2 200-4 200 Rs, d 2 500-4 800 Rs, ste 8 300-9 500 Rs ;). Cet hôtel datant de l'époque britannique a été rénové il y a quelque temps déjà, et les chambres possèdent un mobilier simple mais charmant. Parmi les services 5 étoiles, trois restaurants, un bar et un club de sport.

Où se restaurer et prendre un verre

Indian Coffee House (Hotel India ; café à partir de 7 Rs, plats 30-100 Rs ; 7h30-23h). Les serveurs portant l'uniforme et le chapeau blanc habituels servent café, délicieux petits-déjeuners (des *dosa* aux *uttapam* en passant par les toasts et les omelettes) et solides plats indiens et chinois.

Satyam Shivam Sundram (Napier Town ; plats 30-68 Rs, *thali* 50-80 Rs ; 9h-23h). À l'étage, accueillant restaurant végétarien proposant une délicieuse cuisine indienne dont de très généreux *thali*.

Options (☎ 4006279 ; Vined Talkies Rd ; plats 40-75 Rs ; 10h-23h). Apprécié par les familles, les amoureux et la jeunesse pour sa déco enjouée ainsi que sa bonne cuisine indienne et chinoise. Bande-son à base de pop indienne et de bandes originales de films de Bollywood.

Jabalpur regorge de bars peu avenants mais sans danger. Parmi les adresses plus rassurantes figure le **Yogi Bar** (Vined Talkies Rd ; bière à partir de 75 Rs ; 10h-22h).

Comment s'y rendre et circuler

AVION

Kingfisher Airlines (☎ 2901048, 18001800101), à l'aéroport, assure des vols directs pour

TRAINS UTILES AU DÉPART DE JABALPUR

Destination	N° et nom du train	Tarifs (Rs)	Durée (heures)	Horaires
Agra	2189 *Mahakaushal Exp*	315/831/1 131	14 heures	18h05
Bhopal	1472 *Jbp-Bhopal Exp*	158/437/596	7 heures	23h
Kolkata (Howrah)	2189 *Kolkata Mail*	393/1 050/1 434	22 heures	13h40
Mumbai (CST)	2321 *Howrah-Mumbai Mail*	361/960/1 309	17 heures 30	18h05
Delhi	2192 *Jbp-NDLS Exp*	369/983/1 340	18 heures	17h45
Raipur	2854 *Amarkantak Exp*	250/622/876	9 heures 30	21h35
Satna*	2322 *Kolkata Mail*	141/331/436	2 heures 30	13h40
Umaria	8233 *Narmada Exp*	80/251/352	4 heures	6h40
Varanasi	139 *Dadar-Varanasi Spl*	227/611/836	13 heures	17h30

*sauf samedi

Delhi (à partir de 4 700 Rs) et Indore (à partir de 3 200 Rs).

BUS

Trois bus quotidiens rejoignent Kisli dans le Kanha National Park (95 Rs, 5 heures 30, 7h, 11h, 12h) et deux Raipur (175 Rs, 10 heures, 6h, 9h30). Pour la Pench Tiger Reserve, prenez n'importe quel bus direction Nagpur jusqu'à Khawasa (150 Rs, 5 heures, 7h à 22h) puis faites les 11 km restants jusqu'à Turia Gate en Jeep collective.

TRAIN

Plus de 10 bus partent chaque jour pour Satna, mais aucun le matin, ce qui signifie qu'il est impossible d'avoir une correspondance directe avec un bus pour Khajuraho. Prenez plutôt un train en début d'après-midi, puis un bus jusqu'à Panna où vous changerez à nouveau pour Khajuraho. Pour le Bandhavgarh National Park, prenez un train jusqu'à Umaria. Voir aussi l'encadré ci-dessus.

Comment circuler

Avec 10-20 Rs, on va partout en rickshaw (20-30 Rs en auto-rickshaw).

ENVIRONS DE JABALPUR

Marble Rocks

Ces **gorges** de la Narmada, que les habitants appellent Bhedaghat, s'étendent à 22 km de Jabalpur. Les falaises de magnésium-calcaire, semblables à du marbre, changent de couleur selon la lumière, virant du rose au noir. Elles étincellent au clair de lune. Certaines parties sont éclairées la nuit.

Depuis la jetée du Panchvati Ghat, on remonte les gorges sur 2 km en **barque** (21/31 Rs par pers pour 30/50 min ; 🕑 7h-19h, pleine lune 20h-24h, fermé 15 juin-15 oct pour cause de la mousson). Vous pouvez aussi louer un bateau (normal/grand 200/320 Rs) rien que pour vous. La **baignade** est agréable au ghat également, mais les courants parfois forts : observez le comportement des habitants. Pour une sympathique balade après le bateau, et une découverte de la vie villageoise, montez la colline après l'entrée du ghat et prenez à droite avant le Motel Marble Rocks, où un minusucle sentier longe des maisons et descend vers les gorges.

La **Dhuandhar** (cascade de Fumée) mérite bien les 1,5 km de grimpette depuis le ghat. En chemin, remarquez le **Chausath Yogini**, un temple circulaire du Xe siècle dédié à la déesse Durga. Une fois aux cascades, un court trajet en téléphérique (50 Rs aller-retour) vous conduira de l'autre côté des gorges.

Juste avant le Chausath Yogini, l'**Hotel River View** (☎ 6942004 ; Bhedaghat ; ch sans vue/vue sur la rivière 500/800 Rs, avec clim et vue rivière 1 200 Rs ; ❄) a des chambres spacieuses et propres, certaines avec une vue magnifique sur la rivière, aussi belle que celle qu'on a depuis le restaurant dans le jardin (plats 40-60 Rs).

Des bus locaux partent régulièrement pour Bhedaghat (10 Rs, 40 min) depuis la gare routière de Jabalpur. Ils vous déposeront à un carrefour d'où des auto-rickshaws collectifs (5 Rs) attendent pour vous faire parcourir les 5 km restants. Au retour, vous devrez attendre au carrefour qu'un bus passe. Les impatients essaieront de se glisser dans un auto-rickshaw collectif bondé ralliant Jabalpur (10 Rs).

PENCH TIGER RESERVE

☎ 07695 / 33 tigres

Vos chances de voir un tigre sont limitées (cela se produit une à deux fois par semaine en moyenne), mais la réserve de Pench est bien plus tranquille que les parcs comme Kanha (p. 709) et Bandhavgarh (p. 711) : vous y aurez le sentiment d'avoir toute cette forêt de tecks rien que pour vous. Si les léopards se font eux aussi discrets, vous verrez une foule de cerfs (chital, sambar, nilgiri), d'oiseaux (plus de 250 espèces sont ici répertoriées) et évidemment, de singes. Des balades à dos d'éléphant sont proposées (p. 710).

Comme son grand frère plus célèbre, le Kanha National Park, la réserve de Pench se vante, à tort, d'être le lieu décrit par Rudyard Kipling dans son *Livre de la jungle* (voir l'encadré p. 709).

Pour connaître les tarifs des parcs, voir l'encadré ci-dessous.

Orientation et renseignements

Les bus qui circulent entre Nagpur et Jabalpur vous déposeront à Khawasa, à environ 12 km du petit village de Turia, non loin duquel vous trouverez des hébergements. L'entrée principale du **parc** (☎223794 ; aube-crépuscule 16 oct-30 juin) est à environ 3 km après Turia. L'aéroport et la grande gare ferroviaire les plus proches sont à Nagpur.

Vous ne trouverez ni bureau de change ni accès Internet.

Où se loger et se restaurer

Tous ces hôtels ont un restaurant. Voir l'encadré (p. 710) pour plus de détails sur les forfaits American Plan et Jungle Plan.

Kipling's Court (☎ 232830 ; kiplingc@sancharnet.in ; dort/s/d American Plan 490/2 140/2 590 Rs, avec clim s/d 3 140/3 590 Rs ;). Sachant que ces tarifs sont en pension complète, les 2 dortoirs ici sont une véritable affaire, avec 5 lits chacun et une grande salle de douche commune. Les bungalows privés, à l'air défraîchi et effectivement un peu datés, sont confortables, propres et équipés de TV et penderie. À 2 km après Turia.

Mriganayanee (☎ 09424633485, bureaux de Nagpur 0712-2247987 ; dort/cottage/tente 600/2 500/3 000 Rs ;). Des tentes sur le toit de maisonnettes climatisées, une gigantesque statue de Shiva dominant la piscine, un émeu dans le jardin et un bâtiment (dortoir) de 40 lits entouré de douves où l'on fait du pédalo : il faut le voir pour le croire ! Le Mriganayanee ne manque pas d'excentricité, avec ses tapis rouges dans les chambres sous la tente et ses tissus et couvertures de lit kitsch un peu partout. À 1 km avant Turia.

Mowgli's Den (☎ 232832, s/d 1 300/1 900 Rs, American Plan 1 900/3 100 Rs). Parfait pour les familles : réception et restaurant bordent une pelouse verdoyante avec aire de jeux pour les enfants, balançoire à pneus, mare aux canards et clapiers à lapins. Les huttes de béton, aux airs de cabanes de rondins, possèdent un très joli mobilier de fer forgé et d'immenses sdb rondes avec des baignoires grandes comme des jacuzzis. Aucune TV ne viendra troubler l'agitation naturelle de la jungle, et quand vous éteignez la lumière le soir, un ciel étoilé fluorescent apparaît au plafond comme par magie. À 1 km après Turia.

Tuli Tiger Corridor (☎ 09981994119, bureaux de Nagpur 0712-2534784 ; www.tuligroup.com ; s/d cottage American Plan 295/395 $US, Jungle Plan 445/595 $US, s/d tente de luxe Jungle Plan 800/950 $US ;). Avalanche d'extravagances dans ces adorables cottages avec véranda et ces tentes de luxe avec pelouse privative, mais aussi une piscine sublime. À 500 m après Mowgli's Den.

LES TARIFS DES RÉSERVES DE TIGRES

Les quatre grands parcs abritant des tigres dans le Madhya Pradesh ont vu leurs tarifs de safari uniformisés par le gouvernement de l'État. Les établissements privés ont souvent des tarifs plus onéreux, proposant généralement des forfaits avec safari, hébergement et repas appelés Jungle Plan (p. 710). Lors de notre passage, les tarifs officiels normalisés étaient les suivants :

- location de Jeep – 1 000 Rs
- entrée avec Jeep – 2 030 Rs (ressortissant indien 530 Rs)
- guide obligatoire – 150 Rs
- prix total – 3 180 Rs (ressortissant indien 1 680 Rs).

Ces tarifs s'entendent par safari, et non à la journée, et par Jeep, non par personne. Chaque Jeep peut accueillir un à six passagers, mais c'est généralement à vous d'organiser votre groupe. Les services d'un guide peuvent grimper jusqu'à 400 Rs s'il s'agit d'un naturaliste formé.

LE MYTHE DE MOWGLI

Le parc de Kanha, comme celui de Pench, se targue d'être le cadre dans lequel se déroule le célèbre *Livre de la jungle* (1894) de Rudyard Kipling, narrant l'histoire du petit Mowgli élevé par les loups. La théorie de Pench est a priori la plus crédible, puisque certains lieux apparaissant dans le recueil de nouvelles (les Seeonee Hills, le village de Kanhiwara et les gorges de la Waingunga) sont des sites réels situés dans la région de Pench, même si les orthographes diffèrent légèrement. Néanmoins, Kipling (1865-1936) ne s'est jamais rendu ni à Pench ni à Kanha. Il écrivit son livre au Vermont, aux États-Unis, utilisant d'abord pour cadre les Aravalli Hills, au Mewar, une région du Rajasthan qu'il connaissait très bien. Diverses raisons poussèrent visiblement Kipling à modifier, avant la publication, certains toponymes de son récit en utilisant des ouvrages de références, certains écrits par Robert Armitage Sterndale, dont il reprend ainsi l'orthographe rare de Seoni (Seonee), y ajoutant même un quatrième "e" dans des manuscrits plus tardifs. C'est ainsi que les collines d'Aravalli devinrent les Seeonee Hills et que commença le mythe des origines de Mowgli.

Depuis/vers la Pench Tiger Reserve

Jour et nuit, des bus réguliers relient Khawasa à Nagpur (60 Rs, 2 heures) et Jabalpur (120 Rs, 5 heures 30). Des Jeep collectives (10 Rs) circulent entre Khawasa et Turia lorsqu'elles affichent complet. Si vous êtes pressé, une Jeep privée se loue 150 Rs. Vous pouvez rejoindre le Kanha National Park de Khawasa sans avoir à aller jusqu'à Jabalpur ou Mandla. Faites signe à n'importe quel bus partant vers l'est et descendez à Seoni (25 Rs, 1 heure), puis prenez direction Mandla jusqu'à Chiraidongri (50 Rs, 2 heures 30) où vous trouverez des bus allant jusqu'à Khatiya Gate (25 Rs, 1 heure).

KANHA NATIONAL PARK

☎ 07649 / 80 tigres

Le Kanha, l'un des plus grands parcs nationaux indiens, vous offre la chance de pénétrer en plein territoire des tigres. Ses forêts de sals et ses immenses prairies abritent plus de 200 tigres et léopards et de très importantes populations de cerfs et d'antilopes, dont le très rare *barasingha* (cerf des marais). Vous verrez d'innombrables singes langurs, çà et là un gaur (sorte de bison indien), voire une famille de sangliers. Le parc sert aussi d'habitat à plus de 300 espèces d'oiseaux. Des promenades à dos d'éléphant sont proposées (p. 710).

Pour connaître les tarifs des parcs, voir l'encadré (p. 708).

Orientation et renseignements

Ce **parc** (☎ 07642-250760 ; www.kanhanationalpark.com ; ⏲ aube-crépuscule oct-juin) de 1 945 km² est découpé en une zone centrale de 900 km² entourée d'une zone tampon de 1 005 km².

Khatiya Gate, principale entrée dans la zone-tampon, se trouve dans le village de Kisli, où vous trouverez la majorité des hôtels. Quelque 4 km plus loin dans le parc, la Kisli Gate est l'entrée principale de la zone centrale. MP Tourism a un superbe hôtel à cet endroit. La Mukki Gate, à 35 km au sud-est à l'autre bout du parc, est la plus éloignée.

Il est impossible de changer de l'argent dans le parc et quelques hôtels seulement bénéficient d'un accès Internet.

CENTRES D'ACCUEIL DES VISITEURS

Vous trouverez des **centres d'accueil des visiteurs** (⏲ 8h-11h et 15h30-17h 1er oct-15 fév, 7h30-10h30 et 16h30-18h 16 fév-15 avr, 7h-10h et 17h30-19h 16 avr-30 juin) à Khatiya Gate, à Mukki Gate et à l'intérieur du parc. Celui qui se situe à l'intérieur du parc de Kanha, que vous rejoindrez en prenant part à un safari le matin à partir de Kisli Gate, est le plus remarquable, avec plusieurs galeries.

SENTIERS NATURE

Un sentier bien balisé de 7 km part de Khatiya Gate et serpente à la lisière du parc avant de revenir vers le village. Vous verrez surtout pléthore de singes et d'oiseaux, mais il arrive que des tigres s'aventurent aussi par ici. Renseignez-vous auprès des habitants avant de partir. Raheel, le gérant du Pugmark Resort (p. 710), est bien informé. Un autre sentier plus court s'ouvre près du Kanha Safari Lodge (p. 710) à Mukki.

BAIGNADE

Les Mogli Resorts (p. 710) ont une très agréable piscine ouverte aux non-résidents (50 Rs).

À DOS D'ÉLÉPHANT

Les parcs nationaux de Kanha, Bandhavgarh et Pench utilisent tous des éléphants pour suivre les tigres le matin. Les touristes faisant un safari en Jeep sont appelés par radio, installés sur des éléphants (600 Rs/pers), puis conduits à l'endroit où le tigre a été repéré. Si le fauve a pris la poudre d'escampette avant votre arrivée, vous serez remboursé.

Où se loger et se restaurer

Tous ces hôtels ont un restaurant. Voir l'encadré (ci-dessous) pour plus de détails sur les forfaits American Plan et Jungle Plan.

KISLI

Juste avant Khatiya Gate, vous trouverez une enfilade de petits dhaba servant une nourriture bon marché et du *chai*. Un établissement MP Tourism se trouve à Kisli Gate.

Panther Resort (☎ 277233 ; dort Rs100, ch 500-700 Rs). Conseillé uniquement pour ses dortoirs à prix dérisoires ; à moins d'obtenir un rabais conséquent pour une morne chambre double, passez votre chemin. À 500 m avant Khatiya Gate.

Van Vihar (☎ 277241 ; ch 200-500 Rs, avec clim 700 Rs ; ❄). Chambres sommaires et sans charme, mais c'est l'adresse petits budgets la plus avantageuse. À 300 m à gauche de Khatiya Gate.

♡ **Baghira Log Huts & Tourist Hostel** (☎ 277227 ; Kisli Gate ; American Plan dort 490 Rs, s 3 140-3 840 Rs, d 3 590-4 290 Rs ; ❄). Cet hôtel MP Tourism est le seul dans la zone centrale du parc et la bonne adresse où séjourner à Kanha. Ses chambres se trouvent dans la forêt remplie de singes, beaucoup donne sur une petite prairie où passent fréquemment des cerfs. Les dortoirs grands et propres sont très avantageux puisque le tarif inclut la pension complète. Il y a même un bar. Réservez le plus tôt possible. Tous les bus arrivant de Khatiya et en partant passent ici, sauf le dernier, à 18h.

Pugmark Resort (☎ 277291 ; www.pugmarkresort.com ; s/d American Plan 1 200/2 400 Rs ; ❄). Chambres spacieuses, nettes et lumineuses aménagées dans des cottages autour d'un jardin charmant quoiqu'un peu négligé. Espace couvert pour le feu de camp, et bar sur place. Le gérant, Raheel, est très bien informé. Le Pugmark est à 700 m par une piste à droite de Khatiya Gate.

Mogli Resorts (☎ 9425156245 ; www.moglireorts.com ; s 1 400-2 200 Rs, d 1 500-2 500 Rs, American Plan s 2 050-2 850 Rs, d 2 800-3 800 Rs ; ❄ 🏊). Disséminés sur un vaste domaine, les bungalows ne manquent pas d'espace. Ceux qui sont dépourvus de clim sont dotés de sièges sous le bow-window, tandis que les climatisés ont un coin accueil et un dressing. La piscine est très agréable. À 500 m après le Pugmark Resort.

Tuli Tiger Resort (☎ 277221 ; www.tuligroup.com ; American Plan s/d cottages 4 000/5 500 Rs, tente de luxe 17 500/21 500 Rs, Jungle Plan s/d cottages 11 000/12 000 Rs, tente 23 500/25 500 Rs ; ❄ 💻). Luxe et opulence cinq-étoiles sur une bambouseraie à 4 km avant Khatiya Gate, juste à la sortie du village de Mocha. Tous les bus pour Khatiya s'arrêtent ici.

MUKKI

Il n'y a pas de bus direct entre Kisli et Mukki. Le moyen le plus rapide et le plus agréable de venir ici est l'auto-stop à moto (300 Rs aller-retour, 1 heure 30). Contrairement à Kisli, Mukki n'a aucun restaurant en dehors des hôtels.

Kanha Safari Lodge (☎ 07637-226029 ; s/d American Plan 1 640/2 090 Rs, avec clim 2 440/2 890 Rs ; ❄). Dans cette autre merveille de MP Tourism, des bâtiments majestueux et spacieux, équipés de TV et lecteur DVD, sont disséminés sous les arbres face à un jardin bien tenu avec balancelles, pelouse et pavillon au toit de feuilles, mais aussi un restaurant, un bar et une belle vue sur la rivière. À 1,5 km avant Mukki Gate.

Mehail Hotel & Kanha Meadows Retreat (☎ 07637-290074 ; www.kanhameadows.com ; ch American Plan 2 100 Rs, avec clim 3 500 Rs ; ❄ 🏊). Proche du Kanha Safari Lodge, ce complexe offre des chambres simples et bien tenus dans le petit hôtel et, dans le nouvel établissement voisin, des cottages plus spacieux. Piscine et centre de massage.

JUNGLE PLAN

Dans les réserves de tigres, les complexes hôteliers de catégorie supérieure proposent souvent des forfaits tout compris. Le forfait appelé American Plan inclut ainsi l'hébergement en pension complète, tandis que le Jungle Plan comprend l'hébergement en pension complète et un safari en Jeep le matin et l'après-midi.

MADHYA PRADESH ET CHHATTISGARH

Depuis/vers le Kanha National Park

Des bus pour Mandla (40 Rs, 2 heures 30) partent de Kisli Gate à 6h, 8h, 9h, 12h30, 13h30 et 14h30. Tous passent par Khatiya Gate. Ceux de 6h, 9h et 13h30 continuent jusqu'à Jabalpur (95 Rs, 5 heures 30). Un bus part aussi à 18h de Khatiya Gate (sans passer par Kisli Gate) pour Mandla.

De Mandla, des bus réguliers rallient Jabalpur (55 Rs, 5 heures, dernier bus 20h30), Nagpur (175-240 Rs, 9 heures, dernier bus 23h) et Raipur (170-190 Rs, 10 heures, dernier bus 23h).

Pour Nagpur ou la Pench Tiger Reserve, vous irez plus vite en prenant un bus direction Mandla jusqu'à Chiraidongri (45 min), d'où vous pourrez héler un des bus qui passent régulièrement et vont vers l'ouest. La plupart vont jusqu'à Nagpur (80 Rs, 6 heures), et passent par Khawasa, pour la réserve Pench, à moins qu'il ne vous faille changer à Seoni (50 Rs, 2 heures 30).

Des bus partent de Mukki vers Mandla (100 Rs, 5 heures) à 8h, 8h30, 14h et 17h. Direction Raipur, il est plus rapide de changer au village de Baihar (12 Rs, 30 min) plutôt que d'aller jusqu'à Mandla.

BANDHAVGARH NATIONAL PARK

☎ 07653 / 65 tigres

Si vous ne visitez un parc national que pour voir un tigre, ne cherchez plus. Une journée ici, avec safari le matin et l'après-midi, vous garantit presque à coup sûr une rencontre avec un félin : ce parc relativement peu étendu se targue de la plus forte densité de tigres en Inde. Outre sa mascotte, il abrite plus de 40 léopards (qu'on ne voit que rarement) et des animaux plus faciles à rencontrer, comme le cerf, le sanglier et le singe langur. Des balades à dos d'éléphant sont également proposées (p. 710).

Le parc doit son nom à un vieux fort perché au sommet de falaises hautes de 800 m. Dans ses remparts se sont installés vautours, monticoles bleus et hirondelles des rochers. Des circuits en Jeep permettent de le visiter en journée, mais vous devrez payer les entrées habituelles au parc (voir l'encadré p. 710).

Orientation et renseignements

On accède au **parc** (☎ 222214 ; www.bandhavgarhnationalpark.com ; aube-crépuscule oct-juin) par le petit village tranquille de Tala, à 32 km d'Umaria, où se trouve la gare la plus proche.

LA VOIX DU PARC

Nom Sheevendra
Âge 20 ans
Lieu Bandhavgarh National Park
Profession Naturaliste au Maharaja's Royal Retreat
Nombre record de tigres aperçus au cours d'un safari Dix, un matin de décembre 2007 : deux mères avec leurs petits, un couple en chaleur et un solitaire.
Meilleur souvenir Suivre un tigre qui chassait un sanglier le long d'une piste de Jeep, puis le voir attraper sa proie et l'emporter dans la jungle.

Vous trouverez un accès Internet au **Yadav Cyber Café** (50 Rs/h ; 8h-23h), mais ne pourrez pas changer d'argent ici.

Où se loger et se restaurer

Tous les hébergements se trouvent sur la route principale ou sont accessibles à pied depuis celle-ci. Tous ceux qui ont été listés ici ont un restaurant. Voir l'encadré (p. 710) pour en savoir plus sur l'American Plan et le Jungle Plan.

Kum Kum Home (☎ 265324 ; ch 350-400 Rs). La meilleure adresse pour les voyageurs à petit budget : chambres simples mais confortables, avec grande sdb et véranda.

Hotel Bagh Vihar (☎ 265302 ; s/d 400/500 Rs). Rien d'extraordinaire, mais les chambres à l'étage au-dessus de l'unique cybercafé du village sont bien tenues et spacieuses.

Maharaja's Royal Retreat (☎ 265306 ; ch 2 000-2 500 Rs, avec clim 3 000 Rs ;). Les bâtisses de cet ancien domaine de chasse du maharaja Martan Singh (la plus ancienne a 95 ans) recèlent des chambres diverses et variées : les moins chères sont franchement décrépites, mais d'autres sont élégantes, avec carrelage, vases et porte-serviettes en bois. Sur place, un petit musée (50 Rs) expose quelques-uns des fusils de chasse du maharaja et deux tigres empaillés.

White Tiger Forest Lodge (☎ 265366 ; s/d American Plan 2 140/2 590 Rs, avec clim 3 140/3 590 Rs ;). Plus anciennes, les chambres, reliées par des passerelles, sont un peu défraîchies mais assez agréables à l'intérieur. Au même prix, les maisonnettes, plus récentes et plus lumineuses, se dressent au fond de jardins non entretenus. Restaurant, bar et piscine.

Nature Heritage Resort (☎ 265351 ; shalinidev@eth.net ; ch American/Jungle Plan 3 500/11 060 Rs ; ❄). Bungalow luxueux tout en bambou, équipés de mobilier en bambou, dont des lits en bambou, dans de superbes jardins à l'ombre de... bambous.

Tiger's Den (☎ 265353 ; www.tigerden.com ; American Plan ch 4 500 Rs, Jungle Plan s 9 500 Rs ; ❄). Très beaux bungalows vert olive disséminés dans un jardin verdoyant bordé de palmiers. Entre autres touches sympathiques, miroirs décoratifs, photos de tigre dans les chambres et sdb avec baignoire.

Kolkata Restaurant (plats 25-170 Rs) prépare un large choix de plats indiens, dont de savoureux *thali* (à partir de 60 Rs), et quelques mets chinois et italiens, et sert de la bière (110 Rs). Juste à côté, **Priyanka Restaurant** (samosas 3 Rs) fait de délicieux samosas végétariens. En face, **Al-Mezbaan** (plats 30-100 Rs) a un personnel sympathique et une terrasse au bord de la route avec tables et chaises en plastique et propose des plats indiens, végétariens ou non. Non loin se trouve le magasin d'alcools **Wine Shop** (Kingfisher 80 Rs ; ⌚ 9h-23h).

Depuis/vers le Bandhavgarh National Park

Vous pouvez louer des vélos (50 Rs/jour) pour explorer les villages environnants auprès d'un loueur installé en face du Yadav Cyber Café.

Tala est reliée à Umaria, la tête de ligne ferroviaire la plus proche, par des bus, des Jeep collectives (15 Rs, 1 heure), ainsi que par des taxis (300 Rs).

Entre autres trains partant d'Umaria, le 8477 *Utkal Express* rallie la gare Nizamuddin de Delhi (316/860/1 181 Rs, 17 heures, 21h) via Gwalior (11 heures), Agra (14 heures) et Mathura (15 heures), tandis que le 8234 *Narmada Express* rejoint Jabalpur (80/261/352 Rs, 4 heures 30, 16h30), puis Bhopal (12 heures), Ujjain (16 heures 30) et Indore (18 heures 30).

Un seul train par jour part pour Varanasi, à 4h22 : vous préférerez peut-être passer par Satna avec le 1710 *Chirmiri-Rewa Passenger* (couchette 80 Rs, 4 heures, 0h45), d'où l'on peut par ailleurs prendre un bus pour Khajuraho (p. 671) et le Panna National Park (p. 679).

CHHATTISGARH

Le Chhattisgarh est isolé, son réseau de transports publics médiocre et ses infrastructures quasi inexistantes hors des grandes villes, mais le voyageur intrépide pourrait bien y passer ici quelques-uns des meilleurs moments de son séjour. L'État le plus boisé du pays est riche d'innombrables beautés naturelles, cascades et réserves naturelles quasi vierges sont pléthore. Plus intéressant encore, le Chhattisgarh abrite quelque 42 ethnies différentes, dont les peintures pointillistes et les sculptures chétives sont aussi fascinantes que les *haat* (marchés) pleins de couleur qui ont lieu dans toute la région, notamment dans le Bastar, près de Jagdalpur.

Le Chhattisgarh est l'un des États de l'Est associés aux guérillas naxalites (mouvement politique maoïste né à Naxalbari, au Bengale-Occidental), lesquelles s'éloignent rarement de leurs caches reculées, aux frontières nord et sud du Chhattisgarh.

RAIPUR

☎ 0771 / 700 120 habitants

La peu gracieuse capitale du Chhattisgarh est le centre sidérurgique de l'État et n'a guère à offrir en termes de sites à visiter, si ce n'est une excursion non loin, à Sirpur. Toutefois, vous avez peut-être intérêt à passer ici au Chhattisgarh Tourism Board (office du tourisme), car celui de Jagdalpur est peu efficace.

Renseignements

Vous trouverez des DAB à l'extérieur des gares routière et ferroviaire.

Chhattisgarh Tourism Board Siège (☎ 4066415 ; www.chhattisgarhtourism.net ; à côté du Sibbal Palace Hotel, GE Rd ; ⌚ 10h30-17h30) ; aéroport (⌚ terminal des arrivées) ; gare ferroviaire (☎ 6456336 ; ⌚ 10h-17h). Information touristique sur l'État et organisation de sorties pour rencontrer la population locale – avec transport, hébergement et guide.

Internet Cafe (15 Rs/h ; ⌚ 9h30-21h30). Prenez à gauche en sortant de la gare routière : à 500 m plus loin sur votre droite.

State Bank of India (☎ 2535176 ; Jaistambh Chowk ; ⌚ 10h30-17h30 lun-ven). Face à l'Hotel Radhika. Change les chèques de voyage et les devises ; DAB.

Où se loger et se restaurer

Hotel Radhika (☎2233806 ; Jaistambh Chowk ; ch 240-650 Rs, ste 900 Rs ; ❄). Dans le centre, difficile de faire plus pratique : en face d'une banque, au-dessus d'un glacier, en dessous d'un restaurant de *thali* et à côté de deux bars. Que demander de plus ? De la chambre sommaire à la moyenne gamme correcte avec clim, vous choisirez – à condition de réserver à l'avance, car l'endroit est couru.

Hotel Jyoti (☎ 2428777 ; Pandri ; s 350-650 Rs, d 450-800 Rs ; ❄). Juste en face de la gare routière, ce refuge tranquille tombe à pic après un long voyage en bus. Chambres bien tenues et gérant serviable.

Supreet Restaurant (Pandri ; plats 15-60 Rs ; ⏲ 9h-22h). Dhal, *dosa*, *paneer*, *paratha* (pain feuilleté non levé) et *naan*, mais aussi trois types de *thali* (à partir de 35 Rs) sont servis dans cet établissement bon marché et accueillant près de la gare routière. Il propose aussi des demi-portions, parfaites pour un déjeuner sur le pouce. Prenez à gauche en quittant la gare routière, c'est à 500 m sur votre gauche.

Girnar Restaurant (☎ 2234776 ; Hotel Radhika, Jaistambh Chowk ; plats 60-150 Rs ; ⏲ 10h30-22h30). Bonne cuisine indienne juste en face de la réception de l'Hotel Radhika. Au-dessus, le restaurant spécialisé dans le *thali*, en travaux lors de notre passage, a bonne réputation.

Depuis/vers Raipur

AVION

Air India (☎4060942 ; Pandri ; ⏲ 10h-17h lun-sam) a des vols quotidiens pour Mumbai (4 575 Rs, 3 heures 30) via Bhubaneswar (3 375 Rs, 50 min), et pour Delhi (5 025 Rs, 2 heures 30) via Nagpur (3 375 Rs, 40 min). En sortant de la gare routière par la gauche, les bureaux sont à 1 km sur votre gauche, juste après le passage à niveau. **Kingfisher** (☎2418601 ; aéroport ; ⏲ 7h30-19h) dessert aussi Delhi et Mumbai, et a 2 vols quotidiens pour Kolkata (5 100 Rs, 2 heures).

BUS

Des bus fréquents rallient Jagdalpur (280-320 Rs, 7 heures, 5h à 23h30), 3 bus vont à Jabalpur (300 Rs, 12 heures, 4h, 6h, 20h30) et quelques-uns à Nagpur (180 Rs, 8 heures, 7h30, 8h30, puis de 20h à 23h).

RICKSHAWS

La course en rickshaw/auto-rickshaw entre les gares routière et ferroviaire coûte 15/30 Rs. Des auto-rickshaws collectifs (5 Rs) font le même trajet et circulent aussi sur l'axe principal qu'est GE Rd, entre Jaistambh Chowk et le siège de Chhattisgarh Tourism.

TRAIN

Peuvent vous intéresser le 8237 *Chhattisgarh Express* qui rejoint la gare Nizamuddin de Delhi (405/1 110/1 530 Rs, 29 heures 30, 15h40) via Bhopal (273/741/1 016, 15 heures), Gwalior (357/975/1 342 Rs, 21 heures 30) et Agra (373/1 020/1 404 Rs, 24 heures), et le 2859 *Gitanjali Express* pour la gare Howrah de Kolkata (328/867/1 179 Rs, 13 heures, 23h40).

ENVIRONS DE RAIPUR

Sirpur, qui peut faire l'objet d'une journée d'excursion depuis Raipur, concentre des dizaines de ruines de temples hindous et de monastères bouddhiques disséminés dans le village et la campagne alentour. Les fouilles continuent d'ailleurs sur nombre de sites mis au jour. Tous sont accessibles librement, sauf le principal : le **Laxman Temple** (Indiens/étrangers 5/100 Rs ; ⏲ aube-crépuscule), du VIIe siècle, qui est l'un des temples en briques les plus anciens d'Inde.

Les bus vous déposeront à Sirpur Mudh (40 Rs, 2 heures), un carrefour à 17 km de Sirpur où vous devrez attendre un bus ou une Jeep collective (10 Rs, 25 min) pour le village. Pour le Laxman Temple, prenez à droite après les stands d'en-cas et continuez sur 1 km ; il se trouve à gauche après la pompe à essence.

GÉNÉREUSES FOURMIS

Les fourmis rouges ne sont pas une plaie pour les ethnies du Bastar. Appelées *chapura*, elles jouent un rôle important dans leur alimentation et leur médecine. Elles sont souvent mangées vivantes, servies sur une feuille avec leurs larves, mais les villageois les écrasent aussi avec du piment pour en faire du chutney. Comme toutes les fourmis, les *chapura* contiennent de l'acide formique, auquel les autochtones attribuent des vertus médicinales. En cas de fièvre, les habitants mettent parfois leur main dans une fourmilière pour se laisser piquer des centaines de fois et se faire injecter de l'acide formique dans le sang.

LES HUIT ETHNIES DU BASTAR

- Bhatra – Les femmes sont reconnaissables à leurs saris très colorés et à leur abondance de bijoux, dont ces cônes d'or qu'elles portent dans le nez.
- Bhurwa – Les hommes sont coiffés de turbans simples, souvent rouge et blanc.
- Maria à cornes de bison – Renommés pour les coiffes à deux cornes qu'ils portent lors des fêtes.
- Ghadwa – Les spécialistes de la ferronnerie.
- Dorla – La seule ethnie qui construit ses maisons non en terre et en paille, mais à partir des branches et des feuilles d'arbres qu'ils trouvent dans les forêts reculées du sud du Chhattisgarh.
- Halba – Ces excellents agriculteurs sont généralement plus grands que les hommes des autres ethnies et portent souvent un simple pagne.
- Maria des collines ou Abhuj Maria – Ethnie très isolée, dans les épaisses forêts des collines du Bastar, dont les membres s'aventurent rarement hors de leur village.
- Muria – Connus pour l'abondance de bijoux que portent aussi bien les hommes que les femmes.

JAGDALPUR

☎ 07782 / 103 123 habitants

L'accueillante capitale de la région du Bastar fait une base idéale pour aller rendre visite aux ethnies du Chhattisgarh (voir l'encadré ci-dessus). La ville accueille par ailleurs chaque dimanche un *haat* où les Adivasi viennent acheter, vendre et négocier aux côtés des commerçants de Jagdalpur, mais ce n'est que dans les villages alentour que vous découvrirez vraiment leur mode de vie. Certains de ces villages sont très isolés et accessibles seulement avec un guide. D'autres, néanmoins, sont desservis par des bus et s'explorent facilement en solo, particulièrement les jours de marché (voir l'encadré p. 715). Pendant 8 jours très animés en octobre, les rues de Jagdalpur se transforment en circuit de course : d'immenses chars artisanaux s'affrontent alors au cours de festivités qui sont le clou des 75 jours de fête du Dussehra (voir l'encadré p. 661).

Orientation et renseignements

Sanjay Market, où se tient le *haat* le dimanche, est le cœur battant de Jagdalpur. L'Hotel Rainbow lui fait face, tandis que Main Rd, une artère commerçante animée, est à 200 m (quittez le marché par la gauche puis prenez la première à droite). Les gares routière et ferroviaire sont respectivement à 3 km et 4 km au sud, soit 15 Rs et 20 Rs en rickshaw.

Internet Garden (Main Rd ; 20 Rs/h ; ⏲ 7h30-23h) est accessible à pied depuis Sanjay Market. Tournez à gauche, puis prenez la première à droite (Main Rd) ; c'est à 500 m sur votre gauche. Vous ne pourrez pas changer d'argent ici, mais la **State Bank of India** (Main Rd) possède l'un des rares DAB disséminés dans la ville : elle se trouve 300 m après Internet Garden.

Lors de notre passage, le **Chhattisgarh Tourism Board** (office du tourisme, Durgar Mandir ; ⏲ 10h30-17h30 lun-sam), au-dessus de la Kidzee School, n'avait ni téléphone ni personnel anglophone. Il vous est bien plus facile de contacter le bureau de Raipur (p. 712) ou de trouver vous-même votre guide (p. 715).

À voir

Le **musée d'Anthropologie** (☎ 229356 ; Chitrakote Rd ; entrée libre ; ⏲ 10h30-17h30 tlj sauf dim), à 4 km du centre, propose une fascinante incursion dans la vie des peuples du Bastar. Pour vous y rendre, comptez 30 Rs en rickshaw.

Où se loger et se restaurer

Hotel Chetak (☎ 223503 ; s/d 325/425 Rs, avec clim 625/725 Rs ; ❄). Bien situé pour les bus de nuit. Les chambres bien tenues sont plus petites qu'au Rainbow mais propres et dotées de toilettes à l'occidentale. Le restaurant-bar à l'éclairage chiche (plats 40-100 Rs), ouvert de 10h à 22h30, est une bonne adresse pour une bière (100 Rs). À droite en sortant de la gare routière, marchez 100 m.

Hotel Rainbow (☎ 221684 ; hotelrainbow@indiatimes.com ; s/d avec air-cooler 380/480 Rs, avec clim 700/825 Rs ; ❄). Même les chambres sans clim, à petit prix, sont immenses dans cet hôtel à l'excellent rapport qualité/prix, et le restaurant (plats

50-130 Rs), ouvert de 7h à 22h30, est le meilleur de la ville. Goûtez donc au poivron farci. En face du Sanjay Market.

Achats

Shabari (Chandi Chowk ; ⌚ 11h-20h lun-sam). Cet emporium d'État, à prix fixes, vend de l'artisanat *adivasi*, des petites figures chétives en fer (20 Rs) aux lourdes statues de métal plus onéreuses. De l'extrémité de Main Rd côté Sanjay Market, prenez la troisième à droite et continuez sur 500 m : le magasin se dresse en face du distributeur de la Bank of Baroda.

Depuis/vers Jagdalpur

BUS

Il y a régulièrement des bus pour Raipur (180 à 220 Rs, 7 heures) via Kondagaon (55 Rs, 1 heure 30) et le Kanger Valley National Park (25 Rs, 45 min).

Des bus pour les Chitrakote Falls (40 Rs, 2 heures) partent de l'Anumapa Takij, un cinéma à environ 2 km (rickshaw, 10 Rs) de la gare routière.

TRAIN

Il n'y a qu'un seul train, et pas n'importe lequel. Le 2VK *Kirandul-Visakhapatnam* "survole" les ghats orientaux et leurs somptueux paysages sur la plus haute voie ferrée à large écartement d'Inde, en direction de Visakhapatnam (sleeper/1re cl 103/384 Rs, 10 heures 30) sur la côte de l'Andhra Pradesh, via Koraput (80/199 Rs, 3 heures) pour une correspondance à Orissa. Il part tous les jours de Jagdalpur à 9h50. Dans le sens inverse, le 1VK arrive à Jagdalpur à 16h30. Les **réservations** (⌚ 8h-12h et 14h-16h lun-sam, 8h-12h dim) s'effectuent à la gare ferroviaire (10 Rs en rickshaw à partir de la gare routière).

ENVIRONS DE JAGDALPUR

Vous pouvez rejoindre nombre de villages *adivasi* en bus (excellente idée les jours de marché), mais certains sont quasi inaccessibles, et si vous voulez vraiment rencontrer des Adivasi, un guide est indispensable, ne serait-ce que pour faire l'interprète. Les guides vous aideront par ailleurs à organiser un séjour chez l'habitant. **Awesh Ali** (☎ 9425244925 ; la journée 1 000 Rs) nous est chaudement recommandé : contactez-le directement ou bien via les offices du tourisme de Raipur et Jagdalpur. Comptez 800 Rs la journée pour une voiture avec chauffeur, hors essence. Lors de notre passage, le carburant était facturé 40 Rs les 10 km.

Haat

Visiter l'un de ces **marchés** (là où bat le cœur des Adivasi du Chhattisgarh) avec un guide est un excellent moyen de se familiariser avec la culture du Bastar. Les membres des diverses ethnies marchent jusqu'à

HAAT DU BASTAR OU COMMENT TROUVER DES MARCHÉS ADIVASI

La plupart des *haat* (marchés) débutent vers midi et se poursuivent jusqu'à 17h. Ne sont donnés ici que les plus courus, mais la liste est bien plus longue. Pour d'autres détails, renseignez-vous auprès de l'office du tourisme de Raipur (p. 712).

Jour	Lieu	Distance depuis Jagdalpur	Bus depuis Jagdalpur	Pourquoi y aller ?
lun	Tokapal	23 km	30 Rs, 1 heure	Acheter des objets de ferronnerie fabriqués par les Ghadwa
mar	Pakhnar	70 km	Pas de bus direct	Cadre superbe, dans la forêt
mer	Darbha	40 km	30 Rs, 1 heure*	Fréquenté par des Bhurwa
jeu	Bastar	18 km	25 Rs, 30 min	Facilement accessible depuis Jagdalpur
ven	Nangur	35 km	Pas de bus direct	Fréquenté par des Adivasi venus de forêts lointaines
	Nagarnar	18 km	Pas de bus direct	Fréquenté par des Bhatra aux tenues colorées
sam	Kuknar	65 km	50 Rs, 2 heures	Bastion des Maria à cornes de bison
dim	Jagdalpur	-	-	En pleine ville et en activité jusque tard dans la soirée
	Chingitarai	52 km	Pas de bus direct	Dans une grande prairie
	Pamela	12 km	20 Rs, 45 min	Voir une foule enjouée pariée sur des combats de coqs

*Le bus part d'Anumapa Takij, pas de la gare routière principale

20 km pour venir vendre leurs produits, saris aux couleurs éclatantes ou fourmis rouges. Appelées *chapura* (voir l'encadré p. 713), ces fourmis sont vendues comme nourriture, à déguster vivantes (encore frétillantes et piquantes) sur une feuille – 2 Rs la feuille, si l'expérience vous chatouille. Vous trouverez peut-être plus appétissants le *bobo* (gâteau de riz et lentilles, 3 Rs) et le *bhajiya* (beignet de lentilles, 3 Rs), deux délices épicés.

Ressemblant à des dates écrasées, les mahuwa séchées sont des fleurs que l'on peut manger fraîches ou bien séchées puis bouillies, la vapeur servant à produire un alcool fort qui est la boisson favorite de nombreux Adivasi du Bastar.

Pour en savoir plus sur les *haat*, voir l'encadré (p. 715).

Villages adivasi

Le Bastar compte plus de 3 500 villages. À **Earrakote**, à 3,5 km après Tokapal, plusieurs ethnies cohabitent, mais les Ghadwa, spécialisés dans l'artisanat du bronze (*bell-metal*), sont majoritaires. Ce talent s'est transmis de génération en génération dans de nombreuses familles, parfois depuis 300 ans. Les membres d'une même famille participent au processus de fabrication, depuis la production du moule d'argile et la fonte de morceaux de ferraille jusqu'à l'étape délicate qui consiste à recouvrir le moule d'une pellicule de cire, selon une technique de moulage à la cire perdue qui n'existe qu'au Bastar. Awesh Ali (plus haut) peut vous mettre en contact avec des familles de ce village qui vous accueilleront pour la nuit en échange de ferraille ou de cire, que vous achèterez à Jagdalpur.

Chaque village a un *sirha* (chaman), un sage qui conseille les habitants lorsqu'ils ont des problèmes. Il se met en transe pour entrer en contact avec les dieux qui, par son intermédiaire, dispensent leurs conseils aux villageois en difficulté.

Chutes de Chitrakote

La plus large cascade de toute l'Inde (300 m, soit les deux tiers des chutes du Niagara) se targue du plus rugissant des débits juste après les pluies, mais le site est remarquable toute l'année, en particulier au coucher du soleil. Aux basses eaux, on peut aller barboter dans des bassins au sommet des chutes – mais soyez extrêmement prudent.

Sur la rivière au pied de la cascade, vous pourrez nager, louer un pédalo (25 Rs) ou payer un batelier pour vous conduire dans le nuage de gouttelettes des chutes (25 Rs). Descendez les escaliers depuis le jardin d'une résidence réservée au gouvernement.

Les **Chitrakote Log Huts** (☎ 07859-200194 ; cabanes de bambou/bungalows de béton climatisés 1 000/1 500 Rs ; ❄), avec des cabanes sommaires mais aussi des bungalows modernes (certains avec une vue sublime sur les chutes) représentent une adresse paisible et agréable. Un nouveau bar-restaurant était sur le point d'ouvrir lors de notre passage.

Le dernier bus retournant à Jagdalpur part à 16h.

Kanger Valley National Park

Ce **parc** (☎ 07782-227596 ; Indiens/étrangers 25/200 Rs, app photo/caméra 25/200 Rs, véhicule 50 Rs ; 🕒 8h-16h nov-juin) de 200 km^2, à 40 km au sud-ouest de Jagdalpur, est une forêt ancienne des berges de la Kanger.

À 4 km de l'entrée, les **chutes de Tirathgarh**, hautes de 100 m et réparties en trois cascades, sont visibles toute l'année. Il vaut mieux les visiter après la mousson. Trois **grottes** (guide obligatoire 25 Rs, location de torches 25 Rs ; 🕒 8h-15h, nov-juin), recelant d'époustouflantes concrétions, se visitent également.

Cervidés, ours lippus et léopards habitent la réserve. Le petit lac de **Bhainsa Darha** dans le parc abrite tortues et crocodiles. Si un bus au départ de Jagdalpur est en mesure de vous conduire à proximité du site, il vous faudra votre propre moyen de transport pour entrer dans le parc et l'explorer.

Kondagaon

☎ 07786 / 26 898 habitants

À 76 km au nord de Jagdalpur, un centre artisanal est géré par **SAATHI** (☎ 242852 ; saathibastar@yahoo.co.in ; Kondagaon ; cours et pension 400 Rs, matériel pour la semaine 500 Rs ; 🕒 8h-18h tlj sauf dim), une ONG qui encourage les Adivasi à faire de la poterie, à sculpter le bois et à travailler des métaux. Les ateliers se visitent et il est possible de prendre des cours. Les volontaires qualifiés en art plastique sont les bienvenus. Tous les bus Raipur-Jagdalpur passent par Kondagaon.

Gujarat

État dynamique et diversifié, le Gujarat recèle des trésors que découvriront les voyageurs désireux d'esquiver les circuits touristiques. Bien qu'il soit facile de le visiter entre Mumbai (Bombay) et le Rajasthan, peu de visiteurs prennent le temps d'explorer ce vaste État qui possède 1 600 km de côtes et une géographie fascinante. La rareté des touristes étrangers constitue en fait un atout et les habitants bavarderont souvent avec vous sans arrière-pensée mercantile.

Métropole effervescente et ville la plus importante, Ahmedabad abrite le paisible ashram du Mahatma Gandhi et l'un des plus beaux musées du textile au monde. La ville universitaire de Vadodara possède un splendide palais de maharaja et l'île de Diu séduit par son ambiance détendue et ses maisons aux couleurs pastel, héritages de son passé portugais. Dans le lointain Nord-Ouest, les plaines salines craquelées du Kutch se transforment en marais ponctués d'îlots durant la mousson. Ses artisans tissent et brodent les plus beaux textiles tribaux du pays. Des ânes sauvages et des nuées de flamants roses peuplent l'impitoyable désert du Little Rann. Les derniers lions d'Asie vivent dans les forêts luxuriantes de Sasan Gir, au Saurashtra.

Les Gujaratis sont réputés pour leur esprit d'entreprise et leur austérité, des traits de caractère qui ont contribué à faire de l'État l'un des plus prospères et des plus industrialisés du pays. Ils forment également une part importante de la diaspora indienne à travers le monde. Fortement représentés, les jaïns, qui observent des règles strictes pour atteindre la moksha (libération du cycle des renaissances), sont en grande partie à l'origine de la réputation industrieuse du Gujarat, de ses superbes temples en marbre blanc, de sa délicieuse cuisine végétarienne.

À NE PAS MANQUER

- Un séjour dans la paisible île de **Diu** (p. 742), une ancienne enclave portugaise
- Les mosquées de la vieille ville et l'ashram du Mahatma Gandhi dans la trépidante **Ahmedabad** (p. 719)
- Une grimpée avec les pèlerins à l'aube jusqu'aux temples de **Shatrunjaya** (p. 740), à Palitana, et de **Girnar Hill** (p. 753), à Junagadh
- Les ânes sauvages et les salines désolées du **Little Rann** (p. 768)
- Les pittoresques villages tribaux du **Kutch** (p. 763), réputés pour leur splendide artisanat

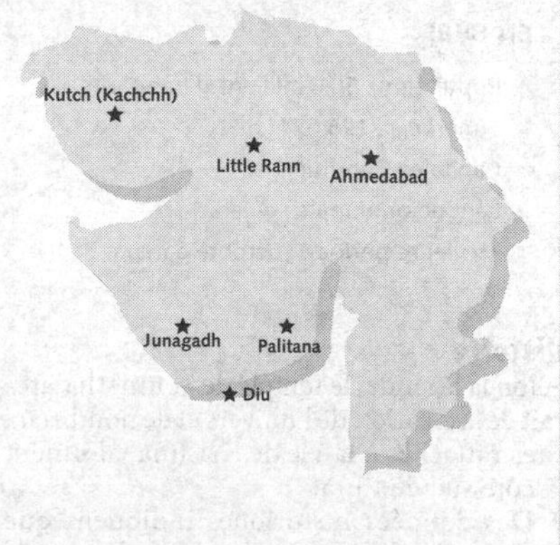

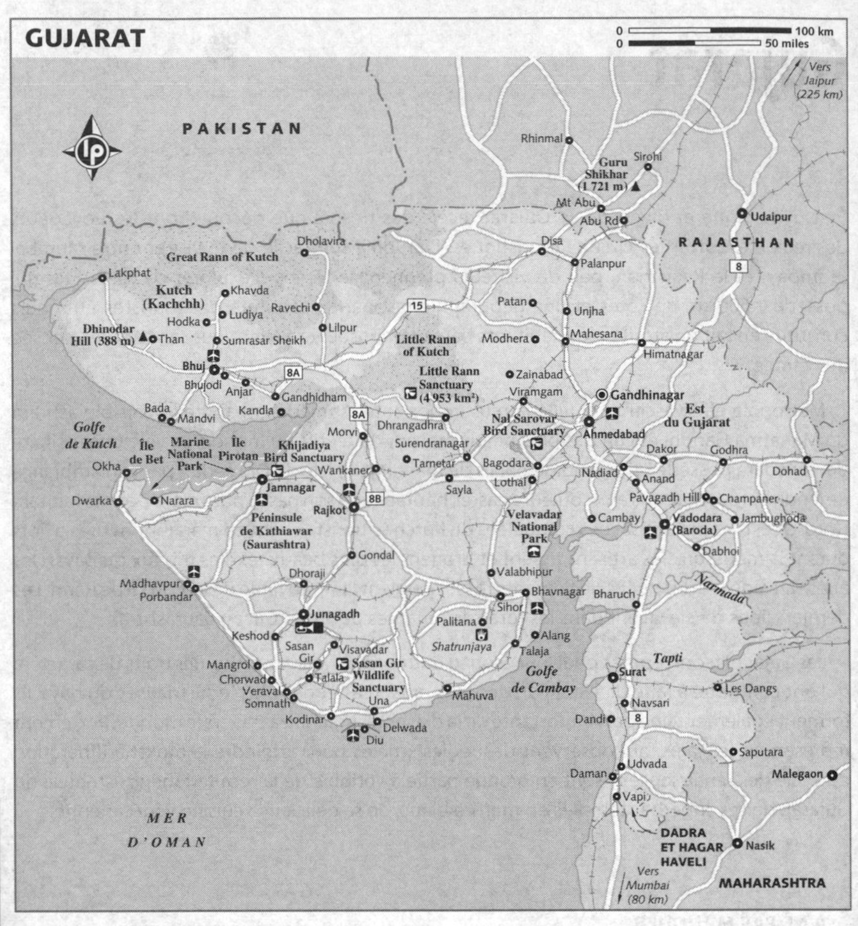

EN BREF

- Population : 50,6 millions d'habitants
- Superficie : 196 024 km²
- Capitale : Gandhinagar
- Langue principale : gujarati
- Meilleure période : octobre à mars

Histoire

Selon la légende, le temple de Somnath daterait de la création de l'univers et de nombreux sites rattachés à la vie de Krishna jalonnent la côte sud de l'État.

Des données historiques indiquent que Lothal et Dholavira (Kutch) virent s'épanouir la civilisation de l'Indus (ou Harappa) il y a plus de 4 000 ans. Le Gujarat est mentionné dans la narration des exploits du grand empereur bouddhiste Ashoka, dont on peut voir des édits gravés dans le roc près de Junagadh.

Par la suite, il fut envahi par les musulmans, conduits par Mahmud de Ghazni, tomba aux mains des souverains moghols et fut le théâtre de combats entre Moghols et Marathes. La région, qui avait établi très tôt des contacts avec l'Occident, vit l'installation du premier comptoir britannique à Surat. Daman et Diu demeurèrent des enclaves portugaises jusqu'en 1961.

Le Saurashtra ne fit jamais partie de l'Inde britannique et conserva ses quelque

FÊTES ET FESTIVALS AU GUJARAT

Makar Sakranti (jan ; Ahmedabad, p. 719). Festival international du cerf-volant.
Festival de danse de Modhera (jan ; Modhera, p. 730). Un festival de danse classique de trois jours.
Fête de Bhavnath (jan-fév ; Junagadh, p. 730). Durant le mois de Magha ; danses et musique traditionnelles et regroupement de *naga* (sadhus nus) dans le temple de Bhavnath Mahadev, au pied de Girnar Hill.
Dang Durbar (fév-mars ; monts Dangs, est de Surat, p. 734). Une semaine avant Holi, cette fête tribale se déroule dans les Dangs, une région boisée proche de la frontière du Maharashtra.
Mahakali (mars-avr ; Pavagadh, p. 733). Pendant le mois de Chaitra, les pèlerins rendent hommage à la déesse Mahakali sur le mont Pavagadh, près de Vadodara.
Janmastami (août-sept ; Dwarka, p. 757). Cette fête célèbre l'anniversaire de Krishna.
Foire de Tarnetar (août-sept ; Tarnetar, nord-est de Rajkot, p. 760). Durant le mois de Bhadra, le temple de Trineteshwar à Tarnetar, à 65 km au nord-est de Rajkot, accueille cette fête colorée, une occasion pour les membres des tribus de trouver un conjoint. Gujarat Tourism organise l'hébergement pendant la fête et des bus spéciaux circulent depuis/vers Rajkot.
Navratri (sept-oct ; dans tout l'État ; www.navratrifestival.com). La fête des Neuf Nuits est une période fantastique pour explorer le Gujarat. Précédant Dussehra, elle est consacrée à Durga, la déesse-mère. Les carrefours et les places s'animent en soirée de *garba* – les habitants, vêtus de leurs plus beaux atours, se lancent dans des danses endiablées jusqu'au petit matin.
Dussehra (sept-oct ; dans tout l'État). Apogée de Navratri, Dussehra célèbre la victoire de Durga et de Rama sur le roi-démon Ravana. Danses et feux d'artifice toute la nuit.
Kartik Purnima (nov-déc ; Somnath, p. 748). Une grande fête lors de la pleine lune de Kartik Purnima.

200 principautés jusqu'à l'Indépendance. En 1956, celles-ci furent toutes intégrées à l'État de Mumbai, avant que ce dernier ne soit partagé, selon des critères linguistiques, entre le Maharashtra et le Gujarat, en 1960.

Le Congrès, majoritaire au Gujarat depuis l'Indépendance, dut céder sa place au Bharatiya Janata Party (BJP) en 1991. En 2002, une flambée de violences intercommunautaires fut déclenchée par l'incendie d'un train à Godhra, dans lequel périrent 59 militants hindous. Les musulmans en furent accusés et les représailles firent environ 2 000 morts ; il s'avéra par la suite que l'incendie était accidentel ! Ces émeutes coïncidèrent avec le démarrage de la campagne électorale, au cours de laquelle le Premier ministre de l'État, Najendra Modi (du BJP), tint un discours farouchement pro-hindou, qui lui valut une victoire sans appel. Depuis, l'État a retrouvé le calme et demeure l'un des plus prospères du pays. Fin 2008, le constructeur automobile Tata Motors l'a choisi pour fabriquer la Nano, un projet lucratif de grande ampleur.

Permis

Des permis sont nécessaires pour acheter de l'alcool. Ils sont faciles à obtenir et disponibles dans la plupart des grands hôtels possédant une boutique de spiritueux. Sur présentation de votre passeport et d'un certificat de votre hôtel (une "attestation de résidence"), vous recevrez un permis valable un mois. Bien que les permis soient "officiellement gratuits" pour les étrangers, les autorités locales les facturent souvent 100 Rs aux commerçants, qui répercutent ce coût sur les clients. Le permis donne droit à deux unités par mois, soit 20 bouteilles de bière.

EST DU GUJARAT

AHMEDABAD (AMDAVAD)

☎ 079 / 4,52 millions d'habitants

Ahmedabad (ou Amdavad), principale ville du Gujarat, est une métropole surprenante, construite sur les deux rives de la Sabarmati. Des bâtiments remarquables témoignent d'une longue histoire et son charme désuet perdure malgré l'animation trépidante. Cette cité cosmopolite possède une vieille ville fascinante, d'excellents musées, des restaurants raffinés et de fabuleux marchés de nuit. Nombre de voyageurs s'y arrêtent brièvement sur la route du Rajasthan ou de Mumbai et se contentent de visiter l'ashram Sabarmati, l'ancienne résidence de Gandhi.

En janvier, la ville accueille le Makar Sakranti, un festival international du cerf-volant qui mérite le coup d'œil.

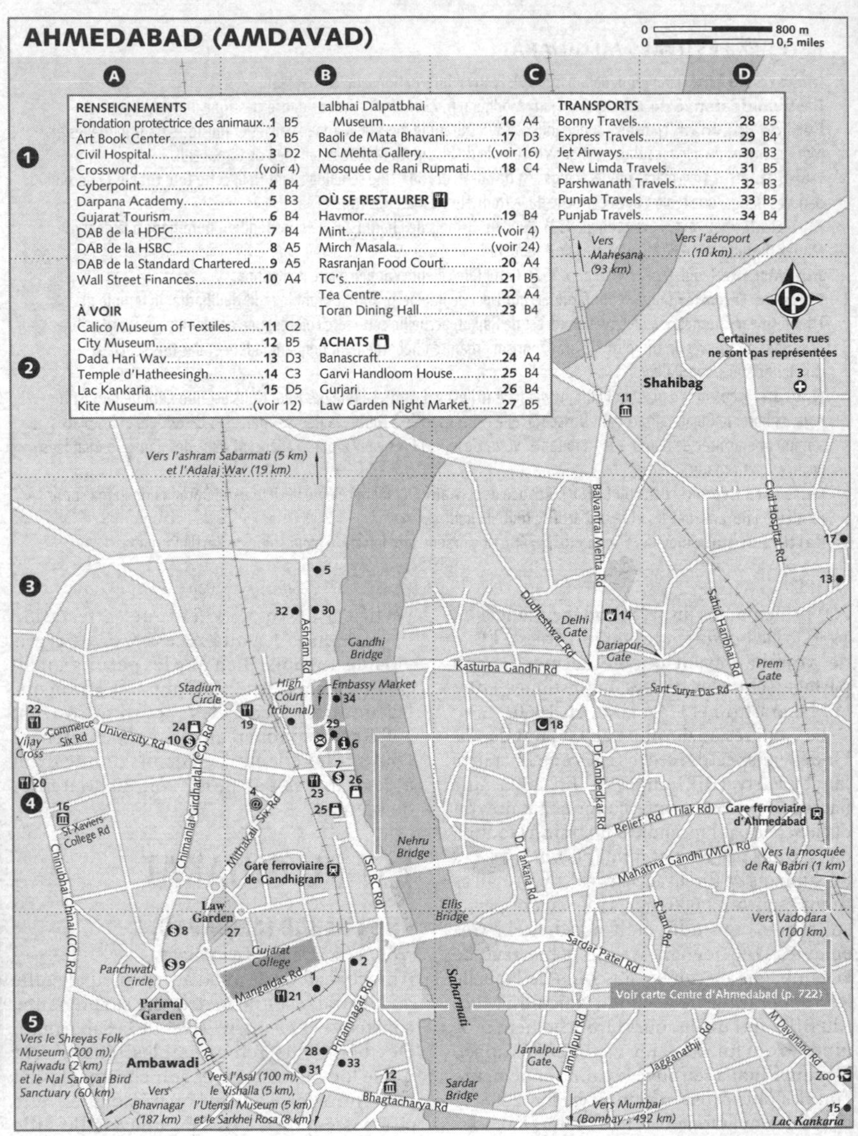

Histoire

Au fil des siècles, Ahmedabad a tour à tour prospéré et décliné. Fondée en 1411 par Ahmed Shah, à l'endroit où il vit un lièvre poursuivant un chien et fut impressionné par son courage, la ville était au XVIIe siècle l'une des plus belles cités du pays, avant de perdre son influence le siècle suivant.

Dans la seconde moitié du XIXe siècle, son dynamisme industriel dans le domaine du textile restaura sa prospérité, qui se traduisit par un fort afflux de main-d'œuvre. À partir de 1915, l'ashram de Gandhi lui valut une certaine célébrité. La fermeture des dernières filatures en 1970 et les difficultés économiques ont sans doute contribué aux antagonismes communautaires qui ont divisé Ahmedabad en 2002.

Orientation

Sur la rive est de la Sabarmati, Mahatma Gandhi (MG) Rd et Relief Rd courent vers l'est jusqu'à la gare ferroviaire, à 3 km. La vieille ville s'étend au nord et au sud de Relief Rd. Ashram Rd, une artère animée qui longe la berge ouest, mène à l'ashram Sabarmati. L'aéroport se situe au nord-est. La plupart des remparts de la vieille ville ont été démolis et seules subsistent quelques portes monumentales.

Renseignements

ACCÈS INTERNET

Cyberpoint (carte p. 720 ; Shree Krishna Centre, Mithakali Six Rd ; 15 Rs/h ; ⌚ 10h-22h). Au-dessus de la librairie Crossword.

Relief Cyber Café (carte p. 722 ; Relief Rd ; 15 Rs/h). Cybercafé climatisé en face du cinéma Relief.

ARGENT

La **State Bank of India** (carte p. 722 ; ☎25506800), près de Lal Darwaja (gare des bus locaux) et **Wall Street Finances** (carte p. 720 ; ☎26426682 ; CG Rd) changent les espèces et les chèques de voyage.

Parmi les nombreux DAB, citons :

Bank of Baroda (carte p. 722 ; Dr Tankaria Rd)
HDFC (carte p. 720 ; Ashram Rd)
HSBC (carte p. 720 ; CG Rd)
Standard Chartered (carte p. 720 ; CG Rd)
State Bank of India (carte p 722 ; Ramanial Sheth Rd). Dans la poste principale.

LIBRAIRIES

Art Book Center (carte p. 720 ; ☎ 26582130 ; www.artbookcenter.net ; près Mangaldas Rd ; ⌚ 10h-18h). Cette librairie spécialisée contient des trésors, notamment sur l'architecture, les miniatures et les textiles indiens. Elle est installée en étage dans un immeuble aux couleurs vives, près d'Ellis Bridge.

Crossword (carte p. 720 ; Shree Krishna Centre, Mithakali Six Rd ; ⌚ 10h30-21h). Cette librairie fréquentée en sous-sol se double d'un Cafe Coffee Day.

OFFICE DU TOURISME

Très efficace, **Gujarat Tourism** (office du tourisme du Gujarat ; carte p. 720 ; ☎26589172 ; www.gujarattourism.com ; ⌚ 10h30-13h30 et 14h-18h lun-sam, fermé 2e et 4e sam du mois) se tient près d'Ashram Rd ; indiquez HK House aux conducteurs d'auto-rickshaws. Outre toutes sortes d'informations, il possède un **service voyage** (☎9727723928) qui vend des billets d'avion, loue des voitures et propose des circuits organisés.

Un circuit rapide de 5 jours au Saurashtra, dans le nord du Gujarat et le sud du Rajasthan revient à 3 500 Rs environ, transports, hébergement et guide compris. Consultez le site Internet pour plus de détails.

POSTE

Poste principale (carte p. 722 ; ☎ 23220977 ; Ramanial Sheth Rd)

SERVICES MÉDICAUX

Civil Hospital (carte p. 720 ; ☎ 27474359). À 2,5 km au nord de la gare ferroviaire d'Ahmedabad.

À voir

FORT DE BHADRA ET TEEN DARWAJA

Le **fort de Bhadra** (carte p. 722 ; Lal Darwaja), bâti en 1411 par Ahmed Shah, abrite aujourd'hui des bureaux administratifs et un temple de Kali. Demandez à monter sur le toit pour découvrir l'imposante structure, une potence désaffectée et la vue sur les rues alentour. Deux des bastions du fort se sont partiellement effondrés lors du séisme de 2001. À l'est, la **Teen Darwaja** (Triple Porte) donne accès au Maidan Shahi (Place royale), où se déroulaient les défilés royaux et les parties de polo.

MOSQUÉES ET MAUSOLÉES

La **Jama Masjid** (carte p. 728), édifiée par Ahmed Shah en 1423, se dresse à l'est de la Teen Darwaja. Elle fut construite avec des matériaux provenant de temples hindous et jaïns démolis. Ses 260 colonnes soutiennent 15 coupoles de différentes hauteurs. Elle comportait deux minarets "oscillants" qui furent fortement endommagés par le séisme de 1819, puis totalement détruits par celui de 1957. Le tremblement de terre de 2001 a provoqué des fissures dans la maçonnerie et détruit plusieurs *jali* (treillis de marbre).

Devant la porte est de la Jama Masjid, le **tombeau d'Ahmed Shah** (carte p. 722), construit après sa mort en 1442, renferme aussi les cénotaphes de son fils et de son petit-fils. Les femmes ne peuvent pas entrer dans la salle centrale. De l'autre côté de la rue, sur une plate-forme élevée, le tombeau de la reine, en piteux état, disparaît parmi les échoppes.

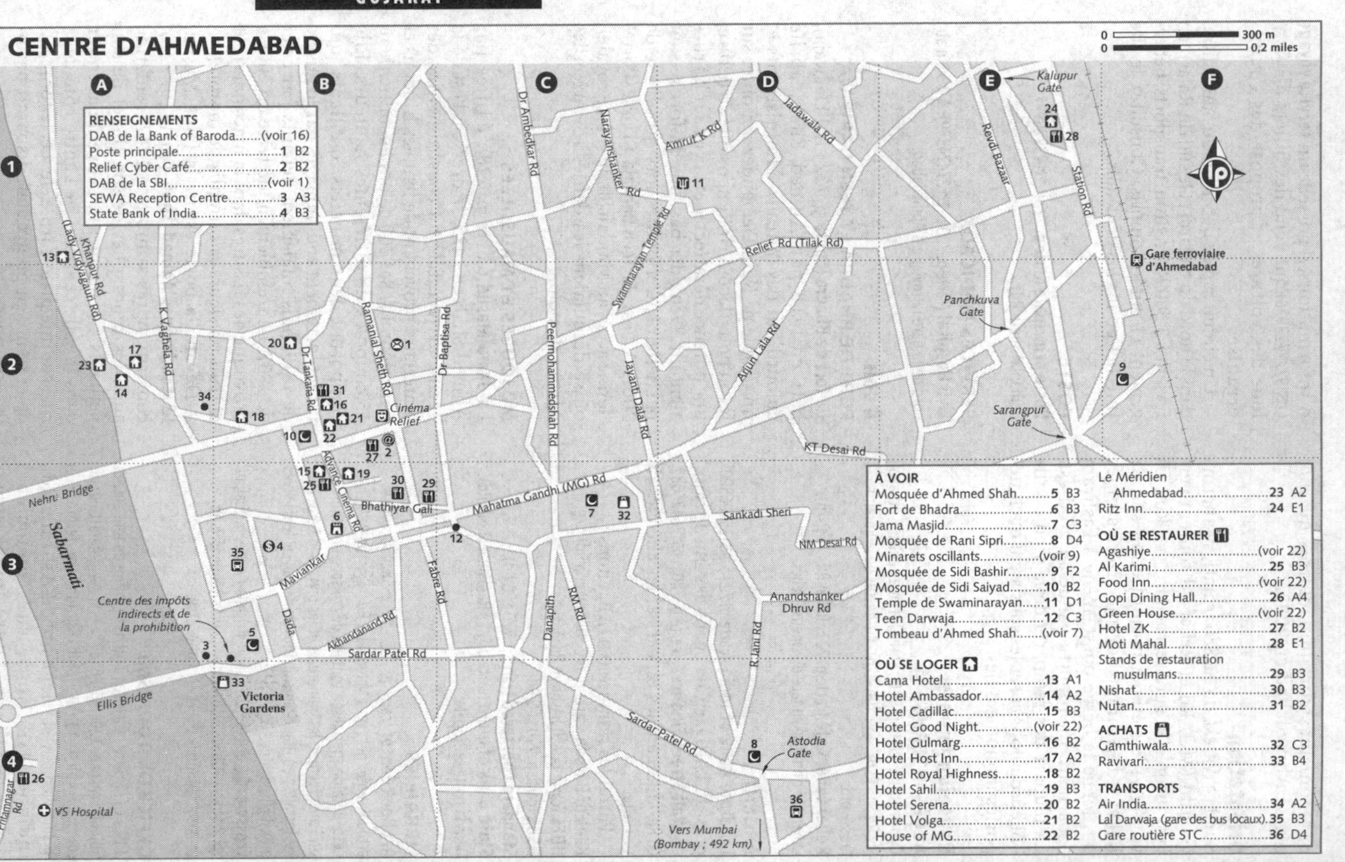
CENTRE D'AHMEDABAD
0 300 m
0 0,2 miles
RENSEIGNEMENTS
DAB de la Bank of Baroda.......(voir 16)
Poste principale..........1 B2
Relief Cyber Café..........2 B2
DAB de la SBI..........(voir 1)
SEWA Reception Centre..........3 A3
State Bank of India..........4 B3
À VOIR
Mosquée d'Ahmed Shah..........5 B3
Fort de Bhadra..........6 B3
Jama Masjid..........7 C3
Mosquée de Rani Sipri..........8 D4
Minarets oscillants..........(voir 9)
Mosquée de Sidi Bashir..........9 F2
Mosquée de Sidi Saiyad..........10 B2
Temple de Swaminarayan..........11 D1
Teen Darwaja..........12 C3
Tombeau d'Ahmed Shah..........(voir 7)
OÙ SE LOGER
Cama Hotel..........13 A1
Hotel Ambassador..........14 A2
Hotel Cadillac..........15 B3
Hotel Good Night..........(voir 22)
Hotel Gulmarg..........16 B2
Hotel Host Inn..........17 A2
Hotel Royal Highness..........18 B2
Hotel Sahil..........19 B3
Hotel Serena..........20 B2
Hotel Volga..........21 B2
House of MG..........22 B2
Le Méridien
Ahmedabad..........23 A2
Ritz Inn..........24 E1
OÙ SE RESTAURER
Agashiye..........(voir 22)
Al Karimi..........25 B3
Food Inn..........(voir 22)
Gopi Dining Hall..........26 A4
Green House..........(voir 22)
Hotel ZK..........27 B2
Moti Mahal..........28 E1
Stands de restauration
musulmans..........29 B3
Nishat..........30 B3
Nutan..........31 B2
ACHATS
Gamthiwala..........32 C3
Ravivari..........33 B4
TRANSPORTS
Air India..........34 A2
Lal Darwaja (gare des bus locaux)..........35 B3
Gare routière STC..........36 D4
Kalupur Gate
Gare ferroviaire d'Ahmedabad
Panchkuva Gate
Sarangpur Gate
Astodia Gate
Vers Mumbai (Bombay ; 492 km)
Sabarmati
Nehru Bridge
Ellis Bridge
Victoria Gardens
Centre des impôts indirects et de la prohibition
VS Hospital
Pritamnagar Rd
Khanpur Rd (Lady Vidyagauri Rd)
K Vaghela Rd
Dr Tankaria Rd
Ramanlal Sheth Rd
Cinéma Relief
Dr Baptisa Rd
Dr Ambedkar Rd
Peermohammedshah Rd
Narayanshanker Rd
Amrut K Rd
Jadawala Rd
Swaminarayan Temple Rd
Relief Rd (Tilak Rd)
Revdi Bazaar
Station Rd
Arjun Lala Rd
Jayanti Dalal Rd
KT Desai Rd
Mahatma Gandhi (MG) Rd
Advance Cinema Rd
Bhathiyar Gali
Sankadi Sheri
NM Desai Rd
Mavlankar
Dada
Akhandanand Rd
Sardar Patel Rd
Fabre Rd
Danapith
RM Rd
Anandshanker Dhruv Rd
R Jani Rd

Au sud-ouest du fort, la **mosquée d'Ahmed Shah** (carte p. 722), l'une des plus anciennes de la ville, date de 1414. Elle possède un plafond richement sculpté, dont la symétrie circulaire rappelle les temples hindous et jaïns, ainsi que de superbes piliers et *jali*.

La **mosquée de Sidi Saiyad** (carte p. 722 ; Dr Tankaria Rd), près de la rivière, faisait jadis partie des remparts de la citadelle. Érigée en 1573 par Sidi Saiyad, un ancien esclave d'Ahmed Shah, c'est l'un des plus beaux bâtiments d'Ahmedabad, remarquable pour la finesse de ses *jali*, qui représentent les branches entremêlées de l'arbre de vie.

Au nord du centre-ville, la **mosquée de Rani Rupmati** (carte p. 720), bâtie entre 1430 et 1440, porte le nom de l'épouse hindoue du sultan. Le séisme de 1819 a endommagé les minarets. La coupole est surélevée afin de laisser pénétrer la lumière autour de sa base. Comme nombre des mosquées anciennes d'Ahmedabad, elle combine les éléments hindous et musulmans.

Au sud-est du centre, la petite **mosquée de Rani Sipri** (carte p. 722) est aussi appelée Masjid-e-Nagira (mosquée joyau) en raison de son raffinement et de ses minarets élancés. Elle aurait été commandée en 1514 par une épouse du sultan Mahmud Begara après que celui-ci eut fait exécuter leur fils pour une faute mineure. La rani repose également ici.

Au sud de la gare ferroviaire d'Ahmedabad, près de Sarangpur Gate, la **mosquée de Sidi Bashir** (carte p. 722) est célèbre pour ses minarets "oscillants" (*jhulta minar*), hauts de 21,30 m, conçus pour résister aux séismes.

Cette technique ingénieuse n'a pas sauvé les minarets oscillants de la **mosquée de Raj Babri**, au sud-est de la gare ferroviaire d'Ahmedabad, à Gomtipur. L'un d'eux fut en partie démonté par un Anglais curieux, tentant en vain de comprendre le mécanisme. Il ne fut jamais complètement réparé et les deux minarets se sont effondrés en 2001. Des travaux de restauration sont en cours.

TEMPLES

Près de Delhi Gate, au nord de la vieille ville, le **temple d'Hatheesingh** (carte p. 720 ; Balvantrai Mehta Rd) est un sanctuaire en marbre blanc délicatement sculpté. Dédié à Dharamanath, le 15e tirthankara (grand maître jaïn), il date de 1848.

Pénétrez dans les ruelles étroites de la vieille ville pour trouver le **temple de Swaminarayan** (carte p. 722), un superbe *haveli* (demeure traditionnelle souvent ouvragée) en bois sculpté aux couleurs éclatantes de 1850, entouré d'une grande cour.

LAC KANKARIA

Au sud-est de la ville, ce **lac** (carte p. 720) polygonal, réalisé en 1451, est un espace de fraîcheur apprécié des promeneurs. Un imposant tombeau de l'époque coloniale hollandaise se tient à proximité.

SARKHEJ ROSA

À 8 km au sud-ouest de la cité, le **Sarkhej Rosa** (☎26828675 ; entrée libre ; 🕑 6h-22h) est un ensemble de curieux bâtiments musulmans autour d'un beau bassin, construit par le sultan Mahmud Shah Ier (1458-1511).

À l'entrée, les *jali* du tombeau de sultan Mahmud Begada projettent sur le sol des motifs géométriques. Shaikh Ahmed Khattu (dont le nom signifie "pourvoyeur de richesse") vécut à Sarkhej et fit construire la mosquée, avec une grande esplanade devant la salle de prière entourée de dômes.

L'aller-retour en rickshaw coûte environ 150 Rs et peut se combiner avec la visite du Vishalla Utensil Museum (p. 724) et du Vishalla Restaurant (p. 727).

BAOLI

Le **Dada Hari Wav** (carte p. 720 ; entrée libre ; 🕑 aube-crépuscule), érigé en 1499 par une concubine du sultan Begara, comporte des marches qui descendent vers des paliers successifs jusqu'à un petit puits octogonal. À l'abandon et souvent asséché, ce *baoli* dégage une atmosphère étrange et le fond reste frais, même les jours les plus chauds. Essayez de le visiter entre 10h et 11h (plus tôt en été, plus tard en hiver), lorsque le soleil éclaire les différents niveaux. Les bus n°34 et 111 (5 Rs) à destination d'Asarwa s'arrêtent à proximité.

À 200 m au nord, le **baoli de Mata Bhavani** (carte p. 720), bien plus ancien et moins décoré, est aujourd'hui un temple hindou.

CALICO MUSEUM OF TEXTILES

À 4,5 km au nord du centre-ville, ce **musée des Textiles** (carte p. 720 ; ☎27868172 ; Shahibag ; entrée libre ; 🕑 10h30-12h30, dernière entrée 11h, et 14h45-16h45, dernière entrée 15h15, jeu-mar) renferme une splendide collection de tissus indiens anciens et modernes, dont des chefs-d'œuvre de virtuosité et d'originalité.

HISTOIRE D'EAU

L'importance de l'eau dans les régions arides du Gujarat et du Rajasthan est illustrée par les *baoli* (*baori* au Rajasthan), des puits en pierre élaborés, spécifiques du nord-ouest de l'Inde, auxquels on accède par des escaliers. D'anciens textes hindous célèbrent les constructeurs de puits collectifs. Le penchant indien de tout transformer en œuvre d'art a fait de ces structures de véritables chefs-d'œuvre, réalisés par les hindous, puis par les Moghols. Si les nobles considéraient l'édification de *baoli* comme un devoir religieux, les puits servaient également à affirmer leur statut social, leur magnificence reflétant la puissance et la sensibilité des commanditaires. Souvent rattachés à des temples pour que les fidèles puissent s'y baigner, ces *baoli, pourvus de vérandas* pour s'abriter de la chaleur estivale, constituaient aussi des lieux de rencontre et des haltes le long des routes caravanières. Dépendant de la pluviosité et du niveau (en baisse) des nappes phréatiques, ces puits ont longtemps été négligés et font souvent office de toilettes ; ils ne constituent plus des sources d'eau propre à la consommation.

Il se divise en deux parties : la première, consacrée aux textiles, ne se visite que le matin ; la seconde, *Invisible Presence: Images and Abodes of Indian Deities*, qui s'intéresse aux représentations du panthéon hindou, avec des expositions en salles et en plein air et d'autres galeries de textiles, n'est accessible que l'après-midi. En face du pont, le musée fait partie de la Sarabhai Foundation, qui occupe un *haveli* construit avec de vieilles maisons villageoises et superbement sculpté. Prenez le bus n°101, 102 ou 105 (5 Rs) vers Delhi Gate. En auto-rickshaw, comptez 40 Rs.

Sacs, appareils photo et téléphones portables sont interdits dans le musée, qui n'accueille que 20 visiteurs à la fois.

AUTRES MUSÉES

L'excellent **City Museum** (musée de la Ville ; carte p. 720 ; ☎ 26578369 ; Sanskar Kendra, Sanskar Chendra, Bhagtacharya Rd ; entrée libre ; 🕑 10h-18h mar-dim), conçu par Le Corbusier, retrace l'histoire d'Ahmedabad à travers des sections consacrées aux communautés religieuses, à Gandhi et à la lutte pour l'Indépendance. Au rez-de-chaussée, le **Kite Museum** (musée des Cerfs-Volants ; carte p. 720 ; entrée libre ; 🕑 10h-20h mar-dim) présente de gracieux cerfs-volants en papier.

Le **Lalbhai Dalpatbhai Museum** (carte p. 720 ; ☎ 26306883 ; St Xaviers College Rd ; entrée libre ; 🕑 11h30-17h mar-dim), près de l'université du Gujarat, contient de belles sculptures en pierre, en marbre et en bois provenant de tout le pays, ainsi que des peintures sur tissu, des monnaies et des bronzes locaux. Une statue en grès du VIe siècle, originaire du Madhya Pradesh, est la plus ancienne sculpture connue du dieu Rama.

Dans le même bâtiment, la **NC Mehta Gallery** (carte p. 720 ; ☎ 26302463 ; entrée libre ; 🕑 10h30-17h30 mar-dim juil-avr, 8h30-12h30 mar-dim mai-juin) possède une importante collection de miniatures et de manuscrits enluminés, dont le *Chaurapanchasika* (cinquante poèmes d'amour d'un voleur), écrit par Vilhana. Ce poète cachemiri du XIIe siècle, condamné à la pendaison pour avoir aimé la fille du roi, composa ces vers peu avant son exécution. Impressionné par son talent, le souverain le gracia et lui donna sa fille en mariage.

Le **Shreyas Folk Museum** (musée folklorique Shreyas ; ☎ 26601338 ; Indiens/étrangers 7/45 Rs ; 🕑 10h-13h30 et 14h-17h30 ven-mar), à 2,5 km à l'ouest de la rivière dans le faubourg d'Ambavadi, présente une importante collection d'œuvres d'art et d'artisanat gujarati, dont des textiles, des vêtements et des sculptures sur bois. Prenez le bus n°34 ou 200 (5 Rs), ou un auto-rickshaw (50 Rs environ).

L'**Utensil Museum** (musée des Ustensiles ; ☎ 26602422 ; Vishalla ; 10 Rs, appareil photo/caméra 50/100 Rs ; 🕑 11h-15h et 16h30-22h), en face du Vasana Tol Naka, renferme de jolis récipients et ustensiles.

ASHRAM SABARMATI

À environ 5 km du centre-ville sur la rive ouest de la Sabarmati, ce paisible **ashram** (☎ 27557277 ; entrée libre ; 🕑 8h30-18h30) fut le quartier général de Gandhi durant la longue lutte pour l'Indépendance de l'Inde. Fondé en 1915, l'ashram fut aménagé sur son site actuel quelques années plus tard. C'est de là que, le 12 mars 1930, Gandhi entama sa célèbre "marche du sel" jusqu'au golfe de Cambay en signe de protestation symbolique. Objets d'artisanat, papier fait main et rouets sont toujours fabriqués sur place. De l'autre côté de la route, une **fabrique de papier** (🕑 11h-17h lun-sam) mérite le coup d'œil ; demandez l'autorisation à l'ashram. Le logement spartiate de Gandhi a été préservé et une collection de photos retrace sa vie. La bibliothèque conserve la lettre qu'il envoya à Hitler le 23 juillet 1939, lui demandant d'arrêter la guerre. Le Mahatma fut incarcéré en 1922 à la prison de Sabarmati, un peu plus loin.

L'ashram organise habituellement un **spectacle sons et lumières**, suspendu lors de notre passage ; téléphonez pour connaître les horaires. Il est desservi par les bus n°13/1 et 83 (5 Rs). Un auto-rickshaw revient à 30 Rs.

Circuits organisés

La **Municipal Corporation** (☎26574335, 9824032866) organise une excellente **promenade guidée** (Indiens/étrangers 20/50 Rs) dans la vieille ville ; elle part du temple de Swaminarayan à Kalupur (p. 723) à 8h et s'achève près de la Jama Masjid vers 10h30 ; mieux vaut réserver. Cette promenade, à travers des ruelles bordées de maisons en bois décrépites et ornées de sculptures, constitue un excellent moyen de découvrir la ville et ses *pol* (quartiers). Commentaires en anglais et brève projection de diapos avant le départ.

La Municipal Corporation, en collaboration avec l'hôtel House of MG (p. 726), a développé une ingénieuse **promenade audioguidée** (100 Rs). Partant du fameux hôtel, ce circuit de 1 heure 20, avec un audioguide MP3, suit un autre itinéraire dans la vieille ville et aboutit au **Bholantah Divetia Haveli**. Restaurée avec soin, cette maison joliment sculptée abrite aujourd'hui un musée, une boutique et un café.

Où se loger

Grâce au projet *Walled City Revitalisation* (restauration de la vieille ville), plusieurs maisons classées ont été restaurées et dotées d'équipements modernes. Quelques-unes ont commencé à accueillir des hôtes et constituent un excellent choix pour découvrir Ahmedabad. Appelez la **Municipal Corporation** (☎9824032866).

De nombreux hôtels bon marché bordent Relief Rd, une rue bruyante et polluée. La plupart des hôtels louent les chambres pour 24 heures, d'autres demandent qu'on les libère à 9h.

PETITS BUDGETS

Hotel Cadillac (carte p. 722 ; ☎25507558 ; Advance Cinema Rd ; dort 70 Rs, ch 220 Rs, avec sdb 280 Rs). En face de l'Electricity House, cet hôtel chaleureux et bon marché date de 1934. Bien que la direction vante le confort de ses matelas en coton, ils nous ont semblé bien bosselés ! Le dortoir est réservé aux hommes et les sdb n'ont rien d'enthousiasmant. Un joli balcon en bois permet de profiter du bruit de la rue !

Hotel Gulmarg (carte p. 722 ; ☎25507202 ; Dr Tankaria Rd ; s/d 200/300 Rs, avec sdb 250/350 Rs, avec clim 400/500 Rs ; ❄). Près de la mosquée de Sidi Sayad, cet hôtel au 4ᵉ étage possède des chambres tristes et décrépites, dotées de sdb passables et, pour la plupart avec TV et téléphone. Préparez-vous à emprunter l'escalier poussiéreux si l'ascenseur ne fonctionne pas ou s'il ne vous inspire pas confiance.

Hotel Sahil (carte p. 722 ; ☎25507351 ; Advance Cinema Rd ; s/d à partir de 400/500 Rs). L'enseigne se voit difficilement de la rue ; repérez le glacier dans l'Advance Cinema Mall (le cinéma a disparu depuis longtemps). Cet hôtel offre des petites chambres négligées, dont certaines se révèlent bien meilleures que d'autres.

Hotel Good Night (carte p. 722 ; ☎25507181 ; hotelforyou2002@yahoo.com ; Dr Tankaria Rd ; s/d à partir de 400/500 Rs, avec clim à partir de 700/800 Rs ; ❄). Cet hôtel bien tenu propose des chambres meilleures que la moyenne dans ce quartier. Elles se répartissent en 7 catégories, avec une différence de prix de 200 Rs. Le Food Inn (p. 727), son restaurant de *thali*, est recommandé.

Hotel Serena (carte p. 722 ; ☎25510136 ; Dr Tankaria Rd ; s/d 450/550 Rs, avec clim à partir de 650/750 Rs ; ❄). Les chambres sont plus plaisantes que la réception ne le laisse supposer, avec des murs et des sols propres ; celles sur l'arrière sont plus calmes. Le personnel, sympathique et compétent, en fait une adresse d'un bon rapport qualité/prix.

Hotel Volga (carte p. 722 ; ☎25509497 ; www.hotelvolga.com ; près de Relief Rd ; s/d 500/650 Rs, avec clim à partir de 700-800 Rs ; ❄ 💻). Étonnamment séduisant, cet hôtel se tient au bout d'une ruelle sombre derrière Relief Rd. Il possède de belles chambres propres, avec des murs beige années 1970 et un décor plus gai dans certaines. La réception, accueillante et efficace, ajoute à son attrait.

CATÉGORIE MOYENNE

Hotel Ambassador (carte p. 722 ; ☎26182222 ; www.ambassadorahmedabad.com ; Khanpur Rd ; s/d à partir de 900/1 100 Rs ; ❄). Cet hôtel banal dispose de chambres correctes, acceptables pour un court séjour. Vérifiez le fonctionnement de la plomberie avant de vous décider.

Hotel Host Inn (carte p. 722 ; ☎ 30226555 ; www.hotelhostinn.com ; Khanpur Rd ; s/d à partir de 1 500/1 800 Rs ;). La façade tape-à-l'œil et la réception rutilante cachent des chambres confortables et bien équipées, largement surévaluées. Demandez à en voir quelques-unes (choisissez-en une sur l'arrière) et négociez le prix.

Ritz Inn (carte p. 722 ; ☎ 22123842 ; www.hotelritzinn.com ; Station Rd ; s/d à partir de 2 000/2 600 Rs ;). Près de la gare ferroviaire, cet hôtel sélect présente un excellent rapport qualité/prix. La réception Art déco, les chambres douillettes avec des lits somptueux (louées pour 24 heures), le service attentif et un bon restaurant végétarien en font une adresse exceptionnelle. Transfert gratuit de l'aéroport.

Hotel Royal Highness (carte p. 722 ; ☎ 25507450 ; www.hotelroyalhighness.com ; Relief Rd ; s/d à partir de 2 250/2 700 Rs, ste 3 750 Rs ;). Situé dans un endroit pratique et bruyant, ce bel hôtel possède une réception grandiose et des chambres spacieuses et bien tenues, sans rien d'extraordinaire. Il comprend un restaurant et un café ouvert 24h/24. Une navette dessert l'aéroport.

CATÉGORIE SUPÉRIEURE

House of MG (carte p. 722 ; ☎ 25506946 ; www.houseofmg.com ; Dr Tankaria Rd ; s/d avec petit déj à partir de 5 000/6 000 Rs, ste à partir de 9 000 Rs ;). Construite en 1920, l'ancienne demeure de l'industriel Sheth Mangaldas Girdhardas a été transformée en un splendide hôtel, avec deux excellents restaurants (voir plus loin) par son arrière-petits-fils. Toutes les chambres sont vastes, décorées avec goût, et donnent sur une véranda. À cela s'ajoutent un service irréprochable, une superbe piscine couverte et un beau club de remise en forme. L'endroit est tout autant prisé par les habitants que par les étrangers. En réservant en ligne deux mois à l'avance, vous bénéficierez d'une réduction jusqu'à 30%.

Cama Hotel (carte p. 722 ; ☎ 25601234 ; www.camahotelsindia.com ; Khanpur Rd ; s/d à partir de 6 500/7 500 Rs ;). N'hésitez pas à demander une réduction dans cet hôtel un peu défraîchi et trop cher, aux chambres standards (appelées supérieures) confortables, mais exiguës. Il comporte deux restaurants, une grande piscine découverte (non-résidents 500 Rs) et une pelouse verdoyante qui descend jusqu'aux tas de détritus sur la rive.

Le Méridien Ahmedabad (carte p. 722 ; ☎ 25505505 ; www.lemeridien.com ; Khanpur Rd ; s/d avec petit déj à partir de 6 500/7 500 Rs, ste 20 000 Rs ;). Cet hôtel luxueux surplombe les cabanes précaires éparpillées le long de la rivière. Il offre des chambres somptueuses, des suites fabuleuses, une piscine couverte (non-résidents 250 Rs), un spa et un sauna.

Où se restaurer

Ahmedabad est un endroit idéal pour découvrir le *thali* gujarati, le repas végétarien traditionnel servi à volonté, avec des plats plus divers et plus légers que la version punjabi.

RESTAURANTS

Nishat (carte p. 722 ; ☎ 25507335 ; Khas Bazaar ; plats 20-60 Rs ; 11h-16h et 19h-23h30 ;). En soirée, les musulmans viennent nombreux pour savourer de copieux plats de viande tandoori ou végétariens.

Green House (carte p. 722 ; ☎ 25506946 ; House of MG, Dr Tankaria Rd ; plats 30-100 Rs ; 7h-23h). Installé en façade dans la House of MG, cet agréable restaurant comprend une cour rafraîchie par des ventilateurs et une salle climatisée avec TV grand écran. Le choix de plats gujarati est excellent ; goûtez le *sharbat*, une spécialité maison, une délicieuse *panki* (fine crêpe cuite dans des feuilles de bananier) ou une succulente *malpura* (crêpe sucrée frite avec sirop de safran et parsemée de pétales de rose). Ne manquez pas de déguster une glace, confectionnée sur place.

Mint (carte p. 720 ; G-36 Shree Krishna Centre, Mithakhali Six Rd ; plats 40-115 Rs ; 9h-22h). Cet établissement paisible, couleur vert menthe, prépare de savoureux en-cas, comme le *pav bhaji* (légumes épicés avec du pain), et des plats internationaux, telle la purée de pommes de terre au fromage.

Mirch Masala (carte p. 720 ; CG Rd ; plats 45-170 Rs ; 12h30-15h et 19h-23h). Animé et fréquenté, il est décoré de photos, de marionnettes et d'affiches de Bollywood. Il offre des menus d'un excellent rapport qualité/prix à midi et une carte variée pour le dîner.

Nutan (carte p. 722 ; ☎ 25501542 ; en face de Dinbai Tower ; plats 45-75 Rs ; 9h-11h, 11h30-16h et 18h30-23h). Un restaurant végétarien très prisé, où les hommes d'affaires aiment se retrouver pour le déjeuner (il ne sert pas de *thali*).

Moti Mahal (carte p. 722 ; ☎ 22121881 ; Kapasia Bazaar ; plats 50-90 Rs ; 11h-23h). Le plus ancien restaurant d'Ahmedabad propose une longue carte de plats indiens et chinois, végétariens ou

GUJARAT

non. Il comprend une salle ouverte sur la rue au rez-de-chaussée et une autre climatisée à l'étage. En mezzanine, des box avec paravents ajourés garantissent l'intimité.

Hotel ZK (carte p. 722 ; ☎ 25506121 ; Relief Rd ; plats 50-130 Rs ; 🕑 11h-16h et 19h-23h). Non végétarien, cet élégant restaurant climatisé, avec fenêtres teintées et éclairage tamisé, se distingue par un service irréprochable. Le curry de poulet afghan et le poulet au pesto chinois font partie des plats favoris.

Gopi Dining Hall (carte p. 722 ; ☎ 26576388 ; près Pritamnagar Rd ; plats 62-82 Rs ; 🕑 10h-15h et 18h-22h30). Près de l'extrémité ouest d'Ellis Bridge, en face de l'hôtel de ville, ce petit restaurant est une institution réputée pour ses *thali* : standard 62 Rs, à volonté 72 Rs et deluxe 82 Rs.

Food Inn (carte p. 722 ; ☎ 25509512 ; Dr Tankaria Rd ; plats 65-160 Rs ; 🕑 12h-16h et 18h30-23h). Propre, lumineux et fréquenté, ce restaurant de curries séduira les carnivores avec ses nombreux plats de poulet, de mouton et de poisson, dont des *biryani*, des grillades et des spécialités chinoises. De nombreux en-cas et desserts figurent également sur la carte.

Toran Dining Hall (carte p. 720 ; en face de Sales India, Ashram Rd ; *thali* 80 Rs ; 🕑 11h-15h et 19h-22h). Une clientèle essentiellement de classe moyenne afflue pour se régaler des délicieux *thali* gujarati, servis à volonté.

♥ **Agashiye** (carte p. 722 ; ☎ 25506946 ; House of MG, Dr Tankaria Rd ; déj normal/deluxe 295/395 Rs, dîner normal/deluxe 345/495 Rs ; 🕑 12h-14h30 et 19h-23h). La meilleure table d'Ahmedabad se tient sur le toit d'une des plus belles demeures de la ville ; la charmante terrasse carrelée, éclairée aux chandelles en soirée, est un havre de paix à mille lieues des rues encombrées. Le menu végétarien change tous les jours : cocktail au citron et à la rose, *thali* raffiné avec une multitude de légumes et de glaces maison.

Vishalla (☎ 26602422 ; déj 180 Rs, dîner 360 Rs ; 🕑 11h-15h et 20h-23h). À la lisière sud de la ville en face du Vasana Tol Naka, le Vishalla ressemble à un village gujarati traditionnel. Assis sur le sol dans une rustique hutte en bois, vous dégustez un *thali* en regardant un spectacle de marionnettes ou de magie sur fond de musique traditionnelle. Le Vishalla comprend des échoppes d'artisanat et le fascinant Utensil Museum (p. 724). Les bus n°150 et 31 s'arrêtent à proximité ; l'aller-retour en auto-rickshaw revient à 90 Rs.

SUR LE POUCE

Havmor (carte p. 720 ; Stadium Complex ; glace 15-70 Rs). Ahmedabad est réputée pour ses glaces. Ce glacier, derrière l'arrêt de bus de Navrangpura, propose d'innombrables parfums.

Tea Centre (carte p. 720 ; Vijay Char Rasta ; plats 15-80 Rs). Un établissement paisible pour siroter un thé au-dessus d'un *chowk* animé. Les thés glacés sont succulents ; essayez le *caipirinha*.

Al Karimi (carte p. 722 ; Advance Cinema Rd ; plats 90-20 Rs ; glace 15-175 Rs). Séparé du chaos urbain par une baie vitrée, ce glacier se double d'un restaurant végétarien. La spécialité maison, décrite comme des "morceaux de poisson et de poulet", est en réalité une glace très sucrée !

Rasranjan Food Court (carte p. 720 ; Chinubhai Chinai (CC) Rd ; plats 15-80 Rs ; 🕑 11h-23h). Cet espace de restauration fréquenté propose des plats punjabi et d'Inde du Sud, ainsi que des *chaat* (en-cas) et des desserts au rez-de-chaussée.

TC's (carte p. 720 ; rdc, Mangaldas Rd ; plats 35-140 Rs ; 🕑 11h-23h). Près du Gujarat College, ce petit café branché sert pitas et houmous, nouilles chinoises et plats indiens dans un cadre pimpant, avec narguilés et TV grand écran. Les "cocktails" sont aussi dynamiques que l'ambiance.

Près de la Teen Darwaja, des stands de restauration s'installent en soirée dans Bhathiyar Gali (carte p. 722), une petite rue parallèle à MG Rd, et proposent des spécialités musulmanes, dont de bons plats de viande à partir de 25 Rs. Le marché de nuit de Law Garden (carte p. 720) est également un bon endroit pour grignoter dans la rue.

Achats

Marché de nuit de Law Garden (carte p. 720 ; Law Garden). D'innombrables stands vendent de l'artisanat du Kutch et du Saurashtra : *choli* (corsages dos-nu ornés de miroirs) et *chaniya* (longues jupes amples) chamarrés, portés habituellement pour Navratri (voir l'encadré p. 719), tentures brodées, bijoux ethniques, etc.

Gurjari (carte p. 720 ; Ashram Rd ; 🕑 10h-14h et 15h-19h). Au sud de Gujarat Tourism, flânez dans les étages de cet emporium d'État qui recèle des trésors, dont des saris en soie.

Garvi Handloom House (carte p. 720 ; Ashram Rd ; 🕑 10h30-20h). En face du Gurjari, cette boutique offre un choix de textiles.

Gamthiwala (carte p. 722 ; Manekchowk ; 🕑 11h-13h et 14h-19h lun-sam). Ce magasin de la vieille ville vend des tissus de qualité imprimés au bloc.

LA SEWA

La Self-Employed Women's Association (SEWA ; Association des femmes travailleuses indépendantes) est le plus important syndicat du Gujarat. Fondée en 1972, elle part du principe que les femmes défavorisées n'ont pas besoin de charité, mais d'organisation.

La SEWA reconnaît trois types de travailleuses indépendantes : les colporteuses et les marchandes ; les ouvrières à domicile, qui fabriquent tissus, poteries ou *bidi* (cigarettes artisanales) ; et les ouvrières, qui travaillent dans les champs, dans le bâtiment ou comme employées de maison.

La SEWA les aide à s'organiser en syndicat ou en coopérative afin de contrôler les fruits de leur labeur. Elle s'intéresse particulièrement à la santé, à la protection infantile, à l'alphabétisation, au logement et à l'indépendance financière. La SEWA Academy dispense des cours d'encadrement à ses membres. L'organisation milite également pour l'instauration d'un salaire minimum. La SEWA gère une banque, qui permet à de nombreuses femmes pauvres d'accéder pour la première fois de leur vie à un organisme fiable d'épargne et de prêt, et fournit une aide juridique.

Le **SEWA Reception Centre** (carte p. 722 ; ☎ 5506444 ; www.sewa.org ; 🕑 10h30-18h lun-sam), à l'extrémité est d'Ellis Bridge, dispose de nombreux ouvrages sur son action et accueille volontiers les visiteurs. Banascraft (voir ci-dessous) vend à prix fixes des objets artisanaux de la SEWA.

Asal (5 Tejpal Society ; 🕑 10h-20h). Une boutique biologique qui propose des ustensiles de cuisine, des épices ayurvédiques, des savons aux plantes, des huiles essentielles et du khadi au mètre.

Banascraft (carte p. 720 ; 8-9 Chandan Complex, CG Rd ; 🕑 10h30-20h lun-sam, 10h30-18h30 dim). La boutique de la SEWA (voir l'encadré ci-dessus) vend des châles, des vêtements et des tentures brodés.

Ravivari (carte p. 722 ; 🕑 aube-crépuscule dim). Un marché aux puces fascinant en bord de rivière, où se côtoient animaux, musique, vaisselle, vêtements et gadgets.

Depuis/vers Ahmedabad

AVION

Plusieurs compagnies internationales offrent des vols vers/depuis Ahmedabad. Les agences suivantes sont recommandées :

Gujarat Tourism Travel Service (carte p. 720 ; ☎ 9727723928 ; www.gujarattourism.com ; près d'Ashram Rd)

Parshwanath Travels (carte p. 720 ; ☎ 27544142 ; parshtrvl@wilnetonline.net ; Ashram Rd)

Express Travels (carte p. 720 ; ☎ 26588602 ; express@wilnetonline.net ; près Asram Rd). À l'angle de l'office du tourisme.

Air India (carte p. 722 ; ☎26585382, aéroport 22867237 ; www.airindia.com ; Relief Rd ; 🕑 10h-17h), près de Nehru Bridge, et **Jet Airways** (carte p. 720 ; ☎27543304 ; www.jetairways.com ; Ashram Rd ; 🕑 10h-18h30 lun-ven, 10h-16h sam-dim) desservent régulièrement Mumbai (à partir de 3 500 Rs) et Delhi (4 000 Rs).

BUS

Les bus privés en provenance du nord déposent parfois leurs passagers à Naroda Rd, à 7 km au nord-ouest du centre-ville ; un auto-rickshaw vous conduira au centre pour 50 Rs environ.

De la gare routière proche de la mosquée de Rani Sipri, de nombreux bus de la **State Transport Corporation** (STC ; carte p. 722 ; ☎ 25463360) partent pour Vadodara (75 Rs, 2 heures), Jamnagar (150 Rs, 7 heures), Junagadh (120 Rs, 8 heures), Bhavnagar (100 Rs, 4 heures) et Rajkot (105 Rs, 4 heures 30).

Les bus privés sont plus rapides pour les longues distances ; quelques compagnies sont installées à l'est de la gare routière STC. **Punjab Travels** (carte p. 720 ; 🕑 9h-21h) Embassy Market (☎ 26589200 ; près Ashram Rd) Shefali Shopping Centre (☎ 26579999 ; Pritamnagar Rd) propose plusieurs services interurbains, notamment à destination d'Ajmer (seat/sleeper 230/360 Rs, 11 heures), Aurangabad (360/465 Rs, 16 heures 30), Jaipur (280/400 Rs, 14 heures 30), Udaipur (150/245 Rs, 7 heures) et Jodhpur (sièges seulement 235 Rs, 11 heures).

New Limda Travels (carte p. 720 ; ☎ 26579379 ; 5 Shroff Chambers) offre des bus pour Palitana (150 Rs, 4 heures 30), Bhavnagar (135 Rs, 4 heures) et Mumbai (seat/sleeper/deluxe 390/560/790 Rs, 24 heures). **Bonny Travels** (carte p. 720 ; ☎ 26579265 ; Pritamnagar Rd ; 🕑 6h-23h) dessert Jamnagar (250 Rs, 6 heures) et Rajkot (180 Rs, 4 heures) plusieurs fois par jour.

PRINCIPAUX TRAINS AU DÉPART D'AHMEDABAD

Destination	N° et nom du train	Départ	Durée	Tarifs (Rs)
Bhavnagar	2971 *Bhavnagar Exp*	5h45	6 heures	174/433/578 (A)
Bhuj	9115 *Bandra-Bhuj Exp*	23h59	7 heures 45	172/454/620 (A)
Delhi	2957 *Rajdhani*	17h25 (mar-dim)	14 heures	1 210/1 595/2 660 (B)
	2915 *Ashram Exp*	17h45	16 heures 30	348/925/1 260/2 119 (C)
	9105 *Ahmedabad-Haridwar Mail*	9h25	20 heures	332/907/1 247/2 098 (C)
Jamnagar	9005 *Saurashtra Mail*	5h15	7 heures	166/437/596/998 (C)
Mumbai	2010 *Shatabdi*	14h30 (lun-sam)	7 heures	695/1 330 (D)
	2902 *Gujarat Mail*	22h	8 heures 45	235/604/816/1 374 (C)
Porbandar	9215 *Saurashtra Exp*	20h10	10 heures	206/548 (E)
Rajkot	1464 *Rajkot Exp*	8h20 (lun, mer-sam)	4 heures 45	133/360/490 (A)
Udaipur	9944 *Ahmedabad-Udaipur Exp*	23h	8 heures 30	154/548 (F)
Vadodara	2010 *Shatabdi*	14h30 (lun-sam)	1 heure 45	285/550 (D)

Tarifs : A – sleeper/3AC/2AC, B – 3AC/2AC/1AC, C – sleeper/3AC/2AC/1AC, D – AC chair/1AC, E – sleeper/3AC, F – sleeper/2AC

TRAIN

Une **billetterie informatisée** (carte p. 722 ; ☎135 ; 🕑 8h-20h lun-sam, 8h-14h dim) se tient sur la gauche en sortant de la gare ferroviaire d'Ahmedabad. Le guichet n°6 gère le quota réservé aux touristes étrangers. Vous pouvez essayer de payer avec votre carte de crédit au guichet n°7. La gare ferroviaire de Gandhigram dispose également d'une billetterie informatisée ; relativement calme, elle ne dispose pas de guichet réservé aux étrangers (le guichet n°1 accepte les cartes de crédit).

Comment circuler

DEPUIS/VERS L'AÉROPORT

L'aéroport se situe à 10 km au nord de la ville ; un taxi prépayé ne devrait pas coûter plus de 300 Rs, selon la destination. Comptez environ 150 Rs en auto-rickshaw jusqu'à la vieille ville. Le bus n°105, qui part de Lal Darwaja, revient à 10 Rs.

AUTO-RICKSHAW

Censés utiliser leur compteur, les conducteurs d'auto-rickshaw sont pour la plupart honnêtes. Prévoyez 30 Rs de la gare ferroviaire d'Ahmedabad à la mosquée de Sidi Saiyad.

ENVIRONS D'AHMEDABAD

Adalaj Wav

L'Adalaj Wav, à 19 km au nord d'Ahmedabad, est l'un des plus beaux *baoli* du Gujarat. Construit en 1499 par la reine Rudabai, il comporte trois entrées qui mènent à une immense plate-forme soutenue par 16 piliers, avec un sanctuaire à chaque angle. Le puits octogonal à cinq niveaux est orné de ravissantes sculptures, dont les sujets varient de l'érotisme aux scènes bucoliques. Le bus de Gandhinagar vous déposera à courte distance (demandez au chauffeur où descendre). L'aller-retour en auto-rickshaw coûte 300 Rs.

Nal Sarovar Bird Sanctuary

La **réserve ornithologique de Nal Sarovar** (Indiens/étrangers 10/250 RS, voiture 20 Rs, caméra 2 500 Rs), un lac de 116 km^2 entouré de plaines, se situe à 60 km au sud-ouest d'Ahmedabad. De novembre à février, quelque 250 espèces d'oiseaux endémiques et migrateurs s'y rassemblent. Venez tôt le matin (vers 5h30) ou au crépuscule pour observer les canards, les oies, les pélicans et les flamants roses.

Les visiteurs affluent durant le week-end et les jours fériés. Vous verrez mieux les oiseaux en louant un bateau (100 Rs l'heure par personne).

Prévoyez des provisions car il n'y a pas de café. Gujarat Tourism gère des petits **bungalows** (☎ 02715-2245083 ; s/d 300/400 Rs, avec clim 450/650 Rs) à l'extérieur de la réserve.

Vu la rareté des bus (40 Rs, 2 heures 30), mieux vaut prendre un taxi à Ahmedabad (1 300 Rs aller-retour).

Lothal

À 85 km au sud-ouest d'Ahmedabad, ce site archéologique majeur a été découvert en 1954. La cité qui se dressait à cet endroit il y a 4 500 ans est comparable à Moenjodaro et à Harappa, deux villes de la vallée de l'Indus, au Pakistan. Lothal présente un tracé de rues, des constructions en briques crues et un système de drainage similaires.

Lothal signifie "tertre des morts" en gujarati, de même que Moenjodaro en sindhi. Les fouilles ont révélé un bassin d'accostage, doté d'un système d'écluses. À son apogée, le port était sans doute l'un des plus importants du sous-continent. La Sabarmati, qui ne passe plus par ici, reliait les quais au golfe de Cambay. Des sceaux trouvés sur le site laissent penser que la cité commerçait avec la Mésopotamie, l'Égypte et la Perse.

Sur place, le **Musée archéologique** (2 Rs ; 🕑 10h-17h sam-jeu) expose des vestiges de cette civilisation avancée, tels des sceaux élaborés, des poids et mesures, des jeux et des bijoux.

À 7 km du site au bord de la Bhugavo, le **Palace Utelia** (☎/fax 079-26445770 ; ch 3 000 Rs), un imposant palais tenu par des serviteurs âgés, domine le village. Son charme désuet compense l'absence de confort des chambres, négligées et surévaluées.

Lothal peut être visitée en une longue journée depuis Ahmedabad, plus facilement avec un taxi (1 500 Rs aller-retour). Des bus rallient Lothal (70 Rs, 3 heures). Vous pouvez aussi prendre le train jusqu'à Bhurkhi (à 6 km du site), puis un bus ; un train part d'Ahmedabad à 7h50 (2e classe 45 Rs, 3 heures).

Modhera

Le splendide **temple du Soleil** (Sun Temple ; Indiens/étrangers 5/200 Rs ; 🕑 8h-18h), édifié par le roi Bhimdev Ier en 1026 et 1027, ressemble au temple de Konark dans l'Orissa, construit 200 ans plus tard. Il est conçu de la même manière, afin que le soleil levant éclaire l'effigie de Surya, le dieu du Soleil, lors des équinoxes. Un pavillon à colonnes donne accès à la salle principale et au sanctuaire. Des sculptures complexes de démons et de divinités ornent l'extérieur. Comme celui de Somnath, ce temple fut pillé par Mahmud de Ghazni, mais demeure impressionnant. Cinquante-deux piliers finement sculptés illustrent des scènes du *Ramayana* et du *Mahabharata*. Dans une salle, 12 niches présentent les divers aspects de Surya au cours de l'année. Des sculptures érotiques ajoutent à la sensualité de l'ensemble.

Devant le temple, le **Surya Kund**, un splendide *baoli* rectangulaire, renferme plus d'une centaine de sanctuaires. Ceux qui sont dédiés à Ganesh, à Vishnu et à une incarnation de Shiva encadrent trois côtés du réservoir.

En janvier, Modhera accueille un **festival de danse classique** de trois jours.

Desservi par des bus directs (75 Rs, 3 heures 30), Modhera se situe à 105 km au nord-ouest d'Ahmedabad. Vous pouvez aussi prendre le train jusqu'à Mahesana, puis un bus pour Modhera (26 km). Les bus en provenance de Zainabad font halte à Modhera (30 Rs, 1 heure 30) et continuent vers Patan (66 Rs, 1 heure). L'aller-retour en taxi d'Ahmedabad revient à 1 250 Rs.

Patan

☎ 02766 / 112 038 habitants

À 130 km au nord-ouest d'Ahmedabad, Patan est une ville poussiéreuse et peu visitée, aux rues étroites bordées de maisons en bois élaborées et de plus de 100 temples jaïns ; le **Panchasara Parasvanath** est le plus grand.

Cette ancienne capitale hindoue, mise à sac par Mahmud de Ghazni en 1024, ne conserve de sa splendeur passée qu'un magnifique *baoli*, le **Rani-ki-Vav** (Indiens/étrangers 5/100 Rs ; 🕑 8h-18h), l'un des plus anciens et des plus beaux du Gujarat. Construit en 1050, il est remarquablement bien conservé ; protégé par des siècles d'ensablement, il a été restauré dans les années 1980.

Patan est réputée pour ses superbes saris en soie, ou *patola*, dont les fils sont teints avant le tissage pour produire le motif désiré. Visitez **VK Salvi** (www.patanpatola.com ; Salviwado, Patolawala St) pour découvrir le long et difficile processus de fabrication.

Le **Neerav Hotel** (☎ 222127 ; ch 350-500 Rs, avec clim 900 Rs ; ❄), près du cinéma Kohinoor, se révèle correct. Non loin, l'**Anand Restaurant** (Kilachand Shopping Centre ; plats 30-60 Rs) propose de bons *thali* et des plats à la carte.

Patan se situe à 25 km au nord-ouest de Mahesana. Des bus directs partent d'Ahmedabad (60 Rs, 3 heures 30) et de Zainabad (66 Rs, 2 heures 30), via Modhera.

GANDHINAGAR

195 891 habitants

Sillonnée de larges avenues et parsemée d'espaces verts, Gandhinagar offre un contraste saisissant avec Ahmedabad. C'est ici que résident les politiciens de l'État, dans de vastes demeures fortifiées. Le gouvernement y a été transféré en 1970. Lors du partage de l'ancien État de Mumbai, Ahmedabad devint la capitale du Gujarat, puis cette nouvelle capitale fut construite à 32 km au nord-est sur la rive ouest de la Sabarmati. Appelée Gandhinagar en hommage au Mahatma Gandhi, c'est la seconde ville planifiée du pays après Chandigarh.

Sa seule curiosité est le spectaculaire **temple d'Akshardham** (Ja Rd, Sector 20 ; 🕑 9h30-18h30 mar-dim) qui appartient à la prospère secte hindoue Swaminarayan. Près d'un millier d'artisans ont participé à la construction de ce bâtiment en grès rose, richement sculpté et entouré d'un jardin soigné. Appareils photo et téléphones portables sont interdits sur le domaine.

Depuis/vers Gandhinagar

À Ahmedabad, des bus partent pour Gandhinagar (18 Rs, 45 min, toutes les 15 min) de l'angle nord-ouest de Lal Darwaja et de nombreux arrêts le long d'Ashram Rd.

VADODARA (BARODA)

☎ 0265 / 1,49 million d'habitants

Vadodara (ou Baroda), une ville universitaire paisible à 100 km au sud-est d'Ahmedabad, était la capitale de la principauté de Gaekwad avant l'Indépendance. Elle compte plusieurs sites intéressants, dont un imposant palais indo-sarrasin tarabiscoté, un musée municipal et le superbe Tambekar Wada. Son atout majeur demeure le site proche de Champaner, classé au patrimoine mondial de l'humanité, avec ses mosquées délabrées qui se fondent dans le paysage.

Orientation et renseignements

Les gares ferroviaires et routières et les hôtels se regroupent sur la rive ouest de la Vishwarmurti, qui traverse la ville. Tilak Rd relie la gare ferroviaire au cœur de la cité.

Vous trouverez des DAB de l'ICICI et de la SBI à la gare ferroviaire, de la SBI et de la Standard Chartered dans RC Dutt Rd, de la Bank of Baroda et de l'ICICI dans le Sayajigunj.

Crossword (2/1 Arunoday Society, Alkapuri ; 🕑 10h30-20h30 lun-ven, 10h30-21h sam-dim). Une bonne librairie avec des CD, des DVD et l'agréable café Coffee Brio.

Gujarat Tourism (office du tourisme du Gujarat ; ☎ 2427489 ; rdc, Narmada Bhavan, Jail Rd ; 🕑 10h30-18h lun-sam, fermé 2e et 4e sam du mois). Dans la tour rouge et jaune (mal indiqué), il n'a d'utilité que pour obtenir des brochures ou organiser un circuit.

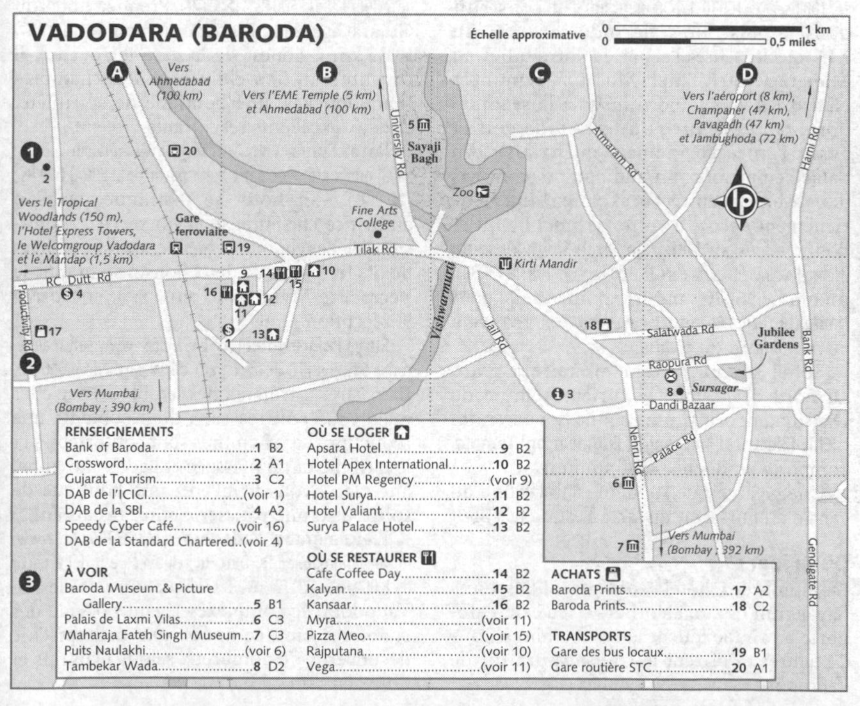

ICICI Bank (Sayajigunj). Change les espèces et les chèques de voyage et dispose d'un DAB accessible 24h/24.
Speedy Cyber Cafe (Sayajigunj ; 15 Rs/h ; 9h-23h)

À voir

SAYAJI BAGH

Dans ce parc ombragé, le **Baroda Museum & Picture Gallery** (musée et galerie de peintures de Baroda ; 10 Rs ; 10h30-17h) renferme des sculptures et des gravures asiatiques, une section zoologique poussiéreuse et une salle égyptienne. La galerie présente de ravissantes miniatures mogholes et une collection hétéroclite de peintures européennes.

TAMBEKAR WADA

De style marathe, cette **maison de ville** (entrée libre ; 8h-18h) en bois à plusieurs étages fut jadis la résidence de Bhau Tambekar, le *diwan* de Baroda (1849-1854). À l'intérieur, de belles peintures murales défraîchies du XIXe siècle représentent Krishna ou s'inspirent de sujets européens.

AUTRES CURIOSITÉS

Le **palais de Laxmi Vilas** (Nehru Rd ; Indiens/étrangers 25/100 Rs ; 10h30-17h30 mar-dim) fut construit dans le plus pur style indo-sarrasin du XIXe siècle. Après l'achat de votre billet au Maharaja Fateh Singh Museum, remontez Nehru Rd vers le nord jusqu'à la seconde porte (après l'entrée du terrain de golf et avant l'entrée principale du palais). Au palais, empruntez un audioguide (compris dans le billet d'entrée) et explorez l'intérieur richement décoré à votre rythme. Le billet donne accès au **Maharaja Fateh Singh Museum** (Nehru Rd ; Indiens/étrangers 25/100 Rs ; 10h30-17h30), un musée voisin sans grand intérêt. Le **puits Naulakhi** (Nehru Rd), un beau *baoli*, se trouve à 50 m au nord du palais.

Édifié sur un terrain militaire à 5 km au nord de la ville, le curieux temple de Dakshinamoorthy, plus connu sous le nom d'**EME (Electrical Mechanical Engineering) Temple**, comporte un dôme en aluminium.

Une gigantesque statue de **Shiva** trône au centre du Sursagar, un lac à l'est de la ville.

Où se loger

De nombreux hôtels sont regroupés dans Sayajigunj et aux alentours. Ceux de catégorie moyenne louent leurs chambres pour 24 heures et offrent le transfert gratuit de l'aéroport.

Apsara Hotel (☎ 2225399 ; Sayajigunj ; s/d à partir de 150/250 Rs). Sympathique et accueillant, il possède une cour ombragée et des petites chambres un peu négligées, légèrement plus pimpantes en étage.

Hotel PM Regency (☎ 2361616 ; Sayajigunj ; s economy 350 Rs, s/d à partir de 750/950 Rs, avec clim 1 050/1 250 Rs ;). Cet hôtel offre des chambres correctes, dont les plus plaisantes donnent sur la jolie rue. Vérifiez l'état de la plomberie et évitez les simples "economy" si vous êtes claustrophobe.

Hotel Valiant (☎ 2363480 ; 7e ét., BBC Tower, Sayajigunj ; s/d 475/625 Rs, avec clim à partir de 650/800 Rs ;). Installé aux 7e et 8e étages de la tour BBC et desservi par un ascenseur, cet hôtel dispose de chambres attrayantes, propres et bien aménagées, toutes avec TV et réfrigérateur.

Hotel Apex International (☎ 2362551 ; www.hotelapex.com ; Sayajigunj ; s/d à partir de 1 050/1 350 Rs ;). En face de la statue de Sardar Patel, l'Apex propose 40 belles chambres réparties en 5 catégories, la plupart ont un balcon donnant sur la rue. Ajoutez quelques centaines de roupies pour vous offrir une "executive".

Hotel Express Towers (☎ 3055000 ; www.expresworld.com ; RC Dutt Rd ; s economy 1 975 Rs, s/d/ste à partir de 2 800/3 200/5 500 Rs ;). Premier hôtel du Gujarat agréé par le gouvernement (en 1973), à 1,5 km à l'ouest de la gare ferroviaire, il constitue un bon choix avec des chambres fonctionnelles, une boutique de spiritueux et deux excellents restaurants.

Hotel Surya (☎ 2361361 ; www.hotelsurya.com ; Sayajigunj ; s/d avec petit déj à partir de 2 500/3 000 Rs ;). Cet hôtel se distingue par son ambiance chaleureuse et un service professionnel. Les chambres bien tenues sont dotées de lits fermes et de deux bons restaurants, le Vega et le Myra (voir plus bas), encadrent la réception.

Surya Palace Hotel (☎ 23623366 ; www.suryapalace.com ; Sayajigunj ; ch avec petit déj à partir de 4 000 Rs). Bien géré, ce trois-étoiles semble un peu cher mais vous pourrez sans doute obtenir une réduction. Les chambres sont confortables et le tarif inclut un massage et l'accès au sauna. Sur place, vous trouverez une boutique de spiritueux, une pâtisserie et un restaurant.

Welcomgroup Vadodara (☎ 2330033 ; www.itcwelcomgroup.in ; RC Dutt Rd ; ch avec petit déj à partir de 8 000 Rs ;). Unique cinq-étoiles de Vadodora, ce complexe élégant possède des chambres bien équipées, une belle piscine découverte, de nombreux salons plaisants et un restaurant.

GUJARAT

Où se restaurer

Le **Coffee Brio**, dans la librairie Crossword (p. 731), sert un excellent café.

Cafe Coffee Day (Sayajigunj ; café 40-90 Rs, 9h-23h). Ce café décontracté propose des expressos, des boissons fraîches, des pâtisseries et des en-cas.

Kalyan (2362211 ; Sayajigunj ; plats 15-80 Rs ; 7h30-22h30). Prisé par les étudiants, ce restaurant végétarien sert de généreuses portions de spécialités d'Inde du Sud et des plats occidentaux moins réussis.

Rajputana (6622799 ; Sayajigunj ; plats 65-145 Rs ; 11h-15h et 18h30-23h). Spécialisé dans la cuisine végétarienne punjabi et chinoise, ce restaurant prépare aussi quelques pizzas. Des "cloisons" faites de chaînes et de cloches suspendues séparent les tables ; celles situées près des fenêtres surplombent l'animation de Sadar Patel Chowk.

Kansaar (2362596 ; 101 Unique Trade Centre, Sayajigunj ; *thali* 100 Rs). Installé au 2e étage, ce restaurant sélect mitonne de succulents *thali*, servis à volonté par un personnel attentif en salle ou sur la terrasse donnant sur la rue.

Tropical Woodlands (2321495 ; 139 Windsor Plaza, RC Dutt Rd ; plats 45-110 Rs ; 11h-15h, 19h-22h30). Caché dans une galerie marchande aux enseignes innombrables, il propose une délicieuse cuisine d'Inde du Nord, du Sud et chinoise, à déguster derrière de grandes baies vitrées en regardant l'animation de la rue.

Pizza Meo (2361361 ; Sayajigunj ; pizza 90-160 Rs, pâtes 125-140 Rs ; 11h-23h). Avec des peintures au plafond évoquant la chapelle Sixtine et des serveurs en tablier vert et blanc, ce petit *ristorante e pizzeria* rappelle incontestablement l'Italie. Si les pizzas végétariennes sont excellentes, les pâtes nous ont moins enthousiasmé.

Mandap (Hotel Express Towers, RC Dutt Rd ; *thali* 150 Rs ; 11h-15h et 19h30-22h30). Dans une salle superbe, décorée comme une tente du désert, vous vous régalerez d'un *thali* raffiné, l'un des meilleurs de la ville.

Vega (2361361 ; Hotel Surya, Sayajigunj ; plats 90-130 Rs ; 7h-10h30, 12h-15h et 19h30-23h). Ce restaurant confortable offre de bons plats chinois et curries indiens.

Myra (2361361 ; Hotel Surya, Sayajigunj ; *thali* 110 Rs, silver *thali* 175 Rs ; 11h-15h et 19h-23h). Ce restaurant d'hôtel propose deux versions de copieux *thali* gujarati, avec des légumes différents tous les jours.

Achats

Baroda Prints Salatwada (Salatwada Rd ; 9h-20h lun-sam, 10h-20h dim) ; Aries Complex (GF-2,3 Productivity Rd ; 9h30-20h30 lun-sam, 10h30-20h30 dim). Ces boutiques vendent des tissus imprimés à la main. À Salatwada, vous pourrez voir les artisans à l'œuvre.

Depuis/vers Vadodara

AVION

L'aéroport se situe à 8 km au nord-est de la ville. **Jet Airways** (2343441 ; www.jetairways.com) assure des vols quotidiens pour Mumbai et Delhi à partir de 3 500 Rs. **Air India** (2794747/8 ; www.airindia.com) dessert également Mumbai et Delhi tous les jours.

BUS

De la gare routière STC, à 300 m au nord de la gare ferroviaire, des bus rallient de nombreuses destinations au Gujarat, dans l'ouest du Madhya Pradesh et le nord du Maharashtra. Des bus partent pour Ahmedabad toutes les 10 min (local/deluxe 60/68 Rs, 2 heures). Des bus réguliers rallient Bhavnagar (110 Rs, 5 heures), Palitana (122 Rs, 8 heures), Diu (160 Rs, 13 heures) et Tararbul (pour Lothal ; 62 Rs). De nombreuses compagnies privées possèdent des bureaux à proximité.

TRAIN

À destination d'Ahmedabad, le 9011 *Gujarat Express* quitte Vadodara à 12h40 (2e classe/AC chair/1re classe 49/167/228 Rs, 2 heures 15) et le 2009 *Shatabdi* part à 11h17 du lundi au samedi (AC chair/1re AC 315/590 Rs, 2 heures). En sens inverse, le 2010 *Shatabdi* quitte Ahmedabad à 14h30, rejoint Vadodara à 16h15 et continue vers Mumbai (AC chair/1re AC 605/1 150 Rs) où il arrive à 21h35.

ENVIRONS DE VADODARA

Champaner et Pavagadh

L'extraordinaire site archéologique de Champaner et Pavagadh s'étend à 47 km au nord-est de Vadodara. Les vestiges de Champaner, l'ancienne capitale du Gujarat classée au patrimoine mondial de l'humanité, sont disséminés sur et aux alentours de Pavagadh, une colline volcanique haute de 800 m.

Monument le plus ancien de Pavagadh, le **temple de Lakulisha** (X^e^-XIe siècle) se dresse près du sommet. Coiffant la colline, le **temple de Kalika Mata**, important site de pèlerinage,

GUJARAT

organise chaque année durant tout le mois de Chaitra (mars-avril) une **fête** en l'honneur de la déesse Mahakali. Vous pouvez grimper à pied au sommet jusqu'aux temples en 2 ou 3 heures, ou prendre le funiculaire (87 Rs aller-retour). De Champaner, un bus conduit au pied de la colline (10 Rs).

Capitale du Chauhan Rajput, **Champaner** (☎ 02676-245631 ; Indiens/étrangers 5/100 Rs ; 🕑 10h-18h) fut fondée vers le VIIIe siècle. Située sur une route commerciale stratégique, elle fut assiégée par le sultan Mahmud Begara qui s'en empara en 1484, provoquant le *jauhar* (suicide collectif) des Rajput vaincus. Le sultan fit construire de nombreux édifices religieux sur la colline, ainsi que l'imposant rempart. Champaner commença à décliner en 1535, quand les Moghols conduits par Humayun parvinrent à franchir les remparts et prirent le fort et la cité.

La muraille au pied de la colline mesurait à l'origine 6 km de long ; elle protégeait des bâtiments civils, militaires et religieux, ainsi qu'un système de récupération d'eau. Les mosquées, particulièrement remarquables, mêlent des styles décoratifs hindous et sarrasins. La plus spectaculaire, la **Jama Masjid** (1513), dont la construction dura 125 ans, possède un porche somptueusement sculpté et une cour imposante. Des *jali* séparent la salle de prière du souverain de l'espace commun. Derrière la mosquée, le Hauz-i-Vazu, un *kund* (bassin) octogonal, servait aux ablutions rituelles.

La **Kewda Masjid** compte parmi les autres mosquées superbes ; grimpez l'escalier étroit qui mène au toit coiffé de coupoles, et même plus haut jusqu'au sommet des minarets pour une vue splendide. À côté, les minarets de l'**Iteri Masjid** ressemblent à des cheminées d'usine. Plus loin dans la campagne, la **Nagina Masjid**, dépourvue de minarets, se distingue par de ravissantes sculptures géométriques.

L'**Hotel Champaner** (☎ 02676-245641 ; Pavagadh Manchi ; dort/s/d 75/330/440 Rs, s/d avec clim 550/825 Rs ; ❄), géré par l'État, offre des chambres banales, toutes avec balcon et vue superbe.

Plusieurs bus partent tous les jours de Vadodara (45 Rs, 2 heures). L'aller-retour en taxi revient à 650 Rs.

Jambughoda

À 25 km de Champaner, l'ancienne principauté de **Jambughoda**, devenue réserve naturelle en 1992, couvre 130 km^2 de campagne luxuriante. Vous pouvez loger dans le vaste **Jambughoda Palace** (☎ 241258 ; www.jambughodapalace.com ; ch 1 200-1 400 Rs), construit en 1924 et tenu par l'ancienne famille royale, qui vit toujours ici. L'endroit est merveilleusement paisible et les chambres, sans prétention.

BHARUCH

148 391 habitants

Bharuch est mentionnée dans des chroniques datant de près de 2 000 ans. Elle se situe sur la principale ligne ferroviaire entre Vadodara et Surat, à une heure de l'une ou l'autre ville.

Au sommet de la colline, un **fort** domine la Narmada et la **Jama Masjid**. Sur la berge du fleuve, à l'est de la cité, le **temple de Bhrigu Rishi** a donné à la ville son nom d'origine, Bhrigukachba, plus tard abrégé en Bharuch.

La Narmada a figuré à la une des quotidiens à cause du Sardar Sarovar, un barrage fortement controversé construit en amont de Bharuch, près du village de Manibeli.

SURAT

☎ 026 / 2,4 millions d'habitants

Sur les rives de la Tapti, Surat est un important centre marchand pour les textiles et les diamants. Les Parsis s'y installèrent au XIIe siècle, puis les Moghols en firent un port majeur et un point de transit vers La Mecque. Les Britanniques y établirent leur premier comptoir en 1613.

Autrefois premier port de commerce du pays, il déclina lorsque la Compagnie britannique des Indes orientales déménagea à Bombay. En 1994, à la suite d'une épidémie de peste, Surat fut étiquetée ville la plus sale du pays. De grands travaux de nettoyage en ont soi-disant fait la deuxième cité la plus propre et la plus salubre après Chandigarh. Bien que fatigante et bruyante, Surat intéressera les amateurs d'histoire coloniale.

Édifié en 1546 au bord du fleuve, le **château** jouxte le Tapti Bridge et abrite aujourd'hui des bureaux ; ses bastions offrent néanmoins une belle vue. Parmi les **tombes coloniales** du XVe au XVIIIe siècle, celle du baron Adrian Van Reed, directeur d'une compagnie hollandaise, est la plus remarquable et date du XVIIe siècle.

La ville compte d'immenses établissements textiles, dont le **Bombay Market** (Umarwada), un important détaillant de saris à 1 km au sud de la gare ferroviaire.

Une **fête** spectaculaire, ignorée des touristes, se déroule durant la semaine qui précède Holi dans les monts Dangs, voisins du Maharashtra.

Depuis/vers Surat

Surat se situe sur la ligne ferroviaire Mumbai-Ahmedabad. Parmi les nombreux trains qui rallient Ahmedabad, le 9215 *Saurashtra Express* part de Surat à 14h20 et rejoint Ahmedabad (sleeper/3AC 132/340 Rs) à 19h45. En sens inverse, le 9012 *Gujarat Express* part d'Ahmedabad à 7h et arrive à Surat (2e classe/AC chair/1re classe 76/267/378 Rs) à 11h15.

ENVIRONS DE SURAT

À 29 km au sud de Surat (30 min en train), **Navsari** est le siège d'une communauté parsie depuis 1142. Une jolie route de campagne conduit à **Dandi**, à 13 km, la destination de la fameuse "marche du sel" organisée par Gandhi en 1930. Au bord de la plage étonnamment déserte se dressent plusieurs monuments dédiés au Mahatma et un petit musée. Un autre musée est installé à **Karodi**, à 3 km de Dandi, où Gandhi fut arrêté.

Le temple du Feu d'**Udvada**, à 10 km au nord de Vapi (la gare ferroviaire pour Daman), possède le plus ancien feu sacré parsi ; il aurait été apporté de Perse à Diu, de l'autre côté du golfe de Cambay au VIIIe siècle. À **Sanjan**, le petit port à la pointe sud de l'État, une colonne marque l'endroit où les parsis débarquèrent.

DAMAN

☎ 02602 / 35 743 habitants

L'ancienne enclave portugaise de Daman est une station balnéaire imbibée d'alcool au bord d'une mer grise qui n'a rien d'un paradis tropical. Les forts massifs, les avenues sans vaches de Moti Daman et les églises paisibles témoignent de la présence lusitanienne. Nani Daman, une ville côtière moderne et paisible, s'anime le week-end et pendant les vacances, quand des Gujaratis et des vacanciers du Maharashtra viennent profiter des boissons alcoolisées à petits prix.

À l'instar de Diu et de Goa, Daman fut reprise en 1961 aux Portugais, qui s'en étaient emparés en 1531. Bahadur Shah, le dernier grand sultan gujarati, leur avait officiellement cédé la région en 1559. Gouvernées un temps par Goa, Daman et Diu forment aujourd'hui le territoire de l'Union de Daman et Diu, supervisée par Delhi.

Il est interdit d'exporter de l'alcool de Daman, à moins d'avoir un permis ; la police contrôle les bagages à la sortie.

Orientation et renseignements

Nani Daman et Moti Daman sont reliées par un pont réservé aux deux-roues et aux piétons. Un second pont, à 500 m à l'est, conçu pour résister à la mousson, était presque achevé lors de notre visite. Un auto-rickshaw reliant l'ancien pont à la plage de Jampore revient à 50 Rs.

DAB de la Bank of Baroda (Kavi Khabardar Marg)
DAB de la Dena Bank (Kavi Khabardar Marg)
Net City (galerie marchande Vikas, Devka Rd ; 20 Rs/h ; 🕑 10h-21h)
Office du tourisme (☎ 2255104 ; 🕑 9h30-13h30 et 14h-18h lun-ven). Près de la gare routière ; distribue une carte gratuite. Ne venez pas avant 11h30 !
Poste (☎ 2254353 ; Nani Daman). Plus pratique que la poste principale.
Poste principale (☎ 2230453 ; Moti Daman). Au sud du fleuve.
Speed Age Cyber Café (Kavi Khabardar Marg ; 20 Rs/h ; 🕑 9h30-21h30)
World Wide Travels & Tours (☎ 2255734 ; Devka Rd). Dans la galerie marchande en dessous de l'Hotel Maharaja ; change les espèces et les chèques de voyages et vend des billets d'avion.

À voir et à faire

NANI DAMAN

Vous pouvez faire le tour des remparts du **fort de Saint-Jérôme** et profiter de la vue sur la pittoresque flottille de pêche. Le fort possède un portail magnifique qui fait face au fleuve. Dans l'enceinte, l'**église Notre-Dame-de-la-Mer** (1901) mérite le coup d'œil pour son intérieur doré.

Au nord, un **temple jaïn** contient des peintures murales du XVIIIe siècle illustrant la vie de Mahavira, qui vécut vers 500 av. J.-C.

MOTI DAMAN

Le **fort** de Moti Daman date de 1559. Ponctués de 10 bastions, les remparts entourent un domaine de 30 km². À l'intérieur, les rues propres, somnolentes et ombragées évoquent la période portugaise. Près du phare, la muraille offre une jolie vue sur Nani Daman, de l'autre côté du fleuve. Jadis quartier de la noblesse coloniale, Moti Daman abrite la demeure du poète portugais Bocage (XVIIIe siècle), près de la porte du fort.

La **Sé** ("cathédrale" en portugais), ou **église de Bom-Jesus**, construite en 1603 dans le style ibérique, comporte des sculptures élaborées sur bois.

L'**église Notre-Dame-du-Rosaire**, de l'autre côté de la place envahie par la végétation, renferme

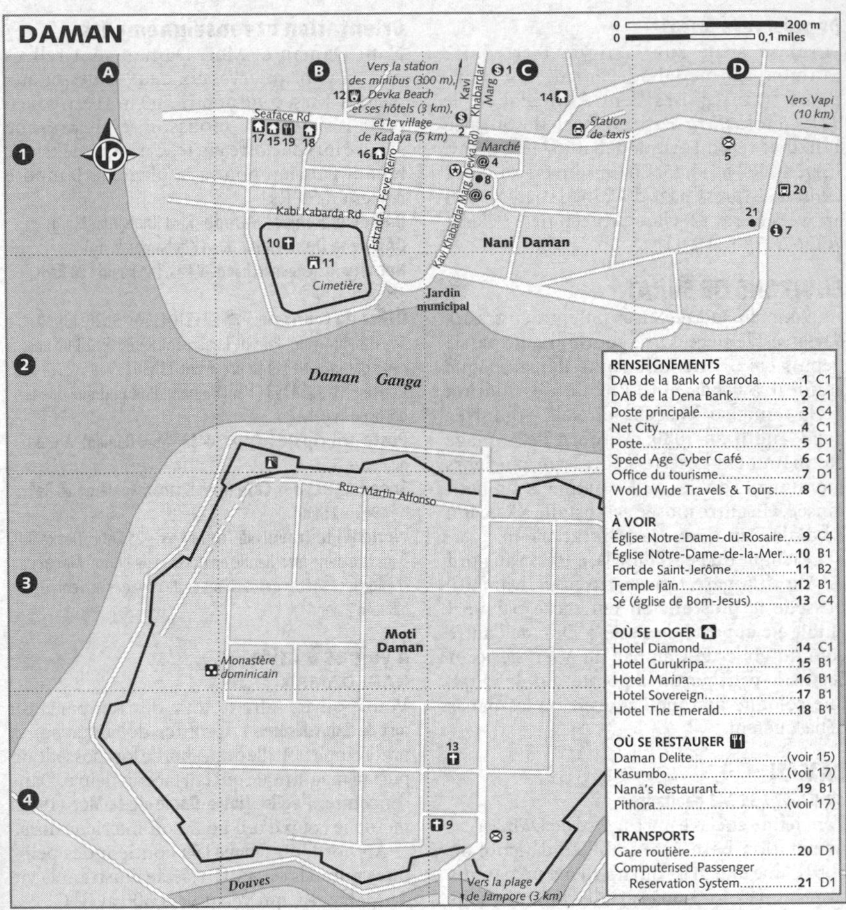

d'anciennes pierres tombales portugaises encastrées dans le sol. Les rayons du soleil, filtrés par les fenêtres poussiéreuses, éclairent l'autel en bois doré, très ouvragé. Si vous trouvez porte close, demandez les clés à la Sé.

PLAGES

À 3 km au nord de Nani Daman, le rivage rocheux et négligé de **Devka Beach** manque d'attrait. Une ambiance détendue et alcoolisée règne dans les bars et les hôtels en bord de plage. À 3 km au sud de Moti Daman, la plage de **Jampore**, ombragée de palmiers, est un peu plus agréable mais n'invite pas plus à la baignade. En auto-rickshaw, comptez 30 Rs du centre-ville à Devka et 50 Rs du pont à Jampore.

Où se loger et se restaurer

Daman se remplit durant les vacances (en particulier pendant Diwali) ; mieux vaut alors réserver ou choisir une autre destination.

En février, Daman est renommée pour les *papri*, des pois chiches bouillis et salés servis dans des cornets en papier journal. Octobre est la saison des crabes et des homards. Le *tari*, un vin de palme apprécié, est vendu dans des récipients en terre cuite. Une bière Kingfisher ne coûte que 35 Rs dans les boutiques, et 50 Rs ou plus dans les bars des hôtels.

CENTRE-VILLE

Hotel Marina (☎2254420 ; www.hotelmarinadaman.com ; Estrada 2 Feve Reiro ; s/d 675/765 Rs, deluxe 765/855 Rs ; ❄). De loin le meilleur hôtel de Daman, il occupe une maison de style portugais restaurée, vieille de 150 ans, avec des chambres ravissantes en étage ouvrant sur une mezzanine. D'un excellent rapport qualité/prix, elles sont toutes climatisées, avec des équipements modernes et un charme ancien. Le restaurant (plats 50-120 Rs) sert de délicieux curries, des poissons et de la bière fraîche.

Hotel Diamond (☎ 2254235 ; s/d 500/650 Rs, avec clim 750/900 Rs ; ❄). Près de l'artère principale et de la station de taxis, cet hôtel sympathique est néanmoins trop cher : les chambres sentent le renfermé et les lits aux matelas minces ne comportent qu'un drap.

Hotel the Emerald (☎ 2255069 ; www.hoteltheme-rald.co.in ; Seaface Rd ; s economy 850 Rs, s/d à partir de 1 050/1 400 Rs ; ❄). Étincelant hôtel beige et saumon, il offre des chambres très élégantes, ainsi qu'un salon-bar et un restaurant raffinés. Pour bénéficier d'une douche efficace, préférez une deluxe aux "executive", pourtant plus chères.

Hotel Gurukripa (☎ 2255046 ; www.hotelgurukripa.com ; Seaface Rd ; s/d à partir de 1 095/1 475 Rs ; ❄ 💻). Propose des chambres correctes, avec couvre-lit en satin et sdb rénovées, des cours de yoga et un bar-restaurant intime, au plafond orné d'étoiles.

Hotel Sovereign (☎ 2250236 ; www.hotelgurukripa.com ; Seaface Rd ; s/d à partir de 1 095/1 475 Rs ; ❄ 💻). À côté de l'Hotel Gurukripa et appartenant aux mêmes propriétaires, le Sovereign possède des chambres un peu plus propres et confortables, et un ascenseur moins vieillot. Les sdb sont toutefois plus petites et moins pimpantes. Les deux restaurants servent uniquement des plats végétariens.

Pithora (☎ 2250236 ; Hotel Sovereign, Seaface Rd ; plats 40-100 Rs, *thali* gujarati/punjabi 75/90 Rs ; 🕑 7-22h). Sous une canisse, ce restaurant végétarien sur le toit sert de savoureux *thali*, ainsi que des plats indiens et chinois à la carte.

Kasumbo (☎ 2250236 ; Hotel Sovereign, Seaface Rd ; plats 40-200 Rs ; 🕑 11h-15h, 19h-22h ; ❄). Autre restaurant végétarien de l'Hotel Sovereign, il occupe une salle climatisée au plafond voûté bleu vif. La longue carte comprend des spécialités d'Inde du Nord et chinoises ; vous pouvez aussi choisir le *thali* gujarati à volonté (100 Rs).

Nana's Restaurant (☎ 2250659 ; Seaface Rd ; plats 55-150 Rs ; 🕑 8h-22h). Dans ce restaurant chic, une armée de serveurs attentifs propose des cocktails, des bières glacées, une délicieuse cuisine d'Inde du Nord et des plats chinois. À l'impressionnant éventail de curries, de l'afghan au *vindaloo*, s'ajoutent divers poissons et fruits de mer locaux : *pomfret* (grande castagnole), *dara* (saumon), crevettes et *surmai* (thazard barré). Une salle réservée aux familles et aux femmes leur permet de dîner paisiblement.

Daman Delite (Hotel Gurukripa, Seaface Rd ; plats 70-240 Rs). Ce petit restaurant, avec plafond étoilé et nappes blanches, est apprécié des groupes d'hommes en goguette et de quelques familles. Vous aurez le choix entre des plats végétariens ou non et d'excellents poissons.

PLAGES

Devka Beach, qui s'étire sur 1,5 km le long de la route principale, compte plusieurs complexes hôteliers de catégorie moyenne, tous dotés d'un restaurant et d'un bar. Les prix baissent sensiblement en dehors des périodes de vacances. Le choix est plus limité à Jampore, avec un seul hôtel en bord de plage et quelques pensions dans le village.

Sandy Resort (☎ /fax 2254644 ; www.sandyresort.com ; Devka Beach ; ch 1 300-2 500 Rs ; ❄ 🏊). Cet hôtel confortable offre des chambres spacieuses, de la standard défraîchie à la deluxe aérée, dotée d'un balcon. La piscine démodée n'est guère séduisante.

Hotel Miramar (☎ 2250671 ; www.miramarmirasol.in ; Devka Beach ; ch avec clim à partir de 3 000 Rs ; ❄ 🏊). Sur la plage à 4 km de Nani Daman, le Miramar est l'un des hôtels les mieux tenus, avec des chambres propres, une belle piscine, un grand restaurant en plein air et une salle à manger climatisée. Les mêmes propriétaires gèrent le Mirasol, un complexe hôtelier et de sports nautiques à 2 km au nord.

Hotel China Town (☎ 2230920 ; Jampore, Moti Daman ; ch 800 Rs, avec clim à partir de 1 200 Rs ; ❄). Niché parmi les cocotiers avec une vue brumeuse vers l'ouest, cet hôtel quelconque possède des chambres négligées à la plomberie défaillante, ainsi qu'un bar-restaurant.

Depuis/vers Daman

Vapi (à 3 heures 30 de Vadodara), sur la principale ligne ferroviaire, se situe à 10 km de Daman. Vous pouvez réserver vos places auprès du **Computerised Passenger Reservation System** (billetterie informatisée ; ☎ 2254254 ; 🕑 9h30-13h30 et 16h-21h jeu-mar), en face de l'office du tourisme.

De nombreux taxis collectifs (15 Rs par personne, 20 min) stationnent devant la gare ferroviaire et partent fréquemment pour Daman. Les auto-rickshaws demandent 70 Rs, mais la plupart n'ont pas le droit d'entrer dans le district de Daman. Quelques bus bringuebalants font le trajet (7 Rs).

SAURASHTRA

Le Saurashtra, ou péninsule de Kathiawar, ne fit jamais partie du Raj britannique. Jusqu'à l'Indépendance, il se composait de 200 États princiers, dont les propriétaires terriens avaient amassé des fortunes considérables. Si les villes sont animées et industrialisées, une ambiance féodale continue de régner dans les campagnes où les champs de coton s'étendent à perte de vue. Vêtus de blanc des pieds à la tête, les paysans portent turbans, vestes plissées, jodhpurs, et de grosses boucles d'oreille en or. Les femmes, habillées de vêtements aussi colorés qu'au Rajasthan, arborent des *choli* brodés et de lourds bijoux.

La sieste, de 13h à 15h, est une institution respectée au Saurashtra et dure au moins 2 heures.

La péninsule doit son nom aux tribus kathi, qui rôdaient autrefois la nuit pour dérober tout ce qui n'était pas enfermé dans les nombreux *kot* (forts). Elle consiste en un plateau central qui descend vers des plaines côtières et recouvert d'épaisses forêts sur l'autre versant.

BHAVNAGAR

☎ 0278 / 510 958 habitants

Ville industrielle trépidante, Bhavnagar constitue une bonne base pour des excursions à Shatrunjaya et au Velavadar National Park. Fondée en 1743, la cité a longtemps été un important centre de négoce du coton et vit aujourd'hui des diamants, des matières plastiques et du démantèlement des navires. Son écluse permet de maintenir les bateaux à flot dans le port à marée basse. Gandhi a fréquenté son université et un petit musée présente des photos retraçant sa vie. Les bazars et les maisons en bois croulantes de la vieille ville sont remarquablement préservés du monde moderne. Hormis cela, il n'y a pas grand-chose à voir.

Orientation et renseignements

Cette ville étendue possède des quartiers ancien et nouveau bien distincts. La gare routière STC se tient dans la nouvelle ville et la gare ferroviaire, au bout de la vieille ville, à 2,5 km. Parmi les nombreux DAB, vous n'en trouverez qu'un de la HDFC près de la tour de l'Horloge, un de la SBI à côté de l'Hotel Sun 'n' Shine et un de l'Axis Bank à côté du cinéma Galaxy.

Poste (🕑 10h-20h lun-ven, 10h-15h sam)

Reliance Cyber Café (188 Madhav Darshan, Waghawadi Rd ; min 100 Rs pour 3 heures30 ; 🕑 10h-22h)

State Bank of India (☎ 2439746 ; 🕑 10h30-14h30 et 15h-19h lun-ven, 10h30-16h sam). Dans la vieille ville ; change espèces et chèques de voyage.

À voir et à faire

Le **temple de Takhteshwar** coiffe une butte, suffisamment haute pour offrir une vue superbe sur la ville et le golfe de Cambay.

Au nord-est, près de la tour de l'horloge, le **Gandhi Smriti Museum** (entrée libre ; 🕑 9h-13h et 14h-18h lun-sam) contient d'innombrables photos de Gandhi. Au rez-de-chaussée et tout aussi poussiéreux, le **Barton Museum** (Indiens/étrangers 2/50 Rs ; 🕑 9h-13h et 14h-18h lun-sam, fermé 2e et 4e sam du mois) renferme des sculptures religieuses, des couteaux à noix de bétel et un squelette dans un placard !

Près de la State Bank of India, la vieille ville mérite la visite pour ses maisons en bois ouvragées qui surplombent des bazars pittoresques et bondés.

Où se loger

Guère séduisants, les hôtels bon marché se concentrent dans la vieille ville et près de la gare ferroviaire. Ceux de catégorie moyenne présentent un bon rapport qualité/prix.

Vrindavan Hotel (☎ 2518928 ; Darbargadh ; d/tr 275/350 Rs). Derrière une imposante porte sculptée, ce vaste hôtel ancien semble prometteur, mais déçoit rapidement. Construit autour d'une cour, il propose des chambres très spartiates, de formes et de tailles diverses, et toutes négligées.

Hotel Mausam (☎ 2518776 ; Station Rd ; s/d 350/600 Rs, avec clim à partir de 600-850 Rs ; ❄). Près de la gare ferroviaire, cet établissement offre un choix de chambres, rudimentaires pour les moins chères, mais toutes plutôt propres, avec des lits décents et des sanitaires modernes. Le personnel est extrêmement serviable.

Hotel Apollo (☎ 2425251 ; www.thehotelapollo.com ; face gare routière ; s/d 500/700 Rs, avec clim 700/900 Rs ; ❄). En face de la gare routière STC, l'Apollo possède des chambres spacieuses et banales, avec un balcon donnant sur la rue. Les sdb

GUJARAT

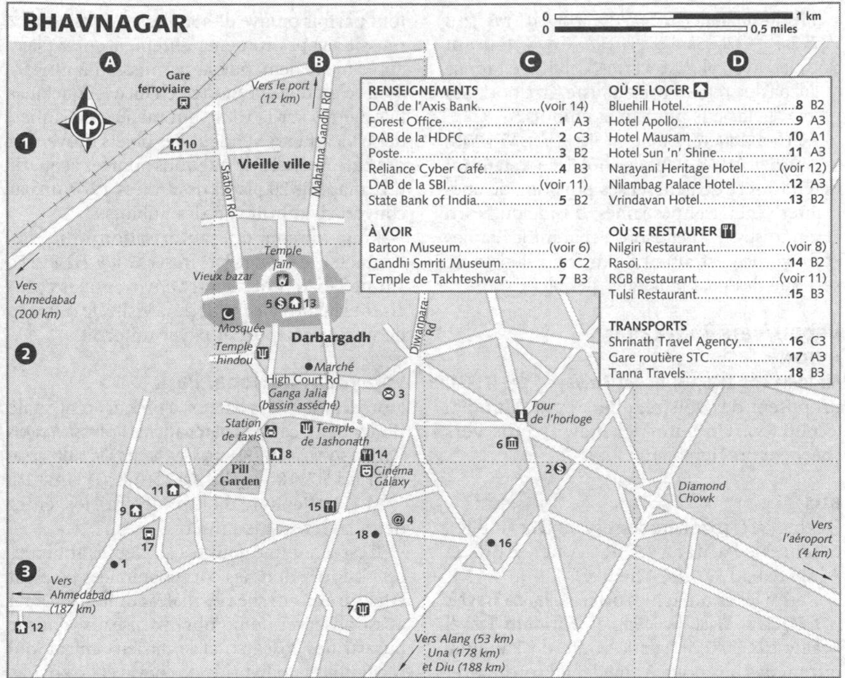

sont correctes mais mieux vaut vérifier le bon fonctionnement des installations. Un bureau de change est installé sur place.

Bluehill Hotel (☎ 2426951 ; hotelbluehill@yahoo.com ; Pill Garden ; s/d à partir de 1 000/1 300 Rs, ste 2 700 Rs ;). Au bout d'une rue paisible, cet hôtel permet d'observer des tantales indiens, des échassiers perchés dans les arbres du jardin voisin. Plutôt bien tenues, les chambres sont néanmoins défraîchies et trop chères.

Narayani Heritage Hotel (☎ 2513535 ; narayaniheritage@gmail.com ; s/d 1 100/1 500 Rs ;). Installé dans l'un des bâtiments administratifs de l'enclos royal du Nilambag Palace Hotel, le Narayani dispose de chambres pimpantes et spacieuses, d'un bon rapport qualité/prix. Les hôtes ont accès à la piscine, à la salle de sport et au court de tennis du palais.

Hotel Sun 'n' Shine (☎ 2516131 ; ST Rd ; s/d avec petit déj à partir de 1 300/1 600 Rs ;). Ce trois-étoiles bien tenu constitue l'option la plus avantageuse de Bhavnagar. Il comprend un vaste atrium d'inspiration méditerranéenne, une réception très accueillante et le restaurant RGB, recommandé (voir p. 740). Les chambres standard, propres et plaisantes, sont dotées de lits confortables. Les prix comprennent le transport vers/depuis l'aéroport.

Nilambag Palace Hotel (☎ 2424241 ; nilambag@bsnl.in ; s/d 2 500/4 000 Rs ;). Sur la route d'Ahmedabad, cet ancien palais de maharaja à la façade austère date de 1859. Une ambiance plus chaleureuse règne à l'intérieur et les chambres majestueuses, aux meubles en bois massif, donnent sur le jardin. Une piscine ronde (non-résidents 100 Rs), une salle de gymnastique et un restaurant en plein air complètent l'offre.

Où se restaurer

Rasoi (☎ 2522535 ; plats 50-70 Rs, *thali* 100 Rs ; 11h-15h et 19h-23h). Ce restaurant discret, avec un bungalow et des tables dans le jardin, se cache derrière le poste de police et un figuier, à côté du cinéma Galaxy. Géré par les propriétaires du Tulsi Restaurant, il propose d'excellents *thali* gujarati à volonté, ainsi que des plats végétariens punjabi et chinois.

Nilgiri Restaurant (Bluehill Hotel ; plats 50-100 Rs ; 11h-15h et 19h-23h). Plaisant et lumineux, agrémenté de baies vitrées, le Nilgiri prépare une bonne cuisine végétarienne indienne et chinoise.

Tulsi Restaurant (☎ 2425535 ; Kalanala Chowk ; plats 55-75 Rs ; 🕒 12h-15h30 et 19h-23h). Ce restaurant douillet, avec plantes vertes, éclairage tamisé et décor discret, est prisé à juste titre pour ses plats végétariens punjabi et chinois.

RGB Restaurant (Hotel Sun 'n' Shine ; plats 60-115 Rs ; 🕒 19h-23h). Au 1er étage de l'hôtel, ce restaurant détendu sert de généreuses portions de spécialités végétariennes jaïnes, d'Inde du Nord et chinoises. Des cloisons séparent les tables et le service est attentif. Au fond, le bar ne sert que des cocktails sans alcool.

Depuis/vers Bhavnagar

AVION

Air India (☎2426503) et **Jet Airways** (☎2433371) proposent des vols réguliers pour Mumbai (3 600 Rs). Un auto-rickshaw depuis/vers l'aéroport revient à 150 Rs.

BUS

Des bus STC réguliers desservent Diu (108 Rs, 6 heures), Palitana (33 Rs, 1 heure 30) et Ahmedabad (91 Rs, 4 heures).

Parmi les compagnies privées, **Tanna Travels** (☎ 2425218 ; Waghawadi Rd) et **Shrinath Travel Agency** (☎ 2427755), sur la route de Palitana, offrent des bus pour Ahmedabad (ordinaire/climatisé 120/140 Rs, 4 heures) et Vadodara (140/160 Rs, 5 heures).

TRAIN

Le 2972 *Bhavnagar-Bandra Express* part à 6h05 et arrive à Ahmedabad (sleeper/3AC/2AC 174/433/578 Rs) à 11h17.

ENVIRONS DE BHAVNAGAR

Alang

Sur la côte entre Bhavnagar et Talaja, Alang est le plus grand site de démolition de navires du pays. Quelque 20 000 ouvriers travaillent jour et nuit à démanteler à la main supertankers, porte-conteneurs, bateaux de guerre et autres vaisseaux. Le désossage d'un grand bâtiment dure entre deux et trois mois.

Assister à cette scène dantesque est quasiment impossible pour les touristes. En 2002, Greenpeace a visité le chantier sous un faux prétexte afin de rassembler des photos attestant les conditions de travail dangereuses et les déchets toxiques produits par la démolition des bateaux. Vous pouvez consulter le dossier de Greenpeace sur le site www.greenpeace.org. Depuis, les touristes étrangers explorent moins facilement le chantier, même si les autorités font parfois preuve de souplesse. Vous pouvez réussir à vous promener librement sur la plage après avoir demandé la permission à un gardien ; c'est une question de chance ! À quelques kilomètres sur la route qui mène au chantier, des brocanteurs vendent des objets provenant des bateaux ; c'est là que vous pourrez acquérir un canapé de 20 places des années 1970, un bar couvert de miroirs ou des hublots.

Pour obtenir une autorisation officielle, contactez le **Gujarat Port Trust** (☎ 079-23238346) à Ahmedabad. Vous devrez envoyer un fax précisant la date et le motif de la visite, le numéro de votre passeport et payer un droit.

Velavadar National Park

Hors des sentiers battus, à 65 km au nord de Bhavnagar, ce beau **parc national** (Indiens/étrangers 10/250 Rs, voiture 20/250 Rs, guide 4 heures 30/250 Rs, appareil photo 5/250 Rs, caméra 200/2 500 Rs ; 🕒 7h30-18h 15 oct-15 juin) couvre 34 km^2 de prairies, entre deux rivières saisonnières.

Il est renommé pour ses gracieuses antilopes cervicapres, dont les cornes spiralées peuvent atteindre 65 cm chez les mâles adultes. On peut aussi observer de nombreux oiseaux, dont le busard des roseaux, et le curieux nilgai, qui ressemble à un hybride de cheval et de bovidé. La visite se fait en voiture ou à pied ; les guides locaux ne parlent généralement pas anglais.

Le **Tourist Lodge** (d 500-1 000 Rs) dispose de 4 chambres dans le parc. Réservez auprès du **Forest Office** (☎ 0278-2426425 ; 1er ét., 10 Annexe Bdg, Bahamali Bhan ; 🕒 11h-18h lun-ven), près de la gare routière STC à Bhavnagar.

De Bhavnagar, des bus desservent Velavadar (28 Rs) ; l'aller-retour en taxi coûte environ 1 000 Rs.

PALITANA

☎ 02848 / 51 934 habitants

Ville poussiéreuse et effervescente située à 51 km au sud-ouest de Bhavnagar, Palitana s'est agrandie de manière débridée pour répondre aux besoins des pèlerins qui affluent au Shatrunjaya. Gujarat Tourism possède un bureau peu efficace dans l'Hotel Sumeru. Le sympathique directeur de l'Hotel Shravak (p. 741) vous fournira plus d'informations.

À voir

SHATRUNJAYA

L'un des lieux de pèlerinage les plus sacrés du jaïnisme, Shatrunjaya (Place of Victory ; appareil

GUJARAT

photo 40 Rs ; ⌚ temples 6h30-19h45) est un incroyable complexe de 863 temples juchés au sommet d'une colline, construits en plus de 900 ans sur un plateau dédié aux dieux.

Les temples sont regroupés en neuf *tunk* (enceintes), renfermant chacun un sanctuaire central et d'autres plus petits. Les plus anciens, érigés au XIe siècle, furent détruits par les musulmans aux XIVe et XVe siècles ; les temples actuels sont postérieurs au XVIe siècle.

Longue de 2,5 km, la montée de 600 m du pied de la colline qui part jusqu'au sommet comporte 3 200 marches et s'effectue en 1 heure 30. Partez à l'aube ou en fin d'après-midi pour éviter la chaleur. Vous pouvez aussi vous faire transporter en *dholi* (chaise à porteurs) pour quelque 1 000 Rs.

Portez une tenue correcte (pas de short), laissez tout article en cuir, ceintures et sacs inclus, et n'apportez ni nourriture ni boissons (eau comprise) dans les temples. Le permis pour prendre des photos s'obtient au bureau principal, avant d'entamer l'ascension.

Près du sommet, le chemin bifurque. L'embranchement de gauche conduit à l'entrée principale, Ram Pol. Celui de droite offre la plus belle vue sur le site.

Le panorama, superbe dans toutes les directions, s'étend, par temps clair, jusqu'au golfe de Cambay. En arrivant par la droite, vous découvrirez en premier l'un des plus beaux temples, dédié à Shri Adishwara, l'un des plus illustres tirthankaras (maîtres jaïns). Remarquez la frise représentant des dragons. Juste à côté se dresse le sanctuaire musulman d'**Angar Pir**, où les femmes déposent des berceaux miniatures dans l'espoir d'une maternité. Le saint musulman protégea les temples d'une attaque moghole.

Construit en 1618 par un riche négociant jaïn, le **Chaumukh** (sanctuaire aux Quatre Faces) comporte quatre représentations d'Adinath tournées vers les points cardinaux. Parmi les temples importants, le **Kumar Pal**, le **Sampriti Raj** et le **Vimal Shah** portent les noms des généreux commanditaires jaïns.

De la gare routière, une marche de 30 min mène au pied de la colline (20 Rs en autorickshaw). De l'eau (pas en bouteille) est en vente par endroits et vous pouvez acheter du yaourt dans un pot d'argile (5 Rs) à l'entrée.

Où se loger et se restaurer

Palitana compte de nombreux *dharamsala* (auberges pour pèlerins), réservés aux jaïns.

Hotel Shravak (☎ 252428 ; dort hommes 50 Rs, s sans sdb 100 Rs, d/tr/q 300/400/500 Rs, d avec clim 700 Rs ; ⌘). En face de la gare routière, cet établissement accueillant loue des chambres spartiates, mais reste le meilleur hébergement de la ville. Les doubles sont plus spacieuses et plus propres que les simples. Deux sont climatisées et quelques-unes disposent d'un chauffe-eau. Toutes doivent être libérées à 10h.

Hotel Sumeru (☎ 252327 ; Station Rd ; dort 75 Rs, s/d 210/325 Rs, avec clim 425/700 Rs ; ⌘). Géré par Gujarat Tourism, cet hôtel au personnel pléthorique se situe à 200 m de la gare routière en direction de la gare ferroviaire. Lors de notre passage, des rénovations étaient soi-disant prévues pour les chambres, en piteux état ; celles en étage s'agrémentent d'un balcon. Un restaurant est installé sur place. Les prix baissent pratiquement de moitié d'avril à septembre. Les chambres doivent être libérées à 9h.

Vijay Vilas Palitana (☎ réservation auprès de North West Safaris à Ahmedabad 079-26302019 ; www.northwest-safaris.com ; s/d pension complète 1 800/3 600 Rs). Ce charmant palais de 1906 offre des chambres sans prétention et joliment décorées, avec des meubles d'origine et un souci du détail. La famille qui le tient prépare une délicieuse cuisine maison.

Jagruti Restaurant (*thali* 30 Rs, plats 30-50 Rs ; ⌚ 10h-22h). En face de l'Hotel Shravak, ce restaurant de *thali* très fréquenté sert midi et soir des plats punjabi et chinois.

Sur la gauche, une fois franchi le pont en direction du sud-ouest, le **marché aux légumes de Willingdon** vend un grand choix de fruits et de légumes à des prix modiques.

Depuis/vers Palitana

De nombreux bus STC circulent depuis/vers Bhavnagar (25 Rs, 1 heure 30) et Ahmedabad (120 Rs, 5 heures). Un bus direct pour Diu (130 Rs, 7 heures) part à 13h30. Toutes les heures, des bus desservent Talaja (20 Rs, 1 heure), où vous pouvez prendre une correspondance pour Diu (90 Rs, 6 heures). Les bus sont inconfortables et les routes en mauvais état, mais de nombreux travaux de voirie laissent présager une amélioration.

Lors de nos recherches, la ligne ferroviaire en provenance de Bhavnagar était en train d'être transformée en voie large. Deux trains lents ralliaient néanmoins Bhavnagar, à 8h et à 20h.

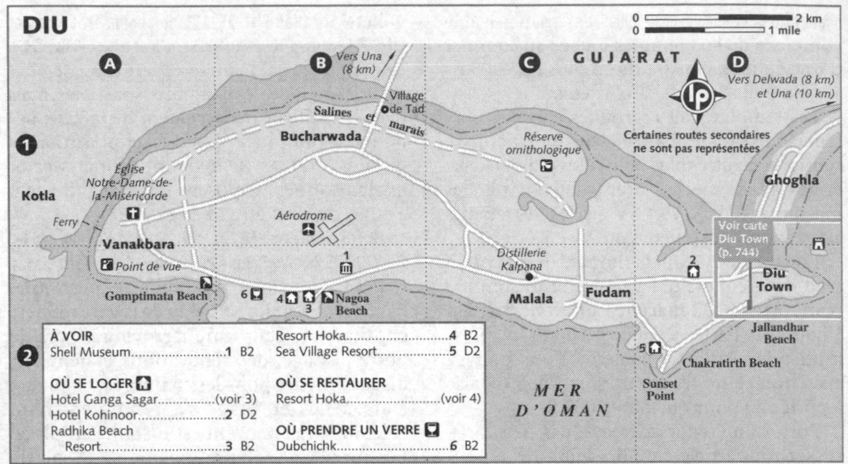

DIU

☎ 02875 / 21 576 habitants

Cette petite île, ancienne enclave portugaise, est la principale destination de nombreux voyageurs au Gujarat. Bien qu'elle ne ressemble pas au paradis tropical qu'ils ont imaginé, elle ne manque pas de charme et séduit par sa sérénité.

Ses plages correctes, ses églises blanchies à la chaux, un fort imposant, des rues colorées évoquant Lisbonne et l'abondance de fruits de mer et de poissons constituent indéniablement ses principaux atouts. Le week-end, les habitants viennent en nombre profiter de l'alcool bon marché. C'est aussi l'endroit le plus sûr du pays pour circuler en scooter grâce à une circulation très fluide et des routes excellentes.

Comme Daman et Goa, Diu fut une colonie portugaise jusqu'à ce que l'Inde la récupère en 1961. Avec Daman, elle reste gouvernée par Delhi en tant que territoire de l'Union. L'ancienne colonie comprend l'île de Diu (11 km de long sur 3 km de large), séparée de la côte par un étroit chenal, et deux minuscules enclaves sur le continent. L'une d'elles, avec le village de Ghoghla, donne accès à Diu en venant d'Una.

Le nord de l'île, face au Gujarat, est bordé de marais et de salines ; sur la côte sud alternent falaises de calcaire, criques rocheuses et plages de sable.

La pêche, le tourisme, l'alcool et le sel constituent les principales ressources. La distillerie Kalpana, à Malala, produit du rhum de canne à sucre.

Héritage de l'époque portugaise, la sieste est respectée par de nombreux commerces.

Histoire

Du XIVe au XVIe siècle, Diu fut un important centre de commerce et une base navale, d'où les Turcs ottomans contrôlaient les voies maritimes du nord de la mer d'Oman.

Après une vaine tentative en 1531, au cours de laquelle la marine turque soutint Bahadur Shah, le sultan du Gujarat, les Portugais parvinrent à s'emparer de l'île en 1535, profitant d'un différend entre le sultan et l'empereur moghol Humayun.

Menacé par les Portugais et les Moghols, Bahadur signa un traité de paix avec les premiers, leur accordant le contrôle du port de Diu. Ce traité fut aussitôt ignoré et, malgré l'opposition de Bahadur Shah et de son successeur le sultan Mahmud III, un nouveau traité fut signé en 1539, qui cédait au Portugal l'île de Diu et l'enclave de Ghoghla.

L'opération Vijay, qui mit un terme à la domination portugaise en 1961, causa la mort de sept soldats rajput et de plusieurs civils. Bombardés inutilement par l'aviation indienne, la piste d'atterrissage et le terminal proches de Nagoa restèrent à l'abandon jusqu'à la fin des années 1980.

Orientation et renseignements

En ville, de nombreuses boutiques changent les espèces.

A to Z (carte p. 744 ; Vaniya St ; 30 Rs/h ; 9h-24h). Le meilleur cybercafé, près de Panchwati Rd. D'autres semblent disposer de meilleurs ordinateurs, mais celui-ci offre les connexions les plus rapides.

DAB de la SBI (carte p. 742). Dans Bunder Rd, le seul DAB qui fonctionnait lors de notre passage. Un autre devait être installé à Gomptimata Beach.

Office du tourisme (carte p. 744 ; ☎ 252653 ; www.diuindia.com ; Bunder Rd ; 🕑 9h-13h30 et 14h30-18h lun-sam). Sans grande utilité, il se situe dans l'artère principale de Diu Town, parallèle au front de mer. Quand il ouvre, il fournit de simples cartes.

Poste (carte p. 744 ; ☎ 252122). Surplombe Town Square.

State Bank of India (carte p. 744 ; ☎ 252492 ; Main Bazaar ; 🕑 10h-16h lun-ven, 10h-13h sam). Près de Town Square ; change les espèces.

Super Surfing (carte p. 744 ; Super Silver Guest House ; 30 Rs/h ; 🕑 9h-23h). Accès à Internet.

Uma Cyber Café (carte p. 744 ; Uma Shakti Hotel ; 30 Rs/h ; 🕑 9h15-14h et 16h-23h). Accès à Internet.

Désagréments et dangers

Plus pénibles que dangereux, des touristes indiens éméchés peuvent importuner les femmes seules ou en petits groupes, notamment à Nagoa Beach.

À voir et à faire

DIU TOWN

Diu Town est le premier endroit où les Parsis débarquèrent après avoir fui la Perse. Ils n'y restèrent que trois ans.

La cité s'étend entre le fort massif à l'est et un énorme rempart à l'ouest. Des sculptures représentant des lions, des anges et un prêtre ornent la porte principale, **Zampa Gateway** (carte p. 744) ; juste après, une chapelle renferme une icône de 1702.

La vaste **église Saint-Paul** (carte p. 744 ; 🕑 8h-18h, messe tlj), fondée par les Jésuites en 1600, a été reconstruite en 1807. L'intérieur sombre contraste avec la façade surchargée. À côté, un petit cloître est surmonté d'une école. Non loin, la charmante **église Saint-Thomas**, un édifice simple aux murs blancs, abrite le **musée de Diu** (Diu Museum ; carte p. 744 ; entrée libre ; 🕑 8h-21h). Il contient d'effrayantes statues de saints catholiques et accueille chaque année une grand-messe le 1er novembre. On peut également voir quelques vestiges d'un temple jaïn, avec une pension installée à l'étage sur la gauche. L'**église Saint-François-d'Assise** (carte p. 744), transformée en hôpital, est parfois utilisée pour des messes. La population d'ascendance portugaise vit principalement dans ce secteur, toujours appelé le "quartier des étrangers".

Nombre de bâtiments témoignent d'une influence portugaise persistante. La ville est un dédale de rues étroites et sinueuses où de nombreuses maisons sont de couleurs vives. Les bâtiments les plus imposants se situent dans Panchwati, tel le **Nagar Sheth Haveli** (carte p. 744), orné de volutes et de fruits extravagants en stuc.

Bâti en 1535 et agrandi en 1541, l'imposant **fort portugais** (carte p. 744 ; entrée libre ; 🕑 8h-18h), bien conservé et doté de deux douves (dont une alimentée par les marées), devait être jadis inexpugnable, mais l'érosion et l'abandon ont entraîné sa dégradation progressive. Des boulets de canon jonchent le sol et une superbe enfilade de canons veille sur les remparts. Le phare, dont le faisceau lumineux se voit à 32 km, constitue le point culminant de Diu. Parmi les différentes chapelles, l'une d'elles contient des fragments de pierres tombales gravées. Une partie du fort fait office de prison.

L'ancienne prison, le **Fortim-do-Mar (Pani Kotha)**, un bâtiment blanc en forme de navire, semble flotter dans la baie. Des circuits en bateau dans le port font escale à Pani Kotha quand la mer est suffisamment calme, ce qui est rare (25 Rs aller-retour).

En dehors des remparts, les **grottes de Naida** (carte p. 744), d'où les Portugais extrayaient les matériaux de construction, forment un curieux réseau de cavités carrées et de marches qui ne mènent nulle part.

Le ferry était en réfection lors de notre passage. Quand il circule, la croisière quotidienne Diu-by-Night part de la jetée à 19h30 (quand le temps le permet), se rend à Pani Kotha et Nagoa Beach, puis revient vers 21h. Musique de rigueur. En-cas fournis à bord.

DANS L'ÎLE

Nagoa Beach, une longue plage ourlée de palmiers et propice à la baignade, est très fréquentée, souvent par des Indiens éméchés facilement entreprenants avec les étrangères. À l'ouest, **Gomptimata**, une étendue de sable déserte, borde une mer agitée, réservée aux excellents nageurs. Parmi les plages facilement accessibles de Diu Town figurent **Jallandhar**, **Chakratirth** et la superbe **Sunset Point**, une petite anse idéale pour la baignade et la plage favorite des touristes étrangers. Malheureusement, les abords de Sunset Point font office de déchetterie et les détritus sont parfois directement jetés dans la mer ; si vous venez tôt le matin,

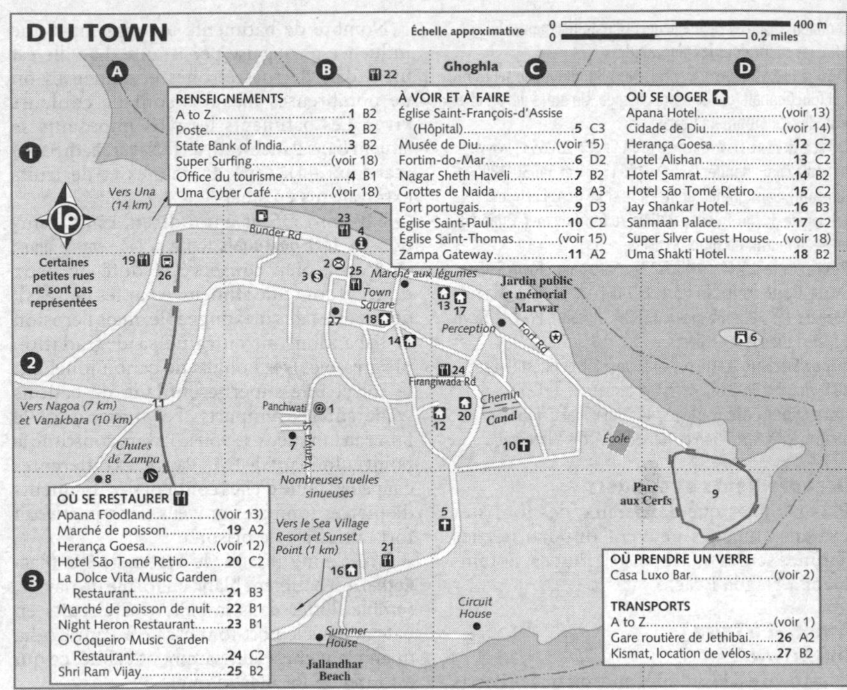

vous constaterez que la zone des marées sert de toilettes publiques.

Le **Shell Museum** (musée des Coquillages ; carte p. 742 ; adulte/enfant 10/5 Rs ; 9h-18h) résulte d'une passion : Devjibhai Vira Fulbaria, un capitaine de marine marchande, a collecté des coquillages pendant plus de 50 ans. Près de Diu Town, **Fudam** possède une modeste église aujourd'hui abandonnée, Our Lady of Remedies (Notre-Dame-des-Remèdes), qui conserve un grand autel en bois sculpté.

À la pointe ouest de l'île, **Vanakbara**, un charmant village de pêcheurs, mérite le détour. Promenez-vous sur le port où se balancent les bateaux de pêche colorés ; l'animation bat son plein entre 7h et 8h, lorsque les pêcheurs reviennent et vendent leurs prises.

Où se loger

En période creuse, la plupart des hôtels accordent des réductions jusqu'à 60%.

PETITS BUDGETS

Diu Town

Les adresses suivantes sont indiquées sur la carte ci-dessus.

Super Silver Guest House (☎ 2522020 ; Super Silver Complex ; s/d à partir de 200/300 Rs, avec clim 600 Rs ;). À un pâté de maisons au sud du marché aux légumes, cette pension d'un excellent rapport qualité/prix offre des chambres sans prétention et propres, avec des sols carrelés rutilants ; certaines bénéficient d'une vue. Les propriétaires sont très serviables.

Hotel São Tomé Retiro (☎ 253137 ; georgedesouza84@hotmail.com ; ch 400-600 Rs, sans sdb 250 Rs). Cette pension plaisante, installée dans la jolie église Saint-Thomas, est une adresse idéale pour la détente. George D'Souza, le sympathique propriétaire, organise de mémorables soirées barbecue (voir plus loin). Les chambres vont des petites structures spartiates sur le toit aux belles pièces spacieuses, dotées de murs épais. Réductions possibles pour un long séjour. La flèche de l'église offre une vue panoramique sur l'île.

Herança Goesa (☎ 253851 ; 205/3 derrière Diu Museum, près Hospital Rd ; d 350-400 Rs). Maison ancienne d'une famille goanaise, elle comporte 8 doubles impeccables qui représentent une véritable aubaine. En étage, on bénéficie de la brise marine. Les repas sont succulents (voir plus bas) et vous pourrez même suivre des cours

GUJARAT

de cuisine goanaise. Lors de notre passage, il était prévu d'aménager une cuisine avec barbecue à disposition des hôtes.

Ailleurs dans l'île

Jay Shankar Hotel (carte p. 744 ; ☎ 252424 ; près Jalandhar Beach ; d 200-250 Rs, avec clim 500 Rs ; ✇). Si les chambres les moins chères sont négligées, celles à 250 Rs, avec matelas en mousse, douche froide et balcon, sont correctes et certaines donnent sur la mer. Sur place, le restaurant propose des plats végétariens ou non à petits prix.

Sea Village Resort (carte p. 742 ; ☎ 254345 ; Chakratirth Beach ; s/d 250/350 Rs, ch avec clim 750 Rs ; ✇). Ce complexe hôtelier ressemble à un ensemble de conteneurs, mais bénéficie d'un emplacement privilégié à Sunset Point. Assis sur une chaise en plastique, vous pourrez contempler la jolie baie en sirotant une bière. Les chambres, confinées et sales, sont affreusement chaudes et l'état de la cuisine laisse rêveur !

CATÉGORIE MOYENNE

Diu Town

Les adresses suivantes sont indiquées sur la carte p. 744.

Hotel Samrat (☎ 252354 ; ch budget 600 Rs, standard/deluxe avec clim 1 000/1 200 Rs ; ✇). À deux rues au sud de la place, le Samrat est l'une des meilleures adresses de la ville de cette catégorie, avec des doubles confortables, certaines dotées d'un balcon donnent sur la rue. Bar-restaurant correct. Cartes de crédit acceptées.

Sanmaan Palace (☎ 253031 ; ch sans/avec clim 650/1 200 Rs, ste 2 000 Rs ; ✇). Cette ancienne villa portugaise occupe un superbe emplacement au bord de l'eau, entre la place et la forteresse. Évitez les chambres les moins chères, des conteneurs aménagés dans le jardin. Celles qui se situent dans la villa, sans prétention, sont agrémentées de hauts plafonds. Un restaurant plaisant est installé sur le toit.

Hotel Alishan (☎ 252340 ; Fort Rd ; d 700-2 000 Rs ; ✇ 💻). L'Alishan possède des chambres en ciment, dont certaines avec vue sur l'eau. Les moins chères sont négligées, et celles à l'arière ou en façade, surévaluées. Vous pourrez obtenir une réduction conséquente hors saison ou en semaine.

Uma Shakti Hotel (☎ 252150 ; d 800 Rs ; ✇). À côté du Super Silver, près du marché aux légumes, cet hôtel offre des petites doubles correctes et trop chères et un restaurant décent sur le toit.

Cidade de Diu (☎ 254595 ; s/d à partir de 1 100/1 500 Rs ; ✇). Derrière l'Hotel Samrat et tenu par les mêmes propriétaires, cet établissement couleur lavande propose des petites chambres fonctionnelles avec balcon privé. Les réductions peuvent atteindre 50%, même mi-octobre.

Apana Hotel (☎ 253650 ; Fort Rd ; d 1 250 Rs, avec clim 1 800 Rs ; ✇). Sur le front de mer, l'Apana possède des petites chambres carrelées de blanc, avec balcon et vue sur la mer, et un restaurant en plein air animé (voir plus loin). Des voyageuses se sont plaintes d'avoir été importunées.

Ailleurs dans l'île

Ces adresses figurent sur la carte p. 742.

Hotel Ganga Sagar (☎ 252249 ; Nagoa Beach ; d 900 Rs, d/tr avec clim 1 200/1 600 Rs ; ✇). Hôtel balnéaire classique, avec un bar bien fourni et des chambres sans prétention et bien tenues ; celles avec balcon donnant sur la plage sont les plaisantes. La clientèle du week-end peut se révéler envahissante.

♥ **Resort Hoka** (☎ 253036 ; www.resorthoka.com ; Nagoa Beach ; ch 1 150 Rs ; ✇ 💻 🏊). Excellente adresse, ce petit complexe à l'ombre des palmiers propose des chambres propres et colorées, avec une terrasse pour certaines, une piscine, et une cuisine succulente. La direction est très serviable et on peut louer des mobylettes.

Hotel Kohinoor (☎ 252209 ; www.htelkohinoordiu.com ; ch avec clim à partir de 1 950 Rs, ste 3 450 Rs ; ✇ 🏊). Sur la route de Fudam, cet hôtel très confortable comprend des chambres bien équipées, avec balcon, installées dans des villas autour d'une grande piscine. Une salle de gymnastique, un restaurant, une pâtisserie et un bar-discothèque, le Footloose, complètent l'offre.

Radhika Beach Resort (☎ 252553 ; www.radhikaresort.com ; Nagoa Beach ; d à partir de 2 250 Rs ; ✇ 💻 🏊). Élégant, moderne et impeccable, l'établissement haut de gamme le mieux situé de Diu comporte des villas confortables entourées de pelouses, réparties autour d'une grande piscine. Les chambres sont spacieuses et propres et le restaurant excellent.

Où se restaurer

Diu est l'endroit idéal pour se régaler de poisson. Les boissons alcoolisées sont particulièrement bon marché : comptez environ 35 Rs pour une Kingfisher et 120 Rs pour une bouteille de porto.

RESTAURANTS

Herança Goesa (carte p. 744 ; ☎253851 ; 205/3 derrière Diu Museum, près Hospital Rd ; petit déj 20-30 Rs, dîner 30-100 Rs, dîner-buffet 350 Rs). Les repas sont servis dans la salle à manger d'une famille accueillante. Le petit-déjeuner peut se prolonger jusqu'à midi ; le café glacé est délicieux. Il faut réserver pour dîner et savourer d'authentiques spécialités goanaises et portugaises, comme les crevettes en sauce *piri-piri*, le curry de poisson goanais et le vindaloo. Le buffet, proposé trois soirs par semaine, comprend 8 plats somptueux.

O'Coqueiro Music Garden Restaurant (carte p. 744 ; ☎ 9824681565 ; Firangiwada Rd ; plats 30-120 Rs ; 7h30-22h30). Dans cet agréable restaurant en plein air, proche du Diu Museum, l'accent est mis sur la fraîcheur et la qualité. La carte limitée comporte des plats simples de pâtes aux légumes et de poisson, ainsi que quelques recettes portugaises traditionnelles. Un bon café ponctuera votre repas.

Night Heron Restaurant (carte p. 744 ; ☎ 253166 ; jetée, Bunder Chowk ; plats 40-110 Rs ; 9h-15h30, 19h-23h). Un peu trop chaud dans la journée, ce restaurant au bord de l'eau comporte des tables en plein air et à l'étage. Plaisant pour un dîner, savourer une glace ou prendre un verre, il sert des petits-déjeuners d'Inde du Sud et des plats tandoori, punjabi et chinois midi et soir.

La Dolce Vita Music Garden Restaurant (carte p. 744 ; ☎ 9824203925 ; Hospital Rd ; plats 55-270 Rs ; 8h-22h). Proche de Jallandhar Beach, ce petit restaurant simple en bord de rue offre de bons petits-déjeuners (muesli maison, salade de fruits, *lassi*) et cafés. Au déjeuner et au dîner, vous aurez le choix entre des curries végétariens ou non, des pâtes et des poissons.

Apana Foodland (carte p. 744 ; Apana Hotel ; plats 65-400 Rs ; 7h-17h et 19h-23h). En bord de mer, ce restaurant en plein air propose un éventail complet : petits-déjeuners, plats d'Inde du Sud, gujarati, punjabi et chinois. Les plats de poisson, tel le requin *tikka* ou le thazard barré/crevettes servis avec riz, frites et salade, peuvent être commandés à l'avance. La salade de fruits gujarati est délicieuse.

Resort Hoka (carte p. 742 ; ☎ 253036 ; resorthoka@travelindia.com ; Nagoa Beach ; plats 70-175 Rs ; 8h-22h). Installé sur le toit, ce restaurant mitonne une cuisine succulente : alléchants petits-déjeuners continentaux, plats savoureux, comme les penne au thon et à la tomate, le poisson avec des frites, ou les crevettes masala. L'endroit est agréable, détendu et ombragé grâce aux palmiers.

Hotel São Tomé Retiro (carte p. 744 ; ☎ 253137 ; barbecue à volonté 150 Rs). De septembre à avril, George organise une soirée barbecue tous les 2 jours, avec poisson et salades, à déguster autour d'un feu de camp en bavardant avec d'autres voyageurs.

Diu compte deux marchés aux poissons (carte p. 744), dont un en face de la gare routière de Jethibai, et un marché de nuit, éclairé aux torches, à Ghoghla. La plupart des hôtels cuisineront vos achats.

SUR LE POUCE

Shri Ram Vijay (carte p. 744 ; glace 10-20 Rs ; 9h-13h30, 15h30-22h). Ce petit glacier à l'ancienne, d'une propreté irréprochable, fabrique à la main de succulentes glaces et milk-shakes maison. Fondée en 1933, cette entreprise familiale a débuté avec les sodas et fabrique toujours ses propres marques (Dew et Leo) à Fudam. Outre les glaces, goûtez le savoureux *Dew cream soda*.

Où prendre un verre

En dehors des restaurants, qui se doublent presque tous d'un bar, plusieurs adresses sont agréables pour prendre un verre.

Casa Luxo Bar (carte p. 744 ; 9h-14h et 16h-22h mar-dim). Ouvert depuis 1963, le décor semble ne pas avoir changé au vu des bouteilles poussiéreuses (Kingfisher à 35 Rs).

Dubchichk (carte p. 742 ; Nagoa Beach ; 11h-15h45 et 18h30-22h). Cette terrasse permet d'observer à distance les libations qui se déroulent sur la plage.

Depuis/vers Diu

AVION

Jet Airways (☎252365 ; www.jetairways.com) dessert Mumbai (3 800 Rs). Pour réserver, adressez-vous à l'une des nombreuses agences en ville.

BUS

De la gare routière de Jethibai, des bus rallient Veraval (40 Rs, 3 heures), Rajkot (110 Rs, 5 heures), Jamnagar (120 Rs, 7 heures) et Bhavnagar (108 Rs, 5 heures). Des bus plus fréquents partent d'Una, à 10 km (15 Rs, 40 min).

De la gare routière d'Una, des bus desservent Diu entre 6h30 et 20h15. En dehors de ces heures, marchez jusqu'à Tower Chowk (1 km), à Una, où des auto-rickshaws collectifs se rendent à Ghoghla ou Diu pour un tarif similaire. Un auto-rickshaw revient à 200 Rs.

Des bus privés partent de Diu à 10h pour Mumbai (seat/sleeper 450/500 Rs, 24 heures) et à 19h30 pour Ahmedabad (200/250 Rs, 10 heures 30). Réservez à l'avance auprès d'**A to Z** (carte p. 744 ; ☎ 254080 ; Vaniya St ; 🕑 9h-24h).

TRAIN

Delwada, entre Una et Ghoghla et à 8 km de Diu, est la gare ferroviaire la plus proche. De la gare à Ghoghla, un auto-rickshaw collectif demande 10 Rs environ. Un train direct (313/314) part à 8h10 de Delwada pour Veraval (2e classe 22 Rs, 3 heures 30) et fait halte à Gir à 9h50 (20 Rs, 2 heures).

Comment circuler

Un trajet en auto-rickshaw dans Diu Town ne devrait pas dépasser 20 Rs. Comptez 60 Rs pour Nagoa Beach et 40 Rs pour Sunset Point. Un auto-rickshaw collectif jusqu'à Ghoghla revient à 10 Rs par personne. À Una, les rickshaw-wallahs ne peuvent pas aller plus loin que la gare routière (200 Rs) ; vous devrez en prendre un autre pour rejoindre Nagoa Beach (60 Rs).

Le vélomoteur constitue un moyen idéal pour explorer l'île, sillonnée de routes peu fréquentées et en bon état. La location revient actuellement à 150 Rs par jour (carburant en sus) et de 150 à 250 Rs pour une moto ou un scooter. La plupart des hôtels louent des vélomoteurs, de qualité variable. Essayez **Kismat** (☎ 252971 ; 🕑 9h-19h lun-sam, 9h-13h dim) qui loue aussi des vélos (15 Rs par jour), ou **A to Z** (☎ 254080 ; Vaniya St ; 🕑 9h-24h). Prévoyez une caution de 200 à 500 Rs.

Les bus locaux qui circulent entre Diu Town, Nagoa et Vanakbara quittent la gare routière de Jethibai à 7h, 11h et 16h. À Nagoa, ils stationnent près du poste de police et partent pour Diu Town à 13h, 17h30 et 19h (5 Rs).

VERAVAL

☎ 02876 / 141 207 habitants

Désordonnée et chaotique, Veraval dégage une entêtante odeur de poisson, ce qui n'a rien de surprenant pour l'un des principaux ports de pêche du pays. Le port et les chantiers navals débordent d'activité. Sur la côte sud du Saurashtra, Veraval

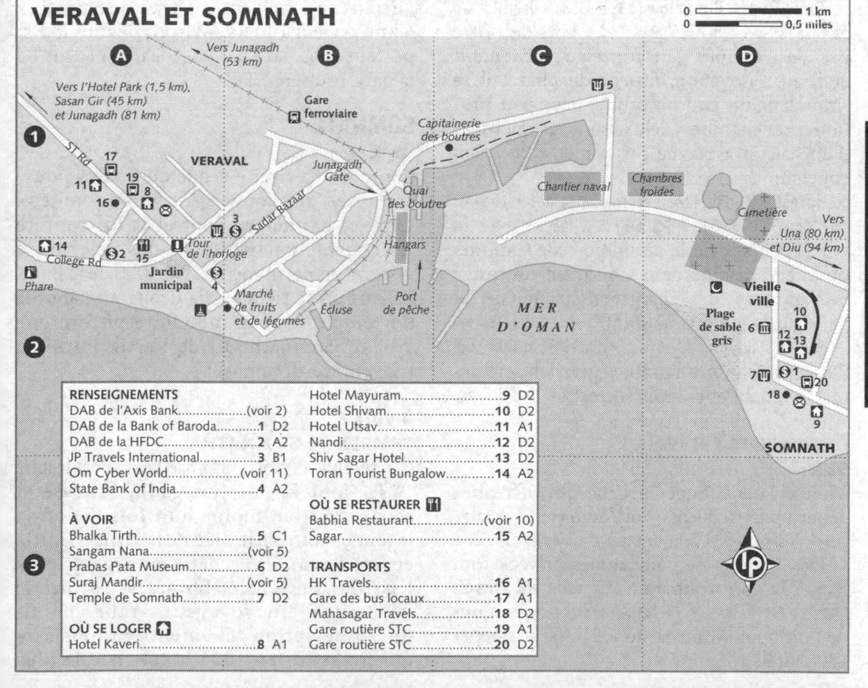

était jadis le principal point de départ des pèlerins se rendant à La Mecque par bateau avant l'essor de Surat. La visite du temple de Somnath, à 6 km à l'est, constitue la principale raison du détour.

JP Travels International (☎ 20110 ; Sadar Bazaar) et la **State Bank of India** changent les espèces et les chèques de voyage. Vous trouverez un DAB de la HDFC et un de l'Axis Bank près du jardin municipal. L'**Om Cyber World** (Chandra-Mauli Complex ; 15 Rs/h ; 9h30-24h), dans le même bâtiment que l'Hotel Ustav, offre de lentes connexions à Internet.

Où se loger et se restaurer

Hotel Kaveri (☎ 220842 ; 2 Akar Complex, ST Rd ; s/d 250/400 Rs, avec clim à partir de 550/650 Rs ;). Le meilleur hébergement de la ville et le plus pratique, il offre un choix de chambres bien tenues par un propriétaire compétent. Il ne compte pas de restaurant, juste un petit snack-bar.

Hotel Utsav (☎ 222306 ; 3e ét., Chandramauli Complex, ST Rd ; d 300 Rs, avec clim 550 Rs ;). En face de la gare des bus locaux, il loue des chambres assez propres avec vue sur la ville et la gare routière poussiéreuse.

Toran Tourist Bungalow (☎ 246588 ; College Rd ; s/d 325/425 Rs, avec clim 475/700 Rs ;). Lors de notre passage, cet hôtel géré par le gouvernement était en rénovation. Proche du phare, il se situe dans un endroit calme, mais peu pratique. Les chambres deluxe sont agrémentées d'un balcon avec vue sur la mer et le soleil couchant.

Hotel Park (☎ 242703 ; Veraval-Junagadh Rd ; ch sans/avec clim 500/1 000 Rs ;). À 1,5 km de la ville, cet hôtel sur le déclin possède toujours une belle piscine dans un jardin ombragé de palmiers, des chambres spacieuses et défraîchies et un restaurant.

Sagar (ST Rd ; plats 30-90 Rs ; 9h-15h30 et 17h-23h). Cet accueillant restaurant végétarien sert des plats punjabi et chinois corrects.

Depuis/vers Veraval

BUS

Mieux vaut changer à Una, qui offre des départs plus fréquents. Voir le tableau ci-contre pour les bus STC au départ de Veraval.

Des agences de compagnies privées font face à la gare routière STC, telle **HK Travels** (☎ 221 934 ; ST Rd ; 7h-23h), qui propose un bus de nuit pour Ahmedabad à 21h (seat/sleeper 180/300 Rs).

BUS AU DÉPART DE VERAVAL

Destination	Tarif (Rs)	Durée	Fréquence
Ahmedabad	175	10 heures	5/jour
Diu	40	3 heures	5/jour
Junagadh	45	2 heures	ttes les 30 min
Porbandar	60	3 heures	15/jour
Rajkot	75	5 heures	ttes les heures
Sasan	25	1 heure 30	5/jour

TRAIN

Le 1465/3 *Verava-Jabalpur Express* part à 10h05 et arrive à Ahmedabad (sleeper/3AC/2AC 187/523/715 Rs) à 18h25, via Rajkot (121/296/400 Rs, 3 heures 30) le lundi et le samedi. Des trains desservent Sasan (2e classe 15 Rs, 1 heure 30-2 heures) à 9h40, 14h20, 14h40 et 15h05.

Un train de voyageurs (313) à destination de Delwada (pour Diu) part à 16h05 (2e classe 24 Rs, 3 heures 30).

Un **bureau de réservation** (☎ 131 ; 8h-20h lun-sam, 8h-14h dim) est installé dans la gare.

Comment circuler

Le trajet en auto-rickshaw jusqu'à Somnath, à 6 km, revient à 40 Rs environ ; des bus (8 Rs) partent de la gare des bus locaux, proche de la gare routière STC.

SOMNATH

☎ 02876

Somnath se limite à quelques rues poussiéreuses qui convergent vers le fameux temple. La mer en contrebas lui confère un charme particulier et des pèlerins le visitent en permanence. Un DAB de la Bank of Baroda se tient sur la droite aux abords du temple. Une grande foire pittoresque a lieu à Somnath lors de Kartik Purnima (novembre-décembre).

À voir

TEMPLE DE SOMNATH

Ce **temple** (6h-21h30, spectacle son et lumière 19h45), à 80 km de Junagadh, fut rasé et reconstruit au moins huit fois. Selon la légende, Somraj, le dieu de la Lune, l'édifia en or, Ravana le rebâtit en argent, puis Krishna, en bois et Bhimdev, en pierre. Al-Biruni, un voyageur arabe, en fit une description tellement enthousiaste qu'elle attira en 1024 le touriste le plus indésirable, Mahmud de Ghazni. À cette époque, le temple était si prospère qu'il comptait 300 musiciens, 500 danseuses et 300 barbiers.

Mahmud de Ghazni, le pillard légendaire, quitta son royaume afghan pour fondre sur Somnath et, après deux jours de combats, s'empara de la ville et du temple. Après avoir dépouillé le sanctuaire de ses fabuleuses richesses, il le détruisit. Se succédèrent alors, pendant des siècles, des destructions perpétrées par les musulmans et des reconstructions effectuées par les hindous. Le temple fut de nouveau rasé en 1297, en 1394, puis en 1706 par Aurangzeb, le Moghol notoirement fondamentaliste.

Après cette dernière démolition, l'édifice resta en ruine jusqu'en 1950. À l'extérieur, en face de l'entrée, trône la statue de S. V. Patel (1875-1950), qui décida sa reconstruction.

Bâti selon une conception traditionnelle sur le site d'origine, proche de la mer, le sanctuaire actuel est une structure sereine et symétrique. Il renferme l'un des douze sanctuaires sacrés de Shiva, appelés *jyoti linga*. Les photos sont interdites.

PRABAS PATA MUSEUM

Près du temple, le **musée** Prabas **Pata** (☎232455 ; Indiens/étrangers 2/50 Rs ; 🕑 10h30-17h30 Jeu-mar, fermé 2e et 4e sam du mois) s'organise autour d'une cour centrale. Il contient des vestiges des temples précédents, dont un beau plafond ouvragé du XIe siècle.

AUTRES CURIOSITÉS

À mi-chemin de Veraval et de Somnath, **Bhalka Tirth** est l'endroit où Krishna, pris pour un animal, fut blessé par une flèche alors qu'il dormait enveloppé d'une peau de cerf. Ce site légendaire, au confluent de trois rivières, est accessible par le petit *sangam* (porte du confluent), appelé **Nana** (Petite Porte). Au nord, le **Suraj Mandir** (temple du Soleil), également pillé par Mahmud de Ghazni, comporte une frise de lions à trompe d'éléphant et daterait de la même époque que le premier temple de Somnath.

Où se loger et se restaurer

Hotel Shivam (☎231451 ; s/d 200/400 Rs, avec clim 500/750 Rs ; ❄). Dans l'une des ruelles en face du temple, cet hôtel accueillant et confortable propose des chambres fonctionnelles.

Nandi (☎ 231839 ; ch sans/avec clim 350/550 Rs ; ❄). Dans une rue bordée d'échoppes qui mène au temple, le Nandi est un établissement plaisant à l'ambiance chaleureuse. Il offre des petites chambres bien tenues, pour la plupart avec vue sur le temple.

Shiv Sagar Hotel (☎233111 ; ch sans/avec clim 350/600 Rs ; ❄). En face du temple et tenu par un personnel nombreux, cet hôtel comprend des chambres pimpantes et plutôt exiguës, avec des sdb simples, et un restaurant végétarien.

Hotel Mayuram (☎ 231286 ; ch sans/avec clim 450/800 Rs ; ❄). Sur la route côtière qui part du temple, le Mayuram est un endroit paisible, avec des doubles banales, propres et carrelées.

Babhia Restaurant (☎ 9898193130 ; plats 40-70 Rs ; 🕑 8h-23h). Niché près du Shiv Sagar Hotel, le meilleur restaurant aux abords du temple possède des box en vinyle noir. Un personnel attentif sert des plats gujarati, punjabi et chinois.

Depuis/vers Somnath

BUS

Somnath offre moins de départs que Veraval. Des bus desservent Diu (57 Rs, 3 heures 30, 9h45), Jamnagar (120 Rs, 7 heures), Porbandar (70 Rs, 6 heures), Dwarka (90 Rs, 7 heures), Una (45 Rs, 3 heures) et Rajkot (100 Rs, 5 heures).

Mahasagar Travels (☎ 98467817 ; 🕑 10h-22h), en face de la gare routière STC, propose des bus pour Ahmedabad (seat/sleeper 200/280 Rs, 10 heures).

SASAN GIR WILDLIFE SANCTUARY

☎ 0285

Le dernier refuge des lions d'Asie (*Panthera leo persica*) se situe à 59 km de Junagadh via Visavadar. La réserve, montagneuse et accidentée, s'étend sur 1 400 km² et comprend de superbes forêts. Elle a été aménagée pour protéger les lions et leur habitat ; depuis 1980, le nombre des félins est passé de moins de 200 à plus de 360 aujourd'hui. En revanche, les éleveurs nomades maaldhari ont perdu de précieux pâturages. Ces dernières années, les lions se sont aventurés hors de la réserve à la recherche de proies faciles, des veaux, et l'un d'eux est même parvenu jusqu'aux plages de Diu ! Le problème est aggravé par la déforestation des alentours, qui pousse les villageois à extraire du bois de la réserve, réduisant ainsi l'habitat des fauves.

LES DERNIERS LIONS D'ASIE EN LIBERTÉ

Au XIXe siècle, le territoire du lion d'Asie s'étendait depuis son refuge actuel, dans la forêt de Gir au Gujarat, jusqu'au Bihar à l'est. Une chasse débridée décima la population et les derniers individus furent aperçus près de Delhi en 1834, au Bihar en 1840 et au Rajasthan en 1870. Le dernier lion en liberté, en dehors de la péninsule du Kathiawar, fut abattu en 1884. Pourquoi ont-ils survécu au Gujarat ? Ils ont pourtant failli disparaître. La chasse provoqua la quasi-extinction du lion de Gir, avec seulement 12 individus survivants dans les années 1870. Au début du XXe siècle, le nabab éclairé de Junagadh, ancien chasseur de fauves, décida d'instaurer une zone de protection dans laquelle les félins commencèrent lentement à se reproduire. Cette zone est aujourd'hui le Sasan Gir Wildlife Sanctuary.

Séparé de son homologue africain *(Panthera leo leo)* depuis des siècles, le lion d'Asie (*Panthera leo persica*) a développé des traits caractéristiques. Sa crinière, moins fournie, ne recouvre pas le sommet de la tête ni les oreilles, tandis qu'un pli cutané proéminent s'étend le long de son abdomen. Sa peau est légèrement plus claire. Les lions d'Asie sont exclusivement prédateurs, contrairement aux lions d'Afrique qui se nourrissent parfois de charognes.

Sansan Gir est désormais trop petit, mais la proposition du Madhya Pradesh de transférer des lions dans sa réserve de Pulpur Kuno a été rejetée par le gouvernement du Gujarat. Actuellement, aucune mesure concrète ne vise à résoudre les difficultés provoquées par la compétition pour les terres et les ressources.

Outre les lions, la réserve abrite des léopards, des hyènes, des renards, des sangliers, des perroquets, des paons, des crocodiles (il existe un élevage sur place), des singes, des nilgais, des gazelles et des muntjacs.

La meilleure période pour la visiter dure de décembre à avril. Sasan Gir ferme de mi-juin à mi-octobre, et parfois plus longtemps en cas de forte mousson.

GUJARAT

Renseignements

Le **Gir Orientation Centre** (9h-18h), près du Sinh Sadan Forest Lodge, présente une exposition sur la faune du parc et une réplique d'une hutte maaldhari. Un film sur la réserve est projeté à 19h.

À voir et à faire

SAFARIS

Bien que les lions se montrent discrets, vous avez de bonnes chances d'en apercevoir au moins un lors d'un safari. Prévoyez au moins deux sorties.

Vous devez auparavant vous procurer un **permis** (Indiens/étrangers 400 Rs/40 $US), valable pour un véhicule (pour 4 heures) avec 6 passagers au maximum et délivré sur le champ au **Sinh Sadan Forest Lodge Office** (6h30-10h30 et 15h-17h 16 oct-15 fév, 6h30-11h et 16h-17h30 16 fév-15 juin). Les véhicules privés ne sont pas autorisés dans la réserve et il faut louer un véhicule (700 Rs) pour un circuit d'environ 2 heures 30. Les véhicules, des Gypsy (Jeep) à essence et de plus gros SUV diesel, stationnent devant le Forest Lodge Office ; mieux vaut réserver au préalable. Les services d'un guide reviennent à 50 Rs. Bien que les prix soient indiqués en dollars US, le paiement s'effectue en roupies ; le taux de change, déterminé par l'employé, est généralement correct. Sachez que tous les prix augmentent de 25% le week-end et lors des fêtes, notamment Navratri, Diwali et Noël.

GIR INTERPRETATION ZONE

À 12 km du village de Sasan, la **Gir Interpretation Zone** (Indiens/étrangers 75 Rs/20 $US ; 8h-11h et 15h-17h jeu-mar), plus couramment appelée Devalia, se situe dans la réserve à Devalia. Ce domaine clos de 4,12 km² abrite plusieurs spécimens d'animaux présents à Sasan Gir. Vous avez de bonnes chances d'apercevoir des lions, mais d'une manière un peu artificielle, et vous ne disposerez probablement que de 30 à 45 min pour observer la faune depuis un bus. Des véhicules desservent Devalia de l'artère principale de Sasan Gir (150 Rs). Au cas où vous envisageriez de rejoindre Devalia par la brousse, sachez qu'une lionne a traversé la route devant nous, à environ 1 km de l'enclos.

CROCODILE BREEDING CENTRE

Ce **centre d'élevage de crocodiles** (entrée libre ; 8h30-18h), près de Sinh Sadan, permet d'observer des sauriens de toutes tailles, élevés ici afin de repeupler la réserve.

Où se loger et se restaurer

Mieux vaut réserver à l'avance. Hormis quelques établissements haut de gamme plus éloignés, la plupart des hébergements se concentrent le long ou aux abords de l'artère principale de Sasan Gir.

Rajeshri Guest House (☎ 285740 ; ch 100-200 Rs). En face de l'entrée de Sinh Sadan, cette pension offre des chambres spartiates et négligées. Les jeunes employés qui chiquent du bétel insistent pour vous guider dans la réserve, mais n'ont rien d'engageant. Les *thali* coûtent 35 Rs.

Hotel Umang (☎ 285728 ; www.hotelumang.com ; SBS Bank Rd ; dort 300 Rs, ch 950 Rs, avec clim 1 650 Rs ;). Indiqué près de la route principale, à 100 m à l'ouest de la Rajeshri Guest House, cet hôtel paisible propose des chambres fonctionnelles et des repas convenables. Un forfait deux nuits en pension complète revient à 3 150 Rs.

Sinh Sadan Forest Lodge (☎ 285540 ; dort Indiens/étrangers 50 Rs/5 $US, ch 500 Rs/30 $US, avec clim 1 000 Rs/50 $US ;). Plaisant, mais outrageusement cher pour les étrangers (y compris pour les repas) ; de plus, le service est apathique !

Amidhara Resort (☎ 285950 ; www.amidhararesort.com ; Talala ; ch pension complète à partir de 3 300 Rs, avec clim à partir de 3 800 Rs ;). Sur la route de Veraval, la meilleure adresse comprend des chambres bien aménagées, un restaurant de cuisine du monde et une piscine attrayante. Vous pouvez négocier un tarif sans les repas.

Maneland Jungle Lodge (☎ 285690 ; www.maneland.com ; d pension complète à partir de 3 500 Rs ;). Près de la route de Junagadh, à 3 km de Sasan, ce *lodge* adossé à la réserve loue des chambres correctes dans des maisonnettes, avec alcôves et banquettes près des fenêtres. L'eau de la piscine aura peut-être été renouvelée quand vous serez sur place.

Vous pouvez aussi séjourner dans la **maison familiale** (☎ 285686 ; d sans sdb 200-300 Rs) de Nitin Ratangayra, un guide qui organise des circuits dans les villages.

Stands de restauration et gargotes à *thali* abondent dans le village de Sasan.

Depuis/vers Sasan Gir

Des bus STC circulent régulièrement entre Junagadh et Veraval via Sasan. Des bus desservent Veraval (local/express 12/20 Rs, 1 heure 30) et Junagadh (20/31 Rs, 2 heures).

Des trains rallient Veraval (15 Rs, 1 heure 30) et Delwada (pour Diu ; 20 Rs, 2 heures).

JUNAGADH

☎ 0285 / 168 686 habitants

Junagadh est une petite ville intéressante, pratiquement ignorée des touristes. Cette ancienne cité fortifiée se tient au pied de Girnar Hill, une montagne sacrée. Elle doit son nom au fort qui entourait la vieille ville (*jirna* signifie vieux). Datant de 250 av. J.-C., les édits d'Ashoka, à proximité, témoignent de son ancienneté.

Lors de la Partition, le nabab de Junagadh choisit de rattacher son minuscule État au Pakistan. Devant le tollé de la population, en majorité hindoue, le nabab dut partir seul.

Junagadh constitue une bonne base pour visiter la réserve de Sasan Gir (voir p. 749).

Renseignements

L'**office du tourisme**, installé dans l'Hotel Girnar, ne vous fournira ni informations pratiques, ni cartes de la ville. Vous obtiendrez des renseignements utiles à l'Hotel Relief.

Axis Bank. DAB dans Diwan Chowk.

Bank of Baroda. Proche de la gare des bus locaux ; possède un DAB, change les espèces et les chèques de voyage.

Poste (10h-15h). Près de MG Rd et de la gare des bus locaux.

Poste principale (☎ 2627116). Mal située au sud du centre-ville, à Gandhigram.

State Bank of India (11h-14h). Près de Diwan Chowk ; possède un DAB, change les espèces et les chèques de voyage.

XS Cyber Café (Lake View Complex, Talav Gate ; 15 Rs/h ; 10h-24h)

À voir

FORT D'UPERKOT

Cet ancien **fort** (2 Rs ; 6h30-18h30, fermé 2e et 4e sam du mois), à l'est de Junagadh, aurait été bâti en 319 av. J.-C. par Chandragupta (souverain de l'Inde au IIIe siècle av. J.-C.), puis agrandi à plusieurs reprises. Une triple porte ouvragée forme l'entrée et les remparts atteignent par endroits 20 m de haut. Le fort fut assiégé seize fois et, selon la légende, résista à un siège de douze ans. Abandonné entre le VIIe et le Xe siècle, il aurait été redécouvert, enfoui sous la jungle.

À l'intérieur, la **Jama Masjid**, une mosquée à colonnades, fut édifiée avec des matériaux provenant d'un palais hindou.

Près de la mosquée, de fériques **grottes bouddhiques** (Indiens/étrangers 5/100 Rs, caméra 25 Rs ; 8h-18h) du IIe siècle ont été creusées sur trois niveaux ; la salle principale renferme des piliers aux sculptures érodées.

Le **tombeau de Nuri Shah** mérite également la visite, de même que deux beaux *baoli* : le premier, appelé **Adi Chadi**, du nom de deux esclaves qui venaient y puiser de l'eau, a été construit entre les parois inclinées d'une grotte étroite ; le second, **Navaghan Kuva**, très profond, est desservi par un splendide escalier taillé dans la roche.

MAHABAT MAQBARA

Cet imposant **mausolée** d'un nabab de Junagadh est l'un des plus beaux exemples d'architecture indo-islamique du Gujarat, avec ses portes en argent. Encore plus ornementé, le *maqbara* voisin du vizir comporte de merveilleux minarets, entourés chacun d'un escalier en colimaçon. Les deux bâtiments sont habituellement fermés ; vous pouvez essayer d'obtenir les clés à la mosquée voisine (mais les intérieurs offrent moins d'intérêt).

DURBAR HALL MUSEUM

Ce **musée** (Indiens/étrangers 2/50 Rs ; 9h-12h15 et 14h45-18h jeu-mar, fermé 2e et 4e sam du mois) renferme des armes, des armures, des palanquins, des lustres et des *howdah* (nacelles fixées sur le dos des éléphants) de l'époque des nababs, ainsi qu'un immense tapis tissé à la prison de Junagadh. La galerie des portraits princiers comprend des photos du dernier nabab avec ses nombreux chiens.

ÉDITS D'ASHOKA

Sur le chemin des temples de Girnar Hill, un énorme **rocher** (Indiens/étrangers 5/100 Rs ; 8h-13h et 14h-18h) porte 14 édits en pali gravés par l'empereur Ashoka vers 250 av. J.-C. Des inscriptions en sanskrit furent ajoutées vers 150 par l'empereur Rudradama, puis vers 450 par Skandagupta, le dernier empereur Maurya. Les édits d'Ashoka sont des leçons de morale, tandis que les inscriptions postérieures font référence aux inondations qui ravageaient régulièrement les rives du lac Sudershan, aujourd'hui disparu.

Le rocher, et ses superbes inscriptions curvilignes, est étrangement enfermé dans un bâtiment exigu.

GIRNAR HILL

Mieux vaut entreprendre à l'aube la longue grimpée des 10 000 marches de pierre qui mènent au sommet du **Girnar**. C'est une expérience magique au lever du soleil, quand pèlerins et porteurs s'engagent sur ces marches bien entretenues, construites entre 1889 et 1908 à travers une épaisse forêt de tecks et jalonnées d'échoppes de *chai* (thé). Le parcours débute à 2 km du Damodar Kund – la route arrive au niveau de la 3 000e marche et il n'en reste plus que 7 000 à gravir ! Au fil de la montée (2 heures 30), la vue s'étend sur les collines boisées.

Les stands de boissons installés le long des marches vendent de la craie pour inscrire son nom sur les rochers. Ceux qui ne peuvent grimper à pied sont transportés en *dholi*. Le client est pesé sur une énorme balance à fléau et le prix calculé en fonction de son poids.

Comme Palitana, la montagne surmontée de temples revêt une grande importance pour les jaïns. Plusieurs sanctuaires hindous attirent également de nombreux pèlerins.

Les temples jaïns, un ensemble de coupoles ornées de mosaïques et de stupas élaborés, se dressent aux deux tiers du parcours. Le plus grand et le plus ancien, le **temple de Neminath**, dédié au 22e tirthankara, date du XIIe siècle ; franchissez la première porte à gauche après la première entrée. De nombreux temples ferment de 11h à 15h, mais celui-ci reste ouvert toute la journée.

À côté, le triple **temple de Mallinath**, consacré au 9e tirthankara, fut construit en 1177 par deux frères. Les sadhus (ascètes) y affluent pendant les fêtes.

Divers temples hindous se dressent plus haut. Le **temple de Gorakhnath** est juché sur le plus haut pic à 600 m d'altitude. Sur le sommet voisin, le **temple d'Amba Mata** attire les jeunes mariés qui viennent prier pour une union heureuse. Sur le dernier promontoire, le **Dat Tatraya** est dédié à trois divinités.

De la gare des bus locaux, les bus n°3 et 4 partent toutes les heures à partir de 6h pour Girnar Taleti, au pied de la montagne (5 Rs), et passent devant les édits d'Ashoka. Du centre-ville, le trajet en auto-rickshaw revient à 35 Rs.

ZOO DE JUNAGADH

Si vous n'avez pas pu admirer le lion d'Asie à Sasan Gir, sachez que le **zoo de Junagadh** (10 Rs ; 9h-18h30 jeu-mar), à Sakar Bagh, à 3,5 km du centre-ville sur la route de Rajkot, en abrite quelques-uns. Créé en 1863 par le nabab pour sauver ces fauves de l'extinction, le zoo possède un "safari park" acceptable où vivent des lions, des tigres et des léopards ; par contre, les enclos en ciment en façade sont horribles. Sur place, un musée (fermé 2e et 4e sam du mois) expose des peintures, des manuscrits, des trouvailles archéologiques et d'autres objets, et comprend une section d'histoire naturelle. Prenez le bus n°6 (5 Rs) ou un auto-rickshaw (25 Rs).

Où se loger

Plusieurs hôtels bon marché sont installés dans Kahra Chowk, mais ils sont à déconseiller aux voyageuses, même accompagnées.

Hotel Girnar (2621201 ; Majewadi Darwaja ; dort 75 Rs, s/d 210/325 Rs, avec clim 425/700 Rs ;). À 2 km de la ville, cet hôtel en béton sans charme, géré par l'État, possède de grandes chambres mornes ; préférez celles avec balcon. D'importantes réductions sont accordées de mi-juin à mi-septembre. Le restaurant, privé, sert des *thali* à 50 Rs.

Relief Hotel (2620280 ; www.reliefhotel.com ; Dhal Rd ; s/d 250/300 Rs, ch avec clim 660 Rs ;). M. Sorathia, la meilleure source d'informations touristiques de Junagadh, dirige l'hébergement le plus plaisant de la ville. Les chambres sans prétention, fraîchement repeintes, correspondent parfaitement aux besoins des voyageurs et le restaurant est fabuleux. Un parking gardé est à disposition.

Lotus Hotel (2658500 ; www.thelotushotel.com ; Station Rd ; s/d à partir de 1 500/2 500 Rs ;). Luxueux et confortable, il occupe le dernier étage totalement rénové d'un ancien *dharamsala*. Les chambres sont spacieuses, avec des lits excellents, la clim et une TV à écran LCD. Le service en chambre compense l'absence de restaurant et le Geeta Lodge est installé au rez-de-chaussée.

Où se restaurer

Junagadh est réputée pour ses fruits, notamment les *kesar* (mangues) et les *chiku* (sapotilles), dont on fait de délicieux milk-shakes en novembre et décembre.

Garden Restaurant (plats 35-100 Rs ; 6h30-22h30 mar-jeu). Dans un charmant jardin près de la Jyoti Nursery et au pied de Girnar Hill, ce restaurant propose des plats jaïns, punjabi et d'Inde du Sud. Apprécié par les familles, il mérite le court trajet en rickshaw.

Santoor Restaurant (MG Rd ; plats 21-55 Rs). Cet établissement prisé prépare de bons plats végétariens punjabi et d'Inde du Sud, ainsi que de délicieux milk-shakes à la mangue. Des box équipent la salle à l'éclairage tamisé et le service est rapide.

Geeta Lodge (2623317 ; *thali* 55 Rs ; 10h-15h30 et 18h-23h). Près de la gare ferroviaire, une armée de serveurs sert à volonté des *thali* végétariens gujarati. Terminez votre repas par une salade de fruits ou une compote de mangue à 15 Rs.

Relief Restaurant (2620280 ; Relief Hotel, Dhal Rd ; plats 50-90 Rs ; 11h30-15h30 et 18h30-23h30). Détendu, climatisé et d'une propreté irréprochable, ce restaurant offre de succulents plats tandoori, punjabi et chinois, végétariens ou non. C'est aussi la meilleure adresse pour un petit-déjeuner continental.

Jay Ambe Juice Centre (Diwan Chowk ; en-cas et boissons 25-40 Rs ; 10h-23h). Un endroit paisible, parfait pour un jus de fruit, un milk-shake ou une glace.

Depuis/vers Junagadh

BUS

Des bus partent régulièrement pour Rajkot (60 Rs, 2 heures), Sasan Gir (40 Rs, 2 heures), Porbandar (60 Rs, 3 heures), Veraval (45 Rs, 3 heures), Diu (90 Rs, 5 heures 30, 7h), Una (pour Diu ; 70 Rs, 5 heures), Jamnagar (80 Rs, 4 heures) et Ahmedabad (120 Rs, 8 heures).

Des bureaux de compagnies privées sont installés dans Dhal Rd, près des voies ferrées. **Mahasagar Travels** (2629199) dessert Mumbai (350 Rs), Vadodara (220 Rs), Ahmedabad (180 Rs, 8 heures) et Udaipur (400 Rs, 15 heures).

TRAIN

La gare ferroviaire comporte un **bureau de réservation** (131 ; 8h-13h et 15h-20h lun-sam, 8h-14h dim).

Le 1465 *Veraval-Jabalpur Express* part à 11h45 le lundi et le samedi ; il arrive à Rajkot (sleeper/3AC/2AC 121/232/290 Rs) à 13h55 et à Ahmedabad (161/446/608 Rs) à 18h25.

Un train part à 7h pour Delwada (près de Diu) via Sasan Gir.

GONDAL

0285 / 96 000 habitants

Gondal, une bourgade verdoyante à 38 km au sud de Rajkot, possède une série de palais au bord d'une rivière. Ancienne capitale d'un État princier de 1 000 km², elle fut gouvernée par les Rajput de Jadeja, prise par les Moghols, puis reconquise dans les années 1650. Le maharaja Bhagwat Singhji, qui régna au XIXe siècle, introduisit des réformes sociales progressistes, comme l'éducation obligatoire pour les deux sexes.

À voir et à faire

Le **Naulakha Museum** (Naulakha Palace ; 20 Rs ; 9h-12h et 15h-18h) occupe un superbe palais décrépit en bord de rivière, qui mêle différents styles et comprend d'étonnantes gargouilles. Il expose des objets princiers, dont la balance utilisée pour peser le maharaja en 1934 (son poids en argent fut distribué aux pauvres) et des jouets.

Le **Car Museum** (Orchard Palace ; 60 Rs ; 9h-12h et 15h-18h) renferme la cinquantaine de véhicules du parc automobile royal, dont une voiture de 1907 fabriquée par la "New Engine Company Acton".

La **Shri Bhuvaneshwari Aushadhashram Ayurvedic Pharmacy** (222445 ; www.bhuvaneshwaripith.com ; Ghanshyam Bhuvan Mahader Wadi) fut créée en 1910 par le médecin du maharaja. Cette pharmacie fabrique et vend des remèdes ayurvédiques (contre la chute des cheveux, les vertiges, l'insomnie, etc.) ; on peut visiter le laboratoire et voir les curieux instruments. Son fondateur fut le premier à qualifier Gandhi de "Mahatma" (grande âme).

Propriété de la riche secte Swaminarayan, le **temple de Swaminarayan** (7h30-13h et 15h30-20h30), un édifice blanc du XIXe siècle, fut érigé sur un terrain offert par le maharaja, avec une ferme attenante.

À 3 km de la route de Rajkot s'étend le **lac Veri**, un vaste réservoir propice à l'observation des oiseaux (60 Rs l'aller-retour en rickshaw).

L'**Udhyog Bharti Khadi Gramodyog** (Udhyog Bharti Chowk ; 8h-13h et 15h-17h), un grand atelier de khadi, emploie des centaines d'ouvrières qui filent le coton à l'étage. Au rez-de-chaussée, une boutique vend des saris et des *salwar kameez* (tuniques et pantalons) brodés.

Où se loger et se restaurer

Bhuveneshari Guest House (222481 ; ch 250 Rs, avec clim 450 Rs ;). À quelques rues de l'Orchard

Palace, dans le complexe Bhuveneshwari, cette auberge de pèlerins offre des chambres correctes.

Orchard Palace (☎ 220002 ; hghgroup@yahoo.com ; Palace Rd ; d 3 400 Rs, avec petit déj 4 000 Rs, pension complète 5 600 Rs ; ❄). Ce petit palais paisible, autrefois réservé aux hôtes du maharaja, comprend 6 chambres bien tenues, hautes de plafond et de tailles diverses, ornées de meubles des années 1930 et 1940. Les prix sont néanmoins excessifs malgré l'accès gratuit à tous les sites de Gondal.

Dreamland (2ᵉ ét., Kailash Complex ; plats 35-70 Rs, *thali* 55 Rs ; 🕒 11h-15h et 19h-23h). Près de la gare routière, ce restaurant fréquenté, propre et lumineux, propose d'excellents *thali* gujarati et de bons plats végétariens punjabi, d'Inde du Sud et chinois.

Depuis/vers Gondal

Des bus circulent régulièrement depuis/vers Rajkot (20 Rs, 1 heure), Junagadh (30 Rs, 2 heures) et Porbandar (90 Rs, 3 heures).

Les trains lents qui relient Rajkot (15 Rs, 1 heure) et Junagadh (18 Rs, 1 heure 30) font halte à Gondal (et continuent vers Veraval).

PORBANDAR

☎ 0286 / 133 083 habitants

La ville portuaire de Porbandar, entre Veraval et Dwarka, a vu naître le Mahatma Gandhi. Vous ne pourrez pas vous baigner dans la mer polluée et devrez vous contenter de suivre les rues bondées (qui sentent le poisson séché) jusqu'à l'ancienne maison du grand homme et le sanctuaire voisin. En revenant vers le Jubilee Bridge, vous découvrirez de jolies mangroves peuplées d'oiseaux.

La cité s'appelait jadis Sudamapuri, du nom de Sudama – un compatriote de Krishna –, et prospérait grâce au commerce avec l'Afrique et le golfe Persique. Témoins de ces liens avec l'Afrique, les nombreux Afro-Indiens, appelés Siddi, forment une caste spécifique de *dalit* (intouchables).

Renseignements

À défaut d'office du tourisme, vous pouvez consulter le site www.porbandaronline.com. Vous trouverez un DAB de l'Axis Bank dans Mahatma Gandhi (MG) Rd et un DAB de la SBI près de la statue de Gandhi dans la même rue.

iWay (sous-sol de l'Hotel Natraj ; 35 Rs/h). Accès à Internet.

JK Forex & Services (☎ 2242511 ; MG Rd ; 🕒 9h30-20h lun-sam). Change les espèces et les chèques de voyage.

Skyline Cyber Café (25 Indraprasth Complex, ST Cross Rd ; 30 Rs/h ; 🕒 9h30-0h30)

Thankys Tours & Travels (☎ 2244344 ; MG Rd ; 🕒 9h-20h lun-sam, 10h-13h30 dim). Change les espèces et les chèques de voyage.

À voir

KIRTI MANDIR

Érigé en hommage à Gandhi en 1950, ce **mémorial** (entrée libre ; 🕒 7h30-19h) intègre des symboles de toutes les grandes religions du monde. Ses 79 m de hauteur et ses 79 chandeliers rappellent l'âge auquel mourut le Mahatma. Il renferme une petite librairie et une exposition de photos (montez l'escalier près de l'entrée). À côté se dresse la **maison natale de Gandhi**, une vaste demeure de 22 pièces réparties sur 3 étages, vieille de 220 ans. Gandhi y vécut jusqu'à l'âge de 6 ans et un *svastika* marque l'endroit précis de sa naissance, le 2 octobre 1869.

Où se loger

Hotel Moon Palace (☎ 2241172 ; moonpalace@porbandaronline.com ; MG Rd ; s/d à partir de 150/250 Rs, ste deluxe 600/700 Rs). Plutôt propre, confortable et accueillant, il offre des chambres d'un bon rapport qualité/prix, plus plaisantes dans la catégorie deluxe, et des *thali* à 35 Rs.

Nilesh Guest House (☎ 2249496 ; MG Rd ; ch 200 Rs). Cette pension chaleureuse loue des doubles correctes avec sdb et accepte volontiers les dollars.

Hotel Indraprasth (☎ 2242681 ; ST Cross Rd ; s/d à partir de 300/500 Rs, avec clim à partir de 400/600 Rs ; ❄). Dans une galerie marchande sans charme, cet hôtel aux tons beige dispose de chambres bien tenues.

Hotel Natraj (☎ 2215658 ; www.hotelnatrajp.com ; MG Rd ; s/d à partir de 350/500 Rs, avec clim à partir de 550/800 Rs). Cet hôtel élégant et central est la meilleure adresse de la ville. Son choix de chambres, impeccables et dotées d'équipements modernes, convient à tous les budgets et il possède un excellent restaurant.

Hotel Kuber (☎ 2241289 ; ST Cross Rd ; s/d à partir de 400/500 Rs, avec clim à partir de 600/800 Rs ; ❄). Autre hôtel installé dans une vilaine galerie marchande, le Kuber comprend une belle réception moderne et des chambres confortables et bien aménagées. Attention à ne pas vous cogner dans les portes basses et étroites.

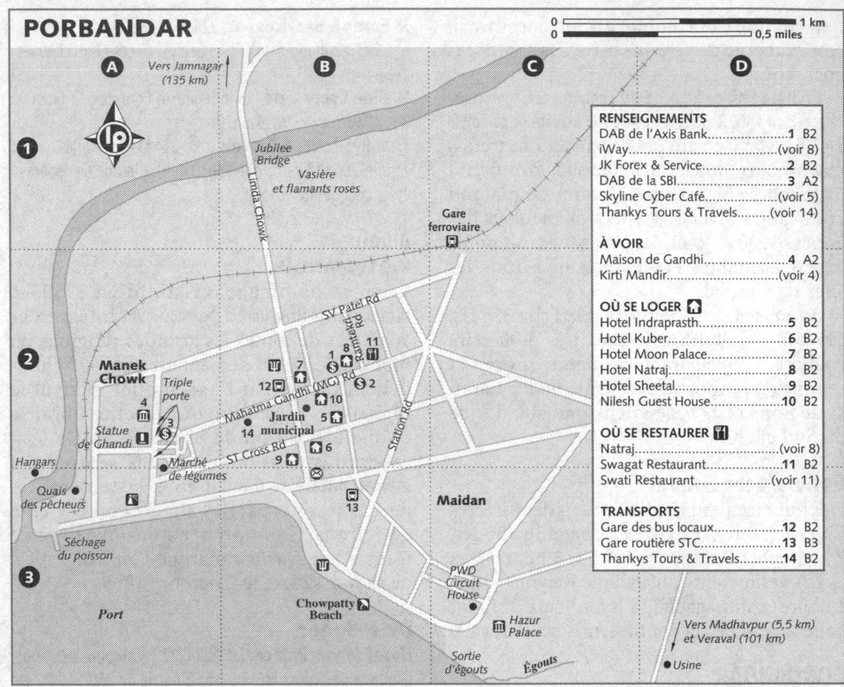

Hotel Sheetal (☎ 2247596 ; s/d avec petit déj à partir de 400/500 Rs, avec clim à partir de 500/700 Rs ;). En face de la poste principale, cet hôtel est tenu par une famille qui veille au bien-être de ses hôtes. Il propose un grand choix de chambres séduisantes, des très petites aux plus grandes, toutes personnalisées ; même les étroits corridors témoignent d'un souci du détail. Le service en chambre compense l'absence de restaurant.

GUJARAT

Où se restaurer

Swati Restaurant (Ramtekri Rd ; plats 20-110 Rs ; 10h-15h15 et 18h-23h15). Ce petit restaurant végétarien, doté de box individuels et de hublots, sert de délicieux plats punjabi, d'Inde du Sud et chinois, ainsi que des pizzas.

Swagat Restaurant (☎ 2242996 ; angle MG Rd et Ramtekri Rd ; plats 35-80 Rs ; 8h30-15h et 17h30-23h ;). Installé au 1er étage, à l'écart du bruit de la rue, ce restaurant mitonne de savoureuses spécialités végétariennes punjabi, d'Inde du Sud, occidentales et chinoises.

Natraj (☎ 2211777 ; Hotel Natraj ; plats 45-80 Rs ; 11h-15h, 19h-23h). Détendu et propre, le Natraj offre un service attentif et une longue carte de délices végétariens punjabi et chinois, ainsi que des pizzas et des pâtes.

Depuis/vers Porbandar

AVION

Jet Airways propose des vols quotidiens pour Mumbai (5 400 Rs). Vous pouvez réserver auprès de **Thankys Tours & Travels** (☎2244344 ; Jeevan Jyot, MG Rd ; 9h-20h lun-sam, 10h-13h30 dim).

Un auto-rickshaw depuis/vers l'aéroport revient à 40 Rs.

BUS

Des services réguliers empruntent la route cahoteuse qui mène à Dwarka (60 Rs, 3 heures), Jamnagar (65 Rs, 4 heures), Veraval (70 Rs, 3 heures) et Junagadh (45 Rs, 3 heures). Des compagnies privées possèdent des bureaux dans MG Rd.

TRAIN

Le 9216 *Saurasthra Express* part de Porbandar à 20h25, arrive à Jamnagar (sleeper/3AC 121/246 Rs) à 23h13, à Rajkot (128/330 Rs) à 0h50, à Ahmedabad (206/548 Rs) à 6h, puis à Mumbai (332/907 Rs) à 19h15.

DWARKA

☎ 02892 / 33 614 habitants

À la pointe ouest de la péninsule de Kathiawar, cette lointaine ville de pèlerinage est l'un des quatre sites hindous les plus sacrés du pays – Krishna y aurait établi sa capitale après s'être enfui de Mathura. Il règne une ambiance de ville-frontière dans cette cité où se pressent pèlerins et paysans. Les hommes, habillés de blanc avec des turbans rouges, portent, comme les femmes, de lourds bijoux en or. Des fouilles archéologiques ont révélé l'existence de cinq cités antérieures près de la côte, submergées par l'élévation du niveau de l'océan.

La ville se remplit lors de **Janmastami** en août-septembre, l'anniversaire de Krishna.

À voir et à faire

Le **temple de Dwarkanath** (7h-8h, 9h-12h30 et 17h-21h30), dédié à Krishna, comporte une flèche splendide de cinq étages soutenue par 60 colonnes. Les non-hindous doivent remplir une déclaration de respect de la religion avant d'entrer.

Les sculptures du **temple de Rukmini**, à 1 km à l'est, et le **Sabha Mandapa**, doté de nombreux piliers et qui daterait de plus de 2 500 ans, méritent le détour, de même que le **Nageshwar Mandir** et sa salle souterraine, à 16 km.

Le **phare** (10 Rs ; 17h-18h30) de Dwarka offre un superbe panorama. Les photos et les téléphones portables sont interdits.

À 30 km au nord de Dwarka, un ferry traverse les 3 km qui séparent Okha de l'île de **Bet**, où Vishnu aurait tué un démon. L'île abrite des temples dédiés à Krishna et une plage déserte sur la côte nord. Un bus STC relie Dwarka et Okha (15 Rs, toutes les 30 min).

Les sites de Dwarka peuvent se visiter au cours d'un **circuit** (50 Rs, ferry non compris ; 8h et 14h), qui comprend Nageshwar, la rivière Gopi Taleo, Bet et le temple de Rukmini. Il est organisé par Dwarka Darshan, qui possède une agence dans le marché aux légumes. Vous pouvez faire le même parcours en taxi.

Où se loger et se restaurer

La plupart des établissements consentent d'importantes réductions en dehors des fêtes.

Kokila Dhiraj Dham (☎ 236746 ; Hospital Rd ; d/tr 300/400 Rs). Ce grand hôtel rose, sans enseigne en anglais, offre un excellent rapport qualité/prix malgré l'absence de clim. Un ascenseur conduit à de longs couloirs qui desservent des chambres impeccables, aux proportions harmonieuses. Le salon TV peut être bruyant en soirée.

Meera Hotel (☎ 234031 ; meerahotel@yahoo.com ; Highway Rd ; d/tr 350/450 Rs, avec clim 500/750 Rs ;). Sur la principale route d'accès et un peu excentré, cet hôtel offre un bon choix de chambres, bon marché et mornes au dernier étage et des deluxe plus attrayantes. Le restaurant fréquenté prépare de bons *thali*.

Hotel Rajdhani (☎ 234070 ; Hospital Rd ; ch 400 Rs, avec clim 600 Rs ;). Très correct, paisible et central, il s'est agrémenté de sols en marbre et dispose de chambres sommaires et propres. S'il ne compte pas de restaurant, il propose le petit-déjeuner.

Hotel Darshan (☎ 235034 ; Jawahar Rd ; d sans/avec clim 500/700 Rs ;). Près de l'ancienne gare routière, il propose des chambres convenables, avec de minuscules sdb, aménagées autour d'un atrium charmant.

Hotel Gurupreena (☎ 234512 ; face temple de Bhadrakali ; ch sans/avec clim 500/900 Rs ;). La façade imposante dissimule un hôtel immense et banal, d'un rapport qualité/prix correct.

Sharanam (plats 35-75 Rs ; 8h-15h et 18h-23h). Dans l'Hotel Gurupreena, le Sharanam est l'un des meilleurs restaurants de la ville et mitonne des plats chinois, punjabi et d'Inde du Sud.

Depuis/vers Dwarka

Des bus STC rallient Jamnagar (60 Rs, 4 heures), Junagadh (105 Rs, 6 heures) et Somnath (110 Rs, 6 heures 30). Plusieurs compagnies privées emmènent les pèlerins jusqu'à Jamnagar (100 Rs) et au-delà.

Plusieurs trains desservent Jamnagar, dont le 9006 *Saurashtra Mail,* qui part à 13h03, arrive à Jamnagar (sleeper/3AC/2AC/1AC 121/251/338/553 Rs) à 15h28, à Rajkot (130/335/445/755 Rs) à 17h20, puis continue vers Ahmedabad et Mumbai. La gare ferroviaire se situe à 3 km de la ville et possède un **bureau de réservation** (8h-14h et 14h15-20h lun-sam, 8h-14h dim).

JAMNAGAR

☎ 0288 / 447 734 habitants

Autre cité peu visitée, Jamnagar regorge de bâtiments délabrés aux façades ornementées et de bazars pittoresques où l'on peut acheter les fameux *bandhani* aux couleurs vives, fabriqués selon une méthode vieille de 5 000 ans. Cette technique fastidieuse consiste à faire des milliers de nœuds minuscules sur un morceau de tissu plié avant de le teindre.

Jamnagar est plus connue pour son université ayurvédique, la plus grande du Gujarat, où vous pouvez apprendre cette médecine traditionnelle et suivre des cours de yoga, et pour son temple où une prière est psalmodiée sans interruption depuis 1964 (voir p. 759).

Avant l'Indépendance, la ville était gouvernée par les Rajput de Jadeja. Elle est construite autour du lac Ranmal, qui comporte un petit palais au centre.

Orientation et renseignements

La partie la plus récente de la ville, Teen Batti Chowk, concentre la plupart des hébergements. Chandi Bazaar, la vieille ville, s'étend au sud-est autour de Darbar Gadh, une place semi-circulaire où les maharajas de Nawanagar tenaient les audiences publiques. Les gares routière et ferroviaire se situent assez loin, respectivement à l'ouest et au nord-ouest.

Le **Forest Office** (☎ 2679357 ; ⏰ 10h15-18h15 lun-sam, fermé 2e et 4e sam du mois) délivre des permis pour explorer le parc marin du golfe de Kutch et le Khijadiya Bird Sanctuary voisin ; le personnel parle peu anglais et ne fournit guère d'informations. Mieux vaut contacter l'Hotel President (p. 760) pour visiter ces deux parcs.

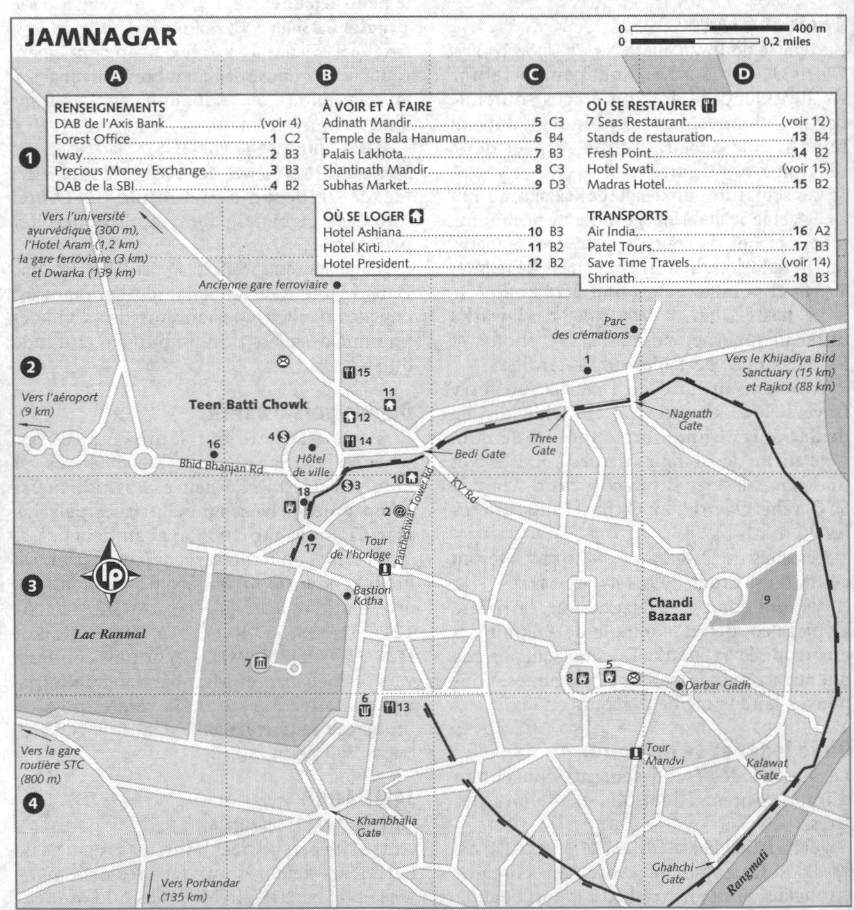

Precious Money Exchange (☎ 2679701 ; Teen Batti Chowk) change les espèces. L'Hotel President change euros, dollars US et livres sterling, en espèces uniquement. La ville compte de nombreux DAB.

Pour surfer sur Internet, rendez-vous à **Iway** (Pancheshwar Tower Rd ; 25 Rs/h ; 8h-23h).

À voir et à faire

PALAIS LAKHOTA ET LAC RANMAL

Situé au centre du lac Ranmal, affreusement pollué, ce petit palais du XIXe siècle appartenait jadis au maharaja de Nawanagar. Aujourd'hui, ce bel édifice, orné de sculptures en bois et de gargouilles, abrite un **musée** (Indiens/étrangers 2/50 Rs ; 10h30-13h15 et 14h45-18h), fermé pour rénovation lors de notre passage.

TEMPLE DE BALA HANUMAN

Dans ce **temple**, du côté sud-est du lac Ranmal, le mantra *Shri Ram, Jai Ram, Jai Jai Ram* est psalmodié sans interruption depuis le 1er août 1964, ce qui vaut au sanctuaire de figurer dans le *Guinness des records*. Visitez-le en fin d'après-midi, lorsque les rives du lac et le temple sont les plus fréquentés.

TEMPLES JAÏNS ET VIEILLE VILLE

Chandi Bazaar recèle quatre superbes temples jaïns. En face de la poste, près de Darbar Gadh, les plus grands, **Shantinath Mandir** et **Adinath Mandir**, dédiés respectivement au 16e et au 1er tirthankara, sont ornés de belles peintures murales, de dômes à miroirs et de lustres ouvragés. Le Shantinath Mandir, particulièrement beau, comprend des colonnes colorées et une coupole ourlée d'or en cercles concentriques. Les heures d'ouverture varient, mais vous trouverez généralement quelqu'un qui vous laissera entrer.

La vieille ville se déploie autour des temples, avec de charmants bâtiments en bois et pierre aux volets pastel écaillés et aux balcons délabrés. Le **Subhas Market**, le marché aux légumes, mérite le détour.

KHIJADIYA BIRD SANCTUARY

Cette petite **réserve ornithologique** (Indiens/étrangers 10/250 Rs ; aube-crépuscule) englobe des marais d'eau douce et d'eau salée, où des nuées de grues se rassemblent de septembre à mars. Mieux vaut la visiter au lever du soleil. Le Forest Office (p. 758) délivre les permis. L'aller-retour en taxi revient à 1 200 Rs. Vous pouvez aussi prendre un bus jusqu'à Khijadiya (10 Rs), puis parcourir à pied les trois kilomètres restants.

MARINE NATIONAL PARK

Isolé, ce **parc** (Indiens/étrangers 30/250 Rs, permis voiture pour Narara 35/200 Rs ; oct-juin), s'étend sur 170 km le long de la côte et comprend 42 îles, dont 33 frangées de récifs coralliens. Riche en faune marine et en avifaune, il se visite de préférence entre décembre et mars. Bien que le Forest Office (p. 758) administre le parc, vous pourrez aussi organiser la visite de n'importe quelle île par l'intermédiaire de l'Hotel President (p. 760). Comptez 2 heures pour rejoindre l'**île Pirotan** (les marées limitent les traversées ; il faut passer 12 heures sur l'île dans l'attente du retour de la marée), la seule officiellement ouverte aux visiteurs. Les bateaux de pèlerins pour Pirotan peuvent être dangereusement surchargés.

Des plages jalonnent la côte, comme **Narara**, à 60 km de Jamnagar près de la route de Dwarka, où l'on peut marcher parmi les coraux à marée basse.

GUJARAT AYURVEDIC UNIVERSITY

La plus grande **université ayurvédique** (☎ 277 0103 ; www.ayurveduniversity.com ; 6h-12h et 15h-19h lun-sam) du Gujarat propose divers cours de médecine traditionnelle, dont un cours d'initiation de 12 semaines à temps plein (inscription 20 $US, cours 300 $US par mois, hébergement sans/avec clim 60/80 $US par mois), qui enseigne la théorie de base et la préparation des médicaments, ainsi que des cours diplômants et supérieurs. Ils s'adressent aux étrangers ayant une formation médicale ; consultez le site Internet pour plus de détails.

Où se loger

Hotel Ashiana (☎ 2559110 ; www.ashianahotel.com ; s 200-400 Rs, d 300-450 Rs, s/d avec clim à partir de 500/600 Rs ; ste 1 500 Rs ;). Ce vaste hôtel situé au dernier étage, au cœur de la vieille ville, offre des chambres diverses, des plus simples et propres à celles immenses et confortables, pour la plupart dotées d'un mobilier éclectique. La direction se montre serviable.

Hotel Kirti (☎ 2558602 ; Teen Batti Chowk ; s 350-450 Rs, d 500 Rs, s/d avec clim 600/700 Rs ;). Près de Teen

GUJARAT

Batti Chowk, cet hôtel d'un bon rapport qualité/prix propose des chambres propres, claires et bien aménagées, avec vue.

Hotel President (☎ 2557491 ; www.hotelpresident.in ; Teen Batti Chowk ; ch 650 Rs, avec clim à partir de 1 250 Rs ; ❄). Cet hôtel à la direction prévenante loue des chambres correctes bien que défraîchies, pour la plupart avec balcon. Le restaurant est recommandé (voir ci-dessous).

Hotel Aram (☎ 2551701 ; www.hotelaram.com ; Pandit Nehru Marg ; ch à partir de 1 300 Rs, ste 5 000 Rs ; ❄ 💻 📶). Aménagé dans un beau bâtiment ancien, l'Aram ne manque pas de charme malgré ses meubles fatigués et un certain délabrement. Bien que spacieuses, les chambres sont trop chères. Un bon restaurant végétarien comprend une terrasse dans le jardin.

Où se restaurer

En soirée, des stands s'installent près du temple de Bala Hanuman et vendent des en-cas à prix doux.

Madras Hotel (☎ 2541057 ; Teen Batti Chowk ; plats 25-65 Rs ; 🕑 11h-15h et 19h-23h). Près de l'Hotel Swati, cette gargote animée et fréquentée sert des plats végétariens punjabi, jaïns et d'Inde du Sud, ainsi que des pizzas.

Hotel Swati (☎ 2663223 ; Teen Batti Chowk ; plats 25-80 Rs ; 🕑 10h-15h et 17h-23h). Installé en étage, ce restaurant végétarien climatisé manque d'ambiance mais propose un grand choix de savoureux plats punjabi, d'Inde du Sud et chinois.

Fresh Point (☎ 9426458288 ; Town Hall Rd ; plats 30-70 Rs ; 🕑 10h30-15h et 18h-23h). Un restaurant simple, animé et sympathique, qui offre de copieux plats punjabi, chinois et d'Inde du Sud dans un cadre propre.

7 Seas Restaurant (Hotel President, Teen Batti Chowk ; plats 40-90 Rs). Ce restaurant d'hôtel mitonne de délicieuses spécialités punjabi, chinoises, occidentales et d'Inde du Sud, végétariennes ou non. Les *bhindi* tandooris (gombos) sont succulents.

Depuis/vers Jamnagar

AVION

Air India (☎ 2550211 ; Bhid Bhanjan Rd ; 🕑 10h-17h) offre des vols quotidiens pour Mumbai (5 000 Rs). **Save Time Travels** (☎ 2553137 ; Town Hall Rd ; 🕑 9h30-20h30) effectue les réservations.

BUS

Des bus STC se rendent à Rajkot (62 Rs, 2 heures) et Junagadh (79 Rs, 4 heures). D'autres bus rallient Dwarka (80 Rs, 4 heures), Porbandar (68 Rs, 4 heures) et Ahmedabad (155 Rs, 7 heures).

Parmi les diverses compagnies privées, plusieurs sont installées à l'ouest de la tour de l'horloge. **Patel Travels** (☎ 2552419 ; Pancheswar Tower Rd) dessert Bhuj (seat/sleeper 150/200 Rs), Mandvi (170/220 Rs), Rajkot (80 Rs) et Ahmedabad (330 Rs).

Shrinath (☎ 2553333 ; Town Hall Circle) propose des bus pour Ahmedabad (230 Rs, 6 heures) via Rajkot (80 Rs, 2 heures), Mt Abu (seat/sleeper 310/410 Rs, 12 heures), Udaipur (355/455 Rs, 14 heures) et d'autres nombreuses destinations.

TRAIN

Le 9006 *Saurashtra Mail* part à 15h30, arrive à Rajkot (sleeper/3AC/2AC/1AC 121/213/283/459 Rs) à 17h20, à Ahmedabad (166/437/596/998 Rs) à 22h25, et à Mumbai (305/831/1 141/1 916 Rs) à 7h15. En sens inverse, le train 9005 part à 12h19 et arrive à Dwarka (121/251/338/553 Rs) à 15h07.

Comment circuler

Aucun bus ne rallie l'aéroport, à 10 km à l'ouest de la ville ; les auto-rickshaws demandent au moins 130 Rs. En auto-rickshaw, comptez 20 Rs de la gare routière à la Bedi Gate et 50 Rs de Teen Batti Chowk à la gare ferroviaire, à 4 km au nord du centre-ville.

RAJKOT

☎ 0281 / 1,137 million d'habitants

L'ancienne capitale de l'État princier du Saurashtra était autrefois le quartier général du gouvernement britannique des États de l'Ouest. Aujourd'hui ville marchande animée, Rajkot conserve une vieille ville pleine de caractère, où des fermiers vendent du ghee (beurre clarifié) au coin des rues. Le Mahatma Gandhi vécut un temps à Rajkot et l'on peut visiter sa maison familiale.

Renseignements

La State Bank of India, au nord de Jubilee Gardens, change les espèces. Des DAB sont installés dans toute la ville, dont un de l'Axis Bank et un de la HDFC près de l'Imperial Palace Hotel.

Buzz Cyber Café (Alaukik Bldg, Kasturba Rd ; 15 Rs/h ; 🕑 8h30-21h30). En retrait, en face du restaurant Lord's Banquet.

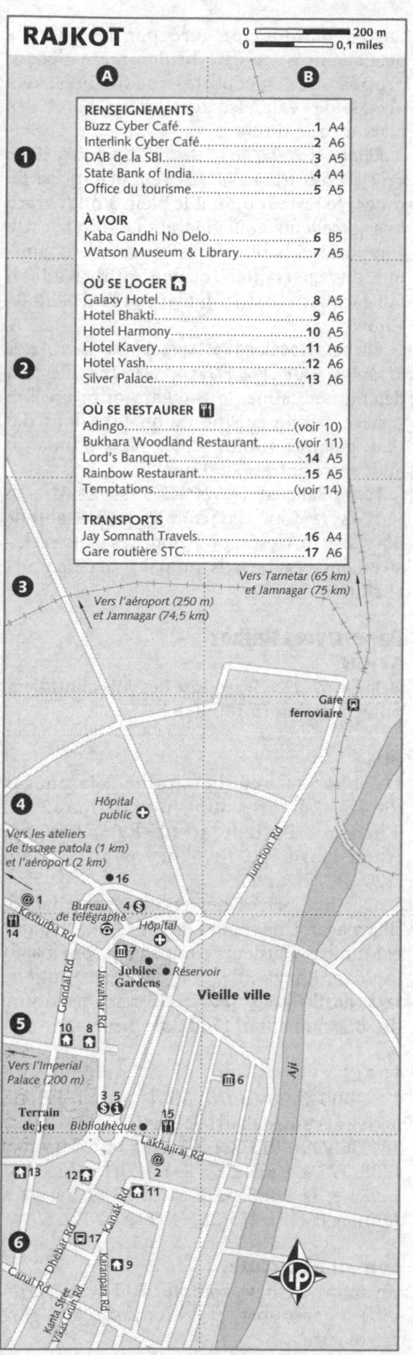

Interlink Cyber Café (près Lakhajiraj Rd ; 30 Rs/h ; 10h-24h). En face de Bapuna Bawala.

Office du tourisme (2234507 ; Jawahar Rd ; 10h30-13h30 et 14h-18h lun-sam, fermé 2e et 4e sam du mois). Derrière la State Bank of India, un personnel loquace, mais peu d'informations utiles et pas de carte de la ville.

À voir

WATSON MUSEUM & LIBRARY

Le **musée et la bibliothèque Watson** (Jubilee Gardens ; Indiens/étrangers 2/50 Rs ; 9h-13h et 15h-18h lun-sam, fermé 2e et 4e sam du mois) sont dédiés au colonel John Watson, administrateur de 1886 à 1889. Cette collection hétéroclite comprend des inscriptions du IIIe siècle, des armes diverses et des ivoires délicatement sculptés, le tout sous l'œil sévère d'une statue en marbre de la reine Victoria.

KABA GANDHI NO DELO

La **maison** (Ghee Kanta Rd ; entrée libre ; 9h-12h et 15h-17h30 lun-sam) où Gandhi vécut à partir de l'âge de 6 ans renferme quantité d'informations intéressantes sur sa vie. Une petite école de tissage rend hommage à la passion du Mahatma pour cette activité. Ne manquez pas de flâner dans les ruelles environnantes de la vieille ville.

TISSAGE PATOLA

Rajkot a rapidement développé l'industrie du tissage *patola*. Cette technique délicate, originaire de Patan, consiste à teindre les fils avant le tissage en fonction du motif. Contrairement aux tisserands de Patan, qui teignent à la fois la trame et la chaîne (double ikat), ceux de Rajkot ne teignent que la trame (ikat simple), d'où des prix moins élevés. On peut visiter des ateliers dans les demeures du quartier de la Sarvoday Society, comme **Mayur Patola Art** (2464519 ; 10h-13h et 15h-18h), derrière la Virani High School.

Où se loger

PETITS BUDGETS

Hotel Yash (2223574 ; Dhebar Rd ; s budget 200 Rs, s/d 250/400 Rs, avec clim 600/700 Rs ;). Dans une rue très animée, cet établissement accueillant et plutôt propre loue des petites chambres, dont certaines n'ont point de fenêtre ; celles à l'arrière sont plus calmes.

Hotel Bhakti (2227744 ; Karanpara Rd ; s/d 440/550 Rs, avec clim à partir de 700/1 000 Rs). Cet hôtel convenable offre des chambres soignées et confortables ; vérifiez le fonctionnement des éléments dans la sdb. Il se situe derrière la gare routière, que vous devrez contourner à défaut de sortie à l'arrière.

CATÉGORIES MOYENNE ET SUPÉRIEURE

Galaxy Hotel (☎ 222904 ; www.thegalaxyhotelrajkot.com ; 3e ét., Galaxy Commercial Centre, Jawahar Rd ; s/d 440/660 Rs, s avec clim 675-990 Rs, d avec clim 1 010-1 485 Rs ;). Au 3e étage d'un bâtiment quelconque, cet hôtel élégant n'est accessible que par l'ascenseur. Il dispose de chambres spacieuses et rutilantes, en dépit des sdb, petites et décevantes. Le service en chambre 24h/24 permet de dîner sur l'agréable toit-terrasse. Pas de restaurant.

Silver Palace (☎ 2480008 ; www.hotelsilverpalace.com ; Gondal Rd ; s budget 1 195 Rs, s/d à partir de 2 195/2 695 Rs ;). Géré par le plus bel hôtel de Rajkot, l'Imperial Palace, il était en rénovation complète lors de notre passage et les prix risquent d'augmenter fortement.

Hotel Kavery (☎ 2240950 ; www.hotelkavery.com ; Kanak Rd ; s/d à partir de 1 250/1 850 Rs ;). Hôtel d'affaires de catégorie moyenne, le Kavery se remplit rapidement et comprend un excellent restaurant, le Bukhara Woodland (voir ci-contre).

Hotel Harmony (☎ 2240950 ; www.hotelharmonyrajkot.com ; s/d à partir de 1 795/2 195 Rs). Cet établissement moderne dispose de chambres confortables et impersonnelles, invariablement beige et surévaluées. Il fait face au Shastri Maidan, près de Limda Chowk.

Imperial Palace (☎ 2480000 ; www.theimperial palace.biz ; Dr Yagnik Rd ; s/d avec petit déj à partir de 3 400/3 900 Rs, ste 5 900 Rs ;). Le plus bel hôtel de la ville possède une réception imposante et des chambres somptueuses, parfaitement aménagées. Il comporte un petit bar à vin animé et un café-restaurant ouvert 24h/24 qui prépare une cuisine végétarienne exquise.

Où se restaurer

Rainbow Restaurant (Lakhajiraj Rd ; plats 25-85 Rs ; 11h-15h30 et 19h-23h ;). Très fréquenté, le Rainbow sert une savoureuse cuisine d'Inde du Sud à petits prix au rez-de-chaussée, et des plats punjabi et chinois dans la salle climatisée à l'étage. Une alléchante sélection de glaces permet de terminer le repas par une douceur.

Temptations (☎ 2475010 ; Kasturba Rd ; plats 30-150 Rs ; 11h-0h30). À quelques pas du Lord's Banquet et géré par les mêmes propriétaires, ce café brillamment décoré propose des spécialités mexicaines, des pizzas, des falafels, des sandwichs et des plats d'Inde du Sud.

Adingo (☎ 2227073 ; plats 35-75 Rs, *thali* 80 Rs ; 11h-15h et 18h30-23h). Carrelé et tapissé de rouge, ce restaurant fait le plein à midi grâce à ses excellents *thali* gujarati. Le soir, la carte comporte les habituels plats végétariens, ainsi que des spécialités locales kathiyavadi. Il fait face au Shastri Maidan, près de Limda Chowk.

Bukhara Woodland Restaurant (Hotel Kavery, Kanak Rd ; plats 45-140 Rs, *thali* 100 Rs ; 11h-23h). Élégant, détendu et calme, le Bukhara offre un bon service et une cuisine de qualité, dont des *thali* gujarati à midi et des plats d'Inde du Sud, entre autres, au dîner.

Lord's Banquet (☎ 2444486 ; Kasturba Rd ; plats 50-135 Rs ; 12h30-15h30 et 19h30-23h30). Établi de longue date, il est réputé pour ses plats exclusivement végétariens punjabi, occidentaux et chinois.

Depuis/vers Rajkot

AVION

Air India (☎ 2222295) propose des vols quotidiens pour Mumbai (3 700 Rs).

BUS

Des bus STC réguliers rallient Jamnagar (56 Rs, 2 heures 30), Junagadh (52 Rs, 2 heures), Porbandar (95 Rs, 5 heures), Ahmedabad (110 Rs, 3 heures 30) et Bhuj (120 Rs, 7 heures).

Des bus privés desservent Ahmedabad, Bhavnagar, Una (pour Diu), Mt Abu, Udaipur et Mumbai. Plusieurs compagnies sont installées dans Kanak Rd, à côté de la gare routière. **Jay Somnath Travels** (☎ 2433315 ; Umesh Complex) offre des bus pour Bhuj (160 Rs, 6 heures).

TRAIN

Le 9006 *Saurashtra Mail* part à 17h40, arrive à Ahmedabad (sleeper/3AC/2AC/1AC 139/360/490/813 Rs) à 22h25 et à Mumbai (286/777/1 106/1 787 Rs) à 7h15. En sens inverse, le 9005 part à 10h33 et arrive à Jamnagar (121/213/283/459 Rs) à 12h17.

Comment circuler

En auto-rickshaw, comptez 80 Rs du centre-ville à l'aéroport, et 30 Rs jusqu'à la gare ferroviaire.

KUTCH (KACHCHH)

Partie la plus occidentale de l'Inde, le Kutch (prononcez *keutch*) est une curiosité géographique. Plate et sèche, cette région en forme de tortue (*kachbo* signifie tortue en gujarati) devient une île en période de mousson. Les villages qui parsèment ce territoire inhospitalier produisent des textiles superbement brodés et étincelant de petits miroirs.

Le Kutch est délimité par le golfe de Kutch, le Great et le Little Rann. Pendant la saison sèche, les Rann sont d'immenses étendues de boue sèche et craquelée. Au début de la mousson, ils sont d'abord inondés par la mer, puis par les rivières en crue. Le sel qui pénètre dans le sol rend cette zone marécageuse de basse altitude pratiquement stérile. Seuls quelques "îlots" éparpillés, émergeant au-dessus du sel, abritent la végétation éparse qui constitue le fourrage de la faune locale.

L'Indus traversait autrefois le Kutch jusqu'à ce qu'un énorme séisme modifie son cours en 1819, laissant derrière lui un désert de sel. Le tremblement de terre dévastateur de janvier 2001 a de nouveau modifié le paysage, détruisant de nombreux villages. Les effets de ce désastre se feront encore sentir pendant des générations, mais les habitants ont résolument reconstruit leur vie et accueillent chaleureusement les visiteurs.

BHUJ

☎ 02832 / 136 500 habitants

La capitale du Kutch est revenue à la vie depuis le séisme de 2001, qui a tué 10% de ses 150 000 habitants. La cité conserve des traces de la catastrophe, même si sa revitalisation et celle de la région alentour sont évidentes. Pour encourager la croissance économique, le gouvernement a ouvert les plaines salines environnantes à l'exploitation industrielle. Bhuj constitue une base idéale pour visiter les villages voisins. Les fascinants bazars de la ville vendent le splendide artisanat du Kutch et les bâtiments historiques, comme l'Aina Mahal et le Prag Mahal, possèdent une beauté irréelle.

Orientation et renseignements

La ville se déploie autour de l'Hamirsar Kund, parfois asséché, avec les palais au nord-est. Shroff Bazaar, à l'est des palais, est la principale artère commerçante. La gare routière STC se situe au sud et la gare ferroviaire, à 2,5 km au nord.

Vous trouverez un DAB de l'ICICI dans Hospital Rd, un de la Bank of Baroda et un de la SBI à l'extrémité sud de Station Rd.

Crossword (☎ 224141 ; ST Rd ; 🕓 7h30-14h et 16h-21h lun-sam, 7h30-14h dim). Cette petite succursale d'une chaîne propose un bon choix de livres et de magazines.

Krishna Cyber Cafe (Station Rd ; 20 Rs/h ; 🕓 9h-21h). Accès à Internet.

Office du tourisme (🕓 10h30-18h lun-sam, fermé 2e et 4e sam du mois). Dans l'Aina Mahal. P. J. Jethi, le conservateur de l'Aina Mahal (voir ci-dessous) connaît parfaitement la ville et les villages alentour. Il a rédigé un excellent guide du Kutch, publié en français et en anglais (50 Rs).

State Bank of India (☎ 256100 ; NRI Branch, Hospital Rd). Change les espèces et les chèques de voyage.

UAExchange (☎ 227580 ; Hospital Rd). Change les espèces et les chèques de voyage.

À voir et à faire

Le **Prag Mahal** (Nouveau Palais ; 12 Rs, appareil photo/caméra 30/100 Rs ; 🕓 9h-11h45 et 15h-17h45), poussiéreux et abandonné, a souffert du tremblement de terre de 2001. Il mérite néanmoins la visite pour son Durbar Hall, exubérant et fantomatique, avec ses lustres brisés et ses statues classiques rehaussées d'or. Plusieurs scènes de *Lagaan*, le célèbre film de Bollywood, ont été tournées ici.

À côté, le superbe **Aina Mahal** (Ancien Palais ; ☎ 260094 ; 10 Rs, appareil photo/caméra 30/100 Rs ; 🕓 9h-12h et 15h-18h dim-ven), construit en 1752, a perdu son dernier étage lors du séisme. Le rez-de-chaussée, ouvert au public, renferme un fabuleux rouleau de 15,20 m illustrant une procession de l'État du Kutch. Le décor intérieur du XVIIIe siècle, enjolivé de miroirs, de carreaux en faïence de Delft et de lithographies de Hogarth, témoigne de la fascination exercée par l'Europe à cette époque. Dans la chambre à coucher trône un lit aux pieds en or massif (le souverain le mettait aux enchères chaque année).

La majeure partie du palais le plus ancien, le **Durbar Gadh**, s'est effondrée, mais nombre de ses fenêtres treillissées et de ses sculptures raffinées subsistent. Si vous souhaitez participer financièrement à la reconstruction de l'Aina Mahal, contactez P. J. Jethi au musée.

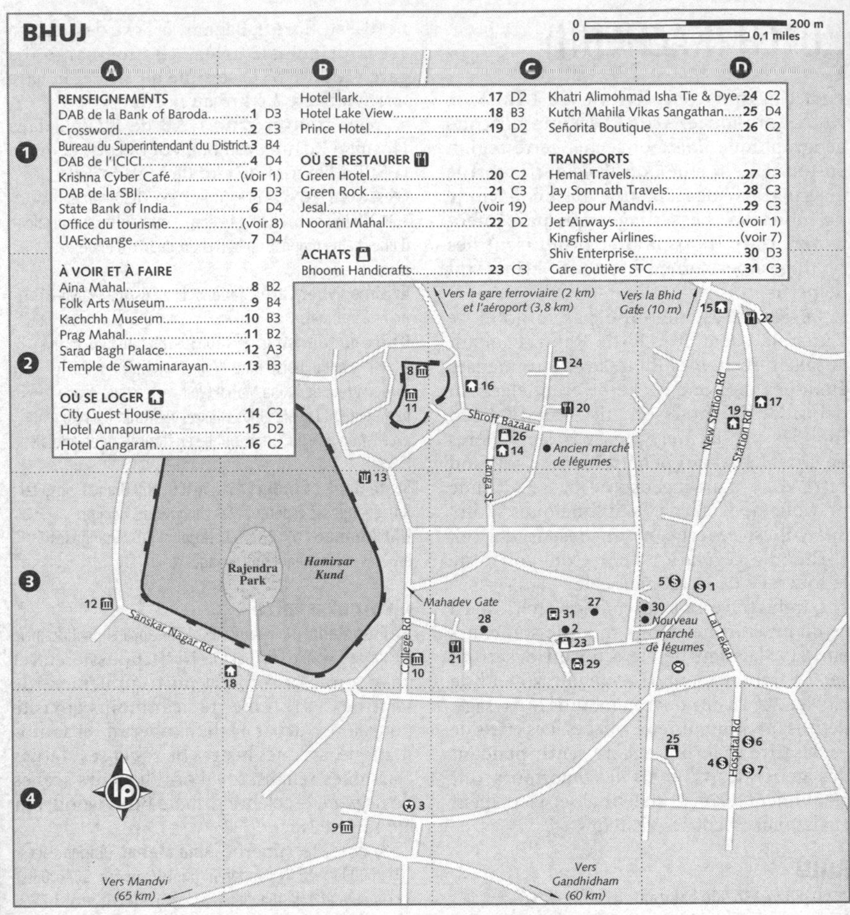

Non loin, le **temple de Swaminarayan**, à la façade aux couleurs vives, n'est plus utilisé ; un nouveau temple a été construit au sud de la ville.

Le **Kachchh Museum** (College Rd ; Indiens/étrangers 2/50 Rs ; 10h-13h et 14h30-17h30 jeu-mar, fermé 2e et 4e sam du mois), le plus ancien musée du Gujarat, renferme de nombreux objets antiques.

Le **Folk Art Museum** (Bhartiya Sanscruti Darshan Kachchh ; 10 Rs, appareil photo 50 Rs ; 9h-12h et 15h-18h lun-sam) expose des broderies, des jouets, de superbes peintures et des huttes en briques crues traditionnelles.

Le **Sarad Bagh Palace** (Indiens/étrangers 10/50 Rs, appareil photo/caméra 20/100 Rs ; 9h-12h et 15h-18h), un gracieux palais à l'italienne construit en 1867 est entouré d'arbres peuplés de corbeaux et de chauves-souris. Il a perdu la majeure partie du 3e étage lors du tremblement de terre de 2001 et les niveaux inférieurs sont fermés. Un bâtiment adjacent, l'ancienne salle de banquet, abrite un musée éclectique. La collection comprend deux grands tigres naturalisés, tués par le maharaja de Kutch, et le cercueil de ce dernier.

En dehors de Bhuj, un **fort** imposant du XVIIIe siècle fut construit en même temps que les remparts de la cité. Occupé par l'armée, il est fermé au public.

Où se loger

City Guest House (☎ 221067 ; Langa St ; ch 200 Rs, s/d sans sdb 90/200 Rs). Près du bazar principal, cette pension chaleureuse, d'une propreté irréprochable, propose des chambres sommaires et soignées.

Hotel Annapurna (☎ 220831 ; hotelannapurna@yahoo.com ; Bhid Gate ; s/d 100/150 Rs, avec sdb 200/250 Rs). Situé sur un carrefour bruyant, l'Anapurna offre une ambiance plaisante, des chambres bien tenues, dont certaines avec balcon, et un excellent restaurant végétarien. La gentillesse du personnel constitue un atout supplémentaire.

Hotel Gangaram (☎ 224231 ; Darbargarh Chowk ; s/d 300/500 Rs, avec clim 700/800 Rs ; ❄). Dans la vieille ville, près de l'Aina Mahal, cette excellente adresse est tenue par M. Jethi, dont le souci premier est de satisfaire ses hôtes. Les chambres varient grandement : demandez à en voir plusieurs. Les repas sont délicieux.

Hotel Lake View (☎ 253422 ; Sanskar Nagar Rd ; ch budget 500 Rs, s/d deluxe 900/1 000 Rs, avec clim 1 050/1 150 Rs ; ❄). Bien situé au bord du lac, cet hôtel accueillant possède des chambres spacieuses et délabrées. La piscine semble désormais irrécupérable !

Prince Hotel (☎ 220370 ; www.hotelprinceonline.com ; Station Rd ; s/d 800/1 000 Rs, avec clim à partir de 1 800/2 200 Rs ; ❄ 💻). Service stylé, chambres élégantes et restaurants excellents, le meilleur hôtel de Bhuj ne déçoit pas. La réception délivre gratuitement des permis pour l'achat d'alcool dans sa boutique de spiritueux. Transfert gratuit de l'aéroport.

Hotel Ilark (☎ 258999 ; www.hotelilark.com ; Station Rd ; s/d à partir de 1 800/2 000 Rs ; ❄ 💻). Cet hôtel rutilant dispose de chambres moins somptueuses que ne le laisse présager la réception. Si les deluxe présentent un meilleur rapport qualité/prix que les standards, surévaluées, toutes les sdb manquent de panache.

Où se restaurer

Jesal (Prince Hotel, Station Rd ; plats 25-100 Rs ; 🕑 7h-15h et 19h-23h). Ce restaurant séduisant offre de bons petits-déjeuners, ainsi que des curries et des plats chinois midi et soir.

Green Hotel (Shroff Bazaar ; plats 30-55 Rs ; 🕑 9h-22h30). Dans le bazar, ce petit restaurant végétarien, associé au Green Rock, n'est pas aussi bon.

Green Rock (☎ 253644 ; Bus Stand Rd ; plats 30-130 Rs ; 🕑 11h-15h et 19h-22h30). En face de la gare routière STC, ce restaurant prisé, installé au 1er étage, sert de savoureux *thali* au déjeuner et propose une longue carte de plats végétariens.

Noorani Mahal (☎ 226328 ; Station Rd ; plats 35-100 Rs ; 🕑 11h30-15h et 19h-23h). Essentiellement fréquenté par des hommes, ce restaurant apprécié cuisine au tandoor du poulet, du mouton et des légumes et mitonne des curries relevés d'Inde du Nord.

Depuis/vers Bhuj

AVION

Jet Airways (☎ 253671 ; www.jetairways.com ; Station Rd ; 🕑 9h-18h lun-sam, 9h-14h dim) et **Kingfisher Airlines** (☎ 227385 ; www.flykingfisher.com ; Hospital Rd ; 🕑 9h-19h lun-sam) proposent des vols réguliers pour Mumbai (4 500 Rs).

BUS

De nombreux bus STC circulent depuis/vers Mandvi (22 Rs, 1 heure 30), Ahmedabad (165 Rs, 8 heures), Rajkot (130 Rs, 6 heures) et Jamnagar (130 Rs, 7 heures 30). **Hemal Travels** (☎ 252491 ; gare routière STC ; 🕑 8h-21h) effectue les réservations sur des bus privés à destination d'Ahmedabad (ordinaire seat/sleeper 200/300 Rs, climatisé 250/350 Rs, 9 heures) et de Jamnagar (seat/sleeper 150/200 Rs). **Jay Somnath Travels** (☎ 221919 ; ST Rd ; 🕑 8h-21h) dessert Rajkot (160 Rs).

TRAIN

La gare ferroviaire, à 2,5 km au nord du centre-ville, possède un **bureau de réservation** (🕑 8h-14h et 14h15-20h lun-sam, 8h-14h dim). Le 4312 *Ala Hazrat Express* part à 11h05 les lundi, jeudi, samedi et dimanche et arrive à Ahmedabad (sleeper/3AC/2AC 172/454/703 Rs) à 18h50. Le 9116 *Bhuj-Bandra Express* part à 22h15 et rejoint Ahmedabad à 5h05 (tarifs identiques). En sens inverse, le 9115 quitte Ahmedabad à 23h59 et arrive à Bhuj à 7h40.

Comment circuler

L'aéroport se situe à 5 km de la ville ; comptez 200/100 Rs en taxi/auto-rickshaw. Un auto-rickshaw jusqu'à la gare ferroviaire revient à 30 Rs. **Shiv Enterprise** (☎ 251329 ; Waniayawad ; 300 Rs/jour, caution 1 000 Rs ; 🕑 9h30-21h lun-sam, 9h30-14h dim) loue des vélomoteurs et des motos.

ENVIRONS DE BHUJ

Le Kutch produit l'un des plus beaux artisanats du pays. Réputé pour ses somptueuses broderies, il compte aussi des villages spécialisés dans la poterie ou les tissus imprimés au bloc. Les communautés jat, ahir, harijan et les nomades rabari ont conservé leurs traditions spécifiques, qui rendent fascinante la découverte de leurs villages.

Le village de **Hodka**, à 50 km au nord de Bhuj, est le site d'un intéressant projet de "tourisme ethnique". En partenariat avec des professionnels hôteliers de tout le pays et diverses ONG, le **Shaam-e-Sarhad Rural Resort** (☎ 574124 ; www.hodka.in ; Hodka ; s/d tentes 1 600/1 800 Rs, bhunga 2 600/2 800 Rs) est caractéristique du nouvel élan touristique de la région. Installé dans les belles prairies de Banni, le "Sunset at the Border" comprend trois *bhunga* (huttes en briques crues traditionnelles) aux toits pentus et soignés, et six tentes luxueuses, toutes avec sdb. Géré par les Halepotra, qui en sont propriétaires, le complexe permet de découvrir la vie quotidienne d'une communauté locale et de constater l'impact positif d'un tourisme respectueux.

Parmi les autres villages intéressants au nord de Bhuj, citons le village jat **Sumrasar Sheikh** (voir l'encadré p. 767), **Khavda** pour la poterie, les villages ahiri de **Danati** et de **Ludiya**. Vous pouvez aller jusqu'à la lisière du Great Rann, où le sel scintille comme de la neige.

Peu visitée, l'ancienne cité portuaire de **Lakphat**, à 140 km de Bhuj, possède quelques beaux monuments, dont un tombeau musulman et un temple sikh.

Au nord-est de Bhuj, le site harappéen de **Dholavira** (antérieur à 2500 av. J.-C.), en cours de fouilles, révèle une cité complexe. Vous devrez être motorisé car il n'y a pas d'hébergement à proximité ; le trajet dure au moins sept heures.

La visite de certains villages au nord de Bhuj nécessite un permis qui s'obtient facilement. Présentez une photocopie de vos passeport et visa (avec les originaux) au **Bureau du superintendant du district** (District Superintendent's Office ; 🕒 11h-14h et 15h-18h lun-sam), à 200 m au sud de l'Hamirsar Kund à Bhuj, où vous remplirez un formulaire indiquant les villages que vous souhaitez découvrir. Le permis (gratuit ; 10 jours au maximum) vous sera délivré sur le champ.

Le monastère de **Than** se niche dans les collines, à 60 km au nord-ouest de Bhuj. Dhoramnath, un saint homme, y serait resté sur la tête pendant douze ans en guise de pénitence. Les dieux le supplièrent d'arrêter et il accepta, à condition que le premier endroit où se porterait son regard devienne stérile – ce fut le Little Rann. Dhoramnath fonda ensuite à Than l'ordre monastique des Kanphata (Oreilles fendues). De Bhuj, un bus dessert Than tous les jours (28 Rs, 2 heures). De cet endroit paisible, vous pourrez explorer les collines environnantes et découvrir diverses constructions, depuis les édifices en briques crues croulants jusqu'aux clochers de style portugais bleu et blanc, ornés de stucs.

Les villages à l'est de Bhuj ont été les plus durement touchés par le tremblement de terre de 2001. Beaucoup, dont **Anjar** et **Rahpar**, ont été reconstruits et permettent de voir les artisans à l'œuvre. Dans le village de Bada, au sud, le **Kutch Vipassana Centre** (☎ 02832-221437, 02834-73303) propose des cours de méditation gratuits de 10 jours.

À 12 km au sud de Bhuj, **Bhujodi** est une bourgade spécialisée dans le tissage, où de nombreuses boutiques vendent des châles et des couvertures. Prenez un bus en direction d'Ahmedabad et demandez au chauffeur de vous déposer à l'embranchement vers Bhujodi (6 Rs). Il reste 2 km à parcourir à pied ou en auto-rickshaw. De Bhuj, l'aller-retour en rickshaw revient à 250 Rs.

Comment circuler

P. J. Jethi (voir p. 763) organise des circuits sur mesure. Vous pouvez aussi prendre des bus locaux ; ainsi, des bus partent toutes les heures pour Sumrasar Sheikh (10 Rs, 1 heure). À Bhuj, les Jeep coûtent le même prix que les bus et sont plus rapides ; prévoyez le retour suffisamment tôt car elles se raréfient après 16h.

MANDVI

Mandvi, à 1 heure de route de Bhuj, est une bourgade animée, dotée d'un surprenant chantier naval ; des centaines d'hommes construisent à la main de superbes navires en bois pour des marchands arabes. Les énormes grumes viennent apparemment des forêts pluviales malaisiennes. Parmi quelques grandes plages, les plus plaisantes sont la plage privée proche du palais Vijay Vilas et celle du Toran Beach Resort, à l'est de la ville.

À voir

Le **palais Vijay Vilas** (25 Rs, véhicule 20 Rs, appareil photo/caméra 50/200 Rs ; 🕒 9h-18h), un édifice du XIXe siècle aux proportions harmonieuses, se situe à 7 km à l'ouest de la ville, parmi des vergers et des plantations, près d'une magnifique plage privée. Il a servi de cadre au film *Lagaan* et à d'autres succès de

L'ARTISANAT DU KUTCH

L'artisanat du Kutch est extrêmement raffiné et sa diversité reflète les traditions des différentes tribus. De nombreuses coopératives locales s'impliquent dans des projets sociaux et préservent le patrimoine artistique de la région, faisant en sorte que la production ne devienne pas purement commerciale.

Kutch Mahila Vikas Sangathan (☎ 256281 ; 11 Nootan Colony, Bhuj), une organisation locale, regroupe 12 000 paysannes (dont 1 200 artisans), verse des dividendes à ses membres et finance des actions sociales. Les magnifiques broderies et travaux d'applications reflètent les styles de neuf communautés distinctes. Vous pouvez visiter à Bhuj le siège de l'organisation et la boutique Qasab dans le Prince Hotel. ou Khavda, un village au nord de Bhuj.

Khamir (☎ 271272 ; www.khamir.org ; Lakhond Crosswords, Kukma Rd, Kukma ; 🕒 9h-17h30), à 5 km de Bhujodi et 17 km de Bhuj, est un organisme de coordination dédié à la protection et au soutien des artisanats du Kutch et de leur diversité.

Le **Kala Raksha Trust** (☎ 253697 ; www.kala-raksha.org ; 🕒 10h-14h et 15h-18h) installé à Sumrasar Sheikh, à 25 km au nord de Bhuj, œuvre également à la protection et à la promotion de l'artisanat du Kutch. Spécialisé dans les broderies suf, rabari et garasia jat, il travaille avec près de 600 artisans issus de sept communautés différentes et organise la visite de leurs villages. Kala Raksha possède un petit musée et vend de superbes articles ; les artisans reçoivent 30% du montant de la vente et les prix sont déterminés avec eux.

Shrujan (☎ 240272 ; Hasta Shilp Kendra ; 🕒 9h-17h30), à Bhujodi, à 12 km de Bhuj, travaille avec 80 villages, contribuant à faire vivre quelque 3 000 femmes et artisans.

Parmath (☎ 273453 ; Ramkrushn Nagar, New Dhaneti ; 🕒 8h30-21h), tenue par une famille charmante, se spécialise dans les broderies et les tentures ahiri. New Dhaneti se situe à 15 km au nord de Bhuj.

Le prestigieux **Dr Ismail Mohammad Khatri**, à Ajrakhpur, près de Bhujodi, dirige un atelier d'impression de tissu au bloc d'excellente qualité. Vous pouvez séjourner avec la famille pour apprendre cet artisanat ou acheter des tissus teints avec des colorants naturels lors de votre visite.

À Bhuj, des magasins de textiles bordent Shroff Bazaar. De nombreux tissus soi-disant imprimés au bloc le sont en réalité au cadre. **Señorita Boutique** (☎ 226773 ; Main Bazaar ; 🕒 8h30-21h), une bonne adresse, offre un choix de broderies régionales et de tissus teints par nouage. **Bhoomi Handicrafts** (☎ 225808 ; 🕒 9h-21h), en face de la gare routière, est un magasin prisé par la population locale.

Si vous êtes intéressé par les broderies anciennes, contactez **M. A. A. Wazir** (☎ 224187), qui possède une collection fabuleuse de plus de 3 000 pièces. Les prix s'échelonnent de 200 à 20 000 Rs.

Autres adresses recommandées :

Kutch Rabari Art (☎ 240005 ; 🕒 9h-21h). À Bhujodi, cette famille rabari vend de belles pièces traditionnelles de sa fabrication.

Vankar Vishram (☎ 240723 ; 🕒 8h-20h). Également à Bhujodi, des tissages d'excellente qualité et de superbes châles en laine.

Bollywood. Si l'intérieur ne présente guère d'intérêt, la grimpée jusqu'au pavillon sur le toit permet de découvrir une vue splendide.

Où se loger et se restaurer

Rukmavati Guest House (☎ 223557 ; rukmavati@rediffmail.com ; près Bridge Gate ; dort 150 Rs, s/d à partir de 300/400 Rs, ch avec clim 1 050 Rs ; ✱). Aménagée dans un ancien dispensaire, à côté du pont à l'entrée de la ville, cette pension claire et pimpante loue ses chambres pour 24 heures. Équipée de chauffe-eau solaires, elle met une cuisine à disposition des hôtes. Vinod, le charmant propriétaire, vous renseignera sur la ville et ses alentours et vous fournira des cartes.

Jitendra Guest House (☎ 222841 ; derrière Taluka Panchayat, ST Rd ; ch 400 Rs, avec clim 800 Rs). Tenue par deux frères, cette pension possède des chambres propres et spacieuses et offre le service en chambre.

Hotel Sea View (☎ 224481 ; www.hotelseaviewindia.com ; ST Rd ; ch 450 Rs, avec clim à partir de 945-1 785 Rs ;

thali 50 Rs ; ☒). Ce petit hôtel en bord de mer propose des chambres joliment décorées, avec de grandes fenêtres, donnant pour la plupart sur le chantier naval ; la n°3 comporte des fenêtres sur les deux côtés. Les chauffe-eau fonctionnent à l'énergie solaire.

The Beach at Mandvi Palace (☎ 9879013118, 295725, à Ahmedabad 079-28218551 ; www.mandvibeach.com ; d avec petit déj 6 000 Rs ; ☒). Superbement situé, ce camp de toile s'étend sur la plage privée de 2,5 km en contrebas du palais Vijay Vilas. Les tentes luxueuses sont dotées de grands lits, d'une sdb carrelée et de la clim. Le restaurant Dolphin (plats 130-220 Rs), dans un pavillon sur la plage, est ouvert aux non-résidents. Les clients du restaurant ont accès gratuitement à la plage ; sinon, vous paierez 100 Rs par personne.

Zoraba the Buddha (☎ 23155 ; Osho Hotel, Bhid Gate ; *thali* 60 Rs ; ⏲ 11h-15h et 19h-22h). Au cœur de la ville, le Zoraba (l'enseigne indique "Osho") doit son succès à ses *thali* végétariens gujarati à petits prix.

Depuis/vers Mandvi

Des bus réguliers circulent depuis/vers Bhuj (22 Rs, 2 heures). Vous pouvez aussi prendre un taxi collectif plus rapide dans la rue qui fait face à la gare routière de Bhuj (30 Rs).

LITTLE RANN SANCTUARY

Territoire aride, d'un blanc aveuglant, le Little Rann abrite les derniers hémiones (ânes sauvages asiatiques) d'Inde et d'innombrables oiseaux, dont des flamants roses – c'est l'une des rares régions indiennes où ils se reproduisent à l'état naturel. Hémiones et flamants roses sont protégés dans le **Little Rann Sanctuary** (Indiens/étrangers 5 Rs/5 $US, appareil photo 20 Rs/5 $US, caméra 2 500 Rs/200 $US ; ⏲ aube-crépuscule), une réserve de 4 953 km² parsemée de salines désolées, dont la population survit en pompant l'eau des nappes phréatiques et en extrayant le sel. Des mirages provoqués par la chaleur troublent l'horizon, où les arbres et les buissons semblent planer au-dessus du sol.

Les hémiones, environ 3 000 individus dans la réserve, survivent grâce aux îlots herbeux, appelés *bet*, qui s'élèvent jusqu'à 3 m de haut. Ces animaux remarquables sont capables de courir à une vitesse moyenne de 50 km/h sur de longues distances.

La pluie transforme le désert en bourbier, et même en saison sèche, la croûte à l'apparence solide peut s'effondrer. Il est donc impératif d'engager un guide pour l'explorer ou pour rejoindre Dholavira, un pénible trajet en Jeep par une chaleur torride.

La petite ville de **Zainabad**, à 105 km au nord-ouest d'Ahmedabad, est toute proche du Little Rann. **Desert Coursers** (☎ 02757-241333 ; www.desertcoursers.net), un tour-opérateur familial, organise des circuits et des safaris intéressants dans les villages du Little Rann. Il gère le **Camp Zainabad** (d pension complète et safaris à volonté 4 000 Rs ; ⏲ sept-avr), qui comporte des *kooba* (huttes traditionnelles à toit de chaume) attrayantes et confortables dans un endroit paisible et retiré. Réservation conseillée.

Pour rallier Zainabad par la route en venant d'Ahmedabad, vous pouvez prendre un bus jusqu'à Dasada (50 Rs, 2 heures 30), à 12 km, puis un bus local ; Desert Coursers viendra vous chercher gratuitement à Dasada. Des bus directs desservent Zainabad à partir de Patan (48 Rs, 2 heures 30, 3/jour) via Modhera (22 Rs, 1 heure 30). Desert Coursers peut aussi vous procurer un taxi pour explorer la région (4,50 Rs le kilomètre).

Rann Riders (www.nivalink.com/rannriders/index.html), une autre entreprise familiale près de Dasada, à 10 km de la réserve, offre de luxueux cottages et des safaris en Jeep. Réservez auprès de **North West Safaris** (☎ 079-26302019), à Ahmedabad.

On peut également visiter la réserve de **Dhrangadhra**, une ville qui mérite la visite et constitue une étape plaisante entre Bhuj et Ahmedabad. Dans le dédale de rues et de ruelles, on découvre à chaque coin de rue des maisons chaulées ou colorées de tous les styles et de toutes les époques, tandis que résonnent les cloches des temples. Dans cette localité ignorée des touristes, les habitants bavardent volontiers avec l'étranger de passage et le gratifient à l'occasion d'un concert de flûte impromptu.

Devjibhai Dhamecha (☎ 9825548090, 9825548104 ; www.littlerann.com ; ecotourcamp@gmail.com), un photographe animalier et un excellent guide, organise avec ses deux fils, Ajay et Vijy, de superbes safaris en Jeep dans la réserve (6 passagers au maximum, 2 000 Rs le circuit de 6 heures, 3 000 Rs la journée). Défenseur farouche du sanctuaire et de ses habitants, Devjibhai accueille chaleureusement ceux qui s'intéressent à la faune. Vous pouvez loger dans sa **maison** (pension complète à partir de 500 Rs/pers) à Dhrangadhra, ou dans le **camp de kooba et de tentes** (kooba s/d avec sdb pension complète 1 500/2 000 Rs, lit supp 1 000 Rs ; tentes s/d pension complète 750/1 000 Rs, lit supp 500 Rs), aménagé dans la réserve à 40 km de la ville.

L'accès à la réserve requiert un permis délivré par le **Deputy Conservator of forests** (☎ 02754-260716), à Dhrangadhra ; les guides se chargent de cette formalité.

À une heure au sud de Dhrangadhra, la paisible bourgade rurale de **Sayla**, renommée pour ses ikat en soie, s'anime durant la foire de Tarnetar, en août-septembre. Des artisans talentueux vivent dans la luxuriante campagne alentour, ponctuée d'anciens États princiers et ignorée des touristes. Les bergers nomades bharwad sont réputés pour leurs broderies en perles, de même que le village kathi de Sejathpur, le village de Somasar est connu pour le tissage de la soie et du coton, et Wadhwan, pour ses cuivres et ses ravissants *bandhani*.

L'**Old Bell Guest House** (☎ 280017 ; www.ahmedabadcity.com/sayla ; Sayla Circle, Rajkot Hwy ; d à partir de 2 000 Rs), tenue par l'ancienne famille régnante de Sayla, est une merveilleuse retraite dans un jardin fleuri. Toutes les chambres s'agrémentent d'une sdb spacieuse et celles en angle au dernier étage bénéficient de deux balcons.

Sayla se situe sur la nationale Ahmedabad-Rajkot. Dhrangadhra se trouve sur la ligne ferroviaire Bhuj-Ahmedabad, à 230 km de Bhuj (2e classe 68 Rs, 5 heures 15) et à 130 km d'Ahmedabad (2e classe 49 Rs, 3 heures) ; elle est également bien desservie par les bus, notamment d'Ahmedabad (47 Rs, 3 heures 30) et de Bhuj (86 Rs, 6 heures).

Carnet pratique

SOMMAIRE

ACHATS

L'Inde est une véritable caverne d'Ali Baba. Les marchés bigarrés et les boutiques élégantes tentent le voyageur avec toutes sortes de merveilles : pierres précieuses, sculptures, soieries somptueuses, artisanat villageois, châles aux couleurs vives, superbes tapis et quantité d'autres objets tous plus beaux les uns que les autres.

Chaque région produit un artisanat spécifique, que l'on retrouve souvent dans les emporiums d'État et dans les coopératives. Ces différentes enseignes pratiquent des prix fixes. Partout ailleurs, il vous faudra marchander (reportez-vous à l'encadré p. 772). Les heures d'ouverture varient selon les magasins (reportez-vous aux rubriques *Achats* des chapitres régionaux).

Méfiez-vous si vous achetez des articles qui seront livrés chez vous, à l'étranger : même si on vous assure que le prix comprend la livraison à domicile, les taxes douanières et les frais de transport, ce n'est que rarement le cas. Attention aussi aux rabatteurs (p. 786) et à la réglementation concernant l'exportation d'antiquités (p. 776).

Bijoux

La moindre ville indienne possède au minimum une échoppe de *bangles*, des bracelets en plastique, en verre, en cuivre ou en bois, qui coûtent entre 20 et 200 Rs la douzaine. On les garde aux poignets jusqu'à ce qu'ils se brisent. Les veuves hindoues les cassent elles-mêmes en signe de deuil.

On trouve de lourds bijoux traditionnels en argent dans différentes régions, notamment au Rajasthan. À Jaipur (p. 173), à Udaipur (p. 209) et à Pushkar (p. 191), les artisans adaptent souvent leurs créations au goût des étrangers. Jaipur est aussi renommée pour les pierres précieuses et semi-précieuses (p. 173 et p. 174). Dans tout le pays, des artisans fabriquent, souvent à la demande, des bagues (y compris pour les doigts de pied), des bracelets de bras ou de cheville, des boucles d'oreilles et des colliers en or et en argent.

Des bijoux tibétains un peu grossiers, en argent ou en métal blanc et incrustés de pierres semi-précieuses, sont en vente partout. Certains sont ornés de motifs bouddhiques et de textes en tibétain – comme le fameux mantra *Om Mani Padme Hum*. Si certains des bijoux proposés dans des centres tibétains comme McLeod Ganj et Leh sont de véritables antiquités rapportées par des réfugiés, il s'agit le plus souvent de reproductions réalisées en Inde, au Népal ou en Chine, et artificiellement vieillies. Mieux vaut choisir en fonction de son goût, plutôt que de la valeur supposée des objets. Des perles d'agate, de turquoise, de cornaline et d'argent vous permettront de composer votre propre collier. Les chapelets de méditation bouddhiques en pierres semi-

PRATIQUE

- L'électricité fonctionne en 230-240 V, 50 Hz. Les prises comportent trois plots ronds (on trouve aussi des prises à deux plots). Les coupures sont fréquentes l'été et pendant la mousson.
- L'Inde a officiellement adopté le système métrique, mais vous entendrez aussi parler de *lakh* (1 *lakh* = 100 000) ou de *crore* (1 *crore* = 10 millions).
- Parmi les quotidiens en anglais, citons le *Hindustan Times,* le *Times of India*, l'*Indian Express, Hindu*, *Statesman*, *Telegraph*, *Daily News & Analysis (DNA)* et l'*Economic Times*. Les publications régionales en anglais et en langue locale sont diffusées dans tout le pays.
- Pour les magazines d'actualité en anglais, voyez *Frontline, India Today, Week, Sunday* ou *Outlook*.
- La télévision nationale, Doordarshan, comporte plusieurs chaînes. Les programmes diffusés par câble et satellite sont davantage regardés. La chaîne française TV5 est disponible via le satellite. On capte la BBC, Discovery, Star Movies, HBO et MTV. Les grands quotidiens publient les programmes TV et radio.
- La radio d'État All India Radio (AIR) diffuse des informations nationales et internationales en anglais. Des radios privées proposent informations, musique, émissions d'actualité, interviews, etc. On peut capter RFI via le satellite.

précieuses, en bois ou incrustés d'os font également de beaux souvenirs.

Dans nombre d'emporiums d'État, on trouve des bijoux incrustés de perles. Les prix varient selon la couleur et la forme ; vous paierez davantage pour une pièce d'un blanc immaculé ou d'une teinte rare, comme le noir ou le rouge. De même, les perles parfaitement rondes valent plus cher que celles de forme irrégulière ou légèrement oblongue, pourtant plus originales. Comptez au moins 300 Rs pour un rang de semences de perles, 700 Rs pour des perles de meilleure qualité.

Châles, soieries et saris

Les châles indiens, chauds et légers, font de bonnes couvertures de secours pour les nuits fraîches. En laine de mouton ou de yak, en pashmina (laine provenant du duvet d'une chèvre de l'Himalaya) ou en poils de lapin angora, beaucoup s'ornent de broderies très élaborées. Évitez les *shahtoosh*, réalisés avec le pelage d'une antilope tibétaine (*chiru*), rare et que l'on tue pour cela.

Dans la vallée de Kullu (Himachal Pradesh), capitale incontestée du châle, des dizaines de coopératives féminines produisent de superbes articles chauds et soyeux. Pour plus d'informations voir p. 356.

Le Ladakh et le Cachemire constituent les principaux centres de production des châles en pashmina. Comptez au moins 6 000 Rs pour un châle si fin qu'on peut le glisser à travers une alliance. Notez que certains châles, prétendument en pashmina, sont en fait de simples écharpes en fils mélangés. Reportez-vous à l'encadré p. 330. Les châles des États du Nord-Est, très chauds, sont ornés de motifs géométriques. Au Sikkim et au Bengale-Occidental, on trouve des châles bhoutanais aux broderies très raffinées. Au Gujarat, dans la région de Kutch, les châles en laine sont agrémentés de fines broderies et de petits morceaux de miroir. À Ranikhet (p. 502) et à Almora (p. 503), en Uttarakhand, les châles et les tweeds faits main sont intéressants.

Souvenirs prisés, les saris peuvent facilement avoir d'autres usages que l'habillement. Les saris en pure soie sont les plus chers et il faut généralement les laver pour les assouplir. Kanchipuram, au Tamil Nadu, est la capitale indienne de la soie, mais vous trouverez de magnifiques saris à Varanasi et à Kolkata. L'Assam se distingue par ses soies *muga*, *endi* et *pat*, produites par différentes espèces de vers à soie, très répandues à Guwahati. Prévoyez au moins 3 000 Rs pour un sari en soie brodé de qualité.

L'ancien et laborieux procédé de fabrication des *patola* est toujours en usage à Patan (p. 730), au Gujarat. On obtient ces saris en soie raffinés, garnis d'une bordure d'or véritable, en teignant les fils à la main, avant tissage. Les *patola* de Rajkot (p. 760), au Gujarat, résultent d'un procédé légèrement moins complexe – les artisans teignent uniquement la chaîne. À Kota, au Rajasthan, les délicats saris *kota doria* sont tissés de fils d'or.

L'ART DU MARCHANDAGE

Les emporiums d'État, les coopératives, les grands magasins et les centres commerciaux modernes pratiquent habituellement des prix fixes. Partout ailleurs, vous devrez marchander ferme. Dans les lieux touristiques, attendez-vous à payer le double, voire le triple du prix standard, car les marchands ont l'habitude d'une clientèle argentée et pressée par le temps. Les boutiques de souvenirs sont sans doute celles qui abusent le plus.

Règle de base : ne montrez pas trop d'intérêt pour l'article que vous convoitez et ne vous jetez pas sur les premiers objets que vous voyez. Faites un tour dans les magasins et regardez les prix. Discrètement, si possible : si le commerçant chez lequel vous êtes passé en premier vous voit entrer ailleurs et revenir chez lui, il comprendra tout de suite que vous estimez qu'il pratique les prix les moins chers et refusera de ce fait de négocier.

Déterminez le prix que vous êtes disposé à payer et faites part au commerçant de votre éventuel désir d'achat. Si vous ignorez totalement la valeur réelle d'un article, commencez par diviser par deux le prix annoncé. Le vendeur prendra l'air offusqué devant une proposition aussi basse, mais le marchandage pourra alors débuter, le but étant de parvenir à un accord qui contente les deux parties. Vous obtiendrez parfois encore un rabais sur le fameux "dernier prix" si vous faites mine de partir en feignant d'avoir besoin de réfléchir.

Largement pratiqué et accepté en Inde, le marchandage doit toutefois toujours rester cordial. Faites preuve de bon sens et de mesure, en vous rappelant notamment la valeur de la roupie dans votre propre monnaie. Si un vendeur exige un prix qui vous paraît exagéré, allez simplement voir ailleurs.

Parmi les autres États réputés pour leur production de saris, citons le Madhya Pradesh, renommé pour les saris *maheshwar* (de coton de Maheshwar) et *chanderi* (en soie de Chanderi), et le Bengale-Occidental, où l'on tisse des saris *baluchari* avec un fil en soie détortillé.

Cuir

La vache étant un animal sacré en Inde, les articles de cuir sont réalisés à partir de peau de buffle, de chameau, de chèvre, etc. Kanpur (Uttar Pradesh) est le grand centre national du cuir.

Les *chappal*, ces sandales rustiques que l'on trouve partout en Inde, ont la faveur des voyageurs. Le Punjab et le Rajasthan (notamment Jaipur, p. 162) sont renommés pour les *jooti*, des chaussures traditionnelles dont la pointe est recourbée sur les modèles pour hommes.

À Bikaner (Rajasthan), des artisans fabriquent des cadres de miroir, des boîtes et des flacons en peau de chameau rehaussés d'or. Les jouets en forme d'animaux d'Indore (p. 696), au Madhya Pradesh, sont fabriqués à l'aide de structures en fil de fer ou en tissu recouvertes de cuir. Dans les métropoles comme Delhi, des boutiques vendent à prix modérés des sacs et d'autres articles de maroquinerie de bonne facture, ainsi que des chaussures ornées de milliers de paillettes.

Figurines en bronze, sculptures sur pierre, poteries et terre cuite

Les artisans de certaines régions de l'Himalaya utilisent l'ancien procédé de la cire perdue. L'artiste sculpte d'abord une figurine en cire qu'il recouvre d'argile. Il chauffe ensuite ce moule, afin de faire fondre la cire, qui s'écoule par un orifice. Puis il la remplace par du métal en fusion. Lorsque ce dernier est refroidi, il dégage enfin la sculpture en brisant le moule. Une multitude de représentations du Bouddha et de divinités du panthéon hindou sont ainsi réalisées. Les figurines de Shiva en Nataraja dansant sont parmi les plus appréciées.

Au Bengale-Occidental, les Dokra emploient également cette technique pour couler des cloches. Dans la région du Bastar, dans le Chhattisgarh, les Ghadwa ont personnalisé la méthode : ils utilisent un délicat filetage de cire pour couvrir l'intérieur du moule de sorte que l'objet métallique arbore ensuite des motifs arachnéens.

Kolkata et le Bihar sont réputés pour les terres cuites : vases et pots décorés, représentations de divinités, jouets, etc.

Jaipur (p. 162), au Rajasthan, a pour spécialité la poterie émaillée, ornée de motifs floraux et géométriques. Certains temples indiens vendent de petites représentations de divinités en plâtre ou en argile, dont Kali et Durga.

Instruments de musique

On peut acheter des instruments de musique de qualité dans les grandes villes comme Kolkata (p. 509), Varanasi (p. 446) et Delhi (p. 113). Les prix varient et augmentent généralement avec la qualité.

Des tablas de fabrication correcte, comprenant un tabla en bois (percussion aiguë accordée) et un *doogri* en métal (percussion grave), reviennent à 3 000 Rs au minimum. Moins chers, ils sont généralement plus lourds et sonnent moins bien.

Le prix d'un sitar s'échelonne de 4 000 à 15 000 Rs, un bon instrument marqueté pour débutant ne coûtant pas moins de 7 000 Rs. Essayez-en plusieurs, car le son varie en fonction du bois utilisé et de la forme de la calebasse. Notez que certains sitars bon marché peuvent se fausser sous des latitudes plus froides ou plus chaudes. Assurez-vous que les cordes émettent un son clair et que la calebasse n'est pas abîmée. Pensez aussi à vous procurer des cordes, un plectre et une calebasse de rechange.

Parmi les autres instruments indiens populaires, citons le *shennai* (flûte), le *sarod* (luth), l'harmonium et l'*esraj* (sorte de violon que l'on tient verticalement). Les violons classiques sont d'un excellent rapport qualité/prix (on en trouve à partir de 3 000 Rs). Kolkata est particulièrement réputée pour ses guitares acoustiques de très belle facture (à partir de 2 500 Rs), qui sont exportées dans le monde entier.

Métaux et marbre

Les objets en cuivre sont répandus dans tout le pays. Bougeoirs, plateaux, bols, cruches et cendriers sont particulièrement prisés. Au Rajasthan et en Uttar Pradesh, le cuivre est incrusté de fins motifs d'émail rouge, vert et bleu. De nombreux objets religieux tibétains sont ornés d'incrustations d'argent sur cuivre. Peu onéreux, les moulins à prières, les cors de cérémonie et les casiers à documents sont appréciés des touristes. La vente de *kangling* (cors tibétains) et de *kapala* (bols de cérémonie) en métal incrusté d'os humains est illégale.

On trouve partout des *kadhai* (sorte de wok indien appelé aussi *balti*) et des ustensiles de cuisine très bon marché – marmites en cuivre, vaisseliers en métal, poêles à frire à fond en cuivre, plateaux à *thali*, etc.

La fonte du minerai de fer relève, chez les artisans de Bastar (Chhattisgarh), d'une technique très ancienne. Aujourd'hui, ils forgent des figurines abstraites qu'ils intègrent à des objets fonctionnels, comme des pieds de lampe et des portemanteaux.

Une importante industrie artisanale prospère à Agra (p. 413) : celle des souvenirs en marbre incrusté de pierres semi-précieuses. Elle s'inspire des *pietra dura* qui ornent le Taj Mahal, témoins d'une tradition artistique moghole ancienne. Comptez environ 400 Rs pour une petite boîte à bijoux ou une miniature du Taj Mahal, et au moins 2 000 Rs pour un jeu d'échecs.

Papier mâché

À Srinagar (p. 285), on produit depuis des siècles des objets laqués en papier mâché, que l'on trouve désormais dans toutes les régions de l'Inde. Les artisans réalisent la forme de base en superposant des couches de papier (souvent des journaux recyclés)

ACHATS RESPONSABLES

Globalement, seule une petite proportion des revenus générés par le tourisme en Inde bénéficie aux habitants des zones rurales. Les voyageurs peuvent apporter leur pierre à l'édifice en faisant leurs achats dans les coopératives de village, établies pour protéger et promouvoir les fabrications traditionnelles artisanales, et pour apporter aux villageois éducation, formation et emplois durables. Nombre de ces programmes ciblent en particulier les réfugiés, les femmes de basse caste, les ethnies et les populations qui vivent en marge de la société.

Les produits vendus dans ces coopératives sont de très bonne qualité et, généralement, les prix sont fixes. L'acheteur n'a donc pas à marchander. Une partie des recettes est directement reversée à des écoles, dispensaires, centres de formation et autres programmes de défense et d'aide sociale bénéficiant aux plus démunis. En faisant vos achats dans les emporiums du réseau national Khadi & Village Industries, vous contribuerez également à aider les communautés rurales.

En bref, tâchez de repérer les coopératives de commerce équitable et reportez-vous aux possibilités recensées dans les chapitres régionaux de cet ouvrage.

dans un moule, puis peignent les motifs à l'aide de pinceaux fins et recouvrent l'objet de laque pour le protéger. Le prix dépend de la complexité et de la qualité du dessin, ainsi que de la quantité de feuilles d'or employées. Ces articles arborent souvent de délicats motifs de fleurs et d'oiseaux, ou des scènes de chasse inspirées des miniatures mogholes. Sont fabriqués ainsi bols, boîtes, porte-lettres, dessous de verre, plateaux, lampes et décorations de Noël (boules, étoiles, croissants de lune et cloches). Tous font des souvenirs appréciés et légers mais faites attention lors du transport.

Le Rajasthan produit des marionnettes colorées en papier mâché utilisées pour le théâtre *kathputli*. Elles sont généralement vendues par deux – le mari et la femme.

Peintures

On trouve partout des reproductions de miniatures indiennes. Les mieux faites ressemblent à s'y méprendre aux originaux ; les moins chères ne comportent pas autant de détails ni de couleurs. Celles que l'on essaiera de vous vendre comme des antiquités le sont rarement et les objets vieux de plus de 100 ans ne peuvent de toute façon pas sortir du territoire (voir l'encadré p. 776). Udaipur (p. 209) et Bikaner, au Rajasthan, comptent de bons ateliers spécialisés dans les reproductions sur soie et papier. Vous découvrirez une sélection de pièces dans les emporiums d'État de Delhi.

Seul art populaire du Bihar, les sublimes peintures *mithila* (ou *madhubani*), réalisées sur tissu ou papier, sont l'œuvre des femmes de Madhubani (voir l'encadré p. 583). C'est à Patna qu'on les trouve le plus aisément, mais elles sont aussi en vente dans les emporiums des grandes villes. À Khajuraho, l'Adivart Tribal & Folk Art Museum (p. 676) vend d'authentiques peintures bhili.

Dans les régions peuplées par les bouddhistes tibétains, comme le Sikkim, certains districts de l'Himachal Pradesh et le Ladakh, on peut acheter de magnifiques *thangka* (peintures rectangulaires sur tissu) représentant des divinités bouddhiques tantriques et des mandalas de cérémonies. Certains reproduisent admirablement les peintures murales de monastères indiens, d'autres sont plus grossiers. Les prix varient. Comptez environ 3 000 Rs pour un *thangka* de qualité de 29,7 sur 42 cm, et beaucoup plus pour des pièces plus grandes et plus complexes. La vente de *thangka* anciens est illégale.

Les galeries et les boutiques d'art contemporain abondent dans les grandes villes indiennes.

Sculptures sur bois

En Inde, la sculpture sur bois est un art bien vivant. Les meubles et objets sculptés en noyer (paravents, tables, coffrets à bijoux et plateaux) du Cachemire reproduisent les motifs qui ornent les *house-boats*. Les battes de cricket en saule sont typiques du Cachemire.

Les incrustations de métaux et d'ivoire sur bois constituent l'un des plus anciens artisanats du Bihar. Elles ornent les décorations murales, les dessus de table, les plateaux et les boîtes.

Au Rajasthan, à Udaipur, vous trouverez des figurines en manguier de couleurs vives représentant des divinités hindouistes. De nombreux magasins vendent également des blocs d'impression en teck. Les roues et boules de massage, proposées sur les lieux de pèlerinage hindous, font de bons cadeaux.

La sculpture sur bois figure parmi les spécialités du Sikkim, du Ladakh, de l'Arunachal Pradesh et des villages de réfugiés tibétains. Vous trouverez des masques portés lors des danses rituelles (*chaam*) et des plaques murales représentant les huit symboles de bon augure du bouddhisme. La plupart des masques sont de piètre qualité artistique. Les pièces authentiques, en bois blanc (très léger) ou en papier mâché, coûtent au minimum 3 000 Rs.

Tapis

Depuis des siècles, les artisans indiens utilisent la laine et la soie pour réaliser leurs tapis ornés de motifs raffinés. Les plus élaborés sont fabriqués au Ladakh, en Himachal Pradesh, au Sikkim et au Bengale-Occidental. En Uttar Pradesh, on trouve d'excellentes copies de tapis traditionnels afghans et turkmènes. La fabrication de tapis représente une source de revenus conséquente pour les réfugiés tibétains qui ont ouvert de nombreuses coopératives d'artisans tapissiers. Sauf chez les marchands de réputation internationale, les tapis anciens ne sont généralement pas authentiques.

Le prix d'un tapis se détermine en fonction de la taille et du nombre de nœuds, des couleurs utilisées, de la complexité du motif et du matériau. Les articles en soie coûtent plus

LE TRAVAIL DES ENFANTS DANS L'INDUSTRIE DU TAPIS

En Inde, des enfants sont employés au tissage des tapis depuis des siècles. Beaucoup d'organisations caritatives occidentales luttent contre cette exploitation. S'il est impossible d'obtenir des chiffres précis, divers rapports et publications estiment cependant qu'il y aurait plus de 100 000 enfants tisserands en Inde.

Hélas, le problème se révèle plus compliqué que les ONG voudraient le faire croire. Dans les zones rurales déshéritées, l'accès à l'éducation n'est même pas envisageable pour des raisons à la fois économiques et sociales, et le travail des enfants constitue la source de revenu supplémentaire qui permet à la famille de ne pas mourir de faim. Même pour ceux qui ont bénéficié d'un enseignement, les emplois qualifiés manquent le plus souvent. Pour briser ce cercle vicieux, nous incitons les voyageurs à acheter des tapis réalisés par des coopératives qui emploient des adultes dont elles assurent la scolarisation des enfants.

Le **Carpet Export Promotion Council of India** (www.india-carpets.com) fait campagne pour éradiquer le travail des enfants dans l'industrie du tapis en pénalisant les entreprises qui y recourent et en créant des écoles. En dernière analyse, seule l'éducation obligatoire pourra mettre un terme définitif au phénomène, mais les obstacles socio-économiques restent de taille.

Aucun moyen simple, malheureusement, ne permet de savoir si un tapis a été fabriqué ou non par des enfants. Les boutiques n'admettront pas avoir eu recours à une main-d'œuvre enfantine et la plupart des labels internationaux ont été discrédités. Si les tapis produits par les coopératives de réfugiés tibétains sont presque toujours l'œuvre d'adultes, l'Uttar Pradesh est la capitale incontestée de l'exploitation des enfants. Les emporiums d'État et les coopératives caritatives offrent de loin les garanties les plus fiables.

cher et revêtent un aspect plus luxueux, mais ceux en laine sont plus résistants. Comptez au moins 200 $US pour un tapis en laine de bonne qualité de 90 sur 150 cm (ou 180, selon la région), et 2 000 $US pour son équivalent en soie. Les ouvrages tibétains, ornés de motifs assez simples, se révèlent un peu plus économiques. De nombreuses coopératives de réfugiés vendent des tapis de 90 cm sur 150 pour 100 $US, voire moins.

Si la plupart des boutiques peuvent expédier votre achat à domicile moyennant une certaine somme, il est plus sûr de le faire vous-même, afin d'éviter les escroqueries – vous pouvez prendre les tapis dans vos bagages, en prévoyant entre 5 et 10 kg pour une pièce de 90 sur 150 cm. Au Cachemire et au Rajasthan, on fabrique des *numda* (ou *namda*) en laine tissée, bien moins chers que les tapis noués. Dans de nombreuses régions indiennes, dont le Cachemire, le Rajasthan et l'Uttar Pradesh, on trouve des *dhurri*, sortes de kilims en coton. Enfin, les Cachemiris confectionnent de remarquables *gabba* au point de chaîne, en laine ou en soie.

Textiles

Le textile demeure la première industrie de l'Inde et 40% de la production vient des petits villages, où on l'appelle khadi. Dans tout le pays, des emporiums proposent des articles tissés main, notamment des "vestes Nehru" et des ensembles *kurta pyjama* (longue chemise à col montant, ou sans col, et pantalon), dont la vente profite aux communautés rurales.

Il existe une étonnante variété de techniques de tissage et de broderie. Dans les centres touristiques, notamment au Rajasthan et en Himachal Pradesh, celles-ci entrent dans la fabrication de sacs, de tentures, de housses de coussin, de couvre-lit, de vêtements et de nombreux autres articles. Pour plus de détails sur les superbes broderies et tissus du Kutch, reportez-vous à l'encadré p. 767.

L'applique est une tradition ancienne, dont presque chaque État possède une version, les motifs étant souvent abstraits ou anthropomorphes. On réalise selon cette technique des abat-jour et les *pandal* (grandes tentes) des fêtes et des mariages.

Les Adivasi (communautés ethniques) du Gujarat et du Rajasthan fabriquent des sacs très colorés, des housses de coussin et des tentures murales à partir de tissus ornés de petits miroirs. Jamnagar est réputée pour ses *bandhani* (fabriqués à partir de la technique du tie-and-dye) – saris, écharpes, etc. Les magasins d'Ahmedabad (p. 719) vendent des textiles du Gujarat. Vadodara (p. 731) est renommée pour les tissus à motifs

OBJETS INTERDITS À L'EXPORT

Afin de protéger le patrimoine culturel indien, l'exportation d'antiquités est interdite. De nombreux objets "anciens" peuvent néanmoins sortir du pays, mais les choses se gâtent s'ils ont clairement plus de 100 ans. Les antiquaires de bonne réputation connaissent la loi et peuvent produire des certificats d'exportation pour les pièces autorisées. Si vous avez des doutes, contactez l'**Archaeological Survey of India** (ASI ; carte p. 120 ; ☎ 011-23010822 ; www.asi.nic.in ; Janpath; 9h30-13h et 14h-18h lun-ven), à Delhi, à côté du National Museum. Dans le passé, le Ladakh, l'Himachal Pradesh, le Gujarat et le Rajasthan ont perdu à jamais des œuvres d'art et des éléments architecturaux traditionnels (comme des fenêtres sculptées et des tours de portes), vendus à l'étranger. Vous trouverez d'excellentes copies d'objets anciens.

L'Indian Wildlife Protection Act interdit tout commerce d'animaux sauvages. N'achetez pas de souvenirs dont la fabrication menace les espèces et les habitats en voie de disparition – ce faisant, vous risquez une lourde amende, voire une peine de prison. Cette réglementation s'applique aux châles *shahtoosh*, en laine d'antilope du Tibet (*chiru*), à l'ivoire, et à tout objet réalisé avec la fourrure, la peau, les cornes ou la carapace d'une espèce menacée. La seule solution véritablement sûre consiste à éviter tous les articles à base d'éléments animaux. Les produits à base de certaines plantes rares sont également interdits d'exportation.

Par ailleurs, notez que votre pays d'origine applique peut-être des lois restrictives à l'importation. Renseignez-vous avant d'acheter, car les peines encourues peuvent être sévères.

imprimés, utilisés pour les dessus-de-lit et les vêtements.

Des tissus teints au pochoir et des tissages, souvent de couleurs vives, sont vendus à travers toute l'Inde, chaque région ayant sa spécialité. La chaîne de magasins Fab India (www.fabindia.com) contribue à préserver les tissus et les styles traditionnels en les transformant en articles de décoration intérieure adaptés à la mode indienne et occidentale.

Les peintures sur tissu *kalamkari*, que l'on trouve notamment au Gujarat, font des tentures murales et des abat-jour admirables. Lucknow (p. 434), en Uttar Pradesh, est renommée pour ses *chikan*, des tissus brodés tissés à la main, ornés de motifs floraux très complexes. Au Punjab, ce sont les *phulkari* qui sont ornés de motifs de fleurs colorés au point lancé. Les femmes du Bengale-Occidental brodent au point de chaînette des motifs figuratifs appelés *kantha*. Une technique semblable est utilisée par les brodeuses du Cachemire pour réaliser les *gabba* (tapis), les *kurta* (tuniques) des femmes et les vestes de mariés.

Les batiks sont vendus dans tout le pays. Ils sont souvent utilisés pour les saris et les *shalwar kameez* (ensembles tunique-pantalon). Le *kurta Punjabi* pour homme se décline en une grande variété de tissus et de formes. Dans les grandes agglomérations, notamment à Delhi, vous ne serez pas en peine pour dénicher des articles de couturiers indiens et des vêtements occidentaux à des prix raisonnables.

Autres achats

Les épices indiennes jouissent d'une réputation mondiale. Dans la plupart des villes, boutiques et marchés en proposent au prix de gros. L'Uttar Pradesh et le Rajasthan produisent la plupart des épices entrant dans la composition du *garam masala* (mélange utilisé pour les curries indiens). Les États du Nord-Est et le Sikkim sont réputés pour la cardamome noire et la cannelle.

Il existe partout des boutiques d'*attar* (huiles essentielles). L'encens indien est exporté dans le monde entier.

Darjeeling et Kalimpong, au Bengale-Occidental, l'Assam et le Sikkim produisent des thés de qualité. Vous trouverez aussi d'excellents détaillants de thé à Delhi (voir p. 148) et dans d'autres grandes villes.

Les alcools du Sikkim, assez plaisants, se présentent dans des bouteilles fantaisie. Les vins du Maharashtra gagnent en popularité – notamment le Sula, le Grover et le Chateau Indage. L'Himachal Pradesh produit d'excellents vins de fruits.

Les sacs à bandoulière *jari* de Bhopal (au Madhya Pradesh, p. 680), en coton et décorés de motifs brodés, sont peu onéreux. Les États du Nord-Est sont renommés pour leurs paniers artisanaux, dont les formes sont caractéristiques de chaque ethnie.

Jodhpur (p. 227) est célèbre pour ses antiquités (lisez l'encadré ci-dessus avant de vous aventurer à en acheter).

Dans les villes où vivent des communautés bouddhistes, comme McLeod Ganj, Leh, Manali, Gangtok, Kalimpong et Darjeeling, jetez un coup d'œil dans les *Buddha shops*, spécialisés dans les objets de culte – drapeaux de prières, tentures murales, trompettes, percussions, bols chantants, clochettes, moulins à prières et *thangka*.

Les magasins de Darjeeling et de McLeod Ganj (p. 383) proposent du papier artisanal de très belle qualité, utilisé pour la confection de cartes, de boîtes, de blocs-notes et de cahiers. Le Chowri Bazaar (p. 150) de Delhi vend des cartes, ainsi que du papier à lettre et des enveloppes enluminés.

Les chapeaux ne manquent pas en Inde. Ceux en paille de l'Assam, tout comme les chapeaux, gants et écharpes en laine fabriqués par les réfugiés tibétains, sont en vente dans tout le pays. Les couvre-chefs portés par les peuples himalayens sont disponibles dans de nombreuses villes de l'Himachal Pradesh.

On peut aussi acheter en Inde un choix impressionnant de livres à des prix très avantageux, y compris de superbes ouvrages reliés en cuir. Quant aux CD des musiciens indiens, leurs tarifs sont imbattables.

En bref, vous n'aurez que l'embarras du choix.

ALIMENTATION

Nul autre pays au monde ne fait un meilleur usage des épices. Vous trouverez p. 81 et dans les rubriques *Où se restaurer* des chapitres régionaux un aperçu de ce qui attend vos papilles. Outre les restaurants, étals de rue, marchés, comptoirs de vente à emporter et confiseries participent aussi des plaisirs gustatifs. Ils ouvrent généralement de bonne heure le matin (ou à l'heure du déjeuner) et ferment tard le soir. Reportez-vous p. 794 pour de plus amples informations.

AMBASSADES ET CONSULATS

Ambassades et consulats de l'Inde à l'étranger

La liste ci-dessous répertorie quelques-unes des représentations de l'Inde à l'étranger. De nombreux pays possèdent également un consulat.

Bangladesh (Indian Visa Application Center ; ☎ 02-9893006 ; http://199.236.117.161 ; House 12, Rd 137, Gulshan I, Dhaka)

Belgique (☎ 02-6409140 ; www.indembassy.be ; 217 chaussée de Vleurgat, 1050 Bruxelles)

Bhoutan (☎ 02-322162 ; www.indianembassythimphu.bt ; India House Estate, Thimbu)

Canada (☎ 613-7443751 ; www.hciottawa.ca ; 10 Springfield Rd, Ottawa, Ontario K1M 1C9)

France ambassade (☎ 01 40 50 70 70 ; www.amb-inde.fr ; 15 rue Alfred-Dehodencq, 75016 Paris) services consulaires (☎ 01 40 50 50 88 ; 20-22 Rue Alberic-Magnard, 75016 Paris)

Myanmar (Birmanie ; ☎ 01-243972 ; www.indiaembassy.net.mm ; 545-547 Merchant St, Rangoon)

Népal (☎ 014-410900 ; www.indianembassy.org.np ; 336 Kapurdhara Marg, Katmandou)

Pakistan (☎ 0512-206950 ; G5, Diplomatic Enclave, Islamabad)

Suisse ambassade (☎ 031-351 11 10 ; www.indembassybern.ch ; Kirchenfeldsstrasse 28, 3005 Berne) ; consulat (☎ 022-906 86 76 ; 7-9 rue du Valais, 1202 Genève)

Thaïlande (☎ 0-2258 0300 ; www.indianembassy.in.th ; 46 Prasarnmitr Sukhumvit, Soi 23, Sukhumvit Rd, Bangkok 10110)

Ambassades et consulats étrangers en Inde du Nord

L'essentiel des ambassades et missions diplomatiques étrangères sont installées à Delhi, mais plusieurs pays ont également des consulats dans d'autres villes (voir le cas échéant les sites Internet indiqués dans les adresses de Delhi ci-dessous). La plupart

VOTRE AMBASSADE ET VOUS

Il est important de savoir ce que l'ambassade de votre pays peut ou ne peut pas faire pour vous. En règle générale, elle ne vous sera pas d'un grand secours si vous êtes plus ou moins responsable des ennuis dans lesquels vous vous trouvez. Elle ne vous soutiendra pas si vous vous retrouvez en prison après avoir commis un délit, même si cet acte n'est pas répréhensible dans votre propre pays.

En cas de réelle urgence, vous n'obtiendrez une aide éventuelle qu'une fois tous les autres recours épuisés. L'ambassade ne financera pas un rapatriement d'urgence ; vous devez avoir souscrit une assurance avant le départ. Si l'on vous dérobe vos papiers et votre argent, elle vous aidera à obtenir un nouveau passeport, mais elle ne vous prêtera pas de quoi continuer votre voyage.

ont un créneau horaire spécifique pour les demandes de visa, en principe le matin. N'hésitez pas néanmoins à vous renseigner plus précisément par téléphone.

Pour trouver les coordonnées des consulats d'autres pays à Delhi, consultez l'annuaire téléphonique ou le magazine gratuit *Delhi Diary*.

Bangladesh Delhi (carte p. 116 ; ☎ 011-24121394 ; www.bhcdelhi.org ; EP39 Dr Radakrishnan Marg, Chanakyapuri) ; Kolkata (carte p. 512 ; ☎ 033-22475208 ; 9 Circus Ave)

Belgique (☎ 011-42428000 ; www.diplomatie.be/newdelhifr ; 50-N Shantipath, Chanakyapuri, Delhi)

Bhoutan (carte p. 120 ; ☎ 011-26889230 ; Chandragupta Marg, Chanakyapuri, Delhi)

Canada Delhi (carte p. 120 ; ☎ 011-41782000 ; www.dfait-maeci.gc.ca/new-delhi ; 7/8 Shantipath, Chanakyapuri)

France Delhi (carte p. 120 ; ☎ 011-24196100 ; www.france-in-india.org ; 2/50E Shantipath, Chanakyapuri)

Myanmar Delhi (carte p. 120 ; ☎ 011-24678822 ; 3/50F Nyaya Marg) ; Kolkata (carte p. 512 ; ☎ 033-24851658 ; 57K Ballygunge Circular Rd)

Népal Delhi (carte p. 120 ; ☎ 011-23327361 ; Barakhamba Rd) ; Kolkata (carte p. 512 ; ☎ 033-24561224 ; 1 National Library Ave, Alipore)

Pakistan (carte p. 120 ; ☎ 011-24676004 ; 2/50G Shantipath, Chanakyapuri, Delhi)

Suisse (carte p. 120 ; ☎ 011-26878372 ; www.eda.admin.ch/newdelhi ; Nyaya Marg, Chanakyapuri, Delhi)

Thaïlande Delhi (carte p. 120 ; ☎ 011-26118104 ; www.thaiemb.org.in ; 56N Nyaya Marg, Chanakyapuri) ; Kolkata (carte p. 512 ; ☎ 24407836 ; 18B Mandeville Gardens, Gariahat)

ARGENT

La roupie indienne (Rs) est divisée en 100 paisa (p), mais les pièces en paisa se raréfient. Il existe des pièces de 5, 10, 20, 25 et 50 p et de 1, 2 et 5 Rs, ainsi que des billets de 5, 10, 20, 50, 100, 500 et 1 000 Rs (ce dernier est difficile à utiliser pour les grosses dépenses – hébergement, achats). La roupie est rattachée à un panier de devises et sa valeur reste généralement stable. Pour les taux de change, reportez-vous à l'intérieur de la couverture.

Les distributeurs automatiques de billets (DAB) connectés au réseau international sont répandus dans la plupart des villes d'Inde du Nord. Mieux vaut néanmoins toujours prévoir une petite réserve en liquide ou en chèques de voyage en cas de panne de courant, de distributeur hors service ou de perte de votre carte de crédit.

N'oubliez pas que vous devez présenter votre passeport pour changer espèces et chèques (conservez le reçu de l'opération pour pouvoir changer vos roupies superflues en devises avant de quitter le territoire). Les commissions sur les opérations de change, de plus en plus rares, se révèlent d'ordinaire insignifiantes. Pour tout renseignement sur le coût de la vie, reportez-vous p. 22. Voir aussi p. 788 pour des conseils de sécurité concernant votre argent.

Cartes de crédit

Elles sont acceptées dans un nombre croissant de commerces, de restaurants haut de gamme et d'hôtels de catégories moyenne ou supérieure, avec une préférence pour les cartes Visa et MasterCard. On peut également les utiliser pour payer les billets d'avion ou de train. Attention toutefois aux risques d'escroqueries (voir p. 786). Certaines banques dépourvues de distributeur de billet délivrent des espèces sur présentation d'une carte de crédit. Avant de partir, renseignez-vous auprès de votre banquier sur les conditions d'accès à votre compte.

Certificats d'encaissement

La loi oblige les détenteurs de devises étrangères à les changer dans des banques ou des bureaux de change officiels, où l'on remet à chaque transaction un certificat d'encaissement. Vous en aurez besoin pour changer vos roupies excédentaires lorsque vous quitterez le pays, le montant des espèces ne pouvant excéder celui des certificats. Les reçus des DAB sont également acceptés comme preuves par certaines banques. Conservez quelques roupies jusqu'au dernier moment, car, en Inde comme à l'étranger, les prix sont élevés dans les aéroports.

Jusqu'à récemment, il fallait présenter un reçu de change pour payer en roupies les billets de train. Ce n'est plus le cas aujourd'hui.

Change

Présents presque partout, les bureaux de change privés restent généralement ouverts plus longtemps que les banques. Certains font aussi office de cybercafé ou d'agence de voyages. Consultez au préalable les taux bancaires et comptez bien l'argent que l'on vous remet. En cas d'urgence, sachez que certains hôtels haut de gamme peuvent changer de l'argent, mais à des taux bien moins intéressants que ceux des banques.

Chèques de voyage

Les chèques de voyage des principaux émetteurs sont acceptés en Inde, mais certaines banques ne changent parfois que ceux d'American Express (Amex) et de Thomas Cook. Les euros et les dollars US sont les devises les plus pratiques, surtout en dehors des grandes villes. Les frais de change varient selon les villes et les banques.

Conservez toujours une réserve d'espèces en cas d'urgence et gardez précieusement, à part des chèques de voyage, les numéros des chèques, les preuves d'achat et les reçus d'encaissement, ainsi que les photocopies de votre passeport (page du visa comprise). En cas de perte, contactez les sièges American Express ou Thomas Cook de Delhi (voir p. 115).

Le remplacement des chèques perdus se fait sur présentation du reçu d'achat et des numéros des chèques manquants (certaines agences exigent aussi une photocopie de la déclaration de perte à la police). Si vous n'avez pas noté les numéros, la compagnie contactera l'agence où vous les avez achetés.

Distributeurs automatiques de billets (DAB)

La plupart des villes, grandes et moyennes, disposent de distributeurs de billets fonctionnant 24h/24 (pas toujours situés au même endroit que les agences bancaires). Les cartes Visa, MasterCard, Cirrus, Maestro et Plus sont les plus couramment acceptées. Parmi les banques qui prennent à coup sûr les cartes étrangères figurent Citibank, HDFC, ICICI, HSBC et la State Bank of India. En dehors des agglomérations importantes, prévoyez toujours du liquide ou des chèques de voyage en dépannage.

Les banques facturent parfois des commissions plus élevées sur les transactions internationales, mais ceci peut être compensé par des taux de change plus avantageux. Mieux vaut toutefois retirer de grosses sommes que de multiplier les petits retraits. Avant de partir, assurez-vous que votre carte accède au réseau bancaire indien et renseignez-vous sur les frais. Les banques bloquant parfois d'elles-mêmes l'utilisation de la carte de crédit à l'étranger, il est plus prudent d'avertir la vôtre que vous allez vous servir de votre carte en Inde (fournissez les dates de votre séjour). N'oubliez pas d'emporter le numéro de téléphone de votre banque au cas où…

Des distributeurs reprennent les billets s'ils ne sont pas récupérés dans les 30 secondes. À l'inverse, il semble aussi que d'autres mettent un certain temps à délivrer l'argent, aussi mieux vaut-il être patient.

Tous les distributeurs indiqués dans les chapitres régionaux acceptent les cartes étrangères (mais pas nécessairement toutes). Conservez dans un endroit sûr le numéro de téléphone à appeler en cas de perte ou de vol et faites immédiatement une déclaration le cas échéant.

Espèces

Changer des euros ou des dollars ne pose aucun problème, bien que certaines agences bancaires traitent uniquement les chèques de voyage. Quelques agences acceptent aussi les dollars canadiens et les francs suisses. Si les bureaux de change prennent d'ordinaire un plus grand nombre de devises, les monnaies pakistanaise, népalaise et bangladaise peuvent cependant être difficiles à convertir ailleurs qu'à la frontière. Hors des sentiers battus, prévoyez suffisamment de roupies.

Prenez le temps de vérifier soigneusement chaque billet. Les banques les agrafent en liasses, ce qui les abîme beaucoup. N'acceptez pas les coupures trop usées, sales ou déchirées, car vous aurez du mal à les écouler.

Conservez toujours une réserve de billets de 10, 20 et 50 Rs, car tout le monde semble toujours à cours de petite monnaie.

Avant de quitter le pays, vous devrez changer toutes vos roupies restantes, l'opération pouvant se faire à l'aéroport. Notez que certaines banques dans les aéroports n'effectuent pas les transactions en deçà de 1 000 Rs. Vous pourrez avoir besoin de certificats d'encaissement (voir ci-dessus) ou de reçus de carte de crédit et être obligé de présenter vos passeport et billet d'avion.

Pourboire, bakchich et marchandage

Dans les hôtels et les restaurants de catégories moyenne et supérieure, le service est en général inclus dans l'addition (le pourcentage varie selon les régions), et le pourboire, facultatif. Ailleurs, un pourboire est apprécié (même de quelques roupies). Dans les hôtels, les porteurs s'attendent à recevoir au moins 50 Rs, tout comme le personnel hôtelier, en échange de menus services. Les chauffeurs de taxi ou de rickshaw n'exigent pas de pourboire, mais celui-ci a un sens quand la qualité du service le justifie. Si vous louez une voiture avec chauffeur plus de deux ou trois jours, il est d'usage de donner un pourboire pour le service – voir d'autres précisions en p. 820.

Le bakchich pourrait être défini comme un "pourboire". Le mot bakchich désigne également l'aumône. N'encouragez pas la mendicité des enfants en leur distribuant des bonbons, des stylos ou de l'argent. Faites plutôt un don à une école ou à une organisation caritative (voir ci-contre).

Hormis dans certains magasins pratiquant des prix fixes (emporiums d'État et coopératives de commerce équitable par exemple), le marchandage s'impose partout ; voir l'encadré *L'art du marchandage* p. 772.

Virements internationaux

Si vous vous retrouvez à court d'argent en Inde, vous pourrez obtenir un transfert de fonds auprès de bureaux de change affiliés à **Moneygram** (www.moneygram.com) ou à **Western Union** (www.westernunion.com), moyennant une commission élevée. Pour encaisser l'argent, munissez-vous de votre passeport et du numéro de référence qui vous aura été communiqué par la personne qui aura effectué le virement.

ASSURANCE

Il est conseillé de souscrire une police qui vous assurera en cas de vol, de perte de vos effets personnels ou de problèmes médicaux (y compris en cas de rapatriement). Certaines ne couvrent pas les activités potentiellement dangereuses, telles que la plongée, le ski, le parapente, l'escalade ou même le trekking. Si vous louez une moto en Inde, vérifiez bien que vous possédez au moins une assurance responsabilité civile (voir p. 813).

Il existe de nombreux types de contrats, et il est nécessaire de bien lire les clauses en petits caractères pour connaître exactement les risques pris en compte. Dans certains endroits, les agences de trekking n'acceptent que les clients dont l'assurance prévoit le rapatriement sanitaire en hélicoptère. Vous pouvez contracter une police qui réglera directement les médecins et les hôpitaux, vous évitant ainsi d'avancer des sommes qui ne vous seront remboursées qu'à votre retour (dans ce cas, conservez tous les documents). En cas de vol, faites une déclaration à la police, car celle-ci vous sera demandée par votre assureur. Pour les questions de santé, reportez vous p. 821.

BÉNÉVOLAT

Les nombreuses organisations caritatives internationales qui œuvrent en Inde emploient des bénévoles étrangers. Malheureusement, certains postulants visent davantage à satisfaire leurs aspirations personnelles qu'à répondre à la demande. Mieux vaut s'engager dans des tâches d'au moins un mois, si possible en adéquation avec vos compétences. Les agences les plus efficaces s'informent auprès de la population locale et considèrent avant tout ses besoins. Il est possible de s'engager dans un travail bénévole sur place, mais les organismes caritatifs et les ONG préfèrent que leur personnel soit sélectionné avant leur arrivée. Prenez garde aux nombreux groupes religieux, dont le but premier est le prosélytisme.

Organismes à l'étranger

En France, quelques organismes offrent des opportunités de travail bénévole sur des projets de développement ou d'environnement, parfois sur des périodes courtes, de une à quatre semaines. Certaines associations s'adressent plus spécifiquement aux jeunes. Les chantiers proposés vont de la réfection d'une école aux travaux liés à l'environnement. Il s'agit d'une bonne formule pour s'immerger dans le pays, connaître l'envers du décor touristique et bénéficier d'une ambiance internationale (les volontaires viennent en général de divers pays). Toutefois, les conditions de vie sur un chantier sont spartiates. Prenez garde au décalage fréquent entre le programme et la réalité. La fouille archéologique peut rapidement se transformer, une fois sur place, en coup de peinture donné à la maison des jeunes locale. Le matériel est parfois rudimentaire, et la réalité du terrain souvent plus dure qu'on ne l'imaginait.

Comité de coordination pour le service volontaire international (CCVIS ; ☎ 01 45 68 49 36, fax 01 42 73 05 21 ; ccivs@unesco.org, www.unesco.org/ccivs/accueil800600-fr-bis.htm ; Maison de l'Unesco, 1 rue Miollis, 75732 Paris Cedex 15)

Concordia (☎ 01 45 23 00 23 ; www.concordia-association.org ; 17-19 rue Etex, 75019 Paris). Association loi 1901 née en 1950 de la volonté de jeunes Anglais, Allemands et Français. Prône des valeurs de tolérance et de paix à travers un chantier international de jeunes volontaires. Représentée en France par 6 délégations régionales.

Délégation catholique pour la coopération (DCC ; ☎ 01 45 65 96 65, fax 01 45 81 30 81 ; dcc@ladcc.org, www.ladcc.org ; BP 303, 106 rue du Bac, 75007 Paris)

Jeunesse et reconstruction (☎ 01 47 70 15 88 ; www.volontariat.org ; 10 rue de Trévise, 75009 Paris). Cette association, créée après la Seconde Guerre mondiale pour la paix en Europe, propose en priorité des projets individuels de 6 mois à un an.

Service civil international (SCI, branche française ; ☎ 01 42 54 62 43 ; www.sci-france.org ; 20 rue Camille-Flammarion, 75018 Paris). ONG internationale qui vise, via des chantiers de volontaires, à la promotion de la paix et du développement durable. Possède 34 branches dans le monde et, en France, des antennes dans 19 villes.

Solidarités jeunesses (☎ 01 55 26 88 77 ; www.solidaritesjeunesses.org ; 10 rue du 8-Mai, 75010 Paris). Mouvement international qui soutient les projets visant à organiser collectivement une société responsable. Développe des chantiers internationaux et le volontariat à long terme.

Programmes humanitaires en Inde

Les programmes humanitaires ci-après font appel à des volontaires (qui devront la plupart du temps avoir un bon niveau d'anglais). Nous vous conseillons de les contacter à l'avance pour connaître leurs besoins. Ils apprécient parfois vivement les dons d'argent ou de vêtements. Sauf mention contraire, les volontaires doivent subvenir à leurs propres besoins (hébergement, repas, transport, etc.).

Certains des organismes ci-dessous peuvent avoir d'autres filiales en Inde ; consultez leurs sites Internet pour davantage de précisions.

BENGALE-OCCIDENTAL

Hayden Hall (carte p. 560 ; ☎ 0354-2253228 ; min@haydenhall.com ; 42 Laden La Rd, Darjeeling) accueille des bénévoles (6 mois minimum) ayant une expérience dans le domaine de la santé et de l'enseignement aux tout-petits.

Human Wave (☎ 033-26852823 ; http://humanwave-volunteer.org ; 52 Tentultala Lane, Mankundu, Hooghly) gère des programmes de développement et de santé au Bengale-Occidental – des missions bénévoles dans les Sundarbans et des chantiers pour les jeunes à Kolkata notamment, pour une durée minimale de 15 jours (petite participation pour la nourriture et l'hébergement).

La **Makaibari Tea Estate** (slg_rajah@sancharnet.in ; www.makaibari.com ; Pankhabari Rd, Kurseong), une plantation de thé bio, a mis sur pied un programme de bénévolat dans les domaines de la santé, de l'éducation et de l'agriculture qui bénéficie directement aux ouvriers de la plantation. De nombreux étudiants en année sabbatique participent à ces projets.

BIHAR

Au Bihar, les professeurs, les travailleurs sociaux et les professionnels de santé peuvent s'engager comme bénévoles dans des écoles et des projets communautaires, à court ou long terme. Reportez-vous à l'encadré p. 589.

CHHATTISGARH

Saathi (☎ 07786-242852 ; saathibastar@yahoo.co.in ; Kondagaon, Chhattisgarh ; formation et hébergement en pension complète 400 Rs/j, matières premières 500 Rs/sem ; 🕑 8h-18h lun-sam) soutient les ethnies locales dans la production d'objets en terre cuite, la sculpture sur bois et le travail des métaux. Les bénévoles compétents dans les domaines de la création et de l'artisanat sont les bienvenus.

DELHI

Les **Missionnaires de la charité** Nirmal Hriday (carte p. 116 ; ☎ 011-65731435 ; 1 Magazine Rd), Shishu Bhavan (carte p. 116 ; ☎ 011-23950181 ; 12 Commissioners Lane), une congrégation religieuse fondée par Mère Teresa et basée à Kolkata, possèdent deux foyers ouverts aux bénévoles dans le secteur de Civil Lines : Shishu Bhavan, l'orphelinat, qui n'emploie que des volontaires de sexe féminin, et Nirmal Hriday, pour les malades, les indigents et les mourants.

La **Concern India Foundation** (carte p. 116 ; ☎ 011-26224482 ; delhi@concernindia.org ; A-52 1er ét., Amar Colony, Lajpat Nagar 4) peut impliquer des volontaires dans ses projets en cours. Contactez-la longtemps à l'avance.

Près de l'Hotel Namaskar, à Paharganj, le **Salaam Baalak Trust** (carte p. 136 ; ☎ 011-23681803 ; www.salaambaalaktrust.com ; Chandiwalan, Main Bazaar, Paharganj) héberge, nourrit les enfants des rues, et leur apporte une éducation. Il est possible d'apporter son soutien en finançant des projets individuels ou en donnant vêtements, jouets, couvertures, livres et ordinateurs. Le centre recherche notamment des bénévoles professeurs d'anglais, médecins et spécialistes en informatique. Il propose aussi des visites de Delhi guidées par les enfants (voir p. 134).

Le **SOS Children's Village** (carte p. 120 ; ☎ 011-24359734 ; www.soscvindia.org ; A7 Nizammudin West) vient en aide aux enfants abandonnés et réduits à la misère. Il a parfois besoin de personnes qualifiées pour enseigner l'anglais, pour des périodes de deux ans (contactez-le à l'avance par le biais des bureaux de SOS basés à l'étranger).

GUJARAT

Les **Missionnaires de la charité** (☎ 079-27559050 ; 831/1 Bhimjipura, Nara Wadaj, Ahmedabad) de Mère Teresa ont un foyer à Ahmedabad qui recueille les bébés abandonnés. Pour les volontaires de sexe féminin uniquement.

Également à Ahmedabad, l'**Animal Help Foundation** (carte p. 720 ; ☎ 079-2867698 ; www.ahf.org.in ; 5 Retreat, Shahibaug, Ahmedabad 380004) s'occupe des animaux abandonnés, comme les chiens errants, ou les milliers d'oiseaux blessés lors de la fête des cerfs-volants de Makar Sakranti.

HARYANA ET PUNJAB

Vous pouvez travailler bénévolement avec la **Nek Chand Foundation** (☎ 01923-856644 ; www.nekchand.com ; 1 Watford Rd, Radlett, Herts, WD7 8LA, Royaume-Uni) à la conservation des mosaïques du Nek Chand Fantasy Rock Garden de Chandigarh (p. 257).

HIMACHAL PRADESH

Pour travailler à court ou long terme avec les réfugiés tibétains de McLeod Ganj, les possibilités ne manquent pas ; voir p. 391.

À 6 km au sud de Manali, dans le village de Rangri, l'**Himalayan Buddhist Cultural School** (☎ 01902-251845 ; palkithakur@yahoo.com) peut offrir des missions de 6 mois au minimum aux enseignants qualifiés. Appelez-la ou contactez-la par e-mail avant de vous présenter.

Des enseignants expérimentés peuvent aussi être placés dans des écoles de jeunes nonnes bouddhistes à Spiti et Kinnaur par le biais de la **Jamyang Foundation** (www.jamyang.org).

Avec le **Kullu Project** (☎ 94181-02083 ; kulluproject.web.officelive.com), les bénévoles travaillent dans les écoles et les orphelinats de la vallée de Kullu.

JAMMU-ET-CACHEMIRE

En raison de l'instabilité politique, il reste délicat de faire du bénévolat au Jammu et dans la vallée du Cachemire. En revanche, le choix est vaste au Zanskar et au Ladakh. De nombreuses écoles bouddhistes ont besoin de professeurs d'anglais à long terme. Il existe aussi des missions liées à la gestion des ordures dans les régions reculées. Reportez-vous p. 307.

L'**International Society for Ecology and Culture** (www.isec.org.uk), basée en Angleterre, travaille sur le développement durable au Ladakh. Des placements d'un mois dans des fermes visent à aider les agriculteurs du Ladakh à prendre leur avenir en main et à promouvoir la compréhension entre les différentes cultures.

Le **Ladakh Ecological Development Group** (carte p. 304 ; ☎ 01982-253221 ; www.ledeg.org ; Ecology Centre, Leh), une ONG locale, est engagée dans l'éducation à l'environnement et dans le développement durable.

Le **Tibet Heritage Fund** (www.tibetheritagefund.org) travaille à la conservation de la vieille ville de Leh, au Ladakh. Les personnes qualifiées et expérimentées en restauration d'art et en architecture peuvent proposer leur aide (consultez le site Internet).

De nombreuses agences placent des bénévoles au Ladakh. Reportez-vous p. 780.

KOLKATA (CALCUTTA)

Les **Missionnaires de la charité** (www.motherteresa.org), fondés par Mère Teresa, possèdent des foyers ouverts aux bénévoles dans Kolkata et sa région : Nirmal Hriday, pour les mourants, Prem Dan, pour les malades et les handicapés mentaux, et Shishu Bhavan, pour les orphelins. Pour plus d'informations voir p. 519 et l'encadré p. 523.

L'ONG **Situational Management & Inter-Learning Establishment** (SMILE ; ☎ 033-25376621 ; www.smilengo.org ; Udayrajpur, Madhyamgram, No 9 Rail Gate) s'occupe des jeunes démunis de Kolkata. Elle gère un foyer pour les enfants et vient en aide aux enfants des rues de la gare de Sealdah. Elle accueille des bénévoles pour des durées allant de deux semaines à un an. Une participation est exigée pour couvrir les frais d'hébergement et de nourriture.

Depuis 1979, **Calcutta Rescue** (carte p. 518 ; ☎/fax 033-22175675 ; www.calcuttarescue.org ; 4e ét., 85 Collins St) pourvoit aux besoins médicaux, nutritionnels et éducatifs des personnes les plus défavorisées de Kolkata et d'autres lieux du Bengale-Occidental. Les professionnels de santé, les enseignants et les administrateurs peuvent postuler pour des missions (6-9 mois).

La **Calcutta Society for the Prevention of Cruelty to Animals** (CSPCA ; carte p. 520 ; ☎ 033-22367738 ; http://calcuttaspca.org ; 276 BB Ganguly St) vient en aide aux animaux, errants ou domestiques, et mène des campagnes en faveur de leurs droits. Elle a besoin de vétérinaires bénévoles (un mois minimum) pour sa clinique de BB Ganguly Rd.

MADHYA PRADESH

Le **Sambhavna Trust** (carte p. 681 ; ☎ 0755-2730914 ; sambavna@sancharnet.in ; Bafna Colony, Berasia Rd, Bhopal) a été créé pour venir en aide aux victimes de la catastrophe de Bhopal en 1984 – voir l'encadré p. 682.

Le **Global Village** (☎ 07686-272819 ; ajay.awasthi@gmail.com), installé en dehors de Khajuraho, traite principalement les problèmes environnementaux mais s'occupe aussi d'éducation et travaille à résoudre des problèmes encore plus épineux tels que la prostitution enfantine. Vous trouverez plus de précisions en p. 676.

La **Rehwa Society** (☎ 07283-273203 ; www.rehwasociety.org ; Maheshwar) est une coopérative artisanale dont les profits servent à la protection sociale des tisserands. Pour plus de renseignements, y compris sur les possibilités de bénévolat, voir p. 700.

RAJASTHAN

À Jaipur, le foyer des **Missionnaires de la charité** (carte p. 164 ; ☎ 0141-2365804 ; Vardhman Path, C-Scheme, Jaipur) de Mère Teresa recueille les plus démunis, dont beaucoup de handicapés, physiques ou mentaux.

Le **Disha – Centre for Special Education, Vocational Training and Rehabilitation** (Centre pour l'éducation spécialisée, la formation professionnelle et la réinsertion ; ☎ 0141-2393319 ; www.dishafoundation.org ; Disha Path, Nirman Nagar-C, Jaipur) vient en aide aux personnes souffrant de paralysie cérébrale et d'autres déficiences neurologiques. Il se concentre sur l'éducation spécialisée, les cours d'économie domestique, la formation professionnelle, l'aide socio-psychologique et l'assistance juridique. Il a besoin de bénévoles compétents dans les domaines de la physiothérapie, de l'orthophonie, de l'éducation spécialisée, du sport, des arts et de l'orientation professionnelle.

La clinique vétérinaire **Help in Suffering** (☎ 0141-3245673 ; www.his-india.org.au ; Maharani Farm, Durgapura, Jaipur) fait appel à des vétérinaires bénévoles pour des missions de 3, 6 ou 12 mois. Candidatures par courrier.

Toujours à Jaipur, le **SOS Children's Village** (☎ 0141-2280262 ; www.sos-childrensvillages.org ; Jhotwara Rd, Jaipur), en face de la Petal Factory, s'occupe d'enfants et de jeunes adultes. Des bénévoles y enseignent l'anglais et aident aux devoirs. Ne sont acceptées que les personnes prêtes à s'engager sur un an. SOS Kinderorf International gère ainsi plus de 30 programmes à travers le pays, qui emploient des femmes célibataires, des épouses abandonnées et des veuves pour venir en aide aux orphelins et aux enfants abandonnés ou démunis.

L'ONG **Marwar Medical & Relief Society** (☎ 0291-2545210 ; www.mandore.com ; c/o Mandore Guest House, Dadawari Lane, Mandore) lutte contre les problèmes de toxicomanie et offre une assistance médicale dans le district de Jodhpur. Elle emploie des volontaires à court terme, notamment les résidents de sa pension de Mandore, dans le cadre du programme Village Project.

Ladli (hors carte p. 164 ; ☎ 9829011124 ; www.ladli.org ; 74 Govindpuri, Rakdi, Sodala, Jaipur) dispense des formations aux orphelins et aux enfants les plus démunis. Des bénévoles sont employés pour garder les enfants, enseigner l'anglais et prendre part aux activités pédagogiques, pour des périodes allant de 2 mois à un an.

Seva Mandir (hors carte p. 210 ; ☎ 0294-2451041 ; www.sevamandir.org ; Old Fatehpura, Udaipur) œuvre pour la promotion de la santé, de l'alphabétisation et du développement rural. Des bénévoles peuvent venir observer ses activités ou y prendre part, pour une période minimale de 2 semaines. Candidatures sur le site Internet.

Également à Udaipur, la clinique vétérinaire **Animal Aid Society** (hors carte p. 210 ; ☎ 0294-2513359 ; www.animalaidsociety.org ; c/o Pratap Singh Rathore, 27C Neemach Mata Scheme, Dewali, Udaipur) accepte les vétérinaires expérimentés et les volontaires pour recueillir et soigner les animaux abandonnés ou blessés, à la clinique vétérinaire du village de Chota Hawala.

L'**Urmul Trust** (hors carte p. 248 ; ☎ 0151-2523093 ; Urmul Bhawan, Ganganagar Rd, Bikaner) apporte des soins médicaux et une éducation de base dans quelque 500 villages du Rajasthan, et œuvre pour les droits des femmes. Des bénévoles sont requis – travailleurs sociaux, personnels de santé et enseignants notamment –, pour des missions d'au moins un mois. Dans Urmul Dairy, à côté de la gare routière.

SIKKIM

L'**Himalayan Education Lifeline Programme** (HELP ; ☎01227-263055 ; www.help-education.org ; Mansard House, 30 Kingsdown Park, Whitstable, Kent CT5 2DF, Royaume-Uni), basé en Angleterre, recherche des enseignants bénévoles pour des missions dans des écoles du Sikkim. Consultez le site Internet pour plus de détails.

Le **Muyal Liang Trust** (☎ 020-7229 4774 ; 53 Blenheim Crescent, London W11 2EG Royaume-Uni), également implanté en Angleterre, propose aussi des missions au Sikkim.

UTTAR PRADESH

À Varanasi (Bénarès), la **Learn for Life Society** (www.learn-for-life.org), possède une petite école pour enfants défavorisés dans laquelle on peut travailler en tant que bénévole. Contactez cet organisme en passant par la **Brown Bread Bakery** (carte p. 450 ; ☎0542-2403566 ; brownbreadbakery@yahoo.co.in). Vous pouvez consulter le site Internet et vous reporter en p. 451.

La **Sankat Mochan Foundation** (☎ 0542-2313884 ; vmbganga@satyam.net.in ; Tulsi Ghat), association caritative qui travaille à nettoyer le Gange à Varanasi (voir l'encadré p. 452), accueille les bénévoles désireux de participer à la recherche et aux tâches d'administration.

UTTARAKHAND

L'**Uttaranchal Forest Development Corporation** (www.uafdc.in) emploie des bénévoles pour porter secours aux animaux et pour participer à des projets de développement dans les villages gujjar du Rajaji National Park. Le meilleur moyen de prendre contact avec ces projets est de passer par la **Mahesh Yogi Organisation** (☎01334-220910, mobile 9837100215 ; mohansindia@gmail.com) chez Mohan's Adventure Tours à Haridwar (p. 478).

La **Rural Organisation for Social Elevation** (ROSE ; ☎ 05963-241081 ; www.rosekanda.org ; Sonargaon Village, PO Kanda, Bageshwar, Uttarakhand) est basée au village de Kanda, près de Bageshwar, en Uttarakhand. Les volontaires vivent avec des familles locales pendant un à 6 mois. Ils apportent leur aide pour la cuisine, l'enseignement, les travaux des champs et les chantiers de construction.

À Ghangaria, dans la Valley of Flowers, au nord de l'Uttarakhand, l'Eco Development Committee met en place des projets de protection de l'environnement entre juin et octobre. Contactez le Nature Interpretation Centre (p. 493).

CARTES DE RÉDUCTION

Jeunes et étudiants

Les cartes d'étudiant présentent un intérêt limité, car la plupart des réductions sont désormais liées à l'âge. Les auberges de jeunesse gérées par l'Indian Youth Hostels Association dépendent du réseau Hostelling International (HI), dont la carte donne droit à des tarifs réduits. Les membres de YMCA/YWCA bénéficient également d'une réduction dans les établissements de ce réseau.

Les étrangers de moins de 30 ans peuvent prétendre à une réduction de 25% sur les vols intérieurs au tarif plein. Les prix de certaines compagnies aériennes à bas coût restent néanmoins plus avantageux.

Seniors

Certaines compagnies aériennes offrent une réduction jusqu'à 50% sur les vols intérieurs aux voyageurs indiens de plus de 65 ans. Cependant, les tarifs promotionnels et les billets des compagnies aériennes à bas prix s'avèrent souvent plus économiques. Toutes les personnes de plus de 60 ans paient 30% de moins sur les trajets en train. Votre passeport vous permettra de justifier de votre âge.

CARTES ET PLANS

Les cartes imprimées en Inde ne sont pas toujours fiables. Certaines contiennent même des erreurs destinées à dérouter d'éventuels envahisseurs. Il existe néanmoins quantité de cartes du sous-continent de grande qualité. L'Institut géographique national (IGN) publie une carte du pays au 1 / 2 500 000. Citons également la série Discover India de TTK, Nest & Wings (www.nestwings.com), Eicher (maps.eicherworld.com) et Nelles (www.nelles-verlag.de). Le Survey of India (www.surveyofindia.gov.in) publie aussi des cartes correctes des villes, des États et du pays, mais certaines ont une diffusion limitée pour des raisons de sécurité. On peut se procurer toutes ces références dans les bonnes librairies ou en ligne, auprès d'India Map Store (www.indiamapstore.com).

Partout en Inde, les offices du tourisme disposent de cartes locales, le plus souvent obsolètes et incomplètes, mais qui permettent néanmoins de se repérer.

CLIMAT

Le nord de l'Inde est très vaste et les conditions climatiques sont très différentes d'une région

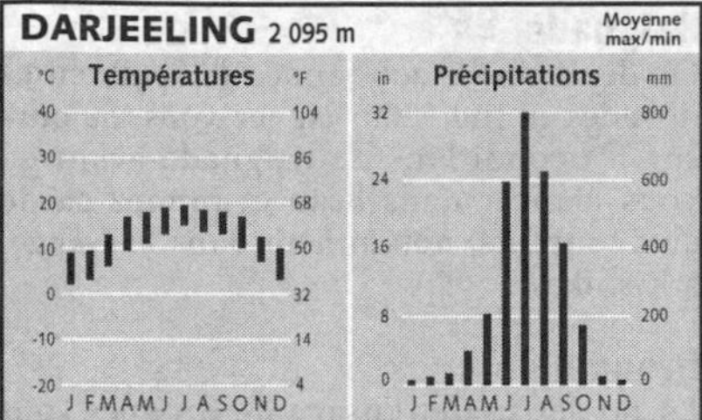

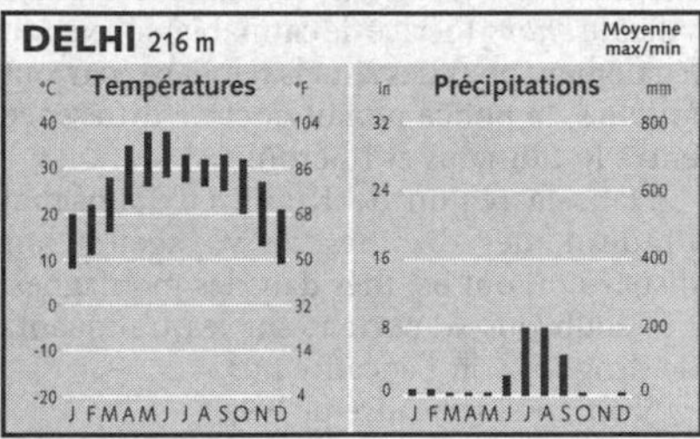

à l'autre. Pour faire simple, disons que le pays connaît trois saisons : une chaude, une humide et une fraîche. Reportez-vous p. 21.

COURS

Un voyage en Inde du Nord permet de se former dans toutes sortes de domaines, de la cuisine indienne au yoga et à la méditation, en passant par le hindi. Pour connaître les différentes possibilités, renseignez-vous dans les offices du tourisme, lisez journaux et magazines, consultez les tableaux d'affichage et discutez avec d'autres voyageurs. Reportez-vous aussi au chapitre *Activités* et p. 81 pour la cuisine.

Arts et artisanat

Parmi les cours d'art et d'artisanat, citons :

Madhya Pradesh et Chhattisgarh L'ONG SAATHI propose des stages d'art bastar près de Jagdalpur (p. 716).

Rajasthan Vous trouverez des cours de peinture à Jaipur (p. 168), à Jhunjhunu (p. 187) et à Udaipur (p. 209), ainsi que des cours de céramique à Jaipur.

Dégustation de thé

Vous trouverez des informations sur les lieux où l'on apprend à mieux connaître cette boisson p. 551.

Langues

Pour tirer parti des cours, il est préférable de les envisager lors d'un long séjour. Certains organismes imposent une durée minimale.

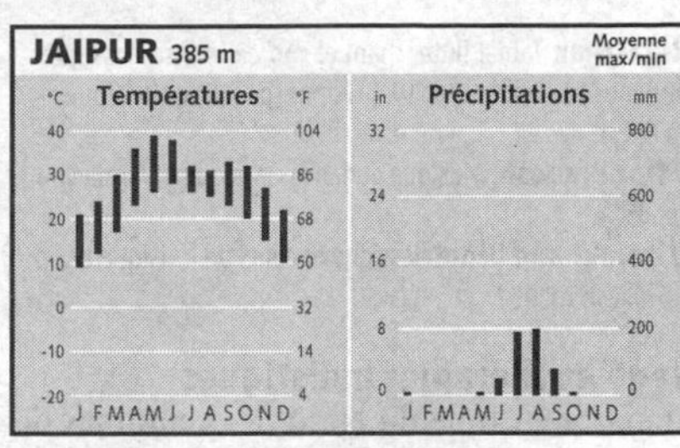

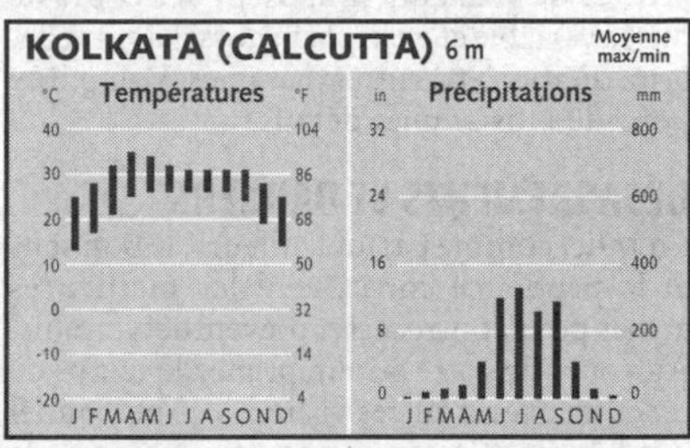

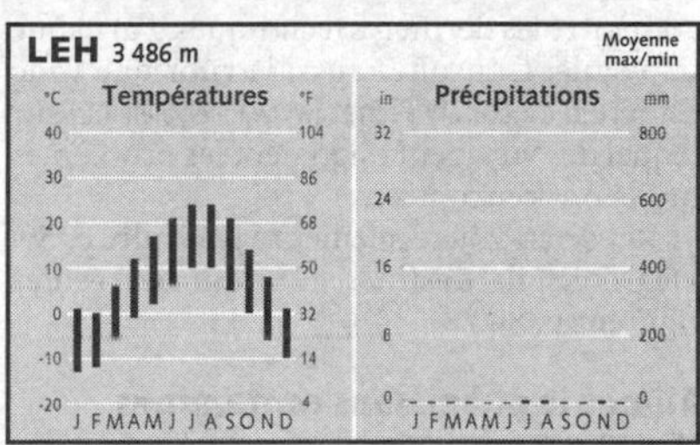

Quelques idées :

Delhi Hindi pour débutants, au Central Hindi Directorate (p. 133).

Himachal Pradesh Stages longs ou courts de tibétain à McLeod Ganj (p. 389).

Uttar Pradesh Plusieurs structures proposent des cours de hindi (p. 451).

Uttarakhand Hindi à Mussoorie (p. 473) et Rishikesh (p. 485).

Bengale-Occidental Stages de tibétain à Darjeeling (p. 564).

Musique et danse

Vous profiterez au mieux de ces cours si vous restez sur place plusieurs semaines. La plupart des centres fournissent les instruments, mais pour une pratique dans la longueur, mieux vaut acheter le vôtre.

Quelques options :

Kolkata Danse indienne classique, à l'Aurobindo Bhawan (p. 527).

Rajasthan Tabla, flûte, chant et *kathak* (danse classique indienne) à Pushkar (p. 192), Jaipur (p. 168) et Udaipur (p. 209).
Uttar Pradesh. Musique et danse classique à Varanasi (p. 451).
Uttarakhand Danse classique et cours de musique à Rishikesh (p. 482).

Yoga et thérapies holistiques

Il existe en Inde du Nord des centaines de centres de yoga, qui proposent des cours de durée variable et enseignent aussi l'ayurvéda, la méditation et d'autres thérapies. Voir p. 109 pour de plus amples détails.

DÉSAGRÉMENTS ET DANGERS

En Inde, comme partout ailleurs, le bon sens et la prudence constituent les meilleures armes pour contrecarrer d'éventuels ennuis. Au cours de votre séjour, prenez le temps de discuter avec d'autres visiteurs, le personnel des hôtels et les agents de voyages, afin de connaître les dernières techniques d'arnaque en vogue. Consultez aussi la rubrique Inde du **forum de Lonely Planet** (www.lonelyplanet.fr) sur lequel des voyageurs signalent les problèmes qu'ils ont rencontrés.

Reportez-vous également à l'encadré p. 59. Des conseils destinés aux femmes seules figurent p. 800.

Aliments et boissons contaminés

Il est apparu ces dernières années que des cliniques privées avaient prescrit des traitements abusifs afin de percevoir plus d'argent des assurances médicales. Si possible, prenez plusieurs avis. Plus inquiétant, un sérieux problème de nourriture contaminée est survenu à la fin des années 1990, essentiellement à Agra et à Varanasi (Bénarès). De nombreux voyageurs sont tombés malades et deux sont morts après avoir mangé dans des restaurants locaux en cheville avec des cliniques. Cette machination a heureusement été démontée, mais elle pourrait se reproduire.

L'eau peut aussi poser problème. Quand vous achetez de l'eau minérale, vérifiez que le bouchon a bien été hermétiquement scellé et que le fond de la bouteille n'a pas été trafiqué. Écrasez les bouteilles en plastique vides afin qu'elles ne puissent être réutilisées. Si vous apportez des pastilles pour purifier l'eau ordinaire, vous contribuerez, même modestement, à la lutte contre la pollution par le plastique.

Baignade

On dénombre chaque année de nombreuses noyades en Inde. Renseignez-vous toujours sur les conditions de baignade avant de vous élancer dans l'eau et prenez garde aux courants, notamment dans le Gange, à Rishikesh.

Drogue

La possession et l'usage de drogues sont illégaux en Inde. Bien que dans certaines villes le *bhang* (dérivé de cannabis) soit vendu légalement pour des rituels religieux, partout ailleurs, la police ne fait aucune différence entre le cannabis et l'héroïne.

Dans la région de Kullu, en Himachal Pradesh, des dizaines de voyageurs ont disparu ou ont été tués dans les montagnes. Les soupçons se portent sur les trafiquants de drogue ; voir l'encadré p. 351.

Voir aussi l'encadré p. 799.

Escroqueries

Plusieurs escroqueries ont cours en Inde du Nord, surtout dans les destinations touristiques.

N'écoutez pas les personnes qui prétendent que vous pouvez acheter des produits bon marché en Inde, notamment des pierres précieuses et des tapis, et les revendre facilement ailleurs en réalisant un bénéfice. Ceux qui pratiquent ce genre d'arnaque se montrent faussement amicaux. Après vous avoir amadoué en vous invitant chez eux ou en vous offrant un repas, ils vous racontent des histoires larmoyantes sur la difficulté d'obtenir une licence d'exportation. Ils insistent sur le fait que cela peut représenter pour vous l'occasion de vous "enrichir rapidement", en transportant ou en expédiant par la poste des marchandises dans votre pays et en les revendant avec une marge à leurs "représentants". Ces escrocs iront souvent jusqu'à vous montrer des témoignages fictifs émanant d'autres voyageurs. Dans tous les cas, les articles ne valent en réalité qu'une infime fraction du prix payé et les "représentants" n'existent pas. Voir l'encadré p. 174.

Attention aussi lorsque vous faites envoyer vos achats. Il arrive en effet que des boutiques remplacent l'article choisi par un autre de piètre qualité. Si vous avez le moindre doute, chargez-vous en personne de l'expédition. Si le paiement par carte de crédit est sûr dans les magasins d'État, certaines boutiques de

CONSEILS AUX VOYAGEURS

La plupart des gouvernements possèdent des sites Internet qui recensent les dangers possibles et les régions à éviter. Consultez notamment les sites suivants :

- Ministère des Affaires étrangères de Belgique (www.diplomatie.be)
- Ministère des Affaires étrangères du Canada (www.voyage.gc.ca)
- Ministère français des Affaires étrangères (www.diplomatie.gouv.fr)
- Département fédéral des Affaires étrangères suisse (www.eda.admin.ch)

souvenirs privées émettent des copies supplémentaires de votre empreinte de carte de crédit, utilisées ensuite pour des transactions frauduleuses. Insistez pour que le marchand effectue l'opération sous vos yeux.

Bien que seule une minorité de commerçants soit vraiment malhonnête, de nombreux vendeurs de souvenirs pratiquent le racket à la commission (voir ci-dessous).

Fêtes

La multitude qui se presse à l'occasion des fêtes offre un spectacle fabuleux, mais ne doit pas faire oublier que presque chaque année des pèlerins sont écrasés ou piétinés lors des processions dans les temples et sur les quais de gare. Redoublez de prudence lors des mouvements de foule et empruntez de préférence les trains normaux plutôt que ceux spécialement affrétés pour les pèlerins.

Montrez-vous aussi des plus vigilants pendant la fête de Holi (p. 28). Bien qu'elle donne lieu à des manifestations plutôt bon enfant, certaines personnes ont été aspergées de substances toxiques mélangées à de l'eau, qui leur ont laissé des cicatrices. Des voyageuses ont été harcelées par des hommes sous l'empire de l'alcool et du *bhang*, un dérivé du cannabis. Il est vivement recommandé aux voyageuses de ne pas s'aventurer seules dans les rues lors des fêtes.

Rabatteurs et commissions

Vu le nombre d'enseignes dépendant du tourisme, la concurrence est rude. Nombre d'hôtels et de commerces attirent des clients supplémentaires en employant des rabatteurs. Ces endroits sont généralement impopulaires, car ils pratiquent des prix jusqu'à 50% supérieurs, voire plus, pour pouvoir payer la commission des rabatteurs. Pour contourner cette pratique, demandez au chauffeur de taxi ou de rickshaw de vous déposer à un point de repère quelconque à proximité de votre destination finale. Vous pourrez ainsi vous rendre seul dans l'établissement de votre choix et payer le prix normal.

Les rabatteurs se pressent souvent dans les gares ferroviaires et routières. Si quelqu'un vous demande s'il s'agit de votre premier séjour en Inde, dites que vous êtes déjà venu plusieurs fois afin de paraître moins vulnérable. Certains hôtels refusant de faire appel aux services de ces intermédiaires, ceux-ci vous affirmeront sans vergogne que lesdits établissements sont "complets", "en travaux" ou "fermés". Bien entendu, ces récits sont généralement fantaisistes. Méfiez-vous aussi des phrases du genre "la boutique de mon frère" ou "un ami qui vous fera un prix spécial", car elles participent du même système.

Néanmoins, les rabatteurs peuvent dépanner lorsque l'on arrive sans réservation dans un endroit très fréquenté ou en haute saison. Ils sauront en effet où dénicher un lit.

Les rabatteurs sont particulièrement insistants à Delhi. Un bon moyen de les éviter consiste, quand c'est possible, à ce qu'un membre du personnel de l'hôtel vienne vous chercher à votre arrivée. C'est vrai pour toutes les grandes villes.

Régions à risque

Comme dans de nombreux autres pays, des groupes armés revendiquent leurs droits par la violence. Leurs méthodes sont tristement classiques : assassinats et attentats à la bombe contre les administrations, sur les marchés, ainsi que dans les transports publics, les centres religieux et les villes touristiques. Pour plus d'informations reportez-vous p. 54.

D'une manière générale, l'Inde n'est pas plus dangereuse que d'autres pays, mais certaines régions restent sensibles, notamment le Cachemire, les États du Nord-Est, certaines régions tribales et, dans une moindre mesure, le Bihar. En raison des couvre-feux et des grèves, il arrive que certaines routes (ainsi que les banques, commerces, etc.) restent fermées pour une période indéterminée dans des régions comme le Cachemire.

Le terrorisme international a frappé l'Inde comme les pays occidentaux. Ce n'est pas une raison pour renoncer à un voyage dans le sous-continent mais informez-vous sur les conditions de sécurité avant de vous aventurer dans une région sensible. Pour obtenir des informations fiables, contactez votre ambassade. Reportez-vous aux chapitres régionaux pour plus d'informations.

Surfacturation et photos

Dans certaines circonstances, qu'il s'agisse de manger dans un restaurant dépourvu de menu ou de héler un auto-rickshaw, mieux vaut tomber d'accord au préalable sur le prix de la transaction. Cette solution présente l'avantage de dissiper tout malentendu et d'éviter les mauvaises surprises.

Si vous prenez des photos, montrez-vous respectueux (voir le paragraphe *Courtoisie et photographie* dans l'encadré *L'Étiquette* en p. 59), et sachez aussi que certains voyageurs se sont vu réclamer de l'argent alors qu'ils avaient reçu l'accord de la personne qu'ils venaient de photographier. En la matière, fiez-vous à votre intuition et, si le doute persiste, évitez de prendre les gens en photo.

Transports

Des agences de voyages sans scrupule se font de l'argent sur le dos des touristes qui achètent des circuits ou des billets de transport. Assurez-vous des prestations comprises dans le prix (faites-les préciser par écrit) pour ne pas avoir à payer plus tard des suppléments inattendus.

Dans certaines villes touristiques, dont Delhi, des agences de voyages jouent la carte alarmiste et poussent les visiteurs à prendre des transports privés sous prétexte de sécurité, pour des circuits parfaitement sûrs par les transports publics. Avant de vous engager, vérifiez la situation dans la région que vous avez l'intention de visiter, afin de mieux résister à ces offres douteuses.

Il est définitivement exclu de réserver un hébergement sur un *house-boat* de Srinagar à partir de Delhi (voir p. 290).

Lorsque vous prenez un billet de bus, de train ou d'avion ailleurs qu'au bureau agréé de la compagnie qui assure le transport, vérifiez bien que l'on vous remet le ticket de la classe pour laquelle vous avez payé. Il n'est pas rare en effet que des voyageurs réservent une place dans un bus deluxe ou une couchette de train climatisée, et se retrouvent dans un bus ordinaire ou sur un siège inclinable beaucoup moins confortable.

Trekking

Entreprendre un trek hors des sentiers battus présente un risque. Nous vous recommandons fortement d'avoir recours à un guide et à des porteurs locaux, ou de vous joindre à une formule organisée. Reportez-vous p. 106 pour plus de détails.

Vols et somnifères

Le risque de vol existe en Inde comme partout ailleurs. À bord des trains, fermez vos bagages à clé (des cadenas miniatures et des chaînes sont disponibles dans la plupart des gares ferroviaires) et attachez-les au porte-bagage métallique ou à l'anneau prévu à cet effet sous les sièges. En bus, fixez-les avec un cadenas à la galerie du toit.

Les voleurs s'intéressent plus particulièrement aux lignes très touristiques, de Delhi à Agra par exemple. Redoublez d'attention au moment du départ, quand la confusion et la foule sont à leur comble. Soyez également prudent dans les aéroports. Votre surveillance risque en effet de se relâcher après un long voyage.

On a signalé des cas de personnes (en particulier voyageant seules) droguées et dépouillées lors d'un trajet en bus ou en train. Après avoir engagé la conversation, un inconnu avenant vous offre une boisson dans laquelle il aura versé une drogue quelconque pour vous endormir. Mieux vaut refuser poliment nourriture ou breuvage, surtout si vous êtes seul.

Certains voyageurs améliorent hélas leur budget en subtilisant l'argent des autres, notamment dans les dortoirs. Si vous égarez votre carte de crédit, appelez immédiatement le numéro international qui traite des pertes et vols. Pour les chèques de voyage, contactez le bureau d'American Express ou de Thomas Cook à Delhi (p. 115).

Une bonne police d'assurance est essentielle (voir p. 780). Gardez à portée de main les numéros d'urgence et familiarisez-vous avec la procédure de remboursement. Conservez une photocopie de votre passeport (y compris la page du visa) et de votre billet d'avion, séparément des documents originaux. Certaines personnes scannent les copies de leurs papiers importants et les gardent sur Internet.

C'est contre votre peau, dans une ceinture/porte-monnaie ou une pochette dissimulée sous vos vêtements, que votre argent et votre passeport seront le plus en sécurité. Si vous utilisez un porte-monnaie, ne le mettez jamais dans la poche arrière de votre pantalon. Les bananes sont très appréciées des voleurs qui repèrent ainsi aisément leurs victimes.

Nous vous conseillons de conserver au moins 100 $US dans un endroit à part, juste au cas où. Séparez aussi les gros billets des petites coupures afin de ne pas exhiber en public de grosses liasses pour payer un chauffeur de taxi ou un cireur de chaussures.

Dans les hôtels d'apparence douteuse, placez votre ceinture/porte-monnaie sous l'oreiller lorsque vous dormez et ne laissez jamais dans la chambre ni argent ni documents importants quand vous sortez, pas même sous le matelas. Les adresses de meilleure catégorie disposent d'un coffre-fort. Pour avoir l'esprit tranquille, vous pouvez utiliser votre propre cadenas dans les chambres dont la porte se ferme de cette façon (courant dans les établissements bas de gamme). Si vous ne parvenez pas à vous enfermer efficacement de l'intérieur, demandez une autre chambre ou changez carrément d'endroit.

DOUANES

L'Inde applique les réglementations de détaxe habituelles, soit 1 litre d'alcool et 200 cigarettes, ou 50 cigares, ou 250 g de tabac. La détaxe ne vaut pas si vous arrivez du Népal. L'importation d'articles de valeur, comme les caméras vidéo et les ordinateurs portables, peut faire l'objet d'une déclaration spéciale (formulaire *Tourist Baggage Re-export*), par laquelle les visiteurs s'engagent à ne pas les laisser sur le territoire indien.

Vous êtes censé déclarer à votre arrivée les sommes en espèces/chèques de voyage supérieures à 5 000/10 000 $US et ne pas quitter le pays avec des roupies. L'exportation d'antiquités et de produits dérivés d'animaux est réglementée ; reportez-vous à l'encadré p. 776.

ENFANTS

La société indienne est fondée sur la famille et accueille volontiers les enfants. Cependant, malgré la merveilleuse bienveillance dont ils bénéficient, voyager en Inde avec des petits peut se révéler fatigant et requiert une vigilance de tous les instants. Soyez attentif à tout moment, et plus particulièrement près des routes.

Pratique

ALIMENTATION ET BOISSONS

Les enfants sont les bienvenus dans la plupart des restaurants, mais seuls les plus chic et les chaînes de fast-foods disposent de chaises hautes et de menus spéciaux. Pour changer votre bébé, vous devrez généralement vous contenter des toilettes, souvent bondées, de l'établissement.

Faire manger à vos enfants une nourriture inhabituelle peut constituer un véritable défi. Il existe cependant de nombreux fast-foods occidentaux. On trouve facilement de l'eau en bouteille, des briques de jus de fruits et des cannettes sodas, mais attention aux jus de fruits frais vendus dans la rue, car ils contiennent parfois de l'eau non filtrée.

HÉBERGEMENT

De nombreux hôtels comportent des chambres familiales (*family rooms*) ou vous fourniront sans problème un lit de plus moyennant un petit supplément. En revanche, les lits d'enfant sont rares. Les établissements haut de gamme proposent un service de baby-sitting et/ou des activités destinées aux petits ; renseignez-vous au préalable. Ils offrent en outre la TV par câble, qui comporte plusieurs chaînes pour enfants.

RÉDUCTIONS

Dans les trains indiens, les moins de 4 ans voyagent gratuitement et les enfants de 5 à 11 ans paient moitié prix. La plupart des compagnies aériennes facturent 10% du tarif adulte pour les bébés et 50% jusqu'à 11 ans.

Nombre de sites touristiques accordent une réduction aux moins de 12 ans (15 ans dans certains États).

SANTÉ

Veillez scrupuleusement à l'hygiène des petits, beaucoup plus vulnérables aux risques sanitaires, notamment à la diarrhée, que les adultes (reportez-vous p. 821). Emportez, le cas échéant, les traitements médicamenteux suivis par vos enfants. Les animaux enragés, chiens et singes en particulier, constituent également un danger. Consultez un médecin avant de partir au sujet des vaccins et traitements nécessaires.

TRANSPORTS

Tout long trajet par la route doit comporter des arrêts réguliers pour se restaurer et aller aux toilettes. L'état du réseau routier associé à la circulation anarchique peut provoquer le mal des transports (prévoyez un médicament ad hoc le cas échéant). Notez que les sièges pour enfants, et même les ceintures de sécurité, sont rares.

Autant que possible, préférez le train, d'ordinaire plus confortable, surtout pour les longs périples. Les vols intérieurs permettent aussi de gagner du temps en gardant son calme.

VOYAGER AVEC UN BÉBÉ

Les articles ordinaires pour bébés, comme les couches et le lait en poudre, sont en vente dans la plupart des grandes villes et des centres touristiques. Si votre enfant se montre difficile, apportez son alimentation habituelle. Prévoyez aussi une crème solaire haute protection, un chapeau bien ajusté à larges bords et une natte lavable pour recouvrir les surfaces douteuses. L'allaitement en public est généralement bien perçu.

À voir et à faire

Prévoyez quelques jours d'adaptation afin que votre progéniture s'habitue à l'environnement indien, riche en couleurs, en sons et en parfums nouveaux. Commencez par des destinations qui séduisent généralement les enfants.

L'Inde a tous les atouts pour séduire les enfants : plages, réserves naturelles, planétariums ou encore spectacles son et lumières. Reportez-vous aux chapitres régionaux pour plus de précisions.

L'Inde célèbre une multitude de fêtes qui parlent à l'imagination des enfants. Mieux vaut cependant tenir les bambins un peu à l'écart de la foule. Pour de plus amples renseignements, consultez le chapitre *Calendrier des fêtes* et les encadrés répertoriant les différentes manifestations, en tête des chapitres régionaux.

FORMALITÉS ET VISAS

Un passeport valide plus de six mois après la fin de votre séjour et un visa sont obligatoires pour entrer en Inde. Les citoyens de l'UE, les Suisses et les Canadiens peuvent obtenir un visa de six mois à entrées multiples (valable à partir de la date de délivrance). Facturé en devise locale, il coûte 50 € pour les Français et les Belges (plus 14 € de dossier), 75 FS pour les Suisses et 62 $C pour les Canadiens. Si vous vous déplacez pour obtenir votre visa, sachez que les horaires des services consulaires sont contraignants :

Ambassade d'Inde en France (🕓 dépôt des dossiers 9h30-12h lun-ven)

Ambassade d'Inde en Belgique (🕓 dépôt des dossiers 9h30-11h30 lun-ven)

Haute Commision d'Inde au Canada (🕓 dépôt des dossiers 9h30-12h30 lun-ven)

Ambassade d'Inde en Suisse (🕓 dépôt des dossiers 9h30-12h30 lun-ven)

Vous pouvez aussi passer par un organisme comme Visas Express (www.visas-express.com), qui se chargera des démarches. Dans tous les cas, vous devrez présenter un billet aller-retour, de manière à prouver que vous n'avez pas l'intention de rester en Inde.

Les personnes d'origine indienne qui détiennent un passeport d'un autre pays peuvent demander un visa à entrées multiples valable jusqu'à 5 ans, ou la carte spéciale *People of Indian Origin* (PIO), valable 15 ans. Renseignez-vous dans votre ambassade.

Pour les visas d'une durée supérieure à six mois, vous devez vous faire enregistrer au **Bureau régional d'enregistrement des étrangers** (*Foreigners' Regional Registration Office*, FRRO ; voir p. 791) dans les 14 jours qui suivent votre arrivée en Inde. Renseignez-vous lors de votre demande.

Avant le départ, il est impératif de contacter l'ambassade ou le consulat pour s'assurer que les modalités d'entrée sur le territoire n'ont pas changé. Nous vous conseillons de photocopier tous vos documents importants (pages d'introduction de votre passeport, cartes de crédit, numéros de chèques de voyage, police d'assurance, billets de train/d'avion/de bus, permis de conduire, etc.). Emportez un jeu de ces copies, que vous conserverez à part des originaux. Vous remplacerez ainsi plus aisément ces documents en cas de perte ou de vol.

Prorogations de visa

Il est théoriquement possible de demander une prorogation de visa de 14 jours au **Ministry of Home Affairs** (ministère de l'Intérieur ; carte p. 120 ; ☎011-23385748 ; 26 Jaisalmer House, Man Singh Rd, Delhi ; 🕓 renseignements 9h-11h tlj), mais vous avez peu de chance de l'obtenir. La seule circonstance qui vous permettrait de l'acquérir serait d'être victime d'un vol de passeport juste avant la date d'expiration de votre visa. Vous n'aurez droit à un autre visa de six mois qu'en sortant du pays (de nombreux voyageurs passent ainsi à Sri Lanka, à Bangkok ou au Népal – il est difficile d'avoir un visa à Katmandou).

À Delhi, le **Foreigners' Regional Registration Office** (Bureau régional d'enregistrement des étrangers ; FRRO ; ☎ 011-26195530 ; frrodelhi@hotmail.com ; Level 2, East Block 8, Sector 1, Rama Krishna Puram, Delhi ; 9h30-13h30 et 14h-15h lun-ven) se situe à l'angle de l'hôtel Hyatt Regency. Il s'occupe des prorogations et des remplacements de visa en cas de perte/vol d'un passeport.

En admettant que vous répondiez aux critères d'attribution drastiques, le FRRO délivre gratuitement des prorogations pour une durée de 14 jours. Munissez-vous de votre billet d'avion de retour, d'une photo d'identité et d'une photocopie de votre passeport (pages d'identité et du visa). Notez que ce système vise surtout à vous permettre de quitter promptement le pays suivant la procédure officielle. En aucun cas il n'est destiné à vous octroyer deux semaines de vacances supplémentaires.

HANDICAPÉS

Les transports en commun bondés, la foule omniprésente des grandes villes et les infrastructures parfois rudimentaires mettent à l'épreuve les voyageurs les plus résistants. La situation se complique d'autant plus avec un handicap. Voir des Indiens handicapés se mouvoir dans la folle circulation sur des vélos bricolés prouve en tout cas que rien n'est impossible !

Peu d'hôtels (les plus haut de gamme généralement), de restaurants et de bureaux sont accessibles en fauteuil roulant. Les escaliers sont souvent raides et beaucoup d'ascenseurs s'arrêtent à l'entresol entre les étages. Les trottoirs, quand ils existent, sont creusés de nids-de-poule, jonchés de débris et encombrés de piétons. Réservez si possible des chambres au rez-de-chaussée. Si vous utilisez des béquilles, prévoyez des embouts en caoutchouc de rechange, car ils s'usent rapidement.

Si votre mobilité est très restreinte, nous vous conseillons de vous faire éventuellement accompagner par un compagnon valide et robuste et de louer un véhicule privé avec chauffeur pour faciliter vos déplacements (voir p. 820). Notez que, dans les grandes villes, les nouveaux taxis, qui roulent au GPL, n'ont pas un coffre suffisamment grand pour contenir un fauteuil roulant.

En France, l'**APF** (Association des paralysés de France ; ☎ 01 40 78 69 00, fax 01 45 89 40 57 ; www.apf.asso.fr ; 17 bd Auguste-Blanqui, 75013 Paris) peut vous fournir des informations utiles sur les voyages accessibles. Deux sites Internet dédiés aux personnes handicapées comportent une rubrique consacrée au voyage et constituent une bonne source d'information. Il s'agit de **Yanous** (www.yanous.com/pratique/tourisme/tourisme030613.html) et de **Handica** (www.handica.com).

HÉBERGEMENT

L'Inde du Nord possède des lieux d'hébergement pour toutes les bourses, des hôtels pour voyageurs avec sac au dos, avec sol en ciment et douches froides, aux anciens palais des maharajas. Les tarifs varient toutefois considérablement à l'échelle du pays, mieux vaut consulter la rubrique *Où se loger* de chaque chapitre régional pour se faire une idée plus précise du coût de l'hébergement. Reportez-vous également à la p. 794. Dans les centres touristiques, les tarifs augmentent souvent de manière considérable en haute saison, période durant laquelle il est conseillé de réserver.

La qualité de l'hébergement diffère notablement au sein d'un même établissement ; demandez à voir plusieurs chambres avant de vous décider. Les chambres moquettées se révèlent parfois humides et/ou malodorantes dans les enseignes les moins chères. Concernant les salles de bains, reportez-vous p. 793. La pollution sonore peut être pénible, surtout en ville. Prévoyez par conséquent des bouchons d'oreille de bonne qualité et précisez que vous voulez une chambre calme. N'hésitez pas à fermer votre porte à clé car le personnel a parfois la fâcheuse manie de frapper et d'entrer sans attendre d'y être invité.

La majorité des hôtels haut de gamme et certaines adresses de catégorie moyenne acceptent les cartes de crédit, les établissements économiques devant toujours être réglés en espèces. La plupart demandent un acompte à la remise des clés. Exigez alors un récépissé et n'acceptez pas de signer un reçu de carte de crédit sans indication de montant. En cas d'insistance, rendez-vous au distributeur le plus proche et payez en liquide. Certains hôtels imposent une heure de départ, d'autres louent les chambres pour 24 heures à compter de votre heure d'arrivée. Si l'on peut généralement réserver par téléphone sans laisser d'arrhes, mieux vaut toutefois appeler la veille pour confirmer.

Dans certains lieux très touristiques (au Rajasthan et à Varanasi, par exemple), de nouveaux établissements "empruntent" le nom d'un concurrent bien établi pour induire les voyageurs en erreur. Afin d'éviter de vous retrouver à une adresse de qualité inférieure, assurez-vous de bien connaître le nom exact de l'hôtel où vous souhaitez rester. Ne payez le chauffeur que lorsque vous êtes sûr d'être à l'hôtel de votre choix (p. 127).

Types d'hébergements

Certains États offrent des possibilités uniques, à l'exemple de véritables palais de maharajas, de charmantes pensions dans des villages traditionnels ou d'anciennes résidences du Raj. Les meilleures adresses sont indiquées par le pictogramme ♥.

CAMPING

L'Inde compte peu de campings. Les voyageurs motorisés parviendront généralement sans difficulté à s'entendre avec les responsables d'hôtels avec jardin : ils pourront se garer et camper moyennant une somme modique, comprenant l'accès à une salle de bains commune. Le camping sauvage est souvent la seule option possible lors d'un trek. Dans les régions montagneuses, des campements, installés uniquement pour l'été, comprennent des "*Swiss tents*" (tentes suisses) dotées de salles de bains.

DORTOIRS

De nombreux établissements bon marché proposent un hébergement mixte en dortoir, qui accueille davantage les chauffeurs routiers que les voyageurs – une option déconseillée aux femmes seules. Les auberges de jeunesse gérées par YMCA, YWCA, l'Armée du Salut et Hostelling International (HI) ont des dortoirs plus haut de gamme. Les complexes gérés par l'État et les *retiring rooms* des gares ferroviaires possèdent aussi ce type d'hébergement.

HÉBERGEMENT CHEZ L'HABITANT

Appelées hébergement chez l'habitant (*homestays*), ou B&B, ces pensions tenues par des familles conviendront aux voyageurs en quête d'un hébergement à taille humaine, dans un cadre traditionnel où on leur servira des repas maison. De la hutte en pisé avec toilettes à la turque aux confortables maisons des classes moyennes, le choix est immense. Les offices du tourisme locaux vous procureront les listes des familles proposant ce type d'hébergement.

Si certains apprécient beaucoup l'expérience, d'autres se sentent un peu étouffés par le trop grand empressement des familles à leur égard, et/ou d'être obligés de rentrer à une heure raisonnable puisqu'on ne leur a pas confié la clé.

HÉBERGEMENTS ET BUNGALOWS TOURISTIQUES D'ÉTAT

L'État indien administre un réseau de pensions connues sous des appellations diverses, telles que *rest houses*, *dak bungalows*, *circuit houses*, PWD (Public Works Department), bungalows et *forest rest houses*. Normalement réservées aux fonctionnaires, elles acceptent les touristes à l'occasion, mais il faut parfois demander l'autorisation aux autorités locales et trouver le *chowkidar* (gardien) pour vous ouvrir la porte.

Les bungalows touristiques (*tourist bungalows*) sont gérés par les gouvernements fédéraux. Leur niveau de confort et de qualité se révèle extrêmement variable. Certains proposent des lits en dortoir bon marché ainsi que des chambres individuelles correctes. Les offices du tourisme provinciaux vous renseigneront.

HÔTELS DE CATÉGORIE SUPÉRIEURE

Présents dans les grandes métropoles et les centres touristiques d'Inde du Nord, ces hôtels vont des chaînes cinq étoiles aux palais du Raj. Les chambres et la restauration sont souvent remarquables, mais l'efficacité du service est variable. Certains hôtels établis dans des bâtiments historiques ont de faux airs de musées, qui ne semblent pas du goût de tous les voyageurs. La plupart des enseignes haut de gamme affichent leurs tarifs en roupies pour la clientèle locale, et en dollars US pour les étrangers et les Indiens non-résidents (*Non-Resident Indians*, ou NRI). Officiellement, vous devez régler en dollars, par carte bancaire ou en espèces. Toutefois, de nombreux établissements acceptent l'équivalent en roupies.

Le site Internet gouvernemental **Incredible India** (www.incredibleindia.org) propose une liste de palais, de forts et de châteaux qui accueillent les touristes. Cliquez sur *Royal Retreats* pour la consulter.

SALLE DE BAINS : MODE D'EMPLOI

Dans les rubriques *Où se loger* de ce guide, vous rencontrerez les termes "sdb commune" et "sdb privative". Sur place, vous constaterez que ces termes varient selon les régions. Ainsi, *common bath, without bath* ou *shared bath* sont des salles de bains communes, tandis que *private bath, attached bath* ou *with bath* signifient que la chambre possède sa propre salle de bains. Sauf indication contraire, les endroits que nous mentionnons comportent des salles de bains privatives.

Running water ou *constant water* sous-entend que l'eau est disponible toute la journée (ce qui n'est pas toujours vrai dans la réalité). *Bucket water* implique que vous n'aurez droit qu'à des seaux d'eau. Nombre d'hôtels disposent de salles de bains où seule l'eau froide est disponible, mais fournissent des seaux d'eau chaude (parfois à certaines heures uniquement et moyennant un léger supplément).

Les établissements qui annoncent *room with shower* peuvent quelquefois enjoliver la réalité. Même si la salle de bains comporte effectivement une douche, mieux vaut vous assurer que cette dernière fonctionne avant d'accepter la chambre. Certains hôtels débranchent subrepticement le système pour faire des économies. Dans d'autres, les douches ne délivrent qu'un maigre filet d'eau.

Un *geyser* est un petit réservoir d'eau chaude, que l'on trouve souvent dans les hôtels économiques et, dans une moindre mesure, de catégorie moyenne. Ces chauffe-eau doivent parfois être branchés environ une heure avant l'utilisation.

À moins qu'il ne soit précisé dans le guide "toilettes à la turque", les salles de bains disposent de toilettes à l'occidentale, avec siège et chasse d'eau. En Inde du Nord, on parle d'*Indian toilets* ou de *floor toilets* pour les premières, et de *Western toilets* ou de *commode toilets pour les secondes*. La plupart des hôtels disposant des deux, indiquez votre préférence.

HÔTELS POUR PETITS BUDGETS ET DE CATÉGORIE MOYENNE

Ces établissements occupent le plus souvent des bâtiments modernes en béton. D'ordinaire, seules les options les plus économiques ont des salles de bains communes. Même dans les salles de bains privatives, la plomberie se montre souvent capricieuse. La plupart des chambres sont équipées d'un ventilateur au plafond ; certaines possèdent un antimoustique électrique ou une moustiquaire ; les meilleur marché n'ont pas toujours de fenêtre. Les voyageurs au budget serré ont intérêt à apporter un drap (ou un sac à viande) et une taie d'oreiller, car la literie n'est pas toujours d'une hygiène irréprochable dans les hôtels bas de gamme. Il arrive même que l'on y rencontre des petites bêtes. En dehors des zones touristiques, les adresses très bon marché n'acceptent pas toujours les étrangers, car elles ne disposent pas du formulaire d'enregistrement requis.

Plus confortables que les précédents, les hôtels de catégorie moyenne possèdent en général des tapis et la TV satellite. Ils peuvent être équipés d'un *air-cooler* (rafraîchisseur d'air) bruyant, mieux que le ventilateur au plafond présent dans presque tous les établissements économiques et moyens, mais moins bien que la climatisation. Étant rempli d'eau, ce dispositif se montre parfois inefficace, surtout pendant la mousson.

Les hôtels bon marché ne sont pas tous dépourvus de charme. Certains occupent d'anciennes maisons coloniales ou des ailes de palais de maharaja. Dans les régions montagneuses les plus reculées, les maisons traditionnelles en bois et en pierre transformées en hôtels ont souvent plus d'attrait que les hébergements plus luxueux.

Notez que certains hôtels ferment leur porte la nuit ; prévenez la réception si vous devez arriver ou rentrer tard.

RETIRING ROOMS DES GARES FERROVIAIRES

Nombre de grandes gares hébergent les voyageurs en possession d'un billet de train ou d'un forfait Indrail Pass. Ces chambres et dortoirs, défraîchis ou étonnamment plaisants selon l'endroit, se louent pour 24 heures et dépannent en cas de départ de bonne heure. Sachez toutefois qu'ils peuvent se révéler bruyants.

TEMPLES ET HÔTELLERIES POUR PÈLERINS

Certains ashrams (lieux de retraite spirituelle), gurdwara (temples sikhs) et *dharamsala* (gîtes pour pèlerins) hébergent les visiteurs

ASPHYXIE AU MONOXYDE DE CARBONE

L'utilisation d'un poêle, en particulier à charbon, est fortement déconseillée dans les chambres d'hôtels, car elle provoque chaque année plusieurs décès par asphyxie au monoxyde de carbone. Si vous avez froid et que vous n'êtes pas sûr de l'aération de la pièce, imitez les randonneurs et remplissez une bouteille d'eau bouillante (glissée dans une chaussette pour ne pas vous brûler). Le lendemain matin, vous pourrez même en boire le contenu purifié par l'ébullition.

moyennant un don. Ces endroits simples étant destinés aux pèlerins, faites preuve de bon sens et n'abusez pas de leur hospitalité. Si l'on vous y accueille, conformez-vous aux usages en vigueur.

Tarifs

Les tarifs hôteliers, toutes catégories confondues, varient grandement d'un lieu à l'autre, si bien qu'il est difficile de déterminer une moyenne. Pour estimer le budget hébergement dans les régions que vous comptez visiter, consultez la rubrique *Où se loger* de chaque chapitre régional. Gardez toutefois à l'esprit que la plupart des établissements augmentent leurs tarifs tous les ans. Attendez-vous à des hausses par rapport à ceux que nous indiquons. Vous trouverez également dans les chapitres régionaux des détails spécifiques propres à chaque région, par exemple les variations saisonnières.

Dans cet ouvrage, nous avons classé les établissements par ordre de prix, du moins cher au plus onéreux. Sauf mention contraire, les tarifs indiqués ne comprennent pas les taxes et s'entendent pour des chambres avec salle de bain privative.

Les pannes d'électricité se produisant fréquemment (surtout l'été et pendant la mousson), assurez-vous que votre hôtel possède un groupe électrogène si vous payez des "extras électriques" du type climatisation et TV.

VARIATIONS SAISONNIÈRES

Dans les sites touristiques, les hôteliers majorent considérablement leurs tarifs en haute saison. Les hautes saisons coïncident avec les meilleurs climats pour les activités proposées dans une région : de juin à octobre dans les stations climatiques ; d'octobre à mi-février dans les plaines – les mois les plus doux. Dans les régions prisées des touristes étrangers, les prix flambent à nouveau pendant la période de Noël et du Nouvel An. Inversement, en basse saison, les hôtels baissent considérablement leurs tarifs. Tentez votre chance et demandez une réduction si l'hôtel ne vous semble pas complet.

Dans les villes de pèlerinage, les prix augmentent pour les fêtes, pour lesquelles il est d'ailleurs recommandé de réserver longtemps à l'avance. Pendant le Durga Puja, en octobre, des dizaines de milliers de Bengalis partent dans les montagnes. Pour les dates des fêtes et festivals reportez-vous au chapitre *Calendrier des fêtes* et aux encadrés *Fêtes et festivals* des chapitres régionaux. Les tarifs saisonniers sont également indiqués pour différentes zones géographiques.

TAXES ET SERVICES

Les États imposent diverses taxes aux hôtels, qui viennent s'ajouter aux prix des chambres, sauf dans les enseignes les moins chères. Variables d'un État à l'autre, ces taxes sont indiquées dans les chapitres régionaux. Nombre d'établissements haut de gamme facturent aussi un supplément pour le service d'environ 10%. Sauf mention contraire, les tarifs figurant dans ce guide n'incluent pas les taxes.

HEURE LOCALE

L'Indian Standard Time (IST) avance de 5 heures 30 par rapport à l'heure GMT/UTC. Il n'y a pas d'heure d'été ni d'heure d'hiver. Quand il est 12h à Paris en hiver, il est 16h30 à Delhi ; quand il est 12h à Paris en été, il est 15h30 à Delhi. La demi-heure flottante a été ajoutée pour maximaliser la durée du jour dans ce pays si vaste.

HEURES D'OUVERTURE

Officiellement, les bureaux sont ouverts du lundi au vendredi de 9h30 à 17h30, mais ils peuvent ouvrir plus tard et fermer plus tôt. Il arrive aussi que les administrations fonctionnent certains samedis (souvent le 1er et le 3e samedi du mois). La plupart font une heure de pause vers 13h. Les commerces accueillent généralement les clients de 10h à 18h, voire plus tard ; ils ferment parfois le dimanche. Les agences des compagnies aériennes suivent les horaires standard du lundi au samedi. Dans certaines régions, notamment au Cachemire et dans les États du Nord-Est, un couvre-feu peut être imposé.

La plupart des banques accueillent le public en semaine de 10h à 14h (jusqu'à 16h dans certains endroits) et de 10h à 12h (ou 13h) le samedi. Vérifiez les heures exactes des succursales sur place. Les bureaux de change pratiquent des horaires plus étendus et ouvrent 7 jours/7.

Dans les agglomérations importantes, la poste centrale fonctionne en semaine de 10h à 17h, et jusqu'à 12h le samedi. Certaines postes ouvrent le samedi toute la journée et le dimanche matin.

Les restaurants ont également des horaires variables. Sauf mention contraire, ils servent de 8h à 22h. Les exceptions sont mentionnées dans les rubriques *Où se restaurer* des chapitres régionaux.

HOMOSEXUALITÉ

Les relations homosexuelles entre hommes sont illégales et les peines prévues en cas de transgression peuvent aller jusqu'à l'emprisonnement à vie. Aucune loi n'interdit les relations lesbiennes.

Les gays étrangers ont peu de risques d'être importunés par la police. Les homosexuels indiens luttent depuis des années contre la législation. La campagne pour l'abolition de la section 377 du Code pénal indien a reçu récemment le soutien d'importantes personnalités (voir p. 61).

Des lieux gay discrets existent à Delhi, à Kolkata et à Chandigarh (des Gays Prides se sont même déroulées dans ces villes).

Les contacts physiques et les marques d'affection en public sont mal perçus, y compris venant des hétérosexuels. Si vous voyez des hommes se tenir par la main, n'en concluez rien, car il s'agit le plus souvent d'une simple démonstration d'amitié fraternelle.

Publications et sites Internet

Si vous voulez entrer en contact avec le milieu homosexuel de Delhi, il suffit de vous inscrire à la mailing-list de Gay Delhi en envoyant un courrier électronique sans message à l'adresse gaydelhi-subscribe@yahoogroups.com. Vous serez ainsi tenu régulièrement au courant des événements et manifestations, et pourrez également rejoindre via cette liste les Delhi Frontrunners & Walkers, groupe qui se retrouve chaque semaine pour faire de la course et de la marche.

Quelques sites Internet fournissent des informations sur le milieu homosexuel indien, parmi lesquels **Indian Dost** (www.indiandost.com/gay.php), **Gay Bombay** (www.gaybombay.org), **Humrahi** (www.geocities.com/WestHollywood/Heights/7258) et **Humsafar** (www.humsafar.org).

Groupes de soutien

À Kolkata, le **Counsel Club** (☎033-23598130 ; counselclub93@hotmail.com ; c/o Ranjan, Post Bag No 794, Kolkata 700017) offre un soutien aux gays, aux lesbiennes et aux bisexuels, et organise des réunions mensuelles. Pour en savoir plus, contactez directement l'organisation. L'association **Palm Avenue Integration Society** (pawan30@yahoo.com ; c/o Pawan, Post Bag No 10237, Kolkata) offre un service médical aux lesbiennes, aux gays, aux bisexuels et aux transgenres. Elle possède aussi une bibliothèque ; heures d'ouverture et adresse sur demande. **Sappho** (☎033-24419995 ; www.sapphokolkata.org ; Kolkata) est un groupe de soutien s'adressant aux lesbiennes ainsi qu'aux femmes bisexuelles et transgenres.

INTERNET (ACCÈS)

Largement répandus en Inde du Nord, les cybercafés offrent d'ordinaire des connexions assez rapides, excepté dans les endroits les plus reculés. Elles ont tendance à être plus lentes le matin et en début d'après-midi. Les prix, très variables d'une région à l'autre, vont de 20 à 65 Rs/heure, avec une durée minimale, généralement de 15 à 30 minutes.

Les coupures d'électricité étant plutôt fréquentes, nous vous conseillons d'écrire et de sauvegarder vos messages dans un fichier texte avant de les copier-coller dans votre navigateur. Évitez d'envoyer des informations financières sensibles depuis un cybercafé, car certains utilisent une technique qui leur permet de connaître votre mot de passe et de lire vos courriels. De même, les paiements en ligne sur des systèmes non sécurisés sont risqués.

Si vous souhaitez emporter votre ordinateur portable, sachez que la plupart des cybercafés peuvent vous fournir un accès Internet à l'aide d'un câble LAN Ethernet. Vous pouvez aussi souscrire un service de *roaming* international avec un numéro de connexion "dial-up" indien ou ouvrir un compte chez un fournisseur d'accès local ; renseignez-vous sur place. Assurez-vous que votre modem est compatible avec le téléphone et le système "dial-up" en Inde (un modem "international" externe peut être nécessaire).

Investissez aussi dans un adaptateur universel avec fusible, afin de protéger vos appareils des sautes de courant. On trouve des adaptateurs de prises partout en Inde, mais prévoyez des fusibles de rechange. La connexion Wi-Fi est de plus en plus répandue dans les hôtels (surtout de catégorie supérieure mais aussi dans un nombre croissant d'hôtels de catégorie moyenne), ainsi que dans les cafés des grandes villes. Évitez néanmoins de transmettre des informations financières (numéro de carte de crédit par exemple) et autres données personnelles via ce système.

Dans ce guide, les hôtels dotés d'un accès Internet sont désignés par l'icône 💻. Les hôtels avec accès Wi-Fi sont désignés pas l'icône 📶. Des sites Internet consacrés à l'Inde figurent p. 26.

JOURS FÉRIÉS

Il existe trois jours fériés nationaux : la fête de la République (26 janvier), la fête de l'Indépendance (15 août) et Gandhi Jayanti (2 octobre). D'autres jours fériés sont propres à certains États. Les principales fêtes (célébrées la plupart du temps uniquement dans certaines religions) s'accompagnent souvent d'un jour férié. C'est le cas de Diwali, de Dussehra et de Holi (fêtes hindoues), de Nanak Jayanti (sikh), d'Id al-Fitr (musulmane), de Mahavir Jayanti (jaïne), de Buddha Jayanti (bouddhique), et de Pâques et Noël (chrétiennes). Reportez-vous au chapitre *Calendrier des fêtes*.

La plupart des entreprises (bureaux, magasins, etc.) et des sites touristiques ferment les jours fériés, mais les transports fonctionnent d'ordinaire normalement. Réservez longtemps à l'avance hébergements et trajets si vous entendez séjourner en Inde pendant ces périodes.

LAVERIES

Presque tous les hôtels (de toutes les catégories) nettoient votre linge dans la journée ou pour le lendemain, et les laveries privées sont légion dans les destinations touristiques. La plupart emploient des *dhobi-wallah* (lavandiers). Si vous pensez que vos vêtements ne supporteront pas le battoir, lavez-les vous-même ou faites-les nettoyer à sec. Vous trouverez partout de la lessive à prix modique. Certains hôtels interdisent néanmoins de faire sa lessive dans la sdb de sa chambre.

Hôtels et laveries facturent en fonction du nombre d'articles (vous devrez fournir une liste). Sachez que le séchage peut prendre beaucoup de temps durant la mousson.

LIBRAIRIES SPÉCIALISÉES

Les librairies suivantes possèdent des ouvrages sur l'Inde et sauront vous conseiller :

Ambika (☎ 01 43 66 84 21 ; http://indechezvous.com ; 51 rue Piat, 75020 Paris)

Fenêtre sur l'Asie (☎ 01 43 29 11 00 ; 49 rue Gay-Lussac, 75005 Paris)

Librairie du musée Guimet (☎ 01 56 52 51 21 ; www.museeguimet.fr/Librairie ; 6 place Iéna, 75016 Paris)

OFFICES DU TOURISME

Offices du tourisme en Inde du Nord

Votre première source d'informations doit être le site Internet du **Government of India** (www.incredibleindia.org/), qui comporte une version en **français** (http://incredibleindia.org/french/index.asp), du moins en partie. Pour les coordonnées des offices du tourisme régionaux, cliquez sur les liens (*links*) en bas de la page d'accueil. Vous trouverez aussi des renseignements utiles sur les sites officiels des États, dont la liste figure sur http://india.gov.in/knowindia/districts.php.

Les offices des différents États varient considérablement en efficacité et en amabilité. Si dans certains le personnel est dynamique, dans d'autres il se montre désagréable, à la limite de la grossièreté. La plupart de ces bureaux fournissent des brochures et cartes régionales gratuites. Plusieurs États possèdent une chaîne de bungalows touristiques (*tourist bungalows*, voir p. 792), où sont souvent installés les offices du tourisme régionaux.

Reportez-vous également à la rubrique *Renseignements* des chapitres régionaux.

Offices du tourisme à l'étranger

Le Government of India possède des bureaux à l'étranger, dont les suivants :

France (☎ 01 45 23 30 45 ; indtourparis@aol.com ; 11-13 bd Haussmann, 75009 Paris ; ⏰ lun-ven 9h-13h et 14h-17h30). Centre de documentation.

Canada (☎ 416-962 3787 ; indiatourism@bellnet.ca ; 60 Bloor St, West Ste 1003, Toronto, Ontario, M4W 3B8)

La Belgique et la Suisse n'ont pas encore d'office du tourisme indien.

PERMIS SPÉCIAUX

L'accès à certaines régions, notamment près des frontières contestées, est contrôlé par un système de permis un peu complexe.

L'Inner Line Permit (ILP) est nécessaire pour visiter le nord de l'Himachal Pradesh, le Ladakh, l'Uttarakhand et le Sikkim, des territoires frontaliers du Tibet (Chine). L'obtention d'un ILP est une simple formalité. Toutefois, pour certaines régions, et pour des treks à proximité de la frontière, il est indispensable de passer par une agence de voyages, qui effectuera les démarches auprès des services concernés. Les ILP sont délivrés par les commissaires et magistrats locaux. Ils sont gratuits si vous en faites directement la demande, mais payants via une agence de voyages. Pour plus de détails, reportez-vous p. 334 pour l'Himachal Pradesh, p. 300 pour le Ladakh, p. 495 pour l'Uttarakhand et p. 598 pour le Sikkim.

Il est beaucoup plus complexe d'entrer dans les États du Nord-Est. Reportez-vous p. 622 pour des informations détaillées.

Avant votre départ, il est indispensable de vérifier auprès des autorités concernées que les modalités d'obtention des permis n'ont pas été modifiées.

PHOTO ET VIDÉO

Argentique

Il est facile de faire développer des pellicules couleur dans la plupart des villes. Les pellicules sont assez bon marché et habituellement de qualité ; les diapositives couleur ne se trouvent que dans les grandes villes et les centres touristiques. En moyenne, le développement d'une pellicule couleur classique revient à 20 Rs, plus 5 Rs par tirage de 15 cm sur 10. On peut faire des photos d'identité dans de nombreuses boutiques (100-125 Rs les 4 photos).

Lorsque vous achetez une pellicule, vérifiez toujours sa date de péremption. Assurez-vous que l'emballage est bien scellé et que le film n'a pas séjourné au soleil dans une vitrine. Évitez d'en acheter auprès des vendeurs de rue, qui recyclent parfois des pellicules inutilisables dans des boîtes neuves. Préférez les boutiques ayant pignon sur rue et, si possible, celles qui gardent leur marchandise au frais.

Numérique

Les cartes mémoire sont disponibles dans les grandes villes et, de plus en plus, dans les localités de moindre importance. Leur qualité est néanmoins variable et certaines n'ont pas la capacité indiquée. Comptez à partir de 500 Rs pour une carte de 1GB. Pour plus de sûreté, faites régulièrement graver vos photos sur CD ; les cybercafés offrent ce service moyennant 60 à 110 Rs par disque. Certains magasins de photo effectuent des tirages papier au tarif du développement standard.

Restrictions

Il est interdit de photographier les installations militaires, les gares ferroviaires, les ponts, les aéroports et les zones frontalières sensibles. Officiellement, l'interdiction porte aussi sur les clichés pris du ciel, mais les compagnies aériennes l'appliquent rarement. Sur les vols à destination de lieux stratégiques, on vous demandera parfois de ne pas transporter votre appareil photo en cabine ou d'en retirer la batterie.

De nombreux lieux de culte (temples, monastères et mosquées) interdisent aussi les photographies. Dans le doute, renseignez-vous sur place, afin d'avoir un comportement adapté. Reportez-vous p. 59 pour connaître les usages concernant les clichés de personnes.

POSTE

Les services de courrier et de poste restante sont généralement bons, bien que la rapidité d'acheminement varie d'un bureau à l'autre. Préférez les envois par avion plutôt que par mer et recourez à une société de courrier international comme DHL pour expédier ou recevoir des objets de valeur. Il vous en coûtera quelque 3 000 Rs/kg pour l'Europe ou l'Amérique du Nord. Des messageries privées facturent moins cher, mais regroupent parfois les paquets pour réduire les frais, si bien que certains peuvent se perdre en route.

Recevoir du courrier

Demandez à vos correspondants de rédiger votre adresse en mentionnant d'abord votre nom de famille en lettres capitales, souligné, puis "poste restante", GPO (poste centrale) et le nom de la ville. Beaucoup de lettres "perdues" sont en fait classées sous le prénom. Vérifiez toujours à vos nom et prénom, et demandez à l'expéditeur d'indiquer son adresse au dos du courrier, au cas où vous ne viendriez pas le chercher. Les lettres envoyées en poste restante sont en général conservées environ un mois, puis retournées à l'expéditeur. Le retrait du courrier s'effectue sur présentation du passeport. Pour les paquets, préférez un envoi en recommandé.

Envoyer du courrier

Les lettres/lettres par avion s'affranchissent à 15/20 Rs, tandis que les cartes postales doivent être affranchies à 12 Rs. Concernant les cartes postales, il est préférable de coller les timbres avant de les écrire, car les bureaux peuvent vous en donner jusqu'à quatre. Un supplément de 15 Rs s'applique aux lettres en recommandé.

Pour ce qui concerne l'expédition des colis postaux, cette démarche est relativement facile dans certains bureaux de poste, et très fastidieuse dans d'autres où il faut passer de guichet en guichet et patienter dans de longues files d'attente. Certaines prestations ne sont possibles qu'à certains moments de la journée (souvent le matin mais renseignez-vous sur place).

Les tarifs varient en fonction du poids et vous avez le choix entre un envoi par avion (1-3 semaines), par mer (2-4 mois) ou en Surface Air-Lifted (SAL), une combinaison des deux (1 mois). Les paquets doivent être enveloppés dans du tissu blanc et scellés avec de la cire. La plupart des tailleurs offrent ce service et il existe un service colis dans certaines postes. Prévoyez un marqueur indélébile pour écrire sur le paquet toutes les informations requises par le guichet. Le bureau de poste vous remettra le formulaire de déclaration en douane, à agrafer ou à coller. Afin d'éviter à votre destinataire de payer à l'arrivée les droits de douane, mieux vaut spécifier que le contenu de votre paquet est un "cadeau" dont la valeur n'excède pas 1 000 Rs.

Selon la destination, les colis envoyés par la poste ne doivent pas dépasser 20 à 30 kg. Les tarifs dépendent du mode d'expédition, par avion ou par mer.

Comptez 40 Rs pour l'envoi d'un petit colis (jusqu'à 100 g) à destination de n'importe quel pays, et 30 Rs par tranche de 100 g supplémentaires (jusqu'à un maximum de 2 kg ; des frais différents s'appliquent pour les colis dépassant ce poids). On peut aussi opter pour l'EMS (courrier express, délivré dans un délai de 3 jours), qui coûte environ 30% de plus que le service normal par avion.

Si vous expédiez des livres ou des documents, vous pouvez bénéficier du tarif "imprimés" (5 kg maximum), bien moins élevé. Dans ce cas, votre paquet doit être emballé de façon que le contenu soit visible d'un côté ou de l'autre pour être inspecté par la douane ; les tailleurs sont experts en la matière. **India Post** (www.indiapost.gov.in) dispose d'un calculateur en ligne pour les tarifs intérieurs et internationaux. En dehors des magasins d'État, ne vous fiez pas aux commerces qui vous proposent l'envoi de vos achats. Mieux vaut vous en occuper vous-même.

PROBLÈMES JURIDIQUES

Si vous vous trouvez dans une situation juridique fâcheuse, contactez immédiatement votre ambassade (voir p. 777). Sachez cependant qu'elle pourra seulement vous fournir un avocat et veiller à ce que vous soyez bien traité en garde à vue. Dans le système judiciaire indien, la charge de la preuve incombe souvent à l'accusé et les longs séjours en détention préventive sont monnaie courante.

Veillez à toujours avoir votre passeport sur vous, car des policiers peuvent vérifier votre identité à tout moment.

Cigarette

En vertu de la récente législation antitabac, il est désormais interdit de fumer dans tous les lieux publics. Les contrevenants s'exposent à une amende d'au moins 200 Rs (une peine plus ou moins appliquée selon les cas). On a le droit de fumer chez soi et dans les lieux publics ouverts, tels que la rue (attention toutefois aux panneaux qui pourraient indiquer le contraire). Dans plusieurs villes, il est également interdit de cracher et d'abandonner des détritus sur la voie publique.

Drogues

L'Inde évoque pour certains la marijuana et le haschisch. Les consommateurs doivent savoir qu'ils risquent la prison. Le trafic est puni de 10 ans d'emprisonnement au minimum sans possibilité de remise de peine ni de liberté conditionnelle.

La détention préventive peut durer plusieurs années, le temps que l'affaire passe en jugement. À cela s'ajoutent de très lourdes amendes. La police est devenue particulièrement intraitable dans les cas impliquant des étrangers.

Dans les destinations privilégiées des voyageurs à petit budget, notamment à Manali, des étrangers sont souvent la cible d'entourloupes destinées à leur soutirer des pots-de-vin. Enfin, si le chanvre indien pousse à l'état sauvage partout en Inde, le cueillir et le fumer n'en

GARE AU BHANG LASSI !

Bien qu'ils le mentionnent rarement sur leur carte, dans certaines destinations touristiques, des restaurants préparent clandestinement du *bhang lassi*, un mélange de yaourt et d'eau glacée aromatisé de *bhang*, un dérivé du cannabis. Généralement appelé "*special lassi*", ce breuvage, souvent puissant, est dangereux. Après ingestion, des voyageurs ont dû passer plusieurs jours au lit. D'autres se sont fait voler alors qu'ils se trouvaient en plein délire. Les établissements légaux et contrôlés vendant du *bhang*, tels le Bhang Shop de Jaisalmer (p. 244), sont très rares.

constituent pas moins un délit, sauf dans les villes où le *bhang* (dérivé du cannabis) est vendu légalement pour les rituels religieux.

TÉLÉPHONE

Les numéros de téléphone standards sont constitués d'un indicatif régional suivi de six à huit chiffres. Ils sont progressivement regroupés sous un même système. En conséquence, certains indicatifs régionaux sont susceptibles de changements et de nouveaux chiffres pourront faire leur apparition dans des numéros préexistants. Renseignez-vous au fil de votre voyage.

Pour appeler l'Inde depuis l'étranger, composez l'indicatif international en vigueur dans votre pays (☎ 00 en France, en Belgique et en Suisse, ☎ 011 au Canada), le ☎ 91 (indicatif de l'Inde), l'indicatif régional puis le numéro de l'abonné sans l'éventuel 0 initial. Pour connaître les indicatifs régionaux, reportez-vous aux chapitres correspondants.

Pour appeler la France, la Belgique ou la Suisse depuis l'Inde, composer le ☎ 00, suivi de l'indicatif du pays (☎ 33 pour la France, ☎ 32 pour la Belgique, ☎ 41 pour la Suisse), suivi du numéro de votre correspondant sans le 0 initial. Pour appeler le Canada, composez le ☎ 00, suivi du ☎ 1 et du numéro de votre correspondant.

Appels locaux et longue distance

Même les plus petites localités disposent de cabines téléphoniques privées, reliées au réseau local (PCO), national (STD) et international (ISD). Les communications y sont toujours moins chères que dans les hôtels. Ces cabines, dont beaucoup fonctionnent 24h/24, sont équipées d'un compteur numérique indiquant le prix de l'appel et délivrant un reçu. Certaines permettent aussi d'envoyer des fax, tout comme le central téléphonique.

Ces dernières années, grâce à la concurrence, les tarifs ont baissé. Il existe toutefois des différences en fonction de l'opérateur et de la destination de l'appel. À Delhi par exemple, une cabine PCO Vodafone facture environ 1 Rs la minute pour un appel national (STD), alors que le prix d'un appel international s'échelonne entre 5 Rs et 10 Rs la minute.

Certaines cabines assurent un service de PCV. Il suffit pour cela d'appeler votre correspondant et de lui donner le numéro de la cabine pour qu'il vous recontacte. L'opération coûte environ 10 Rs en sus de la communication initiale.

Pour appeler dans votre pays, vous pouvez aussi utiliser le service Home Country Direct (HCD), qui donne accès à un opérateur international. Pour le prix d'un appel local, vous pouvez recevoir un appel en PCV ou utiliser votre carte téléphonique. Les numéros sont constitués de ☎ 000 + l'indicatif de votre pays + 17. Quelques exemples :

Pays	Indicatifs de pays
France	☎ 0003317
Belgique	☎ 0003217
Suisse	☎ 0004117
Canada	☎ 000117

Les annuaires **Yellow Pages** (www.indiayellowpages.com) et **Justdial** (www.justdial.com) sont consultables en ligne.

Notez qu'il est parfois difficile d'obtenir la communication dans les campagnes reculées et les zones montagneuses – insistez si la ligne semble occupée, car c'est peut-être une simple question d'engorgement du réseau.

Téléphone portable

L'Inde connaît un engouement croissant pour la téléphonie mobile, et la plupart des villes grandes ou moyennes bénéficient d'une couverture internationale. Les numéros des portables indiens comportent habituellement 10 chiffres et commencent par un "9". Afin d'éviter le coût onéreux du *roaming* (souvent plus élevé pour les appels entrants), mieux vaut se brancher sur le réseau local. Les portables occidentaux sont souvent bloqués sur un réseau spécifique. Il faut donc les faire débloquer au préalable ou se procurer un téléphone sur place (à partir de 2 000 Rs) pour utiliser une carte SIM indienne.

Accéder au réseau indien est une démarche peu coûteuse et dans l'ensemble, assez facile (plus particulièrement dans les grandes villes). Les étrangers doivent fournir une photo d'identité (prévoyez-en deux au cas où), ainsi que la photocopie de leur passeport (pages déclinant l'identité et page des visas). Certaines boutiques se chargent de faire ces photocopies.

Dans la majorité des villes, il suffit d'acheter un kit prépayé (comprenant une carte SIM et un numéro de téléphone, plus un montant initial de durée d'appel) dans une boutique de téléphonie, une cabine PCO/STD/ISD, un cybercafé ou une épicerie. Vous pourrez ensuite acheter des recharges sous forme de cartes à gratter dans les mêmes boutiques et centres téléphoniques. Le crédit d'appels, dont le prix varie, doit généralement être utilisé dans un délai précis. Le montant de la recharge ne correspond pas à votre crédit téléphonique, car il inclut des frais de service et les taxes. Certains réseaux ont remplacé les cartes par un rechargement direct : votre ligne est créditée dès que vous avez payé la somme correspondante au vendeur. Renseignez-vous au préalable.

Les appels passés dans la ville ou l'État où vous avez acheté la carte SIM reviennent à moins de 1 Rs/min. Les appels internationaux coûtent moins de 10 Rs/min. Les SMS sont encore moins chers. Plus vous avez de crédit dans votre appareil, plus l'appel est bon marché. Signalons toutefois que des lecteurs ont rencontré des difficultés avec leur mobile, notamment en ce qui concerne les SMS (messages et réponses retardés ou perdus).

Les compagnies les plus connues (et les plus fiables) sont Airtel, Vodaphone et BSNL. Notez cependant que la plupart des cartes SIM se rattachent à un État spécifique. Elles peuvent être utilisées ailleurs, mais facturent au tarif du *roaming* et font payer les appels entrants. Si par exemple, vous achetez une carte SIM à Delhi, les appels sortants vous coûteront environ 1,50 Rs la minute, tandis qu'on vous facturera 1 Rs la minute les appels entrants en provenance de toute l'Inde (hors Delhi).

L'industrie des portables continue d'évoluer, les prix, les opérateurs et les couvertures auront donc sans doute changé lorsque vous vous rendrez sur place.

TOILETTES

Les toilettes publiques se trouvent le plus facilement dans les grandes villes et les sites touristiques. Celles construites par Sulabh International figurent parmi les plus hygiéniques – voir également p. 133. Les plus propres (avec au choix des toilettes à l'occidentale ou à la turque) sont généralement celles des restaurants modernes, des centres commerciaux et des cinémas. Avoir sur soi du papier hygiénique est une bonne idée.

À défaut de papier, la coutume veut que l'on utilise de l'eau et la main gauche. Un robinet placé à bonne hauteur et un récipient sont consacrés à cet usage.

Voir aussi p. 793.

VOYAGER EN SOLO

Les voyageurs en solo sont avant tout confrontés au problème des prix : dans les pensions et les hôtels, les chambres simples ne reviennent pas nécessairement moins cher que les doubles et certains établissements des catégories moyenne et supérieure n'appliquent même pas un tarif spécial pour les personnes seules. Vous pouvez toutefois tenter de négocier un prix inférieur.

En ce qui concerne les transports, vous réaliserez des économies en partageant à plusieurs les taxis et les auto-rickshaws ou une location de voiture avec chauffeur.

S'il n'arrive généralement rien de fâcheux à la majorité des voyageurs solitaires en Inde, vous pouvez toujours croiser la route d'une personne mal intentionnée (indienne ou étrangère). Comme partout ailleurs, restez vigilant et faites preuve de bon sens, sans pour autant tomber dans la paranoïa. Vous rencontrerez facilement, dans les hôtels et restaurants touristiques, d'autres voyageurs avec lesquels échanger conseils et tuyaux, voire faire un bout de chemin. Pour trouver un partenaire de route avant votre départ, tentez votre chance sur le **forum de Lonely Planet** (www.lonelyplanet.fr).

Femmes seules

Les femmes seules feront certainement l'objet d'une attention insistante, de regards appuyés, voire de gestes déplacés dans les transports en commun. Au dire de voyageuses, le problème se pose essentiellement dans les grandes villes d'Inde du Nord et dans les principaux centres touristiques. Il est quasi inexistant dans les régions bouddhistes, comme le Sikkim et le Ladakh.

Quoi qu'il en soit, votre tenue vestimentaire et votre attitude conditionneront la façon dont vous serez traitée. Veillez à respecter les sensibilités locales. Le comportement culturellement inadapté d'une minorité d'étrangères semble malheureusement affecter la perception que les Indiens ont des femmes en général. Un nombre croissant de voyageuses sont ainsi la cible d'un harcèlement (essentiellement des commentaires salaces et des attouchements) en dépit de leurs efforts pour se conformer aux usages locaux.

Vous devrez vous habituer aux regards posés sur vous en permanence. Marchez avec assurance et ignorez les coups d'œil masculins, répondre ne ferait que les encourager. Porter des lunettes de soleil peut être d'un grand secours. Au restaurant, se plonger dans un livre ou écrire des cartes postales décourage les importuns. Vous devrez parfois aussi faire face à des commentaires désagréables, des gestes déplacés, des moqueries, des bousculades "accidentelles" et des attouchements. Certaines fêtes ou manifestations exubérantes, comme la fête de Holi, peuvent être source d'ennuis de ce genre (voir p. 787).

Généralement, les femmes qui voyagent en compagnie d'un homme courent moins le risque de se faire importuner. Néanmoins, une femme étrangère d'origine indienne voyageant avec un homme non indien peut essuyer quelques regards désapprobateurs.

Il n'existe aucun moyen imparable de se protéger. D'une manière générale, il s'agit souvent d'une question de bon sens. En dehors des quelques conseils que nous vous donnons ici, rappelons que tous les hommes ne se comportent pas de la même façon et que, sans vous départir de votre prudence habituelle, il n'y a pas lieu de devenir paranoïaque.

Serviettes hygiéniques et tampons sont vendus dans de nombreuses pharmacies des grandes villes et des centres touristiques, le choix étant limité en ce qui concerne les seconds. Prévoyez ce dont vous aurez besoin avant de vous aventurer hors des sentiers battus.

TENUE VESTIMENTAIRE

Respecter quelques règles vestimentaires minimise le problème du harcèlement : évitez les chemisiers sans manches, les shorts, les vêtements moulants ou transparents. Préférez les vêtements amples, qui masquent les formes.

Nombre d'Indiennes conservent leur sari ou leur *salwar kameez* pour se baigner en public, ou bien revêtent un bermuda et un T-shirt. Si vous optez pour le maillot de bain, en revenant de la plage, un sarong vous évitera les regards gênants sur le chemin de l'hôtel.

S'habiller à l'indienne, comme il convient, donne une impression positive : certains hommes tenteront encore des attouchements, mais des voyageuses ont pu en constater l'effet dissuasif. Pratique et confortable, le *shalwar kameez* (costume traditionnel composé d'une longue tunique et d'un pantalon), porté par de nombreuses Indiennes, témoignera de votre respect pour l'étiquette vestimentaire locale. Il en existe de très jolis et à tous les prix. Par temps chaud, un *shalwar kameez* s'avère en outre étonnamment frais. Porter un *dupatta* (longue écharpe) par-dessus un T-shirt constitue un autre bon moyen d'éviter les regards appuyés.

Il faut par ailleurs savoir que se vêtir en public d'un *choli* (corsage court ajusté porté sous le sari) et d'un jupon de sari (que beaucoup d'étrangères confondent avec une jupe) revient à sortir à moitié habillée.

PRÉCAUTIONS UTILES

Des femmes rapportent avoir été importunées par des masseurs et autres thérapeutes, notamment à Varanasi et à McLeod Ganj. Où que vous soyez, renseignez-vous sur la réputation d'un enseignant ou d'un praticien avant de vous rendre à une séance individuelle. Pour des troubles gynécologiques, consultez de préférence une femme.

Si vous ne souhaitez pas qu'une conversation avec un inconnu se prolonge, posez une question directe tout en restant polie. Répondre à des propos saugrenus peut passer pour un encouragement. Si votre interlocuteur s'extasie sur votre physique ou s'enquiert d'un éventuel petit ami, soyez sûre qu'il a des arrière-pensées. Certaines femmes se protègent en portant une alliance ou en glissant rapidement dans la conversation qu'elles sont mariées ou fiancées (que cela soit vrai ou non). Si vous avez l'impression qu'un homme vous suit, dites-lui fermement de vous laisser tranquille – assez fort pour attirer l'attention des passants. Un autre moyen efficace pour se débarrasser d'un importun consiste simplement à garder le silence et à ne répondre à aucune de ses questions.

Dans vos relations quotidiennes avec les hommes, conformez-vous par politesse à la coutume locale qui veut qu'on ne serre pas la main. Adoptez plutôt le traditionnel léger salut de la tête, accompagné d'un respectueux *namaste*.

Au cinéma, vous vous sentirez certainement plus à l'aise si vous vous y rendez accompagnée (il est très rare d'y voir une femme seule). Dans les hôtels, prenez l'habitude de fermer la porte à clé car il arrive que le personnel (surtout dans les établissements pour petits budgets) frappe et entre sans attendre d'y être invité.

Essayez d'arriver dans une ville avant la tombée de la nuit et ne vous promenez pas seule le soir, surtout dans des endroits isolés.

TAXIS ET TRANSPORTS PUBLICS

Les autorités conseillent aux femmes seules de s'arranger avec leur hôtel pour que quelqu'un vienne les chercher à l'aéroport si leur avion arrive en soirée. Si ce n'est pas possible, vous pouvez faire appel, à Delhi et dans d'autres villes, à un service de radio-taxis prépayés comme **Easycabs** (voir p. 155). Le service est plus onéreux que les taxis prépayés classiques, mais la société affirme être également plus sûre, car ses chauffeurs ont passé un test de recrutement. Si vous optez pour un taxi prépayé, prenez soin d'indiquer à un agent de police de l'aéroport le numéro d'immatriculation de la voiture et le nom du chauffeur (en vous arrangeant pour que ce dernier vous voie faire). Ce système est préconisé, depuis le meurtre d'une touriste par un chauffeur de taxi prépayé à Delhi en 2004.

Ne montez pas dans un taxi tard le soir (les routes sont souvent désertes) et n'acceptez jamais la présence d'un autre homme que le chauffeur dans la voiture, même si ce dernier tente de vous convaincre qu'il s'agit de son "frère" et qu'il vous "protégera". Évitez aussi de porter des bijoux apparemment luxueux ou coûteux, pour ne pas tenter d'éventuels agresseurs.

Être une femme présente néanmoins des avantages lors des longs voyages en train ou en bus. Pour acheter leur billet, elles peuvent passer devant tout le monde dans une file d'attente sans que quiconque proteste, et utiliser les wagons de train qui leur sont réservés. Il semble que les classes les plus chères soient plus tranquilles, surtout pour les voyages de nuit. En troisième classe, essayez d'obtenir la couchette supérieure, vous bénéficierez de plus d'intimité.

Dans les transports publics, n'hésitez pas à repousser les gestes déplacés, posez un sac entre vous et votre voisin et, si cela ne suffit pas, changez de place. Vous pouvez aussi demander à l'importun de vous laisser, suffisamment fort pour attirer l'attention des autres passagers, ce qui devrait suffire à le décourager.

Transports

SOMMAIRE

DEPUIS/VERS L'INDE DU NORD

Ce chapitre contient des informations sur les moyens de transport pour rejoindre l'Inde du Nord et y circuler.

ENTRER EN INDE DU NORD

Arriver en avion ou par la route est relativement simple, et les formalités de douane et d'émigration sont standards. Pour tout renseignement sur les procédures douanières, reportez-vous p. 789. Il est plus prudent de vous organiser à l'avance pour que l'on vienne vous chercher à l'aéroport si vous arrivez en soirée.

Passeport et visa

Vous devez être muni d'un passeport valide, d'un visa (voir p. 790) et d'un billet de retour ou de continuation. Votre passeport doit être valide au moins 6 mois après la fin de votre séjour. Si vous perdez ou si vous vous faites voler votre passeport, contactez immédiatement votre ambassade ou votre consulat (voir p. 777). Nous vous conseillons de conserver des photocopies de votre passeport (sans oublier la page du visa) et de votre billet d'avion.

VOIE AÉRIENNE

Aéroports

L'Inde du Nord possède deux grands aéroports internationaux (ci-dessous). Un nombre plus limité de vols internationaux atterrit dans d'autres villes – pour de plus amples informations, connectez-vous sur www.indianairports.com. L'Inde du Nord est vaste, aussi est-il conseillé de choisir l'aéroport le plus proche de votre destination finale.

Delhi (DEL ; Indira Gandhi International Airport ; ☎ 011-25661000 ; www.newdelhiairport.com)

Kolkata (Calcutta ; CCU ; Netaji Subhas Chandra Bose International Airport ; ☎ 033-25118787 ; www.calcuttaairport.com)

COMPAGNIES AÉRIENNES

Le transporteur national, **Air India** (www.airindia.com), qui a absorbé l'ancienne compagnie intérieure publique **Indian Airlines**, est en pleine réorganisation. La compagnie privée réputée **Jet Airways** (www.jetairways.com) assure aussi des vols internationaux, à l'instar d'autres transporteurs indiens (voir p. 809). Consultez leurs sites Internet pour connaître les destinations desservies et les tarifs.

L'obtention d'un visa touristique est subordonnée à l'achat d'un billet de retour ou de continuation. Aussi, rares sont les visiteurs qui achètent un billet pour un vol international en Inde. Seules les agences de voyages agréées peuvent réserver des vols internationaux ;

AVERTISSEMENT

Les informations contenues dans ce chapitre sont particulièrement susceptibles de changements. Vérifiez directement auprès de la compagnie aérienne ou de l'agence de voyages les modalités d'utilisation de votre billet d'avion. N'hésitez pas à comparer les prestations. Les détails fournis ici doivent être lus à titre indicatif et ne remplacent en rien une recherche personnelle attentive.

CIRCULATION AÉRIENNE ET CHANGEMENTS CLIMATIQUES

Les changements climatiques représentent une menace sérieuse pour les écosystèmes dont dépend l'être humain et la circulation aérienne contribue pour une large part à l'aggravation de ce problème. Lonely Planet ne remet absolument pas en question l'intérêt du voyage, mais nous restons convaincus que nous avons tous, chacun à notre niveau, un rôle à jouer pour enrayer le réchauffement de la planète.

Le "poids" de l'avion

Pratiquement toute forme de circulation motorisée génère une production de CO^2, principale cause du changement climatique induit par l'homme. La circulation aérienne détient de loin la plus grosse responsabilité en la matière, non seulement en raison des distances que les avions parcourent, mais aussi parce qu'ils relâchent dans les couches supérieures de l'atmosphère quantité de gaz à effet de serre. Ainsi, deux personnes effectuant un vol aller-retour entre l'Europe et les États-Unis contribuent-elles autant au changement climatique qu'un ménage moyen qui consomme du gaz et de l'électricité pendant un an !

Programmes de compensation

Des sites Internet comme www.actioncarbone.org et www.co2solidaire.org utilisent des "compteurs de carbone" permettant aux voyageurs de compenser le niveau des gaz à effet de serre dont ils sont responsables par une contribution financière à des projets de développement durable menés dans le secteur touristique et visant à réduire le réchauffement de la planète. Des programmes sont en place notamment en Inde, au Honduras, au Kazakhstan et en Ouganda.

Lonely Planet "compense" d'ailleurs la totalité des voyages de son personnel et de ses auteurs. Pour plus d'information, consultez : www.lonelyplanet.fr

leurs tarifs ne sont pas plus intéressants que ceux des compagnies aériennes.

Les compagnies suivantes desservent l'Inde du Nord :

Aeroflot (SU ; www.aeroflot.com)
Air Canada (AC ; www.aircanada.com)
Air France (AF ; www.airfrance.com)
Air India (AI ; www.airindia.com)
Alitalia (AZ ; www.alitalia.com)
American Airlines (AA ; www.aa.com)
Austrian Airlines (OS ; www.aua.com)
Biman Bangladesh Airlines (BG ; www.biman-airlines.com)
British Airways (BA ; www.british-airways.com)
Cathay Pacific Airways (CX ; www.cathaypacific.com)
Drukair (KB ; www.drukair.com.bt)
Emirates (EK ; www.emirates.com)
Finnair (AY ; www.finnair.com)
Gulf Air (GF ; www.gulfairco.com)
Japan Airlines (JL ; www.jal.com)
KLM – Royal Dutch Airlines (KL ; www.klm.com)
Kuwait Airways (KU ; www.kuwait-airways.com)
Lufthansa (LH ; www.lufthansa.com)
Malaysia Airlines (MH ; www.malaysiaairlines.com)
Nepal Airlines (RA ; www.royalnepal.com)
Pakistan International Airlines (PK ; www.piac.com.pk)
Qantas Airways (QF ; www.qantas.com.au)
Qatar Airways (QR ; www.qatarairways.com)
Singapore Airlines (SQ ; www.singaporeair.com)
Sri Lankan Airlines (UL ; www.srilankan.aero)
Swiss International Airlines (LX ; www.swiss.com)
Thai Airways International (TG ; www.thaiair.com)

Quitter l'Inde du Nord

Bien qu'il ne soit plus obligatoire de confirmer la majorité des vols internationaux, mieux vaut le faire. La plupart des compagnies demandent aux passagers de s'enregistrer 3 heures avant le départ de ces mêmes vols – tenez compte des éventuelles difficultés de circulation pour estimer votre temps de trajet jusqu'à l'aéroport.

La majorité des aéroports indiens disposent de chariots à bagage gratuits ; des porteurs vous proposeront aussi leurs services à un tarif négociable. Pour les vols au départ de l'Inde, les bagages de soute sont passés au rayon X dans le hall des départs ; pensez à étiqueter tous vos bagages à main, y compris votre appareil photo – une formalité obligatoire pour les contrôles de sécurité.

Depuis l'Europe

Les tarifs des vols internationaux vers l'Inde varient selon la saison. Ils s'envolent au moment des fêtes de fin d'année ; il est vivement conseillé de réserver longtemps à l'avance pour voyager pendant cette période. Les prix indiqués dans cette rubrique correspondent aux tarifs moyens pratiqués lors de la rédaction de ce guide. Renseignez-vous auprès d'une agence de voyages ou sur Internet pour obtenir les tarifs et horaires du moment.

Une taxe de départ de 500 Rs (150 Rs pour la plupart des pays du Sud et du Sud-Est asiatiques) et une taxe de service de 200 Rs sont généralement incluses dans le prix du billet.

FRANCE

En partenariat avec Air India, Air France assure chaque jour un vol direct Paris-Delhi (environ 8 heures 30). Sept autres vols sont assurés via Amsterdam dans le cadre du partenariat entre Air France et KLM. Les tarifs moyens varient entre 550 et 1 100 €. Les billets plus haut de gamme peuvent atteindre plusieurs milliers d'euros.

Les tarifs les plus avantageux sont souvent ceux des vols avec escale. On trouve des vols à partir de 500 € sur Brussels Airlines (via Bruxelles), Etihad Airways (via Abou Dhabi), Gulf Air (via Bahreïn) Jet Airways (via Londres) ou Qatar Airways (via Doha) par exemple. Comptez alors entre 11 et 14 heures de voyage.

Voici quelques adresses d'agences et de transporteurs :

Air France (☎ 36 54 ; www.airfrance.fr ; 49 av de l'Opéra, 75002 Paris)

Air India (☎ 01 55 35 40 07 ; www.airindia.com ; 3 rue Colonnes, 75002 Paris)

Nouvelles Frontières (☎ 01 49 20 64 00 ; www.nouvelles-frontieres.fr ; nombreuses agences en France)

Thomas Cook (☎ 0 826 826 777 ; www.thomascook.fr ; 38 av de l'Opéra, 75002 Paris)

Voyageurs du Monde (☎ 0892 23 56 56 ; www.vdm.com ; 55 rue Sainte-Anne, 75002 Paris ; plusieurs agences en province)

Voyages Wasteels (☎ 0825 88 70 70 ; www.wasteels.fr ; nombreuses agences en France)

BELGIQUE

Jet Airways et Brussels Airlines proposent des vols directs Bruxelles-Delhi (8-9 heures). Comptez entre 500 et 800 € en moyenne selon la saison. De nombreuses compagnies assurent des vols avec escale(s), à des prix souvent similaires, pour des durées comprises entre 10 et 16 heures.

AGENCES EN LIGNE

Vous pouvez réserver votre vol via une agence en ligne ou vous renseigner auprès d'un comparateur de vols :

www.anyway.com
www.ebookers.fr
www.karavel.com
www.kayak.fr
www.nouvelles-frontieres.fr
www.opodo.fr
www.voyages-sncf.com
http://voyages.kelkoo.fr
www.govoyage.com

Voici quelques adresses utiles :

Air India (☎ 02-512 75 15 ; www.airindia.com ; 60 rue Ravenstein, 1000 Bruxelles)

Airstop (☎ 070 233 188 ; www.airstop.be ; bd E. Jacquemain 76, 1000 Bruxelles ; plusieurs agences en Belgique)

Connections (☎ 070 23 33 13 ; www.connections.be ; nombreuses agences dans le pays)

Gigatour – Voyages Éole (☎ 070 22 44 32 ; www.voyageseole.be ; nombreuses agences dans le pays)

SUISSE

Swiss assure chaque jour un vol direct Zurich-Delhi (7 heures 30), à partir de 1 200 francs suisses. De nombreuses autres compagnies desservent l'Inde du Nord depuis Zurich ou Genève avec escale(s). Comptez 1 400 francs suisses en moyenne. Les prix les plus intéressants avoisinent 850 francs suisses. Les tarifs s'envolent en fin d'année, où ils peuvent atteindre plus de 5 000 francs suisses. Les voyages avec escale(s) prennent entre 10 et 16 heures.

Voici quelques adresses utiles :

Air India (☎ 043-888 70 90 ; www.airindia.ch ; Talacker 50, 8001 Zurich)

STA Travel (☎ 058-450 49 20 ; fr.statravel.ch ; bât L'Anthropole, Lausanne 1015 ; nombreuses autres agences dans le pays)

Swiss Zurich (☎ 0848 700 700 ; www.swiss.com) nombreuses agences en Suisse.

Depuis le Canada

Depuis l'est et le centre du Canada, la plupart des vols à destination de l'Inde passent par l'Europe. Au départ de Vancouver et de la côte ouest, les vols transitent par l'Asie. Pour un aller-retour entre Vancouver ou Toronto et Delhi, comptez un minimum de 1 500 $C.

Air Canada (☎ 1-888 247 2262 ; www.aircanada.ca)
Air India (☎ 1-800 625 6424, www.airindia.com)
Voyages Campus (☎ 1-866 246 9762 ; www.travelcuts.com)

Depuis l'Asie

Des agences **STA Travel** sont présentes partout en Asie, notamment à Bangkok (www.statravel.co.th), Singapour (www.statravel.com.sg), Hong Kong (www.statravel.com.hk) et au Japon (www.statravel.co.jp). Au moins une compagnie aérienne assure des vols entre l'Inde et le Bangladesh, les Maldives, le Myanmar, le Népal, le Pakistan et le Sri Lanka. Pour des informations précises, voyez directement en agence ou sur Internet.

VOIE TERRESTRE

Passage de frontières

Si la plupart des visiteurs arrivent en avion, le trajet par voie terrestre depuis le Népal est aussi très populaire. Quelques rares voyageurs entrent en Inde depuis le Pakistan ou le Bangladesh. Pour rallier le sous-continent en traversant l'Asie, consultez les guides Lonely Planet *Iran*, *Turquie* et *Asie centrale*.

Si vous arrivez en Inde en bus ou en train, vous devrez être muni d'un visa indien en cours de validité et descendre à la frontière pour les formalités de douane et d'immigration – n'espérez pas obtenir un visa à ce moment-là. Le visa de tourisme classique à entrées multiples est valable six mois (voir p. 790).

Les automobilistes et les motards devront présenter les papiers du véhicule, une assurance au tiers et un permis de conduire international. Ils auront également besoin d'un carnet de passage en douane, un document qui permet de faire entrer temporairement un véhicule sur le territoire, sans payer de taxes. Pour connaître les dernières formalités administratives et d'autres informations utiles, adressez-vous à l'automobile-club le plus proche de chez vous.

Voir aussi p. 820 et p. 813 pour les déplacements en voiture et à moto.

BANGLADESH

Entre l'Inde et le Bangladesh, les étrangers ont le choix entre quatre postes-frontières, au Bengale-Occidental ou dans les États du Nord-Est. Si vous arrivez au Bangladesh par avion et en repartez par la route, vous aurez besoin d'un permis de circuler ("change of route permit"). Il est arrivé que des voyageurs puissent quitter le pays sans avoir à obtenir de permis de circuler, quand d'autres se sont vu arrêter à la frontière parce qu'ils n'en possédaient pas. Les demandes de prorogation de visa et de permis de circuler s'effectuent auprès de l'**Immigration and Passport Office** (bureau des passeports et de l'immigration, ☎ 889750 ; Agargaon Rd ; 🕑 sam-jeu) à Dacca. Des voyageurs ont aussi eu des problèmes pour quitter le Bangladesh par voie de terre avec un visa délivré à l'aéroport de Dacca.

Pour rejoindre le Bangladesh depuis l'Inde, vous devrez obtenir un visa à l'avance auprès d'une représentation bangladaise (voir p. 777). Reportez-vous aussi aux encadrés p. 651 et 657.

En quittant le Bangladesh à destination de l'Inde, il faut acquitter d'avance la taxe de sortie du territoire (300 Tk) dans une agence de la Sonali Bank (soit à Dacca, soit dans une autre grande ville, ou bien à l'agence la plus proche de la frontière).

De Kolkata à Dacca

Chaque jour, des bus relient Kolkata à Dacca, via le poste-frontière de Benapol – reportez-vous p. 537. Il existe aussi une liaison ferroviaire entre Kolkata et Dacca, voir p. 538. Le poste-frontière en train est celui de Darsana. Votre visa bangladais doit en porter la mention pour vous permettre d'acheter le billet de train.

De Siliguri à Chengrabandha/Burimari

Ce petit poste-frontière septentrional est accessible depuis Siliguri (Bengale-Occidental), grâce à des bus fréquents à destination de Chengrabandha. Là, vous pourrez prendre un bus pour Rangpur, Bogra et Dacca. Voir l'encadré p. 555 pour plus d'informations.

De Shillong à Sylhet

Rarement utilisé, ce petit point de passage permet de relier facilement le nord-est de l'Inde au Bangladesh. Des 4x4 collectifs assurent tous les matins la liaison entre le Bara Bazaar, à Shillong, et le poste-frontière de Dawki. De là, on peut rejoindre à pied ou en taxi la gare routière de Tamabil, d'où des bus réguliers vont à Sylhet. Reportez-vous à l'encadré p. 657.

D'Agartala à Dacca

Cette frontière située le long d'Akhaura Road, près d'Agartala en Inde, est proche de Dacca. Une distance de 155 km sépare Dacca d'Agartala. Pour plus de renseignements, voir l'encadré p. 651.

BHOUTAN

Phuentsholing est le principal point de passage entre l'Inde et le Bhoutan. Il est obligatoire de posséder un visa bhoutanais et d'avoir acheté un circuit organisé auprès d'un tour-opérateur agréé au Bhoutan. Cette démarche peut s'effectuer directement auprès d'une agence affiliée installée à l'étranger. Les procédures d'entrée sur le territoire devant s'organiser à l'avance, et étant sujettes à changement, nous vous conseillons de consulter un agent de voyages ou l'ambassade du Bhoutan pour connaître les dernières obligations en vigueur. Voir également www.tourism.gov.bt.

De Siliguri/Kolkata à Phuentsholing

Depuis Kolkata et Siliguri, des bus de Bhutan Transport Services vont à Phuentsholing. Un bus direct quitte Kolkata à 19h (voir p. 538). Voir l'encadré p. 555 pour plus d'informations sur les trajets au départ de Siliguri.

NÉPAL

Même si la sécurité au Népal s'est sensiblement améliorée durant ces dernières années, il est préférable de s'informer sur la situation auprès des autorités compétentes avant de passer la frontière.

Lorsque les conditions politiques et climatiques le permettent, cinq postes-frontières sont ouverts entre l'Inde et le Népal :

- Sunauli (Uttar Pradesh)/Bhairawa (centre du Népal)
- Raxaul (Bihar)/Birganj (centre du Népal)
- Panitanki (Bengale-Occidental)/Kakarbhitta (extrême est du Népal)
- Jamunaha (Uttar Pradesh)/Nepalganj (ouest du Népal)
- Banbassa (Uttarakhand)/Mahendranagar (ouest du Népal).

Tous les postes-frontières népalais peuvent délivrer un visa, mais il faut des espèces en dollars et deux photos d'identité. Vous pouvez aussi obtenir un visa en vous adressant à l'avance à une représentation népalaise (voir p. 777).

De Sunauli à Bhairawa

Depuis Delhi ou Varanasi, c'est le point de passage le plus pratique pour rallier Katmandou, Pokhara ou Lumbini. Des bus quotidiens relient Varanasi (ordinaire/AC 172/215 Rs, 10 heures) à Sunauli. Vous pouvez aussi prendre le train jusqu'à Gorakhpur (p. 460) d'où un bus vous conduira à Sunauli (56 Rs, 3 heures). Pour plus de précisions sur le passage de la frontière, reportez-vous à l'encadré p. 584.

De Raxaul à Birganj

Ce point de passage, idéal pour qui vient de Kolkata, de Patna ou des plaines orientales, permet de continuer sur Katmandou. Des bus desservent quotidiennement Raxaul depuis Patna et Kolkata. Il est toutefois plus confortable de prendre le *Mithila Express*, un train quotidien au départ de la gare de Howrah (Kolkata). Pour le passage de la frontière, voir l'encadré p. 584.

De Panitanki à Kakarbhitta

Cet itinéraire conviendra aux personnes en provenance de Darjeeling, du Sikkim et des États du Nord-Est. Des bus et des 4x4 collectifs relient Siliguri et plusieurs autres villes du Bengale-Occidental à la frontière. Il est ensuite possible d'explorer l'est du Teraï sur la route de Katmandou. Reportez-vous à l'encadré p. 555 pour le passage de la frontière.

De Jamunaha à Nepalganj

De nombreux touristes indiens – mais peu d'étrangers – pénètrent au Népal depuis Jamunaha (Uttar Pradesh). Nepalganj permet de rejoindre le Royal Bardia National Park, côté Népal, et de gagner Katmandou par des vols réguliers. Des bus circulent entre Lucknow et Rupaidha Bazar (160 Rs, 7 heures), situé à une courte distance en auto-rickshaw du poste-frontière de Jamunaha. On peut aussi prendre un train pour Nanpara, puis un bus ou un taxi sur 17 km jusqu'à la frontière.

De Banbassa à Mahendranagar

Cet itinéraire donne accès à la région peu visitée du Teraï occidental. Pendant la mousson, la route est souvent coupée par les inondations ou les glissements de terrain. Chaque jour, des bus partent pour Banbassa (184 Rs, 10 heures) de la gare routière Anand

Vihar (hors carte p. 116 ; ☎réservations 011-22141611) de Delhi. Pour le passage de la frontière, voir l'encadré p. 584.

PAKISTAN

La frontière Inde-Pakistan reflète les relations entre les deux pays. Les liaisons peuvent être brutalement interrompues en cas de tension ; renseignez-vous au préalable. Plusieurs itinéraires directs permettent de relier le Pakistan à Delhi, à Amritsar (Punjab) et au Rajasthan, en bus ou en train. Les bus reliant Srinagar à la partie du Cachemire sous administration pakistanaise ne sont pour le moment accessibles qu'aux Indiens.

Un visa est requis pour pénétrer au Pakistan. On l'obtient plus facilement dans son propre pays. Lors de la rédaction de ce guide, l'ambassade du Pakistan à Delhi (☎011-24676004 ; 2/50G Shantipath, Chanakyapuri ; ⌚demande 8h-11h lun-ven) délivrait des visas touristiques valables 90 jours en cinq jours environ. Les choses peuvent toutefois changer en cas de tension politique. Pour déposer une demande de visa en Inde, vous devrez fournir une lettre de recommandation de votre ambassade, en plus des formulaires et des photos d'identité habituels.

D'Attari à Wagah (d'Amritsar à Lahore)

Le principal point de transit entre l'Inde et le Pakistan est le poste-frontière entre Attari, près d'Amritsar, et Wagah, près de Lahore. Pour plus de précisions sur le passage de la frontière, voir le paragraphe *Frontière Inde-Pakistan à Attari-Wagah*, p. 273, et l'encadré p. 273. Si vous le pouvez, faites coïncider votre passage avec la cérémonie de fermeture de la frontière (voir l'encadré p. 274).

De Delhi à Lahore

Sur cet itinéraire, le plus simple reste d'emprunter les bus et trains directs Delhi-Lahore. Ces liaisons sont toutefois bondées et les formalités douanières peuvent prendre entre deux et cinq heures – au lieu d'une ou deux heures pour les voyageurs indépendants. Reste aussi le problème de sécurité : en février 2007, un attentat a fait 67 victimes dans le train Delhi-Lahore.

Le bus Delhi-Lahore part du bureau de la gare routière Dr Ambedkar (☎011-23318180, 23712228 ; Delhi Gate ; ⌚9h-19h lun-sam) à 6h les mardi, mercredi, vendredi et dimanche ; il arrive à Lahore 12 heures plus tard (1 500 Rs aller, réservation indispensable). Les bagages sont limités à 20 kg par personne (60 Rs/kg supp, 15 kg maximum), plus un bagage à main.

Le train *Samjhauta Express* (sleeper 270 Rs) part de la gare d'Old Delhi – où les billets sont en vente – les mercredi et dimanche à 22h50 ; il atteint la frontière indienne, à Attari, à 7h. Là, les passagers doivent descendre pour les formalités, avant la dernière demi-heure de trajet jusqu'à Lahore.

Du Rajasthan au Pakistan

Après des années de conflits, le train *Thar Express* (ou *JU MBF Link Express*) qui relie Jodhpur (Rajasthan) à Karachi (Pakistan) via le poste-frontière de Munabao/Khokraparand a repris du service début 2006. Les horaires fluctuent. Renseignez-vous à Jodhpur. Pour plus de détails voir p. 235.

VOIE MARITIME

Plusieurs lignes maritimes desservent les îles entourant le sous-continent indien, mais aucune ne dépasse les eaux territoriales indiennes (voir p. 811).

VOYAGES ORGANISÉS

Vous trouverez ici une liste de voyagistes offrant des prestations intéressantes pour des circuits en Inde du Nord. N'hésitez pas à comparer leurs prix avant de faire votre choix. Examinez également les offres des voyagistes mentionnés dans la rubrique *Voie aérienne*, ainsi que celle des agences en ligne de l'encadré p. 805.

CIRCUITS

De très nombreux tour-opérateurs proposent des circuits en Inde du Nord. Les plus fréquents sont les parcours thématiques à travers le Rajasthan, qui permettent à la fois de visiter de splendides monuments et d'avoir un bon aperçu de la culture locale. Avec les montagnes du Ladakh et du Sikkim, l'Inde du Nord est également idéale pour la marche et le trekking. L'offre de circuits sportifs est très importante, avec des formules couvrant parfois, en plus de l'Inde, une partie du Népal.

Les circuits "classiques", revisités par des voyagistes, peuvent prendre une dimension nouvelle, en alliant par exemple marche et visites culturelles sur des parcours peu fréquentés, ou en proposant des expériences telles qu'une méharée dans le désert du Thar ou une traversée du Rajasthan à cheval.

Certains organismes mettent aussi en place des formules originales, qui offrent la possibilité de suivre les cours du Gange, de l'Indus ou du Brahmapoutre, de visiter à la fois le Sikkim et le Bhoutan, ou de partir à la rencontre des peuples du Nord-Est.

Allibert (☎ France 0825 090 190, Belgique 02-526 92 90, Suisse 022-849 85 51 ; www.allibert-trekking.com ; 37 bd Beaumarchais, 75003 Paris). Ce spécialiste du trekking propose 14 circuits en Inde du Nord, de 16 à 29 jours (la plupart entre 2 500 et 3 000 €). Traversée du Zanskar, hautes vallées du Ladakh, expédition à la Nanda Devi, trekking dans les gorges du Zanskar en hiver, découverte des cultures du Spiti et du Kinnaur, trek sur la frontière indo-népalaise, etc.

Asia (☎ France 0825 897 602, Suisse 022-839 43 92 ; www.asia.fr ; 1 rue Dante, 75005 Paris). Plusieurs itinéraires au Rajasthan, pour découvrir les joyaux incontournables et les trésors méconnus de la région, des escapades à Jaisalmer, à Khajuraho et sur les rives sacrées du Gange, un périple au Bengale et au Sikkim, et des circuits organisés pour la foire de Pushkar. Entre 10 et 20 jours (de 1 190 à 3 850 €).

Atalante Paris (☎ 01 55 42 81 00 ; www.atalante.fr ; 41 bd des Capucines, 75002 Paris) ; Lyon (☎ 04 72 53 24 80 ; 36 quai Arloing, 69256 Lyon cedex 09) ; Bruxelles (Continent Insolites ; ☎ 02-218 24 84 ; rue César-Franck 44, B-1050 Bruxelles). Circuits plus ou moins sportifs, à choisir selon son niveau, aux sources du Gange, au Ladakh, au Zanskar et au Sikkim. Culture et rencontres ne sont pas oubliées. Entre 14 et 30 jours (de 2 000 à 5 000 €).

Clio (☎ 0 826 10 10 82 ; www.clio.fr ; 27 rue du Hameau, 75015 Paris). Des circuits culturels en Inde du Nord, au Népal et au Bhoutan, pour découvrir les merveilles du Rajasthan, le Sikkim et le Bhoutan, les monastères du Ladakh, l'Assam au fil du Brahmapoutre, la foire de Pushkar, les festivals de Jodhpur, de Paro ou de Khajuraho, etc. Entre 10 et 20 jours (de 2 435 à 3 870 €).

Club Aventure (☎ 0 826 882 080 ; www.clubaventure.fr ; 18 rue Séguier, 75006 Paris). Circuits découvertes au Ladakh et treks au Ladakh et au Zanskar. Entre 10 et 15 jours (à partir de 2 595 €).

Terres d'aventure Paris (☎ 0 825 700 825 ; www.terdav.com ; 6 rue Saint-Victor, 75005 Paris) ; Bruxelles (Vitamin Travel ; ☎ 02-543 95 60 ; 23 chaussée de Charleroi, 1060 St-Gilles-Bruxelles) ; Genève (Néos Voyages ; ☎ 022-320 66 35 ; 50 rue des Bains, 1205 Genève). Le Rajasthan, l'Inde himalayenne, les festivals, les tigres, les temples, les fleuves sacrés, les cultures, l'Inde bouddhiste. Autant d'aspects de l'Inde du Nord à découvrir au fil de plusieurs itinéraires, entre 14 et 30 jours (de 1 990 à 4 590 €).

Explorator (☎ 01 53 45 85 85 ; www.explorator.fr ; 1 rue Gabriel-Laumain, 75010 Paris). Plusieurs parcours en Inde du Nord. Au programme : merveilles architecturales, marchés, parcs naturels, Gange, cités anciennes, royaumes himalayens, cultures des hautes terres, etc. Entre 14 et 21 jours (de 2 895 à 3 895 €).

Fleuves du monde (☎ 01 44 32 12 80 ; www.fleuves-du-monde.com ; 28 bd de la Bastille, 75012 Paris). Propose un itinéraire au fil du Gange, en 14 jours (à partir de 2 560 €).

La Route des Indes (☎ 01 42 60 60 90 ; www.laroutedesindes.com ; 7 rue d'Argenteuil, 75001 Paris). Spécialiste de la destination, ce voyagiste propose des circuits culturels individuels, en voiture avec chauffeur. Le catalogue d'idées esquisse des voyages dans l'Himalaya, au Rajasthan, sur les pas du Bouddha, etc. Entre 14 et 16 jours (renseignez-vous sur les tarifs).

Monde de l'Inde et de l'Asie (☎ 01 53 10 31 00 ; www.mondeasie.com ; 15 rue des Écoles, 75005 Paris). Le Rajasthan, les villes et les sites du Nord, le Madhya Pradesh et le Chattisgarh, le Gujarat, les lieux saints, le Ladakh, le Sikkim, l'Himalaya, etc. Trek ou circuit au choix. Entre 10 et 26 jours (de 1 720 à 3 260 €).

Nomade (☎ 0 825 701 702 ; www.nomade-aventure.com ; 40 rue de la Montagne-Sainte-Geneviève, 75005 Paris). L'Inde himalayenne et le Rajasthan sont à l'honneur, dans des circuits sportifs ou tranquilles, notamment à dos de dromadaire. Entre 10 et 23 jours (de 1 737 à 3 210 €).

Orients (☎ 01 40 51 10 40 ; www.orients.com ; 27 rue des Boulangers, 75005 Paris). Cinq circuits thématiques en Inde du Nord – Himachal Pradesh-Ladakh, Madhya Pradesh-Gujarat, Maharashtra-Madhya Pradesh-Bihar, Rajasthan et Sikkim. Entre 15 et 19 jours (à partir de 3 360 €).

Tamera (☎ 04 78 37 88 88 ; www.tamera.fr ; 26 rue du Bœuf, 69005 Lyon). De nombreux treks en Inde du Nord, dont deux en Arunachal et au Nagaland. Entre 14 et 23 jours (de 2 400 à 3 650 €).

Zig Zag (☎ 01 42 85 13 93 ; www.zigzag-randonnees.com ; 54 rue de Dunkerque, 75009 Paris). Revisite les circuits classiques et propose un circuit au Rajasthan à cheval et une méharée dans le désert du Thar. Entre 10 et 21 jours (de 1 440 à 1 890 €).

COMMENT CIRCULER

AVION

La concurrence fait rage entre les compagnies aériennes indiennes qui assurent les vols intérieurs. On peut réserver par téléphone, en passant par une agence de voyages ou sur Internet, ce qui est plus avantageux. Ces compagnies pratiquent des tarifs en roupies pour les citoyens indiens et des tarifs parfois plus élevés calculés en dollars pour les étrangers (généralement payables en roupies).

Théoriquement, il n'est pas nécessaire de reconfirmer votre vol pour les billets achetés en Inde, mais une vérification n'est jamais superflue. En cas de perte de votre billet, les compagnies peuvent le remplacer. Les remboursements sont en revanche exceptionnels. Reportez-vous p. 784 pour plus de détails sur les réductions appliquées aux tarifs aériens.

Pour les vols intérieurs, l'enregistrement se fait 1 heure avant le départ. Les bagages doivent avoir été au préalable tamponnés et passés au rayon X. Tous les bagages à main doivent porter une étiquette, tamponnée dans le cadre des contrôles de sécurité. Les vols vers des destinations sensibles (comme le Cachemire ou le Ladakh) sont soumis a des restrictions sécuritaires plus sévères : les bagages peuvent être totalement interdits en cabine et les piles doivent être retirées de tous les appareils électroniques et placées en soute. Vous devrez parfois identifier vos sacs sur le tarmac avant qu'ils ne soient chargés dans l'avion. Officiellement, les photos sont interdites.

Certaines petites compagnies ne décollent que si le nombre de passagers couvre les coûts. Dans le cas contraire, vous serez remboursé. Il arrive parfois que le personnel vous réserve alors un siège sur une autre compagnie, plus chère. Si votre vol est annulé, demandez-en le remboursement et réservez vous-même un autre vol.

Le poids des bagages est fixé à 20 kg (10 kg pour les petits avions) en classe économique et à 30 kg en classe affaires.

Compagnies aériennes en Inde du Nord

Ces dernières années, les vols intérieurs se sont beaucoup développés dans tout le pays en raison de la dérégulation, avec pour résultat une véritable guerre des prix. Les deux grandes compagnies les mieux implantées sont Air India (à laquelle appartient désormais Indian Airlines) et Jet Airways. Les compagnies à bas prix proposent des tarifs compétitifs pour tout le pays.

La concurrence entre transporteurs entraîne de fréquents changements dans les tarifs ainsi que toutes sortes d'offres promotionnelles. Pour vous tenir informé de la situation (tarifs et itinéraires) et bénéficier des meilleures offres, il est conseillé de consulter les agences de voyages et Internet. Les taxes peuvent augmenter considérablement le prix du billet. Lors de la rédaction de ce guide, les compagnies ci-dessous desservaient diverses destinations en Inde. Reportez-vous aux rubriques afférentes des chapitres régionaux pour connaître les itinéraires, les tarifs et les coordonnées des agences de réservation.

Air India (www.airindia.com). Le transporteur national (qui a fusionné avec Indian Airlines) assure de nombreuses liaisons intérieures et internationales.

GoAir (www.goair.in). Compagnie à bas prix.

IndiGo (www.goindigo.in). Une autre compagnie à bas prix.

Jagson Airlines (www.jagsonairline.com). Parmi d'autres destinations, il dessert de petits aéroports dans l'Himachal Pradesh par de petits avions Dornier.

Jet Airways (www.jetairways.com). Pour beaucoup, la meilleure compagnie indienne. Couvre de plus en plus de destinations intérieures et à l'étranger.

Kingfisher Airlines (www.flykingfisher.com). Cette compagnie, détenue par une célèbre marque de bière (!), relie de nombreuses villes indiennes et quelques villes étrangères.

Kingfisher Red (www.flykingfisher.com/kingfisher-red.aspx). La compagnie à bas prix de Kingfisher.

Spicejet (www.spicejet.com). Compagnie charter.

Le site Internet www.makemytrip.com est très pratique pour réserver les vols intérieurs.

NOUVELLE DONNE DANS LE CIEL INDIEN

Ces dernières années en Inde, plusieurs compagnies ont fusionné ou changé de nom. Le processus est toujours à l'œuvre à l'heure où nous imprimons cet ouvrage, aussi attendez-vous à être confronté à de nouveaux changements lors de votre séjour. Nous avons indiqué les noms des compagnies aériennes en vigueur lors de la rédaction de ce guide.

Malgré la fusion d'Air India et Indian Airlines, certaines agences utilisent encore l'ancien nom d'Indian Airlines. Kingfisher Airlines et Air Deccan ont également fusionné, leurs compagnies portant désormais le nom de Kingfisher Airlines et, pour la compagnie à bas prix du groupe, de Kingfisher Red. JetLite (anciennement Air Sahara) est une filiale de Jet Airways.

Attention : certaines agences peu scrupuleuses essaient parfois de tromper les voyageurs en jouant sur la confusion des noms des compagnies.

Hélicoptère

Plusieurs compagnies, dont **Pawan Hans Helicopters** (www.pawanhans.nic.in), proposent un service de navette en hélicoptère dans un nombre limité de régions. Toutes les informations sont détaillées dans les chapitres régionaux.

BATEAU

En dehors des nombreux ferries qui traversent fleuves et rivières, le bateau ne constitue pas un réel moyen de transport en Inde du Nord.

Des ferries de passagers relient le continent indien à Port Blair, dans les îles Andaman, en 56 heures environ au départ de Kolkata (voir p. 538).

BUS

Si le train est préférable pour les longs trajets, le bus reste le moyen de transport le plus économique en Inde du Nord. Il n'existe souvent pas d'autre alternative dans les régions montagneuses. Les bus s'avèrent rapides et fréquents, mais leur conduite est musclée. Les routes pouvant être périlleuses, évitez de voyager de nuit. S'ils permettent de se dégourdir les jambes, les arrêts rallongent le temps de parcours.

Les bus des compagnies publiques sont souvent les plus fiables. Ils peuvent être réservés jusqu'à un mois à l'avance. Les bus privés sont parfois moins chers, mais leurs chauffeurs conduisent brusquement et privilégient le taux de remplissage pour optimiser les profits. En cas de panne, contrairement aux compagnies publiques, il n'y aura pas de véhicule de remplacement et il faudra prendre votre mal en patience. Certaines compagnies privées haut de gamme opèrent sur des bus plus confortables, justifiant la différence de prix. Sur les longues distances, prévoyez des bouchons d'oreilles pour couvrir la musique souvent assourdissante. Choisissez toujours, si possible, un siège entre les essieux afin d'être moins secoué.

Les bagages sont entreposés dans les soutes (moyennant parfois une somme modique) ou bien transportés sur le toit du bus. Dans ce cas, arrivez au moins 1 heure avant le départ car sur certains véhicules, les bagages entassés sur le toit sont couverts d'une grande bâche, de sorte qu'il n'est pas pratique, voire impossible, d'y installer les siens à la dernière minute. Prévoyez aussi quelques précautions : fermez vos sacs avec un cadenas et vérifiez qu'ils sont solidement arrimés à la galerie pour ne pas les voir se volatiliser en cours de route. Le receveur pourra vous les monter en échange d'un modeste pourboire.

Gardez un œil sur vos affaires pendant les arrêts et ne les laissez jamais sans surveillance à l'intérieur du bus. Enfin, conservez sur vous votre argent.

Dans les régions montagneuses, des Jeep collectives complètent les services de bus (voir p. 812).

Classes

Les compagnies privées et publiques possèdent plusieurs catégories de bus : les "ordinaires" (*ordinary*) – vieux tacots aux fenêtres déglinguées – et les "*deluxe*" – des bus plus chers allant d'une version légèrement améliorée de la catégorie ordinaire à des autocars tout confort avec climatisation et sièges inclinables. Dans les villes touristiques, les agences de voyages proposent des autocars privés qui partent et s'arrêtent à des points stratégiques. Vérifiez la catégorie, car certaines agences indélicates font payer aux touristes un prix "superdeluxe" pour un trajet en bus ordinaire. Les horaires et les destinations sont en général affichés dans les agences de voyages et les offices du tourisme.

Tarifs

Les moins chers sont les bus publics ordinaires. Les prix varient d'un État à l'autre (reportez-vous aux chapitres régionaux). Les billets deluxe reviennent environ 50% plus cher. Le prix double pour la climatisation et triple ou quadruple pour les bus à rangées de deux sièges.

Réservations

On peut en général réserver sa place dans un bus deluxe – jusqu'à un mois à l'avance pour les compagnies publiques – à la gare routière ou dans les agences de voyages. En revanche, c'est bien souvent impossible pour les bus ordinaires. Le cas échéant, si vous voyagez à deux, vous avez tout intérêt à élaborer une stratégie d'embarquement : pendant que l'un garde les bagages, l'autre se précipite dans le bus pour retenir les places. Une autre méthode consiste à glisser un journal ou un vêtement par une fenêtre et à le poser sur un siège vide. Ce mode de "réservation" échoue rarement. Si vous montez à un arrêt intermédiaire, vous aurez peu de chance de trouver une place.

De nombreuses gares routières disposent d'une file d'attente réservée aux femmes, mais elle est rarement bien indiquée et les hommes s'y mêlent parfois. Les voyageuses ne devront pas hésiter à jouer des coudes pour arriver en tête de ces files, comme le font les Indiennes.

CIRCUITS ORGANISÉS LOCAUX

Les offices du tourisme, les compagnies de transport locales et les agences de voyages organisent des circuits dans tout le nord du pays. D'un bon rapport qualité/prix, ils permettent de visiter plusieurs lieux à la fois, même si la cadence est effrénée. Pour bénéficier de plus de liberté quant aux lieux et au rythme de visite, préférez un circuit organisé par le bureau des taxis local.

Les chauffeurs servent souvent de guide, mais vous pouvez aussi louer les services d'un guide privé. Le cas échéant, ne vous laissez par berner par un rabatteur se prétendant professionnel, une pratique courante dans les régions touristiques. Adressez-vous aux offices du tourisme et vérifiez les accréditations du guide. Pour juger de l'expérience des guides de trekking, questionnez-les sur les itinéraires, les distances et le type de terrain ; en cas de réponses vagues, méfiez-vous.

Pour un trek ou un circuit de plusieurs jours, assurez-vous que tout l'équipement nécessaire est fourni (premiers secours, matériel de camping, etc.) et vérifiez tout avant de partir. Faites-vous toujours confirmer ce qu'inclut le prix indiqué : nourriture, hébergement, essence, équipement pour le camping, services des guides, etc.

Consultez les chapitres régionaux pour connaître les excursions recommandées, ainsi que le chapitre *Activités* (p. 101).

Agences internationales

Beaucoup de compagnies internationales proposent des circuits en Inde, des plus classiques aux plus sportifs. Pour trouver celui qui vous convient, interrogez diverses agences de voyages et surfez sur Internet.

Voici quelques options intéressantes :

Dragoman Overland (www.dragoman.com). Organisme proposant des circuits pour rejoindre l'Inde ou la découvrir à bord de véhicules personnalisés.

Essential India (www.essential-india.co.uk). Un éventail de circuits à la carte ou thématiques, dont des trekkings. Tourisme équitable.

Exodus (www.exodustravels.co.uk). Circuits thématiques axés notamment sur la nature, l'aventure et la spiritualité.

India Wildlife Tours (www.india-wildlife-tours.com). Découverte de la nature, safari à cheval/chameau ou en Jeep, pêche, observation des oiseaux.

Indian Encounters (www.indianencounters.com). Circuits sur mesure ou autour d'un centre d'intérêt (nature, cuisine, art, équitation, soins ayurvédiques).

Intrepid Travellers (www.intrepidtravel.com). Vaste choix de circuits touristiques, de la randonnée au à la découverte de la nature.

Peregrine Adventures (www.peregrine.net.au). Trekking et circuits culturels.

Sacred India Tours (www.sacredindia.com). Propose des circuits à orientation spirituelle consacrés notamment au yoga ou à la médecine ayurvédique, mais aussi à l'architecture religieuse.

World Expeditions (www.worldexpeditions.com.au). Large choix, trekkings, randonnées à pied ou à vélo, etc.

EN STOP

Dans certaines régions reculées, en particulier au Ladakh, au Lahaul et au Spiti, les chauffeurs de camion complètent les services de bus moyennant rétribution. Mais ces chauffeurs parlant rarement anglais, vous risquez d'avoir du mal à expliquer où vous voulez aller et à savoir quel est le prix juste. De plus tous ne font pas preuve d'une prudence exemplaire. En Inde comme ailleurs, nous déconseillons fortement aux femmes seules de faire du stop.

JEEP COLLECTIVE

Dans les régions montagneuses, des Jeep collectives complètent le service des bus, aux mêmes tarifs que ces derniers. Prévues pour 5 à 6 passagers, elles en transportent souvent jusqu'à onze. Les sièges à côté du chauffeur et juste derrière lui sont plus chers que les banquettes à l'arrière. Les Jeep ne démarrent que quand elles sont pleines, mais les chauffeurs partiront sur le champ si vous payez pour les sièges restés vides.

Les Jeep circulent depuis des stations officielles ou des stations improvisées au croisement des principaux axes. Renseignez-vous auprès des habitants. Pour les itinéraires et les tarifs, reportez-vous aux chapitres régionaux. Dans certains États, les Jeep sont appelées *sumo*, du nom du TATA Sumo, le 4x4 favori du pays.

Notez que de nombreux voyageurs indiens souffrent du mal des transports, en particulier sur les routes de montagne ; vous risquez de devoir céder votre siège près de la fenêtre à des compagnons de route mal en point.

MOTO

Malgré les affres de la circulation, parcourir l'Inde à moto offre une grande liberté de mouvements et de formidables sensations. De plus, les motos se prêtent souvent mieux aux routes accidentées que les voitures. D'excellents circuits organisés (voir p. 808) vous éviteront de voyager seul.

En Inde, l'Enfield Bullet, inchangée depuis 1940, a la faveur des motards. Ces motos, au ronflement agréable, se réparent facilement (vous trouverez des pièces détachées partout). Toutefois, elles se révèlent souvent moins fiables que les nouvelles marques japonaises.

La plupart des motards partent de Delhi, et beaucoup mettent le cap sur le Rajasthan et le Ladakh. Avant de partir, il convient de s'informer du climat. Reportez-vous à l'encadré *En bref* situé au début de chaque chapitre régional pour connaître la période la plus propice à la visite d'un État. Pour venir en Inde par voie terrestre depuis les pays voisins, renseignez-vous sur les dernières réglementations en vigueur, les papiers nécessaires et les démarches à effectuer auprès des autorités compétentes.

Achat

Pour les circuits longue distance, l'achat d'un véhicule d'occasion est une bonne solution, d'autant plus que les papiers s'obtiennent plus facilement que pour une moto neuve. Si vous souhaitez acquérir une moto d'occasion, il suffit de demander autour de vous, à des mécaniciens ou à d'autres motards, et de consulter les panneaux d'annonces.

À Delhi, des dizaines de boutiques de motos et de pièces détachées se concentrent autour de Hari Singh Nalwa St, dans Karol Bagh, mais il y a aussi beaucoup de vendeurs louches. Nous ne recueillons que des échos favorables sur **Lalli Motorbike Exports** (☎ 011-28750869 ; www.lallisingh.com ; 1740-A/55 (rdc), Hari Singh Nalwa St, Abdul Aziz Rd, Karol Bagh Market). Tenu par Lalli Singh, aussi enthousiaste que compétent, ce magasin loue et vend des Enfield, fournit des pièces détachées et donne aux acheteurs un cours intensif sur la manière de conduire et d'entretenir ces adorables mais capricieuses motos.

À Jaipur (Rajasthan), Rajasthan Auto Centre (voir p. 176) est une adresse recommandée pour la location, la réparation ou l'achat de moto.

TARIFS

Une Enfield 350 cm³ d'occasion, en bon état, vaut entre 18 000 et 40 000 Rs, tandis qu'une moto occidental plus moderne coûte entre 40 000 et 50 000 Rs. Pour une 500 cm³ comptez entre 45 000 à 75 000 Rs pour une. Consultez le site www.royalenfield.com pour les prix des Enfield neuves.

Avant de prendre la route, faites réviser votre moto d'occasion. À la revente, vous récupérerez entre la moitié et les deux tiers du prix d'achat si vous avez pris soin de votre véhicule. Expédier une moto en Europe se révèle coûteux et compliqué – le revendeur vous expliquera la procédure à suivre.

La souscription d'une assurance est obligatoire (voir p. 780). Les casques (500-2 000 Rs) et les accessoires – panier, porte-bagage, barre de protection, rétroviseur, bouchon de réservoir verrouillable, filtre à essence, etc. – se trouvent facilement. En équipant votre moto d'un réservoir plus grand, vous pourrez espacer les pleins. Une Enfield 500 cm³ consomme 1 litre/25 km ; une 350 cm³, un peu moins.

PAPIERS D'IMMATRICULATION

Les formalités pour l'achat d'une moto sont nombreuses. Les papiers d'immatriculation, visés par le service d'immatriculation local, doivent être transmis à la revente du véhicule. En tant que ressortissant étranger, vous ne pourrez pas faire modifier le nom sur les papiers. Vous devrez néanmoins remplir ces documents pour le transfert de propriété et de l'assurance. Pour les véhicules neufs, c'est au concessionnaire de se charger des formalités, dont le coût s'ajoutera au prix de vente.

Le renouvellement de l'immatriculation est obligatoire tous les 15 ans (environ 5 000 Rs). Vérifiez qu'aucune dette ou procédure n'est rattachée au véhicule. N'hésitez pas à demander conseil aux concessionnaires. Comptez deux semaines pour avoir les papiers.

Assurance

Vérifiez que les motos de location sont bien couvertes par une assurance au tiers, essentielle en cas d'accident corporel. Les bonnes agences la proposent ; celles qui ne le font pas manquent de sérieux.

L'assurance est aussi obligatoire en cas d'achat. Il vous en coûtera 400-500 Rs par an pour une police de base (au tiers) avec responsabilité civile. Il est toutefois conseillé de souscrire une formule tous risques dont le coût annuel commence à partir de 500 Rs.

Circuits organisés

Un certain nombre d'agences proposent des circuits à moto en Inde du Nord, avec guide et voiture d'assistance. Les agences suivantes jouissent d'une bonne réputation. Vous trouverez leurs coordonnées, leurs itinéraires et leurs tarifs sur leur site Internet.

Blazing Trails (www.blazingtrailstours.com)
Classic Bike Adventure (www.classic-bike-india.com)
H-C Travel (www.hctravel.com)
Indian Motorcycle Adventures (homepages.ihug.co.nz/~gumby)
Lalli Singh Tours (www.lallisingh.com)
Royal Expeditions (www.royalexpeditions.com)
Shepherds Realms (www.asiasafari.com)
Wheels of India (www.wheelofindia.com)

Code de la route

En Inde, on conduit (théoriquement) à gauche. Cependant, dans la pratique, nombre de conducteurs roulent au milieu de la chaussée. Conformez-vous aux limitations de vitesse, qui diffèrent d'un État à l'autre, et cédez le passage aux véhicules les plus lourds. Les Indiens utilisent plus souvent le klaxon que les freins, mais vous connaissez l'adage : rien ne sert de courir...

Essence et pièces détachées

Essence et huile de moteur se trouvent sans problème dans les plaines, mais les stations-service sont plus rares en montagne. Pour voyager dans des régions reculées, prévoyez une réserve de carburant suffisante – avant de partir, renseignez-vous sur les possibilités de trouver de l'essence. Au moment de notre enquête, l'essence coûtait environ 56 Rs/litre.

Si vous partez dans des régions reculées, prévoyez aussi des pièces détachées (valves, tuyaux de carburant, segments de pistons, etc.), faciles à trouver dans les villes de plus ou moins grande importance. À Delhi, Karol Bagh est un bon endroit pour se procurer des pièces de motos indiennes et étrangères.

Vérifiez et resserrez régulièrement vis et boulons car l'état des routes indiennes et la vibration du moteur ont tendance à les desserrer rapidement, surtout si l'engin n'est pas de prime jeunesse. Contrôlez fréquemment le niveau d'huile du moteur et de la boîte de vitesses (au moins tous les 500 km) et nettoyez le filtre à huile tous les 2 000 km. Vous aurez sans doute recours plusieurs fois aux services d'un *puncture-wallah* (réparateur de crevaison ; 1 500 Rs environ), mais mieux vaut avoir au moins les outils nécessaires pour démonter les roues.

État des routes

Vu les risques encourus sur les routes indiennes, la moto est réservée aux conducteurs chevronnés. Le danger peut prendre des formes diverses : animaux traversants la route, véhicules en panne, piétons surgissant de nulle part, nids-de-poule ou ralentisseurs non signalés. À la campagne, les récoltes sont parfois abandonnées sur la chaussée pour être battues par le passage des véhicules, un système dangereux pour les motards.

Évitez les trop longs trajets en une journée et la conduite de nuit, de nombreux véhicules circulant sans lumière et les phares des motos alimentés par une dynamo n'étant pas assez puissants pour naviguer au milieu des nids-de-poule. Sur les nationales, toujours chargées, comptez une moyenne de 50 km/h ; sur les petites routes et les chemins de terre, cela peut descendre à 10 km/h.

Pour une longue étape, transporter sa moto en train constitue une solution pratique. En gare, achetez un billet de train normal pour le trajet, puis apportez votre moto au bureau des colis, muni de votre passeport, de votre permis de conduire international, d'une assurance et des papiers du véhicule. Des *packing-wallahs* se chargeront d'envelopper convenablement votre moto pour environ 150 à 250 Rs. Outre les formalités administratives, vous devrez vous acquitter des frais de transport (entre 2 000 et 3 500 Rs, moins sur un train ordinaire) et d'une assurance équivalant à 1% de la valeur déclarée du véhicule. À l'arrivée, les mêmes papiers vous seront demandés. Si vous ne récupérez pas votre moto dans les 24 heures, des frais de stockage qui s'élèvent entre 50 et 100 Rs par jour.

Location

Il existe de nombreux loueurs de motos. Les japonaises et les indiennes de 100 à 150 cm^3 sont moins chères que les Enfield de 350 à 500 cm³. Vous devrez laisser une somme importante en liquide comme dépôt de garantie (faites-vous remettre un reçu stipulant le montant remboursable), ainsi que votre passeport ou votre billet d'avion. Il est vivement conseillé de ne pas laisser les deux dans la mesure où il faut présenter son passeport à l'arrivée dans les hôtels, et où la police peut procéder à un contrôle d'identité à tout moment.

La société Lalli Motorbike Exports (p. 813) est particulièrement fiable pour les locations prolongées. Pour 3, comptez 17 000 Rs pour une Enfield 500 cm³, 22 000 Rs pour une moto japonaise et 15 000 Rs pour une 350 cm³. Ce tarif est accompagné de bons conseils et d'un cours intensif sur la mécanique et les réparations des Enfield.

Vous trouverez d'autres adresses de loueurs et leurs tarifs dans les chapitres régionaux.

Permis de conduire

Un permis de conduire international en cours de validité est en théorie exigé en plus de votre permis classique pour circuler à moto en Inde. Dans les zones touristiques, certaines boutiques ne vous demanderont que l'un ou l'autre, voire aucun des deux, mais sachez qu'aucune assurance ne vous couvrira en cas d'accident.

TRAIN

Un périple en Inde ne serait pas complet sans un voyage en train. Plus qu'un simple moyen de transport, le train offre une véritable expérience culturelle : la multitude des images et des odeurs, le défilé des *chai-wallahs* (vendeurs de thé), les gares surpeuplées, les paysages pittoresques, etc.

L'Inde dispose d'un vaste réseau ferroviaire aux prix raisonnables. Quelque 18 à 20 millions de voyageurs l'empruntent tous les jours ; Indian Railways est le deuxième employeur du monde, avec 1,5 million de salariés. Près de 6 900 gares ferroviaires sont disséminées dans tout le pays.

Tout d'abord déconcertant, le système de réservation est bien organisé. Consultez la rubrique *Réservations* (p. 816) pour en connaître les rouages. Pour les longs trajets et les voyages de nuit, le train est de loin préférable au bus. Des trains de banlieue circulent autour de certaines villes. Ils deviennent difficilement praticables aux heures de pointe.

Lors des grandes fêtes, la desserte de certaines destinations s'amplifie. Soyez prudent lorsque la foule envahit les quais : tous les ans, des passagers se font piétiner. Faites aussi attention aux problèmes de drogue et de vol dans les trains (voir p. 788). Les voyages en train pouvant être retardés à tout moment du trajet, mieux vaut se laisser une marge de manœuvre confortable en prévoyant un temps de trajet flexible.

Dans ce guide, nous indiquons quelques liaisons utiles, mais il en existe des centaines d'autres. Le meilleur moyen de se tenir au courant des dernières informations réactualisées consiste à consulter des sites Internet comme **Indian Railways** (www.indianrail.gov.in) et www.seat61.com/India.htm. Pour plus d'informations, l'indicateur *Trains at a Glance* (35 Rs), disponible dans les gares, en kiosque et en librairie, contient les horaires des trains des lignes principales.

Dans les grandes gares, vous trouverez toujours un employé parlant anglais pour vous aider à choisir votre train. Dans les gares plus petites, seul le personnel plus qualifié, comme le chef de gare, parle anglais. N'hésitez pas non plus à vous faire conseiller par le personnel des offices du tourisme pour réserver un billet, choisir en quelle classe voyager, etc. Vous pouvez aussi composer le ☎ 139, numéro national du réseau ferré indien.

Classes

Il existe différentes sortes de trains et de classes. Les trains express et postaux comportent des voitures de 2ᵉ classe, certaines avec des places libres (sans réservation), vite prises d'assaut, et d'autres, plus confortables, pour lesquelles il est obligatoire de réserver. Une classe *chair car* (CC), dotée de sièges rembourrés inclinables et (en principe) de la climatisation, ainsi qu'une *executive chair car*, plus spacieuse et confortable, sont parfois proposées sur les trains de jour.

Pour les trajets de nuit, plusieurs possibilités s'offrent à vous. Les couchettes *sleeper* (literie non fournie) sont regroupées par six, dans des voitures ventilées. Les voitures climatisées (AC) possèdent soit des couchettes *three-tier* AC (3AC, sur trois niveaux), disposées de la même façon que les *sleeper*, soit des couchettes *two-tier* AC (2AC, sur deux niveaux), arrangées par groupes de quatre de part et d'autre du couloir. Certains trains disposent aussi d'une 1re classe climatisée (1AC) plus luxueuse, dotée de compartiments de deux ou quatre couchettes verrouillables.

Les draps sont fournis pour toutes les couchettes des voitures climatisées, où un service de restauration est assuré et où des vendeurs ambulants proposent régulièrement du thé et du café. Dans toutes les voitures, les couchettes inférieures sont rabattues dans la journée pour servir de sièges. Si vous avez besoin de plus de sommeil, réservez une couchette supérieure. Sachez qu'une porte fermée à clé sépare généralement les voitures avec réservation obligatoire des autres. Si vous restez coincé du mauvais côté, vous devrez patienter jusqu'à l'arrêt suivant pour changer de voiture.

Des trains spéciaux relient les villes principales. Les *Shatabdi Express* circulent en journée. Ils ne comportent que des places assises en classe AC *executive chair* et AC *chair*. Confortables, ils sont cependant dotés de vitres teintées qui ne permettent pas d'admirer le paysage. Sans vitres et dotées de barreaux, les fenêtres des voitures-couchettes non climatisées et des compartiments classiques (2e classe) réservent une meilleure vue.

Les express *Rajdhani* assurent des liaisons longue distance, de nuit, entre Delhi et les capitales des États, dans des voitures 1AC, 2AC, 3AC et de 2e classe. Vous devrez débourser plus pour réserver un billet sur les trains *Shatabdi* et *Rajdhani*, mais le prix inclut les repas. De manière plus générale, les prix varient en fonction du niveau de confort. Quelle que soit la classe, pensez à attacher vos sacs au porte-bagage avec un cadenas et une chaîne.

Pour une description claire et en images des différentes classes de train, consultez le site www.seat61.com/India.htm.

Tarifs

Les prix sont calculés en fonction de la distance et de la classe ; reportez-vous au tableau ci-dessous. Les trains express *Rajdhani* et *Shatabdi* coûtent un peu plus cher, mais les repas y sont fournis. Un service de restauration est souvent prévu dans les compartiments climatisés. Pour les autres, prévoyez des en-cas, comme des samosas. Pour un panorama précis des tarifs, consultez le site www.indianrail.gov.in. Les seniors bénéficient de tarifs réduits (voir p. 784).

Pour savoir quel train circule entre deux destinations données, allez sur www.trainenquiry.com puis cliquez sur "Find Your Train". Il faut ensuite taper le nom des deux destinations choisies (à moins que l'on vous demande de choisir dans une liste, ce qui arrive parfois), et vous obtiendrez ensuite la liste de tous les trains (avec leur nom, leur numéro et leurs horaires de départ et d'arrivée). Une fois muni de ces informations, vous pourrez connaître le tarif du train qui vous intéresse en allant sur www.indianrail.gov.in et en cliquant sur "Fare Enquiry".

Les grandes gares disposent de *retiring room*, où vous pourrez dormir si vous possédez un billet en cours de validité ou un Indrail Pass (voir p. 793). Des consignes sont réservées aux détenteurs d'un billet. Moyennant un coût modique, vous pourrez y laisser vos bagages, pour peu qu'ils soient équipés d'un cadenas (obligatoire). Par prudence, attachez-les au porte-bagage et n'oubliez pas de contrôler les heures d'ouverture de la consigne afin de pouvoir les récupérer en temps voulu.

Réservations

Il est inutile de réserver pour les compartiments classiques de 2e classe. En *chair car*, *sleeper*, 1AC, 2AC et 3AC, vous pouvez le faire jusqu'à 60 jours à l'avance, grâce au système

TARIFS DES TRAINS EXPRESS EN ROUPIES

Distance (km)	1AC	2AC	3AC	Chair car (CC)	Sleeper (SL)	2e classe (II)
100	542	322	158	122	56	35
200	794	430	256	199	91	57
300	1 081	556	348	271	124	78
400	1 347	693	433	337	154	97
500	1 613	830	519	404	185	116
1 000	2 628	1 352	845	657	301	188
1 500	3 328	1 712	1 070	832	381	238
2 000	4 028	2 072	1 295	1 007	461	288

UN TRAIN DE NABAB

L'Inde offre plusieurs circuits en train sur mesure aux touristes désireux de voyager dans une ambiance chic et élégante. Les tarifs comprennent en principe l'hébergement à bord, les visites touristiques, les droits d'entrée et tous les repas ou presque. Généralement, les enfants ont droit à une réduction. Renseignez-vous au moment de la réservation.

Le plus prisé, le *Palace on Wheels* (www.palaceonwheelsindia.com) effectue des circuits d'une semaine au Rajasthan. De septembre à avril, il part de Delhi tous les mercredis et fait étape à Jaipur, à Jaisalmer, à Jodhpur, au Ranthambore National Park, à Chittorgarh, à Udaipur, au Keoladeo Ghana National Park et à Agra. Les voitures, dignes d'un maharaja, sont somptueusement aménagées. Parmi elles, on trouve des wagons-restaurants, un bar, un salon et une bibliothèque. D'octobre à mars, le tarif tout compris pour 7 jours s'élève à 3 920/2 905/2 380 $US par personne en simple/double/triple. En septembre et en avril, le tarif passe à 2 905/2 205/1 820 $US. Réservez sur Internet.

La visite de Bikaner et de Shekhawati, au Rajasthan, peut s'effectuer grâce au *Heritage on Wheels* (www.heritageonwheels.net), excursion de 3 nuits au départ de Jaipur. Les tarifs par personne et par nuitée sont de 300/200/150 $US pour une/deux/trois personnes par cabine. Réservation en ligne.

Proposant une expérience plus mystique que luxueuse, le *Mahaparinirvan Express* (aussi appelé *Buddhist Circuit Special*), qui fonctionne d'octobre à mars, fait visiter des sites bouddhiques (y compris Lumbini au Népal ; visa obligatoire). Ce circuit de 8 jours part de Delhi, passe par Gaya, Bodhgaya, Rajgir, Nalanda, Varanasi (avec visite de Sarnath et des gaths au bord du Gange), Gorakhpur, Kushinagar, Lumbini, Gonda (pour visiter Sravasti) et Agra, puis rentre à Delhi. Il coûte 150/125/95 $US en 1er/2e/3e classe par personne et par nuit sur la base d'une occupation double des chambres (il est possible d'occuper seul les chambres doubles en hôtel moyennant un supplément). Pour obtenir plus de renseignements et réserver, rendez-vous sur www.irctc.co.in.

de réservation informatisé. Pour les trajets de nuit, il est fortement conseillé de réserver plusieurs jours à l'avance.

Pour effectuer une réservation en gare, il suffit de remplir un formulaire retiré au guichet des renseignements en précisant les gares de départ et d'arrivée, la classe dans laquelle vous souhaitez voyager, le nom du train et son numéro (d'où l'intérêt de la brochure *Trains at a Glance*). Vous n'avez plus ensuite qu'à prendre place dans la longue file d'attente, pour faire imprimer votre billet. Les femmes doivent emprunter la file d'attente qui leur est réservée. S'il n'y en a pas, il faut aller à l'avant de la file d'attente classique.

Dans les grandes villes, cherchez les guichets réservés aux étrangers ou aux paiements par carte. Partout ailleurs, il n'y a qu'un type de file d'attente et l'on paie en espèces (en roupies). Sur certaines lignes très empruntées, des places sont attribuées aux étrangers. Ces sièges ne se réservent qu'auprès de bureaux de réservation spécifiques des villes principales, sur présentation d'un passeport et d'un visa. Ils sont depuis peu payables en roupies, en euros, en dollars US, mais aussi en chèques de voyages Thomas Cook ou American Express. La monnaie vous sera rendue en roupies.

Les trains affichent souvent complet, mais les annulations sont fréquentes. Cela vaut la peine d'acheter un billet sur liste d'attente et de tenter sa chance après avoir demandé conseil au guichet. Si vous ne pouvez pas monter, le billet vous sera remboursé. Tous les billets sont d'ailleurs remboursables (partiellement après le départ), selon des règles complexes.

Pour vous simplifier la vie, quantité d'hôtels et d'agences de voyages se chargent d'acheter les billets de train moyennant une faible commission. Prenez garde aux escroqueries.

Il est possible de réserver des billets sur www.irctc.co.in – billet électronique ou envoi par courrier en Inde. Des conseils sur la réservation par Internet figurent sur le site www.seat61.com/India.htm (en anglais) ; déroulez le menu jusqu'à *How to book – from outside India*.

Les numéros de la place/couchette et de la voiture (ou celui sur la liste d'attente) sont indiqués sur les billets réservés. Lorsque le train entre en gare, repérez votre voiture. Vous pourrez demander au personnel sur le quai en cas de doute. La liste des noms et des couchettes est collée sur les voitures avec réservation.

Il est plus prudent de réserver longtemps à l'avance si vous comptez voyager en période de vacances ou lors de fêtes indiennes, car les trains affichent alors rapidement complet.

Forfait Indrail Pass

L'Indrail Pass, valable de 1 à 90 jours, permet un nombre illimité de trajets – les économies réalisées sont minimes. Il ne vous dispense pas de faire la queue pour les réservations. Il est proposé dans des agences à l'étranger, ainsi qu'aux guichets ferroviaires des principales villes indiennes. Pour connaître les tarifs, cliquez sur le lien *Information/International Tourist* du site www.indianrail.gov.in (en anglais). Les enfants de 5 à 12 ans paient moitié prix. Les forfaits perdus ou partiellement utilisés ne sont pas remboursés.

TRANSPORTS LOCAUX

L'Inde du Nord est dotée d'un maillage de bus, de cyclo-pousse, d'auto-rickshaws, de taxis et de trains. La règle de base pour n'importe quel type de transport sans tarif fixe est de s'entendre sur le prix avant de monter. Faute de quoi, attendez-vous à une dispute une fois arrivé à destination. Si vous voyagez à plusieurs, assurez-vous que le prix s'applique au groupe. Faites-en de même pour les bagages. Si le chauffeur refuse d'enclencher le compteur et demande une somme exorbitante, adressez-vous à quelqu'un d'autre.

Les tarifs des transports publics varient d'une ville à l'autre et augmentent la nuit. Certains chauffeurs demandent quelques roupies de plus pour les bagages. Prévoyez suffisamment de petites coupures car les conducteurs ont rarement la monnaie. Ayez toujours sur vous la carte de visite de votre hôtel, car votre prononciation peut se révéler incompréhensible pour un Indien.

De nombreux conducteurs de taxi et d'auto-rickshaws fonctionnent à la commission – pour plus d'informations voir p. 787.

Auto-rickshaw, tempo et vikram

Typiquement indien, l'auto-rickshaw est un triporteur équipé d'un moteur à 2 temps. Couvert d'une capote en toile, il comporte deux places à l'arrière et un espace pour les bagages. On l'appelle parfois scooter, auto, riks ou *túk-túk*. Il a l'avantage de coûter moins cher qu'un taxi. La plupart sont équipés de compteurs, mais décider le chauffeur à le mettre en marche relève du défi.

Voyager en auto-rickshaw est plaisant mais vous ne serez pas à l'abri du bruit de son moteur et de la pollution.

Semblables à de grands auto-rickshaws, les *tempo* et les *vikram* font office de minibus sur des itinéraires déterminés (à prix fixe). À la campagne, vous pourrez aussi croiser des véhicules à trois roues hybrides, croisement entre un tracteur et un *tempo*, dont la roue avant se situe au bout d'un bras articulé.

Bateau

De nombreux ferries permettent de traverser ou de descendre les rivières, les embarcations allant du ponton au coracle en osier – voir les chapitres régionaux pour plus de détails. La plupart des bateaux de grande taille acceptent vélos et motos moyennant un supplément.

Bus

Dans les grandes villes, les bus sont archibondés et roulent à tombeau ouvert en crachant une fumée noire, sauf aux heures de pointe quand ils se retrouvent coincés dans un embouteillage. Mieux vaut donc se déplacer en auto-rickshaw ou en taxi, plus avantageux et confortables.

LA BORDER ROADS ORGANISATION

Au Ladakh, dans l'Arunachal Pradesh et au Sikkim, la Border Roads Organisation (BRO) "construit des routes dans le ciel", notamment certains des plus hauts cols carrossables au monde. Cette activité consistant à maintenir ouvertes les routes déjà existantes et à en ouvrir d'autres n'est pas sans danger, mais la BRO prend les choses avec humour, comme en témoignent ses conseils aux conducteurs :

- *Overtaker beware of Undertaker* (dépasser tue)
- *Better to be Mister Late than a late Mister* (mieux vaut être en retard qu'en retard à tout jamais)
- *Go easy on my curves* (doucement avec mes courbes)
- *Stop gossiping, let him drive* (arrêtez de parler, laissez-le conduire)
- *Love thy neighbour, but not while driving* (aime ton prochain, mais pas pendant qu'il conduit)

Cyclo-pousse

Les cyclo-pousse, ou rickshaws, sont des vélos à trois roues équipés d'un siège pour les passagers. La plupart sont dotés d'une capote qui peut être abaissée pour laisser plus de place aux bagages. Accordez-vous sur le tarif avant de monter pour éviter tout désagrément une fois arrivé à destination.

Les gens du pays paient systématiquement moins cher que les étrangers, mais vu l'effort fourni par les conducteurs, on ne saurait leur refuser quelques roupies supplémentaires. Proposer 20 à 40 Rs pour une course de 1 à 2 km en ville reste honnête, sachant qu'un pourboire est toujours apprécié.

Kolkata est le dernier bastion des rickshaws de l'époque coloniale : des carrioles à main tirées par les rickshaw-wallahs.

Taxi

Dans la plupart des villes, vous trouverez des taxis, souvent équipés de compteurs. Obtenir la mise en marche d'un compteur est une autre affaire. S'il est "cassé", menacez de changer de taxi, et il sera miraculeusement "réparé". Pour éviter les entourloupes, préférez les taxis prépayés quand c'est possible (c'est indiqué dans les chapitres régionaux).

Le compteur peut ne pas être à jour, d'où l'existence d'une "*fare adjustment card*", qui indique le prix à payer en fonction de celui qui est affiché. C'est naturellement la porte ouverte aux abus, car il est impossible de savoir si le compteur a déjà été révisé. Après quelques jours en ville, vous saurez discerner un prix raisonnable d'un tarif exorbitant. La plupart des chauffeurs arrondissent leurs revenus avec des commissions – voir p. 787 pour plus de détails.

Autres moyens de transports

Dans certaines villes, des attelages tirés par des chevaux, tels les *tonga* (à deux roues) et les *victoria* (à quatre roues), circulent encore. Kolkata dispose de tramways et de métros. Delhi possède un métro et des trains de banlieue, qui utilisent les gares ferroviaires. Reportez-vous aux chapitres régionaux.

VÉLO

Vous pouvez emporter votre vélo en Inde sans problème, mais sachez que les vélos envoyés par bateau peuvent rester bloqués à la douane quelques semaines. Mieux vaut donc les faire voyager par avion. Ceci dit, il est sans doute plus économique (et plus facile) d'en louer ou d'en acheter un sur place. Un VTT est particulièrement approprié aux routes indiennes qui comportent de nombreux nids-de-poule. Les réparateurs ne manquent pas, mais mieux vaut apporter son propre kit de réparation. La plupart du temps, les vélos sont transportés gratuitement ou pour quelques roupies sur le toit des bus publics.

Les magazines et les clubs spécialisés constituent une bonne source d'information. Vous pouvez aussi vous adresser à la **Cycle Federation of India** (carte p. 120 ; ☎ 011-23753528 ; www.cyclingfederationofindia.org ; 12 Pandit Pant Marg ; ⌚ 10h-17h lun-ven).

Le respect du code de la route est souvent discutable. Faites particulièrement attention en ville et sur les nationales et préférez les routes secondaires. Un cycliste expérimenté parcourt en moyenne 60 à 100 km par jour en plaine, 40 à 60 km en montagne sur route goudronnée et moins de 40 km sur des chemins de terre.

> **TAXIS PRÉPAYÉS**
>
> En Inde, nombre d'aéroports et de gares ferroviaires disposent d'un guichet de taxis prépayés, situé généralement à la sortie de l'aérogare. Vous pourrez y prendre un taxi à un prix déterminé incluant les bagages et ainsi éviter, en principe, un tarif trop élevé ou le paiement d'une commission. Certains chauffeurs n'apprécient pas le système de prépaiement ; pour éviter tout problème, attendez d'être arrivé à destination pour montrer votre coupon de paiement. Les auto-rickshaws prépayés remplacent souvent les taxis dans les aéroports et les gares les plus modestes.

Achat

Il n'y a pas mieux que le marché aux vélos de Jhandewalan, à Delhi (carte p. 116), où l'on trouve des vélos neufs ou d'occasion, indiens ou étrangers, ainsi que des pièces détachées. Les prix d'un VTT de bonne marque comme Hero (www.herocycles.com) et Atlas (www.atlascyclesonepat.com) débutent à 3 000 Rs. Paniers, porte-bagage et sonnettes se trouvent facilement. La revente d'un vélo ne pose pas de problème ; vous récupérez au moins la moitié du prix d'achat neuf s'il est en bon état. Adressez-vous à un magasin de vente ou de location, ou mettez une annonce dans une agence de voyages.

Location

Il est particulièrement aisé de trouver des vélos à louer dans les centres touristiques. Comptez entre 30 et 80 Rs la journée pour un vélo indien fiable (350 Rs pour un VTT). Certains loueurs demandent une caution en espèces (ne laissez pas votre billet d'avion ou votre passeport).

VOITURE

Rares sont les visiteurs qui optent pour la location d'une voiture sans chauffeur. Louer une voiture avec chauffeur se révèle très abordable, surtout à plusieurs. Les ceintures de sécurité sont rarement opérationnelles.

Location avec chauffeur

Louer un véhicule avec chauffeur est un bon moyen pour visiter le pays. Cette formule permet de sortir des itinéraires classiques beaucoup plus rapidement qu'en jonglant avec les correspondances de bus. La plupart des villes disposent de stations de taxi où vous pourrez réserver sans vous ruiner un circuit ou une excursion. Certaines compagnies ne travaillent que sur une zone donnée, imposée par leur permis officiel. Franchir la frontière d'un État peut justifier un supplément.

Demandez un chauffeur parlant anglais et connaissant la région que vous souhaitez visiter. Pour plusieurs jours, obtenez par écrit la confirmation que le tarif inclut les frais de gîte et de couvert du chauffeur. L'endroit où celui-ci dormira et se restaurera relèvera de son choix.

Il est essentiel d'établir les règles dès le départ. Certains voyageurs se plaignent de chauffeurs imposant leur programme. Faites comprendre que c'est vous qui décidez.

TARIFS

Les prix varient selon la distance et le terrain (la conduite en montagne consomme plus de carburant, ce qui se répercute sur le coût). Un aller peut coûter aussi cher

DISTANCES KILOMÉTRIQUES

	Agra	Delhi	Jaipur	Jaisalmer	Jodhpur	Kolkata (Calcutta)	Varanasi (Bénarès)
Agra	---						
Delhi	206	---					
Jaipur	230	253	---				
Jaisalmer	839	858	614	---			
Jodhpur	562	585	332	277	---		
Kolkata (Calcutta)	1 285	1 491	1 515	2 129	2 423	---	
Varanasi (Bénarès)	607	813	837	1 446	1 169	678	---

qu'un aller-retour, pour couvrir les frais du retour. Le coût de l'essence doit être compris dans le prix.

Les tarifs varient selon les États. Certains syndicats de taxis fixent un forfait horaire ou kilométrique journalier ; son dépassement entraîne un supplément. Afin de dissiper tout malentendu, faites mentionner *par écrit* le détail des prestations (carburant, arrêts touristiques, destinations desservies, repas et hébergement du chauffeur). Si en route, un chauffeur vous demande de payer l'essence parce qu'il est à court de liquidités, exigez un reçu afin de vous faire rembourser plus tard.

Un circuit touristique à la journée dans une ville donnée coûte un minimum de 700/800 Rs pour un véhicule sans clim/climatisé dans la limite de 8 heures et 80 km/jour (au-delà, prévoyez des suppléments).

Il est d'usage de donner un pourboire au terme du périple. La somme de 125 Rs/jour est tout à fait correcte mais rien n'empêche de donner plus si vous êtes particulièrement satisfait de votre chauffeur.

Location sans chauffeur

Vous pouvez louer une voiture dans les grandes villes, en étant muni d'un permis de conduire international et de… sang-froid.

Santé

SOMMAIRE

L'Inde du Nord offre une immense variété géographique. Il en résulte un large éventail de problèmes de santé potentiels en lien avec l'environnement – chaleur, froid, altitude. Les conditions d'hygiène se révèlent généralement mauvaises. Les affections liées à la nourriture et à l'eau sont courantes ; on observe aussi des maladies propagées par les insectes. Les soins médicaux dispensés étant parfois rudimentaires, il est impératif de bien se préparer.

Les voyageurs redoutent souvent les maladies infectieuses, or celles-ci provoquent peu de troubles graves. Les problèmes médicaux préexistants et les accidents sont à l'origine de la plupart des soucis sérieux. Maladie et indisposition n'en demeurent pas moins le lot commun de bien des personnes. Fort heureusement, la plupart des troubles peuvent être prévenus avec du bon sens et une trousse à pharmacie bien équipée –n'hésitez jamais cependant à consulter sur place, car l'automédication a ses limites.

Les conseils de base qui suivent ne remplacent en aucun cas l'avis d'un médecin.

AVANT LE DÉPART

ASSURANCE ET SERVICES MÉDICAUX

Il est conseillé de souscrire à une police d'assurance qui vous couvrira en cas d'annulation de votre voyage, de vol, de perte de vos affaires, de maladie ou encore d'accident. Les assurances internationales pour étudiants sont en général d'un bon rapport qualité/prix. Lisez avec la plus grande attention les clauses en petits caractères : c'est là que se cachent les restrictions.

Vérifiez que les "sports à risques", comme la plongée, la moto ou même la randonnée ne sont pas exclus de votre contrat, et que le rapatriement médical d'urgence, en ambulance ou en avion, est couvert. Assurez-vous aussi que vous serez bien assuré si vous louez un véhicule en Inde du Nord.

Vous pouvez contracter une assurance qui réglera directement les hôpitaux et les médecins, vous évitant ainsi d'avancer des sommes qui ne vous seront remboursées qu'à votre retour.

Avant de souscrire une police d'assurance, vérifiez bien que vous ne bénéficiez pas déjà d'une assistance par votre carte de crédit, votre mutuelle ou votre assurance-automobile. C'est bien souvent le cas.

Quelques conseils

Assurez-vous que vous êtes en bonne santé avant de partir. Si vous suivez un traitement de façon régulière, n'oubliez pas votre ordonnance (avec le nom du principe actif). Elle vous permettra de prouver que vos médicaments vous sont légalement prescrits, des médicaments en vente libre dans certains pays ne l'étant pas dans d'autres.

Attention aux dates de péremption et aux conditions de stockage, parfois mauvaises.

VACCINS

Plus vous vous éloignez des circuits classiques, plus il faut prendre vos précautions. Faites inscrire vos vaccinations dans un carnet international de vaccination que vous pourrez vous procurer auprès de votre médecin ou d'un centre.

VACCINS RECOMMANDÉS

Maladie	Durée du vaccin	Précautions
Diphtérie	10 ans	Fortement recommandé
Hépatite virale A	5 ans (environ)	Il existe un vaccin combiné hépatites A et B qui s'administre en trois injections. La durée effective de ce vaccin ne sera pas connue avant quelques années.
Hépatite virale B	10 ans (environ)	Pour des séjours prolongés ou répétés
Encéphalite japonaise	2 ans (rappel)	Pour des séjours prolongés en zone rurale, pendant les périodes de transmission ; vaccination sur rendez-vous
Rage	sans	Vaccination préventive lors d'un long séjour ou dans les zones reculées
Rougeole	sans	Fortement recommandé chez l'enfant
Tétanos et poliomyélite	10 ans	Fortement recommandé
Typhoïde	3 ans	Recommandé

Planifiez vos vaccinations à l'avance (au moins six semaines avant le départ), car certaines demandent des rappels ou sont incompatibles entre elles. Même si vous avez été vacciné contre plusieurs maladies dans votre enfance, votre médecin vous recommandera peut-être des rappels contre le tétanos ou la poliomyélite, maladies qui existent toujours dans de nombreux pays, notamment en Inde. Les vaccins ont des durées d'efficacité très variables ; certains sont contre-indiqués pour les femmes enceintes.

Il n'y a pas de vaccin obligatoire pour les voyageurs en Inde. Les personnes en provenance d'une zone infectée devront toutefois présenter un certificat de vaccination contre la fièvre jaune (inexistante en Inde).

Vous pouvez obtenir la liste des centres de vaccination en France en vous connectant sur le site Internet www.diplomatie.gouv.fr/voyageurs, qui émane du ministère des Affaires étrangères.

SANTÉ SUR INTERNET

Il existe de très bons sites Internet consacrés à la santé en voyage. Avant de partir, vous pouvez consulter les conseils en ligne du ministère des Affaires étrangères (www.diplomatie.gouv.fr/fr/conseils-aux-voyageurs_909/index.html) ou le site très complet du ministère de la Santé (www.sante-sports.gouv.fr). Vous trouverez également plusieurs liens sur le site de Lonely Planet (www.lonelyplanet.fr), à la rubrique *Ressources*.

PENDANT LE VOYAGE

VOLS LONG-COURRIERS

Les trajets en avion, principalement du fait d'une immobilité prolongée, peuvent favoriser la formation de caillots sanguins dans les jambes (phlébite ou thrombose veineuse profonde, TVP). Le risque est d'autant plus élevé que le vol est long. Ces caillots se résorbent le plus souvent sans autre incident, mais il peut arriver qu'ils se rompent et migrent à travers les vaisseaux sanguins jusqu'aux poumons, risquant alors de provoquer de graves complications.

Généralement, le principal symptôme est un gonflement ou une douleur du pied, de la cheville ou du mollet d'un seul côté, mais pas toujours. La migration d'un caillot vers les poumons peut se traduire par une douleur à la poitrine et des difficultés respiratoires. Tout voyageur qui remarque l'un de ces symptômes doit aussitôt réclamer une assistance médicale.

En prévention, buvez en abondance des boissons non alcoolisées, faites jouer les muscles de vos jambes lorsque vous êtes assis et levez-vous de temps à autre pour marcher dans la cabine.

MAL DES TRANSPORTS

Pour réduire les risques d'avoir le mal des transports, mangez légèrement avant et pendant le voyage. Si vous êtes sujet à ces malaises, essayez de trouver un siège dans une partie du véhicule où les oscillations sont moindres : près de l'aile dans un avion, au centre sur un bateau et dans un bus. Tout médicament doit être pris avant le départ ; une fois que vous vous sentez mal, il est trop tard.

EN INDE DU NORD

DISPONIBILITÉ DES SOINS MÉDICAUX

Certaines villes d'Inde du Nord disposent de cliniques spécialement destinées aux touristes et aux expatriés. Ces établissements sont souvent plus chers que les hôpitaux publics, mais ils sont mieux équipés. De plus, ils disposent des informations nécessaires pour vous orienter au besoin vers les hôpitaux publics les plus sûrs ou vers les meilleurs spécialistes. Ils peuvent aussi éventuellement joindre votre compagnie d'assurance si vous devez être rapatrié. Vous trouverez la liste de ces cliniques à la rubrique *Renseignements* des chapitres régionaux de ce guide. En zone rurale, il est parfois difficile de trouver des services médicaux fiables.

PRÉCAUTIONS ÉLÉMENTAIRES

Faire attention à ce que l'on mange et à ce que l'on boit est la première des précautions à prendre. Les troubles gastriques et intestinaux sont fréquents, même si la plupart du temps ils restent sans gravité. Ne soyez cependant pas paranoïaque et ne vous privez pas de goûter la cuisine locale, cela fait partie du voyage.

Eau

Règle d'or : ne buvez jamais l'eau du robinet (même sous forme de glaçons). Préférez les eaux minérales et les boissons gazeuses, tout en vous assurant que les bouteilles sont décapsulées devant vous. Évitez les jus de fruits, souvent allongés à l'eau. Attention au lait, rarement pasteurisé. Pas de problème pour le lait bouilli et les yaourts. Thé et café, en principe, sont sûrs, puisque l'eau doit bouillir.

Pour stériliser l'eau, la meilleure solution est de la faire bouillir durant quinze minutes. N'oubliez pas qu'à haute altitude elle bout à une température plus basse et que les germes ont plus de chances de survivre.

Si vous ne pouvez faire bouillir l'eau, traitez-la chimiquement avec du Micropur (vendu en pharmacie).

Vous éviterez bien des problèmes de santé en vous lavant souvent les mains. Brossez-vous les dents avec de l'eau traitée.

Problèmes de santé et traitement

L'autodiagnostic et l'autotraitement sont risqués ; aussi, chaque fois que cela est possible, adressez-vous à un médecin. Ambassades et consulats pourront en général vous en recommander un. Les hôtels cinq étoiles également, mais les honoraires risquent aussi d'être cinq-étoiles.

Demandez conseil aux habitants : s'ils vous disent qu'il ne faut pas vous baigner à cause des méduses ou de la bilharziose, suivez leur avis.

AFFECTIONS LIÉES À L'ENVIRONNEMENT

Coup de chaleur

De longues périodes d'exposition à des températures élevées peuvent vous rendre vulnérable au coup de chaleur. Cet état grave survient quand le mécanisme de régulation thermique du corps ne fonctionne plus : la température s'élève alors de façon dangereuse. Évitez l'alcool et les activités fatigantes lorsque vous arrivez durant les mois les plus chauds.

Symptômes : malaise général, transpiration faible ou inexistante et forte fièvre (39 à 41°C), céphalée lancinante, difficultés à coordonner ses mouvements, signes de confusion mentale ou d'agressivité. Il faut absolument hospitaliser le malade. En attendant les secours, installez-le à l'ombre, ôtez-lui ses vêtements, couvrez-le d'un drap ou d'une serviette mouillés et éventez-le continuellement.

Coup de soleil et insolation

Sous les tropiques, dans le désert ou en altitude, les coups de soleil sont plus fréquents, même par temps couvert. Utilisez un écran solaire et pensez à couvrir les endroits qui sont habituellement protégés, les pieds par exemple. Si les chapeaux fournissent une bonne protection, n'hésitez pas à appliquer également un écran total sur le nez et les lèvres. Les lunettes de soleil s'avèrent souvent indispensables.

Une exposition prolongée au soleil peut provoquer une insolation. Symptômes : nausées, peau chaude, maux de tête. Dans ce cas, il faut rester dans le noir, appliquer une compresse d'eau froide sur les yeux et prendre de l'aspirine.

TROUSSE MÉDICALE DE VOYAGE

Veillez à emporter avec vous une petite trousse à pharmacie (nous vous conseillons de la transporter en soute) contenant quelques produits indispensables. Certains ne sont délivrés que sur ordonnance.

- Des **antibiotiques**, à utiliser uniquement aux doses et périodes prescrites, même si vous avez l'impression d'être guéri avant. Chaque antibiotique soigne une affection précise : ne les utilisez pas au hasard. Cessez immédiatement le traitement en cas de réactions graves.
- Un **antidiarrhéique** et un **réhydratant**, en cas de forte diarrhée, surtout si vous voyagez avec des enfants.
- Un **antihistaminique** en cas de rhumes, allergies, piqûres d'insectes, mal des transports – évitez de boire de l'alcool.
- Un **antiseptique** ou un désinfectant pour les coupures, les égratignures superficielles et les brûlures, ainsi que des pansements gras pour les brûlures.
- De l'**aspirine** ou du **paracétamol** (douleurs, fièvre).
- Une **bande Velpeau** et des **pansements** pour les petites blessures.
- Une **paire de lunettes de secours** (si vous portez des lunettes ou des lentilles de contact) et la copie de votre ordonnance.
- Un **produit contre les moustiques**, un écran total, une pommade pour soigner les piqûres et les coupures et des comprimés pour stériliser l'eau.
- Une **paire de ciseaux** à bouts ronds, une **pince à épiler** et un **thermomètre à alcool**.
- Une petite trousse de **matériel stérile** comprenant une seringue, des aiguilles, du fil à suture, une lame de scalpel et des compresses.
- Des **préservatifs**.

SANTÉ

Froid

L'excès de froid est aussi dangereux que l'excès de chaleur, surtout lorsqu'il provoque une hypothermie.

L'hypothermie a lieu lorsque le corps perd de la chaleur plus vite qu'il n'en produit et que sa température baisse. Le passage d'une sensation de grand froid à un état dangereusement froid est étonnamment rapide quand vent, vêtements humides, fatigue et faim se combinent, même si la température extérieure est supérieure à zéro. Le mieux est de s'habiller par couches : soie, laine et certaines fibres synthétiques nouvelles sont toutes de bons isolants. N'oubliez pas de prendre un chapeau, car on perd beaucoup de chaleur par la tête. La couche supérieure de vêtements doit être solide et imperméable, car il est vital de rester au sec. Emportez du ravitaillement de base comprenant des sucres rapides, qui génèrent rapidement des calories, et des boissons en abondance.

Symptômes : fatigue, engourdissement, en particulier des extrémités (doigts et orteils), grelottements, élocution difficile, comportement incohérent ou violent, léthargie, démarche titubante, vertiges, crampes musculaires et explosions soudaines d'énergie. La personne atteinte d'hypothermie peut déraisonner au point de prétendre qu'elle a chaud et de se dévêtir.

Pour soigner l'hypothermie, protégez le malade du vent et de la pluie, enlevez-lui ses vêtements s'ils sont humides et habillez-le chaudement. Donnez-lui une boisson chaude (pas d'alcool) et de la nourriture très calorique, facile à digérer. Cela devrait suffire pour les premiers stades de l'hypothermie. Néanmoins, si son état est plus grave, couchez-le dans un sac de couchage chaud. Il ne faut ni le frictionner, ni le placer près d'un feu ni lui changer ses vêtements dans le vent. Si possible, faites-lui prendre un bain chaud (pas brûlant).

Mal des montagnes

Le mal des montagnes a lieu à haute altitude et peut s'avérer mortel. Il survient à des altitudes variables, parfois à 3 000 m, mais en général il frappe plutôt à partir de 3 500 à 4 500 m. Il est recommandé de dormir à une altitude inférieure à l'altitude maximale atteinte dans la journée. Le manque d'oxygène affecte la plupart des individus de façon plus ou moins forte.

Symptômes : manque de souffle, toux sèche irritante (qui peut aller jusqu'à produire une écume teintée de sang), fort mal de tête, perte d'appétit, nausées et parfois vomissements. Les symptômes disparaissent généralement au bout d'un jour ou deux, mais s'ils persistent ou empirent, le seul traitement consiste à redescendre, ne serait-ce que de 500 m.

Vous pouvez prendre certaines mesures à titre préventif : ne faites pas trop d'efforts au début, reposez-vous souvent. À chaque palier de 1 000 m, arrêtez-vous pendant au moins un jour ou deux afin de vous acclimater. Buvez plus que d'habitude, mangez légèrement, évitez l'alcool – afin de ne pas risquer la déshydratation – et tout sédatif. Même si vous prenez le temps de vous habituer progressivement à l'altitude, vous aurez probablement de petits problèmes passagers.

AFFECTIONS TRANSMISES PAR LES INSECTES

Voir également p. 828 le paragraphe *Affections moins fréquentes*.

Paludisme

Le paludisme, ou malaria, est transmis par un moustique, l'anophèle, dont la femelle pique surtout la nuit, entre le coucher et le lever du soleil.

La transmission du paludisme a disparu en zone tempérée et régressé en zone subtropicale. Elle reste en revanche incontrôlée en zone tropicale. En Inde du Nord, le risque est faible dans les grandes villes comme Delhi, mais il ne peut jamais être considéré comme nul, surtout pendant la mousson. Il est plus fort dans les zones rurales, notamment dans l'État de l'Assam, classé en groupe 3 (selon le degré de résistance à la chloroquine) ; le reste du pays est classé en groupe 2. En août 2009, on a signalé une recrudescence du paludisme à *Plasmodium falciparum* dans le Bihar.

Le paludisme survient généralement dans le mois suivant le retour de la zone d'endémie. Symptômes : maux de tête, fièvre et troubles digestifs. Non traité, il peut avoir des suites graves, parfois mortelles. Il existe différentes espèces de paludisme, dont celui à *Plasmodium falciparum*, pour lequel le traitement devient de plus en plus difficile à mesure que la résistance du parasite aux médicaments gagne en intensité.

Les médicaments antipaludéens n'empêchent pas la contamination, mais ils suppriment les symptômes de la maladie. Si vous voyagez dans des régions où la maladie est endémique, il faut absolument suivre un traitement préventif. La chimioprophylaxie fait le plus souvent appel à la chloroquine (seule ou associée au proguanil), ou à la méfloquine en fonction de la zone géographique du séjour, mais d'autres produits sont utilisables. Renseignez-vous impérativement auprès d'un médecin spécialisé, car le traitement n'est pas toujours le même à l'intérieur d'un même pays.

Tout voyageur atteint de fièvre ou montrant les symptômes de la grippe doit se faire examiner. Il suffit d'une analyse de sang pour établir le diagnostic. Contrairement à certaines croyances, une crise de paludisme ne signifie pas que l'on est touché à vie.

COUPURES, PIQÛRES ET MORSURES

Coupures et égratignures

Les blessures s'infectent très facilement dans les climats chauds et cicatrisent difficilement. Coupures et égratignures doivent être traitées avec un antiseptique et du désinfectant cutané. Évitez si possible bandages et pansements, qui empêchent la plaie de sécher.

Piqûres

Les piqûres de guêpes ou d'abeilles sont généralement plus douloureuses que dangereuses. Une lotion apaisante ou des glaçons soulageront la douleur et empêcheront la piqûre de trop gonfler. Certaines araignées sont dangereuses, mais il existe en général des antivenins. Les piqûres de scorpions sont très douloureuses et parfois mortelles. Inspectez vos vêtements et vos chaussures avant de les enfiler.

Punaises et poux

Les punaises affectionnent la literie douteuse. Si vous repérez de petites taches de sang sur les draps ou les murs autour du lit, cherchez un autre hôtel. Les piqûres de punaises forment des alignements réguliers. Une pommade calmante apaisera la démangeaison.

Les poux provoquent des démangeaisons. Ils élisent domicile dans les cheveux, les vêtements ou les poils pubiens. On en attrape par contact direct avec des personnes infectées ou en utilisant leur peigne, leurs vêtements, etc.

Poudres et shampooings détruisent poux et lentes ; il faut également laver les vêtements à l'eau très chaude.

Sangsues et tiques

Les sangsues, présentes dans les régions de forêts humides, se collent à la peau et sucent le sang. Les randonneurs en retrouvent souvent sur leurs jambes ou dans leurs bottes. Du sel ou le contact d'une cigarette allumée les feront tomber. Ne les arrachez pas, car la morsure s'infecterait plus facilement. Une crème répulsive peut les maintenir éloignées. Utilisez de l'alcool, de l'éther, de la vaseline ou de l'huile pour vous en débarrasser. Vérifiez toujours que vous n'avez pas attrapé de tiques dans une région infectée : elles peuvent transmettre le typhus.

Serpents

Portez toujours bottes, chaussettes et pantalons longs pour marcher dans la végétation à risque. Ne hasardez pas la main dans les trous et les anfractuosités, et faites attention lorsque vous ramassez du bois pour faire du feu. Les morsures de serpent ne provoquent pas instantanément la mort, et il existe généralement des antivenins. Il faut calmer la victime, lui interdire de bouger, bander étroitement le membre comme pour une foulure et l'immobiliser avec une attelle. Trouvez ensuite un médecin, et essayez de lui apporter le serpent mort. N'essayez en aucun cas d'attraper le serpent s'il y a le moindre risque qu'il morde à nouveau. On sait désormais qu'il ne faut absolument pas sucer le venin ou poser un garrot.

DIARRHÉE

Le changement de nourriture, d'eau ou de climat suffit à la provoquer ; si elle est causée par des aliments ou de l'eau contaminés, le problème est plus grave. En dépit de toutes vos précautions, vous aurez peut-être la turista, mais quelques visites aux toilettes sans autre symptôme n'ont rien d'alarmant. Il est recommandé d'emmener avec soi un antidiarrhéique. Demandez conseil à votre pharmacien et à votre médecin. La déshydratation est le danger principal lié à toute diarrhée. Le premier traitement consiste donc à boire beaucoup. Quand vous irez mieux, continuez à manger légèrement. Lorsque la diarrhée persiste au delà de 48 heures ou s'il y a présence de sang dans les selles, il est préférable de consulter un médecin.

SANTÉ AU JOUR LE JOUR

La température normale du corps est de 37°C ; deux degrés de plus représentent une forte fièvre. Le pouls normal d'un adulte est de 60 à 80 pulsations par minute (celui d'un enfant est de 80 à 100 pulsations ; celui d'un bébé de 100 à 140 pulsations). En général, le pouls augmente d'environ 20 pulsations à la minute avec chaque degré de fièvre.

La respiration est aussi un bon indicateur en cas de maladie. Comptez le nombre d'inspirations par minute : entre 12 et 20 chez un adulte, jusqu'à 30 pour un jeune enfant et jusqu'à 40 pour un bébé, elle est normale. Les personnes qui ont une forte fièvre ou qui sont atteintes d'une maladie respiratoire grave (pneumonie par exemple) respirent plus rapidement. Plus de 40 inspirations faibles par minute indiquent en général une pneumonie.

Diphtérie

Elle prend deux formes : celle d'une infection cutanée ou celle d'une infection de la gorge, plus dangereuse. On l'attrape au contact de poussière contaminée sur la peau, ou en inhalant des postillons d'éternuements ou de toux de personnes contaminées. Pour prévenir l'infection cutanée, il faut se laver souvent et bien sécher la peau. Il existe un vaccin contre l'infection de la gorge.

Dysenterie

Affection grave, due à des aliments ou de l'eau contaminés, la dysenterie se manifeste par une violente diarrhée, souvent accompagnée de sang ou de mucus dans les selles. On distingue deux types de dysenteries : la dysenterie bacillaire se caractérise par une forte fièvre et une évolution rapide ; maux de tête et d'estomac, vomissements en sont les symptômes. Elle dure rarement plus d'une semaine mais elle est très contagieuse. La dysenterie amibienne, quant à elle, évolue plus graduellement, sans fièvre ni vomissements, mais elle est plus grave. Elle dure tant qu'elle n'est pas traitée, peut réapparaître et causer des problèmes de santé à long terme. Une analyse des selles est indispensable pour diagnostiquer le type de dysenterie. Il faut donc consulter rapidement.

MALADIES INFECTIEUSES ET PARASITAIRES

Giardiase

Ce parasite intestinal est présent dans l'eau souillée ou dans les aliments souillés par l'eau. Symptômes : crampes d'estomac, nausées, estomac ballonné, selles très liquides et nauséabondes, et gaz fréquents. La giardiase peut n'apparaître que plusieurs semaines après la contamination. Les symptômes peuvent disparaître pendant quelques jours puis réapparaître, et ceci pendant plusieurs semaines.

Grippe aviaire

L'Inde fait partie des pays touchés par l'épizootie de grippe aviaire. En 2009, on signalait de nombreux foyers dans les élevages de l'Assam, du Bengale-Occidental et du Sikkim. Par mesure de précaution, il est conseillé de ne pas consommer d'œufs ou de volaille insuffisamment cuits et d'éviter tout contact avec des volatiles, morts ou vivants, ou avec des surfaces souillées par des fientes. Pour de plus amples renseignements, consultez le site interministériel consacré à la pandémie grippale : www.pandemie-grippale.gouv.fr/sommaire2.php3.

Hépatites

L'hépatite est un terme général qui désigne une inflammation du foie. Elle est le plus souvent due à un virus. Dans les formes les plus discrètes, le patient n'a aucun symptôme. Les formes les plus habituelles se manifestent par une fièvre, une fatigue qui peut être intense, des douleurs abdominales, des nausées, des vomissements, associés à la présence d'urines très foncées et de selles décolorées presque blanches. La peau et le blanc des yeux prennent une teinte jaune (ictère). L'hépatite peut parfois se résumer à un simple épisode de fatigue sur quelques jours ou semaines.

Hépatite A. C'est la plus répandue et la contamination est alimentaire. Il n'y a pas de traitement médical ; il faut simplement se reposer, boire beaucoup, manger légèrement en évitant les graisses et s'abstenir totalement de toute boisson alcoolisée pendant au moins six mois. L'hépatite A se transmet par l'eau, les coquillages et, d'une manière générale, tous les produits manipulés à mains nues. En faisant attention à la nourriture et à la boisson, vous préviendrez le virus.

Hépatite B. Elle est très répandue, puisqu'il existe environ 300 millions de porteurs chroniques dans le monde. Elle se transmet par voie sexuelle ou sanguine (piqûre, transfusion). Évitez de vous faire percer les oreilles, tatouer, raser ou de vous faire soigner par piqûres si vous avez des doutes quant à l'hygiène des lieux. Les symptômes de l'hépatite B sont les mêmes que ceux de l'hépatite A mais, dans un faible pourcentage de cas, elle peut évoluer vers des formes chroniques dont, dans des cas extrêmes, le cancer du foie. La vaccination est très efficace.

Hépatite E. Similaire à l'hépatite A, l'hépatite E se contracte de la même manière, généralement par l'eau. De forme bénigne, elle peut néanmoins être dangereuse pour les femmes enceintes. À l'heure actuelle, il n'existe pas de vaccin.

DÉCALAGE HORAIRE

Les malaises liés aux voyages en avion apparaissent généralement après la traversée de trois fuseaux horaires. Plusieurs fonctions de notre organisme obéissent en effet à des cycles internes de 24 heures. Lorsque nous effectuons de longs parcours en avion, le corps met un certain temps à s'adapter à la "nouvelle" heure de notre lieu de destination – ce qui se traduit souvent par des sensations d'épuisement, de confusion, d'anxiété, accompagnées d'insomnie et de perte d'appétit. Ces symptômes disparaissent généralement au bout de quelques jours, mais on peut en atténuer les effets moyennant quelques précautions :

- Efforcez-vous de partir reposé.
- À bord, évitez les repas trop copieux et l'alcool. Mais veillez à boire beaucoup – des boissons non gazeuses, non alcoolisées.
- Abstenez-vous de fumer pour ne pas appauvrir les réserves d'oxygène ; ce serait un facteur de fatigue supplémentaire.
- Portez des vêtements amples ; un masque oculaire et des bouchons d'oreilles vous aideront peut-être à dormir.

Maladies sexuellement transmissibles

Les MST parmi les plus courantes en Inde sont l'herpès, les condylomes, la syphilis, la blennorragie et les infections à chlamydia. Dans un premier temps, les personnes infectées ne développent pas de symptômes. Il est indispensable d'utiliser des préservatifs, mais ils ne sont pas suffisants pour se protéger de l'herpès ou des mycoses. Si vous avez des démangeaisons, pertes ou douleurs en urinant, consultez tout de suite un médecin. Si vous avez eu des relations sexuelles lors de votre séjour, il est prudent de faire des analyses médicales complètes à votre retour.

Rhume, toux et infection respiratoire

En Inde, environ 25% des voyageurs développent une infection respiratoire, en général provoquée par un virus et qui s'aggrave du fait des conditions environnantes – pollution dans les villes, froid et altitude dans les montagnes. Se greffe ensuite très souvent une infection bactérienne.

Typhoïde

La fièvre typhoïde est une infection du tube digestif. Mieux vaut être vacciné, même si la vaccination n'est pas entièrement efficace, car l'infection est particulièrement dangereuse. C'est d'ailleurs recommandé pour les voyageurs se rendant en Inde.

VIH/sida

L'Inde est aujourd'hui un des pays du monde où la progression du VIH est la plus importante (voir aussi p. 60).

La transmission de l'infection à VIH, agent causal du sida, se fait : par rapport sexuel (hétérosexuel ou homosexuel – anal, vaginal ou oral), d'où l'impérieuse nécessité d'utiliser des préservatifs à titre préventif ; par le sang, les produits sanguins et les aiguilles contaminées. Il est impossible de détecter la présence du VIH chez un individu apparemment en parfaite santé sans procéder à un examen sanguin.

Il faut éviter tout échange d'aiguilles. S'ils ne sont pas stérilisés, tous les instruments de chirurgie, les aiguilles d'acupuncture et de tatouage, les instruments utilisés pour percer les oreilles ou le nez peuvent transmettre l'infection. Il est fortement conseillé d'acheter seringues et aiguilles avant de partir.

LA PRÉVENTION ANTIPALUDIQUE

Hormis les traitements préventifs, la protection contre les piqûres de moustiques est le premier moyen d'éviter d'être contaminé. Le soir, dès le coucher du soleil, couvrez vos bras et surtout vos chevilles, mettez de la crème antimoustique, car les moustiques sont en pleine activité. Ils sont parfois attirés par le parfum ou l'après-rasage.

En dehors du port de vêtements longs, l'utilisation d'insecticides (diffuseurs électriques, bombes insecticides, tortillons fumigènes) ou de répulsifs sur les parties découvertes du corps est à recommander. Les moustiquaires constituent en outre une protection efficace, à condition qu'elles soient imprégnées d'insecticide. De plus, ces moustiquaires sont radicales contre tout insecte à sang froid (puces, punaises, etc.) et permettent d'éloigner serpents et scorpions.

Il existe désormais des moustiquaires imprégnées synthétiques très légères (environ 350 g) que l'on peut trouver en pharmacie.

Notez enfin que, d'une manière générale, le risque de contamination est plus élevé en zone rurale et pendant la saison des pluies.

Toute demande de certificat attestant la séronégativité pour le VIH (certificat d'absence de sida) est contraire au Règlement sanitaire international (article 81).

AFFECTIONS MOINS FRÉQUENTES

Chikungunya

Cette maladie virale transmise par les piqûres de moustiques apparaît épisodiquement en Inde, notamment au Gujarat.

Dengue

Une recrudescence très nette des cas de dengue a été constatée en 2009 dans la région de New Delhi. Il n'existe pas de traitement prophylactique contre cette maladie propagée par les moustiques. Poussée de fièvre, maux de tête, douleurs articulaires et musculaires précèdent une éruption cutanée sur le tronc qui s'étend ensuite aux membres puis au visage. Au bout de quelques jours, la fièvre régresse, et la convalescence commence. Les complications graves sont rares.

Encéphalite japonaise

De nombreux cas suspects et quelques cas confirmés d'encéphalite japonaise ont été rapportés en août 2009 dans les États de l'Uttar Pradesh, de l'Assam et du Nagaland. Il y a quelques années, cette maladie virale était pratiquement inconnue. Un moustique nocturne (le *Culex*) est responsable de sa transmission, surtout dans les zones rurales près des élevages de cochons ou des rizières, car les porcs et certains oiseaux nichant dans les rizières servent de réservoirs au virus.

Symptômes : fièvre soudaine, frissons et maux de tête, suivis de vomissements et de délire, aversion marquée pour la lumière vive et douleurs aux articulations et aux muscles. Les cas les plus graves provoquent des convulsions et un coma. Chez la plupart des individus qui contractent le virus, aucun symptôme n'apparaît.

Les personnes les plus en danger sont celles qui doivent passer de longues périodes en zone rurale pendant la mousson. Si c'est votre cas, il faudra peut-être vous faire vacciner.

Rage

Très répandue, cette maladie est transmise par un animal contaminé : chien, singe et chat principalement. Morsures, griffures ou même simples coups de langue d'un mammifère doivent être nettoyés immédiatement et à fond. Frottez avec du savon et de l'eau courante, puis nettoyez avec de l'alcool. S'il y a le moindre risque que l'animal soit contaminé, allez immédiatement voir un médecin. Même si l'animal n'est pas enragé, toutes les morsures doivent être surveillées de près pour éviter les risques d'infection et de tétanos. Un vaccin antirabique est disponible. Il faut y songer si vous pensez explorer des grottes (les morsures de chauves-souris peuvent être dangereuses) ou travailler avec des animaux. Cependant, la vaccination préventive ne dispense pas de la nécessité d'un traitement antirabique immédiatement après le contact avec un animal enragé ou dont le comportement peut paraître suspect.

Tuberculose

Bien que très répandue dans de nombreux pays en développement, cette maladie ne présente pas de grand danger pour le voyageur. Les enfants de moins de 12 ans sont plus exposés que les adultes. Il est donc conseillé de les faire vacciner s'ils voyagent dans des régions où la maladie est endémique. La tuberculose se propage par la toux ou par des produits laitiers non pasteurisés, faits avec du lait de vaches tuberculeuses. On peut boire du lait bouilli et manger yaourts ou fromages sans courir de risques.

SANTÉ AU FÉMININ

Grossesse

La plupart des fausses couches ont lieu pendant les trois premiers mois de la grossesse. C'est donc la période la plus risquée pour voyager. Pendant les trois derniers mois, il vaut mieux rester à distance raisonnable de bonnes infrastructures médicales, en cas de problème. Les femmes enceintes doivent éviter de prendre inutilement des médicaments. Cependant, certains vaccins et traitements préventifs contre le paludisme restent nécessaires. Mieux vaut consulter un médecin avant de prendre quoi que ce soit.

Pensez à consommer des produits locaux, comme les fruits secs, les agrumes, les lentilles et les viandes accompagnées de légumes.

Problèmes gynécologiques

Une nourriture pauvre et une résistance amoindrie par l'utilisation d'antibiotiques contre des problèmes intestinaux peuvent favoriser les infections vaginales lorsqu'on voyage dans des pays à climat chaud. Respectez une hygiène intime scrupuleuse, et portez jupes ou pantalons amples et sous-vêtements en coton.

Les champignons, caractérisés par une éruption cutanée, des démangeaisons et des pertes, peuvent se soigner facilement. En revanche, les trichomonas sont plus graves ; pertes blanches et sensation de brûlure lors de la miction en sont les symptômes. Le partenaire masculin doit également être soigné.

Il n'est pas rare que le cycle menstruel soit perturbé lors d'un voyage.

Langue

SOMMAIRE

Il n'existe pas à proprement parler de langue nationale "indienne". En dépit de son statut officiel, le hindi n'est la langue maternelle que d'environ 20% de la population. On comprend donc mieux le rôle véhiculaire tenu par l'anglais, encore très largement parlé plus de cinquante ans après le départ des Britanniques, et qui demeure la langue officielle de la justice.

La Constitution reconnaît officiellement 18 langues. Elles se répartissent en deux grands groupes, l'indic (aussi appelé indo-aryen) et le dravidien. À cela, il convient d'ajouter plus de 1 600 langues mineures et dialectes répertoriés lors du dernier recensement.

Les langues indo-aryennes appartiennent au groupe des langues indo-européennes (dont le français fait partie). Elles descendent de celles qui étaient parlées par les peuples d'Asie centrale qui envahirent l'Inde. Les langues dravidiennes trouvent quant à elles leurs origines en Inde du Sud, mais elles ont subi l'influence du sanskrit, puis du hindi.

La plupart des langues indiennes possèdent leur propre alphabet. Toutefois, l'anglais demeure fréquemment employé à l'écrit dans certains États : en Himachal Pradesh, par exemple, presque toutes les inscriptions sont en anglais. Vous aurez un aperçu des différents alphabets en jetant un coup d'œil aux billets de 5 Rs et plus, sur lesquels quatorze langues sont représentées. En plus du hindi et de l'anglais figurent, de haut en bas : l'assamais, le bengali, le gujarati, le kannada, le cachemiri, le malayalam, le marathi, l'oriya, le punjabi, le sanskrit, le tamoul, le télougou et l'ourdou (reportez-vous à l'encadré p. 831).

D'importants efforts ont été déployés pour remplacer l'anglais par le hindi et en faire la langue nationale. Le principal obstacle à ce projet tient à ce que, si le hindi reste la langue prédominante dans le Nord, il s'avère très différent des langues dravidiennes du Sud, où il demeure rarement usité. C'est donc dans les régions méridionales de l'Inde, et particulièrement dans l'État du Tamil Nadu, que la résistance au hindi et la volonté de maintenir l'anglais ont été les plus fortes.

L'anglais est la première langue de beaucoup d'Indiens cultivés. Il arrive aussi en deuxième position chez une bonne part des nombreux habitants du sous-continent pratiquant plus d'une langue. Vous n'aurez donc aucun problème à vous déplacer en Inde si vous parlez anglais, bien qu'il soit toujours préférable de connaître un minimum de la langue de la région visitée.

HINDI

Le hindi s'écrit de gauche à droite en alphabet devanagari, qui n'a rien à voir avec l'alphabet romain. Il comporte de nombreuses tournures grammaticales qui seront familières aux anglophones.

Pour plus de détails, procurez-vous le guide de conversation *Hindi, ourdou et bengali* de Lonely Planet.

PRONONCIATION

Si la plupart des sons hindis ont un équivalent dans les langues européennes, certains sont plus délicats. Il faut distinguer les consonnes "aspirées" des "non-aspirées" – les premières se prononcent avec une forte inspiration, comme si l'on ajoutait un "h" après le son. Il existe aussi des consonnes "rétroflexes", pour lesquelles la langue vient se coller derrière les incisives supérieures. Dans ce chapitre, les lettres romaines les plus proches ont été utilisées pour la translittération ; de ce fait, celle-ci ne reflète pas tous les sons du hindi parlé.

LES DIX-HUIT LANGUES OFFICIELLES

Assamais. Langue officielle de l'Assam, il remonte au XIIIe siècle. Il est parlé par près de 60% de la population de l'État.
Bengali. Il s'est développé au XIIIe siècle et est aujourd'hui utilisé par environ 200 millions de personnes – principalement au Bangladesh. Langue officielle du Bengale-Occidental.
Cachemiri. Langue indo-aryenne à l'écriture arabo-persane. Les locuteurs cachemiris représentent environ 55% de la population du Jammu-et-Cachemire.
Gujarati. Langue officielle du Gujarat, il appartient à la famille des langues indo-aryennes.
Hindi. Langue de la famille indo-aryenne, il constitue la principale langue indienne, bien qu'il ne soit la langue maternelle que d'un cinquième de la population. Il est parlé essentiellement dans la région connue sous les noms de "*hindu belt*" (pays de l'hindouisme), "*cow belt*" (pays de la vache) et Bimaru – qui comprend le Bihar, le Madhya Pradesh, le Rajasthan et l'Uttar Pradesh. Il est la langue officielle du gouvernement indien, des États précités, ainsi que de l'Haryana et de l'Himachal Pradesh.
Kannada. Langue officielle du Karnataka, il est parlé par près de 65% de la population de l'État.
Konkani. Langue dravidienne parlée par les habitants de la région de Goa.
Malayalam. Langue dravidienne, langue officielle du Kerala.
Manipuri. Langue indo-aryenne parlée dans le nord-est du pays.
Marathi. Langue indo-aryenne datant des alentours du XIIIe siècle ; langue officielle du Maharashtra.
Népalais. Langue prédominante au Sikkim, où 75% de la population est d'origine népalaise.
Oriya. De la famille indo-aryenne, c'est la langue officielle de l'Orissa, où il est parlé par environ 90% de la population.
Ourdou. Langue officielle du Jammu-et-Cachemire. Tout comme le hindi, il s'est développé dans l'ancien Delhi. Tandis que les hindous adoptaient largement le hindi, les musulmans optèrent pour l'ourdou ; c'est pourquoi ce dernier utilise l'alphabet arabo-persan et compte de nombreux mots d'origine perse.
Punjabi. Langue indo-aryenne et langue officielle du Punjab. Bien que s'appuyant sur l'alphabet devanagari (celui du hindi), il utilise une graphie du XVIe siècle connue sous le nom de gurumukhi, qui fut élaborée par le gourou sikh Angad.
Sanskrit. L'une des langues les plus anciennes au monde, et la langue de l'Inde classique. Tous les Veda ainsi que les textes du *Mahabharata* et du *Ramayana* ont été rédigés dans cette langue indo-aryenne.
Sindhi. Parlé au Pakistan, c'est en Inde qu'il trouve son plus grand nombre de locuteurs. L'écriture arabo-persane est utilisée au Pakistan, tandis que l'alphabet devanagari est employé en Inde.
Tamoul. Langue officielle du Tamil Nadu, cette langue dravidienne vieille d'au moins 2 000 ans est parlée par 65 millions de personnes.
Telougou. Langue officielle de l'Andhra Pradesh, elle demeure la langue dravidienne la plus utilisée.

Faites attention à la prononciation des voyelles, et particulièrement à leur longueur – **a** par opposition à **aa** par exemple. Les lettres **ng** après une voyelle indiquent que celle-ci doit être prononcée avec le nez.

Voyelles et diphtongues

a "eu" comme dans "beurre"
aa "a" long comme dans "gare"
ai avant une consonne, comme dans "mais" ; à la fin d'un mot, comme dans "ail"
au avant une consonne, comme le "aw" de l'anglais "law" (un "o" venant du fond de la gorge) ; à la fin d'un mot, comme le "aou" de "miaou"
e comme dans "frère"
ee "i" long comme dans "partie"
i "i" court comme dans "vite"
o comme dans "botte"
oo "ou" long comme dans "rouge"
u "ou" court comme dans "courir"

Consonnes

tch comme dans "tchèque"
g toujours comme dans "gant", jamais comme dans "gentil"
r légèrement roulé
y comme dans "yack"

HÉBERGEMENT

Où est l'hôtel (le meilleur/le moins cher) ?
sab se (atchaa/sastaa) hotal kahaang hai ?

Écrivez-moi l'adresse, s'il vous plaît.
zaraa us kaa pataa lik deejiye
Avez-vous des chambres disponibles ?
kyaa koee kamraa kaalee hai ?
J'aimerais partager un dortoir.
maing dorm me teharnaa tchaahtaa/ee hoong (m/f)
Combien pour... ? *... kaa kiraayaa kitnaa hai ?*
une nuit *ek din*
une semaine *ek hafte*

Je voudrais une... *mujhe... tchaahiye*
chambre double *dabal kamraa*
chambre avec sdb *gusalkaanevaalaa kamraa*
chambre simple *singal kamraa*

Puis-je le/la voir ?
kyaa maing kamraa dek saktaa/ee hoon ? (m/f)
Avez-vous une autre chambre ?
koee aur kamraa hai ?
Où est la sdb ? *gusalkaanaa kahaang hai ?*

lit *palang*
couverture *kambaal*
clé *tchaabee*
douche *shaavar*
papier toilette *taailet pepar*
eau (froide/chaude) *paanee (tandaa/garam)*
avec fenêtre *kirkeevaalaa*

CONVERSATION ET EXPRESSIONS DE BASE

Bonjour. *namaste/namskaar*
Au revoir. *namaste/namskaar*
Oui. *jee haang*
Non. *jee naheeng*

"S'il vous plaît" est généralement sous-entendu dans la forme de politesse de l'impératif, ou dans d'autres expressions. Les formules et les mots que nous donnons ici respectent cette forme de politesse.

Merci. *shukriyaa/danyavaad*
De rien. *koee baat naheeng*
Pardon/Excusez-moi. *kshamaa keejiye*
Comment allez-vous ? *aap kaise/kaisee haing ?* (m/f)
Bien, et vous ? *maing teek hoong aap sunaaiye ?*
Comment vous appelez-vous ? *aap kaa shubh naam kyaa hai ?*

ORIENTATION

Où puis trouver un(e)/le(la, les)... *... kahaang hai ?*

SIGNALISATION

प्रवेश/अन्दर	Entrée
निकार/बाहर	Sortie
खुला	Ouvert
बन्द	Fermé
अन्दर आना निषिद्ध/मना है	Interdiction d'entrée
धूम्रपान करना निषिद्ध/मना है	Interdiction de fumer
निषिद्ध	Interdit
गर्म	Chaud
ठंडा	Froid
शोचालय	Toilettes

banque *baink*
consulat *kaungnsal*
ambassade *dootaavaas*
temple hindou *mandir*
mosquée *masjid*
bureau de poste *daakkaanaa*
téléphone public *saarvajanik fon*
toilettes publiques *shautchaalay*
temple sikh *gurudvaaraa*
place de la ville *tchauk*

Est-ce loin/près d'ici ?
kyaa voh yahaang se door/nazdeek hai ?

SANTÉ

Où puis-je trouver un(e)/le(la, l')... ? *... kahaang hai ?*
clinique *davaakaanaa*
médecin *daaktar*
hôpital *aspataal*

Je suis malade *maing beemaar hoong*
antiseptique *ainteeseptik*
antibiotiques *ainteebayotik*
aspirine *(esprin) sirdard kee davaa*
préservatifs *nirodak*
contraceptifs *garbnirodak*
diarrhée *dast*
médicament *davaa*
nausée *gin*
seringue *sooee*
tampons *taimpon*

DIFFICULTÉS DE COMPRÉHENSION

Parlez-vous anglais ?
kyaa aap ko angrezee aatee hai ?
Quelqu'un ici parle-t-il anglais ?
kyaa kisee ko angrezee aatee hai ?

LANGUE

URGENCES

À l'aide !	*mada keejiye !*
Stop !	*ruko !*
Au voleur !	*tchor !*
Appelez un médecin !	*daaktar ko bulaao !*
Appelez une ambulance !	*embulains le aanaa !*
Appelez la police !	*pulis ko bulaao !*
Je suis perdu/e.	*maing raastaa bhool gayee/ gayaa hoong* (m/f)

Où se trouve(nt)… ?	*… kahaang hai ?*
le poste de police	*taanaa*
les toilettes	*gusalkaanaa*

Je voudrais contacter mon ambassade/consulat.
maing apne embassy ke sebaat katnaa logo tchaahtee/tchaahtaa hoong (f/m)

Je comprends.
maing samjhaa/ee
Je ne comprends pas.
maing naheeng samjhaa/ee
Pourriez-vous l'écrire ?
zaraa lik deejiye

NOMBRES

Au lieu de compter en dizaines, centaines, milliers, millions et milliards, les Indiens comptent en dizaines, centaines, milliers, centaines de milliers et dizaines de millions. 100 000 correspond à 1 *laakh*, et 10 millions à 1 *krore*. Ces deux termes sont souvent préférés à leurs équivalents occidentaux.

1	*ek*
2	*do*
3	*teen*
4	*tchaar*
5	*paangtch*
6	*tchai*
7	*saat*
8	*aat*
9	*nau*
10	*das*
11	*gyaarah*
12	*bara*
13	*terah*
14	*tchaudah*
15	*pandrah*
16	*solah*
17	*satrah*
18	*attaarah*
19	*unnees*
20	*bees*
21	*ikkees*
22	*baaees*
30	*tees*
40	*tchaalees*
50	*patchaas*
60	*saat*
70	*sattar*
80	*assee*
90	*nabbe/navve*
100	*sau*
1 000	*hazaar*
100 000	*ek laak* (qui s'écrit 1,00,000)
10 000 000	*ek krore* (qui s'écrit 1,00,00,000)

ACHATS ET SERVICES

Où est le (la, l') plus proche… ?
sab se karib… kah hai ?

librairie	*kitaab kee dukaan*
pharmacie	*davaaee kee dukaan*
épicerie	*dukaan*
marché	*baazaar*
laveur de vêtements	*dobee*

Où puis-je acheter… ?
maing… kah kareed sakta hoong ?
J'aimerais acheter…
mujhe… karidnaa hai

des vêtements	*kapre*
une pellicule couleur	*rangin film*
une enveloppe	*lifaafaa*
des objets artisanaux	*haat kee banee tcheeze*
des magazines	*patrikaae*
une carte	*nakshaa*
un journal (en anglais)	*(angrezee kaa) akbaar*
du papier	*kaagaz*
un rasoir	*ustaraa*
du savon	*saabun*
un timbre	*tikat*
du dentifrice	*manjan*
de la lessive	*kaprre done kaa saabun*

un peu	*toraa*
grand/gros	*baraa*
assez	*kaafee*
plus	*aur*
petit	*tchotaa*
trop (quantité/ nombre de…)	*bahut/adik*

Combien cela coûte-t-il ?
est kaa daam kyaa hai ?

LANGUE

Je trouve cela trop cher.
yeh bahut mahegaa/i hai (m/f)
Pouvez-vous baisser le prix ?
est kaa daam kam keejiye ?
Acceptez-vous les cartes de crédit ?
kyaa aap vizaa kaard vagairah lete ha ?

HEURES ET DATES

Quelle heure est-il ?
kitne baje haing ?/taaim kyaa hai ?
Il est (dix) heures.
(das) baje haing
Il est deux heures et demie.
daaee baje haing

Quand ?	*kab ?*
maintenant	*ab*
aujourd'hui	*aaj*
demain/hier	*kal* (selon le contexte, soit l'un soit l'autre)

jour	*din*
soir	*shaam*
mois	*maheenaa*
matin	*saveraa/subhaa*
nuit	*raat*
semaine	*haftaa*
année	*saal/baras*

lundi	*somvaar*
mardi	*mangalvaar*
mercredi	*budvaar*
jeudi	*guruvaar/brihaspativaar*
vendredi	*shukravaar*
samedi	*shanivaar*
dimanche	*itvaar/ravivaar*

TRANSPORTS

Comment va-t-on à… ? *… kaise jaate haing ?*

Quand part le… bus ? *… bas kab jaaegee ?*

premier	*pehlaa/pehlee*
prochain	*aglaa/aglee*
dernier	*aakiree*

À quelle heure le… part-il ?
kitne baje jaayegaa/jaayegee ? (m/f)
À quelle heure le… arrive-t-il ?
kitne baje pahungtchegaa/pahungtchegee ? (m/f)

bateau	*naav* (f)
bus	*bas* (f)
avion	*havaaee jahaaz* (m)
train	*relgaaree* (f)

Je voudrais un billet…
mujhe ek… tikat tchaahiye

aller simple	*ek-tarafaa*
aller-retour	*do-tarafaa*

1re classe	*pratam shreni*
2e classe	*dviteey shreni*

LANGUE

Également édité par Lonely Planet:
Guide de conversation Hindi, ourdou et bengali

Glossaire

Vous trouverez dans ce glossaire des termes et des expressions utilisés dans ce guide, que vous pourrez rencontrer au cours de vos pérégrinations indiennes. Pour la nourriture et les boissons, reportez-vous p. 89.

abbi – cascade
Abhimani – fils aîné de Brahma
Abhimanyu – fils d'Arjuna
acharya – professeur révéré, guide spirituel
adivasi – communautés ethniques
agarbathi – encens
Agasti – sage légendaire vénéré dans le sud de l'Inde, où on lui attribue l'introduction de l'hindouisme et l'élaboration de la langue tamoule
Agni – l'une des principales divinités des *Veda* ; médiateur entre les hommes et les dieux ; représente également le feu
ahimsa – non-violence
AIR – All India Radio, la radio nationale
air-cooler – ou rafraîchisseur d'air ; bruyant système de ventilation par évaporation
amrita – immortalité
Ananda – cousin et serviteur du Bouddha
Ananta – serpent supportant Vishnu couché
Andhaka – démon à mille têtes tué par Shiva
angrezi – étranger
anikut – barrage
anna – 1/16e de roupie (n'a plus cours)
Annapurna – forme de Durga, vénérée comme dispensatrice de nourriture
apsara – nymphe céleste
Aranyani – déesse hindoue des forêts
Ardhanari – Shiva hermaphrodite
Arishta – *daitya* qui, après s'être transformé en taureau, attaqua Krishna mais fut tué par lui
Arjuna – héros guerrier du *Mahabharata* qui épousa Subhadra et terrassa de nombreux démons. Krishna lui narra la *Bhagavad Gita* ; il conduisit les funérailles de Krishna, puis se retira dans l'Himalaya
Aryen – "noble", en sanskrit ; désigne les peuples venus de Perse qui s'établirent dans le nord de l'Inde
ashram – lieu de retraite ou communauté spirituelle
ashrama – système selon lequel la vie comporte trois stades que seules les trois plus hautes castes peuvent atteindre : le *brahmachari*, le *grihastha* et le *sanyasin*
ASI – Archaeological Survey of India, une organisation qui s'occupe de la préservation des monuments
atman – âme
attar – huile essentielle, tirée habituellement de fleurs ; sert de base pour les parfums
auto-rickshaw – triporteur bruyant utilisé pour transporter des passagers, des animaux, etc. sur de courtes distances ; moins cher qu'un taxi et présent partout dans le pays
Avalokitesvara – bodhisattva de la compassion dans le bouddhisme mahayana
avatar – incarnation d'une divinité, le plus souvent Vishnu
ayurvéda – science ancienne et élaborée de la médecine traditionnelle indienne par les plantes
azad – libre en ourdou, comme dans "Azad Jammu and Kashmir"
azan – appel des musulmans à la prière
baba – maître religieux ou père ; marque de respect
babu – employé
bagh – jardin
bahadur – brave, chevaleresque ; titre honorifique
baksheesh – pourboire, donation (obole) ou pot-de-vin (bakchich)
Balarama – frère de Krishna
bandar – singe
bandh – grève générale
bandhani – tie-dye (technique de teinture)
banian – figuier de l'Inde
banian – T-shirt ou maillot de corps
baniya – prêteur sur gages
baoli – voir *baori*
baori – puits généralement doté d'escaliers, de paliers et de galeries ; au Gujarat, on utilise plutôt le terme *baoli.*
barasingha – cerf des marais
basti – taudis
bearer – sorte de majordome
begum – musulmane de haut rang ; princesse
Bhagavad Gita – "Chant du seigneur" hindou ; leçons de Krishna à Arjuna, dont la principale finalité est d'encourager la philosophie de la *bhakti* ; il fait partie du *Mahabharata*
Bhairava – le Terrible ; huitième incarnation démoniaque de Shiva
bhajan – chant de prière
bhakti – soumission aux dieux ; foi
bhang – feuilles et boutons floraux séchés de marijuana
bhangra – musique et danse rythmées punjabies
Bharat – Inde en hindi
Bharata – demi-frère de Rama, il régna à sa place pendant son exil
bhavan – maison, bâtiment ; s'écrit également *bhawan.*
bheesti – voir *bhisti*
Bhima – héros du *Mahabharata* renommé pour sa force exceptionnelle ; il est le frère de Hanuman.

bhisti – porteur d'eau
bhojanalya – petit restaurant au Rajasthan, appelé *dhaba* ailleurs
bidi – petite cigarette roulée à la main
bindi – marque sur le front (souvent en forme de point) portée par les femmes
BJP – Bharatiya Janata Party (parti nationaliste hindou)
Bodhi (arbre de la) – arbre sous lequel le Bouddha atteignit l'Éveil
bodhisattva – littéralement "celui dont l'essence est la sagesse parfaite" ; dans le bouddhisme primitif, désigne le Bouddha entre le moment où celui-ci décida d'atteindre l'Éveil et le moment où il y parvint ; dans le bouddhisme mahayana, celui qui renonce au nirvana pour aider les autres à y parvenir
Bollywood – contraction de Bombay et de Hollywood ; l'industrie du cinéma de Mumbai (Bombay)
Brahma – dieu hindou vénéré comme le Créateur dans le cadre de la Trimurti
brahmachari – étudiant chaste, premier stade de la hiérarchie *ashrama*
brahmanisme – forme primitive de l'hindouisme issue du védisme (voir *Veda*) ; doit son nom aux prêtres brahmanes et au dieu Brahma
brahmane – membre de la caste des prêtres/lettrés, la plus élevée de la hiérarchie hindoue
Bouddha – l'Éveillé ; à l'origine du bouddhisme, il est considéré par les hindous comme la neuvième réincarnation de Vishnu
bouddhisme primitif – désigne les écoles bouddhiques établies juste après la mort du Bouddha et avant l'apparition du mahayana ; sa forme moderne est le theravada (doctrine des Anciens) pratiqué au Sri Lanka dans le Sud-Est asiatique. Le bouddhisme primitif différait du mahayana en ce qu'il n'enseignait pas l'idéal du bodhisattva
bouddhisme tantrique – bouddhisme tibétain revêtu de fortes connotations sexuelles et occultes
bugyal – prairie de haute altitude
bund – jetée ou digue
burka – vêtement d'une seule pièce qui recouvre entièrement les musulmanes traditionalistes

cantonment – quartier administratif et militaire des villes à l'époque du Raj
caravansérail – hébergement traditionnel des caravanes de chameaux
caste – statut social héréditaire d'un hindou ; il en existe quatre : les brahmanes, les kshatriyas, les vaishyas et les shudras
cénotaphe – monument élevé en l'honneur d'une personne décédée dont la dépouille est inhumée ailleurs ou incinérée
chaam – danse masquée rituelle pratiquée par certains moines bouddhistes dans les *gompa* pour célébrer la victoire du Bien sur le Mal et du bouddhisme sur les religions préexistantes
chaitya – forme sanskrite de "cetiya", qui signifie sanctuaire ou relique ; désigne aujourd'hui un temple, et plus spécifiquement un édifice religieux dont la nef centrale est séparée des deux ailes latérales par une rangée de colonnes et où se dresse un stupa à une extrémité
chakra – centre de la puissance spirituelle de l'individu ; arme en forme de disque utilisée par Vishnu
Chamunda – une des formes de Durga ; armée d'un cimeterre, d'une corde et d'une massue, et revêtue d'une peau d'éléphant, elle avait pour mission de tuer les démons Chanda et Munda
Chandra – la Lune ou la déesse Lune
Chandragupta – souverain indien du IIIe siècle av. J.-C.
chappals – sandales ou tongs
char dham – les quatre lieux de pèlerinage de Badrinath, Kedarnath, Yamunotri et Gangotri
charas – résine de marijuana (aussi appelée haschish)
charbagh – jardin persan classique divisé en quatre parties (littéralement "quatre jardins")
charpoy – lit indien en cordes nouées sur un cadre en bois
chedi – voir *chaitya*
chela – disciple ou adepte ; George Harrison était par exemple le *chela* de Ravi Shankar
chhatri – cénotaphe (littéralement "ombrelle")
chikan – étoffe brodée (spécialité de Lucknow)
chillum – partie en forme de pipe du houka ; désigne couramment les pipes utilisées pour fumer la *ganja*
chinkara – gazelle
chital – cerf tacheté
chogyal – roi
choli – boléro fermé porté sous le sari
chomos – nonnes bouddhistes tibétaines
chorten – terme tibétain pour stupa
choultry – refuge pour pèlerins ; aussi appelé *dharamsala*
chowk – place, carrefour ou marché
chowkidar – veilleur de nuit, gardien
chuba – robe des femmes tibétaines
cipaye – autrefois, soldat indien de l'armée britannique
Cong (I) – parti du Congrès (Congress Party of India) ; connu également sous le nom de Congress (I)
coolie – travailleur ou porteur (terme parfois considéré comme péjoratif)
CPI (M) – Communist Party of India (marxiste)
crore – dix millions

dacoït – bandit (souvent armé), hors-la-loi
dada – grand-père paternel ou frère aîné
dagoba – voir *stupa*
daitya – démon ou géant qui combattait les dieux
dak – point de ravitaillement, hôtel tenu par l'État
dalit – terme recommandé pour désigner les intouchables ; voir aussi *harijan*
Damodara – autre nom de Krishna

dargah – sanctuaire ou sépulture d'un saint musulman
darshan – offrande ou audience ; vision bénéfique d'une divinité
darwaza – porte ou entrée
Dasaratha – père de Rama dans le *Ramayana*
Dattatreya – saint brahmanique incarnant la Trimurti
Delhiite – habitant de Delhi
desi – habitant, Indien
deul – sanctuaire d'un temple
devadasi – danseuse attachée à un temple
Devi – épouse de Shiva ; déesse
dhaba – petit restaurant
dham – lieux de pèlerinage les plus saints de l'Inde
dharamsala – refuge pour pèlerins
dharma – terme utilisé à la fois par les hindous et par les bouddhistes pour désigner leurs codes de conduite respectifs
dharna – protestation non-violente
dhobi – laveur de vêtements, communément appelé *dhobi-wallah*
dhobi ghat – lieu où les vêtements sont lavés
dhol – tambour traditionnel biface
dholi – chaise à porteur ; certaines personnes les utilisent pour gagner les temples installés au sommet des collines, etc.
dhoti – long pagne masculin qui ressemble au *lungi* – la pièce d'étoffe, qui descend jusqu'aux chevilles, est passée entre les jambes
dhurrie – tapis
digambara – littéralement les "vêtus du ciel" ; secte jaïne dont les adeptes montrent leur détachement du monde en vivant nus
dikpala – gardien de temple
Din-i-Ilahi – philosophie exposée par Akbar qui proclame la vérité commune à toutes les religions
diwan – officier principal d'un État princier ; cour ou conseil royal
Diwan-i-Am – salle d'audiences publiques
Diwan-i-Khas – salle d'audiences privées
dowry – dot remise par les parents de la mariée à la famille de son époux ; pratique illégale mais encore largement répandue pour certains mariages arrangés
Draupadi – épouse des cinq princes pandava du *Mahabharata*
dravidiens – terme général désignant les cultures et les langues des peuples du sud de l'Inde
dukhang – salle de prière tibétaine
dun – vallée
dupatta – long foulard accompagnant souvent le *salwar kameez* (vêtement féminin)
durbar – audience publique tenue par un souverain indien ou plus tard par le vice-roi des Indes
Durga – "l'Inaccessible" ; l'une des formes de l'épouse de Shiva, Devi, femme redoutable chevauchant un tigre ; l'une des principales déesses de la secte Shakti
dwarpal – gardien de porte ; sculpture placée à côté de l'entrée des sanctuaires hindous ou bouddhiques

elatalam – petites cymbales tenues à la main
election symbols – symboles permettant d'identifier les différents partis politiques destinés aux électeurs illettrés
Emergency (état d'urgence) – période des années 1970 au cours de laquelle Indira Gandhi suspendit de nombreux droits politiques
Eve-teasing – harcèlement sexuel
export guru – gourou dont les disciples sont essentiellement occidentaux

fakir – musulman ayant fait vœu de pauvreté ; désigne aussi parfois d'autres ascètes
filmi – terme argotique qui s'applique à tout ce qui touche au cinéma indien

gabba – tapis du Cachemire avec des motifs appliqués
gaddi – trône d'un prince hindou
gali – allée ou ruelle
Ganesh – dieu hindou de la Chance ; fils à tête d'éléphant de Shiva et de Parvati ; également appelé Ganpati, il utilise une sorte de rat comme moyen de locomotion
Ganga – déesse hindoue représentant le fleuve sacré du Gange, qui s'écoule de l'orteil de Vishnu
ganj – marché
ganja – bourgeons floraux séchés de marijuana
gaon – village
garh – forteresse
gari – véhicule ; un "motor gari" est une voiture et un "rail gari", un train
Garuda – homme-oiseau, monture de Vishnu
gaur – bison indien
Gayatri – vers sacrés du Rig-Veda, que les brahmanes répètent mentalement deux fois par jour
geyser – chauffe-eau présent dans de nombreuses salles de bains
ghat – marches ou paliers au bord d'une rivière, massif de collines, ou route gravissant des collines
ghazal – chant ourdou issu d'un poème ; chansons d'amour tristes
giri – colline
Gita Govinda – poème érotique de Jayadeva relatant les débuts de la vie de Krishna sous les traits de Govinda
godmen – gourous à l'esprit mercantile ; voir aussi *export guru*
godown – entrepôt
gompa – monastère bouddhique tibétain
Gonds – peuples qui subsistent surtout dans les jungles du centre de l'Inde
goonda – voyou ou dur
Gopala – voir *Govinda*
gopi – jeune vachère ; les *gopi* étaient fort appréciées de Krishna

gora – Blanc, Européen
Govinda – matérialisation de Krishna en vacher ; désigne également un vacher
grihastha – deuxième stade des *ashrama*, celui du maître de maison qui doit remplir ses devoirs envers ses ancêtres en ayant des fils et en faisant des sacrifices aux dieux
gufa – grotte
gulli – ruelle, allée
gumbad – dôme sur un tombeau musulman ou une mosquée
gurdwara – temple sikh
Gurmukhi – l'écriture du *Guru Granth Sahib* ; écriture punjabie
guru (gourou) – maître religieux ; le mot vient du sanskrit *goe* (obscurité) et *roe* (dissiper)
Guru Granth Sahib – livre saint des sikhs

haat – marché villageois
haj – pèlerinage musulman à La Mecque
haji – musulman qui a accompli le *haj*
hammam – bain turc ; bain public
Hanuman – dieu-singe hindou disciple de Rama, qui figure en bonne place dans le *Ramayana*
Hara – l'un des noms de Shiva
Hari – autre nom de Vishnu
harijan – "enfants de Dieu" ; nom donné par Gandhi aux intouchables (son emploi n'est plus toléré)
hartal – grève
hathi – éléphant
haveli – demeures traditionnelles, souvent richement décorées, notamment au Rajasthan et au Gujarat
hijab – foulard des musulmanes
hijra – eunuque
hinayana – voir *bouddhisme primitif*
Hiranyakasipu – roi *daitya* tué par Narasimha
hookah (houka)– pipe à eau utilisée pour fumer la *ganja* ou du tabac fort
howdah – nacelle destinée au transport à dos d'éléphant

Iiftar – rupture du jeûne du ramadan au coucher du soleil
ikat – tissu fabriqué avec des fils teints avant tissage selon la technique du *bandhani*
imam – chef religieux musulman
imambara – tombeau dédié à un saint homme musulman chiite
IMFL – liqueur étrangère fabriquée en Inde
indo-islamique – style d'architecture coloniale qui mélange influences occidentale, musulmane, hindoue et jaïne
Indra – important et prestigieux dieu védique ; dieu de la Pluie (associé à la fertilité), du Tonnerre, de la Foudre et de la Guerre
intouchables – membres de la caste la plus basse ou "sans caste", auxquels sont réservées les tâches les plus rebutantes ; on les appelait ainsi car les membres des castes supérieures n'osaient pas les toucher de peur d'être souillés ; autrefois appelés *harijan*, ils sont aujourd'hui les *dalit*
Ishwara – autre nom de Shiva ; seigneur

Jagadhatri – mère de l'Univers ; autre nom de Devi
jagamohan – salle d'assemblée
Jagannath – seigneur de l'Univers ; avatar de Krishna
jali – écran ajouré (souvent en marbre) ; désigne aussi les espaces ouverts ou orifices des objets sculptés en bois ou en pierre
Janaka – père de Sita
Jataka – récit des vies du Bouddha
jauhar – suicide collectif rituel au cours duquel les femmes rajput s'immolaient à l'issue d'une défaite militaire, afin d'éviter d'être déshonorées par les vainqueurs
jawan – policier ou soldat
jheel – marécage
jhuggi – bidonville ; également appelé *basti*
jhula – pont
ji – terminaison honorifique pouvant être ajoutée à n'importe quel nom – "Babaji", "Gandhiji" – en signe de respect
jihad – guerre sainte islamique
JKLF – Jammu and Kashmir Liberation Front
jooti – chaussures traditionnelles à bout pointu, souvent portées dans le nord de l'Inde
juggernaut – énorme char de procession au décor extravagant promené dans les rues pendant les fêtes hindoues
jumkah – boucles d'oreilles
jyoti linga – les douze principaux sanctuaires dédiés à Shiva

kabaddi – jeu traditionnel (semblable au jeu du chat)
Kailasa – montagne sacrée de l'Himalaya ; demeure de Shiva
Kali – la Noire ; forme terrible de Devi en général représentée avec la peau foncée, dégoulinante de sang et portant un collier de crânes
Kalki – le Cheval blanc ; future incarnation (dixième) de Vishnu, qui apparaîtra au terme de Kali-Yug, à la fin du monde ; parfois comparé au Maitreya de la cosmogonie bouddhique
Kama – dieu hindou de l'Amour
kameez – tunique féminine, sorte de longue chemise ; voir aussi *salwar kameez*
Kanishka – roi majeur de l'empire Kushana, qui régna au début de l'ère chrétienne
Kanyakumari – la Jeune Vierge ; autre nom de Durga
kapali – récipient sacré fait d'un crâne humain
karma – dans les philosophies hindoue, bouddhique et sikh, principe de la juste rétribution des actions passées
Kartikiya – dieu hindou de la Guerre, fils de Shiva
kata – châle de prière tibétain, que les pèlerins offrent traditionnellement au lama qui les reçoit

kathputli – marionnettiste ; aussi appelé *putli-wallah*
Kedarnath – nom de Shiva et de l'un des douze *jyoti linga*
khadi – étoffe tissée à la main ; Gandhi encourageait les Indiens à tisser leurs propres *khadi* plutôt que d'acheter des tissus anglais
Khalistan – nom naguère proposé par les sécessionnistes sikhs pour un Punjab indépendant
khalsa – communauté des sikhs
khan – titre honorifique musulman
kho-kho – jeu traditionnel (semblable au jeu du chat) ; variante moins courante du *kabbadi*
khôl – fard à yeux noir
khur – âne sauvage asiatique
kiang – âne sauvage du Ladakh
kirtan – chant religieux sikh
koil – temple hindou
kolam – voir *rangoli*
kompu – trompette en forme de C
kos minar – borne kilométrique
kot – forteresse
kothi – résidence, maison, demeure
kotwali – poste de police
Krishna – huitième incarnation de Vishnu ; souvent représenté en bleu, il révéla la *Bhagavad Gita* à Arjuna.
Kshatriya – deuxième caste de la hiérarchie hindoue, celle des guerriers et des administrateurs
kund – lac ou réservoir ; village toda
kurta – longue chemise avec petit col ou sans col
Kusa – l'un des deux fils jumeaux de Rama

lakh – 100 000
Lakshmana – demi-frère et fidèle de Rama dans le *Ramayana*
Lakshmi – épouse de Vishnu, déesse de la Richesse ; elle émergea de l'océan en tenant une fleur de lotus.
lama – prêtre ou moine bouddhiste tibétain
lathi – bâton utilisé par la police, en particulier pour contrôler les foules
Laxmi – voir *Lakshmi*
lehanga – jupe très ample ceinturée à la taille par un cordon
lhamo – opéra tibétain
linga (lingam) – symbole phallique de Shiva
lok – peuple
Lok Sabha – chambre basse du Parlement indien (Chambre du peuple)
loka – royaume
Losar – Nouvel An tibétain
lungi – pièce d'étoffe colorée ressemblant à un sarong, ajustée à la taille et portée par les hommes

machaan – tour d'observation
madrasa – école coranique
maha – préfixe qui signifie "grand"
Mahabharata – grand poème épique védique de la dynastie Bharata ; contient environ 10 000 stances décrivant le conflit entre les Pandava et les Kaurava
Mahabodhi Society – fondée en 1891 pour encourager les études bouddhiques
Mahadeva – le Grand Dieu ; Shiva
Mahadevi – la Grande Déesse ; Devi
Mahakala – le Grand Temps ; Shiva et l'un des douze *jyoti linga*
mahal – maison ou palais
maharaja – littéralement "grand roi" ; souverain
maharana – voir *maharaja*
maharao – voir *maharaja*
maharawal – voir *maharaja*
maharani – femme d'un souverain ou souveraine de plein droit
mahatma – littéralement "grande âme"
Mahavir – dernier *tirthankara*
mahayana – bouddhisme du Grand Véhicule ; adaptation plus tardive des enseignements du Bouddha qui met l'accent sur l'idéal du bodhisattva et prône la renonciation au nirvana afin d'aider les autres à atteindre l'Éveil
Mahayogi – le Grand Ascète ; Shiva
Maheshwara – le Grand Seigneur ; Shiva
Mahisa – démon hindou
mahout – conducteur ou propriétaire d'éléphant
Mahratta – voir *Marathes*
maidan – espace public (souvent une pelouse) ; terrain de parade
Maitreya – Bouddha du futur
Makara – créature marine mythique, monture de Varuna ; crocodile
mala – guirlande ou collier
mali – jardinier
mandal – sanctuaire
mandala – cercle ; symbole de l'univers dans l'art hindou et bouddhique
mandapa – pavillon à piliers devant un temple
mandi – marché
mandir – temple
mani (pierre) – pierre gravée du mantra bouddhique tibétain *Om mani padme hum* ("Salut au joyau du lotus")
mani (mur) – mur de pierre tibétain recouvert d'inscriptions sacrées
mantra – syllabes ou mots sacrés psalmodiés par les bouddhistes et les hindous pour favoriser la concentration ; psaumes versifiés d'actions de grâces dans les *Veda*
Mara – personnification bouddhique du Tentateur, souvent représenté avec des dizaines de bras ; également le dieu de la Mort
Marathes – peuple de l'Inde centrale qui, à plusieurs reprises, a contrôlé une grande partie du sous-continent et combattu les Moghols et les Rajput
marg – route
Marut – dieux hindous de la Tempête

masjid – mosquée
mata – mère
math – monastère
maund – unité de poids aujourd'hui abandonnée (environ 20 kg)
maya – illusion
mehndi – henné ; motifs peints au henné sur les mains et les pieds des femmes à l'occasion de certaines fêtes et cérémonies (mariages)
mela – foire ou fête
memsahib – Madame ; façon respectueuse de s'adresser à une femme
Meru – montagne mythique située au centre de la terre, sur laquelle s'étend le Swarga
mihrab – niche creusée dans le mur d'une mosquée qui indique la direction de La Mecque
mithuna – couple homme-femme que l'on retrouve souvent dans les sculptures des temples
Moghols – dynastie musulmane d'empereurs indiens, de Babur à Aurangzeb
Mohini – incarnation féminine de Vishnu
moksha – délivrance finale du cycle du *samsara*
mollah – érudit ou chef religieux musulman
morcha – marche de protestation
mousson – saison des pluies
mudra – mouvements symboliques des mains dans les danses religieuses hindoues ; gestuelle du Bouddha
muezzin – celui qui appelle les musulmans à la prière depuis le minaret
mujtahid – théologien
mullah – école musulmane ou chef religieux
mund – village
muntjac – petit cerf asiatique
murti – statue, souvent d'une divinité
musique carnatique – musique classique du sud de l'Inde

nadi – rivière
naga – créature mythique aux allures de serpent capable de prendre forme humaine
namaskar – voir *namaste*
namaste – salutation traditionnelle hindoue (bonjour ou au revoir) ; elle s'accompagne souvent d'une légère inclinaison du buste, tandis que les mains jointes sont portées à la poitrine ou à la tête ; se dit aussi *namaskar*
namaz – prières musulmanes
Nanda – vacher qui éleva Krishna
Nandi – taureau, monture de Shiva
Narasimha – homme-lion, incarnation de Vishnu
Narayan – incarnation de Vishnu le Créateur
Narsingh – voir *Narasimha*
natamandir – salle de danse
Nataraja – Shiva le danseur cosmique
nautch – danse
nautch girls – danseuses
nawab – prince ou grand propriétaire musulman
Naxalites – mouvement d'extrême-gauche né au Bengale-Occidental ; au départ une révolte paysanne caractérisée par une grande violence
Nilakantha – forme de Shiva figuré avec une gorge bleue pour avoir avalé le poison qui risquait de détruire le monde
nilgai – antilope (taureau bleu)
nirvana – le but suprême des bouddhistes, la délivrance ultime du cycle des réincarnations
niwas – maison, immeuble
nizam – titre héréditaire des souverains de Hyderabad
noth – le Seigneur (jaïn)
NRI – Non-Resident Indian (Indien non-résident) ; diaspora importante pour l'économie du pays
nullah – fossé ou ruisseau

Ôm – invocation sacrée représentant l'essence absolue du principe divin ; si on la répète assez souvent avec la concentration nécessaire, elle permet, selon les bouddhistes, de vider totalement son esprit et son corps
Osho – feu Bhagwan Shree Rajneesh, gourou populaire et controversé

paan – mélange à mâcher à base de noix de bétel enveloppé dans une feuille comestible
padma – lotus ; autre nom de la déesse hindoue Lakshmi
padyatra – "voyage à pied" accompli par les hommes politiques pendant leurs campagnes électorales
pagal – fou, dément ; souvent dit en plaisantant
pagode – voir *stupa*
paise – la roupie indienne se subdivise en 100 paise
palanquin – "véhicule" fermé équipé d'un siège et porté à l'épaule par quatre hommes
pali – langue proche du sanskrit dans laquelle furent rédigées les Écritures bouddhiques ; les érudits se réfèrent toujours à ces textes originaux
palia – mémorial
palli – village
Panchatantra – récits hindous traditionnels sur la nature, le comportement humain et la survie
panchayat – conseil villageois
pandal – grande tente ; pavillon temporaire où est exposée la statue d'une divinité
pandit – expert ou sage ; ce terme peut aussi désigner un rat de bibliothèque
Parasurama – Rama à la hache ; sixième incarnation de Vishnu
parsi – adepte du zoroastrisme
Partition – division de l'Inde britannique en deux États distincts, l'Inde et le Pakistan, en 1947
Parvati – autre forme de Devi
pashmina – châle fin en cachemire
patachitra – peinture sur soie de l'Orissa
PCO – Public Call Office ; téléphone public d'où il est généralement possible de passer des appels nationaux et internationaux

peepul (pipal) – figuier, dit aussi arbre bo (arbre de la Bodhi)
peon – grade le plus bas des employés de bureau
pietra dura – travail d'incrustation du marbre que l'on retrouve notamment au Taj Mahal
pinjrapol – hôpital vétérinaire tenu par des jaïns
pir – saint homme musulman ; titre des saints soufis
POK – Pakistan Occupied Kashmir (partie du Cachemire administrée par le Pakistan)
pradesh – État
pranayama – contrôle du souffle
prasaad – offrande de nourriture bénie dans un temple
puja – littéralement "respect" ; offrandes et prières
pujari – prêtre d'un temple
pukka – correct ; terme issu de l'époque coloniale
pukka sahib – gentleman, homme respectable
punka – éventail en tissu actionné par une corde
Purana – ensemble de dix-huit récits sanskrits du Ve siècle à vocation encyclopédique rédigés en vers et qui se rapportent à la trinité hindoue
purdah – réclusion imposée aux femmes, ainsi que le voile, par les musulmans traditionalistes ; coutume également adoptée par certains hindous, surtout les Rajput
Purnima – pleine lune ; considérée comme une période propice
putli-wallah – marionnettiste ; aussi appelé *kathputli*

Qawwali – terme ourdou désignant des chants religieux accompagnés en musique ; ils étaient à l'origine chantés par les soufis
qila – forteresse

Radha – maîtresse favorite de Krishna, lorsqu'il vivait sous les traits de Govinda, le vacher
raga – l'un des nombreux thèmes mélodiques et rythmiques servant de base à l'improvisation musicale
railhead – terminus d'une ligne de chemin de fer
raj – loi ou souveraineté (renvoie souvent à l'époque de la souveraineté britannique, le Raj)
raja – roi ; parfois *rana*
rajkumar – prince
Rajput – caste de guerriers hindous qui régna autrefois sur le nord-ouest de l'Inde
Rajya Sabha – chambre haute du Parlement indien (Assemblée des représentants des États)
rakhi – amulette
Rama – septième incarnation de Vishnu
ramadan – mois de jeûne musulman (on ne mange, ne boit ni ne fume du lever au coucher du soleil) ; parfois aussi appelé ramazan
Ramayana – histoire de Rama et de Sita et de leur conflit avec Ravana ; l'une des légendes indiennes les plus connues
rana – roi ; parfois *raja*
rangoli – technique illustrative à base de craie, de pâte de riz et de pigments colorés également connue sous le nom de *kolam*
rani – souveraine ou épouse du roi
rann – désert
rasta roko – barrage élevé dans le cadre d'une manifestation
rath – char de procession utilisé lors de fêtes religieuses
Ravana – roi-démon de Lanka qui enleva Sita ; son combat titanesque avec Rama est relaté dans le *Ramayana*
rawal – noble
rickshaw – ou cyclo-pousse ; véhicule léger à deux ou trois roues
Rig-Veda – texte d'origine et le plus long des quatre *Veda* principaux
rishi – poète, philosophe, saint ou sage ; à l'origine l'un des sages auxquels les hymnes des *Veda* furent révélés
Road – ville-gare qui dessert une ville plus importante à l'écart de la voie de chemin de fer, comme Mount Abu et Abu Road
rudraksh mala – colliers de perles utilisés lors d'une puja
Rukmani – épouse de Krishna ; elle mourut sur le bûcher funéraire de son mari

sadar – principal
sadhu – ascète, saint homme, celui qui essaie d'atteindre l'Éveil ; souvent appelé *swamiji* ou *babaji*
safa – turban
sagar – lac, réservoir
sahib – terme de respect masculin
salai – route
salwar – pantalon large habituellement porté avec une *kameez*
salwar kameez – costume traditionnel féminin composé d'une tunique et d'un pantalon
samadhi – dans l'hindouisme, état d'extase parfois décrit comme un "état de transe, de communion avec Dieu" ; pour les bouddhistes, désigne la concentration ; également le lieu de crémation/sépulture d'un saint, vénéré comme un sanctuaire
sambalpuri – tissu de l'Orissa
sambar – cerf
samsara – pour les bouddhistes, les hindous et les sikhs, la vie sur Terre est un cycle infini de naissances et de renaissances conditionnées par le karma de nos vies antérieures
sangam – confluent de deux rivières
sangeet – musique
sangha – communauté ou ordre de prêtres et des nonnes bouddhistes
Sankara – Shiva le Créateur
sanyasin – ascète errant qui a renoncé, comme le *sadhu*, aux choses matérielles, dans le cadre de l'*ashrama*
Saraswati – épouse de Brahma, déesse de la Connaissance ; elle est représentée assise sur un cygne blanc et tenant une *veena*
Sat Sri Akal –salutation sikh
Sati – épouse de Shiva qui devint *sati* ("femme honorable") en s'immolant ; ce rite est encore pratiqué

(à de très rares occasions), bien qu'interdit depuis plus d'un siècle
satra – monastère et centre artistique hindou dédié au culte de Vishnu (néovishnouisme)
satsang – discours d'un swami ou d'un gourou
satyagraha – manifestation non-violente accompagnée d'une grève de la faim popularisée par Gandhi ; "recherche de la vérité" en sanskrit
Scheduled Castes – terme officiel désignant les intouchables ou dalit
sepoy – voir *cipayes*
serai – hébergement pour voyageurs
seva – travail bénévole, en particulier dans un temple
shahada – profession de foi musulmane ("Il n'existe qu'un Dieu, Allah, et Mahomet est son prophète") ; un des cinq piliers de l'islam
shakti – énergie créatrice perçue en tant que divinité féminine ; le shaktisme est le culte correspondant.
sharia – loi islamique
sheesha – voir *hookah*
shikara – bateau en forme de gondole utilisé sur les lacs de Srinagar (Cachemire)
shikhar – partie de chasse
shirting – étoffe dans laquelle sont taillées les chemises
Shiva – le Destructeur, mais aussi le Créateur ; c'est sous cette forme qu'il est symbolisé par le lingam
shola – forêt vierge
shree, shri – préfixe honorifique ; équivalent respectueux de Monsieur
shruti – audition ; ce qui est entendu
shudra – caste des travailleurs
sikhara – temple hindou ou haute flèche le surmontant
singh – littéralement "lion" ; nom de famille adopté par les Rajput et les sikhs
sirdar – chef ou commandant
Sita – déesse hindoue de l'Agriculture, le plus souvent associée au *Ramayana*
sitar – instrument à cordes indien
Siva – voir *Shiva*
Skanda – autre nom de Kartikiya
sonam – karma accumulé à travers les réincarnations successives
soufi – mystique musulman
soufisme – mysticisme musulman
sree – voir *shree*
sri – voir *shree*
stupa – édifice religieux bouddhique composé d'une structure hémisphérique surmontée d'une sorte de flèche ; contient des reliques du Bouddha ; porte aussi les noms de *dagoba* et *pagode*
Subhadra – sœur incestueuse de Krishna
Subrahmanya – autre nom de Kartikiya
suiting – étoffe dans laquelle les costumes (*suits*) sont taillés
Surya – le Soleil ; divinité majeure des *Veda*
sutra – lien ; ensemble de règles exprimées en vers
swami – titre de respect accordé aux moines hindous initiés ; signifie "seigneur du Soi"
swaraj – indépendance
Swarga – paradis d'Indra
sweeper – serviteur de basse caste, à qui sont attribuées les tâches les plus ingrates

tabla – tambour double
tal – lac
taluk – district
tandava – danse hindoue célébrant la victoire cosmique de Shiva
tank – réservoir
tatty – tapis d'herbes tressées mouillé et suspendu aux fenêtres pour rafraîchir les pièces
tempo – bruyant véhicule de transport public à trois roues, plus gros d'un auto-rickshaw
thakur – noble
tanka – peinture tibétaine sur tissu
theertham – bassin dans un temple
theravada – bouddhisme orthodoxe pratiqué à Sri Lanka et dans le Sud-Est asiatique, caractérisé par son adhésion à la doctrine palie ; littéralement "doctrine ancienne"
thiru – saint
tikka – point que les hindous dessinent sur leur front
tilak – point que les hindous dévots dessinent sur leur front
tirthankara – l'un des 24 grands maîtres jaïns
tonga – carriole à deux roues tirée par un cheval ou un poney
torana – architrave surmontant l'entrée d'un temple
toy train – train sur voie à faible écartement ; train miniature
trekker – Jeep ; randonneur
Trimurti – Triple Forme ; la trinité hindoue : Brahma, Shiva et Vishnu
Tripitaka – Écritures du bouddhisme classique, divisées en trois parties, d'où son nom de "Trois Corbeilles"
tripolia – triple entrée

Uma – lumière ; épouse de Shiva
Upanishad – doctrine ésotérique ; textes anciens qui font partie des *Veda* et traitent de sujets aussi fondamentaux que la nature de l'univers et de l'âme.
urs – anniversaire du décès d'un musulman révéré ; fête en mémoire d'un saint musulman

vaastu – création d'un environnement favorable sur le plan cosmique
vaishya – membre de la caste hindoue des commerçants

Valmiki – auteur du *Ramayana*
Vamana – cinquième incarnation de Vishnu, sous la forme d'un nain
varku – flûte sacrée creusée dans un fémur
varna – concept des castes
Varuna – dieu védique suprême
Veda – livres sacrés hindous ; ensemble d'hymnes composés en sanskrit préclassique au IIe millénaire av. J.-C., et divisés en quatre livres : *Rig-Veda*, *Yajur-Veda*, *Sama-Veda* et *Atharva-Veda*.
veena – instrument à cordes
vihara – monastère bouddhique, généralement doté d'une cour ou salle centrale sur laquelle s'ouvrent les cellules des moines ; il comporte habituellement à une de ses extrémités un sanctuaire dédié au Bouddha ; lieu de repos
vikram – *tempo* ou grand *tempo*
vimana – partie principale d'un temple hindou
vipassana – technique de méditation du bouddhisme theravada, dans laquelle le corps et l'esprit sont considérés comme des phénomènes changeants
Vishnu – élément de la Trimurti, le Préservateur et le Restaurateur compte jusqu'à présent neuf avatars : le poisson Matsya, la tortue Kurma, le sanglier Naraha, Narasimha, Vamana, Parasurama, Rama, Krishna et Bouddha

wadi – hameau
wallah – homme ; s'ajoute à n'importe quelle activité : *dhobi-wallah*, *chai-wallah*, taxi-*wallah*, etc.
wav – puits pourvu d'escaliers en Inde du Nord
wazir – titre de Premier ministre utilisé dans certains anciens États princiers musulmans

yagna – automortification
yakshi – jeune fille
yali – créature mythique à forme de lion
yantra – plan géométrique réputé créer de l'énergie
yatra – pèlerinage
yatri – pèlerin
yogini – suivantes des déesses
yoni – symbole de fertilité féminine ; sexe féminin

zakat – l'aumône, un des cinq "piliers de l'islam"
zamindar – propriétaire terrien
zari – fil d'or ou d'argent utilisé dans le tissage
zenana – partie d'une demeure de la haute société où les femmes sont tenues isolées ; partie d'une habitation réservée aux femmes

En coulisses

À PROPOS DE CET OUVRAGE

La 3e édition française du guide *Inde du Nord* est tirée de la 13e édition du guide *India* – un géant, paru pour la première fois en 1981. Sarina Singh a eu le courage d'être l'auteur-coordinatrice de cette 13e édition. L'ont épaulée dans cette vaste entreprise, pour le Nord Lindsay Brown, Mark Elliott, Paul Harding, Abigail Hole, Patrick Horton, Kate James et Daniel McCrohan, pour le Sud Amy Karafin, Adam Karlin, Anirban Das Mahapatra, Amelia Thomas et Rafael Wlodarski.

Traduction Nathalie Berthet, Christine Bouard, Évelyne Haumesser, Julie Marcot et Charlotte Rastello.

CRÉDITS

Responsable éditorial Didier Férat
Coordination éditoriale Dominique Bovet
Coordination graphique Jean-Noël Doan
Maquette Pierre Brégiroux
Cartographie cartes originales d'Adrian Persoglia et David Connolly, adaptées en français par Nicolas Chauveau
Couverture originale fournie par lonelyplanetimages.com, adaptée en français par Alexandre Marchand
Remerciements à Chantal Duquénoy, Sandrine Gallotta, Michel MacLeod et Carole Haché pour leur précieux travail sur le texte, ainsi qu'à Nathalie Abdallah pour sa relecture avisée. Merci à Dolorès Mora pour son appoint décisif. Également un grand merci à Ludivine Bréhier pour son travail au long cours, et à Hadia Laghsini pour le référencement. Enfin, comment pourrait-on ne pas remercier l'irremplaçable Dominique Spaety ! Sans oublier Tracey kislingbury du bureau de Londres et Ruth Cosgrove du bureau australien.

UN MOT DES AUTEURS

SARINA SINGH

En Inde, je remercie les âmes charitables qui ont rendu mon voyage un peu moins chaotique, en particulier Hitender, Kalpana Kumari et Janmejaye Singh qui m'ont adoptée. Merci à Mamta, Anup et Abhinav Bamhi, experts en éradication de stress. Félicitations à toute l'équipe de Lonely Planet pour la magie effectuée sur les manuscrits et merci du fond du cœur, en particulier aux auteurs tenaces pour leurs longs mois de labeur – je vous suis infiniment reconnaissante. Plus personnellement, je remercie chaleureusement Chris Kremmer et William Dalrymple pour la joie que notre collaboration m'a procuré, Nick pour sa grâce et sa bienveillance et mes parents, pour leur attitude extraordinairement cool.

LINDSAY BROWN

Je remercie tous ceux qui, au Rajasthan et au Gujarat, m'ont fait part de leurs connaissances et ont partagé avec moi leur passion, et plus particulièrement Dicky Singh et Satinder Singh à Jaipur, Joshi à Jodhpur, Loise et Chanesar à Jaisalmer, Gouri à Bikaner, et M. Sorathia à Junagadh. Un grand merci à Saleem pour son

LES GUIDES LONELY PLANET

Tout commence par un long voyage : en 1972, Tony et Maureen Wheeler rallient l'Australie après avoir traversé l'Europe et l'Asie. À l'époque, on ne disposait d'aucune information pratique pour mener à bien ce type d'aventure. Pour répondre à une demande croissante, ils rédigent leur premier guide Lonely Planet, écrit sur un coin de table.

Depuis, Lonely Planet est devenu le plus grand éditeur indépendant de guides de voyage dans le monde et dispose de bureaux à Melbourne (Australie), Oakland (États-Unis) et Londres (Royaume-Uni).

La collection couvre désormais le monde entier et ne cesse de s'étoffer. L'information est aujourd'hui présentée sur différents supports, mais notre objectif reste constant : donner des clés au voyageur pour qu'il comprenne mieux le pays qu'il découvre.

L'équipe de Lonely Planet est convaincue que les voyageurs peuvent avoir un impact positif sur les pays qu'ils visitent, pour peu qu'ils fassent preuve d'une attitude responsable. Depuis 1986, nous reversons un pourcentage de nos bénéfices à des actions humanitaires, à des campagnes en faveur des droits de l'homme et, plus récemment, à la défense de l'environnement.

VOS RÉACTIONS ?

Vos commentaires nous sont très précieux et nous permettent d'améliorer constamment nos guides. Notre équipe lit toutes vos lettres avec la plus grande attention. Nous ne pouvons pas répondre individuellement à tous ceux qui nous écrivent, mais vos commentaires sont transmis aux auteurs concernés. Tous les lecteurs qui prennent la peine de nous communiquer des informations sont remerciés dans l'édition suivante, et ceux qui nous fournissent les renseignements les plus utiles se voient offrir un guide.

Pour nous faire part de vos réactions, prendre connaissance de notre catalogue et vous abonner à Comète, notre lettre d'information, consultez notre site web : **www.lonelyplanet.fr**

Nous reprenons parfois des extraits de notre courrier pour les publier dans nos produits, guides ou sites web. Si vous ne souhaitez pas que vos commentaires soient repris ou que votre nom apparaisse, merci de nous le préciser. Pour connaître notre politique en matière de confidentialité, connectez-vous à : www.lonelyplanet.fr/confidentialite/index.cfm

humour et ses prouesses routières. Merci à ma coauteur Sarina Singh et à Jenny, Pat et Sinead, à la maison.

MARK ELLIOTT

Je remercie infiniment, comme toujours, ma très chère épouse (Danielle Systermans) et mes incomparables parents, sources constantes d'amour, d'aide et d'inspiration. Merci également à toute l'équipe du Lonely Planet, notamment à Sam Trafford pour m'avoir envoyé au Cachemire à un moment si particulier et à Sarina avec qui j'ai eu grand plaisir à travailler. En Inde, merci à Jai Chand et sa famille, Rouf John, Jos et Scot, Tom et Hanna, Mona et Suzanne, Maud et Niamh, Brian et Megan, Birgit Bernhard, Evangeline Dimichele et tant d'autres.

ABIGAIL HOLE

Merci mille fois à Sarina pour sa sagesse et ses conseils avisés et à mes autres coauteurs, en particulier Daniel, Amelia, Mark et Patrick. Merci aux secrétaires de rédaction Sam Trafford, Shawn Low et Will Gourlay, et à toute l'équipe éditoriale. Toute ma reconnaissance à Pawas Prasoon de Delhi Tourism, Rajinder, Murad et Tannie Baig, Srishti Bajaj, et Mark Morris. Merci beaucoup à Alex Lieury et Mathieu Chanard. Sans oublier Luca, Mum et Ant pour avoir rendu ceci possible. Je dédie ma contribution à ce livre à Omi, ma formidable et chère grand-mère, décédée pendant mon voyage.

PAUL HARDING

Comme toujours, je remercie Rajinder Kumar à Delhi pour son hospitalité et surtout pour ses conseils en matière de shopping. À Haridwar, Sanjeev Mehta a encore été une mine d'informations et un hôte bienveillant. À McLeod, merci au personnel de Contact and Lla. Merci à M. Thakur de Manali et à Ravi Sharma de Naggar. À Kausani, merci à Vipin Upreti et son équipe. Merci également aux voyageurs que j'ai croisés et qui m'ont fait part de leurs histoires et de leur expérience, en particulier à Kenric, qui apparaissait partout où j'allais ! Remerciements pleins d'amour à Hannah, à la maison. Enfin et surtout, merci à Sarina Singh pour son soutien merveilleux, à Sam Trafford, secrétaire de rédaction exceptionnelle et aux secrétaires d'édition et cartographes du Lonely Planet pour leur dur labeur.

PATRICK HORTON

Aucun auteur ne peut espérer écrire quoi que ce soit de valable sans l'aide des gens sur le terrain. Un immense merci à Hermanta Dass de Network Travels. Il m'a fait traverser la région particulière du Nord-Est en qualité de chauffeur, de guide, et d'ami. Il a ri à mes blagues et était toujours partant pour partager une Kingfisher le soir, après notre journée de travail, en général vers 21h. Connaissant tout le monde dans l'industrie touristique, il a été capable d'intimider et de persuader les responsables de la délivrance de ces satanés permis de me laisser entrer afin que je visite chacun des États, une première pour un auteur depuis longtemps. Dans le Sikkim, je n'aurais pu aller nulle part sans Tensing Namgyal de Namgyal Tours and Travels, qui a lui aussi facilité l'obtention de permis et m'a fourni moyens de transport et guides.

KATE JAMES

Chris et Luffy ont gardé ma maison : merci, les gars. Chez Lonely Planet, merci à l'équipe des secrétaires de rédaction, à Sarina Singh, à la responsable éditoriale Alison Ridgway et à la cartographe Mandy Sierp. Au Bengale-Occidental, je remercie Andrew Pulger, Debal Deb et surtout Martyn Brown de Kali Travel Home. Merci aux compagnons de route qui ont partagé Jeep, bières, et bons tuyaux, en particulier à Jo, Sarah et Naomi pour leur amitié survenue à point nommé et à Gary pour m'avoir montré les feux d'artifice de Diwali au-dessus de Puri.

DANIEL MCCROHAN

Merci à tous les voyageurs que j'ai rencontrés pour leurs superconseils et leurs bonnes blagues, en particulier Lo Tallon, Jourdain Gadoury, Dan Snuggs et James Ashton. À Agra, un grand merci à Ramesh de la Tourist Rest House pour son aide concernant l'État tout entier. À Lucknow, remerciements chaleureux à Naheed pour ses conseils sur la ville et pour son superaccueil. Je remercie Sheevendra à Bandavgarh et Dhanya à Pench pour leurs connaissances indispensables en matière de tigres. Comme toujours, mes remerciements les plus chaleureux vont à ma famille au Royaume-Uni et à Taotao en Chine pour leur amour et leur patience.

À NOS LECTEURS

Nous remercions vivement les lecteurs qui ont utilisé la précédente édition de ce guide et qui ont pris la peine de nous écrire pour nous communiquer informations, commentaires et anecdotes :

A Chloé Arnoux, Pierre-Emmanuel Aubry **B** Hélène Banti, Linda Battaglia, Céline Bernard, Laurent Berthelin, A. Bertrand, Danielle Blommaert, Alain Bogdan, Annick Boissarie, Myriam Bonnefoy, T. et D. du Bouëtiez de Kerorguen **C** Yasmine Cherkaoui, Julie Colombani, Françoise Cruells **D** Catherine Danion, Alain et Béatrice Deforche, Fabienne Demierre, Brigitte et Christian Descloux, Éric Donze, Lionel Duplicy, Marjorie Durand **E** Nadia Ennajmi, Alexandre Epinat, Jeanne-Charlotte Eude **F** Martine Fernandez, Stéphanie Feugère, Yvana Flation, Vivian et Christelle Fondrevelle, Thibault Fornas, Agnès Francoual, Édouard Franqueville, Gerda Fransen, Christian Fremin **G** Jean-Claude Gaillot, Nicolas Gauch, Sylvie Gibson, Magali Giordano, Neva, Jacky et Sonam Gotthilf, Gisèle Glavzy, Sibille Greindl, Marie et Baptiste de Guerdavid, J.D. Guilhaumon, Sandrine Guisier **H** Delphine Héritier J Marie-Noëlle Jaffré **K** Agnès Kavciyan, Francis Kay, Cecilia Klinteback, Dev Kkumarumar, Héliade Khripouchine **L** Pascale Laenen, Julien Legrand, Dorian Lemoine, José Leroux, Céline Leroy, Fabienne Le Teurnier, Kelly Lévy, Daniel et Dominique Lindé **M** Gilles Magne, Jean-Yves Maisonnasse, Julien Massot, Mélanie Mathys, Rachel Mérigot, Eddy Mespreuve, Magali Michotte, Lionel Millon, Maeliss et Nicolas Moreau, Stéphane Morelli **N** Emmanuelle Noguier **O** Odalain **P** Sheila Padiglia, Didier Pavia, Bernadette Pineau, Céline Planche, Colette Poos **Q** Jean-François Quèze, **R** Élodie Raimbault, Thomas Raveaud, Pauline Robinet, Sébastien Rossel **S** Stéphane Sanchez, Mischka Schindler, Bernard Schlemmer, Aurélien Schots, Diane Souffront-Vendeuvre **T** Éloise Texier, Stéphane Thibault, Barbara Thonney, Ingrid Thuet, Frédéric Tinland, Didier Truffot **V** Claude Vérynaud

REMERCIEMENTS

Merci à ©Mountain High Maps 1993 Digital Wisdom, Inc. pour nous avoir autorisé à utiliser l'image de la mappemonde sur la page de titre.

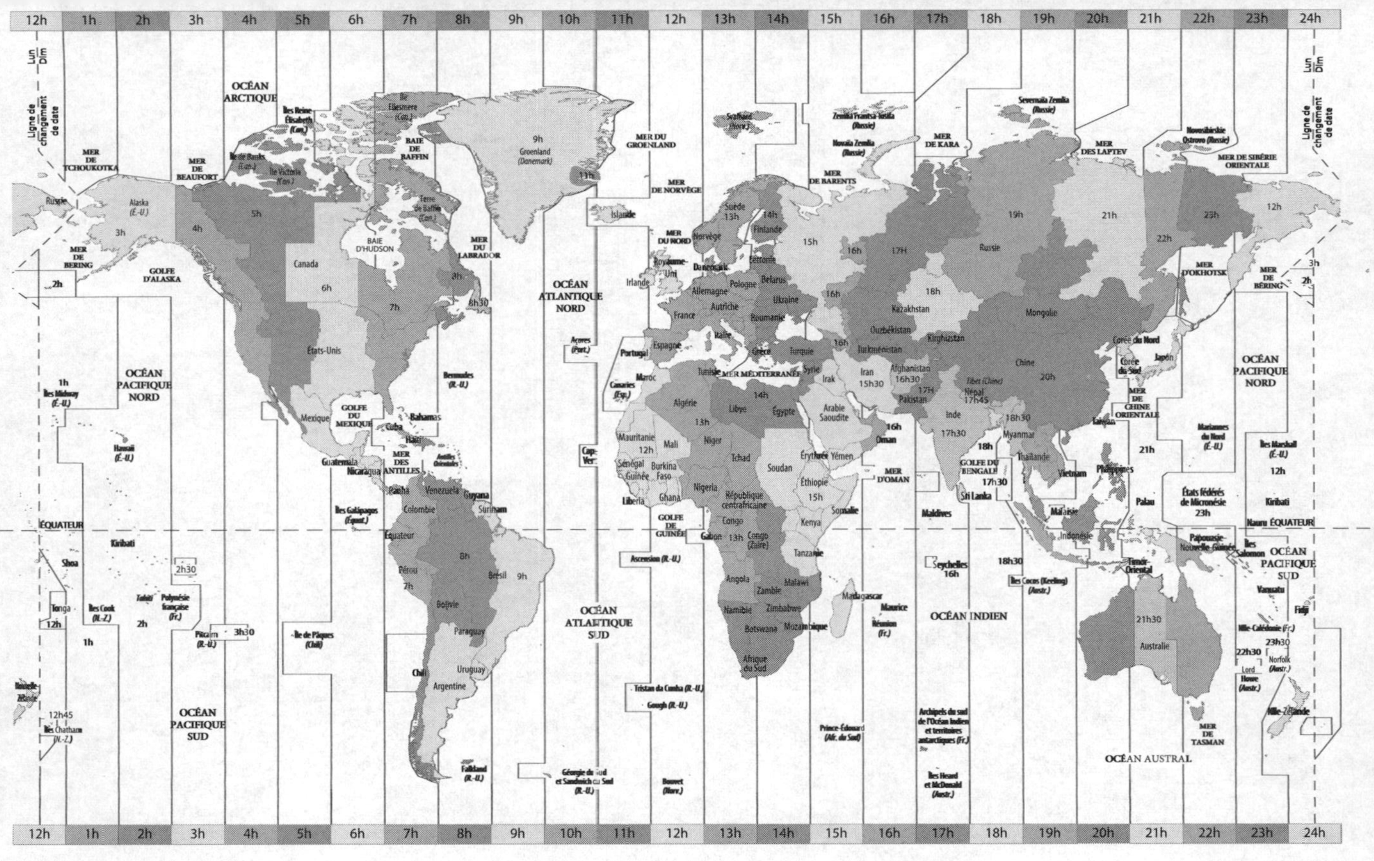
12h
1h
2h
3h
4h
5h
6h
7h
8h
9h
10h
11h
12h
13h
14h
15h
16h
17h
18h
19h
20h
21h
22h
23h
24h
Lun Dim
Ligne de changement de date
OCÉAN ARCTIQUE
MER DE TCHOUKOTKA
MER DE BEAUFORT
Russie
Alaska (É.-U.)
MER DE BERING
GOLFE D'ALASKA
Île Ellesmere (Can.)
BAIE DE BAFFIN
Terre de Baffin (Can.)
BAIE D'HUDSON
Canada
États-Unis
MER DU LABRADOR
Groenland (Danemark)
MER DU GROENLAND
MER DE NORVÈGE
Islande
OCÉAN ATLANTIQUE NORD
Açores (Port.)
Bermudes (R.-U.)
OCÉAN PACIFIQUE NORD
Îles Midway (É.-U.)
Hawaii (É.-U.)
Mexique
GOLFE DU MEXIQUE
Bahamas
Cuba
Haïti
MER DES ANTILLES
Guatemala
Nicaragua
Panama
Venezuela
Guyana
Surinam
Colombie
Îles Galápagos (Équat.)
ÉQUATEUR
Équateur
Kiribati
Pérou
Brésil
Bolivie
Paraguay
Chili
Uruguay
Argentine
Falkland (R.-U.)
Île de Pâques (Chili)
Pitcairn (R.-U.)
Tahiti
Polynésie française (Fr.)
Îles Cook (N.-Z.)
Tonga
Îles Chatham (N.-Z.)
Nouvelle-Zélande
OCÉAN PACIFIQUE SUD
Svalbard (Norv.)
MER DU NORD
Irlande
Royaume-Uni
Norvège
Suède
Finlande
Danemark
Allemagne
Pologne
Belarus
Ukraine
France
Autriche
Roumanie
Portugal
Espagne
Italie
Grèce
Turquie
Canaries (Esp.)
Maroc
Tunisie
MER MÉDITERRANÉE
Syrie
Algérie
Libye
Égypte
Mauritanie
Mali
Niger
Sénégal
Guinée
Burkina Faso
Tchad
Soudan
Érythrée
Yémen
Éthiopie
Somalie
Liberia
Ghana
Nigeria
République centrafricaine
GOLFE DE GUINÉE
Gabon
Congo
Congo (Zaïre)
Kenya
Tanzanie
Ascension (R.-U.)
OCÉAN ATLANTIQUE SUD
Angola
Zambie
Malawi
Namibie
Zimbabwe
Botswana
Mozambique
Afrique du Sud
Madagascar
Maurice
Réunion (Fr.)
Tristan da Cunha (R.-U.)
Gough (R.-U.)
Géorgie du Sud et Sandwich du Sud (R.-U.)
Bouvet (Norv.)
Prince-Édouard (Afr. du Sud)
Zemlia Frantsa-Iossifa (Russie)
Novaïa Zemlia (Russie)
MER DE BARENTS
MER DE KARA
Russie
Kazakhstan
Ouzbékistan
Turkménistan
Kirghizstan
Iran
Irak
Afghanistan
Pakistan
Arabie Saoudite
Oman
MER D'OMAN
Inde
Tibet (Chine)
Népal
GOLFE DU BENGALE
Sri Lanka
Maldives
Seychelles
OCÉAN INDIEN
Archipels du sud de l'Océan Indien et territoires antarctiques (Fr.)
Îles Heard et McDonald (Austr.)
Severnaïa Zemlia (Russie)
MER DES LAPTEV
Novosibirskie Ostrova (Russie)
MER DE SIBÉRIE ORIENTALE
Mongolie
Chine
Myanmar
Thaïlande
Vietnam
Malaisie
Indonésie
Îles Cocos (Keeling) (Austr.)
Philippines
Taiwan
MER DE CHINE ORIENTALE
Corée du Nord
Corée du Sud
Japon
MER D'OKHOTSK
Palau
Timor-Oriental
Papouasie-Nouvelle-Guinée
États fédérés de Micronésie
Mariannes du Nord (É.-U.)
Îles Marshall (É.-U.)
Nauru
Îles Salomon
Vanuatu
Fidji
Nlle-Calédonie (Fr.)
Norfolk (Austr.)
Lord Howe (Austr.)
Nlle-Zélande
Australie
MER DE TASMAN
OCÉAN AUSTRAL
OCÉAN PACIFIQUE SUD

Index

Les références des cartes sont indiquées en **gras**.

INDEX

INDEX

INDEX

INDEX

INDEX

Q

R

INDEX

31-03-10

Bill II / Life to A/c 2 T.

A-2

360-~ Three hundred sixty only.

360-

ध्य रेल/C. RLY. अतिरिक्त किराया टिकट EXCESS FARE TICKET वाणिज्य Comml. T.13 इतर

THROUGH

की तारीख Date of Issue ______ संख्या No. 01 H746597

नाम Name ______ गाड़ी नं. Train No. ______ स्टे. जहां वसूली की Collected at ______

./जी.सी. सं. यदि लिया है .C. if held, No. ______ से From ______ तक To ______ दर्जा Class ______

की संख्या (अंकों में) No. of Passengers (in fig) ______ (शब्दों में) (in words) ______

जहां से वैध Available from ______ तक To ______ बरास्ता Via ______ दर्जा Class ______

के कारण Reasons for charge ______

	क्विंटल Qtl.	कि.ग्रा.Kg.		रू. Rs.
न Wt.			किराया Fare	
वजन की छूट allowance			अतिरिक्त किराया Excess fare	
रक्त वजन ess Wt.			सामान भाड़ा Luggage Freight	
वजन chargeable			कुल राशि Total amount	

कुल राशि (शब्दों में) Total Amount (in words) ______

स्टे.मा./च.टि.प./टि.संग्रा.के हस्ताक्षर *Sig. of SM/TTE/TC*

हेडक्वांटर स्टेशन HQ. Station ______

का नाम/हस्ताक्षर Name/Sig. of passenger ______

मुहर Stamp ______

विराम के लिए पृष्ठांकन Endorsement for break-journey

न Station ______ आगमन की तारीख Date of arrival ______ स्टे.मा./टि.संग्रा.के हस्ता. Sig. of SM/TC ______

रेलवे पर टिकट उपलब्ध हो उसके नियमों और विनियमों के अधीन जारी ।

(अहस्तांतरणीय Non Transferable)

ed subject to the Rules and Regulations of the Railway over which the ticket is available.

यात्री PASSENGER

U

V

W

X

Y

INDEX DES ENCADRÉS

Activités

Arts, cultures et traditions

Histoire et société

Nature et environnement

Religions et spiritualité

Pratique

INDEX

INDEX

Index écotouristique

Les organismes suivants ont été sélectionnés pour leur engagement en faveur du développement durable. Les raisons pour lesquelles nous avons choisi ces entreprises ou associations sont variées : certaines remplissent les gourdes avec de l'eau potable et réinjectent leurs profits dans la communauté en utilisant des produits locaux ; d'autres aident les réfugiés en leur fournissant un emploi ou encore investissent leurs bénéfices dans des associations locales. Les écolodges et les organisateurs de treks qui prennent soin de l'environnement et minimisent notre impact sur l'environnement sont également cités.

Nous souhaitons continuer à étoffer notre liste d'adresses écologiques. Si vous pensez que nous avons omis un établissement qui devrait figurer ici, ou si vous désapprouvez nos choix, n'hésitez pas à nous en faire part sur le site Internet : **www.lonelyplanet.fr**

lonely planet
guide
de conversation
Thaï
Dictionnaire bilingue inclus

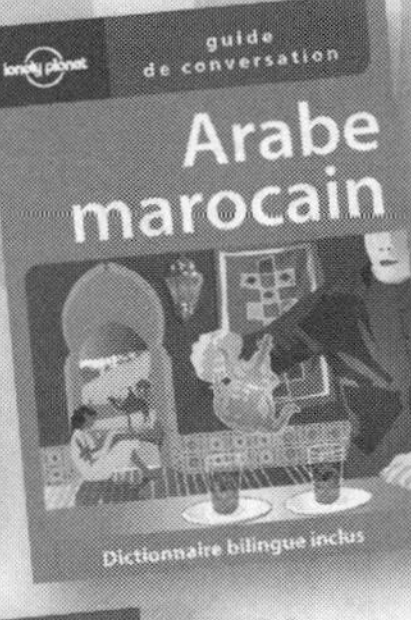
lonely planet
guide
de conversation
Arabe
marocain
Dictionnaire bilingue inclus

lonely planet
guide
de conversation
Hindi, ourdou
et bengali
Pour ne pas garder sa langue dans sa poche !

lonely planet
guide
de conversation
Japonais

Dictionnaire bilingue inclus

lonely planet
guide
de conversation
Polonais
Pour ne pas garder sa langue dans sa poche !

lonely planet
guide
de conversation
Vietnamien
Pour ne pas garder sa langue dans sa poche !

lonely planet
guide
de conversation
Portugais
et brésilien
Pour ne pas garder sa langue dans sa poche !

lonely planet
guide
de conversation
Mandarin
Pour ne pas garder sa langue dans sa poche !

lonely planet
guide
de conversation
Turc
Pour ne pas garder sa langue dans sa poche !

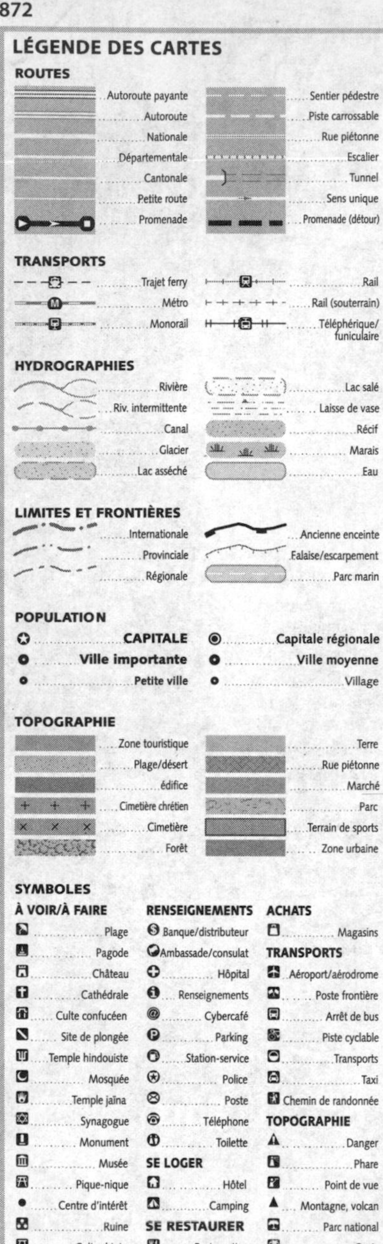

Inde du Nord
3e édition
Extrait, traduit et adapté de l'ouvrage *India* (*13th edition*), *September 2009*

Traduction française :

place des éditeurs

12 avenue d'Italie, 75627 Paris cedex 13
☎ 01 44 16 05 00
lonelyplanet@placedesediteurs.com
www.lonelyplanet.fr

Dépôt légal
Janvier 2010
ISBN 978-2-84070-929-9

Photographie de couverture : Jeune femme pliant des saris au Rajasthan. Bruno Morandi/Agefotostock. La plupart des photos publiées dans ce guide sont disponibles auprès de notre agence photographique Lonely Planet Images : www.lonelyplanetimages.com

Imprimé par Grafica Veneta, Trebaseleghe, Italie